Diccionario de términos económicos, financieros y comerciales

Ariel

Ariel Referencia

Enrique Alcaraz Varó
y Brian Hughes

Diccionario de términos económicos, financieros y comerciales

Inglés-Español
Spanish-English

3.ª edición, renovada y actualizada

Editorial Ariel, S.A.
Barcelona

Diseño cubierta: Nacho Soriano

1.ª edición: enero 1996
2.ª edición, renovada y actualizada: abril 1997
1.ª reimpresión: octubre 1998
3.ª edición: abril 2000
1.ª reimpresión: diciembre 2000
2.ª reimpresión: octubre 2001
3.ª reimpresión: noviembre 2002

ISBN: 84-344-0507-5

Depósito legal: B. 45.647 - 2002

Impreso en España

INTRODUCCIÓN

El **Diccionario de Términos Económicos, Financieros y Comerciales (Inglés-Español, Spanish-English)** va dirigido principalmente a los traductores y a los estudiantes y profesionales de las distintas ramas de las ciencias económicas, empresariales y jurídicas, aunque estimamos que también puede ser de ayuda a los periodistas, así como a los empresarios del comercio internacional. Este diccionario es continuación y complemento del publicado hace unos años por los mismos autores, con el título de *Diccionario de Términos Jurídicos, Inglés-Español, Spanish-English*, dentro de los estudios universitarios conocidos con el nombre de IFE o inglés para fines específicos (*ESP, English for Specific Purposes*) y aborda, con una metodología similar a la de su antecesor, el estudio comparado (inglés-español, español-inglés) del léxico del mundo de la economía, las finanzas y el comercio.

El lenguaje de los términos económicos, financieros y comerciales

Pese a que a simple vista pueda parecer idéntica la terminología propia de los tres mundos de referencia, en realidad cada uno tiene sus características peculiares, las cuales se manifiestan con mayor claridad en el léxico y también en el registro sociolingüístico o grado de formalidad de la expresión.

El lenguaje de los términos económicos

El registro del lenguaje económico es, en general, bastante más formal y académico que el de los términos financieros. La economía es una materia universitaria y, como tal, su vocabulario es en gran parte de raíz latina. Desde luego, no es extraño encontrar palabras económicas de origen anglosajón como *clawback* (recuperación, capacidad de reacción), *upturn/downturn* (repunte/caída o bajón), etc., pero la verdad es que los términos más corrientes son de origen latino, como *adverse selection* (antiselección o selección adversa), *moral hazard* (riesgo moral), *multiple correlation coefficient* (cociente o coeficiente de correlación múltiple), *arc elasticity of demand* (elasticidad-arco de la demanda), *command economy* (economía autoritaria), *law of diminishing returns* (ley de los rendimientos decrecientes), etc.

En este sentido, la traducción de los términos económicos plantea evidentemente menos dificultades, aunque, como siempre, habrá que esquivar los «falsos amigos» léxicos, o términos cognados, que existen en todos los niveles lingüísticos, como por ejemplo, el término *marginal*, que en muchas ocasiones equivale a «incremental», o «de incremento»; o *commodity*, que no es «comodidad» sino «mercadería, mercancía, producto»; o *clearing bank/house*, que no es «banco de aclaración» sino «cámara de compensación»; o *dishonour*, que no es «deshonrar» sino «rechazar o no aceptar».

Al revés, conviene no precipitarse en la traducción de ciertos términos castellanos, como por ejemplo «clientes», que, si bien equivale a *clients, customers*, en contextos comerciales suele traducirse por *debtors* (literalmente, «deudores») en el inglés peculiar y de rancia tradición de los contables. En este mismo contexto de los libros de contabilidad, el vocablo *liabilities*, que en otras circunstancias podría tener el sentido de «responsabilidades», se traduce por «pasivo», que es el término que rige entre nosotros desde hace muchas generaciones.

EL LENGUAJE DE LOS TÉRMINOS FINANCIEROS

Una cuestión distinta es el lenguaje del ámbito financiero. Es difícil leer los periódicos y revistas de carácter financiero sin encontrar expresiones coloquiales como *The pound took a beating* (La libra quedó maltrecha o fue vapuleada), *Firms in the sector have beefed up their prices* (Las empresas del sector han pegado una subida brutal a los precios), *Buck the market* (pegarle una sacudida al mercado, oponerse a la tendencia del mercado), etc. Por este motivo hemos incluido en nuestro diccionario muchas expresiones coloquiales relacionadas con el mundo de las finanzas.

En 1993 se cumplió el 150 aniversario de la aparición de la revista semanal *The Economist*, publicación que ha influido y sigue influyendo, de forma directa, en el campo de la economía y, de forma indirecta, en el código lingüístico del llamado *IFE* o inglés para fines específicos. En la economía, porque ninguno de sus artículos lleva firma y, como lo que en ellos se dice normalmente se cumple en un plazo muy breve o tiene una influencia clara, los autores de los mismos tienen fama de personas autorizadas en el mundo del dinero y de los negocios; por esta razón, algunos economistas estiman que *The Economist* es, en cierto modo, el gobierno del mundo económico en la sombra. En la lingüística también ha influido porque, desde su nacimiento, esta publicación en su hoja de estilo se marcó como objetivo utilizar el lenguaje asequible al común de los mortales, lenguaje que muestra una preferencia marcada por los términos coloquiales.

Estas dos características, que aún se conservan, el anonimato de los artículos y la expresión popular de los términos financieros, las impuso el fundador de *The Economist* hace más de 150 años. Pero el hecho de que se utilicen palabras de la calle en las expresiones financieras no representa ninguna ventaja para el traductor, sino más bien un inconveniente, porque estos vocablos son casi todos de origen anglosajón, es decir, no se parecen a los nuestros y, además, llevan la impronta inconfundible del registro coloquial, no siempre fácil de captar.

Asimismo, conviene tener presente que, mientras que los economistas «puros» se han formado en las universidades, en las que muchos imparten docencia, al tiempo que otros trabajan en las altas esferas de la Administración o de la política, los profesionales de las finanzas y del comercio son hombres y mujeres curtidos en mil batallas en los mundos durísimos de la banca, las instituciones financieras, las Bolsas y los negocios. Y está claro que las tensiones propias de los negocios, unidas a la rapidez con que la realidad mercantil evoluciona y cambia, propician la flexibilidad lingüística y fuerzan la creación constante de nuevos términos, que llevarán inevitablemente el sabor o registro coloquial de la calle (por ejemplo, «la pela es la pela») y el eco del fragor de las luchas que se libran en las operaciones financieras.

Añadamos a estas consideraciones que el inglés de los norteamericanos, que es el que con más fuerza se está imponiendo a todos los niveles de la vida social en los países de habla inglesa, y también, por el poderío de la economía de los Estados Unidos, en casi todos los países del mundo, siempre se ha caracterizado por la clara preferencia dada al estilo coloquial y relajado y aun a la expresión dicharachera, hábil o colorista. Y recordemos también que, bien mirado, el mundo de las finanzas es un mundo de riesgos, de especulación, en una palabra, de juego. Pues bien, los pueblos anglohablantes, todos ellos, son extraordinariamente aficionados a los juegos de azar, y una parte nada desdeñable del riquísimo vocabulario del juego se ha incorporado, de forma absolutamente espontánea, al lenguaje de la Bolsa y del sector empresarial en general. Lo más paradójico de todo, desde el punto de vista del traductor español, es que precisamente la parte de este discurso que menos trabajo le cuesta incluso al anglohablante no especializado en el lenguaje financiero es la que más quebraderos de cabeza ocasiona cuando se tiene que verter a un castellano a la vez natural y comprensible: *pull a fast one* (darle a uno el cambalache), *gang up on, be in cahoots* (conchabarse), etc.

He aquí algunas de las principales características del inglés de las finanzas:

1. *La tendencia hacia el lenguaje popular y coloquial*

Frente al inglés jurídico, o el de la economía, que se decanta por un lenguaje más formal y conservador, al inglés de las finanzas le gustan las expresiones populares y familiares, y las de la vida diaria. Por ejemplo, para referirse a una especulación rápida en Bolsa hablan de *a quickie* o de *in-and-out*. Otro ejemplo nos lo ofrecen las lavadoras, las cuales pueden ser de carga frontal/delantera o de carga superior; pues bien, sirviéndose de esta imagen referida a la carga de las lavadoras, los préstamos bancarios pueden ser *front-loading loans* y *back-loading loans*, es decir, «préstamos con carga delantera» y «préstamos con carga trasera», que son respectivamente préstamos en los que los términos amortizativos son más altos al principio, en el caso de *front loading loans*, y más altos al final, en los *back-loading loans*, por lo que una traducción aproximada, si queremos huir de la imagen popular de «carga delantera» y «carga trasera» sería «préstamos con términos amortizativos decrecientes» y «préstamos con términos amortizativos crecientes». He aquí otras expresiones populares:

Belt and suspenders (cinturón y tirantes). Con esta expresión se alude a un tipo de «préstamo con caución» —*secured loan*— de las máximas garantías, o sea, «préstamo superasegurado», porque el prestamista duda de la solvencia crediticia —*creditworthiness*— del prestatario; en estas ocasiones, los bancos «amarran bien los préstamos», dicho de una forma expresiva «con cinturón y tirantes», a fin de que al prestamista no se le caigan los pantalones y se encuentre en una situación embarazosa.

Haircut (corte de pelo) alude, en los mercados financieros, al recorte que se aplica al valor nominal o de mercado de la cartera de un corredor de Bolsa a fin de calcular el capital neto que representa.

Bed-and-breakfast deal (negocio de cama y desayuno). Esta expresión bursátil se aplica a «la venta de valores bursátiles por la noche y la compra de los mismos a la mañana siguiente», con el fin de declarar, a efectos fiscales, minusvalías que puedan compensar otras plusvalías.

Straddle (cono, [posición de] cobertura a horcajadas, posición de riesgo compensado) es una estrategia especulativa mixta consistente en la compra de una opción de compra —*call option*— y otra de venta —*put option*— con los mismos precios de ejercicio —*strike prices*—, generalmente idénticos al del mercado del activo subyacente —*underlying asset*—, y las mismas fechas de vencimiento —*expiry dates*—; es una estrategia de espera, bastante segura, sobre todo cuando los valores de los títulos garantizados son muy volátiles, aunque con esta estrategia también se pueda uno «romper una pierna» —*break a leg*—, es decir, sufrir una gran pérdida, siendo en este caso *leg* cada una de las opciones —*options*— que forman el cono o *straddle*; el término está relacionado con la idea de «seto» —*hedge*—, o pequeño parapeto, que es como se llama la situación de cobertura o riesgo compensado, y remite a la imagen gráfica de alguien sentado encima de un seto con una pierna a cada lado, es decir, bien asegurado.

Evergreen loan (préstamo perenne, siempre verde, como los árboles *evergreen*) es el descubierto bancario permanente o crédito sin vencimiento determinado; en este tipo de descubierto los bancos eximen a los buenos clientes del requisito de «autosuficiencia económica» (*self-help principle*), por medio de la llamada «limpieza general» —*clean-up requirement*—, que se les exige de forma regular, para mostrar la viabilidad de su proyecto empresarial.

Back door (la puerta de atrás) es en realidad el «redescuento por la puerta falsa». Cuando el tipo de descuento interbancario —*discount/bank rate*— es muy elevado, el Banco de Inglaterra o cualquier Banco Central compra por la puerta de atrás, a tipo de mercado —*market rate*—, Letras del Tesoro o *Treasury Bills* que se encuentren en poder de los bancos de descuento o *discount houses*, con el fin de inyectar dinero efectivo en los mercados monetarios y, de esta manera, aliviar —*ease*— las tensiones de liquidez; esta operación es distinta a la del redescuento normal o «por la puerta delantera» (*front door*).

Después de lo dicho anteriormente, se puede comprender que el registro coloquial no puede estar ausente de un diccionario de esta naturaleza, por ser éste el estilo que encontramos en un gran número de las publicaciones de carácter financiero.

2. El dominio del léxico anglosajón

Una consecuencia de la tendencia del léxico financiero hacia lo popular y coloquial es la gran carga de términos de origen anglosajón (*cashflow, floor, gap, swap, dealer, broker, jobber, call, roll-over, put, call, etc.*), que contrasta con el vocabulario de base latina del lenguaje económico. El ciudadano medio, al parecer, se encuentra más a gusto con estas palabras de origen anglosajón que con las de origen latino. Por ejemplo, los términos «protección», «cobertura» o «defensa» serían normalmente *protection, covering* o *defence*; pues bien, en el inglés financiero la protección contra riesgos especulativos se expresa, como hemos dicho antes, con *hedge* que, como sustantivo significa «seto» y, como verbo, «protegerse con un seto o barrera». Otro ejemplo nos lo ofrece la palabra *swap*. En inglés existen dos vocablos de origen latino, *change* y *exchange*, para expresar la idea de «cambio, intercambio, canje». Recientemente para la idea de «permuta financiera» se prefiere el término anglosajón *swap*, conforme se ve en expresiones como *debt for bond swap, debt for equity swap, etc.*; y los tipos de permutas financieras, que pueden ser muy variados, se expresan con términos muy coloquiales como *vanilla swap, cocktail swap, circus swap*, etc.

Nos guste o no, estos términos anglosajones, debido a su brevedad y originalidad, están entrando también en la jerga de los financieros españoles quienes, por comodidad y también por precisión y expresividad, hablan de *swaps* en vez de «permutas financieras», de *straddles* en vez de «posiciones de cobertura a horcajadas», de *rating* en vez de «calificación crediticia», de *forwards* en vez de «contratos a plazo», etc., al ser los términos españoles más largos y no siempre tan unívocos. Nosotros, por nuestra parte, nos hemos esforzado por ofrecer, en casi todos los casos, traducciones alternativas, con la modesta pretensión de preservar, hasta donde sea posible, las características de nuestro idioma. De todas formas, el futuro de estos términos en nuestra lengua, si es que su vida como figuras financieras es larga, es imprevisible: puede que gane la traducción española, puede que pasen al castellano como neologismos adaptándose, hasta donde sea posible, a las reglas fonotácticas de nuestra lengua, en forma de «suop», «estrádel», «reitin», etc., puede que se queden como están, o puede que convivan las tres posibilidades anteriores como variantes estilísticas de los mismos conceptos. El tiempo lo dirá.

3. *La expresividad de las imágenes*

Ejemplos de la fuerza creativa que tiene a veces el inglés financiero sería el uso de la imagen del curso del río (*mainstream, upstream, downstream*) para hablar del sentido de las relaciones empresariales entre una empresa matriz y sus filiales. En el primer caso, —*mainstream*— las aguas, es decir, las actividades financieras, siguen el curso normal, que por lo general es el dominio de la empresa matriz sobre sus filiales; en el segundo caso —*upstream*—, las actividades financieras, por ejemplo, flujos de fondos conseguidos en buenas condiciones financieras por la empresa filial, «ascienden» desde ésta hacia la casa matriz; y en el tercer caso, —*downstream*— la dirección de los flujos es la inversa. La traducción al castellano podría ser «flujo normal», «flujo ascendente» y «flujo descendente»; y si no se quiere perder la imagen original usaríamos «curso normal», «aguas arriba» o «aguas abajo».

4. *Lo festivo en los juegos de palabras*

Mas no es sólo lo popular lo que sobresale. Dentro de este lenguaje cotidiano debemos resaltar la importancia que tiene el gusto por lo lúdico y lo festivo; por ejemplo, existe en finanzas el término *concert party*, es decir, el grupo concertado de inversores que se ponen de acuerdo para adquirir la mayoría de acciones de una empresa por oferta directa o mediante una OPA. Pero este término también tiene connotaciones de «concierto» y de «fiesta»; por lo que para contrarrestar los efectos del *concert party* normalmente surge el *fan club*, el «club de 'fans' o admiradores», cuyo objetivo no es otro que evitar la acción negativa del *concert party*. Los títulos de los artículos de las revistas son otra fuente de recursos lúdicos, por su constante explotación de los juegos de palabras. Así, el título de un artículo referido a la baja calificación dada por una agencia de calificación financiera —*rating bureau*— a la deuda emitida por una ciudad importante norteamericana es *Stranded and Poor* (pobres y desamparados), que recuerda el nombre de la agencia que efectuó la calificación *Standard & Poor*.

5. *Las siglas y las formas lingüísticas mutiladas*

El gusto por lo lúdico o divertido también se percibe en otra tendencia del lenguaje anglosajón: el amor a las formas mutiladas y a las siglas. Por ejemplo, en vez de *tomorrow*, con frecuencia se emplea *tom*, que también podría ser la forma abreviada de *Thomas,* y *deb* por *debenture* o por *debit*, que recuerda igualmente a la forma familiar de Deborah. Para decir que una inversión, apuesta, etc. es completamente segura, o sea, que no puede fallar se dice *dead cert*, siendo *cert* la forma mutilada de *certainty*.

Y las siglas no sólo son muy abundantes sino también ingeniosas y divertidas. Por ejemplo, *eyes* (títulos con rendimientos mejorados con acciones) corresponde a *equity yield enhancement securities*; *colt*, que puede ser un «potro» o «un tipo de rifle», corresponde a *continuously offered long-term securities*, que son unos pagarés a muy largo plazo, emitidos por primera vez en 1986 por el Banco Mundial; el sistema de compensación interbancaria internacional, con sede en Nueva York, se llama *CHIPS*, palabra que a primera vista quiere decir «ficha de teléfono», «patata frita» o «chip informático». Pues bien, este *Chips* es el acrónimo correspondiente a *Clearing House Inter-Bank Payment System*, organización norteamericana para la compensación electrónica de transferencias bancarias internacionales en dólares. Y los ingleses se han inventado otro término, también lúdico, para este organismo: *CHAPS*, que en el lenguaje diario quiere decir «chicos, amigos, muchachos, etc.», pero que, en este caso, no es más que el acrónimo de *Clearing House Automated Payment System*, es decir, la organización europea, con sede en Londres, para la compensación electrónica de transferencias bancarias internacionales en libras esterlinas. Otra sigla novedosa y muy expresiva es *STRIPS*, la cual nace de *Separate Trading of Registered Interest and Principal Securities* y alude a la segregación de los flujos que genera un bono a lo largo de su vida. Es expresiva porque *strip* en inglés connota la idea de «segregación», ya que significa «desvestir, cortar a tiras, descortezar, etc.».

6. *Las expresiones referidas a animales*

De todos son conocidos los términos bursátiles *bull* y *bear*. El primero es el «toro» y el segundo el «oso»; pero en la Bolsa se aplican respectivamente al especulador alcista y al especulador bajista, es decir, a los especuladores que compran o venden valores porque esperan una subida o una caída en los precios. El uso de la palabra *bear* en el contexto de «bajista», etc., probablemente venga del dicho inglés *selling the bearskin before catching the bear*, es decir, «vender la piel del oso antes de cazarlo».

La citada imagen del «oso» aparece también en muchas otras expresiones. Se puede hablar, por lo menos, del «abrazo del oso», del «abrazo del osito de peluche» y del «estrangulamiento del oso», teniendo cada uno de ellos un significado y uso diferenciados. El primero se llama *bear's hug*, que es mortal de necesidad y se aplica cuando una empresa absorbe a otra. El segundo se llama *teddy bear's hug* y se emplea cuando el Consejo de Administración de una sociedad mercantil establece contactos con el de otra, manifestando sus deseos de comprar sus acciones, y estos últimos no se oponen a la operación aunque piden un precio mayor por sus acciones; y, por último, el «estrangulamiento, estrujón o apretujón del oso», *bear's squeeze*, tiene lugar cuando varios operadores o especuladores de opciones o de futuros que se encuentran en posición de «largo», es decir, con más títulos de los necesarios, detectan que otro operador se encuentra en posición de descubierto, o sea, en «corto», y fuerzan la subida de los precios para estrangularlo. Pero lo más curioso de todo es que los tres usos tienen, a la vez, connotaciones de amistad, o incluso eróticas.

El «perro» y el «gato», y el gato grande, es decir, el «tigre», también forman parte de esta jerga. *CATS* es el nombre dado a un bono/obligación llamado *Certificate of Accrual on Treasury Securities* (aunque *CATS* también puede referirse a *Computer Assisted Trading System*) y *TIGER* o *TIGR* es el bono/obligación correspondiente a *Treasury Investors Growth Receipt*. A los valores bursátiles coloquialmente conocidos como «chicharros» o «morralla», es decir, a los de poca solidez, en inglés se les llama *cats and dogs*. El *gato* también se emplea en la expresión *dead cat bounce* (salto del gato muerto), que alude a la recuperación de la Bolsa sin fuerte fundamentación, a saber, la que acabará en una nueva caída. El *bulldog* se aplica a los bonos en libras esterlinas emitidos por extranjeros, es decir, los *bulldog bonds* que son los equivalentes en inglés de los llamados bonos *matador* españoles.

La mariposa o *butterfly* es una estrategia de los operadores o intermediarios bursátiles consistente en comprar y vender simultáneamente opciones con derecho de compra —*call*— a diferentes precios de ejercicio —*exercise prices*— o en diferentes fechas de vencimiento —*strike dates*.

El «gallo» aparece en expresiones como «fecha de gallo» o *cock date*, para aludir a algo, en este caso un «plazo o fecha un poco raros», o sea, inverosímiles o de poca credibilidad, viniendo esta expresión probablemente de *a cock story*, forma reducida de *a cock and bull story*, es decir, «una de indios», algo poco creíble. Y el «arenque» (*red-herring*) se emplea tanto para indicar la «pista falsa, la trampa para desviar la atención del investigador» como para aludir a un «avance de prospecto informativo previo a una emisión de bonos o acciones». En este último caso, la expresión obedece no sólo al hecho de que el prospecto se lance para ver de dónde sopla el viento, pudiéndose introducir cambios en la versión definitiva —por lo que tiene algo de engañoso— sino también al hecho literal de que se emplee tinta roja en la tapa del documento.

Y no podían faltar las referencias a las «carreras de caballos», imprescindibles en la conversación inglesa. En esta lengua para decir que uno sabe algo muy bien cuando otro le pregunta «¿Cómo lo sabes tú?», la respuesta suele ser *From the horse's mouth* («directamente de la boca del caballo», «me lo dijo el propio caballo», «lo sé de buena tinta»). Pues bien, para afirmar que hay un «chollo garantizado», es decir, una «especulación que no puede fallar», un «negocio seguro», se dice que se trata de un caballo ganador, es decir, *a racing certainty*.

7. Los adjetivos de significado transparente

Los adjetivos del inglés jurídico (*actual, constructive, absolute* y *qualified*) son en gran parte de origen latino. En el lenguaje financiero son, en cambio, de origen anglosajón y de uso popular y, por tanto, transparentes para el hablante nativo. Por ejemplo, el adjetivo *naked* (desnudo) se aplica con frecuencia en expresiones como *naked bond, naked debenture* para dar a entender que el efecto financiero o crediticio carece de caución o garantía. Y otro adjetivo, *dirty* (sucio), acompaña a muchos documentos para indicar que tiene alguna restricción o limitación. En el inglés jurídico, se habría preferido *unsecured* (sin caución) en vez de *naked*, y *qualified* (con restricciones) en vez de *dirty*. Otros adjetivos transparentes son *long* y *short* que se utilizan en el mercado de futuros; estar «corto» es carecer de los valores con los que se especula, siendo la contraria la «posición larga» o «largo».

8. El uso de nombres de colores

Para resaltar aún más la expresividad de este lenguaje no es infrecuente el uso de colores: *blue*: *The Big Blue* («gigante azul»; alude a IBM y a sus acciones), *blue chips* (valores bursátiles punteros/estrella/de primera), *blue-collar worker* (obrero manual); *red*: *red interest* (números rojos, intereses deudores o en contra), *red herring issue* (emisión bursátil exploratoria), *red tape* (papeleo administrativo, rutina administrativa); *green*: *green shoe* (cláusula de garantía de emisión futura), *greenback* (dólar), *greenmail* (órdago; bluff); *white*: *white-collar job* (trabajo de oficina), *white knight* (caballero blanco [en las luchas desencadenadas por las opas]), *white squire* (escudero blanco; estrategia de defensa contra una adquisición hostil); *black*: *black-market* (mercado negro), *black knight* (caballero negro; tiburón); *yellow*: *yellow press* (prensa sensacionalista), *yellow-dog contract* (contrato laboral que prohíbe al empleado afiliarse a una central sindical); *pink*: *pink-sheet market* (mercado bursátil informal), etc.

9. La claridad comunicativa

Todas las características anteriores (por ejemplo, la imagen de la lavadora con carga frontal, la de la música moderna o *concert party*, e incluso la del bocadillo en los llamados *sandwich courses* o cursos de formación profesional que combinan la enseñanza teóricas del aula con la práctica en las empresas, etc.), confieren al inglés de las finanzas un sentido de claridad, expresividad y modernidad, propio del lenguaje cotidiano o de la calle, pauta lingüística que, como hemos dicho antes, dejó grabada el fundador de *The Economist* hace más de 150 años, la cual no es más que el espejo del espíritu práctico y claro del comerciante y del hombre y la mujer de empresa.

EL LENGUAJE DE LOS TÉRMINOS COMERCIALES

En el lenguaje comercial hay una combinación más equilibrada de léxico de orientación latina (*market price, negotiable*) y de origen anglosajón (*shop-soiled, first-in first-out*), al que habría que añadir otro elemento lingüístico, las palabras de origen normando o del francés antiguo, especialmente las del transporte marítimo (*charter party, average, demurrage,* etc.). La explicación a este fenómeno habría que buscarla, sin duda, en el origen jurídico de la terminología comercial primitiva, concretamente en la *Merchant Law* o Derecho mercantil que, como el resto del derecho inglés, nace de las leyes promulgadas originalmente en el francés normando, que era la lengua oficial de la Corte feudal, a raíz de la invasión de 1066 por Guillermo el Conquistador y de la instauración de la dinastía de los Plantagenet.

Características del diccionario

En este diccionario se recogen las dos variedades más importantes del inglés, el británico y el norteamericano, aunque, a decir verdad, en el mundo de la economía, las finanzas y el comercio, cada día están más borrosas las fronteras entre ambos, es decir, los términos son prácticamente intercambiables. Sin embargo, algunas palabras son exclusivamente americanas y en este caso lo hemos indicado con la sigla *US*; esto ha ocurrido cuando el término sólo se emplea en el inglés de los Estados Unidos o cuando el significado que tiene en este país es distinto al que rige en el Reino Unido. Por ejemplo, el verbo *to table* seguido de palabras como *a motion, a bill, an amendment, a report,* etc. en inglés británico significa «someter a aprobación, presentar un informe, poner sobre el tapete» y, por tanto, es sinónimo de *submit*, mientras que en inglés americano significa «retrasar la presentación de un informe, dar carpetazo a un informe» y, en este caso, es sinónimo de *shelve* o *defer*.

Por otra parte, habría que poner de relieve que gran parte de la creatividad lingüística en el ámbito económico-financiero procede de los Estados Unidos, ya que la mayoría de los nuevos productos financieros nacen en ese país.

Para la confección del diccionario nos han guiado los mismos criterios de *pertinencia, claridad* y *economía* que nos sirvieron de orientación para el de términos jurídicos:

a) *El criterio de pertinencia o relevancia* nos ha facilitado la selección de los términos de uso real. Hemos creído que son pertinentes tres tipos de palabras y expresiones: en primer lugar, las que son exclusivas o casi exclusivas de la especialidad, como por ejemplo, *cash flow, credit,* etc.; en segundo lugar, las que tienen un buen número de acepciones del lenguaje ordinario y muchas otras del lenguaje especializado, como *spread, margin,* etc. en inglés, o «efecto», en español, que puede equivaler a «resultado» o a «documento»; y, en tercer lugar, aquéllas que, aun perteneciendo al léxico ordinario, alcanzan un índice elevado de presencia en los textos económicos, financieros y comerciales, como *surge, rise, hike, dismiss,* etc.

b) *El criterio de claridad* es básico. Pensando en el traductor y en el estudiante, hemos intentado dar la mayor claridad posible al diccionario. Para conseguirla, siempre que lo creemos necesario, en la parte inglés-español ilustramos el término con ejemplos adecuados, ofrecemos breves explicaciones y completamos su significación con palabras relacionadas; y para reforzar la claridad, teniendo en cuenta el carácter polisémico de casi todos los términos léxicos, hemos repetido muchas veces el nombre del término dándole una numeración, como se ve en el caso de *margin:*

margin[1] *n*: margen; orilla. [Exp: **margin**[2] (sobrante, ganancia), **margin**[3] (FINAN margen; diferencia entre el precio de compra y el de venta, también llamado *gross margin, manufacturing margin, profit margin;* V. *mark-up),* **margin**[4] (BANCA margen; diferencia entre el interés que se abona a los depositantes y el que se cobra a los prestatarios, diferencia de prima), **margin**[5] (MERC FINAN/PROD/DINER margen; depósito de garantía; reserva de fondos; suma pagada por el cliente cuando utiliza el crédito de un corredor para comprar un valor; depósito previo en un contrato de futuros o de productos, definido en los *margin requirements;* anticipo o depósito que da el inversor al intermediario —*broker*— al solicitar una compra de valores o al abrir una cuenta de futuros —*futures account*—, llamado también *caution money, collateral* o *earnest money;* acción pagada en parte por medio de un anticipo o *margin;* V. *order to a broker; maintenance margin; margin call; initial margin; premium; buying on margin; additional margin requirement security deposit; forward margin),* **margin**[6] (banda de fluctuación; diferencia autorizada entre el precio de las divisas europeas dentro del Sistema Monetario Europeo; V. *European Monetary System),* **margin**[7] (BANCA margen; proporción del activo pignorado como garantía; V. *haircut)*].

A pesar de que esta repetición puede ir contra el criterio de economía, su presencia proporciona, en nuestra opinión, una gran ganancia en claridad.

c) El criterio de economía. Es incalculable el número de unidades léxicas compuestas que aparecen en los textos y documentos de la economía, las finanzas y el comercio. Por ejemplo, con adjetivos como *general* (general), *actual* (efectivo), *gross* (íntegro), *net* (neto), *global* (mundial, global), *real* (real, efectivo), etc., se pueden formar muchísimos compuestos, algunos de los cuales están ya consolidados como unidades léxicas mientras que otros son simples acuñaciones esporádicas. Lo mismo se puede decir de los nombres que actúan con frecuencia en función adjetiva o atributiva. Por ejemplo, con *government*, en función atributiva (oficial, gubernamental, estatal o público) se pueden formar incalculables unidades compuestas, así como con *group, bank, cash, department, economy,* etc. Son tantas, que sería imposible incluirlas todas. Por esta razón, y guiados por el principio de economía, hemos excluido de nuestro diccionario las acuñaciones esporádicas y también aquellas consolidadas que gozan de tal transparencia semántica que su significado es perfectamente deducible del significado de las palabras que las componen; igualmente guiados por el principio de *economía,* hemos agrupado bajo los prefijos correspondientes (por ejemplo, *contra-, pre-, super-, sobre-, sub-,* etc., en español, y *over-, pre-, post- self-,* etc., en inglés) aquellos términos que, de forma clara y transparente, se han formado con éstos.

Los límites del diccionario

Los límites de este diccionario están definidos por los distintos campos de aplicación de los términos empleados, que hemos marcado debidamente con las siguientes abreviaturas en español e inglés:

BANCA [BKG] (banca);
BOLSA [STK EXCH] (bolsa de comercio);
COMER [COM] (comercio);
COMER INTER [INTER TRADE] (comercio internacional);
CONT [ACCTS] (contabilidad);
DER [LAW] (derecho);
ECO (economía);
FINAN [FIN] (finanzas);
GEST [MAN] (gestión empresarial);
IND [IND] (industria);
MERC FINAN/PROD/DINER [STK & COMMOD EXCH] (mercado financiero, de productos, de divisas);
MKTNG (marketing);
PUBL [ADVTG] (publicidad);
REL LAB [IND REL] (relaciones laborales);
SEG [INSCE] (seguros);
SOC [COMP LAW] (derecho societario);
TRANS [TRANSPT] (transporte);
TRIB [TAXN] (tributación, impuestos).

Cuando un término es muy general o tiene muchos campos de aplicación no se ha añadido ninguna nota aclaratoria. Y tampoco se ha incluido ninguna nota, de acuerdo con el criterio de economía antes expuesto, cuando el ámbito de aplicación se deduce fácilmente del significado o del ejemplo que acompaña al término, como en la entrada que sigue, en la que se ve con claridad que el campo de aplicación es la BANCA:

ABA transit number *US* (código numérico interbancario usado por las instituciones financieras norteamericanas en la compensación de cheques; V. *bank identification number*).

Además, como norma general, se han excluido los términos jurídicos, remitiéndose para la consulta de los mismos al *Diccionario de Términos Jurídicos, Inglés-Español, Spanish-English* de Editorial Ariel; no obstante, sí se han incluido los relacionados con los accidentes laborales, los despidos, los impuestos, los seguros, etc., siempre teniendo en cuenta que hay pocos hechos del mundo de las finanzas o del comercio, ya sea *a bill of lading*, *a put*, *a call*, *a swap*, que no impliquen unas relaciones jurídicas.

Las entradas del diccionario

El diccionario tiene dos partes: inglés-español, español-inglés. Aunque en teoría el número de voces de las dos partes del diccionario debería ser igual, esto no es posible, ya que algunas de las figuras económicas, financieras o comerciales del inglés, expresadas en dicha lengua con una unidad léxica simple o compuesta, no encuentran una unidad léxica en español, y son traducidas, consecuentemente, por medio de una perífrasis. Idéntico razonamiento se puede aplicar a las unidades léxicas del español.

La gran mayoría de las entradas del diccionario son unidades léxicas simples o compuestas, aunque unas pocas, en especial en la segunda parte del diccionario, desbordan los límites léxicos razonables para convertirse en unidades sintácticas o perifrásticas y han sido incluidas por el posible interés de su contenido. A modo de ejemplo citamos la siguiente: *opción extinguible de acuerdo con las fluctuaciones máximas o mínimas del precio del activo subyacente* (STK & COMMOD EXCH extinguishable option). De acuerdo con la metodología adoptada, la mayoría de los artículos del diccionario consta de cuatro partes:

La traducción. Dentro de los límites de toda traducción, se han presentado los términos equivalentes de ambas lenguas, siempre que ha sido posible.

La ilustración. En muchos casos hemos añadido un breve ejemplo que sirva de orientación contextual del significado dado, siempre precedido del símbolo ◊.

palm off[1] *col* (quitarse de encima con excusas o promesas ◊ *Palm off a customer with excuses*),

palm off[2] *col* (meterle algo a alguien ◊ *Palm dud merchandise off on sb*; V. *dump*),

part exchange (canje parcial, pago parcial como parte de algo ◊ *She traded in her old car in part exchange*),

massage (masaje; dar un masaje; maquillar, manipular ◊ *Massage the accounts*).

La explicación. Como hemos dicho varias veces, el traductor es el interlocutor básico de este diccionario. Pensando en él, hemos añadido cuando lo hemos creído conveniente, por la novedad o por la complejidad del término, una breve explicación. He aquí algunos ejemplos:

gearing (FINAN apalancamiento, palanqueo, engranaje, efecto de palanca, accionamiento; proporción entre la deuda de una mercantil y el capital desembolsado; importancia relativa de los empréstitos en la estructura del capital de una empresa; se dice que una empresa tiene un «apalancamiento» alto cuando los préstamos bancarios son muy superiores al capital social; V. *debt ratio, leverage*),

greenmail (BOLSA, FINAN órdago; bluff, chantaje o táctica del tiburón —*raider*— o inversor hostil, que consiste en adquirir un paquete minoritario de acciones amenazando con presentar una oferta de adquisición de la mayoría del capital, aunque el objetivo real es obligar a la empresa a volver a comprar las acciones a un precio muy favorable para el tiburón; V. *corporate raider*),

pass-through *US* (FINAN con título subrogado; se dice de los valores creados por la titulización —*securitization*— de unas obligaciones originales, de manera que las rentas que le llegan al inversor o propietario de estos nuevos títulos —*registered security holder*— pasan previamente por —*pass through*— las manos del obligacionista primitivo; uno de los valores más comunes son los títulos con garantía hipotecaria o *mortgage-backed securities*, los cuales suelen nacer de paquetes o fondos de créditos hipotecarios —*pool of residential mortgages*— del mercado norteamericano, reconvertidos —*repackaged*— en acciones; en estos casos una agencia federal, por ejemplo *GNMA*, que actúa normalmente como intermediaria —*serving agent, intermediary*— y fiduciaria, garantiza la transferencia —*pass through*— desde el acreedor hipotecario —*mortgagee*— al inversor o propietario del título de los pagos mensuales de principal e intereses —*monthly principal and interest payments*; V. *pass-through securities*).

Las remisiones o referencias complementarias, cruzadas o recíprocas. Dada la naturaleza huidiza del significado, parece evidente que éste se puede captar mejor cuando se facilitan palabras que mantengan algún tipo de vínculo o relación con él. Así, al final de la mayoría de los términos aparecen palabras relacionadas, precedidas de **V.** (véase) o **S.** (*see*), como en **labour buy-out/buyout** (FINAN adquisición de una empresa por los propios obreros/empleados con el fin de controlarla; V. *leveraged buyout; employees' buyout; management buyout; bid, take over*). Estos últimos términos, si son sinónimos parciales, van separados por comas; si son antónimos u otras palabras relacionadas que, en nuestra opinión, facilitan la comprensión del término en cuestión, van separados por punto y coma. En el ejemplo que sigue se facilita la traducción de «medida» con sinónimos que ayudan a su identificación:

medida[1] *n*: measurement, size, gauge, extent[2]; S. *medición, dimensión*. [Exp: **medida**[2] (measure, policy, provision, order, move; S. *gestión, trámite*), **medida**[3] (standard; S. *norma, patrón*)].

La ordenación de las unidades léxicas simples y las compuestas

En la confección del diccionario hemos seguido el criterio de ordenar las palabras o unidades léxicas alfabéticamente con la nueva norma de la Real Academia, ya recogida con anterioridad en el *Diccionario de Uso del Español* de María Moliner, mediante la cual la *ch* aparece en el orden que le corresponde dentro de la letra *c* y no como grafía independiente, así como la *ll* dentro de la *l*. Las palabras o unidades básicas se agrupan en bloques regidos por una unidad básica, la cual, en ocasiones, por su importancia, ha saltado dentro del mismo bloque por encima de otras que alfabéticamente deberían precederle, como se puede comprobar en el ejemplo de *agriculture*:

agriculture *n*: agricultura; V. *ranch, farming, group agriculture*. [Exp: **agribusiness** (agroindustria, explotación agrícola), **agribusiness company** (empresa agroindustrial), **agrichemistry** (agroquímica), **agricultural** (agrario, agrícola, rural; V. *rural*), **agricultural bank** (V. *agricultural credit bank, land bank*), **agricultural commodities** (productos agrícolas; V. *staple commodities*), **agricultural commodities market** (mercado agrícola, mercado de productos agrícolas), **agricultural co-operative** (cooperativa agrícola), **agricultural credit bank** (caja rural; V. *land bank*), **agricultural economy** (economía agraria), **agricultural ladder** (escala de categorías en el mundo agrícola; V. *farm labourer, tenant farmer*), **Agricultural Loans Fund** (fondo público para préstamos destinados a mejoras en el campo), **agricultural markets** (mercado en origen), **agricultural mortgage corporation** (sociedad hipotecaria agrícola), **agricultural paper** (papel, efectos, documentos o instrumentos de crédito relacionados con el mundo agrícola; V. *commercial documents*), **agricultural parity** US (paridad agrícola; V. *parity, parity price*), **agricultural produce** (productos agrícolas; V. *home/farm produce*), **agricultural production and exports, APEX**[2] (caja de crédito para la producción y las exportaciones), **agricultural sector** (agro), **agricultural show** (feria del campo; feria de productos agrícolas), **agricultural support prices** (precios de apoyo a la agricultura), **agro-industry** (agroindustria), **agroforestry** (agrosilvicultura), **agronomy** (agronomía)].

Las *palabras compuestas* merecen un comentario aparte, por ser el inglés una lengua que utiliza con más naturalidad el recurso de composición léxica (*shoeshop*) que el de derivación (*zapatería*), que es el más común en español.

Estas unidades compuestas pueden presentarse formando una sola unidad (*backup*), dos unidades (*back up*) o estar unidas por un guión (*back-up*). El criterio que hemos seguido en su ordenación es el estricto desde un punto de vista alfabético; de esta manera, *back door selling*, por ejemplo, precede a *backdate*. Las unidades conectadas por uno o varios guiones, como *back-to-back*, las hemos ordenado como si los guiones no existieran. Consecuentemente, el orden de presentación de las unidades léxicas anteriores es:

> *back*
> *back door selling*
> *back-to-back*
> *back up*
> *back-up*
> *backdate*

De todas formas, como no siempre hay una gran coherencia en el uso de los guiones (por ejemplo, términos como *front loading* y *back loading* pueden aparecer también como *front-loading* y *back-loading* o como *frontloading* y *backloading*), se recomienda examinar las tres posibilidades, es decir, como palabras separadas (*back up*), como palabras unidas por un guión (*back-up*), o como totalmente fundidas en una sola palabra (*backup*).

El uso del diccionario

En cuanto al uso del diccionario, se recomienda consultar ambas secciones (inglés-español, español-inglés) cuando las acepciones no estén claras, con la seguridad de que se encontrará información útil (explicación, ejemplo, sinónimos o palabras relacionadas) que ayudará a delimitar y a comprender mejor el significado del término en cuestión y a tomar la decisión oportuna, aunque, a decir verdad, no todas las palabras de una de las partes están contenidas en la otra, por la sencilla razón, como hemos dicho antes, de que lo que es una unidad léxica en una sección en la otra puede ser una simple explicación perifrástica. Por otra parte, no hemos incluido en la parte español-inglés los términos anglosajones usados corrientemente en español, como *cashflow, dumping,* etc., los cuales pueden ser consultados en la parte inglés-español.

La sección inglés-español es pródiga en explicaciones; en la segunda sección, las explicaciones son escasas, para no repetir, por razón de economía, las de la primera parte, y sí son abundantes, en cambio, los sinónimos y palabras relacionadas, que deben ayudar al usuario en la elección de la acepción correcta. Por ejemplo, los términos «director interno» y «director externo», que aparecen en la segunda parte (español-inglés), son traducidos respectivamente como *inside director* y *outside director*, y en la primera parte se dan breves explicaciones de ambos: **inside director** (director interno; se dice del director de una empresa que procede de su consejo de administración), **outside director** (director externo; se dice del nombrado/contratado por su reputación o valía profesional).

Los nombres simples o compuestos y las expresiones nominales van señaladas con una *n*; los adjetivos con una *a*; los adverbios con *adv*; las preposiciones y las conjunciones con *prep* y *conj* respectivamente, y las frases o locuciones con *fr*, *[phr]*. Las preposiciones son tan polisémicas que, salvo raras excepciones, no se ha abierto ninguna entrada especial para ellas; la consulta se deberá hacer al primer nombre o adjetivo de la unidad que se examina, por ejemplo, **corto plazo, a**; **alza, al,** etc.

Fuentes utilizadas

Para la confección de este diccionario ha sido muy útil y provechosa la lectura de periódicos y revistas de la especialidad en lengua inglesa (*Financial Times, The Wall Street Journal, International Herald Tribune, The Economist, etc.*), las cuales con frecuencia contienen monografías especializadas sobre seguros, productos derivados, etc., que han sido muy convenientes por sus expresiones y términos actualizados. Estas publicaciones han puesto a disposición de los autores material lingüístico auténtico de primer orden, a veces de registro coloquial, dentro de un contexto que ha facilitado la asignación de significados; muchos de los ejemplos ilustradores que se ofrecen en las entradas léxicas se han inspirado en los textos de estas publicaciones o han sido sacados directamente de ellas. Como estas revistas van dirigidas al gran público, en muchos casos, y de forma muy reiterada, brindan a sus lectores definiciones e ilustraciones, claras y sucintas, asequibles al no especialista. Así, con motivo de la quiebra reciente de un banco inglés originada por operaciones financieras ruinosas de productos derivados, los artículos daban definiciones claras e ilustrativas de la mayoría de los términos técnicos.

También ha sido muy beneficiosa la lectura de revistas y periódicos en lengua española (*Cinco Días, Expansión, Gaceta de los Negocios, El País Negocios, ABC, El Mundo, Diario 16, La Actualidad Económica, Ranking,* etc.). Estas publicaciones no sólo nos han proporcionado el registro y el tono de múltiples expresiones (*perforar el suelo, los embates de la competencia, chiringuitos financieros, varapalo bajista,* etc.) sino que también en ocasiones nos han suministrado, con la cursiva correspondiente, el término en inglés, su significado en español y, a veces, una clara explicación de su uso o aplicación.

Por otra parte, hemos acudido a varios textos especializados para investigar y comprobar conceptos y para obtener definiciones inequívocas y de autoridad. Algunos de ellos nos han deparado, además, la traducción de términos técnicos al español, que hemos adoptado en la mayoría de los casos, salvo excepciones, como puede ser el uso abusivo, a nuestro entender, del término inglés *facility* como «facilidad», en vez de como «programa, mecanismo, servicio, etc.». Hemos consultado los siguientes: *Los mercados de futuros financieros* (Máximo Borell y Alfonso Roa. Barcelona: Ariel Economía, 1990), *How to Read the Financial Pages. A Simple Guide to the Way Money Works and the Jargon* (Michael Brett. Londres: Hutchinson Business Books, 1987), *Aspectos jurídicos de los contratos atípicos I y II* (E. Chuliá Vicent y T. Beltrán Alandete. Barcelona: José M.ª Bosch Editor, 1994, 2.ª edición), *International Trade Law* (Charley Janette. Londres: Longman, 1993), *Operaciones Financieras en el Mercado Español* (Meneu, Jorda y Barreira. Barcelona: Ariel, 1994), *El inversor y los mercados financieros* (José Luis Martín Marín y Ramón Jesús Ruiz Martínez. Barcelona: Ariel Economía, 1991), *Mercados financieros internacionales* (Emilio Ontiveros y otros. Madrid: Espasa Calpe, 1991), *Business and Commercial Law* (A. Kadar *et al.* Londres: Butterworth-Heinemann, 1991), *Marketing. Conceptos y Estrategias* (M. Santesmases. Madrid: Piramide, 1991).

Además, como un diccionario raras veces nace *ex novo*, hemos tenido que consultar otros muchos: *Diccionario jurídico-comercial del transporte marítimo* (César Alas. Oviedo: Servicio de Publicaciones de la Universidad de Oviedo, 1984), *Diccionario Espasa de economía y negocios* (Arthur Andersen. Madrid: Espasa Calpe, 1997), *Incoterms* (Alicante: Banco de Alicante/Cámara de Comercio, Industria y Navegación de Alicante, 1990), *International Dictionary of Finance* (Graham Bannock y William Manser. Londres: Hutchinson, 1989), *Diccionario de términos contables* (Joaquín Blanes Prieto. México: Editorial Continental, [1972], 1986, 16.ª edición), *Dictionary of Shipping International Trade Terms and Abbreviations* (Alan E. Branch. Londres: Witherby [1976], 1986, 3.ª edición), *Multi-lingual Dictionary of Commercial International Trade and Shipping Terms* (Alan E. Branch *et al.* Londres: Witherby, 1980), *Diccionario económico, financiero y bursátil, español-inglés-francés, English-Spanish-French, français-espagnol-anglais* (José Ramón Cano Rico. Madrid: Tecnos, 1994), *Diccionario de tráfico y comercio internacional* (Juan Cañada Portillo. Barcelona: Publicaciones Men-Car, 1979), *Glosario inglés-español de fusiones, adquisiciones y escisiones de empresas* (Ramón Carbajosa Segura. Madrid: Boletín ICE Económico, 1995/1996), *Diccionario de comercio exterior* (José María Codera Martín. Madrid: Ediciones Pirámide, 1986), *Dictionary of Business, English-Spanish, Spanish-English* (P. H. Collin *et al.* Teddington. Middlesex: Peter Collin Publishing, 1993), *Diccionario de términos usados en informes financieros* (P.

J. Donaghy *et al.* Bilbao: Ediciones Deusto, 1983), *Dictionary of Finance and Investment Terms* (John Downes. Nueva York: Barron's, 1991), *El mercado de opciones* (Pablo Fernández y Jesús Palau. Madrid: Área Editorial-Expansión, 1990), *Dictionary of Banking Terms* (Thomas Fitch. Nueva York: Barron's, 1993), *Eurospeak* (François Gondrand. Londres: Nicholas Brealey, 1991), *Key Words in International Trade* (International Chamber of Commerce. Paris: ICC Publishing, 1988), *Instant Business Dictionary* (Lewis E. Davids. Mundelein, Illinois: Career Institute, 1971), *The New Palgrave. A Dictionary of Economics* (John Eatwell *et al.* Londres/Nueva York, 1987), *Diccionario de mercado,* *Dictionary of Marketing Terms* (Konrad Fischer-Rossi. México: Editorial Limusa, 1990), *English-Spanish Banking Dictionary, Diccionario Bancario Español-Inglés* (Rafael Gil Esteban. Madrid: Editorial Paraninfo, 1994, 4.ª ed.), *Dictionary of Marketing* (A. Ivanovic y P. H. Collin. Teddington, Middlesex: Peter Collin Publishing, 1989, 1992), *A Banking Dictionary* (Hans Klaus. Berna: Verlag Paul Haupt, 1989), *Diccionario enciclopédico profesional de finanzas y banca* (Madrid: Instituto Superior de Técnicas y Prácticas Bancarias, 1990), *Nuevo diccionario bilingüe de economía y empresa* (José María Lozano Irueste. Madrid: Pirámide, [1986], 1993, 3.ª edición), *Diccionario de términos financieros y de inversión* (Francisco Mochón Morcillo y Rafael Isidro Aparicio. Madrid: McGraw-Hill, 1995), *Diccionario manual de economía* (Javier Morillas. Madrid: Prensa y Ediciones Iberoamericanas, 1995), *Elsevier's Fiscal and Customs Dictionary* (M. Munter *et al.* Amsterdam: Elsevier), *Glosario Internacional para el Traductor* (Marina Orellana. Santiago de Chile: Editorial Universitaria, 1990), *The International Business Dictionary and Reference* (Lewis A. Presner. Nueva York: John Wiley & Sons, 1991), *Elsevier's Banking Dictionary* (J. Ricci. Amsterdam: Elsevier, 1990), *Harrap's Glossary of Spanish Commercial and Industrial Terms, English/Spanish, Spanish/English* (Louis J. Rodrigues y Josefina Bernet Soler. Londres: Harrap, 1990), *Diccionario de administración y finanzas* (J. M. Rosenberg. Barcelona: Editorial Océano, 1984), *Diccionario de Economía* (Ramón Tamames. Madrid: Alianza, 4.ª ed., 1989), *Oxford Dictionary of Business English* (Allene Tuck. Oxford: Oxford University Press, 1993), *Diccionario-Glosario de Opciones y Futuros* (Alicia de Vicente, M.ª Teresa Polo, Carlos Estévez y Luis Lazaro. Madrid: Palas Atenea, 1994), *Economics Trade and Development: English-Spanish General Terminology* (United Nations in New York and Geneva, 1995), *Diccionario de negocios* (Manuel Urrutia Raola. México: Editorial Limusa, 1991), *Glosario del Banco Mundial/World Bank Glossary* (Washington: Terminology Unit, 1986).

Agradecimientos

Este diccionario está hecho por dos lingüistas, que cuentan con mucha experiencia en el campo de la traducción de documentos y textos económicos y jurídicos. El trabajo, sin embargo, por su carácter técnico, difícilmente se podría haber culminado si no se hubiera contado con el asesoramiento y la respuesta inmediata a las muchas consultas concretas hechas a profesores de la Universidad de Alicante. Entre éstos debemos destacar al catedrático doctor Manuel Desantes, que nos orientó sobre muchos conceptos nuevos y nos guió en gran parte de la bibliografía de los nuevos productos financieros. También merece nuestro agradecimiento especial el profesor Manuel Morán, estudioso de los aspectos jurídicos de los sistemas financieros, quien, además de leer críticamente gran parte del manuscrito, nos facilitó un amplio glosario ilustrado de términos financieros por él confeccionado.

Los autores

Alicante, enero de 1996

Nota a la segunda edición

En la segunda edición se han corregido las erratas detectadas y se han incorporado unas 400 acepciones adicionales y varias voces nuevas, sobre todo términos financieros.

Los autores

Alicante, enero de 1997

Nota a la tercera edición

En la tercera edición se han introducido nuevos términos del mundo de las finanzas y sobre todo los derivados del nacimiento del euro.

Los autores

Alicante, julio de 1999

INGLÉS-ESPAÑOL

A

@ *prep*: a, por. [Actúa como forma abreviada de *at* y suele preceder al precio unitario de la mercancía; forma parte de las direcciones del correo electrónico —*e-mail*— con el significado de «en»; en español se le llama «arroba» y en inglés *at sign*].

'A' shares *US n*: BOLSA, SOC acciones de la clase «A», sin derecho a voto, o con derecho de voto limitado; V. *non-voting shares, voting shares; classified common stock; preferred stock*.

A1 *a*: SEG, FINAN de primera clase; en las mejores condiciones; de calidad extra; de excelente salud, en plena forma ◊ *An A1 ship, an A1 life*; se suele emplear *"A1 at Lloyd's"* en la calificación del Registro de Buques de Lloyd —*Lloyd's Register of Shipping*— para indicar «barco en condiciones óptimas»; igualmente se emplea *A1* en la calificación que da a las inversiones de alta calidad, por su adecuada cobertura de intereses y de principal, la agencia calificadora de solvencia financiera —*rating agency/bureau*— norteamericana *Moody's Investors Service*; le sigue en calidad la clasificación *B*, siendo *C* la más baja; y en los impresos de seguros de vida, con *A1* se alude a los asegurados que gozan de excelente salud; por extensión, también se usa este término en el lenguaje coloquial; V. *prime -1, -2, -3*. [Exp: **A1 condition, in** (en condiciones óptimas; V. *in good health*)].

a.a., AA *n*: V. *always afloat; Advertising Association*.

Aa, AA *a*: FINAN de alta calidad; calificación —*rating*— que se aplica a las emisiones de bonos de alta calidad por las agencias calificadoras de solvencia financiera —*rating agencies/bureaux*—; *Moody's Investors Service* emplea las letras *Aa*, y *Standard & Poor's*, *AA*; *Ba* de *Moody's* y *BB* de *Standard & Poor's* se aplican a los bonos de carácter especulativo; *Baa* de *Moody's* y *BBB* de *Standard & Poor's* corresponden a los bonos y obligaciones de tipo medio, y *Caa*, en *Moody's* y *C* en *Standard & Poor's* describen emisiones de alto riesgo o de baja calidad.

aaa *a*: FINAN triple «a»; de alta rentabilidad, solidez o fiabilidad. [Léase *"triple a"* /'tripl 'ei/. Esta calificación —*rating*— la otorga la agencia calificadora de solvencia financiera —*rating bureau*— norteamericana *Moody's Investors Service* a las emisiones de acciones preferentes; V. *AAA; blue chips*].

Aaa *a*: FINAN triple «a»; de la más alta calidad, solidez o fiabilidad; V. *blue chips*. [Léase "triple a" /'tripl 'ei/. Esta calificación —*rating*— la da la agencia calificadora de solvencia financiera —*rating bureau*— norteamericana *Moody's Investors Service* a las emisiones de bonos de la más alta calidad; a las de tipo medio se las llama *Baa* y equivalen al *BBB* de *Standard & Poor's*].

AAA *a*: FINAN triple «a»; de óptima rentabilidad, sólidez o fiabilidad, de mínimo riesgo ◊ *Issuers of bonds rated AAA are very unlikely to default*; V. *blue chips; D*. [Léase "triple a" /'tripl 'ei/. Calificación —*rating*— que se aplica a las emisiones de acciones preferentes y, en general, a los valores y las empresas que gozan del mayor prestigio en cuanto a solvencia financiera, de acuerdo con la agencia calificadora de solvencia financiera —*rating bureau*— norteamericana *Standard & Poor's*; en orden descendente, la escala pasa por las consideraciones de AAA, AA, A, BBB, etc., hasta llegar a D, siendo de alto riesgo los valores calificados con BB o por debajo de éste, por ej., los *junk bonds* o bonos basura; la agencia *Moody's Investors Service* emplea las minúsculas *aaa*].

AAR, a.a.r *n*: V. *against all risks*.

AB *n*: V. *able/able-bodied seaman*.

ABA[1] *n*: V. *American Bankers Association*. [Exp: **ABA**[2] (V. *American Bar Association*), **ABA number** *US* (BANCA ficha bancaria; número bancario; número de banco asignado por la Asociación de Banqueros Norteamericanos), **ABA transit number** *US* (BANCA código númerico interbancario usado por las instituciones financieras norteamericanas en la compensación de cheques; V. *bank identification number*)].

abandon *v*: abandonar, dejar, desatender; renunciar a; desprenderse de; desistir. [Exp: **abandon a claim** (renunciar a una pretensión; V. *waive a claim*), **abandon a patent** (renunciar a una patente), **abandon a product** (COMER dejar de producir o de fabricar un producto, eliminar de un catálogo ◊ *IBM has abandoned small computers*; V. *product abandonment*), **abandon cargo/goods, freights, etc.** (TRANS MAR, SEG abandonar, dejar, desatender, renunciar a mercancías, fletes, etc. a favor de los aseguradores, normalmente debido a que el coste de reparación o reposición es superior a su valor; V. *damaged beyond repair; action of abandonment*), **abandon goods to the Revenue/Exchequer** (abandonar las mercancías al Tesoro Público), **abandon ship** *col* (salir por piernas *col* ◊ *The president was the first to abandon ship when the crisis came*), **abandoned** (COMER abandonado, fuera de uso), **abandoned assets** (CONT activos/bienes cedidos), **abandonee** (SEG cesionario, abandonatario, receptor o beneficiario del abandono de algo por parte de alguien; asegurador a quien se ceden los restos de un naufragio, abordaje, etc. cubiertos por la póliza de seguro; acreedor a favor del cual el naviero hace abandono del buque como medio de limitación de su responsabilidad; V. *beneficiary*), **abandoner** (cesionista, cedente, abandonador), **abandoning** (abandono; cesión; renuncia)].

abandonment[1] *n*: SEG cesión, renuncia, dejación o abandono de propiedad, derechos, bienes, intereses, créditos, sobre todo, en expresiones como *abandonment of cargo/goods, insured property, etc. to the insurers*—abandono de mercancías, de propiedad asegurada, etc. a la aseguradora; *abandonment of patent, trademark or design* —cesión a dominio público de los derechos de propiedad de patente, marca o diseño; V. *abandonment clause, action of abandonment, notice of abandonment; loss, total loss, partial loss.* [Exp: **abandonment²** (COMER eliminación o abandono del uso o de la línea de determinados productos, bienes o activos; V. *product abandonment*), **abandonment³** (CONT eliminación de un activo fijo en servicio, abandono o retirada total del servicio de un activo fijo en uso a consecuencia de la recuperación o reutilización de sus piezas; V. *cannibalization*), **abandonment⁴** (TRANS negativa del consignatario o destinatario a aceptar la mercancía dañada durante el transporte; solicitud del transportista para interrumpir o abandonar el servicio), **abandonment clause** (SEG MAR cláusula de abandono; mediante esta estipulación, el armador o asegurado puede transferir los derechos que tiene sobre las cosas aseguradas al asegurador, por ej., el barco, y reclamar a éstos pérdida total —*actual total loss*—, aunque la pérdida haya sido inferior a la total; V. *abandonment to insurers; notice of abandonment, waiver clause, assignment clause*), **abandonment of option** (FINAN abandono de la prima de opción), **abandonment policy** (póliza de seguro de responsabilidad contra perjuicios causados por la suspensión de un espectáculo por incomparecencia de un actor, etc.), **abandonment stage** (MERC, PUBL fase de abandono; ciclo final de la vida de un producto), **abandonment to insurers** (SEG abandono del objeto asegurado, cediendo todos los derechos sobre el mismo al asegurador; V. *abandonment clause*)].

abate *v*: rebajar, abaratar, reducir, aminorar; desgravar, descontar, deducir; eliminar, abolir, anular, condonar; V. *rebate; reduce; abolish, annul.* [Exp: **abatable** (desgravable), **abate taxes, etc.** (TRIB rebajar-se, disminuir-se, desgravarse, reducir-se, deducir-se, descontar-se, anular-se impuestos, etc.), **abatement** (TRIB reducción, rebaja, bonificación, anulación/nulidad, supresión, cancelación, condonación o extinción, especialmente, de impuestos; V. *tax abatement*), **abatement cost** (coste de supresión o de mitigación), **abatement of debts, declared income, etc. amongst creditors, etc.** (reducción, disminución, deducción o rebaja de deudas, renta, etc. entre acreedores), **abatement of taxes** (desgravación fiscal, rebaja de impuestos; V. *tax abatement, tax relief, rebate*), **abating** (rebaja, reducción del precio)].

ABC¹ *n*: V. *Audit Bureau of Circulation.* [Exp: **ABC²** (V. *activity-based costing*), **ABC agreement** (BOLSA acuerdo entre un operador titular o *broker* y la empresa a la que representa, en el que se detallan los derechos de las dos partes respecto de la plaza —*membership*— adquirida por la empresa para él en la Bolsa de Nueva York —*New York Stock Exchange*—; el acuerdo es necesario porque sólo los particulares tienen derecho a ocupar dichas plazas en la Bolsa de Nueva York), **ABC analysis** *US*, **ABC inventory management** (CONT método ABC de gestión y clasificación de las existencias o *stocks* en A —muy importantes—, B —importantes— y C —de valor marginal o secundario—, teniendo en cuenta el valor de uso —*usage-value*— que reciben de parte de los clientes y el coste de adquisición), **ABC curve** (ECO, COMER curva ABC; alude esta curva a la ordenación de productos, clientes, etc., por su importancia económica o comercial), **ABC method** (PUBL, COMER método de ventas «ABC» o atención, beneficio y cierre; primero se llama la «atención» del comprador —*attention*—, luego se le muestra el «beneficio» —*benefit*— y se «cierra» —*close*— la operación; V. *AIDA*)].

Abelian group *n*: ECO grupo abeliano o conmutativo.

ABI *n*: V. *Association of British Insurers*.

ability *n*: capacidad, facultad, habilidad; solvencia económica. [Normalmente *ability*, en contextos económicos, significa lo mismo que *ability-to-pay*. Exp: **ability-to-earn** (ECO capacidad para obtener beneficios), **ability-to-pay** (FINAN, REL LAB solvencia económica, capacidad financiera; capacidad de pago; también se la llama *ability to service*; V. *financial standing*), **ability-to-pay basis** (TRIB capacidad contributiva, tributaria, fiscal o impositiva; V. *taxpaying ability; progressive tax on income; payment capacity*), **ability-to-pay-tax theory of taxation** (TRIB teoría de la imposición basada en los beneficios recibidos; esta teoría, también llamada *principle* o *concept* así como *faculty principle of taxation* o *benefit principle of taxation*, propugna la tesis de que pague progresivamente más quien más rentas obtenga), **ability-to-work** (REL LAB capacidad laboral; V. *temporary interruption to capacity to work*)].

able *a*: capaz, apto, competente, legalmente capacitado. [Exp: **able-bodied labour** (REL LAB mano de obra sin discapacidades), **able-bodied seaman, able seaman, AB** (TRANS MAR marinero preferente o capacitado)].

ABM *n*: V. *activity-based costing and management*.

abnormal *a*: irregular, anómalo, excepcional, anormal. [Exp: **abnormal costs** (costes excepcionales), **abnormal performance index** (BOLSA índice de comportamiento anormal del precio de una acción), **abnormal returns** (FINAN rendimiento anormal/excepcional), **abnormal risk** (riesgo agravado), **abnormal spoilage** (IND deterioro anormal, desperfectos anómalos; V. *normal spoilage*)].

ABO *n*: V. *accumulated benefit obligation*.

aboriginal *a*: primitivo, originario. [Exp: **aboriginal cost** (coste primitivo/originario)].

above *adv/prep*: encima; por encima de, ante; V. *before; below*. [Exp: **above-board, aboveboard** (claro, leal, franco, sin trampas; V. *open and aboveboard*), **above issue price** (BOLSA sobre el precio de emisión), **above line** (BOLSA por encima de la paridad), **above-line expenditure** (CONT gasto público superior a lo normal; connota «que se ha pasado de la raya»), **above-normal loss, ANL** (SEG pérdidas extraordinarias; V. *consequential loss, normal foreseeable loss*), **above par** (BOLSA sobre par, por encima del valor nominal, con prima; V. *at par, below par, nominal price*), **above-standard bonus** (REL LAB prima por productividad), **above the exchange** (por encima del cambio), **above-the-line** (GEST perteneciente a los gastos de explotación, relacionado con las actividades ordinarias o del ejercicio, «sobre la línea»; la línea a la que alude esta expresión coloquial de contabilidad es la que marca la divisoria de un subtotal según el formato vertical habitual en la práctica contable británica; dada la relativa libertad con que se consignan los datos contables en los países de habla inglesa, en los que no existe equivalente al Plan Nacional abstracto y numerado que regula la contabilidad española, el concepto de *above-the-line* se puede entender de muchas maneras, pero en general se refiere a los gastos directos corrientes y de explotación, incluidos los imprevistos si éstos se consideran necesarios para llevar a cabo las actividades programadas de la entidad; como ejemplo se podría citar el tratamiento contable de dos situaciones imprevistas: una empresa que vendiera una sucursal y los terrenos adyacentes podría consignar *below-the-line* —por debajo del subtotal— la cantidad ingresada por ese concepto, y *above-the-line* —por encima del subtotal, es decir con cargo a los beneficios— una operación por la que hubiera perdido una cantidad por devaluación de divisas; por extensión se emplea, además, en las siguientes expresiones: ① en contabilidad *above-the-line expenditure* es gasto público superior a lo normal; connota «que se ha pasado de la raya»; ② en contabilidad *above-the-line item* es una partida presupuestaria ordinaria; ③ en publicidad *above-the-line advertising* es la publicidad, o los gastos de publicidad o promoción en medios de difusión —*mass media*—, como la radio, la televisión, la publicidad exterior —*outdoor*— y la prensa y las revistas —*journals, magazines*—; y *above-the-line media* son medios de publicidad directa o de masas, como la televisión, la radio, la publicidad exterior), **above-the-line advertising** (PUBL gastos de promoción; publicidad pagada; V. *below-the-line*), **above-the-line deals/transactions** (FINAN operaciones financieras relacionadas con renta y no con capital; V. *below-the line*), **above-the-line item** (CONT partida presupuestaria ordinaria; V. *below the line item*), **above-the-line people** *col* (los jefes, los importantes de una empresa, «los de las alturas»; altos ejecutivos; V. *top manager; brass; high ranking; upper echelon; big cheese/ gun/shot/wig*)].

abrasion of coin *n*: merma; desgaste físico o pérdida de peso de una moneda producido por su uso; abrasión; V. *brassage*.

abridge *v*: resumir, abreviar, condensar; V. *abbreviate, summarize, curtail*. [Exp: **abridged form, in an** (resumido, extractado, condensado, de forma resumida), **abridged prospectus** (BOLSA, SOC folleto reducido), **abridged tax return** (declaración de la renta abreviada), **abridgement** (resumen, compendio, extracto)].

abroad *adv*: en el extranjero/exterior; V. *assets held abroad*.

abrogate *v*: anular, revocar, abrogar ◊ *Abrogate an agreement*. [Exp: **abrogation** (anulación, abrogación, derogación)].

ABS *n*: V. *asset-backed securities*.

absence *n*: inasistencia, ausencia; incomparecencia; falta injustificada. [Exp: **absence from work** (REL LAB falta de asistencia al trabajo; V. *leave of absence*), **absence of, in the** (en ausencia de, a falta de), **absence on leave** (REL LAB ausencia con permiso), **absence rate** (REL LAB tasa de absentismo), **absence without official leave, AWOL** (REL LAB ausencia o incomparecencia no justificada), **absent, be** (faltar, estar ausente), **absentee** (ausente sin permiso; absentista), **absentee record** (REL LAB libro/registro de ausencias del trabajo), **absenteeism** (REL LAB absentismo laboral, ausentismo del trabajo; V. *rate of absenteeism*)].

absolute *a*: absoluto, definitivo, completo, terminante, firme, indiscutible, irrevocable; V. *conclusive, definitive; qualified, constructive, conditional*. [Exp: **absolute acceptance** (aceptación incondicional), **absolute advantage** (COMER ventaja absoluta; la empresa que goza de «ventaja absoluta» puede producir o vender por debajo de los costes de otra; V. *comparative advantage*), **absolute cost barriers** (ECO barreras de coste absoluto), **absolute conveyance** (cesión incondicional), **absolute cost advantage** (ECO ventaja de costes absoluta; V. *barriers to entry*), **absolute covenant** (COMER garantía incondicional), **absolute endorsement** (FINAN endoso total o absoluto), **absolute guarantee** (garantía incondicional), **absolute interest**[1] (interés fijado o establecido), **absolute interest**[2] (DER título legal), **absolute liability** (DER responsabilidad civil causal/objetiva), **absolute monopoly** (monopolio absoluto; V. *pure monopoly, perfect monopoly*), **absolute poor** (pobre de solemnidad; V. *man of means; well-off*), **absolute priority** (SOC prioridad absoluta; se dice del derecho que tienen accionistas y acreedores preferentes a percibir el total que se les adeuda; V. *preferred shareholders*), **absolute priority rule** (SOC norma de prioridad absoluta; en las quiebras, alude al derecho preferencial de las demandas de los acreedores sobre las de los propietarios), **absolute rights** (SOC derechos singulares), **absolute sale** (venta incondicional; venta sin cláusula restrictiva), **absolute total loss** (SEG pérdida total efectiva; V. *actual total loss, constructive total loss, beyond repair*), **absolute warranty** (COMER garantía completa, total o incondicionada), **absolutely** (totalmente), **absoluteness of responsibility** (responsabilidad absoluta)].

absorb *v*: absorber, incorporar, consolidar; asumir; amortiguar; V. *merge*. [Exp: **absorb a loss** (asumir una pérdida), **absorb a surplus** (absorber un excedente), **absorb the cost** (CONT absorber la pérdida), **absorbed** (BOLSA absorbido;

se aplica al título que ha pasado del colocador al tenedor de valores; V. *outstanding*), **absorbed cost** (CONT coste absorbido/aplicado), **absorbent package** (TRANS embalaje absorbente; V. *cushioning*), **absorption** (absorción, adquisición hegemónica de una empresa por otra; V. *amalgamation, integration, combination, merger; takeover*), **absorption account** (CONT cuenta/contracuenta de absorción o de aplicación, cuenta auxiliar; V. *adjunct account*), **absorption costing** (FINAN absorción de costes, costeo de absorción, costeo total; cálculo del coste de absorción; en este método de costeo, llamado también *full costing* —costeo total—, todos los costes de fabricación se encuentran incluidos en el coste de un producto, a fines de costeo del inventario, y están excluidos todos los costes que no representen fabricación, por ej., gastos administrativos, de ventas, etc.; V. *full costing, marginal costing, overhead*), **absorption point** (MERC FINAN/PROD/DINER punto de absorción; punto en el que el mercado ya no funciona sin concesiones o reajustes de precios; V. *undigested securities*), **absorptive capacity** (FINAN capacidad de absorción), **absortion of a tax** (TRIB absorción de un impuesto; V. *carry back, carry forward, carry-over*)].

abstain *v*: abstenerse. [Exp: **abstainer** (abstemio), **abstainer insurance** (SEG póliza de seguro con descuento por ser abstemio), **abstinence** (abstinencia), **abstinence theory of interest** (ECO teoría de la abstinencia; teoría del interés basado en la abstinencia; según esta teoría, el aplazamiento, retraso o renuncia temporal al uso o disfrute de un bien comporta un coste, que se debe compensar mediante el pago de intereses)].

abstract *n/v*: resumen, extracto, síntesis, compendio, sinopsis; curriculum vitae; abstraer; extractar; resumir; sustraer; V. *abridgement, summary.* [Exp: **abstract of account** (BANCA resumen/extracto/ estado de cuenta; V. *extract of account*), **abstract of posting** (CONT resumen de pases al mayor), **abstract of title** (DER copia del título, resumen o extracto del título en el que se establece el origen y titulación de la misma, con cada traspaso del título y las hipotecas con las que esté cargada la propiedad; documento catastral de un inmueble; V. *brief of title, epitome of title; chain of title*), **abstraction of bank funds** (substracción de fondos bancarios; V. *defalcation, embezzlement*)].

abuse *n/v*: abuso, extralimitación; abusar. [Exp: **abuse of a position of dominance** (COMER abuso de posición dominante), **abuse of authority/power** (abuso de autoridad/poder), **abuse of market power** (abuso de posición dominante en el mercado), **abusive tax shelter** (TRIB pantalla/protección fiscal abusiva; se dice normalmente de la practicada por una *partnership* o sociedad comanditaria que aumenta sobremanera las deducciones por bienes, etc., cuyos precios han sido inflados por encima de los del mercado para obtener ventajas fiscales en las amortizaciones; V. *accelerated amortization*)].

ACAS *n*: se pronuncia *'eicas.* V. *Advisory Conciliation and Arbitration Service.*

a/c, A/c, a/c payee, acc, acct *n*: V. en *account.*

acc *n*: V. *account; acceptance, accepted.*

acce *n*: V. *acceptance, accepted.*

accelerate *v*: acelerar. [Exp: **accelerate a loan** (exigir el reembolso anticipado de un préstamo), **accelerate smoothly** (ECO acelerar con suavidad; V. *ease into second gear; decelerate smoothly*),

accelerated amortization/depreciation (CONT amortización/depreciación acelerada; esta técnica consiste en imprimir un ritmo más rápido de amortizaciones en los primeros años de la vida de un activo fijo —equipo, maquinaria, etc.—, reduciéndolo en los últimos años, a fin de incentivar la producción, adquisición y modernización de bienes; V. *write-off, capital allowances, straight line depreciation; certificate of necessity*), **accelerated cash flow swap** (FINAN permuta financiera o «swap» de tipos de interés anticipados a los primeros estadios de la transacción; V. *cash flow swap, deferred cash flow swap, fixed to fixed swap*), **accelerated cost recovery system, A.C.R.V.** (CONT sistema acelerado de recuperación de costes; esta técnica, consistente en autorizar la amortización de bienes raíces, maquinarias, equipos, etc. en plazos de tiempo menores, la permiten los Gobiernos con el fin de incentivar la producción de bienes; V. *write-off, capital allowances, straight line depreciation, accelerated depreciation*), **accelerated incentive** (incentivo progresivo), **accelerated maturity** (vencimiento acelerado o adelantado), **accelerated note** (FINAN bono con opción de amortización anticipada), **accelerating premium pay** (REL LAB sistema de primas aceleradas; V. *acceleration premium*)].

acceleration *n*: aceleración, anticipación; V. *profits acceleration.* [Exp: **acceleration clause** (FINAN cláusula de opción al pago anticipado; cláusula de anticipación o aceleración para los contratos con pagos escalonados; mediante esta cláusula, provisión o estipulación, la totalidad del saldo pendiente de pago de una hipoteca o instrumento de préstamo, se considera inmediatamente vencida y pagadera y, por tanto, exigible por el prestamista, cuando uno cualquiera de los vencimientos deje de ser atendido por el deudor, o en caso de suspensión de pagos, quiebra, etc.; V. *due and payable*), **acceleration note** (FINAN pagaré con opción de pago anticipado), **acceleration premium** (REL LAB prima de productividad; fórmula salarial para incentivar la productividad), **acceleration principle** (ECO, FINAN principio de aceleración; hipótesis que afirma que el nivel de inversión varía como consecuencia directa de los cambios de los volúmenes de consumo o producción; se entiende también como corolario, que para que se produzca la inversión tiene que darse un aumento en el consumo y la producción; V. *accelerator effect*), **accelerator** (acelerador), **accelerator effect** (ECO efecto acelerador; V. *acceleration principle*), **accelerator-multiplier model** (FINAN modelo del multiplicador-acelerador; V. *multiplier*), **accelerator theory** (ECO, FINAN teoría del acelerador; V. *acceleration principle*), **accelerator theory of business investment** (ECO teoría del acelerador de la inversión empresarial; de acuerdo con la misma, el gasto en inversión está muy vinculado a los cambios en el consumo)].

accept *v*: aceptar, reconocer, admitir; comprometerse a pagar un efecto comercial o documento. [Exp: **accept a bid** (aceptar una propuesta/oferta), **accept a bill of exchange/a draft** (BANCA aceptar una letra de cambio o un efecto; V. *honour; reject, refuse*), **acceptable** (aceptable; admisible; de calidad suficiente; V. *average quality*), **acceptable industry standard** (IND norma industrial aceptable), **acceptable quality level, AQL** (IND grado de desviación máxima permisible en el control de calidad), **accepted, acc** (aceptado), **accepted bill** (efecto/letra aceptado/a; V. *due bill*), **accepted draft** (letra/giro aceptada/o), **accepting house** (BKG banco de negocios; es el nombre tradicional que aún se conserva para determinados bancos de negocios o *merchant banks*; casa financiera especializada en aceptaciones o *acceptances*; V. *eligible list, acceptance house; merchant bank*), **accepting office** (SEG aceptante; compañía aceptante o cesionaria; alude a la compañía de seguros que acepta reaseguros; V. *ceding office*)].

acceptance[1] *n*: aceptación o acto de aceptar; recepción; disposición del firmante a cumplir las obligaciones o compromisos contraídos. [Exp: **acceptance**[2] (BANCA aceptación o letra de cambio aceptada por un banco en contraste con *draft*, que es la letra girada; deuda negociable con terceros y garantizada por un banco ◊ *Banker's acceptances are traded in the secondary market*; V. *brand acceptance, bank/banker's acceptance, clean/general acceptance, collateral acceptance, commission for acceptance, limited acceptance, qualified acceptance, trade acceptance; default of acceptance, revolving acceptance facility by tender; uncovered acceptance*), **acceptance**[3] (TRANS aceptación o reconocimiento de recepción de un envío por el consignado; de esta forma, se pone fin al contrato normal de transporte; V. *acceptance of goods; acceptance sampling*), **acceptance**[4] (SEG aceptación, reaseguro activo), **acceptance account** (CONT cuenta o registro de las operaciones realizadas con letras de crédito), **acceptance against documents** (COMER aceptación contra documentos; entrega de los documentos de embarque tras la firma de aceptación de la letra por parte del comprador), **acceptance agreement** (contrato de aceptación), **acceptance bank** US (banco financiero o de descuento; V. *accepting house*), **acceptance bill** (BANCA letra aceptada, letra de aceptación), **acceptance by intervention or by special endorser** (aceptación por intervención; V. *acceptance for honour; acceptance supra-protest, act of honour*), **acceptance commission** (comisión en una letra aceptada por intervención; V. *acceptance supra-protest*), **acceptance costs** (costes de aceptación; comprenden los costes de inspección y prueba, y los costes de administración del programa de aceptación), **acceptance credit** (FINAN, TRANS crédito de aceptación; mediante el crédito de aceptación, las letras giradas por una empresa, por ejemplo un exportador, son aceptadas por una financiera o banco de aceptaciones —*accepting house*—, abonando una pequeña comisión —*fee*—, y utilizadas como garantía para un anticipo o crédito bancario, corriendo los gastos de descuento por cuenta del exportador; forma de financiación de importaciones y exportaciones en la que el banco sustituye con su crédito al del cliente; V. *documentary acceptance credit, London acceptance credit*), **acceptance dealer** (agente/intermediario de aceptaciones), **acceptance for honour** (FINAN aceptación por honor; la que hace un tercero, de un efecto impagado, por salvar el honor del deudor; V. *acceptance by intervention, dishonoured bill*), **acceptance for less amount** (aceptación por menor cuantía), **acceptance house/bank** US (banco de descuento, banco de negocios, casa de aceptaciones; financiera; V. *accepting house*), **acceptance ledger** (libro de letras aceptadas; V. *acceptance register*),

acceptance liability (pasivo aceptado; obligaciones por letras aceptadas; aceptación de pasivo; se refiere al pasivo total que el banco asume al aceptar efectos comerciales girados por sus clientes contra él), **acceptance market** (mercado de letras de cambio efectuado por agentes de letras y bancos de descuento; V. *acceptance,[2] billbrokers, discount houses*), **acceptance of deposits** (operaciones de depósito), **acceptance of goods** (TRANS aceptación de mercancías; implica «disposición a abonar su importe»; V. *brand acceptance*), **acceptance of proposal** (SEG conformidad con la cobertura ofrecida/propuesta en la póliza de seguros; resguardo provisional de una póliza de seguros; V. *agreement for insurance, cover note*), **acceptance of tenders** (adjudicación de contrato, aceptación de ofertas), **acceptance price** (BANCA, SOC precio de compra en firme de la emisión de valores), **acceptance rate** (tasa de aceptación), **acceptance register** (registro de letras aceptadas; V. *acceptance ledger*), **acceptance sampling** (COMER aceptación por muestreo; muestreo de aceptación; técnica estadística, diseñada para el control de la calidad y empleada en el comercio, en la auditoría de cuentas, etc., que consiste en determinar por muestreo un nivel de error tolerable —*tolerable error rate*— para cada lote de documentos examinados, evitando de esta manera que se desechen por completo lotes con un porcentaje aceptable de errores; V. *attribute sampling, variables sampling*), **acceptance slip** (BANCA nota de aceptación o liquidación, borderó; V. *bordereau[2]*), **acceptance supra-protest** (aceptación por intervención; aceptación de una letra después del protesto, normalmente por un tercero, que cobra una comisión; V. *acceptance commission*), **acceptance**

trial (TRANS MAR viaje de prueba hecho por el barco recién construido, previo a la aceptación definitiva por sus propietarios), **acceptances outstanding/payable** (CONT aceptaciones pendientes de pago; V. *accounts payable*), **acceptances receivable** (CONT aceptaciones por cobrar; V. *accounts receivable*), **acceptation** (aceptación; V. *after-acceptation*)].

acceptor *n*: aceptante de una letra de cambio, etc., aceptador; V. *drawee*. [Exp: **acceptor for honour/supra protest** (BANCA aceptante por intervención, avalista de un efecto, interventor en la aceptación; V. *backer; acceptance for honour, acceptance supra-protest*)].

acceptilation *n*: finiquito gratuito, condonación de una deuda no satisfecha; V. *acquittance*.

access *n*: acceso. [Exp: **access time** (GEST tiempo de acceso; es el que transcurre desde que el cliente solicita un servicio hasta que se le atiende o se entra en contacto con él), **accessible** (accesible), **accession** (acceso, advenimiento; acrecentamiento, adherencia), **accession rate** (tasa de incremento; porcentaje de operarios adicionales)].

accessory *a/n*: subsidiario, accesorio, incidental; aditamento, accesorio; V. *subsidiary*. [Exp: **accessorial** (complementario, accesorio), **accessorial service** (TRANS servicio complementario o adicional prestado por el transportista, como almacenaje o *storage*, envasado o *packing*, clasificación o *assorting*, etc. de la mercancía), **accesory contract** (DER contrato accesorio), **accesory equipment** (INDUS accesorios; V. *facilities; fittings*)].

accident *n*: accidente. [Exp: **accident at work/accident on the way to and from home** (REL LAB, SEG accidente laboral, accidente in itinere; V. *industrial accident, occupational injury, occupational accident*), **accident benefit**

(indemnización por accidente), **accident insurance** (seguro de accidentes), **accident of navigation** (accidente de navegación, siniestro naval o marítimo, accidente del comercio marítimo; V. *marine accident*), **accident prone** (SEG propenso/proclive a sufrir reveses o accidentes ◊ *Stay away from that firm; they're accident-prone*; V. *accident repeater*), **accident proneness** (SEG propensión a sufrir accidentes), **accident repeater** (SEG persona dada a sufrir accidentes; V. *accident-prone*), **accident report/reporting** (parte/atestado de un accidente, denuncia de accidente), **accidental** (fortuito, casual, accidental, inevitable), **accidental bodily injury** (SEG daños personales; V. *bodily injury insurance; damage to property*), **accidental collision** (abordaje fortuito; V. *collision, negligent collision; both-to-blame collision, rules of the road*), **accidental damage** (deterioro o daño accidental; daños por accidente), **accidental death** (muerte por accidente), **accidental death benefits** (SEG seguro de doble indemnización; indemnización suplementaria, casi siempre el doble, por muerte en accidente)].

accomenda *n*: contrato mediante el que se reparten los beneficios el patrón de un barco y el armador sin que éste último se comprometa a hacer frente a las pérdidas si las hubiere.

accommodate *v*: acomodar, alojar; ajustar, adaptar; prestar dinero sin garantía o con una garantía provisional. [Exp: **accommodating policy** (política permisiva o complaciente), **accommodated party** (FINAN parte acomodada o beneficiada; V. *accommodation maker*)].

accommodation[1] *n*: favor, servicio, atención. [Exp: **accommodation**[2] (acuerdo, conciliación, arreglo, ajuste, acomodo, convenio basado en concesiones mutuas; V. *compromise, settlement, agreement, accord*), **accommodation³** (BANCA préstamo sin garantía, préstamo a corto plazo; crédito/afianzamiento encubierto; V. *bank accommodation, day-to-day accommodation/loan, bridging loan, short-term loan*), **accommodation⁴** («letra de pelota»; V. *kite*), **accommodation⁵** (alojamiento, acomodo; V. *house; lodge; office accommodation; accommodation unit*), **accommodation⁶** (TRANS MAR adaptación, arreglo, acomodo, ajuste; acto de adaptación de un buque o puerto para acomodarlo a pasajeros o a carga, etc.), **accommodation acceptance** (BANCA efecto de favor; V. *accommodation bill/note*), **accommodation address** (dirección para el envío del correo), **accommodation and board** (alojamiento con pensión), **accommodation berth** (muelle reservado, muelle especial; V. *appropriated berth*), **accommodation bill/note/draft/paper** (letra/pagaré/efecto de favor, de cortesía, de deferencia, de complacencia, de acomodamiento o a cargo propio; letra de pelota, letra proforma; V. *kite, windbill, bill of exchange*), **accommodation bill of lading** (TRANS MAR conocimiento de embarque de favor; por ej., el que extiende el transportista antes de recibir las mercancías), **accommodation business** (V. *accommodation line*), **accommodation credit** (crédito en descubierto, de favor o a la sola firma), **accommodation draft** (giro de favor), **accommodation desk** (BANCA, COMER oficina de atención al cliente; V. *service area*), **accommodation endorsement/indorsement** (aval de un préstamo, endoso de garantía, endoso de favor, endoso por aval o por acomodamiento; este endoso dado a la letra, pagaré o efecto comercial del prestatario que no

tiene crédito suficiente aligera los trámites bancarios y los abarata), **accommodation endorser** (avalista de favor), **accommodation land** (terreno, granja, etc. privilegiada, y por tanto con mayor valor, por estar próxima a una carretera, a un centro de distribución, etc.; V. *accommodation rent*), **accommodation line¹** (SEG póliza de favor; seguro por acomodación; en el mundo de los seguros se aplica a la aceptación de pólizas no rentables por razones comerciales o con el fin de conservar o de atraer otras más beneficiosas), **accommodation line²** (BANCA, COMER línea de favor o de crédito; riesgo aceptado en el aspecto comercial), **accommodation loan** (préstamo diario), **accommodation maker/party** (favorecedor, afianzador; parte o firmante por acomodación), **accommodation note/paper** (pagaré de favor, documento avalado, nota/línea de favor, documento de garantía, efectos de favor o de cortesía), **accommodation rent** (renta o precio mayor que se puede exigir por un *accommodation land*; V. *accommodation land*), **accommodation road/way** (carretera de servicio, carretera auxiliar de acceso a urbanizaciones, etc.), **accommodation trades** (BOLSA pactos tentativas entre alcistas y bajistas), **accommodation unit** (unidad de alojamiento familiar), **accommodation with creditors** (acuerdo con acreedores), **accommodations** (facilidades)].

accommodatum *n*: comodato.

accompanying *a*: concomitante, adjunto, que acompaño/acompañamos, etc.; junto a, acompañando a; V. *attendant; attached; enclosed.*

accord *n/v*: acuerdo, convenio, concierto, tratado; conformidad, acomodamiento, buen entendimiento, buena inteligencia; conceder, otorgar, aplicar; V. *ac-*

cordance, accommodation, agreement, arrangement, settlement; grant, award. [Exp: **accord and satisfaction** (acuerdo y conciliación, acto de conciliación, transacción, arreglo de una disputa; oferta y aceptación de modificación, finiquito, liquidación; V. *novation*), **accordance** (V. *accord*), **accordance with, in** (conforme a, de acuerdo con, según, en el marco de), **accordance with the advice of, in** (por indicación de), **according to business practice/procedure** (conforme a/siguiendo los usos y costumbres mercantiles; V. *act according to/contrary to*), **accordingly** (y a ese respecto, en consecuencia, consecuentemente, teniendo en cuenta lo anterior)].

accordion *n*: FINAN, SOC operación acordeón accionarial; reducción del capital social de una mercantil seguida de una ampliación con fondos nuevos; V. *alteration of share capital; burnout turnaround*)].

account, a/c, A/c, acct[1] *n/v*: cuenta, factura; rendir cuentas, dar cuentas; V. *bill, invoice; blocked account, call account, charge account, current account, clearing account, consolidated accounts, credit account, dead account, drawing account, fixed deposit account, inventory account, joint account, loan account, open account, operating account, returned account, stated account, trading account, overdrawn account; money of account.* [Exp: **account**[2] (informe, descripción, relación; V. *report*), **account**[3] (declaración, estado; V. *statement*), **account**[4] (cliente; esta acepción es muy corriente, por ejemplo, en las agencias de publicidad; V. *regular client*), **account**[5] (BOLSA día de liquidación de los valores de Bolsa, también llamado *The Account*; V. *Account day*), **account**[6] (causa, razón; V. *on account of*), **account**[7] (cálculo,

cuentas; V. *calculation*), **account agent** (V. *credit agent*), **account analysis** *US* (FINAN análisis de cuentas; análisis del coste y beneficio de una cuenta corriente, análisis de su actividad, su saldo, su coste, etc.; V. *content analysis, cross-section analysis, itemised breakdown*), **account and risk of, on/for** (por cuenta y riesgo de), **account balance** (CONT saldo contable, saldo de una cuenta), **account basis** (bases contables), **account books** (libros de contabilidad, libros de cuentas), **account clerk** (contable; V. *book-keeper*), **account closed** (cuenta saldada), **account current** (CONT extracto; resumen de los movimientos entre dos partes durante un determinado período), **Account Day** (BOLSA día de liquidación de valores de la Bolsa de Londres, también llamado *end of the account*, correspondientes a las transacciones efectuadas a crédito durante la quincena; este día es el último del llamado *account period* y el quinto del período llamado *settlement*; también se le llama *settlement day*; V. *Settling Day, Settlement Day, Pay Day; contango, continuation, cash deal/settlement*), **account dividends** (dividendos por pagar/cobrar), **account due** (cuenta vencida o por pagar), **account end** (final de un período de crédito), **account entry** (CONT, FINAN anotación en cuenta; V. *recording, credit entry, debit entry*), **account executive** (PUBL, COMER, BOLSA director de cuentas; alude al jefe o ejecutivo de la sección comercial, encargado de atender los pedidos de clientes regulares o con cuentas abiertas en la empresa; se usa principalmente en agencias de publicidad y en las sociedades de valores; agente de cambio y bolsa), **account for** (dar cuenta de, dar razón de, explicar, justificar), **account-form balance sheet** (CONT balance general en forma de cuenta; V. *report-form balance sheet*), **account form, in** (CONT (en forma de cuenta; en dos columnas; con el formato en columnas de la hoja de balance, es decir, debe y haber; V. *report form*), **account hold** (V. *cheque hold*), **account, in** (en cuenta corriente), **account in trust** (cuenta fiduciaria, cuenta en fideicomiso; normalmente esta cuenta es un fondo establecido por alguien y gestionado por otro para beneficio de un tercero, por lo general, un menor; V. *educational fund, trust account*), **account manager** (gestor de cuentas), **account number** (número de cuenta; V. *code of accounts*), **account of charges** (cuenta de gastos; V. *expenses account*), **account of facts/events** (descripción de hechos/acontecimientos), **account of, on** (por motivo de, debido a, a causa de, en consideración a, teniendo en cuenta), **account, on, o/a** (a cuenta), **account-only cheque** (BANCA talón para abono en cuenta; cheque cruzado; sólo para compensación; V. *for deposit only*), **account past due** (cuenta vencida), **account payable** (cuenta a/por pagar), **account payee** (BANCA para ingresar en cuenta; los cheques que lleven esa anotación, o *account payee only*, no pueden hacerse efectivos por ventanilla, sólo por compensación, ingresándolos en cuenta; V. *open cheque, crossed cheque; clearing*), **account periods** (BOLSA períodos de contratación bursátil a cuenta o a crédito, también llamados *trading periods*; hay veinticuatro *account periods* en un año, de 14 días cada uno, durante los cuales los operadores bursátiles liquidan entre sí las transacciones efectuadas a cuenta durante la quincena; V. *The Account, Account Day; contango, continuation; The Settlement; Name Day*), **account receivable** (cuenta a/por cobrar),

account receivable discounted (cuenta por cobrar descontada), **account receivable pledging** (facturas por cobrar prendarias), **account reconcilement/reconciliation** (CONT conciliación/ajuste de cuentas; V. *capital reconciliation statement*), **account rendered** (cuenta rendida, cuenta girada o pasada; V. *render an account*), **account restatement** (CONT regularización contable), **account sales** (ventas a cuenta; V. *cash sales*), **account stated** (COMER, DER cuenta conforme o convenida; rendimiento de cuenta; V. *stated account*), **account statement** (BANCA, CONT estado de posición; estado de cuenta), **account subject to notice** (cuenta a plazo fijo, cuenta con preaviso de retiro), **account turnover** (movimiento o rotación de cuentas), **Account, The** (cada uno de los períodos de liquidación de transacciones bursátiles o *account periods*), **account stated** (cuenta conforme o convenida; rendimiento de cuenta), **accounts** (contabilidad; cálculo, cuentas ◊ *Mary can keep our accounts since she is quick at arithmetic*), **accounts department** (GEST departamento de contabilidad), **accounts payable, AP** (CONT acreedores comerciales; deudas, cuentas por/a pagar; «proveedores»; V. *payable accounts, creditors, trade credit; bills payable; acceptances outstanding*), **accounts payable ledger** (libro auxiliar de acreedores o cuentas por pagar), **accounts payable turnover** (rotación de acreedores), **accounts receivable, AR** US (CONT deudores; créditos; «clientes»; sumas/cuentas por cobrar, cuentas a recibir, cuentas en cobranza, contabilidad de deudores; estas cuentas pueden servir de garantía para solicitar un préstamo o pueden venderse a un factor para su cobro; también se las llama *receivables*;

V. *debtors; assigned account, book debts, factor, factoring; bills receivable; acceptances receivable*), **accounts receivable financing** (FINAN financiación a corto plazo con cuentas en cobranza), **accounts receivable ledger** (libro auxiliar de clientes o cuentas por cobrar), **accounts receivable pledging** (facturas por cobrar prendarias, cuentas por cobrar como garantía colateral), **accounts receivable turnover** (rotación de deudores)].

accountability *n*: responsabilidad, control; obligación de dar/rendir cuentas; objeto del que debe dar/rendir cuenta la persona a quien se le confió ◊ *Cash and other assets are accountabilities of the treasurer*. [Exp: **accountability in management** (responsabilidad en la dirección), **accountable** (responsable; V. *liable, answerable, responsible*)].

accountancy *n*: contabilidad, técnica contable, oficina/cargo de contador, contaduría; V. *bookkeeping*. [En inglés americano se prefiere *accounting*. Exp: **accountant, acct** (contable; contador, perito mercantil; V. *bookkeeper, keeper of books; certified public accountant, chartered accountant, chief accountant*), **accountant general** (jefe de contabilidad; V. *chief accountant*), **accountants clause** (SEG cláusula de una «póliza de seguro por interrupción de la actividad empresarial» que autoriza a que los propios contables de la empresa siniestrada, por incendio, rotura de la maquinaria, etc. formulen directamente la reclamación; V. *business interruption policy*), **accountant's office** (contaduría), **accountant's opinion** (dictamen contable; V. *auditor's certificate*)].

accounting *n*: contabilidad, contaduría; rendición o preparación de cuentas; estado de cuentas; V. *accountancy; book; accrual accounting, job order cost accounting, responsibility accounting, trust accounting, General Accounting Office*. [En función atributiva, *accounting* significa «contable» como *accounting cycle* —ciclo contable—, etc. Exp: **accounting books** (libros contables), **accounting classifications** US (sistema contable ordenado por la Administración o recomendado por una asociación empresarial), **accounting convention** (prácticas contables), **accounting cycle** (ciclo de operaciones contables), **accounting data** (datos contables), **accounting date** (fecha contable; día de vencimiento; fecha de cierre de la contabilidad), **accounting day** (BOLSA día o fecha de vencimiento; V. *maturity*), **accounting entry**[1] (FINAN anotación en cuenta; V. *security*), **accounting entry**[2] (CONT asiento/ anotación contable; partida contable), **accounting equation** (ecuación de contabilidad, es decir, capital + pasivo = activo; V. *double-entry equation*), **accounting executive** (jefe de contabilidad; V. *chief accountant*), **accounting fraud** (estafa contable; ingeniería financiera; V. *cook the books, window-dressing*), **accounting note** (nota de liquidación), **accounting office** (contaduría), **accounting period** (ejercicio; período contable, normalmente un año; V. *accounting year; business year, corporate year, financial year; accrued expenses*), **accounting practice** (práctica contable), **accounting prices** (precios contables o fantasmas; V. *shadow prices*), **accounting principles** US (fundamentos de contabilidad, principios de contabilidad, criterios contables; V. *accounting standards; generally accepted accounting principles; statement of standard practice*), **Accounting Principles Board** US (Junta rectora del *American Institute of Public*

Accountants, encargada de fijar los criterios contables o *accounting principles*; V. *Financial Accounting Standards Board; Accounting Standards Committee*), **accounting procedures** (procedimientos contables), **accounting profits** (beneficio contable; V. *assessable profits*), **accounting rate** (tipo a efectos contables), **accounting rate of interest, ARI** (CONT tipo de interés contable), **accounting rate of return, ARR** (CONT tasa/índice/tipo contable de rendimiento o beneficio; V. *net present value; rate of return*), **accounting ratio** (CONT relación de cuenta), **accounting records** (libros de contabilidad), **accounting research bulletin** (boletín de investigación contable), **accounting restatement** (regulación contable), **accounting standards** (normas contables; criterios, normas o métodos contables fijados y regulados por la Comisión de las empresas de contabilidad y auditoría más prestigiosas del Reino Unido e Irlanda, que los revisan periódicamente en sus *Statements of Standard Accounting Practice* o Guía de la Práctica Contable), **Accounting Standards Committee** (Comisión Reguladora de la Práctica Contable; V. *American Institute of Public Accountants*), **accounting statement** (estado contable), **accounting summary** (estado contable; llamado *funds statements* en los EE.UU., está formado por el balance de situación o *balance sheet*, la cuenta de explotación o *trading account*, la cuenta de resultados o *profit and loss account*, y el estado de flujo de fondos o de origen y aplicación de cuentas —*statement of sources and applications of funds*; V. *annual accounts*), **accounting system** (sistema contable; plan general contable, PGC), **accounting year** (ejercicio económico/

contable, año social/económico; V. *accounting period, corporate year, business year, calendar year*), **accountingwise** (en términos contables)].

accredit *v*: dar crédito, abonar en cuenta, anotar en el haber; garantizar; dar credenciales. [Exp: **accreditation** (acreditación; V. *letter of accreditation*), **accredited list** (lista de garantía)].

accretion[1] *n*: CONT acumulación contable; acrecencia, acrecentamiento, acrecimiento, plusvalía; V. *net accretion method*. [Exp: **accretion**[2] (aumento en el valor de un activo debido a las fuerzas de la naturaleza, como la recesión de las aguas, un aluvión o la maduración de un vino; acreción; V. *avulsion*), **accretion**[3] (FINAN ajuste entre el valor de un bono comprado al descuento y su valor a la par), **accretion account** (CONT, BOLSA cuenta de acrecentamiento; alude a la diferencia entre el valor de de adquisición y el nominal de los bonos comprados con descuento)].

accrual *n*: aumento o crecimiento gradual y/o automático; acumulación; devengo; aparición o surgimiento de un derecho, prerrogativa o privilegio; V. *accumulation*. [Exp: **accrual basis US** (V. *accrual concept*), **accrual basis accounting** *US* (contabilidad acumulativa/diferida/de valores devengados o siguiendo el principio del devengo; contabilidad por acumulación; acumulaciones básicas en contabilidad; en esta contabilidad se consignan los gastos e ingresos conforme se producen, asignándolos al período de devengo, en contraste con el método efectivo —*cash basis*— que refleja la cuenta de los pagos y cobros efectivos; V. *accrual concept; cash basis of accounting; nonaccrual status*), **accrual bond** (obligación a largo plazo de cupón cero con garantía hipotecaria; V. *zero-coupon bond*), **accrual concept/basis**

(CONT principio/criterio del devengo; base acumulativa, base acumulada, base de acumulación, base de valor devengado; contabilidad por acumulación; de acuerdo con el principio del devengo, en la cuenta de resultados de una mercantil los ingresos y los gastos se consideran cuando se producen o devengan, con independencia del momento en que se cobren o se paguen; V. *cash basis, taxation on an accrual basis*), **accrual day/date** (fecha de acumulación), **accrual method** (método de acumulación de lo devengado; V. *accrual basis/method of accounting*), **accrual of exchange** (afluencia o acumulación de divisas; V. *accumulation*), **accrual of interest** (devengo de intereses), **accrual period** (devengo, período de devengar), **accrual status** (categoría de productivo), **accruals payable** (CONT ajustes por periodificación; acumulaciones pendientes de pago)].

accrue *v*: acumular-se, incrementar-se, derivar-se, devengar; periodificar; aumentar, acrecentar; surgir, resultar; nacer, normalmente aplicado a un derecho, prerrogativa o privilegio; V. *accumulate; due and payable*. [El adjetivo *accrued* se aplica a lo «vencido, diferido, acumulado, por pagar, o por cobrar; lo devengado y no cobrado». [Exp: **accrued asset** (activo acumulado, activo devengado), **accrued benefits** (beneficios acumulados o devengados por un empleado en forma de pensión), **accrued charges** (comisiones/cargos acumulados o devengados), **accrued costs** (costes acumulados), **accrued current liabilities** (pasivo comercial acumulado, gastos por pagar a corto plazo), **accrued depreciation** (amortización acumulada), **accrued dividends** (dividendos acumulados; dividendos no decretados), **accrued expenses** (gastos

devengados; V. *overhead expenses*), **accrued/accumulated income** (BOLSA renta acumulada; es el precio de un título-valor de canto dorado o de primera clase —*gilt edged security*— incluidos los intereses acumulados desde el dividendo anterior; V. *clean income*), **accrued interest** (FINAN interés acumulado; cupón corrido; interés causado, devengado o acumulado pero no abonado), **accrued interest receivable** (intereses acumulados o devengados por cobrar), **accrued interests payable** (intereses acumulados o devengados por pagar; intereses acumulados por una deuda), **accrued interest payments** (periodificación de intereses), **accrued items** (partidas acumuladas), **accrued liabilities** (pasivo acumulado, gastos ocasionados y no vencidos), **accrued loan commissions** (comisiones acumuladas por préstamos), **accrued payroll** (nómina devengada), **accrued revenue** (rentas devengadas; ingresos devengados/anticipados), **accrued right** (DER derecho de iniciar una acción judicial), **accrued taxes** (impuestos causados o vencidos, impuestos por pagar), **accrued wage** (salario diferido, salario acumulado o pendiente de pago), **accruing**[1] (acumulación; surgimiento o nacimiento de un derecho, privilegio, etc.), **accruing**[2] (periodificación)].

acct *n*: V. *accountant*.

acculturation period *n*: REL LAB período de adaptación a nuevas tecnologías o de integración en una cultura empresarial; V. *time lag, out of phase*.

accumulate *v*: acumular, experimentar aumento o crecimiento por acumulaciones regulares; V. *accrue*. [Exp: **accumulated amortization** (amortización acumulada, fondo de amortización), **accumulated annuity** (anualidad acumulada), **accumulated benefit obligations, ABO** (FINAN obligaciones acumuladas por beneficio), **accumulated depreciation** (amortización acumulada del valor de un activo fijo; fondo de amortización; V. *accelerated depreciation, reducing balance method of depreciation, straight-line depreciation*), **accumulated dividends** (V. *accumulative dividends*), **accumulated earnings/profits** (utilidades acumuladas), **accumulated earnings/profits tax** (TRIB sobreimpuesto empresarial aplicado a la acumulación abusiva de beneficios retenidos; con este impuesto se pretende penalizar la retención injustificada de beneficios o dividendos cuando hay motivo para creer que la intención de la empresa es la de escamotear el pago del impuesto sobre la renta; V. *accumulated profit tax*), **accumulated fund** (el total de los saldos de varias cuentas que reflejan el pasivo u obligaciones de un club, asociación o sociedad no mercantil), **accumulated leave** (REL LAB vacaciones acumuladas), **accumulated profits** (SOC beneficios acumulados; los que quedan tras la asignación de beneficios a reservas y a dividendos), **accumulated profits tax** (TRIB impuestos sobre dividendos; V. *accumulated earnings tax*), **accumulated random series** (serie aleatoria acumulada), **accumulated retained earnings** (reservas)].

accumulation[1] *n*: acumulación. [Exp: **accumulation**[2] (CONT práctica consistente en dejar que se acumulen los beneficios retenidos en lugar de distribuirlos como dividendos), **accumulation**[3] (BANCA acumulación del principal por interés compuesto), **accumulation**[4] (SEG concentración de riesgos; seguro acumulativo; aumento porcentual de los beneficios de una póliza de seguros en compensación, o como estímulo, por la renovación continua de la misma; V. *accumulation insurance*), **accumulation**[5] (FINAN adquisición de acciones realizada de forma paulatina y controlada, en la política de inversiones, con el fin de no provocar una subida en el precio), **accumulation**[6] (FINAN inversión de cantidades fijas de forma regular, con reinversión de sus rentas y dividendos, en especial, en fondos de inversión; V. *yield at maturity*), **accumulation area** (BOLSA área/zona de acumulación; franja del precio de una acción que permanece estable durante cierto tiempo; V. *distribution area*), **accumulation factor with benefit of survival** (SEG factor de capitalización vitalicia), **accumulation insurance** (seguro acumulativo; V. *accumulation*[4]), **accumulation of capital** (acumulación de capital), **accumulation of depreciation** (depreciación acumulada), **accumulation of goods** (acumulación de mercancías; V. *hoarding*), **accumulation-distribution oscillator** (BOLSA marcador/identificador de tendencias/etapas bursátiles por medio de la acumulación-distribución), **accumulation schedule** (SEG plan de acumulación; V. *schedule*[3]), **accumulation units** (FINAN unidades de acumulación de un fondo de inversión o *unit trust*; títulos-valores con rendimiento implícito; títulos-valores de intereses acumulados, títulos-valores de interés cero; se trata de títulos-valores cuyos intereses se acumulan al capital y se perciben al final junto a éste en el valor de reembolso), **accumulative** (acumulativo; V. *concurrent*), **accumulative dividend** (dividendo vencido y no abonado a los accionistas), **accumulative error** (error acumulativo), **accumulative value** (valor acumulativo), **accumulatively** (en común, proindiviso; V. *jointly*)].

accuracy *n*: exactitud, precisión, fidelidad, esmero. [Exp: **accurate** (exacto, preciso, fiel)].

achieve *v*: conseguir, lograr. [Exp: **achieved penetration** (MERC tasa de penetración; alude al cociente entre los clientes o usuarios existentes y los usuarios o compradores potenciales de una clase de productos), **achievement motive** (motivo de realización; motivación empresarial para puesta en marcha un proyecto)].

acid *a/n*: ácido. [Exp: **acid rain** (lluvia ácida), **acid-test** (FINAN prueba de solvencia y liquidez, «prueba de fuego», prueba ácida, prueba de liquidez inmediata, prueba decisiva; «prueba del ácido o severa»; prueba utilizada por instituciones de préstamo para la determinación de la solvencia de una empresa mercantil en el pago de sus obligaciones a corto plazo), **acid-test ratio** (FINAN coeficiente de liquidez; ratio de liquidez inmediata; razón entre activo disponible y pasivo a corto plazo; ratio de activo disponible a pasivo corriente; ratio de tesorería; indicador rápido de liquidez reducible a la fórmula: cociente de liquidez = activo circulante menos existencias dividido por pasivo circulante; V. *liquidity ratio, liquid ratio test; current ratio, quick asset ratio; ability-to-pay*)].

ackgt *n*: V. *acknowledgment*.

acknowledge, ack *v*: reconocer, certificar, admitir; atestar un hecho, una deuda, una pretensión, una firma; V. *admit, affirm, avow, declare, recognize*. [Este verbo va seguido normalmente de palabras como *a fact, a claim, a debt, a signature, etc.* Exp: **acknowledge receipt** (acusar recibo, dar por recibido)].

acknowledgment, ackgt *n*: acuse de recibo; reconocimiento, aceptación de una oferta; acta, escritura o certificado de reconocimiento; atestación; documento de aceptación de un contrato; V. *certificate of acknowledgment; receipt; admission, affidavit*. [Normalmente *acknowledgment of* aparece con *a fact, a debt, a claim, a signature, etc.* —reconocimiento de un hecho, de una pretensión, de una firma—. Exp: **acknowledgment of a debt** (reconocimiento formal o por escrito de una deuda con el fin que no prescriba; V. *limitation*), **acknowledgement of award** (acta de adjudicación), **acknowledgment of receipt** (acuse de recibo; recibo, justificante), **acknowledgment of order** (acuse de recibo del pedido)].

ACORN *n*: PUBL sigla referida a la clasificación de distritos a efectos comerciales o de consumidores; corresponde a *A classification of residential neighbourhoods*.

ACP countries *n*: países africanos, caribeños y del Pacífico; Grupo ACP.

acquire *v*: adquirir, obtener. [Exp: **acquire legal status** (DER adquirir personalidad jurídica; V. *become an artificial/juristic person*), **acquire outright** (adquirir en firme), **acquired rights** (derechos adquiridos), **acquired surplus** (plusvalía, superávit adquirido; se aplica a la que resulta por cambios en el valor nomimal de las acciones, por fusiones o adquisiciones de empresas, etc.), **acquirer** (adquirente, adquiridor, comprador), **acquiring firm** (empresa adquirente), **acquisition** (adquisición; V. *pooling of interests, takeover, merge*), **acquisition** (compra, adquisición; V. *inward/outward acquisition*), **acquisition cost** (coste de adquisición), **acquisition indebtadness** (endeudamiento por adquisición), **acquisition of a company** (compra de una empresa; V. *derivative acquisition*)].

acquit *v*: exonerar, descargar, pagar, liquidar o satisfacer una deuda; V.

discharge, acceptilation. [Exp: **acquit oneself** (portarse, responder, cumplir, realizar, salir ◊ *She acquitted herself very well in the interview and was given the job*), **acquit oneself of a duty/ responsibility** (cumplir un deber de forma satisfactoria), **acquittance** (quita; recibo, resguardo; finiquito, carta de pago en la que se asegura por escrito del pago o exención de una deuda; V. *discharge, acquittance; partial acquittance*)].

acre *n*: acre; equivale a 0,405 hectárea o 4.840 yardas cuadradas.

across *prep*: a través de. [Exp: **across the board, across-the-board**[1] (globalmente, general, de forma general/lineal, a todas las categorías/direcciones, o en todos los ramos; se emplea en expresiones como *increases in wages across the board* —aumento de sueldo a todo el grupo o unidad laboral, de forma porcentual o con una cantidad fija—; también se aplica a productos en la determinación de precios ◊ *A spokesman for the sector has proposed an across-the-board price rise of 7 %*; V. *cut prices across the board; flat rate; all-in rate*), **across the board, across-the-board**[2] (PUBL anuncio/programa diario emitido en cualquier medio de difusión), **across-the-board competition** (competencia en todos los ramos), **across-the-board tariff margin** (margen preferencial general), **across-the-board tariff reduction** (reducción arancelaria general)].

A.C.R.V. *n*: V. *accelerated cost recovery system.*

act[1] *n/v*: acto, hecho, acción; obrar, proceder, actuar, pronunciarse, hacer, ejecutar, operar, funcionar, representar; V. *action; perform.* [Exp: **act**[2] (acta, escritura, título, documento; V. *deed, title*), **act**[3] (ley; V. *statute*), **act according to business usage, law,** **section 4, instructions, etc.** (obrar/actuar siguiendo los usos y costumbres mercantiles, conforme a derecho, según lo dispuesto en el artículo 4.º, ateniéndose a las instrucciones, etc.; V. *act contrary to; act under instructions*), **act as intermediary** (actuar de intermediario), **act as security for somebody** (salir fiador de alguien), **act contrary to business usage, section 4, instructions, etc.** (contravenir los usos y costumbres mercantiles, lo dispuesto en el artículo 4.º, las instrucciones recibidas, etc.; V. *act according to*), **act in conjunction** (actuar colectivamente), **act in good faith** (actuar de buena fe), **act in the capacity of** (actuar en calidad de), **act liability insurance** (SEG seguro de automóviles contra terceros; V. *third-party insurance*), **act of accommodation** (acta de complacencia), **act of adhesion** (acta de adhesión), **act of bankruptcy** (acto de quiebra; acción o manifestación de quiebra que da pie a la declaración de quiebra o insolvencia ◊ *An insolvent debtor's own declaration of insolvency constitutes one of the acts of bankruptcy*), **act of Congress, of Parliament** (ley/acta del Congreso, del Parlamento; V. *adoptive act*), **act of contracting** (contratación), **act of disposal** (acto de disposición), **act of God/Providence** (TRANS, SEG caso de fuerza mayor, caso fortuito, desgracia o tragedia motivada por las fuerzas de la naturaleza; V. *force majeure, unnatural acts, accident*), **act of honour** (acto de intervención, aceptación o pago haciendo honor a la firma; V. *acceptance for honour*), **act of incorporation** (SOC escritura constitutiva, documento de constitución de una empresa; V. *articles of association, bylaw, charter*), **act of insolvency** (acto de insolvencia; actuación en perjuicio de los acreedores; normalmente se aplica a cualquiera de las actuaciones de los deudores descritas en el artículo 3 de la *National Bankruptcy Act* de los EE.UU.; alzamiento de bienes), **act of omission** (acto de omisión), **act of protest** (acta de protesto), **act of sale** (escritura de venta; V. *deed*), **act of subrogation, of substitution** (acta subrogatoria), **act on somebody's behalf** (actuar en representación de alguien), **act or default** (acción u omisión), **act under instructions** (actuar siguiendo instrucciones; V. *act according to*), **act with full powers** (representar con plenos poderes), **acting** (en funciones, en ejercicio, suplente, provisional, de servicio; se aplica a *president/chairman, manager, secretary, partner, etc.*; V. *caretaker, alternate*), **acting company** (sociedad gestora), **acting in concert** (FINAN obrar de común acuerdo ◊ *It is illegal for those acting in concert to manipulate a stock's price for their own gain*; V. *concert party*)].

ACT n: V. *advance corporation tax*.

action[1] n: acción, operación, intervención, labor, actuación; V. *act, work*. [Exp: **action**[2] (REL LAB movilizaciones laborales, acciones de protesta; V. *strike; industrial action*), **action**[3] (DER actuación judicial, trámites jurídicos, medidas judiciales, resolución, diligencias; proceso, demanda, litigio, pleito, acción legal o judicial, recurso, instancia; acciones legales; expediente; juicio, acto; V. *measure, steps, performance, suit*), **action ex contractu** (acción derivada del contrato; V. *action on contract*), **action for accounting/action for an account** (acción para rendir cuentas; el objeto de esta demanda, basada en la equidad, es aclarar las cuentas entre las partes y aprobar un balance definitivo; V. *account, order for account*), **action for breach of contract** (demanda civil de

daños y perjuicios por incumplimiento de contrato), **action for cancellation** (recurso de anulación), **action for damages** (demanda o acción de resarcimiento por daños y perjuicios), **action for infringement** (acción por infracción), **action for specific performance** (ejecución específica, demanda solicitando el cumplimiento estricto de lo que se acordó en el contrato), **action of abandonment** (SEG acción de abandono; en el seguro marítimo, el asegurado puede transmitir todos los derechos sobre la cosa asegurada al asegurador, para exigirle el pago total de la cantidad asegurada; V. *abandonment of cargo, credit, ship, insured property, etc.*), **action of pledge** (DER acción pignoraticia)].

active a: activo, productivo, favorable; V. *productive, profitable; idle; dormant*. [Exp: **active account** (BANCA cuenta activa; cuenta bancaria en movimiento o en actividad corriente; V. *dormant account; inactive account*), **active assets** (FINAN activo que devenga intereses; V. *productive assets*), **active balance** (CONT saldo favorable/acreedor; superávit; V. *adverse balance; passive balance; unfavourable balance*), **active bond** (FINAN título al portador de gran liquidez; bono de interés fijo; los que tienen menor movimiento se llaman *inactive bonds*; V. *bearer*), **active bond crowd** col (la «pandilla de los valores activos» en la jerga de la Bolsa de Nueva York, esto es, los operadores que se dedican a comprar y vender valores activos en contraste con *The cabinet crowd* o «pandilla de los armarios», que negocian títulos menos activos; deben su nombre a los armarios metálicos situados a un lardo del parqué, en los que se guardan los pedidos; V. *New York Stock Exchange*), **active box** (caja de depósitos en la que se ponen a resguardo los valores, pagarés, etc. aportados por los clientes de un operador en Bolsa como garantía colateral de la devolución de un préstamo, el pago de títulos adquiridos, etc.; por extensión se refiere también al monto de las garantías), **active buying** (demanda activa), **active capital** (capital productivo/efectivo; V. *dead capital*), **active cash** (V. *active money*), **active cash value** (valor real en el mercado, coste de reposición), **active circulation** (dinero efectivo en circulación), **active day on the Sctok Exchange** (día de gran actividad en la Bolsa), **active debt** (deuda efectiva, deuda que devenga o produce intereses; V. *passive bond*), **active employment** (ocupación real; V. *actual employment*), **active improvement** (perfeccionamiento activo; V. *temporary admission*), **active immunization** (FINAN inmunización activa; V. *immunization*), **active loan** (préstamo activo o no reembolsado en su integridad), **active market** (MERC FINAN/PROD/DINER mercado activo/animado; V. *brisk market; calm/heavy market; broad/thin market; drift*), **active money/cash** (dinero en circulación; V. *idle capital, etc.*), **active partner** (socio gerente; socio comanditario o activo; V. *dormant partner, sleeping partner, silent partner, ostensible partner*), **active portfolio management** (FINAN, GEST gestión activa de una cartera de valores; V. *switching*), **active stock** (BOLSA acción de cotización cualificada), **active trade balance** (balanza comercial favorable), **active trust** (fideicomiso activo, en el que el fideicomisario o *trustee* realiza funciones de gestión; consorcio activo; V. *bare/naked/passive trust/trustee*), **activist** (activista; V. *card-carrying*), **activity** (actividad), **activity-based costing, ABC²** (GEST sistema de costes por [basado en las] actividades; sistema de costes ABC; asignación de costes por actividades), **activity-based management, ABM** (GEST gestión de costes basado en las actividades), **activity charge** *US* (gastos bancarios, gastos por operaciones o servicios bancarios; cargo/comisión por actividad/inactividad en la cuenta), **activity rate** (REL LAB tasa de actividad laboral; V. *participation rate, employee activity rate*), **activity ratio** (coeficiente de actividad), **activity scheduling** (GEST programación de actividades; tiene como objeto optimizar la eficiencia)].

actual¹ *a*: efectivo, real, verdadero, visible, físico, original; en esta acepción es antónimo de *constructive* y se usa en expresiones en las que se quiere resaltar o poner de relieve de forma clara que se trata de una circunstancia o hecho «real» o «efectivo»; V. *effective, current, present*. [Exp: **actual²** (V. *cash, physical²*), **actual³** (precio real de un valor bursátil, como elipsis de *actual price* o *cash*), **actual assets** (bienes efectivos o reales), **actual attainment** (producción efectiva), **actual burden expense** (gastos generales de fabricación efectuados), **actual carrier** (porteador real), **actual cash value** (valor monetario efectivo; valor realizable en efectivo; coste efectivo de reposición), **actual cost** (coste real; V. *real cost*), **actual/general damages** (SEG daños efectivos; V. *special damages*), **actual delivery** (entrega efectiva de las materia primas o productos; normalmente dos días después del aviso de entrega —*delivery notice*), **actual employment** (ocupación real; V. *active employment*), **actual liabilities** (pasivo real), **actual loss** (pérdida efectiva; V. *paper loss, actual total loss*), **actual market** (mercado de productos disponibles), **actual market value** (valor real en el mercado o en plaza) **actual notice** (notificación efectiva), **actual price** (BOLSA precio real; precio que el agente de bolsa acepta para comprar o vender valores; en el mercado de materias primas —*commodity market*— es equivalente a *cash price, physical price*), **actual profits** (beneficios efectivos; V. *paper profits*), **actual stock** (existencia real, mercancía almacenada, abastecimientos reales), **actual to date** (a fecha fija), **actual total loss** (SEG pérdida efectiva total, pérdida total real; V. *absolute total loss, constructive total loss, partial loss, abandonment clause, beyond repair*), **actual time** (tiempo real o tiempo empleado), **actual value** (valor real o de mercado, valor en plaza; V. *market value; actuarial value*), **actual wages** (salarios reales), **actual weight** (peso real), **actually** (de forma real o efectiva; V. *constructively*), **actuals**[1] (CONT cifras reales —no las estimadas— de un negocio; V. *ballpark figure; approximation, estimate*), **actuals**[2] (FINAN instrumentos financieros de contado; V. *spot, forward*), **actuals**[3] (MERC FINAN/PROD/DINER activos/productos físicos; mercaderías; mercancías, artículos de consumo, bienes; existencias, disponibilidades de fondo; acciones, etc. que se reciben en el acto de compra, frente a los *futures contracts* —contratos de futuros—, en los que sólo hay documentos; en los mercados de mercaderías o materías primas —*commodity markets*— este término alude a las mercancías físicas objeto del contrato, que se entregarán al comprador al vencimiento del plazo acordado; sin embargo, igual que ocurre con las opciones y los futuros, lo habitual es que se venda este derecho antes de la expiración del plazo, de modo que la transacción es puramente financiera y especulativa; en este sentido, *actuals* equivale a *physicals*[2]; V. *trader in actuals; futures, options; spot; commodity exchange*)].

actuary *n*: actuario; V. *insurance actuary; Institute of Actuaries, the Faculty of Actuaries*. [Exp: **actuarial** (actuarial), **actuarial basis** (base actuarial), **actuarial calculation** (cálculo actuarial), **actuarial age** (edad actuarial; V. *experience table*), **actuarial reserve retirement system** (plan de jubilación de reserva actuarial), **actuarial yield** (SEG rendimiento actuarial), **actuarial value** (valor actuarial; V. *actual value*)].

ACU *n*: V. *Asian Currency Unit*.

a/d *n*: V. *after date*.

ad *col n*: anuncio; V. *advert, advertisement, classified advertisement, small ad*. [Exp: **ad man, adman, adwoman** (PUBL publicitario profesional; director de anuncios; jefe del departamento de publicidad; V. *advertising manager*), **ad position** (emplazamiento de un anuncio)].

ad valorem, Ad Val *fr*: *ad valorem*, por el valor, según el valor, sobre el valor. [Exp: **ad valorem charges** (gravámenes «ad valorem»), **ad valorem duty** (derecho aduanero «ad valorem»; V. *consular invoice*), **ad valorem freight** (flete sobre el valor)].

A.D.A. *n*: V. *anticipated draught of arrival*.

Adam Smith's invisible hand *n*: la mano invisible de Adam Smith.

adapt *v*: adaptar. [Exp: **adaptive control model** (PUBL modelo publicitario de control adaptable; este modelo acomoda la publicidad a las respuestas de los consumidores), **adaptive expectations** (expectativas adaptativas), **adaptiveness** (adaptabilidad)].

add *v*: sumar, añadir, agregar, aumentar. [Exp: **add-back method** (CONT método inverso; informe sobre cambios en la posición financiera que parte de la renta neta), **add-on**[1] (añadidos; parte adicional o complementaria; productos adicionales o añadidos; V. *cross marketing*), **add-on**[2] (cláusulas adicionales; en los contratos de ventas a plazo se refiere a las nuevas compras agregadas, aunque en sí constituyen un nuevo contrato), **add-on conference** (conferencia múltiple), **add-on contract** (compra de bienes de consumo a plazo), **add-on interest** (FINAN intereses que se abonan en cada uno de los plazos, trimestrales, semestrales, etc., de devolución de un préstamo, calculados para un año; con este método, los intereses abonados son superiores a los acordados porque, al calcularlos para cada uno de los plazos, no se ha tenido en cuenta la reducción proporcional correspondiente del principal; V. *annual percentage rate, effective rate*), **add-on rate** (tarifa con descuento; se negocia el descuento por los servicios extras o adicionales contratados; V. *base rate*), **add up** (sumar; cuadrar; totalizar; arrastrar el total ◊ *To get the final total, you add up all the subtotals in the left-hand column*), **add up to** (ascender a), **added value** (valor agregado/añadido), **added value tax** (impuesto al valor añadido), **adding machine** (máquina de sumar), **adding boxes** (casillas sumadoras), **adding roll** (rollo de papel para máquina de sumar; V. *tally-roll*)].

addendum *n*: cláusula adicional, anexo; apéndice, suplemento, adición; coletilla; V. *schedule, annex, rider, allonge*.

addition *n*: suma, adición, agregación, producto agregado o añadido. [Exp: **addition to age** (SEG aumento por edad), **addition to, in** (además de), **additional** (adicional, suplementario, añadido), **additional charge/cost** (recargo; V. *surcharge, mark-on, overcharge*),

additional cover/margin (MERC FINAN/PROD/DINER suplemento de cobertura; es un depósito de garantía adicional o complementario, llamado *remargining* en los EE.UU., por haber desaparecido el margen inicial, en contratos de futuros; V. *margin,*[5] *remargining*), **additional extended coverage** (SEG ampliación de la cobertura adicional de la póliza de seguro), **additional freight** (flete adicional), **additional mark-on** (margen adicional entre coste y precio de venta), **additional margin requirement** (MERC FINAN/PROD/DINER exigencia de margen o suplemento de cobertura adicional), **additional premium** (SEG sobreprima; recargo en la prima), **additional rate** (carga impositiva adicional, añadida a la del tipo básico), **additional voluntary contribution, AVC** (REL LAB aportación adicional complementaria al plan de pensiones personal)].

address *n/v*: dirección, señas, domicilio; memorial, petición; alocución, discurso; dirigir-se; consignar; encararse, afrontar; V. *accommodation address, business address, domicile, registered office*. [Exp: **address a meeting** (tomar la palabra en una reunión; dirigirse a los asistentes a una reunión o junta), **address commission** (TRANS MAR comisión por solicitud; comisión abonada al agente del fletador por las gestiones hechas para la carga del barco), **address for service** (domicilio para notificaciones oficiales; V. *legal address*), **address label** (etiqueta con la dirección para envío directo; V. *addressing machine*), **addressee** (destinatario; V. *consignee*), **addressing machine** (máquina de imprimir direcciones)].

adequacy *n*: suficiencia, oportunidad, aceptabilidad, idoneidad, pertinencia, propiedad, competencia ◊ *We have serious doubts about his adequacies as a* *manager*; V. *capital adequacy*. [Exp: **adequate** (suficiente, satisfactorio, apropiado, propio, razonable, equitativo, indicado; pertinente), **adequate consideration** (DER causa contractual suficiente), **adequate sample** (muestra significativa)].

adherence *n*: adhesión, acta de adhesión, entrada; V. *accession, adhesion*.

adhesion *n*: acta de adhesión y aceptación; entrada; V. *accession, adherence*.

adjourn *v*: suspender, diferir, trasladar o levantar una junta, una sesión, etc. ◊ *The meeting stood adjourned at half-past seven*; V. *close a meeting, postpone, suspend, sine die, meeting stands adjourned*. [Exp: **adjourn a meeting** (levantar la sesión), **adjourned session** (sesión aplazada, suspendida o levantada), **adjournment** (aplazamiento, suspensión de una sesión, junta, etc.; V. *suspension, postponement*)].

adjudge a claim, etc. *v*: fallar, juzgar, sentenciar, adjudicar, declarar/determinar judicialmente; conceder ◊ *The contract was adjudged void on a technicality*; V. *adjudicate, conclude, judge, arbitrate, award*. [Exp: **adjudged a bankrupt, be** (ser declarado en quiebra por los tribunales)].

adjudicate *v*: fallar, resolver, decidir, adjudicar, determinar judicialmente, declarar, sentenciar ◊ *The Board found it difficult to adjudicate between the two tenders*; V. *adjudge*. [Exp: **adjudicatee** (comprador o adjudicatario de una venta judicial), **adjudication** (fallo; adjudicación), **adjudication of the contract to the highest bidder** (adjudicación del contrato al mejor postor), **adjudication of bankruptcy** (DER quiebra judicial, declaración judicial de quiebra; V. *declaration of bankruptcy*), **adjudication order** (auto de declaración judicial de quiebra; hoy el *bankruptcy order* ha

sustituido a los antiguos *adjudication order* y *receiving order* en Inglaterra; V. *bankruptcy order, receiving order, bankruptcy proceedings*), **adjudicator** (árbitro de un conflicto laboral, etc.; V. *arbitrator*)].

adjunct *a*: adjunto. [Exp: **adjunct account** (CONT cuenta auxiliar; V. *absorption account*)].

adjust[1] *v*: adaptar, adecuar, ajustar, reajustar, acomodar, concertar. [Exp: **adjust**[2] (tasar, calibrar), **adjust**[3] (reglar, regularizar, regular), **adjust a claim** (SEG solucionar una reclamación, abonar la reclamación correspondiente), **adjust a loss** (SEG tasar una pérdida), **adjust prices** (reajustar precios), **adjustable** (revisable, regulable, ajustable, graduable, variable; V. *indexed, index-linked*), **adjustable peg** (FINAN fijación ajustable; V. *crawling/dynamic/sliding peg*), **adjustable peg exchange rate system** (FINAN sistema de tipos de cambio de fijación ajustable; V. *fixed exchange rate system*), **adjustable rate** (tipo de interés variable), **adjustable policy** (SEG póliza abierta/flotante), **adjustable rate mortgage, ARM** (FINAN hipoteca con tipo de interés ajustable, crédito hipotecario de interés variable; V. *conversion privilege*), **adjustable rate preferred stock** (FINAN acciones preferentes con porcentaje variable), **ajustable tax rates** (TRIB tipos impositivos ajustables), **adjusted** (ajustado; V. *age-adjusted*), **adjusted basis** (base ajustada), **adjusted exercise price** (MERC FINAN/PROD/DINER precio de ejercicio efectivo, corregido o ajustado; V. *nominal exercise price*), **adjusted gross estate** (TRIB masa hereditaria íntegra ajustada, tras haber abonado ciertos gastos administrativos, previa a la liquidación del impuesto de transmisiones), **adjusted gross income, AGI**

(TRIB base imponible íntegra ajustada, tras haber practicado cierta deducciones como planes de jubilación o *Keogh* RBA), **adjusted net income** (TRIB base imponible ajustada), **adjusted rate** (tasa ajustada), **adjusted selling price** (CONT precio de venta ajustado; se emplea en la valoración de las existencias a efectos contables restando del precio de venta los gastos y los beneficios esperados), **adjusted trial balance** (CONT balance ajustado/regularizado de comprobación; V. *trial balance*), **adjusting event** (CONT circunstancia contable o financiera que requiere un ajuste o corrección en libros después de la preparación del informe anual; V. *non-adjusting event, restate*), **adjuster, adjustor** (SEG tasador, perito, etc., de averías, de siniestros; ajustador, componedor, asesor; V. *average adjuster, loss adjustor, claim representative, public aclaims adjuster; fire loss adjuster*), **adjusting entry** (CONT asiento de ajuste, corrección, regularización o actualización; partidas de ajuste; V. *correcting/rectifying/balancing entry*)].

adjustment[1] *n*: ajuste, reajuste, corrección, rectificación; arreglo, transacción. [Exp: **adjustment**[2] (SEG tasación), **adjustment**[3] (SEG liquidación que se abona al asegurado; V. *fine tuning, border tax adjustment*), **adjustment account** (CONT cuenta de regulación; cuenta de control; se emplea para detectar y comprobar errores contables; cuenta colectiva; V. *control account*), **adjustment aid** US (asistencia para fines de ajuste), **adjustment bonds** (FINAN pagarés sustitutorios; bonos de reorganización; bonos sobre beneficio; tipo de pagaré/bono que emite una empresa que se esfuerza por salvarse de la quiebra mediante la recapitalización, y que sustituye a otros impagados; dichos pagarés, aceptados por los acreedores como mal menor, devengan intereses únicamente en la medida en que la empresa resulte rentable; V. *income bond*), **adjustment credit** US (BANCA anticipo a corto plazo concedido a un banco por uno de los doce *Federal Reserve Banks*, especialmente en la época de escasez de dinero o *tight money,* a fin de mantener las reservas exigidas por la ley; V. *discount window, advance*), **adjustment entry** (CONT asiento de ajuste), **adjustment mechanism** (mecanismo de ajuste de la balanza comercial, etc.), **adjustment of average** (TRANS MAR tasación de avería, liquidación de avería, arreglo o reparto de avería), **adjustment of claims** (SEG tasación, valuación de daños, averías, etc.; pago o liquidación de las pérdidas o daños tasados; liquidación de créditos; V. *loss adjustment*), **adjustment of loss** (evaluación de los daños), **adjustment of quota** (revisión de cuotas; V. *redetermination of quotas*), **adjustment of the difference** (ajuste, acomodo, arreglo, liquidación, pago, compromiso o composición de los puntos en litigio), **adjustment on conversion** (ajuste de conversión)].

adman *col n*: PUBL agente de publicidad.

admeasurement contract US *n*: DER contrato a precio unitario.

admin *col n*: trabajo administrativo; personal administrativo, sección de administración de una empresa; V. *administration.*

administer *v*: administrar; regular; V. *manage.* [Exp: **administer a portfolio, justice, etc.** (administrar una cartera de valores, justicia, etc.), **administer an oath** (tomar juramento a alguien; V. *take an oath, swear*), **administered market** (mercado regulado), **administered prices** (precios controlados por el gobierno o fijados por un monopolio),

administration (administración; V. *admin; management; administrator of an estate; letter of administration*), **administration of a bankrupt's estate, an estate, property, etc.** (administración de una quiebra, de una sucesión, de bienes, etc.), **administration orders** (V. *Chapter 11*), **administrative** (administrativo, gubernativo), **administrative action** (acto administrativo; reclamación administrativa; apremio; V. *administrative methods for enforced collection*), **administrative authority** (órgano administrativo), **administrative complaint** (denuncia administrativa), **administrative decision** (resolución administrativa), **administrative enquiry** (expediente administrativo), **administrative law** (derecho administrativo), **administrative machinery** (aparato administrativo), **administrative methods for enforced collection** (apremio, cobro coercitivo o compulsivo por vía administrativa; V. *enforced collection action*), **administrative pricing** (fijación de precios por la Administración), **administrator**[1] (administrador, gerente; V. *administrator of an estate; manager*), **administrator**[2] (administrador judicial de una herencia; V. *executor*), **administrator in bankruptcy** (liquidador, síndico, administrador; V. *receiver*), **administratrix** (administradora)].

Admiralty *n*: Ministerio de Marina. [Exp: **Admiralty Court** (Tribunal del Almirantazgo, Tribunal de derecho marítimo), **Admiralty lien** (gravamen marítimo), **Admiralty Sailing Directions** (derroteros del Almirantazgo)].

admission[1] *n*: reconocimiento, admisión, declaración; V. *admit, make admissions.* [Exp: **admission**[2] (entrada, admisión, ingreso ◊ *Free admission*), **admissible** (admisible), **admission to listing/ quotation** (BOLSA admisión a cotización;

V. *application for quotation*), **admissions reserved** (se reserva el derecho de admisión), **admissions tax** (impuesto sobre las entradas a espectáculos)].

admit *v*: admitir, dar entrada; recibir, conceder un derecho o privilegio. [Exp: **admittance** (entrada, admisión; V. *no admittance except on business*), **admitted** (procedente; V. *inadmitted*), **admitted assets** (CONT activo computable, activo aprobado o confirmado; V. *affected liabilities; inadmitted assets*)].

adopt *v*: sancionar, autorizar, aprobar, aceptar, asumir, adoptar; V. *approve, ratify, confirm; repudiate.* [Suele acompañar a términos como *a contract, the balance, a resolution.* Exp: **adopt a product** (adoptar un producto ◊ *Wordperfect has been adopted by many companies*), **adopt a resolution** (adoptar, aprobar una resolución; V. *carry/pass a resolution*), **adopt rules** (establecer el reglamento o la normativa), **adopt the agenda** (aprobar el orden del día), **adopt the balance sheet** (SOC aprobar el balance de situación), **adoption** (adopción, aceptación; es la elección de un producto para uso o consumo diario o frecuente, por su calidad y precio; V. *acceptance, innovation*), **adopter** (adoptador), **adopter categories** (clasificación de los adoptantes [de productos o de servicios nuevos del mercado]; se clasifican en *innovators* —innovadores—, también llamados *early acceptors* —noveleros—, que constituyen el 5 % de la lista; son los que después de una prueba —*trial*— lo adoptan inmediatamente; a éstos les siguen los *early adopters* —primeros adoptantes— formados por el siguiente 15 %; la mayoría —*majority*— se divide en dos grupos: *early majority* —los primeros de la mayoría— formado por el siguiente 35 %, y *late majority* —los más tardíos de la mayoría— formado por el siguiente 35 %; y finalmente aparecen los *laggards* —rezagados— formados por el último 10 %)].

ADR *n*: V. *authorized depositary receipt, American Depository Receipt.*

adrift *adv*: a la deriva; V. *drift.*

adulterate *v*: falsificar, adulterar, viciar. [Exp: **adulteration** (adulteración; V. *debasement of coinage*), **adulteration of proceedings** (adulteración de actas)].

advance[1] *n/v*: FINAN anticipo de efectivo, adelanto o préstamo en general; pago adelantado; provisión de fondos; adelantar dinero, prestar dinero, dar un anticipo; en sentido especial, se aplica a los llamados *adjustment credits* o anticipos a corto plazo hechos a un banco por uno de los doce *Federal Reserve Bank*; V. *discount window; imprest; free advance payment, deficiency advances, treasury advance, tax advance; anticipate, make an advance; anticipation money.* [Como adjetivo, equivale a «anticipado», «por anticipado», «previo», como en *advance booking* —reserva anticipada—. Exp: **advance**[2] (avance; ascenso; avanzar; ascender; adelantar la fecha de un acontecimiento; V. *advancement*), **advance**[3] (alza; aumento de precios, de sueldo, en el precio de las acciones, etc.; experimentar una alza las acciones, etc.; V. *advance in prices*), **advance against bill of lading** (TRANS MAR anticipo sobre conocimiento de embarque o sobre carta de porte), **advance bill** (FINAN efecto anticipado; letra, factura, giro, cursados antes del envío o embarque de las mercancías), **advance against collection** (anticipo sobre cuentas cobrables), **advance canvassing** (promoción previa; visita de apoyo a minoristas para anunciarles el inminente lanzamiento de una campaña publicitaria

determinada y pedir su colaboración ◊ *Take in 500 stores during the advance canvas*; V. *canvass, canvassing techniques*), **advance cash** (pago a cuenta), **advance cargo information system, ACIS** (sistema de información anticipada sobre la carga, SIAC), **advance collection** (cobro por anticipado), **advance corporation tax, ACT** (SOC, TRIB ingreso a cuenta del impuesto de sociedades; V. *imputation system of taxation; advance tax*), **advance deposit** (depósito previo), **advance freight** (TRANS MAR fletes abonados por anticipado, anticipo sobre el flete; estos anticipos se efectúan para hacer frente a los gastos generales o *disbursements*), **advance in prices** (alza de precios), **advance income/interest** (ingresos anticipados; intereses abonados por anticipado), **advance man** *US* (agente de gestión; se trata del agente teatral que adelanta su llegada a la ciudad en que actuará su compañía, para encargarse de las gestiones de alojamiento, publicidad, etc.), **advance money** (anticipo, adelanto; adelantar dinero, hacer un adelanto/anticipo), **advance notice** (preaviso), **advance on wages** (anticipo de sueldo), **advance payment** (pago/reembolso adelantado; adelanto), **advance payment guarantee** (COMER INTER garantía de pago a cuenta), **advance purchase** (compra con pago anticipado), **advance refunding** (FINAN reembolso anticipado; devolución anticipada de una deuda; se refiere al cambio de los pagarés del Tesoro, etc. antes del plazo de vencimiento, por otros con vencimiento posterior, prorrogando de esta manera la financiación de la deuda pública), **advance tax** (pago anticipado de los impuestos; V. *tax advance*), **advanced freight** (flete por adelantado), **advanced redemption/ repayment** (reembolso anticipado), **advanced technology** (tecnología punta), **advanced vocational training** (perfeccionamiento profesional superior), **advanced technology** (tecnología punta), **advances ratio** (BANCA índice de préstamos; relación entre el dinero prestado por un banco y el total de sus depósitos y valores en cartera)].

advancement *n*: ascenso, desarrollo, promoción, progreso, avance; anticipo, pago anticipado; V. *development, progress, advance.*

advantage *n*: ventaja; V. *absolute advantage, comparative advantage; promise, value.*

adventure[1] *n*: riesgo especulativo, empresa de riesgo; V. *venture.* [Exp: **adventure**[2] (TRANS MAR período de riesgo que corren las mercancías durante el viaje por mar; V. *bill of adventure*)].

adverse *a*: adverso, desfavorable, contrario, hostil, opuesto, negativo, desafortunado. [Exp: **adverse balance** (CONT saldo negativo o desfavorable, balanza deficitaria; V. *active balance, unfavourable balance, minus balance*), **adverse balance of payments** (balanza de pagos deficitaria), **adverse balance of trade** (balanza comercial negativa o con déficit; V. *favourable/unfavourable balance of trade*), **adverse change** (MERC DINER cambio desfavorable), **adverse opinion/report** (dictamen desfavorable), **adverse party** (parte contraria), **adverse selection** (SEG, GEST, ECO antiselección, selección adversa; V. *moral hazard*)].

advert *col n*: anuncio; forma abreviada de *advertisement*; V. *ad; ban.*

advertise *v*: anunciar, dar publicidad a; poner un anuncio, hacer propaganda; V. *classified ads, coupon ad, small ads, want ads; display ads.* [Exp: **advertise a post** (anunciar una vacante), **advertise for** (ofrecer con un anuncio un puesto de trabajo ◊ *The company has advertised for a sales manager*), **advertise for bids** (anunciar la subasta), **advertisement** (anuncio; anuncios, publicidad, propaganda; V. *ad, advert; commercial; classified advertisements*), **advertisement hoardings** (PUBL vallas publicitarias; V. *billboard*), **advertisement illuminations** (anuncios luminosos), **advertisement page/column** (sección de anuncios), **advertisement page plan** (PUBL maqueta publicitaria), **advertiser** (anunciante), **advertising** (propaganda, publicidad; V. *publicity, promotion; direct mail advertising, burst advertising*), **advertising agency/agent** (PUBL agencia/agente de publicidad; V. *full service agency; account*[4]), **advertising allowance** (PUBL descuento por publicidad que el mayorista concede al minorista por permitir anuncios de su producto en el local de éste), **advertising appeal** (reclamos publicitarios), **advertising appropriation** (CONT consignación/asignación/partida para publicidad), **Advertising Association, AA** (Asociación de publicistas), **advertising axis** (eje publicitario), **advertising blitz** (campaña publicitaria intensiva; V. *campaign*), **advertising break** (PUBL bloque publicitario; cuña publicitaria), **advertising budget** (presupuesto de publicidad), **advertising campaign** (campaña publicitaria; V. *advertising drive; sales drive, sales, campaign; launch; damp squib*), **advertising consultant** (consejero de publicidad), **advertising coverage** (cobertura publicitaria), **advertising drive** (PUBL campaña publicitaria; V. *advertising campaign, sales drive; drive*[3]), **advertising float** (PUBL plataforma con ruedas para exhibir productos), **advertising gimmick** (PUBL truco publicitario), **advertising manager, ad man** (jefe del departamento de publicidad), **advertising media** (medios de comunicación especializados en publicidad), **advertising ploy/gimmick** (cebo publicitario), **advertising space** (PUBL espacio publicitario), **advertising slot** (pase publicitario), **advertising spot** (anuncio comercial entre dos programas), **Advertising Standards Authority, ASA** (Organismo encargado de la vigilancia y el control de la publicidad; el objeto de este organismo es la protección del público frente a anuncios ofensivos o engañosos), **advertising stunt** (truco publicitario), **advertising survey** (encuesta del mercado con fines publicitarios), **advertising theme** (lema/tema/eje publicitario), **advertising value** (valor publicitario), **advertising vehicle** (soporte publicitario)].

advice[1] *n*: aviso, anuncio, notificación oficial; V. *report, letter of advice; notification.* [Exp: **advice[2]** (asesoramiento, consejo; V. *counsel; expert advice, legal advice, in accordance with the advice of*), **advice and consent** (consejo y aprobación, consulta y aprobación), **advice, as per** (TRANS según nota de expedición; según aviso), **advice note[1]** (albarán, nota de consignación/expedición; nota de aviso que el remitente de las mercancías envía al destinatario comunicándole la salida de la expedición; V. *arrival notice, despatch note*), **advice note[2]** (acuse de recibo de mercancías o dinero, nota de entrega; V. *delivery note, acknowledgement of receipt*), **advice note[3]** (COMER aviso de abono bancario; V. *debit/credit advice*), **advice of acceptance/non-acceptance/non-payment/payment** (COMER aviso de aceptación, de no aceptación, de no pago, de pago), **advice of arrival** (TRANS MAR aviso de llegada; alude a la de las mercancías que el transportista envía al consignatario; V. *advice note; arrival notice*), **advice of delivery** (aviso de correos de la llegada de un efecto certificado; V. *delivery note*), **advice of despatch** (nota de consignación o envío), **advice of fate** (BANCA notificación de los resultados de gestión; V. *advise fate*), **advice of, on the** (asesorado por, con el consejo de), **advice of shipment** (aviso de embarque)].

advise *v*: asesorar, aconsejar; notificar, informar, participar, avisar; V. *announce, inform, notify.* [Exp: **advise against** (desaconsejar), **advise fate** (BANCA enviar un cheque directamente al banco emisor, y no a la cámara, preguntando a éste si lo pagará; V. *advice of fate*), **advisable** (conveniente, oportuno, aconsejable, recomendable, prudente), **advised, as** (según aviso), **advisedly** (juiciosamente, con sensatez), **adviser/advisor** (asesor, consejero; V. *consultant, counsellor; tax advisor*), **advising bank** (banco avisador o notificador de una carta de crédito; V. *notifying bank*), **advisory** (consultivo, asesor; aparece en compuestos con *board* —junta—, *body* —organismo—, *commission/committee* —comisión, comité—, etc.), **advisory capacity** (facultad o competencia de asesoramiento), **advisory capacity, in an** (a título consultivo, en calidad de asesor), **advisory committee** (comisión asesora), **Advisory, Conciliation and Arbitration Service, ACAS** (REL LAB Instituto de Mediación, Arbitraje y Conciliación; está encargado de promover posibles acuerdos entre las partes en litigio antes de acudir a un juzgado de lo social o *industrial tribunal*), **advisory funds** (FINAN fondos de colocación no discrecional; V. *discretionary funds*), **advisory opinion** (dictamen consultivo), **advisory powers** (competencias consultivas), **advising** (notificación)].

AE *n*: buque de segunda clase en el *Lloyd's Register of Shipping*; V. *A1*.

AF *n*: V. *advanced freight*.

AFBD *n*: V. *Association of Futures Brokers and Dealers*.

affair *n*: asunto, negocio; incidente, caso, episodio; en plural suele tener el valor de la «situación económica o financiera de una empresa» siendo equivalente en este caso a *the state of affairs of a company*; V. *statement of affairs; man of affairs; current affairs; foreign affairs*.

affect *v*: afectar; influir, hipotecar, pignorar. [Exp: **affected liabilities** (CONT pasivo computable; alude a las partidas del pasivo que entran en el cálculo del coeficiente de caja y del coeficiente de inversión de una institución financiera; V. *admitted assets*), **affection value** (valor de afección)].

affidavit *n*: declaración jurada; V. *no-lien affidavit*.

affiliate *n/v*: empresa filial, sociedad afiliada; afiliado; afiliar, afiliarse; prohijar, adoptar, legitimar. [Exp: **affiliated** (afiliado, que mantiene vínculos especiales; se aplica a empresas afiliadas, filiales y participadas), **affiliated/sister company** (SOC filial; compañía asociada; sociedad mercantil participada en menos del 50 % por otra, o relacionada con ella por ser las dos filiales de la misma sociedad matriz o *holding/parent company*; V. *related company; associate/associated company; daughter company; subsidiary company, corporation, branch; consolidated balance sheet*), **affiliated person** (SOC persona que influye en la marcha de una mercantil por poseer más del 10 % de acciones, por tener cargo directivo, etc.; también se la llama *control person*), **affiliation** (afiliación, filiación, asociación; V. *association, alliance*), **affiliative managerial style** (estilo gerencial paternalista; en este tipo de gestión, lo más importante para el gerente son las buenas relaciones con sus subordinados; V. *authoritative managerial style, coaching, coercive managerial style, democratic managerial style, pacesetting managerial style*)].

affinity card *n*: tarjeta de crédito de un grupo afín, como un club, una empresa, etc., también llamada *charity card*; V. *co-branded credit card*.

affirm *v*: afirmar, declarar, aseverar, ratificar, asegurar, confirmar; declarar formalmente, prometer. [Exp: **affirmant** (declarante, el que presta una declaración), **affirmation** (afirmación, aserción, palabra, declaración, aserto, confirmación, ratificación; promesa solemne), **affirmative** (afirmativo, positivo), **affirmative action** *US* (REL LAB discriminación positiva, programa de eliminación de discriminación laboral por cuestión de sexo o raza ◊ *Ours is an affirmative-action company*), **affirmative warranty** (garantía escrita o expresa); V. *equal opportunities commission*)].

affix *v*: añadir. [Exp: **affix a signature** (suscribir), **affix the seal** (poner o adherir el sello; sellar; V. *remove the seals*)].

affluence *n*: riqueza, opulencia; V. *wealth*. [Exp: **affluent** (rico, opulento, acaudalado; V. *wealthy*)].

afford *v*: permitirse el lujo. [Exp: **affordability** (accesibilidad de los precios)].

afforestation *n*: forestación; repoblación forestal; V. *forestation, reforestation, reafforestation, tree-planting*.

affreight *v*: fletar. [Exp: **affreighter** (fletador, el que fleta una embarcación, fletante), **affreightment** (TRANS MAR contrato de fletamento, también llamado *freighting*, en forma de conocimiento de embarque o en forma de póliza de fletamento; V. *contract of affreightment; bill of lading, charter party*)].

AFL-CIO *n*: organización/federación sindical norteamericana; se formó por la fusión de *American Federation of Labor* y de *Congress of Industrial Organizations*.

afloat[1] *a/adv*: TRANS MAR a flote; alude normalmente a la mercancía embarcada en buques dispuestos a hacerse a la mar. [Exp: **afloat**[2] (FINAN flotante, sin deudas)].

afmd *n*: V. *aforementioned*.

afore- *prefijo*: ante-. [Exp: **aforegoing** (antecedente, precedente; V. *foregoing*), **aforementioned, afmd** (antedicho), **aforesaid** (antedicho, susodicho)].

AFTA *n*: V. *American Free Trade Area*.

after *prep/a*: después de, con posterioridad a; posterior; previo. [Exp: **after-acceptation** (aceptación *a posteriori*), **after-account** (cuenta nueva), **after-acquired clause** (FINAN cláusula de adquisición de nuevas propiedades; esta cláusula estipula que cualquier propiedad que el deudor hipotecario o *mortgagor* adquiera tras la firma de la escritura de constitución de la hipoteca se convierte en garantía real hipotecaria), **after-closing trial balance** (CONT balance de comprobación después del cierre; V. *balance per trial balance*), **after consideration** (previa deliberación), **after-costs** (costes extraordinarios; sobrecarga), **after date, a/d** (a partir de la fecha ◊ *20 days after date*; se refiere a la fecha en que un efecto es pagadero, en este caso 20 días despues de su formalización), **after delivery** (previa entrega), **after-hours**[1] (horas extras), **after-hours**[2] (a deshora; después de/fuera del horario normal; después de las horas de oficina; BOLSA después de la hora oficial de cierre), **after-hours dealing/deals/market** (BOLSA contratación/mercado de valores después del cierre de la sesión; V. *closing prices;*

street dealing; early bargains), **after-hours market** (mercado después del cierre), **after-hours price** (BOLSA precio no oficial después del cierre), **aftermarket**[1] (período posterior a la salida a Bolsa de un valor), **aftermarket**[2] (V. *secondary market*), **after-sales service** (COMER servicio posventa, servicio de atención al cliente, asistencia técnica), **after-sight, a/s** (a x días/plazo vista; se aplica a las letras —*bills*— que deben abonarse en el x día contado a partir del de su presentación; V. *at sight, bill after sight*), **after-tax** (TRIB, SOC después de deducir impuestos; con los impuestos ya deducidos, después de impuestos; V. *before tax*), **after-tax call premium costs** (coste de la prima por reembolso anticipado después de impuestos), **after-tax cost of equity** (CONT coste del capital común después de deducir impuestos), **after-tax profits** (SOC beneficios tras la liquidación de impuestos, beneficio después de impuestos), **after-tax return** (rendimiento después de impuestos)].

against *prep*: contra; con relación a, con respecto a, frente a ◊ *The Spanish peseta against the German mark*; V. *admission against interest; odds on*. [Se emplea frecuentemente con el significado de «contra entrega de» o «a cargo de». Exp: **against actuals** (MERC PROD contado contra futuros), **against all odds** (V. *against the odds*), **against all risks, AAR** (SEG a todo riesgo; seguro marítimo a todo riesgo ◊ *The company specialises in the transport of commodities insured against all risks*), **against documents** (COMER contra entrega de documentos ◊ *Collection against documents is not unusual in foreign trade*), **against pledged securities, etc.** (a cambio de/como contrapartida de/sobre pignoración de efectos, etc.), **against security** (con garantía), **against shipping**

documents (contra documentos de embarque), **against the box** (V. *sale against the box*), **against the security of the factory** (dando la fábrica como garantía), **against sb's will** (sin el consentimiento/contra la voluntad/de algo), **against the odds** (contra todo pronóstico, por sorpresa, aunque parezca increíble, con todo en contra ◊ *Win against the odds*)].

agcy *n*: V. *agency, agcy, agy*.

age *n/v*: edad; antigüedad; clasificar por antigüedad. [Exp: **age-adjusted** (ajustado según edad), **age admitted** (SEG edad aceptada como exacta), **age allowance** (deducción especial por edad; en la declaración de la renta se suele conceder a los mayores de 65/70 años), **age analysis of accounts** (CONT análisis de cuentas por antigüedad), **age at entry into labour force** (edad de ingreso en el trabajo), **age at withdrawal** (edad de retiro), **age bracket** (grupo, nivel, clase de personas comprendidas entre las mismas edades; V. *salary bracket*), **age composition of population** (composición de la población por edad), **age grading** (clasificación por edades), **age group** (grupo de personas de la misma edad; V. *bracket*), **age incidence** (frecuencia por edades), **age limit** (edad máxima, límite de edad de jubilación), **age mean** (promedio de edad, edad media), **age, of** (mayor de edad; V. *full legal age*), **age of receivables** (antigüedad de las cuentas por cobrar), **age of retirement** (edad de jubilación), **age-specific death/divorce, etc. rate** (tabla de mortalidad, de divorcios, etc. por edades), **age, under** (menor de edad; V. *underage*), **aged, the** (los ancianos), **aging** (antigüedad, envejecimiento, clasificación por antigüedad), **aging accounts receivable** (sistema de ordenación de las cuentas por orden cronológico y agrupadas por las fechas de vencimiento; analisis de la antigüedad de las cuentas pendientes a fin de estimar las reservas para cuentas dudosas o *allowance for bad debts*; V. *aging of accounts*), **aging of accounts/aging schedule** (ordenación/análisis de las cuentas por cobrar cronológicamente y agrupadas por intervalos de treinta, sesenta, etc. días), **aging schedule** (CONT programa por vencimientos, plan basado en la antigüedad)].

agency, agcy, agy[1] *n*: organismo, oficina, servicio, ente administrativo; agencia, gestoría; V. *advertising agency, government agency*. [Exp: **agency, agcy, agy[2]** (DER contrato de agencia; contrato de representación, gestión, acción, mediación, intermediación, intervención, factoraje; mandato; condición de agente o apoderado intermediario; honorarios o gastos de/por agencia), **agency agreement** (contrato de agencia/representación), **agency bill** (FINAN letra aceptada por la sucursal londinense de un banco extranjero; V. *inland bill*), **agency costs** (costes de representación o mandato), **agency fees** (MERC FINAN, BANCA, TRANS comisión/gastos de agencia, honorarios abonados a un intermediario o agente marítimo por sus gestiones; V. *clearing fee*), **agency coupled with an interest** (contrato de representación en el que el apoderado es parte interesada), **agency line** (línea financiera de un agente), **agency manager** (jefe de agencia), **agency marketing** (emisión de títulos a través de la gestión de un intermediario financiero), **agency note/obligation/security** US (pagaré/obligación/título de agencia federal), **agency problem** (conflicto entre gerencia y accionariado; problema de agencia, representación o mandato), **agency shop** (empresa en la que todos los trabajadores —afiliados o no— abonan las cuotas sindicales como condición para acceder al empleo; V. *union dues*), **agency theory** (ECO teoría de la agencia), **agency trade** (comercio de representación), **agent, agt** (representante, agente, agente financiero, agente mediador, consignatario de buques, mandatario, apoderado, factor, gestor; V. *factor, broker, dealer, general agent, del credere agent, assignee, attorney, proxy, commission agent; principal*), **agent, as** (en representación, como mandatario), **agent bank** (FINAN banco agente o corresponsal; organiza y sigue, mediante el pago de comisiones, las operaciones solicitadas; en los préstamos sindicados —*syndicated loan*— representa al sindicato bancario o *bank syndicate* y gestiona y protege sus intereses durante la vigencia del préstamo sindicado; V. *manager bank, co-manager bank, participant bank, underwriter bank*), **agent fee** (comisión de agencia), **agent of necessity** (agente de necesidad), **agent sole** (agente exclusivo; el adjetivo *sole* va muchas veces pospuesto al nombre que acompaña; V. *aggregate*), **agent's lien** (poder de retención del agente de comercio), **agentship** (agencia, factoría, el oficio de agente o factor)].

agenda *n*: orden del día de una junta; temario; puntos a debatir o tratar; programa de trabajo; V. *order of business, point of order.*

aggregate *a/n/v*: agregado, global, total, suma total, totalidad; conjunto, colección; que consta de varios individuos o miembros reunidos; sumar; agregar, reunir, juntar; V. *monetary aggregate; sole, lump sum, all-in price.* [Este adjetivo puede ir pospuesto, así como su antónimo *sole*. Exp: **aggregate amount** (monte o importe total), **aggregate analysis** (V. *macro-economics, general equilibrium analysis; aggregate de-*

mand), **aggregate concentration theory** (eco teoría de la concentración global), **aggregate corporation** (sociedad anónima), **aggregate demand** (demanda agregada o global, o sea, las mercancías y servicios que se demandan en el mercado, durante un período de tiempo; V. *aggregate analysis*), **aggregate demand function** (función de la demanda global), **aggregate demand price** (precio de la demanda global; V. *aggregate supply price*), **aggregate employment** (ocupación global), **aggregate estimate** (cálculo de conjunto), **aggregate exercise price** (MERC FINAN/PROD/DINER precio global de ejercicio; suma que resulta de multiplicar las opciones ejercidas por el precio de ejercicio —*exercise/strike price*— de las mismas), **aggregate gross liabilities** (pasivo bruto global), **aggregate imports** (total de importaciones, importaciones globales), **aggregate income** (renta global o total, ingresos globales), **aggregate indemnity** (SEG capital total asegurado en un siniestro), **aggregate investment** (inversión total), **aggregate planning** (planificación global), **aggregate product** (producto global), **aggregate real wage** (monto total de salarios reales), **aggregate resource demand** (demanda agregada de recursos), **aggregate supply** (oferta global de bienes y servicios), **aggregate supply function** (función total de la oferta), **aggregate supply of labour** (oferta total de mano de obra), **aggregate supply price** (coste/precio de producción de la oferta global; V. *aggregate demand price*), **aggregate value** (valor total), **aggregate volume** (volumen total), **aggregated rebates** (COMER bonificaciones especiales por exclusividad; las concede el proveedor al comerciante que sólo vende la línea de productos del proveedor; V. *deferred rebates*), **aggregates** (cantidades globales; V. *monetary aggregates*), **aggregative planning** (planificación global)].

aggressive *a*: agresivo; emprendedor, activo, audaz, dinámico; arriesgado, atrevido; se debe evitar utilizar «agresivo» con el significado de emprendedor, audaz, etc. [Exp: **aggresive shares** (BOLSA valores arriesgados/agresivos; estos valores suelen tener una rentabilidad mayor que los «valores defensivos», aunque son más sensibles a las fluctuaciones; V. *defensive shares*), **aggressor company** (tiburón financiero; V. *raider*)].

AGI *n*: V. *adjusted gross income*.

agio *n*: FINAN agio; V. *debased currency*. [Exp: **agio theory of interest** (FINAN teoría del interés basada en la especulación), **agiotage** (BOLSA, COMER agiotaje; consiste en operaciones especulativas, a veces de carácter inmoral o ilícitas, basadas en las oscilaciones de precios de las cosas)].

AGM *n*: V. *Annual General Meeting*.

agony column *n*: PUBL sección de anuncios personales; consultorio sentimental de una revista o periódico; se llama así porque en él los lectores expresan su *agony —aflicción o calvario—* personal. ◊ *She writes the agony column in The Express*)].

agrarianism *n*: agrarismo.

agree *v*: convenir, acordar, aceptar, concordar, pactar, concertar, estar/ponerse de acuerdo, acceder, consentir, aprobar; V. *stipulate*. [El verbo *agree* puede ser transitivo *—The two companies have agreed terms—*, preposicional con *on —They agreed on the price and a bargain was struck—* y preposicional con *to —John agreed to pay Peter £5,000 but then failed to honour his pledge—*. Exp: **agree a delay** (conceder una prórroga), **agree as a correct record** (aprobar el acta ◊ *The minutes were agreed as a correct record*; V. *minutes*), **agreed price** (precio concertado; V. *lump-sum price*), **agreed upon, as may be** (según se convenga), **agree with** (estar/ponerse de acuerdo; corresponder; coincidir), **agreement** (convenio, acuerdo, conformidad, pacto, estipulación, contrato, transacción, acomodamiento, consentimiento entre las partes, anuencia; coincidencia; V. *accord, assent, settlement, accommodation, area of agreement, arrangement, standstill agreement; pact, treaty, covenant*), **agree the accounts** (CONT aprobar las cuentas; V. *qualify the accounts*), **agreement, by** (a convenir; V. *negotiable*), **agreement coefficient** (coeficiente de coincidencia), **agreement for insurance** (SEG resguardo provisional, documento de cobertura provisional; V. *cover note*, **agreement with ledger, etc., in** (CONT verificado contra el libro mayor, etc.)].

agriculture *n*: agricultura; V. *ranch, farming, group agriculture*. [Exp: **agribusiness** (agroindustria, explotación agrícola), **agribusiness company** (empresa agroindustrial), **agrichemistry** (agroquímica), **agricultural** (agrario, agrícola, rural; V. *rural*), **agricultural bank** (V. *agricultural credit bank, land bank*), **agricultural commodities** (productos agrícolas; V. *staple commodities*), **agricultural commodities market** (mercado agrícola, mercado de productos agrícolas), **agricultural cooperative** (cooperativa agrícola), **agricultural credit bank** (caja rural; V. *land bank*), **agricultural economy** (economía agraria), **agricultural ladder** (escala de categorías en el mundo agrícola; V. *farm labourer, tenant farmer*), **Agricultural Loans Fund**

(fondo público para préstamos destinados a mejoras en el campo), **agricultural mortgage corporation** (sociedad hipotecaria agrícola), **agricultural paper** (papel, efectos, documentos o instrumentos de crédito relacionados con el mundo agrícola; V. *commercial documents*), **agricultural parity** *US* (paridad agrícola; V. *parity, parity price*), **agricultural produce** (productos agrícolas; V. *home/farm produce*), **agricultural production and exports, APEX**[2] (caja de crédito para la producción y las exportaciones), **agricultural sector** (sector agrario), **agricultural show** (feria del campo; feria de productos agrícolas), **agricultural support prices** (precios de apoyo a la agricultura), **agroindustry** (agroindustria), **agroforestry** (agrosilvicultura), **agronomy** (agronomía)].

aground *a*: TRANS MAR embarrancado, varado, encallado; V. *stranded; ground; run aground*.

agt *n*: V. *agent*.

agy *n*: V. *agency*.

ahead of schedule *fr*: antes de lo previsto o programado ◊ *Work was completed ahead of schedule*.

AIBD *n*: V. *Association of International Bond Dealers*.

aid *n/v*: ayuda, auxilio, favor, socorro, asistencia, subsidio; ayudante; ayudar, auxiliar, prestar apoyo, apoyar, subvenir. [Exp: **aided recall** (recuerdo asistido, respuesta ayudada/sugerida, también llamado *prompted recall*; es la técnica empleada en la investigación y evaluación de la retención memorística de un anuncio a las 24 horas siguientes de su emisión en la que se le estimula al encuestado el recuerdo de una serie de respuestas; V. *day after recall; spontaneous/unaided recall; suggested recall; unaided recall; prompted reply*), **aider** (cómplice que proporciona infor-

mación privilegiada sobre la empresa asediada; V. *insider information*)].

AIDA *n*: PUBL, MERC atención, interés, deseo, acción; etapas que reflejan los efectos que la publicidad debe producir en los consumidores; V. *ABC method*.

AIBOR *n*: V. *Amsterdam Interbank Offered Rate*.

ailing *a*: enfermo, debilitado, en declive. [Exp: **ailing industry** (industria en declive)].

aim *n/v*: objetivo, meta, propósito, intención; puntería; tener la intención, proponerse, fijar-se o marcar-se como objetivo; apuntar; apuntar a, aspirar a, pretender. [Exp: **aimed-at** (propuesto), **aimless** (sin objetivo concreto, sin rumbo fijo)].

air *n/v*: aire; airear; *fig* publicar. [En posición atributiva significa «aéreo» o «de vuelo», como en *air cargo* (carga aérea, flete aéreo), *air rights* (derechos de vuelo), etc. Exp: **air bill of lading** (conocimiento de embarque aéreo; V. *airway bill*), **air bridge** (puente aéreo; V. *air shuttle*), **air bus** (aerobús), **air, by** (por avión; V. *by boat/plane*), **air cargo** (carga aérea, flete aéreo; V. *cargo plane*), **air carrier** (empresa de porte/transporte aéreo; V. *bulk carrier*), **air-condition** (climatizar, instalar aire acondicionado), **air-conditioning** (aire acondicionado), **air consignment note** (TRANS guía de carga aérea, conocimiento/carta de porte/transporte aéreo; V. *airway bill of lading, consignment note, railway bill*), **air corridor** (pasillo aéreo), **air crew** (tripulación del avión), **air-dried ton** (TRANS tonelada en seco o secada al aire), **air freight** (TRANS flete aéreo; V. *freight rate, sea, freight*), **air freight container** (TRANS contenedor/envase para carga aérea), **air insurance** (seguro de transporte aéreo), **air mail receipt** (resguardo de correo aéreo), **air mail transfer, amt** (transferencia por correo aéreo), **air pocket** (bache en el vuelo, zona de turbulencia), **air pocket stock** *col* (BOLSA acciones o valores que caen en picado al entrar en un bache), **air rights** (derechos de vuelo; derechos de edificación sobre un solar o finca; V. *land*), **air route** (ruta aérea), **air shuttle** (puente aéreo; V. *air bridge*), **air strip** (pista de aterrizaje; V. *runway*), **air traffic controller** (controlador aéreo, controlador de vuelo), **air transport** (transporte aéreo), **air travel** (TRANS viaje por avión; V. *rail travel*), **airbag** (TRANS globo de seguridad), **airborne** (aerotransportado), **aircraft** (aeronave), **aircraft industry** (industria aeronáutica), **airlift** (puente aéreo, aerotransportar, transportar por un puente aéreo), **airline** (línea aérea), **airliner** (avión de línea regular; V. *chartered flight*), **airmail, air mail, AM** (correo aéreo), **airport authority** (autoridad aeroportuaria, junta del aeropuerto), **airport** (aeropuerto), **airport of entry** (TRANS aeropuerto aduanero), **airspace** (espacio aéreo), **airtight case/package** (TRANS paquete hermético; V. *watertight*), **airway** (aerolínea, línea aérea, ruta aérea; V. *airline*), **airway bill, AWB** (talón/carta/resguardo de porte aéreo; conocimiento de embarque aéreo; guía aérea; V. *air bill of lading*), **airway bill of lading** (conocimiento de embarque aéreo; V. *air consignment note*), **airworthiness** (TRANS aeronavegabilidad; V. *seaworthiness*)].

aleatory *a*: aleatorio. [Exp: **aleatory contract** (contrato aleatorio; póliza de seguro sobre algo aleatorio; V. *wagering contract*)].

algorithm *n*: algoritmo.

alien *a/n*: foráneo, extranjero; extraño. [Con el significado de «extranjero», se aplica en expresiones como *alien corporation/company*, *alien law*, etc. Exp: **alien company** (SOC mercantil constituida de acuerdo con el derecho societario de un país extranjero), **alienate** (enajenar, traspasar, apartar, transferir, ceder; V. *transfer, convey, assign*)].

align *v*: alinear. [Exp: **align oneself with** (ponerse al lado de, tomar partido por, apoyar), **alignment** (aproximación, alineación; V. *price alignment; realignment, misalignment*), **alignment chart** (monograma)].

all *a*: todo. [Exp: [Exp: **all and sundry** (todos y cada uno), **all cash items** (COMER todos los pagos al contado o en efectivo; estos artículos no se venden a plazo), **all-clear** (visto bueno; V. *give sth the all-clear*), **all commodity rate** (TRANS tarifa general de carga, también llamada *all-freight rate*), **all charges deducted** (deducidos todos los gastos; V. *inclusive of all charges*), **all charges to goods** (TRANS todos los gastos a cargo de la mercancía, los gastos a cargo del que adquiera la mercancía), **all-freight services** (transporte aéreo exclusivo para carga), **all hands** (todo el personal), **all in** (todo incluido), **all-in cost/price** (precio todo incluido, coste total, precio convenido; V. *all round price; «forfait»*), **all-in policy** *US* (SEG seguro a todo riesgo, seguro total; V. *all-risks policy/ insurance, fully comprehensive policy*), **all-in rate** (tasa final), **all-inclusive** (todo incluido), **all-insurance** (seguro total), **all-in rate** (precio total; precio todo incluido; V. *flat rate*), **all-loss insurance** *US* (V. *all-risk insurance*), **all modern conveniences** (todo confort), **all-out strike** (REL LAB huelga total; V. *general strike*), **all or none; all-or-none placement** (SOC, BOLSA colocación todo o nada; el acuerdo quede anulado si no se compra íntegramente la emisión suscrita), **all-purpose** (para uso general), **all rights reserved** (reservados todos los derechos), **all-risks insurance/policy**

(SEG seguro a todo riesgo; V. *all-in policy, fully comprehensive policy*), **all risks** (SEG todo riesgo; V. *against all risks*), **all round** (completo, global, general; desde todos los puntos de vista, en general, se mire como se mire ◊ *These shares at this price are a very good buy all round*; V. *all-in price*; V. *all-in cost*), **all round man** (hombre idóneo para muchos tipos de trabajo), **all-round price** (COMER precio redondo o global; V. *lump sum; aggregate*), **all-time** (de todos los tiempos, de toda la historia ◊ *The Dow Jones index hit an all-time high in an unprecedented burst of buying*), **all-time high** (COMER, SOC, BOLSA récord histórico, techo sin precedentes), **all time saved** (TRANS MAR todo el tiempo ahorrado; V. *despatch money*), **all told** (teniéndolo todo en cuenta, todo incluido, en conjunto, por todo), **all-traffic services** (transporte aéreo mixto para pasaje y mercancías), **all working time saved** (ahorrados todos los días laborables; V. *despatch money*), **all-share index** (BOLSA índice bursátil global del *Financial Times*, también llamado *The FT All-Share Index*), **alls** (bienes, todo lo que se posee, patrimonio total)].

Alladin bond *US n*: FINAN bono Aladino; bono sustitutivo de otro del mercado; título de renta fija, con ciertas ventajas fiscales, que sustituye a los de una emisión anterior.

allocate *v*: distribuir; asignar, destinar, adjudicar, aplicar, conceder; imputar; prorratear; V. *appropriate, earmark; allot, award*. [Con frecuencia acompaña a las palabras *costs, funds, jobs, money, resources, shares*, etc. Exp: **allocable** (imputable), **allocate budget funds** (consignar fondos presupuestarios), **allocated** (afecto), **allocated cost** (coste asignado/imputado), **allocated expenses** (gastos aplicados), **allocated transfer**

risk reserve (BANCA reservas para hacer frente a los riesgos causados por los países de riesgo; V. *country risk*), **allocation**[1] (ECO asignación; dotación; afectación; alude a la especificación detallada en que han de usarse los recursos; imputación, reparto), **allocation**[2] (fraccionamiento de la mercancía adquirida al por mayor en lotes pequeños para ser vendidos a los consumidores; a esta transformación normalmente se la llama *bulk breaking*), **allocation effect** (ECO efecto asignación), **allocation of assets** (afectación de bienes), **allocation of funds/costs, etc.** (ECO asignación de recursos, costes, etc., alude tanto al *hecho* de asignar como a la *cantidad* asignada; provisión de fondos; distribución de un ingreso o de un gasto; destino, asignación o aplicación presupuestaria; V. *asset allocation; resource allocation, appropriation, allotment, provision of funds; apportionment, cost allocation; misallocation; proportional allocation*), **allocation of responsibilities** (asignación de responsabilidades), **allocative** (aplicativo, distributivo; relativo a la distribución o asignación), **allocative efficiency** (ECO eficiencia en la asignación, aplicación, distribución, etc.), **allocative neutrality** (ECO neutralidad en la distribución)].

allocatur *n*: certificado de autorización de gastos.

allonge *n*: añadido, suplemento, hoja de prolongamiento, hoja suplementaria, hoja adjunta a una letra de cambio para anotaciones, endosos, etc.; anexo incorporado a un documento por medio de hoja adjunta, etc.; V. *rider, annex, appendix*.

allot *v*: repartir, adjudicar, atribuir, asignar, destinar, entregar, distribuir por lotes, parcelar; V. *assign, apportion, mete, distribute; allocate, award*. [Exp: **allot**

shares (distribuir/repartir/asignar acciones ◊ *The applicant was allotted 200 shares in the company*), **allotment**[1] (consignación, distribución, reparto, prorrateo, asignación o adjudicación en un reparto, entrega; parte, cuota, porción, cupo, contingente; alude tanto al *hecho de consignar* como a la *cantidad consignada*; V. *allotment letter, allotment of shares; apportionment, allocation*), **allotment**[2] (pequeña parcela de tierra de cultivo de titularidad pública arrendada a un trabajador agrícola para su explotación), **allotment letter** (soc carta de asignación, carta de notificación al suscriptor del número de acciones que se le han asignado; V. *letter of acceptance*), **allotment money** (soc pago complementario por las acciones nuevas solicitadas al comunicársele al peticionario el número de las asignadas; el primer pago o *application money* tuvo lugar al solicitar la suscripción; el tercer pago, llamado dividendo pasivo o *call*, se puede hacer en varios plazos —*instalments, payments, calls*—; se dice que la acción está desembolsada o *paid up/in* cuando se ha satisfecho el último plazo o dividendo pasivo —*final call*; V. *call*,[6] *called-up*), **allotment note** (REL LAB documento firmado por el marino indicando a la empresa el nombre de la persona —o institución bancaria— a la que tiene que enviar todo o parte del sueldo), **allotment of appropiations** (consignación presupuestaria), **allotment of shares** (soc adjudicación de nuevas acciones a los que las solicitaron ◊ *Allotment of shares is sometimes made by random draw or by a proportional allocation*; V. *issue, letter of allotment; unallotted shares; oversubscription*), **allottee** (suscriptor, asignado, partícipe en un reparto)].

allow[1] *v*: permitir, autorizar, admitir, tolerar, reconocer, estimar; conceder; V. *give, permit, authorize*. [A diferencia del español, el infinitivo que sigue a *allow* debe tener en inglés un sujeto lógico («Esta máquina *permitirá ampliar* la producción»: *This machine will allow us/them, etc. to increase production*). Exp: **allow**[2] (deducir, descontar, rebajar), **allow a claim** (SEG conceder la reclamación solicitada), **allow a discount** (hacer un descuento, conceder una rebaja ◊ *The warehouse allows a trade discount of 6 %*), **allow for** (tener en cuenta, dejar un margen para), **allow of** (permitir, dejar margen para ◊ *The company's financial statements allow of varying interpretations*), **allow time** (conceder una prórroga), **allowable**[1] (admisible, permitido, lícito, justo, legítimo, conforme a derecho; se aplica en expresiones como *allowable deduction* —deducción admisible/autorizada— *allowable expenses* —gastos deducibles—, *allowable defects* —defectos admisibles—), **allowable**[2] (deducible; descontable; se aplica en expresiones como *allowable for tax purposes* —deducible a efectos fiscales—, etc.; V. *allowance, unallowable*)].

allowance[1] *n*: permiso, autorización, concesión; V. *make allowances for*. [Exp: **allowance**[2] (REL LAB, SOC asignación; asignación para gastos de representación, de transporte, etc.; asignación periódica dada por padres a hijos para sus gastos; retribución, sueldo, salario; suplemento de sueldo o jornal; pensión, complemento de pensión; subsidio, subvención; dietas; V. *reallowance; annuity, child allowance, entertainment allowance, family allowance, per diem allowance, resettlement allowances, sales allowance, subsistence allowance, travelling allowance; personal allowance*), **allowance**[3] (TRIB bonificación, gasto deducible; deducción, desgravación; *allowance, relief* y *deduction* tienen significados similares; *allowance* es el más general; *relief* se suele referir a «desgravaciones en la cuota», como *personal reliefs* —deducciones personales—, y *deductions* para hablar de desgravaciones o deducciones, como el seguro médico, intereses de préstamos etc., e incluso de «retenciones», con el significado de *withholdings*, como en *table/scale of deductions*; V. *tax allowance, customs duties allowance, earned income allowance, deduction, exemption*), **allowance**[4] (FINAN descuento, rebaja o compensación, sobre todo en los créditos documentarios; suplemento; V. *allowance to customers*), **allowance**[5] (FINAN provisión, reserva), **allowance**[6] (tolerancia), **allowance for bad debts** (reserva para deudas incobrables, dudosas o de cobro difícil; V. *reserve for doubtful accounts*), **allowance/reserve for contingencies** (reserva para imprevistos), **allowance for delay** (bonificación/rebaja/compensación demora en la entrega), **allowance for depreciation** (provisión para amortización, deducción por amortización; cuenta en la que se refleja la acumulación de créditos periódicos con el fin de reducir el valor de los activos fijos; V. *depreciation*), **allowance for doubtful accounts** (provisión de clientes dudosos, provisión/reserva para cuentas morosas o dudosas, a fin de compensar el valor de *accounts receivable* —cuentas a recibir—; V. *reserve for bad debts, allowance for bad debts; doubtful debts*), **allowance for depreciation** (CONT reserva/provisión para depreciación), **allowance for entertainment** (V. *entertainment allowance*), **allowance for losses** (desgravación por pérdidas),

allowance for motor-car mileage (asignación por kilometraje, asignación para gastos de transporte; V. *car mileage allowance rate*), **allowance for necessaries** (pensión alimenticia; V. *necessaries*), **allowance for uncollectibles** (CONT provisión/reserva para cuentas/facturas/ventas, etc., incobrables; V. *loan loss reserves; accounts uncollectible*), **allowance to customers** (descuento a clientes), **allowed** (autorizado, permitido; V. *freight allowed*), **allowed time** (permiso laboral retribuido para asuntos propios, permiso laboral retribuido para el desayuno, comidas, etc.)].

ALM *n*: V. *asset and liability management*.

along *prep/adv*: a lo largo de. [Exp: **alongside, alongside ship** (TRANS MAR junto a, al lado de; al costado del barco; en el muelle, atracado; V. *free alongside ship, fas*)].

alpha *n*: alfa. [Exp: **alpha coefficient/value** US (BOLSA valor/coeficiente alfa; sirve en la «teoría de las carteras» para identificar las fluctuaciones de los precios de un título con relación a los del mercado en conjunto; V. *beta coefficient; portfolio theory*), **alpha securities/stock/shares** (BOLSA valores, títulos, acciones etc. de índice alfa; valores seguros; tienen un alto grado de fiabilidad/liquidez, debido a factores específicos de la empresa emisora; a mayor índice alfa, menor riesgo, o sea, menor susceptibilidad de riesgo sistemático, o del mercado en la Bolsa de Londres; le siguen en orden descendente los *beta, gamma* y finalmente los *delta*; la denominación *alpha, beta*, etc., ha sido modificada desde 1991 por la llamada *NMZ* o *Normal Market Size*; V. *beta stock*), **alphanumeric** (alfanumérico)].

alter *v*: alterar-se, modificar, cambiar, variar, enmendar; V. *amend*. [Exp: **alteration** (alteración, cambio, variación, reforma, corrección, modificación), **alteration of share capital** (SOC modificación en el capital social; V. *authorized share capital, increase, reduction*), **altered cheque** (cheque enmendado)].

alternate *a/v*: alterno, suplente, sustitutivo, sustitutorio; otro; contra; alternar; V. *acting, counter*. [En inglés americano *alternate* equivale al *alternative* del inglés británico; la sílaba tónica del verbo *álternate* es la primera, mientras que la del adjetivo *al'ternate* es la segunda. Exp: **alternate days** (día sí, día no), **alternate demand** (demanda de bienes sustitutivos o intercambiables; V. *composite demand, competing demand, rival demand*), **alternate director** (director accidental), **alternate member** (vocal o miembro suplente/sustituto; V. *alternative*), **alternate proposal** (contraproyecto), **alternation** (alternancia, alternación), **alternative¹** (sustituto, suplente; alternativo, otro; con el significado de «alternativo» va en expresiones como *alternative drawee* —librado alternativo, *alternative payee*— beneficiario alternativo, etc.), **alternative²** (alternativa, opción, disyuntiva, remedio, salida, solución de recambio, variante), **alternative cost/ alternative use cost** (ECO coste alternativo, coste de oportunidad; se refiere al cómputo comparativo de la rentabilidad obtenida al variar un factor de producción o elegir una alternativa distinta; V. *opportunity cost*)].

always afloat, a/a *n*: TRANS MAR siempre a flote; V. *afloat*.

A.M. *n*: V. *airmail; ante meridiem*.

amalgamation *n*: fusión, unión, amalgama, amalgamación, consolidación de empresas, sindicatos, etc.; V. *conglomerate amalgamation, horizontal/lateral amalgamation, vertical amalgamation; absorption, inte-* *gration, combination, merger; take-over; consolidation, integration, reconstruction, reorganization*. [Exp: **amalgation agreement** (contrato de fusión)].

ambit *n*: ámbito; V. *scope*.

ambivalence *n*: ambivalencia.

ameliorate *v*: mejorar-se. [Exp: **amelioration** (mejora, mejoramiento, mejoría; V. *betterment*)].

amenable *a*: susceptible, sensible; receptivo, dúctil, flexible, bien dispuesto, tratable; responsable ◊ *Most of the members of the planning committee are amenable to argument*; V. *obedient, tractable, observant*.

amend *v*: enmendar, corregir, rectificar, modificar, revisar, reformar, remediar; V. *alter; consolidate, as amended*. [Exp: **amending** (modificativo), **amendment** (enmienda, modificación, reforma o rectificación; V. *modification, cure a defect*), **amends** (reparación, compensación, satisfacción), **amends, make** (poner remedio, ofrecer compensación o reparación, dar cumplida satisfacción, satisfacer, indemnizar, reparar, gratificar; V. *tender of amends*)].

amenities *n*: atenciones, cortesías, gestos amistosos; servicios; V. *employee's amenities*.

American *n*: americano; norteamericano. [Exp: **American Accounting Association** (Asociación Americana de Contabilidad), **American Arbitration Association** (Asociación Americana de Arbitraje), **American Association of Public Accountants** (Asociación Americana de Contadores/Censores de Cuentas Públicos), **American Bankers Association, ABA** *US* (Asociación de Banqueros Americanos; equivale a la *AEB* o Asociación Española de Banca Privada), **American Bar Association, ABA** *US* (Colegio de Abogados de los EE.UU.; V. *Faculty of advocates*),

American clause (SEG MAR cláusula americana; según esta cláusula, en caso de avería o de pérdida de la propiedad asegurada, la responsabilidad de indemnizar al asegurado recae hasta un límite prefijado en la primera de las dos aseguradoras que suscriben la póliza, interviniendo la segunda sólo en el caso de que los daños totales excedan de dicho límite de cobertura), **American Depository Receipt, ADR** US (FINAN recibo de depósito americano, recibo de acciones extranjeras; recibo de depósito de valores extranjeros extendido por un banco americano, que tiene los efectos de «documentos al portador»; nacieron en 1927 cuando había limitaciones para la adquisición de títulos extranjeros; V. *depository receipt, pink sheet market, International Depositary Receipt; bearer document*), **American Express, Amex** (nombre de la tarjeta de crédito/pago), **American Federation of Labour, AFL-CIO** (Federación Americana del Trabajo; organización sindicalista norteamaricana, formada en 1955 por la fusión del *American Federation of Labor, AFL*, fundada en 1881, y del *Congress of Industrial Organizations*, CIO, creada en 1935), **American Free Trade Area, AFTA** (Área americana de libre comercio), **American Institute of Certified Public Accountants** (Instituto Americano de Contadores Públicos Titulados), **American option** (MERC FINAN/PROD/DINER opción americana; las opciones americanas se pueden ejercer, a diferencia de las europeas, en cualquier día del ciclo —*option cycle*— previo a la fecha de vencimiento o *expiration date*; V. *exercise date; early exercise; option style; Asiatic option, European option*), **American selling price, ASP** US (TRIB «precio de venta americano»; precio de venta en los Estados Unidos; arancel

aduanero impuesto a los productos importados para que su precio de venta no sea inferior al del mercado americano), **American Stock Exchange, Amex** US (BOLSA Bolsa secundaria de Nueva York; Bolsa de valores de Nueva York para empresas medianas o de segundo orden; también se la llama *Curb* y *Little Board*, ya que la bolsa grande o *Big Board* es la *New York Stock Exchange*; V. *Curb Exchange, Outdoor Curb Exchange*)].

Amex[1] *n*: V. *American Stock Exchange*. [Exp: **Amex**[2] (V. *American Express*), **Amex composite** (índice de la Bolsa de Nueva York, de 1.500 valores aproximadamente; V. *Dax index*), **Amex major market** (BOLSA índice de la media ponderada de la *American Stock Exchange*)].

amicable *a*: amistoso; V. *friendly; hostile*. [Exp: **amicable agreement/settlement** (acuerdo amistoso, transacción amistosa), **amicable/friendly compounder** (árbitro extrajudicial)].

amnesty *n*: amnistía. [Exp: **amnesty for tax dodgers** (TRIB amnistía fiscal; tax evasion amnesty)].

amount *n/v*: cantidad, suma, importe; montante, monto, cuantía, valor; ascender, alcanzar, importar; V. *cost*. [Exp: **amount, any/any God's amount** *col* (toneladas, cantidades industriales/ilimitadas), **amount brought forward** (CONT suma anterior; V. *balance*), **amount due** (importe a pagar), **amount of duty** (adeudo), **amount of remittance** (monto de la remesa), **amount to** (equivaler, venir a ser, reducirse a, importar ◊ *High finance, however complex, amounts to this: eat, or be eaten*), **amounts allotted** (partidas asignadas)].

amortization *n*: amortización, amortización contable; reembolso a plazos de una deuda; V. *depreciation, write off;*

effective-interest amortization. [Exp: **amortization charge** (cuota de amortización), **amortization factor** (coeficiente de amortización), **amortization fund** (fondo de amortización; V. *sinking fund*), **amortization of a loan** (amortización/reembolso de un préstamo/empréstito), **amortization quota** (tasa/cuota de amortización), **amortization schedule/table** (plan/cuadro/programa de amortización de un préstamo; V. *debt repayment schedule*), **amortize** (amortizar; V. *pay off/redeem by instalments; sinking fund*), **amortized stock** (BOLSA acciones amortizadas; V. *redeemed shares*), **amortizing cap** (FINAN tope máximo amortizante; se debe a la reducción progresiva del principal nocional; V. *deferred cap, naked cap, seasonal cap*), **amortizing swap** (MERC PROD/DINER permuta de divisas/tipos de interés con amortización del principal nocional sobre el que se establece el intercambio de fujos)].

AMPS *n*: V. *Auction market preferred stock.*

Amsterdam Interbank Offered Rate, AIBOR *n*: BANCA tipo de interés ofertado del mercado interbancario de Amsterdam; tasa del mercado interbancario de Amsterdam; V. *PIBOR, LIBOR, MIBOR; bid rate.*

amusement *n*: diversión, recreo; V. *leisure industry.* [Exp: **amusement arcades** (salón de recreativos), **amusement industry** (industria de la diversión y de los espectáculo, en especial, empresas dedicadas al teatro, la televisión y el cine, actividades deportivas, salas de baile, bingo, etc.; V. *leisure industry*), **amusement shares** (BOLSA epígrafe de la lista de valores en Bolsa correspondiente a empresas del mundo del espectáculo; V. *entertainment shares*), **amusement tax** (impuesto sobre espectáculos)].

amt *n*: V. *air mail transfer.*

analogue/analog *a*: análogo. [Exp: **analog computer** (ordenador analógico)].

analyse/analyze *v*: analizar. [Exp: **analysis** (análisis, desglose; V. *account analysis, content analysis, critical path analysis, cross-section analysis, itemised breakdown, job analysis*), **analysis by commodities** (análisis por productos o por materias primas), **analysis of management** (análisis de gestión), **analytic/analytical** (analítico), **analytical balance sheet** (CONT análisis general analítico), **analytical estimate** (CONT estimación analítica; se aplica para calcular el coste de un determinado producto), **analytical tool** (instrumento de análisis), **analyzer** (analizador)].

anatocism *n*: anatocismo, interés compuesto; V. *compounding of interest.*

anchor[1] *n*: ancla; eje, pieza clave o fundamental ◊ *The Deutschmark is the anchor of the ERM*; V. *berth.* [Exp: **anchor**[2] (ligar, vincular, anclar, amarrar ◊ *The peseta is anchored to the Deutschmark*), **anchor, at** (anclado, fondeado; V. *ride at anchor*), **anchor-man of a firm** (hombre clave, pieza fundamental, elemento imprescindible de una empresa), **anchor-man on a TV programme** (PUBL conductor de un espacio televisivo), **anchorage** (fondeadero; derechos que se pagan por fondear; derechos de anclaje), **anchorage, berth and berthing services** (sevicios de fondeo, muellaje y atraque), **anchor-and-chain clause** (SEG cláusula de una póliza de seguros marítimos que exime a la compañía del coste de recuperación de las anclas y de las cadenas perdidas), **anchorage charges/dues** (derecho de anclaje, derecho de permanencia en un puerto; V. *due, petty average, towage, bridge toll*)].

ancillary *a/n*: accesorio, anciliario, auxiliar, secundario, complementario; subordinado, dependiente, subsidiario; material suplementario; V. *accessory*[2]. [Exp: **ancillary letter of credit** (carta de crédito complementaria)].

and Co *fr*: y compañía. [También escrito & *Co*; es habitual, aunque no imprescindible, escribir esta fórmula entre, o encima de, las dos barras al cruzar un cheque)].

Andean Pact *n*: Pacto andino; V. *Central American Common Market; Latin American Free Trade Association.*

angel *n*: FINAN caballo blanco, financiero incauto; el que aporta dinero para una empresa dudosa; V. *fallen angel.*

animal *n*: animal; res; en plural significa «el ganado». [Exp: **animal breeding/husbandry** (cría de ganado), **animal rights** (derechos de los animales), **animal spirits** (ánimos, alegría, exuberancia, vivacidad, vitalidad), **animatronics** (animatrónica; animales electrónicos; son figuras de parques temáticos —*theme parks*— controladas por un programa de ordenador; también alude a las técnicas de animación para dar vida a los títeres o marionetas —*puppets*— que protagonizan muchas series de televisión; es una palabra compuesta de *animal* y *electronics*)].

ANL *n*: V. *above-normal loss.*

annex *n/v*: anexo; incorporar como anexo; como sustantivo, en inglés británico, se escribe *annexe*; V. *allonge, rider, addendum.*

annotate *v*: anotar ◊ *She returned his draft report, copiously annotated.* [En inglés *annotate* no alude a simples notas, apéndice o breves apuntes sino a comentarios *in extenso.* Exp: **annotation** (nota marginal, nota al margen, apunte)].

announce *v*: presentar, anunciar, hacer público, comunicar, declarar ◊ *The company has announced changes in a number of key posts.* [Exp: **announce/declare a dividend** (declarar un dividendo), **announcement** (anuncio, declaración; V. *dividend announcement*)].

annual *a*: anual; V. *yearly; semi-annual.* [Exp: **Annual Abstract of Statistics** (Anuario oficial de estadística sobre población, empleo, producción, etc., publicado por el gobierno británico), **annual accounts** (CONT cuentas anuales; conjunto de estados contables que reflejan la marcha de una empresa; V. *final accounts; account summary*), **annual allowances** (desgravaciones anuales por amortización), **annual bonus** (aguinaldo), **annual clean-up** (SOC, BANCA saneamiento financiero anual; exigencia de «autosuficiencia financiera» o *clean-up requirement* impuesta por los bancos a determinadas empresa antes de conceder nuevos préstamos), **annual closing** (CONT cierre anual), **annual depreciation** (CONT amortización por anualidades), **annual general meeting, AGM** (SOC junta general ordinaria/anual de accionistas; V. *ordinary general meeting, company meeting*), **annual improvement factor** (REL LAB convenio sobre aumento de salarios de acuerdo con la productividad), **annual instalment** (anualidad), **annual leave** (REL LAB vacaciones anuales; V. *leave*), **annual load factor** (factor de carga anual), **annual patent fee** (anualidad), **annual percentage rate, APR** (FINAN tasa anual equivalente, TAE; V. *add-on interest, effective rate*), **annual rate** (tasa anual), **annual rate of inflation** (ECO tasa anual de inflación), **annual report** (SOC memoria/informe presentado en la junta general ordinaria, informe financiero anual también llamado *annual financial report*; V. *annual general meeting*), **annual return**[1] (SOC informe o memoria anual de las empresas presentado en el Registro de Sociedades Mercantiles, indicando su estado financiero y el nombre de los consejeros), **annual return**[2] (FINAN rendimiento anual de acciones; V. *yield*), **annual value** (valor anual de un inmueble; V. *rateable value, rack rent*), **annualization** (anualización; extrapolación de resultados, cálculo anual de tasas referidas a períodos inferiores a un año), **annually balanced budget** (presupuesto equilibrado anualmente)].

annuitant *n*: rentista, beneficiario de una anualidad, vitalicista, censualista.

annuity[1] *n*: SEG seguro de rentas; renta anual; anualidad; pensión; el término se aplica, por lo general, a la asignación o renta anual —*yearly allowance*— percibida mensual, trimestral, semestral o anualmente como retribución de jubilación o *retirement allowance*, —distinta a la pensión de jubilación—, generada de acuerdo con un plan suscrito con una compañía de seguros; el asegurado entrega un capital a una aseguradora, en prima única —*single premium*— o en plazos regulares y fijos —*fixed regular instalments*—, con el fin de recibir, en su día, una renta vitalicia —*life annuity*— o durante un número de años —*terminable annuity*—; las aseguradoras ofrecen muchos productos basados en la renta anual como *apportionable annuity, cash refund annuity, contingent annuity, deferred annuity, endowment annuity, equity annuity, group annuity, immediate annuity, instalment refund life annuity, joint life annuity, joint and survivor annuity, last survivor annuity, life annuity, life annuity certain, life income annuity, participating annuity, refund annuity, retirement annuity, reversionary annuity, straight life annuity, variable annuity*; V.

government annuity; perpetual annuity; pension; perpetuity. [Exp: **annuity**[2] (FINAN bono anual; se trata de bonos, cuyo principal se amortiza parcialmente cada año, coincidiendo con el pago de los intereses), **annuity bond** (bono perpetuo; deuda perpetua o de renta vitalicia también llamada *irredeemable/perpetual bond/stock*), **annuity certain** (SEG seguro de vida mixto a término fijo; renta anual pagadera durante cierto número de años o períodos con independencia de que viva o no el beneficiario o rentista, también llamada *terminable annuity* y *certain annuity*), **annuity depreciation method** (depreciación calculada por el método de anualidades; V. *fixed rate depreciation method*), **annuity due** (SEG renta pagadera por anticipado), **annuity fund** (fondo de anualidad), **annuity insurance** (SEG V. *annuity*[1]), **annuity mortality table** (tabla de mortalidad de rentistas), **annuity-type repayment terms** (condiciones de reembolso con pagos iguales de principal e intereses)].

annul *v*: anular, cancelar, invalidar, revocar, rescindir, derogar; V. *terminate, call back, call off, rescind*. [Exp: **annulment** (anulación, cancelación; V. *cancellation*)].

ante[1] *prep/pref* ante, anterior. [Exp: **ante**[2] *col* (apuesta, bote, envite; apostar, envidar, hacer el envite; V. *raise/up the ante*), **ante meridiem, a.m.** (antes del mediodía, por/de la mañana), **ante up** *col* (pagar, aflojar el ala *col*, apoquinar *col*), **antedate** (retrotraer, antedatar, anticipar; V. *date, post-date, update*)].

anti *pref*: anti. [Exp: **anti-dilution clause** (cláusula antidilución), **anti-dumping** (COMER antidúmping; V. *counterveiling duties*), **anti-inflation measures** (ECO medidas antiinflacionistas), **anti-takeover provision** (cláusula antiabsorción), **anti-takeover statutes** (legislación anti-OPA), **anti-trust laws** (leyes/legislación antimonopolística), **anti-waiver clause** (cláusula antirrenuncia), **antichresis** (anticresis)].

anticipate *v*: prever, anticiparse a, adelantarse a; V. *advance*. [Exp: **anticipate demand** (prever con tiempo la demanda), **anticipate payment** (adelantar el pago), **anticipated** (previsto, esperado, anticipado, adelantado; se aplica a *cost, payments, prices, etc.*; V. *in advance; expected*), **anticipated draught of arrival, A.D.A.** (TRANS MAR calado anticipado de arribada; mediante esta nota el capitán confirma a los consignatarios, con 48 horas de anticipación, el calado que se necesita en el puerto de llegada), **anticipated profit** (SEG beneficios previstos/esperados; al asegurar el envío de una consignación, se pueden asegurar también los beneficios que se dejarían de obtenerse si aquélla se extraviara o dañara), **anticipation** (previsión o anticipo; gasto anticipado), **anticipation money** (CONT fondos para desembolsos previstos; previsión de expectativas; V. *advance*), **anticipation rate** (descuento/rebaja/tarifa por pronto pago), **anticipatory** (anticipado), **anticipatory hedge** (MERC FINAN/PROD/DINER cobertura anticipada de un activo que se va a adquirir)].

Anton Piller order *n*: auto o mandato judicial, importante en el mundo comercial, que autoriza al demandante a tener acceso a algún establecimiento de la propiedad del demandado para inspeccionar, copiar o poner a buen recaudo documentos relacionados con el litigio, que el primero sospecha que el segundo puede ocultar o destruir.

ANZCERTA *n*: V. *Australia, New Zealand Commercial and Economic Trade Area*.

a/o *n*: V. *on account of*.

AOB *n*: V. *business, any other*.

AOQL *n*: V. *average outgoing quality level*.

AP *n*: V. *authority to pay*.

APACS, APCS *n*: V. *Association for Payment Clearing Services*.

APEC *n*: V. *Asia Pacific Economic Cooperation*.

apex[1] *n/a*: ápice, cumbre; principal. [Exp: **APEX**[2] (V. *agricultural production and exports*), **APEX**[3] (Aduana Purchase Excursion, APEX), **APEX flight/ticket/fare** (vuelo/billete/precio APEX), **apex institution/loan** (institución/préstamo principal)].

APO *n*: V. *average price option*.

apologies for absence from a meeting *fr*: disculpan su inasistencia a la junta.

apparent[1] *a*: aparente, supuesto, presunto. [Exp: **apparent**[2] (patente, manifiesto, visible, obvio, evidente), **apparent defect** (TRANS defecto manifiesto; V. *defect of substance; inherent, latent/patent/hidden defect*), **apparent good condition, in** (aparentemente en buen estado; V. *on the surface*)].

appearance *n*: apariencia, aspecto; aparición, acto de presencia; comparecencia ◊ *She put in a brief appearance at the meeting*. [Exp: **appearance money** (gratificación por presencia, comisión o gratificación pagada a una celebridad o figura popular o de prestigio por acudir a una promoción o un acto de significación social o comercial; dieta de asistencia; V. *attendance fees; reporting pay*)].

appeal[1] *n/v*: DER recurso, apelación; recurrir, apelar; V. *lodge an appeal*. [Exp: **appeal**[2] (PUBL atractivo, simpatía, efecto de atracción; V. *consumer appeal*), **appeal bond** (fianza de apelación), **appeal, on** (tras la apelación, en apelación), **appeal to arbitration** (recurso al arbitraje), **appellant** (recurrente)].

append *v*: añadir, anexar; V. *attach, enclose*. [Exp: **appendix** (apéndice; V. *addendum, allonge, annex, rider*)].

appertaining to *a*: relativo, perteneciente o concerniente a.

appliance *n*: dispositivo, aparato. [Exp: **appliances** (electrodomésticos; V. *household appliances*), **appliances trade** (industria de electrodomésticos)].

applicable *a*: aplicable, pertinente o de aplicación. [Exp: **applicable to** (concerniente a), **applicable, when/where** (en su caso, cuando sea de aplicación)].

applicant[1] *n*: solicitante; aspirante o candidato a un puesto de trabajo; postulante; V. *candidate; shortlist, appointee*. [Exp: **applicant**[2] (demandante, recurrente), **applicant**[3] (COMER, BKG ordenante; en comercio internacional es el comprador de mercancías que ordena a un banco la apertura de un crédito documentario), **applicant for the credit** (solicitante/ordenante del crédito)].

application[1] *n*: solicitud, instancia, petición, súplica; V. *file/make an application, letter of application*. [Exp: **application** (BOLSA aplicación; operación de compra y venta de determinados títulos hecha a distintos clientes y al mismo cambio por un intermediario financiero; V. *over-the-counter market, OTC market*), **application**[3] (DER aplicación/ejecución de una norma; V. *enforcement*), **application**[4] (programa de un ordenador), **application agent** (SEG agente de seguro), **application for employment** (solicitud de empleo), **application for membership** (solicitud de admisión o ingreso; V. *apply for membership*), **application for quotation** (BOLSA solicitud de admisión a Bolsa; V. *listed company, official list*), **application for shares** (suscripción de acciones), **application form** (impreso o formulario de solicitud; V. *fill in an application form*), **application of funds** (CONT aplicación de fondos; V. *statement of source and application of funds*),

application of, on/upon (a instancias, súplica, petición o solicitud escrita de), **application money** (SOC, BOLSA depósito para suscripción de acciones; cantidad que se entrega al solicitar la suscripción de nuevas acciones; V. *allotment money, call*[6])].

applied *a*: aplicado. [Exp: **applied cost** (ECO coste aplicado; parte de los gastos generales presupuestados a un departamento, un producto o una actividad determinada), **applied economy** (economía aplicada)].

apply[1] *v*: solicitar, pedir; presentar. [Exp: **apply**[2] (aplicar), **apply for a loan** (pedir un préstamo), **apply for a vacancy** (solicitar un puesto de trabajo), **apply for an appropriation** (CONT solicitar una consignación presupuestaria), **apply for membership** (solicitar el ingreso en una entidad, sociedad, etc.), **apply for space** (MERC inscribirse como expositor; solicitar la participación como expositor en una feria; V. *register for space*), **apply to** (ser de aplicación o aplicable a, atañer, comprender a, ajustarse a ◊ *Those rules do not apply to us*), **apply to accede** (solicitar la adhesión; V. *accession*)].

appoint[1] *v*: nombrar; asignar; adscribir; elegir; V. *designate; name; assign*. [Exp: **appoint**[2] (fijar, señalar), **appoint**[3] (equipar, acondicionar, habilitar, amueblar, especialmente en la expresión *well-appointed*; V. *furnish, equip; well-appointed, appointment*[3]), **appoint an agent, an attorney** (nombrar representante, designar abogado), **appoint capital to somebody** (asignar capital a alquien), **appoint the date** (fijar, señalar la fecha), **appointee** (nominado, seleccionado, designado, delegado, representante oficial, persona con nombramiento oficial; V. *designee; nominee; applicant*), **appointment**[1] (nombramiento, mandato; designación; V. *designation; dismissal; commission; power of appointment*), **appointment²** (cita; V. *arrangement*), **appointments³** (muebles, mobiliario ◊ *To judge by the appointments of the office, the company was prosperous*; V. *appoint³*), **appointment, by** (previa cita), **appointments vacant** (lista de plazas o puestos de trabajo libres o sin ocupar; V. *situations vacant*)].

apportion *v*: repartir, asignar, distribuir, consignar, prorratear; V. *allot, mete, distribute, allocate*. [Exp: **apportion budget funds** (consignar fondos presupuestarios; V. *allocate*), **apportion the expenses** (repartir, prorratear, hacer una derrama), **apportionable** (prorrateable), **apportionable annuity** (SEG renta anual prorrateable; se llama «prorrateable», porque la última que se paga abarca sólo el período comprendido entre la percepción anterior y la fecha de muerte del anualista; V. *annuity*), **apportioned** (prorrateado), **apportioned costs** (costes prorrateados), **apportioned tax** (TRIB impuesto prorrateado entre varios), **apportionment¹** (SEG, TRANS MAR reparto, prorrateo, distribución, derrama, reparto de la carga de gastos; se aplica, en especial, en el prorrateo de daños o pérdidas en avería gruesa; V. *coefficient of apportionment, general average; share-out; call¹⁰*), **apportionment²** (CONT consignación en cuenta; asignación de cada gasto a su cuenta correspondiente; V. *allocation, appropriation, allotment*), **apportionment clause** (SEG cláusula de prorrateo; cláusula de participación en el riesgo; en ella se estipula la participación de varios aseguradores en el riesgo y el consiguiente prorrateo en la indemnización al asegurado; V. *average*), **apportionment of claims** (SEG reparto proporcional de los siniestros)].

appraisal¹ *n*: FINAN estimación; avalúo, tasación, tasación pericial, tasación de los bienes a subastar; aprecio, justiprecio; también se le llama *appraisement*; V. *collateral value; assessment*. [Exp: **appraisal²** (REL LAB valoración de los cometidos de un puesto de trabajo, de las tareas realizadas, etc.; también se le llama *appraisement*; V. *assessment*), **appraisal capital** (CONT aumento de capital por incremento en el valor contable de un activo), **appraisal clause** (SEG cláusula de tasación), **appraisal increments** (incrementos por evaluación), **appraisal system** (REL LAB organización empresarial basada en la revisión y valoración de los puestos de trabajo), **appraisal/appraised value** (CONT revalorización estimada; valor contable de un activo cuando se estima mayor que el valor en libros; justo precio, valor de tasación, valor de avalúo, valor estimado, importe de la tasación)].

appraise *v*: valuar, avaluar, tasar, valorar, justipreciar, estimar, aforar. [Exp: **appraisable** (valuable, evaluable, tasable), **appraised value** (valor estimado), **appraiser** (tasador, justipreciador, perito, valuador; V. *surveyor, valuer, customs appraiser, tax appraiser*), **appraisement** (arbitraje, estimación, tasación), **appraisement of goods** (tasación de mercancías), **appraisement bond** (compromiso de arbitraje), **appraising** (peritación; V. *survey*)].

appreciate¹ *v*: estimar, valuar, tasar, valorar; V. *revaluate*. [Exp: **appreciate²** apreciarse, subir en valor, revalorizarse ◊ *Current cost accounting makes allowance for the fact that property values appreciate with time*; V. *depreciate*. [Exp: **appreciation¹** (estimación, evaluación, tasación, valoración), **appreciation²** (apreciación; aumento de precio, alza; aprecio; subida

en el valor de una moneda sin intervención de las autoridades monetarias;
también se aplica este término en
expresiones como *appreciation of
property, of assets, of currency, etc.,*
«revalorización de bienes, de activos, de
moneda, etc.»; V. *depreciation; devaluation; amortization; price appreciation*), **appreciator** (tasador,
aforador; V. *appraiser*)].

apprehensive period *n*: período de
precaución, de tensión o anormal.

apprentice *n*: REL LAB aprendiz; V. *trainee;
indenture, articles of apprenticeship.*
[Exp: **apprenticeship** (aprendizaje,
período de formación)].

apprise/apprize *v*: informar, notificar, avisar,
dar parte; V. *inform, notify.* [Exp: **apprised**
of *formal* (sabedor/conocedor de)].

appro, on *fr*: V. *on approval.*

approbation *n*: aprobación; V. *approve.*

appropriate *a/v*: apropiado, oportuno,
conveniente, correcto, procedente, útil,
pertinente, adecuado; consignar, aplicar,
asignar, destinar; conceder, distribuir;
apropiarse, posesionarse, incautarse,
adjudicarse; V. *inappropriate; where
appropriate; allocate, earmark.* [Exp:
appropriate funds (destinar/asignar
fondos ◊ *Extra funds have been
appropriated for the new building*; V.
rubricated account), **appropriate**
intellectual property (plagiar, secuestrar, apropiarse de, piratear la
propiedad intelectual; V. *abstract, steal*),
appropriated (CONT consignado,
específico; V. *unappropriated*), **appro-**
priated berth (TRANS MAR muelle
reservado, muelle especial; V. *accommodation berth*), **appropriated goods**
(TRANS MAR mercancías incautadas; se
trata de mercancías sin dueño conocido
localizadas en la bodega de un buque,
que se adjudican a un consignatario para
compensarle por el extravío de las

suyas), **appropiated surplus** (COMER
excedente/superávit consignado o
aplicado)].

appropriation¹ *n*: CONT asignación de
recursos; consignación, destino; recursos
asignados, crédito presupuestario; crédito
autorizado; cantidad votada, consignada
o presupuestada para algún fin; V.
*allocation; dedication of revenues;
advertising appropriation, Senate
Appropriation Committee; appropriation
contingent upon revenue.* [Exp:
appropriation² (apropiación; V.
misappropriation), **appropriation**
account (cuenta de aplicación, de
dotación o de consignación; cuenta de
distribución de beneficios entre
dividendos, reservas, fondos de
pensiones, etc.; V. *rubricated account*),
appropriation bill *US* (proyecto de ley
de provisión de fondos o de asignación
presupuestaria), **Appropriation Com-**
mittee *US* (Comisión de gastos
presupuestarios de la Cámara de Representantes), **appropriation fund**
(FINAN fondo de asignación; fondo de
inversión cuyos gestores adquieren
valores, títulos, etc. por cuenta propia,
asignándolos después al fondo común, al
precio del mercado), **appropriation law**
US (ley de presupuestos), **appropriation**
warrant (autorización de nuevas
asignaciones de crédito)].

approval *n*: aprobación, conformidad,
conforme, visto bueno; V. *assent,
endorsement, prior approval, sanction;
subject to approval.* [Exp: **approval of,**
have the (estar refrendado por),
approval, on (a prueba, sujeto a/
pendiente de aprobación; coloquialmente
también se dice *on appro*), **approve**
(aprobar, sancionar, autorizar un
contrato, dar fuerza de ley; V. *agree as a
correct record*), **approved auditor**
(auditor oficial o autorizado), **approved**

agenda (orden del día definitivo), **approved fashion/manner, in the** (en tiempo y forma; como mandan los cánones; de la forma acostumbrada), **approved list** (relación de inversiones autorizadas por los mutualistas o participantes en un fondo de inversiones; cartera autorizada), **approved place** (V. *bonded warehouse*)].

approximate *a/v*: aproximado; aproximar. [Exp: **approximation**[1] (aproximación, cálculo aproximado), **approximation**[2] (cantidades aproximadas; V. *actuals*)].

appurtenance *n*: accesorios, mobiliario y enseres.

APR *n*: V. *annual percentage rate*.

apron *n*: espacio de un punto de venta —*point of sale*— destinado a exposición —*display*— de productos, muestras, carteles publicitarios, etc.

APT *n*: V. *arbitrage pricing theory*.

AQL *n*: V. *acceptable quality level*.

AR *n*: V. *all risks; accounts receivable*.

arbiter *n*: árbitro, compromisario; V. *arbitrator, arbitration; umpire*.

arbitrage/arbitraging *n*: MERC FINAN/PROD/ DINER arbitraje; V.*convertible artitrage; index-related arbitrage; risk arbitrage; averaging; programme trading*; V. *covered interest arbitrage*. [Consiste el arbitraje en comprar y vender simultáneamente una misma mercancía o producto financiero a dos corredores distintos o a dos mercados distintos con el fin de obtener beneficios buscando la diferencia de precios de ambos y aprovechando las ineficiencias del mercado; consecuentemente se habla de *currency arbitrage, merchandise arbitrage*, etc.; este término se aplica ahora con mayor amplitud a las transacciones que aprovechan las diferencias de precio entre activos que son sustitutivos entre sí. Exp: **arbitrage firm** (casa de arbitraje), **arbitrage pricing theory, APT** (ECO

teoría explicativa del arbitraje de precios; permite esta teoría evaluar las rentabilidades de los fondos y relacionarlas con el nivel de riesgo asumido por las gestoras), **arbitrager/arbitrageur** (arbitrajista; se dice del que practica el *risk arbitraje*; cambista; V. *risk arbitrageur, shunter*)].

arbitral *a*: arbitral. [Exp: **arbitral agreement/settlement** (acuerdo/arreglo arbitral), **arbitral award** (laudo arbitral; V. *umpirage*)].

arbitrament *formal n*: arbitraje, tercería.

arbitrary *a*: arbitrario; V. *discretional*.

arbitrate *v*: arbitrar, juzgar, decidir, componer una disputa; mediar, terciar; V. *adjudge, adjudicate, settle*. [Exp: **arbitration** (arbitraje; tercería; V. *mediation; submit to arbitration*), **arbitration agreement** (acuerdo de arbitraje), **arbitration award/bond/ council, etc.** (sentencia, fallo o decisión arbitral), **arbitration board/council/ committee/panel** (cámara, tribunal, órgano o junta de arbitraje), **arbitration, by** (por vía arbitral), **arbitration clause** (cláusula arbitral), **arbitration of exchange** (arbitraje de cambio; V. *arbitrage*), **arbitration proceedings** (juicio arbitral, procedimiento arbitral), **arbitrator** (árbitro, compromisario, hombre bueno, amigable componedor; V. *umpire, referee, adjudicator*)].

arc *n*: arco. [Exp: **arc elasticity of demand** (ECO elasticidad-arco de la demanda; V. *elasticity of demand; unitary elasticity of demand*)].

area *n*: zona, región, campo, esfera, terreno, ámbito ◊ *Marketing is the area where our competitors are weakest.* [Exp: **area comparability factor** (factor de comparabilidad de áreas), **area manager** (director regional; jefe de zona), **area sampling** (muestreo por áreas)].

argue[1] *v*: debatir, argüir, discutir, razonar, disputar, defender, probar con argumentos, argumentar. [Exp: **argue**[2] (servir de prueba, ser base de ◊ *These sales figures argue the need for a radical change in policy*), **argue for** (abogar por, defender la necesidad de), **argue against** (oponerse a, hablar en contra), **arguable** (controvertible, discutible, dudoso), **argument**[1] (disputa, desacuerdo acalorado; V. *dispute*); **argument**[2] (argumento, alegato, defensa; V. *reason, ground*), **arguments** (descargos, alegaciones), **argumentative** (combativo, terco, discutidor; V. *contentious, litigious, quarrelsome*)].

arithmetic *n*: aritmética. [Exp: **arithmetic average** (promedio aritmético), **arithmetic mean** (media aritmética; V. *average*), **arithmetic progression** (progresión aritmética; V. *geometric progression*), **arithmetic sequence** (sucesión aritmética), **arithmetic series** (serie aritmética)].

arm *n*: brazo; arma. [Exp: **arm's length, at** (distanciado, a raya; guardando las distancias, sin concederse favores; con pocas muestras de cordialidad o confianza), **arm's length contract/transaction** (contrato o trato sin favor; alude a la neutralidad más estricta en los tratos comerciales o económicos en general, en los que a pesar de existir relación entre las partes —parentesco, pertenencia a la misma empresa— se actúa de acuerdo con las estrictas normas del mercado), **arm's length price** (precio de mercado o de plena competencia), **arms-supplying nations** (países implicados en la industria armamentista; países productores o exportadores de armas)].

ARI *n*: V. *accounting rate of interest*

ARIMA *n*: V. *autoregressive integrated moving average model*.

ARM *n*: V. *adjustable rate mortgage*.

ARMA *n*: V. *autoregressive moving average model*.

ARR *n*: V. *accounting rate of return*.

arrangement[1] *n*: acuerdo, arreglo, convenio, concierto; V. *agreement, composition, deal, accord, settlement, amicable arrangement, scheme of composition*. [Exp: **arrangement**[2] (GEST trámites, formalización, gestión; V. *step, provision; loan arrangement expenses*), **arrangement**[3] (GEST organización, ordenación, sistema, régimen; V. *exchange arrangement; plan*), **arrangement accord** (arreglo, conciliación, transacción), **arrangement fee** (MERC FINAN/DINER comisión de dirección y participación; comisión de gestión; V. *underwriting fee; management fee*), **arrangement with, by** (con la autorización, con el beneplácito de), **arrangement with creditors** (concordato con los acreedores), **arrangements** (plan de actuación, preparativos, organización, medidas; V. *make one's own arrangements*)].

array *n/v*: lista, serie ordenada, conjunto ordenado, ordenación; serie muy diversa, amplia gama, gran diversidad, abanico considerable; ordenar ◊ *Europe offers an array of trading practices that the Japanese find enticing.*

arrearage *n*: monto de los pagos atrasados; suma en mora; demora, atraso en el pago. [Exp: **arrears** (atrasos, deudas u obligaciones devengadas y no pagadas; demora en el pago ◊ *Arrears of wages, dividends, subscriptions, interest, rent, etc.*; V. *back, overdue, unsettled, pending, outstanding, default; notice of arrears, payment arrears; owing and overdue; backlog; fall into arrears*), **arrears, be/fall/get in** (atrasarse/retrasarse en el pago ◊ *Common dividends cannot be paid when preferred dividends are in arrears*), **arrears, in** (en descubierto, en mora, atrasado; vencido; por atrasado; al final del periodo; V. *interest payable in arrears; payment in arrears; in advance*), **arrears in/with the payment of, be in** (retrasarse en el pago de), **arrears of dividend/interest** (intereses/dividendos atrasados; V. *interest for payment in arrears*), **arrears of work** (trabajo atrasado; V. *backlog; catch up on arrears of work*)].

arrest¹ *v/n*: detener; parar, obstaculizar; detención. [Exp: **arrest**² (TRANS MAR detención temporal de un buque por las autoridades portuarias)].

arrival *n*: llegada. [Exp: **arrival notice** (TRANS MAR aviso de llegada de mercancías que el transportista envía al consignatario; V. *advice note*), **arrive** (llegar)].

art *n*: V. *terms of art*.

article¹ *n*: artículo, mercancía; V. *commodity*. Exp: **article**² (sección; término, cláusula, estipulación; pactar, convenir), **article an apprentice** (tutelar a un profesional en su período de prácticas; contratar a un pasante; comprometer mediante contrato a un joven profesional a cambio de tutela e instrucción durante el período de prácticas; V. *serve articles*), **articles and conditions** (pliego de condiciones), **articles of agreement** (artículos de un convenio o tratado; normalmente se refiere al contrato de trabajo entre el capitán de un barco y la tripulación; V. *ship's articles; shipping articles*), **articles of apprenticeship** (contrato de aprendizaje; V. *indentures*), **articles of association** (DER, SOC escritura de constitución, estatutos/reglamento de una sociedad o asociación; estatutos sociales, llamados *byelaws* en los EE.UU.; se trata de un acta levantada por los fundadores de una sociedad, al margen de la escritura de constitución de la misma o *Memorandum of Association*, en la que

se detallan los fines de la sociedad o *company's objects*, las normas internas, la estructura del capital y su distribución pormenorizada, y los derechos de los accionistas, el proceso de capitalización, el procedimiento a seguir en caso de quiebra, etc.; V. *articles of incorporation, charter, memorandum of association, certificate/act of incorporation, articles of partnership*), **articles of incorporation** US (estatutos o reglamento de una sociedad mercantil; en algunos estados norteamericanos este término se emplea en el sentido dado en el Reino Unido a *articles of association* y, a veces, al de *memorandum of association*; V. *charter*), **articles of partnership** (contrato de sociedad, estatutos de una sociedad, escritura de constitución social), **articles, under** (escriturado; V. *under seal*)].

artificial *a*: artificial. [Exp: **artificial hedge** (MERC FINAN/PROD/DINER cobertura artificial; alude a la especulación con productos financieros derivados —*derivative products*— para protegerse de determinados riesgos; *natural hedge*), **artificial person** (DER persona jurídica; V. *juristic/legal person; fictitious person; corporation sole; corporation aggregate; become a juristic/legal person*)].

artisan *n*: artesano; V. *craftsman, labourer*.

a/s *n*: V. *after-sight*.

as *prep/conj*: como, de. [Exp: **as amended** (enmendado, revisado), **as at December 31** (a 31 de diciembre ◊ *The balance sheet shows the state of the company's finances as at 31 December 1990*), **as far as is necessary** (tanto/como/cuando fuere necesario, en caso necesario, en tanto fuere necesario; V. *where necessary*), **as from** (a partir de), **as guarantee** (en garantía), **as if and when** (BOLSA a la aparición; a la publicación de los títulos-valores), **as is** (tal cual, tal como se ve;

en el estado en que se encuentra; muchos contratos de compraventa contienen la cláusula *as is*, lo que quiere decir que el comprador acepta lo que compra tal como está, sin derecho a reclamar; V. *as seen*), **as of** (a partir de, con fecha de ◊ *The new prices come into effect as of the 15th of June*), **as per** (según, conforme a, con referencia a), **as per advice** (tal como se notificó/comunicó en su momento), **as per invoice** (según factura ◊ *Goods chargeable as per invoice*), **as per sample** (conforme a la muestra), **as per usual** *col* (¡como siempre! ¡cómo no! ¡para variar!), **as seen** (V. *as is*)].

ASA *n*: V. *Advertising Standards Authority*.

a.s.a.p *col n*: forma abreviada de *as soon as possible* —cuanto antes, lo antes posible.

ascertain *v*: averiguar, comprobar, determinar; aclarar, esclarecer; describir; evaluar, fijar; V. *determine, establish, assess*. [Exp: **ascertainable** (averiguable, determinable, evaluable), **ascertainment of the damage, etc.** (SEG peritación, valoración, fijación, determinación, averiguación del daño, etc.; V. *assessment of damage*)].

ascribe *v*: adscribir; V. *attach, appoint, assign*.

ashore *a*: encallado, envarado. [Exp: **ashore, run** (TRANS MAR encallar, envarar; V. *aground, stranded*)].

Asia *n*: Asia. [Exp: **Asian Currency Unit** (Unidad de cuenta asiática; V. *ECU*), **Asia Pacific Economic Cooperation, APEC** (Cooperación Económica de Asia y el Pacífico), **Asiatic option** (MERC FINAN/PROD/DINER opción asiática; se dice de la «opción europea» cuyo precio de ejercicio —*strike price*— se calcula al vencimiento —*expiration date*— de acuerdo con el precio promedio o *average price* del activo subyacente —*underlying asset*; V. *American/European option*)].

aside, set *v*: V. *set aside*.

ask *v*: preguntar, pedir. [Exp: **ask for one's cards** (REL LAB *col* pedir la baja o despido de una empresa; V. *be given one's cards*), **ask/asked/asking price** US (MERC FINAN/PROD/DINER precio solicitado; precio del vendedor, de venta o de oferta, de tanteo o pedido; cotización ofrecida; precio al que el vendedor ofrece un título en un mercado financiero; en el Reino Unido se le llama *offer/offering price*; tipo vendedor; V. *bid price; bid-offer spread*), **asked yield** (FINAN rendimiento solicitado; rendimiento de la demanda)].

ASP *n*: V. *American selling price*.

assay mark: IND marca/sello de contraste en joyería; V. *hallmark*.

assemble *v*: convocar-se, concentrar-se. [Exp: **assembling** (concentración), **assembly**[1] (junta, asamblea), **assembly**[2] (montaje; V. *offshore assembly/processing*), **Assembly**[3] (Asamblea, Parlamento Europeo; V. *European Parliament*), **assembly hall** (sala de juntas; V. *conference room*), **assembly line** (IND línea o cadena de montaje, cadena de producción continua; V. *production line, progressive assembly*), **assembly-line work** (trabajo en cadena), **assembly-line conveyor** (transbordador de la cadena de producción), **assembly plant** (planta de montaje), **assembly point** (punto de reunión; dentro de las normas de seguridad de las empresas se deben señalar con claridad los puntos de encuentro en caso de emergencia, incendio, etc.), **assembly room** (sala de juntas o de sesiones; V. *boardroom*)].

assent *n/v*: asentimiento, aprobación, refrendo, ratificación, beneplácito; confesión, reconocimiento, declaración, dictamen; asentir, aprobar, sancionar; V. *mutual assent, vesting assent; approval, agreement, compliance, sanction*. [Exp:

assented bonds *US* (FINAN bonos aceptados), **assented stock** *US* (acciones aceptadas), **assenting shareholders** (SOC accionistas conformistas; V. *non-assenting shareholders*)].

assert *v*: afirmar, declarar, reivindicar, sostener, asegurar, alegar. [Exp: **assertion** (aserto, declaración, afirmación, reivindicación), **assertory** (afirmativo)].

assess *v*: evaluar, valorar, calcular, tasar; amillarar; fijar, determinar; gravar, imponer; V. *adjust, determine, establish, ascertain, fix the value of*. [Se suele aplicar a *taxes, damages, costs, etc*. Exp: **assess damages** (SEG evaluar/fijar daños y perjuicios), **assess the premium** (SEG calcular/fijar la prima), **assessable** (TRIB imponible, gravable, sujeto a tributación; V. *taxable*), **assessable capital stock**[1] *US* (SOC capital social parcialmente desembolsado; acciones o capital sujetos a derramas o desembolsos futuros; V. *call*), **assessable capital stock**[2] *US* (SOC capital social gravable), **assessable profits** (TRIB beneficios a efectos fiscales; estos beneficios difieren de los contables por el distinto tratamiento de la depreciación y de los gastos de representación entre otros; V. *entertaining expenses, accounting profits, tax profits*) **assessed income** (TRIB base imponible, renta gravada, renta sujeta a tributación; V. *assessment base/basis*), **assessed tax** (impuesto liquidable; contribución directa), **assessed valuation/value** *US* (TRIB valor fiscal, valoración fiscal; tasación oficial; valor catastral; valor atribuido o estimado)].

assessment *n*: SEG, TRIB valoración, evaluación, tasación, apreciación, amillaramiento; base imponible; gravamen; V. *notice of assessment; taxation of costs; evaluation; taxing master; damage survey; average, self-assessment damage survey*. [En función atributiva equivale a «fiscal, impositivo». Exp: **assessment base/basis** (base imponible; V. *assessed income*), **assessment bond** (bono garantizado con impuestos), **assessment district** (TRIB zona fiscal), **assessment insurance** (SEG seguro de derrama; mutua de seguros; seguros mutuos en el que los tenedores de las pólizas son gravados cuando hay pérdidas; las contribuciones son proporcionales a la edad del miembro en el momento de ingresar en el plan; V. *mutual insurance*), **asessment of damage** (SEG valoración de daños; V. *ascertainment of damage*), **assessment of dutiable value** (TRIB valoración de valor imponible), **assessment of duty** (fijación del valor en aduana), **assessment period** (TRIB período impositivo/fiscal; V. *year*), **assessment system** (sistema de cuotas o repartición), **assessor**[1] (SEG tasador, técnico, perito amillarador, evaluador, especialista; V. *adjuster; fire loss adjuster*), **assessor**[3] *US* (inspector de tributos; V. *inspector of taxes*)].

asset-s *n*: activo; partida del activo; bienes; patrimonio; haber, capital: fondos de valores en cartera; fondos de una quiebra; fondos de una sucesión; V. *accrued assets, admitted assets, available assets, business assets, capital assets, cash assets, contingent assets, current assets, deferred assets, diminishing assets, equitable assets, fictitious assets, financial assets, fixed assets, floating assets, frozen assets, hidden assets, illiquid assets, intangible assets, legal assets, liquid assets, net assets, net quick assets, nominal assets, non-yielding assets, operating assets, passive assets, permanent assets, personal assets, pledged assets, productive assets, quick assets, real assets, realizable assets, slow assets,* *specific assets, tangible assets, underproductive asssets, wasting assets, working assets; liabilities.* [Exp: **asset account** (CONT cuenta del activo), **asset allocation** (FINAN asignación de activos en un cartera de inversión; distribución de riesgos; distribución de fondos de inversión entre bienes y valores con riesgos y rendimientos variados —acciones, operaciones de renta fija, bienes inmuebles, etc.—; V. *benchmark*), **asset and liability management, ALM** (GEST gestión/administración de activos y pasivos, GAP), **asset-backed bond** (FINAN obligación respaldada por activos), **asset-backed securities, ABS** (FINAN títulos-valores respaldados por o con garantía de activos; fondo de titulización de activos; titulización o transformación en títulos de activos financieros, por lo general préstamos, que son vendidos en el mercado secundario; uno de los fondos de titulación más conocidos es el *mortgage-backed securities* o titulaciones hipotecarias; V. *securitization; mortgage backed securities, MBS; mortgage closing date; MBS; collateralized loan; pass-through securities*), **asset backing** (BOLSA, SOC valor de cada acción de acuerdo con el activo neto de la sociedad; V. *net asset value*), **asset-based lending** (FINAN préstamo avalado con los activos que se han adquiridos con dicho préstamo; V. *collateral loan*), **asset card** (tarjeta de débito; V. *debit card*), **asset coverage** (FINAN coeficiente de cobertura de obligaciones por medio de activos; alude a la capacidad de financiación de una deuda, mediante la realización, en caso necesario, del valor de un determinado activo), **asset depreciation** (amortización de activos), **asset depreciation range system** *US* (CONT sistema escalonado de amortización de

activos; V. *straight-line method of depreciation; accelerated cost recovery*), **asset financing** (FINAN financiación con garantía de un activo; el activo puede ser la cuenta de clientes, las existencias inventariadas, etc.; V. *accounts receivable financing*), **asset lock-up** (BOLSA encierro por venta de activos; opción sobre activos; estrategia dirigida a defenderse de las OPAS hostiles, también llamada defensa de las joyas de la corona o *crown jewel defence*), **asset quality** (V. *credit quality*), **asset replacement cost** (CONT coste de reposición de un activo; valor de reemplazo de un activo), **asset restructuring** (reestructuración de activos; es una medida defensiva de la empresa asediada; V. *fat man, safe harbour*), **asset side** (activo, columna del activo), **asset side transactions** (BANCA operaciones de activo ◊ *Credits and loans are asset side transactions*), **asset stripper** (especulador; comprador de una mercantil que pretende realizar sus activos separadamente; V. *cohecler-dealer, cohizz kid*), **asset stripping** (FINAN liquidación/venta de activos; esta práctica, que es ilegal, consiste en comprar empresas poco rentables, vender sus activos uno a uno y luego cerrarlas; V. *break-up value; dividend stripping; poison pill, unbundling*), **asset swap** (permuta de activos), **asset turnover** (rotación de activos), **asset turnover ratio** (FINAN ratio/coeficiente de rotación de los activos de una cartera de valores), **asset value** (valor de activo neto), **assets and liabilities** (activo y pasivo), **assets and liabilities management** (BANCA gestión de activo y pasivo), **assets and liabilities statement** (balance de situación, hoja de balance, balance general, estado contable, estado financiero; también se le conoce con el nombre de *balance sheet*), **assets/capital of a partnership** (capital social), **assets disposal account** (cuenta de activos vendidos o realizados), **assets held abroad** (activo exterior; V. *foreign assets*), **assets in bankruptcy** (activo de la quiebra; V. *bankrupt's estate*), **assets of a bankruptcy** (masa de la quiebra; V. *bankrupt's estate*), **assets of a partnership** (capital social de una sociedad colectiva; V. *capital of a partnership*), **assets portfolio** (cartera de valores), **assets transfer** (cesión de activos)].

assign[1] *n/v*: cesionario; asignar; atribuir; adjudicar, dejar en testamento; traspasar, ceder, consignar, transferir, adscribir; fijar, establecer; V. *transfer, convey; ascribe*. [Exp: **assign**[2] (derecho-habiente; V. *eligible applicant, assignee*) **assign a job/task to sb** (asignar una tarea o un cometido a alguien; V. *assignment*[2]), **assign a right/a patent/the copyright, etc. to sb** (adjudicar un derecho, ceder un derecho/una patente/los derechos de autor a alguien ◊ *The inventor assigned the patent to the manufacturer*), **assign a rate** (fijar la tarifa, establecer la cuota), **assign an account** (ceder/asignar una cuenta), **assign shares to sb** (asignar acciones a alguien), **assignable** (transferible, cedible, asignable; V. *transferible*), **assignation** (V. *assignment*), **assigned account** *US* (cuenta, procedente de las cuentas en cobranza o *accounts receivable*, cedida a un banco como garantía de un préstamo concedido; V. *accounts receivable*), **assigned risk** *US* (SEG riesgo asignado; riesgo que los aseguradores no quieren cubrir, por ej., seguro de automóviles o laborales, pero que deben hacerlo por razones legales), **assignee** (sucesor, apoderado, cesionario, beneficiario de una transferencia; V. *assign/assigns; transferee; assignor*),

assignee in bankruptcy (cesionario de los bienes del insolvente; V. *trustee in bankruptcy*), **assigner, assignor** (asignante, cedente, cesionista), **assignment**[1] (asignación, cesión, atribución, traslación de dominio, traspaso, transferencia, escritura de cesión o traspaso de bienes, tradición, transmisión de la propiedad; asignación; comisión; MERC FINAN/PROD/DINER comunicación de que se ejerció la opción; V. *blanket assignment; deed of assignment, general assignment, make an assignment, preferential assignment, voluntary assignment*), **assignment**[2] (tarea, cometido, misión ◊ *The journalist was sent on an assignment to Nigeria*), **assignment agreement** (acuerdo de traspaso o cesión), **assignment clause** (cláusula de traspaso; en los seguros marítimos, mediante esta cláusula se autoriza la cesión o traspaso de derechos a terceros; V. *abandonment clause*), **assignment for the benefit of creditors** (SOC cesión de bienes del insolvente a favor de los acreedores; con esta fórmula se intenta evitar la declaración de quiebra), **assignment of credit** (FINAN cesión de créditos; cesión a clientes de créditos de la cartera de activos de una entidad financiera con compromiso de recompra), **assignment of debts** (FINAN cesión de créditos), **assignment of patent** (transmisión de patente), **assignment of rights** (cesión de derechos), **assignment problem** (ECO problema de asignación de tareas; alude al hecho de que por razones de eficiencia, la misma tarea sea realizada por un solo individuo o grupo), **assignment value** (valor de cesión), **assigns** (V. *assign*[2]), **assignor** (cedente; V. *assignee*)].

assimilation *n*: BOLSA asimilación; absorción por los inversores de la totalidad de una nueva emisión de accciones, bonos, etc.

asst *n*: V. *assistant*.

assist *v*: ayudar. [Exp: **assistance** (ayuda, asistencia; auxilio, socorro; V. *financial assistance*), **assistant, asst** (REL LAB ayudante, auxiliar; V. *shop assistant*), **assistant general manager** (director general adjunto), **assistant manager** (subdirector), **assisted area** (ECO región de subvención prioritaria; reciben esta clasificación las regiones de Gran Bretaña con altos índices de desempleo y de desindustrialización, que se combaten mediante los subsidios, un trato fiscal preferente, el control de los alquileres, la concesión de créditos especiales, el fomento de proyectos que favorezcan la concesión de ayudas del FEDER, etc.)].

assoc *n*: V. *association*.

associate *a/n*: adjunto, suplente; asociado, socio, consocio, colega, correligionario; miembro asociado de un colegio profesional, colegiado; V. *fellow; business associate*. [Exp: **associate/ associated company** (SOC empresa asociada o participada; se dice de la empresa cuyo capital social —más del 20 % y menos del 51 %— pertenece a otra, generalmente un *holding*; V. *subsidiary, holding company, parent company, daughter company, trading investment*)].

association, assoc *n*: asociación, cooperativa, sociedad, agrupación, confederación; V. *building and loan association; articles of association, memorandum of association*. [Exp: **association agreement** (convenio laboral), **Association of British In- surers, ABI** (Asociación de Ase- guradores Británicos), **Association for Payment Clearing Services, APACS, APCS** (Cámara de compensación ban- caria más famosa del Reino Unido; V. *Clearing House; Federal Reserve Check Collection System; London Clearing House*), **Association of Futures Brokers and Dealers, AFBD** (MERC FINAN/ PROD/DINER Asociación de intermediarios de mercados de futuros), **Association of International Bond Dealers, AIBD** (Asociación de Operadores Internacio- nales de Eurobonos)].

assort *v*: clasificar; V. *accessory service*. [Exp: **assortment** (surtido, colección, variedad; grupo variopinto), **assorted** (surtido, variado, heterogéneo), **assorting** (clasificación; V. *accessorial service*)].

assume *v*: suponer; asumir, aceptar. [Exp: **assumable mortage** (FINAN hipoteca asumible por un posible comprador sin permiso del prestamista; V. *due on sale clause*), **assume office** (ocupar el cargo, ocupar el puesto), **assume the del credere** (asumir los riesgos del crédito; garantizar el pago; V. *undertake the del credere*), **assumed** (fingido, supuesto; V. *alleged*), **assumed bond** (FINAN bono asumido o garantizado por otra sociedad, también llamado *endorsed/indorsed bond*), **assumed mean** (media supuesta), **assumed name** (seudónimo; V. *alias, a.k.a.*), **assuming that** (en la hipótesis de que), **assumption** (supuesto; suposición; asunción, arrogación; presunción), **assumption of office** (entrada en funciones), **assumption of risks** (aceptación/toma de riesgos)].

assure *v*: SEG asegurar contra algún riesgo; asegurar, garantizar; V. *insure*. [Exp: **assurance** (seguro de vida; V. *insurance, industrial life assurance, decreasing term assurance.*), **assured** (asegurado; confiado, seguro), **assured capital** (SEG capital asegurado), **assured life** (SEG cabeza o persona cubierta por un seguro de vida), **assured placement** (BOLSA colocación asegurada; el banco asegurador —*underwriter*— se com- promete a comprar los títulos no vendidos al público), **assured tenancy** (contrato de arrendamiento regulado por el *Housing Act* de 1988 que garantiza al inquilino el derecho a vivir en la vivienda por tiempo indefinido; V. *protected tenancy*), **assurer/assuror** (asegurador, compañía aseguradora; V. *insurance company*)].

at *prep*: en. [Exp: **at and from** (SEG MAR en y desde; se emplea en las pólizas de seguro que cubren los riesgos de un barco en determinado puerto y para un viaje concreto), **at money** (V. *money, at*), **at or better** (BOLSA por lo mejor; al precio especificado o a otro mejor; orden dada al corredor para que compre al precio especificado o a uno menor, o para que venda al precio dado o a uno superior), **at sign** (@)].

ATM *n*: V. *automated/automatic teller/ telling machine; at the money.*

ATR *n*: V. *average true range.*

atomistic evaluation *n*: PUBL evaluación de cada uno de los elementos de una campaña publicitaria.

attach[1] *v*: anexar, adjuntar, acompañar, agregar, pegar; adscribir; V. *annex, append; ascribe, assign.* [Exp: **attach**[2] (embargar, secuestrar, retener mediante orden judicial; atribuir; V. *reattach*), **attach property** (ejecutar bienes), **attached** (adjunto; V. *accompanying, enclosed*), **attached account** *US* (cuenta embargada, bloqueada o intervenida judicialmente, V. *block, freeze, control*), **attachment**[1] (anexo), **attachment**[2] (embargo, decomiso, confiscación, incautación, secuestro, retención, comiso; V. *warrant of attachment, writ of attachment; be subject to an attachment*), **attachment bond** (consignación para evitar/liberar un embargo; fianza de embargo), **attachment ledger** *US* (registro de cuentas bloqueadas), **attached to** (inherente a; V. *sight draft with negotiable bill of lading attached*), **attached to a project** (adscrito a un proyecto)].

attaché *n*: agregado; miembro asociado de la Bolsa de Londres; V. *commercial attaché.*

attend *v*: asistir. [Exp: **attend a meeting** (asistir a una reunión), **attend to**[1] (cuidarse de, encargarse de, ocuparse de, atender, estar al frente de ◊ *The secretary doesn't attend to customers*; V. *look after*), **attend to**[2] (cumplir con las formalidades, requisitos, etc. ◊ *Attend to the customs formalities*; V. *comply with*), **attend to correspondence** (despachar la correspondencia), **attendance** (asistencia, comparecencia, concurrencia; V. *appearance*), **attendance board** (registro de asistencia; V. *appearance money*), **attendance fees** (SOC dietas por asistencia; V. *appearance money*), **attendant circumstances** (circunstancias concomitantes o concurrentes; V. *accompanying, connected with*), **attention** (atención)].

attest *v*: dar fe, atestar, testimoniar, legalizar, certificar, compulsar; V. *witness.* [Exp: **attestation** (atestación, certificación), **attested copy of a document** (compulsa, documento compulsado; V. *certified copy*)].

attitude research/test/survey *n*: PUBL, REL LAB sondeo de actitudes. [En el ámbito laboral se aplica al análisis de la actitud del personal respecto de la empresa].

attn *n*: a la atención de; forma abreviada de *for the attention of.*

attorney *n*: apoderado, procurador, mandatario, poderhabiente; V. *holder of procuration.*

attribute *n/v*: atributo; atribuir, imputar, achacar. [Exp: **attribute sampling** (muestreo de atributos; V. *acceptance sampling, variables sampling*), **attributable** (imputable, achacable, atribuible), **attributable profit** (beneficios empresariales imputables a un determinado departamento, sección, período, etc.)].

attrition *n*: roce; agotamiento. [Exp: **attrition rate** (tasa de desgaste)].

auction *n/v*: subasta, remate, venta en pública subasta; subastar, rematar; V. *bidding, Dutch auction; mock auction; sale by auction; put something up for auction, public sale, roup; job lot; upset price.* [Exp: **auction bid** (licitación en la subasta, puja), **auction broker** *US* (subastador), **auction company** (empresa subastadora), **auction market** (mercado de subasta), **auction market preferred stock, AMPS** (BOLSA acciones preferentes de subasta), **auction mart** (mercado de subastas), **auction off** (vender en pública subasta), **auction sale** (venta en pública subasta, remate, almoneda), **auction system** (BOLSA sistema de transacción de valores por subasta competitiva), **auctioneer** (subastador, martillero, rematador, persona a cargo de una subasta)].

audit[1] *n/v*: auditoría; revisión contable; censura de cuentas y de libros contables, intervención, fiscalización; control; verificación; intervenir cuentas; efectuar una auditoría, auditar, examinar, intervenir, fiscalizar, revisar, inspeccionar, censurar, etc. cuentas y libros contables; certificar; V. *examine.* [Exp: **audit**[2] *US* (evaluación, supervisión, control; V. *management audit, marketing audit, compliance audit*), **audit an account** (verificar una cuenta), **Audit Bureau of Circulation, ABC**[1] (PUBL Oficina de Justificación de la Difusión, OJD, para la prensa; Estudio General de Medios, para la radio o la televisión; V. *Freesheet*), **audit certificate** (V. *audit report*), **audit from hell** *col US* (inspección fiscal exhaustiva), **audit mission** (misión de evaluación), **audit program** (programa de auditoría), **audit report** (CONT informe de auditoría; V. *post-statement disclosures*), **audit scope** (extensión de la verificación contable), **audited statement** (balance auditado,

cuenta certificada o auditada, estado de cuentas certificado), **audit strategy** (estrategia de auditoría; consiste en preparar de antemano respuestas y justificaciones verosímiles a todos los puntos susceptibles de investigación por el auditor), **auditing** (CONT intervención, auditoría, censura de cuentas), **auditing of accounts** (auditoría de cuentas; revisión intervención o censura de cuentas), **auditing standards** (normas de auditoría; criterios normalizados de auditoría), **Auditing Standard Board** (Junta de Auditoría), **auditor** (interventor de cuentas, auditor, censor de cuentas, experto contable, ordenador de pagos; V. *approved auditor, court of auditors*), **auditor's office** (auditoría), **auditor's opinion** (dictamen de auditoría), **auditors' report/certificate** (informe de auditoría; dictamen/informe del auditor o interventor de cuentas; en el informe los auditores deben expresar si las cuentas se ajustan a lo previsto en la legislación de sociedades; V. *Accountant's opinion, company acts*), **auditorship** (auditoría)].

Aussie bond *n*: eurobono denominado en dólares autralianos.

austerity *n*: austeridad.

Australia *n*: Australia; V. *aussie bond.* [Exp: **Australia, New Zealand Commercial and Economic Trade Area, ANZCERTA** (Zona de Libre Comercio de Australia y Nueva Zelanda, llamada en el pasado *NAFTA*)].

autarchy *n*: ECO autarquía.

authentic *a*: auténtico, fehaciente, legalizado, certificado; V. *certifying, evidencing.* [Se aplica a *document, copy, act*, etc. Exp: **authentic evidence** (prueba fehaciente), **authenticate** (autenticar, validar, autorizar, refrendar, legalizar), **authentication** (autenticación, legalización o validación de documentos), **authentication of signature** (reconocimiento/autorización/reconocimiento de firma)].

authorization *n*: autorización, permiso. [Exp: **authoritative** (autorizado; con prestigio o autoridad), **authoritative documents** (justificante, documento justificativo), **authoritative managerial style** (estilo gerencial de mando o prestigio; en este tipo de gestión, la gestión se basa en la autoridad del gerente, que es justo, aunque firme; V. *affiliative managerial style, coaching managerial style, democratic managerial style, pacesetting managerial style*), **authorise/authorize** (autorizar, habilitar; escriturar; otorgar ante notario; V. *entitle, qualify; franchise*), **authorized bank** (banco autorizado), **authorized capital, authorized capital stock, authorized issue, authorized share capital, authorized stock** (capital autorizado o escriturado; se trata del capital autorizado en la carta constitucional de una sociedad mercantil, expresado con el número de acciones y el valor nominal de cada una de ellas; a la parte del capital escriturado que ha sido emitida y suscrita por los accionistas, se le llama *issued/subscribed capital* —capital emitido/suscrito; V. *issued/subscribed capital; unissued capital; paid-up capital, nominal capital, registered capital*), **authorized common stock** (SOC acciones ordinarias garantizadas), **authorized clerk** (BOLSA agente auxiliar de Bolsa; depende de un corredor oficial o *stockbroker*; V. *registered representative, customers' broker*), **authorized funds** (sociedades de inversión registradas en el Reino Unido, a efectos fiscales; V. *investment company/trust*), **authorized dealer** (distribuidor/agente autorizado; V. *franchised dealer*), **authorized depositary receipts, ADR** *US* (depósitos

de acciones extranjeras), **authorized signature** (firma autorizada)].

authority[1] *n*: poder, potestad, competencia, jurisdicción; facultades, autoridad ◊ *He acted on his own authority*; V. *full authority, power*. [Exp: **authority**[2] (permiso, autorización; V. *licence, pass, permit, permission, letter of authority*), **authority**[3] (organismo público, organismo autónomo, entidad, ente público, servicio, agencia estatal, junta ◊ *London Airport Authority*; V. *board, local authorities; civil authority clause*), **authority**[4] (autoridad, fuente con prestigio profesional, etc.; V. *authoritative source; contrary to authority*), **authority, by** (por poder, pp), **authority to negotiate** (FINAN, COMER autorización para negociar; autorización que el banco del importador da a su sucursal en el país del exportador para negociar la letra que gire el exportador al importador, pagadera al final de un período convenido a partir de la fecha de presentación de los documentos de embarque; V. *authority to pay*), **authority to pay, AP** (FINAN, COMER autorización de pago; autorización para pagar la letra negociada; autorización dada al banco del importador para que abone las letras presentadas por el exportador; se trata de una modalidad especial de crédito documentario, generalmente revocable, utilizada con frecuencia por los bancos británicos en sus relaciones con los países sudamericanos y asiáticos; V. *authority to negotiate*), **authority to purchase**[1] (autorización de compra), **authority to purchase**[2] (modalidad de crédito documentario utilizada principalmente en Extremo Oriente que prevé, entre otros documentos, un giro a cargo del comprador)].

auto- *pref*: propio, auto-. [Exp: **autocorrelation** (autocorrelación),

autohandling (servicio propio de embarque en el avión de pasaje y equipaje), **automate** (mecanizar, automatizar), **automated** (mecanizado, automatizado; V. *mechanized*), **automated clearing house** (cámara de compensación automatizada), **automated dealing system** (BOLSA mercado continuo), **automated teller/telling machine, ATM** (BANCA cajero automático/permanente, caja expendedora automática; V. *cash dispenser*), **automatic data processing** (proceso automático de datos; V. *datamation*), **automatic debit transfer** (BANCA débito automático por transferencia, automatización del débito por transferencia), **automatic reinstatement clause** (SEG cláusula automática de reposición de capital; cláusula de rehabilitación automática del seguro, tras el pago de las primas), **automatic stabilizer** (ECO estabilizador automático), **automatic standard** (patrón monetario automático), **automatic vending machine** (expendedora automática; V. *automated telling machine*), **automatic wage adjustment** (ajuste automático de salarios, escala móvil de salarios), **automation** (automación, automatización), **automobile insurance** *US* (SEG seguro de automóvil; V. *motor insurance*), **autonomation** (ECO autonomación; utilización óptima de recursos humanos), **autoregression** (ECO autoregresión; utilización de datos del pasado para predecir otros futuros; V. *regression*), **autoregressive integrated moving average model, ARIMA** (ECO modelo autorregresivo integrado de medias móviles; este modelo econométrico intenta predecir un conjunto de variables en función de otras variables exógenas), **autoregressive model** (ECO modelo autorregresivo; este modelo econométrico incorpora los valores anteriores de las variables dependientes), **autoregressive moving average model, ARMA** (ECO modelo autorregresivo de predicción de medias móviles)].

auxiliary *a*: auxiliar, accesorio, complementario.

avail[1] *n/v*: beneficio, ventaja, provecho, utilidad; aprovechar, hacer uso; ser útil. [Exp: **avail**[2] (ECO saldo/ingreso neto tras deducir los gastos o las deudas; V. *net avails*), **avail, of little/no** (de poco sirve; es inútil), **avail oneself of** (servirse de, recurrir a, aprovechar, hacer uso de), **available** (disponible, utilizable; en venta; V. *not available*), **available assets** (activo disponible o realizable, disponibilidades, activo líquido; V. *liquid assets*), **available balance/funds** (saldo disponible en una cuenta corriente, incluidos los talones compensados; V. *check hold*), **available, be** (estar disponible o a disposición; V. *make available to*), **available cargo/labour** (tonelaje/mano de obra disponible), **available funds from reserves** (fondos disponibles), **available to order** (COMER disponible sólo por encargo), **availability** (disponibilidad)].

Av. *n*: V. *average.*

A.V. *n*: V. *ad valorem freight.*

AVC *n*: V. *additional voluntary contribution.*

average[1] *a/n*: medio, normal; regular, mediano ◊ *Sales have been average*; V. *average worker; acceptable.* [En todos las acepciones de este término, incluso en la de «avería» —*average*[4]—, se conserva el significado de «proporcional». Exp: **average**[2] (promedio, término medio, media, tasa media; índice; V. *Dow Jones Average; index; arithmetic mean; average price, average hourly earnings*), **average**[3] (alcanzar un promedio de, ser por término medio de ◊ *Sales have* *averaged $200,000 over the first two quarters of the year*), **average,**[4] **Av** (SEG MAR avería, pérdida, daño o gasto extraordinario surgidos durante el transporte marítimo; contribución proporcional a un daño marítimo; en esta acepción, llamada también *general/gross average,* es, a la vez, dos cosas en el mundo de los seguros marítimos: el daño o pérdida y la contribución proporcional para su compensación; este doble sentido, el daño o perdida —o servicio— y la indemnización, recompensa, contribución, derechos, etc. se encuentra en muchas de las palabras acabadas en —*age,* como *salvage, damage, demurrage, anchorage, pilotage, towage,* etc.; V. *common average, particular average, petty average*), **average**[5] (TRANS MAR incentivos ocasionales que el capitán da discrecionalmente a ciertas personas que hagan trabajos de practicaje —*pilotage*— o de remolque —*towage*—, que luego serán compartidos proporcionalmente por los propietarios de la carga), **average acquisition/purchase price** (precio medio de adquisición), **average action** (acción/demanda de avería), **average adjuster/adjustor/ stater** (SEG MAR liquidador de averías, tasador/perito de averías, árbitro de seguros marítimos; V. *taker of averages*), **average adjustment** (arreglo/reparto de avería), **average age of accounts receivable** (CONT promedio de antigüedad de cuentas por cobrar; V. *average collection period*), **average age of inventory** (CONT media de antigüedad de las existencias inventariadas), **average agent**[1] (agente que practica el *averaging* en Bolsa), **average agent**[2] (agente de averías, encargado de hacerse cargo de las reclamaciones sobre el cargamento y de su liquidación; V. *average surveyor*), **average amount** (importe medio),

average annual depreciation (amortización media anual), **average annual rate** (tasa media anual), **average balance** (saldo medio), **average blanket rate** (SEG tipo de cobertura medio; es igual al valor declarado, multiplicado por el tipo establecido y dividido por el valor total), **average bond** (SEG, TRANS MAR compromiso/fianza/garantía de avería, obligación de avería; póliza o convenio que garantiza el pago de los gastos extraordinarios de avería; la firma del convenio va acompañada de un depósito bancario para el cual se extiende el recibo correspondiente —*deposit receipt*), **average cash balance** (CONT saldo de caja promedio, saldo promedio de efectivo), **average clause**[1] (SEG MAR cláusula promedio; cláusula de co-seguro o de distribución a prorrateo; V. *pro rata condition, pro rata distribution clause, coinsurance clause*), **average clause**[2] (SEG cláusula de ajuste al valor declarado; en las pólizas de seguro no marino se estipula que, cuando el asegurado declaró un valor inferior al real, la indemnización, en caso de siniestro, se ajustará al valor declarado; V. *average distribution clause*), **average collection period** (CONT promedio de cobranza en el período; V. *average age of accounts receivable*), **average collection period ratio** (razón del período de cobro promedio), **average condition** (TRANS MAR cláusula que estipula las mercancías exceptuadas de la avería), **average cost** (ECO coste medio), **average cost method of inventory evaluation** (CONT método de coste medio en valoración de existencias; V. *cost method average of inventory evaluation*), **average cost per unit** (coste medio por unidad; coste unitario medio; coste por unidad de producción; V. *average unit cost; unit cost*), **average cost pricing** (V.

full cost pricing), **average costing** (V. *weighted average costing*), **average demurrage agreement** (TRANS MAR acuerdo sobre promedio de demoras), **average deposit** (depósito por avería, depósito de averías), **average/mean deviation** (desviación media), **average distribution clause** (V. *pro rata distribution clause*), **average due date** (CONT vencimiento medio, fecha media de vencimiento de una cartera de valores; V. *equated time*), **average haul** (TRANS arrastre promedio; alude a la distancia media a que se traslada una tonelada), **average hourly earnings** (promedio de remuneración por hora), **average labour cost** (coste medio de mano de obra), **average loss** (pérdida por avería), **average loss expectancy** (SEG probabilidad media de siniestro), **average mark-on** (COMER margen medio), **average, on** (por término medio, como media o promedio, de promedio), **average out at** (alcanzar un promedio de, salir por término medio en ◊ *Over 6 months, stock increases averaged out at 1,000 units per month*; V. *average something*), **average outgoing quality level, AOQL** (nivel medio de calidad), **average price** (precio medio; V. *middle price*), **average price option, APO** (MERC FINAN/PROD/DINER opción sobre precios medios; el precio de ejercicio de la opción —*strike price*— corresponde a la media de los precios de los activos subyacentes —*underlying assets*), **average propensity to import** (propensión media a la importación; V. *marginal propensity to import*), **average purchase rate** (frecuencia media de compras), **average purchase price** (V. *average acquisition price*), **average quality, of** (de calidad media o normal; V. *acceptable quality*), **average rate** (promedio; tipo medio; índice, tasa, cotización, precio o tarifa medios), **average rate of return** (tasa de rendimiento medio), **average return/ yield** (rendimiento medio), **average revenue** (ingresos medios unitarios; si se vendieran todas las unidades, se calcularían dividiendo los ingresos obtenidos por el número de unidades), **average sample number** (tamaño medio de la muestra, número muestral promedio), **average-sized** (de tamaño medio), **average stater** (V. *average adjuster*), **average statement** (declaración de avería, estado/cuadro de avería; informe elaborado por el liquidador de averías o *average adjuster* en el que se expresa el importe que deben pagar aquellos cuyas mercancías se salvaron; V. *general average*), **average stock** (valor medio o cantidad media de las mercancías en almacén; V. *stock-turn*), **average surveyor** (comisario de averías; V. *average agent*), **average taker** (V. *average adjuster*), **average total unit cost** (coste medio total por unidad producida), **average true range, ATR** (BOLSA volatilidad real media; medida de la volatilidad del precio de un valor), **average unit cost** (coste medio unitario; V. *average cost per unit*), **average unit cost method** (CONT método del coste unitario promedio), **average unless general** (avería distinta de la avería general o gruesa), **average value** (CONT valor medio), **average, with** (con avería), **average worker** (trabajador medio o normal ◊ *Smith is an average worker*), **averager** (inversionista que practica el sistema de promedio continuo de las cartera de valores o *averaging*)].

averaging *n*: promedio variable; promediación; sistema de promedio continuo de las carteras de valores; método utilizado para aumentar el precio pagado o cobrado por un valor mediante la compra o venta del mismo a un tipo variable al alza o a la baja; práctica seguida por algunos inversionistas, para asegurarse contra riesgos, consistente en comprar lotes separados de las mismas acciones, en distintos momentos y a distintos precios; V. *agiotage, arbitrage; dollar averaging.* [Exp: **averaging down** (BOLSA compra de acciones cuando su precio baja; de esta manera, se reduce la media del coste, pero a la corta se aumentan las pérdidas globales), **averaging in** (compra de acciones sin sobrepasar un precio fijado), **averaging losses** (BOLSA promediación de pérdidas), **averaging out** (venta de acciones cuando éstas sobrepasan un precio fijado), **averaging up** (compra de acciones cuando el precio sube; de esta manera se aumenta la media del coste, pero si el precio del mercado sube, la media será inferior a la del mercado, cubriéndose el inversionista de las pérdidas o aumentándose a un plazo medio o largo)].

avoid *v*: evitar, eludir; invalidar, anular un contrato, etc. [Exp: **avoidable** (anulable; evitable), **avoidance**[1] (evitación, prevención, escape; V. *tax avoidance*), **avoidance**[2] (anulación, rescisión, invalidación ◊ *Avoidance of a contract*), **avoidance clause** (cláusula de nulidad), **avoidance of tax** (V. *tax avoidance/ evasion*)].

avoir fiscal *n*: TRIB avoir fiscal; descuento de la base imponible del impuesto de la renta de los dividendos recibidos, a fin de evitar la doble imposición. [Exp: **avoirdupois** (sistema de pesas usados en el Reino Unido y en los Estados Unidos expresado en libras, onzas, etc.), **avoirs** (activo líquido)].

avulsion *n*: desplazamiento de tierras.

awaiting *a*: pendiente de, a la espera de; V. *pending.*

award[1] *n/v*: premio, recompensa; premiar,

otorgar, conceder. [Exp: **award**[2] (laudo o sentencia arbitral; sentencia o fallo de un tribunal de lo social o magistratura de trabajo —*industrial tribunal*; sentenciar V. *acknowledgment of award; arbitration award, compensatory award, protective award; judgment, sentence, ruling, adjudication; find, hold, adjudge, accord; allot, allocate*), **award**[3] (adjudicación; adjudicación al mejor postor en una subasta de bienes; adjudicar; V. *contract award*), **award a contract** (adjudicar un contrato; V. *contract award, place a contract; void a contract*), **award a prize, a salary increase** (conceder un premio, un aumento salarial, etc.), **award costs** (imponer el juez el pago de costas), **award damages** (fijar una indemnización por daños y perjuicios), **award of damages** (indemnización por daños y perjuicios; V. *damages award*), **award of experts** (peritaje), **awardee** (adjudicatario; V. *successful bidder*), **awarding committee** (comité de adjudicación)].

awareness *n*: PUBL conocimiento, recuerdo, percepción, información ◊ *Increase product-awareness*; este término se emplea corrientemente en los campos de la publicidad y la mercadotecnia para designar el nivel de conocimiento que el público demuestra tener de la existencia, cualidades o precio relativo de un artículo de consumo, etc.; se combina espontáneamente con sustantivos como *price* —precio—, *product* —producto, artículo—, *brand* —marca— *y audience* —público, audiencia— y con adjetivos como *social, political, cultural*, etc.; V. *brand awareness; consumer awareness, tax awareness; increase awareness; consciousness; class consciouness.*

awash *a*: inundado ◊ *Awash with cash/capital/credit*; V. *flood.*

AWB *n*: V. *airway bill.*

axe *n/v*: hacha; cortar, suprimir, reducir,

recortar ◊ *The development project has been axed owing to escalating costs.* [Exp: **axe jobs** *col* (REL LAB suprimir/ destruir empleo o puestos de trabajo, despedir a empleados, V. *get the sack, get the axe, cut*)].

axis *n*: eje, pivote, centro de actividad; V. *advertising axis*. [Exp: **axis of co-ordinates** (eje de coordenadas)].

axle *n*: eje. [Exp: **axle holddown** (anclaje de ejes)].

B

b *n*: V. *bag, bale.*

B *a*: FIN de solvencia aceptable o satisfactoria, aunque sin descartar algún riesgo; aplica esta calificación la agencia calificadora de solvencia financiera —*rating agency/bureau*— norteamericana *Moody's Investors Service* a las inversiones de solvencia satisfactoria, aunque no estén totalmente exentas de algún riesgo; V. *A1, As, BB.*

'B' shares *US n*: acciones de la clase «B»; tienen derecho a voto o a derechos especiales de voto, por ser acciones del fundador —*founder's shares*— o de su familia; V. *'A' shares; voting shares, non-voting shares; classified common stock.*

Ba *n*: FINAN V. *B, Aa.*

Baa *n*: FINAN V. *Aa.*

BA *n*: V. *bank acceptance.*

baby *n*: bebé. [Exp: **baby bond** *US col* (FINAN bono u obligación de bajo valor nominal, por lo general, inferior a mil dólares)].

back *a/adv/n/v*: Como «adjetivo», significa «atrasado», como en *back number* —número atrasado—; y también «pendiente, vencido, devengado y no pagado, no cumplimentado, con efecto retroactivo» aplicado a palabras tales como *interest,* *payments, pensions, taxes, duties, etc.*, siendo sinónimo parcial de *arrears, outstanding, overdue, unsettled, pending, retroactive*; como «adverbio», significa «atrás» y «re-», y forma verbos compuestos como *pay back, send back, etc.*; como «nombre», equivale a «dorso de un documento» —*a bill, a cheque, etc.*—; y como «verbo», es sinónimo parcial de *support, uphold, endorse, second, stand behind* y significa «avalar, prestar fianza, garantizar, endosar, afianzar, respaldar, dar un espaldarazo, apoyar, sostener, certificar al dorso», pudiéndose emplear indistintamente *back* o *back up*; V. *money back.* [Exp: **back a bill/person/project** (avalar una letra; respaldar a alguien; patrocinar un proyecto), **back away** (volverse atrás, enfriarse, distanciarse ◊ *Back away from a proposal*), **back bond** (contrafianza, hipoteca; contrabono, que se crean en los euromercados al ejercitar un *warrant*; V. *bond of indemnity*), **back burner** (V. *put on the back burner; pigeon-hole*), **back contracts** (MERC FINAN/PROD/DINER contratos de futuros con vencimientos a largo plazo, también llamados *back months contracts* o *distant contracts*; V. *front contracts; futures contracts*), **back**

cover (contraportada de un libro; V. *front cover*), **back coverage policy** (SEG póliza de cobertura retroactiva), **back-door/doors** (BANCA [por] la puerta de atrás o puerta chica; [en] condiciones favorables o poco ortodoxas; [de] acceso reducido; V. *second window*), **back-door financing** US (financiación de un organismo o agencia gubernamental con préstamos del Tesoro; financiación extrapresupuestaria; V. *second window*), **back-door operation** (BANCA operación de redescuento por la puerta de atrás; son operaciones de favor hechas, a tipo de mercado, por las autoridades monetarias, consistentes en el redescuento de valores que estén en poder de bancos de descuentos; cuando el tipo de descuento bancario —*discount/bank rate*— es muy elevado el Banco de Inglaterra o cualquier banco central compra por la puerta de atrás, a tipo de mercado —*market rate*—, Letras del Tesoro o *Treasury Bills* que se encuentren en poder de los bancos de descuento o *discount houses*, con el fin de inyectar dinero efectivo en los mercados monetarios y, de esta manera, aliviar las tensiones de liquidez; V. *second window, front door operation, lender of last resort*), **back-door selling** (COMER venta directa al responsable de un departamento evitando la burocracia, por ej., la de un servicio central de compras de una empresa), **back-door subsidy** (FINAN financiación en condiciones favorables; V. *disallow*), **back down** col (echarse atrás, cambiar de idea, volverse atrás ◊ *Back down on a deal*; V. *back out*), **back end** (FINAN final, a la salida; V. *front end*), **back-end fees** (FINAN, BANCA comisión de reembolso o salida de un fondo; V. *front-end fee*), **back-end load** (FINAN cargo/recargo por amortización o rescate anticipado de una inversión,

especialmente en un fondo de inversión; V. *front-end load; load; trail commissions, exit fee, redemption charge, deferred sales charge*), **back-end loading** (V. *backloading*), **back freight** (TRANS MAR flete de retorno; V. *return freight*), **back haul, backhaul** (TRANS tráfico de regreso; acarreos), **back letter**[1] (carta de modificación de un contrato), **back letter**[2] (SEG carta de indemnización; V. *letter of indemnity*), **back letter**[3] (TRANS MAR carta de garantía o de respaldo; se extiende para evitar un conocimiento de embarque sucio —*claused bill of lading*— o para recibir entrega —*obtain delivery*— sin presentar conocimiento; V. *letter of indemnity*), **back load** (TRANS MAR cargamento de vuelta; V. *return load*), **back-loading loan** (FINAN préstamo con cuotas amortizativas crecientes; V. *frontloading loan; backloading, frontloading*), **back months contracts** (MERC FINAN/PROD/DINER contratos de futuros con vencimiento a largo plazo, también llamados *back contracts* o *distant contracts*; V. *front contracts; futures contracts*), **back number** (número atrasado), **back office** (BANCA trastienda/centro neurálgico de un banco o de una agencia de valores bursátiles; se trata del departamento de supervisión, registro, control y asesoramiento jurídico al cliente de un banco o agencia de valores bursátiles —*stockbroker's*— encargado del seguimiento de las operaciones de compra y venta de títulos, también llamado *bank's operation centre*; V. *front office, dealing/trading room; cage; platform automation*), **back of, on the** (BOLSA a la vista de, al tener conocimiento de, a raíz de ◊ *The FTSE index closed 3 points up on the back of the rise in interest rates*; V. *on news of*), **back office crunch** (BANCA colapso, desbordamiento o paralización de la trastienda —*back office*—por el excesivo volumen de operaciones), **back order** (COMER pedido pendiente, atrasado o no cumplimentado/despachado; resto de pedido; V. *backlog, unfulfilled order, pending order*), **back out of** *col* (retirarse, eludir un compromiso, echarse atrás ◊ *As you have signed you can't back out of the deal now*; V. *back down*), **back pay** (REL LAB salarios atrasados; atrasos de sueldo; aumento salarial con efecto retroactivo; V. *backdate*), **back-pricing clause** (MERC PROD cláusula de fijación del precio a cotización conocida), **back spread/backspread** (MERC FINAN/PROD/DINER diferencia justificada de valor; reducción del margen; diferencia, inferior a la normal, entre los precios de valores, divisas o materias primas de dos mercados distintos en una transacción de arbitrajista o *arbitrager*; cuando la diferencia o margen —*spread*— de precios cae por debajo de lo previsto se dice que ha habido *backspread*; V. *spread; arbitrage*), **back stop** (SOC, BOLSA compromiso de colocación de una emisión; se trata de un soporte financiero que acompaña a las emisiones de *Euronotes* —europagarés, euronotas—; V. *backstop role*), **back taxes** (impuestos atrasados; V. *tax arrears*), **back-to-back** (FINAN espalda con espalda, adosados; sucesivos, seguidos), **back-to-back commitment** (FINAN compromiso crediticio doble; este compromiso doble lo suelen contraer algunos bancos con empresas constructoras; con el primero le facilitan un préstamo para iniciar la construcción o *construction loan*, que luego será sustituido por un préstamo hipotecario a largo plazo o *take-out loan*; V. *take-out commitment*), **back-to-back credit**[1] (BANCA, FINAN crédito de respaldo mutuo; crédito documentario subsidiario/

garantizado; crédito respaldado o subsidiario; contracrédito; crédito de importación/compra garantizado o con el respaldo —*back*— de otro crédito de exportación/venta; sin embargo, a efectos de riesgo, actúa como un crédito nuevo; también se le conoce como crédito «back-to-back»; V. *parallel loans; swap*), **back-to-back credit**[2] (FINAN crédito tramitado por una financiera para la compra de un bien, en el que las partes no se conocen entre sí, es decir, se dan la espalda —*back-to-back*— ; sólo la financiera conoce la identidad del comprador y del vendedor, y de esta manera, se asegura su continuidad como intermediaria; también se le conoce con el nombre de *countervailing credit*), **back-to-back guarantee** (contrafianza, fianza de fianza, garantía de fianza), **back-to-back loans** (FINAN préstamos cruzados en divisa, crédito con garantía de otro crédito, préstamo con intermediación de un banco; créditos de mutuo respaldo; V. *back-to-back credit*[1]), **back-to-office report, BTO** (informe sobre la misión realizada), **back-to-work movement** (REL LAB reintegración al trabajo después de una huelga), **back up**[1] (respaldar, sostener, patrocinar, apoyar, avalar; véanse también los compuestos de *back-up* y de *backup*), **back up**[2] (BOLSA dar marcha atrás; invertirse de golpe la tendencia del mercado de valores; cambio súbito o traspiés en la tendencia del mercado de valores), **back-up credit** (BANCA crédito de respaldo/apoyo/soporte; garantía de crédito otorgada por un banco o consorcio bancario a una empresa para el caso de que ésta no encuentre colocación a la emisión de instrumentos de crédito o de europagarés de empresa o *euro-commercial paper*; V. *stand-by facility; note issuance facility; commitment*), **back-up**

line [of credit] (MERC FINAN/DINER, BANCA línea de crédito soporte/apoyo/respaldo —*back-up*— de una emisión de notas o pagarés; garantía de crédito otorgada por un banco o consorcio bancario a una empresa para el caso de que no encuentren colocación la emisión de valores o de instrumentos de crédito; V. *swingline*), **back value** (ganancia neta; V. *netback value*)].

backadation *n*: V. *backwardation*.

backdate *v*: retrotraer, antedatar, antefechar; poner una fecha anterior; dar efectos retroactivos; anticipar; V. *date, foredate, postdate; back pay; retroactive*). [Exp: **backdated** (con efectos retroactivos), **backdating** (puesta en vigor con efecto retroactivo), **backdating date** (fecha con efectos retroactivos)].

backdrop *n*: fondo, telón de fondo; contexto, momento ◊ *The economic backdrop is still relatively benign*; V. *background*.

backed note *n*: TRANS MAR nota de respaldo dada al capitán por el corredor marítimo —*ship-broker*— en la que acepta el pago del flete por mercancías procedentes de barcazas o de otro barco.

backer *n*: garante, avalista; socio capitalista, comanditario; promotor, impulsor; V. *financier, surety, sponsor, guarantor, bondsman, acceptor for honour/supra protest*.

backfire *col v*: fracasar, salirle a uno el tiro por la culata, salir fatal, resultar nefasto ◊ *Their project backfired*; V. *blow up; rebound*.

background *n*: información orientativa, antecedentes, contexto, circunstancias condicionantes; trasfondo, telón de fondo; historial, formación o base cultural, educación, experiencia; V. *backdrop; personal records*.

backhander *col n*: soborno, propina, astilla; bonificación; V. *sweetener, bribe, graft*.

backing *n*: FINAN aval, garantía, apoyo financiero, respaldo; se aplica también al «respaldo» en oro o plata del papel moneda. [Exp: **backing sheet** (hoja matriz, hoja de control)].

backload *v*: PUBL retrasar los pagos para la última etapa de un proceso, por ej., el de una campaña comercial.

backloading *n*: BANCA sistema de amortización de un préstamo con términos amortizativos crecientes —incluidos intereses, comisiones y la parte correspondiente del principal—; se llama así por tener el mayor peso de la amortización del principal en la parte final —*back load*— de la vida del préstamo; V. *loading; back/front-loading loan, frontloading; balloon payment*.

backlog *n*: cartera de pedidos atrasados; trabajo acumulado o atrasado; V. *order book; catch up on arrears of work; arrears of work*. [Exp: **backlog depreciation** (depreciación de acumulaciones), **backlog of orders/paperwork** (COMER cartera de pedidos atrasados o no despachados; trabajo administrativo acumulado o atrasado; V. *back orders, unfulfilled orders*), **backlog order in hand** (pedido en cartera)].

BACS *n*: V. *Bankers' Automated Clearing Services*.

backstamp *v*: poner sello de retorno al remitente, por no haber encontrado correos al destinatario.

backstop *v*: respaldar, apoyar. [Exp: **backstop role** (SOC, BOLSA compromiso de colocación de una emisión; garantía de compra por parte de los aseguradores de los pagarés o bonos que no se pudieron colocar; V. *back stop; assured placement; underwriting commitment/fee*), **backstopping** (apoyo; servicios/mecanismos de apoyo)].

backtrack *v*: volver atrás, remontarse en el tiempo; aplicar el criterio de antigüedad en el empleo. [Exp: **backtracking** *US*

(REL LAB ejercicio del derecho de antigüedad para evitar despidos por regulación de empleo; derechos de antigüedad; V. *redundancy; seniority, bumping*)].

backup *n/a*: apoyo; suplementario, de reserva; de seguridad; de seguimiento; véanse también los compuestos de *back up* o *back-up*. [Exp: **backup copy** (copia de seguridad o de reserva), **backup facility** (mecanismo de suscripción de reserva), **backup facility fee** (comisión de garantía de compra), **backup service** (COMER servicio posventa), **backup unit** (unidad de seguridad; almacenamiento en reserva), **backup withholding** *US* (TRIB retención de atrasos; norma tributaria mediante la cual las autoridades fiscales —*IRS*— pueden obligar a un banco a retener hasta el 20 % de los intereses o dividendos del cliente cuya declaración en un ejercicio anterior tuvo problemas, como por ej., no incluir el número de identificación)].

backward[1] *a/adv*: atrasado, retrasado, subdesarrollado; tímido, reacio; regresivo. [Exp: **backward**[2] (retroactivo, hacia atrás; regresivo), **backward action** (COMER bonificación), **backward area/economy** (región/economía subdesarrollada; V. *underdeveloped*), **backward bending curve** (ECO curva atípica), **backward-forward integration/linkage** (integración/vinculación vertical), **backward integration/linkage** (ECO integración regresiva o inversa; consiste en la compra de empresas proveedoras de la empresa compradora; V. *forward integration, vertical integration, horizontal integration*), **backward letter** (TRANS MAR carta de garantía o indemnidad con efecto retroactivo dada por el cargador —*shipper*— al porteador —*shipping company*—, contra entrega de un conocimiento limpio —*clean bill of lading*—, mediante la cual

el primero se compromete a indemnizar al segundo si surgieran diferencias entre el estado de las mercancías y la descripción que consta en el conocimiento; V. *back letter, letter of indemnity*), **backward link, backward linkage effect** (ECO efecto de arrastre o de eslabonamiento hacia atrás), **backward price** (V. *back-wardation*[1]), **backward shifting** (CONT repercusión en los ejercicios anteriores), **backwardness** (retraso)].

backwardation/backwardization[1] *n*: MERC FINAN/PROD/DINER mercado invertido; situación en la que, en los mercados de futuros —*futures markets*— o a plazo —*forward markets*—, los precios al contado —*spot prices*— son superiores a los precios a plazo —*forward price*— o de entrega futura —*forward delivery*—, normalmente los de tres meses; margen de cobertura; diferencia entre los precios de entrega inmediata o *spot price*, cuando la demanda es mayor, y los de entrega futura o *forward price* porque se espera que la demanda sea menor; V. *inverted market; forwardation; contango*), **backwardation/backwardization**[2] (MERC FINAN/PROD/DINER situación en la que el precio de oferta —*offer price*— de un interme-diario es inferior al precio de puja —*bid price*— de otro; en Estados Unidos se llama *crossed*; V. *locked market; crossed market*), **backwardation/backwardization**[3] (MERC FINAN/PROD/DINER interés, prima, recargo o penalización que paga el bajista o *bear* a un alcista o *bull* por valores vendidos con precio fijo a entrega futura; recargo/prima que paga el vendedor al comprador por demora en la entrega de títulos en la fecha acordada; «reporte»; retardo; prima de aplazamiento; prima pagada por entrega aplazada; V. *contango, forwardation*), **backwardation rate** (tasa de «reporte»; V. *contango*)].

backwash effect *n*: ECO efecto polarizador, de reacción o de absorción; V. *spread effect.*

bad *a*: deficiente, defectuoso, inadecuado, nulo, sin valor, sin garantía, falso, perverso, malo, grave; V. *wrong, false; ineffectual, inoperative, void; base.* [Exp: **bad, be to the** *col* (haber perdido una determinada cantidad de dinero ◊ *We found we were £2,000 to the bad*; V. *to the good, out of pocket; go to the bad*), **bad boy provision** (cláusula de malos antecedentes; con ella —incorporada en la escritura social— se pretende evitar la contratación de directivos carentes de ética), **bad cheque** (cheque sin fondos; V. *return item, cheque kiting, bouncing cheque, dishonoured cheque*), **bad debts** (fallidos, deuda incobrable, créditos incobrables, impagados; morosos, cuentas dudosas, cuentas de cobro dudoso; V. *bad loans; allowance/ provision for bad debts; unpaid debts; loan loss reserves; recoverable debts, charge off; write off*), **bad debt-s charged off** (CONT fallidos dados de baja en libros; V. *write off*), **bad debts written off** (CONT fallidos amortizados; fallidos llevados a la cuenta de resultados o *profit and loss account*), **bad debt expense** (quebranto por morosos), **bad debt loss** (pérdidas por fallidos o cuentas dudosas), **bad-debts policy** (SEG seguro contra el riesgo de insolventes, especialmente en el pago de letras, también llamado *credit policy*), **bad debt provisions** (CONT provisiones para operaciones de tráfico), **bad debt-s ratio** (coeficiente de fallidos), **bad debt recovery** (cobro de fallidos; este cobro puede conseguirse por medio de los siguientes procedimientos: *foreclosure sale, garnishment* o *workout agreement*), **bad debt reserve** (provisión para deudores morosos; V. *provision/reserve*

for doubtful debts), **bad debt risk** (riesgo de insolvencia), **bad debt write-off** (CONT cancelación de deuda fallida), **bad debtor/payer** (deudor moroso, cliente fallido; insolvente; V. *debtor in default; defaulters; banker's reference*), **bad delivery**[1] (COMER entrega defectuosa; V. *good delivery*), **bad delivery**[2] (DER otorgamiento incumpliendo lo pactado o lo que ordena la ley; V. *good delivery*), **bad faith, in** (de mala fe, de/con dolo), **bad job, it's a** (es lamentable, es una vergüenza, es una faena; V. *it's a good job*), **bad loan** (FINAN crédito fallido o suspenso; los bancos dan de baja —*write off*— del balance los créditos fallidos; V. *non-performing loans, doubtful loans*), **bad money** (dinero falso; V. *base coin/money; bogus money*), **bad news** (malas noticias; V. *buying on·the bad news*), **bad-order freight** (TRANS carga dañada), **bad paper** (FINAN letras que probablemente no serán atendidas a su presentación; V. *honour*), **bad risk** (SEG riesgo excesivo, grave o inaceptable; se aplica también a la persona que presente un índice elevado de riesgo; V. *good risk*), **bad title** (título de propiedad defectuoso o imperfecto; V. *cloud on title*), **badwill** (crédito mercantil negativo; V. *goodwill, negative goodwill*)].

badge *n*: distintivo, insignia. [Exp: **badge of trade** (TRIB criterios utilizados por Hacienda para diferenciar, a efectos fiscales, las inversiones o *investments* de las contrataciones bursátiles o *trading* y, en su caso, de las comerciales)].

BAF *n*: V. *bunker adjustment factor.*

bag *n/v*: saco, bolso, bolsa, costal; envasar, ensacar; V. *shopping bag; bale, sack.* [Exp: **bagged cargo** (TRANS MAR cargamento en sacas, sacos o bolsas; V. *BIBO*)].

baggage *n*: equipaje; V. *free baggage*

allowance. [Exp: **baggage declaration** (TRANS AÉR declaración del contenido del equipaje; el viajero declara haber hecho la maleta personalmente, o bien haber presenciado la preparación de la misma, y no haberla perdido de vista desde entonces; también declara que el equipaje no contiene sustancias u objetos peligrosos o prohibidos), **baggage delivery** (entrega de equipaje), **baggage policy** (SEG póliza contra pérdida de equipaje; V. *traveller's policy*), **baggage reclaim** (TRANS recogida de equipaje), **baggage room** (consigna; depósito, . bodega o cuarto de equipaje)].

bail *n/v*: fianza, caución, afianzamiento, abonamiento; fiador judicial; puesta en libertad con fianza; poner en libertad bajo fianza, caucionar, fiar, dar fianza, ser fiador de otro; V. *guarantee*. [Exp: **bail bond** (caución; escritura de fianza, afianzamiento o caución; compromiso de fianza; obligación de garantía; V. *surety*), **bail credit** (crédito con fianza), **bail out¹** (DER pagar la fianza para poner en libertad provisional a alguien, también llamado *bail a person out*), **bail out²** *col* (BANCA, SEG sacar de apuros, ayudar, auxiliar, echar una mano o un cable a ◊ *Bail out a troubled bank*; V. *bailout*), **bail out³** (ahorro de impuestos sobre los dividendos), **bailable** (susceptible de fianza), **bailee** (depositario de bienes, depositario de fianza, locatario; entidad jurídica a la que se le encargan unos bienes o mercancías para su salvaguardia o protección mediante el pago de los honorarios correspondientes), **bailee clause** (SEG MAR cláusula de caución; esta cláusula obliga al asegurado a adoptar las medidas adecuadas para disminuir o evitar pérdidas; V. *Institute Clauses*), **bailee policy** (SEG póliza contra la responsabilidad civil del depositario), **bailee's lien** (retención

prendaria), **bailer, bailor** (depositante, cedente; dueño; fiador), **bailment¹** (depósito; cesión; depósito mercantil; depósito caucional; entrega en depósito de algo a un tercero; objeto depositado; fianza; V. *gratuitous bailment, involuntary bailment*), **bailout¹** *US* (SOC, BOLSA dividendo diferido; dividendo de impuesto diferido), **bailout²** *col* (BANCA, SEG ayuda financiera dada al banco, empresa, etc. que tenga problemas financieros; V. *bail out*)].

bailiff *n*: V. *farm bailiff*.

bait *n*: PUBL cebo, artículo de reclamo para atraer a clientes; V. *rise to the bait*. [Exp: **bait advertising** (PUBL publicidad engañosa; cebo publicitario), **bait price** (precio engañoso), **bait-and-switch** *US* (PUBL «artículo gancho», venta con señuelo o precios engañosos, «cebo y cambio»; venta con publicidad engañosa consistente en «pescar» al cliente con el señuelo —*bait*— de un producto barato e inducirle a comprarle otro más caro; V. *switch-selling*)].

balance¹ *n/v*: CONT saldo; resto; saldar; V. *difference, balanced brought/carried forward; debit balance, credit balance.* [Exp: **balance²** (balance; V. *balance of verification*), **balance³** (balanza; V. *balance of trade*), **balance⁴** (equilibrio; equilibrar, mantener el equilibrio, nivelar; V. *equilibrium; balance the budget; catch sb off balance; hold the balance; redress the balance; strike a balance*), **balance⁵** (cuadrar cuentas, etc.; V. *balance an account*), **balance⁶** (sopesar, pesar; comparar; V. *balance against*), **balance account** (cuenta de balance), **balance against** (comparar), **balance an account** (cuadrar una cuenta; saldar/liquidar una cuenta), **balance at bank** (estado de cuenta, saldo bancario; V. *bank balance*), **balance brought/ carried forward** (saldo a cuenta nueva;

suma y sigue), **balance brought down** (saldo total o final), **balance certificate** (certificado de balance; comprobante de balance), **balance due** (saldo a pagar), **balance-due insurance** (seguro de saldo restante), **balance due to us/you** (saldo a nuestro/su favor), **balance for carry forward** (CONT remanente a cuenta nueva), **balance, in** (equilibrado), **balance in/on hand** (CONT saldo disponible; saldo pendiente), **balance item** (CONT partida de un balance), **balance of account** (saldo; saldo de la cuenta), **balance of capital account** (balanza de operaciones de capital), **balance of international payments** (balanza de pagos internacionales), **balance of foreign trade** (balanza de comercio exterior), **balance of goods and services** (balanza de bienes y servicios), **balance of, on the** (poniendo en la balanza, en un cálculo de), **balance of indebtedness** (balance nacional de endeudamiento), **balance of payments, BOP** (CONT balanza de pagos; recoge todas las operaciones económicas de una nación con el exterior en un ejercicio contable), **balance of payments deficit** (déficti de la balanza de pagos; V. *trade deficit*), **balance of payments equilibrium** (equilibrio de la balanza de pagos), **balance of payments gap** (brecha de la balanza de pagos), **balance of payments on capital account** (balanza de pagos por cuenta de capital), **balance of payments on current account** (CONT balanza de capital; V. *current account balance*), **balance of payments position** (CONT estado de la balanza de pagos), **balance of power** (equilibrio de fuerzas políticas, correlación de fuerzas), **balance of securities** (balance de títulos), **balance of services** (balanza de servicios), **balance of stocks** (CONT saldo de existencias), **balance-of-system costs**

(costos de instalaciones), **balance of trade** (balanza comercial; diferencia entre las exportaciones e importaciones de un país; en el Reino Unido el precio de las exportaciones son *fob* y el de las importaciones *cif*; V. *adverse trade balance; active balance; invisible balance; trade balance*), **balance of transfers** (balanza de transferencias), **balance of verification** (balance de comprobación), **balance, on** (considerándolo todo, viendo las cosas en su conjunto), **balance on current account** (balanza o saldo por/de cuenta corriente), **balance on hand** (saldo disponible), **balance one thing against another** (compensar una cosa con otra; sopesar una y otra cosa), **balance out** (compensar-se; V. *balance up*), **balance outstanding** (saldo pendiente), **balance per trial balance** (CONT saldo según balance de comprobación; V. *after closing balance trial*), **balance receipt/ticket** (BOLSA resguardo provisional de ventas de acciones; V. *balance certificate*), **balance sheet** (CONT balance de ejercicio; balance de situación, hoja de balance, balance general, estado contable, estado financiero; expresa los resultados de operaciones en un determinado período de tiempo, a diferencia del *profit and loss statement*; también se le conoce con los nombres de *statement of condition, statement of financial position, assets and liabilities statement*; V. *account-form balance sheet; report-form sheet; profit and loss statement; window dressing of the balance sheet*), **balance sheet account** (cuenta del balance general, cuenta del estado de contabilidad), **balance sheet and schedules** (situación contable; V. *detailed accounts*), **balance sheet covenant** (convenio/escritura del estado de contabilidad), **balance sheet date** (fecha de cierre del balance), **balance sheet equation** (ecuación de balance), **balance sheet gearing** (CONT apalancamiento de la hoja de balance; alude a la proporción entre los empréstitos —*borrowings*— de una empresa y su capital social o *shareholders' funds*; V. *income gearing*), **balance sheet item** (partida del balance), **balance sheet order** (CONT ordenación u orden de configuración del balance), **balance sheet ratios** (índices principales, como el *capital ratio* o el *liquidity ratio*, empleados en la evaluación financiera de un banco), **balance sheet regulation** (CONT regularización y actualización de balances), **balance sheet total** (total del balance), **balance the books** (cerrar los libros; hacer balance), **balance the budget, etc.** (equilibrar/nivelar el presupuesto, etc.), **balance up** (saldar; finiquitar), **balanced** (equilibrado, compensado, proporcionado, ajustado; se aplica a *view, budget, differences, growth, etc.* —punto de vista, diferencias, crecimiento, etc.), **balanced budget** (equilibrio presupuestario; presupuesto equilibrado; en Hacienda Pública o *Public Finance* se emplea cuando los gastos programados de bienes y servicios son iguales a las rentas esperadas), **balanced budget multiplier** (multiplicador presupuestario), **balanced growth** (crecimiento equilibrado), **balanced mutual fund** (FINAN fondo de inversión formado por valores de bajo riesgo y alto rendimiento; V. *mutual funds; allequity funds*), **balanced sample** (muestra equilibrada), **balances held on a covered basis** (saldos retenidos para cubrir operaciones a término/plazo), **balancing** (compensador, equilibrador), **balancing allowance** (FINAN bonificación compensadora), **balancing act** (V. *perform a balancing act*), **balancing entry** (contraasiento, contrapartida;

asiento complementario o de complemento), **balancing equipment** (material complementario), **balancing factor** (factor de compensación), **balancing item** (contrapartida, partida compensatoria), **balancing of portfolio** (compensación de riesgos), **balancing of risks** (compensación de riesgos), **balancing system** (sistema de compensación), **balancing time** US (horas extras; V. *overtime*)].

bale *n*: fardo, bala, paca ◊ *A bale of cotton*; V. *bag*. [Exp: **bale** (embalar, empacar; V. *press in bales*), **bale cargo** (carga embalada), **baler** (enfardador, empacador), **balespace** (TRANS MAR capacidad cúbica del buque para carga embalada), **baling** (embalaje, enfardado)].

ball *n*: pelota, bola, balón; V. *play ball; keep/set/start the ball rolling*. [Exp: **ball is in your/his, etc. court** (ahora te/le, etc. toca a ti/él, etc.), **ball, be on the** col (ser avispado; llevar mucho ojo; andar con ojo avizor), **ball game, be a different** col (haber cambiado por completo el panorama, ser muy distinto, no ser ya como antes), **ballpark** US (estadio de béisbol), **ballpark, be sb's** US col (estar al alcance o dentro de las posibilidades de alguien), **ballpark, be in the same** US col (ser del mismo rango o categoría), **ballpark figure/estimate** (cifra/cálculo/estimación, etc. aproximada; V. *estimate, actuals; approximation*)].

ballast *n*: TRANS MAR lastre, balasto; V. *dead cargo*. [Exp: **ballast, in** (TRANS MAR en lastre; se dice de un buque que no transporta nada más que el lastre), **ballast passage** (viaje en lastre; V. *cargo passage*)].

balloon *n*: globo; pago del último plazo de una deuda o pagaré cuyo importe es superior a los anteriores; con este significado se emplea en expresiones como *balloon note, balloon payment*, etc.

[Exp: **balloon gas gone up¡, the** *col* (ha estallado el escándalo/el noticón), **balloon interest/maturity bonds** (FINAN bonos con cupones de interés creciente), **balloon loan, balloon maturity loan** (FINAN préstamo globo; préstamo con reembolso único; préstamo en el que las amortizaciones no se hacen de forma regular sino cuando hay fondos; préstamo en el que el último plazo es muy superior a los anteriores; préstamo en el que, con las amortizaciones regulares, no se llega al reembolso del préstamo en el plazo previsto, por lo que al final el préstamo está tan inflado —*balloon*— que se requiere una nueva refinanciación; también se le llama *partially amortized loan*; V. *bullet loan*), **balloon mortgage** (FINAN hipoteca globo; hipoteca en la que el último plazo es superior a los anteriores; en los préstamos hipotecarios de cupón cero o *zero-coupon mortgage* sólo existe un plazo o *balloon payment* al vencimiento; algunos Estados norteamericanos los prohíben por su posible carácter engañoso; V. *deception*), **balloon note** (préstamo sin amortizaciones parciales), **balloon payment** (FINAN pago final/global; amortización progresiva, llegando a un pago superior al final; V. *back-loading*), **ballooning** (BOLSA alza artificial de precio)].

ballot *n/v*: votación; elegir por votación; sortear; V. *take a ballot on sth*. [Exp: **ballot-box** (urna electoral), **ballot paper** (papeleta de voto), **ballot for shares** (BOLSA sorteo entre los suscriptores de acciones por haber exceso de suscripción; V. *over-subscribed; flotation*)].

ballyhoo *col n*: PUBL bombo, publicidad exagerada o ruidosa; alharacas; manifestaciones exageradas o efusivas, cuentos, labia, coba ◊ *A lot of ballyhoo in the papers about the government's plans*; V. *blarney, boost, hype, stunt*.

Baltic *n*: Báltico. [Exp: **Baltic and International Maritime Conference, BIMCO** (Conferencia Marítima Internacional y del Báltico; se trata de una sociedad formada por armadores —*shipowners*—, corredores marítimos —*shipbrokers*—, agentes de fletamento y clubes de protección e indemnidad; V. *protection and indemnity club*), **Baltic Exchange** (Mercado Báltico; Mercado de Contratación del Báltico, con sede en Londres, dedicado a la contratación de fletes de buques y de aviones así como a operaciones de productos básicos y de futuros, especialmente de grano, carbón, madera, oleaginosas, etc., siendo su nombre completo *the Baltic Mercantile and Shipping Exchange*; en la actualidad todas sus operaciones comerciales, entre ellas las correspondientes al *Baltic International Freight and Futures Market, BIFFEX*, han sido asumidas por el *London Fox*), **Baltic ice warranty** (SEG MAR garantía de hielos del Báltico; cláusula de una póliza de seguros que garantiza que el barco asegurado no navegará por ciertas partes del Báltico en determinados meses del año), **Baltic International Freight and Futures Market, BIFFEX** (V. *London Fox*)].

ban *n/v*: prohibición, proscripción, inhabilitación; prohibir, proscribir; suspender, inhabilitar para el ejercicio de una profesión ◊ *The advert has been banned by the TV watchdog committee*; V. *put a ban on, raise the ban on*)].

banco- *pref*: bancario. [Exp: **bancogiro** (servicio de giro postal; V. *national giro service; postal giro*), **Bancomat** (sistema internacional de cajeros automáticos)].

band *n*: banda; banda/margen de fluctuación; límite de variación de precios;

límite máximo y mínimo de las cotizaciones de una divisa —*exchange rate*— en un día; gama de frecuencias. [*Band* se emplea, por lo menos, en dos expresiones financieras: bandas de fluctuación de los precios de los mercados del dinero —*currency markets*— y de las materias primas —*commodities markets*—; bandas de vencimientos fijadas por el Banco de Inglaterra para las letras del Tesoro, la deuda emitida por órganos de la Administración Local y otro papel o efectos redescontables —*eligible paper*— con el fin de influir en los tipos de interés a corto plazo: banda uno, de 1 a 14 días; banda dos, de 15 a 33 días; banda tres, de 34 a 63 días; banda cuatro: de 64 a 91 días. Exp: **banded** (TRANS flejado, asegurado con flejes metálicos; V. *strapped*), **banded offer** (COMER, PUBL venta de un producto con otro de regalo formando un paquete), **bandwagon effect** (ECO efecto de contagio, efecto de adhesión a la opción política, económica, etc. triunfante, es decir, montarse al carro del ganador)].

bang *n/v/adv*: ruido; golpear; hacer explosión; justo, exactamente; V. *big bang; go off with a bang*. [Exp: **bang goes our money!** (¡allá va nuestro dinero!; nuestro dinero se ha ido al garete o se ha esfumado), **bang in the middle of sth** (en pleno centro de algo; en medio de alguna actividad), **bang on!** (¡exacto!, ¡bien dicho/pensado!; acertado, acertadísimo; justo; en el blanco), **bang on time** (puntualísimo; a la hora exacta), **bang the market** (BOLSA provocar la caída súbita de los precios de los valores mediante ventas masivas de títulos; V. *dawn raid*), **bang, with a** (a lo grande, por la puerta grande)].

bank[1] *n/v*: banco; entidad de crédito; depositar o ingresar en el banco, ingresar en cuenta; V. *acceptance bank, offshore bank; long-term bank debt*. [En función

atributiva, *bank* significa «bancario», como en *bank account* —cuenta bancaria—, *bank commission* —comisión bancaria—, etc. Exp: **bank**[2] (hacer negocios bancarios, operar en algún banco, tener una cuenta abierta ◊ *I bank with First National*; V. *bank with*), **bank a cheque** (ingresar un talón en el banco), **bank acceptance, BA** (BANCA letra bancaria; aceptación bancaria, también llamada *bank bill, bank draft, banker's acceptance/bill*; se trata de una letra girada, aceptada o garantizada por un banco; giro bancario; V. *trade acceptance*), **bank accommodation** (crédito bancario), **bank account** (BANCA cuenta bancaria ◊ *In Great Britain there are three main kinds of bank account: current accounts, deposit accounts and savings accounts*), **bank advances** (crédito bancario; también se le conoce con el nombre de *bank loan*), **bank auditor** (síndico; V. *bank examiner*), **bank balance** (estado de cuenta, saldo bancario; V. *balance at bank*), **bank/banking syndicate** (BANCA, FINAN consorcio/sindicato bancario; está constituido por bancos gestores líderes o «jefes de fila» —*lead manager banks*—, los bancos gestores —*manager banks*— y los bancos partícipes, siendo su objetivo la colocación de una emisión de bonos/acciones o la concesión de un préstamo sindicado —*syndicate loan*; V. *underwriting syndicate, lead manager bank, manager bank, co-manager bank, participant bank, underwriter bank*), **bank base rate** (tipo de interés básico; V. *prime lending rate*), **bank bill**[1] (BANCA letra bancaria; aceptación bancaria, también llamada *bank acceptance, bank draft, banker's acceptance/bill*; se trata de una letra girada, aceptada o garantizada por un banco; giro bancario; V. *trade acceptance*), **bank bill**[2] (billete de banco; V. *bank note*), **bank bond** (obligación bancaria), **bank board** (directiva bancaria; consejo bancario), **bank book, bank-book** (cartilla o libreta de ahorros; V. *savings account; passbook*), **bank borrowing** (préstamo bancario), **bank branch** (sucursal de banco o bancaria), **bank call** *US* (inspección bancaria efectuada por las autoridades monetarias y/o fiscales; solicitud oficial de presentación del análisis financiero de un banco por parte de las autoridades fiscales; V. *bank examination; call report*), **bank card** (tarjeta bancaria; puede ser *credit card* o *debit card*), **bank card data capture** (V. *draft capture*), **bank cash ratio** (coeficiente de caja, coeficiente de encaje bancario), **bank certificate** (saldo bancario certificado por el banco, especialmente a efectos de auditoría), **bank charges** (gastos bancarios, gastos/comisiones de gestión bancaria; V. *bank commission; commission on current accounts; ledger fees*), **bank charter** ([escritura para la] constitución legal de un banco; ficha bancaria), **bank cheque** (cheque bancario), **bank clearing** (compensación bancaria; V. *clearing bank*), **bank clerk** (cajero; V. *teller*), **bank commercial paper** (bono de caja), **bank crash** (quiebra bancaria; V. *bank failure*), **bank credit** (crédito bancario), **bank credit proxy** (BANCA seguimiento diario de los movimientos de los recursos bancarios), **bank debit** (débito bancario), **bank deposit certificate** (certificado de depósito bancario), **bank deposit** (depósito bancario ◊ *Bank deposits can be demand/time deposits or deposit accounts*; V. *demand/time deposits, deposit accounts*), **bank discount** (descuento bancario; V. *discount bank, bank of discount*), **bank discount rate**

(tasa/tipo de descuento bancario); V. *discount rate; central bank discount rate*), **bank draft** (efecto interbancario; V. *bank acceptance, BA; bank bill, bank draft, banker's acceptance/bill*), **bank employee** (bancario, empleado de banco; V. *banker*) **bank endorsement** (endoso bancario), **bank examination** *US* (inspección oficial de un banco practicado por representantes de la Comisión Nacional Bancaria y de Seguros con el fin de comprobar su solvencia; V. *compliance examination; bank call*), **bank examiner** *US* (auditor bancario, inspector oficial de bancos; V. *bank auditor*), **bank exposure** (monto de los préstamos bancarios vigentes), **bank failure** (quiebra de un banco; V. *bankruptcy; bank crash*), **bank fee** (comisión bancaria), **bank for co-operatives** (bancos/cajas rurales, banco de crédito agrícola; V. *cooperative bank, credit unions*), **Bank for International Settlements, BIS** (Banco de Pagos Internacionales; también llamado «Banco de Operaciones Internacionales»; sus accionistas son los bancos centrales europeos y su objetivo es la cooperación entre ellos, facilitando las operaciones financieras internacionales), **bank giro** (giro/transferencia bancaria; V. *direct debiting; banco giro*), **bank guarantee** (garantía bancaria), **bank holding companies** *US* (V. *registered bank holding companies*), **bank holiday** *US* (cierre de bancos autorizado por el gobierno para impedir la retirada masiva de depósitos provocada por el pánico; V. *bank run*), **bank holidays** (días feriados en los que se cierran los bancos; fiestas oficiales; V. *clear days*), **bank house** (casa bancaria, casa de banca), **bank identification number, BIN** (número de identificación bancaria; ficha bancaria; V. *ABA transit* *number*), **bank identifier code, BIC** (código de identificación bancaria, también llamado «código BIC» en las transacciones efectuadas en TARGET), **Bank Insurance Fund, BIF** *US* (Fondo Federal de Seguro Bancario; garantiza los depósitos hasta $100,000 dólares; Fondo de Garantía de Depósitos; V. *Federal Deposit Insurance Corporation; bridge bank*), **bank investment contract** (FINAN contrato de inversión bancaria; los emiten los bancos a compañías de inversión garantizándoles un rendimiento fijo durante la vida del contrato), **bank items** (efectos/valores/títulos bancarios o negociables; V. *bankable bills; bank paper; bills and notes; commercial, negotiable*), **bank lending** (crédito bancario), **bank leverage ratio** (coeficiente de endeudamiento bancario), **bank lien** (gravamen bancario en prevención; V. *banker's lien*), **bank line** (BANCA línea de crédito; límite crediticio otorgado por el banco al cliente; V. *line of credit*), **bank loan** (crédito/préstamo bancario; éste es el nombre genérico aplicado por los bancos a los descubiertos —*overdrafts*— y préstamos personales —*personal loan*; V. *bank advances*), **bank mandate** (orden de pago; autorización para llevar a cabo ciertas operaciones, como la firma de cheques, etc.; domiciliación bancaria), **bank note,**[1] **banknote** (billete; V. *currency, legal tender; bank bill*), **bank note**[2] *US* (pagaré bancario; estos pagarés, de $100,000, suelen comprarlos inversores institucionales y no están avalados por el seguro federal de depósitos; V. *capital note, deposit note*), **Bank of England** (Banco de Inglaterra), **bank of discount** (banco de descuento), **bank of issue** (banco emisor; V. *note issuing bank*), **bank official** (cargo directivo), **bank on** (confiar en, dar por seguro ◊

They'll bid for the shares; you can bank on that), **bank overdraft** (descubierto bancario, saldo deudor en cuenta; V. *overdraft*), **bank paper** (BOLSA títulos bancarios, valores o efectos bancarios; V. *bankable bills; bank items; bills and notes; commercial, negotiable*), **bank payment order** (orden de pago), **bank post remittance** (letra para pagos de comercio exterior avalada por un banco), **bank rate** (tipo/descuento bancario, tipo de interés bancario, tasa oficial de descuento; tipo de redescuento; V. *base rate; minimum lending rate*), **bank rate cut** (reducción del tipo bancario, rebaja del tipo de descuento; V. *fall in the discount rate*), **bank ratios** (coeficientes bancarios), **bank reconciliation** (BANCA conciliación de estados bancarios), **bank reserves** (activo de caja, reservas bancarias), **bank reserves ratio** (coeficiente bancario obligatorio; V. *ratio*), **bank return** (estado bancario), **bank run** (retirada masiva de los depósitos de un banco; V. *bank holiday; bear run*), **bank securities** (valores bancarios), **bank service charge** (cargo comisión por servicios bancarios), **bank service pricing** (fijación de precios de los servicios bancarios; V. *transaction fee, relationship banking*), **bank share** (V. *bank stock*), **bank statement** (balance del banco, estado de posición; estado/extracto de cuenta bancario), **bank stock** (acciones o valores bancarios), **bank syndicate** (consorcio bancario), **bank trust department** (BANCA departamento fiduciario de un banco; se encarga de llevar a cabo servicios de administración de fondos de inversión y otras tareas propias de los *trusts*; V. *settling estates, administering*), **bank vault** (cámara acorazada de un banco; V. *strong room*), **bank's operation centre** (centro neurálgico de una institución bancaria, llamado también trastienda o *back office*; V. *cage*), **bankable** (descontable; financiable; negociable; V. *negotiable, commercial*), **bankable asset** (BANCA activo aceptado como garantía de préstamo), **bankable paper/bills/items** (efectos/valores/ títulos bancarios o negociables; V. *bank paper; bills and notes; commercial, negotiable; money-market paper*), **bankarization** (bancarización), **bankmail** («banconchabamiento»; colusión entre un banco y una empresa que ha lanzado una OPA, para que la entidad bloquee el posible crédito a otra empresa licitadora; el vocablo, de corte humorístico, está compuesto de *bank* y *mail*, que es el segundo elemento de *blackmail* o chantaje; V. *concert party*), **banknotes** (V. *bank note; dud*), **bankroll** *col* (financiar), **bankshares** (palabra que aparece al final del nombre oficial de la mercantil que posee un banco; V. *bankcorp; bank holding company*)].

banker *n*: banquero; V. *bank employee*. [Exp: **banker's acceptance** *US* (BANCA letra bancaria; aceptación bancaria, también llamada *bank bill, bank draft, banker's acceptance/bill*; se trata de una efecto girado, aceptado o garantizada por un banco y negociable en el mercado internacional; deuda a corto plazo emitida por un banco; V. *trade acceptance; time draft; bank acceptance*), **banker's acceptance tender facility** (oferta de aceptación bancaria), **Bankers' Automated Clearings Services** (BANCA sociedad oficial para el sistema de compensación electrónico), **bankers' bank** (banco central; banco emisor de cualquier nación; banco de servicio para otros bancos, que son sus propietarios), **banker's bill** *US* (V. *finance bill*), **banker's blanket bond** (SEG póliza de seguro que protege a las instituciones bancarias de delitos de sus empleados, como robo, falsificación, etc.; en muchos estados norteamericanos es obligatoria; V. *blanket policy*), **banker's call rate** (tipo de interés exigido por los bancos comerciales en los préstamos a corto plazo; V. *call money*), **banker's cheque/draft** (giro bancario, letra; cheque expedido por un banco contra sus fondos; letra; orden de pago; V. *bank draft*), **bankers' deposits** (fondos de los bancos comerciales depositados en el Banco de Inglaterra), **banker's discount** (descuento bancario; diferencia entre el valor nominal de un efecto y el que el banco acredita en la cuenta del cliente), **banker's draft** (V. *banker's cheque*), **banker's guarantee/ indemnity** (garantía bancaria), **banker's lien** (gravamen bancario en prevención; V. *bank lien*), **banker's order** (domiciliación bancaria; orden dada al banco para la domiciliación de pagos regulares; V. *pay one's bills by banker's orders; standing order at a bank*), **banker's reference** (BANCA informe sobre la solvencia de un cliente en contestación a un *status enquiry*; V. *credit worthiness, credit-reference agencies*), **bankers' trust company** (banco fiduciario)].

banking *a/n*: bancario; grupo de bancos; banca; sistema bancario; entidades de depósito; V. *branch banking, chain banking, group banking*), **banking charges** (comisiones/gastos bancarios), **banking charter** *US* (ficha bancaria; la concede el interventor general del Estado o *Comptroller of the Currency*), **banking company** (sociedad bancaria), **banking hours** (horas de atención al público), **banking house** (entidad bancaria), **banking power** (solvencia bancaria), **banking regulations** (reglamentación bancaria), **banking secrecy** (secreto bancario), **banking signature** (aval bancario; V. *colateral banking signature*), **banking syndicate** (consorcio bancario; V. *tender panel*), **banking system** (banca, sistema bancario; en Inglaterra está formado por el *Bank of England*, que es el Banco central o emisor —*bank of issue*— los bancos comerciales —*commercial/retail or deposit banks* y las cámaras de compensación— *clearing banks/houses*)].

bankrupt *a/v*: quebrado, en situación de quiebra; insolvente, concursado, fallido; arruinar, llevar a la quiebra; V. *adjudication of bankruptcy, insolvent*. [«Declararse en quiebra» o «ir a la quiebra» se forma con *go, become, be made, be adjudicated bankrupt*. Exp: **bankrupt's assets/estate** (masa de la quiebra, conjunto o cuerpo de bienes de un quebrado; V. *assets of a bankruptcy, assets in bankruptcy*), **bankruptcy** (BANCA quiebra, insolvencia, bancarrota; V. *failure; bust; fraudulent bankruptcy; ability-to-pay*), **bankruptcy commissioner** (síndico de la quiebra), **bankruptcy court** (tribunal de quiebras), **bankruptcy creditor** (acreedor de bancarrota), **bankruptcy discharge** (revocación del estado de quiebra, rehabilitación del quebrado), **bankruptcy order** (auto judicial declarativo de quiebra; el *bankruptcy order* sustituye a los antiguos *adjudication order* y *receiving order*), **bankruptcy petition** (petición o solicitud de declaración de quiebra), **bankruptcy proceedings** (procedimiento o proceso de quiebra, ejecución concursal, concurso de acreedores), **bankruptcy surety** (fiador en bancarrota), **bankruptcy trustee** (síndico de la quiebra)].

banner *n*: bandera; pancarta; V. *flag*.

bar[1] *n/v*: barra; bar; V. *Snack bars are prosperous businesses*. [Exp: **bar**[2] (obstáculo, impedimento; excluir,

prohibir, impedir, exceptuar ◊ *Bar to foreign trade*; V. *barring*), **bar**[3] (TRANS MAR barra de entrada a un río; V. *bar pilot*), **bar**[4] (foro, estrado, tribunal), **bar chart** (COMER diagrama/gráfico de barras), **bar code** (COMER código de barras), **bar pilot** (TRANS MAR práctico de barra; V. *pilot, dock pilot*), **barbell strategy** (FINAN estrategia «de contrapeso», «haltera» o de riesgo compensado; consiste en incluir en una cartera valores —*securities*— con riesgo muy diferente y con fecha de vencimiento —*maturities*— en los dos polos del período correspondiente), **barred** (excluido; rayado; atrancado; obstruido)].

bare *a*: escaso, insuficiente; simple, estricto, esencial, fundamental, escueto, desnudo, descubierto; nudo, carente de las condiciones necesarias; V. *naked*. [Exp: **bare-boat charter** (TRANS MAR contrato de fletamento a casco desnudo; fletamento de casco sin tripulación ni combustible; en este tipo de contrato el armador alquila al fletador el barco sin tripulación, y éste corre con todos los gastos, asumiendo la responsabilidad durante todo el tiempo de validez del contrato; V. *demise charter, charter*), **bare contract** (contrato/obligación unilateral; V. *naked contract*), **bare essentials/necessities** (lo imprescindible, lo estrictamente necesario), **bare facts** (información escueta), **bare majority** (mayoría escasa), **bare-hull charter, bare-pole charter** (V. *bare-boat charter*), **bare outline** (resumen de lo principal, sin detalles), **bare power** (DER poder nudo; V. *power of appointment*), **bare shell**[1] (SOC sociedad anónima sin actividad empresarial), **bare shell**[2] (BOLSA acción sin cupones), **bare trustee** (fiduciario pasivo o nominal, sin más autoridad ni más obligación que la de retener el título de propiedad hasta que el beneficiario alcance la mayoría de edad; V. *active trust, nominee*)].

bargain *n/v*: pacto, acuerdo; trato, negociación; negociar, pactar, ajustar; V. *strike a bargain, scoop a bargain, drive a bargain*. [Exp: **bargain²** (BOLSA operación/transacción bursátil, especialmente en la Bolsa de Londres ◊ *A Stock Exchange transaction is called a bargain whatever price you pay*), **bargain³** (COMER ganga, oferta, oportunidad; en función atributiva equivale muchas veces a «de ocasión», «de rebajas», «de gangas», etc.), **bargain⁴** (regateo; regatear; V. *haggle*), **bargain and sale** (COMER contrato de compraventa inmediata), **bargain basement/counter** (COMER sección de oportunidades/ofertas; sección/mostrador de saldos/oportunidades en un gran almacén; adquisición por precio inferior; V. *basement price; budget department*), **bargain basement price** (precio de ocasión), **bargain counter** (V. *bargain basement*), **bargain day** (día de gangas), **bargain for** (contar con, esperar), **bargain hunter** (buscador/cazador de gangas), **bargain money** (pago inicial; entrada; entrega a cuenta; señal; prenda; V. *downpayment; hand money, handsel, token payment*), **bargain offer** (oferta especial), **bargain on** (contar con, esperar ◊ *We hadn't bargained on the drop in prices*), **bargain price** (precio de ocasión, precio de saldo; V. *cut price*), **bargain sale** (saldo; rebajas; venta con descuento; venta-reclamo; V. *clearance sale*), **bargainee** (comprador, contratante comprador), **bargainor** (vendedor, contratante vendedor), **bargaining** (negociación; regateo; V. *collective bargaining*), **bargaining agent** (REL LAB enlace sindical; V. *union certification, National Labor Relations Board, business agent*), **bargaining book** (REL LAB libro de actas de las negociaciones), **bargaining position** (REL LAB posición no conflictiva o negociadora; situación de trato y negociación de relaciones laborales; V. *strong bargaining position*), **bargaining power** (REL LAB capacidad de negociación; fuerza negociadora en un convenio), **bargaining rights** (REL LAB derechos de negociación colectiva), **bargaining table** (REL LAB mesa de negociaciones; V. *doomsday strike*), **bargaining theory of wages** (teoría de convenios salariales; esta teoría se basa en el análisis de costos y beneficios, a fin de maximizar éstos en las negociaciones entre la empresa y los sindicatos, y es complementaria de otras como *price theory, wage-fund theory*), **bargaining unit** (REL LAB grupo o unidad encargada de negociar los convenios colectivos; V. *union certification, bargaining agent, National Labor Relations Board*)].

barge *n*: barcaza, gabarra; V. *lighter*. [Exp: **barge bill of lading** US (conocimiento de embarque para transporte fluvial; V. *bill of lading*)].

barometers *n*: indicadores, barómetros o índices macroeconómicos; V. *business barometers, economic indicators; The Financial Times-Stock Exchange 100 Share Index*. [Exp: **barometer stock** (BOLSA valores-barómetro; valores muy representativos por moverse siempre en la dirección del mercado)].

barratry of master and mariners *n*: TRANS MAR, SEG MAR baratería, actos de baratería, engaño, embrollo jurídico; delito cometido por el capitán o la tripulación al causar pérdidas con engaño o dolo a los armadores o cargadores de un barco; este término aparece en muchas pólizas de fletamento y/o de seguros marítimo; V. *scuttling a ship,* *embezzling the cargo, forfeiture of the ship.*

barrel *n*: barril, tonel, barrica; V. *have sb over a barrel; scrape the bottom of the barrel.* [Exp: **barrels of oil equivalent, BOE** (barriles de equivalente en petróleo), **barrels per day, b/d** (barriles diarios)].

barren *a*: improductivo, infructuoso, estéril. [Exp: **barren money** (dinero improductivo o estéril; dinero prestado sin interés; V. *yield, bear interest*)].

barrier *n*: barrera, obstáculo; V. *obstacles; mobility barriers.* [Exp: **barrier option** (MERC FINAN/PROD/DINER opción barrera), **barriers to entry** (COMER barreras de entrada; obstáculos para participar en un mercado o área comercial), **barriers to exit** (COMER barreras de salida; obstáculos a la salida de un mercado o área comercial), **barriers to trade** (COMER obstáculos comerciales)].

barring *prep*: salvo, excepto, menos ◊ *Barring accidents, the meeting will be held on Monday.* [Exp: **barring errors and omissions** CONT (salvo error u omisiones)].

barrister *n*: abogado.

Barron's confidence index *n*: FINAN índice de confianza de Barron; se trata de una publicación semanal de *Dow Jones* que refleja la opinión de los inversores.

barrowman *n*: vendedor ambulante.

barter *n/v*: trueque, compensación, cambio, permuta; negociar mediante trueque, trocar; también se le llama *counter-trade* o *trade by barter, exchange in kind.* [Suele acompañar a palabras como *agreement, arrangement, trading, etc.* Exp: **barter economy** (economía de trueque), **barterer** (traficante), **bartering** (cambio o trueque en especie; V. *exchange in kind*)].

base[1] *a/n/v*: básico; base, fundamento; basar, fundamentar, establecer; V. *base pay.* [Exp: **base**[2] (MERC FINAN/PROD/DINER base, también llamado *basis*, es la diferencia entre el precio de un efecto/instrumento en efectivo y un contrato a plazo o *forward contract*), **base**[3] (vil; infame, despreciable; V. *base coin*), **base coin/money** (moneda falsa; V. *bogus money*), **base currency** (divisa base; V. *quoted currency*), **base coins** US (calderilla), **base currency** (MERC DINER divisa base o de referencia; V. *quoted currency; direct/indirect quotation*), **base date** (BOLSA fecha base), **base lending program** US (programa de financiamiento de base), **base lending rate** (tipo interbancario), **base market value** (precio medio de mercado de un grupo de valores en un determinado momento), **base pay/price/rate** (sueldo/precio/tipo base; V. *base rate*[2]), **base rate**[1] (tipo [de interés bancario] básico, descuento bancario, tasa bancaria; éste es el nombre actual, también conocido como *bank rate* o como *minimum lending rate*; tipo arancelario básico; V. *discount rate; prime lending rate*), **base rate**[2] (REL LAB remuneración mínima, salario base sin ningún complemento o incentivos; tarifa básica), **base rate**[3] (tipo arancelario básico), **base stock method** (BOLSA método de contabilización de los movimientos de valores que asume que un determinado número de ellos nunca se mueven y, por tanto, conservan su valor original), **base stock method of inventory** (CONT inventario de existencias básicas a precio fijo), **base-weighted indices** (índices ponderados; V. *weighted average*), **based in** (con sede en, radicado en, residente en; se usa también en expresiones como *Madrid-based, London-based, etc.* —con sede en Madrid, con sede en Londres, etc.—; V. *seat of a company*), **based on** (basado en), **baseless** (infundado, sin fundamento; V. *groundless*), **baseline costs** (costes básicos o iniciales)].

basement *n*: sótano. [Exp: **basement price** (PUBL, COMER precio de ocasión; V. *bargain basement*)].

basic *a*: básico, primario, fundamental, estándar, normal, de base. [Exp: **basic aggregate** (suma global básica), **basic asset** (FINAN activo básico; V. *underlying asset*), **basic balance** (balanza básica; *it intends to measure long-term tendencies in the balance of payments*), **basic banking** (V. *lifeline banking*), **basic commodity** (artículo de primera necesidad), **basic consumer benefit** (beneficio básico ◊ *Represent confort and cheapness as basic consumer benefits*; alude a la utilidad atribuida en la publicidad a un determinado producto o servicio; el objetivo de la publicidad es presentarlos como únicos o, en su caso, como mejores que los otros del mercado; V. *advertising strategy, USP*), **basic rate** (tarifa básica; tarifa sin descuento, remuneración mínima; tipo básico; también llamado *base rate* o *one-time rate*), **basic crops** US (productos agrícolas con derecho a subvención ◊ *Currently corn, cotton, peanuts, rice, tobacco and wheat are considered as being basic crops*; V. *price support programs*), **basic export quota** (contingente básico de exportación), **basic goods/materials** (materias primas; V. *raw materials, raw stuff, staples*), **basic grade** (calidad estándar o normal), **basic premium** (SEG prima base), **basic rate** (tipo de interés base), **basic rate of tax** (TRIB tipo de tributación básico), **basic patent** (patente original, patente primitiva; V. *home patent*), **basic personnel** (personal de plantilla), **basic principles** (principios fundamentales), **basic salary/wage** (sueldo/salario base), **basic yield** (rendimiento base/básico),

basics (fundamentos, elementos, rudimentos)].

basing point *n*: COMER «punto cero»; centésimo de entero; punto de paridad, punto base; punto de referencia para el cálculo del coste; técnica de fijación del precio de un producto, en la que el coste del transporte se calcula para todos por igual desde un determinado punto geográfico. [Exp: **basing point rate** (tarifa calculada desde un determinado punto geográfico)].

basing rate *n*: tarifa base.

basis[1] *n*: fundamento, base, cimientos; régimen; período, plazo; gestión; modalidad, forma; V. *bond basis, collection basis*. [Exp: **basis**[2] (TRIB base impositiva, base de acumulación), **basis**[3] (MERC FINAN/PROD/DINER precio base; precio del contado menos precio del futuro, también llamado *base*[2]; precio según la tabla financiera; diferencia entre el precio de compra y el de venta de un título o valor, o entre el precio al contado y el precio aplazado en las transacciones de arbitraje o de futuros; dicha diferencia constituye la base —*basis, base*— del cálculo de la plusvalía para fines tributarios; V. *maturity basis; yield to maturity, basis price, current yield; maturity yield*), **basis grade** (MERC FINAN/PROD/DINER calidad estandarizada), **basis of assessment** (TRIB base impositiva), **basis of freight** (TRANS base del flete), **basis of, on the** (de acuerdo con, según, a base de, basado en, basándose en), **basis point** (BOLSA punto base o básico; centésimo de punto porcentual —0,01 %—; entero; método para calcular los cambios absolutos en el valor de las acciones; V. *pip*), **basis point value** (BOLSA valor de un punto básico), **basis price** (MERC FINAN/PROD/DINER precio base; estimación del precio anual de mercado de un valor para transacciones en el mercado secundario —*over-the-counter-market*— hecha por un agente de bolsa en el que esté incluido el rendimiento total al vencimiento; V. *yield to maturity; bond tables*), **basis risk** (FINAN riesgo de base; es el diferencial entre el precio de un instrumento al contado a proteger y el precio del contrato a plazo protector), **basis spread** (MERC FINAN/PROD/DINER diferencial de base), **basis swap** (FINAN permuta financiera de bases «variable-variable», también llamado *floating-to-floating swap*, en la que los tipos variables son de distinta referencia; V. *coupon swap*), **basis trade** (MERC FINAN/PROD/DINER operación de base o sobre la desviación de la base)].

basket *n*: cesto, cesta; V. *in-basket training; notional bond*. [Exp: **basket bidding** (BOLSA licitación sobre varios valores a la vez), **basket hedging** (MERC DINER cobertura con cestas de divisas líquidas; V. *hedging*), **basket of currencies** (cesta de monedas nacionales), **basket purchase** (BOLSA compra global de activos por un precio único), **basket trading** (BOLSA negociación de cestas de acciones; esta negociación se aprovecha de las oportunidades de arbitraje derivadas de las fechas de vencimiento de contratos de opciones, futuros, etc. en los tres mercados de Chicago; V. *block trading*), **basket unit of account** (unidad de cuenta basada en una cesta de monedas)].

BATNA *n*: V. *best alternative to a negotiated agreement*.

batch *n/v*: lote, partida, remesa, serie; promoción, clase, grupo, hornada; agrupar. [En sentido coloquial se aplica a expresiones como «la promoción del año 92», etc. Exp: **batch costing** (determinación de costes por lotes), **batch number**

(número de serie), **batch of fish** (camada de peces), **batch of invoices** (montón de facturas), **batch of shares** US (paquete de acciones; V. *block of shares*), **batch process/processing** (proceso de producción/tramitación por lotes/paquetes; contrasta con la producción en serie o en cadena; V. *large-scale production*), **batch proof** (BANCA verificación de depósitos por lotes)].

bath *col n*: BOLSA batacazo; V. *take a bath*. [Exp: **bathtub curve** (ECO curva de la bañera)].

battery *n*: batería. [Exp: **battery of cameras/microphones, etc.** (serie/batería de cámaras, micrófonos, etc,), **battery of questions** (serie de preguntas disparadas una tras otra)].

bay *n*: bahía, dársena, dársena de una estación de autobuses. [Exp: **bay, at** (acorralado, atosigado, acosado; V. *hold at bay*), **Bay Street** (calle de Toronto donde está la Bolsa y las principales instituciones financieras; por antonomasia, las instituciones financieras de Toronto; V. *Wall Street*)].

BB *n*: FINAN V. *Aa*.

BBB *n*: FINAN V. *Aa*.

BCG portfolio analysis *n*: equivale a *Boston Consulting Group portfolio analysis*.

b/d *n*: V. *barrels per day*.

bdi *n*: V. *both dates included*.

beach *v*: TRANS MAR varar un buque voluntariamente a fin de evitar daños mayores. [Exp: **beaching** (varada voluntaria)].

beacon *n*: TRANS MAR baliza. [Exp: **beaconage** (TRANS MAR balizaje; sistema de marcas en el mar para guía de navegantes; tasas que se abonan por el uso de las guías)].

bear[1] *a/n/v*: bajista; con tendencia a la baja; pesimista; inversor bursátil con expectativas bajistas; especulador que vende valores porque espera una caída en los precios y, de esta manera, comprará más tarde a un precio inferior, con la consecuente ganancia, lo que ha vendido; oso; especular a la baja; provocar bajas en el mercado; el uso de la palabra *bear* en el contexto de «bajista», etc. probablemente venga del dicho inglés *selling the bearskin before catching the bear* —vender la piel del oso antes de cazarlo; V. *bull, bull market; averaging down; sell short; covered/protected bear.* [Exp: **bear²** (llevar, portar, transportar; V. *bearer*), **bear³** (devengar; V. *bear interest; interest-bearing paper*), **bear⁴** (soportar; V. *bear a loss*), **bear⁵** (correr con; V. *bear the expenses*), **bear a loss** (soportar/sufrir una pérdida), **bear account** (BOLSA, CONT cuenta de especulaciones a la baja; posición de vendedor), **bear bond** (bono bajista; V. *bull bond*), **bear campaign** (campaña bajista), **bear clique** *US* (BOLSA grupo de intermediarios que fuerzan la bajada del precio de las acciones o de productos mediante la práctica de la venta en corto; V. *selling short*), **bear closing/covering** (BOLSA compra de valores, divisas o productos por el especulador que necesita cubrir ventas al descubierto; V. *selling short, short covering*), **bear down prices** (forzar una bajada en las cotizaciones), **bear hug** (SOC abrazo del oso; contactos amistosos que establece el consejo de una sociedad con el de otra manifestando sus deseos de comprar sus acciones; V. *teddy bear hug*), **bear interest** (devengar o producir intereses; V. *yield, carry, earn*), **bear market** (BOLSA, COMER mercado bajista, a la baja o replegado a la baja; en este tipo de mercado los especuladores suelen vender valores, divisas o productos sobre los que no poseen más que opciones; V. *selling short*), **bear note** (FINAN pagaré avalado con una opción de venta; bono cuyo valor de amortización está ligado a un índice financiero, por ej., los del *Financial Times Share Indexes*; el titular del mismo cree que las cotizaciones bajarán con lo que podrá pagar el pagaré al ejercer la opción dentro del plazo, quedándose con la diferencia entre lo que ha pagado y el precio del mercado en el momento de la venta; V. *bull note*), **bear on** (guardar relación con, relacionarse con), **bear out** (corroborar, confirmar), **bear panic** (BOLSA pánico entre los vendedores; V. *bank run*), **bear period** (BOLSA período de baja; V. *period of falling prices*), **bear position** (BOLSA posición bajista; V. *bear market, short position*), **bear raid/raiding** (BOLSA manipulación a la baja; oferta o lanzamiento súbito de valores para producir una baja instantánea —*bear slide*— de la cotización; acción provocada por bajistas; V. *dawn raid*), **bear resemblance** (guardar parecido), **bear run** (BOLSA venta apresurada bajista), **bear sale** (BOLSA venta al descubierto; V. *selling short*), **bear seller** (BOLSA vendedor al descubierto; V. *selling short*), **bear slide** (V. *bear raid*), **bear spread** (MERC FINAN/PROD/DINER, BOLSA diferencial de bajista o decreciente; «spread» bajista; estrategia consistente en vender en descubierto —*selling/going short*— y comprar más tarde —*going long*— intentando sacar partido a los márgenes —*spread*— de la venta y la compra; en las operaciones de futuros la estrategia consiste en combinaciones de *puts* y *calls* para aprovecharse de la caída de los precios; en operaciones de futuro se llama *selling the spread*; V. *spread, bull spread, butterfly spread, calendar spread, credit spread, price spread, vertical spread, diagonal spread; put, call*), **bear squeeze** (BOLSA estrangulamiento contra el «especulador al descubierto»; este estrangulamiento contra el especulador que se encuentra «en corto» —*short position*— por haber vendido en descubierto, lo preparan otros especuladores forzando el alza de precios; si se trata de divisas la presión puede venir de la misma Administración; V. *corner the market*), **bear the expenses** (correr con los gastos; V. *incur*), **bear the market** (BOLSA especular/jugar a la baja), **bear time spread** (MERC FINAN/PROD/DINER, BOLSA «spread» temporal bajista; estrategia consistente en la venta de una opción de venta de un activo —*put*— que tiene un vencimiento próximo —*expiry date*— y la compra simultánea de otra opción de venta con vencimiento más lejano; V. *time spread*)].

bearer *n*: portador, tenedor; se aplica en función atributiva, con el significado de «al portador», a cualquier documento desde un *cheque* a un *bill of lading*; V. *named*. [Exp: **bearer bond** (bono/título al portador; V. *payable to bearer, registered bond*), **bearer certificate** (título al portador), **bearer depository receipt, BDR** (recibo de depósito al portador), **bearer document/paper** (título/efecto al portador; V. *ADR*), **bearer participation certificate, BPC** (FINAN certificado de participación al portador), **bearer policy** (póliza al portador), **bearer shares/stock/securities** (acciones/títulos al portador ◊ *Eurobonds are bearer securities*), **bearer, to the** (al portador; V. *to the order of*), **bearer scrip** (certificado provisional)].

bearing[1] *n*: relación, conexión ◊ *This statement has no bearing on the issue.* [Exp: **bearing**[2] (TRANS MAR orientación; marcación náutica), **bearing**[3] (con, que lleva, con derecho a ◊ *dividend-bearing security*), **bearing no interest** (improductivo)].

bearish *a*: bajista; en baja, a la baja; pesimista; V. *bullish*), **bearish covering** (MERC FINAN/PROD/DINER compra de cobertura), **bearish mind** (FINAN, BOLSA mentalidad/actitud bajista o pesimista), **bearish remark** (comentario pesimista), **bearish tendency** (tendencia a la baja; V. *downward trend, tendencies to decline*)].

beat *v*: batir, superar, vencer, derrotar. [El verbo *beat* se emplea en muchas expresiones coloquiales: **beat that!** (¡toma! ¡chúpate eso! ¡para que veas! ¡a ver quién supera eso!), **it beats me how this could happen** (no alcanzo a comprender cómo esto ha podido suceder), **know when one is beaten** (darse por vencido; reconocer la derrota), **the problem has experts beaten** (el problema trae a los expertos de cabeza; ni los expertos pueden con el problema), **these figures will take some beating** (no será fácil superar estas cifras; a ver quién es el guapo que supera estas cifras), **this beats everything** (esto es el colmo; en la vida había visto cosa igual). Exp: **beat back/off** (defenderse de; quitarse de encima, sacudirse; rechazar), **beat down**[1] (abatir, vencer), **beat down**[2] (regatear), **beat down prices** (luchar por mantener los precios bajos; conseguir abaratar precios/costes a base de luchar), **beat the competition** (COMER ganarle al rival, vencer a la competencia; V. *keen competition*), **beat the system** (ganar contra todo pronóstico; poder con el sistema; dominar/burlar el sistema), **beat up** (atraerse), **beat up custom** (luchar a brazo partido para atraerse clientes; desvivirse por buscar clientes; sacar clientes debajo de las piedras)].

become *v*: convertirse, llegar a ser. [Exp: **become an artificial/juristic person**

(DER adquirir personalidad jurídica; V. *acquire legal status*), **become public** (ser de dominio público; V. *going public*), **become bankrupt** (quebrar, ir a la/declararse en quiebra; V. *go belly up; bust*)].

bed-and-breakfast deal *n*: BOLSA venta de valores por la noche y compra de los mismos a la mañana siguiente, con el fin de declarar, a efectos fiscales, minusvalías que puedan compensar otras plusvalías.

BDR *n*: V. *bearer depository receipt*.

beef *col v*: protestar, quejarse. [Exp: **beef up** *col* (meterle marcha/caña, reforzar, subir de grado ◊ *We'll have to beef up our efforts if we're to win the contract*), **beef up prices** *col* (pegar una subida brutal a los precios ◊ *Firms in the sector have beefed up their prices*)].

before *prep*: ante; antes, delante/delante de; con anterioridad. [Exp: **before-cited** (antedicho), **before-mentioned** (susodicho), **before tax** (antes de deducir los impuestos; V. *after tax*), **beforehand** (por anticipado; de antemano, con antelación)].

beggar-my-neighbor policy *n*: medidas económicas para empobrecer al vecino.

begin *v*: empezar, comenzar. [Exp: **begin functions** (entrar en funciones), **beginning** (inicial; V. *opening, closing*), **beginning inventory** (existencias iniciales)].

behalf of, on *fr*: en nombre de, por; por cuenta de, en favor/defensa de; de/por parte de.

behaviour *n*: comportamiento, tendencia, evolución.

beige book *n*: V. *green book*.

belfox *n*: V. *Belgian Futures and Options Exchange*.

Belgian *a*: belga; V. *Beneleux*. [Exp: **Belgian dentist** *col* (BOLSA dentista belga; alude al inversor modesto y conservador), **Belgian Futures and Options Exchange, Belfox** (mercado

belga de futuros y opciones, con sede en Bruselas)].

bell *n*: timbre. [Exp: **bell-ringer** *col US* (tocatimbres; V. *door-to -door selling*), **bell-wether price** *col* (MERC PROD cifra indicativa)].

belly up, go *col v*: quebrar, hacer crac; V. *bankrupt, bust, fail; out of business*.

below *prep/adv*: bajo, debajo, debajo de; abajo. [Exp: **below-average** (inferior a/por debajo de la media), **below market rate** (BANCA por debajo de los tipos del mercado), **below par** (por debajo del valor nominal, bajo par, inferior al valor, precio, etc. nominal; V. *at par, above par, nominal price, face value*), **below the exchange** (por debajo del cambio), **below-the-line** (por debajo de la línea; en los presupuestos británicos entre 1947 y 1963, la «línea» marcaba las separación entre rentas —*income*— o ingresos —*revenue*— y gastos corrientes —*current expenditure*—, «por encima de la línea», y las partidas de capital —*capital items*— «por debajo de la línea»; **below-the-line advertising** (PUBL gastos de publicidad directa; lo hace directamente el propio personal, es decir, no tienen que pagar comisiones a una agencia ◊ *To give free samples of a product is below-the-line advertising*; V. *above the line*), **below the line item** (CONT partida extraordinaria; V. *above the line item*), **below-the-line deals/ transactions** (FINAN operaciones financieras relacionadas con capital y no con renta; V. *above-the-line*), **below-the-line expenditure** (gastos excepcionales no incluidos en las cuentas generales de una mercantil)].

belt *n*: cinturón, franja; V. *commuter belt*. [Exp: **belt²** (amplia región geográfica; V. *cotton/corn belt; olive oil belt*), **belt and suspenders** *US* (BANCA «cinturón y tirantes», préstamo con supergarantías;

con esta expresión se alude a un tipo de
«préstamo con caución» —*secured
loan*— con supergarantía, porque el
prestamista duda de la solvencia
crediticia —*creditworthiness*— del
prestatario; en estos casos, los bancos
«amarran bien los préstamos», dicho de
una forma expresiva «con cinturón y
tirantes», a fin de que al prestamista no
se le caigan los pantalones y se encuentre
en una situación embarazosa; V.
deadbeat, belly up), **belt line** US (TRANS
línea de cercanías), **belt-tightening** *col*
(política de reducción/restricción del
gasto o de «apretarse el cinturón»; V.
curtailment), **beltway bandits** (sangui-
juelas, aprovechados de contratos de
organismos oficiales)].

bench *n*: banco; sala. [Exp: **bench scale
production** (producción de prueba de un
número corto de unidades), **benchmark**
(cota, criterio, punto de referencia; fijar
criterios, evaluar parámetros, establecer
pautas o criterios de competencia
comparativa ◊ *Strategic benchmarking in
management studies*), **benchmark crude**
(crudo de referencia; V. *marker crude*),
benchmark index/price/test, etc. (FINAN
índice, precio, prueba, etc. de referencia;
se utiliza en la Bolsa, en la asignación de
activos, etc.; V. *asset allocation*), **benchmarking** (señalamiento de cotas/índices
de eficiencia empresarial; comparación
de técnicas, tácticas y prácticas empresariales; es una práctica de gestión
empresarial por la que una organización
empresarial compara con rigor sus
niveles de eficiencia con procedimientos
y sistemas externos, copiando de éstos
los que sean precisos; de esta forma la
empresa puede conocer los niveles o
cotas —*benchmarks*— de la competencia, aprender de ellos y eludir los
posibles errores)].

beneficial *a*: ventajoso, provechoso, útil,
usufructuario. [Exp: **beneficial association** (sociedad de beneficencia; V.
benefit society, charitable society),
beneficial improvement (mejora patrimonial), **beneficial interest** (usufructo,
derecho de usufructo; beneficio contractual), **beneficial occupier** (usufructu-
rario), **beneficial owner** (fiduciario),
beneficiary (beneficiario; V. *immediate/
ultimate beneficiary*), **beneficiary trade**
(comercio en régimen preferencial)].

benefit *n/v*: privilegio, beneficio, bien,
ventaja, provecho, prestación; en plural
normalmente significa prestaciones
sociales, alimentos, indemnización;
beneficiar; V. *unemployment benefit,
accident benefit, sick benefit, social
security benefit; supplementary benefit;
gain; profit*. [Exp: **benefit club/society**
(sociedad de beneficencia, mutualidad;
V. *beneficial association, charitable
society; industrial and provident society*),
benefit-cost analysis (ECO análisis coste-
beneficio), **benefit principle of taxation**
US (TRIB principio de la imposición
basada en los beneficios recibidos; V.
*ability-to-pay-tax theory of taxation;
faculty principle of taxation*), **benefit
stream** (serie de beneficios), **benefit tax
theory** (TRIB teoría tributaria basada en
los beneficios recibidos), **benefit year**
US (REL LAB año laboral; alude al período
mínimo de cotización para tener derecho
a subsidio por desempleo; V. *accounting
year, business year, calendar year,
corporate year, financial year, fiscal
year, legal year tax year; accounting
period, periòd*), **benefits received
principle of taxation** (TRIB principio
tributario basado en los beneficios
recibidos; V. *compensatory principle of
taxation*)].

Benelux *n*: Organización formada por
Bélgica, Holanda y Luxemburgo.

berth[1] *n/v*: atraque, puerto de atraque,

atracadero, amarradero, muelle, lugar o espacio que ocupa un buque en un fondeadero; atracar, amarrar; V. *dock; whether in berth or not; accommodation berth; charging berth, discharging berth; give sb/sth a wide berth; loading berth.* [Exp: **berth**[2] (litera, camarote; V. *bunk; couchette; sleeper*), **berth**[3] *col* (acomodo, puesto de trabajo, etc. ◊ *He's found a new berth in the Finance Department, as assistant manager*; V. *niche*), **berth charge** (derechos de atraque; V. *berthage, groundage*), **berth charter** (póliza de muelle; póliza de fletamento en la que se expresa el muelle de atraque; V. *port charter*), **berth clause** (TRANS MAR cláusula de atraque o muelle; de acuerdo con la misma el tiempo de plancha —*laytime*— empieza a contar a partir del momento en que el buque esté atracado; V. *twin-berth clause*), **berth freight** (TRANS MAR flete de línea regular), **berth note** (TRANS MAR nota de muelle; se trata de un contrato de carga en buques de línea regular; V. *booking note*), **berth option** (opción de atraque; normalmente en las pólizas de fletamento se otorga al fletador el derecho a elegir el lugar de atraque TRANS MAR), **berth owner** (armador de línea regular; V. *common carrier*), **berth rates** (V. *berth freight*), **berthage** (tarifa o derechos de atraque; muellaje; V. *dockage, berth charge, groundage*)].

BES *n*: V. *Business Expansion Scheme.*

best *a*: mejor, lo mejor; V. *second best; better; come off best.* [Exp: **best advice** (V. *independent financial adviser*), **best, at** (BOLSA al mejor cambio, precio, etc. posible; orden ilimitada; todo lo más, en el mejor de los casos; V. *at market, market order, limit order, day order, good until cancelled, market order*), **best alternative to a negotiated agreement, BATNA** (GEST mejor alternativa en un acuerdo negociado), **best banking practice** (práctica bancaria normal), **best before ...** (fecha de caducidad; consumir preferentemente antes de ...; V. *sell-by date*), **best efforts** (BOLSA máximo celo profesional; poniendo todo de su parte se hará todo lo posible; fórmula del compromiso que adquiere el agente que ha de vender los valores de un cliente en Bolsa), **best efforts sale/underwriting** (MERC FINAN/DINER venta sin compromiso de garantía de colocación, aunque con el compromiso de «hacer todos los esfuerzos posibles»), **best of my knowledge and belief, to the** (según mi leal saber y entender; fórmula utilizada en declaraciones juradas, testimonios, etc.), **best offer** (mejor postor), **best order, or; OBO** *US* (precio a discutir; V. *or near price*), **best order, at** (BOLSA orden por lo mejor; V. *order to broker*), **best price, at** (BOLSA al mejor precio; V. *order to broker*), **best profit output** (producción de utilidad máxima), **best profit point** (punto de utilidad máxima), **best-seller** (el de mayor venta; V. *steady seller*), **best-selling line** (artículo o línea comercial de mayor venta), **best-ever** (el/la, etc. mejor de la historia/de todos los tiempos)].

bet *n/v*: apuesta; apostar, jugarse. [Exp: **betting and gaming duties** (tasa o impuesto sobre el juego), **Betting, Gaming and Lotteries Act** (Ley reguladora de los juegos de azar)].

beta *n*: letra beta. [Exp: **beta coefficient** (BOLSA coeficiente beta de regresión; coeficiente estadístico beta de la «teoría de las carteras»; identifica las fluctuaciones de los precios de las acciones del mercado en conjunto; V. *alpha coefficient; portfolio theory, capital asset pricing model; beta coefficient*), **beta stock** (V. *alpha stock*)].

better *a*: mejor. [Exp: **better-than-average**

(mejor que la media, que supera a la media), **better-than-expected** (mejor de lo esperado), **betterment** (mejora, plusvalía, rehabilitación ◊ *Betterments are tax deductible*; V. *melioration; repairs; improvement*), **betterment levy** (TRIB impuesto sobre la plusvalía), **betterment tax** (TRIB tributo para llevar a cabo una mejora pública)].

beyond repair *fr*: SEG sin posibilidad de reparación; V. *damaged beyond repair, absolute total loss, actual total loss, partial loss, constructive total loss.*

b/h *n*: V. *bill of health.*

bi- *part*: bi-. [Exp: **biannual** (semestral; V. *biennial*), **bi-monthly** (bimensual, cada quince días), **bi-yearly** (bianual; V. *half-yearly*), **bilateral agreement** (convenio bilateral), **bimetallic standard** (patrón bimetal)].

bias *n*: tendencia; sesgo.

BIBO *n*: carga a granel, descarga en sacos. [Acrónimo formado por *bulk-in, bag-out*].

BIC *n*: V. *bank identifier code.*

bid *n/v*: puja, licitación, propuesta, oferta de adquisición, postura; ofrecer, ofertar, concurrir, pujar, licitar, entrar en licitación; ofrecer-se ◊ *Make a bid for a company; bid against a rival; put in a bid*; V. *asked price; offer/offering price; spread; put in a bid; call for bids, hostile bid, make a bid, sealed bid, take-over bid*. [Exp: **bid against** (encarecer), **bid and asked** (oferta y demanda; precio de comprador y vendedor en un mercado sobre un valor), **bid and offer** (demanda y oferta), **bid-asked spread** (FINAN diferencial comprador-vendedor; beneficio/diferencial del agente que cotiza precios de compra y de venta; V. *bid-offer spread*), **bid basis, on a** (según oferta), **bid bond** (COMER INTER aval de oferta; fianza de licitación o de participación en un concurso; garantía bancaria para responder del cumplimien-to de la ejecución en caso de que el contrato le sea otorgado al licitante, también llamado *tender guarantee*), **bid in** (sobrepujar para beneficiar al vendedor), **bid-letting** (licitación), **bid-offer spread** (BOLSA diferencial entre el tipo comprador y el tipo vendedor [precio de oferta y de puja], según aparece en la pantalla *Topic* del sistema de contratación automática o continua —*SEAQ*— de la Bolsa de Londres), **bid package** (conjunto de bienes, obras, servicios y elementos a licitar), **bid price**[1] (BOLSA precio de comprador o de demanda; precio de puja; alude al precio que está dispuesto a pagar un especialista o *market maker* por un título; tipo comprador; V. *offer price; bid-offer spread; ask/asked price; buying price; backwardation*), **bid price**[2] (BOLSA precio de rescate), **bid quote** (tipo de tanteo), **bid rate**[1] (BANCA tipo de interés demandado; tipo comprador o tomador; en el mercado interbancario alude al tipo de interés que el banco prestatario acepta para sus préstamos; V. *offered rate*), **bid rate**[2] (FINAN nombre abreviado del *LIBID*), **bid rigging** (manipulación de las licitaciones; maquinaciones para alterar el precio del remate; V. *collusive tendering*), **bid scheduling** (ordenación de las ofertas), **bid security** (garantía de seriedad de la licitación), **bid submission** (presentación de ofertas), **bid wanted, BW** (se invita a la presentación de pujas), **bidder** (postor), **bidder shareholders** (accionistas de la empresa adquirente), **bidding**[1] (licitación, puja, oferta, postura, subasta; pliego de condiciones; V. *competitive bidding, auction; basket bidding*), **bidding**[2] *US* (REL LAB solicitud de empleo), **bidding conditions/specifications/form** (pliego de condiciones, bases de licitación), **bidding documents** (documentos de licitación), **bidding notice** (aviso de subasta o licitación), **bidding panel** (BOLSA panel de licitación), **bidding war** (guerra de oferta), **bidwinner bidder** (concursante, postor, pujador, licitador, licitante, oferente; suele formar expresiones como *best bidder, lowest bidder, etc.*; V. *successful bidder, by-bidder; information for bidders; tenderer; offerer; adjudication of the contract to the lowest bidder*)].

biennial *a*: bienal, cada dos años; V. *biannual*.

BIF *n*: V. *Bank Insurance Fund*.

BIFFEX *n*: V. *Baltic International Freight and Futures Market*.

big *a/adv*: grande; a lo grande; V. *spend big, think big, talk big*. [Exp: **Big Bang** (BOLSA el gran cambio; alude a los cambios de desregulación introducidos en la Bolsa de Londres el día 27 de octubre de 1986), **big, be** *col* (estar de moda, ser popular, venderse bien ◊ *September wheat is big a the moment*), **Big Blue** (BOLSA «gigante azul»; alude a IBM y a sus acciones, consideradas como las mejores entre las *blue chips* —valores bursátiles punteros/estrella/de primera fila, acciones triple A— ◊ *Few stocks can move the market like the Big Blues*), **Big Board** *col US* (Bolsa de Comercio de Nueva York o *New York Stock Exchange*; V. *little board, American Stock Exchange*), **big bucks** *col* (pasta gansa, pasta seria; V. *megabucks*), **big budget project** *col* (presupuesto por todo lo alto), **big cheese/gun/shot/wig** *col* (pez gordo, gerifalte, peso pesado; V. *top manager; brass; high ranking; upper echelon*), **Big Four** (los cuatro grandes bancos ingleses, o sea, Barclays, Lloyds, Midlands y National Westminster; V. *Four Poor*), **big league** *col* (la primera división, el mundo/club de los grandes), **Big Mac** *col* (V. *burgernomics*), **big**

names (los más poderosos/conocidos/famosos), **big push** (gran impulso), **big ticket items** (COMER artículos de importancia), **big time, the** *col* (negocios/política de alto nivel; el mundo de los grandes o de la élite ◊ *They unwisely moved into the financial big time, and soon got their comeuppance*; V. *hit the big time*), **bigger fool theory** (BOLSA teoría de que «siempre hay incautos más cándidos», o «de a todo hay quien gane» o «de que siempre hay tontos más tontos»; según esta creencia, los que contratan valores con resultados negativos siempre encontrarán a otros más incautos a quien endosárselos)].

bilateral *a*: bilateral. [Exp: **bilateral contract/agreement/treaty** (contrato/acuerdo/tratado bilateral; V. *mutual, reciprocal*), **bilateralism** (bilateralismo)].

bilk *col v*: estafar, defraudar, dejar a alguien empantanado, dar plantón a alguien ◊ *They bilked us out of a million quid*.

bill[1] *n/v*: factura, cuenta; facturar ◊ *Ratepayers will be billed for water next month*; V. *bill of sale; account*. [Exp: **bill**[2] (efecto de comercio, letra de cambio; V. *bill of exchange, acceptance bill, accommodation bill, bank bill, promissory bill, treasury bill*), **bill**[3] (letra del Tesoro, bono de caja; V. *Treasury bill*), **bill**[4] (cartel de anuncios ◊ *No bills* —Se prohíbe fijar carteles—), **bill**[5] *US* (billete de banco; V. *banknote*), **bill**[6] (proyecto de ley; ley básica o fundamental), **bill**[7] (lista; relación, partida; V. *list of materials*), **bill**[8] (DER escrito de petición, instancia o súplica; recurso; acta, auto; cédula, documento, certificado, patente), **bill**[9] (etiquetar; V. *label*), **bill after date** (letra con vencimiento fijo), **bill after sight** (letra a plazo; V. *at sight*), **bill at usance** (letra de cambio a uso; V. *usance bill*), **bill book/diary** (registro de letras), **bill broker** (FINAN corredor de obligaciones, corredor de cambios, agente de letras, intermediario de efectos; V. *acceptance market, discount houses/market; running broker*), **bill check** US (cheque), **bill collection** US (BANCA aplicación de efectos), **bill discount** (descuento de efecto), **bill dishonoured by non-acceptance** (letra impagada por falta de aceptación), **bill for collection** (letra al cobro), **bill holder** (tenedor de una letra), **bill in collection** (BANCA efecto en gestión de cobro), **bill mountain** (letras descontadas, en poder del Banco de Inglaterra), **bill obligatory** (pagaré), **bill of adventure** (COMER factura por cuenta y riesgo del propietario; V. *adventure*), **bill of costs** (pliego de costas), **bill of credit** (carta de crédito; V. *letter of credit*), **bill of debt** (pagaré; V. *promissory note, note, note of hand*), **bill of entry** (declaración de aduanas hecha por el importador; V. *captain's entry, customs entry*), **bill of exceptions** (pliego de excepciones), **bill of exchange** (FINAN letra de cambio; V. *draft, accommodation bill of exchange; irrevocable letter of credit; drawer; drawee, payee*), **bill of exchange for collection** (efecto o letra de cambio al cobro), **bill of favour** (efecto de favor), **bill of guarantee** (aval), **bill of freight** (contrato de transporte, carta de acarreo, carta de porte), **bill of goods** (partida de mercancías vendidas), **bill of health, b/h** (certificado sanitario; patente de sanidad; la patente de sanidad ha sido sustituida por la *Maritime Declaration of Health* —Declaración Marítima de Sanidad—, expedida por el capitán; V. *clean bill of health, foul bill of health*), **bill of lading, blading, B/L** (TRANS MAR conocimiento de embarque, transporte de mercancías en régimen de conocimiento; V. *certified bill of lading, clean bill of lading, common carrier bill of lading, direct bill of lading, foul bill of lading, full bill of lading, named bill of lading, on board bill of lading, straight bill of lading, through bill of lading, truck bill of lading, stale bill of lading; mate's receipt, sight draft with negotiable bill of lading attached*), **bill of lading to bearer/named person** (conocimiento de embarque al portador/nominativo; V. *negotiable bill of lading, blank bill of lading*), **bill of lading to order** (conocimiento de embarque a la orden), **bill of materials** (relación de materiales), **bill of particulars** (análisis), **bill of quantities** (estimación cuantitativa; V. *priced bill of quantities*), **bill of sale** (COMER factura, comprobante o documento de venta; vendí; contrato/escritura de compraventa de bienes muebles), **bill of sight** (COMER permiso provisorio; alude a la autorización dada por el importador al vista de aduanas para que inspeccione la mercancía importada a fin de poder describirla con detalle en los documentos; V. *perfect the sight*), **bill of sufferance** (TRANS MAR permiso aduanero autorizando la descarga en determinados puertos; carta de exención; V. *suffer, sufferance wharf*), **bill of trading** (conocimiento de embarque), **bill of transaction** (nota de negociación), **bill of weight** (nota de peso), **bill/s payable** (letra/s a pagar; obligaciones a corto plazo; V. *current liabilities*), **bill portfolio/holdings** (cartera de efectos), **bill rate** (V. *discount rate*), **bill/s receivable** (letra o efecto al cobro; V. *current assets*), **bill register** (registro de letras; V. *discount register*), **bill renewal** (BANCA renovación de una letra), **bill tax** (timbre o póliza que se aplica a las letras de cambio), **bill with documents attached** (letra documentaria, también llamada *documentary draft*), **billboard** *US* (valla publicitaria, cartelera, panel de publicidad al aire libre; carátula de televisión; V. *advertisement hoardings*), **billed principal** *US* (principal de la factura), **billed weight** (TRANS peso facturado), **billing** *US* (facturación; documentación; V. *invoicing*), **billing agent** (organismo agente de cobranza), **billing cycle** (periodicidad/ciclo de facturación), **billing error** *US* (error contable), **bills and notes** (efectos o títulos negociables; V. *bankable*), **bills due** (documentos vencidos o por pagar), **bills for collection** (efectos a cobrar), **bills in set** (letras con sus documentos), **bills on hand** (efectos en cartera), **bills payable** *US* (efectos a/por pagar; V. *accounts payable*), **bills receivable** *US* (efectos a/por cobrar; V. *accounts receivable*)].

billion, bn *n*: mil millones en los Estados Unidos; en el pasado, un millón de millones en el Reino Unido; ahora la acepción más frecuente es la de los Estados Unidos, aunque a veces la situación puede ser confusa; *trillion*.

BIM *n*: v. *British Institute for Management*.

BIMCO *n*: V. *The Baltic and International Maritime Conference*.

bimetalism *n*: patrón bimetálico, bimetalismo; V. *two-metal/double standard gold, standard gold exchange standard*.

BIN *n*: V. *bank identification number*.

bind¹ *v*: atar; V. *bound with steel traps*. [Exp: **bind²** (vincular-se, obligar-se, dar una garantía), **bind³** *col* (apuro, atasco, problema; lata, fastidio; V. *double bind*); **bind oneself** (comprometerse, vincularse, obligarse; V. *honour; reject, refuse to accept*), **binder¹** (archivador), **binder²** *US* (SEG póliza de seguros provisional, nota de cobertura, llamado *cover note* en Gran Bretaña; documento acreditativo de cobertura extendido por una compañía de

seguros; V. *voucher*), **binding** (vinculante, obligatorio, preceptivo; con fuerza jurídica; atadura; V. *legally binding, obliging, mandatory*), **binding contract** (contrato vinculante), **binding cover** (poder de suscripción), **binding precedent** (precedente vinculante)].

biodegradable *a*: biodegradable.

BIR *n*: V. *Bureau of Internal Revenues*.

birth *n*: nacimiento. [Exp: **birth rate** (tasa de natalidad; V. *natality rate; mortality rate*), **birth spacing** (espaciamiento de los nacimientos)].

BIS *n*: V. *Bank for International Settlements*.

bisque clause *n*: cláusula de modificación parcial.

bite the bullet Exp: aguantar, «tragar», soportar las adversidades.

biz *n*: V. *showbiz*.

B/L *n*: V. *bill of lading*.

black¹ *a/v*: negro; V. *move into the black; red*. [Exp: **black²** (boicotear, imponer restricciones ◊ *Liverpool dockers have blacked goods bound for that country*), **black, be in the** *col* (tener saldo acreedor; con saldo contable positivo; V. *in the red; go into the red; red ink*), **black box¹** (CONT caja b; caja de operaciones contables no anotadas en los libros oficiales, correspondiente al llamado «dinero negro»), **black box²** (TRANS caja negra; registrador indestructible que conserva información sobre los vuelos), **black box concept/model** (FINAN modelo científico o de caja negra en la formación de carteras), **black book** (SOC libro negro; alude al folleto de valores de publicación interna; V. *abridged prospectus*), **black clause** (DER cláusula prohibida), **black/parallel/underground/submerged economy** (economía subterránea/ paralela), **black knight** (BOLSA caballero negro; tiburón; financiero que compra sigilosamente acciones de una empresa para lanzar una «opa» o para «calentar» títulos haciendo subir su cotización; V. *grey knight; white knight; raider, greemailer*), **black-market/economy** (mercado negro, contrabando, economía sumergida, estraperlo), **black market dealer** (estraperlista), **black list, blacklist** (COMER lista negra, poner en la lista negra), **black-market exchange** (cambio de contrabando), **blacking** US (boicoteo; V. *boycott*), **blackleg** (esquirol; V. *scab*), **blackmail** (extorsión, chantaje; extorsionar, chantajear), **blackmailer** (chantajista, extorsionista)].

blading, B/L *n*: acrónimo de *bill of lading*.

blank *a/n*: en blanco; espacio en blanco; papel en blanco; aplicado a instrumentos comerciales indica la falta de algún dato fundamental, el tomador, la fecha, etc. [Exp: **blank acceptance** (aceptación a descubierto), **blank bill** (letra de cambio en blanco; carece del nombre del beneficiario o *payee*), **blank-check buying** US (COMER pedido en blanco; lo hace el minorista al mayorista, sin indicar el número de unidades, con objeto de permitir un suministro continuo), **blank cheque** (cheque en blanco), **blank credit** (crédito en blanco), **blank, in** (en blanco, al descubierto), **blank endorsement** (endoso en blanco; V. *general endorsement*)].

blanket *n*: manta; V. *average blanket rate*. [En función atributiva tiene el significado de «general, global, total». Exp: **blanket agreement** US (REL LAB negociación sectorial), **blanket assignment** (cesión en bloque), **blanket bond** (fianza general o colectiva; V. *banker's blanket bond*), **blanket clause** (cláusula general), **blanket cover** (SEG cobertura contra todo riesgo), **blanket coverage**[1] (PUBL publicidad dirigida al público en general), **blanket coverage**[2] (SEG cobertura global), **blanket effect** (efecto

generalizado), **blanket family brand** (V. *family brand*), **blanket insurance** (TRIB seguro general; seguro a todo riesgo; V. *package insurance*), **blanket licensing** (concesión de licencias generales), **blanket mortgage** (hipoteca general o abierta, también llamada *blanket trust deed*), **blanket order** US (COMER pedido general; suele hacerse antes del comienzo de la temporada), **blanket policy**[1] (SEG póliza abierta, integral, global o general; en ella con una cantidad global se aseguran desde los edificios hasta los daños por deslealtad de los empleados; V. *fidelity guaranty policy; banker's blanket bond*), **blanket policy**[2] (SEG póliza general para unidades de un conjunto, por ej., una flota de autobuses), **blanket price** (precio global, precio a tanto alzado), **blanket rate** (SEG tarifa general; la misma tarifa se aplica de manera uniforme a conceptos distintos), **blanket trust deed** (V. *blanket mortgage*), **blanket refusal** (negativa general)].

blarney *col n*: PUBL camelo, labia, coba, zalamería, marrullería.

blatant *a*: claro, manifiesto, evidente, descarado.

bleed *v*: sangrar; desangrar, explotar. [Exp: **bleed sb white** *col* (REL LAB explotar a alguien vilmente; sacarle a uno hasta la última gota de sangre ◊ *The company bled its workers white*)].

blend *n/v*: mezcla; combinación; mezclar, combinar. [Exp: **blend country** (país que puede obtener financiación del BIRD y de la AIF), **blended rate** (FINAN tipo de interés combinado; V. *wrap-around mortgage, assumable mortgage*), **blending of flows** (combinación de financiamiento)].

blind[1] *a*: ciego; confuso, poco claro. [Exp: **blind**[2] *col* (tapadera, empresa falsa o inexistente; V. *front*), **blind brokering**

(BOLSA intermediación ciega/anónima de valores; el intermediario mantiene el anonimato de las dos partes), **blind entry** *US* (CONT asiento ciego), **blind dealer** (MERC FINAN/PROD/DINER mediador ciego), **blind selling** (venta a ciegas), **blind test** (COMER, MERC prueba aleatoria), **blind trust** (fideicomiso/gestor/administrador de un *trust* ciego; este *trust* está gestionado por administradores anónimos desconocidos por el propietario, que no mantienen relaciones de ningún tipo con la persona que ostenta la propiedad, mientras ésta ejerce su carrera política)].

blighted area *n*: zona de pobreza.

blister *n*: ampolla. [Exp: **blister pack** (TRANS envase burbuja; empaquetado vesicular; embalaje de plástico de burbuja; V. *bulge packaging; bubble card/pack; breathing package; corrugated box; shrink-wrapped*)].

blitz *n/v*: PUBL campaña publicitaria intensísima; bombardeo/ataque publicitario intenso; bombardear; V. *advertising blitz, gradual build-up campaign*.

bloated *adj*: hinchado, falto de agilidad, sobredimensionado, abotargado, ineficiente, desproporcionado; S. *swollen, overdeveloped; outsize, inefficient; top-heavy*. [Exp: **bloated business** (empresa carente de agilidad ◊ *They're trying to streamline a bloated business*)].

block *n/v*: bloque, paquete; manzana de casas; bloquear; retener; V. *tier, tranche*. [Exp: **block an account, currency, funds, etc.** (bloquear, embargar o congelar una cuenta, dinero, fondos, etc.; V. *freeze, control*), **block grant** (subvención global), **block coefficient** (TRANS MAR coeficiente de afinamiento cúbico; se utiliza en la fijación del espacio disponible para la carga), **block insurance** (seguro transporte para un conjunto de partidas pequeñas), **block letters, in** (con letras mayúsculas; V. *in capital letters*), **block limit** (SEG cantidad máxima que una compañía está dispuesta a asegurar en determinado sector), **block negotiations** (negociación de bloques de control), **block of shares** (BOLSA paquete de acciones; V. *batch; body of shareholders, blockholders*), **block order exposure system, blox** (BOLSA sistema de compra-venta masiva de valores a través del *TOPIC*), **block policy**[1] (póliza a prima fija para transporte dentro de Gran Bretaña, sin necesidad de declarar el contenido de lo transportado), **block policy**[2] *US* (SEG póliza a todo riesgo para determinados gremios, por ej., los joyeros), **block positioner** *US* (BOLSA agente/corredor de grandes lotes de títulos; V. *floor dealer*), **block release** (licencia de tiempo completo), **block release course** (REL LAB curso de perfeccionamiento profesional que dura un determinado período de días, semanas o meses y para el cual la empresa le concede permiso al empleado; V. *day release, sandwich course*), **block sale** (BOLSA venta de acciones por paquetes), **block system** (SEG sistema de seguros de vida populares —*industrial life assurance*— asignado en exclusiva a un agente), **block trade** *US* (BOLSA contratación en Bolsa de paquetes de acciones o de grandes cantidades de un mismo valor), **block stock** *US* (BOLSA contratación de valores en grades cantidades; V. *block trade*), **block storage** (almacenaje en bloque; V. *dynamic/random/shelf storage*), **block trading** (BOLSA contratación de grandes paquetes/bloques de acciones; S. *basket trading*), **blockade/blocking** (bloqueo), **blocked account** (cuenta bloqueada o embargada por razones políticas, de control de cambio, quiebra, intervención judicial, etc.; V. *frozen account*), **blocked**

currency account/trading (cuenta/contratación en divisas bloqueadas por control de cambio gubernamental), blocked/frozen deposit (depósito bloqueado), blocked paragragh (párrafo no sangrado; V. *indented paragraph*), blocked period (plazo de suspensión o de espera obligatorio), blocked units (SOC acciones no negociables durante cierto tiempo; acciones/obligaciones sometidas a plazo de suspensión por haberse extraviado, etc.), blockholders (tenedores de bloques de acciones)].

blotter¹ *n*: papel secante. [Exp: blotter² (CONT libro de operaciones registradas por orden cronológico)].

blow *v*: soplar. [Exp: blow/lose one's cool *col* (perder los nervios, ponerse histérico; V. *keep one's cool*), blow up¹ (estallar, explotar; saltar por los aires ◊ *The dirty tricks campaign blew up in their faces*), blow up² (hinchar, inflar; ampliar, exagerar, sacar las cosas de quicio ◊ *The mistake in the account has been blown up out of all proportion*)].

blue *a*: azul; ◊ *big blue*. [Exp: Blue book¹ *col* (publicación de la Oficina Central de Estadística —*Central Statistical Office*— conocida coloquialmente como «Libro Azul»; V. *Green book, Ship's Blue book, White book*), blue book² *US* (V. *green book, beige book*), blue-chip (de confianza, estelar, de primera fila ◊ *JP Morgan is a blue-chip American bank*), blue chips, blue chip stock (FINAN valores punteros/estrella, títulos de primera, acciones triple A), blue chip stock (BOLSA valores seguros, valores punteros en bolsa, valores sólidos o de toda confianza; V. *leaders, gilt-edged securities, high grade bond, fallen angel*), blue-collar worker (REL LAB obrero manual; V. *white-collar worker*), Blue list *US* (BOLSA relación de las cotizaciones, intereses, fechas de amortización, etc. de bonos de carácter municipal, publicada diariamente por *Standard and Poor*), blue peter (TRANS MAR bandera de partida de un buque), blue-sky laws *US* (BOLSA, DER normativa del mercado de valores, leyes sobre emisión y contratación de valores normativa reguladora del control de emisión y adquisición de valores; mediante estas normas algunos estados norteamericanos exigen que los valores que se contratan en dichos estados deben registrarse previamente en ellos, con el fin de proteger a los inversores de títulos problemáticos), blueprint¹ (cianotipo, copia heliográfica), blueprint² *col* (proyecto, plan), blueprint planning (planificación detallada)].

bn *n*: V. *billion*.

board¹ *n/v*: órgano rector, concejo, consejo de administración, tribunal, junta directiva; embarcarse, subir a un avión, etc.; V. *on board; arbitration board, draft board, managing board; aboveboard*. [Exp: board³ (tablón; V. *plank; across the board*), board⁴ (comidas, alimentos, pensión, manutención), board bill of lading, on (TRANS MAR conocimiento que atestigua que la mercancía está a bordo), board dismissal (cese o cambio del consejo de administración), board lot *US* (BOLSA lote completo de acciones; normalmente unidades de 100 títulos de cualquier valor de la Bolsa de Nueva York, también llamado *full lot*; V. *odd-lot order; broken lot*), board meeting (junta del consejo), board member/board-member (vocal de un consejo o junta), board of banking institutions (BANCA inspección general de las instituciones bancarias del Reino Unido; V. *regulators*), board of directors (junta o consejo directivo, consejo de administración), board of conciliation (comisión arbitral, consejo de arbitraje), **Board of Customs and Excise** (Dirección/Junta General del Servicio de Aduanas o de Aranceles; V. *Board of Inland Revenue*), **Board of Equalization** (junta de revisión de avalúos), **Board of Governors of the Federal Reserve** US (Junta Rectora de la Reserva Federal; V. *registered bank holding companies*), **Board of Inland Revenue** (Dirección/Junta General de la Hacienda Pública del Reino Unido; V. *Commissioners of Inland Revenue*), **Board of management** (consejo de dirección/gestión; V. *managing board*), **board of trade**[1] US (lonja de contratación; asociación/junta comercial), **Board of Trade**[2] (Ministerio de Comercio; el nombre actual es *Department of Trade*), **Board of Trade Clearing Corporation** US (Cámara de Compensación del *Chicago Board of Trade*), **board of trustees** (consejo de fideicomisarios, patronato, junta o consejo de síndicos, consejo de gerencia, consejo de gestión), **board of underwriters** (junta o consejo de aseguradores), **board, on** (a bordo; V. *take on board*), **board seat** (puesto en el consejo de administración), **boarding card** (TRANS tarjeta de embarque), **boardroom** (sala de juntas; V. *assembly room*)].

boat *n*: barco. [Exp: **boat, by** (en barco; V. *by rail/plane*), **boatage** (TRANS MAR derechos por el uso de amarras, etc.), **boat-load** (cargamento; buque cargado de; se refiere indistintamente a la cantidad o al tipo de carga transportada ◊ *A boat-load of bananas/refugees, etc.*)].

body *n*: organismo, órgano, institución, cuerpo; contenido, volumen, caudal, masa. [Exp: **body, as a** (colectivamente, en pleno), **body copy** (PUBL texto principal de un anuncio), **body corporate** (persona jurídica, sociedad anónima; se puede decir indistintamente *body corporate*

o *corporate body*; V. *artificial person, juristic person*), **body of a deed/document/law** (DER contenido sustantivo u operativo de una escritura, un documento; disposiciones sustantivas de una ley), **body of an estate** (caudal de una herencia), **body of creditors** (masa de acreedores), **body of rules** (cuerpo/ conjunto de disposiciones), **body of shareholders** (accionariado; V. *block of shares*)].

BOE *n*: V. *barrels of oil equivalent*.

bog down *v*: empantanar-se, meter-se en un atolladero, enredar-se ◊ *The negotiations got bogged down in technicalities*.

bogus *a*: falso, fraudulento, espurio, imitado; V. *counterfeit, hoax, impersonate*. [Exp: **bogus firm** (empresa fantasma), **bogus money** (dinero falso; V. *base coin/money; bad money*)].

boil *v*: hervir; V. *go off the boil*. [Exp: **boil up** (alcanzar el punto de ebullición), **boiler** (caldera), **boiler insurance** (seguro contra incendios), **boiler plate** US col (DER cláusulas fijas, normalizadas o esenciales de un contrato), **boiler room** col (BOLSA chiringuito financiero; agencia especializada en la compraventa de valores por teléfono ·de dudosa legalidad; sala de calderas/máquinas; V. *bucket shop*)].

BOLO FINAN *n*: V. *borrower's option-lenders option*.

bona fide *a*: de buena fe, auténtico, sin engaño o mala intención; V. *hoax, bogus*. [Exp: **bona fide error** (error de buena fe), **bona fide holder** (titular de buena fe, tenedor en buena fe), **bona fide transaction** (negocio de buena fe)].

bond[1] *n/v*: contrato, caución, obligación; garantizar, consolidar. [Exp: **bond**[2] (BANCA, BOLSA bono, obligación, pagaré, título, cédula; V. *fixed-interest securities, mortgage bond, bank bond; joint bond; note*), **bond**[3] (TRANS MAR depósito aduanero; V. *bonded, in bond*), **bond**[4] (fianza, garantía, caución; garantizar; V. *payment bond, permit bond, performance bond, statutory bond*), **bond⁵** (vínculo, lazo), **bond⁶** (pacto, compromiso, abono; V. *appraisement bond*), **bond and mortgage** (escritura de préstamo e hipoteca), **bond anticipation note** (FINAN bono/pagaré anticipado de caja amortizable con una emisión de bonos prevista; lo extienden organismos públicos para llevar a cabo ciertas mejoras y se amortizan con el importe de una emisión de títulos a largo plazo), **bond backed by commercial paper** (BANCA bono comercial), **bond basis** (FINAN base de bonos; base para el cálculo de los intereses de bonos de los euromercados), **bond certificate** (título de obligaciones), **bond company** (compañía de fianzas), **bond creditor** (acreedor con caución), **bond debenture** (obligación hipotecaria), **bond discount** (descuento sobre bonos), **bond for demurrage** (TRANS MAR garantía para demoras o sobrestadías; V. *laytime*), **bond for title** (pacto condicionado de traspaso), **bond forfeiture** (caducidad de la fianza), **bond guarantor** (garante), **bond, in/under** (TRANS MAR en depósito, afianzado, en admisión temporal, en aduana, bajo recinto aduanero; V. *in escrow, in trust, take out of bond*), **bond income** (FINAN bono cuyos dividendos se abonan cuando se cobran los rendimientos de los activos titulizados; V. *pass-through securities; securitization; conduit; collateralized mortgage obligations; asset/mortgage-backed securities, MBS; mortgage closing date; MBS*), **bond indenture/ deed of trust** (escritura de emisión de bonos; contrato de empréstito; V. *indenture; call privilege*), **bond investment** (SEG contrato de capitalización), **bond issuance/issue** (emisión de bonos/obligaciones; emprés-

tito), **bond issue in default** (empréstito sobrevencido), **bond loan** (empréstito de amortización), **bond market** (mercado de valores de renta fija), **bond note** (certificado de depósito, garantía de depósito; V. *certificate*), **bond of assignee** (fianza del cesionario), **bond of indemnity** (contrafianza, fianza de indemnización; V. *indemnity bond, back bond*), **bond of notary** (fianza notarial), **bond premium** (BOLSA prima de un bono), **bond rating** (calificación de solvencia, clasificación de un bono fijada por alguna de las agencias especializadas o *rating agencies/bureaux*; V. *AAA*), **bond ratio** (SOC coeficiente de endeudamiento en obligaciones; este coeficiente se calcula en relación con el valor nominal de las acciones de una sociedad más sus reservas), **bond repos** (repos de deuda), **bond secured on landed property** (bono hipotecario garantizado con bienes raíces), **bond secured on personal property** (bono garantizado con bienes personales), **bond sinking fund** (SOC fondo destinado a la amortización de bonos), **bond tables** (BOLSA tablas matemáticas que dan el precio de compra de un bono en el mercado secundario teniendo en cuenta su rendimiento al vencimiento total; V. *yield to maturity; basis price*), **bond warrant** (certificado de almacén o de depósito), **bond washing** (BOLSA lavado de cupón/bono; venta y recompra en Bolsa de los mismos valores para evitar pagar impuestos, justificando minusvalías o disminuciones patrimoniales; V. *tax avoidance, dividend stripping*), **bond yield** (FINAN tasa de rendimiento de un bono), **bonds and stocks securities** (valores mobiliarios)].

bondage *n*: servidumbre, atadura; V. *easement*.

bonded[1] *a*: garantizado por compromiso escrito, afianzado, hipotecado, asegurado. [Exp: **bonded**[2] (TRANS MAR en depósito aduanero; depositado bajo fianza para el pago de los derechos arancelarios), **bonded area** (TRANS MAR zona franca; V. *free trade zone*), **bonded debt** (CONT deuda consolidada o afianzada, garantizada con pagarés u obligación escrita; deuda de bonos u obligaciones; pasivo representado por bonos), **bonded goods** (TRANS MAR mercancías en depósito o almacenadas, sujetas al pago de derechos arancelarios), **bonded industrial estate** (zona industrial en régimen de franquicia aduanera), **bonded stores** (provisiones en depósito), **bonded warehouse** (TRANS MAR almacén general de depósito; depósito aduanero, depósito franco, almacén de depósito o afianzado, bodega fiscal; V. *approved place*), **bonder** (depositario), **bondholder** (tenedor de bonos, bonista, obligacionista; V. *obligor, obligee; shareholder*), **bonding** (depósito en almacén de aduanas; almacenamiento de mercancías; fianza), **bonding company** (compañía fiadora o avalista), **bondsman** (fiador, garante, afianzador, persona que da fianza por otra; V. *backer, guarantor*)].

bonus[1] *n*: prima, plus; paga extra/extraordinaria, gratificación; sobresueldo; V. *productivity bonus, cost-of-living plus; danger money; export bonus, Christmas bonus*. [Exp: **bonus**[2] (bono, bonificación; V. *no-claims bonus, discount*), **bonus**[3] (BOLSA dividendo extraordinario), **BONUS**[4] (V. *Borrowers option for notes and underwritten standby*), **bonus clause** (cláusula sobre primas), **bonus issue** (SOC emisión gratuita; dividendos en acciones; entrega de acciones gratuitas o liberadas, también llamado *scrip issue* y *capitalization issue*, y en los Estados Unidos *stock dividend* y *stock split*), **bonus premium** (prima), **bonus right** (derecho de atribución), **bonus scheme** (plan de bonificación), **bonus shares/stock** (BOLSA, SOC acciones liberadas, acciones gratuitas; acciones con prima; V. *stock dividend; cash bonus; part-paid stock; share premium account*), **bonus scheme** (REL LAB sistema de participación en beneficios)].

book *n/v*: libro; libro de contabilidad, oficial, etc.; anotar; inscribir; reservar ◊ *We booked rooms for the visitors*; V. *booking; overbooking*. [En su función atributiva, *book* suele significar «contable» o «en libros», como en *book debts/entries/losses/profits* —deudas/asientos/pérdidas/beneficios contables—. Exp: **book account** (CONT cuenta abierta por asiento contable), **book asset** (activo contable), **book benefit** (CONT beneficio de balance, contable o según libros), **book cost** (coste contable), **book depreciation** (CONT depreciación contable), **book entry** (asiento contable), **book-entry security** (BOLSA valor emitido como anotación en cuenta ◊ *Nearly all Treasury Securities are issued in book-entry form*; V. *definitive security*), **book of minutes/proceedings** (libro de actas; V. *record of proceedings*), **book rate** (CONT tipo contable), **book value, bv**[1] (CONT valor contable, en cuentas o en libros; valor de balance), **book value, bv**[2] (FINAN valor de una acción en circulación), **book value per share** (valor de balance por acción), **book-keeper** (tenedor de libros, contable; V. *account clerk*), **book-keeping** (contabilidad, teneduría de libros; V. *single/double bookkeeping*), **book-keeping entry** (asiento contable), **booking** (reserva; inscripción; V. *overbooking*), **booking note** (TRANS MAR nota de muelle; se trata de un contrato de carga en buques de línea regular; V. *berth note*), **booking office** (taquilla de atención al público, oficina de reservas), **bookmaker** (corredor de apuestas; V. *bookie*), **books, in** (de acuerdo con la contabilidad, según libros), **books surplus** (superávit en libros), **books, per** (CONT según libros; de acuerdo con los registros contables)].

bookie *col n*: corredor de apuestas; V. *bookmaker*.

boom *n/v*: auge, bonanza; expansión, alza, crecimiento rápido o desenfrenado; alza coyuntural; prosperar; ir viento en popa; ir para arriba; V. *prosperity; crash, recession, boost*. [En posición atributiva significa «expansivo», «en bonanza», «en alza/expansión». Exp: **boom in demand** (alza en la demanda), **booming** (próspero, en expansión, en alza), **booming sector** (ECO sector en alza)].

boost[1] *n/v*: empujón, estímulo, ímpetu, balón de oxígeno, incremento, aumento, alza; empujar, reactivar, aumentar, alentar, animar, impulsar, estimular, fomentar ◊ *The cuts in interest rates have given industry a boost*; V. *give a boost; shove, hoist; boom*. [Exp: **boost**[2] (PUBL bombo, publicidad, propaganda publicitaria), **boost morale** (dar una inyección de moral, levantar los ánimos ◊ *Publication of the sales figures has boosted morale*; V. *shot in the arm*), **boost production/sales** (estimular la producción, las ventas), **boost the image** (impulsar la imagen ◊ *They're trying to boost the company's image*), **boost the economy** (reactivar la economía)].

boot *n*: bota, cobro en metálico. [Exp: **boot money** *US col* (COMER comisión adicional), **boot share** *US* (BOLSA acción adicional de bonificación), **bootstrap** (con los recursos propios), **bootstrops,**

by one's [own] (por/gracias a los esfuerzos de uno, sin ayuda de nadie)].

booth *n*: puesto, cabina, local de exposición; V. *stall, stand*.

bop *n*: V. *balance of payments*.

border *n*: frontera. [Exp: **border charges and fees** (gravámenes y derechos percibidos en frontera), **border price** (precio en frontera), **border tax adjustment** (TRIB ajuste fiscal en frontera), **border taxes** (impuestos fronterizos), **borderline** (filo de la navaja, borde del abismo, límite), **borderline case** *col* (caso dudoso o límite)].

bordereau[1] *n*: SEG, DER anexo de un contrato, en especial en pólizas de reaseguro, etc., también llamado «borderó»; boletín de aplicación; V. *annex*. [Exp: **bordereau**[2] (BANCA nota de aceptación o liquidación, borderó; V. *acceptance slip*)].

borrow *v*: pedir/tomar prestado; tomar a préstamo, pedir en préstamo. [Exp: **borrow-all policy** (SEG póliza de seguros que permite pedir prestado a la compañía el importe total de la prima anual), **borrow on bottomry** (tomar prestado a la gruesa; V. *bottomry loan*), **borrowed** (prestado, ajeno), **borrowed capital** (capitales prestados), **borrowed funds** (fondos ajenos), **borrowed reserves** *US* (BANCA reservas prestadas; se trata de préstamos «día a día» a bancos comerciales hechos por la Reserva Federal para mantener su nivel legal de reservas), **borrowed resources** (SEG recursos debidos a terceros), **borrower** (prestatario, tomador, comodatario; V. *lender*), **borrower's option for notes and underwritten standby, BONUS**[4] (FINAN modalidad *Bonus* del programa de asignación de títulos entre las entidades garantes para su colocación, también llamado *global note facility*; esta modalidad consta del compromiso de suscripción a medio plazo por parte de los bancos y permite al prestatario disponer de los fondos en el mismo día; V. *tender panel agreement*), **borrower's option-lenders option, BOLO** (FINAN bono con tipo de interés flexible a opción de la entidad emisora; si el tenedor del bono no está de acuerdo con el nuevo tipo de interés tiene derecho al reembolso inmediato del bono), **borrowing** (endeudamiento, préstamo, empréstito; solicitud de crédito; V. *indebtedness; loan, foreign borrowing, internal borrowing*), **borrowing against bill/security pledging** (préstamo con compromiso de recompra de la prenda o garantía), **borrowing capacity/power** (capacidad de endeudamiento), **borrowing company** (sociedad emisora/prestataria), **borrowing country** (nación deudora o prestataria; V. *debtor country*), **borrowing on a pass-through basis** (FINAN préstamo con amortización fijada con los rendimientos empresariales de aquél cuando se generen; V. *pass-through basis*), **borrowing power** (V. *borrowing capacity*), **borrowing powers** (SOC autorización para solicitar créditos o empréstitos), **borrowing rate** (tipo de interés de los empréstitos), **borrowings** (deuda)].

boss *n*: jefe, patrón; V. *manager, foreman, supervisor*. [Exp: **boss, be one's own** (no depender de nadie, llevar uno personalmente todos sus asuntos)].

Boston *n*: Boston. [Exp: **Boston Consulting Group portfolio analysis** (GEST análisis de carteras de productos del Grupo de Consultores de Boston; también llamado *BCG portfolio*, es una de las técnicas de análisis de carteras de productos —*products, SBU*— basada en dos criterios, el crecimiento del mercado —*market growth*— y la cuota relativa de mercado —*relative market share*—; de acuerdo con este análisis nacen cuatro estrategias de inversión de productos, a saber, de crecimiento —*build*—, de mantenimiento —*hold*—, de recogida de beneficios —*harvest*— y de desinversión —*divest*—; de acuerdo con la cuota relativa de mercado, los productos se clasifican en *star, cash cow* y *dogs*), **Boston interest** (FINAN interés en el mes comercial), **Boston matrix** (FINAN método de análisis de carteras de Boston; utiliza este método en su análisis/representación asteriscos), **Boston trustee** *US* (fideicomisario principiante)].

bot *col US n*: BOLSA forma coloquial de *bought*, comprado.

BOT *n*: V. *Board of Trade*.

both *a/n*: ambos. [Exp: **both dates included, bdi** (ambas inclusive, ambas fechas incluidas), **both ends** (TRANS MAR en los puertos de carga y descarga; V. *dispatch money payable at both ends*), **both-to-blame collision clause** (SEG abordaje imputable a ambos buques; cláusula incluida en los contratos de fletamento y conocimientos de embarque, de aplicación en caso de abordaje culpable bilateral; V. *collision, accidental collision, negligent collision; rules of the road*)].

bottle *n*: botella. [Exp: **bottle hanger** (PUBL collarín; anuncio que cuelga en forma de etiqueta), **bottled water** (agua mineral), **bottleneck** (atasco, cuello de botella, estrangulamiento, obstrucción; V. *congestion, traffic jam*), **bottleneck analysis** (análisis de la capacidad limitante), **bottleneck inflation** (ECO inflación de demanda), **bottleneck monopoly** (monopolio de estrangulamiento)].

bottom[1] *n*: parte baja o inferior; V. *knock the bottom out of something; hit/rock* *bottom.* [Exp: **bottom²** (BOLSA suelo; cotización más baja en bolsa; V. *bottom out; rock bottom; double bottom*), **bottom³** (TRANS MAR buque de carga), **bottom has fallen out of the market, the** (BANCA, MERC se ha hundido/derrumbado el mercado; los precios están en caída libre), **bottom line¹** (CONT saldo final o total; balance final; líquido a recibir; V. *closing balance*), **bottom line²** (CONT línea de rentabilidad), **bottom line³** (PUBL punto de mayor importancia o significado en una campaña, venta de producto, etc.), **bottom line⁴** (punto fundamental; resultado final; conclusión, mínimo aceptable), **bottom line is, the** *col* (en una palabra, en resumidas cuentas, fuera de rollos ◊ *The bottom line is we're broke*), **bottom out** (superar el punto más bajo; tocar fondo; alcanzar el punto más bajo y empezar la recuperación ◊ *Market-watchers predict the crisis will end and share prices will bottom out*), **bottom price** (COMER precio último), **bottom straddle** (FINAN «straddle» inferior, también llamado *long straddle*; consiste en comprar simultáneamente una opción de compra —*call option*— y de venta —*put option*—, con los mismos precios de ejercicio —*strike price*— y fechas de vencimiento —*expiry date*—, sobre el mismo activo subyacente —*underlying asset*— especialmente cuando la volatilidad del precio de éste es muy alta; V. *top straddle*), **bottom up approach** (enfoque ascendente, inductivo o de abajo arriba; V. *top-down approach*), método de abajo arriba), **bottomless** (sin fondo/límites), **bottomless pit** (pozo sin fondo)].

bottomry *n*: préstamo a la gruesa; préstamo con hipoteca del barco con el fin de reparar el buque; contrato a la gruesa; *bottomry* casi siempre se emplea en el sentido de *bottomry loan*; V. *borrow on*

bottomry. [Exp: **bottomry bond** (garantía/fianza del préstamo o contrata a la gruesa, contrato de préstamo a la gruesa; hipoteca a la gruesa, contrata a la gruesa; V. *respondentia*), **bottomry loan** (préstamo/empréstito a la gruesa, hipoteca naval; V. *borrow on bottomry*)].

bought *a*: comprado; V. *buy*. [Exp: **bought deal** (SOC emisión adquirida por un consorcio bancario —*bank syndicate*; emisión precolocada; colocación en firme; operación de compra afianzada; método de colocación de acciones por subasta al mejor postor, el cual luego las venderá en el mercado; es polémico el método porque va contra el *pre-emption right* o prioridad que tiene todo accionista a suscribir acciones de nuevas emisiones; V. *rights issue, placing; presold issue*), **bought-in price** (precio de adquisición en almacén; V. *markup margin; buy*), **bought issue** (emisión comprada), **bought ledger** (libro mayor de compras), **bought note** (escritura de compraventa)].

bounce¹ *n/v*: bote, rebote; vitalidad, energía, dinamismo; rebotar, botar, hacer botar ◊ *The marketing manager has plenty of bounce*; V. *bound³*. [Exp: **bounce²** (capacidad de reacción o de recuperación ◊ *The markets have shown a bit more bounce recently*), **bounce³** (BOLSA subida repentina de las acciones, las exportaciones, etc.; subir súbitamente las acciones, el mercado bursátil), **bounce⁴** (BANCA ser devuelto por falta de fondos), **bounce back** (BOLSA recuperarse, mostrar capacidad de recuperación; V. *come bouncing back; plunge*), **bounced/bouncing cheque; bouncer¹** (cheque devuelto, cheque sin fondos; V. *bad cheque; cheque without funds; rubber cheque; dishonour a cheque*), **bouncer** *col* (bravucón encargado de vigilar la seguridad de establecimientos)].

bound¹ *n*: límite; V. *outward bound; out of bounds*. [Exp: **bound²** (atado, sujeto; participio del verbo *bind*; V. *bound with steel traps*), **bound³** (saltar; desbordar; hacer saltar; V. *bounding inflation; bounce*¹), **bound⁴** (parcelar, limitar, ceñir, ajustar; V. *bounded discretion*), **bound for** (TRANS MAR con destino a, con rumbo a ◊ *Liverpool dockers have blacked goods bound for that country*), **bound tariffs** (derechos de aduanas consolidados), **bound with steel traps** (TRANS flejado; V. *bind*), **boundary** (acotación, límite; frontera), **boundary value** (TRIB valor en frontera), **bounded** (acotado; V. *bound⁴*), **bounded discretion** *US* (GEST margen de maniobra limitado; discrecionalidad limitada en la toma de decisiones empresariales; principio de racionalidad limitada; alude al hecho de que la racionalidad de los directivos en la toma de decisiones queda restringida debido a las limitaciones de tiempo, etc.; V. *buck passing; bound⁴*), **bounded rationality** *US* (GEST racionalidad limitada; V. *bounded discretion*)].

bounty *n*: prima, ayuda estatal; subvención; ayuda oficial a la exportación; bonificación; subsidio; generosidad; V. *grant, export bounty; government aid*.

Bourse *n*: Bolsa; se emplea este término francés en la publicaciones especializadas para referirse a las Bolsas de los países de habla distinta de la inglesa, sobre todo de los países europeos; V. *Stock Exchange*.

bout *n*: acceso, ataque, brote. [Exp: **bouts of inflation** (ECO brotes inflacionarios)].

boutique¹ *n*: COMER tienda de ropa de moda. [Exp: **boutique²** (BOLSA, MERC FINAN/PROD/DINER tienda/agencia/casa de Bolsa o de gestión; oficina de asesoramiento financiero; especialista financiero de un sector del mercado, por ej., en compras de sociedades apalancadas, fondos de pensiones, etc.)].

box¹ *n*: caja; casilla; apartado de correos; V. *P.O. Box; corrugated box, ballot box; adding box*. [Exp: **box²** (BOLSA caja fuerte o institución en donde se guardan los títulos mobiliarios aportados por los clientes de un operador bursátil como garantía colateral, llamada normalmente *active box*; V. *sale against the box, safe box*), **box number** (apartado de correos; V. *P.O. Box*), **box/paint oneself into a corner** *col* (verse uno atrapado en las maniobras, confusiones, etc. que uno mismo ha creado; pasarse uno de listo y verse acorralado; marear la perdiz), **box spread** (FINAN combinación de opciones de compra y de venta —*call and put options*— con el mismo precio de ejercicio o *exercise price*), **boxed set** (COMER juego completo de artículos presentado en una caja), **box top offer** *US* (COMER, MERC oferta de reclamo; oferta con premio contenido en la tapadera del envase), **boxcar** *US* (TRANS vagón furgón)].

boycott *n/v*: boicoteo, bloqueo económico; boicotear, aislar; V. *embargo; blacking*.

BP *n*: V. *British Petroleum*.

BPC *n*: V. *bearer participation certificate*.

BPR *n*: V. *business process re-engineering*.

brace¹ *v*: corchete. [Exp: **brace** *US* (TRANS MAR apuntalar/embalar convenientemente)].

bracket *n/v*: grupo, nivel, escalón, estrato, categoría, tramo, clase de personas de acuerdo con sus ingresos, edades, etc.; tramo de renta; sector del abanico salarial; agrupar; V. *salary brackets, age group, income bracket, age bracket, tax bracket; nexus*. [Exp: **bracket creep** (TRIB paso gradual a tasas impositivas más elevadas), **bracket indexation** (TRIB clasificación/ordenación tributaria por grupos de renta; V. *fiscal drag*), **bracket progression** (TRIB progresión escalonada de impuestos), **bracket system** (TRIB método de clasificación tributaria por tramos), **bracket tariff** (TRIB tipo mínimo y máximo), **bracket together** (agrupar)].

BRAD *n*: V. *British Rate and Data.*

Brady bonds market *US n*: mercado de la deuda reestructurada; es un mercado donde se negocia con deuda de los países subdesarrollados normalmente en forma de obligaciones en dólares a largo plazo.

bradbury *col US n*: pagaré del tesoro a medio plazo o *Treasury note.*

brain *n*: cerebro. [Exp: **brain drain** (éxodo o fuga de cerebros o profesionales de prestigio), **brains trust** (asesores especializados; V. *think tank*), **brainstorming** (PUBL tempestad/tormenta de ideas; técnica de grupo utilizada en publicidad, que consiste en celebrar sesiones intensas de intercambio de ideas; V. *nominal group technique*), **brainwashing** (lavado de cerebro, adoctrinamiento)].

branch[1] *n/v*: rama, sector, línea; ramificarse; V. *branch of business.* [Exp: **branch**[2] (BANCA sucursal; dependencia; delegación comercial; extenderse, ampliarse; V. *sector, sphere; chain store*), **branch bank** (sucursal de banco), **branch banking** (BANCA sistema bancario constituido por amplias redes de sucursales; V. *high street banks, joint-stock banks; group banking, chain banking; unit banking*), **branch clearing** (BANCA liquidación en la oficina central de efectos bancarios procedentes de las oficinas), **branch company** (filial), **branch house** *US* (sucursal), **branch line** (TRANS ramal; vía secundaria), **branch manager** (BANCA director/jefe de agencia/sucursal), **branch network** (red de sucursales), **branch of business/economic activity** (línea comercial; sector de la actividad económica),

branch office/store (sucursal; delegación; V. *head office; local office; bank branch*), **branch organization** *US* (organización sucursal; V. *branch banking*), **branch out** (expandir, ampliar o diversificar las actividades de una empresa; V. *diversification*), **branch out on one's own** (COMER establecerse uno por su cuenta)].

brand *n/v*: marca, modelo, tipo; calificar, etiquetar ◊ *Brands, trademarks and goodwill are often more valuable than all the buildings of the company*; V. *make, model; label; family brand, name brand; consumer brand.* [Exp: **brand acceptance** (COMER aceptación o preferencia por una marca), **brand awareness** (PUBL conciencia de la marca), **brand barometer** (PUBL barómetro/indicador de marcas), **brand franchise** (MERC, PUBL franquicia de marca; alude al grado de atracción que una marca ha ejercido sobre unos compradores fieles), **brand image** (PUBL imagen de marca), **brand leader** (PUBL marca líder en el mercado; alude al artículo que se considera el mejor en su campo), **brand loyalty** (PUBL fidelidad/lealtad del consumidor a una marca/casa comercial determinada; V. *brand rating*), **brand management/manager** (gestión/gestor de la marca de la empresa encargado de su promoción), **brand mark** (sello de marca o garantía) **brand name** (COMER nombre de marca; marca de fábrica; V. *name brand*), **brand-name bias** (MERC, PUBL sesgo de marca; tendencia a nombrar, aunque no se usen las marcas de mayor prestigio), **brand new** (PUBL a estrenar, flamante, novísimo; recién salido de fábrica), **brand name product** (producto de marca registrada), **brand rating** (PUBL valoración de la marca; V. *brand loyalty*), **brand recognition** (PUBL reconocimiento de una marca) **brand switching** (cambio de marca), **brand-switching model** (PUBL modelo del cambio de marca; este modelo analiza la probabilidad de que los consumidores cambien de marca), **branded goods** (artículos de marca), **branding** (asignación de un nombre de marca a un producto o servicio)].

brass *col n*: jefes máximos; gerencia de alto nivel; V. *above-the-line people; top manager*. [Exp: **brassage** (braceaje o gastos de acuñación de moneda; V. *mintage/coinage; abrasion*)].

breach *n/v*: infracción, contravención, quiebra, violación, incumplimiento; incumplir, contravenir, violar, vulnerar. [Exp: **breach of contract** (ruptura/incumplimiento/violación de contrato; V. *inducement, infringement of contract*), **breach of duty/statutory duty** (PUBL violación de una norma legal), **breach of official duty** (prevaricación), **breach of trust** (quebrantamiento de la confianza legítima, abuso de confianza, infidelidad en la custodia de documentos, prevaricación), **breach of warranty** (SEG violación, quebrantamiento o infracción de garantía por parte del asegurado, es decir, de algunas de las cláusulas de la póliza de seguro, por parte del asegurado)].

bread *n*: pan. [Exp: **bread grains** (cereales panificables), **breadline** (cola del pan; miseria, indigencia; V. *be on the breadline*), **breadwinner** (sostén de la familia)].

breadth[1] *n*: anchura, amplitud; V. *market breadth*. [Exp: **breadth**[2] (TRANS MAR manga de un barco; V. *extreme breadth; length, overall*), **breadth of vision** (amplitud de miras ◊ *The firm predicts success based on the management's breadth of vision*)].

breathing package *n*: paquete ventilado; permite la entrada/salida de aire; V.

blister pack; bulge packaging; corrugated box; bubble card/pack.

break[1] *n/v*: cambio; ruptura; escape; romper, infringir, incumplir, transgredir, violar, vulnerar la ley, las normas, etc.; V. *advertising break*. [Exp: **break**[2] (pausa, descanso; V. *have a break*), **break**[3] (BOLSA baja de precios; baja en los cambios; V. *fall; break in share prices*), **break a leg** (MERC DINER V. *straddle, leg*), **break bulk**[1] (TRANS MAR comenzar la descarga), **break bulk**[2] (COMER fraccionamiento de la mercancía adquirida al por mayor en lotes pequeños para ser vendidos a los consumidores; a esta transformación normalmente se la llama *breaking bulk; breakbulk*), **break bulk agent** (TRANS agente receptor, distribuidor, reexpedidor), **break bulk cargo** (TRANS MAR carga fraccionada), **break bulk point** (TRANS punto de división de carga), **break/emergency/escape/protective clause/covenant** (DER cláusula de salvaguardia, elusión o escape), **break cost** (coste de ruptura), **break down**[1] (derrumbarse, estropearse, averiarse, romperse; V. *breakdown*), **break down**[2] (desglosar; V. *itemize, detail*), **break even**[1] (COMER cubrir gastos, recuperar las pérdidas, quedarse como se estaba, no ganar ni perder, «lo comido por los servido» ◊ *If this deal goes through, we'll break even for the year*), **break even**[2] (iniciar una etapa de beneficios o de recuperación económica), **break-even analysis** (ECO análisis del punto critico; análisis del punto de equilibrio; consiste en el análisis de gastos fijos y variables y de ventas para determinar en qué momento de la producción se llegará al umbral de rentabilidad o *break-even point*), **break-even chart** (gráfico de representación del punto de equilibrio), **break-even model** (CONT modelo del punto muerto; presenta las relaciones básicas entre unidades producidas, ingresos monetarios por ventas y niveles de costes para una línea de producción), **break-even point** (CONT umbral de rentabilidad, punto de equilibrio; punto crítico, punto muerto; punto de equilibrio de ingresos; punto que señala el momento en que en una empresa no se observan ni pérdidas ni ganancias, o a partir del cual se atisban beneficios; V. *financial break-even point; cash break-even point, iceberg company*), **break-even point pricing** *US* (precio de punto muerto), **break-forward** (MERC FINAN/DINER «forward de ruptura»; contrato del mercado monetario —*market money*— que participa de las características de los contratos a plazo —*forward contract*— y de las opciones), **break good faith with** (incumplir la palabra dada a; V. *keep good faith with*), **break in share prices** (BOLSA baja/caída del precio de las acciones), **break in the economic trend** (cambio de la tendencia económica), **break into the market** (penetrar en el mercado), **break off negotiations** (romper las negociaciones; V. *breakdown of talks*), **break out** *col* (derrochar dinero, hacer un dispendio; con frecuencia se emplea esta expresión en tono jocoso o irónico ◊ *The management broke out and treated us to dinner at the local Chinese restaurant*), **break rate** (MERC FINAN/PROD/DINER tasa de ruptura; en dicha tasa el tenedor de un contrato a plazo —*forward contract*— puede optar por cancelarlo si estima que las fluctuaciones de los tipos de cambio le son propicias), **break the deadlock** (desbloquear unas negociaciones), **break up¹** (ECO fragmentar; descomponer), **break-up²** (SOC escisión; fragmentación de los activos de una empresa; consiste en el desmembramiento de una sociedad en dos o varias más, mediante la división

de sus actividades ◊ *The company has been broken up and some of its divisions have been sold off*; V. *break-up value, spin-off split*), **break up³** (finalizar ◊ *The meeting broke up at midnight*), **break up a boat** (desguazar un barco), **break up an estate** (dividir/parcelar una herencia), **break-up fee** (comisión por ruptura; la paga la empresa asediada en el caso de ruptura de negociaciones), **break-up value¹** (CONT valor de fragmentación; valor individualizado de los activos de una empresa que se vende por partes; valor de cada una de los activos o secciones de una empresa por separado; también se aplica al valor de los activos de una mercantil correspondiente a cada acción; V. *asset stripping*), **break-up value²** (CONT valor de salida; alude al valor de los activos de una mercantil correspondiente a cada acción), **breakage¹** (descuento por deterioro/daño causado a la mercancía; incumplimiento), **breakage²** (CONT redondeo; puede ser por exceso o por defecto), **breakage³** (rotura), **breakage clause** (cláusula de rotura), **breakage cost** (coste de incumplimiento), **breakaway gap** (BOLSA agujero/hueco de «ruptura» en un gráfico de barras; V. *common gap, exhaustion gap, runaway gap*), **break-bulk** (TRANS carga fraccionada; V. *breaking bulk*), **breakdown¹** (avería; desperfecto; derrumbamiento; depresión/ crisis nerviosa; averiarse), **breakdown²** (desglose de los detalles de un documento, etc.; V. *itemize*), **breakdown clause** (TRANS MAR cláusula de averías o de suspensión del alquiler del buque en las pólizas de fletamento por tiempo, también llamada *off-hire* o *suspension of hire*), **breakdown insurance** (SEG seguro de averías; V. *machinery breakdown insurance*), **breakdown of talks, negotiations, etc.** (punto muerto, bloqueo en discusiones, negociaciones, etc.), **breakdown service** (asistencia en carretera), **breakeven exchange rate** (BANCA cambio de compensación), **breakeven point** (punto muerto o de ruptura), **breaking** (transgresión, violación, quebrantamiento), **breaking bulk** (COMER remate por escisión; consiste en la compra de productos al por mayor para vender al menudeo; V. *bulk breaking*), **breaking load** (TRANS carga de ruptura), **breaking point** (TRANS MAR punto límite; punto de inflexión; alude en transporte marítimo, al punto en que es más económico pasar al tipo de tarifa superior que pagar el suplemento de la tarifa inferior), **breaking-up price** (COMER valor de liquidación), **breakout** (BOLSA ruptura en una tendencia), **breakout sale** (venta de remate), **breakpoint** (punto de ruptura), **breakthrough** (ECO avance/adelanto significativo o importante; innovación tecnológica/científica, etc.), **breakwater** (escollera, rompeolas)].

breath *v*: respirar. [Exp: **breathing package** (TRANS paquete ventilado; permite la entrada/salida de aire; V. *blister pack; bulge packaging; corrugated box; bubble card/pack*)].

brent *n*: nombre que se le da al petróleo del Mar de Norte, que sirve de referencia en el mercado de crudos europeo.

bribe *n/v*: soborno, cohecho; sobornar, cohechar; V. *take bribes, graft, kickback, slush fund; gratuity*. [Exp: **bribery** (corrupción, soborno, cohecho)].

bridge¹ *n/v*: puente; tender un puente. [Exp: **bridge²** (PUBL publicidad en página doble de un periódico; V. *central spread*), **bridge bank** *US* (banco puente; se trata de un banco temporal creado a iniciativa del *Federal Deposit Insurance Corporation* para que gestione un banco insolvente hasta que pueda ser vendido),

bridge agreement (acuerdo de financiación puente), **bridge/bridging arrangement/loan** (FINAN financiamiento/préstamo provisional, transitorio, puente o de empalme; V. *accommodation, day-to-day accommodation/loan, short-term loan; gap financing, swing loan*), **bridge financing** (financiación previa a la salida en Bolsa), **bridge-over** (crédito provisional; ayudar a alguien a salir de un apuro económico), **bridge rate** (tarifa puente), **bridge supplement** (suplemento de ajuste de tarifas), **bridge the gap** (llenar el vacío; salvar la distancia ◊ *Bridge the gap between provisions and needs*), **bridging arrangement** (FINAN V. *bridge arrangement*), **bridging finance** (financiación puente), **bridging facility** (FINAN mecanismo/servicio de financiamiento transitorio)].

brief¹ *a/n/v*: breve; apuntamiento, escrito; instrucciones; dar instrucciones, informar; preparar a alguien para una reunión, junta, rueda de prensa, etc. ◊ *The President's press conference was a failure because he had been badly briefed by his aids*; V. *hold a brief for; debrief*. [Exp: **brief of title** (resumen de título; V. *abstract of title*), **briefing** (sesión informativa o de preparación ◊ *They received a thorough briefing before the meeting*; V. *press briefing*)].

bring *v*: traer. [El verbo *bring* seguido de *an action, a case, a prosecution, proceedings, suit, etc. against somebody* significa incoar, presentar, interponer «una demanda, una acción judicial» contra alguien, entablar proceso, entablar pleito, demandar, iniciar una acción judicial, querellarse, proceder contra alguien. Exp: **bring around/over/round** (convencer, hacer cambiar de opinión, ganarse la voluntad de ◊ *Bring sb round to one's point of view*), **bring down¹** (COMER reducir, rebajar ◊ *To bring down* *the price of something*), **bring down**[2] (derrocar, derribar, provocar la caída de ◊ *The issue may bring down the government*), **bring forward** (CONT adelantar; pasar/saldar a cuenta nueva), **bring in**[1] (REL LAB contratar, acudir a los servicios de ◊ *Bring in external auditors*), **bring in**[2] (aportar; ganar un sueldo; producir beneficios ◊ *Our investment brought in a little extra*), **bring in a bill** (presentar un proyecto de ley), **bring in capital** (aportar capital; V. *put in*), **bring into line** (hacer coincidir; acomodar, equiparar, adecuar, poner a tono con, adaptar ◊ *Bring salaries into line with inflation*; V. *fall in line with*), **bring out new issues** (lanzar nuevas emisiones; V. *launch*), **bring suit** (interponer demanda/pleito; emprender acciones legales; V. *file suit*), **bring to an end** (poner fin), **bring up** (plantear, sacar a colación o a relucir, poner sobre la mesa/tapete ◊ *Bring up a matter for discussion*), **bring up to date** (actualizar; V. *update*)].

brisk *a*: activo, vigoroso, animado; V. *drift*. [Exp: **brisk market** (MERC FINAN/PROD/DINER mercado activo/animado; V. *active market; calm/heavy market; broad/thin market; drift*)].

bristol board *n*: cartulina; V. *cardboard*.

British *a*: británico. [Exp: **British Institute for Management, BIM** (Instituto británico para la dirección empresarial), **British Rate and Data, BRAD** (PUBL Instituto de Medios y Audiencias Británico; V. *Standard Rate and Data Service*), **British Standard Institution, BSI** (Oficina de Normalización Británica; V. *standardization; National Bureau of Standards; kite mark*)].

broad *a*: amplio, extenso, ancho; general; V. *narrow, limited*. [Exp: **broad captives** (SEG compañías cautivas abiertas), **broad form insurance** US (SEG seguro de amplia cobertura; por abarcar varios bienes del asegurado suele tener un descuento especial), **broad gauge line** (TRANS línea férrea de base amplia), **broad market** (BOLSA mercado amplio; V. *brisk market*), **broad money** *col* (FINAN dinero en sentido amplio; nombre coloquial que se da al cálculo de los activos líquidos en manos del público contando los billetes y monedas en circulación, más las cuentas corrientes y de depósito del sector privado, más los certificados de depósito; V. *money supply, narrow money*), **broad outlines** (trazado general, líneas directrices/maestras), **broadened collision coverage** US (SEG cobertura por accidente ampliada; cubre riesgos normales y especiales; V. *limited collision coverage*), **broadly** (en líneas generales, a grandes rasgos, en términos generales, aproximadamente), **broadsheet** (prensa seria o de calidad), **broadside** US (PUBL folleto publicitario; V. *brochure*)].

brochure *n*: PUBL folleto publicitario.

broke *col a*: arruinado. [Exp: **broke, be** *col* (estar sin blanca, no tener ni un real; V. *flat/stony broke, go broke, go for broke*)].

broken *a*: roto, quebrado, suelto, no usual. [Exp: **broken account** (BANCA cuenta inactiva, cuenta sin movimientos; V. *escheat law; active account; dormant account*), **broken cross rates** (FINAN tipos de cambio de divisas cruzados divergentes), **broken date** (MERC FINAN fechas rotas; mes-es incompleto-s; fecha/plazo no usual; V. *flat date; cock date*), **broken lot** (BOLSA lote suelto de acciones; V. *board/full lot, odd-lot order*), **broken period interest** (interés fraccional), **broken time** US (REL LAB tiempo roto; plan de trabajo que prevé que el trabajor esté ocupado por temporadas y permanezca parado en otras)].

broker *n*: MERC FINAN/PROD/DINER corredor

de comercio, agente de valores y bolsa, agente comisionista o de negocios; intermediario financiero por cuenta ajena; agente mediador en la compraventa de materias primas en el comercio internacional; agente, comisionista, especialmente en operaciones inmobiliarias; los *brokers* son simples intermediarios entre oferentes y demandantes, mientras que los *dealers* pueden, además, negociar por cuenta propia; V. *dealer, factor, jobber, chartering agent; bill broker, cable broker, charterer's broker, chartering broker, customs broker, insurance broker, ship broker, space broker, stock broker; owner's broker.* Exp: **brokage** (V. *brokerage*), **broker-dealer** (agente de bolsa, también llamado «creador de mercado» o especialista —*market maker*—, que puede actuar como principal, es decir como sociedad de valores —*dealer*— y como agente —*broker*— ; V. *dual capacity*), **broker market** (mercado sólo para agentes), **broker note** (contrato de corretaje), **broker pool** (SEG fondo de aseguradores para efectuar reaseguros), **broker's broker** (BOLSA agente/intermediario de sí mismo; V. *dual trader*), **broker's call loan** (V. *demand loan, call loan*), **broker's commission** (corretaje), **broker's loan** (BOLSA préstamo de corredor; V. *call loan*), **broker's placement** (BOLSA colocación a comisión), **broker's return** (TRANS MAR informe del consignatario; en este informe enviado a los agentes marítimos se comunica que las mercancías han sido cargadas a bordo), **broker's ticket** (BOLSA relación de operaciones; consta en esta relación lista detallada de todas las operaciones ejecutadas por un agente de cambio y bolsa), **brokerage** (BOLSA corretaje, comisión de intermediación, honorarios por gestión o agencia; casa de corretaje, correduría; V. *fees, agency, clearing*), **brokerage charges** (gastos de corretaje), **brokerage firm** (casa de corretaje), **brokerage house** (agencia de valores)].

brought forward *n*: suma y sigue; V. *balance brought forward.*

brown *a*: castaño, marrón, moreno. [Exp: **brown coal** (lignito), **brown goods** (PUBL línea marrón; productos de la gama marrón como televisores, radios, etc.; V. *white goods*)].

BSI *n*: V. *British Standards Institutions.*

BTO *n*: V. *back-to-office report.*

bubble[1] *n*: BOLSA, FINAN burbuja; burbuja positiva; desviación especulativa al alza del precio de un activo, respecto de su valor lógico y probable, por razones especulativas; V. *negative bubble.* [Exp: **bubble**[2] (engañoso, ostentoso, vacío de contenido), **bubble card/pack** (TRANS embalaje de plástico de tipo burbuja; V. *breathing package; blister pack; bulge packaging; corrugated box*), **bubble company** (SOC sociedad fraudulenta o engañosa; empresa sin actividad alguna, creada sólo con ánimo de defraudar), **bubble project** (proyecto fraudulento, ostentoso o sin consistencia), **bubble up effect** (ECO efecto ascendente o de capilaridad)].

buck *col n/v*: dólar; dinero, pasta, pela; desconcertar, trastornar, dar al traste con; V. *greenback, big bucks, megabucks, make a buck or two, fast/quick buck, pass the buck; fast-buck syndrome.* [Exp: **buck passing** (GEST pase bajo; alude al hecho de evadir responsabilidades en la toma de decisiones; V. *by-pass; bounded discretion*), **buck stops here, the** (el responsable soy yo, acepto la responsabilidad, yo soy quien da la cara/carga con el muerto, echadme el muerto a mí), **buck the market** *col* (pegarle una sacudida al mercado, oponerse a la tendencia del mercado), **buck the system** (cargarse/oponerse al sistema), **buck the trend** (oponerse a la tendencia, llevar la contraria ◊ *There is novelty value in bucking the trend*; V. *ir contracorriente*)].

bucket shop[1] *col n*: oficina de reventa, agencia paralela, agencia de viajes que vende billetes con descuento. [Exp: **bucket shop**[2] (BOLSA «chiringuito»; nombre despectivo con el que se alude a una bolsa clandestina, ilegal o de dudosa reputación; V. *curb exchange; boiler room; boutique*)].

budding *a*: en ciernes, en desarrollo ◊ *The digital pay television is still a budding market*; V. *developing*.

budget *n/v*: presupuesto; presupuestar, preparar el presupuesto; V. *balance the budget, implement the budget.* [En función atributiva equivale a *budgetary* y se traduce por «presupuestario», como en *budget management/policy* —gestión/política presupuestaria—, etc. Exp: **budget account** (cuenta presupuestaria), **budget amendment** (enmienda presupuestaria presidencial), **budget/budgetary accounting** (contabilidad presupuestaria), **budget agency/bureau** (agencia/oficina presupuestaria), **budget allocations** (asignaciones/consignaciones/subvenciones presupuestarias), **budget allotment** (distribución del presupuesto), **budget/budgetary appropriation** (CONT crédito presupuestario, autorización/asignación presupuestaria), **budget control** (control presupuestario), **budget deficit** (déficit presupuestario), **budget department**[1] (departamento presupuestario; V. *budget agency*), **budget department**[2] (COMER sección de oportunidades de grandes almacenes; V. *bargain basement/counter; basement price*), **budget estimates** (cálculo/proyecto de presupuesto; previsiones presupuestarias), **budget expenditures**

(partida de gastos presupuestarios), **budget item** (capítulo o partida presupuestaria), **budget management** (gestión presupuestaria), **budget period/year** período/año presupuestario, ejercicio económico; V. *business year*), **budget price** (precio módico), **budgetary** (presupuestario), **budgetary accounting** (V. *budget accounting*), **budgetary aid** (ayuda presupuestaria), **budgetary control** (control presupuestario), **budgetary gap** (déficit presupuestario), **budgetary management** (gestión presupuestaria), **budgetary policy** (política presupuestaria; V. *fiscal policy*), **budgetary/financial year** (ejercicio/año económico o financiero; período contable; V. *budgetary/business/fiscal year, economic period; company financial year*), **budgeted cost** (CONT coste presupuestado), **budgeteer** (técnico o experto en presupuestos), **budgeting** (presupuestación, elaboración del presupuesto)].

buffer *n*: amortiguador, parachoques, paragolpes. [Exp: **buffer fund** (MERC PROD fondo de regulación/estabilización), **buffer pool** (MERC PROD fondo amortiguador, estabilizador o de reserva), **buffer state** (estado tapón; país armonizador de los intereses de otros), **buffer stock/inventory** (MERC PROD, COMER INTER reserva de estabilización, fondo/reserva de regulación; existencias de seguridad; «stock» amortiguador; este fondo o «stock» lo administra una agencia especializada —*buffer stock agency*— según lo acordado en un convenio internacional de materias primas —*international commodity agreement*; V. *strategic stock piles, safety/fallback stock; strategic stock piles; United Nations Common Fund for Commodities*), **buffer stock agency** (MERC PROD agencia de los fondos reguladores de materias/mercaderías o *buffer stocks*), **buffer stock financing facility** (MERC PROD servicio para la financiación de los fondos reguladores de materias/mercaderías), **buffer stock scheme** (MERC PROD plan de fondos reguladores de materias/mercaderías, plan de existencias reguladoras)].

build *v*: construir, montar, establecer. [Exp: **build in** (incorporar, incluir, programar ◊ *Build special clauses in a contract*), **build-operate-transfer scheme, BOT** (sistema de construcción, explotación y retrocesión), **build strategy** (estrategia de ampliación; consiste esta estrategia de inversión —*investment strategy*— en aumentar —*increase*— los fondos de promoción —*promotional funds*— de un producto —*SBU, product*— con el fin de aumentar su cuota relativa de mercado —*relative market share*—; V. *divest strategy, harvest strategy, hold strategy*), **build up**[1] (crear, montar, desarrollar, fomentar, organizar ◊ *Build up a business, an empire, etc.*), **build up**[2] (aumentar, acumular-se ◊ *Financial pressure is building up*), **build up**[3] (poner por las nubes, dar bombo a, deshacerse en alalanzas, dar mucha fama ◊ *She was built up to be a financial genius*), **build up**[4] (urbanizar, edificar; V. *built-up area*), **build-up method** (ECO método de composición; alude a la obtención de previsiones nacionales mediante la suma agregada de previsiones regionales), **builder** (contratista; V. *building contractor*), **builder's certificate** (TRANS MAR certificado de los astilleros para que el buque recién construido pueda efectuar un viaje de prueba sin trabas formales), **builder's policy** (póliza del contratista de obras; V. *shipbuilder's policy*), **building** (edificio; construcción; en función atributiva equivale muchas veces a «constructor,

constructora», o «de la construcción», como en —*building firm*— empresa constructora), **building and loan association** US (cooperativa de crédito para la construcción, hoy llamada *savings and loan association*; el nombre británico de estas entidades es *building societies*; V. *cooperative bank; mutual loan association*), **building code** (ordenanzas municipales reguladoras de la construcción), **building contractor** (contratista de obras; V. *builder*), **building firm** (empresa constructora), **building ground/land/plot** (parcela, solar), **building ground** (solar), **building loan** (crédito a la construcción), **building materials** (materiales de construcción), **building permit** (permiso de obra nueva, autorización para edificar; V. *certificate of occupancy; bribe*), **building preservation notice** (declaración de interés histórico-artístico de un edificio: V. *listed building*), **building/construction site** (obra; V. *site engineer*), **building society**[1] (FINAN sociedad de cooperativa de viviendas; mutua constructora; empresa constructora; sociedad de crédito hipotecario; estas sociedades no tienen carácter lucrativo y desde 1986 han ampliado la gama de servicios que ofrecen al público, rivalizando con la de los bancos privados; en EE.UU. se llaman *savings/building and loan association*; V. *cooperative bank; mutual loan association; commercial bank, merchant bank*), **buildup**[1] (acumulación, aumento de la tensión, concentración, calentamiento del ambiente), **buildup**[2] (PUBL bombo, propaganda previa ◊ *give a product/an event a big buildup*), **built-in** (incorporado, empotrado, automático; intrínseco), **built-in obsolescence** (ECO obsolescencia incorporada o programada; caducidad calculada, también llamada *planned obsolescence*), **built-in**

stabilizers (ECO estabilizadores automáticos; son factores intrínsecos de la economía que actúan automáticamente sin la intervención de la administración; por ej., el aumento de impuestos, reduce automáticamente la capacidad de gasto de la población, y la reducción de impuestos lo estimula; de esta forma, estos «estabilizadores automáticos» sirven para contrarrestar las presiones inflacionarias y deflacionarias de la economía; V. *inflation, deflation*), **built-up area** (zona edificada o urbanizada)].

bulge packaging *n*: TRANS empaquetado combado; V. *bubble card/pack; blister pack; breathing package; blister pack, bubble card/pack; breathing package; corrugated box*)]

bulk *n*: granel; volumen, el grueso, la mayor parte; V. *break bulk, OBO ship; wastage in bulk*. [Exp: **bulk buying** (compra al por mayor o en grandes cantidades), **bulk breaking** (fraccionamiento de la mercancía adquirida al por mayor en lotes pequeños para ser vendidos a los consumidores; a esta transformación normalmente se la llama también *allocation*), **bulk cargo** (TRANS carga a granel o voluminosa; carga única), **bulk cargo container** (contenedor de graneles), **bulk carrier** (buque de carga a granel, carguero de graneles; V. *bulk liquid carrier, air carrier*), **bulk commodities** (productos a granel), **bulk discount** (descuento por carga completa; descuento por facturación global; descuento o rebaja que se concede al por mayor; V. *trade discount, cash discount*), **bulk figure** (cifra global o total), **bulk freight** (transporte a granel), **bulk goods** (mercancías a granel), **bulk, in** (a granel, sin envase, suelto, en bruto, en grandes cantidades; V. *unpacked*), **bulk-in, bag-out** (carga a granel, descarga en sacos; V.

BIBO), **bulk liquid carrier** (buque de carga líquida; V. *dry cargo carrier, OBO ships*), **bulk mail** *US* (correo ordinario), **bulk of profits** (volumen de ganancias), **bulk packaging** (envase de materiales a granel), **bulk procurement/purchase** (V. *bulk buying*), **bulk rate** (PUBL tarifa reducida que se ofrece a empresas que compran grandes espacios publicitarios), **bulk sales** (venta de grandes cantidades o al por mayor; V. *wholesale; retail*), **bulk sugar charter** *US* (póliza de fletamento de azúcar a granel), **bulk transport** (transporte a granel), **bulkhead** (TRANS mamparo; separador), **bulky** (voluminoso, pesado), **bulky goods** (mercancías voluminosas o de gran volumen)].

bull *a/n/v*: alcista; especulador de acciones al alza; jugar/especular al alza; V. *bullish; bear, averaging up*. [Exp: **bull-bear bond** (BOLSA bono indiciado a la Bolsa), **bull bond** (bono alcista; V. *bear bond*), **bull buying/purchase** (BOLSA compra de alcista), **bull market** (BOLSA mercado alcista; V. *bear market*), **bull movement** (movimiento de alza), **bull note** (FINAN pagaré avalado con una opción de compra; bono cuyo valor de amortización está ligado a un índice financiero, por ej., los del *Financial Times Share Indexes*; el titular del mismo cree que las cotizaciones subirán con lo que podrá pagar el pagaré al ejercer la opción dentro del plazo; V. *bull note*), **bull period** (período de alza), **bull position** (BOLSA posición al alza; también llamada *long position*), **bull purchase** (BOLSA compra al descubierto; V. *short sale*), **bull run** (BOLSA compra apresurada alcista; V. *bear run*), **bull spread** (FINAN diferencial de alcista; estrategia consistente en comprar contratos que vencen en los meses próximos, o sea ir largo —*go long*—, y vender contratos que vencen mucho más tarde, o sea ir corto —*go short*— esperando obtener un beneficio si los precios suben; también se le llama *buy a spread*; V. *spread, bear spread, butterfly spread, calendar spread, credit spread, price spread, vertical spread, diagonal spread; put, call*), **bull the market** (especular al alza en un mercado bursátil), **bull time spread** (MERC FINAN/PROD/DINER, BOLSA «spread» temporal alcista; estrategia consistente en la venta de una opción de compra de un activo —*call*— que tiene un vencimiento —*expiry date*— próximo y la compra simultánea de otra opción de compra con vencimiento más lejano; V. *time spread*), **bull trap** (trampa alcista; V. *bear trap*), **bulldog** (primera edición de un periódico), **bulldog bond** (bono *bulldog*; bonos emitidos en Londres por instituciones o gobiernos extranjeros, en libras exterlinas), **bullish** (alcista, en alza; V. *rising, upward*), **bullish stocks** (valores en alza), **bullish tendency** (tendencia alcista), **bullishness** (BOLSA optimismo; situación, tendencia o ambiente alcista del mercado ◊ *Japan seems to be the country of perpetual bullishness*)].

bullet[1] *n*: FINAN valor de renta fija y fecha de amortización fija. [Exp: **bullet**[2] *US* (devolución del principal de un préstamo en la fecha de vencimiento, bono cuya principal se amortiza a su vencimiento por su totalidad), **bullet bond** (bono con vencimiento final/único), **bullet issue/loan** (BANCA empréstito reembolsable de una sola vez a su vencimiento; emisión sin reducción anticipada; V. *balloon maturity loan, balloon loan*), **bullet**[3] (bala; V. *bite the bullet*), **bullet-proofed companies** (empresas blindadas)].

bulletin board *n*: tablón/pizarra de anuncios.

bullion[1] *n*: lingote de oro o plata sin acuñar, oro en barra ◊ *The Bank of England has a special account for bullion reserves*; V. *gold bullion*. [Exp: **Bullion**[2] (MERC PROD mercado de contratación de contado —*spot market*— de metales precios de Nueva York; V. *Comex, London Metal Exchange*), **bullion market** (mercado de lingotes; V. *London Gold Market*), **bullion reserve** (reserva metálica, reserva de oro y plata), **bullionism** (bullionismo; relativo al patrón oro)].

bumf *col n*: PUBL papeleo, papeles; propaganda, material publicitario enviado por correo; V. *junk mail*.

bump *v*: golpear, chocar, topetar. [Exp: **bump up** *col* (subir, aumentar ◊ *Bump up prices*), **bumper** *col* (maravilla, cosa extraordinaria; se emplea preferentemente en función atributiva con el significado de «extraordinario, maravilloso»), **bumper crop** (cosechón, cosecha récord o extraordinaria), **bumper year** *col* (MERC FINAN/PROD/DINER año bursátil extraordinario), **bumping** *US* (REL LAB desplazamiento de un empleado por otro de más antigüedad; V. *backtracking*)].

bunch *n/v*: puñado; agrupar-se, combinar, acumular. [Exp: **bunched** (total, global), **bunched gains** (BOLSA ganancias acumuladas en activos con los que no se ha especulado; V. *buy-and-hold policy*), **bunching of maturities** (acumulación de vencimientos), **bunching** (BOLSA agrupación o combinación por lotes de las operaciones bursátiles, acumulación, congestión), **bunching of maturities** (acumulación de vencimientos)].

bundle *n*: lío, manojo, legajo, atado, fardo. [Exp: **bundling** *US* (BANCA pago de una cantidad global mensual o anual por los servicios bancarios; V. *unbundling*)].

bunker *n/v*: depósito o tanque de combustible; carbonera; repostar. [Exp: **bunker adjustment factor, BAF** (TRANS

MAR factor de ajuste por combustible), **bunker port** (puerto para repostar), **bunker deviation clause** (TRANS MAR cláusula de desviación para repostar), **bunkering** (TRANS MAR abastecimiento/ suministro de combustible), **bunkering stages** (TRANS MAR etapas para repostar)].

bunny bond *n*: FINAN bono reinvertible; la reinversión consiste en la percepción de intereses en forma de bonos de la misma emisión.

buoy *n*: boya. [Exp: **buoyage** (boyage o sistema de boyas), **buoyancy** (BOLSA dinamismo; capacidad de reacción; firmeza; optimismo, animación; V. *tax buoyancy*), **buoyant** (FINAN boyante, confiado, optimista, intenso), **buoyant demand** (demanda intensa/activa), **buoyant market** (BOLSA mercado firme, activo, boyante; con tendencia al alza; que tiene liquidez)].

buppies *col n*: yupis de color; V. *yuppies*.

burden[1] *n/v*: carga, peso; gabela; gravamen; gravar, cargar. [Exp: **burden**[2] (gastos de fabricación, gastos generales), **burden** (TRANS MAR arqueo; capacidad de carga de un buque; tonelaje, toneladas de registro neto; V. *tonnage*), **burden adjustment** (CONT repartición de gastos generales), **burden equalization** (igualación de cargas), **burden expense** (CONT gastos generales de fabricación), **burden in process** (CONT gastos de fabricación en proceso), **burden of taxes** (TRIB carga tributaria; V. *deadweight burden of taxes*), **burden rate** (coeficiente de gastos de fabricación), **burden sharing** (participación en/distribución de las cargas), **burden something with taxation** (TRIB gravar algo, aplicar impuestos; V. *lay a tax on something; tax burden*), **burdened** (gravado, hipotecado), **burdened with taxes/mortgages** (gravado con impuestos/hipotecas; V. *encumbered, mortgaged*)].

bureau *n*: oficina, entidad, agencia, negociado, sección, dirección, cámara; V. *rating bureau*. [Exp: **Bureau of the Mint** (Casa de la Moneda), **Bureau of Internal Revenue, BIR** (Sección de Tributos Internos), **bureaucracy** (burocracia), **bureaucrat** (burócrata; V. *Eurocrat*), **bureaucratic** (burocrático), **burocratic red tape** (burocracia, papeleo burocrático, tecnicismo burocrático)].

burgernomics *col n*: burger[eco]nomía; análisis económico hecho por *The Economist* sobre el *Big Mac index*, índice que compara los precios de una hamburguesa *Big Mac* en diversos países para calcular la paridad de poder de compra —*purchasing power parity*— del dólar o de cualquier divisa; V.

burn *v*: quemar, arder; gastar, malgastar, consumir; V. *have money to burn*. [Exp: **burn one's fingers** (COMER pillarse los dedos), **burn rate** (FINAN ritmo de consumo; se aplica preferentemente a la velocidad con que una empresa de nueva creación consume el capital inicial en gastos fijos antes de empezar a obtener ganancias), **burner** (mechero; V. *put on the back burner*), **burning cost** (SEG pérdida máxima posible de un período de cobertura), **burning ratio** (índice de incendios), **burnout turnaround** (SOC operación acordeón; restructuración del capital social de una empresa que atraviesa grandes dificultades financieras, con la entrada de capital nuevo y el riesgo de que el accionariado antiguo pierda su poder; V. *accordion*)].

bursar *n*: administrador, tesorero de ciertos organismos públicos; sobrecargo de un avión.

burst[1] *n/v*: estallido; reventar-se, romperse, irrumpir, caer como una bomba; V. *come with a late burst*. [Exp: **burst**[2] (arranque, ráfaga, salva, oleada, ramalazo, esfuerzo, sacudida ◊ *A burst of* *activity*), **burst**[3] (PUBL campaña ráfaga, también llamada *burst advertising*; serie intensa o concentrada de anuncios en un espacio corto de tiempo; V. *stunt advertising*), **burst upon the scene** (irrumpir en la escena)].

burton *n*: V. *go for a burton*.

bushel *n*: medida de áridos equivalente a 56 libras; la del Reino Unido equivale a 36,367 litros y la de Estados Unidos a 35,237 litros; una tonelada de trigo o de haba de soja equivale a 36,74 bushel; una tonelada de maíz equivale a 39,37 bushel; una tonelada corta equivale a 907,2 kilogramos.

business *n*: negocio/s, operaciones, actividad empresarial, ocupación, profesión, oficio, trabajo; operación comercial, comercio; empresa; asunto; deber, competencia; V. *commerce, trade; bloated business*. [En posición atributiva, *business* equivale a «empresarial, comercial, económico, de negocios, de comercio, etc.»; véase *corporate* e *industrial*. Exp: **business account** (cuenta comercial), **business accounting** (contabilidad de empresas), **business address** (dirección profesional, domicilio social de una empresa; V. *address for service; home address*), **business administration** (administración/gestión de empresas; estudios empresariales), **business agent**[1] (gestor, agente de comercio o de negocios), **business agent**[2] US (REL LAB enlace o delegado sindical; V. *bargaining agent*), **business, any other; AOB** (asuntos de trámite; ruegos y preguntas; es el título o epígrafe de uno de los puntos del orden del día de una junta; V. *agenda*), **business as usual** (situación de normalidad absoluta; aquí no pasa nada; estamos como siempre al servicio de nuestros estimados clientes), **business assets** (fondos comerciales), **business associate** (socio empresarial),

business barometers (índices/barómetros empresariales; V. *economic indicators; leading indicators*), **business, be in** (tener un negocio; dedicarse al comercio, trabajar en una empresa), **business call** (visita comercial o de negocios; V. *call,*[8] *cold call, customer call report, user calls, callback, sales route*), **business census** (guía de negocios), **business centre** (centro comercial, centro financiero; V. *shopping centre*), **business closure** (cierre/baja empresarial), **business combination** (concentración de empresas), **business community** (círculos empresariales), **business concern/enterprise** (entidad comercial), **business correspondence** (correspondencia comercial), **business cycle** (coyuntura, ciclo económico; V. *trend of business; endogenous business cycle theory*), **business cycle policy** (política coyuntural), **business data processing** (informática de gestión), **business day** (día laborable, día hábil; V. *clear day, non-business day, bank holiday, legal holiday*), **business deal** (negocio, transacción comercial), **business district** (centro comercial), **business economics** (administración/dirección de empresas), **business ethics** (ética empresarial), **Business Expansion Scheme, BES** (ECO plan de promoción de empresas nuevas mediante exenciones/vacaciones fiscales durante algunos ejercicios; exenciones/ventajas fiscales durante un período dado), **business enterprise** (empresa comercial), **business expenses** (gastos de explotación), **business failure** (quiebra; V. *bankruptcy*), **business finance** (financiación empresarial; V. *corporate finance*), **business games** (juego de empresas; técnica didáctica de simulación de situaciones empresariales), **business hours** (horario de atención al público;

horario de negocios, de oficina o de trabajo; V. *office hours*), **business income** (ingresos industriales o comerciales), **business interruption policy** (SEG póliza de seguro por lucro cesante; seguro contra la cesación de negocios; esta póliza, llamada también *consequential loss policy* y *loss-of profits policy*, cubre la interrupción de la actividad empresarial debido a siniestro; V. *initial period; accountants clause*), **business law** (derecho mercantil; V. *mercantile law*), **business letterhead** (membrete), **business licence** (licencia o patente comercial), **business management** (dirección de empresas), **business name** (razón social, nombre comercial), **business, on** (de/por negocios; V. *No admittance except on business*), **business paper** (FINAN efectos comerciales; V. *negotiable instrument, title documents*), **business park** (zona industrial; V. *industrial park; science park*), **business parlance** (jerga empresarial; V. *finance parlance*), **business person** (empresario/a, comerciante, ejecutivo, ejecutiva), **business plan** (planes económicos o comerciales; V. *corporate plan objective, mission statement, corporate planning*), **business portfolio analysis** (FINAN análisis de la cartera de negocios; método de categorización de empresas), **business premises** (local comercial), **business proceeds** (ganancias empresariales; V. *cash; secured lending*), **business process re-engineering, BPR** (GEST rediseño de los procesos de negocios), **business profit-s** (beneficio-s empresarial-es; V. *trading profits*), **business profit margin** (margen de beneficio empresarial), **business ratepayer** (TRIB contribuyente de tasas/módulos municipales por actividades empresariales; V. *uniform business rate, UBR*), **business reply card** (tarjeta de respuesta comercial),

business report (informe comercial), **business sense** (intuición empresarial; sentido comercial), **business tax/ taxation** (impuesto/tributación sobre actividades económicas; V. *corporation tax*), **business tenancy** (alquiler de oficinas con fines comerciales), **business transaction** (operación/transacción comercial), **business trend** (tendencia económica, marcha de los negocios, evolución de la economía; V. *self-generating business cycle/trend*), **business trust** (fideicomiso comercial; asociación empresarial o de negocios; consorcio de operaciones mercantiles), **business turnover** (facturación por ventas; cifra de negocios), **business, we're in** (¡esto empieza a marchar!, ¡esto va para adelante!), **business world** (mundo de los negocios), **business/ budgetary/financial year** (ejercicio/año económico o financiero; período contable; V. *fiscal year, economic period; company financial year; calendar/corporate year*), **businesslike** (serio, profesional, formal; V. *pro-fessional*), **businessman** (empresario, hombre de negocios; V. *man of affairs*), **business-woman** (empresaria, mujer de negocios)].

bust[1] *col n/v*: depresión económica profunda, depresión; romper, reventar; dejar sin blanca; llevar a la quiebra. [El término *bust*, aun siendo coloquial, es más empleado que *bankrupt*, que se reserva para los contexto más formales; se conjuga en forma regular, aunque también se emplea *bust* como participio, el adjetivo *bust* significa «en quiebra/bancarrota». Exp: **bust**[2] *col* (hacer una redada, trincar, detener ◊ *The factory was busted by the Drug Squad*), **bust, be** (haberlo perdido todo, estar en quiebra; V. *go bust*), **bust-up** (GEST desmembramiento; forma de adquisición de una empresa —*takeover*— en la que el comprador revende a terceros sus divisiones u otros activos; V. *spinoff; spin off, spin-off*[4]), **bust-up proxy proposal** (propuesta hostil; la suelen hacer los accionistas disidentes para ganar el control de la empresa), **bust-up takeover** (GEST adquisición para la desmembración; es la adquisición de una empresa diseñada para aprovechar la diferencia entre su valor real total y el de la suma de sus componentes), **bust-up values** (CONT, GEST total de los valores desmembrados de una empresa diversificada o *diversified firm*)].

busy *a*: ocupado, activo. [Exp: **busy period/season** (época/temporada de baja/poca actividad empresarial, etc.; V. *slack season*)].

butterfly *n*: MERC FINAN/PROD/DINER mariposa; posición larga de mariposa; alude a la combinación —*combination*[3]— o estrategia combinatoria de compras y/o ventas de opciones de venta —*puts*— y de compra —*calls*— consistente en comprar y vender simultáneamente opciones de compra de diferentes precios de ejercicio —*exercise prices*— o de distintas fechas de vencimiento —*expiry dates*; V. *straddle; condor*. [Exp: **butterfly spread** (FINAN «spread» mariposa; V. *short butterfly; spread, bear spread, calendar spread, credit spread, price spread, vertical spread, diagonal spread; put, call*)].

buy *n/v*: compra, adquisición; comprar, adquirir; V. *purchase, acquire*. [Exp: **buy a bull** (comprar acciones con la esperanza de que su precio suba), **buy a practice** (compra de un despacho), **buy a pig in a poke** *col* (COMER comprar gato por liebre), **buy a pup** *col* (ser engañado al comprar algo), **buy a spread** (FINAN comprar un diferencial; V. *bull spread*), **buy-and-hold policy** (BOLSA política de compra y mantenimiento de los bonos,

sin especular, hasta su vencimiento; V. *bunched gains*), **buy back** (BOLSA rescatar, volver a comprar las acciones propias; formar autocartera), **buy-back** (BOLSA rescate, recompra de los bonos emitidos en el mercado secundario; compra de las acciones propias, formación de autocartera; V. *share buy-back*), **buy back a bear seller** (rescatar a un vendedor al descubierto; V. *selling short; against the box; bear spread, bear squeeze, bear clique*), **buy-back agreement** (pacto de recompra; compromiso de compra; normalmente se aplica a la venta de bienes de equipo que serán pagados con los artículos producidos con el citado equipo), **buy earnings/growth** (BOLSA comprar por los beneficios potenciales; invertir en la capacidad de crecimiento), **buy for cash** (comprar al contado), **buy for the rise** (BOLSA comprar al alza), **buy forward** (MERC FINAN/PROD/DINER comprar a plazo; comprar con antelación a un precio asegurado), **buy grid** (gráfico/cuadrícula de compras; representación gráfica de precios de adquisición comparados), **buy in**[1] (COMER proveerse de, adquirir existencias de, hacer provisión de ◊ *Buy in a stock of refrigerators, etc.*; V. *buy up*), **buy in**[2] (comprar el dueño el producto subastado por no llegarse al precio de salida o mínimo deseado; compra por los directivos de otra empresa; V. *reserve price*), **buy in**[3] (MERC PROD cobertura de compra; V. *hedge*), **buy-in management buy-out** (compra de la empresa por directivos internos y externos), **buy into** (BOLSA comprar acciones ◊ *She was advised to buy into rising stock*; V. *take a position*[2]), **buy long** (BOLSA invertir a largo plazo; V. *buy short*), **buy off** (sobornar; pagar a alguien para que se calle, renuncie a un derecho o deje de estorbar ◊ *Buy off a rival bidder*), **buy on a scale** (comprar a precios escalonados), **buy on close** (MERC PROD compra al cierre), **buy on credit** (comprar a crédito), **buy on margin** (BOLSA comprar al margen; V. *buy long/short*), **buy on the lay-away plan** (comprar una cosa previamente apartada), **buy-out, buyout**[1] (FINAN adquisición de la participación mayoritaria; V. *leveraged buyout; employee's buyout; management buyout; labour buyout; bid, take over*), **buy-out, buyout**[2] (SEG opción de transferir los beneficios de un fondo de pensión ocupacional a una compañía de seguros a fin de constituir una renta), **buy/take-out agreement** (COM acuerdo comercial con pago en mercancía producida; acuerdo de recompra), **buy outright** (comprar en firme), **buy over** (sobornar; V. *buy off*), **buy phases** (COMER fases o etapas en la compra de un producto ◊ *One of the main buy phases is the identification of a product*), **buy rate** (cambio comprador; V. *sell rate*), **buy short** (BOLSA invertir a corto plazo; V. *buy long*), **buy the spread** (MERC FINAN/PROD/DINER comprar un *spread* o diferencial; consiste en comprar el contrato más cercano y vender el más lejano; V. *sell the spread*), **buy turnover** (apostar por un volumen de ventas, con la esperanza de compensar la falta de beneficios inmediatos con un ritmo fuerte de facturación y de liquidez alta), **buy up** (COMER acaparar, monopolizar; compra masiva; V. *coner; monopoly*), **buyer** (comprador; jefe de compras de una empresa; V. *head buyer, materials buyer; purchaser; impulse buyer; media buyer*), **buyer's account, on** (a cargo de/por cuenta del comprador), **buyer's call** (MERC PROD llamada de comprador, compra a la llamada; opción a comprar; esta opción de compra —*call*— da al comprador el

derecho a comprar o a elegir la fecha de entrega a un precio determinado), **buyer's interest** (SEG interés del comprador; V. *buyer's risk, consignee's interest*), **buyer's market** (MERC FINAN/PROD/DINER mercado comprador, mercado bajo, mercado favorable al comprador por existir una oferta abundante de productos; V. *easy market, seller's market*), **buyer's monopoly** (monopolio de demanda; V. *commercial monopoly*), **buyer's option to double** (V. *option-of-more*), **buyer's risk** (al riesgo del comprador; V. *caveat emptor; at seller's risk; at owner's risk*), **buyer's surplus** (excedente del comprador; es la diferencia entre el precio efectivo de adquisición y el precio más alto que habría estado dispuestos a pagar por un producto), **buyers over** (BOLSA mercado fuerte; mercado agotado; finalización de la sesión de la bolsa con posición de dinero; V. *sellers over*), **buying calendar** (calendario de compras), **buying forward** (compra a plazo; V. *buying spot; futures contract*), **buying hedge** (cobertura con posición larga; compra compensadora; V. *long hedge*), **buying-in**[1] (BOLSA compra de acciones, al mejor precio, por parte de un corredor debido al hecho de que el vendedor original no cumplió su compromiso; el vendedor, no obstante, debe abonar la diferencia de precios; V. *close out selling-out*), **buying-in**[2] (FINAN aumento de la auto-cartera), **buying-in price** (cambio/precio de rescate), **buying-in shares** (autocartera; práctica consistente en la compra de acciones por la propia empresa con el fin de aumentar el rendimiento de los dividendos), **buying long** (FINAN inversión/compra en Bolsa a largo plazo; V. *selling short*), **buying on margin** (MERC FINAN/PROD/DINER compra al/sobre el margen; V. *marginal trading; margin*[4]),

buying on the bad news (BOLSA adquisición de valores en plena caída; técnica especulativa de adquisición de valores al tener conocimiento de su desplome o baja cotización, con la esperanza de que hayan tocado fondo y pronto suban de valor), **buying off the peg** (COMER comprar ropa confeccionada, directamente de la percha; V. *tailor-made*), **buying on balance** (BOLSA comprar al límite; se le presenta esta situación al intermediario cuando las órdenes de compra son superiores a las de venta), **buying power** (poder adquisitivo; V. *purchasing/spending power; ability-to-pay*), **buying price** (precio de compra, precio comprador; V. *bid price*), **buying rate** (cambio/tipo comprador; V. *selling rate*), **buying rate of exchange** (tipo de cambio comprador; V. *selling rate of exchange*), **buying round** (compra directa al fabricante, al exportador/importador evitando pasar por intermediarios), **buying source** (COMER fuente de aprovisionamiento), **buying spot** (MERC FINAN/PROD/DINER compra al contado; V. *buying forward; futures contract*), **buyout** (V. *buy-out*)].

bv *n*: V. *book value*.
BW *n*: V. *bid wanted*.
by *pref*: sub-, derivado. [Exp: **by-bidder** (licitante ficticio), **by-law/bye-law/byelaw** (normativa, reglamento, disposiciones, estatutos sociales en los EE.UU.; V. *articles of association*; ordenanzas municipales), **by-pass, bypass**[1] (desviar, derivar; evitar; omitir, obviar, desviación, derivación; carretera de circunvalación o desvío), **by-pass, bypass**[2] (GEST evitar controles o niveles de supervisión en la toma de decisiones ◊ *Bypass a step in procedure*; V. *bounded discretion; buck passing*), **by-product** (subproducto, producto secundario, derivados ◊ *Many plastics are by-products of the petrocheminals industry*; V. *end-product, waste-product, spin-off; downstream; derivative*)].

C

C *n*: FINAN calificación más baja dada a las inversiones por la agencia calificadora de solvencia financiera —*rating bureau*— norteamericana *Moody's Investors Service*, equivalente a la *CCC* de *Standard & Poor's*; V. *A1*. [Exp: **c's, the five** (las cinco «ces» que sirven para valorar la solvencia o reputación crediticia-financiera —*creditworthiness*— de un prestatario o *borrower* son: *character, capacity, capital, collateral and conditions*)].

CA, ca *n*: V. *capital account, chartered accountant, credit account, current account, consumers' association.*

CAB *n*: V. *controlled amortization bond, CAB.*

cabin *n*: cabina. [Exp: **cabin attendants** (tripulación auxiliar), **cabin crew** (personal de cabina)].

cabinet[1] *n*: armario; V. *display/filing cabinet; case.* [Exp: **cabinet**[2] (gabinete, consejo, consejo de ministros), **cabinet crowd** (BOLSA «pandilla de los archivadores»; son inversores de la Bolsa de Nueva York especializados en bonos muy poco activos; las instrucciones relativas a la compra y venta de dichos bonos, dentro de unos límites prefijados en una *limit order* o «orden con límite», se archivan en una zona de taquillas o armarios metálicos a un lado del parqué, de donde se deriva esta expresión propia de la jerga de los habituales de la Bolsa; V. *active bond crowd; loan crowd*), **cabinet security** (BOLSA bono poco activo cuyos movimientos y cotización se exponen en la zona de taquillas de los *cabinet crowd*)].

cable *n/v*: cable, cablegrama, telegrama; telegrafiar, poner un cable, enviar por giro telegráfico; efectuar un pedido por telegrama. [Exp: **cable address** (COMER dirección telegráfica/cablegráfica; V. *telegraphic address*), **cable broker** *col* (TRANS MAR agente/corredor intermediario entre los consignatarios de los armadores —*shipowners' agents*— y los corredores fletadores —*chartering brokers*—), **cable draft** (giro cablegráfico), **cable rates** (BANCA tabla de comisiones y gastos en las transferencias cablegráficas; V. *cheque rate, sight rate*), **cable ship** (buque especializado en el tendido y reparación de cables submarinos de comunicación intercontinental), **cable transfer, CT** (BANCA transferencia telegráfica; V. *telegraphic transfer*), **cablegram** (cablegrama, telegrama), **cablese** (lenguaje telegráfico; V. *journalese, telegramese*)].

cabotage *n*: cabotaje, navegación costera; normas de transporte internacional por mar, tierra o aire; V. *coastal trade*.

ca'canny *col n*: REL LAB huelga de trabajo lento; V. *go-slow, work-to-rule strike, sit-down strike, slow-down strike, wildcat strike*.

CAD, c.a.d *n*: V. *cash against documents; computer assisted design*.

cadastre *n*: LAW catastro.

cadge *col v*: sablear, gorronear. [Exp: **cadger** (gorrón, sablista)].

CAF/c.a.f. *n*: V. *cost and freight*.

cafeteria *n*: comedor de empresa, cafetería. [Exp: **cafeteria benefit program** *US* (REL LAB programas de compensación con ingresos marginales elegidos por los trabajadores)].

cage *US n*: V. *back office*.

calculate *v*: calcular. [Exp: **calculating machine** (calculadora), **calculation** (cálculo; V. *account*[7]), **calculator** (calculadora; V. *computer*)].

calendar *n*: calendario. [Exp: **calendar days** (días naturales, días seguidos), **calendar spread** (FINAN diferencial horizontal o de calendario, también llamado *time/horizontal spread*; V. *spread, bear spread, butterfly spread, credit spread, price spread, vertical spread, diagonal spread; put, call*), **calendar spreading** *US* (MERC FINAN/PROD/DINER prórroga de opciones; alude a la venta y compra simultánea de opciones de la misma clase, aunque con distintas fechas de ejercicio —*exercise/strike dates*—), **calendar year** (año natural, año civil; V. *corporate year, business year; working day*), **calendar-year basis** (en régimen anual), **calendar year experience** *US* (CONT resultado del ejercicio anual)].

calibrate *v*: calibrar. [Exp: **calibrating factor** (factor de calibración; factor para rectificar)].

call[1] *n/v*: llamada; llamamiento; convocatoria; requerimiento; llamar, convocar, requerir; exigir el pago, cobrar; V. *margin call*. [Exp: **call**[2] (llamada telefónica; V. *collect call*), **call**[3] (información telefónica; V. *City Call*), **call**[4] (emplazamiento, citación, convocatoria; V. *call for bids*), **call**[5] (BANCA petición, requerimiento o exigencia de devolución del préstamo llamado *call money*[1]; requerimiento del pago total o parcial de un préstamo garantizado, por haber descendido el valor de la garantía o por quiebra del prestatario; amortización anticipada; derecho a transferir, redimir, amortizar un bono o acción antes de su vencimiento; V. *callable; sharp/slow call; call loan*), **call**[6] (SOC dividendo pasivo; requerimiento de pago de las acciones suscritas; llamada a los accionistas para que abonen el dividendo pasivo; el primer pago, que se hace al suscribir acciones nuevas, se llama depósito de solicitud o *application money*; el segundo, *allotment money*, es el pago fraccionado al ser asignado el número de acciones, y el tercero *call*, también llamado *instalment payment, capital call, call for subscribed capital* y *call money*,[2] se puede hacer en varios plazos —*instalments, payments, calls*—; se dice que la acción está desembolsada o *paid up/in* cuando se ha satisfecho el último plazo o dividendo pasivo —*final call*—; V. *called-up; uncalled capital, make a call for funds, contributory, liability*), **call**[7] (BANCA notificación, requerimiento o petición para que se presenten a amortización los títulos redimibles o amortizables; V. *callable*), **call**[8] (COMER visita, visita comercial o a clientes; V. *business call, call rate; cold call, customer call report, user calls, callback; sales route*), **call**[9] *US* (BANCA inspección; V. *bank call; call report*),

call[10] (TRANS MAR escala, hacer escala; V. *port of call, emergency call, stopover*), **call**[11] (SEG contribución, derrama; con este sentido se usa en expresiones como *club calls* —derramas que hacen los miembros de las cooperativas de seguros—; V. *club call, protection and indemnity club, apportionment*[1]), **call**[12] (BANCA, FINAN opción de compra de valores; V. *call option, put option, option*), **call**[13] (COMER demanda, demanda comercial ◊ *There's not much call for this product*; V. *demand*), **call a general meeting, a strike, an election, etc.** (convocar una junta general, una huelga, elecciones, etc.; V. *call off*), **call a loan** (exigir el pago de un préstamo; V. *call in*[1]) **call-and-put-option** (FINAN opción de compra y venta; V. *straddle, call*[12]), **call, at** (BANCA a la vista, exigible en cualquier momento o de forma inmediata, a petición; V. *at notice; call deposit account, call money, on demand, delivery on call*), **call at a port** (TRANS MAR hacer escala en un puerto), **call away** (BOLSA amortizar un bono, o ejercer una opción de compra o de venta, antes de la fecha de vencimiento), **call back** (revocar, anular, destituir ◊ *Once you have given your promise, you cannot call it back*; V. *annul, cancel, recall*), **call-back pay** (REL LAB paga por horas extraordinarias; V. *scheduled working hours; call-in pay*), **call box** (cabina de teléfonos; V. *telephone booth*), **call costs** (TRANS MAR gastos de escala; V. *call*[9]), **call bird** (COMER producto de reclamo; producto de bajo precio que sirve para atraer a los clientes a la sección donde encontrarán otros productos de precio y calidad más elevados), **call costs** (TRANS MAR gastos de escala; V. *call*[10]), **call credit** US (COMER nota de abono; en esa nota consta que el comprador devolvió la

mercancía, teniendo derecho a efectuar otra compra por el mismo importe), **call cycle** (COMER espacio de tiempo que dejan los vendedores o representantes entre sus visitas a los clientes; V. *call*[8]), **call date**[1] (fecha de reembolso, de llamada o de retiro), **call date**[2] US (V. *call report*), **call deposit account** (BANCA cuenta de depósito, dinero a la vista o exigible en cualquier momento o con preaviso de un día; V. *call money markets, money at call; fixed deposit account*), **call feature** (BOLSA cláusula sobre las posibilidades y condiciones de amortización anticipada; esta estipulación, llamada también *call provision*, aparece en la emisión de bonos y valores no gubernamentales), **call for** (necesitar, requerir, exigir, hacer un llamamiento ◊ *Their desperate situation calls for desperate remedies*), **call for bidders/bids** (convocatoria de propuestas o de candidaturas; citación o llamada a licitadores, concurso; preselección de ofertas sacar/convocar a concurso o licitación, sacar a licitación pública, solicitar propuestas, anunciar licitación ◊ *The company has come up for sale and the board has issued a call for bids*), **call for capital** (SOC solicitud de desembolso de capital; V. *make a call for funds, capital call*), **call for delivery of shares** (BOLSA solicitud/petición/exigencia de entrega de los títulos), **call for tenders** (convocatoria de licitación), **call forth** (motivar, provocar, causar, inspirar, hacer que uno saque o muestre ◊ *The pressure she was under called forth all her skill and daring*), **call in**[1] (BANCA retirar fondos; pedir/solicitar/exigir la devolución de dinero o fondos; denunciar o redimir un préstamo; retirar monedas de la circulación; suele ir acompañaldo de *a debt, a loan, etc.* ◊ *The company went into liquidation when the banks* *called in the debt*; V. *run on a bank, calling in of currency*), **call in**[2] (pedir el asesoramiento de ◊ *Experts have been called in*), **call in**[3] (visitar ◊ *The sales representative called in twice last week*), **call-in pay** *US* (REL LAB salario mínimo garantizado aunque no haya trabajo), **call letter** (SOC carta mediante la que se exige a los accionistas el pago del dividendo pasivo; V. *called-up capital, call*[6]), **call loan** (préstamo diario o exigible, préstamo a la vista o a la orden; préstamo cuyo reembolso o devolución es exigible en cualquier momento, estando las dos partes contratantes facultadas para liquidarlo a su conveniencia; en la práctica se concede a los corredores de bolsa, para garantizar las operaciones de sus clientes, de ahí que se llame también *broker's call loan* ◊ *Call loans are recoverable at 24 hours' notice*; V. *sharp call, slow call, demand loan, term loan, time loan*), **call loan market** (FINAN mercado de préstamos a la vista a agentes bursátiles, también llamado *call-money market*; V. *call-money market*), **call margin** (MERC FINAN/PROD/DINER margen; depósito de garantía que hay que reponer si la cuenta de efectivo desciende por debajo del nivel de mantenimiento o *maintenance margin level*; V. *margin*[5]), **call money**[1] (dinero exigible con preaviso de un día, dinero a la vista o a la orden, préstamo bancario a la vista o exigible en cualquier momento; V. *at call, money at/on call, day-to-day money, demand loan*), **call money**[2] (SOC dividendo pasivo; V. *call*[6]), **call-money markets** (bancos que prestan dinero a la vista —*call money*[1]— a agentes bursátiles; V. *at call, money at call*), **call number** (índice de referencia; V. *reference*), **call-of-more option** (BOLSA opción a repetir; opción de compra doble; esta facultad a adquirir el doble de

acciones estipuladas, si lo desea, la tiene el comprador; V. *call option, option to double, buyer's option to double, put-of-more option*), **call off**[1] (desconvocar una huelga, etc., dar por terminado, cancelar o suspender un trato, acuerdo, etc., desistir de, abandonar una actividad ◊ *The deal has been called off because of the uncertain international situation*; V. *cancel, revoke, abandon; call a strike*), **call, on** (de guardia; con frecuencia es intercambiable con *at call*), **call on** (visitar/ir a ver a clientes; V. *call*[8]), **call on sb to pay** (exigir a alguien el pago inmediato de un plazo o deuda), **call option** (COMER, BOLSA, FINAN opción de compra; contrato que da a su propietario el derecho a comprar el activo subyacente —*underlying asset*— en el mercado de valores —*stock market*—, de materias primas —*commodities*— o de divisas —*currency*— a un precio determinado, llamado *strike price* o *exercise price*, hasta la fecha de vencimiento de la opción, llamada *expiration date*; V. *put option, call purchase*), **call out**[1] (llamar a la huelga ◊ *The electricians' union has called its members out*; V. *come out on strike*), **call out**[2] (COMER, FINAN ir llamando uno a uno, ir cantando los nombres, precios, etc. de una lista ◊ *In some commodities markets, bids and acceptances are still called out on the floor of the exchange*; V. *open outcry*), **call-out**[3] (servicio a domicilio; llamada pidiendo este servicio; se emplea en expresiones como *call-out service* —servicio a domicilio—, *call-out charge* —cobro por desplazamiento—, *call-out rate* —tarifa por servicio a domicilio— ◊ *Call out a TV technician*), **call-out charge/fee** (cobro por desplazamiento), **call-over, callover** (MERC FINAN/PROD/DINER reunión/convocatoria de intermediarios —*brokers*— y agentes —*dealers*— de materias primas a determinadas horas del día, en forma de corro —*ring trading*—, para constituir un mercado de un producto y efectuar transacciones a viva voz —*in open cry*—, llamándose *call-over price* —precio del mercado de corro— al precio acordado en dichas transacciones; V. *ring trading, open outcry*), **call pay** *US* (REL LAB paga por trabajo esporádico; jornal por haber sido convocado al trabajo; V. *call-in pay*), **call, port of** (V. *port of call*), **call premium** (FINAN prima de rescate, redención o de amortización anticipada; V. *bond premium*), **call premium costs** (FINAN coste de la prima por reembolso anticipado), **call price** (BANCA precio de rescate, redención o amortización; valor de rescate; V. *redemption price*), **call privilege** (BANCA privilegio de redención, préstamo privilegiado; muchos contratos o escrituras de formalización de bonos —*bond indentures*— prevén su devolución anticipada; se dice entonces que la sociedad emisora tiene el derecho de «exigir la presentación» —*call in*— de los bonos para su rescate, normalmente mediante el pago de una prima de amortización o *redemption premium*; V. *callable bond, call[7]*), **call protection** (BOLSA protección contra rescate anticipado en emisiones de bonos o de valores avalados con hipotecas durante un período «blindado» o garantizado, llamado *lock-in period*; V. *mortgage-backed securities, indentures*), **call provision** (BOLSA V. *call feature*), **call purchase** (MERC FINAN/PROD/DINER opción de compra de productos o materias. primas a precio diferido; el vendedor, en este tipo de transacción, se reserva la opción de fijar el precio dentro de unos márgenes relativos al precio del día de la formalización del contrato; V. *call option*), **call rate[1]** (COMER número de

visitas hechas por un representante o agente comercial en un trimestre, semestre, etc.; V. *call[5]*), **call rate[2]** (BANCA tipo/tasa de interés para préstamos diarios o a corto plazo, llamado *call money*), **call ratio backspread** (MERC FINAN/PROD/DINER diferencial o «spread»' a ratio comprador inverso; V. *put ratio backspread*), **call ratio spread** (MERC FINAN/PROD/DINER diferencial o «spread» a ratio comprador; V. *put ratio backspread*), **call report[1]** *US* (BANCA informe financiero de una institución bancaria; este informe, con frecuencia llamado *Comptroller's Call*, lo pueden exigir a entidades privadas bancarias tres o cuatro veces al año en fechas no prefijadas, llamadas *call dates*, los inspectores de la Autoridad Monetaria norteamericana, tales como *the Comptroller of the Currency, the Federal Reserve Banks, the Federal Deposit Insurance Corporation* y *the State Superintendent of Banking*, para conocer su situación o posición financiera y evitar el «maquillaje» o manipulación de la contabilidad —*window dressing of the balance sheet*; V. *report/statement of condition, Comptroller of the Currency, bank call; off-balance sheet liabilities*), **call report[2]** (COMER informe de la visita hecha por un representante a un cliente; V. *customer call report, call[8]*), **call sale** (COMER venta con elección de la fecha de entrega; V. *delivery on call*), **call station** *US* (TRANS estación/zona de entrega y recogida de mercancías), **call slip** *US* (ficha de préstamo), **call the meeting to order** (abrir la sesión; V. *open the meeting*), **call to account** (llamar a capítulo ◊ *If anything goes wrong, it is the manager who is called to account*), **call to order** (llamar al orden), **call up** (SEG pedir el desembolso de capital), **call-up capital**

(FINAN capital o dividendo pasivo requerido a los suscriptores de acciones adjudicadas; V. *rights issue*), **call value** (valor por amortización anticipada; V. *face value, surrender value*), **callability** (FINAN exigibilidad; V. *callable*), **callable**[1] (FINAN exigible, redimible, amortizable, denunciable, rescatable; con opción de recompra; la opción corresponde a la entidad emisora o *issuer*; V. *redeemable; surrender, rescue, release, call*[5]), **callable**[2] (BOLSA acciones preferentes de fácil salida), **callable bond** (BOLSA bono con opción de recompra; bono amortizable anticipadamente; obligación redimible; en la operación de recompra la entidad emisora suele abonar una prima de amortización o *redemption premium*; V. *call privilege; puttable bond*), **callable capital** (SOC capital amortizable), **callable loan** (crédito/préstamo exigible/redimible o de amortización anticipada), **callable bond payable** (SOC bono pagadero a la vista), **callable/ redeemable preferred stock** (SOC acciones preferentes amortizables), **callable protection** (FINAN protección temporal contra el repago), **callable swap** (MERC FINAN/PROD/DINER permuta financiera fijo-variable cancelable, antes de la fecha de vencimiento, por la parte receptora del tipo fijo; V. *puttable swap*), **callback** *US* (COMER técnica de venta de recuperación; consiste en el intento de hacer una segunda visita a un probable cliente por parte del representante; V. *user calls; business call, call,*[8] *cold call, customer call report, sales route*), **called-up share capital** (SOC capital desembolsado; capital cuyo desembolso se ha solicitado; se refiere sólo a la parte del capital suscrito y desembolsado; a la suscrita y no desembolsada se la llama *uncalled capital*, y cuando todo el capital ha sido desembolsado por los suscritores se habla de capital totalmente desembolsado o *fully-paid-up capital*; V. *call letter, allotment money; call*[3], *call up*), **caller** (comunicante; cliente; visitante; V. *call*[3]), **calling** (vocación, profesión ◊ *The manager, like many of his calling, was inclined to be somewhat authoritarian*)].

calm *a/n*: en calma, calmado, tranquilo, sosegado; calma. [Exp: **calm markets** (mercados en calma; V. *brisk market*)].

CAMEL rating *n*: baremo «Camel», utilizado por algunas agencias calificadoras —*rating bureaux*— para medir la solvencia bancaria; las siglas corresponden a las palabras inglesas *capital* —capital—, *assets* —activos—, *management* —gestión—, *earnings* —rendimientos—, *liquidity* —liquidez; V. *watch list, MACRO*.

Cambridge equation *n*: ECO ecuación de Cambridge; ecuación de cambio; ecuación de Fisher; V. *equation of exchange*.

cambism/cambistry *n*: cambio. [Exp: **cambist** (banquero, cambista; V. *foreign exchange dealer*)].

campaign *n*: campaña; V. *advertising campaign, sales campaign, consciousness campaign, blitz*. [Exp: **campaign manager** (PUBL director de campaña; V. *drum up support*)].

can *n/v*: lata, envase, bidón; enlatar, envasar; V. *tin, drum*. [Exp: **canned goods** (productos enlatados, conservas alimenticias), **canned presentation** *US* (COMER presentación de un producto estereotipada, con tópicos y latiguillos hecha por un representante), **cannery** (fábrica de conservas), **canning** (envasado, enlatado), **canning industry** (industria conservera), **canning plant** (planta conservera o de productos enlatados)].

cancel *v*: rescindir, cancelar, suspender,

anular, dar de baja, invalidar; V. *annul, terminate, call back, call off, rescind, repudiate, callable, flat cancellation, write-off*. [Exp: **cancel a contract** (rescindir/anular un contrato; V. *rescind, repudiate/void a contract*), **cancel a deed/document/instrument** (anular, invalidar, cancelar una escritura o documento), **cancel a debt** (saldar una deuda), **cancel a meeting** (suspender una reunión; V. *call off*), **cancel an order** (COMER anular un pedido, revocar una orden), **cancel each other** (V. *cancel out*), **cancel out** (contrarrestar, anular; anularse mutuamente ◊ *In a perfectly balanced portfolio it is assumed that the ups and downs will cancel out*), **cancellable** (anulable, rescindible, abrogable), **cancellation** (anulación, cancelación, rescisión, resolución, condonación; V. *equitable remedies*), **cancellation/cancelling clause** (cláusula resolutiva o de rescisión en un contrato, cláusula abrogatoria; V. *markdown/markup cancellation*), **cancellation of a debt** (condonación de una deuda), **cancelled cheque** (talón/cheque anulado; V. *stale/soiled cheque*), **cancelled debt** (deuda cancelada), **cancelling date** (fecha de entrada en vigor de la cláusula de rescisión; V. *cancellation clause*), **cancelling entry** (CONT apunte/asiento de anulación; contrapartida; V. *reversal/reversing entry; readjusting/offsetting/balancing entry/item*), **cancelling returns** (SEG reembolso de primas por rescisión o anulación de la póliza)].

candidate company *n*: empresa asediada; V. *target company*.

candlesticks *n*: ECO candelabro; modelo candelabro; en Japón, y cada vez más en Occidente, se usa el modelo «candelabro», en vez del de «barras», para la representación gráfica de los precios.

cannibalism *n*: COMER, PUBL canibalismo comercial; situación en la que el producto de una empresa se vende bien a expensas de otro de la misma compañía; V. *profit cannibalism*. [Exp: **cannibalization**[1] *US* (ECO canibalización/ desmantelamiento industrial; achatarramiento; aprovechamiento de las piezas de desguace; desmantelamiento de las unidades de un bien —vehículo, producto, etc.— para aprovechar las partes servibles; V. *industrial dismantlement; abandonment*[3]), **cannibalization**[2] (PUBL canibalización publicitaria; mensaje publicitario similar al de una marca de arraigo en el mercado), **cannibalize** (ECO achatarrar, aprovechar material de desguace o de un vehículo para arreglar otro, fagocitar)].

canny *a*: cauto, prudente, sagaz, astuto; ahorrativo, hormiguita *col* ◊ *The business is managed by a canny Scot*. [Exp: **cannily** (con prudencia, mesura, astucia o cuidado)].

canon[1] *n*: canon, reglas, normas, criterios, principios; normalmente aparece en plural. [Exp: **canon**[2] (serie o catálogo de las obras o productos más selectos, clásicos o sobresalientes ◊ *Their new model is being advertised as part of the canon*), **canonical analysis** (análisis normativo), **canons of taxation** (TRIB principios tributarios o de política impositiva)].

canvas *n*: lona, lienzo. [Exp: **canvas goods** (artículos de lona)].

canvass *v*: buscar clientes o hacer campaña de promoción en una determinada zona o sector; sondear la intención de voto; solicitar votos puerta a puerta, hacer campaña política, de *marketing* o mercadotecnia, etc. en una zona o en un sector determinado; abordar, someter a debate o discusión una cuestión o tema; V. *solicit*. [Exp: **canvass for a job** *col* (REL LAB moverse o buscar recomendaciones para encontrar empleo; tratar de influir o de buscarse apoyos entre los encargados de realizar un nombramiento), **canvasser** (representante; persona que hace sondeos o que busca datos en una zona o sector; vendedor de productos a domicilio; V. *door-to-door selling*), **canvassing of votes, customers, etc.** (búsqueda de votos, de clientes, etc.; campaña electoral; intento de disputarse los clientes, etc.; representación comercial, promoción), **canvassing techniques** (técnicas de sondeo, de promoción, de búsqueda de votos o clientes; V. *door-to-door canvassing*)].

CAP *n*: V. *Common Agricultural Policy*.

cap[1] *n*: forma abreviada de *capitalization*; V. *ex-cap*. [Exp: **cap**[2] (FINAN máximo, techo «plafond» de opción, tope máximo acordado; instrumento de cobertura, mediante el pago de una prima, que protege frente a una modificación perjudicial de tipos de interés variables por encima de lo convenido; limitar ◊ *Sellers of futures have limited liability capped at $50,000*; V. *caption; floor, ceiling; amortizing cap, deferred cap, naked cap, rate cap; seasonal cap; FRA*), **cap and collar mortgage** (FINAN hipoteca con tipos de interés variable y prefijados en sus topes superior e inferior; con frecuencia el prestamista y el prestatario, para protegerse de las amplias fluctuaciones de los tipos de interés —*wide fluctuation in interest rates*— en los préstamos de interés variable —*floating rate loans*— acuerdan una protección —*collar*— contra dicha fluctuación, siendo *cap* el nombre del tope o banda superior y *floor* el de la banda inferior; si la protección sólo la exige el prestatario, éste suele pagar una pequeña prima por la misma), **capped** (con techo; con tope máximo; con tope máximo blindado; V. *floor*),

capped floating rate note, FRN (FINAN bono/pagaré con tipo de interés variable/flotante y techo máximo o *cap*; bono variable con techo; V. *coupon; collared floating rate note*), **capped mortgage** (hipoteca con tipo de interés variable, no pudiendo la banda superior exceder del tipo máximo pactado aunque la inferior puede bajar de acuerdo con el mercado), **capped rate** (MERC FINAN/PROD/DINER margen/tipo fijo), **capping** (limitación en tipos de interés/impuestos, etc.; V. *rate capping*)].

capability *n*: capacidad, aptitud legal. [Exp: **capable** (competente, apto, idóneo, capaz; V. *competent, qualified*)].

capacity *n*: capacidad, competencia, aptitud, rendimiento; una de las cinco «ces» de la solvencia financiera; V. *letra «c»; competence, power, faculty, earning capacity, full capacity*. [Exp: **capacity cost** (costo a pleno rendimiento o capacidad), **capacity factor/measure** (ECO factor/medida de capacidad), **capacity of equipment/plant** (rendimiento o capacidad productiva de la maquinaria, la planta industrial, etc.), **capacity of, in the** (en calidad de, a título de, con carácter de; V. *acting, in an advisory capacity, in an official capacity*), **capacity to contract** (DER capacidad contractual; V. *contractual capacity*), **capacity utilization** (ECO capacidad utilizada; relación porcentual entre la producción real y la que se obtendría con la explotación de las instalaciones al máximo)].

capita, per *fr*: V. *per capita*.

capital *a/n*: capital, principal; mayúscula; capital, recursos propios, patrimonio ◊ *Banks are required to maintain 8 % of their risk-adjusted assets as capital*; V. *authorized capital, called-up capital, debenture capital, equity capital, issued capital, nominal capital, paid-up capital,* *registered capital, venture capital; principal.* [Exp: **capital account** (CONT cuenta de capital de la balanza de pagos; cuenta de patrimonio; cuenta en la que constan las acciones de los propietarios de una empresa; cuenta o capítulo de inversiones, en especial en la contabilidad del sector público; V. *revenue account*), **capital accumulation** (acumulación de capital; inversión en capital productivo), **capital adequacy** (BANCA suficiencia/adecuación de capital; nivel de los recursos propios; disponibilidad de fondos de un banco para hacer frente a las necesidades de sus acreedores y depositantes; V. *capital ratio, capital-to-assets ratio/level*), **capital adequacy ratio** (FINAN coeficiente de solvencia o de garantía de una institución financiera; V. *risk-adjusted assets*), **capital adequacy standards** (BANCA normas de suficiencia adecuación de capital; alude a la capacidad de prestación de servicios, manteniendo los niveles de capital con relación al activo; V. *capital-to-assets ratio/level; core capital*), **capital allowances** (TRIB desgravaciones por bienes de capital, deducciones de capital, amortización fiscal; CONT reajuste de valor por depreciación fiscal; V. *income-tax relief, accelerated depreciation, wriking-down allowance*), **capital and reserves** (CONT capital y reservas, pasivo no exigible, capital fiscal; V. *shareholders' funds*), **capital appropriation** (SOC, CONT capital fijo, reservas), **capital asset-s** (CONT activo de capital, bienes de capital o patrimoniales, activo fijo/inmovilizado, también llamado *fixed/permanent assets, capital expenditure*; V. *current/circulating assets*), **capital asset pricing model, CAPM** (FINAN modelo de formación/valoración de los precios de los activos de capital, los adherentes de este modelo parten del teorema «a

mayor riesgo, mayor rendimiento» para sostener que, a la hora de fijar el valor de los bienes de capital, como bonos, etc., la rentabilidad neta debe ser igual al rédito «automático» más una prima por el riesgo asumido al realizar transacciones en la situación dinámica del mercado; se cuantifica dicho riesgo de formas distintas según el tipo de activos en juego y las condiciones específicas de que se trate; V. *market model; modern portfolio theory*), **capital balance** (balanza de capitales), **capital base** (recursos propios), **capital costs** (gastos de capital), **capital bonus** (SEG prima dada por una compañía en concepto de plusvalía; bonificación de capital), **capital budget** (CONT plan de inversión de capital; presupuesto de capital o de activo fijo; presupuesto de gastos de capital; presupuesto para la planificación de desembolsos de capital; se trata de un presupuesto para programar los capítulos financieros a largo plazo —adquisición de maquinaria nueva, I + D, publicidad, etc.; normalmente alude a la previsión de compras y ventas de partidas de capital en contraste con los ingresos y los gastos corrientes), **capital budgeting**[1] (CONT presupuesto de capital), **capital budgeting**[2] (FINAN análisis de inversiones), **capital call** (SOC dividendo pasivo, también llamado *call money* o simplemente *call*[6]; V. *make a call for money*), **capital charges** (CONT cargas de capital; débitos en libros por costos de capital, esto es intereses, amortización, devolución de préstamos, etc.), **capital compliance ratio** (coeficiente de recursos propios), **capital composite** (composición/estructura del capital social; V. *capital structure*), **capital-consuming industry** (industria que consume/requiere mucho capital; V. *capital-saving devices*), **capital** consumption (amortización de capital, consumo del capital empleado en la producción bruta de una nación: equivale, en macroeconomía, al concepto de *depreciation* o amortización en la contabilidad de una empresa), **capital consumption allowances** (ECO, TRIB, FINAN reserva para depreciación; fondo de amortización; ajustes/reservas/asignaciones para el consumo de capital; deducciones por uso, desgaste y obsolescencia de plantas y equipos industriales durante un ejercicio tributario; se suele restar esta cantidad al producto nacional bruto o *gross national product*, por considerar que es el capital necesario para sostener la productividad nacional en el nivel actual, siendo el remanente el producto nacional neto o *net national product, NNP*), **capital contribution** *US* (SOC participación de los socios en una sociedad limitada), **capital cost** (ECO coste de la inversión; gastos de fundación o de instalación; coste de las mejoras que amplían la vida útil de un equipo o aumentan su valor; V. *economic life*), **capital debentures** (obligaciones no hipotecarias de capital; bonos de caja), **capital-debt ratio** (FINAN coeficiente de endeudamiento), **capital decrease** (reducción de capital; V. *capital increase*), **capital deepening**[1] (ECO aumento de la relación capital-trabajo, intensificación/aumento del uso o de la intensidad del capital con respecto al trabajo), **capital deepening**[2] (ECO inversión orientada a aumentar la eficiencia de la producción y a reducir costes), **capital deepening**[3] (FINAN estrategia de formación de bienes de capital rentables), **capital deficiency insurance** (SEG seguro contra falta/deficiencia de capital), **capital depletion** (FINAN descapitalización; merma o agotamiento de capital; V. *decap-*

italization), **capital development fund** (fondos de financiación; fondos para equipos de producción), **capital dividend** (BOLSA dividendo de capital, dividendo cargado contra el capital), **capital duties** (impuestos sobre el capital), **capital efficiency** (ECO productividad/rentabilidad del capital), **capital employed** (FINAN activos netos; capital en uso; V. *net assets*), **capital endowment** (ECO dotación de capital), **capital equipment** (bienes de equipo o de producción), **capital expenditure/outlays** (FINAN gastos en bienes de capital; inversión en activo fijo; gastos/costos/desembolso de capital, activo fijo), **capital flight** (evasión de divisas o de capitales; V. *flight of capital*), **capital flow** (flujo/afluencia/movimiento/corriente de capital), **capital formation** (formación de capitales; V. *investment*), **capital funds** (SEG capital por acciones), **capital gain/gains** (plusvalías de capital, ganancias de capital, ganancias por enajenación de bienes no personales, incremento del patrimonio ◊ *Capital gains arise from increases in the value of assets*; V. *capital loss, profit, wealth changes*), **capital gains tax** (impuesto sobre incrementos de patrimonio, impuesto sobre plusvalías, impuesto sobre ganancias de capital, impuesto de aumento de patrimonio; V. *increment tax*), **capital gearing** (FINAN apalancamiento de capital, también llamado *equity gearing* y *leverage* en los Estados Unidos; relación entre el endeudamiento de una mercantil y sus activos empresariales o el coste de sustitución de éstos; V. *leverage; low-geared, high-geared*), **capital gearing ratio** (FINAN relación entre los préstamos desembolsados y pendientes, y el capital y las reservas), **capital goods** (bienes de inversión, bienes de capital, bienes de equipo, bienes invertidos; a veces se trata de materias primas —*raw materials*— que se transformarán en bienes de consumo —*consumer goods*; V. *capital equipment*), **capital goods industry** (industria de medios de producción o de bienes de capital), **capital grant** (donación de capital), **capital growth** (FINAN crecimiento de capital; V. *income growth; capital stock*), **capital impairment** (SOC merma/reducción de capital por devoluciones, dividendos o pérdidas), **capital inadequacy** (insuficiencia de capital), **capital increase** (ampliación de capital, capitalización; V. *capital decrease, increase of share capital, reduction*), **capital inflow** (entradas/afluencia de capital; V. *capital outflow*), **capital insurance coverage** (cobertura del seguro de capital), **capital intensive** (con alto coeficiente de capital), **capital intensity** (FINAN densidad/intensidad índice/grado de intensidad de uso, necesidad o dependencia de capital), **capital-intensive industry** (industria intensiva en capital o que requiere mucho capital o mucho uso del mismo ◊ *Capital-intensive industries, like motorcar manufacturing, need high profit margins to survive*; V. *labour-intensive industry*), **capital investments** (FINAN inversiones de capital; se refiere normalmente a las inversiones en activos fijos y en valores a largo plazo, en contraste con los fondos invertidos en activos circulantes o valores a corto plazo), **capital-labour ratio** (relación capital-trabajo/mano de obra), **capital lease** (FINAN, CONT arriendo de capital; alquiler de un activo durante un. plazo de tiempo largo, en el que el arrendador —*lessor*— facilita su financiación, y el arrendatario —*lessee*—, que tiene la opción de adquirirlo por un precio

nominal al final del arrendamiento, corre con los demás gastos; a efectos contables se le considera como un empréstito y como un activo amortizable que, por tanto, debe figurar en el balance; también se le llama «alquiler financiero» —*finance lease*—, y «alquiler de financiación total» —*full-payout lease*—, porque al final del alquiler el activo está amortizado; V. *finance lease, operating lease*), **capital leverage** US (FINAN apalancamiento de capital, también llamado *capital gearing* en Gran Bretaña; relación entre el endeudamiento de una mercantil y sus activos empresariales o el coste de sustitución de éstos; V. *leverage; low-geared, high-geared*), **capital levy** (TRIB leva de capitales; impuesto, gravamen o exacción sobre el capital o el patrimonio; V. *capital gains tax, income tax*), **capital liability/ies** (pasivo patrimonial, pasivo fijo o no exigible, obligaciones de capital, deudas o pasivo a largo plazo de una mercantil, formadas por las emisiones de acciones y bonos, así como hipotecas y obligaciones consolidadas), **capital loan** (préstamo o empréstito de capital; préstamo avalado con capital), **capital-loan ratio** (proporción entre capital propio y préstamos), **capital loss** (minusvalías, pérdidas de capital; V. *capital gains*), **capital marginal efficiency** (eficiencia marginal del capital), **capital market** (mercado de capital a largo plazo; los mercados de capital se diferencia de los mercados monetarios —*money markets*— en que éstos operan con fondos a corto plazo ◊ *The banking system, the Stock Exchange and insurance companies are capital markets*), **capital market line, CML** (MERC FINAN/DINER línea del mercado de capitales; alude a la relación entre la rentabilidad esperada y el riesgo de mercado), **capital markets**

system (sistema de información del Banco Mundial sobre los mercados de capital), **capital movement** (flujos, movimientos o circulación de capital), **capital not paid in** (capital no liberado), **capital note** (pagaré convertible; V. *equity commitment notes; bank note, deposit note*), **capital of a partnership** (capital social de una sociedad colectiva o *partnership*; V. *assets of a partnership*), **capital-output ratio** (relación capital-producto), **capital outflow** (salida de capitales; V. *capital inflow*), **capital outlays** (desembolso/gastos de capital, inversiones en gastos de capital, inversión en activos fijos; V. *capital expenditure*), **capital-output ratio** (coeficiente de capital, coeficiente o relación entre capital y producción), **capital payment** (pago de cuenta de capital), **capital profits** (beneficios del capital), **capital rating** (valoración del capital de una sociedad; las agencias de calificación de solvencia *rating agencies/bureaux*— valoran —*rate*— no sólo el capital de una empresa sino también su historial en el pago de deudas y obligaciones contraídas —*payment record*), **capital ratio** (BANCA índice de la adecuación de capital de un banco; relación entre el capital y los activos; V. *capital adequacy, balance sheet ratios*), **capital reconciliation statement** (CONT estado de conciliación de capital; V. *account reconciliation*), **capital recovery factor** (factor de recuperación de capital), **capital redemption insurance** (seguro de amortización), **capital reduction** (reducción de capital; V. *capital decrease*), **capital reduction and increase** (operación acordeón), **capital renewal** (reinversiones de capital), **capital requirements** (FINAN necesidades mínimas de capital para poner en funcionamiento una empresa), **capital reserves** (reservas de capital), **capital resources** (SOC medios/recursos propios; patrimonio; V. *equity*), **capital-saving devices/inventions** (artilugios/inventos que ahorran capital; V. *capital-consuming industries*), **capital securities** (títulos de capital), **capital shares/stock** (capital social o comercial; capital escriturado; masa de capital; en puridad el concepto incluye las acciones preferentes, pero suele entenderse el capital social ordinario; en los EE.UU. se llama *capital stock*; V. *authorized capital/issue/stock, common capital, issued/subscribed capital, no-par value capital, paid-up capital, preferred capital, stated capital, unissued capital*), **capital stock[1]** US (SOC capital social; V. *share capital*), **capital stock[2]** (ECO capital nacional; masa de capital; capital total físico del conjunto de la economía de una nación; el libro azul —*Blue Book*— de la Oficina Central de Estadística —*Central Statistical-Office*—, publicado anualmente, ofrece una estimación del valor total del capital empleado en Gran Bretaña, calculando el valor actual o de reposición de los bienes; V. *capital shares*), **capital stock[3]** (BOLSA títulos apreciados por el crecimiento de su capital; V. *income stock*), **capital stock issuance** (emisión de acciones de capital social), **capital stock outstanding** (capital en circulación), **capital stocks of subsidiaries** (capital social en compañías afiliadas), **capital structure** (SOC estructura/composición del capital social; V. *capital composite, gearing*), **capital sum** (SEG monto de capital; capital asegurado que se entrega al asegurado al cumplirse el plazo pactado; V. *terminal bonus*), **capital supply** (oferta de capital), **capital surplus** (CONT incremento de capital; excedente o superávit de capital; excedente del valor en libros del capital social), **capital surplus country** (país con superávit de capital), **capital reswitching** (reconducción de capital), **capital tax** (TRIB impuesto sobre el patrimonio), **capital-to-assets ratio/level** (BANCA niveles de capital con relación al activo; V. *capital adequacy*), **capital transfer** (transferencia de capital), **capital transfer tax** (TRIB impuesto sobre transmisiones, donaciones y sucesiones; este impuesto, llamado en el pasado *estate duty*, fue sustituido por el *capital-transfer tax* y desde 1986 por el *inheritance tax*), **capital turnover** (FINAN rotación del capital; rendimiento de la inversión, movimiento o rotación de fondos, rotación de capital; aumento de capital; giro del capital; alude este término normalmente a la rapidez con que se mueve el capital de una empresa), **capital value** (CONT valor actual neto, también llamado *net present value*), **capital venture enterprise** (SOC empresa de capital riesgo; V. *joint venture*), **capital widening** (ampliación del capital; ampliación de la capacidad productiva del capital), **capital works** (instalaciones físicas), **capital yield** (rendimiento del capital), **capital yield ratio** (coeficiente de rentabilidad del capital)].

capitalism *n*: capitalismo. [Exp: **capitalist** (capitalista), **capitalist accummulation** (acumulación capitalista)].

capitalization *n*: capitalización; V. *market capitalization; share premium account.* [Exp: **capitalization issue** (V. *scrip issue*), **capitalization of expenses** (cargo de gastos a cuenta de capital), **capitalization of leases** (capitalización de arrendamientos), **capitalization of reserves** (CONT incorporación de reservas)].

capitalize *v*: capitalizar. [Exp: **capitalize**

on sth (aprovecharse de algo, sacar ventaja de algo), **capitalized expense** (gasto amortizable, gasto activado, gasto capitalizado; V. *deferred charge*), **capitalized income value** (valor de rendimiento; valor capitalizado), **capitalized interest** (BANCA intereses intercalarios)].

capitation *n*: capitación. [Exp: **capitation fee** (TRIB tasa de capitación), **capitation tax** (TRIB impuesto por cabeza, capitación, reparto de tributos o contribuciones, por personas o cabezas; V. *poll tax; head tax*)].

CAPM *n*: V. *capital asset pricing model.*

capsize *v*: TRANS MAR naufragar, zozobrar, dar la voltereta ◊ *The enquiry was told that the ship capsized owing to stormy conditions, spilling its cargo.*

captain *n*: capitán; V. *shipmaster.* [Exp: **captain's copy** (TRANS MAR copia complementaria del conocimiento de embarque para uso del capitán), **captain's entry** (TRANS MAR declaración de aduanas hecha por el capitán, con el fin de desembarcar las mercancías, por faltar la que debe hacer el importador; V. *bill of entry, customs entry*), **captain's protest** (SEG MAR protesta del capitán, declaración hecha ante notario por el capitán de un buque británico al llegar a puerto, detallando las circunstancias irremediables que han ocasionado o han podido ocasionar algún daño o perjuicio al barco y/o a la carga; V. *ship's protest, master's protest, protest in common form, note of protest, average*)].

caption[1] *n*: PUBL pie de foto; texto de un dibujo, chiste, etc.; título, encabezamiento de un auto o documento. [Exp: **caption**[2] (MERC FINAN/PROD/DINER capción; se trata de una opción de compra o de venta, mediante el pago de una prima, de un tope de interés máximo o *cap*)].

captive *a*: cautivo; de grupo; de la misma

empresa; V. *closed-end*. [Exp: **captive audience** (PUBL audiencia cautiva; por ejemplo, la de los anuncios de las estaciones de metro, etc.), **captive finance company** *US* (compañía financiera «de grupo» o que pertenece a un grupo industrial o comercial; compañía financiera dependiente; compañía financiera, dependiente de una empresa, por ejemplo, una fábrica de coches, cuya única misión consiste en financiar la adquisición de los productos fabricados por la empresa matriz; V. *finance house*), **captive insurance company** (SEG compañía de seguros cautiva o de grupo; se trata de una compañía de seguros que pertenece a una empresa matriz, la cual obtiene la cobertura requerida por la ley, sin tener que desembolsar primas elevadas; también se llama *captive insurer*), **captive insurer** (asegurador cautivo o de la misma empresa) **captive market** (mercado cautivo)].

capture *n/v*: captura, apresamiento; conquista; conseguir, acaparar, captar; conquistar; hacerse con el control de una empresa, etc.

CAR *n*: V. *compound annual return*.

car *n*: automóvil, coche. [Exp: **car assembly plant** (IND planta de montaje de automóviles), **car boot sale** (COMER venta desde el maletero del coche; venta ambulante espontánea y tolerada en la que los artículos están expuestos en el maletero de un coche), **car dealer** (vendedor de automóviles, concesionario de una marca de automóviles), **car ferry/float** (barco transbordador de coches o de vagones de ferrocarril), **car industry** (industria del automóvil), **car leasing** (alquiler de coches), **car mileage allowance rate** (tarifa de kilometraje por viajar en vehículo propio; *allowance for motor-car mileage*), **car park**

(aparcamiento; V. *parking lot*), **car rental firm** (empresa de alquiler de coches), **car retailing** (venta de coches), **carload** (vagonada; furgón; carga de vagón; carga completa), **carload rate** (TRANS flete/tarifa por vagón completo; esta tarifa es reducida porque un solo cliente llena el camión), **carman** *US* (conductor de un camión, autobús, etc.; V. *licensed carman*), **carshop** (taller de reparación de automóviles)].

carat *n*: quilate.

carboy *n*: bombona.

card *n*: tarjeta; boleta; V. *cards; escalator card, showcard, smart card*. [Exp: **card-carrying** (REL LAB con carné; se dice normalmente del empleado que está afiliado a un partido político o sindicato; V. *activist*), **card file** (fichero), **card index** (fichero de tarjetas; V. *index card*), **card indexing** (GEST indexación de tarjetas; sistema de archivo con ficheros de tarjetas), **cardholder** (titular de una tarjeta de crédito), **cardholder agreement** (contrato entre un banco y el titular de una tarjeta de crédito), **cardboard** (cartón; V. *corrugated cardboard; bristol board*), **cards** *col* (REL LAB documentos que acreditan la identidad, el número de la Seguridad Social y la identificación fiscal de un empleado; V. *get one's cards, ask for one's cards, be given one's cards*)].

care *n*: cuidado, precaución, custodia. [Exp: **care of, c/o Mr Smith** (se ruega entregar esta carta, etc. al Sr. Smith, atn. Sr. Smith), **care of securities** (BANCA custodia de valores), **care of, under the** (bajo la custodia de), **caretaker** (bedel, portero; V. *janitor*), **caretaker president/chairman, government, etc.** (presidente/gobierno, etc., interino, en funciones; V. *acting*)].

career *n*: carrera, trayectoria profesional. [Exp: **career ladder** (REL LAB escalafón;

escala de promoción en una profesión o puesto de trabajo), **career openings/ opportunities** (salidas profesionales), **career person/man/woman** (profesional), **career prospects** (perspectivas profesionales, posibilidades de éxito/ triunfo profesional), **career training** (formación profesional), **careers advice/guidance** (servicio de información/guía vocacional), **careers adviser/counsellor/officer** (consejero de salidas profesionales)].

cargo, cgo *n*: TRANS MAR carga, cargamento; V. *general cargo, return cargo, unitized cargo; freight, goods, merchandise, shipment.* [También puede significar «capacidad de carga de un buque» o «número de toneladas transportadas». Exp: **cargo boat/steamer/vessel** (TRANS MAR carguero, buque de carga; V. *passenger boat*), **cargo broker** (TRANS MAR corredor de fletes o de carga), **cargo forwarder** (expedidor de carga), **cargo handling** (TRANS manejo/servicio de la carga), **cargo handling at port** (TRANS MAR gestión portuaria de la carga), **cargo insurance** (SEG seguro de la carga o de la mercancía), **cargo liner/ship/plane** (barco/avión de carga; V. *air cargo*), **cargo lift** (servicio de carga aérea), **cargo liner** (TRANS MAR buque de carga de una línea regular), **cargo list** (lista de carga), **cargo manifest** (manifiesto/ documento de carga), **cargo, on** (cargando), **cargo option** (opción de carga; aparece este término en las pólizas de fletamento cuando no se fija el tipo de carga), **cargo passage** (TRANS MAR viaje con carga; V. *ballast passage*), **cargo plane** (avión carguero; V. *freighter*), **cargo policy** (SEG póliza de seguro de transporte marítimo), **cargo receipt** (recibo/guía de carga), **cargo syndicate** (SEG aseguradores de Lloyd's especia-lizados en seguros de transporte de mercancías), **cargo underwriter** (SEG asegurador de la carga), **cargo-worth clause** (SEG cláusula referida al valor declarado de la mercancía, a efectos del seguro)].

Caribbean *a*: Caribe. [Exp: **Caribbean Common Market, CARICOM** (Comunidad del Caribe, Mercado Común del Caribe), **Caribbean Free Trade Area, CARIFTA** (Zona de Libre Comercio del Caribe)].

CARICOM *n*: V. *Caribbean Common Market.*

CARIFTA *n*: V. *Caribbean Common Market.*

carnet *n*: TRANS carné; documento de aduanas que autoriza la importación, sin abonar derechos de aduanas, de determinados bienes —muestras para una feria, equipo de artistas, de científicos, etc.,— durante un breve período de tiempo; documento que autoriza el paso de mercancías por varios países, sin pagar derechos de aduanas, hasta llegar al destino final; V. *ECS carnet.*

carr fwd *n*: V. *carriage forward.*

carriage, cge *n*: porte, transporte, carta de porte; V. *haulage; trucking; road haulage.* [Exp: **carriage and insurance paid to, CIP** (TRANS, SEG transporte y seguro incluidos hasta), **carriage charge** (TRANS portes), **carriage collect** (portes debidos, porte por cobrar), **carriage inwards** (CONT transporte incluido en el precio de compra, precio del transporte de un bien de equipo, incluido en su coste total; V. *freight inwards, return freight*), **carriage forward, CF, carr fwd** (TRANS fletes debidos, a portes debidos, contra reembolso de flete), **carriage free** (franco de portes), **carriage outwards** (CONT transporte incluido en el precio de venta, precio del transporte de un bien de equipo vendido, incluido en su coste total; V. *freight outwards*), **carriage paid, CP** (TRANS a portes pagados), **carriage paid home** (TRANS franco a domicilio)].

carried *a*: llevado. [Exp: **carried down/forward/over** (CONT suma y sigue; V. *carry, carry down/over/forward*)].

carrier[1] *n*: transportista, empresa de transporte; V. *bulk carrier, common carrier, private carrier*. [Exp: **carrier**[2] US (SEG compañía de seguros), **carrier's bond** (fianza del transportista), **carrier's lien** (derecho de retención del transportista; derecho del transportista de retener la mercancía transportada como garantía del cobro de su servicio)].

carrot and stick *n*: política del palo y de la zanahoria; «una de cal y otra de arena»; alude a la doble estrategia, en cualquier tipo de negociación, de ofrecer algo atractivo, por una parte, al tiempo que se presiona con amenazas, por otra.

carry[1] *v*: transportar, llevar. [Exp: **carry**[2] (devengar, producir, entrañar, comportar, llevar aparejado, llevar consigo, ganar; V. *carry interests*), **carry**[3] (aprobar, imponer; V. *carry a motion, carry a point*), **carry**[4] US (BOLSA poseer gran número de acciones), **carry**[5] US (BOLSA facilitar fondos a clientes, por parte del corredor, para efectuar transacciones en Bolsa), **carry a high inventory** (CONT contar con muchas existencias o un *stock* elevado), **carry a motion/vote** (aprobar una moción, ganar una votación ◊ *The motion was carried by seven votes to four*), **carry a point** (imponer o hacer valer un criterio o punto de vista), **carry a stock** (COMER tener en existencias, tener en almacén, vender ◊ *We don't carry that article*; V. *carry in stock*), **carry-back** (CONT, TRIB pérdida trasladada al ejercicio anterior, también llamada *carry-back loss*; norma tributaria que permite a una empresa repercutir, a

efectos fiscales, las pérdidas de un ejercicio para reducir los impuestos del anterior; valor trasladable a períodos anteriores, retroaplicación; V. *loss carryback, carry forward, carry-over*), **carryback-carryforward** (retroalimentación y arrastre; V. *tax loss carryback, tax loss carryforward/carryover*), **carry forward**[1] (pasar a cuenta nueva; suma y sigue, arrastre, saldo llevado a cuenta nueva), **carry forward**[2] (CONT, TRIB traslación o repercusión de pérdidas a un ejercicio posterior a efectos fiscales, norma tributaria que permite a una empresa utilizar las pérdidas de un ejercicio para reducir los impuestos del siguiente, arrastre; V. *loss carry-forward, carry back, carried over*), **carry-forward schedule** (programa de actualización), **carry in stock** (V. *carry a stock*), **carry interests** (devengar/producir intereses ◊ *A dead account carries no interests*; V. *yield*), **carry into effect** (poner en ejecución; V. *effect*), **carry on a business** (llevar un negocio; heredar un negocio; seguir llevando un negocio tras el fallecimiento o jubilación del dueño anterior ◊ *After their father's death, the three sons carried on the family business*), **carry out** (desempeñar, ejecutar, practicar; V. *fulfill, implement*), **carry out an agreement** (ejecutar un acuerdo), **carry over**[1] (CONT pasar/trasladar a cuenta nueva o al ejercicio siguiente el saldo anterior —*balance*—, las existencias —*stock*—, etc.; sistema de compensación de remanentes), **carry-over**[1] (CONT pérdida trasladada al ejercicio siguiente; norma tributaria que permite a una empresa repercutir, a efectos fiscales, las pérdidas de un ejercicio para reducir los impuestos del ejercicio siguiente; valor trasladable a períodos posteriores; traslación de pérdidas a un ejercicio futuro a efectos fiscales; pérdida trasladable al ejercicio siguiente; V. *carry-back*), **carry-over²** (BOLSA prórroga en la liquidación de los valores de Bolsa a la siguiente quincena o *Account Day*, también llamada *contango*; V. *continuation; Account Day*), **carry-over³** (MERC sobrante/remanente de materias primas en un mercado de productos que, junto con la cosecha de ese año, constituye la oferta total del mercado; también se dice de la parte vieja introducida en un producto nuevo), **carry-over³** (saldo anterior, suma y sigue, pasar a cuenta nueva), **carry-overs⁴** (saldos/créditos que se traspasan), **carry-over file** (archivo continuo), **carry-over of premiums** (arrastre de las primas), **carry-over transaction** (MERC FINAN/PROD/DINER reporte, operación de reporte, operación aplazada), **carry sth to excess** (llevar algo a la exageración o más allá de lo razonable)].

carrying *n*: acarreo, transporte, traslado. [Exp: **carrying amount** (CONT valor en libros), **carrying broker** *US* (BOLSA corredor que presta a los clientes que operan sobre márgenes; V. *margin account*), **carrying capacity¹** (capacidad de acarreo o transporte), **carrying capacity²** (capacidad de sustento), **carrying charge market** (MERC FINAN/PROD/DINER mercado normal; en estos mercados, que son a plazo, el precio —*charge*— [de futuro] es trasladado —*carry*— y es superior al de los mercados al contado o *spot market*), **carrying charges¹** (BANCA, COMER gastos bancarios; gastos de mantenimiento; cargos bancarios mensuales por saldo inferior al acordado o por gestión de créditos; comisión por operaciones de compra a plazo), **carrying charges²** (FINAN sobrecargo; recargo, comisión que cobra el intermediario financiero al cliente que opera con valores mediante

una cuenta de crédito —*margin account*— con margen de garantía; V. *carrying broker*), **carrying charges³** (gastos de transporte), **carrying company** (compañía de transportes), **carrying cost** (coste de almacenamiento/mantenimiento), **carrying cost of capital** (FINAN costo de inactividad del capital, también llamado *charge of capital*), **carrying market** (MERC mercado de materias primas no perecederas; consecuentemente la entrega, el almacenaje y la reventa puede prorrogarse, sin peligro, de un mes a otro; V. *durables*), **carrying share** (BOLSA acción que produce dividendos; V. *dividend share*), **carrying trade** (industria del transporte), **carrying value** (CONT valor neto en libros; valor de un activo tras deducirle el coste de amortización; valor no recuperado)].

cart *n*: carro, carreta, carretilla [Exp: **cartage** (empresa de transporte por carretera, normalmente para cortas distancias; acarreo; tarifa de transporte de mercancías por carretera), **cartage bill** (pago de acarreo o de transporte), **carter** (carretero, porteador)].

carte *n*: carta; V. *smart card*. [Exp: **carte blanche, give** (dar carta blanca o poderes ilimitados ◊ *He has been given carte blanche to act on behalf of the company*; V. *free hand*)].

cartel *n*: cártel, monopolio [a corto plazo], consorcio, combinación. [Exp: **cartelization** (ECO cartelización), **cartelized commodity** (MERC PROD mercadería/producto cartelizado; V. *monopoly, conference, syndicate, trust*)].

carton *n*: cartón, envase de cartón, «brik».

cartoon *n*: PUBL boceto, caricatura, dibujo animado. [Exp: **cartoonist** (PUBL caricaturista)].

carve *v*: cortar, recortar, trinchar. [Exp: **carve-up** *col* (distribución interesada, chanchullo), **carve out** (grabar), **carve out/up** col (parcelar, dividir; repartirse la tarta ◊ *The two astute businessmen forced out their rivals and carved up the business between them*), **carve out a career** (labrarse un porvenir), **carve out a market niche** col (abrirse o asegurarse con esfuerzos un segmento o espacio en un mercado; V. *share*)].

cascade n: cascada. [Exp: **cascade effect** (ECO, TRIB efecto cascada; V. *pyramiding*), **cascade process** (ECO proceso en cascada), **cascade tax** (TRIB impuesto multifásico, impuesto en cascada, impuesto en cadena; sistema tributario de gravámenes sucesivos en cada fase de la producción y distribución de los artículos de consumo; en desuso desde la homogeneización del IVA en la Comunidad Europea; V. *cumulative sales tax*)].

case[1] n: causa o proceso civil o criminal, pleito, asunto, caso; argumentos, fundamentos. [Exp: **case**[2] (envase; V. *display case, in close cases, packing, packaging, cushioning*), **case analysis** (análisis del caso), **case may be, as the** (según el caso, dependiente del caso concreto), **case of, in the** (BANCA tratándose de, en el caso de), **case of need** (caso de necesidad; representante del ordenante de un cobro; nombre de la persona, escrito al dorso de una letra, a quien se puede dirigir su tenedor en caso de impago), **case studies training** (GEST instrucción/enseñanza mediante el estudio de casos), **case, that being the** (de ser así, siendo así)].

cash[1] n/v: dinero efectivo, dinero contante y sonante, activo disponible, dinero circulante, metálico, caja, cuenta de caja; tesorería, liquidez, pago en efectivo; cobrar; cambiar; convertir en dinero o hacer efectivo una letra, un cheque, un cupón, título negociable, etc.; descontar;

negociar a descuento; V. *budget cash, in kind, management cash, near cash items, petty cash, ready cash, vault cash; encash*. [El sustantivo *cash*, por lo general, significa «disponibilidad de dinero» en los estados financieros de los negocios y, en estos casos, abarca tanto el «efectivo en caja» como el «efectivo en bancos», en la mayoría de los países; en posición atributiva significa «en efectivo», «al contado», como en *cash earnings* —ingresos en efectivo—, *cash sale* —venta al contado—, *cash refund* —reembolso en efectivo. Exp: **cash**[2] (COMER producto/bien al contado; mercancías vendidas en un mercado de materias primas para entrega inmediata; V. *physical, actual; cash commodity*), **cash**[3] (V. *cash crop*), **cash a cheque** (cobrar/hacer efectivo un cheque; V. *collect*), **cash account** (CONT cuenta de caja; el término es muy polisémico, siendo éstos sus principales significados: cuenta de débito directo; cuenta de crédito de un cliente en una tienda, almacén, etc.; cuenta de caja o tesorería para cobro y desembolsos de efectivo de un negocio; cuenta de transacciones de efectivo en vez de la cuenta a crédito —*margin account*— que tienen los intermediarios o *brokers*; cuenta de movimientos de efectivo para la preparación del balance de una gran empresa), **cash accounting** (contabilidad de caja), **cash advance** (adelanto a cuenta; anticipo de tesorería, de caja o en metálico), **cash advance reimbursement fee** (FINAN cuota de reembolso sobre anticipos de efectivo), **cash after delivery, cad** (TRANS pago después de la entrega), **cash against documents, CAD/c.a.d.** (pago contra entrega de documentos, también llamado *cash on delivery, COD* y *collect on delivery* en EE.UU.; los documentos de envío se remiten a un banco del país del importador, el cual, tras el pago de la factura correspondiente, recibe los documentos, con los que podrá retirar las mercancías; V. *documents against acceptance; cash before delivery*), **cash agent** *US* (TRIB agente de seguros que no tiene crédito abierto en su compañía, es decir, debe abonar las primas al formalizar las pólizas), **cash and bank balance** (CONT disponible en el balance), **cash and banks, cash and due from banks** (CONT activo disponible, tesorería, disponible), **cash-and-carry¹** (COMER autoservicio mayorista; mayorista de pago al contado; pago de la mercancía al contado, corriendo el transporte a cargo del comprador; almacén, tienda, establecimiento o negocio de venta al por mayor), **cash-and-carry²** (MERC FINAN/PROD/DINER arbitraje directo; en el mercado de materias primas o *commodity market* consiste en la compra de un activo al contado —*cash*— y una venta simultánea a futuros, es decir, llevándolo —*carry*— a su vencimiento —*expiry date*—; V. *reverse cash and carry*), **cash and deposits** (CONT efectivo y bancos), **cash assets** (CONT activos de caja, activos disponibles, activos en efectivo, disponibilidades), **cash assets ratio** (coeficiente de caja), **cash balance** (saldo de caja), **cash and due from banks** (existencias en caja y bancos; V. *cash and bank*), **cash at banks** (existencia/efectivo en bancos; V. *cash on hand*), **cash audit** (arqueo de caja; V. *cash count, cash gauging, cash up, count of cash*), **cash available constraint** (GEST restricción del efectivo disponible), **cash balance** (CONT saldo de caja), **cash basis [accounting]** *US* (CONT contabilidad de caja; método contable basado en el efectivo; contabilidad según el criterio de registro de caja; método contable en el que se consignan los gastos y los ingresos cuando se efectúan o reciben en efectivo; en teoría, es lo contrario del *accrual basis accounting*, aunque en la práctica al «método mixto» o *modified cash basis* también se le llama *cash basis accounting*; V. *accrual basis*), **cash basis, on a** (al contado), **cash before delivery, CBD** (TRANS, COMER pago antes de la entrega, entrega previo pago en efectivo; V. *cash against documents*), **cash bonus¹** (plus, bonificación en efectivo), **cash bonus²** (SOC, BOLSA prima en metálico, dividendo extraordinario; V. *bonus shares*), **cash book** (diario/registro de caja), **cash book posting** (CONT pase o anotación en el libro de caja y de bancos), **cash box** (caja fuerte; V. *vault*), **cash break-even point** (ECO punto de equilibrio monetario; V. *break-even point; financial break-even point*), **cash budget** (presupuesto de caja o tesorería), **cash capital flow** (flujo de efectivo), **cash card/cashcard** (BANCA tarjeta de cajero automático; tarjeta de débito; este último significado es sinónimo de *debit card*), **cash collecting department** (CONT departamento de cobranzas), **cash commodity** (MERC PROD producto físico o subyacente comprado al contado; mercancía física; mercancía de contado; V. *cash price*,² *cash*²), **cash constraints** (ECO restricciones monetarias), **cash count** (arqueo de dinero, recuento de caja; V. *cash audit; cash gauging, cash up*), **cash cow** (negocio «chollo»; producto vaca lechera; en marketing son productos de alta cuota de mercado —*market share*— que reportan gran tesorería —*cash*— a la empresa con la que puede promocionar otros productos; V. *Boston Consulting Group portfolio analysis, dog, sleeping beauty, star*), **cash credit** (crédito de caja; descubierto bancario hasta cierta cantidad; V.

overdraft), **cash crop** (ECO cultivo con fines comerciales; cultivo para venta directa; V. *ready-money crop*), **cash deal** (BOLSA operación bursátil al contado; V. *cash settlement*), **cash-deposit ratio** (BANCA V. *cash ratio*), **cash desk** (COMER caja; cajero de un supermercado, etc.; V. *pay desk; checkout/checkout point*), **cash disbursements** (salidas/gastos en efectivo; desembolsos de dinero), **cash disbursements book** (libro de salidas de caja), **cash discount** (descuento por pago en efectivo o por pronto pago; V. *trade discount, bulk discount, prompt payment, discount for cash*), **cash dispenser** (caja/cajero automático; V. *automated teller machine; cashpoint*), **cash dividend** (dividendo en efectivo), **cash dividends payout ratio** (BOLSA tasa de liquidación del dividendo en efectivo), **cash down** ([pagar] en efectivo), **cash economy** (economía monetaria o monetarista), **cash entry** (CONT asiento de caja; *check cash entries*), **cash float** (CONT efectivo en caja; fondo de caja; «chatarra» o «calderilla» que se tiene en caja al iniciar la jornada, para cambios, etc., llamado también *float*[2]; V. *imprest system; petty cash, cash/money in/on hand; till money*), **cash flow** (FINAN flujo de caja; flujo/movimiento de efectivo, de tesorería, etc.; caja generada; beneficios más amortizaciones; beneficio consolidado neto más amortizaciones y provisiones; éste es un término polisémico, cuyo significado inicial es «flujo de efectivo o de dinero contante»; por extensión semántica, se están formando todos los demás: recursos generados, índice de la capacidad de autofinanciación de una sociedad mercantil, resultado de los movimientos de tesorería durante un período largo; margen bruto de financiación; recursos generales; conjunto formado por los beneficios

netos, las amortizaciones, las reservas legales, los impuestos y las plusvalías; pese a su popularidad, el término es impreciso, y para los economistas no tiene más que un valor relativo, siendo uno de entre los varios indicadores del volumen de negocio generado por la empresa y, consecuentemente, de su marcha general, sobre todo, en lo que se refiere a liquidez ◊ *Cash flow is equal to revenues less direct outlays or profits plus depreciation allowances*; V. *discounted cash flow*), **cash flow bonds** (BOLSA bonos garantizados por un fondo —*pool*— de titulación de hipotecas; también se les llama *pay-through securities*), **cash-flow budget** (CONT presupuesto del flujo de fondos o *cash flow*, también llamado *cash-flow projection*, en el que se aparecen todos los pagos y entradas esperados; V. *discounted cash flow*), **cash flow matching** (CONT ajuste de flujos de caja), **cash flow program** (SEG programa de aplazamiento de prima de seguro), **cash flow projection** (V. *cash-flow budget*), **cash flow per share** (flujo de efectivo por acción), **cash flow statement** (CONT cuenta/estado de flujo de caja; en la contabilidad contemporánea este análisis de los cambios periódicos que se producen en la situación financiera de las empresas está desplazando la cuenta tradicional de origen y aplicación de fondos), **cash flow problems** (problemas de tesorería/liquidez), **cash flow swap** (FINAN permuta financiera o «swap» de flujos de caja; V. *deferred cash flow swap, accelerated cash flow swap, fixed to fixed swap*), **cash flow techniques** (técnicas de análisis del flujo del efectivo), **cash flow underwriting** (garantía de tesorería), **cash forward market** (MERC FINAN/PROD/DINER mercado de entrega diferida o a plazo fijo),

cash forward sale (MERC PROD venta con pago en el acto y entrega aplazada), **cash fund vouchers** (comprobantes del fondo de caja), **cash flow yield** (rendimientos producidos por valores respaldados con hipoteca; V. *mortgage-backed security*), **cash funds** (fondos en efectivo), **cash-futures arbitrage** (arbitraje entre el mercado al contado y el mercado de futuros), **cash gauging** (CONT arqueo de caja; V. *cash count, cash up*), **cash hedge** (cobertura líquida), **cash held by public** (efectivo en manos del público), **cash holdings** (disponibilidades en efectivo, efectivos de caja; V. *cash on hand*), **cash imprest** (fondo fijo de caja; V. *cash float; petty cash, imprest system*), **cash held in trust** (efectivo en fideicomiso), **cash in** (cobrar, hacer efectivo; tener beneficios, canjear a cambio de dinero contante, vender ◊ *Investors can recover their outlay by cashing in their bonds or certificates*), **cash in/on hand** (efectivo disponible), **cash in on sth** (sacar partido o provecho de algo ◊ *Experienced investors often cash in on panic selling on the Stock Markets by buying up discarded shares*), **cash-in-transit policy** (SEG seguro de expedición de valores), **cash index** (índice de los precios al contado), **cash inflows** (CONT flujos de entrada de caja; V. *cash outflows*), **cash item**[1] (CONT partida de caja; asiento contable correspondiente a una operación al contado; asiento en tesorería ◊ *Cheques and drafts are cash items*; V. *non-stock cash items*), **cash items**[2] (COMER artículos vendidos al contado; «los precios de estos artículos son al contado»; V. *cash with order*), **cash journal** (CONT diario de caja; V. *cashbook*), **cash leakage** (merma, deterioro o fuga de tesorería), **cash letter** (cheque de caja), **cash loan** (préstamo en efectivo), **cash loss** (siniestro al contado), **cash**

management (gestión de tesorería, gestión de liquidez; eficiente gestión de activos; V. *treasury workstation, lockbox, zero balance account*), **cash management account, CMA** (cuenta de gestión de tesorería, cuenta de gestión de saldos de inversión), **cash management bill** US (FINAN Letra del Tesoro a corto plazo [menos de cincuenta días]; su función es cubrir la insuficiencia de liquidez o *cash shortages* en determinados períodos V. *Treasury bill*), **cash margin requirement** (depósito de efectivo), **cash market** (mercado al contado; V. *cash outlet; spot markets*), **cash market price** (precio de mercado al contado o *spot price*; V. *forward price, backwardation*), **cash on delivery** (entrega al hacer efectivo el valor de la compra de acciones, futuros, etc.; V. *receive versus payment*), **cash on delivery sale, COD, cod** (venta contra reembolso; a reembolso; V. *collect on delivery, spot cash, futures*), **cash on/in hand** (efectivo en caja; dinero circulante; V. *cash at hand; cash holdings, vault cash*), **cash on the nail** *argot* (en metálico, contante y sonante, a tocateja, al contado rabioso; V. *cash down*), **cash order** (pedido al contado; V. *cash with order*), **cash outflow** (CONT flujos de salida de caja; V. *cash inflows*), **cash outgoings** (gastos/salidas de caja), **cash outlays** (desembolsos), **cash outlet** (mercado al contado; V. *cash market; spot market*), **cash over and short account** (CONT cuenta de excedentes y descubiertos líquidos; cuenta de sobrantes y faltantes de caja; V. *over-and-short*), **cash-paying securities** (valores de cupón en efectivo), **cash payment** (pago al contado), **cash planning, systems and organization** (planificación, sistemas y organización del efectivo), **cash position** (FINAN posición de liquidez, situación de efectivo, posición de contado; normalmente es la relación entre el dinero efectivo, incluidos los valores del Tesoro —*United States securities*—, y el total del activo; V. *liquidity*), **cash price**[1] (precio al contado; V. *cash terms*), **cash price**[2] (MERC FINAN/PROD/DINER en el mercado de materias primas es sinónimo de *physical* o *actual price*), **cash projections** (proyección de flujos de fondos), **cash ratio**[1] (BANCA coeficiente de caja; índice de liquidez o de reservas en efectivo ◊ *Bankers keep cash ratios low as reserves bear no interest*; V. *cash assets ratio; cash deposit ratio, liquidity ratio*), **cash ratio**[2] (CONT relación entre los activos líquidos y el pasivo de una empresa), **cash receipts** (CONT cobros por caja), **cash receipts and disbursements** (entradas y salidas de caja), **cash records** (registros y documentos de caja), **cash refund annuity** (SEG pensión vitalicia en efectivo; renta anual o anualidad que contiene la provisión de que a la muerte del vitalicista se abonará en efectivo al beneficiario la diferencia entre el total recibido y el total abonado; V. *annuity*), **cash register** (COMER caja registradora; registro de caja, caja; V. *till; electronic cash register*), **cash reserves** (reservas de caja; reservas líquidas o en efectivo; disponibilidades, entre las que se incluyen los títulos-valores de alto grado de liquidez; V. *cash holdings*), **cash reserve balance** (reservas líquidas disponibles), **cash sale** (venta al contado; V. *charge sales, credit sales, hire purchase*), **cash settlement**[1] (BOLSA, COMER operación liquidada al contado; V. *account day*), **cash settlement**[2] (MERC FINAN/PROD/DINER liquidación por diferencias; liquidación mediante el pago en efectivo de las diferencias; se emplea en los mercados de futuros), **cash sheet** (hoja de pago), **cash shortage**[1] (CONT déficit/faltante de caja), **cash shortage**[2] US (FINAN insuficiencia de liquidez; V. *cash management bill*), **cash shorts-and-overs** (déficits y excedentes de caja; V. *cash over and short account, overages and shortages*), **cash statement** (CONT estado de caja, cuenta de tesorería), **cash store** (COMER establecimiento de ventas al contado), **cash surrender value** US (SEG valor de rescate en efectivo de una póliza ◊ *Cash surrender value qualifies as collateral for a bank loan*; V. *loan value, surrender value*), **cash tender offer** (BOLSA oferta de compra de acciones con pago en efectivo; V. *cash price*), **cash terms** (COMER condiciones de pago al contado; V. *cash price*), **cash transaction** (COMER operación al contado), **cash up** (CONT hacer arqueo de caja; V. *cash count, cash gauging; check/count the cash*), **cash value** (valor en efectivo), **cash voucher** (COMER justificante/resguardo/comprobante de caja o de haber pagado; V. *receipt*), **cash warrants** (bonos de caja), **cash/payment with order, CWO** (pedido al contado; remítase el importe junto con el pedido; sólo se atienden los pedidos que vayan acompañados del correspondiente pago; V. *cash items, cash order*), **cash yield** (rendimiento en efectivo), **cashable** (que se puede cobrar en efectivo), **cashbook** (libro de caja, diario de caja, registro de caja; V. *cash journal, ledger*), **cashier** (cajero; V. *teller*), **cashier's cheque** (BANCA cheque de caja/ventanilla; cheque bancario; también se le llama *official cheque* o *treasurer's cheque*; V. *certified cheque*), **cashpoint** (cajero automático; V. *cash dispenser*)].

cask, csk *n*: casco, tonel, barrica, cuba; V. *can*.
cast[1] *v*: lanzar, echar, arrojar. [Exp: **cast**[2] *obs* (CONT sumar columnas de cifras,

también llamado *cast up*; V. *tot up*), **cast a vote** (SOC depositar o emitir un voto), **cast anchor** (echar ancla), **cast away** (TRANS MAR lanzar mercancías; V. *jettison*), **cast-iron contract** *col* (REL LAB contrato blindado; V. *golden parachute*), **cast off** (TRANS MAR desamarrar), **casting** (fundición, pieza fundida, vaciado), **casting error** (error al sumar cifras; V. *posting error*), **casting up** (CONT suma total), **casting vote** (voto de calidad, preponderante o decisivo)].

casual *a*: coyuntural; eventual, temporero; involuntario, fortuito; despreocupado, informal. [Exp: **casual labour/worker** (trabajador eventual; V. *permanent, regular*), **casual work** (REL LAB trabajo eventual), **casual workers** (temporeros; mano de obra ocasional)].

casualty *n*: SEG siniestro, accidente, contingencia; baja. [Exp: **casualty coverage** (seguro contra siniestros), **casualty insurance** (SEG seguro de responsabilidad civil, llamado *property and liability insurance* y *property-casualty insurance* en los EE.UU.), **casualty loss** (pérdida por siniestro, pérdida fortuita; V. *third-party, fire and theft, fully comprehensive*), **casualty report service** (SEG servicio de información de accidentes marítimos publicado por Lloyd's en *The Weekly Casualty Reports*)].

catallactics *n*: ECO economía política.

catalogue, catalog *n/v*: catálogo, catalogar. [Exp: **catalogue price** (precio de/según catálogo)].

catastrophe *n*: SEG catástrofe; V. *acts of God*. [Exp: **catastrophe theory** (ECO teoría de catástrofes; esta alude teoría a una estrategia de planificación empresarial; V. *chaos theory*)].

catch[1] *v*: apresar, coger, aprehender, prender; captar; sorprender, pillar por sorpresa. [Exp: **catch**[2] *col* (trampa, pega ◊ *Always read the small print of a contract very carefully, there is a catch somewhere*), **catch a cold** *col* (FINAN perder dinero en una inversión), **catch crop** (cultivo rotativo, barbecho; V. *dry farming*), **catch fire** (prenderse fuego, incendiarse), **catch phrase/line** (PUBL reclamo/eslogan publicitario), **catch out** (coger/pillar por sorpresa, coger desprevenido; coger en un renuncio ◊ *They were caught out by the sudden downturn in the share price*), **catch sb off balance** (pillar a alguien con el pie cambiado), **catch sb on the hop/off stride/balance** (pillar a uno con el pie cambiado), **catch-up depreciation charge** (CONT cargo por actualización de la depreciación), **catch up on arrears of work** (recuperar los atrasos; V. *backlog; arrears of work*), **catching bargain** (contrato leonino/fraudulento, acuerdo gravoso para una de las partes ◊ *The court ruled that the contract was based on a catching bargain and was therefore null and void* V. *unconscionable bargain*)].

cater for *v*: atender, servir a, abastecer a. [Exp: **caterer** (restaurador; empresa de hostelería; proveedor/restaurador de comidas, comerciante del ramo o negocio de la restauración; V. *supplier, purveyor, victualler*), **catering** (hostelería, empresas/servicio de restauración social y de colectividades; avituallamiento de los aviones/trenes, etc.; comidas; aprovisionamiento), **catering department** (departamento de restauración), **catering sector, the** (ramo de la hostelería)].

CATS[1] *n*: V. *Computer Assisted Trading System; Toronto Stock Exchange*. [Exp: **CATS**[2] (V. *Certificates of Accrual on Treasury Securities*), **cats and dogs** *col* (BOLSA «chicharros», «morralla»; valores con poca solidez ◊ *Don't get involved with that portfolio; it's nothing but cats and dogs*; V. *cheap stock*)].

cattle *n*: cabaña, ganado; V. *livestock*. [Exp: **cattle-breeder, cattle dealer** (ganadero; V. *dairy farm*), **cattle feed** (forraje), **cattle path** (cañada)].

caution *n/v*: fianza, garantía, caución, medida cautelar; avisar, amonestar, afianzar. [Exp: **caution money** (depósito en garantía; V. *conduct money*), **cautious** (prudente, juicioso, discreto)].

caveat *n*: aviso, advertencia, anotación preventiva; V. *enter a caveat*. [Exp: **caveat actor** (a riesgo del actor), **caveat emptor** (COMER por cuenta y riesgo del comprador), **caveat subscriptor/venditor** (COMER por cuenta y riesgo del vendedor), **caveator** (persona que advierte)].

CBA *n*: V. *cost-benefit analysis*.

CBD *n*: V. *cash before delivery*.

CBI *n*: V. *Confederation of British Industry*.

CBO *n*: V. *collateralized bond obligation*.

CBOE *n*: V. *Chicago Board Options Exchange*.

CBOT *n*: V. *Chicago Board of Trade*.

cc *n*: V. *charges collect*.

CCA *n*: V. *current cost accounting; contingent claims analysis*.

CCC *n*: V. *C*.

CCI *n*: V. *commodity channel index*.

CCS *n*: V. *cross currency swap*.

CCT *n*: V. *Common Customs Tariffs*

CD/cd *n*: V. *certificate of deposit*.

cease *v*: cesar, terminar, extinguir-se. [Exp: **cease and desist order** US (intimación a cesar en la práctica; mandamiento ordenando el cese de determinada práctica comercial, conducta, etc.; V. *combination in restraint of commerce/ trade, code of fair competition*.

CEC *n*: V. *Commodities Exchange Center Inc.*

cede *v*: ceder, transferir, traspasar. [Exp: **ceding commission** (comisión de cesión), **ceding office** (SEG cedente; compañía cedente; alude a la compañía de seguros que cede o transfiere

reaseguros a otra llamada aceptante o cesionaria —*accepting office*)].

ceiling *n*: techo, límite superior o máximo; tope; V. *put a ceiling on; cap*. [Exp: **ceiling price** (ECO precio máximo autorizado; precio tope; V. *reach a ceiling, cap, price ceiling, wage ceiling; floor price*), **ceiling slack** (margen dentro del límite máximo), **ceiling year** (año a que se aplica el límite máximo)].

cell *n*: casilla, célula. [Exp: **cells of a table** (casillas de una tabla)].

census *n*: V. *business census*.

cent *n*: centavo; cien. [Exp: **cent, per** (por ciento)].

center/centre *n*: centro; V. *business centre*). [Exp: **centre spread** (PUBL anuncio en página central doble; V. *bridge*), **centre of location** (centro de ubicación), **centre-periphery theory** (ECO teoría del centro y la periferia), **central** (central), **Central Arbitration Committee** (Comisión Central de Arbitraje; V. *industrial dispute*), **Central Bank** (banco central/emisor ◊ *The Bank of England is the Central Bank of Great Britain*; V. *Federal Reserve System; lender of last resort; currency board*), **central bank discount rate** (tasa de descuento aplicada por los Bancos Centrales europeos —o de la Reserva Federal, en Estados Unidos— en la ventanilla de descuento o *discount window* a los efectos redescontables —*eligible bills/paper*; V. *discount rate*), **central buying** (compras centralizadas; V. *central purchasing department*), **central exchange rate** (tipo de cambio central), **Central Gilts Office, CGO** (Departamento del Tesoro británico encargado de la negociación de la deuda por medio de anotaciones en cuenta), **central market** (mercado central de abastos), **Central Office of Information, COI** (COMER oficina de información a exportadores británicos), **central market wholesaler** (COMER asentador), **central parity** (paridad central; se refiere a la paridad de las monedas de la Unión Europea con relación al ECU, con un estrecho margen superior e inferior en su fluctuación), **central processing unit** (unidad central de un ordenador), **central purchasing department** (departamento de compras), **Central Registration Depository, CRD** *US* (relación informatizada de los currículos de 40,000 profesionales del mundo de la inversión y las finanzas norteamericanas), **Central Statistical Office** (Centro Nacional de Estadística del Reino Unido, que publica el *Blue Book* o *Central Statistical Office Publication*, con datos de la renta nacional y de las cuentas públicas), **central spread** (V. *centre spread*), **centralize** (centralizar), **centrally planned economy** (economía dirigida, economía de planificación centralizada)].

CEO *n*: V. *chief executive officer*.

CEP *n*: V. *convertible exchangeable preferred stock*.

cert *n*: forma mutilada de *certainty*.

certain *a*: cierto. [Exp: **certain annuity** (SEG anualidad/renta a término fijo; seguro mixto a término fijo; V. *annuity certain, terminable annuity*), **certain/certainty equivalent** (ECO equivalente cierto o de certeza), **certainty**[1] (certidumbre, certeza; seguridad, convicción; inevitabilidad), **certainty**[2] *col* (chollo garantizado; especulación que no puede fallar; cosa segurísima o que se da por hecha; V. *racing certainty, dead cert*), **certainty, under** (en condiciones de certeza; V. *under risk*)].

certificate, cert *n*: certificado, título, partida; V. *share certificate*. [Exp: **certificate of account** (certificado de cuenta de ahorro a plazo fijo; no son negociables como los *certificates of deposit* o los *negotiable certificates of deposit*; V. *time deposit, savings certificate*), **certificate of accounts** (CONT certificado de auditoría extendido por un censor público/jurado de cuentas —*certified public accountant*), **certificates of accrual on Treasury securities, CATS**[2] *US* (FINAN bono/obligación o cédula del Tesoro de cupón cero; se adquieren a un precio muy inferior al valor nominal pero son rescatables, a su vencimiento, a la par, por lo que representan una inversión interesante para los planes de pensión, etc., al ir aumentando progresivamente —*accruing*— su valor; V. *Treasury Income Growth Receipt, TIGR, TIGER*), **certificate of acknowledgement** (acta o certificado notarial de reconocimiento, acta notarial), **certificate of analysis** (COMER certificado oficial en el que se asegura ser ciertos y correctos los componentes indicados en un producto), **certificate of claim** (reconocimiento por el prestatario de los gastos en que ha incurrido el prestamista en la subasta de los bienes de aquél por no hacer frente a los plazo de la hipoteca), **certificate of clearing inwards** (certificado de despacho de llegada), **certificate of clearing outwards** (certificado de despacho de partida), **certificate of compliance** (certificado de conformidad), **certificate of convenience and necessity** *US* (certificado de utilidad pública extendido al peticionario de una concesión de transporte de personas o mercancías, concesión de una licencia o franquicia estatal a una empresa por razones de interés público; V. *certificate of necessity*), **certificate of damage** (SEG certificado de averías; en transporte marítimo lo extiende un funcionario del puerto que certifica el estado deteriorado de las mercancías), **certificate of**

deposit, CD/c.d. (BANCA certificado de depósito; los extienden los bancos a cambio de depósitos importantes a un plazo de cinco años o más, siendo títulos negociables los superiores a $100,000; V. *floating note certificate of deposit; early withdrawal penalty, negotiable certificate of deposit, investment certificate, zero-coupon CD*), **certificate of existence** (fe de vida), **certificate of freeboard** (TRANS MAR certificado de francobordo), **certificate of incorporation** (SOC certificado de constitución o de incorporación de una sociedad mercantil expedido por el secretario del Registro de Sociedades o *Registrar of Companies*; V. *memorandum of association, corporation charter*), **certificate of indebtedness**[1] (BANCA certificado de adeudo), **certificate of indebtedness**[2] (BOLSA título de la deuda; deuda/obligación del Estado a corto plazo), **certificate of independence** (certificado de reconocimiento de independencia; este certificado, expedido por el *Certification Officer*, garantiza que un sindicato es independiente y que no está sometido a control empresarial), **certificate of inscription** (V. *inscribed stock*), **certificate of inspection** (certificado de inspección; V. *surveillance certificate*), **certificate of insurance** (SEG certificado de seguro; se suele extender a los asegurados en una póliza colectiva de seguros de vida; V. *master policy*), **certificate of necessity** *US* (TRIB certificado de utilidad pública; lo extienden las autoridades federales para permitir la amortización acelerada a efectos tributarios; V. *certificate of convenience and necessity*), **certificate of occupancy** (DER cédula de habitabilidad), **certificate of origin** (TRANS MAR certificado de origen; es un documento consular que, con frecuencia,

acompaña a los de los créditos documentarios), **certificate of posting** (certificado de que se ha enviado una carta o paquete por correo ordinario, no certificado; V. *registered mail*), **certificate of pratique** (certificado de plática; documento extendido por la autoridad sanidad del puerto al capitán del barco autorizando la descarga, si cuenta con una patente de sanidad limpia, por cumplir las disposiciones sanitarias; V. *clean bill of health*), **certificate of protest** (documento de protesto; lo extiende un notario cuando no se ha pagado el efecto de comercio), **certificate of public convenience of necessity** (certificado de interés público), **certificate of quality** (certificado de calidad), **certificate of receipt** (COMER certificado de recibo, toma a cargo), **certificate of registration** (certificado de registro), **certificate of registry** (TRANS MAR patente de navegación, certificado de registro), **certificate of survey** (certificado de inspección; V. *survey report, Lloyd's Register of Shipping*), **certificate of transfer** (BOLSA certificado de cambio de propiedad de acciones o valores), **certificate of valuation** (certificado catastral), **certificate to commence business** (SOC autorización/licencia de apertura de un comercio, por cumplir todos los requisitos exigidos por la ley para llevar a cabo actividades comerciales), **certificated bankrupt** (DER quebrado rehabilitado judicialmente más conocido con el término *discharged bankrupt*), **certificated stocks** (MERC PROD mercancías/existencias certificadas)].

certification[1] *n*: certificación, certificado, atestación. [Exp: **certification**[2] (REL LAB legalización o reconocimiento por *The National Labor Relations Board* de la formación de un sindicato en una unidad empresarial, que es la voz de los empleados de dicha unidad; V. *union cer-tification, bargaining unit, bargaining agent*), **certification officer** (funcionario que expide los *certificates of indepen-dence* y es responsable ante el Ministerio de Trabajo de la fiscalización de las cuentas de los sindicatos, etc.; V. *cer-tificate of independence*)].

certified *a*: dictaminado, certificado, comprobado. [Exp: **certified accountant** (CONT contador público, contador público titulado, censor público/jurado de cuentas; su colegio profesional es *The Chartered Association of Certified Accountants*, y sus miembros son *Fellows of the Chartered Association of Certified Accountants, FCCA*, los cuales no deben confundirse con los llamados *chartered accountants*, cuyo rango profesional es superior, aunque las funciones profesionales son casi las mismas; V. *certified public accountant*), **certified bill of lading** (TRANS MAR conocimiento de embarque con cer-tificación consular), US **certified check** US (BANCA cheque conformado, aceptado o visado; V. *marked cheque, cashier's cheque; banker's draft*), **certified mail** (correo certificado; V. *registered mail*), **certified copy** (copia certificada, compulsada o auténtica), **certified public accountant** US (CONT contador público titulado, censor público/jurado de cuentas; su colegio profesional es *The Institute of Certified Public Accountants*; V. *certified accountant, chartered ac-countant*)].

certify *v*: certificar, acreditar, dar fe, com-probar, compulsar, atestiguar, afirmar, autorizar; V. *attest, certificate*. [Exp: **certifying** (fehaciente; V. *evidencing, authentic*), **certifying officer** (funcio-nario autorizado)].

cession *n*: cesión, traspaso, transferencia; V. *transfer, assignment*. [Exp: **cession-aire** (cesionario), **cessionary bankrupt** (fallido, cedente de todos sus bienes)].

CET *n*: V. *Common External Tariff*.

CF *n*: V. *carriage forward*.

CFC *n*: V. *United Nations Common Fund for Commodities*.

CFF *n*: V. *Compensatory Financing Facility*.

CFTC *n*: V. *Commodity Futures Trading Commission*.

cge *n*: V. *carriage*.

cgo *n*: V. *cargo; Central Gilts Office*.

C.G.T. *n*: V. *capital gains tax*.

chain *n/v*: cadena, encadenamiento; encadenar. [Exp: **chain banking** (BANCA cadena de bancos; sistema bancario en el que unos pocos bancos son propietarios de otros normalmente a través de consejos de administración interconec-tados o *interlocking directorates*; V. *branch banking, group banking, interstate banking*), **chain-based/linked indices** (FINAN índice númerico en el que cada cambio que éste experimenta está relacionado al valor que tuvo con anterioridad en vez de al de una base fija de referencia; V. *base-weighted indices*), **chain of command** (GEST cadena de mando), **chain of department stores** (COMER cadena de grandes almacenes; V. *corporate chain*), **chain of hotels** (cadena de hoteles), **chain of title** DER relación de propietarios habidos en cada una de las transmisiones; V. *abstract of title*), **chain picketing** (REL LAB piquetes en cadena; cadena de contención; V. *picketing*), **chain store** (sucursal de una cadena; V. *branch*), **chain-weighted indices** (FINAN índice numérico en el que cada cambio que éste experimenta está relacionado al de una base fija de referencia; V. *base-weighted indices*)].

chair *n/v*: presidencia; presidir, moderar ◊ *The meeting was chaired by the Head of Finance*; V. *preside over*. [Exp: **chair-**

man, chairperson, chairwoman (SOC presidente; moderador; V. *president*), **chairman and chief executive** (SOC presidente y máximo responsable/ejecutivo, especialmente en el Reino Unido, en donde el término *president* alude, con frecuencia, a un cargo honorífico sin poder ejecutivo; sin embargo, no todas las estructuras empresariales son iguales y los títulos fuera de su contexto pueden ser a veces engañosos; V. *president*), **chairman's report** (informe del presidente del consejo de administración, memoria anual de la sociedad; V. *company report, directors' report*), **chairmanship** (presidencia; V. *co-chairman, joint-co-chairmanship*)].

chamber *n*: cámara. [Exp: **Chamber of Commerce** (cámara de comercio)].

champion *n/v*: campeón; dirigir, llevar, abanderar, conducir, guiar; ponerse a la cabeza, llevar la delantera; V. *lead*].

Chancellor of the Exchequer *n*: Ministro de Hacienda del Reino Unido.

Chancery Division *n*: División o Sala de la Cancillería. [Sala del *High Court of Justice*, encargada de conocer los pleitos de mayor cuantía relacionados con quiebras, hipotecas, escrituras, testamentarías contenciosas, administración de patrimonios, etc., tiene dos tribunales especiales: uno, el tribunal de sociedades mercantiles —*Company Court*—, que entiende de los pleitos y cuestiones de estas sociedades, y otro, el tribunal de patentes —*Patents Court*].

change[1] *n/v*: cambio; variación; cambiar, variar; V. *get no change out of sb; ring the changes*. [Exp: **change**[2] (moneda fraccionaria, calderilla, cambio, suelto, vuelta; V. *small/loose change*), **change**[3] (BOLSA variación del valor de una acción; V. *net change*), **change/shift gear** (cambiar de marcha o de velocidad, avivar el ritmo), **change hands** (COMER cambiar de dueño o de propietario), **change of month effect** (BOLSA efecto de cambio de mes; V. *snowball effect*), **changing** (variable), **changing patterns of trade** (ECO cambios o evolución en la estructura del comercio)].

channel *n/v*: canal, vía, conducto, medio; canalizar, encauzar, dirigir ◊ *Fund were channeled into the account via a network of associated companies*; V. *outlet; marketing channels*. [Exp: **channel off** (canalizar, desviar), **channels of distribution** (MERC PROD canales de distribución)].

CHAPS *n*: V. *Clearing House Automated Payment System*.

chapter 11 *US n*: artículo de la Ley de Quiebras que protege a la empresa que tiene dificultades financieras de la presión de sus acreedores mientras está en proceso de reorganización; el concepto más aproximado en el Reino Unido es *administration order*; V. *reorganization*.

character[1] *n*: personaje, personalidad; carácter; tipo original, personaje curioso. [Exp: **character**[2] (reputación, fama; V. *the five c's*), **character loan** (BANCA préstamo a persona solvente, préstamo sin garantía colateral), **character reference** (carta de recomendación, referencia, informe), **character-merchandising** (comercialización/explotación de la imagen de un personaje, ente de ficción, mascota, etc.), **characteristic line** (FINAN línea característica; es la frontera entre la rentabilidad esperada en un valor o cartera y la propia del mercado)].

charge[1] *n/v*: coste, precio, cargo, gasto, suplemento; comisión, comisión bancaria, etc; cargar, cobrar. ◊ *Bank charges are going up and up, especially if you use cheques*; V. *dues, accrued charges, operating charges, salvage charges, surrender charge, activity charge; free of charge/s*. [Exp: **charge**[2] (adeudo;

adeudar, debitar, deducir ◊ *Charge the
sum to the cash account and credit it to
the transport account*; V. *overcharge,
undercharge*), **charge³** (COMER fijar el
precio; V. *pricing, costing; cost plus
charging/pricing*), **charge⁴** (carga,
gravamen, afectación, garantía de una
deuda, exacción; gravar, afectar dar
como garantía ◊ *Security for a loan
usually takes the form of a charge over
some of the assets of a company*; V.
charges register), **charge⁵** (canon,
derechos; V. *charge on transactions;
dues, fee, service charge, surchage*),
charge⁶ (cobrar, cargar ◊ *We were
charged 2 % commission on the
traveller's cheques*), **charge⁷** (cargar en
cuenta ◊ *The interests will be charged
direct to your account*; V. *charge up*),
charge⁸ (encargar, confiar ◊ *She was
charged with the task of organizing the
president's visit*), **charge⁹** (acusación ◊ *A
charge of misappropriation*), **charge
account¹** US (BANCA cuenta de cargo,
cuenta de crédito o acreedora; V. *credit
account*), **charge account²** (COMER
cuenta de crédito abierta entre proveedor
y cliente, o entre cliente y establecimiento comercial; V. *credit account;
revolving credit*), **charge and discharge
statement** (CONT cuenta de devengos y
gastos administrativos; estado de
ingresos y gastos fiduciarios), **charge
card** (COMER tarjeta de crédito empleada
por ciertos almacenes; V. *cash card,
bank card; credit card, debit card*),
charge certificate (certificado de que el
título está gravado con una hipoteca),
charge customer (cliente con cuenta
abierta), **charge entry** (adeudo), **charge
for delivery/service** (cargo/gastos por
reparto/servicio), **charge hand/charge-
hand** (REL LAB encargado o jefe de
equipo; suele estar a las órdenes de un
capataz; V. *foreman*), **charge note**

(TRANS MAR cuenta de flete), **charge of
capital** (coste de inactividad de capital,
también llamado *carrying cost*), **charge
off¹** (BANCA, CONT dar de baja en libros;
amortizar; cancelar con cargo a beneficios; recalificar como incobrable; V.
write-off; bad debt-s charged off),
charge off² (CONT préstamos incobrables; débito a cargo de beneficios;
cantidad recalificada como incobrable;
pérdida; incobrable, baja en libros; deuda
cancelada; amortización de créditos; V.
bad debts; write-off; loan loss reserves),
charge on transactions (canon sobre las
transacciones), **charge on real property**
(derecho de prenda inmobiliario; V.
charge on real property), **charge sales**
(ventas a crédito; V. *cash sales, credit
sales, hire purchase*), **charge ticket** (nota
de adeudo o de débito; V. *debit note/
ticket*), **charge up** (cargar en cuenta o a
crédito), **chargeable** (imputable, adeudable, sometido, sujeto, obligado),
chargeable expenses (gastos imputables;
gastos de mantenimiento/administración,
etc.), **chargeable gain** (plusvalía
imputable, incremento patrimonial sujeto
a contribución ◊ *In calculating a
chargeable gain, the cost of the asset
may be increased to take account of
inflation*), **chargeable period** (período
impositivo), **chargeable to, be** (correr a
cargo de), **chargeback** (BANCA contra-
cargo; nota de devolución de efecto;
cargo en la cuenta de un cliente, por
devolución del efecto, del importe
correspondiente al efecto que le había
sido abonado en cuenta, por carecer el
librador del mismo de fondos suficientes,
etc.), **chargee** (deudor privilegiado; V.
mortgagee), **chargehand, chargeman**
(encargado), **chargeoff** (CONT cancelación contra superavit; V. *charge off*),
chargeoff loan (CONT préstamo amortizado), **charges and commissions** (CONT

gastos y comisiones), **charges collect, cc** (gastos por cobrar), **charges forward** (TRANS gastos debidos o abonables a la entrega; V. *charges prepaid*), **charges on assets** (cargas sobre los activos de una empresa, normalmente los empréstitos avalados con activos de la empresa; V. *fixed charge, floating charge*), **charges prepaid** (gastos pagados; V. *charges forward*), **charges register** (relación de cargas, hipotecas o gravámenes de cualquier título, según consta en el Registro de la Propiedad, registro de cargas sobre los activos; V. *encumbrances*), **charging berth** (embarcadero; V. *discharging berth*)].

charity *n*: institución benéfica, obra benéfica, institución, entidad o sociedad de beneficencia ◊ *Money collected or set aside for charitable purposes may be tax-deductible*; V. *beneficial association, benefit society, eleemosynary corporation; registered charity*. [Exp: **charitable** (benéfico), **charitable contribution** (aportaciones de beneficencia), **charitable institution** (entidad benéfica, caritativa o de beneficencia), **charitable trust** (SOC fideicomiso benéfico, fundación benéfica; V. *public trust*), **charity card** (V. *affinity card*), **charity fund** (fondo destinado a beneficencia o fines benéficos)].

charm price *n*: COMER precio psicológico; también llamado *odd price* y *psychological price*, es aquel precio no acabado en números redondos, que da la impresión de ser inferior, como 1.995 pesetas o $1.99.

chart *n/v*: cuadro, plan, tabla, esquema; carta náutica; trazar, registrar, seguir, mostrar; V. *bar chart, flow chart, organisation chart, pie chart*. [Exp: **chart of accounts** (CONT plan contable), **charting** (análisis de gráficos; análisis de previsión de factores relacionados con el

mercado de valores, de productos, de futuros, etc.; V. *technical analysis*), **chartism** (BOLSA análisis chartista, chartismo), **chartist** (chartista; analista de inversiones bursátiles, analista técnico de Bolsa ◊ *A chartist uses charts and graphs to anticipate the future movements of shares*; V. *technical analysis*)].

charta partita *n*: V. *charter party*.

charter[1] *n/v*: carta fundacional o escritura de constitución de una empresa o *articles of association/incorporation*; privilegio real, cédula real; fuero; carta estatutaria; carta de naturaleza legal; estatuir, establecer por ley, constituir, autorizar; V. *bank charter, lump sum charter European Social Charter, privilege, indenture, bare-boat charter, full charter*. [El término *charter* deriva del latín *charta* y, en ese sentido, equivale a «privilegio» o «carta real» —*royal charter*; muchas instituciones británicas como las entidades de beneficencia/patronazgo o *charities*, las academias o *learned societies*, etc. son *chartered societies* porque se han constituido mediante cédula o privilegio real. Con el mismo significado original de «carta» se ha empleado en el mundo del transporte marítimo —y, después, en todos los demás— en el sentido de «carta de navegación». Exp: **charter**[2] (fletamento, alquiler de un medio de transporte; fletar un medio de transporte, normalmente un avión o barco; fletar un barco, autobús, etc. para un viaje discrecional; V. *slot charter, time charter, voyage charter*), **charter conversion** (BANCA cambio de ficha bancaria por modificación de estatus concedida por el interventor general del Estado o *Comptroller of the Currency*), **charter flight** (vuelo no regular; vuelo fletado, vuelo *charter*; V. *scheduled flight; airliner*), **charter/**

chartering market (mercado de contración de fletes, siendo el más importante del mundo *The Baltic Exchange*), **charter member** (SOC socio/miembro fundador), **charter party, C/P** (TRANS MAR póliza de fletamento, carta, contrato de fletamento de un buque, contrata de arrendamiento de un buque; el término *charter party* es una derivación de «charta partita», porque el contrato, tras su firma, se dividía en dos partes que guardaban cada uno de los contratantes; V. *indenture*), **charterage** (fletamento de un buque o avión, tarifa del fletamento), **chartered**[1] (autorizado, contratado, fletado, discrecional, colegiado), **chartered**[2] (oficial; autorizado; constituido; legalmente reconocido; fundado mediante cédula real; V. *chartered bank*), **chartered accountant, C.A.** (CONT censor público/jurado de cuentas, contador público titulado, experto contable, perito, diplomado en contabilidad; su colegio profesional es *The Institute of Chartered Accountants*, pudiendo ser sus colegiados miembros de pleno derecho o *fellows* y asociados o *associates*; estos profesionales no deben confundirse con los *certified accountants*; V. *certified public accountant*), **Chartered Association of Certified Accountants** (Colegio de censores jurados de cuentas; V. *certified accountant*), **chartered bank** (banco registrado legalmente; banco con privilegios), **chartered company** (sociedad mercantil creada por cédula real; V. *registered companies, statutory companies*), **chartered flight** (vuelo no regular, vuelo «charter»; V. *airliner*), **Chartered Institute of Insurance, CII** (Colegio Oficial de Aseguradores; V. *Fellow*), **chartered property & casualty underwriter** *US* (agente de la propiedad inmobiliaria), **chartered secretary** (secretaria titulada por *The Institute of Chartered Secretaries*), **chartered society** (sociedad constituida mediante cédula o privilegio real), **charterer** (fletador; persona que contrata o fleta la utilización de un buque por un período de tiempo o para un determinado número de viajes), **charterer's broker** (TRANS MAR corredor del fletador; V. *owner's broker*), **charterer pays dues, c.p.d.** (TRANS MAR los derechos corren a cuenta del fletador), **chartering** (TRANS MAR flete), **chartering agent** (TRANS MAR corredor de fletamentos, agente fletador; comisionista cuya función es buscar, en nombre de los transportistas, buques o espacios en los buques para el transporte de su carga; V. *cable broker*), **chartering brokers** (TRANS MAR corredores fletadores; son intermediarios encargados de buscar empleo para los buques de los armadores; V. *cable broker*)].

chase *v*: cazar, perseguir. [Exp: **chaser** (COMER carta de recordatorio; V. *follow-up letter*), **chasing letter** (V. *chaser*)].

chattel-s *n*: DER bienes muebles, enseres, prenda-s; V. *personal property, personalty*.

cheap *a*: barato, de precio o tarifa reducida, de bajo precio; V. *dirt cheap*. [Exp: **cheap jack** *US* (vendedor de saldos), **cheap labour** (mano de obra barata), **cheap money** (BANCA, FINAN dinero barato, crédito fácil, mercado fácil de dinero; V. *easy money, dear money*), **cheap, on the** (barato, a precio de saldo o ganga), **cheap stock** *US* (BOLSA chicharros; V. *cats and dogs*), **cheapen** (abaratar; V. *mark down*), **cheapness** (bajo precio), **cheapest to deliver** (FINAN se dice del bono más atractivo para la entrega en compensación)]

cheat *n/v*: tramposo, estafador; estafar, hacer trampas, timar ◊ *The accountant admitted cheating on the firm's tax* *returns*; V. *dole cheat*. [Exp: **cheating** (estafa; V. *dole cheating*)].

check[1] *n/v*: revisión, examen, reconocimiento, comprobación, inspección, control, verificación; comprobar, inspeccionar, fiscalizar, revisar, controlar, verificar, compulsar, cotejar; puntear ◊ *Bills and invoices have to be checked carefully for errors*; V. *make a check, oversee, inspect*. [Exp: **check**[2] (marca, señal; marcar, puntear; V. *mark, check off*), **check**[3] (obstáculo, restricción, freno, interrupción, revés; parar, impedir, poner freno, refrenar, obstaculizar ◊ *These subsidiary rules act as a check to unscrupulous business methods*; V. *put a check on, stifle, keep down, checks and balances*), **check**[4] *US* (BANCA cheque, talón; en inglés británico se prefiere la forma *cheque*; V. *outstanding*), **check against** (cotejar con), **check an account** (BANCA comprobar/puntear una cuenta), **check book** *US* (BANCA chequera, talonario de cheques; V. *cheque-book*), **check cash entries** (CONT arquear; V. *count the cash/till*), **check digit** (CONT dígito de comprobación de los números de cuentas bancarias, del *ABA number*, etc.), **check guarantee** (BANCA garantía de solvencia y conformidad de talones; servicio prestado por algunas empresas especializadas, que garantizan la «cobrabilidad» de los cheques), **check in** (registrarse en un hotel, facturar en el aeropuerto, fichar al entrar al puesto de trabajo; V. *clock in/on*), **check-in** (registro de entrada, facturación en un aeropuerto, recepción en un hotel), **check-in counter** (mostrador de recepción/inscripción), **check-in time** (horario de facturación/presentación en el aeropuerto), **check kiting** (BANCA circulación de cheques en descubierto; V. *balloon, overdraft, bad cheque*), **check made out to cash** *US* (cheque al contado), **check off**[1] (dar el visto bueno) **check-off**[2] *US* (REL LAB cuota sindical descontada del salario; descontar del sueldo la cuota sindical), **check out** (dejar la habitación de un hotel y pagar; fichar a la salida del trabajo ◊ *Please check out by noon*; V. *clock out/off*), **check-out counter** (COMER caja de salida; puesto en donde se paga en un supermercado, etc. a la salida), **check sheet** (hoja de verificación), **check the cash/till** (CONT arquear; V. *count the cash, cash up; check cash entries, count of cash, cash count, cash gauging*), **check the entry of imports** (controlar la entrada de importaciones), **check the market** *US* (BOLSA indagar/comprobar/comparar/tantear los precios de valores en empresas del mercado secundario —*over-the-counter stock and securities market*), **check trading** *US* (BANCA venta de cheques bancarios), **check-up** (control, verificación), **check up on**[1] (comprobar la exactitud de; averiguar, asegurarse de ◊ *Check up on those points before you submit your report*), **check up on**[2] (pedir informes de, investigar, averiguar los antecedentes de ◊ *We'd better check up on this company before we do business with them*), **check with** (ser/estar conforme con, casar bien con), **checkable deposit** (BANCA cuenta corriente), **checking** (comprobación, verificación, contrastación), **checking account** *US* (BANCA cuenta corriente, también llamada *demand deposit account*; en el Reino Unido los términos utilizados son *current account, cheque account* o *drawing account*; V. *Trustee Saving Bank; NOW account*), **checking deposit** (depósito a la vista; V. *demand/sight deposit*), **checking of cash** (arqueo; V. *cash count/gauging; count of cash*), **checklist** (lista de artículos para su cotejo; catálogo; relación de contenidos;

V. *delivery note*), **checkout/check-out point** (COMER cajero de un supermercado, puesto de la caja, caja registradora de un supermercado; V. *cash desk; cash up*), **checkpoint** (punto de control o vigilancia), **checkroom** *US* (consigna, guardarropa; V. *cloak-room*), **checks and balances** (frenos y equilibrios)].

cheerful *n*: animado, favorable, bien dispuesto. [Exp: **cheerful market** (mercado favorable; V. *calm market*)].

cheque *n*: talón, cheque; en inglés americano se prefiere la forma *check*; V. *certified cheque, crossed cheque, soiled cheque, stale cheque, travellers' cheques; outstanding*. [Exp: **cheque account** (BANCA cuenta corriente, también llamada *current account* o *drawing account*; en los EE.UU. los términos utilizados son *demand deposit account* o *checking account* ◊ *Withdrawals from a cheque account can be made by cheque, direct debit, standing order or cash card through an automated teller machine*; V. *Trustee Saving Bank; NOW account*), **cheque alteration insurance** (seguro contra alteración del importe del cheque), **cheque-book** (chequera, talonario de cheques; V. *check book*), **cheque card** (tarjeta acreditativa de cuenta corriente; esta tarjeta, que acredita la identidad del portador, es emitida por el banco junto con la chequera y tiene la función de avalar cheques firmados por el titular de la cuenta hasta el límite autorizado; de esta manera facilita el uso de los talones en los comercios, muchos de los cuales no admitirían los cheques de un cliente desprovisto de tal garantía; V. *charge card, credit card, debit card*), **cheque clearance** (abono de un cheque en cuenta, compensación/conformidad para el abono de un talón; V. *clearance of a cheque*), **cheque clearings** (compensaciones de cheques o bancarias), **cheque hold** (BANCA número de días que un banco puede retener cheques, etc. antes de abonarlos en la cuenta del cliente; V. *account hold*), **cheque kiting** (BANCA V. *check kiting*), **cheque not covered by funds** (cheque al descubierto; V. *dud cheque, bounced cheque*), **cheque rate** (BANCA comisión por cobro de talones o títulos a la vista extranjeros ◊ *Cheque rate is generally lower than a cable rate but higher than the time bill rate*; V. *sight rate, cable rate, short rate*), **cheque stub** (talón de un cheque), **cheque to the bearer** (cheque al portador), **cheque to the order** (cheque a la orden; V. *order cheque, negotiable cheque*), **cheque voucher** (comprobante), **chequing account** (cuenta corriente; V. *current account, checking account*)].

cherry-picking *US col n*: COMER ir de tienda en tienda en busca de gangas, especialmente lotes o unidades sueltas.

Chicago *n*: Chicago. [Exp: **Chicago Board of Trade, CBOT** (mercado de productos agrícolas de Chicago, tanto de futuros como de entrega inmediata o al contado —*spot*—, considerado el mayor del mundo; V. *Board of Trade Clearing*), **Chicago Board Options Exchange, CBOE** (MERC FINAN/PROD/DINER Mercado de Opciones de Chicago, fundado en 1973; V. *long-term equity anticipation securities, leap*[2]), **Chicago Mercantile Exchange, CME** (MERC FINAN/PROD/DINER Bolsa de Chicago; mercado de futuros y opciones en divisas —*currency*—, tipos de interés —*exchange rates*— y ganado —*livestock*; V. *International Monetary Market, IMM*)].

chief *a/n*: principal; matriz, jefe, director; V. *head*. [Exp: **chief accountant** (jefe de contabilidad; V. *accountant general*), **chief clerk** (oficial mayor), **chief engineer** (jefe de máquinas), **chief executive** (V. *chairman and chief* *executive*), **chief executive officer, CEO** (SOC, GEST presidente-director general; máximo responsable, consejero delegado, jefe ejecutivo; en la jerga española se emplea a veces la sigla inglesa *CEO* para referirse al presidente del consejo que además tiene las máximas responsabilidades ejecutivas; en el Reino Unido se emplea también *managing director*; V. *chairman and chief executive*), **chief financial officer** (director financiero), **chief officer** (director, funcionario/ejecutivo responsable, mandatario; presidente, primer oficial), **Chief Operating Officer, COO** (SEG Director General)].

child *n*: niño. [Exp: **child's allowance** (TRIB desgravación por cada hijo), **child's benefit** (subsidio por cada hijo), **child's deferred policy** (TRIB póliza aplazada a favor de un menor; se trata de una póliza de seguro de vida tomada por el padre, madre o tutor a favor de su hijo o hija y con prima pagadera hasta que éste alcance la mayoría de edad, en cuyo momento el beneficiario puede percibir la cantidad acumulada en forma de dote), **child labour** (trabajo de menores)].

chill *v/n*: enfriar, helar; estremecimiento; bajón en la temperatura; V. *dampen the market, clobber the market*.

Chinese *n*: chino. [Exp: **Chinese/Dutch auction** (subasta a la baja; subasta holandesa o china), **Chinese paper** (FINAN bonos de poca fiabilidad), **Chinese wall** US (BANCA muralla china; alude a la separación real que existe entre la sección comercial de un banco y el departamento de administración de bienes o *trust department*, con el fin de evitar el conflicto de intereses o el uso de información privilegiada; V. *conflict of interests*)].

chip *n*: chip informático; ficha; V. *blue chip*. [Exp: **chip card** (tarjeta de débito con información incorporada en un microchip sobre las operaciones financieras autorizadas; V. *smart card*), **CHIPS** (V. *Clearing House Inter-Bank Payment System*)].

chit *n*: nota; vale; resguardo, recibo.

choice *a/n*: selecto, escogido, de primera calidad; selección, elección, opción, preferencia; alternativa ◊ *Their investment funds have choice portfolios*. [Exp: **choice, at** (libre, a elección del interesado)].

Christmas bonus *n*: paga de Navidad.

chumming US *n*: BOLSA inflación del volumen de contratación.

chunk *n*: pedazo, trozo, porción, parte ◊ *A small chunk of his savings*.

churn[1] *v*: remover, agitar. [Exp: **churn**[2] *col* (operar abusivamente el corredor con la cuenta del cliente con el fin de generar comisiones), **churning** *col* (BOLSA tejemaneje de fondos; metesaca financiero; batiburrillo de operaciones con la cuenta del cliente; inflar la Bolsa mediante operaciones continuas de compras y ventas en Bolsa que no alteran el mercado en absoluto; práctica ilegal consistente en alentar la compra y venta de valores de los clientes para que los corredores generen comisiones; práctica bancaria o financiera que favorece las comisiones y gastos financieros; la práctica es ilegal aunque a veces es difícil demostrar fehacientemente que ha habido intención de engañar o de lucrarse a costa del cliente; V. *escrow churning round trip trade*)].

CI, c&i *n*: V. *cost and insurance*.

CIF, cif *n*: V. *cost, insurance and freight; customer information file*.

CII *n*: V. *Chartered Institute of Insurance*.

CIO *n*: V. *Congress of Industrial Organizations*.

circuit *n*: circuito. [Exp: **circuit-breaker mechanism** US (BOLSA mecanismos que ponen límites a los cambios diarios con el fin de evitar las fluctuaciones excesivas en los precios de los valores; V. *programme trading*), **circuity of action** *US* (BANCA circuito de acción; alude a la devolución de una letra de cambio, antes de su vencimiento a la persona que la firmó en primer lugar)].

circular *a/n*: circular. [Exp: **circular flow of income** (flujo circular de la renta), **circular letter of credit** (carta de crédito, a favor de un cliente, dirigida a todas las sucursales y agencias del banco), **circularize** (enviar una circular), **circulate** (circular), **circulating assets** (activo corriente, activo realizable, activo circulante, activo disponible a corto plazo, disponibilidades; V. *liquid assets, quick assets, current assets, floating assets, working assets, fixed assets*), **circulating capital** (CONT capital de explotación o circulante, activo corriente, capital flotante, bienes de cambio; también llamado *working capital*; V. *fixed capital*), **circulation¹** (circulación, práctica; V. *free circulation, money in circulation*), **circulation²** (PUBL difusión, tirada de una publicación; V. *newspaper circulation, readership circulation*), **circulation³** (ECO dinero en circulación), **circulation of money** (ECO dinero en circulación; circulación monetaria), **circulation statement** *US* (informe mensual del Departamento del Tesoro en el que comunica la cantidad de dinero en circulación —*outstanding*— y el efectivo en poder del Departamento del Tesoro y de los *Federal Reserve Banks*)].

circumstance *n*: circunstancia. [Exp: **circumstances beyond our control** (causas ajenas a nuestra voluntad)].

CISCO *n*: V. *City Group for Smaller Companies*.

CITES *n*: V. *Convention on International Trade in Endangered Species*.

City *n*: Londres; distrito financiero de la ciudad de Londres; está situado en la orilla izquierda del río Támesis; V. *Square mile; Wall Street*. [Exp: **city authority clause** *US* (SEG protección por los daños causados por los bomberos o agentes municipales en su actuación contra el fuego), **city bank¹** *US* (banco con reservas superiores a los 400 millones de dolares), **city bank²** (cada uno de los 13 bancos nacionales japoneses), **City Call** (FINAN información financiera actualizada nueve veces al día y facilitada por la compañía telefónica británica), **City Code** (FINAN normas de las instituciones financieras de la *City* londinense, entre las que destacan la de facilitar información sobre opas y fusiones; V. *takeover, dawn raid*), **City Code on Takeovers and Mergers** (normas deontológicas de la Bolsa de Londres sobre OPAS y fusiones), **City column** (FINAN columna de información financiera de un periódico), **city desk** (sección de un periódico dedicada a las finanzas), **City editor, the** (redactor-jefe de la sección financiera de un periódico); **City Group for Smaller Companies, CISCO** (BOLSA grupo de presión de sociedades mercantiles pequeñas fundado en 1992 para defender sus intereses en la Bolsa de Londres), **city hall** (ayuntamiento, casa consistorial), **City Liaison Committee** (Comité de coordinación de las entidades financieras de Londres), **city/town planning** (ECO urbanismo; V. *town planning; planning authority*)].

civil *a*: civil. [Exp: **civil authority clause** (SEG cláusula de daños producidos por bomberos o agentes de la autoridad), **civil servant** (funcionario público), **Civil Service** (Administración civil del Estado, funcionariado de la Administración civil; función pública; V. *The Crown²*), **civil**

service job (puesto o nombramiento de la Administración civil del Estado, puesto de funcionario)].

CKD *n*: V. *completely knocked down.*

claim *n/v*: SEG, REL LAB reclamación, pretensión, demanda, reivindicación laboral; alegar, afirmar, exigir, demandar, reclamar, requerir, reivindicar, pedir en juicio; V. *baggage claim, notice of claim.* [El verbo *claim*, en su sentido de «afirmar o alegar», es sinónimo parcial de *state, affirm, declare, assert, maintain*; en el sentido de «reclamar» es sinónimo de *demand, exact, challenge, insist on.* Exp: **claim adjuster** (SEG tasador de daños), **claim back** (exigir la devolución del dinero dado), **claim bond** (fianza de reclamante), **claim damages/ claim for damages** (reclamar daños y perjuicios), **claim letter** (SEG carta de reclamación),**claim form** (hoja de reclamación; denuncia), **claim notice** (aviso de reclamación), **claim of compensation** (demanda de indemnización), **claim of insurance** (reclamación de seguro), **claim of refund** (SEG petición/solicitud de devolución)), **claimable** (reclamable o exigible en derecho), **claimant/claimer**[1] (SEG solicitante, reclamante), **claimant/ claimer**[2] (REL LAB demandante, actor, litigante, derechohabiente; V. *rightful claimant*), **claiming** (reclamante, que reclama), **claims adjuster/assessor/ representative** (SEG tasador, liquidador o ajustador de reclamaciones; V. *loss adjuster, public adjuster*), **claims** (indemnizaciones; siniestros), **claims handling** (SEG gestión/liquidación de siniestos), **claims outstanding reserves** (SEG reservas para la reclamaciones pendientes), **claims rate** (siniestralidad), **claims settling** (SEG liquidación de siniestros), **claims waiting period** (período de carencia)].

clandestine *a*: clandestino; V. *undercover.*

class *n*: clase, lote. [Exp: **class A stock** *US* (BOLSA acciones de la clase A; V. '*A*' *shares; non-voting shares, voting shares; classified common stock; one-class stock*), **class action** (DER demanda de grupo; acción popular), **class consciousness** (ECO conciencia de clase; V. *awareness*), **class rate** (SEG tipos de prima por siniestros cubiertos), **class rights** (derechos de voto, de dividendos, etc., correspondientes a una clase concreta de accionistas), **class struggle** (ECO lucha de clases), **classical theory of interest** (ECO teoría clásica del interés)].

classify *v*: clasificar, ordenar, clasificar como materia secreta o reservada, declarar secreto. [Exp: **classification** (calificación de secreto o reservado), **classification of ships** (TRANS/SEG MAR clasificación de buques, a efectos de seguros, hecha por sociedades clasificadoras, en especial el Registro de Buques de Lloyd's —*Lloyd's Register of Shipping*—), **classified** (clasificado; secreto), **classified advertisement** (PUBL anuncios por palabras), **classified/staggered board of directors** (SOC consejo de administración calificado o restringido, el cual se renueva escalonada o parcialmente; V. *shark repellent*), **classified common stock** *US* (BOLSA, SOC acciones con calificación 'A' —sin derecho a voto— y 'B' —con derecho a voto; V. *A shares, voting/non-voting shares*), **classified directory** (guía alfabética), **classified material** (documentos secretos), **classified taxation** (TRIB imposición funcional)].

clause[1] *n*: cláusula, artículo, disposición. [Exp: **clause**[2] (SEG apéndice de una póliza de seguros), **claused** (con reservas; se aplica este término en los conocimientos de embarque —*bill of lading*—; V. *qualified; clean, clear*),

claused bill of lading (V. *foul/dirty bill of lading; back letter²*), **clausing** (FINAN datos contenidos en una letra de cambio)].

claw back *v*: reembolsarse; V. *take back*. [Exp: **clawback** (recuperación, reembolso, capacidad de reacción; devolución, desgravación), **claw back method** (política de preferencia a los pequeños inversionistas)].

clean *a/v*: limpio, sin tacha, incondicional, sencillo, simple, neto; limpiar; V. *dirty; documentary, qualified*. [Exp: **clean acceptance** (FINAN letra aceptada de forma incondicional, aceptación incondicional, libre o general; V. *acceptance,² general acceptance, qualified acceptance, unconditional acceptance*), **clean bill of exchange** (BOLSA letra limpia, sin documentos o no documentaria; V. *clean draft, backward letter, dirty, foul, unclean, documentary draft, bill with documents attached*), **clean bill of health** (TRANS MAR certificado de buena salud, patente de sanidad limpia), **clean bill of lading** (TRANS MAR conocimiento limpio, conocimiento sin reservas, objeciones, observaciones, salvedades o cláusulas restrictivas relativas a defectos de la mercancía, el embalaje, etc.), **clean charter** (TRANS MAR contrato limpio, contrato neto, contrato justo de fletamento), **clean certificate** *US* (CONT informe de auditoría limpio o sin reservas; V. *qualified/unqualified opinion*), **clean collection** (cobranza simple; remesa simple), **clean credit** (FINAN crédito limpio; se llama así porque no se adjuntan documentos ni restricciones a las letras de crédito; V. *open credit*), **clean draft** (letra o efecto no documentario, libranza simple; V. *clean bill of exchange*), **clean driving licence** (carnet/permiso de conducir limpio, sin apercibimientos ni notas de

sanción), **clean float** (FINAN flotación limpia; alude a la flotación de una divisa sin intervención del Banco Central; V. *dirty float, managed floating*), **clean floating exchange rate system** (ECO/FINAN sistemas de tipo de cambio de fluctuación/flotación limpia; V. *dirty/ managed floating exchange rate system*), **clean letter of credit** (BANCA carta de crédito simple o abierta; V. *circular letter of credit*), **clean out** (limpiar, dejar sin blanca ◊ *She foolishly involved herself in a shady deal with a crook who cleaned her out in six months*), **clean price** (BOLSA precio limpio; cotización ex cupón; precio de un título-valor de canto dorado o de primera clase —*gilt edged security*— excluyendo los intereses acumulados desde el dividendo anterior; V. *accrued income*), **clean profit** (beneficio líquido), **clean receipt** (recibo de embarque o *mate's receipt* que no tiene estipulaciones negativas sobre la cantidad o la calidad de la carga), **clean ship** (TRANS MAR buque que no está en cuarentena; V. *dirty ship*), **clean title** (FINAN título sin ningún gravamen o carga; V. *cloud on title*), **clean up¹** (limpieza, saneamiento; campaña de limpieza o anticorrupción; limpiar, sanear, reestructurar, reorganizar ◊ *The stricken company has been refloated but it will take millions to clean it up thoroughly*; V. *overhaul, turn round, restructure, rescue, sort out, streamline*), **clean up²** *col* (sacar en limpio, llevarse una buena tajada, ponerse las botas; tajada ◊ *The crafty speculators cleaned up a million on the deal*), **clean-up fund** *US* (SEG fondo/ suma de liquidación; alude a fondos de una póliza pagos de última enfermedad, entierro, etc.), **clean-up requirement** *US* (BANCA requisito de autosuficiencia económica; exigencia contractual de liquidar los préstamos y estar cierto tiempo sin depender de ellos, como muestra de solvencia financiera; V. *annual clean-up, ratio of owned capital to borrowed capital*), **ratio of clean value** (valor líquido), **cleanup** (gran ganancia), **clean warrant** (resguardo de almacén limpio o sin especificaciones)].

clear[1] *a/v*: limpio, sin mancha, sin cargas, libre, claro, convincente, neto, líquido; compensar, liquidar, saldar, aclarar, sanear, disipar, despejar de obstáculos; V. *all-clear*. [Exp: **clear**[2] (BANCA, BOLSA compensar un talón o título bursátil a través de una cámara de compensación; V. *clearing house; stock exchange clearing house*), **clear**[3] (TRANS franco de aduana; V. *free and clear, clear customs, clear goods through customs*), **clear**[4] *US* (DER limpio/libre de cargas; V. *clear title*), **clear**[5] (ganar en limpio, sacar-se ◊ *The manager clears £40,000 a year*), **clear**[6] (COMER liquidar un producto; V. *demonstration models to clear*; V. *reduced*), **clear a cheque** (BANCA compensar/cobrar un cheque, abonar un cheque en cuenta ◊ *It is wise to wait until a cheque has been cleared before acknowledging receipt*), **clear a debt** (liquidar una deuda), **clear a mortgage** (pagar o levantar una hipoteca), **clear a ship** (despachar un buque en el servicio de aduanas), **clear back orders** (despachar pedidos pendientes), **clear, be in the** (estar libre de sospecha, estar fuera de peligro, estar libre de deudas), **clear costs** (cubrir gastos ◊ *They hardly make enough to clear costs*), **clear customs** (pasar el despacho de Aduanas; V. *clearance, clear goods through customs*), **clear day**[1] (día hábil, completo o natural; V. *calendar clear, clear working days*), **clear days**[2] (serie de días completos exceptuados el primero y el último, es decir, «ambos exclusive» ◊ *You have thirty clear days to file the insurance*

claim), **clearing draft** (BANCA efecto de compensación), **clear estate** (propiedad libre de hipotecas, gravámenes, etc.), **clear gain/profit/value** (ganancia/ provecho/valor neto; V. *net*), **clear goods through customs** (despachar mercancías en la aduana, tramitar el despacho de mercancías en la aduana; V. *clearance clear out*), **clear, in the** (libre (de dudas, sospechas, imputaciones, etc.), **clear of encumbrances** (libre de cargas, entero, completo), **clear off**[1] (*col* largarse, abrirse, tomar las de Villadiego), **clear off**[2] (pagar, satisfacer, liquidar; V. *pay up*), **clear out**[1] (limpiar, despejar, irse, desalojar, despejar), **clear out**[2] (despachar en aduanas un barco para la salida), **clear profit** (beneficios limpios o netos), **clear the stock** (liquidar existencias), **clear time** *US* (PUBL espacios reservados por una emisora para la publicidad), **clear title** (FINAN, BOLSA título limpio, título seguro o inobjetable; V. *good title, marketable title, cloud on title; free from encumbrances, bad title, in the clear, dark*), **clear sb out** (gastar el dinero de alguien, «limpiar a alguien»), **clear up**[1] (aclarar, esclarecer, resolver, poner en claro; desembrollar; V. *clarify*), **clear up**[2] (liquidar, concluir, despachar; V. *conclude business, affair, etc.*), **clear up**[3] (ordenar, arreglar; V. *tidy*), **clear value** (valor neto), **clear working days** (TRANS MAR días completos excepto domingos y festivos; V. *clear days*), **cleared without examination** (despachado sin previa inspección; V. *customs cleared; uncleared*), **clearer** *col* (BANCA banco que pertenece a la Cámara de compensación bancaria de Londres, llamada *Clearing House* o *London Bankers' Clearing House*; V. *clearing banks*), **clearing** (compensación bancaria, convenio bilateral de pagos; V. *bank clearing, ABA transit number*),

clearing account (cuenta transitoria o de compensación), **clearing/clearance agent** (TRANS MAR agente de aduanas; V. *customs agent*), **clearing agreement/ arrangement** (BANCA convenio/sistema de compensación de pagos entre países, acuerdo de *clearing*), **clearing and settlement** (BANCA compensación y liquidación), **clearing banks** (bancos adscritos a la cámara de compensación bancaria; los de Inglaterra son miembros del *London Bankers' Clearing House* y también se les llama, de forma coloquial, «compensadores» o *clearers*; otro nombre que reciben es el de *High Street banks* o *joint-stock banks*; V. *non-clearers, commercial banks*), **clearing corporation** US (BOLSA sociedad de acciones con cotización en Bolsa), **clearing fee** (FINAN, COMER honorarios abonados a un intermediario o agente marítimo por sus gestiones; honorarios de liquidación abonados por una agencia en un mercado de materias primas —*commodity exchange*; V. *agency fees*), **clearing house** (BANCA, MERC FINAN cámara de compensación y liquidación bancaria, de contratos de futuros o de activos financieros; la más conocido del Reino Unido se llama *APACS*; V. *Federal Reserve Check Collection System; London Clearing House; stock exchange clearing house*), **Clearing House Automated Payment System, CHAPS** (BANCA cámara de compensación electrónica europea; con sede en Londres, se encarga de la compensación electrónica de transferencias bancarias internacionales en libras esterlinas; V. *CHIPS, SWIFT, TARGET*), **Clearing House Inter-Bank Payment System, CHIPS** US (BANCA cámara de compensación electrónica norteamericana; con sede en Nueva York, se encarga de la compensación electrónica

de transferencias bancarias internacionales en dólares; V. *CHAPS, SWIFT, TARGET, Federal wire*), **clearing inwards** (V. *clearance inwards; inwards clearing bill*), **clearing member** (MERC FINAN/PROD/DINER miembro liquidador de un mercado de opciones y futuros), **clearing operations** (trabajos de desescombros), **clearing of a debt** (liquidación/pago de una deuda), **clearing of goods through the customs** (despacho de mercancías en la aduana), **clearing stock** (FINAN acción de cámara de compensación), **clearing title** (saneamiento de título), **clearing teller** (contador de compensaciones)].

clearance[1] *n*: TRANS MAR certificado de despacho, formalidades aduaneras, despacho de aduanas, despacho del buque; permiso, certificación o recibo del pago de derechos de aduanas, también llamado *clearance certificate*; V. *clearing/clearance agent, customs clearance, in the process of clearance*. [Exp: **clearance**[2] (BOLSA compensación bancaria; V. *clearance of a cheque*), **clearance**[3] (acreditación o identificación como medida de seguridad ◊ *We had to get security clearance before we were allowed into the building*), **clearance,**[3] **clearance sale** (COMER liquidación de existencias; venta de liquidación; se emplea solo o en la expresión *clearance sale*; V. *end-of-season sale; bargain sale*), **clearance by customs** (despacho de aduanas, aduanar; V. *customs clearance, clear customs*), **clearance certificate**[1] (TRANS MAR certificado de despacho de aduanas), **clearance certificate**[2], (TRIB certificado de haber liquidado los impuestos), **clearance charges** (tasas de despacho aduanero), **clearance inwards** (despacho de entrada, cumplimentación de los trámites del despacho de entrada, permiso de entrada), **clearance of a cheque** (BANCA compensación de un cheque, trámites para el abono en cuenta de un cheque), **clearance of goods** (despacho de mercancías), **clearance order** (orden de desalojo y derribo de un grupo de casas, un barrio, etc.), **clearance outwards** (despacho de salida, cumplimentación de los trámites del despacho de salida, permiso de salida), **clearance outwards and victualling bill** (TRANS MAR nota de despacho y abastecimiento), **clearance papers** (trámites de despacho; documentos de aduanas autorizando la entrada de mercancías), **clearance port** (TRANS MAR puerto de salida de la expedición), **clearance sale** (V. *clearance*³)].

cleavage/bankruptcy, date of *n*: V. *date of bankruptcy/cleavage*.

clerical *a*: relacionado con el trabajo de oficina o administrativo; V. *clerk*. [Exp: **clerical aptitude** (capacidad administrativa; V. *general clerical test*), **clerical error** (error de escritura, de anotación o de copia), **clerical work** (trabajo de oficina), **clerical worker** (oficinista)].

clerk¹ *n*: empleado, oficinista, escribano, funcionario administrativo; V. *filing clerk*. [Exp: **clerk**² *US* (dependiente, vendedor), **clerk of works** (maestro de obras), **clerkship** (puesto de oficinista, etc.; escribanía)].

client *n*: cliente. [Exp: **client account** (BANCA cuenta bancaria que un profesional —abogado, agente, etc.— opera en nombre su cliente), **client pyramid** (pirámide de clientes; modo de clasificación de la clientela de un establecimiento por el tiempo de fidelidad —*loyalty*— con la empresa, las compras, etc.), **clientele** (clientela)].

climb *v*: subir, ascender, aumentar. [Exp: **climbing** (ascendente)].

clinch *v*: afirmar, fijar, afianzar, confirmar. [Exp: **clinch a deal** (cerrar un trato ◊

After the two companies had clinched the deal, a contract was drawn up and signed)].

clip *v*: recortar, podar ◊ *Clip a few pence off rates.* [Exp: **clipping** (recorte, recorte de prensa; V. *newspaper clipping*), **clipping off** (BOLSA desdoble o separación de acción y cupón; suele tener lugar este desdoble en las ampliaciones de capital; V. *stripping; asset stripping; dividend stripping, zero-coupon bond/CD coupon stripping*), **clipper cargo** (carga aérea), **clipping service** (PUBL servicio o agencia encargada de recoger recortes de prensa de determinado asuntos a petición de un cliente; V. *press cutting agency*)].

clique *n*: BOLSA grupo/camarilla de inversores dedicados a la manipulación fraudulenta de la bolsa por medio de acuerdos concertados; V. *bear clique*.

cloakroom *n*: servicio de consigna, guardarropa; V. *checkroom*.

clobber *col v*: dar jarabe de palo/una buena sacudida, cascar ◊ *They managed to dump a lot of the falling shares, but got clobbered when the bond price sank.*

clock *n*: reloj; V. *work round the clock*. [Exp: **clock card** (REL LAB ficha de control de asistencia al trabajo), **clock in/on** (REL LAB fichar a la entrada del trabajo; V. *check in*), **clock off/out** (fichar a la salida del trabajo; V. *check out*), **clock overtime** *US* (REL LAB horas extras), **clock time** (tiempo real)].

close *a*: minucioso, pormenorizado, reservado, íntimo, cerrado, estrecho. [Como adjetivo, se pronuncia /'klous/. Exp: **close company/corporation** (SOC sociedad anónima especial, controlada por un máximo de cinco socios, llamados «partícipes», con privilegios fiscales y cuya sede debe estar en Gran Bretaña; V. *participator; closed company*), **close examination** (examen minucioso), **close market** (mercado estable; V. *close* *price*), **close price** (COMER precio ajustado; se dice del precio de las subastas en el que hay poca diferencia entre el precio de salida —*offer price*— y el de puja —*bid price*; en el comercio, precio estable o sin beneficio), **closely** (de cerca; paso a paso; de forma pormenorizada, con todo detalle; fielmente, con gran exactitud; minuciosamente, con sumo cuidado), **closely held stock** US (acciones concentradas en manos de un número reducido de accionistas; V. *when distributed*), **closely-held corporation** US (empresa en la que las acciones con derecho a voto se encuentran en manos de un número reducido de accionistas)].

close *n/v*: cierre, fin, final, conclusión, término, cerrar, formalizar, concluir un negocio, etc.; clausurar, saldar. [Como nombre o verbo, se pronuncia /'klouz/. Exp: **close a bank account** (cerrar una cuenta bancaria), **close a bargain/deal** (cerrar un trato; V. *enter into a contract*), **close a mortgage/mortgage loan** (formalizar todos los trámites de una hipoteca; registrar la hipoteca), **close a position**[1] (FINAN cerrar una posición; agotar el corredor los títulos que tenía en cartera; vender todos los efectos disponibles de un valor, cerrando los asientos de oferta correspondientes), **close a position**[2] (FINAN cerrar una posición; eliminar el riesgo representado por un valor determinado, equilibrando las opciones de compra y venta; V. *close out; hedge*), **close a treaty** (formalizar un tratado; V. *conclude*), **close-down**[1] (cierre; paralización; fin de emisión), **close company** (empresa de propiedad limitada; V. *closely-held corporation*), **close down**[2] (COMER cerrar definitivamente; V. *closing-down entry, closing-down sale; shut down*), **close down**[3] (BOLSA cerrar la emisión/sesión ◊ *Trading on the Stock Market ends when the transmission closes down at 4 p.m.*), **close duplications** (COMER imitaciones; V. *knock-offs, pass-off*; artículos o mercancías que copian muchas de las características de otros de marcas conocidas o registradas), **close-ended ceiling** (límite máximo cubierto), **close-end funds** (fondos de inversión cerrados), **close examination** (examen minucioso), **close in for the kill** (V. *move in for the kill*), **close order, at the** (BOLSA orden de compra o venta de acciones al precio de cierre del mercado; V. *at the market order, at the open order*), **close out**[1] (MERC FINAN/PROD/DINER cerrar una posición abierta —*open position*—; normalmente en un mercado de futuros, comprando para cubrir una venta en corto —*short sale*—, o vendiendo una compra en largo —*long purchase*; eliminar el riesgo representado por un valor determinado equilibrando las opciones de compra y venta; V. *open position; flat position*), **close out**[2] US (COMER liquidar/liquidación de existencias por debajo de su precio), **close out**[3] US (COMER clausurar, liquidar; realizar el valor de los efectos inscritos en una cuenta de crédito —*margin account*— por impago de deudas o por incumplimiento del requisito de saldo mínimo; la liquidación la realiza el agente de Bolsa afectado, con quien la cuenta se abrió, para recuperar la cantidad que se le adeuda en efectivo y títulos; se suele recurrir a este extremo bien cuando el titular desatiende la exigencia del agente a ingresar en la cuenta dinero o efectos reconocidos oficialmente —*eligible securities*— para mantener el saldo mínimo preceptivo —*minimum maintenance*—, o bien cuando el cliente no ha repuesto dentro del plazo señalado los títulos que ha tomado en préstamo como aval de una venta corta —*short* *sale*; V. *short sale, sell out; close a position*), **close-out date** (día de cierre de una posición abierta; V. *close out*[1]), **close ranks** (estrechar/cerrar filas), **close season** (veda, período de veda), **close the books** (CONT saldar los libros), **close the meeting** (levantar o clausurar la sesión)].

closed *a*: cerrado, saldado, concluido, cancelar. [Exp: **closed account** (CONT cuenta saldada), **closed bids** (propuestas selladas), **closed cases, in** (en cajas cerradas; V. *packing, package, cushioning*), **closed companies** US (SOC nombre que se les da en Estados Unidos a las *close companies* británicas), **closed-end** (cerrado, limitado, fijo; V. *open-end; open-ended*), **closed-end fund** (FINAN fondo de inversión cerrado o limitado; el fondo está formado por un número máximo de participaciones o *units*, negociables en los mercados secundarios o *OTC markets*, el cual no puede aumentarse; V. *closed-end investment funds; dual purpose funds*), **closed-end investment company/trust** (FINAN sociedad de inversión mobiliaria de capital cerrado y cartera de composición fija; V. *open-end investment company*), **closed end-investment fund** (FINAN fondo de inversión cerrado; estos fondos de inversión emiten un número fijo de acciones a los titulares del fondo; V. *open-end fund*), **closed-end lease** (FINAN arrendamiento sin posibilidad de compra; contrato de arrendamiento que no ofrece al arrendatario la opción de compra al final del período estipulado; V. *open-end lease*), **closed-end market** (FINAN mercado cautivo), **closed-end mortgage** (FINAN bono con garantía hipotecaria cerrada; el adjetivo «cerrada» significa que los bienes hipotecados no pueden asignarse a otro fin, y que la amortización no se puede adelantar), **closed-end mortgage bond** (FINAN bono hipotecario cerrado), **closed-end trust** (FINAN sociedad de inversión cerrada), **closed indent** (COMER orden de compra cerrada, también llamada *specific indent*, dada a un agente, fijando la marca, tamaño, precio, etc.; V. *open indent*), **closed mortgage**[1] (hipoteca cancelada), **closed mortgage**[2] (escritura de titulación de bonos hipotecarios; V. *indenture*[2]), **closed order** (TRANS MAR pedido cerrado; alude a un tipo de mercancías específicas; V. *open order*), **closed position** (MERC FINAN/PROD/DINER posición cerrada; la posición se cierra, en un mercado de futuros, con la entrega del activo subyacente —*underlying asset*— o con una transacción de signo contrario; V. *long position, long purchase; short sale; flat position, open position; position*[3]), **closed session** (sesión a puerta cerrada), **closed shop** (REL LAB empresa de sindicación obligatoria; empresa que sólo admite trabajadores afiliados a un sindicato; fábrica, taller, etc. cuyos empleados mantienen un monopolio gremial o *closed shop agreement*; V. *preferential shop*), **closed shop agreement** (REL LAB monopolio gremial, acuerdo de sindicación obligatoria; plantilla de sindicación obligada; existe acuerdo de *closed shop* entre un patrono o empleador y un sindicato cuando el primero se compromete a contratar sólo a empleados de un determinado sindicato; si se acuerda que la afiliación se haga antes de entrar en la empresa, se llama *pre-entry closed shop* y, si se hace después, se llama *post-entry closed shop*), **closed stock** (COMER existencias no renovables), **closed system** (ECO sistema cerrado o autosuficiente), **closed union** (sindicato de afiliación restringida o cerrada)].

closely-held corporation *n*: empresa cerrada; V. *publicly-held corporation*.

closing[1] *n*: cierre, clausura. [Exp: **closing**[2] (CONT al/del cierre/final de un período contable, etc.), **closing account** (cuenta compensatoria; cuenta de cierre), **closing balance** (CONT saldo final; V. *opening balance, bottom line*[1]), **closing cash** (CONT caja al cierre), **closing charges** US (DER gastos de una escritura de compraventa; V. *title-examination fees, recording fees*), **closing costs** (FINAN gastos, comisiones, etc. de cancelación de una hipoteca; V. *closing statement*), **closing date**[1] (plazo, fecha límite, tope, fecha de cierre; fecha de formalización y otorgamiento de valores respaldados con activos; V. *deadline; last date; asset-backed securities*), **closing date**[2] (fecha de formalización y otorgamiento por la entidad emisora de los títulos bursátiles garantizados con hipoteca; *asset-backed securities*), **closing deal** (FINAN transacción de cierre de una posición larga o corta en un mercado de valores o de productos, con lo que se da fin a la opción del titular de una opción; V. *option holder; long position; short position*), **closing-down sale** (venta de liquidación por cierre del negocio; V. *close down, clearance sale, end-of-season sale*), **closing entry** (CONT asiento de cierre), **closing inventory** (CONT inventario de cierre), **closing out** (CONT cancelación mediante operación inversa), **closing price** (FINAN precio de cierre, cotización de/al cierre de un valor —*security*—, producto/mercadería —*commodity*— o divisa —*currency*; V. *after-hours deals; street dealing*), **closing quotation** (precio de cierre en Bolsa; cotización al cierre), **closing rate** (MERC FINAN/PROD/DINER cambio al cierre del mercado), **closing statement** (claúsula final de un documento de compra-venta de propiedad inmobiliaria, en la que se especifican los gastos que deben ser abonados por el comprador y los que corresponden al vendedor), **closing stock** (CONT existencias al cierre de un período contable; V. *opening stock*), **closing trial balance** (balance de comprobación de cierre), **closure** (cierre ◊ *Closure of factories*)].

cloud *n*: sombra de sospecha o de mala reputación ◊ *The accountant's negligence cost his company a lot of money and he is now under a cloud*. [Expresión: **cloud on title** (DER imperfección del título, título insuficiente; títulos con algún gravamen o derecho de retención —*lien*— que impiden su venta o traspaso; V. *clean*)].

club *n/v*: asociación, peña; V. *fan club, concert party, investment club, protection and indemnity club*. [Exp: **club accounts** (CONT contabilidad/cuentas de asociaciones y clubes no lucrativos; V. *summary book*), **club call** (contribución o derrama exigida por una cooperativa de seguro a sus socios; V. *contribution; call; protection and indemnity club*), **club deal** (BANCA préstamo sindicado —*syndicated loan*— en el que el prestatario tiene opción a elegir el consorcio de bancos; V. *syndicated loan*), **club loan** (BANCA préstamo de sindicación cerrada), **club plan selling** (COMER plan de ventas con premios al que aporte nuevos clientes), **club together** (reunir dinero, contribuir a gastos comunes, escotar, pagar a prorrateo, mancomunar ◊ *Her colleagues all clubbed together to buy her a present on the day she retired*; V. *gathering of funds; cash in*)].

cluster *n*: racimo, grupo, conglomerado. [Exp: **cluster analysis** (ECO análisis en racimo; análisis multivariante de ordenación de sujetos de una muestra teniendo en cuenta la similitud de sus respuestas), **cluster sample** (muestra en grupo), **cluster sampling** (muestreo por universos o grupos seleccionados; muestreo en racimos), **clustered enterprises** (empresas aglomeradas)].

CMA *n*: V. *cash management account, CMA.*

CME *n*: Chicago Mercantile Exchange.

CML *n*: V. *capital market line.*

CMO *n*: V. *collateralized mortgage obligation.*

CMT *n*: V. *constant maturity Treasury, CMT.*

CNAR *n*: V. *compound net annual rate.*

co- *prefijo*: co-, adjunto; V. *joint, mutual.* [El prefijo inglés *co-* tiene el mismo significado que en español, equivaliendo a «co-» o a «adjunto», «mancomunado», etc. Exp: **co-assurer/co-insurer** (SEG coasegurador), **co-chairman** (copresidente), **co-drawer** (cogirador), **co-guarantor** (cofiador, coavalista), **co-insurance** (coseguro, seguro de copartícipe; V. *facultative reinsurance*), **co-insurance clause** (SEG cláusula de coseguro), **co-insurer** (coasegurador, tomador copartícipe de una póliza de seguros; V. *co-assurer*), **co-lead managers** (FINAN cojefes de fila de un préstamo sindicado; V. *lead manager bank; co-manager bank*), **co-lessee** (mediero, el que toma a medias una finca, coarrendatario), **co-lessor** (coarrendador), **co-maker** (cogarante, cofirmante, cogirador, fiador, codeudor, refuerzo de garantía), **co-management** (cogestión), **co-manager bank** (FINAN, BANCA banco codirector; en un préstamo sindicado —*syndicated loan*— colabora en las funciones del banco director; V. *agent bank, manager bank, participant bank, underwriter bank*), **co-operative** (cooperativa), **co-opt** (cooptar, elegir a alguien por cooptación), **co-owned property** (propiedad poseída en común), **co-owner** (condueño, condómino, copropietario; V. *joint owner, words of severance*), **co-ownership** (DER copro-

piedad, dominio de una cosa tenida en común por varias personas), **co-partnership** (SOC asociación, sociedad comanditaria), **co-payment** (SEG pago compartido por el asegurado y la compañía aseguradora; S. *deductible*[2]), **co-surety** (cofiador; V. *co-guarantor*)].

Co *n*: V. *company.*

c/o *n*: V. *care of.*

coaching managerial style *n*: estilo gerencial estimulador; en este tipo de gestión, el gerente anima constantemente a sus subordinados y les da nuevas oportunidades; V. *affiliative managerial style, authoritative managerial style, coaching managerial style, coercive managerial style, managerial managerial style.*

coal *n*: carbón. [Exp: **coal freighter** (buque carbonero), **coal merchant** (carbonero), **coalfield** (cuenca carbonífera), **coalmine** (mina de carbón), **coalminer** (minero)].

coast *n/v*: costa; costear. [Exp: **coastal trade/voyage** (cabotaje, comercio de cabotaje; V. *cabotage*), **coaster** (buque de cabotaje o costero), **coasting/coasting trade** (cabotaje, navegación costera, comercio costero)].

cobweb theorem *n*: teorema de la telaraña; es un proceso de ajuste entre oferta y demanda hasta llegar al equilibrio.

cock *n*: gallo. [Exp: **cock date** US (fecha/ plazo no usuales, raros o inverosímiles; V. *broken date*), **cocktail swap** (FINAN permuta financiera o «swap» de pagos en distintas divisas y con tipos de interés diferentes, también llamada permuta cruzada de intereses y divisas o *cross currency interest rate swap*)].

cocoa *n*: cacao. [Exp: **Cocoa Producers Alliance, COPAL** (Alianza de Productores de Cacao)].

COD, c.o.d. *n*: V. *cash on delivery, collect on delivery.*

code *n/v*: normas, código, clave; cifrar,

poner en clave, codificar; V. *identi-fication code*. [Exp: **code, in** (cifrado), **code of conduct/ethics/practice** (COMER, DER normas de conducta/ética profesional, código deontológico, normas profesionales y protocolarias de los profesionales del derecho, el comercio, etc.; los términos *code of conduct, code of practice*, y *code of professional ethics* son prácticamente intercambiables; sin embargo, el primero tiene un carácter menos formal y se puede referir a normas no escritas), **code of fair competition/ trading** (COMER normas que regulan la competencia profesional/comercial justa o leal, normas sobre competencia/ concurrencia leal; V. *Restrictive Practices Court, combination in restraint of commerce/trade*), **code of professional ethics** (COMER código de ética profesional; V. *code of practice*), **coded account** (BANCA, CONT cuenta codificada), **coding** (codificación o cifrado)].

coefficient *n*: coeficiente; V. *agreeement coefficient*. [Exp: **coefficient of apportionment** (coeficiente de repartición), **coefficient of disarray** (coeficiente de desordenamiento), **coefficient of elasticity** (coeficiente de elasticidad), **coefficient of absolute risk aversion** (SEG, FINAN coeficiente de aversión absoluta al riesgo; V. *risk aversion*), **coefficient of variation** (coeficiente de variación)].

coemption *n*: acaparamiento de toda la oferta; V. *corner, monopoly, engrossment*.

coercive managerial style *n*: estilo gerencial coercitivo; en este tipo de gestión, el gerente controla a sus subordinados por medio de amenazas o de medidas disciplinarias; V. *affiliative managerial style, authoritative managerial style, coaching managerial style, democratic managerial style, pacesetting managerial style*.

coffee *n*: café. [Exp: **coffee break** (REL LAB pausa para desayunar), **coffee plantion** (cafetal; V. *sugar plantation*), **Coffee, Sugar and Cocoa Exchange Inc of New York** (mercado de productos de Nueva York que opera con contratos de futuros y con opciones)].

cognovit *n*: enterado; conformidad. [Exp: **cognovit agreement** (BANCA cláusula de un contrato de préstamo, prohibida desde 1985, mediante la cual el prestatario renuncia a cualquier reclamación en el caso de que el juez dictara un auto de impago o deficiencia —*deficiency judgment*—; también se la conoce como *confession of judgment*), **cognovit note** US (reconocimiento formal de una deuda)].

COI *n*: V. *Central Office of Information*.

coin *n/v*: moneda; acuñar moneda; V. *legal tender, tender*. [Exp: **coin money** (moneda fraccionaria), **coin of the realm** (moneda de un país, moneda de curso legal), **coin it in** *col* (hacerse de oro, forrarse), **coinage** (moneda, moneda de curso legal; acuñación, sistema monetario; V. *minting; brassage; token coinage*), **coin-operated** (que funciona con monedas)].

cold *a/n*: frío. [Exp: **cold call** (COMER visita comercial a un cliente «en frío» o sin previo aviso, puerta fría; toma de contacto con un cliente, en persona, por correo o por teléfono sin preparación previa; V. *call*[8]), **cold start** *col* (arranque de un negocio «en frío», o sin contactos comerciales previos), **cold store** (almacén frigorífico)].

collapse *n/v*: hundimiento, desplome, caída fuerte o en picado, ruina, derrumbamiento, «colapso»; colapsar, plegar, derrumbarse, desplomarse, hundirse, desmoronarse; venirse abajo; caerse, quebrar, fracasar ◊ *Many small businesses were wiped out when the bank* *collapsed*; V. *heavy fall, crumbling, slump, plummet, plunge*. [Exp: **collapsable/collapsible** (plegable), **collapsible company** (TRIB sociedad mercantil defraudadora de impuestos)].

collar[1] *n*: cuello de una prenda. [Exp: **collar**[2] (FINAN contrato de cobertura «suelo-techo», es decir, a la combinación de un *floor* —suelo—y de un *cap* —techo—; garantía/protección bilateral para los tipos de interés; mediante este instrumento queda asegurado el riesgo de que el tipo de interés se salga de una banda fijada; protección en el techo o banda superior —*cap*— y el suelo o banda inferior —*floor*— de los tipos de interés en los préstamos hipotecarios con interés variable, llamados *cap and collar mortgage*; V. *cap; adjustable-rate preferred stock*), **collared floating rate note** (FINAN pagaré con tipo de interés flotante máximo y mínimo; V. *capped floating rate note*)].

collate *v*: cotejar, compulsar, confrontar. [Exp: **collation** (comparación, cotejo, colación, compulsa)].

collateral[1] *a/n*: colateral, secundario, paralelo, subsidiario, adicional, incidental ◊ *For the moment we are interested in collateral issues*; V. *ancillary, auxiliary, accessory*. [Exp: **collateral**[2] (FINAN garantía prendaria; garantía secundaria; prenda, seguridad colateral, también llamada *collateral security*; contravalor, pignoración, resguardo; avalista, garante; la *collateral* se considera una garantía secundaria, siendo primaria la *guarantee*, aunque hoy se usan indistintamente los términos *collateral* y *security* ◊ *Shares or life-assurance policies can be used as collateral to secure a bank loan*; V. *guarantee, cover, security, pledge, collateral assurance, impairment of collateral*), **collateral**[3] (consanguíneo,

colateral; V. *cognate*), **collateral acceptance** (BANCA aceptación de garantía; letra de cambio aceptada que se usa como garantía colateral; V. *acceptance*), **collateral assurance/security** (garantía prendaria, subsidiaria, secundaria o indirecta), **collateral banking signature** (BANCA aval bancario), **collateral bonds** (obligaciones garantizadas mediante prenda), **collateral business** (asunto colateral), **collateral contract** (contrato de prenda), **collateral covenant** (pacto, convención o garantía colateral o de materia ajena), **collateral insurance** (seguro con garantía prendaria), **collateral loan** *US* (FINAN préstamo pignoraticio, préstamo con garantía prendaria, empréstito con garantía, préstamo sobre valores, pignoración, préstamo respaldado por efectos en garantía, llamado *Lombard loan* en el Reino Unido; V. *asset backed lending*), **collateral note** (FINAN pagaré con garantía prendaria), **collateral, on** (con garantía; V. *security*), **collateral power** (poder colateral; V. *power of appointment*), **collateral security** (FINAN fianza pignoraticia o prendaria; garantía accesoria, secundaria, subsidiaria o indirecta; V. *secured lending*), **collateral signature** (aval, firma colateral), **collateral trust bond** (bono con garantía prendaria o con garantía de valores, bono colateral), **collateral trust certificate** (certificado con garantía prendaria), **collateral trust notes** (FINAN pagarés o efectos negociables a corto plazo emitidos por un banco hipotecario para financiar sus préstamos, con un fondo o *pool* de hipotecas; también los emiten grandes compañías, como los ferrocarriles, empresas matrices, etc.), **collateral undertaking** (compromiso colateral), **collateral value** (FINAN valor máximo de una garantía de acuerdo con su valoración; límite de préstamo para la compra de valores; V. *appraisal*), **collateral value insurance** (SEG seguro en el que se tasa el valor de las garantías de un préstamo y se fija un valor mínimo de liquidación —*minimum liquidation value*—; V. *appraisal*), **collateral warranty** (garantía colateral), **collateralization** (FINAN colateralización; normalmente se emplea para referirse a la garantía con bonos del Tesoro norteamericano), **collateralize** (FINAN asegurar una deuda con una garantía prendaria; V. *assignment, hypothecation, secured lending*), **collateralized bond obligation, CBO** US (obligación con garantía multilateral; se trata de una obligación derivada de una cartera de bonos basura o bonos de alto riesgo; típicamente se divide en varios escalones o niveles, según el riesgo acumulado representado por las garantías subyacentes, y a cada escalón le corresponde un tipo de interés bruto distinto, pero debido a la diversidad y multiplicidad de las garantías, es muy poco probable que todas resulten fallidas, de ahí que la calificación crediticia del bono sea alta), **collaterallized credit** (FINAN crédito con garantía real o prendaria; V. *fully collateralized credit*), **collateralized loan** (FINAN crédito hipotecario titulizado; préstamo colateralizado; V. *assets-backed securities, securitization; mortgage-backed securities, MBS; mortgage closing date; MBS; pass-through securities*), **collateralized mortgage obligation, CMO** US (FINAN obligación hipotecaria colateralizada; es una obligación garantizada por una cartera de hipotecas de la *Federal Home Loan Mortgage Corporation* y con fecha fija de amortización; V. *interest-only strip, principal —only strip; pass—through securities, conduit; current pool factor*), **collateralized mortgage security** US (FINAN obligación con garantía hipotecaria; bono garantizado por el *cash flow* de una cartera de hipotecas, cuyo *cash flow* sirve para abonar rendimientos —*yields*— y amortizaciones —*redemptions*— con el método llamado *pass-through*), **collateralized swap** US (MERC FINAN/PROD/ DINER permuta financiera/«swap» colateralizado o con garantía prendaria), **collaterally** (colateralmente, subsidiariamente)].

collect[1] *v*: recoger; se aplica a paquetes, cartas, etc. [Exp: **collect**[2] (cobrar, recaudar, percibir; se aplica a deudas, intereses, impuestos, derechos, dividendos, etc.), **collect a cheque** (V. *cash a cheque*), **collect bill** (factura por cobrar), **collect call** US (conferencia telefónica a cobro revertido; V. *reverse charge call*), **collect freight** (TRANS MAR flete a cobrar, flete contra entrega; flete efectivo a la entrega de las mercancías; V. *paid freight*), **collect on delivery, COD, cod** US (pago a reembolso, o contra entrega de documentos, llamado en el Reino Unido *cash on delivery* o *cash against documents*), **collectability** (cobrabilidad), **collectable/collectible** (cobrable, recaudable), **collecting** (cobranza, cobro, recaudación), **collecting bank** (banco de cobranza; banco que hace las gestiones para el cobro de efectos; V. *remitting bank*), **collecting commision** BANCA comisión de cobranza)].

collection[1] *n*: TRANS recogida de cartas, paquetes, etc.; V. *collection of goods; collections*. [Exp: **collection**[2] (COMER, BANCA cobro, cobranza; gestión de cobro; percepción, recaudación de impuestos, colecta; al cobro; V. *clean collection; presentment of cheques; debt collection, items for collection; skip trace, collection agency*), **collection action** (gestiones para el cobro), **collection against documents** (COMER cobro contra entrega de documentos; V. *collection on delivery*), **collection agency** (agencia especializada en el cobro de deudas; V. *skip tracer, debt collector*), **collection agent** (recaudador), **collection at source** (TRIB impuesto deducido en la fuente; V. *tax deducted at source*), **collection bank** *US* (banco especializado en cobro de deudas; V. *bad bank*), **collection charges/expenses**[1] (comisiones por cobranza, gastos por cobranza; V. *collection fees; draft for collection*), **collection charges/expenses**[2] (TRANS gastos por recogida), **collection fee** (comisión/gastos de cobro; V. *collection charges*), **collection float** (intereses que el depositante puede perder en el cobro de un cheque; V. *payment float; float*[6]), **collection follow-up** (seguimiento de cobros), **collection, for** (al cobro), **collection items** (FINAN partidas a cobrar, efectos para cobrar ◊ *Cash items and non-cash items are collection items*; V. *items for collection, collection items*), **collection management/negotiation** (gestión de cobro; V. *clean collection*), **collection of goods** (retirada de mercancías), **collection of tax** (recaudación de impuestos), **collection letter** (carta de cobranza), **collection on delivery** (TRANS entrega con reembolso; cobro a la entrega; V. *collection against documents*), **collection-only cheque** (BANCA cheque sólo para abono en cuenta o sólo para compensación; V. *for deposit only*), **collection order** (orden de cobro), **collection period** (BANCA período de cobro; tiempo medio que se tarda en cobrar los efectos vencidos; tiempo que transcurre entre el vencimiento y el cobro efectivo en los bancos, de dos a cinco días, para anotar en cuenta un cheque o talón depositado), **collection policy** (norma de cobro, política recaudadora), **collection ratio** (FINAN ratio entre cuentas por cobrar o *receivables* y ventas netas), **collection teller** (ventanilla de cobros), **collections** (colecta; cantidad recogida para un fin), **collector** (cobra-dor, recaudador; V. *debt/tax collector*), **collector of customs** (administrador de aduanas), **collector of internal revenue** (recaudador de tributos)].

collective *a*: colectivo, sindical; público, social. [Exp: **collective account** (BANCA cuenta colectiva), **collective agreement** (convenio colectivo), **collective bargaining** (REL LAB negociación sindical, negociación colectiva; V. *bargaining unit*), **collective farm** (granja colectiva), **collective investment company** (FINAN sociedad de inversión colectiva), **collective investment fund** (fondo de inversión colectiva, también llamado *master trust account*), **collective investment managing company** (FINAN sociedad gestora de entidades de inversión colectiva), **collective order** (orden colectiva), **collective ownership** (propiedad social, colectiva o pública), **collective self-reliance** (autonomía económica colectiva), **collective tendering** (licitación colectiva), **collective wage agreement** (REL LAB convenio salarial colectivo), **collectivism** (ECO colectivismo), **collectivization** (ECO colectivización)].

collector *n*: recaudador, cobrador, vista de aduanas. [Exp: **collector of a port/the customs** (vista de aduanas, administrador de aduanas; V. *customs officer*), **collector of taxes/internal revenues** (TRIB recaudador de impuestos o contribuciones; V. *collector of taxes, tax collector*)].

college *US n*: universidad. [Exp: **College construction loan insurance association, Connie Lee** *US* (agencia federal que garantiza los préstamos concedidos para llevar a cabo proyectos de construcción en las universidades americanas)].

collide *v*: abordar; chocar, entrar en colisión; V. *run into*. [Exp: **collision** (SEG MAR abordaje; choque, colisión; V. *come into collision, crash*), **collision clause** (SEG MAR cláusula de abordaje, llamada también *running down clause*; mediante una prima complementaria, el asegurado queda cubierto, hasta cierto punto, del riesgo de abordaje), **collision insurance** (SEG seguro de abordaje), **collision of ships** (abordaje; V. *accidental collision, both-to blame collision, negligent collision, rules of the road*)].

collude *v*: confabularse contra alguien, pactar en perjuicio de tercero, intrigar, maquinar, estar en connivencia; V. *connive*. [Exp: **collusion** (colusión, connivencia desleal, confabulación), **collusive** (colusorio; confabulado; V. *restrictive practices*), **collusive practices** (prácticas colusorias), **collusive tendering** (COMER licitación colusoria/abusiva; connivencia para la licitación de obras; licitación «aconchabada»; práctica restrictiva del comercio consistente en el reparto, y consiguiente dominio, del mercado por determinadas empresas; también se la llama *common pricing* o *dummy/level tendering*; V. *combination in restraint of commerce/trade, code of fair competition*)].

COLTS *n*: V. *continuously offered long term securities*.

column *n*: columna. [Exp: **columnar system** (sistema columnar o tabular), **columnist** (columnista, periodista)].

combination[1] *n*: combinación, trama, unión, coalición, liga; V. *collusion, conspiracy*. [Exp: **combination**[2] (SOC combinación, concentración/asociación de empresas; V. *absorption, business combination, amalgamation, consolidation, integration; merger*), **combination**[3]

(MERC FINAN/PROD/DINER combinación; alude a la estrategia combinatoria de compras y/o ventas de opciones de venta —*puts*— y de compra—*calls*; V. *leg; condor, straddle, butterfly*), **combination fund** (sociedad inversionista de valores, bonos y acciones preferentes), **combination in restraint of commerce/trade** (COMER acuerdo monopolista o de limitación de la competencia; V. *illegal combination, code of fair competition/trading, Restrictive Practices Court, conspiracy in restraint of trade; price-fixing*), **combination policy** (TRIB póliza de seguros combinada), **combination plan** (SEG plan combinado de fondos de jubilación), **combination rate** (TRANS tarifa combinada, en especial, en los transportes)].

combine[1] *n/v*: grupo industrial, asociación, cartel, unión de organizaciones o empresas, consorcio; unir-se, fusionar-se, mancomunar; V. *industrial combine, merge, conglomerate, holding, group, group of companies, trust*. [Si es nombre, el acento recae sobre la primera sílaba y, si es verbo, sobre la segunda. Exp: **combined balance sheet** (CONT balance de situación combinado), **combined entry** (CONT asiento compuesto; asiento con más de dos elementos contables, como varios débitos y créditos; V. *compound entry*), **combine group** (grupo industrial), **combined rate** (FINAN tipo combinado; V. *composite rate*), **combined ratio** (SEG tasa mixta), **combined reserve** (SEG reserva mixta), **combined statement** (BANCA extracto de cuenta descriptivo, también llamado *combined statement of income and retained earnings*; V. *descriptive statement*), **combined tariff with quota** (COM arancel combinado con cupo), **combined transport** (transporte combinado; V. *multimodal/intermodal transport*),

combined transport bill of lading (TRANS MAR conocimiento de embarque combinado, conocimiento de embarque corrido, conocimiento que cubre la expedición de mercancías por dos o más medios de transporte; V. *through bill of lading, direct bill of lading*)].

come *v*: venir, llegar. [Exp: **come a cropper** *col* (estrellarse, darse un porrazo, sufrir un revés, llevarse un chasco ◊ *Speculators came a cropper when the price of wheat fell*), **come into collision** (chocar, entrar en colisión/conflicto), **come into effect/force/operation** (entrar en vigor; V. *effect, take effect, come into force, be effective, be operative from*), **come into office** (entrar en funciones, llegar al poder, asumir un cargo; V. *begin functions*), **come off** (salir, abandonar), **come off best** (salirse con la suya; salir ganando), **come off second-best** (salir mal; V. *take a beating*), **come on stream** (empezar a funcionar, ponerse en funcionamiento ◊ *The new production unit comes on stream next month*), **come on to the market** (MERC salir al mercado, estar en venta; V. *be on the market*), **come-on, give investors the** *col* (insinuárseles a los inversores o tirarles los tejos), **come-on, the** *col* (incitación, actitud seductora o provocadora; gancho, guiño, señuelo), **come out against/for** (oponerse/favorecer a; declararse en contra/a favor), **come out [on strike]** (declararse en huelga; V. *call out*), **come to** (ascender a, sumar ◊ *The total bill came to £500*), **come to an agreement** (alcanzar un acuerdo, llegar a un acuerdo; V. *conclude/reach an agreement*), **come to terms with** (llegar a un acuerdo con; aceptar, aprender a convivir con, adaptarse a), **come under** (estar sujeto a, aparecer bajo el epígrafe de, estar comprendido en), **come under the hammer** (subastarse), **come up for sale** (ponerse en venta, salir a la venta ◊ *The leather goods division of that multinational is coming up for sale as an independent firm*), **come up to standard/the mark** *col* (dar la talla, estar a la altura, satisfacer las exigencias ◊ *Those goods that do not come up to standard should be returned immediately*; V. *up to standard*), **come up to scratch** *col* (reunir los requisitos básicos; cumplir lo que se espera de uno, hacer buenas las esperanzas depositadas en uno), **come up with a proposal** (hacer una propuesta, proponer, ofrecer, sugerir una alternativa, solución, etc.), **come up with the goods** *col* (cumplir lo pactado, lo prometido o la misión asignada; obtener el resultado apetecido ◊ *The new team has come up with the goods*; V. *deliver the goods*), **come up with the money** (reunir el dinero, encontrar los fondos necesarios ◊ *If they don't come up with the money in the next 2 days, the deal is off*; V. *club together*), **come with a late burst** *col* (BOLSA remontar, hacer un último esfuerzo; recuperarse; repuntar a última hora; protagonizar una escalada de última hora; V. *bust*), **comeback** (COMER remontada, vuelta a la fama, la gloria o la importancia anterior; V. *stage/make a comeback*), **comedown** (descenso, revés, humillación ◊ *Her new job as a sales representative is a bit of a comedown*), **coming-out price** (BOLSA precio de salida de una acción)].

COMECOM *n*: Consejo para la Ayuda Mutua de la URSS y de los Países Socialistas, Comecom.

comeuppance *col n*: V. *get one's comeuppance*.

COMEX[1] *n*: V. *Commodity Exchange of New York*. [Exp: **Comex**[2] (MERC PROD precio del cobre fijado en Nueva York)].

comfort *n*: bienestar, comodidad. [Exp:

comfort letter (FINAN, BOLSA carta de ratificación, apoyo, garantía, reafirmación o alivio; informe favorable a efectos financieros; carta de recomendación para la solicitud de un préstamo; carta de aclaración o declaración de intenciones enviada por una de las partes a la otra en un acuerdo, contrato, etc.; documento redactado por un auditor independiente, expresando su convicción de que la información publicada en el *registration statement* —declaración sobre valores emitidos— es verídica)].

comity *n*: COM cortesía.

command[1] *n/v*: mando, orden; ordenar, mandar. [Exp: **command**[2] (tener, tener a su disposición, disponer de), **command a good price** (COMER venderse a buen precio, tener un buen precio garantizado), **command a ready sale** (COMER tener venta/salida fácil ◊ *You don't need to advertise umbrellas in Britain as they command a ready sale*), **command economy** (ECO economía controlada, dirigida o autoritaria; V. *managed economy; planned economy; market-oriented economy; mixed economy*)].

commandite *n*: sociedad comanditaria, en comandita simple; V. *limited partnership*.

commerce *n*: comercio, tráfico, negocio; V. *trade, business*. [Exp: **commerce clearing house** (cámara comercial de compensaciones)].

commercial[1] *a/n*: comercial, mercantil; rentable; V. *trading; commercials*. [Exp: **commercial**[2] (PUBL emisión publicitaria, anuncio publicitario por la radio, televisión, etc.; V. *commercials*[1]), **commercial**[3] (COMER viajante, agente comercial), **commercial agreement** (acuerdo comercial), **commercial and industrial loan** (préstamo comercial y empresarial ◊ *Commercial and industrial loans are used to finance the purchase of manufacturing plants and equipment*), **commercial arbitration** (arbitraje comercial), **commercial area** (TRANS MAR zona del puerto dedicada a tareas de carga y descarga), **commercial attaché** (agregado comercial), **commercial bank** (banco comercial, de depósitos o de crédito, también llamado *retail bank, deposit bank, joint-stock bank* y *full service bank* en los Estados Unidos; estos bancos ingleses ofrecen todas clase de servicios y compiten con las financieras o *finance houses* y con los bancos de negocios o *merchant/investment banks* en préstamos de capital riesgo o *venture capital* y con las sociedades de crédito hipotecarios o *building societies* en hipotecas; también se les llama en el Reino Unido *clearing Banks, credit banks*, y en Estados Unidos, *national Banks, state Banks, joint-stock banks*), **commercial banking** (servicios bancarios ofrecidos por los *commercial banks*), **commercial bill** (FINAN letra de cambio comercial; V. *banker's bill; trade bill, bank bill; commercial paper, merchantile paper*), **commercial company/enterprise** (empresa mercantil; V. *trading company*), **Commercial Court** (DER Sala de lo Mercantil del *Chancery Division of the High Court of Justice*), **commercial credit** (crédito comercial o de aceptación; forma de financiación de importaciones y exportaciones en la que el banco sustituye con su crédito al del cliente; V. *acceptance credit, London acceptance credit*), **commercial credit company** US (FINAN financiera; establecimiento financiero, también conocido con el nombre de *industrial bank*; V. *small loan company, finance house*), **commercial discount** (descuento comercial), **commercial draft** (letra, efecto o giro comercial), **commercial failure** (SOC quiebra comercial; V.

bankruptcy; bust), **commercial farm** (explotación agrícola de carácter industrial), **commercial grades** (calidades comerciales), **commercial hedger** (MERC FINAN/PROD empresa de inversión para la cobertura o compensación de operaciones a plazo; típicamente se trata de una casa comercial que interviene en los mercados de mercancías y futuros para garantizar los precios del género que emplea en su actividad comercial o para protegerse, mediante la compra y venta de contratos de futuro, contra las posibles variaciones en el precio del género concreto), **commercial instruments** (efectos de comercio ◊ *Securities, shares, stocks, cheques, bonds, bills of exchange, drafts, etc. are commercial instruments*), **commercial launch** (lanzamiento comercial), **commercial law** (DER derecho mercantil; V. *mercantile law, law merchant*), **commercial letter of credit** (carta de crédito comercial), **commercial loan rate** (tipo de interés para préstamos comerciales), **commercial loan selling** (BANCA venta entre bancos de un préstamo efectuado a una empresa comercial), **commercial marine** (marina mercante), **commercial mortgage** (hipoteca comercial; préstamo a largo plazo garantizado con propiedad inmobiliaria comercial), **commercial notary** (corredor colegiado), **commercial paper, cp**[1] (FINAN pagaré de empresa; papel comercial a corto plazo, instrumentos o efectos negociables a corto plazo; V. *prime commercial paper; bank's commercial paper; Treasury commercial paper; bankable paper, promissory notes*), **commercial paper, cp**[2] (FINAN pagaré, letra de cambio comercial, también llamada *commercial bill, trade bill* o *merchantile paper*), **commercial paper company** (FINAN sociedad financiera especializada en

instrumentos negociables a corto), **commercial paper market** (FINAN mercado de pagarés de empresa a corto plazo), **commercial set** (COMER juego de documentos en el comercio internacional, a saber, conocimiento de embarque —*bill of lading*—, letra de cambio —*bill of exchange*—, certificado de seguro —*certificate of insurance*— y factura comercial —*invoice*), **commercial transaction** (operación mercantil, acto de comercio), **commercial traveller** (COMER viajante de comercio, también llamado *representative*; V. *travelling salesman*), **commercial usage** (costumbres comerciales, usos comerciales), **commercial value** (valor en plaza, de mercado), **commercialization** (comercialización), **commercialese** (jerga del mundo del comercio y de los negocios; V. *legalese*), **commercialize** (comercializar), **commercials**[1] (PUBL mensajes publicitarios, cuñas publicitarias; comerciales), **commercials**[2] (BOLSA valores comerciales)].

commingle *v*: mezclar, entremezclar, mixturar, confundir. [Exp: **commingled funds**[1] (FINAN fondos mixtos/mezclados; alude a la «mezcla» de los títulos pertenecientes a los clientes con los que figuran en la cuenta de una agencia de cambio y bolsa, utilizando el fondo mixto, siempre con el consentimiento de los clientes, para garantizar las obligaciones de la agencia), **commingled funds**[2] (BANCA fondos mixtos/mutuos; alude a los que se forman con las cuentas individuales de los participantes en un fondo de inversión)].

commission[1] *n*: encargo, despacho, mandato; encargar, comisionar, diputar, encargar ◊ *She was commissioned by the bank to prepare a report on its internal finances.* [Exp: **commission**[2] (cargo, nombramiento ◊ *I am acting as the* *bank's representative here and my commission is from its Board of Directors*; V. *authority; order, mandate; on behalf of, appointment, designation, appoint*), **commission³** (COMER comisión, porcentaje; arancel de corredores, etc.; V. *fee; rake-off*), **commission⁴** (comisión, comité de investigación), **Commission⁵** (DER Comisión Europea ◊ *The Commission forwards proposals to the Council of Ministers*; V. *disallow*), **commission agent/merchant** (COMER comisionista), **commission basis** (a comisión; V. *on commission*), **commission billing** (facturación de comisiones), **commission broker** *US* (V. *broker*) **commission for acceptance** (comisión por aceptación; V. *acceptance by intervention, aceptance supraprotest*), **commission merchant** (comisionista), **commission, on** (a comisión), **commission rate** (tipo de comisión), **commissioner** (comisario, comisionado, comisionista), **commissioner of customs** *US* (comisario de aduanas), **commissioner for oaths** (DER fedatario público, notario), **commissioner of banking** *US* (inspector de los bancos estatales americanos; V. *state banking department*), **Commissioners of Customs and Excise** (TRIB inspectores de Aduanas y de impuestos especiales; V. *commissioner of Inland Revenue*), **Commissioners of Inland Revenue** (TRIB inspectores de Hacienda; V. *Commissioner of Customs and Excise*), **Commissioner of Internal Revenue** *US* (TRIB director general de tributos), **commissioner of patents** (comisario de patentes), **commissioners' values** (TRIB relación de valores aceptados para la cobertura de reservas técnicas)].

commit¹ *v*: perpetrar, cometer; V. *perform*. [Exp: **commit²** (encomendar, confiar, encargar ◊ *Responsibility for the security of the deposits was committed to the charge of the Assistant Comptroller*; V. *entrust*), **commit³** (asignar, compromer recursos), **commit⁴** (comprometer, dedicar, empeñar), **commit funds to a project** (asignar fondos a un proyecto), **commit something to writing/paper** (poner/consignar algo por escrito), **commitment¹** (compromiso, deber, obligación, obligación contractual, dedicación ◊ *The company expects full commitment from its senior executives in return for the high salaries they receive*; V. *financial commitments, engagement*), **commitment²** *US* (BANCA compromiso de una entidad de ofrecer un préstamo durante cierto tiempo a un interés fijado; a veces exige el pago de una comisión de compromiso o *commitment fee²*; V. *firm commitment, commitment rate, lock-in period; standby commitment*), **commitment authority** (facultad para contraer compromisos), **commitment fee** (MERC FINAN, BANCA [1] comisión de compromiso o mantenimiento; comisión de apertura; comisión que paga el prestatario para que el prestamista le conceda un crédito a un determinado tipo de interés durante el tiempo pactado; [2] comisión de disponibilidad; normalmente se paga por la parte no utilizada de un «crédito rotativo» o *revolving credit*, también llamado *line of credit*; V. *facility fee, underwriting fee*), **commitment letter** *US* (BANCA carta de compromiso [a ofrecer un préstamo a determinada persona a un tipo de interés marcado y durante un tiempo concreto]), **commitments pipeline, in the** (en tramitación), **committed costs/resources** (CONT costes/recursos comprometidos)].

committee *n*: comité, comisión, consejo, junta, delegación; V. *board*. [Exp: **committee of control** (comisión de vigilancia; V. *watch list; watchdog*),

Committee of London Clearing Bankers (BANCA comité de los once grandes
bancos de Londres), **committee of
subscribers** (junta directiva del mercado
de metales de Londres o *London Metal
Exchange*)].

commodity *n*: mercadería, artículo de
consumo, género, mercancía, mercancía
genérica, producto básico; activo real; V.
commodities. [Exp: **commodities** (ECO,
COMER productos básicos; mercaderías;
géneros, artículos o productos de
comercio o de consumo; bienes y
servicios; materias primas, elaboradas o
semielaboradas —*semiprocessed*— que
se compran o venden en lonjas o bolsas
de contratación —*exchanges*—, de
calidades y tipos normalizados; los
bienes económicos que son objeto de
transacciones comerciales se clasifican,
según los economistas, en materias
primas —*commodities*— y servicios
—*services*—; en principio, el término
commodities puede aludir a los dos y, en
un plano más restringido, sólo a las
materias primas; en este sentido, las
commodities, es decir, las materias
primas, los productos agropecuarios o los
activos físicos o tangibles —*physicals*—
que se negocian en los mercados son
mercaderías, a pesar de que para algunos
este último término, aunque muy
expresivo, está en desuso, porque lo
relacionan más con «mercader» que con
«mercado»; cuando las mercaderías son
productos alimentarios —*foodstuffs*— o
agropecuarios, que necesitan ser procesados antes de estar listos para el
consumo, también se las llama *produce* o
soft commodities —materias primas
blandas—, siendo el término que se
aplica a los metales el de *hard commodities* o materias primas duras ◊ *Oil,
coffee, sugar and other articles are
bought and sold in commodity exchanges

and futures markets*; V. *staple commodities, basic/primary commodities,
merchandise, product, agricultural
commodities; raw materials, all
commodity rate*), **commodities market**
(mercado en origen, mercado de materias
primas), **commodity agreement** (COMER
acuerdo comercial entre productores para
controlar la producción o comercialización de un determinado producto),
commodity approach (COMER seguimiento del movimiento del producto
desde el productor hasta el consumidor),
commodity-backed bond (FINAN bono
vinculado a una mercadería), **commodity
brokers** (COMER corredores especializados en los mercados de materias
primas, también llamados *produce
brokers*, excepto los especializados en las
transacciones de metales; V. *hard, soft*),
commodity channel index, CCI (MERC
FINAN/PROD/DINER índice de canal de
mercaderías), **Commodity Credit
Corporation, CCC** *US* (organismo
oficial de crédito a los productos del
campo; se trata de una sociedad oficial
destinada a facilitar programas de apoyo
a los precios y préstamos agrícolas y a
las actividades de transporte, almacenamiento de los productos del campo),
commodity currency (V. *commodity
money*), **commodity dollar** (patrón
dolar), **commodity draft** (letra para
compraventa de productos), **commodity
exchange/s** (MERC FINAN/PROD/DINER
lonjas o bolsas de contratación especializadas de un producto, dentro de los
mercados de materias primas —*commodities markets*—, donde las transacciones se hacen tanto con instrumentos
financieros de contado —*actuals*— como
contratos de futuros —*futures
contracts*— y de opciones; V. *produce
exchange, trader in actuals, trader in
futures*), **Commodity Exchange**

Authority, CEA *US* (Autoridad/organismo oficial encargado de los mercados de materias primas; V. *SEC*), **Commodity Exchange Act** *US* (ley de 1936 que creó la comisión reguladora de las operaciones y de los mercados de materias primas), **Commodity Exchange Inc of New York, COMEX** (MERC PROD mercado de contratación de derivados —*derivatives*—, o sea, opciones y contratos de futuros, de metales preciosos de Nueva York; V. *Bullion,*[2] *London Metal Exchange*), **commodity flow** (corriente/flujo de productos/mercancías), **commodity fund** (fondo de mercancías), **commodity futures** (MERC FINAN/PROD/DINER contrato de futuros sobre productos; V. *futures contract; financial futures; forward contract; spot cash; hedging*), **Commodity Futures Trading Commission, CFTC** *US* (agencia federal independiente creada por el Congreso en 1972 para regular el mercado de futuros de productos; V. *futures commission merchants*), **commodity loan** (préstamo en especie; préstamo para la adquisición de productos de un mercado), **commodity market** (MERC FINAN/PROD/DINER lonja de contratación; mercado de materias primas en origen; mercado de productos; lonja de contratación; mercado de contratación o compraventa de materias primas, formados por lonjas o centros de contratación especializados —*commodities exchanges*; V. *goods exchange, stock exchange*), **commodity money/currency** (dinero mercancía, utilizado, sobre todo, en el pasado, primero con ganado, grano, metales, piedras preciosas, etc; V. *commodity standard, hard currency*), **commodity paper**[1] (FINAN efectos de comercio respaldados por productos o mercaderías; efectos del comercio o instrumentos de crédito que sirven de aval, previa

presentación de los documentos de embarque, de aduana o de almacén, en los préstamos efectuados para financiar importaciones de *commodities*; V. *warehouse receipt, shipping documents; commercial paper, financial paper*), **commodity paper**[2] *US* (FINAN efectos de comercio utilizados para financiar la importación de materias primas), **commodity price index** (MERC PROD índice de precios al por mayor), **commodity rate**[1] (BANCA interés bancario aplicado en el descuento de efectos relacionados con el mercado de materias primas), **commodity rate**[2] (TRANS tarifa para mercancía), **commodity reserve theory** (ECO teoría que postula que el dinero y los bienes pueden convertirse mutuamente), **commodity standard** (ECO mercancía patrón; sistema monetario cuyo patrón serían las materias primas en vez de las divisas o los metales preciosos), **commodity subject to a quota** (producto contingentado), **commodity swap** (MERC FINAN/PROD/DINER permuta/canje o «swap» de mercaderías físicas o *physicals* en un mercado de contado —*spot market*— o de plazo —*forward market*), **commodity tax** (impuesto sobre géneros de consumo, impuesto sobre productos), **commodity theory of money** (ECO teoría del dinero mercancía), **commodity trader** (comerciante de materias primas; agente/corredor de bolsa de mercaderías)].

common *a*: ordinario, común, corriente, habitual; público. [Exp: **Common Agricultural Policy, PAC** (Política Agrícola Común, CAP; V. *European Agricultural Guidance and Guarantee Fund, EAGGF; fall-back price, farm subsidies, intervention price, target price, threshold price*), **common average** (TRANS/SEG MAR avería simple; V. *petty average*), **common capital stock** (SOC acciones ordinarias o comunes), **common carrier** (TRANS empresa de transporte público, porteador común, transportador general), **common carrier bill of lading** *US* (TRANS conocimiento de los transportistas públicos que explotan líneas regulares; este término es más corriente ahora en los Estados Unidos que en Gran Bretaña), **common consent, by** (de común acuerdo), **Common Customs Tariffs, CCT** (arancel aduanero común/ comunitario; tarifa exterior Común, TEC), **common disaster clause** (SEG cláusula de co-moriencia; alude al fallecimiento simultáneo de asegurado y beneficiario, y en ella se fija a quién corresponde la indemnización; también se aplica en los testamentos; V. *survivorship clause*), **common dividend** (SOC dividendo ordinario; V. *in arrears, preferred dividend, interim dividend*), **common equity** (SOC capital social y reservas; recursos propios de una entidad; acciones comunes; patrimonio común, valor líquido común), **common external tariff** (arancel externo común), **common farm land** (egido), **common fisheries policy** (política común pesquera), **Commond Fund Agreement** (convenio constitutivo del fondo común [de mercaderías]), **common gap** (BOLSA agujero/hueco «común» en un gráfico de barras; V. *breakway gap, exhaustion gap, runaway gap*), **common, in** (proindiviso, en común; V. *joint, tenancy in common*), **common land** (tierras comunales; V. *common, profit à prendre*), **common law** (derecho consuetudinario; V. *case law, equity, statute law*), **Common Market** (Mercado Común Europeo; V. *EC*), **common ownership** (condominio; propiedad colectiva), **common peril** (SEG riesgo corriente o común), **common pricing** (fijación colectiva de precios; V. *collusive/dummy/level tendering*),

common-resource problem, the (ECO el problema del recurso común; V. *the tragedy of the common*), **common stock** *US* (BOLSA, CONT acciones ordinarias; capital suscrito; V. *classified common stock; ordinary share; Treasury stock*), **common stock equivalent** (BOLSA acción o bono preferente convertible en acción ordinaria; cédula o certificado que da derecho a adquirir acciones a un precio prefijado), **common stock fund** (FINAN fondo de renta variable), **common stock ratio** (FINAN porcentaje de los fondos propios representado por el valor total de las acciones ordinarias), **common tariff** (arancel común), **common trust fund** (FINAN unión de varios fondos fiduciarios para ser invertidos conjuntamente), **common venture** (riesgo común; V. *joint-venture*)].

Commonwealth *n*: Mancomunidad de Naciones, la *Commonwealth*.

communicate *v*: comunicar, participar, notificar, manifestar. [Exp: **communication** (notificación, comunicación escrita, mensaje; V. *notice*), **communication channel** (canal de comunicación), **communisuation** *US* (PUBL información con fines persuasivos), **communiqué** (comunicado oficial)].

community *n*: comunidad. [Exp: **community bank** *US* (banco de ámbito local también llamado *independent bank; correspondent bank*), **community charge** (TRIB impuesto local, capitación, impuesto municipal calculado por cabeza; V. *poll tax, rates, local taxation*), **community chest** *US* (TRIB fondo de beneficencia; fondo destinado a obras sociales; fondo de seguro), **community estate/property** (comunidad de bienes, bienes gananciales), **community investment** (inversión en bienes y servicios de una ciudad; V. *real investment*), **community law** (DER derecho comunitario;

los actos jurídicos comunitarios son los tratados —*treaties*—, los reglamentos —*regulations*—, las directivas —*directives*— y las decisiones —*decisions*—; V. *European Court*), **community property** (bienes comunales, bienes gananciales), **community quota** (contingente comunitario), **community worker** (asistente social)].

commutation *n*: SEG cambio parcial de principal por renta en el plan de pensiones; consiste normalmente este cambio en retirar una parte del mismo en el momento de la jubilación y dejar el resto para producir una pequeña renta con los intereses.

commute *v*: TRANS viajar diariamente al trabajo, normalmente en trenes de cercanías, desde zonas residenciales periféricas. [Exp: **commute²** (conmutar; V. *exchange*), **commute a fare** (TRANS comprar un abono de transporte), **commuted commission** (comisión descontada), **commuted value** (valor descontado), **commuter** (TRANS viajero de cercanías que va diariamente a su puesto de trabajo, normalmente con un bono del metro o del ferrocarril; V. *season-ticket holder*), **commuter belt** (extrarradio de la ciudad, ciudad dormitorio ◊ *When people talk about "the commuter belt" they usually mean the country areas around London*), **commuter train** (tren de cercanías)].

company¹ *n*: sociedad mercantil; empresa; compañía; sociedad anónima. [Las *companies* se llaman también *corporations*, sobre todo en los Estados Unidos, y pueden ser *chartered companies, statutory companies* y *registered companies*; V. *affiliated company, dormant company, joint-stock company, limited company, listed company, parent company, partnership, corporation, firm.* Exp: **Companies Act 1948** (Ley de Sociedades Mercantiles de 1948; V. *table A*),

Companies House/Companies Registration Office (Registro Mercantil de Gales), **company²** (tripulación de un buque), **company bookkeeping** (contabilidad empresarial o mercantil), **company court** (V. *Chancery Court*), **company deeds** (actas de una sociedad), **company director** (SOC directivo de una empresa; consejero; vocal del Consejo de Administración de una sociedad; V. *Board of Directors*), **company law** (derecho de sociedades), **company limited by shares** (sociedad limitada, también llamada *limited company*), **company earnings/profit** (beneficio empresarial), **company name** (SOC denominación/razón social; V. *firm/trade name, registered office, name of the company*), **company of good standing** (compañía acreditada), **company officers** (SOC cargos directivos de un sociedad o empresa; V. *high/top office*), **company-/occupational-pension schemes** (planes de pensiones de empresa; V. *retirement account, state-funded pension schemes*), **company promoter** (SOC promotor de una mercantil), **Company Registrar** (Registro Mercantil; V. *register of charges*), **company report** (SOC memoria de la sociedad, informe del presidente del consejo de administración; V. *chairman's report, directors' report, annual accounts*), **company reserves** (reservas sociales), **company secretary** (secretario del Consejo de Administración), **company store** (economato de una empresa), **company tax** (TRIB impuesto de sociedades), **company taxation** (tributación de sociedades), **company town** (ciudad factoría; ciudad industrial en la que la mayoría de su vecinos trabajan en una gran empresa de la misma), **company union** (REL LAB sindicato de empresa)].

compare *v*: comparar, cotejar; V. *collate*.

[Exp: **comparability factor** (factor de comparabilidad), **comparative** (comparativo, comparado, relativo), **comparative advantage** (COMER ventaja relativa; V. *absolute advantage*), **comparative balance sheet** (FINAN estado o balance de situación comparativo), **compared with, as** (con respecto a, con relación a, en contraste con), **comparison** (comparación, cotejo; V. *collation; intermedia comparison, intercompany comparison*), **comparison shopping** (costumbre de/tendencia a comparar precios y condiciones de venta), **comparative value** (ECO valor comparativo)].

compatibility *n*: compatibilidad.

compensate *v*: compensar, indemnizar, desagraviar. [Exp: **compensating** (compensación, compensatorio), **compensating balance** (CONT balance de compensación), **compensating depreciation** (depreciación compensatoria), **compensating duties** (derechos/montantes compensatorios; V. *countervailing duties*), **compensating expenditures/payments/tariffs** (gastos/pagos/aranceles compensatorios), **compensation** (REL LAB, SEG indemnización, reparación, compensación, retribución, remuneración, desagravio; V. *damages, compensatory damages, indemnity, recovery, relief, claim; indemnity*), **compensation for loss of office** (REL LAB indemnización por cese en el cargo, también llamada «broche de oro» o *golden handshake*), **compensation package** *US* (REL LAB paquete retributivo, indemnización global por despido; en ella se computan no sólo el sueldo sino los demás beneficios, como fondos de jubilación, etc.; V. *salary package*), **compensation principle** (ECO, REL LAB principio de compensación social), **compensation/offset transactions** (operaciones de compensación), **compensatory award** (REL LAB laudo de indemnización por despido improcedente; V. *industrial tribunal*), **compensatory balance** (CONT saldo de compensación), **compensatory duties** (V. *compensating/countervailing duties*), **compensatory facility** (servicio de compensación), **compensation insurance** (seguro de compensación), **compensatory principle of taxation** (TRIB principio de tributación compensatoria; V. *benefit received principle of taxation*), **compensatory spending** (ECO gastos compensatorios; se emplea en los presupuestos), **compensatory subsidies** (subvenciones compensatorias), **compensatory tax** (impuesto compensatorio)].

compete *v*: competir; V. *enter into competition*. [Exp: **competing** (rival, competitivo, en competencia), **competing bid** (COMER invitación para la presentación de ofertas), **competing groups** (grupos competitivos), **competition**[1] (COMER competencia; concurrencia; V. *competitiveness; keen competition, beat the competition; code of fair competition/trading, Restrictive Practices Court, combination in restraint of commerce/trade, conspiracy in restraint of trade, free competition*), **competition**[2] (concurso ◊ *She won second prize in a photography competition*; V. *competitive examination*), **competition clause** (cláusula de exclusividad; V. *competence clause*), **competition oriented pricing** (fijación de precios basándose en los de la competencia; V. *demand-oriented pricing*), **competitive** (competitivo; V. *fiercely competitive*), **competitive advantage** (V. *competitive edge*), **competitive allocation** (concurso-subasta), **competitive analysis** (ECO análisis competitivo), **competitive bid/bidding**[1] (subasta, licitación pública; oferta cerrada; V. *non-*

competitive bid), **competitive bid/ bidding**[2] (emisión competitiva; alude a la elección, por subasta, de los bancos aseguradores de las emisiones de eurobonos; V. *non-competitive bid*), **competitive bid solicitation** (anuncio de licitaciones o de concursos públicos), **competitive demand** (ECO demanda competitiva; V. *substitute demand*), **competitive economy** (economía competitiva; V. *free enterprise economy*), **competitive edge** (PUBL, COMER margen competitivo o de ventaja, superioridad competitiva; ventaja de un producto sobre otro en el mercado; *competitive advantage, economic edge*), **competitive examination** (oposición, concurso; examen de acceso a un puesto público o privado), **competitive pricing** (fijación de precios competitivos; V. *marginal pricing*), **competitive profit system** (ECO economía libre de mercado), **competitive-structural approach** (tesis restrictivas de fusiones y absorciones), **competitive tender** (convocatoria a licitación), **competitiveness** (ECO competitividad, capacidad competitiva; V. *competition*), **competitor** (COMER competidor)].

competence/competency *n*: aptitud, competencia, capacidad. [Exp: **competence clause** (cláusula de competencia; V. *competition clause*), **competent** (competente, capacitado, idóneo, capaz)].

complain *v*: presentar una reclamación, denunciar; quejarse. [Exp: **complaint** (reclamación), **complaints department** (COMER departamento de reclamaciones)].

complement[1] *n/v*: complemento; accesorio; complementar. [Exp: **complement**[2] (dotación, personal, tripulación ◊ *We have our full complement of staff at the moment, so we don't need any extra help*; V. *company*[2]); **complement-s**[3] (ECO complementario-s; V. *substitutes*), **complementing entry** (CONT asiento o partida de complemento), **complementary** (complementario), **complementary demand** (ECO demanda conjunta o complementaria; V. *joint demand*), **complementary goods** (ECO bienes complementarios; estos bienes son los opuestos a los *substitute goods*), **complementary supply** (ECO oferta complementaria; V. *joint supply*), **complementarity** (ECO adicionalidad; complementariedad)].

complete *a/v*: completo, definitivo, firme, absoluto, pleno, incondicional, categórico; perfeccionar, cumplir, consumar, ejecutar, satisfacer hasta sus últimas consecuencias; V. *absolute, final, unconditional*; *fail to complete* [Exp: **completeness** (ECO plenitud, integridad, totalidad), **completeness test** (ECO prueba de integridad o de entereza), **completely knocked down, CKD** (COMER completamente desarmado; V. *DIY*), **completely knocked-down products** (COMER productos que se venden por piezas sueltas para luego componerlos; V. *DIY*), **completion**[1] (finalización, terminación, consumación, cumplimentación, conclusión, perfección, cumplimiento o realización plena; V. *in progress of; termination, execution*), **completion**[2] (obra ejecutada; V. *percentage of completion*), **completion of a contract** (firma de un contrato)].

complex *a/n*: complejo; V. *industrial complex, shopping complex*.

compliment *n/v*: cumplido; obsequio; saludo; felicitar ◊ *Send her this copy of the book with the compliments of the publishers*. [Exp: **complimentary** (favorable, elogioso; de favor, obsequio, gratis), **complimentary bar service** (servicio de bar gratuito, barra libre), **complimentary copy** (muestra de obsequio/regalo), **complimentary ticket** (pase o entrada de favor), **compliments slip** (saluda))].

component *n*: elemento, componente; V. *part, replacement.*

comply *v*: cumplir, atenerse a, someterse a lo pactado o dispuesto, satisfacer, cumplir ◊ *Failure to comply with the requirements will result in the cancellation of the contract*; V. *observe, conform, observe, follow, abide by.* [Exp: **compliance** (cumplimiento, conformidad; acatamiento, sumisión, obediencia; V. *approval, assent, tax compliance, certificate of compliance*), **compliance audit/examination/tests** (BANCA auditoría/inspección/prueba reglamentaria o de vigilancia; se trata de inspecciones regulares llevadas a cabo por las autoridades financieras para vigilar el cumplimiento de la legislación por parte de los bancos; V. *bank examination; management audit*), **compliance department/officer** (FINAN departamento/empleado o funcionario encargado de velar por el cumplimiento de la normativa relacionada con las inversiones y con la compraventa de acciones), **compliance with the provisions, in** (de acuerdo con lo dispuesto), **comply with allotments** (GEST sujetarse a las asignaciones fijadas; no pasarse de los límites marcados en las asignaciones)].

composite *a/n*: compuesto; colectivo, mixtura; índice de precios; V. *Dow Jones Composite.* [Exp: **composite advertisement** (PUBL anuncio colectivo), **composite company** (SEG compañía de seguros y de inversiones a largo plazo), **composite construction cost index** (ECO índice de costos compuestos de construcción), **composite demand** (ECO demanda compuesta), **composite depreciation** (CONT depreciación combinada), **composite financial data** (información financiera mixta), **composite index** (índice compuesto por varios indicadores o barómetros económicos), **composite insurance companies** (compañías de seguros mixtas o de varios ramos), **composite life** (FINAN vida media o compuesta), **composite life method depreciation** (cálculo de depreciación sobre vida compuesta), **composite name** (denominaciones compuestas), **composite of currencies** (combinación de monedas), **composite peg** (FINAN vinculación a una combinación de monedas), **composite rate** (FINAN tipo combinado; V. *combined rate*), **composite rate depreciation** (CONT tasa de depreciación media ponderada), **composite reserve unit** (unidad compuesta de reserva), **composite ship** (TRANS MAR buque de carga mixta o diversa), **composite supply** (ECO oferta compuesta, oferta de bienes sustitutivos), **composite tape** (BOLSA servicio de información de las principales Bolsas norteamericanas), **composite tax rate** (TRIB tipo impositivo compuesto), **composite unit** (ECO unidad de cuenta)].

composition[1] *n*: composición. [Exp: **composition**[2] (convenio; acomodamiento, arreglo; V. *make a composition of/with creditors*), **composition agreement/settlement** (acomodamiento, composición, transacción, ajuste, avenencia, acuerdo entre acreedores y deudores; V. *arrangement, make a composition with creditors, scheme of composition*), **composition and extension** (acuerdo de pago en la jurisdicción de la quiebra), **composition in bankruptcy** (acuerdo/avenencia jurídica entre el quebrado y los acreedores), **composition of/with creditors** (convenio/acuerdo de/con acreedores; V. *creditors settlement*), **composition settlement** (DER transacción; acción de transigir)].

compound *a/n/v*: compuesto; ponerse de acuerdo, avenirse, llegar a un arreglo, encontrar un término medio ◊ *An insolvent debtor may try to compound with his creditors*; V. *combined*. [Cuando es adjetivo, se acentúa la primera sílaba; cuando es verbo, el acento recae en la segunda. Exp: **compound annual interest** (interés compuesto anual), **compound annual return, CAR** (BANCA rendimiento anual de una inversión o depósito bancario; V. *compound net annual rate*), **compound arbitrage** (BOLSA arbitraje compuesto), **compound entry** (CONT asiento compuesto; V. *combined entry*), **compound interest** (interés compuesto), **compound interest method of depreciation** (CONT método de depreciación por interés compuesto) **compound interest depletion** (reducción/agotamiento por/a interés compuesto), **compound net annual rate, CNAR** (FINAN rendimiento neto de una inversión o depósito descontados los impuestos; V. *compound annual return*), **compound option** (MERC FINAN/PROD/DINER opción compuesta), **compound present worth** (valor actual a interés compuesto), **compound tariff** (arancel compuesto), **compound yield** (FINAN rendimiento global), **compoundable** (capitalizable), **compounding of interest** (anatocismo; V. *anatocism*)].

comprehensive *a*: amplio, general, extensivo; integrado. [Exp: **comprehensive income tax** (TRIB impuesto integrado/global de renta y patrimonio), **comprehensive insurance** (SEG seguro a todo riesgo, seguro multirriesgo), **comprehensive planning** (ECO planificación global; V. *city planning*)].

compromise *n/v*: transacción; compromiso; acuerdo con concesiones recíprocas; conciliación, componenda, acomodación; llegar a un término medio, avenirse ◊ *We agreed to a compromise rather than lose a good customer*. [Exp: **compromise formula** (fórmula de conciliación), **compromise total loss** (SEG pérdida total convenida)].

comptroller[1] *n*: interventor, supervisor de Hacienda, controlador. [Exp: **comptroller**[2] (SOC director financiero; en las grandes empresas, es el cargo directivo, normalmente el vicepresidente —*Vicepresident and Comptroller*—, entre cuyas funciones destacan el control y la intervención general), **comptroller**[3] (jefe de la oficina de patentes en el Reino Unido), **comptroller general** (interventor general), **comptroller of the currency**[1] (BANCA director del departamento de moneda extranjera de un banco o empresa), **Comptroller of the Currency**[2] *US* (Inspector de la Moneda, Interventor General o *Chief Regulator*; nombrado por el Presidente para un mandato de cinco años en el Departamento del Tesoro de EE.UU., es el encargado de la inspección de la banca; V. *call report, statement of condition*), **Comptroller's Call** (V. *call report*), **comptrollership** (intervención)].

compulsion *n*: apremio, compulsión, coacción. [Exp: **compulsory** (obligatorio, forzoso ◊ *Employees of that company must submit to a compulsory medical examination*), **compulsory liquidation** (SOC liquidación forzosa; V. *compulsory winding up by the court; members' voluntary liquidation*), **compulsory procedure** (procedimiento de apremio), **compulsory purchase order/purchase** (DER expropiación forzosa; V. *expropriation*), **compulsory retirement** (SOC, REL LAB cese, retiro forzoso; V. *early retirement*), **compulsory self-insurance** (SEG franquicia obligatoria, descubierto obligatorio), **compulsory winding up by the court** (DER, SOC liquidación forzosa de una mercantil; V. *voluntary winding up*)].

compute *v*: calcular. [Exp: **computable** (calculable), **computation** (cómputo, cálculo, estimación, avalúo, evaluación), **computational error** (error de cálculo), **computed value** (valor reconstruido), **computer** (ordenador), **computer-assisted design, CAD** (diseño asistido por ordenador), **computer-assisted trading system, CATS** (BOLSA mercado continuo; sistema de contratación asistida por ordenador, que utiliza la Bolsa española; este sistema posibilita el funcionamiento simultáneo y automático de varias Bolsas europeas conectadas entre sí desde 1988; también es el nombre que recibe la Bolsa de Toronto; V. *computer trading, screen trading*), **computer science** (informática; V. *informatics*), **computer trading** (BOLSA contratación bursátil informatizada; V. *screen trading*), **computerate** *col* (con buenos conocimientos de informática ◊ *Applicants for the job must be computerate*), **computerization** (computarización), **computerize** (informatizar ◊ *Most Stock Exchanges are now computerized*)].

con *col n/v*: timo, engaño, estafa; timar; engañar, estafar ◊ *The crooked broker conned his customers into buying the shares at an inflated price*. [Exp: **con man** (estafador; V. *confidence tricker*)].

conceal *v*: ocultar. [Exp: **concealed** (oculto, encubierto, desleal), **concealed/hidden assets** (CONT activos ocultos, negros o invisibles), **concealment** (ocultación; seg reticencia en la declaración del asegurado; V. *disclosure; non-disclosure; innocent non-disclosure*)].

concentration *n*: concentración; V. *diversification*. [Exp: **concentration account US** (BANCA cuenta de concentración; se trata de la cuenta principal de una empresa a la que se transfieren perió-dicamente fondos de otras cuentas; V. *lock-box*), **concentration bank** (BANCA banco de centralización; banco principal, también llamado *lead bank*, en el que están depositados los fondos de una empresa; V. *non-credit services*), **concentration banking** (BANCA banca de concentración; agilización de cobro mediante el uso de cuentas en bancos o sucursales locales, desde las que los fondos recaudados se transfieren a la cuenta principal o de concentración), **concentration entry** (CONT asiento compuesto; V. *compound/combined entry*), **concentration ratio** (ECO grado/ coeficiente de concentración; porcentaje de participación)].

concentric *a*: concéntrico. [Exp: **concentric diversification** (MERC diversificación concéntrica; propulsión mercadológica de un producto hacia una diversidad de clientes y cadenas de distribución; V. *conglomerate/horizontal/ vertical diversification*)].

concern[1] *n/v*: asunto, consideración, interés; V. *issue, question*. [Exp: **concern**[2] (empresa, negocio, casa comercial; consorcio ◊ *He's the manager of that big steel concern in Scotland*; V. *enterprise, business, firm, going concern*), **concern**[3] (preocupación; V. *worry*), **concern**[4] (corresponder, concernir, tener que ver con, interesar, afectar, referirse a, tocar; V. *affect, to whom it may concern*), **concern oneself with sth** (interesarse por algo, ocuparse de algo), **concern, to whom it may** (literalmente «a quien corresponda», fórmula que se emplea en el encabezamiento de los certificados; equivale a la que se utiliza en español para cerrar los mismos: «Y para que conste en donde convenga...». Tiene, por lo tanto, un sentido próximo al de las fórmulas empleadas en español al final de los certificados e informes, como «para que así conste y surta los efectos oportunos» o «para que surta efectos donde convenga», etc.), **concerned** (correspondiente, responsable, afectado, implicado; del/de la, etc., que se trate; en esta acepción, *concerned* aparece postpuesto al nombre — *the person concerned, the client concerned*), **concerned about sth, be** (estar preocupado por algo), **concerned, as far as I am** (por lo que a mí, etc, se refiere), **concerned in/with sth, be** (tener que ver con algo, ser parte implicada en algo, estar metido en algo), **concerning** (respecto de, en relación con)].

concert *v*: concertar. [Exp: **concert party** (FINAN grupo concertado; acción concertada; grupo secreto de inversores que se ponen de acuerdo para adquirir la mayoría de acciones de una empresa por oferta directa o mediante una OPA; los inversores que se ponen de acuerdo —*acting in concert*— para hacerse con el 5 % o más de una empresa, con el fin de desbancar a su junta directiva, tienen la obligación legal de informar de este hecho a las autoridades bursátiles; V. *fan club, acting in concert; takeover, takeover bid, contested takeover, reverse takeover; dawn raid, shark, greenmail, leveraged buyout, white knight, Schedule 13D, raider, corporate raider, unfriendly takeover, target company*), **concerted practices** (COMER prácticas concertadas)].

concession[1] *n*: concesión; privilegio, comisión; agencia en exclusiva; V. *licence, right to operate; dealer*; V. *mining concession*. [Exp: **concession[2]** (desgravación; V. *tax concession*), **concession in price** (precio especial, rebajado), **concessionaire/concessionnaire** (concesionario), **concessional** (en condiciones favorables), **concessional financial flows** (corrientes de recursos financieros en condiciones favorables), **concessional windows** (ventanillas de préstamos blandos), **concessionary** (concesionario, de favor), **concessionary fare** (TRANS billete a precio reducido)].

conciliation *n*: conciliación. [Exp: **conciliation officer** (REL LAB experto en conciliaciones laborales; V. *professional troubleshooter*)].

conclude[1] *v*: concluir, terminar, acabar, finalizar. [Exp: **conclude[2]** (convenir, concertar, firmar, suscribir; V. *conclude a contract, enter into a contract*), **conclude[3]** (deducir, llegar a una conclusión), **conclude a contract** (celebrar, concertar, suscribir o formalizar un contrato; V. *enter into a contract, close/sign a contract*), **conclude a transaction** (cerrar una operación), **conclude a treaty** (suscribir un tratado), **conclude an agreement** (alcanzar un acuerdo, llegar a un acuerdo; V. *come to/reach an agreement*), **conclusion** (término, expiración, conclusión, rescisión), **conclusive** (concluyente, definitivo, irrefutable; V. *absolute, definitive*)].

concurrent *a*: simultáneo, concurrente; V. *accummulative, consecutive, joint*. [Exp: **concurrent interests** (intereses concurrentes)].

condense *v*: resumir, condensar, abreviar. [Exp: **condensed balance sheet** (CONT balance general resumido)].

condition[1] *n/v*: condición; pacto; estipulación básica de un contrato; acondicionar; V. *requirement; stipulation*. [La *condition* es la raíz misma del contrato, de modo que, si se incumple, el contrato queda anulado; en cambio, la *warranty* es una promesa colateral, cuyo incumplimiento no resuelve el contrato; V. *express condition, implied term, stipulation, suspensive condition, term, warranty, terms and conditions*. [Exp: **condition[2]** (estado; V. *in apparent good* *condition*), **condition of average** (seg regla proporcional), **condition precedent** (condición suspensiva o precedente), **condition subsequent** (condición resolutoria), **conditional** (condicional, condicionado, contingente, eventual, con reservas; se utiliza este término en contratos, acuerdos, ofertas, ventas, seguros, etc.; si la condición se incumple, el contrato, la oferta, etc. quedan extinguidos; V. *contingent, qualified, provisional, absolute*), **conditional acceptance** (aceptación condicionada, aceptación con ciertas condiciones), **conditional commitment** (BANCA compromiso condicionado; lo adquiere un banco para hacer un préstamo siempre que el prestatario se haga un seguro o cumpla otros requisitos ◊ *We have a conditional commitment from the bank to lend us the money if we take out an insurance policy*), **conditional covenant** (pacto condicionado), **conditional endorsement/indorsement** (endoso condicional), **conditional sale, conditional sales contract** (venta condicionada; solo al final, cuando se han abonado todo los plazos, pasa el título de propiedad al comprador; V. *finance lease*), **conditionality** (FINAN condicionalidad; el Fondo Monetario Internacional da ayuda a los países miembros «a condición» de que se tomen medidas para resolver los problemas subyacentes), **conditionally** (condicionalmente o con reserva; V. *provisionally, qualified*), **conditions** (plazos y condiciones)].

condominium[1] *n*: condominio; soberanía compartida. [Exp: **condominium**[2] *US* (condominio, comunidad de propietarios; régimen en comunidad de propietarios)].

condor *n*: MERC FINAN/PROD/DINER cóndor, operación cóndor; alude a la combinación —*combination*[3]— o estrategia combinatoria de compras y/o ventas de opciones de venta —*puts*— y de compra—*calls* en la que se compra el mismo número de opciones de compra o *call options* y de opciones de venta o *put options*, todas con la misma fecha de vencimiento o *expiry date* aunque con distintos precios de ejercicio o *strike price*; V. *long/short condor*; *straddle, butterfly, leg*)].

conduct *n/v*: conducta, comportamiento; administración, manejo, dirección; conducir, llevar a efecto. [El verbo *conduct* lleva el acento en la última sílaba, y el sustantivo en la primera. Exp: **conduct negotiations** (llevar a cabo negociaciones) **conduct a poll** (efectuar una encuesta; V. *inquiry*), **conduct money** (depósito en garantía; V. *caution money*)].

conduit[1] *n*: conducto, canal, tubo. [Exp: **conduit**[2] (fondo oficial o privado formado por hipotecas y otros préstamos, que sirve de aval para que la sociedad que los posee emita acciones; V. *pass-through securities, pay-through securities*), **conduit company** (sociedad instrumental/interpuesta; V. *nominee,*[2] *nominee company/holding, dummy corporation; parking deal*)].

Confederation of British Industry, CBI *n*: Confederación de la Industria Británica, equivalente a la CEOE española.

confession agreement *n*: BANCA cláusula de un contrato de préstamo, prohibida desde 1985, mediante la cual el prestatario renuncia a cualquier reclamación en el caso de que el juez dictara un auto de impago o deficiencia —*deficiency judgment*—; también se la conoce como *cognovit agreement*.

confer[1] *v*: otorgar, conferir, reconocer. [Exp: **confer**[2] (conferenciar, mantener un diálogo privado para aclarar dudas, tomar consejo, etc. ◊ *I would like to confer with my principals before I agree to your proposals*), **confer a right** (otorgar/

reconocer un derecho; V. *exercise a right*), **conference** (reunión, asamblea, conferencia; congreso; V. *kerbside conference, press conference, sales conference; conference room*)].

confidence *n*: confianza. [Exp: **confidence coefficient** (FINAN coeficiente de seguridad o de confianza), **confidence man** (estafador; V. *con man; swindler*), **confidence trick** (timo), **confidence trickster** (timador; estafador; V. *con man*), **confident** (seguro), **confidential** (confidencial, de confianza), **confidential clerk** (empleado de confianza), **confidentiality** (confidencialidad), **confidentiality agreement** (REL LAB acuerdo de confidencialidad de la organización de una empresa)].

confiscate *v*: decomisar, incautarse de, confiscar. [Exp: **confiscation** (comiso, decomiso, confiscación), **confiscatory taxation** (tributación confiscatoria)].

confirm *v*: confirmar, verificar; ratificar, sancionar, corroborar; V. *approve, ratify, adopt; repudiate*. [Exp: **confirmation**[1] (confirmación, aprobación, ratificación; V. *direct verification*), **confirmation**[2] *US* (en los procesos de quiebra, aceptación del plan propuesto por los acreedores; V. *cramdown*), **confirmed irrevocable credit** (crédito irrevocable confirmado), **confirmed letter of credit** (COMER INTER carta de crédito confirmada por un segundo banco; normalmente el banco pagador se hace responsable subsidiario del banco emisor; V. *letter of credit; documentary credit, bill of credit, direct letter of credit*), **confirming** (FINAN, COMER confirmación; alude a la operación de financiación de transacciones de comercio exterior realizada por agencias de confirmación o *confirming banks/houses* que, mediante el pago de una comisión, adelantan o garantizan al exportador el cobro de sus mercancías);

también se aplica al sistema de crédito permanente disponible previa confirmación, siendo entonces equivalente a línea de crédito permanente, servicio permanente de crédito rotativo, crédito permanentemente disponible, etc.; V. *factoring, revolving credit, revolving under-writing facility*), **confirming bank/house** (banco confirmador [de una carta de crédito]); alude a la entidad especializada en comercio exterior que actúa como consejero del exportador y de intermediario entre éste y el comprador, y garantiza la solvencia del comprador, confirmando al exportador su conformidad al crédito documentario; V. *documentary credit; notifying/advising bank*), **confirming house** (TRANS casa/ agencia de confirmación)].

conflict *n*: conflicto, pugna. [Exp: **conflict of interest** (conflicto de intereses; V. *Chinese wall*), **conflict with** (contradecir, estar reñido con, entrar en conflicto con ◊ *Their proposal conflicts with our earlier plan*), **conflicting** (opuesto, contradictorio)].

conform to *v*: cumplir con, atenerse a, ajustarse a, cuadrar con; V. *observe, comply with, observe, follow, abide by*. [Exp: **conformable to** (conforme con)].

congestion *n*: congestión, congestionamiento. [Exp: **congestion surcharge** (sobretasa/recargo por congestionamiento)].

conglomerate *a/v*: heterogéneo; conglomerado de empresas; grupo industrial; asociación de empresas con actividades distintas en sectores diferentes; unir-se, fundir-se, conglomerar-se; V. *conglomerate merger; holding, combine, group, combine, holding, group of companies, trust*. [Exp: **conglomerate amalgamation** (SOC amalgamación en conglomerado; unión de empresas que fabrican productos distintos para mercados diferentes), **conglomerate diversification** (MERC diversificación a conglomerado; V. *concentric/horizontal/vertical diversification*), **conglomerate financial statement** (estado financiero conglomerado o agrupado), **conglomerate merger** (SOC fusión en conglomerado; unión de dos o más empresas que no tienen ninguna actividad en común; V. *horizontal merger, vertical merger, product-extension merger, market extension merger*)].

Congress of Industrial Organizations, CIO *n*: V. *AFL-CIO.*

conjoint *a*: conjunto. [Exp: **conjoint analysis** (MERC análisis conjunto)].

conjunctural *n*: coyuntural.

Connie Lee *US n*: V. *College construction loan insurance association.*

consciousness *n*: conciencia; V. *awareness, class-consciousness.* [Exp: **consciousness-raising** (campaña de concienciación; alude a la campaña de información y publicidad cuyo objetivo es el de sensibilizar —*sensitivize*— la opinión pública —*public opinion, awareness*— ante un problema social —*social issue*— ◊ *Get up a consciousness raising campaign in aid of the Thrid World*)].

consecutive *a*: consecutivo, seguido. [Exp: **consecutive voyage charterparty** (TRANS MAR póliza de fletamento para viajes consecutivos)].

consensus ad idem *n*: consentimiento en la cosa y en la causa contractual; V. *consideration.*

consent *n/v*: consentimiento, conformidad, aquiescencia, anuencia, venia; prestar consentimiento. [Exp: **consent agreement** *US* (transacción judicial), **consent decree/judgment** (resolución dictada en transacción), **consent order** (mandato de transacción judicial), **consent settlement** (avenencia)].

consequential *a*: consecuente. [Exp:

consequential damages (SEG perjuicios; daños emergentes, consecuentes o especiales, daños no materiales, perjuicios; V. *special damages*), **consequential loss** (SEG daños emergentes; pérdida consecuente/indirecta; V. *above-normal loss, normal foreseeable loss*), **consequential loss policy** (V. *business interruption policy*)].

conservator *US n*: persona nombrada por los tribunales para administrar los bienes de quien ha sido declarado incompetente; en contexto bancario, el técnico nombrado por la inspección de Hacienda para hacerse cargo de un banco que tiene problemas; V. *receiver.*

consider *v*: considerar, tomar en consideración, pensar, estudiar, tener en cuenta. [Exp: **consideration**[1] (consideración, examen, estudio; V. *under consideration*), **consideration**[2] (DER causa contractual, contrapartida de un contrato, prestación, remuneración; pago, precio, retribución; V. *for a small consideration*), **consideration, under** (en estudio), **considered opinion** (opinión emitida tras la debida reflexión, opinión meditada o madura)].

consign *v*: consignar, remitir, enviar; V. *distribute, deliver.* [Exp: **consignee** (TRANS consignatario, destinatario ◊ *The consignee should receive an invoice together with the goods*; V. *shipper, carrier, addressee*), **consigner** (V. *consignor*), **consignment** (TRANS remesa, envío, expedición, partida, entrega, consignación; V. *shipment*), **consignment accounts** (CONT cuentas de consignación; cuentas dudosas), **consignment clause** (TRANS MAR cláusula de consignación; esta cláusula, contenida en las pólizas de fletamento, estipula si el buque se consignará a los agentes de los armadores o a los de los fletadores), **consignment goods** (mercancías consignadas; V. *goods on consignment*), **consig-**

nment-s in (consignaciones recibidas), consignment invoice (factura de consignación), consignment note (nota de consignación; carta de porte por carretera, ferrocarril o avión; documento de consignación; guía de carga; V. *air consignment note, railway bill, waybill*), consignment selling (venta en consignación), consignments out (consignaciones despachadas), consignor (expedidor, consignador, remitente)].

Consol *n*: FINAN forma mutilada de *consolidated stock*; rédito permanente; fondo consolidado; bono del Reino Unido a largo plazo; empréstitos estatales en los que el Estado se compromete a pagar sólo los intereses; V. *consolidated stock*.

consolidate *v*: refundir, globalizar, consolidar; V. *bring together*. [Exp: consolidate goods (agrupar mercancías), consolidated accounts (CONT cuentas consolidadas; son las anuales de una empresa matriz y las de sus empresas subsidiarias, o sea, todo el grupo de sociedades, presentadas de forma combinada y anulando las duplicaciones, como créditos mutuos, etc.; también llamadas *group accounts*; V. *combined financial statement, consolidated financial statement*), consolidated amount (monto global), consolidated balance sheet (SOC balance consolidado; balance de fusión; alude al balance de empresas relacionadas mediante vínculos societarios; V. *holding/parent company; related company; associate/associated company; daughter company; subsidiary company, corporation, branch*), consolidated budget (presupuesto global), consolidated cash position (situación de caja global), consolidated financial statement (BANCA estado financiero consolidado; V. *report of condition; consolidated/group accounts*),

Consolidated Fund (fondos públicos en Gran Bretaña, fondo consolidado), consolidated mortgage (hipoteca consolidada), consolidated quotation service, consolidated tape, CQS *US* (información conjunta o combinada de las cotizaciones de la Bolsa de Nueva York y de las principales de otras de carácter regional), consolidated shipment (TRANS envío agrupado de mercancías), consolidated stock, consols (FINAN fondos consolidados, deuda pública perpetua, bonos perpetuos), consolidated tax return (liquidación de impuestos consolidados), consolidation[1] (CONT consolidación; se aplica a balances, deudas, etc.; V. *consolidated balance sheet*), consolidation[2] (SOC consolidación, concentración, combinación o fusión de sociedades; V. *fusion; absorption, amalgamation, integration; merger, combination[2]*), consolidation[3] (FINAN consolidación; control común; refundición de varias acciones de un determinado valor nominal en otra de nominal superior), consolidation[4] (BOLSA consolidación; se dice de los títulos-valores cuya cotización no se modifica en ninguna dirección), consolidation[5] (TRANS MAR agrupamiento de bultos de diferentes cargadores en un solo contenedor), consolidation[6] (DER consolidación o refundición de leyes, ley refundida), consolidation loan (préstamo consolidado; consolidación de varios préstamos pendientes en uno solo), consolidator (COMER agrupador, consolidador; empresa que se encarga de la tramitación de varios pedidos de un cliente a diversos proveedores, para cumplimentarlos luego como un solo pedido; V. *groupage agent*), consols (V. *consolidated stock*)].

consortium *n*: consorcio, grupo de empresas; V. *syndicate*. [Exp: consortium bank (BANCA banco de consorcio; son entidades financieras dedicadas principalmente a las operaciones bancarias internacionales de los varios bancos que lo han constituido), **consortium of bankers** (consorcio de banqueros)].

conspicuous *a*: claro, evidente, conspicuo; V. *patent*. [Exp: **conspicuous defect** (vicio aparente; V. *inherent defect, defect of substance; hidden; patent/conspicuous defects*), **conspicuous consumption** (MERC consumo ostentoso provocado por el precio y el reclamo del producto)].

conspire *v*: conspirar, confabularse. [Exp: **conspiracy** (conspiración, confabulación, conjura, complot), **conspiracy in restraint of trade** (confabulación para restringir el libre comercio; V. *contract in restraint of trade*), **conspiracy to deceive creditors** (quiebra fraudulenta)].

constant *a*: constante, regular, fijo. [Exp: **constant cost** (coste fijo; V. *fixed charges*), **constant currency** (moneda de valor constante), **constant-dollar plan**[1] *US* (FINAN inversión en dólares constantes), **constant-dollar plan**[2] *US* (BOLSA inversión en dólares constantes; plan de adquisición de inversiones con gasto fijo, también llamado *dollar cost averaging*; método de acumulación de inversiones a intervalos regulares y con un gasto fijo de dólares, adquiriendo menos títulos cuando está el precio alto, y más, cuando se encuentra bajo; resulta más económico, a la larga, que la adquisición a intervalos regulares de un número fijo de títulos; V. *pound-cost averaging*), **constant maturity Treasury, CMT** (deuda del Estado de vencimiento constante), **constant percentage depreciation method** (CONT método de amortización de porcentaje constante), **constant percentage of decreasing balance method of depreciation** (CONT método de depreciación de saldos decrecientes en porcentajes constantes), **constant proportion portfolio insurance** (FINAN aseguramiento de cartera en proporción constante; V. *dynamic hedge; static hedge*), **constant-ratio investment/plan** (FINAN plan de inversiones de relación constante; el fondo se divide en dos, uno invertido en acciones y otro con liquidez para especular según el signo de los valores), **constant-returns to scale** (FINAN rendimientos constantes a escala)].

constituent bank *n*: banco remitente o cedente.

constitute *v*: constituir. [Exp: **constitute a quorum** (reunir o constituir *quorum*; V. *counted out*)

constraint *n*: restricción, limitación; coacción, apremio, represión; V. *cash constraint*.

construct *v*: construir; V. *construction*[1]. [Exp: **construction**[1] (construcción ◊ *The construction of the European Union*; V. *build, set up, establish, raise*), **construction**[2] (DER interpretación judicial, interpretación por deducción, explicación, deducción, razonamiento por analogía; V. *interpretation, construe*), **construction industry** (industria de la construcción), **construction loan/mortgage** (préstamo para la construcción; préstamo garantizado con los bienes inmuebles construidos), **construction/building site** (obra; V. *site engineer*), **construction, under** (en construcción), **constructive**[1] (constructivo, positivo ◊ *A constructive dialogue*; V. *favourable*), **constructive**[2] (inferido, analógico, implícito, análogo, entendido por deducción, presuntivo, a efectos legales, sobreentendido, virtual, tácito, simbólico), **constructive acceptance** (aceptación deducida o tácita), **constructive delivery** (entrega implícita o simbólica, cuasi-entrega, presunta entrega; expresión que se refiere a la posesión provisional de mercancías por el comprador a plazos; V. *symbolic delivery*), **constructive dismissal** (REL LAB despido sobreentendido, despido analógico; cuando un empleado se ve obligado a marcharse de su empresa porque la convivencia es imposible, por ejemplo, por sufrir acoso sexual, etc, a efectos legales ha habido despido), **constructive fraud** (fraude implícito), **constructive mortgage** (hipoteca equitativa), **constructive notice** (notificación sobreentendida a efectos legales o de los usos comerciales), **constructive total loss, CTL** (SEG pérdida total implícita o virtual; curiosamente, en el mundo de los seguros marítimos, se emplea el calco del inglés «pérdida total constructiva»; V. *absolute total loss, actual total loss, beyond repair*), **constructively** (de forma implícita, como si lo hubiera sido o estado, como debe entenderse o interpretarse), **constructor** (constructor; V. *builder*)].

construe *v*: interpretar; V. *constructive.*[2]

consular *a*: consular. [Exp: **consular fees/charges** (TRANS MAR derechos/tasas consulares), **consular invoice** (TRANS MAR factura consular ◊ *Ad valorem duties are usually determined from a consular invoice*)].

consult *v*: consultar, celebrar consultas; asesorarse, tener en cuenta, considerar. [Exp: **consultancy** (asesoría, consultoría, «consulting»; sesión de asesoramiento; el término *consulting*, utilizado en español, es un falso anglicismo, ya que en inglés se emplea, en su lugar, *consultancy*), **consultant** (asesor, consejero, consultor; V. *adviser, advisor, management consultant*), **consultation** (asesoramiento; V. *mutual consultation*), **consulting** (V. *consultancy*), **consulting board** (junta consultiva), **consulting solicitors** (letrados asesores)].

consume *v*: consumir, gastar, utilizar. [Exp:

consumable office supplies (material fungible; V. *expendable equipment, non-durables,*), **consumed cost/expense** (coste/gasto producido), **consumer** (usuario, consumidor, cliente; V. *end-user*), **consumer appeal** (PUBL efecto de atracción de un producto al consumidor), **consumer benefit** (V. *basic consumer benefit*), **consumer brand** (PUBL, COMER marca de gran consumo), **consumer association** (organización de consumidores y usuarios), **consumer cooperative** (cooperativa de consumo), **consumer credit** (crédito al consumo; V. *instalment credit; open-end credit*), **Consumer Credit Act** (Ley de Crédito al Consumidor), **consumer demand** (demanda de consumo), **consumer durables** (artículos de equipo, bienes de equipo ◊ *Television sets and refrigerators are consumer durables*; V. *disposables*), **consumer goods** (bienes de consumo; V. *capital goods*), **consumer instalment loans** US (V. *hire purchase*), **consumer lease** (COMER contrato de alquiler de bienes de consumo —automóviles, etc.— con derecho a compra al vencimiento del alquiler), **consumer loan** (crédito personal, también llamado *personal loan*), **consumer loan company** (sociedad de créditos personales), **consumer non-durables** (artículos perecederos; V. *perishables*), **consumer organization** (organización de defensa del consumidor), **consumer price index, cpi** (índice de precios al consumo, ipc; V. *retail price index, cost-of-living index, threshold agreement, producer price index*), **consumer profile** (perfil del consumidor), **consumer protection** (protección del consumidor), **consumer research** (estudio/análisis del mercado), **consumer society** (sociedad de consumo), **consumerism** (consumismo), **Consumers' Association, C.A.** (Asociación de Consumidores), **consuming** (que consume/gasta/utiliza; V. *time-consuming activity; saving*)].

consumption *n*: consumo; V. *consume*. [Exp: **consumption loan** (préstamo personal), **consumption tax** (impuesto sobre el consumo)].

contact *n/v*: contacto, comunicación; relación; conocido; enchufe, establecer comunicación, ponerse en contacto con ◊ *In the business world you won't get anywhere if you don't have contacts.*

contain *v*: contener. [Exp: **container** (TRANS contenedor, caja; envase; V. *disposable container; full container ships, FC ships; lift-van; pallet*), **container bill of lading** (TRANS MAR conocimiento de embarque de contenedores), **container-on-flat-car** (TRANS con el contenedor cargado en la plataforma del vagón o en vagón abierto), **container load** (V. *less than container load*), **container train** (TRANS tren de contenedores; V. *freightliner*), **containerization** (TRANS MAR transporte en contenedores), **containerize** (disponer la mercancía en contenedores), **containment** (contención; V. *cost containment*)].

contango[1] *n/v*: BOLSA reporte, «contango»; operación financiera con prórroga; interés de aplazamiento de valores en Bolsa, también llamado, sobre todo en el Reino Unido, *carry-over* o *forwardation*; mercado de gastos de mantenimiento; intereses que abona el comprador de unas acciones por el derecho a aplazar la liquidación de las mismas; reportar, aplazar la liquidación de acciones, etc.; abonar el porcentaje por reporte; los operadores bursátiles, para liquidar entre sí las operaciones efectuadas, tienen una quincena de tiempo llamada *The Account* o *account period*, hasta el «día de liquidación» o *account day*; si en ese día

no lo hicieran, la deuda pasa al día de liquidación de la siguiente quincena, debiéndose pagar por el retraso un interés de recargo llamado *contango* —interés de aplazamiento— o *continuation* —prórroga— ◊ *Contango is the opposite of backwardation; it is the percentage paid by the buyer for deferring payment due on stock*; V. *forwardation; backwardation; jobbing in contango.* [Exp: **contango**[2] (MERC FINAN/PROD/DINER reporte, «contango»; intereses qué abona el comprador de unas mercancías por el derecho a aplazar la liquidación de las mismas; diferencia entre el precio de un contrato de futuros y el precio de contado; el contango suele ser positivo, ya que el precio de futuros excede al de contado, y disminuye cuando se aproxima el vencimiento del contrato de futuros; situación en la que los precios para entrega futura —*forward delivery*— en un mercado de materias primas —*commodity market*— son más elevados que los de entrega inmediata —*spot delivery;* mercado de gastos de mantenimiento; aplazamiento; reportar, aplazar la liquidación de mercancías; abonar el porcentaje por reporte; V. *contango*[1]), **contango day** (MERC FINAN/PROD/DINER día del reporte; V. *account day, The Account*), **contango rate** (precio o interés aplicable a la prolongación o aplazamiento de pago; V. *The Account, continuation, backwardation*)].

contemporaneous reserves *n*: BANCA método para calcular las reservas bancarias exigidas por la ley basado en los saldos pendientes; V. *outstanding balances, reserve requirements.*

content *n*: contenido. [Exp: **content analysis** (análisis de contenidos; V. *account analysis, cross-section analysis, itemised breakdown*), **contents** (contenido)].

contest *n/v*: contienda, disputa, lucha,

competición, concurso; impugnar, contestar, cuestionar, disputar, retar; V. *dispute, challenge.* [Exp: **contestability** (MERC exposición a la libre competencia; grado de competencia que admite un mercado o sector; grado de dificultad o fuerza de las barreras y obstáculos que debe vencer el competidor potencial para entrar en un mercado o sector), **contestation** (impugnación), **contested takeover** (FINAN intento de adquisición de una empresa con la oposición de la dirección de la misma; V. *reverse takeover; fan club; concert party*)].

contingency *n*: contingencia, eventualidad, posibilidad, imprevisto. [Exp: **contingencies** (urgencias; gastos imprevistos; eventualidades; V. *incidental expenses*), **incidentals** (gastos imprevistos), **contingency fund** (fondo para imprevistos; fondo de previsión/contingencias), **contingency insurance** (TRIB póliza que cubre las pérdidas financieras por circunstancias predeterminadas, por ejemplo, pérdida de un documento, etc.) **contingency management** (administración de contingencias), **contingency payments** (pagos contingentes; se suelen ofrecer a la gerencia de la *target company* o empresa asediada), **contingency plan** (plan de emergencia, medidas de prevención, «plan B»), **contingency planning** (previsión de accidentes, previsiones), **contingency reserve fund** (reserva de previsión o para imprevistos), **contingency/emergency reserves** (reserva de contingencia, garantía, seguridad o eventualidad; partidas de ajuste de valor para riesgos de créditos pendientes; reserva del credere; V. *provision for doubtful debts*), **contingent** (eventual, condicional, contingente, aleatorio, accidental; V. *conditional*), **contingent annuity** (SEG anualidad contingente; comienza a abonarse desde el momento en que ocurra una circunstancia prevista, por ejemplo, el fallecimiento de uno de los cónyuges; también se le llama *reversionary annuity*; V. *joint-life, last survivor annuity*), **contingent assets** (CONT activo contingente; se refiere a los activos que estarán disponibles en un próximo ejercicio cuando tenga lugar determinado acontecimiento o circunstancia; el valor de los activos contingentes depende del precio de los activos subyacentes ◊ *An option is a contingent asset*), **contingent claims analysis, cca** (FINAN análisis de derechos contigentes), **contingent commission** (SEG comisión sobre el beneficio realizado o efectivo), **contingent duties/fees** (COMER, TRIB derechos contingentes o compensatorios; V. *countervailing duty*), **contingent immunization** (FINAN inmunización contingente; V. *immunization*), **contingent liabilities** (CONT pasivo eventual; obligaciones contingentes; en las inspecciones e informes que se dan a los bancos centrales, a este pasivo se le llama *off-balance sheet liabilities*; V. *provisions; call report*), **contingent liability** (BANCA responsabilidad contingente; riesgo o responsabilidad asumidos, obligación o responsabilidad potenciales), **contingent order**[1] (pedido imprevisto), **contingent order**[2] (BOLSA operación a la entrega en la Bolsa), **contingent policy** (SEG póliza para imprevistos), **contingent reserve** (reserva para gastos imprevistos; V. *loan loss reserves*), **contingent upon, be** (depender de ◊ *Payment of the sums specified is contingent upon the occurrence of one of the eventualities described*), **contingent upon revenue** (dependiendo/a expensas de la partida de ingresos; V. *appropriation contingent upon revenue*)].

continue *v*: aplazar, continuar. [Exp: **continual work hours** (REL LAB jornada intensiva), **continuance** (prosecución, continuación, aplazamiento), **continuation** (BOLSA prórroga, aplazamiento, prórroga en la liquidación de los valores de Bolsa a la siguiente quincena o *Account Day*; interés de aplazamiento de valores en Bolsa, reporte; V. *contango, account, carry-over*[3]), **continuation clause** (SEG MAR cláusula de prórroga o continuación; indica que el seguro se entiende prorrogado si caducase estando el buque en alta mar o en un puerto de refugio), **continuation statement** (BANCA prórroga de la garantía ofrecida por el prestatario al prestamista con bienes personales; ésta, por ley, caduca, a los cinco años; V. *perfected lien*), **continued bond** (BOLSA bono con vencimiento aplazado), **continuity of employment** (continuidad en el empleo), **continuous** (continuo, permanente, repetido), **continuous audit** (auditoría continua o permanente), **continuous employment** (empleo ininterrumpido), **continuous improvement** (proceso de mejora continua), **continuous market** (BOLSA mercado continuo), **continuous net settlement** (BOLSA sistema de compensación permanente; se utiliza para mantener el saldo de una agencia de Bolsa al día, evitando el riesgo de la acumulación de pérdidas con un solo valor o grupo de títulos), **continuous process industry** (industria de producción continua), **continuous tender panel** (panel de subasta continua), **continuously offered long-term securities, COLTS** (MERC FINAN/PROD/ DINER pagarés/notas a largo plazo del Banco Mundial con vencimiento que puede oscilar entre tres y treinta años)].

contra[1] *n*: contrapartida, compensación. [Exp: **contra**[2] (en las transacciones financieras, la parte contraria o su representante), **contra an account** (CONT anotar una contrapartida), **contra account** (CONT contra cuenta), **contra broker** (BOLSA agente de la parte contraria, esto es, el que compra si yo vendo o el que vende si yo compro), **contra deal** (COMER acuerdo entre dos negocios para intercambiar bienes y servicios), **contra entry** (CONT contraasiento; consignar un contraasiento), **contra equity** (partida contra pasivo)].

contract *n/v*: DER contrato, pacto, convenio, escritura; contratar, comprometerse mediante contrato; V. *consideration, enter into contract, breach of contract, yellow-dog contract.* [Exp: **contract/ place/negotiate a loan** (gestionar o negociar un empréstito), **contract award** (DER adjudicación de un contrato), **contract bond** (fianza de contratista), **contract broker** (agente de contratación), **contract carrier** (empresa transportadora por contrato), **contract clause** (cláusula convencional de un contrato), **contract grades** (calidades aceptadas), **contract guarantees** (garantía de ejecución del contrato), **contract guarantee insurance** (SEG póliza de seguros que garantiza la solvencia del contratista durante la ejecución del contrato, por ejemplo, la construcción de unas obras), **contract in** (adherirse a un contrato; optar por unirse a un proyecto), **contract in restraint of trade** (COMER confabulación para restringir el libre comercio; contrato que infringe las normas de la libre competencia), **contract month** (COMER mes de entrega de los productos o valores contrados en un mercado de futuros, también llamado *delivery month*), **contract note** (BOLSA notificación al cliente de la celebración de la transacción por éste solicitada), **contract of**

affreightment (TRANS MAR contrato de fletamento; V. *contract of carriage by sea*), **contract of apprenticeship** (REL LAB contrato de aprendizaje o de prácticas), **contract of transport** (TRANS contrato de transporte), **contract of carriage by sea** (TRANS MAR contrato de transporte, de fletamento; esta expresión es la moderna, o más utilizada, correspondiente a *contract of affreightment*), **contract of hire** (COMER, TRANS, REL LAB contrato de alquiler; contrato laboral), **contract of employment** (REL LAB contrato de empleo), **contract of service/for services** (contrato de servicios), **contract of sale** (contrato de compraventa), **contract out of something** (salirse de un contrato, convenio, etc.), **contract out** (subcontratar, realizar por contrata) ◊ *Services such as cleaning and photocopying in public institutions are now often contracted out, as this is cheaper than employing permanent staff*; V. *contracting out*), **contract uberrimae fidei** (contrato de buena fe, contrato *uberrimae fidei*), **contract under seal** (contrato protocolizado o documentado), **contract unit** (unidad contractual), **contract work** (trabajo a contrata), **contracting** (contratante), **contracting carrier** (transportista contratante), **contracting out** (SEG formalización de un plan de pensiones dándose de baja o saliéndose —*contracting out*— del plan nacional o estatal o *State earnings-related pension scheme*; V. *occupational pension scheme, pension personal scheme*), **contract price clause** (cláusula de valoración de las mercancías al precio fijado en el contrato de venta), **contracting parties** (DER partes contratantes; pactantes; V. *covenantee*), **contracting out of public services** (explotación de servicios públicos por contrata), **contractor** (contratista, empresario,

contratante; contratista en un contrato de salvamento), **contractor's guarantee insurance** (SEG seguro de garantía de construcciones), **contractual** (contractual), **contractual capacity** (capacidad contractual), **contractual liability** (responsabilidad contractual), **contractual obligation** (obligación o vínculo contractual), **contractual option** (cláusula de rescisión), **contractual performance** (cumplimiento del contrato), **contractual provisions** (términos o condiciones contractuales)].

contrary to *fr*: contrario a, al contrario de; contraviniendo, infringiendo. [Exp: **contrary to authority, law, business usage, section 4, etc** (en contra de lo que disponen los textos de autoridad/prestigio, las normas del derecho, los usos y costumbres mercantiles, lo dispuesto en el artículo 4.°, etc.)].

contravene *v*: infringir, contravenir. [Exp: **contravention** (infracción)].

contribute *v*: aportar, contribuir. [Exp: **contributed/invested capital** (SOC capital aportado; capital en acciones, también llamado *equity capital* o *paid-in capital*, imprescindible para obtener la autorización, ficha o carta fundacional; V. *share capital*), **contribution**[1] (aportación, donativo, contribución, derrama ◊ *Certain capital contributions are tax-deductible*; V. *cash contribution, charitable contribution, injection; club call*), **contribution**[2] (REL LAB cuota pagada a la seguridad social o a un plan de jubilación; V. *employee/employer contribution*), **contribution**[3] *US* (SOC participación de los socios en una sociedad limitada; V. *capital contribution*), **contribution clause** (SEG cláusula contributiva; cuando haya varias pólizas, cada una de las compañías responderá proporcionalmente a los gastos del siniestro), **contributor** (contribuyente, cooperante, colaborador),

contributory[1] (socio comanditario, socio responsable de una aportación), **contributory**[2] (parcial, negligente, contribuyente), **contributory group insurance** (SEG seguro colectivo con pago de prima individualizada), **contributory pension** (SEG, REL LAB plan de pensiones en el que contribuyen tanto la empresa como el empleado), **contributory retirement system** *US* (REL LAB, SEG plan de jubilación contributivo; V. *non-contributory retirement system*)].

control *n/v*: fiscalización, control, intervención; intervenir, controlar, comprobar, verificar, fiscalizar, regular, dominar, tener autoridad sobre; V. *freeze, block, circumstances beyond our control, out of control, have control over; private control.* [En posición atributiva aparece en muchas expresiones con el significado de «de control», como en *control centre/board, etc.* Exp: **control account** (cuenta de control; V. *adjustment account*), **control market** (mercado testigo), **control person** (SOC persona influyente, persona «con mucha mano»; V. *affiliated person; majority shareholder*), **control premium** (prima pagada por acciones para obtener el control de la empresa), **control stock** (paquete de acciones en manos de la dirección, suficientes para poder adoptar decisiones), **control test** (prueba utilizada por los tribunales de lo social para determinar la relación contractual entre empleador y empleado, consistente en preguntar al empleador si tiene derecho a controlar lo que hace el empleado o cómo lo hace), **controlled** (controlado; a veces se emplea como segundo elemento de una adjetivo compuesto: *government-controlled* —bajo control gubernamental; *Japanese-controlled* —bajo control o dominio de los japoneses, etc.), **controlled amortization bond, CAB** *US*

(FINAN bono con garantía hipotecaria controlada; V. *planned amortization class*), **controlled disbursement** *US* (desembolso controlado; técnica de gestión de caja tendente a maximizar los fondos disponibles a fines de inversión o de pagos a acreedores; V. *delayed disbursement, Treasury workstation*), **controlled company** (mercantil filial o dominada), **controlled market** (mercado intervenido), **controlled trust** (fideicomiso del que es fiduciario un abogado), **controller/comptroller** (interventor bancario, director financiero, inspector bancario, director administrativo, controlador; V. *air traffic controller*), **controller of currency** (director del departamento de moneda extranjera; V. *comptroller of the currency*), **controlling** (mayoritario, dominante), **controlling company** (sociedad matriz/tenedora; V. *holding company*), **controlling interest** (SOC participación de control o dominante, interés mayoritario/dominante), **controlling share-holder** (SOC accionista mayoritario; V. *majority shareholder*), **controlling stake** (SOC participación mayoritaria o de control)].

convene *v*: convocar, citar, reunir, reunirse, moderar ◊ *The entire board convened immediately for a crisis meeting.* [Exp: **convener** (secretario de una junta/reunión, moderardor, persona que convoca, etc.)].

convenience *n*: comodidad, ventaja; cosa que resulta práctica, fácil o útil ◊ *Having two cars is a real convenience*; alude a los aparatos —*appliances, gadgets*— que hacen más cómoda la vida diaria; V. *all modern conveniences; at your earliest convenience; flag of convenience; certificate of convenience and necessity.* [Exp: **convenience, at your earliest** (tan pronto como sea posible), **convenience food** (platos precocinados, platos preparados; V. *fast food*), **convenience goods** (COMER artículos de uso diario), **convenience sampling** (muestreo por conveniencia), **convenience store** (tienda de artículos de consumo, tienda para cualquier apuro, tienda de la esquina que todo lo vende; tienda tipo *VIP*), **convenient**[1] (práctico, útil, cómodo; que viene bien ◊ *How very convenient, your boss retiring just now!*), **convenient**[2] (cerquita, a mano ◊ *Her new flat is very convenient for the office*), **convenient terms** (COMER facilidades de pago; V. *easy terms*)].

convention[1] *n*: asamblea, congreso, convención. [Exp: **convention**[2] (conveniencia, norma de uso, convención ◊ *He's very much in favour of the conventions, such as always wearing a tie to work*), **convention**[3] (tratado de derecho internacional, convención), **Convention on International Trade in Endangered Species, CITES** (ECO Convención de Comercio Internacional de Especies en Peligro de Extinción), **conventional** (convencional, corriente, normal, habitual), **conventional days** (TRANS MAR días convencionales), **conventional mortgage** *US* (hipoteca convencional; no garantizada por el Departamento Federal de la Vivienda o *Federal Housing Administration*)].

conversion[1] *n*: conversión; canje, canje de divisas, etc.; reconversión; se aplica tanto al cambio de bonos, etc. en acciones como a la transformación de un tipo de sociedad en otro; V. *exchange*. [Exp: **conversion**[2] (realización en dinero efectivo, conversión en dinero del valor de las propiedades), **conversion**[3] (apropiación ilícita de los bienes ajenos), **conversion at par** (conversión a la par), **conversion of an undertaking** (reconversión de una empresa), **conversion discount** (V. *conversion premium*),

conversion option (opción de canje), **conversion parity** (BOLSA paridad de conversión), **conversion premium** (FINAN prima de conversión de un bono, etc. en una acción; si la diferencia es negativa se llama *conversion discount*), **conversion price** (paridad de conversión), **conversion privilege** (FINAN cláusula de conversión; privilegio del deudor hipotecario de pasar a tipos de interés fijo en ciertas hipotecas de interés variable o *adjustable rate mortgages; conversion premium*), **conversion rate** (tasa de conversión), **converstion ratio** (coeficiente de conversión)].

convert[1] *v*: canjear, convertir, transformar. [Exp: **convert**[2] (realizar el valor de una propiedad mediante venta, etc.), **convertibility** (convertibilidad), **convertible arbitrage** (arbitraje de convertibles), **convertible bonds/debentures/securities** (BOLSA bonos, obligaciones convertibles en acciones; V. *warrant; convertible puttable bonds; non-convertible bonds*), **convertible currency** (moneda convertible), **convertible debenture stock** (BOLSA acción convertible), **convertible exchangeable preferred stock, CEP** (BOLSA acción preferente convertible en ordinaria a opción del inversor), **convertible floating rate note** (bono variable convertible en fijo), **convertible foreign currency** (divisa convertible), **convertible life insurance** (SEG seguro de vida temporal convertible en total), **convertible loan stock** (fondos ajenos, obligaciones de interés fijo; V. *debentures; loan stock*), **convertible mortgage** (hipoteca convertible), se aplica también a las hipotecas que pueden pasar a interés fijo desde interés variable abonando una prima de conversión o *conversion premium*), **convertible preferred shares/stock**

(BOLSA títulos o acciones preferentes convertibles; V. *auction market preferred stock*), **convertible puttable bonds** (FINAN bonos convertibles con opción de reventa a la entidad emisora; V. *puttable*), **convertible revolving credit** (FINAN crédito rotativo que al final se convierte en crédito de plazo fijo), **convertible stock** (BOLSA acción convertible), **convertible stock note** (FINAN obligación amortizable con acciones), **convertible term assurance** (SEG seguro de vida durante un período de tiempo o *term*, ampliable o convertible a seguro de vida total sin necesidad de revisión médica)].

convexity *n*: ECO convexidad; se aplica a la curva gráfica que forma el tipo de cambio de los valores de renta fija o *fixed-income securities* durante su vida o *duration*.

convey[1] *v*: transportar, acarrear; V. *haul, transport*. [Exp: **convey**[2] (expresar, transmitir, comunicar, hacer llegar, dar a entender), **convey**[3] **property, etc.** (DER traspasar, transferir, ceder, consignar; V. *conveyancing*), **conveyance**[1] (TRANS vehículo, medio de transporte, transporte; V. *haulage*), **conveyance**[2] (DER título traslativo de dominio, cesión, transmisión de propiedad, traslación de dominio, acta o escritura de transmisión de propiedad o traspaso; V. *absolute conveyance; deed of conveyance*), **conveyance by road** (transporte o acarreo por carretera, porte; V. *vehicle, public conveyance*), **conveyancer** (abogado especialista en los trámites, documentos, etc. relacionados con cambios y transmisión de propiedad; V. *licensed conveyancer*), **conveyancing** (especialidad jurídica relacionada con la transmisión de la propiedad), **conveyor** (transportador, banda transportadora), **conveyor belt** (cinta transportadora)].

cook *v*: guisar, cocinar. [Exp: **cook the books** *col* (CONT manipular/amañar/maquillar/falsificar los libros de contabilidad; V. *massaging the numbers, accounting fraud; window dressing*)].

cool[1] *a/v*: frío, fresco; enfriarse, entibiarse ◊ *Their interest in acquiring the company seems to have cooled somewhat*. [Exp: **cool**[2] (tranquilo imperturbable ◊ *He has nerves of steel and remains cool whatever the circumstances*), **cool**[3] *col* (templanza, dominio de sí ◊ *Whatever you do, keep your cool*; V. *keep one's cool; lose/blow one's cool*), **cool**[4] (fresco, caradura ◊ *It was pretty cool of her to take half the money after you had done all the work*), **cool**[5] *col* (fenomenal, guay *col* ◊ *We've won the contract! Isn't that cool!*), **cool**[6] (la friolera, la bonita suma de ◊ *He won a cool £10,000 on the Stock Exchange*), **cool down** (enfriarse; calmarse, tranquilizarse ◊ *When you've cooled down a bit we can continue our discussion*), **cool off** (enfriarse, calmarse), **cooling-off period** (tiempo/período de reflexión, plazo para serenarse antes de tomar una decisión; este período de reflexión es obligatorio en contratos de seguros, contratos de compras a plazo, declaración de huelga, etc. ◊ *The government and the unions have agreed on a two-month cooling-off period*; V. *truth in lending act*)].

cooperative, co-op *n*: cooperativa, sociedad cooperativa. [Exp: **cooperative bank** (cooperativa; V. *savings and loan association, bank for cooperatives, credit unions*), **cooperative enterprise** (cooperativa), **cooperative insurance** (SEG seguros mutuos; V. *mutual insurance*)].

cop *col v*: coger, pillar. [Exp: **cop it** *col* (cargársela; sufrir un revés, recibir un mazazo ◊ *People are rarely sympathetic when the markets tumble and speculators cop it*), **cop out** *col* (rajarse, acobardarse

◊ *The deal almost went through but the potential buyers copped out following the prices scare*), **cop-out** *col* (bajada de pantalones; esquinazo; acción de escurrir el bulto; evasión de responsabilidad ◊ *Some union members felt the signing of the wages agreement was a cop-out*)].

COPAL *n*: V. *Cocoa Producers Alliance.*

copper *n*: cobre; moneda de cobre, moneda de poco valor, «perra chica». [Exp: **coppers** (calderilla)].

copy *n/v*: PUBL texto publicitario; copia; copiar. [Exp: **copy date** (PUBL fecha de entrega de un anuncio a los medios publicitarios), **copy not negotiable** (copia de un documento sin valor transaccional; V. *not negotiable*), **copy platform** (PUBL tema principal de un anuncio), **copyright** (DER propiedad intelectual, derechos de autor ◊ *Copyright is a wasting asset*; V. *intellectual property; intangible/wasting assets*), **copyrighted name/material** (DER nombre/obra registrada como propiedad intelectual), **copywriter** (PUBL redactor publicitario; especialista en textos publicitarios)].

core *n*: núcleo, corazón, centro, meollo, esencia, elemento o parte esencial. [En función atritutiva equivale a «elemental, mínimo, fundamental, principal, esencial». Exp: **core assortment** (surtido nuclear o básico; está formado por aquellos productos que constituyen el 20 % del volumen de negocio o *turnover*), **core capital** (BANCA núcleo de recursos propios; es el nivel mínimo de capital exigido por la ley, equivalente al 3 % de los activos totales; V. *capital adequacy standards*), **core business** (negocio principal), **core-currency countries** (países de moneda básica), **core deposits** US (depósitos básicos o estables; están formados por los de los clientes muy regulares y de mucha

confianza), **core investors** (inversores seguros), **core time** (período/tiempo nuclear)].

corn *n*: maíz. [Exp: **corn belt** US (cinturón del maíz; V. *cotton belt; olive belt*)].

corner[1] *n/v*: rincón, esquina, ángulo; arrinconar, acorralar ◊ *Investors who hadn't moved fast enough were cornered when interest rates dropped*; V. *turn the corner, cut corners, drive sb into a corner, paint/box oneself into a corner.* [Exp: **corner**[2] (MERC acaparamiento de una mercancía con ánimo especulativo; acaparar, monopolizar; V. *hoard; nurse stock; stockpile, forestalling the market; tight corner, monopoly*), **corner**[3] (MERC buena situación comercial, filón, parcela de mercado ◊ *They have found themselvers a nice little corner in leather goods*), **corner**[4] (BOLSA compra de títulos a precios excesivo por agentes que han hecho ventas al descubierto; MERC FINAN/PROD/DINER acaparamiento de títulos en el mercado al contado o *spot market*), **corner, be just around the** (estar a punto de llegar, estar próximo, venir de camino ◊ *Better times are just around the corner*), **corner the market** (FINAN monopolizar/acaparar el mercado; consiste en comprar masivamente un producto real —*commodity*— o financiero para forzar a comprar a precio inflado a quien se encuentra en posición de corto o *short positon*; V. *bear's squeeze, long position*), **cornered market** (MERC FINAN/PROD/DINER mercado monopolizado), **cornerer/corner man** (acaparador)].

corporate *a*: SOC societario, social, referido a una sociedad mercantil, jurídico, corporativo, incorporado; comercial; empresarial, colectivo. [El término *corporate* se aplica a lo relacionado con las sociedades mercantiles, especialmente el mundo de los directivos o de la patronal, mientras que *industrial* se refiere al mundo de lo socio-laboral de la empresa; en función atributiva equivale a «empresarial», «patronal», «de una sociedad», «de empresas», «constituido en sociedad», «desde el punto de vista empresarial», «social», con el mismo significado que *business*, y en algunos casos puede ir delante del nombre o detrás de él, como en *corporate body* o *body corporate*. Exp: **corporate account** (cuenta de empresa), **corporate acquisition** (adquisición de una empresa por otra; fusión por absorción), **corporate agent** *US* (BANCA agente mercantil; se refiere a los servicios no estrictamente financieros prestados por los bancos; V. *non-credit services*), **corporate assets** (activo social), **corporate body** (persona jurídica; V. *artificial person*), **corporate bond** (bonos de empresa; V. *ineligible securities*), **corporate bond market** (mercado de bonos de sociedades anónimas), **corporate business** (sociedad mercantil), **corporate capital** (capital social), **corporate concentration** (concentración de empresas), **corporate chain** (cadena de tiendas), **corporate defensive weaponry** (arsenal defensivo de la empresa), **corporate development committee** (comité de desarrollo o comisión de fomento de una sociedas anónima), **corporate director** (administrador de una empresa), **corporate earnings** (ganancias empresariales), **corporate finance** (FINAN financiación empresarial; gestiones dirigidas a ayudar a una empresa a buscar financiación a la larga), **corporate group** (SOC grupo de empresas), **corporate identity** (imagen de la empresa, identidad corporativa), **corporate image** (PUBL imagen pública de una mercantil), **corporate income** (ingresos de la sociedad), **corporate** income tax (V. *corporate tax*), **corporate joint venture** (proyecto comercial conjunto que comparten riesgos, empresa común financiada conjuntamente), **corporate leader** (empresa líder, empresa bandera), **corporate logo** (logotipo social), **corporate market** (mercado creado por las grandes empresas), **corporate name** (razón social), **corporate officer** (gestor de una empresa, director efectivo; V. *executive director*), **corporate personality** (personalidad jurídica), **corporate plan** (SOC objeto social; V. *objective; business plan; corporate purpose*), **corporate planning** (planificación empresarial; planificación que tiene en cuenta todos los aspectos y necesidades de una empresa), **corporate profits** (beneficios empresariales), **corporate purpose** (SEG objeto social; V. *objective; business plan; corporate plan*), **corporate raider** *US* (FINAN tiburón; atacante; corsario empresarial, ave de rapiña; impulsor de una OPA hostil; arbitrajista especulativo; especialista en comprar sociedades infravaloradas; individuo, empresa o grupo dedicado a la caza y captura de empresas por lo general mediante OPAS hostiles o astucias financieras, y casi siempre con el objeto de desmantelarlas una vez adquiridas, vendiendo activos; en el Reino Unido se le llama *risk arbitrageur*; V. *raider, greedy financier, dawn raid; greenmail, bust-up, killer bee, poison pill, shark; leveraged buyout, concert party; asset-stripping, takeover, merger; quoted companies; greenmail*), **corporate resolution** (SOC acuerdo del consejo de administración en el que se especifican los cargos que tienen firma autorizada, capacidad de firmar préstamos, etc.), **corporate restructuring** (reconversión empresarial), **corporate risk manager** (gestor de riesgos de una empresa), **corporate sector** (sector empresarial público y privado), **corporate stock** (accionaridado; acciones de la sociedad), **corporate strategy** (estrategia empresarial), **corporate takeover** (SOC absorción de sociedades), **corporate tax** (impuesto de sociedades; V. *corporation tax, business tax*), **corporate tax returns** (TRIB declaración del impuesto de sociedades), **corporate trust** (fideicomiso de sociedad anónima), **corporate venturing** (FINAN aportación de capital riesgo; financiación de una empresa de riesgo por parte de otra, con el fin de obtener información, entrar en nuevos espacios comerciales, etc.), **corporate year** (ejercicio social; V. *calendar year, business year, accounting year*)].

corporation[1] *n*: corporación; V. *city corporation*. [Exp: **corporation**[2] (sociedad mercantil, empresa; las *corporations* también se llaman *companies*; V. *firm, enterprise*), **corporation charter** US (escritura o carta de constitución; V. *certificate of incorporation*), **corporation housing** (viviendas de protección oficial, viviendas sociales; V. *public housing, council housing*), **corporation incorporated by royal charter** (sociedad constituida mediante el otorgamiento de cédula real), **corporation law** (derecho de sociedades), **corporation of Lloyd's** (V. *Lloyd's*), **corporation papers** (escritura social), **corporation sole** (DER persona jurídica unipersonal), **corporation tax** (TRIB impuesto de sociedades; V. *advance corporation tax; imputation system; mainstream corporation tax; corporate tax, business tax*), **corporations law** (ley de sociedades anónimas)].

corporeal *a*: material, tangible, corpóreo; V. *intangible*. [Exp: **corporeal hereditaments** (bienes tangibles por heredar, propiedad real, tangible y transmisible; V. *incorporeal*), **corporeal security** (garantía tangible), **corpus** (FINAN parte principal de los fondos de una fundación; V. *principal*)].

correct *a/v*: correcto; corregir. [Exp: **correcting entry** (CONT asiento de corrección o regularización; contrapartida; V. *adjusting/readjusting/cancelling/offsetting/rectifying/balancing entry/item*)].

correspondent *a/n*: corresponsal; representante, agente. [Exp: **correspondent bank** (BANCA banco corresponsal; corresponsal bancario; banco agente, representante o corresponsal de otro; este banco normalmente presta los servicios a los clientes de un banco extranjero o a los de un banco de ámbito local o regional —*community bank*—, que en este caso se llama banco representado o *respondent bank*; con frecuencia los servicios del banco corresponsal y del representado se prestan en régimen de reciprocidad; V. *upstream bank, downstream bank*), **correspondent market** (mercado que presta servicios a otro)].

corps *n*: V. *diplomatic corps*.

corrugated *a*: ondulado. [Exp: **corrugated box** (TRANS cajón acanalado; V. *blister pack; bulge packaging; bubble card/ pack; breathing package*), **corrugated cardboard** (TRANS cartón ondulado)].

corset *col n*: BANCA limitación, restricción; depósito especial suplementario exigido a los bancos para limitar sus movimientos; V. *supplementary special deposit*; V. *bill leak*.

cost *n/v*: coste, costo, precio, importe, gastos, costas; costar, valer; presupuestar, calcular costes ◊ *The new design hasn't been costed yet*. [El verbo *cost* es irregular en el sentido de «costar», y regular cuando tiene el sentido contable de «presupuestar». Con el sentido de «gastos», *cost* aparece en múltiples expresiones como *packaging/packing cost* —gastos de embalaje—, *operating cost* —gastos de explotación—, etc. Exp: **cost absorption** (absorción de costos), **cost accountant** (contador/perito/ contable de costos; V. *financial accountant*), **cost accounting** (contabilidad de costes, contabilidad de gestión; contabilidad analítica; V. *management accounting*), **cost analysis** (análisis de costes), **cost, at** (a precio de coste), **cost allocation** (imputación de costes), **cost and freight, CAF, c.a.f., c. & f.** (TRANS MAR coste y flete; esta expresión va seguida del nombre del puerto de destino), **cost and insurance, c&i** (coste o precio y seguro), **cost apportionments** (prorrateos o repartición del costo), **cost-benefit analysis, CBA** (CONT, GEST análisis costo-beneficio; análisis de viabilidad), **cost breakdown** (desglose, composición o distribución del costo), **cost centre** (GEST unidad para la asignación de costos; unidad de una empresa que presta servicios a otros departamento y, por tanto, no genera rentas), **cost containment** (contención de costes), **cost control** (fiscalización de los costos de una empresa), **cost-cutting** (reducción de gastos), **cost-effective** (CONT, GEST rentable; beneficioso; eficiente/eficaz en relación con su coste; V. *profitable, efficient*), **cost-effectiveness** (CONT, GEST rentabilidad. *Experts have been called in to analyze the cost-effectiveness of our marketing techniques*), **cost factors** (factores o componentes del precio de coste; V. *factor cost*), **cost finding** (CONT, FINAN cálculo del coste; V. *costing*), **cost-flow concept** (concepto de flujo de costo), **cost inflation** (ECO inflación de costes, también llamada *cost-push inflation*; V. *demand inflation*), **cost, insurance and freight, CIF** (TRANS MAR coste, seguro y

flete; en los contratos de compra-venta *cif* el comprador, además de abonar el importe de lo adquirido —*cost*—se hace cargo del seguro y del flete hasta el punto de destino; V. *ex ship*), **cost less depreciation** (costo menos amortización), **cost of carry** (MERC FINAN/ PROD/DINER coste neto de financiación; alude al coste diferencial que supone la compra al contado —*spot*— en relación con la de futuro), **cost of equity** (CONT coste del capital común; V. *after-tax cost of equity*), **cost-of-living** (ECO coste de la vida), **cost-of-living allowance/bonus/ plus** (subsidio/prima/plus de carestía de vida; V. *dearness allowance*), **cost-of-living increase** (ECO aumento salarial para compensar el alza en el coste de la vida), **cost-of-funds index** (BANCA índice del coste de los intereses pagados a los depositantes), **cost of living index** (ECO índice del coste de la vida; V. *consumer price index, producer price index, retail price index, threshold agreement*), **cost of removal** (gastos de traslado o transporte), **cost method average of inventory evaluation** (CONT método de coste medio en valoración de existencias; V. *average cost method of inventory evaluation*), **cost price** (precio de coste), **cost-plus** (coste más honorarios profesionales), **cost plus contract** (COMER, ECO contrato de costes totales más porcentaje fijo; coste más un porcentaje fijado; contrato que estipula que el precio de venta de un producto será el del coste de fabricación más un porcentaje determinado; se suele emplear esta clase de contrato cuando se trata de la fabriación de un producto novedoso y se carece, por tanto, de información fundada sobre el coste final), **cost plus charging/pricing** (COMER, ECO fijación de precios en un *cost plus contract*), **cost plus pricing system** (sistema de valoración a coste total), **cost-push inflation** (ECO V. (inflación por empujón de los costes), *cost inflation)* **cost-push theories** (ECO teorías que explican el aumento de la inflación por el alza de los salarios y del precio de las materias primas), **cost or market, whichever is lower** (COMER el más bajo de costo o mercado), **cost synergy** (sinergia de costos), **cost variance** (variaciones de costo), **costing** (CONT determinación/cálculo de costes; fijación de precios; presupuesto; costeo; contabilidad de costos; V. *activity-based costing, ABC²; full costing, marginal costing)*, **costing unit** (unidad de costeo), **costs** (costas)].

cottage industry *n*: industria artesanal o casera ◊ *Most of the cottage industries, like handweaving and basket-making, were wiped out by mechanization*; V. *free-lance, self-employed; home industry.*

cotton *n*: algodón. [Exp: **cotton belt** *US* (cinturón del algodón; V. *corn belt; olive belt)*].

council *n*: consejo; V. *board, commission; counsel.* [Exp: **council estate³** (barrio periférico de viviendas de alquiler; conjunto de viviendas de protección oficial; V. *slum; estate, suburb; housing estate)*, **council housing** (vivienda de protección oficial, vivienda social; V. *public housing, corporation housing)*, **Council of Arbitration** (Tribunal de arbitraje), **Council of Ministers** (Consejo de Ministros, **councillor** (concejal, consejero)].

counsel *n*: abogado, defensa letrada, asistencia letrada, asesor legal; consejo. [Exp: **counsel for the defence/council for the prosecution** (abogado defensor), **counselling** (asesoramiento; V. *guidance; consulting)*, **counsellor** (asesor jurídico, consejero, letrado; V. *adviser, advisor, consultant)*, **counsellor-at-law** (letrado, asesor legal), **counsellor delegate** (consejero delegado)].

count *n/v*: conteo, recuento, cuantía; contar; considerar ◊ *Goodwill is counted as part of a firm's assets*; V. *cash count.* [Exp: **count, not to** (no contar para nada, carecer de importancia ◊ *The sales manager simply doesn't count)*, **count of cash** (arqueo; V. *cash count, cash gauging; checking of cash; cash up, check/count the cash)*, **count out¹** (excluir ◊ *Count me out)*, **count out²** (hacer un recuento, ir contando uno a uno ◊ *The teller counted out the notes)*, **count the cash** (arquear la caja; V. *cash up, check the cash/till, check cash entries)*, **count up** (sumar, contar), **counting, not** (sin contar, con exclusión de, además de ◊ *There are 10 people on the staff, not counting the area manager)*].

counter¹ *a/v*: contra, recíproco; contrarrestar; hacer frente; contestar, replicar ◊ *The gains in the pharmaceutical sector countered some profit-taking.* [Exp: **counter²** (contador, ventanilla; mostrador; V. *over the counter transaction)*, **counter check** *US* (BANCA cheque de mostrador; cheque contra la propia cuenta corriente), **counter clerk** *US* (empleado de ventanilla o de atención al público), **counter-demurrage** (TRANS MAR sobreestadías, contraestadías; además de las estadías o demoras —*demurrages*—, en los países mediterráneos se emplea el término «sobreestadía» —*counter-demurrage*— para aludir a un segundo período de responsabilidades, transcurridos la plancha —*laytime*— y la estadía —*demurrage*; V. *laytime, demurrage)*, **counter-error** (error compensatorio), **counter-guarantee** (contragarantía), **countermarketing** («contramarketización», «contramercadeo»; son las actividades hechas por un tercero para eliminar o disminuir la demanda de un producto; V. *demarketing)*, **counter-motion** (contraproposición), **counter-**

offer (contraoferta), **counter, over the** (FINAN en un mercado no organizado; en el despacho; alude a las operaciones financieras hechas «en un despacho particular» por los operadores, fuera de los mercados oficiales u organizados; V. *OTC market*), **counter-proposal** (contraoferta, contrapropuesta), **counterparty** (parte contratante), **countersing** (refrendar), **counter staff** (COMER dependientes, personal de mostrador), **counter-party risk** COMER (riesgo de incumplimiento de los compromisos adquiridos), **counter-trading** (V. *barter*), **counter value** (valor de mostrador), **counteract** (contrarrestar, neutralizar), **counter-balance** (contrapeso, compensación; contrapesar, compensar), **counterbid** (COMER puja más alta en respuesta a la anterior), **counterfeit** (falso, falsificado, espurio; falsificación, moneda falsa; falsificar; V. *false, falsify, forge, forgery; colorable, bogus, hoax*), **counterfeit money** (dinero falso), **counterfeits of genuine products** (COMER falsificaciones de productos de marca; V. *pass-offs, knock-offs*), **counterfeiter** (falsario), **counterfoil** (talón; copia, duplicado; V. *stub; remittance slip*), **countermand** (cancelar, revocar), **counterpart** (homólogo, equivalente; miembro, componente, elemento. *The area manager for Spain will meet her Belgian counterpart in Brussels next week*), **counterproductive** (contraproducente), **countersign** (refrendar, visar), **countersignature** (visto bueno, refrendo, segunda firma), **countertrade** (comercio compensatorio), **countervailing credit** (V. *back-to-back credit*), **countervailing duties** (derechos o aranceles compensatorios; aranceles adicionales que se cargan a ciertas importaciones; V. *subsidies, compensating duties*), **countervailing forces and restraints** (fuerzas y restricciones compensatorias), **countervailing power** (poder compensatorio)].

country *n*: campo; país. [Exp: **country bank** US (banco rural), **country ceiling** (techo/límite del crédito por país), **country exposure lending survey** US (FINAN informe sobre riesgos en préstamos internacionales; informe o estadística que muestra los préstamos concedidos por los bancos nmorteamericanos a otras naciones en función de los riesgos concretos identificados para cada una), **country limit** (BANCA límite de crédito a un país dado), **country of origin** (país de procedencia), **country risk** (BANCA, FINAN riesgo-país; riesgos crediticios específicos de un país dado; V. *allocated transfer risk reserve*)].

coupon[1] *n*: cupón; dividendo; tipo de interés según cupón; V. *coupon rate*. [Exp: **coupon bond** (bono de rendimiento fijo; bono al portador), **coupon effect** (efecto cupón), **coupon issue** US (FINAN obligaciones con cupón. *Treasury bonds are coupon securities*), **coupon leverage** (FINAN apalancamiento de cupón), **coupon rate** (BANCA tipo de interés anual según cupón), **coupon security** (FINAN valores emitidos en un *coupon issue*), **coupon sheet** (BOLSA hoja de cupones), **coupon stripping** (BOLSA, SOC emisión de obligaciones despojadas de cupón; reemisión de obligaciones de las que se han separado los cupones ◊ *Coupon stripping is used most often to create U.S. zero-coupon securities known as strips*; V. *strips; stripped mortgage-backed securities; zero coupon*), **coupon swap** (MERC FINAN/DINER permuta financiera de tipos de interés; se intercambia interés fijo por interés flotante; V. *basis swap*), **couponing**[1] (BOLSA operación de reducción de cupón), **couponing**[2] (COMER campaña de cuponeo, descuento por acumulación de cupones ◊ *Some consumers buy only when they can get any sort of couponing*; el objetivo de la misma es obtener respuestas que incluyan los cupones de los anuncios; V. *discount, sales, drop off; coupon*)].

courier[1] *n*: guía de turismo. [Exp: **courier**[2] (estafeta, mensajero; correo), **courier service** (TRANS servicio de mensajeros; mensajería, servicio expreso; V. *messenger service/company*)].

course *n*: rumbo, derrota, derrotero, curso, trayectoria; marcha, acción; conducta; V. *in the normal course of events*. [Exp: **course of action** (línea de conducta, proceder, línea a seguir ◊ *A meeting was held to discuss the firm's best course of action*)].

court *n*: tribunal de justicia, órgano jurisdiccional, sala, juzgado, audiencia. [Exp: **court of auditors** (Tribunal de Cuentas de la Comunidad Europea ◊ *The Court of Auditors is the financial watchdog of the European Community*), **Court of Justice of the European Communities** (Tribunal de Justicia de las Comunidades Europeas; V. *European Court*)].

courtesy *n*: gentileza, cortesía, cumplido; V. *complimentary*. [Es frecuente el uso atributivo con el sentido de «gratuito», «de favor», «de cortesía», por ejemplo, **courtesy car** (SEG coche gratuito; coche que pone temporalmente al servicio del dueño del vehículo siniestrado la aseguradora de la parte responsable), **courtesy coach** (autobús gratuito al servicio de los pasajeros de las aerolíneas y que les lleva desde el aeropuerto hasta la ciudad y viceversa)].

covenant *n*: convenio, compromiso mutuo, pacto, contrato, concierto, promesa, convención, cautela, garantía, documento solemne. [Exp: **covenants** (pactos o cláusulas contractuales restrictivas, restricciones de dominio; V. *charge, lien*)].

cover[1] *n/v*: cobertura, protección; cubrir, proteger, abarcar; V. *include*. [Exp: **cover**[2] (SEG, FINAN, BANCA, MERC cobertura, protección, garantía; provisión; cubrirse; protegerse ◊ *Investors are always on the lookout for extra cover against possible loss*; V. *collateral, security*), **cover**[3] (FINAN cobertura; recompra de valores vendidos en corto o *short sale*; V. *hedge*), **cover**[4] (V. *covering bid*), **cover**[5] (PUBL cobertura publicitaria; audiencia a la que probablemente ha llegado un anuncio publicitario; V. *net cover; four-plus cover*), **cover**[6] (cubierta; tapa; portada; V. *under separate cover*), **cover**[7] (abarcar, incluir, cubrir, comprender, tocar, exponer), **cover bids** (ofertas ficticias deliberadamente infladas), **cover charge** (precio del cubierto; derecho de mesa, consumición mínima en un restaurante), **cover/covering letter** (carta de remisión o de transmisión; carta de presentación; carta adjunta, carta explicatoria, oficio de remisión), **cover letter/note** (SEG, TRANS póliza provisional; carta de cobertura provisional; resguardo de seguro, extendido por un agente de seguros, válido mientras se tramita éste; garantía; V. *slip; covering note; binder; insurance cover letter*), **cover of a cross-default clause** (cobertura de una cláusula de insolvencia cruzada), **cover rate** (COMER, FINAN tasa de cobertura), **cover the cost** (cubrir gastos o el costo), **cover-up** (tapadera, maniobra), **coverage**[1] (TRIB cobertura/protección de un seguro; índice de cobertura; fondos de reserva; reserva de garantía; V. *advertising coverage; market coverage; extended coverage*), **coverage**[2] (PUBL cobertura, tiempo asignado a una noticia en un medio de difusión; reportaje en un medio de difusión; V. *media coverage*), **coverage area** (extensión de póliza de seguros), **coverage ratio** (BANCA coeficiente/ratio de cobertura; se refiere a la capacidad de absorción de un banco de los fallidos o *nonperforming loans*), **covered** (cubierto, amparado; V. *naked*), **covered bear** (MERC FINAN/PROD/DINER bajista cubierto; especulador de futuros a la baja que posee los valores; V. *protected bear; cover*[3]), **covered call writing** (FINAN venta —*writing*— a cubierto de una opción de compra o *call option* que uno posee; V. *naked call writing*), **covered by patent** (protegido por patente; V. *take out a patent*), **covered interest parity** (MERC DINER paridad entre el precio al contado —*spot price*— y el precio a plazo —*forward price*—), **covered option** (FINAN opción cubierta; alude a la opción de venta de un título adquirido con anterioridad por el vendedor que le respalda y, de esta manera, no vende «en corto» o *sells short*; V. *naked option*), **covered writer** (MERC FINAN/PROD/DINER vendedor cubierto; alude al inversor o especulador que vende opciones sobre títulos de los que es dueño), **covering** (envoltura; cobertura), **covering bid** (FINAN la segunda opción en una subasta de valores, también llamada *cover*[5]), **covering deed** (acta de garantía), **covering entry** (asiento de cobertura), **covering letter** (V. *cover letter*), **covering note**[1] (COMER aval comercial), **covering note**[2] (V. *cover note*), **covering purchase/transaction** (MERC FINAN/PROD/DINER compra/operación de cobertura; V. *cover*[5]), **covering warrant** (certificado o garantía de cobertura)].

cowboy *n*: vaquero; pirata *col*; sinvergüenza *col*. [Exp: **cowboy outfit** *col* (empresa/organización sin escrúpulos, hatajo de piratas, pandilla de sinver-

güenzas ◊ *I'm not dealing with that cowboy outfit*; V. *fly-by-night, mickey mouse; bucket shop*)].

C/P *n*: V. *Charter party*.

CP *n*: V. *carriage paid; commercial paper*.

CPA *n*: V. *Certified public accountant*.

c.p.d. *n*: V. *charterer pays dues*.

CPP accounting *n*: V. *current purchasing power accounting, CPP*.

cpi *n*: V. *consumer price index*.

CPM, CPT *n*: precio/coste por cada mil unidades.

CQS *n*: V. *consolidated quotation service*.

craft[1] *n/v*: oficio; trabajo manual; artesanía, destreza manual, habilidad; astucia; hacer a mano, fabricar empleando técnicas artesanales. [Exp: **craft**[2] (nave, barco, embarcación), **craft clause** (SEG MAR cláusula mediante la cual se aplica el seguro al tránsito en barcazas desde la hasta el buque), **craft port** (puerto de alijo, puerto en donde el desembarco se hace sobre barcazas y no sobre el muelle; V. *overside port*), **craft union** (sindicato gremial o profesional), **craftsman** (artesano), **craftsmanship** (artesanía), **crafty** (astuto ◊ *They outmanoeuvred their rivals with their crafty marketing policy*; V. *take on*[3])].

crash *n/v*: quiebra; desastre/colapso económico; caída brusca de los mercados bursátiles; choque, colisión, desplome de la Bolsa; desplomarse; venirse abajo ◊ *Prices came crashing down in yesterday's panic on the Stock Exchange*; V. *bank crash; collision*.

cramdown *n*: confirmación de un plan de pago de deudas en un proceso de quiebra, efectuado en contra de los deseos de algunos acreedores disidentes; V. *confirmation*.[2]

crane *n*: grúa. [Exp: **cranage** (TRANS MAR derechos de grúa)].

crate *n/v*: jaula, cajón; embalar en cajas o jaulas; V. *packing in crates; pack*.

crawl *v*: avanzar muy lentamente; arrastrarse. [Exp: **crawling** (BOLSA aplicación del ajuste o paridad de cremallera; ajuste gradual o a paso de tortuga), **crawling/ sliding peg** (ECO/FINAN paridad móvil; ajuste de la paridad; tipo de cambio deslizante con límites predeterminados; fijación/ajuste gradual de los tipos de cambio; alude al ajuste gradual, a veces mensual, de los tipos de cambio de acuerdo con un vínculo móvil para evitar los efectos negativos de un ajuste brusco a raíz de una revaluación o una devaluación importante; ajuste infinitesimal y gradual de los tipos de cambio, vinculándolos a un valor estable o *peg*; V. *adjustable/dynamic/sliding peg*)].

CRD[1] V. *Central Registration Depository, CRD.*

crd[2] *n*: V. *current rate discharging.*

cream off the profits *col v*: quedarse con los beneficios.

creative *a*: creativo, innovador. [Exp: **creative financing** (financiación innovadora), **creative shop** (PUBL agencia de publicidad especializada en anuncios muy originales)].

credibility *n*: credibilidad. [Exp: **credibility gap** (margen/pérdida de credibilidad), **credibility rating** (índice de credibilidad)]

credit[1] *n/v*: FINAN crédito; préstamo; acreditar, abonar; V. *loan, accommodation credit, mortgaging credit, non-instalment credit, secured credit; deferment, standing.* [Exp: **credit**[2] (crédito; abono; saldo a favor; abonar en cuenta), **credit**[3] (CONT haber; acreditar; abonar; consignar/asentar/anotar partidas en el haber; V. *debit*), **credit**[4] (crédito, credibilidad, reputación; atribuir, reconocer ◊ *We were able to get a bank loan as our credit is good*; V. *good name, recognition; credit standing, creditworthiness*), **credit account**

(BANCA cuenta de cargo, cuenta de crédito o acreedora; cuenta abierta o de crédito entre proveedor y cliente; V. *charge account*), **credit advice** (aviso de abono), **credit against taxes** (deducción por impuestos pagados), **credit agent** (TRIB agente de seguro, que liquida trimestralmente con su compañía las primas cobradas; V. *account agent*), **credit analyst** (BANCA especialista en el análisis de las solicitudes de crédito), **credit application** (solicitud o petición de crédito), **credit availability theory** US (teoría de la disponibilidad de créditos; de acuerdo con esta teoría, un aumento ligero en los tipos de interés conduce a pérdidas de capital en las carteras de valores y a la consiguiente restricción de créditos bancarios para la inversión), **credit balance** (CONT saldo acreedor o a favor; haber; V. *debit balance*), **credit bill** (FINAN letra de crédito financiera), **credit broker** (agente de créditos), **credit bureau/ agency** US (agencia que facilita información sobre la solvencia crediticia de personas y sociedades; V. *credit reference agency, rating bureau, credit reference agency, mercantile agency*), **credit buying** (compra a crédito), **credit capacity** (FINAN capacidad de crédito, nivel de endeudamiento), **credit control** (control de créditos), **credit card** (BANCA tarjeta de crédito; V. *bank card, debit card*), **credit cash** (dinero a cuenta), **credit clinic** *col* (agencia que asesora a los clientes respecto de la forma de combatir los intereses elevados o injustos; V. *fair credit billing act*), **credit column** (CONT columna del haber), **credit company** (sociedad financiera), **credit control** (control crediticio; lo ejerce en Estados Unidos la *Federal Reserve Board*), **credit counselling** (FINAN servicio de asesoramiento financiero para evitar la declaración de quiebra), **credit crunch** (crisis crediticia; carestía de crédito), **credit department** (sección de créditos; V. *loan department*), **credit enhancement** (FINAN mejora de la calidad de los créditos; reforzamiento de las garantías o avales de un crédito; V. *self-enhancement; credit insurance*), **credit entry** (CONT abono; cantidad abonada; apunte contable en el haber; V. *post a credit, account entry, recording, make a credit entry; debit entry*), **credit exposure** (riesgo bancario), **credit extension** (prórroga del crédito), **credit facilities/provisions** (facilidades de pago, líneas de crédito, condiciones de pago aplazado), **credit file/history** (FINAN expediente o historial del solicitante de un préstamo), **credit grantor** (entidad crediticia), **credit guarantee** (TRIB aval para la solicitud de crédito; normalmente este tipo de seguro lo ofrecen organismos oficiales a empresas que carecen de garantías o *collateral security*), **credit institution** (entidad, organismo o institución de crédito; V. *lending agency/institution*), **credit insurance** (SEG seguro contra el riesgo de insolvencia, seguro sobre el crédito; normalmente el seguro lo hace el prestatario pero en ocasiones también lo puede hacer el prestamista; V. *deposit insurance*), **credit interests** (intereses acreedores), **credit life captives** (compañías cautivas de seguro de reintegro de créditos), **credit life insurance** (SEG seguro de garantía para el pago de la deuda en caso de muerte del asegurado; V. *credit enhancement*), **credit limit/line** (BANCA límite del crédito; línea de crédito autorizada; descubierto bancario permitido; alude al tope o límite máximo de crédito que una institución financiera concede a una persona o empresa comercial, que no siempre conoce con exactitud el límite del mercado; V. *overdraft; credit limit; line of credit; drawdown*), **credit losses** (pérdidas por cuentas incobrables), **credit memo/memorandum** (FINAN nota/protocolo de crédito), **credit money** (FINAN dinero bancario ◊ *Most currencies in circulation are credit money*; V. *hard currency/cash/money; gold*), **credit note**[1] (COMER bono o vale de crédito para ser usado en otras compras ◊ *Department stores often give customers credit notes rather than refunds if goods purchased are unsatisfactory*), **credit note**[2] (BANCA nota o aviso de abono), **credit overdrawing** (crédito en descubierto), **credit policy** (SEG seguro contra el riesgo de insolventes, especialmente en el pago de letras, también llamado *bad-debts policy*), **credit postings** (CONT asientos de abono), **credit provisions** (V. *credit facilities*), **credit quality** (BANCA valoración de los activos de un banco, en especial de sus préstamos y arrendamientos o *leases*, también llamado *asset quality*), **credit rating** (FINAN nivel/índice de solvencia crediticia; calificación crediticia; lo calcula una agencia calificadora de solvencia crediticia —*credit reference agency*— también llamada *rating agency*), **credit right** (FINAN derecho de crédito), **credit reference agency** (FINAN agencia de calificación de riesgos; agencia calificadora de solvencia financiera; agencia que proporciona información sobre la solvencia crediticia de empresa y particulares; V. *credit bureau, rating agency/bureau, banker's reference*), **credit report** (BANCA informes facilitados por el prestatario, a instancias del prestamista o de una agencia de calificación —*rating agency*—, sobre la situación financiera de sus negocios), **credit review** (BANCA seguimiento y evaluación de los créditos por una comisión técnica de la institución financiera, también llamado *loan review*), **credit risk assessment** (evaluación del riesgo de impago; V. *interest rate risk*), **credit sale** (venta a crédito, venta a plazos; V. *charge sale, cash sales, hire purchase*), **credit sales cash receipt** (efectivo recibido por ventas a crédito), **credit scoring** (FINAN calificación del riesgo crediticio, evaluación de la solicitud de préstamo por un particular o empresa, siguiendo un modelo matemático; V. *creditworthiness, cut-off score*), **credit side** (CONT haber; V. *double-entry bookkeeping; debit side*), **credit slip/note** (ficha/resguardo/ justificante de pago; V. *paying-in slip; credit voucher*), **credit squeeze** (restricciones crediticias), **credit standing/ worthiness** (solvencia, reputación financiera o crediticia, capacidad de pago; V. *customer's credit standing; the five c's; banker's reference, ability-to-pay; credit scoring*), **credit terms** (plazos o facilidades de pago; V. *long-term credit commitment*), **credit tranche** (tramo de un crédito), **credit underwriters** (aseguradores o reaseguradores de crédito), **credit union** US (cooperativa de crédito, asociación de crédito, unión crediticia), **credit voucher** (COMER nota de crédito para comprar otro artículo en el mismo almacén por haber devuelto el de la primera compra, también llamado *credit slip*), **creditworthiness** (BANCA solvencia crediticia; V. *belt and suspenders; C*), **creditworthy applicant** (solicitante de crédito solvente; V. *credit standing*)].

creditor *n*: acreedor; V. *obligee; general creditor, bond creditor, judgment creditor, composition of creditors; accounts receivable; debtor*. [Exp: **creditor account** (cuenta acreedora), **creditor country/**

nation (nación acreedora, nación con una balanza de pagos favorable; V. *lending country*), **creditor of a bankruptcy** (acreedor concursal), **creditors' committee** (comité que representa a un grupo de acreedores concursales; V. *reorganization*), **creditors' meeting** (concurso de acreedores; V. *cramdown; bankruptcy proceeding*), **creditors' settlement** (convenio de acreedores; V. *composition of/ with creditors*)].

creeping *a*: reptante, móvil, progresivo, deslizante, subterráneo. [Exp: **creeping inflation** (serpiente inflacionaria, inflación reptante/ascendente), **creeping takeover, creeping tender offer** (BOLSA OPA reptante, adquisición furtiva de una mercantil; absorción gradual de la mayoría de acciones de una empresa; compra escalonada de las acciones de una empresa; normalmente la hace con sigilo una persona interpuesta)].

crew *n*: tripulación, tripulantes, personal de cabina. [Exp: **crew list** (lista de tripulantes), **crewman** (tripulante)].

cripple *a/v*: lisiado, tullido, cojo; lisiar, mutilar, paralizar ◊ *The industry is crippled by continual strikes.*

critical *a*: crítico, estratégico. [Exp: **critical materials** (materiales estratégicos), **critical path** (ECO camino crítico), **critical path accounting** (CONT contabilidad de camino crítico), **critical path analysis/method** (ECO análisis/método del camino crítico, también llamado análisis de redes —*network analysis*—; técnica de investigación operativa en la que mediante un sistema gráfico-matemático se expresa de forma cuantificada el mejor itinerario que ha de seguirse para la confección de un proyecto o una obra, siendo «el camino crítico» el más largo de los posibles; V. *PERT*), **critical resource factor** (ECO factor crítico de recursos; este factor determina la capacidad operativa por la disponibilidad de recursos), **criticism** (crítica-s; V. *scrutiny and criticism*)].

crop *n*: cosecha, producción agrícola. [Exp: **crop index** (coeficiente de producción agrícola), **crop insurance** (seguro contra las pérdidas de cosechas), **crop rotation** (alternancia de cultivos), **crop surplus** (excedentes o sobrantes de cosechas), **crop up** (surgir, ocurrir de improviso ◊ *A few problems have cropped up*), **crop year** (campaña agrícola; año agrícola, que va desde la recogida de la cosecha de un año hasta la siguiente, campaña agrícola, temporada agrícola), **crop yield** (rendimiento de la cosecha), **cropper** (cosechador; V. *come a cropper*), **cropping** (decalvación, tala, esquileo, corta, pasto, cosecha, siega)].

cross[1] *a/n/v*: cruzado, transversal; cruz, cruce; cruzar. [En función atributiva, *cross* aparece en muchos compuestos con el significado de «cruzado», «entrelazado», «recíproco», «mutuo» o «simultáneo». Exp: **cross**[2] (BOLSA cruce; transacción cruzada; operación bursátil, también llamada *crossing* y *washsale* en los EE.UU., en la que el mismo agente de Bolsa actúa como intermediario del lado comprador y del vendedor; es legal siempre que el corredor haya ofrecido los títulos con anterioridad y públicamente a un precio superior al de oferta; V. *cross sale*), **cross add** (sumar horizontalmente), **cross-book** (BOLSA especulación mixta de compra y venta de valores; V. *straddle; cross order*), **cross-border** (internacional, transfronterizo ◊ *Cross-border mergers, cross-border leasing*), **cross-border listing** (FINAN relación de valores que cotizan en más de un país), **cross-border outstandings** *US* (FINAN monto en un momento determinado de los créditos en dólares concedidos a entidades extranjeras y demás obligaciones en dólares pendientes de pago desde el extranjero), **cross check/checking** (verificar/verificación mediante cotejo; volver a comprobar, segunda comprobación; verificación cruzada; verificar/verificación variando el sistema de cálculo o el orden en el que se toman los elementos), **cross-classification** (clasificación cruzada), **cross-collateral** *US* (FINAN garantías cruzadas; se trata de una garantía única para varios préstamos; también se le llama *Dragnet clause* o *Mother Hubbard clause*), **cross-currency fixed-to-fixed swap** (MERC DINER permuta financiera o «swap» de divisas fijo-fijo; V. *currency swap*), **cross-currency fixed-to-floating swap** (MERC DINER permuta financiera o «swap» de divisas fijo-variable; V. *currency swap*), **cross currency interest hedge** (MERC DINER protección de cambio doble), **cross-currency interest rate swap** (MERC DINER permuta financiera o «swap» de pagos en distintas divisas y con distintos tipos de interés, también llamado *cocktail swap*; V. *currency swap*), **cross-currency swap, CCS** (MERC DINER permuta financiera o «swap» de divisas variable-variable; V. *currency swap*), **cross-default** (FINAN cancelación recíproca/simultánea; cláusula de cancelación simultánea; mediante esta cláusula de un contrato de crédito el impago de las deudas nombradas convierte en cancelables a los demás), **cross-default clause** (DER cláusula de cancelación simultánea; cláusula de insolvencia cruzada), **cross-effectiveness clause** (cláusula de entrada en vigor simultánea), **cross-elasticity** (ECO elasticidad de los precios de bienes sustitutivos; V. *substitutives*), **cross elasticity of demand** (elasticidad cruzada de la demanda), **cross-equity**

holdings (participaciones cruzadas), **cross-footing, crossfooting** (CONT sumas horizontales y verticales; comprobación contable mediante la cual las sumas se realizan tanto horizontal como verticalmente para verificar la exactitud de los resultados), **cross-hedge [risk]** (MERC FINAN/PROD/DINER [riesgo de] cobertura cruzada), **cross-hedging** (MERC FINAN/PROD/DINER cobertura cruzada o recíproca; cobertura contra el riesgo que consiste en comprar un futuro financiero de un activo diferente aunque relacionado; V. *weighted hedge*), **cross-holding** (SOC tenencia mutua, participación societaria cruzada o recíproca; alude a la participación accionarial mutua entre dos sociedades mercantiles independientes, o de la casa matriz en las de sus filiales y viceversa; V. *reciprocal shareholding*), **cross-licensing** (explotación mutua de derechos de patente), **cross-loan** (FINAN crédito recíproco o cruzado), **cross-margining** (MERC FINAN/PROD/DINER compra cruzada de títulos del mercado a crédito; se dice «cruzada» porque en esta transacción se utiliza como colateral el exceso o superávit de una cuenta de margen —*margin account*— para operar en otra; V. *margining, margin buying*), **cross-marketing** (BANCA venta cruzada de varios productos financieros a un cliente, por ejemplo, una cuenta corriente y una garantía para descubiertos; son legales con tal de que no sea obligatorio el producto añadido o *add-on*; V. *cross-sell*), **cross merchandising** (COMER promoción de cruce; consiste en presentar productos alternativos o complementarios al lado del producto buscado por el cliente, con el fin de que al encontrarlo, cruce —*cross*— la mirada y quede atraído por los nuevos; V. *bait-switching*), **cross-order** (BOLSA orden dada por un cliente para vender y

comprar las mismas acciones; V. *cross-book*), **cross out** (tachar), **cross-picketing** (REL LAB cruce de piquetes de huelguistas de dos sindicatos rivales, que luchan por representar a los obreros que están en huelga), **cross-price elasticity of demand** (ECO elasticidad-precio cruzada de la demanda), **cross-purchase agreement** (acuerdo de compra de la parte social del socio que fallezca antes), **cross-rate** (MERC DINER tipo de cambio cruzado; tipo de cambio entre dos divisas con relación a otra), **cross-reference** (remisión, referencia cruzada), **cross sale** (BOLSA venta y compra de una misma acción por dos clientes del agente), **cross-section** (sección transversal, corte representativo; análisis de corte transversal; V. *sale²*), **cross-section analysis** (análisis de corte tranversal o de sección cruzada; análisis de datos transversales; V. *account analysis, content analysis, cross-section analysis, itemised breakdown*), **cross-section data** (ECO datos de corte transversal; V. *time series data*), **cross-section study** (estudio segmentado), **cross-sectional data** (datos cruzados), **cross-sell** (llevar a cabo una venta cruzada; actuar como intermediario en la venta de un objeto o valor por parte de un cliente a otro de la misma casa o agencia), **cross-shareholding** (V. *cross-holding*), **cross-tabulation** (CONT tabulación de entradas múltiples), **cross the picket line** (REL LAB hacer caso omiso del piquete, desoír los consejos del piquete, entrar a trabajar cruzando la barrera formada por el piquete; V. *flying pickets*), **crossed cheque** (cheque cruzado/barrado; los cheques cruzados/barrados no pueden hacerse efectivos por ventanilla, sólo por compensación ingresándolo en cuenta; V. *open cheque, uncrossed cheque, account payee, clearing*), **crossed loan** (crédito cruzado o recíproco entre dos entidades), **crossed market** (BOLSA, COMER mercado invertido o cruzado; situación en la que el precio de oferta —*offer price*— de un agente o creador de mercado —*market maker*— es inferior al precio de puja —*bid price*— de otro; V. *locked market; backwardation*), **crossed trade** (BOLSA operación cruzada de compra y venta compensatoria de títulos entre dos clientes del mismo intermediario, no reflejada en las cotizaciones en la Bolsa; es una práctica manipulativa y fraudulenta, prohibida en las Bolsas de más prestigio), **crossed** US (V. *backwardation*), **crossfoot** (suma cruzada u horizontal), **crossfooter** (registro o mecanismo de saldos), **crossfooting the journal** (CONT operación de totalizar horizontalmente el libro diario), **crossing** (BOLSA V. *cross²*), **crossover** (entrecruzamiento), **crossover discount rate** (tasa de actualización de equilibrio)].

crowd¹ *n*: muchedumbre. [Exp: **crowd²** US col (BOLSA agentes de Bolsa, como en *cabinet crowd, loan crowd, etc.*), **crowd in** (entrar en tropel, acudir en masa), **crowd out** (bloquear, excluir; impedir la libertad de movimiento o maniobra por el número de los presentes o por la superioridad numérica), **crowding-in effect** (ECO efecto de atracción; se dice del estímulo que tiene el gasto público en la economía), **crowding out** (ECO teoría que mantiene que los empréstitos gubernamentales excesivos alejan al sector privado de los mercados de capital), **crowding-out effect** (ECO efecto de exclusión o expulsión; se dice del efecto reductor de la capacidad de gasto del sector privado que tiene el gasto público en la economía)].

crown¹ *n*: corona. [Exp: **Crown²** (DER la Corona, la Administración, el Estado, etc., en el Reino Unido; V. *Civil Service*),

crown jewel defence (BOLSA defensa de las joyas de la corona; estrategia dirigida a defenderse de las OPAS hostiles, también llamada «encierro por venta de activos» o *asset lock-up*), **Crown jewel option** (concesión de un contrato de tanteo o pacto de preferencia)].

crude *a/n*: crudo, bruto; petróleo. [Exp: **crude oil** (petróleo)].

crumbling of prices *n*: caída/baja repentina de las cotizaciones de Bolsa o de los precios en general; V. *collapse, fall, crash, dawn raid*.

crunch *n*: crisis, hora de la verdad ◊ *When it came to the crunch, the boss just didn't have what it takes*; V. *back office crunch; credit crunch*.

cstms *n*: V. *customs*.

CT *n*: V. *cable transfer*.

ctl *n*: V. *constructive total loss*.

CTR *n*: V. *currency transaction report*.

CTT *n*: V. *capital transfer tax*.

cum *prep*: con; cuando *cum* va delante de las palabras *rights, capitalization, cap, bonus* quiere decir que estos beneficios los disfruta el comprador y no el vendedor; V. *ex-*. [Exp: **cum dividend** (BOLSA acción con derecho al cobro del próximo dividendo; V. *ex dividend; date of record*), **cum coupon** (BOLSA título vendido con cupón)), **cum drawing** (con derecho a sorteo), **cum new** (con derecho de suscripción de acciones nuevas; V. *ex new, ex dividend*), **cum rights** (BOLSA acciones con derecho a la compra de otras de nueva emisión)].

cumulative *a*: acumulativo, cumulativo, acumulable, adicional. [Exp: **cumulative audience** (PUBL audiencia acumulable; número de personas a quienes les llega, al menos una vez, un anuncio publicitario), **cumulative capital stock** (acciones acumulativas), **cumulative dividend** (dividendo acumulativo), **cumulative markup** (margen comercial acumulativo), **cumulative preferred redemption stock** *US* (SOC, BOLSA acciones preferentes acumulativas rescatables; suelen tener un dividendo más elevado que el normal aunque el emisor se reserva el derecho de fijar el momento del rescate), **cumulative preferred stock** (BOLSA acciones preferentes acumulativas; acciones privilegiadas o preferentes de dividendo acumulativo), **cumulative reach** (V. *cumulative audience*), **cumulative reserve deficit** (déficit de reserva acumulativo), **cumulative sales tax** (impuesto en cascada; V. *cascade tax*), **cumulative share** (BOLSA acción con dividendo acumulativo), **cumulative trust** (fondo de acumulación; fondo de atesoramiento)].

curb[1] *n/v*: freno, restricción; contener, reprimir, refrenar ◊ *To curb persistent price rises*. [Exp: **curb**[2] (bordillo; de ahí el significado de *Curb Exchange* —mercado o mercadillo de la acera de la calle o exterior), **Curb Exchange** (BOLSA Bolsín o Bolsa secundaria de Nueva York; actualmente se llama *American Stock Exchange*; también se la llama simplemente *Curb*, forma elíptica del nombre que tuvo hasta 1921 *Outdoor Curb Market;* V. *bucket shop; New York Curb Exchange; New York Stock Exchange*), **curb market** (bolsín, mercado extrabursátil), **curb rates** (tipos de interés extralegales), **curb stock** (acciones que cotizan en la *American Stock Exchange*, antes llamada *Curb Exchange*)].

currency *n*: moneda, dinero, medio de cambio; divisa; V. *foreign currency, legal tender, soft currency*. [En posición atributiva significa «monetario», «financiero» o «cambiario». Exp: **currencies statement** (estado de divisas), **currency adjustment** (ajustes cambiarios),

currency alignment (ECO alineamiento de las divisas; V. *misalignment*), **currency appreciation** (V. *appreciation of currency*), **currency arbitrage** (V. *arbitrage*), **currency area** (área monetaria), **currency backing** (reserva monetaria de respaldo), **currency basket** (cesta de monedas), **currency bill** (letra en divisas extranjeras), **currency board** (ECO, BANCA junta de interventores nombrados para enderezar una economía cuya moneda ha perdido el norte; se dice de los bancos centrales que han perdido su capacidad para articular una política autónoma y su papel de prestamista último —*last resort lender*—; V. *second window*), **currency bond** (FINAN título amortizable en moneda extranjera), **currency circulation** (BANCA dinero en circulación; V. *notes in circulation*), **currency clause** (cláusula de reembolso en divisas; V. *foreign currency clause*), **currency conversion facility** (MERC DINER servicio de conversión en moneda; el prestatario deberá devolver el préstamo en otra divisa distinta en una fecha acordada), **currency exchange** (cambio de divisa/moneda), **currency futures** (MERC FINAN/DINER contrato de futuros sobre divisas; V. *futures contract; financial/commodity futures; stock index futures, interest rate futures; spot cash; hedging*), **currency-linked bond** (bono en moneda subordinada), **currency matching** (congruencia monetaria), **currency misalignments** (desajustes de las paridades monetarias), **currency notes** (pagarés del Tesoro; V. *Treasury notes*), **currency/notes in circulation** (BANCA dinero en circulación; V. *vault cash*), **currency issue** (emisión de papel moneda), **currency on hand** (BANCA reservas de divisas; V. *cash at bank; cash on hand*), **currency option clause** (FINAN cláusula de opción a recibir el pago en la moneda estipulada), **currency parity** (paridad monetaria), **currency peg** (vínculo/fijación a una moneda; V. *adjustable/composite/crawling/dynamic/sliding peg*), **currency principle** (FINAN principio monetario), **currency quotation** (FINAN cotización de una divisa), **currency range forward** (MERC DINER contrato a plazo o «forward» de rango; consiste en la combinación de un contrato a plazo —*forward contract*—, una opción de compra —*a call option*— y otra de venta —*a put option*), **currency reserves** (reservas en moneda extranjera), **currency snake** (serpiente monetaria; V. *monetary snake*), **currency swap** (FINAN permuta financiera de divisas a un precio fijo acordado; consiste en el intercambio de flujos de caja futuros en divisas diferentes, con fines de cobertura del riesgo de cambio o *foreign exchange risk*; V. *straight currency swap, currency interest rate swap; interest rate swap; earmarked gold*), **currency transaction report, CTR** (declaración de movimientos monetarios), **currency translation** (conversión monetaria), **currency warrants** (BOLSA certificados que dan derecho a adquirir valores en otras divisas al comprar determinadas acciones)].

current[1] *a/n*: actual, presente, vigente, en curso, habitual; del día; corriente; ◊ *The current slackness in the Exchanges is due to uncertainty about interest rates*; V. *actual, present*. [En muchos casos *current* es equivalente a *working* —operativo. Exp: **current**[2] (corriente marina), **current account, c.a.**[1] (BANCA cuenta corriente, también llamada *cheque account* o *drawing account*; en los EE.UU. los términos utilizados son *demand deposit account* o *checking account*; V. *Trustee Saving Bank; NOW*

account), **current account, c.a.**[2] (ECO, CONT balanza de pagos por cuenta corriente; saldo de operaciones por cuenta corriente), **current-account balance** (CONT, ECO balanza por cuenta corriente; saldo de la balanza por cuenta corriente ◊ *Countries with big current account deficits have the most undervalued currencies*; V. *balance of payments on capital account*), **current account credit** *US* (descubierto bancario, llamado *overdraft* en el Reino Unido), **current account deficit** (déficit por cuenta corriente), **current affairs** (la actualidad, el panorama nacional o internacional), **current/operating assets** (CONT activo circulante; activo corriente, activo realizable, activo disponible a corto plazo, activo en rotación; capital de explotación; realizable en el balance ◊ *Current assets can be turned into cash easily*; V. *non-current assets, liquid assets, quick assets, circulating assets, floating assets, working assets, fixed assets; bills receivable*), **current-asset cycle** (ciclo de activo circulante), **current balance** (saldo corriente de la balanza de pagos), **current billings** *US* (facturación actual o corriente), **current business** (asuntos de trámite, orden del día, cuestiones inmediatas), **current capital** *US* (fondo de operaciones, capital circulante; V. *working capital*), **current cost** (CONT coste corriente o de reposición; V. *replacement cost*), **current cost accounting, CCA** (CONT contabilidad de reposición o de costes corrientes; método contable basado en el coste actual; también llamado *inflation accounting*, se emplea normalmente en períodos de inflación, y los activos se valoran por su precio de reposición actual en vez de por el de su coste inicial; V. *wear and tear; replacement cost accounting; appreciate*[2]), **current cost** income (CONT rendimientos por costo actual), **current coupon** (BOLSA, SOC cupón al cobro), **current delivery month** (mes de entrega, también llamado *spot month*), **current economic development** (ECO evolución de la coyuntura), **current economic indicators** (indicadores de la coyuntura), **current economic policy** (política coyuntural), **current exit value** (CONT valor de realización; V. *realizable value; exit value*), **current expectations** (previsiones actuales), **current expenditures** (gastos corrientes; V. *above-the-line expenditure*), **current investments** (inversiones corrientes; inversiones de fácil realización), **current liabilities** (CONT pasivo corriente; pasivo comercial; pasivo circulante, deuda flotante; pasivo inmediato o exigible; obligaciones/deudas/gastos en curso a corto plazo; V. *bills payable*), **current manufacturing long-term debt** (deuda actual a largo plazo en la industria manufacturera), **current market value** (valor de mercado actual o corriente), **current maturities** (FINAN vencimientos corrientes; vencimientos a menos de un año), **current money** (moneda corriente, moneda en circulación), **current month** (mes en curso), **current obligations** (obligaciones actuales), **current operating expenses** (gastos corrientes de explotación), **current operating performance** (realización de las operaciones), **current-outlay cost** (coste de desembolso o gasto corrientes), **current outlays** (desembolsos corrientes), **current payment** (pagos corrientes o en curso), **current pool factor** (coeficiente que expresa la relación entre el principal pendiente de los valores garantizados con hipotecas —*collateralized mortgage obligations* o *pass-through securities*— y el importe total del principal emitido), **current/going/market/usual price** (precio corriente/normal/actual/del mercado), **current purchasing power accounting, CPP** (CONT método contable basado en el poder adquisitivo actual; los defensores de este método estiman que resuelve mejor la consignación de los efectos de la inflación en los beneficios empresariales), **current quick asset** (activo realizable a corto plazo), **current ratio** (FINAN índice de solvencia, coeficiente de liquidez general; ratio actual o corriente), **current rate** (tipo, tarifa o escala actual), **current rate discharging, c.r.d.** (TRANS MAR descarga con la tarifa actual), **current rate of exchange** (tasa/tipo de cambio vigente/actual), **current ratio** US (coeficiente de liquidez), **current revenue** (ingresos ordinarios), **current selling price** (precio de venta actual), **current surplus** (excedente, superávit de operación), **current value** (precio corriente; valor actual), **current year balance** (saldo del ejercicio), **current/earnings/flat/running yield** (FINAN rendimiento corriente, rédito actual ◊ *The current yield depends on the market price of the stock*; V. *return; yield to maturity*), **currently** (en el momento actual), **currently paid** (al corriente en el pago)].

curriculum vitae, CV *n*: historial, currículum.

curtail *v*: acortar-se, abreviar-se, reducir-se, disminuir-se, restringir-se; recortar-se, cercenar-se ◊ *Powers can be extended or curtailed by a legal document*; V. *reduce, extend*. [Exp: **curtailment** (reducción, restricción; V. *belt-tightening*)].

curve *n*: curva, línea. [Exp: **curve fitting** (adaptación de curvas)].

cushion *n/v*: cojín; acolchar, amortiguar, absorber. [Exp: **cushion bond** (bono amortiguador), **cushioning** (TRANS acolchamiento en embalajes; V. *absorbent package*)].

cushy *col a*: fácil, cómodo; chupado, cosa de coser y cantar. [Exp: **cushy job/number** *col* (chollo, bicoca; V. *plum job; pushover, land²*)].

CUSIP *US n*: siglas de *Committee on Uniform Securities Identification Procedures*; número de identificación de los valores emitidos con certificado o anotación en cuenta desde 1970.

custody *n*: custodia, salvaguardia, garantía, administración. [Exp: **custody account** (cuenta de custodia de valores; V. *securities safekeeping account*), **custodial** (de vigilancia, administración o garantía), **custodial account** (cuenta fiduciaria; cuenta administrada por terceros en nombre del titular), **custodian** (guardian, custodio), **custodian fee** (gastos de custodia/administración de valores; honorarios del fiduciario), **custodian trustee** (agente fiduciario), **custodianship** (custodia), **custody account** (BANCA cuenta de un menor administrada por sus padres), **custody bill of lading** (TRANS MAR conocimiento de embarque expedido por el armador al cargador; V. *received for shipment B/L, shipped bill of lading*), **custody charges** (FINAN gastos de custodia), **custody of stock/bonds, etc.** (custodia o administración de títulos)].

custom¹ *n*: uso, costumbre, hábito, práctica; ley no escrita, establecida por el uso; V. *custom of the port*. [Exp: **custom²** (clientela habitual; clientes; costumbre que tiene el cliente de favorecer a un comercio comprando en él, patrocinio; caja, ventas; V. *beat up custom*), **custom³** (costumbre que tiene una persona de preferir un comercio a otro u otros), **custom and usage** (uso y costumbre), **custom-built** (hecho a la medida; personalizado, al gusto del consumidor; V. *customize*), **custom house** (aduana), **custom job shop** (taller que trabajo de acuerdo con los pedidos que le hacen; V. *custom-build*), **custom-made issues** (BOLSA emisiones a la medida), **custom of the port** (usos y costumbres de un puerto con respecto a las tareas de prácticos, estibadores, etc), **custom of trade** (usanza, costumbre de plaza), **customary** (acostumbrado, usual, habitual, consuetudinario, convencional, de acuerdo con los usos o las costumbres, acostumbrado, a fuero)].

customer *n*: COMER cliente; abonado; parroquiano; el *customer* se caracteriza por la *loyalty* al establecimiento; en algunas profesiones se diferencia entre *client* y *customer*; por ejemplo, si una agencia arrienda un hotel para un servicio, el *client* del hotel es la agencia, mientras que los *customers* del hotel son los que asisten a la fiesta; V. *client, account; consumer profile*). [Exp: **customer account balances** (saldos de cuentas de clientes), **customer account number** (BANCA código de cuenta de cliente), **customer-activated terminal** (terminal activada por clientes, por ejemplo un cajero automático), **customer allocation** (reparto de clientes), **customer call report** (informe de la visita hecha al cliente; V. *call⁸*), **customer information file, CIF** (BANCA expediente de un cliente), **customer iniciated entry** *US* (asiento u operación hecha por un cliente desde una terminal automatizada, por ejemplo un cajero automático), **customer ledger account** (cuenta de libro mayor de ventas), **customer order file** (archivo de pedidos de clientes), **customer service representative** *US* (BANCA empleado bancario que actúa como agente de los clientes; V. *personal banker*), **customer trade receivables** (cuentas por cobrar a clientes), **customers' broker** *US* (agente de Bolsa dependiente de un corredor de

Bolsa o autorizado por el mismo; V. *authorized clerk, customers' representative*), **customer's credit standing** (V. *credit standing*)].

customs, CSTMS *n*: aduanas, derechos de aduanas, servicios de aduanas, régimen de aduanas; V. *departure customs, destination customs, entry customs, passing customs, transit customs, excise duty, stamp duty, tariff.* [Exp: **customs agent** (agente de aduanas; V. *clearing/ clearance agent*), **customs airport** (aeropuerto aduanero), **customs airway bill** (TRANS carta de porte aéreo, conocimiento de embarque aéreo), **Customs and Excise Department** (TRIB servicio de vigilancia aduanera, departamento de impuestos de Aduanas y de impuestos sobre el consumo; V. *Commissioners of Customs and Excise*), **customs appraiser** (vista de aduanas; aforador/tasador de aduana), **customs area** (zona aduanera), **customs assessment** (valoración/tasación hecha en la aduana), **customs barrier** (barrera aduanera), **customs bond** (fianza aduanera), **customs bonded** (bajo control de aduanas), **customs broker** (agente de aduanas, agente autorizado para llevar a cabo los trámites del despacho de aduanas), **customs clearance** (despacho aduanero; trámites de aduana; V. *clearance by customs, clear customs*), **customs cleared** (despachado de aduanas; V. *uncleared; cleared without examination*), **customs debenture** (vale de aduana; justificante que da derecho al exportador a la devolución —*drawback*— de los derechos abonados en la importación), **customs declaration** (declaración aduanera), **customs deposit store** (depósito aduanero), **customs drawback** (V. descuento/devolución de los derechos de aduanas; V. *duty drawback*), **customs duties** (derechos arancelarios, aranceles de aduanas; derechos, tasas), **customs duties allowance** (bonificación arancelaria), **customs entry** (declaración de aduanas hecha por el importador, lista de declaración de productos importados; V. *bill of entry, captain's entry*), **customs entry point** (puesto aduanero), **customs-exempt** (exento de derechos de aduanas), **customs formalities** (formalidades aduaneras), **customs-free** (libre de derechos), **customs-free area** (zona franca), **customs hours** (horas de despacho de aduanas), **customs house/ office** (aduanas, edificio de aduanas), **customs inspector** (vista de aduanas), **customs invoice** (factura de artículos importados), **customs inwards** (derechos de entrada), **customs manifest** (manifiesto de aduanas), **customs maritime zone** (zona marítima aduanera), **customs nomenclature** (nomenclatura aduanera), **customs officer** (vista de aduanas), **customs procedure** (régimen aduanero; V. *goods declaration*), **customs rebate** (rebaja en los derechos de aduana), **customs regulations** (reglamento de aduana), **customs seal** (precinto de aduanas), **customs shed** (tinglado aduanero), **customs tariffs** (aranceles de aduana o aduanero; V. *common customs tariffs, customs duties*), **customs transit** (tránsito aduanero), **customs union** (unión aduanera), **customs valuation** (valoración en aduana, aforo aduanero), **customs value** (valor en aduana), **customs warehouse** (depósito de aduanas, bodega fiscal; V. *goods held in bond*), **customs warrant** (resguardo de aduana)].

customize *v*: personalizar, hacer según encargo, adaptar a las preferencias del cliente o consumidor; V. *standardize; normalize; forward contract.* [Exp: **customized** (a la medida; V. *tailor-made,*

made to measure), **customized check/ cheque** *US* (talón conformado), **customized transaction** (transacción hecha a la medida)].

cut[1] *n/v*: rebaja, reducción, recorte; corte; reducir, rebajar, recortar ◊ *Cuts in public spending, especially on health and education, have led to social unrest.* [Exp: **cut**[2] *US* (total de un fajo de cheques), **cut back**[1] (reducir, disminuir, recortar; V. *come to terms with*), **cutback**[2] (cese, reducción, restricción; reducción de plantilla; disminución en la producción), **cut corners** *col* (atajar, echar por el atajo, cometer irregularidades, hacer trampas ◊ *Businessmen who cut corners are adding to the risks of a risky profession*), **cut down** (reducir, recortar; racionalizar, reestructurar ◊ *Cut down a business*; V. *streamline, downsize, slim down*), **cut in** (interrumpir), **cut sb in** (incluir en el reparto, dejar participar), **cut into** (morder, usar una parte ◊ *Cut into savings, funds, etc.*), **cut it fine** (andar con apuros de tiempo, andar apurado, disponer de poco tiempo, correr el riesgo de que pase el plazo; V. *The deadline's tomorrow —you're cutting it very fine*), **cut no ice** (no dar resultado, no funcionar, dejar de convencer ◊ *Their opinion cuts no ice with us*), **cut off**[1] (cierre; fecha o punto límite), **cut off**[2] (cortar; suspender, interrumpir ◊ *Cut off supplies, aid, electricity*), **cut off**[3] (aislar, bloquear ◊ *Cut off by breakdown in communications, bad weather, enemy attack*), **cutoff**[4] (CONT cierre de libros para inventario o para comprobación; cancelación definitiva de cuentas; balance periódico de cheques con fines de control), **cut-off bank statement** (extracto/detalle de cuenta en la fecha solicitada o hasta el corte de las operaciones), **cut-of clause** (SEG cláusula de limitación [en cesión de reaseguros]), **cut-off coupon** (cupón cortado), **cut-off date** (CONT fecha de cierre de libros; fecha tope o límite; fecha de arranque), **cut-off rate** (tasa de equilibrio), **cut-off rate of return** (FINAN tasa de rentabilidad aceptable), **cut-off time**[1] (BANCA hora de desconexión; tiempo límite antes del cual se ha de remitir información a los centros interbancarios automatizados, por ejemplo el de compensación interbancaria; también la hora tope en la que banco anotará una operación, por ejemplo un depósito, en el día en que se haga), **cut-off score** (FINAN número mínimo de puntos para obtener la calificación de solvente; V. *credit scoring*), **cut out** (recortar; cortar; excluir, suprimir, eliminar; V. *have one's work cut out*), **cut-price** (COMER a/con precio reducido; V. *discount price; bargain price*), **cut-price competition** (competencia salvaje), **cut/reduce/lower prices** (reducir precios), **cut-throat competition** (COMER competividad feroz, implacable o sin escrúpulos; competencia ruinosa; V. *destructive competition, low-profit margin; keen competition; fiercely competitive; rat race*), **cut through** (salvar obstáculos actuando con energía o sin contemplaciones, abrirse camino mostrándose inflexible ◊ *Cut through red tape/hindrances*), **cutback** (V. *cutback*), **cutting** (recorte; V. *press cutting agency*)].

C.V. *n*: V. *curriculum vitae*.

CWO *n*: V. *cash with order*.

cycle *n*: ciclo; V. *product life cycle, economic cycle leading indicators, lagging indicators.* [Exp: **cyclical boom** (ECO auge cíclico), **cyclical condition** (ECO ciclo económico), **cyclical downturn/downswing/downward swing/dip** (ECO descenso/retroceso económico cíclico; V. *cyclical upturn/upswing*), **cyclical fluctuations** (ECO fluctuaciones cíclicas), **cyclical instability** (ECO inestabilidad cíclica), **cyclical overstraining** (ECO recalentamiento o sobretensión cíclica), **cyclical unemployment** (desempleo/paro cíclico), **cyclical upturn/upswing/upward swing** (ECO recuperación/reactivación cíclica; V. *cyclical downturn/downswing*)].

D

D *a*: FINAN insolvente, de acuerdo con las agencias calificadoras —*rating bureaux*— norteamericanas *Moody* y *Standard & Poor*; V. *AAA*.

D/A *n*: V. *deposit account; documents against acceptance, delivery against acceptance*.

D/A bill *n*: V. *documents against acceptance bill*.

dabber *col n*: BOLSA especulador de poca monta en bolsa; V. *scalper*.

dabble *col v*: meterse, entremeterse ◊ *A few mutual funds have dabbled in derivatives*. [Exp: **dabble in stocks** (BOLSA especular en Bolsa, jugar a la Bolsa; V. *scalp, scalper*)].

DAC *n*: V. *Development Assistance Committee*.

DAF *n*: V. *delivered at frontier*.

daily *a*: diario. [Exp: **daily balance interest calculation** (cálculo diario de los intereses en cuenta corriente por el sistema de escalones), **daily cash position** (estado diario de caja), **daily freight** (TRANS flete por jornada), **Daily Official List** (V. *Stock Exchange Daily Official List*), **daily rate** (tipo de interés diario), **daily reports** (SEG situación diaria), **daily settlement** (MERC FINAN/PROD/DINER liquidación diaria de pérdidas y ganancias de cada negociación), **daily time sheet** *US* (registro diario de jornales), **daily wage** (REL LAB jornal)].

daimyo bond *n*: FINAN bono al portador emitido por el Banco Mundial.

dairy *a/n*: lácteo, lechero; lechería, vaquería, quesería, central lechera. [Exp: **dairy cattle** (vacas lecheras), **dairy farm** (IND granja lechera; explotación láctea; V. *cattle-breeder; stockfarming*), **dairy farming** (industria lechera), **dairy produce/products** (IND productos lácteos)].

damage *n/v*: DER daño, agravio, menoscabo material o moral causado a una persona, pérdida, quebranto, perjuicio, desperfecto, avería, siniestro; dañar, damnificar, estropear, deteriorar; perjudicar la reputación; averiar; V. *accidental damage, sea damage; certificate of damage, invoice for damage; wrong, injury; assessment; average*. [*Damage*, en singular, se aplica al menoscabo material o moral que cualquiera puede experimentar en su persona, en sus derechos, en su reputación o en sus bienes como consecuencia de incumplimiento de contrato o *breach of contract*. Exp: **damage certificate** (V. *certificate of damage*),

damage claim (SEG reclamación a la compañía de seguros por los daños sufridos), **damage compensation** (SEG indemnización por daños), **damage containment exercise** (V. *damage limitation/containment exercise*), **damage in transit** (TRANS avería de ruta, daños durante el tránsito), **damage limitation/containment exercise** (COMER, PUBL táctica, estrategia o campaña para minimizar, reducir o limitar los daños o el impacto negativo; campaña de maquillaje tendente a mejorar la imagen deteriorada; intento de salvar la imagen/las apariencias ◊ *The minister's speech following the financial scandal is seen as a damage limitation exercise calculated to soothe public indignation*), **damage provision** (cláusula de reparación o indemnización por daños y perjuicios), **damage recovery** (SEG reparación de los daños, resarcimiento de daños), **damage report** (SEG denuncia, atestado, acta de avería, informe razonado de daños sufridos), **damage survey** (SEG valoración/inspección de daños o de avería; V. *average; assessment*), **damaged beyond repair** (SEG dañado sin posibilidades de reparación; V. *abandon cargo, ownership, etc.*)].

damages *n*: indemnización, reparación o compensación económica por daños y perjuicios; resarcimiento o indemnización pecuniaria; V. *liquidated damages, unliquidated damages, consequential damages*. [La palabra *damages*, en plural, se aplica a la indemnización por los daños y perjuicios sufridos por el demandante; a veces se emplea, en su lugar, el término *damages award*. Exp: **damages and losses incurred** (DER daños y perjuicios), **damages award** (DER fallo de indemnización por daños y perjuicios), **damages in contract/damages for breach of contract** (DER indemnización de daños y perjuicios por incumplimiento de contrato), **damages indemnification** (DER indemnización por daños y perjuicios), **damages in lieu** (DER indemnización sustitutoria de la prestación pactada y no cumplida; en muchas demandas, en lugar de solicitar la ejecución o estricto cumplimiento del contrato —*specific performance*— se puede pedir indemnización sustitutoria de daños y perjuicios), **damaging** (perjudicial, dañoso)].

damp *a/n/v*: húmedo; humedad; humedecer, mojar; deprimir; calmar, enfriar, entibiar, desanimar, abatir; apagar, amortiguar; V. *dry*. [Exp: **damp down** (reducir, amortiguar ◊ *The banks raised their interest rates to damp down the demand for loans*), **damp squib** (fracaso, decepción; acontecimiento, medida, etc. que no está a la altura de la expectación creada ◊ *After the enticing advertising campaign, the product itself turned out to be a bit of damp squib*), **dampen** (FINAN humedecer, mojar; deprimir; calmar, enfriar, entibiar, desanimar, abatir; apagar, amortiguar, moderar, normalizar ◊ *News of the company's difficulties dampened the market*; V. *dry*), **dampening** (moderación, amortiguamiento; V. *easing*), **dampening/easing of the amplitude of the trade cycle** (ECO normalización del ciclo económico), **damper** (desengaño, desencanto; V. *put a damper on; chill business*), **damping** (humedecimiento, amortiguamiento)].

dandy note *US n*: TRANS MAR orden dada a un consignatario de buques —*shipping agent*— por un exportador para que cargue en el barco, con la autorización del funcionario de aduanas, mercancías suyas situadas en un depósito aduanero o almacén de aduanas —*bonded warehouse*.

danger *n*: peligro. [Exp: **danger money** (REL LAB plus de peligrosidad, plus por trabajo peligroso, prima de riesgo ◊ *Workers on oil-platforms are highly paid because their wages include danger money*; V. *ultrahazardous activities, occupational hazard; sink money, dirty money; bonus*), **dangerous** (peligroso)].

dark *a*: oscuro; V. *clear*. [Exp: **dark-side hacking** *col* (DER contaminación maliciosa de ordenadores por medio de virus informáticos; V. *hacking*)].

data *n*: datos, información, resultados de un estudio; V. *facts; raw data; time series data; cross-section data*. [Exp: **data acquisition** (recopilación de datos), **databank/database** (banco/base de datos), **data capture** (captación, recogida de datos; V. *draft capture; bank card date capture*), **data collection/ gathering** (recopilación/recogida de datos), **data collection techniques** (técnicas de recogida de datos), **data input** (introducción de datos), **data display system** (sistema de presentación de datos), **data encryption standards** (BANCA normas de codificación de datos bancarios), **data freight receipt** (TRANS recibo de carga no negociable), **data handling device** (dispositivo de utilización de datos), **data mining** (depuración de datos disponibles, a fin de obtener información imprescindible para la gestión empresarial), **data processing** (elaboración/proceso de datos; V. *business data processing*), **data processor** (procesador de datos), **data protection** (protección o salvaguardia de los datos almacenados electrónicamente; V. *hacking, dark-side hacking*), **data/ information retrieval** (recuperación de datos), **data sheet** (hoja de datos técnicos), **databank/database** (V. *data bank/data base*), **datamation** (término correspondiente a *automatic data processing* —proceso automático de datos—)].

date *n/v*: fecha, plazo; fechar, datar; V. *declaration date, delivery date, effective date; antedate, post-date, update; out-of-date*. [Exp: **date, at** (en la fecha indicada), **date back** (retroceder, antedatar; V. *backdate*), **date bill** (letra con vencimiento fijo; V. *bill after date*), **date bond** (bono a plazo fijo), **date draft** (letras a x días fecha), **date due** (fecha del vencimiento), **date forward** (adelantar la fecha de un documento), **date of acceptance** (fecha de aceptación de un efecto comercial), **date of bankruptcy/cleavage** (fecha de presentación de la petición de quiebra), **date of bill** (fecha de vencimiento de una letra), **date of commencement** (fecha de entrada en vigor de una ley), **date of filing** (fecha de presentación de un documento), **date of issue** (fecha de emisión), **date of inception** (fecha de efecto), **date of maturity** (día del vencimiento; V. *maturity date, due date*), **date of record**[1] (fecha de registro), **date of record**[2] (BOLSA fecha límite de adquisición o tenencia de acciones para tener derecho a los dividendos correspondientes; fecha de reparto de dividendos; V. *ex-dividend, cum dividend; record date*), **date of, under** (con fecha de), **date-stamp** (sello de la fecha; fechador), **date, to** (hasta el día de la fecha), **dated** (fechado), **dated bond** (bono con vencimiento fijo; V. *term bond*), **dated date** (FINAN fecha a partir de la cual comienzan a correr los intereses de los bonos o valores de renta fija), **dated securities** (BOLSA títulos [con vencimiento] a plazo fijo; V. *undated securities*), **dating** (plazo; vencimiento; ampliación de plazo en el cobro de deudas de facturas o *factoring*; V. *e.o.m dating*), **dating back** (SEG puesta en vigor con efecto retroactivo), **dating stamp** (fechador)].

daughter company *n*: SOC sociedad filial o subsidiaria; V. *subsidiary company, associated company.*

dawn ball *n*: «baile al amanecer»; táctica ofensiva del tiburón financiero o shark; alude, como todos los términos parecidos, a la incursión realizada «al alba», o cuando el adversario no está preparado para repulsar el ataque.

dawn raid *n*: BOLSA incursión al amanecer; alude a la venta masiva de acciones para provocar una caída en la cotización; embates del papel; estrategia de adquisición de un gran paquete de acciones, abonando una prima sobre su precio de mercado ◊ *A dawn raid is sometimes a prelude to a takeover bid*; V. *bear raiding; raider, corporate raider; bang the market; fan club, acting in concert; takeover, takeover bid, shark, greenmail, leveraged buyout, white knight, Schedule 13D, unfriendly takeover, target company.*

DAX index *n*: índice de la Bolsa de Francfort; V. *Amex composite.*

day *n*: día; V. *account day, accounting day, business day, clear day, motion day, non-business day, non-judicial day, order of the day, quarter day, running days.* [Se emplea en la expresión *at X days's notice* —con X días de preaviso. Exp: **day after recall** (PUBL seguimiento, evaluación o análisis inmediato, o en las 24 horas siguientes, de la retención del impacto producido por un nuevo anuncio, normalmente por televisión, en la opinión pública; se estudian los recuerdos asistidos —*aided recall*—, los espontáneos —*spontaneous recall* y los sugeridos —*suggested recall*), **day book, DB** (CONT diario de entradas y salidas; V. *journal, purchases book, sales book*), **day care** (REL LAB guardería, servicio de guardería), **day cycle** *US* (BANCA período comprendido entre las 8 y las 13 horas,

dedicado a la transmisión automática de créditos o débitos para la compensación interregional; V. *daytime window; clearing house*), **day/days of grace** (plazo razonable; prórroga especial, período de gracia o de cortesía para el pago de una deuda o de una letra de cambio, etc.; V. *grace period; forbearance; non-forfeiture period*), **day labour** *US* (trabajo a jornal), **day labourer** (REL LAB jornalero), **day loan** (BOLSA préstamo diario; normalmente el que los bancos dan a los intermediarios para las compras de valores; V. *broker's call loan*), **day off** (REL LAB día libre; permiso de 24 horas; día de asueto o descanso ◊ *She took the day off to attend her friend's wedding*; V. *leave, working day*), **day order** *US* (MERC FINAN/PROD/DINER orden para el día, orden de compra o venta de valores, materias primas, etc. válida para un solo día; V. *good until cancelled, limit order; fill or kill order, FOK; revocable stock exchange order*), **day rate** (jornal; cuota diaria; tarifa diurna), **day release** (REL LAB permiso para perfeccionamiento profesional; se trata de un sistema de permisos dados por una empresa a sus empleados jóvenes mediante el cual éstos quedan liberados uno o varios días laborables a la semana para asistir a cursos de formación o perfeccionamiento ◊ *The College offers a course in business methods for day-release students*; V. *in-service training, in-house training*), **day release course** (REL LAB curso de perfeccionamiento profesional seguido por los empleados en horas laborables; V. *block release, sandwich course*), **day shift** (REL LAB turno de día), **day trader** (MERC FINAN/PROD/DINER, BOLSA posicionista de un solo día en varios corros; operador de mercados en nombre propio o *local*, que se mueve, a diferencia del *scalper*, en uno o varios corros de mercados a corto plazo sobre fluctuaciones mínimas, obteniendo pequeños beneficios, o soportando pequeñas pérdidas, con el *spread*[3] o diferencial entre los precios de compra y venta de los valores; y como éste mantiene posiciones diarias, es decir, liquida las que ha tenido al final de la sesión; V. *scalpers, position trader, spreader; local; dabber*)]. **day-to-day** (diario, día a día, cotidiano, rutinario), **day-to-day accommodation/loan** (FINAN préstamo día a día; este préstamo, que suelen pedir, entre otros, los corredores de bolsa —*stockbrokers*— y los intermediarios de efectos —*bill brokers*—, se prorroga día a día con el consentimiento de las partes; V. *bridging loan; short-term loan*), **day-to-day money** (BANCA dinero a la vista; dinero exigible con preaviso de un día; préstamo bancario a la vista o exigible en cualquier momento, también llamado *overnight deposit/ money*; V. *at call, money at/on call, call money, demand loan*), **day-to-day rate** (tipo de interés día a día), **days past due** (días de atraso), **day-weighted method** (FINAN método de rentabilidad ponderada diaria; V. *time-weighted return*), **days' date** (a uno o más días fecha), **day's effect** (BOLSA efecto día de la semana; V. *pre-holiday effect*), **day's spread** (FINAN amplitud del rango de cotización de una moneda frente a otras en un día), **day's wages/pay** (jornal; V. *day labour*), **daybook** (libro de entradas y salidas; libro de diario), **daylight overdraft/ exposure** (BANCA descubierto que se crea en las compensaciones interbancarias provisionales, las cuales sólo son definitivas al final de la jornada ◊ *Daylight overdrafts are limited by Federal regulation to several multiples of Bank capital*; V. *CHIPS, FED wire*), **daylight-saving** (avance de la hora), **daylight-saving time** (ECO horario de verano),

daylight trading (BOLSA contratación de posicionistas de un solo día, como los *day traders* y los *scalpers*; se liquida en el mismo día para evitar ser considerado propietario de valores; operaciones de poca monta; V. *day trader, scalpers; dabble; aboveboard, position traders*), **dayweighted** (ponderado día a día), **daytime window** (V. *day cycle*)].

DB *n*: V. *day book*.

DBE *n*: V. *dispatch money payable at both ends*.

DBK *n*: V. *drawback*.

DCF *n*: V. *discounted cash flow*.

DD *n*: V. *direct debit*.

DDO *n*: V. *dispatch at discharging only*.

DDP *n*: V. *delivered duty paid*.

DDU *n*: V. *delivered duty unpaid*.

de- *prefijo*: de-, des-. [Exp: **de-crater** (TRANS MAR desenjaular; descargar mercancía enjaulada), **de facto** (de hecho), **de-industrialization** (ECO desindustrialización), **de minimis** (TRIB cantidades tan pequeñas que no vale la pena incluirlas en la declaración), **decapitalization** (descapitalización), **decapitalize** (descapitalizar), **decapitalization** (FINAN descapitalización; V. *capital depletion*), **decasualization** (REL LAB supresión de los puestos de trabajo eventual), **declassify** (levantar el secreto ◊ *After fifty years, certain classes of secret information are declassified and may be published*; V. *classify*), **decode** (descifrar; V. *coding*), **decoder** (descodificador, descifrador), **decontrol** (liberalizar, suprimir controles), **de-domiciling** US (SOC cambio de sede social), **dehire** US (REL LAB despedir), **demarketing** (desmarketing; alude a las estrategias encaminadas a disminuir la demanda de productos o recursos vitales, por ejemplo el petróleo, que pueden agotarse por un consumo excesivo; V. *marketing*)].

dead[1] *n*: inactivo, sin movimiento, sin valor, improductivo, inmovilizado, muerto; V. *dull*. [Exp: **dead**[2] *col* (muy, absolutamente; V. *dead cert*), **dead account** (BANCA cuenta inactiva; cuenta de persona fallecida; cuenta imaginaria), **dead assets** (CONT activo improductivo o sin valor), **dead capital/money** (FINAN capital improductivo, ocioso, inactivo o mal invertido; fondos improductivos o excesivos en cajas y bancos; V. *active/productive capital; unproductive/idle capital*), **dead cargo** (TRANS MAR lastre), **dead cat bounce** (BOLSA salto del gato muerto; recuperación momentánea de la bolsa sin causa aparente, probablemente por compras de cobertura —*short covering*—, a la que seguirá inmediatamente una nueva caída), **dead cert** *col* (cosa segurisima, pan comido; para decir que una inversión, apuesta, persona, etc. es completamente segura, o sea, que no puede fallar, se dice *dead cert*, siendo *cert* la forma mutilada de *certainty* ◊ *She's a dead cert to occupy the president's position*; V. *racing certainty*), **dead-end** (callejón sin salida, punto muerto), **dead-end job** (REL LAB empleo sin futuro), **dead freight, DF** (TRANS MAR flete falso; flete sobre el vacío; este flete se paga por el espacio del barco comprometido y no ocupado), **dead letter**[1] (TRANS carta no reclamada; carta a la que no se le puede dar curso), **dead letter**[2] (DER papel mojado ◊ *As nobody pays any heed to this regulation, it has become in practice a dead letter*), **dead loan** (préstamo no pagado en la fecha de vencimiento; préstamo sin fecha de vencimiento; este tipo de préstamo nace de anticipos bancarios, por ejemplo, descubiertos, que se convierten en préstamos al no haberse pagado en su debido momento; V. *overdraft*), **dead loss** (SEG siniestro/pérdida total), **dead money** (V. *dead capital*), **dead pledge** *US* (BANCA pignoración sin valor, hipoteca pagada a su vencimiento), **dead reckoning** (TRANS navegación de estima), **dead rent** (arrendamiento mínimo fijo por la explotación de una mina, etc.; el resto dependerá del mineral extraído), **dead season** (ECO época turística de demanda muy baja; V. *high season*), **dead security** (BANCA activos no aceptados como avales o garantías), **dead stock** (CONT activo/capital improductivo; existencias inmovilizadas; activos o valores difíciles de vender), **dead time** (IND tiempo muerto; V. *down time*), **dead tonnage** (peso muerto), **dead weight**[1] (tara, peso muerto de un buque, camión, etc.; también puede ser equivalente a *dead weight capacity*; V. *tare*), **dead weight**[2] (V. *dead weight cargo*), **dead weight capacity** (TRANS tonelaje; capacidad de carga), **dead weight tons/tonnage, DWT** (TRANS MAR toneladas de peso muerto, capacidad de carga), **dead work** (GEST actividades preparatorias de otras), **deadbeat** *col US* (BANCA personas con muy mala reputación crediticia; V. *belt and suspenders*), **deadheading**[1] (REL LAB promoción por méritos, no por antigüedad), **deadheading**[2] (TRANS MAR regreso/retorno en lastre; V. *ballast*), **deadline** (fecha/plazo límite/tope, cierre, plazo; fin/límite del plazo fijado, fecha del vencimiento; V. *closing day, mature, meet a deadline*), **deadlock** (punto muerto, estancamiento, callejón sin salida, paralización, detención; bloquearse, paralizar-se, entrar en punto muerto; V. *stalemate, standstill*), **deadweight burden of taxes** (ECO, TRIB pérdida irrecuperable de eficiencia debido a los impuestos; también se le llama «despilfarro» o *waste*), **deadweight debt** (FINAN deuda muerta o improductiva;

deuda para gastos corrientes, no para inversiones; deuda pública de peso muerto; V. *productive debt; private debt; external debt, fixed debt, floating debt, funded debt, unfunded debt*)].

deal[1] *n/v*: operación/transacción comercial; operar, negociar, comerciar; V. *transaction, trade, trading; business deal; negotiate*. [Exp: **deal**[2] (trato, acuerdo global, pacto; tratar, pactar, cerrar un trato; traficar, agenciar; V. *bargain, arrangement; new deal*), **deal**[3] (componenda, ardid, estratagema, treta, trato poco limpio; V. *wheeler-dealer, insider trading, tip-off*), **deal**[4] (COMER, PUBL oferta especial con obsequio o reducción de precio; V. *premium/special offer*), **deal**[5] (conjunto de medidas económicas), **deal in** (dedicarse al comercio de; V. *We deal in silk products*), **deal net** (tratar en firme), **deal stock** (BOLSA acciones de empresas afectadas por rumores de OPAS, fusiones, etc.), **deal stream** *US* (FINAN busca-fondos; alude a la búsqueda de fondos para la promoción empresarial de ideas; V. *joint venture*), **deal with**[1] (despachar, dar salida ◊ *The secretary was extremely efficient and dealt with all the mail in about fifteen minutes*), **deal with**[2] (ser responsable de, encargarse de, estar al frente de ◊ *All matters relating to invoices and orders are dealt with by the Accounts Section*)].

dealer[1] *n*: comerciante, concesionario, distribuidor; V. *franchised dealer; merchant; trader; wholesale/retail dealer*. [Exp: **dealer**[2] (BOLSA agente mediador o intermediario financiero que adopta forma societaria; sociedad mediadora en el mercado de dinero; sociedad de valores, especialmente en plural —*dealers*—; comisionista de valores; agente/operador bursátil por cuenta propia; corredor de Bolsa; creador de mercado o *market maker*; miembro de

un mercado financiero que actúa, no sólo por cuenta ajena, sino también por cuenta propia, adoptando una posición determinada en el mercado; miembro de una sociedad de valores; V. *broker, authorized dealer, wheeler-dealer, exchange dealer*), **dealer**[3] (MERC FINAN/DINER agente colocador de un programa de suscripción; V. *issuing and paying agent, IPA*), **dealer aids/helps** (COMER/PUBL ayuda o material auxiliar —muestras, catálogos, etc.— de ventas que se facilita al distribuidor; V. *display aids*), **dealer bank** *US* (banco especializado en la suscripción de valores del Estado y en su intermediación; también se les llama *broker-dealers*), **dealer display** *US* (exhibición para minoristas; V. *retailer*), **dealer financing** (BANCA compra que hace un banco, al descuento, de los préstamos hechos por un concesionario de coches, o de otros artículos; V. *indirect lending*), **dealer imprint** (PUBL filigrana) **dealer margin** (COMER margen del comerciante), **dealer position** (posición del cambista), **dealer reserve** (BANCA cuenta que el concesionario de coches o de artículos de consumo tiene en el banco que le compra, al descuento, las letras o préstamos firmados por sus clientes para financiar sus compras; V. *dealer financing*), **dealer's brand** (COMER marcas de productos patrocinadas por los vendedores en vez de por los productores, también llamadas *private brands*; V. *house brands*), **dealer tie-in** *US* (PUBL lista de distribuidores; anuncio en el que se incluyen la lista nacional o provincial de distribuidores)].

dealing *n*: contratación/operación en bolsa; negocio, transacción, gestión, operación, comercio; comercio de divisas, trato, venta; V. *trading, foreign exchange dealing, insider dealing/trading, option dealing*. [Exp: **dealing room**[1] (BANCA sala de cambios de un banco; V. *FX department*), **dealing room**[2] (MERC FINAN/PROD/DINER oficina/sala de contratación y de atención al cliente; llamada también *front office* y *trading room*, en ella residen los mandos de gestión y los servicios de atención al cliente para gestión, arbitraje, especulación; V. *back office*), **dealing slip** (BOLSA impreso de operaciones bursátiles; boleta), **dealings** (trato; negocios, transacciones ◊ *She has always been very courteous in her dealings with us*)].

dear *a*: caro, costoso. [Exp: **dear money** (dinero caro, dinero prestado a un interés muy alto; V. *cheap/easy money; tight money*), **dearness allowance** (REL LAB subsidio por carestía de la vida; V. *cost of living allowance*)].

dearth *n*: escasez; V. *shortage, scarcity*.

death *n*: muerte, fallecimiento. [Exp: **death and disability insurance** (SEG seguro de vida e incapacidad), **death benefit** (SEG indemnización por fallecimiento del asegurado), **death duties/tax** (impuesto de sucesiones, contribución sobre la herencia; todos los impuestos sobre sucesiones —*estate duty, legacy duty, succession duty* y *capital transfer tax*— son conocidos en los Estados Unidos y en el Reino Unido con el nombre genérico de *death duties*; en este último país, a su vez, han sido sustituidos por el llamado *inheritance tax*, que es el nombre moderno de este impuesto), **death grant** (subsidio para gastos de entierro), **death in duty/service** (REL LAB indemnización por muerte en acto de servicio), **death rate/ratio** (índice o tasa de mortalidad), **death strain** (SEG capital en riesgo en el momento del fallecimiento), **death tax** US (V. *death duty*), **death valley curve** (FINAN curva del valle de la muerte; gráfico que muestra la caída del capital de las empresas de capital-riesgo —*ventures*—por no llegar las rentas esperadas para hacer frente a los gastos)].

deb *col n*: V. *debenture; debit*.

debase *v*: falsificar, degradar, adulterar, envilecer. [Exp: **debasement** (adulteración, falsificación, degradación), **debasement of coinage/currency** (depreciación de la moneda por rebaja en el contenido metálico; V. *depreciation of coinage*)].

debate *n/v*: debate, discusión, contienda, litigio, disputa, controversia, examen, análisis; debatir, discutir, argüir, razonar, disputar, defender, probar con argumentos, argumentar, contender ante los tribunales; V. *discuss, argue, contend for*. [Exp: **debatable** (discutible, dudoso)].

debenture[1] *n*: BOLSA valor de renta fija a largo plazo; obligación, bono, empréstito, préstamo, vale, título de crédito, cédula; orden de pago; también se le llama *debenture stock*; V. *bond, fixed rate securities, treasury bill, certificate of deposit*. [Exp: **debenture**[2] US (obligación/título sin garantía; bono sin respaldo específico; al no tener garantía pignoraticia, hipotecaria ni de otra clase en los EE.UU., el prestatario responde con el conjunto de sus bienes, como en el caso del pagaré; en el Reino Unido, en cambio, estas obligaciones/empréstitos suelen tener una garantía prendaria, ya hipotecaria, como en las *mortgage debentures* y *fixed debentures*, ya general, como en las *floating debentures*; las que no tienen garantía se llaman *naked debentures* o *unsecured bonds*; V. *convertible debentures; floating debentures; loan stock; mortgage bonds; naked debenture; indenture, senior issue, subordinated issue; debt securities*), **debenture**[3] (deuda; se aplica genéricamente a todas las formas de deudas, no garantizadas, a largo plazo), **debenture bond** (FINAN cédula hipotecaria, obligación; pagaré de empresa; bono con garantía de activos en el Reino Unido y sin esta garantía en los Estados Unidos; V. *floating debentures; bond debentures; secured debentures, unsecured debentures; mortgage debentures; naked debentures*), **debenture capital** (FINAN, SOC capital en obligaciones; activo de una mercantil obtenido por medio de la emisión de obligaciones), **debenture certificate** (TRIB certificado de reducción de derechos de importación para bienes que serán luego exportados), **debenture holder** (obligacionista, tenedor de obligaciones, acreedor; V. *bondholder*), **debenture indenture** (escritura de emisión de obligaciones; V. *deed of trust; indenture*), **debenture issue** (SOC obligaciones emitidas con la garantía de los activos de la empresa), **debenture loan** (préstamo con obligaciones; crédito o empréstito obtenido mediante la emisión de obligaciones; crédito contra pagaré; V. *government borrowing*), **debenture stock,**[1] **DS** (BOLSA, SOC acciones no redimibles/irredimibles o privilegiadas, también llamadas obligaciones perpetuas —*perpetual debentures*; los titulares de estas acciones tienen derecho a recibir intereses antes de que se autorice el pago de dividendos; V. *debenture*[1]), **debenture stocks**[2] **DS** (BOLSA, SOC bonos del Estado; V. *government bonds*)].

debit, deb *n/v*: CONT adeudo, débito, cargo, saldo deudor, debe; cargar en cuenta, debitar, adeudar, consignar/asentar/ anotar en el debe; V. *direct debit; charge*. [Exp: **debit account** (CONT cuenta deudora), **debit advice/note** (aviso de cargo/adeudo), **debit an account** (cargar en cuenta, adeudar), **debit and credit** (debe y haber), **debit balance** (saldo deudor; V. *credit balance*), **debit capital** (capital de adeudo; fondos en préstamos para financiar un negocio), **debit card** (tarjeta de débito o adeudo; los pagos efectuados con esta tarjeta, también llamada *cash card* o *payment card*, se cargan automáticamente a la cuenta de su titular y gozan de la misma consideración que el dinero efectivo o *cash*; V. *asset card; credit card*), **debit charge procedure** (procedimiento de nota de cargo), **debit column** (columna del debe; V. *debit side*), **debit deferred** (CONT cargo diferido), **debit entry** (CONT débito, cargo, asiento de adeudo/cargo; cantidad cargada; partida deudora; V. *post a debit; account entry, recording, credit entry*), **debit interest** (intereses deudores; V. *interest payable*), **debit memorandum, debit memo** US (aviso de débito o cargo), **debit note**[1], **DN** (CONT nota de adeudo, de débito o de cargo; V. *debit advice, charge ticket; debit memorandum*), **debit note**[2] (SEG nota en la que la compañía comunica al agente la prima que se debe pagar por el seguro que propone), **debit postings** (CONT asientos de débito o cargo), **debit ratio** (ratio de endeudamiento), **debit relief** (FINAN quita; V. *debit write-off, debt relief*), **debit side** (CONT debe o columna de la izquierda; V. *double-entry bookkeeping; credit side*), **debit spread** (BOLSA margen/diferencial/diferencia deudor/a entre el precio pagado por una opción que se ha adquirido y el precio obtenido por otra que se ha vendido; V. *spread, bull spread, bear spread, butterfly spread, calendar spread, credit spread, price spread, vertical spread, diagonal spread; put, call*), **debit ticket** (V. *debit memorandum/note*[1]), **debit write-off** (CONT quita; V. *debt relief*), **debitable** (adeudable)].

debris *n*: basura, residuo, chatarra; V. *dirt, dump*. [Exp: **debris removal** US (SEG gastos de desescombro; cobertura de riesgo de gastos de desescombro de una propiedad damnificada)].

debt *n*: FINAN deuda, obligación, endeudamiento, débito; V. *bad debts; National Debt; dead debt, bonded debt, floating debt, judgment debt, passive debt, recoverable debt, senior debt, productive debt; private debt; external debt, fixed debt, floating debt, funded debt, unfunded debt; deadweight debt; discharge a debt, get into debt, write off.* [Exp: **debt**^{2} (CONT pasivo, también llamado *debt capital*; V. *equity*), **debt adjusting** (gestión de liquidación de deudas; en esta gestión pueden intervenir terceros que, mediante una comisión, se hagan cargo del cobro de las deudas), **debt amortization** (amortización del pasivo), **debt buyback** (rescate de deuda), **debt capital** (CONT pasivo; capital adeudado; recursos ajenos a largo plazo, también llamado *loan capital*; V. *equity*), **debt collecting/collection agency** (agencia de cobro de deudas), **debt collection** (cobro de morosos), **debt collection for realisation of pledged property** (acción para la enajenación de la prenda), **debt collector** (cobrador de morosos), **debt counselling** (asesoramiento en fórmulas para la liquidación de deudas; V. *collection agencies*), **debt consolidation** (consolidación de la deuda), **debt conversion** (conversión de la deuda pública), **debt-coverage ratio** (coeficiente del servicio de la deuda, también llamado *debt service ratio*), **debt-debt swap** (V. *debt swap*), **debt defeasance** (canje de deuda vieja por deuda nueva con menor valor nominal), **debt discount** (descuento en préstamos), **debt discounting** (redescuento de obligaciones; compra al descuento de efectos comerciales —letras, pagarés, etc.; V. *forfeiting*), **debt due** (deuda a pagar), **debt enforcement** (acción por vía de embargo), **debt equity** (CONT pasivo contable), **debt-equity ratio** (índice o coeficiente de endeudamiento; relación entre deuda y recursos propios; coeficiente del capital contable), **debt equity swap** (V. *debt for equity swap*), **debt factor** (GEST agente comisionado que negocia el cobro de deudas), **debt financed buy-out** (adquisición de empresas financiadas con préstamos), **debt financing** (financiación de la deuda; empréstito a largo plazo; financiación mediante endeudamiento; emisión de deuda; V. *equity financing; debt refinancing*), **debt-for-bond swap** (permuta financiera o «swap» de la deuda del país deudor por bonos emitidos por un banco de dicho país), **debt-for-cash swap** (canje de deuda por efectivo), **debt-for-collateralised securities conversion** (conversión de deuda en valores respaldados por una garantía), **debt-for-debt swap** (MERC FINAN/PROD/DINER permuta financiera o «swap» de deuda por deuda; se trata de una permuta de créditos bancarios en divisas pendientes de pago por deuda de nueva emisión con características muy diferentes), **debt for equity swap**^{1} US (MERC FINAN/PROD/DINER permuta financiera, canje o «swap» de deuda por capital social o participaciones accionariales; V. *debt swap, debt-peso swap*), **debt for equity swap**^{2} US (MERC FINAN/PROD/DINER permuta financiera o «swap» de deuda/obligaciones por acciones o capital social; consiste el acuerdo en permutar la deuda que un país subdesarrollado ha contraído en dólares con un banco por acciones de sociedades mercantiles de dicho país; el prestamista compra dichas acciones con las divisas locales que le da el prestatario en el acuerdo de permuta o «swap»; V. *debt* *restructuring*), **debt funding** (consolidación de la deuda), **debt instrument** (documento escrito —bono, obligación, pagaré—, mediante el que se reconoce una deuda; V. *indenture*), **debt limit** (capacidad legal máxima de endeudamiento de un organismo público, límite de endeudamiento), **debt loading** (práctica de aumentar de forma exagerada las deudas personales previendo una posible quiebra), **debt monetization** (monetización de la deuda; aumento del dinero en circulación de un país para financiar su déficit público), **debt of record** (deuda por juicio), **debt offering** (emisión de deuda), **debt overhang** (deuda paralizante; sobreendeudamiento; alude a un nivel de endeudamiento superior al valor de los activos), **debt owing** (deuda exigible), **debt-peso/peseta, etc. swap** (permuta financiera o «swap» de deuda en moneda extranjera por moneda nacional; compra por un banco de la deuda externa de su país en moneda extranjera para convertirla luego en moneda nacional; V. *debt swap, debt for equity swap*), **debt ratio** (tasa/ratio de endeudamiento; relación entre los fondos de financiación externa y los fondos propios de una empresa, es decir, el grado de financiación externa de una empresa; V. *capital gearing, gearing, leverage*), **debt rearrangement/reorganization** (refinanciación/reorganización de la deuda), **debt redemption/ repayment** (amortización de la deuda), **debt reduction facility** (fondo para la reducción de la deuda), **debt refinancing** (refinanciación de la deuda; normalmente consiste en sustituir la deuda antigua por otra nueva, a tipos más bajos; V. *debt restructuring; debt-for-equity*), **debt register claim** (crédito contabilizado), **debt relief** (CONT quita; alivio de la deuda; V. *debit relief, debit write-*

off), **debt repayment schedule**[1] *US* (cuadro/plan de amortización de un préstamo; V. *amortization schedule*), **debt repayment schedule**[2] *US* (plan de devolución de las deudas de un quebrado; consiste en entregar determinada cantidad todos los meses, durante tres/cinco años al juzgado de la quiebra, para que la distribuya entre los acreedores años; V. *wage earner plan*), **debt rescheduling/restructuring** *US* (reprogramación de los vencimientos de la deuda, reprogramación de la deuda; renegociación/reconversión de la deuda cuando no hay más alternativa que el impago —*default*— del prestatario y el decomiso de los bienes en garantía —*seizure of collateral*— por el prestamista; consiste en facilitar al prestatario las condiciones del préstamo para que pueda devolverlo; V. *debt workout, debt refinancing; debt-for-equity; rephasing of a debt; rescheduling of debt*), **debt retirement** (reducción de la deuda), **debt securities** (empréstito; V. *debentures*), **debt service/servicing** (servicio/pago de la deuda; amortización del principal; alude a la amortización del principal e intereses de una deuda, tanto la pública como de cualquier mercantil que ha emitido obligaciones), **debt-service ratio, DSR** (coeficiente del servicio de la deuda o amortización de principal, también llamado *debt coverage ratio*; entradas de divisas por exportaciones necesarias para hacer frente a las deudas externas de un país; V. *loan-to-value ratio*), **debt-service requirements** (obligaciones relacionadas con el servicio de la deuda o amortización de principal), **debt servicing** (servicio de la deuda), **debt servicing capacity** (capacidad para atender el servicio de la deuda o amortización de principal), **debt structuring** (programación/estructuración de la deuda; V. *debt refinancing*), **debt swap** (permuta financiera o «swap» a otro banco de la deuda que un país tiene contraída en otra institución bancaria; también se le conoce con el nombre de *debt-debt swap*; V. *debt-equity swap, debt-peso swap*), **debt-to-capital/equity ratio** (coeficiente de endeudamiento; coeficiente de riesgo; coeficiente de apalancamiento; indicador de la capacidad de endeudamiento de una empresa; índice que mide el apalancamiento financiero de una sociedad; se obtiene dividiendo el pasivo total por el patrimonio neto, siendo mayor el riesgo cuanto más elevado sea el índice; V. *leverage*), **debt-to-equity ratio** (ratio deuda-capital), **debt-to-net worth ratio** (ratio de exigibilidad de capital; relación entre el activo y el pasivo), **debt to worth** (CONT razón del pasivo total a capital contable, también llamado *ratio of the total debt to the owners' equity*), **debt warrant** (opción de compra de bonos; suele ser un aliciente o incentivo a largo plazo, a diferencia de los *rights issue*), **debt workout** (renegociación [informal] de la deuda; V. *debt rescheduling*)].

debtee *n*: acreedor; al *debtee* le asiste el derecho a exigir el cumplimiento de una obligación; V. *creditor, grantor*.

debtor *n*: deudor, prestatario; V. *debtors; obligor; accounts payable; short-term debtor; tardy debtor; accounts receivable*. [Exp: **debtor account** (CONT cuenta deudora, números rojos; V. *debit account*), **debtor in default** (deudor moroso, deudor en mora), **debtor in possession** (empresa en quiebra o en suspensión de pagos que, ante los tribunales, actúa como su propio síndico de quiebra; V. *bankruptcy trustee*), **debtor nation** (nación deudora o endeudada; V. *borrowing country*), **debtor side** (CONT debe), **debtor warrant** (certificado de mejora; se trata de una promesa escrita del deudor accediendo al cumplimiento de otros pagos por encima de las cuotas de avenencia fijadas en el procedimiento de avenencia), **debtors** (CONT clientes; V. *customers*), **debtor's accounts** (cuentas deudoras), **debtors' interests** (intereses deudores)].

deceased account *n*: BANCA cuenta de fallecido.

deceit *n*: fraude; engaño, dolo, impostura; V. *fraudulent representation*. [Exp: **deceitful** (falso, doloso, engañoso), **deceive** (engañar, defraudar; V. *defraud*), **deceiver** (impostor, engañador), **deception** (engaño), **deception, by** (por medio de engaño; V. *by fraud*), **deceptive** (falso, engañoso)].

decelerate *v*: ECO desacelerar, frenar, ralentizar. [Exp: **decelerate smoothly** (ECO aminorar la marcha/suavizar el ritmo; V. *accelerate smoothly; ease into second gear*), **deceleration** (desaceleración)].

decentralization *n*: descentralización. [Exp: **decentralized firm** (empresa descentralizada)].

deception *n*: engaño. [Exp: **deceptive advertising** (publicidad engañosa)].

decide *v*: decidir, determinar, resolver; fallar, sentenciar, adjudicar. [Exp: **decision** (decisión; resolución judicial, providencia, auto o sentencia; en el derecho comunitario, decisión o acto jurídico dirigido, con carácter vinculante, a un Estado en particular o a cualquier individuo; V. *directive*), **decision-makers** (creadores/forjadores de la opinión), **decision-making** (GEST toma de decisiones), **decision-making power** (competencia decisoria), **decision matrix** (matriz de decisión; V. *decision theory; decision tree*), **decision process stages** (GEST etapas del proceso de toma de decisiones), **decision theory** (ECO, GEST teoría de las decisiones; V. *decision matrix, decision tree*), **decision tree** (GEST organigrama del proceso de toma de decisiones; en él se presentan gráficamente las secuencias de decisiones alternativas; gráfico de probabilidades condicionadas)].

deck *n*: TRANS MAR cubierta de un buque. [Exp: **deck cargo/load** (carga en/sobre cubierta, carga en puente), **deck cargo allowed** (autorizada la carga sobre cubierta; se utiliza esta frase porque normalmente los créditos documentarios prohíben expresamente el cargamento de la mercancía en cubierta; V. *on deck*), **deck hand** (marinero; V. *able-bodied seaman, hand*), **deck load** (cubertada, carga en/sobre cubierta; V. *deck cargo allowed*), **deck, on/under** (TRANS MAR sobre, en/bajo cubierta; V. *deck cargo allowed*), **deck stowage** (estiba en cubierta)].

declaration[1] *n*: declaración; V. *statement; declaration of income*. [Exp: **declaration**[2] (declaración, acto de ejercer los derechos de una opción; V. *declaration day*), **declaration**[3] (SEG solicitud formal de una póliza de seguros), **declaration**[4] (juicio declaratorio) **declaration date** (SOC fecha de anuncio de dividendos; fecha de declaración o *declaration of dividend*; V. *declare a dividend*), **declaration day** (BOLSA día de la declaración; día anterior al de la fecha de ejercicio de una opción —*exercise date*— en la que el titular de ésta debe declarar en la Bolsa de Londres si hará uso de la misma, tanto si es de compra —*call*— como de venta —*put*; V. *account day; declare an option*), **declaration insurance** (seguro declarado, también llamado *stock declaration policy*; el asegurado debe notificar mensualmente el valor de lo asegurado y los movimientos efectuados con las cosas

aseguradas), **declaration of bankruptcy** (declaración de quiebra o de concurso; V. *adjudication of bankruptcy*), **declaration of compliance** (SOC autorización oficial del acta de constitución de una sociedad mercantil; declaración que se presenta en el registro de sociedades —*Registrar of Companies*— manifestando que se cumplen todos los requisitos para constituir una sociedad; V. *certificate of incorporation*), **declaration of dividend** (V. *declaration date*), **declaration of income** (TRIB declaración de la renta; V. *tax return*), **declaration of indemnity** (SEG declaración de indemnización), **declaration of options** (FINAN declaración de intenciones respecto del ejercicio de las opciones), **declaration of solvency** (SOC declaración de solvencia; V. *wind up a company*), **declaration policy** (póliza abierta, general o flotante; V. *floating policy, open policy, open cover*), **declaration of trust** (DER declaración de fideicomiso), **declaratory** (declarativo, demostrativo), **declaratory action** (acción declarativa), **declaratory exception** (excepción declarativa)].

declare *v*: declarar, afirmar, proclamar, asegurar, confesar, testificar; escriturar; V. *announce, pronounce*. [Exp: **declare a dividend** (SOC acordar/fijar un dividendo; V. *pass a dividend*), **declare an interest** (manifestar en público las acciones, los valores, los contactos, en suma, las relaciones que se tienen con determinadas empresas por parte de funcionarios, jueces, etc.; declaración de interés), **declare an option** (MERC PROD/DINER indicar si se piensa ejercer o no los derechos de una opción; V. *declaration day; exercise an option*), **declare someone bankrupt** (declarar en quiebra), **declared capital** (SOC capital declarado o escriturado), **declared dividend** (BOLSA dividendo a cuenta; V.

interim dividend), **declared value** (TRANS valor declarado en Aduanas, etc.)].

decline[1] *n/v*: descenso, baja, caída, debilitamiento, contracción; descender, bajar, empeorar; V. *price decline*. [Exp: **decline**[2] (declinar, rechazar, rehusar una invitación, etc.; declinar la responsabilidad, etc.; renunciar, negarse a, rehusar), **decline in demand** (COMER descenso, disminución o contracción de la demanda), **decline in price of a currency** (depreciación de una moneda; V. *depreciation*), **decline list** (SEG lista de riesgos), **decline phase** (fase de declive de un producto; V. *product life cycle*), **decline responsibility** (declinar la responsabilidad), **decline stage** (ECO etapa de declive), **declining** (debilitamiento; reducción; decreciente, descendente, en declive/descenso; a la baja; V. *decreasing*), **declining balance depreciation method** (CONT método de amortización de saldos decrecientes; método de amortización porcentual; V. *accelerated depreciation, accumulated depreciation, reducing balance/charge method of depreciation, straight-line depreciation, double declining balance depreciation*), **declining economic activity** (recesión económica), **declining industries** (industrias en declive), **declining job satisfaction** (REL LAB satisfacción laboral/profesional decreciente), **declining market** (MERC PROD/DINER, BOLSA mercado a la baja; bolsa débil), **declining yield curve** (V. *negative yield curve*)].

decomposition *n*: ECO descomposición; alude a la fragmentación de los distintos componentes de una serie temporal o *time series*. [Exp: **decomposition analysis** (CONT análisis de descomposición de los estados contables)].

decontent *v*: vaciar de contenido; reducir prestaciones, rebajar calidad; abaratar costes mediante la supresión de prestaciones. [Exp: **decontenting** (reducción o sustracción de contenido a una mercancía; empobrecimiento de un producto; V. *spec slim*)].

decrease *n/v*: descenso, retroceso, reducción de capital, disminución de valor, etc.; disminuir, reducir ◊ *In April reserves showed a slight decrease*; V. *decline*; *net worth increase/decrease*. [Exp: **decrease endorsement** (SEG póliza de reducción; V. *increase endorsement*), **decreasing** (decreciente, descendente; V. *declining*), **decreasing charge method of depreciation** (CONT método de depreciación por cargos decrecientes), **decreasing costs** (costes decrecientes; V. *marginal cost; law of decreasing/increasing costs*), **decreasing returns** (FINAN rendimientos decrecientes; V. *diseconomies of scale*), **decreasing term assurance** (SEG póliza de seguro de vida en la que la cantidad asegurada disminuye con el paso del tiempo; suelen hacerse como garantías de préstamos personales o hipotecas)].

decree *n/v*: sentencia de un tribunal de equidad, fallo; decreto, auto, bando, edicto, apremio; decretar, mandar, ordenar, establecer, determinar; V. *judgement, award*. [Exp: **decree law** (decreto-ley), **decree of bankruptcy** (declaración judicial de quiebra), **decree of insolvency** (declaración de insolvencia)].

DDA *n*: V. *demand deposit account*.

dedicate *v*: destinar, consignar, aplicar, afectar; V. *allocate, appropriate, earmarked*. [Exp: **dedication of revenues** (CONT afectación de ingresos a determinados gastos; V. *appropriation, allocation; earmarking*), **dedicated portfolio** (FINAN cartera de valores finalista; se trata de una cartera destinada a hacer frente a fines predeterminados)].

deduce *v*: deducir, concluir.

deduct *v*: deducir, sustraer, rebajar. ◊ *Taxes paid by ordinary workers are deducted at source*. [Exp: **deductible** (deducible; V. *tax-deductible*), **deductible clause** (SEG cláusula deducible; el seguro no cubre los daños por una cantidad pequeña predeterminada; V. *franchise clause*), **deductible coverage** (SEG cobertura deducible), **deductible coverage clause** (SEG cláusula de franquicia; estipulación en una póliza de seguros mediante la cual el asegurado, con una prima reducida, se hace cargo de las pérdidas inferiores a una cantidad acordada; V. *excess*), **deductible expenses/expenditures** (gastos deducibles), **deductible insur-ance** (TRIB seguro deducible), **deduction** (TRIB deducción, descuento, desgravación, reducción, rebaja; V. *allowance³; abatement*), **deductions at source** (TRIB deducción del impuesto realizada por el pagador)].

deed¹ *n*: escritura, título legal; escritura traslativa de dominio; V. *act, title deed, private deed*. [Exp: **deed²** (acto, hecho, hazaña, realidad), **deed, in** (de hecho), **deed in fee** (escritura de pleno dominio), **deed in lieu of foreclosure** (DER documento de impedimento de procedimiento ejecutivo), **deed of arrange-ment** (convenio de quita y espera; escritura de concordato), **deed of assignment** (escritura/acta de cesión de la propiedad del deudor al acreedor), **deed of conveyance** (escritura de traspaso o traslación de dominio, acta de cesión), **deed of gift** (escritura de donación), **deed of incorporation** (acta constitutiva de una sociedad mercantil, escritura de constitución de una sociedad; aunque con menor frecuencia, a veces se emplea el término *deed of incorporation* en el sentido de *memorandum of association*; V. *memorandum of association, statutory declaration*), **deed of partnership** (SOC acta o escritura de constitución de una sociedad colectiva, contrato de asociación; V. *partnership*), **deed of release** *US* (cancelación de hipoteca), **deed of sale** (escritura de compraventa), **deed of surrender** *US* (título de cesión), **deed of transfer** (escritura de traspaso), **deed of trust** *US* (escritura de garantía, escritura de fideicomiso; acta de cesión a un fideicomisario; en muchos estados norteamericanos se emplea en vez de las hipotecas; el fideicomisario es el depositario del título de propiedad, que es devuelto al prestatario a la amortización del prestamo; en caso de impago el fideicomisario venderá la propiedad y devolverá el dinero al prestamista), **deed stock** (valores transferibles mediante escritura de cesión)].

deep *a*: profundo; V. *depth*. [Exp: **deep discount** (FINAN descuento elevado; a precio de saldo; se aplica a los bonos, normalmente los de cupón cero, que se venden a un precio inferior al 80 por cien de su valor nominal, que es el valor recuperable al vencimiento; S. *sell at a deep discount*), **deep-discount bond** (FINAN bono/obligación con gran descuento o valor descontado) **deep-draft vessel** (buque de gran calado), **deep in the money** (MERC FINAN/PROD/DINER muy en dinero; situación anómala que se presenta cuando el precio de una opción de compra o *call* es muy superior al de ejercicio —*strike/exercise price*—, o el de la opción de venta o *put* es muy inferior a éste; V. *in the money; at the money, out of the money*), **deep out of the money** (MERC FINAN/PROD/DINER muy fuera de dinero; situación anómala que se presenta cuando el precio de una opción de compra o *call* es muy inferior al del ejercio —*strike/exercise price*—, o el de la opción de venta o *put* es muy superior a éste; V. *in the money; at the money, out of the money*), **deepening** (intensificación, profundización; V. *capital deepening*), **deepening of capital** (FINAN intensificación de capital), **depth of the market** (BOLSA calado/profundidad del mercado; alude a la cantidad de divisas, valores o productos que operan en el mercado en determinado momento sin ocasionar distorsión en los precios), **deep stock** *US* (gran surtido de mercancías)].

deface *v*: mutilar, desfigurar. [Exp: **defaced coin** (moneda deteriorada), **defaced cheque** (cheque inservible por deterioro o alteración), **defacement** (destrucción maliciosa o mutilación de un documento, etc.)].

defalcate *v*: desfalcar; V. *embezzle, defraud, misappropriate*. [Exp: **defalcation** (desfalco, malversación, defraudación; V. *embezzlement, abstraction of bank funds*), **defalcator** (malversador)].

default *n/v*: falta, defecto, omisión; mora, incumplimiento de un contrato; falta/incumplimiento de pago, impago; fallido; quebrantamiento, incomparecencia; faltar, incumplir, no pagar, entrar en suspensión de pagos, desatender, no comparecer, incumplir algún contrato o estipulación. [Exp: **default, by** (por defecto, por inacción; en rebeldía; en defecto o ausencia de los demás; porque nadie acudió o se presentó ◊ *He was elected by default*), **default by the principal** (incumplimiento del ordenante), **default clause** (DER cláusula resolutoria; V. *defeasance clause*), **default costs** (costes de morosidad), **default-free interest rate** (FINAN tasa de interés libre de riesgo), **default, in** (habiendo incumplido un contrato, en mora, moroso, en ausencia), **default interest** (interés de mora o moratorio; V. *interest for delay*), **default of acceptance** (no aceptación, rechazo, devolución; V.

non-acceptance; acceptance), **default of contract** (incumplimiento de contrato), **default of payment** (impago, incumplimiento de pago), **default of payment, in** (en mora; por falta de pago), **default on obligations/payments** (no hacer frente a, incumplir o retrasarse en los pagos acordados contractualmente), **default risk** (riesgo de cobro/impago), **defaulted** (incumplido, moroso), **defaulted bond** (obligación en mora, bono impagado en mora), **defaulted contract** (contrato incumplido), **defaulter** (moroso, deudor, incumplidor; V. *bad payers; banker's reference, tardy debtor*), **defaulting** (incompareciente; moroso)].

defeasance *n*: anulación; amortización de una deuda anterior mediante la adquisición de obligaciones nuevas con valor nominal más bajo pero con un tipo de interés más alto; las condiciones de pago de la deuda antigua están cubiertas por la nueva fuente de intereses, con lo cual dicha deuda se considera extinguida y la diferencia acreedora, si la hay, entre la cantidad que se debía y los intereses devengados se consigna en el activo; V. *debt defeasance*. [Exp: **defeasance clause** (cláusula de anulación, cláusula resolutoria ◊ *The mortgage included a defeasance clause whereby the property returned to the bank in case of non-payment*; V. *default clause*), **defeasible** (anulable)].

defeat[1] *n/v*: derrota; derrotar; V. *reject*. [Exp: **defeat**[2] (anular, revocar un acuerdo o contrato, etc.), **defeat a motion** (rechazar/votar en contra de una moción o propuesta; V. *reject a motion, carry a motion*), **defeat a person's will** (anular el testamento de alguien; V. *break a will*)].

defect *a/v*: defecto, vicio; desertar, huir; V. *fault, vice; desert, abandon*. [Exp: **defect of substance** (defecto material; V. *hidden, inherent, latent/patent defects*),

defective (defectuoso, imperfecto, con defecto de forma; V. *faulty*)].

defence, defense *n*: defensa; alegación, contestación a la demanda, réplica; descargo. [En el inglés americano se prefiere *defense* a *defence*. Exp: **defense against acquisitions** *US* (SOC defensas contra adquisiciones; V. *shark repellent*), **defence fund** (REL LAB fondo de resistencia; fondo de huelga; V. *strike fund*), **defensive investment** *US* (FINAN inversión defensiva), **defensive merger** (FINAN, SOC fusión empresarial defensiva), **defensive portfolio** (BOLSA cartera defensiva; cartera formada por títulos cuyo valor es muy estable; V. *aggressive shares*), **defensive shares/stock** *US* (BOLSA acciones seguras y poco sensibles a la coyuntura; valores defensivos; V. *aggresive shares*)].

defend *v*: defender. [Exp: **defend-and-hold strategy** *US* (MERC estrategia de defensa y mantenimiento), **defendant** (demandado; V. *plaintiff*)].

defer *v*: aplazar, atrasar, diferir, demorar, suspender; V. *exend, delay, put off, remand*. [El adjetivo *deferred* —aplazado, diferido— suele acompañar a nombres como *credit, debit, shares, rebate, stock, etc*. Exp: **deferment** (CONT aplazamiento), **deferral** (CONT anticipo; diferidos), **deferred annuity** (anualidad/renta aplazada o diferida), **deferred annuity insurance** (seguro de renta diferida), **deferred assets** (activo diferido), **deferred availability items** *US* (efectos comerciales de disponibilidad diferida, por ejemplo, los cheques que pasan por las cámaras de compensación ◊ *Most cheques are given two-day deferred availability*; V. *clearing house*), **deferred bonds** (bonos de interés diferido), **deferred bonus** (dividendo diferido), **deferred cap** (FINAN contrato diferido con tope máximo del tipo de interés; «cap» o tope máximo diferido; V. *amortizing/naked/seasonal cap*), **deferred capital insurance** (SEG seguro de capital diferido; es un seguro de ahorro), **deferred cash-flow swap** (FINAN permuta financiera o «swap» de flujos de caja diferidos; V. *cash-flow swap, accelerated cash-flow swap, fixed-to-fixed swap*), **deferred charge-s** (CONT gasto amortizable; cargos/gastos diferidos; gastos de establecimiento; débito que figura en el haber hasta el final del período al que se refiere, por ejemplo, el pago adelantado de una prima de seguro; lo contrario es *deferred income* o «ingreso/haber aplazado»), **deferred coupon bond** (bono de cupón diferido; bono de capitalización; V. *deferred interest bond*), **deferred coupon swap** (FINAN permuta financiera o «swap» de cupón aplazado), **deferred credit** (V. *deferred income*), **deferred endowment policy** (póliza mixta diferida), **deferred futures** (MERC FINAN/PROD/DINER meses más distantes en un contrato de futuro financiero), **deferred income** (CONT ingresos a distribuir en varios ejercicios; ingresos aplazados; ajustes por periodificación; cantidades contabilizados en una cuenta especial por corresponder al ejercicio siguiente, por ejemplo el alquiler anticipado; V. *pre-paid expenses*), **deferred payment** (pago aplazado), **deferred payment credit** (crédito de pago diferido), **deferred income tax credit/debit** (TRIB impuesto diferido con saldo acreedor/deudor), **deferred interest bond** *US* (V. *deferred coupon bond*), **deferred liability** (V. *deferred charge*), **deferred liabilities** (pasivo diferido; pasivo exigible a largo plazo; V. *fixed liabilities; long-term liabilities, non-current liabilities*), **deferred life annuities** (SEG anualidades vitalicias diferidas; se compran por medio de prima única o por primas anuales durante el período de aplazamiento), **deferred payment** (pago aplazado), **deferred payment documentary credit** (crédito documentario a plazo o con pago diferido), **deferred posting** US (asiento/registro diferido), **deferred quantity discount** (descuento por cantidades acumuladas), **deferred rebates** (V. *aggregated rebates*), **deferred revenue** (V. *deferred income*), **deferred sales charge** (FINAN gastos por amortización o rescate anticipado de una inversión colocada en un fondo; V. *load; front/back-end load, redemption charge; exit fee, trail commissions*), **deferred shares/stock** (SOC acciones de dividendo diferido; acciones con derechos a dividendos especiales; V. *founder's shares*), **deferred start swap** (FINAN permuta financiera o «swap» de inicio aplazado), **deferred swap** (MERC FINAN/PROD/DINER permuta/«swap» de tipos de interés aplazado), **deferred taxation** (TRIB tributación diferida; V. *defined contribution plan, tax deferred basis*)].

deficiency *n*: deficiencia, déficit, falta, descubierto; V. *capital deficiency insurance; deficit, gap*. [Exp: **deficiency advances** (anticipos del Banco de Inglaterra al Gobierno para cubrir déficits temporales o pasajeros), **deficiency appropriation** (asignación para cubrir deficiencias), **deficiency bill** (ley de créditos suplementarios para hacer frente a deficiencias o déficit presupuestario a corto plazo), **deficiency judgment** (fallo judicial de impago o deficiencia; mediante este fallo el tribunal autoriza a cobrar la parte de la deuda no satisfecha tras el embargo y subasta de las garantías prendarias), **deficiency payments** US (subvenciones; pagos compensatorios, subvenciones para hacer frente al déficit; programa de subvenciones a la agricul-

tura americana dentro del *domestic support program* a fin de cubrir el déficit de los precios agrícolas regulados)].

deficit *n*: déficit; V. *gap; profit, surplus*. [Exp: **deficit account** (cuenta deficitaria), **deficit country** (país deficitario), **deficit financing** (CONT financiación mediante déficit, política de gasto público financiado mediante endeudamiento), **deficit of funds** (déficit de fondos), **deficit spending** (CONT financiación con déficit; gasto del déficit; exceso de gasto público; gasto público superior a los ingresos; V. *deficit financing*)].

define *v*: definir. [Exp: **defined benefit pension plan** (REL LAB, SEG plan de pensiones de empleados de beneficios definidos, también llamado *employee trust*, financiado por la empresa y administrado por un fideicomisario, normalmente un banco y con exención fiscal; en este plan se fijan las cantidades a recibir y los años de servicio necesarios para tener derecho a las mismas; V. *employment retirement income security act*), **defined contribution plan** US (plan de jubilación con aplazamiento del pago de impuestos al momento de percepción de la renta generada por el plan; V. *tax deferred basis*)].

definitive *a*: definitivo, en firme; V. *absolute, conclusive; firm*. [Exp: **definitive security** (título definitivo; valores emitidos en forma de certificado en vez de como anotaciones en cuenta; V. *book-entry security; bearer bond, registered bond*)].

deflate *v*: ECO deflactar; rebajar, reducir; deshinchar, desinflar. [Exp: **deflate the economy** (deflactar/deshinchar la economía), **deflation** (ECO deflación; contracción; consiste en la disminución del nivel del índice general de precios; V. *disinflation; inflation; inflation-deflation cycle*), **deflationary** (deflacionario, deflacionista), **deflationary gap** (FINAN diferencia o brecha deflacionaria; diferencia entre el gasto público y privado y el que sería necesario para producir pleno empleo), **deflator** (deflactor; corrector de la inflación; factor que alude a la relación entre una cantidad media en términos nominales o monetarios y la misma en términos reales), **deflationary measures** (medidas deflacionistas)].

deflect *v*: desviar; repercutir ◊ *Deflect costs/expenses*; S. *pass on, offload*. [Exp: **deflection of trade** (COMER desviación del tráfico comercial)].

defraud *v*: defraudar, usurpar fraudulentamente, estafar.

defray *v*: sufragar, hacer frente a, pagar, correr con, etc. ◊ *Travel costs will be defrayed by the organization.*

degearing *n*: FINAN «desapalancamiento financiero»; financiación mediante emisión de acciones con el fin de devolver préstamos a causa de sus altos intereses; también se dice de la relación entre la deuda de una mercantil y el valor de sus acciones; V. *ungeared, gearing; capital gearing.*

degree *n*: grado. [Exp: **degree of freedom, DOF** (GEST grado de libertad)].

degressive *a*: decreciente. [Exp: **degressive tax** (TRIB impuesto degresivo)].

del credere *n*: riesgo de impago; prima o comisión de garantía que se añade a un cargo para cubrir el riesgo de impago; V. *assume the del credere; contingency reserves, provision for doubtful debts.* [Exp: **del credere/delcredere agent** (COMER agente *del credere*; agente que vende al crédito por su cuenta; este agente se hace cargo de los impagos de los clientes ante la empresa que representa para lo que cobra elevadas comisiones), **del credere commission** (comisión de garantía)].

delay *n/v*: demora, retraso, dilación, tardanza; aplazar, demorar, retardar, atrasar, diferir; V. *demurrage, time; defer; waiting delay.* [Exp: **delay charges** (gastos de demora), **delayed collection** (cobro diferido), **delayed delivery** (entrega aplazada; V. *delivery risk*), **delayed disbursement** (BANCA desembolso demorado; técnica de gestión de caja, mediante la cual la compensación de cheques se hace en el banco de una ciudad alejada, a fin de ampliar el plazo de dicha compensación; V. *remote disbursement; controlled disbursement*), **delayed interests** (intereses atrasados o de mora; V. *penal interest*), **delayed opening** (BOLSA apertura retrasada de la cotización de un valor; normalmente la provoca el desequilibrio entre las órdenes de compra y venta tras una serie espectacular de operaciones)].

delegate *n/v*: delegado, comisionado; delegar, comisionar, diputar; V. *agent, representative.* [Exp: **delegated legislation** (legislación delegada, legislación subordinada, disposiciones legislativas delegadas; V. *statutory instruments, enabling statute, parent act, bylaw, lay before Parliament, negative resolution, affirmative resolution*), **delegated responsibility** (responsabilidad delegada), **delegation** (delegación, diputación, comisión), **delegation of authority/ powers** (delegación de atribuciones o competencias; delegación de poderes; V. *assumption of authority*)].

delete *v*: borrar, suprimir. [Exp: **deletion** (borradura, tachadura, supresión)].

delinquency *n*: incumplimiento, impago. [Exp: **delinquent** (moroso, atrasado; V. *overdue, past due, back, unsettled, pending, outstanding, arrears*), **delinquent tax** (TRIB impuesto pendiente de liquidación; V. *overdue*).

delist *v*: BOLSA suprimir de la lista oficial de valores de la Bolsa; V. *Daily official list.*

deliver[1] *v*: entregar, traspasar, enviar, repartir, servir a domicilio. [Exp: **deliver**[2] (librar fondos), **deliver**[3] (otorgar, por ejemplo, una escritura, una licencia, etc.; V. *grant, issue*), **deliver**[4] (pronunciar un discurso), **deliver free of payment** (entregar valor franco), **deliver the goods** *col* (cumplir lo pactado, lo prometido o la misión asignada; obtener el resultado apetecido ◊ *The sales manager was bluntly told that she faced the sack if she didn't deliver the goods*; V. *come up with the goods*), **deliverable** (a entregar), **deliverable grades** (calidades aceptables), **deliverable price** (precio de entrega), **deliverable stocks** (existencias aptas para entrega), **delivered at frontier, DAF** (entrega en frontera), **delivered duty paid, DDP** (entregado en el destino convenido libre de derechos), **delivered duty unpaid, DDU** (entregado en el destino convenido con derechos no pagados), **delivered ex quay duty paid, DEQ** (TRANS MAR entrega/entregado sobre muelle con los derechos pagados), **delivered ex ship, DES** (TRANS MAR entrega/entregado sobre buque), **delivered price** (precio de entrega; este precio incluye gastos de envío)].

delivery[1] *n*: entrega, reparto, suministro, distribución, servicio a domicilio, expedición; V. *symbolic delivery, physical delivery; port of delivery*. [Exp: **delivery**[2] (remesa, libramiento, por ejemplo, de fondos), **delivery**[3] (traspaso, cesión), **delivery**[4] (otorgamiento, por ejemplo, de una escritura, etc.; V. *regular-way delivery*), **delivery**[5] (forma de hablar, dicción, declamación, exposición oral), **delivery against acceptance, D/A** (entrega contra aceptación), **delivery against payment, D/P** (TRANS entrega contra pago; también llamado *delivery against cash* o *cash on delivery*), **delivery bond**[1] (MERC FINAN/PROD/DINER bono entregable; son bonos entregables las emisiones de deuda pública —*public debt*— con plazo de amortización próximo al de amortización teórica del bono nocional contenido en el contrato de futuros o *futures contract*), **delivery bond**[2] (compromiso de entrega), **delivery bond**[3] (DER fianza para devolver bienes embargados), **delivery capacity** (capacidad de concesión de préstamos, capacidad de ejecución de proyectos), **delivery charges** (gastos de entrega), **delivery date** (fecha de entrega; en los contratos de futuros, es la fecha de entrega de las materias primas o de los productos financieros; V. *actual delivery*), **delivery factor** (MERC FINAN/PROD/DINER factor de conversión; este factor expresa el equilibrio ideal entre el precio de un contrato financiero sobre un instrumento y el instrumento propiamente dicho), **delivery fleet** (camiones repartidores; flota de reparto), **delivery market** (mercado de entrega), **delivery month** (mes de entrega), **delivery month** (MERC FINAN/PROD/DINER mes o fecha de entrega efectiva de los futuros; V. *terminal month, contract month*), **delivery note/order** (nota de entrega; albarán ◊ *Always ensure the goods are in good order before signing the delivery note*; V. *check list*), **delivery notice**[1] (TRANS aviso/notificación de entrega), **delivery notice**[2] (MERC FINAN/PROD/DINER aviso de entrega de futuros, etc.; V. *actual delivery*), **delivery, on** (pagadero a la entrega), **delivery on call** (COMER entrega inmediata), **delivery order**[1] (libramiento, orden de pago), **delivery order**[2]**/note** (bono/orden de entrega; orden de entrega de las mercancías a su titular, que puede ser un instrumento o efecto negociable; la da el consignatario o el titular de un resguardo de almacenamiento —*warehouse receipt*— al encargado del depósito aduanero con el fin de que el primero disponga de las mismas; V. *release order*), **delivery paid** (entrega gratuita), **delivery period** (MERC FINAN/PROD/DINER plazo/período de entrega; V. *last trading day*), **delivery points** (COMER puntos o lugares de entrega), **delivery receipt** (TRANS recibo de entrega), **delivery risk** (FINAN riesgo de entrega; riesgo de incumplimiento de contrato; con frecuencia alude este riesgo a las operaciones en divisas; V. *delayed delivery*), **delivery terms** (TRANS condiciones de entrega), **delivery time** (COMER plazo de entrega; V. *lead time*), **delivery truck** *US* (camión de reparto), **delivery to consignee** (entrega al consignatario), **delivery to docks** (TRANS MAR para entrega en el puerto de embarque; los derechos portuarios corren, en este caso, por cuenta del comprador; V. *franco quay*), **delivery van/truck** (camioneta/furgoneta de reparto), **deliveryman** (TRANS repartidor)].

delocation *n*: deslocalización.

delta *n*: MERC FINAN/PROD/DINER valor delta; se usa para medir la relación entre el precio de la prima de una opción y el precio de los contratos de futuros o valores de Bolsa correspondientes a la misma. [Exp: **delta coefficient** (MERC FINAN/PROD/DINER coeficiente delta; mide este índice el cambio del precio/prima de una opción —*option premium*— con relación a cada punto en que se modifica el de su activo subyacente —*underlying asset*—; V. *gamma coefficient*), **delta hedging** (delta inmunización), **delta stock** (BOLSA valores, títulos, acciones etc. de índice delta, que son los de menor liquidez de la Bolsa de Londres; *alpha stock*)].

demand *n/v*: demanda, exigencia, requerimiento, intimación; exigir, demandar, reclamar, exigir con autoridad; V. *claim,* *final demand, pent-up demand; waive, renounce, abandon, harassment of debtors; theory of demand*. [El término *demand* en posición atributiva significa «a la vista», como en *demand deposit*, siendo equivalente a *sight*. Exp: **demand a debt** (reclamar una deuda), **demand account** (BANCA cuenta corriente a la vista), **demand bill/draft** (letra o giro a la vista), **demand credit** (crédito ilimitado), **demand curve** (ECO curva de la demanda; V. *movement along demand curve*), **demand deposit** *US* (BANCA depósito a la vista, en cuenta corriente o disponible; V. *sight/checking deposit; time deposits, fixed deposit account; call deposit accounts; deposit accounts; bank deposits; current/cheque account; now accounts*), **demand deposit account, DDA** *US* (BANCA cuenta corriente o de depósito, también llamada *checking account*; en el Reino Unido los términos utilizados son *current account, cheque account* o *drawing account*; V. *Trustee Saving Bank; NOW account*), **demand draft** (letra/efecto a la vista ◊ *Demand drafts drawn on banks are known as cheques*), **demand exchange** (divisas a la vista), **demand for labour** (demanda de mano de obra), **demand for money** (demanda de dinero; búsqueda de liquidez), **demand for payment** (intimación de pago, requerimiento de pago), **demand from abroad** (demanda exterior), **demand function** (ECO función demanda), **demand inflation** (ECO inflación producida por la demanda, también llamada *demand-pull inflation*; V. *cost inflation*), **demand-led** (provocado/inducido por la demanda ◊ *In certain circumstances price rises may be used to control demand-led inflation*), **demand liabilities** (obligaciones a la vista), **demand loan** (préstamo diario, préstamo a la vista; préstamo sin fecha de vencimiento, cuyo reembolso o evolución es exigible en cualquier momento; cuando el préstamo se hace a los agentes de Bolsa se llama *call loan* o *broker's call loan*; V. *term loan, time loan*), **demand management** (gestión/tratamiento de la demanda), **demand note** (FINAN pagaré a la vista), **demand, on** (a la vista, al ser exigido; a petición del interesado; V. *at sight, at call, upon presentation*), **demand-oriented pricing** (fijación del precio en función de la demanda; V. *orient; competition oriented pricing*), **demand-pull inflation** (ECO inflación de demanda o por el tirón de la demanda; elevación inflacionaria de la demanda; también llamada *demand inflation*; V. *cost inflation*), **demand price** (precio de demanda; el que el consumidor estaría dispuesto a pagar), **demand rate** (ECO tasa de demanda), **demand schedule** (ECO cuadro/curva de demanda), **demand shift** (desplazamiento de la demanda), **demand-side policies** (políticas de actuación sobre la demanda), **demand with menaces** (coaccionar o chantajear con amenazas o violencia para cobrar deudas)].

demarcation dispute *n*: REL LAB conflicto intergremial; desacuerdo que surge entre los obreros de dos gremios, o sus representantes sindicales, respecto de las tareas, responsabilidades y derechos que corresponden a cada uno; V. *industrial/ labour dispute*.

demarketing *n*: MKTNG «desmercadeo», «desmarquetización»; son los esfuerzos dirigidos a disminuir la demanda de un producto por parte de un determinado grupo con el fin de mantener la fiabilidad de marca —*brand reliability*— y la lealtad del comprador —*buyer loyalty*—; V. *countermarketing*.

demerger *n*: escisión; división de una empresa; V. *split-off; merger*.

demise *n/v*: cesión, arrendamiento; V. *lease*; transferir o ceder los derechos o el dominio real de algo, arrendar, legar, dejar en testamento. [Exp: **demise charter** (TRANS MAR fletamento *demise*, en el que el armador o dueño abandona la gestión náutica; V. *bare-boat charter*), **demise charterer** (TRANS MAR fletador que se encarga de la gestión náutica en un contrato *bare-boat charter*)].

democratic managerial style *n*: GEST estilo gerencial democrático; en este tipo de gestión, el gerente estimula la colaboración de sus subordinados en la toma de decisiones; V. *affiliative managerial style, authoritative managerial style, coaching managerial, coercive managerial style, pacesetting managerial style*.

demography *n*: demografía.

demonetize *v*: desmonetizar. [Exp: **demonetization** (FINAN desmonetización)].

demonstration *n*. manifestación pública. [Exp: **demonstration effect** (ECO efecto demostración; alude al deseo de poseer de un determinado grupo con el fin de considerarse del mismo nivel que otros), **demonstrative** (demostrativo)].

DN *n*: V. *debit note*.

demote *v*: degradar, bajar de categoría; V. *downgrade; promote*. [Exp: **demotion** (REL LAB degradación, pérdida de la categoría profesional, traslado a un puesto de menor rango; V. *downgrading*)].

demurrage *n*: TRANS MAR sobreestadía, demora; gastos de demora por retraso del fletador en las faenas de carga y de descarga en el puerto; penalización por demora; V. *average demurrage agreement*. [La mayoría de los ordenamientos jurídicos distinguen dos fases en las tareas de carga y descarga, recogidas en la póliza de fletamento: el llamado «tiempo de plancha» o «estadía» —*laytime*— y la sobreestadía —*demurrage*—, o tiempo que excedadel concertado; V. *counter demurrage*. Exp: **demurrage bond** (garantía o fianza para demoras o sobreestadías; V. *lien for demurrage, statement of facts*)].

denationalize *v*: privatizar, desnacionalizar. [Exp: **denationalization** (privatización, desnacionalización; V. *privatization; nationalization*)].

denomination *n*: denominación, moneda, valor de una moneda, clase; V. *face value*. [Exp: **denomination unit** (fraccionamiento, cupón, título), **denominational** (nominal), **denominational value** (valor nominal)].

dep *n*: V. *departure, deposit, depot, deputy*.

depart *v*: partir; apartarse, desviarse. [Exp: **departure, dep** (salida, partida; desviación; V. *E.T.D.*), **departure customs** (aduana de salida; V. *customs*), **departure lounge** (TRANS sala de embarque)].

department *n*: departamento, ministerio, negociado, sección; V. *office, division*. [Normalmente no se emplea el término *ministry* sino el de *department* o el de *Office* como en *Home Office* —Ministerio del Interior—, *Foreign Office* —Ministerio de Asuntos Exteriores—. [Exp: **Department of Trade and Industry, DTT** (Ministerio de Comercio e Industria), **Department of Health and Social Security, DHSS** (Ministerio de Sanidad y de la Seguridad Social), **Department of the Environment** (Ministerio del Medio Ambiente), **department store** (grandes almacenes; V. *chain store*)].

dependency *n*: dependencia, pertenencia, sucursal. [Exp: **dependency allowance** (subsidio familiar), **dependency ratio** (ECO ratio de dependencia), **dependent contract** (contrato condicional), **dependent deduction** (deducción por hijos o por carga familiar), **dependent labour force** (asalariados; V. *wage-earning*

population), **dependent spouse** (TRIB cónyuge dependiente o que no recibe rentas), **dependents/dependants** (cargas familiares, familiares dependientes, familiares/personas a cargo del cabeza de familia o de alguien)].

deplete *v*: mermar, agotar; reducir o agotar fondos, recursos, etc., despojar ◊ *The company's liquid assets have been depleted by spending on emergency operations*; V. *exhaust, run out of*. [Exp: **deplete the resources available** (CONT mermar los recursos disponibles), **depletable** (agotable), **depletable assets** (CONT activo amortizable; V. *wasting/ diminishing assets*), **depleted funds** (FINAN fondos agotados/disminuidos), **depletion** (agotamiento de recursos; factor de agotamiento; V. *capital depletion*), **depletion allowance** *US* (TRIB reserva por agotamiento; asignación/factor por agotamiento; deducción sobre el activo agotable; cantidad desgravable en el impuesto de sociedades de las explotaciones mineras, las de hidrocarburos, etc.; en la cuenta de resultados aparece como gasto y, a la vez, se reduce en la misma cantidad su valor de activo), **depletion of assets** (CONT merma/agotamiento/despojo de activos), **depletion theory** (ECO teoría del agotamiento de recursos)].

deploy *v*: desplegar-se; V. *redeploy*. [Exp: **deployment** (despliegue; adscripción, distribución, empleo, utilización)].

depopulation *n*: despoblación.

deposit[1]**, dep** *n/v*: BANCA depósito, abono, imposición, ingreso en cuenta; ingresar, depositar; V. *withdrawal; withdraw; deposits*. [Exp: **deposit**[2]**, dep** (consignación, fianza, prenda, ingreso a cuenta, señal; ingresar, consignar, depositar; V. *earnest money; downpayment; premium, margin*), **deposit account, D/A** (BANCA cuenta de ahorro o de depósito; cuenta/

depósito a plazo fijo; V. *fixed deposit account, call deposit account; cheque account; demand deposit; time deposit; bank deposits*), **deposit bank** (BANCA banco comercial, también llamado *commercial bank, retail bank, full service bank*; V. *joint-stock bank*), **deposit box** (caja de seguridad; V. *safety deposit box*), **deposit business** (operaciones pasivas), **deposit in escrow** (depósito sujeto a condiciones contractuales entre terceros), **deposit insurance** (TRIB seguro de protección de los depósitos bancarios en caso de quiebra; V. *deposit protection scheme, guarantee fund; credit guarantee*), **deposit ledger** (BANCA libro o registro de depósitos), **deposit loan¹** *US* (préstamo ingresado en cuenta; corresponde a la cantidad que el banco ingresa en la cuenta del cliente a quien le ha concedido un préstamo; V. *derivative deposit*), **deposit loan²** (préstamo avalado con un depósito), **deposit money** (dinero bancario en cuenta), **deposit note** *US* (pagaré bancario; estos pagarés, de $250,000, suelen comprarlos inversores institucionales y están avalados por el seguro federal de depósitos; V. *bank note*), **deposit of securities** (depósito de valores; V. *securities deposit account*), **deposit only, for** (BANCA sólo para compensación o abono en cuenta; V. *account-only cheque; collection-only cheque*), **deposit pass-book** (libreta bancaria), **deposit premium** (SEG prima provisional), **deposit protection fund** (BANCA fondo de garantía de depósito ◊ *In Britain depositors are protected by the Deposit Protection Fund up to a specified percentage of their deposits*), **deposit protection scheme** (seguro de garantía o protección de los depósitos bancarios en caso de quiebra), **deposit ratio** (BANCA relación entre los depósitos y el capital), **deposit receipt** (TRANS MAR recibo de depósito; V. *average bond*), **deposit rundown** (retirada masiva de fondos), **deposit service charges** (BANCA gastos por servicio de depósitos), **deposit ticket/slip** (certificado/resguardo/nota/volante/comprobante de depósito; abonaré; V. *voucher*), **deposit subject to notice** (depósito con preaviso), **deposit transactions** (BANCA operaciones de depósito), **deposit turnover** (BANCA relación entre débitos y depósitos bancarios), **deposit warrant** (resguardo de muelle; V. *dock warrant, warehouse warrant, wharfinger's warrant*), **Deposit Guarantee Fund** (Fondo de Garantía de Depósitos), **depositary** (depositario, banco depositario; guardián, almacenista), **depositary receipt** *US* (V. *American depositary receipt*), **depositor** (depositante, impositor), **depository** (depositaría, almacén de depósitos, lugar de custodia, custodia; depositario; V. *receiver*), **depository fee** (comisión de custodia), **depository receipt¹** (recibo de almacén, también llamado *warehouse receipt*), **depository receipt²** (FINAN recibo de depósito; V. *American depository receipts*), **depository trust** (central de custodia colectiva y de compensación de los bancos ◊ *Euroclear is a depository trust*), **deposits** (CONT acreedores)].

deposition *n*: destitución, deposición.

depot, dep *n*: bodega, almacén, depósito para distribución, almacén central, cochera, estación; V. *free depot; storeroom, depot, warehouse.*

depreciate *v*: depreciar, depreciarse, amortizar; bajar de valor ◊ *The dollar is depreciating.* [Exp: **depreciable** (CONT amortizable, depreciable), **depreciable asset** (CONT activo amortizable), **depreciable cost** (coste amortizable), **depreciable life** (vida amortizable), **depreciation¹** (FINAN depreciación; caída en el precio de una divisa sin intervención de las autoridades monetarias; V. *devaluation; decline in price of a currency*), **depreciation²** (CONT amortización, desgaste o depreciación experimentada por los elementos del activo fijo; V. *appreciation; accelerated depreciation, accumulated depreciation, declining balance method, reducing balance method of depreciation, straightline depreciation; debasement of coinage*), **depreciation allowance** (CONT reservas/provisión/deducción para amortización), **depreciation at choice** (TRIB amortización libre; elección del método de amortización de un activo, a efectos fiscales, en un solo año o a lo largo de varios; V. *free depreciation*), **depreciation deferral** (diferimiento de amortización), **depreciation fund** (fondo de amortización; V. *sinking fund*), **depreciation methods** (CONT planes de amortización), **depreciation of fixed assets** (amortización de inmovilizado), **depreciation rate** (tasa/coeficiente de amortización/depreciación), **depreciation reserve** (fondo, provisión o reserva de amortización)].

depress *v*: deprimir; envilecer ◊ *The demand for copper has been depressed by the increasing use of fibre optics.* [Exp: **depress in value** (envilecer), **depressed** (a la baja, deprimido), **depressed area** (zona deprimida; V. *distressed/derelict area; development area*), **depression** (depresión, crisis económica, recesión grave; V. *slump*)].

depth *n*: profundidad, calado; cuantía; V. *deep.* [Exp: **depth of market** (MERC FINAN/PROD/DINER profundidad o liquidez de un mercado)].

depute *v*: delegar, diputar, nombrar sustituto, asignar un cargo ◊ *In the absence of the senior partner, the junior partner was deputed to look after the clients.* [Exp: **deputy, dep** (diputado, delegado, suplente, sustituto, comisario, comisionado, teniente, lugarteniente, sub-, vice; el término *deputy* aparece junto a otros como *manager, president, chairman, etc.* con el significado de «suplente, adjunto, sub-, vice-», por ejemplo, subdirector, director adjunto, vicepresidente, etc.), **deputy chairman** (presidente adjunto; vicepresidente), **deputy managing director** (director general adjunto), **deputize** (sustituir a otro, desempeñar las funciones de otro ◊ *The Chairman is unable to attend today's meeting, but the vice-chairman will deputize for him*)].

DEQ *n*: V. *delivered ex quay duty paid.*

deregistration *n*: anulación de una inscripción en un registro público; V. *registration; cancellation, redemption.*

deregulate *v*: desregular, liberalizar, suprimir regulación legislativa. [Exp: **deregulation** (ECO desregulación, desreglamentación, liberalización/abolición de las normas o reglamentos gubernamentales para permitir la libre concurrencia ◊ *Deregulation has stimulated innovation*; V. *regulation*)].

derelict *a/n*: abandonado; derrelicto; buque abandonado; objeto abandonado; V. *flotsam.* [Exp: **derelict area** (zona deprimida; V. *depressed area*), **derelict lands** (tierras abandonadas, *ownerless property, avulsion, accretion*), **dereliction** (derrelicción, abandono de bienes muebles; negligencia, abandono, desamparo, dejación; V. *abandonment, destitution*), **dereliction of duty** (abandono de funciones públicas, abandono del servicio; V. *breach of duty*)].

derivative¹ *a/n*: derivado, indirecto, dependiente, secundario, derivativo, consecuencial; INDUS derivado, producto derivado; V. *by-product, downstream.* [Exp: **derivative²** (STK & COMMOD EXCH derivado, producto financiero derivado; V. *derivative instrument*), **derivative**

acquisition (adquisición derivativa), **derivative deposit** *US* (COM cuenta de crédito; ingreso nacido del préstamo concedido; ingreso que hace el banco en la cuenta del cliente por el importe del préstamo que le ha concedido; V. *deposit loan*), **derivative instrument** (STK & COMMOD EXCH derivado, producto derivado ◊ *Warrants, futures contracts, swaps, options, etc. are derivative instruments;* V. *hedge funds*), **derivative market** (STK & COMMOD EXCH mercado de derivados; se trata de mercados de opciones —*options*—, futuros, —*futures; forwards*—, permutas financieras —*swaps*—, etc., es decir, de productos financieros derivados de mercados al contado —*spot markets*—; V. *notional bond*), **derivative mortgage-backed securities** (STK EXCH obligaciones derivadas; obligaciones secundarias garantizadas por un fondo o cartera de obligaciones hipotecarias; los intereses devengados por el conjunto de obligaciones son distintos de los que produciría cada obligación hipotecaria por separado), **derivative securities** (FINAN obligaciones derivadas o secundarias; obligaciones «reempaquetadas» ◊ *Derivative securities are used as hedging devices to immunize a loan portfolio against interest rate risk*)].

derive *v:* derivar, proceder. [Exp: **derived demand** (demanda indirecta)].

derrick *n:* TRANS MAR puntal de carga.

DES *n:* V. *delivered ex ship.*

des. res. *n:* PUBL casa/finca/propiedad de lujo o especialmente atractiva; se trata de la forma abreviada de *desirable residence* —residencia especialmente atractiva—, que es la fórmula que suele aparecer en los anuncios por palabras —*small ads section*— de los periódicos para describir las propiedades en venta más lujosas y más caras; debido a la frecuencia de su utilización, la expresión ha pasado a emplearse de forma coloquial o jocosa en referencia a las casas más impresionantes, aunque no estén en venta; en tal acepción se puede traducir, según convenga, por «pisazo, mansión, casa de aúpa, casa de los sueños, etc.» ◊ *They live in this des res in the Wst End.*

descending *a:* descendente; V. *decreasing* ◊ *The companies are listed in descending order of net worth.*

descriptive *a:* descriptivo. [Exp: **descriptive statement** (BANCA extracto de cuenta descriptivo; V. *combined statement*)].

desert *v:* desertar, huir, abandonar; V. *defect, abandon.*

design[1] *n/v:* diseño; proyecto, plan, boceto, croquis, dibujo; diseñar, proyectar, dibujar; V. *patents.* [Exp: **design**[2] (intención malévola, maliciosa o astuta; V. *have designs on*), **design engineer** (ingeniero de diseño), **design office** (oficina de proyectos), **designee** (persona nombrada; representante elegido), **designer** (PUBL proyectista, diseñador, dibujante publicitario; delineante; V. *poster designer*), **designs** (diseños y modelos; V. *Office for Harmonization in the Internal Market*)].

designate *v:* nombrar, destinar, designar. [Exp: **designated national** *US* (persona en la lista negra por haber comerciado con un país boicoteado), **designated order turn-around, DOT** (BOLSA sistema electrónico de la Bolsa de Nueva York que permite automatizar las compras y ventas de valores fijando previamente la gama de máximos y mínimos de precios), **designation** (nombramiento, designación, destino; V. *appointment*), **designee** (persona nombrada; V. *appointee*)].

desk[1] *n:* pupitre, despacho, mesa de trabajo,

mostrador, ventanilla, posición, caja; sección; departamento; V. *pay desk, marketing desk; pay at the desk*. [Exp: **desk²** (MERC, GEST nombre familiar correspondiente al *open market desk*; en esta acepción se escribe con mayúscula), **desk jobber** *US* (mayorista que sirve a los clientes sin tener depósito de mercancías; despachador directo; V. *drop shipper*), **desk jockey** *col US* (chupatintas), **desk pad** (bloc para notas), **desktop publishing** (autoedición)].

deskilled *a*: REL LAB sin formación, no especializado, no cualificado. [Exp: **deskilling** (REL LAB pérdida o destrucción de las destrezas laborales), **deskilling policy** (ECO política de reorganización industrial utilizando obreros con poca formación, o formación de baja calidad, con el fin de abaratar la mano de obra ◊ *The deskilling of the workforce provides management with cheap labour in the short term but risks causing inefficiency in the long run*)].

despatch *n*: V. *dispatch*.

destination *n*: destino. [Exp: **destination, at** (en destino), **destination customs** (aduana de destino), **destination principle** (principio de gravamen en el país de destino), **destine** (destinar; predestinar), **destined to, be** (estar llamado/condenado/abocado a ◊ *The scheme was overambitious and was destined to fail*)].

destructive *a*: ruinoso, destructivo; V. *fierce*. [Exp: **destructive competition** (competencia ruinosa, feroz o sin escrúpulos; V. *cut-throat competition, low-profit margin*)].

detach *v*: cortar, separar. [Exp: **detached coupon** (cupón cortado; V. *cut-off coupon*)].

detail *n/v*: detalle; detallar; destacar, encargar un cometido o una misión concreta a ◊ *She was detailed to go on a fact-finding mission for the marketing department*. [Exp: **detailed accounts**

(CONT situación contable pormenorizada; V. *balance sheet and schedules*), **detailed audit** (auditoría exhaustiva), **detail shortage** (falta de piezas)].

detainment *n*: TRANS MAR retención, detención. [Se suele usar en las pólizas de seguro marítimo para referirse a la retención del barco por orden de la superioridad].

detention *n*: detención. [Exp: **detention time** *US* (TRANS MAR cargo por tiempo de demora)].

detect *v*: descubrir, detectar. [Exp: **detection** (detección)].

deterioration *n*: deterioro, evolución desfavorable; V. *shoddy goods, shop-soiled*.

deter *v*: impedir, disuadir, desalentar, producir un efecto disuasorio ◊ *The heavy tax penalties deter investors*. [Exp: **deterrent** (factor disuasorio; freno, medida disuasoria, impedimento), **deterrent tax** (TRIB impuesto penalizador para sancionar demoras, fraudes, etc. en la declaración de la renta)].

detour *n*: desvío, rodeo, desviación; V. *deviation*.

detriment *n*: detrimento, daño, perjuicio, pérdida, quebranto; V. *damage*. [Exp: **detriment of, to the** (en perjuicio/detrimento de), **detrimental** (perjudicial ◊ *The contract contains a clause which is detrimental to our interests*; V. *prejudice*)].

devalue *v*: devaluar, desvalorizar. [Exp: **devaluate** (devaluar; V. *depreciate*), **devaluation** (devaluación; reajuste a la baja efectuado por las autoridades monetarias; V. *depreciation; deterioration; revaluation*), **devaluation of assets** (depreciación del activo)].

develop¹ *v*: crecer; desarrollar, madurar; crear; elaborar, fabricar. [Exp: **develop²** (urbanizar), **develop a product** (COMER crear un producto), **developed country** (país desarrollado), **developer** (V. *property developer*), **developing country**

(país en vías de desarrollo; V. *less advanced country, underdeveloped country*), **development**[1] (desarrollo, fomento, promoción, progreso, avance, impulso; cambio, novedad, acontecimiento; V. *research and development; current economic development*), **development**[2] (desarrollo urbanístico, urbanización; V. *permitted development*), **development aid** (ayuda al desarrollo), **development area** (ECO polo/zona de desarrollo industrial; V. *assisted area, [special] development area; depressed/ distressed/derelict area; enterprise zone; industrial development certificate; European Regional Development Fund*), **Development Assistance Committee, DAC** (Comisión de Ayuda al Desarrollo de la OCDE), **development credit agreement** (convenio de crédito de fomento), **development expenses** (gastos de promoción; V. *promotion expenses*), **development land** (terrenos urbanizables, terrenos edificables), **development loan fund** (fondo de crédito al desarrollo), **development of population** (desarrollo demográfico), **development plan** (plan de desarrollo)].

deviant *a*: desviado, raro, extraño, atípico, difícil de reconciliar con otros de su clase, etc. ◊ *Analysts are puzzled by the deviant figures for February*), **deviate** (desviarse, apartarse de la pauta o la norma), **deviation** (TRANS desvío; desviación; cambio de ruta de un buque; divergencia; anomalía, diferencia; V. *detour*), **deviation clause** (TRANS MAR, SEG cláusula para cambiar el rumbo de un barco; mediante esta cláusula se autoriza al buque para hacer escalas en cualquier puerto, con cualquier fin, navegar sin práctico, remolcar o auxiliar a otros buques, etc. para salvar vidas o propiedades, sin perder los derechos de la póliza del seguro; V. *voyage clause*)].

device *n*: recurso, dispositivo, mecanismo; ardid; estratagema. [Exp: **devise**[1] (idear; trazar, concebir), **devise**[2] (legado; donación de bienes muebles; legar), **devisee** (legatario)].

devoid of *phr*: desprovisto de; sin.

DF *n*: V. *dead freight*.

diagonal *a*: diagonal. [Exp: **diagonal expansion** (COMER aumento de la actividad empresarial incluidos los productos derivados de o relacionados con la línea principal de la misma), **diagonal integration** (integración diagonal), **diagonal spread** (MERC FINAN/PROD/DINER margen/ diferencial/«spread» diagonal; cobertura lateral; técnica o estrategia de protección empleada por el tenedor de dos opciones de la misma clase pero con distintas fechas de vencimiento; se emplea cuando se tienen dos opciones de compra o dos de venta, una con posición larga y otra con posición corta, para buscar el equilibrio y proteger la inversión; V. *spread, bear spread, butterfly spread, calendar spread, credit spread, price spread, vertical spread; put, call*)].

diagram *n*: diagrama, gráfico; V. *bar chart, chart, chartist; functional diagram, logical diagram*. [Exp: **diagrammatic** (en forma gráfica)].

dictate *v*: dictar. [Exp: **dictating machine** (dictáfono), **dictatorship of the proletariat** (ECO dictadura del proletariado)].

diem, per *a/adv/n*: por día; dietas. [Exp: **per diem allowance** (dietas)].

difference[1] *n*: diferencia, saldo; V. *balance*. [Exp: **difference**[2] (disparidad), **differential**[1] (diferencial), **differential**[2] (BOLSA comisión que cobra un operador en bolsa por transacciones con volumen o valor por debajo de la unidad considerada normal, que se llama *round lot*; V. *round lot, odd lot*), **differential cost** (coste diferencial), **differential duty** (TRANS tasa, tarifa o derecho aduanero diferencial teniendo en cuenta varios factores como el país de origen, la mano de obra, etc.; también se le llama *preferential duty*), **difference option** (MERC FINAN/PROD/DINER opción sobre diferencia; la «diferencia» entre dos tipos de referencia es el activo subyacente o *underlying asset*), **differencing** (ECO diferenciación; V. *time series; decomposition*), **differential pricing** (valoración diferencial), **differential rate** (TRANS tarifa diferencial), **differential tariff** (arancel diferencial)].

diffuse *v*: difuminar. [Exp: **diffusion** (difusión), **diffusion index** (ECO índice de difusión), **diffusion theory of taxation** (ECO, TRIB teoría de la imposición basada en la difusión; de acuerdo con esta teoría la mayoría de los impuestos que paga un contribuyente son transferidos a otros)].

digit *n*: número, cifra, guarismo, dígito; V. *double digit*.

digest *n/v*: recopilación, sumario, resumen, repertorio, digesto; resumir, condensar; digerir, asimilar; V. *code, abstract.* [Exp: **digested securities** US (SOC, BOLSA valores engullidos; V. *undisgested securities; float*[5])].

dilatory *a*: dilatorio.

dilute *v*: diluir-se, disminuir, rebajar. [Exp: **dilution** (dilución; disminución, reducción; reajuste a la baja; se suele aplicar al valor de los bienes o activos; V. *equity dilution*), **dilution of earnings per share** (CONT reducción de los rendimientos por acción; reajuste a la baja en libros del rendimiento por acción; se realiza el cálculo teniendo en cuenta la reducción por conversión en acciones ordinarias de las acciones preferentes y bonos u obligaciones convertibles, además del ejercicio de todas las posibles opciones; V. *fully diluted earnings per*), **dilution of equity** (SOC disminución del valor de las acciones; consiste en aumentar el número de acciones sin que aumenten los activos o el valor de éstos)].

diminish *v*: disminuir, decrecer. [Exp: **diminishing** (decreciente, agotable, gastable), **diminishing assets** (CONT activo amortizable; V. *wasting/depletable assets*), **diminishing-balance depreciation** (CONT reducción porcentual constante del coste de un activo, primero sobre el valor inicial y luego sobre los valores resultantes de la aplicación de las reducciones anteriores; V. *reducing balance method of depreciation*), **diminishing marginal productivity/ utility** (productividad/utilidad marginal decreciente), **diminishing productivity/ utility** (productividad/utilidad decreciente) **diminishing provision method** (método de provisión decreciente), **diminishing returns** (rendimientos decrecientes; V. *return*[3]), **diminishing value depreciation method** (CONT depreciación por cálculo decreciente sobre saldos)].

dime US *n*: moneda de diez centavos; V. *nickel, quarter; dollar.*

diminution *n*: reducción; V. *increase.* [Exp: **diminution of capital** (reducción de capital; V. *depletion*)].

dingo *n*: FINAN dingo; obligaciones de cupón cero denominados en dólares australianos.

dip *n/v*: baja; bajar de precio o de valor; bajar sensiblemente; mostrar una tendencia momentánea hacia la baja en un gráfico ◊ *This week the franc dipped close to its floor*; V. *rise*. [Exp: **dip the till** col (robar/sisar dinero de caja)].

direct *a/v*: directo; dirigir, disponer, orientar, ordenar, dar/dictar instrucciones, administrar. [Exp: **direct action** (REL LAB acción directa; V. *strike*), **direct advertising** (publicidad directa), **direct bill of lading** (TRANS MAR conocimiento de embarque sin trasbordos; V. *through bill of lading*), **direct business** (contratación sin intermediarios), **direct consignment rule** (norma de la expedición directa), **direct cost** (coste directo), **direct debit/debiting, DD** (BANCA débito directo; domiciliación de pagos en una cuenta bancaria; pagos por medio de domiciliación bancaria; débito directo; pago inmediato o sin crédito; V. *reverse wire transfer; standing order*), **direct dealing line** (BOLSA línea directa), **direct debit draft** *US* (BANCA letra domiciliada; normalmente se domicilia en la cuenta corriente del librado; V. *domiciled bill*), **direct debiting** (BANCA pagos mediante transferencias de una cuenta a otra; V. *pre-authorized payment*), **direct deposit** (BANCA ingreso en cuenta; pago del sueldo, pensión etc. mediante ingreso en cuenta), **direct finance** *US* (FINAN financiación directa; V. *natural financing*), **direct investment** (FINAN inversión directa ◊ *Many countries prefer direct investment of foreign companies to portfolio investment*; V. *portfolio investment*), **direct letter of credit** (carta de crédito dirigida a una sola institución bancaria; V. *bill of credit*), **direct liability** (responsabilidad directa o definida), **direct loan** (BANCA préstamo a clientes sin intermediarios financieros; V. *indirect loan*), **direct loss** (pérdida efectiva o directa), **direct mail advertising** (PUBL publicidad directa), **direct mail campaign** (PUBL campaña publicitaria por correo), **direct mail selling** (venta directa por correo), **direct method of depreciation** (CONT método directo de depreciación; V. *straight line method of depreciation*), **direct participation program, DPP** *US* (TRIB plan de inversiones industriales en ciertos sectores —construcción, hidrocarburos, etc.— con altas ventajas fiscales), **direct**

placing/placement (BOLSA colocación directa a los inversores de una emisión de títulos, por ejemplo una compañía de seguros, sin recurrir a intermediarios o a suscripción pública; V. *private placement*), **direct quotation** (MERC DINER cotización directa; es la cotización que utiliza la divisa extranjera como básica —*base currency*— y la nacional, como cotizada —*quoted currency*; V. *indirect quotation*), **direct selling** (venta directa), **direct send** (BANCA envío directo; compensación interbancaria directa sin pasar por la Cámara de compensación; V. *clearing house*), **direct strike** (REL LAB huelga contra un solo patrono), **direct tax** (impuesto directo), **direct taxation** (imposición directa, tributación directa), **direct trade** *US* (COMER comercio al por mayor; V. *wholesaler*), **direct verification** (GEST comprobación y confirmación de las operaciones hechas por teléfono; V. *confirmation*), **direct underwriting** (aceptación en firme), **direct writing company** (sociedad de suscripción directa), **directed economy** (ECO economía dirigida; V. *managed economy, market-oriented economy*)].

direction *n*: dirección, instrucción. [Exp: **direction, in either** (por encima o por debajo, en más o en menos)].

directive *n*: directiva, directriz; acto jurídico de la Unión Europea que obliga a modificar leyes de algunos Estados miembros.

director[1] *n*: directivo, consejero, miembro del consejo de administración. [Exp: **director**[2] (director ◊ *Directors of banking institutions can be removed by Federal Banking regulators*; V. *inside director, outside director; manager*), **Director-General of Fair Trading** (Director General de la Competencia; V. *The Restrictive Practices Court*), **directorate** (SOC cúpula directiva, dirección, junta o consejo de administración; V. *interlocking directorate*), **Directorate General** (Dirección General), **directors** (SOC, RELA LAB junta directiva; V. *workforce*), **Directors and Officers Insurance** (SEG seguro de responsabilidad civil por las demandas presentadas contra consejeros o cargos directivos de una mercantil; V. *self-insurance*), **directors' report** (informe anual del consejo de administración a los accionistas, memoria anual de la sociedad; V. *company report, chairman's report*)].

directory *n*: guía, listín; plano callejero; plano de la distribución de un edificio para facilitar la localización de personas, empresas, etc.; V. *telephone directory.* [Exp: **directory inquiries** (información telefónica)].

dirt *n*: suciedad. [Exp: **dirt cheap** *col* (baratísimo, a precio tirado), **dirty** (sucio; se dice de los efectos de comercio o transporte que tienen restricciones; V. *documentary, qualified, clean*), **dirty/ foul/claused bill of lading** (TRANS MAR conocimiento de embarque sucio), **dirty float, flotation** (FINAN flotación sucia; alude a la flotación de una divisa en la que interviene el Banco Central; V. *clean float, managed currency*), **dirty/managed floating exchange rate system** (ECO/FINAN sistemas de tipo de cambio de fluctuación/flotación sucia o dirigida; V. *clean floating exchange rate system*), **dirty money** (REL LAB prima por trabajo portuario desagradable o insalubre; V. *sink money; danger money*)].

dis- *prefijo*: dis-, des-, in-. [El prefijo inglés *dis-*, en la mayoría de los casos, otorga, como en castellano, un significado negativo a la palabra de la que es constituyente, equivaliendo a los españoles «des», «dis», «in», etc.].

disability *n*: incapacidad, invalidez. [Exp: **disability income** (REL LAB subsidio por incapacidad laboral), **disability insurance** (seguro de invalidez), **disabled** (incapacitado)].

disadvantage *n/v*: menoscabo, detrimento, desventaja, impedimento; dejar en desventaja, perjudicar.

disaffirm *v*: denegar la conformidad, repudiar, negar, invalidar, anular, rechazar. [Exp: **disaffirmance** (renuncia, repudiación), **disaffirmation** (impugnación, confutación)].

disagio *n*: disagio.

disagree *v*: discrepar, no estar de acuerdo o conforme; no cuadrar una cosa con otra. [Exp: **disagreement** (desacuerdo, discrepancia, falta de conformidad; diferencia de opinión, riña)].

disallow *v*: anular, invalidar; desestimar, rechazar ◊ *The Commission disallowed a back-door subsidy to a French airline via a state-owned bank*; V. *turn down*. [Exp: **disallowance** (desaprobación, rechazo, prohibición)].

disappreciation *n*: BOLSA, SOC descenso en el valor de un activo tras su revaloración.

disarray *n*: desorden; V. *coefficient of disarray; throw into disarray*. [Exp: **disarray, in** (en confusión o desorden)].

disaster *n*: siniestro, desastre, naufragio; V. *common disaster clause*. [Exp: **disaster clause** (MERC FINAN/PROD/DINER cláusula de protección contra reveses del mercado)].

disburse *v*: desembolsar, pagar, gastar. [Exp: **disbursement/disbursing** (gasto, salida, salida de efectivo, desembolso, pago; gastos generales; V. *cash disbursements book*), **disbursement account/ sheet** (TRANS MAR, CONT cuenta de gastos; hoja de gastos), **disbursement of cash** (desembolso en efectivo), **disbursement of dividends** (pago de dividendos), **disbursing account** (CONT cuenta de pagos), **disbursing officer** (pagador, responsable del pago)].

discard *v*: desechar, descartar, abandonar ◊

Plans to reopen the factory have been discarded; V. *shelve, scrap, set aside, discontinue.*

discharge[1] *n/v*: descarga; descargar ◊ *The cargo was discharged within 48 hours of the ship's arrival at the port*; V. *unload, discharge port.* [Exp: **discharge**[2] (REL LAB extinguir, extinción de un contrato; despedir, dar de baja; V. *dismiss; discharge from employment, termination; sack; fire*), **discharge**[3] (SEG finiquito; pagar, dar finiquito; V. *final discharge*), **discharge**[4] (GEST cumplimiento de un deber, trabajo u obligación ◊ *In the discharge of his duties*; V. *performance*), **discharge**[5] (rehabilitación, descargo; fallido o quebrado rehabilitado; rehabilitar; V. *bankruptcy discharge, discharged bankrupt*), **discharge**[6] (exoneración, eximir, liberar; V. *discharge from a liability*), **discharge a bill/debt** (saldar, satisfacer, pagar o liquidar una letra/ deuda; V. *pay off a debt*), **discharge a claim** (satisfacer una reclamación), **discharge an employee** (REL LAB despedir a un empleado; V. *lay off; discharge from employment*), **discharge an obligation** (cumplir una obligación o un compromiso; V. *perform*), **discharge from a liability** (eximir de una responsabilidad), **discharge from employment** (REL LAB despido; despedir), **discharge in/of bankruptcy** (rehabilitación del quebrado ◊ *Bankruptcy is terminated when the court makes an order of discharge in bankruptcy*), **discharge of a contract** (cumplimiento de un contrato; V. *performance*), **discharge of cargo** (TRANS MAR descarga; V. *unload*), **discharge-of-attachment bond** (fianza de levantamiento de embargo), **discharge of bill** (extinción de los derechos de demanda por una letra de cambio), **discharge one's liability** (FINAN cumplir uno sus obligaciones o con su respon-

sabilidad), **discharge port** (puerto de descarga; V. *landing port*), **discharge scale** (TRANS MAR escala de descarga; alude al precio de cada tonelada métrica descargada), **discharge the crew of a ship** (REL LAB licenciar a la tripulación), **discharged bankrupt** (quebrado o fallido rehabilitado; V. *certificated bankrupt; undischarged*), **discharging berth** (desembarcadero; V. *charging berth*)].

disciplinary *a*: disciplinario. [Exp: **disciplinary layoff** (REL LAB suspensión de empleo y sueldo), **disciplinary penalty** (sanción administrativa)].

disclaim *v*: renunciar a, abandonar, denegar, rehusar ◊ *The firm disclaimed all responsibility in the matter.* [Exp: **disclaim all liability** (rehusar toda responsabilidad), **disclaimer** (DER descargo de responsabilidad, declaración de limitación de responsabilidad, abandono, renuncia, cláusula de renuncia; V. *waiver*)].

disclose *v*: publicar, dar a conocer, divulgar, revelar, declarar. [Exp: **disclosed factoring** (FINAN compra de deudas, al descuento, por un factor conocido; V. *factoring*), **disclosed reserves** (reservas declaradas), **disclosure** (divulgación, declaración, publicación; revelación; publicación de información normalmente reservada; puede ser preceptiva —por ejemplo, los datos de una empresa y su situación financiera que por ley tienen que ser del dominio público; en esta acepción, *disclosure*, por antonomasia, se refiere más a la obligación que al contenido; V. *concealment; non-disclosure; disclosure notes; risk disclosure statement*), **disclosure duty** (SEG deber de información), **disclosure of financial issues**[1] (BANCA nota aclaratoria dada al cliente cuando se prestan servicios de intermediación), **disclosure of financial issues**[2] (FINAN publicación de información, en especial, la confidencial, sobre valores y mercados; V. *insider trading*), **disclosure requirements** (SOC exigencia de información pública; información relativa a una sociedad mercantil, que por ley tiene que ser publicado para general conocimiento; preceptivas legales que ordenan la publicación de datos de una mercantil)].

discontinue *v*: suspender, suprimir, desechar, descartar, abandonar; V. *scrap, discard, set aside*. [Exp: **discontinuance of exports/imports** (suspensión de exportaciones/importaciones), **discontinuous market** *US* (mercado discontinuo; alude a las acciones y bonos no inscritos que constituyen un mercado independiente)].

discount *n/v*: descuento comercial, rebaja, bonificación; cantidad que se deduce del valor nominal de un documento; descontar, hacer descuento, pagar; tener en cuenta, descartar, no hacer caso de; V. *rebate, allowance, diminution, abatement; premium; trade discount, bulk discount, cash discount*. [Con el significado de «de descuento» aparece en expresiones como *discount credit, discount market*. Exp: **discount**[2] (BOLSA descuento, prima; diferencia del precio de un título en el mercado secundario con relación al de emisión o a la par; título al descuento o al tirón; título cuyo rendimiento es el descuento; V. *face value; market value; bonus*), **discount a bill** (BANCA descontar una letra; comprar una letra por un valor inferior al que tiene en su vencimiento), **discount at a loss** (descontar, cambiar o comprar con pérdida), **discount bank/house** (banco de descuento, banco comercial; V. *bill broker*), **discount bond** (bono descontado; bono cotizado por debajo de la par),

discount broker (BOLSA, FINAN agente libre; corredor/agente de préstamos), **discount credit** (crédito de descuento), **discount factor** (factor/comisionista de descuento; V. *factor*[2]), **discount factoring** (compra al descuento de las deudas de empresas; V. *maturity factoring; factor*[2]), **discount for cash** (descuento por pronto pago o pago al contado; V. *cash discount, prompt payment*), **discount house** (FINAN sociedad mediadora del mercado de dinero, SMMD; casa de descuento; institución financiera británica especializada en la compra de letras al descuento vendidas por bancos comerciales; V. *London Discount Houses Association; dealer*), **discount instrument** (FINAN instrumento descontado, activo financiero con retención en origen ◊ *Treasury bills are discount instruments*), **discount issue** (emisión al descuento), **discount ledger** (CONT libro de efectos descontados), **discount limit** (BANCA límite de descuento o riesgo), **discount market** (mercado de descuento; mercado de efectos al descuento efectuado por las *discount houses*; V. *money markets, bill brokers*), **discount market deposit rate** (BANCA tipo de interés aplicado a los depósitos en las casas de descuentos; interés que cobran las casas de descuentos, que es la fuente principal de su financiación), **discount of drafts** (descuento de efectos), **discount period** (plazo para pago con derecho a descuento), **discount point** (V. *closing points*), **discount price** (precio con descuento; V. *cut price*), **discount rate** (tasa/tipo de descuento; conocida también con el nombre de *base rate* o *bank rate* y, en el pasado, como *minimum lending rate*; en los EE.UU. es utilizada por los Bancos de la Reserva Federal en la ventanilla de descuento o *discount window*; V. *bill rate*), **discount register**

(CONT registro de letras), **discount store** *US* (COMER tienda de rebajas; almacén de productos baratos), **discount the news** *US* (BOLSA desestimar/«descontar» la noticia; se dice cuando el índice fluctúa a la espera de una noticia pero no se altera cuando se confirma aquélla), **discount window** *US* (FINAN ventanilla de descuentos; inyección de fondos a corto plazo por un banco central normalmente mediante la compra de letras del Tesoro, como medida de urgencia; el término nace de la expresión «hacer pasar por la ventanilla —*teller window*—» de un banco de reserva federal al banco que tenga problemas con su cuenta de reservas; V. *discount rate; adjustment credit*), **discount without recourse** (descuento sin derecho a recurso), **discountable bill** (FINAN efecto descontable o negociable), **discounted bill** (letra descontada; efecto al descuento), **discounted cash flow, DCF** (FINAN, CONT recursos generados descontados; método del flujo de caja descontado; flujo de caja actualizado o anticipado; valoración de las inversiones tomando en consideración el valor actual de los flujos de ingresos futuros; V. *cash flow budget; net present value method; yield method*), **discounted cash flow method** (FINAN, CONT método de valoración de la probable rentabilidad de la inversión en un activo, basado en el valor actual de los flujos futuros de ingresos; V. *net present value method; yield method*), **discounted coupon** (cupón descontado), **discounted notes** (BANCA pagarés/efectos descontados), **discounter**[1] (FINAN mercantil dedicada al descuento de letras; V. *discount house*), **discounter**[2] (COMER empresa que vende con descuento), **discounting back** (FINAN práctica de descontar del importe de un pago futuro los intereses, a fin de calcular su equi-

valente actual), **discounting of bills** (descuento de efectos; adelanto, con descuento, que la banca hace del importe de los efectos comerciales a su tenedor)].

discredit *n/v*: descrédito; desacreditar, desautorizar.

discretionary *a*: discrecional. [Exp: **discretionary account** (BOLSA cuenta bursátil discrecional; se trata de fondos de un cliente en poder del agente bursátil para que efectúe transacciones en bolsa de acuerdo con su criterio), **discretionary funds** (FINAN fondos de colocación discrecional; V. *advisory funds*), **discretionary trust** (fideicomiso con amplios poderes en la administración de los bienes del beneficiario para impedir que éste los derroche)].

discriminate against *v*: discriminar. [Exp: **discriminate between** (distinguir; V. *discriminating*), **discriminating** (perspicaz, exquisito, que sabe distinguir; V. *discriminatory*), **discriminating duty** (TRANS tasa o derecho aduanero diferencial aplicado a un producto o artículo teniendo en cuenta varios factores como el país de origen, la mano de obra, etc.), **discrimination** (discriminación; V. *equal credit opportunity act*), **discriminative/discriminatory** (discriminatorio; selectivo; V. *discriminate against*; V. *non-discriminatory*), **discriminatory import restrictions** (restricciones selectivas a la importación), **discriminatory taxation** (TRIB imposición discriminatoria)].

diseconomies of scale *n*: ECO deseconomías de escala; V. *economies of scale*.

disembark *v*: desembarcar.

disequilibrium in the balance of payments *n*: desequilibrio en la balanza de pagos.

disguise *v*: encubrir, enmascarar, cubrir, disfrazar ◊ *Losses were disguised as undistributable income*. [Exp: **disguised**

unemployment (paro encubierto; V. *seasonal unemployment*)].

dishoard *v*: desatesorar; pasar activos atesorados a los canales económicos y especulativos; V. *idle balance; hoarding*.

dishonour *n/v*: no aceptación, falta de pago, incumplimiento de un pago; deshonra, deshonor, ignominia; incumplir la palabra, no pagar, desatender el pago, rechazar, negarse a cumplir ◊ *Cheques that are dishonoured on presentation are bad cheques*; V. *meet one's duties, honour*. [Exp: **dishonour a cheque/bill of exchange, etc.** (incumplir el pago, negarse a aceptar una obligación, no atender un compromiso contraído, etc.; V. *bounced cheques*), **dishonoured bill of exchange** (letra devuelta, rehusada, rechazada o no atendida, también llamada *overdue bill*; V. *bill dishonoured by non-acceptance*), **dishonoured cheque** (cheque devuelto, cheque sin fondos o provisión)].

disincorporate *v*: disolver una sociedad mercantil, liquidar una mercantil.

disinflation *n*: ECO desinflación; V. *deflation*.

disintermediation *n*: desintermediación; flujos de capital entre prestamistas y prestatarios sin la intervención de intermediarios; V. *intermediation*.

disinvest *v*: FINAN desinvertir. [Exp: **disinvestment** (FINAN desinversión; V. *negative investment*)].

dismiss[1] *v*: despedir, cesar, destituir a un empleado, licenciar a un militar, dejar cesante a un funcionario ◊ *The sales manager was dismissed following the publication of the results*; V. *sack, fire, discharge; be made redundant*. [Exp: **dismiss**[2] (desestimar, denegar, declarar sin lugar, sobreseer una causa), **dismiss a petition in bankruptcy** (rechazar una petición de quiebra por falta de masa), **dismissal**[1] (cese, despido, destitución,

desahucio; V. *constructive dismissal, protective award; shortage of work; feather-bed rule*)), **dismissal**[2] (anulación de la instancia), **dismissal from civil service** (separación del servicio), **dismissal indemnity** (REL LAB indemnización por despido, cesantía), **dismissal letter** (carta de despido), **dismissal pay** (REL LAB indemnización por despido o desahucio; finiquito laboral, cesantía; V. *severance pay*), **dismissal procedure** (REL LAB expediente de despido laboral), **dismissal statement** (carta de despido explicando los motivos del mismo)].

dispatch[1] *n/v* envío, despacho, expedición; enviar, despachar ◊ *She was dispatched to the Paris office to collect information at first hand*; V. *delivery; send; forward*. [Exp: **dispatch**[2] (TRANS celeridad, diligencia; V. *dispatch earning/money*), **dispatch at discharging only, DDO** (TRANS MAR la prima de celeridad o *dispatch money* sólo se pagará en el puerto de descarga; también se expresa con la fórmula *dispatch money payable in respect of time saved at the discharging port only*), **dispatch at loading only, DLO** (TRANS MAR la prima de celeridad o *dispatch money* sólo se pagará en el puerto de carga; también se expresa con la fórmula *dispatch money payable in respect of time saved at the charging port only*), **dispatch centre** (COMER, TRANSP centro de distribución), **dispatch days** (TRANS MAR días ganados; V. *dispatch money*), **dispatch department** (GEST sección de envíos), **dispatch earning/money** (TRANS MAR prima de rapidez o celeridad en los trabajos de carga o descarga; prima o bonificación de celeridad en contratos de fletamentos teniendo en cuenta los domingos y días de fiesta ahorrados en las tareas de carga y descarga; premio por *dispatch money*; V. *all time saved; both ends*), **dispatch**

money payable at both ends, DBE (TRANS MAR la prima de celeridad puede pagarse en el puerto de partida y en el de llegada), **dispatch note** (nota o boletín de envío que acompaña a las mercancías transportadas; V. *arrival notice, advice note*[1]), **dispatch notice** (COMER aviso de envío), **dispatch rider** (mensajero, motorista ◊ *Short distance deliveries are sent by dispatch rider*), **dispatch, with** (con rapidez ◊ *The goods will be sent with all due dispatch*), **dispatcher** (despachador), **dispatching** (TRANS distribución, expedición, despacho)].

dispense *v*: distribuir, administrar, repartir. [Exp: **dispense with** (renunciar a, prescindir de), **dispenser** (máquina expendedora; V. *cash dispenser; vending machine*)].

dispersion *n*: dispersión. [Exp: **dispersion diagram** (diagrama de dispersión)].

display *n/v*: exposición, exhibición, muestra, despliegue; exponer, exhibir; V. *goods displayed*. [Exp: **display ad/advertising** (PUBL anuncio o pancarta publicitaria; publicidad en plafones), **display basket** (PUBL, COMER cestón; contiene productos de oferta), **display box** (caja de exposición), **display cabinet/case** (vitrina), **display goods** (presentación/exhibición de la mercancía, mercancía en exposición), **display material** (material de exposición; V. *dealer aids; dealer aids*), **display, on** (PUBL expuesto, en exposición), **display rack** (PUBL estante de exposición), **display stand** (PUBL expositor, soporte para la exposición de publicidad o de mercancías en venta ◊ *The commercial traveller provided the shopkeeper with a display stand to exhibit the product*), **display system** (sistema de presentación de datos), **display window** (escaparate)].

dispose *v*: disponer; vender, enajenar. [Exp: **disposable income** (FINAN renta disponible ◊ *Disposable income is available for consumption or saving*), **disposable**[1] (desechable; de usar y tirar), **disposable**[2] (disponible ◊ *The firm's books show a disposable surplus of £300,000*), **disposal** (enajenación; venta; V. *transfer*), **disposal board** (comisión/oficina de ventas), **disposal of fixed assets** (enajenación/cancelación/venta de activos fijos), **disposal**[1] (disposición ◊ *With the resources at our disposal, we should be able to clear off the debt and make a profit*), **disposal**[2] (venta, traspaso), **disposal**[3] (resolución, liquidación), **disposal of releases/surpluses** (venta de excedentes), **dispose of one's business** (vender el negocio), **dispose of**[1] (disponer de ◊ *According to the accounts, the firm may dispose of about £2m*), **dispose of**[2] (desembarazarse de, deshacerse de ◊ *We will have to dispose of the old photocopying machine now we've got a new one*), **dispose of**[3] (vender, traspasar, enajenar, ceder), **dispose of**[4] (resolver, concluir, despachar, poner término a ◊ *A vote was taken and the matter was disposed of*), **disposition** (disposición, arreglo, organización), **disposition to the contrary** (disposición en contra/contraria)].

disproportionate *a*: desproporcionado. [Exp: **disproportionate stratified sampling** (muestreo descompensado)].

dispute *n/v*: disputa, litigio, desacuerdo, controversia, conflicto, impugnación; disputar, impugnar; V. *challenge, industrial/labour disputes*. [Exp: **disputable presumption** (presunción dudosa), **dispute, in** (en litigio), **disputed account** (cuenta impugnada)].

disqualify *v*: inhabilitar, incapacitar, descalificar. [Exp: **disqualification** (inhabilitación, descalificación, tacha), **disqualified** (inhabilitado, incompetente, incapacitado, impedido, descalificado)].

dissolve *v*: disolver, liquidar. [Exp: **dissolve a company** (disolver/liquidar una mercantil), **dissolution** (liquidación, disolución ◊ *The dissolution of the partnership was effected by a court order*)].

distance *n*: distancia. [Exp: **distance freight** (TRANS MAR flete de acuerdo con la distancia recorrida), **distant** (alejado), **distant contracts** (MERC FINAN/PROD/DINER contratos de futuros cuyo vencimiento es a largo plazo, también llamados *back contracts* o *back months contracts*; V. *front contracts*), **distance-time graph** (ECO diagrama de aceleraciones y tiempos)].

distinguished from, as *fr*: en contraste con, a diferencia de; V. *unlike*.

distress[1] *n/v*: embargo, secuestro, detención; embargar, ejecutar el embargo de bienes; V. *seize, attach*. [Exp: **distress**[2] (peligro; dificultades, apuros), **distress borrowing** (endeudamiento excesivo a tipos de interés caros), **distress freight/rates** (TRANS MAR flete a la baja; tarifas de flete bajas), **distress, in** (en apuros, en peligro, en dificultades financieras), **distress merchandise** *US* (mercancías vendidas por debajo de su valor con el fin de hacer frente a las deudas de la empresa), **distress rocket** (cohete de señales, cohete lanzado por un buque en peligro), *US* **distress sale** (venta forzosa a precio de saldo, remate), **distress selling** (BOLSA venta forzada de valores por razones negativas), **distress ship** (buque en peligro), **distress signal** (TRANS MAR señal de socorro), **distress warrant** (auto o providencia que ordena un embargo; V. *warrant of distress*), **distressed** (con dificultades), **distressed area** (ECO zona deprimida; V. *development; depressed area*), **distressed loan** (préstamo moroso)].

distribute *v*: distribuir, repartir. [Exp: **distributed earnings** (beneficios repar-

tidos; V. *retained earnings*), **distributed lag model** (ECO modelo de retrasos escalonados o distribuidos), **distributed, when** (BOLSA en el momento de su distribución; término que se aplica a las operaciones que dependen de la distribución secundaria de las acciones concentradas en manos de un grupo reducido de inversores —*closely-held stock*—; V. *when issued, WI*), **distributing network** (red de distribución), **distribution**[1] (COMER distribución, reparto; V. *place*[2], *exclusive distribution*), **distribution**[2] (SOC distribución; reparto de beneficios a accionistas o socios de fondos; V. *income distribution*), **distribution**[3] (BOLSA, SOC venta de acciones; V. *exchange distribution*), **distribution**[4] (DER reparto judicial de una propiedad entre los legitimados; V. *estate distribution*), **distribution accounting** (contabilidad de la distribución), **distribution agency** (oficina de distribución; V. *dispatch area*), **distribution area** (BOLSA zona de distribución de una acción; cotización del precio de una acción que permanece estable durante cierto tiempo; V. *accumulation area*), **distribution center** *US* (centro distribuidor), **distribution channels** (canales de comercialización/distribución), **distribution clause** (SEG cláusula de repartición de una póliza de seguros o testamento), **distribution department** (GEST servicio de distribución o envío), **distribution note** (nota de distribución), **distribution of costs** (reparto de costes), **distributor** (distribuidor; concesionario; V. *sole agent; dealer, supplier*)].

district *n*: zona, región; área, barrio, distrito; V. *business district*.

disused *a*: abandonado, en desuso; V. *abandoned*.

diversification *n*: FINAN diversificación; alude a la ampliación de la cartera de valores o de las actividades de una empresa; también se refiere a la apertura a diversos sectores de la producción con el fin de ampliar las fuentes de ingresos y reducir riesgos; y en banca y bolsa, a la variedad de activos que deben tener tanto una cartera de inversión como una de préstamos a fin de reducir riesgos; en este sentido, se habla de «diversificación eficiente» —*efficient diversification*— y de «diversificación ingenua» —*naive diversification*; V. *concentric/conglomerate/horizontal/vertical diversification; branching out; concentration*). [Exp: **diversify** (GEST diversificar; V. *focus*), **diversified firm** (GEST empresa diversificada ◊ *A diversified firm operates in several industries*; V. *focused firm*)].

diversion *n*: desviación; V. *detour*. [Exp: **diversion of profits** (desviación ilícita de beneficios), **diversify** (BOLSA diversificar; invertir en distintos productos financieros con el fin de reducir el riesgo)].

divert *v*: desviar; destinar a fines distintos de los previstos, apartar; distraer fondos ◊ *The Group diverted funds into the stricken subsidiary*; V. *siphon*.

divest *v*: desinvertir. [Exp: **divest strategy** (MKTNG estrategia de desinversión, también llamada *divest and exit strategy*; consiste esta estrategia en eliminar la venta del producto, debido a que no se vende bien o a que su crecimiento en el mercado es lento; V. *investment strategy*), **divest oneself of something** (renunciar a, ceder, abandonar ◊ *She signed a contract in settlement, divesting herself of her rights to oversee the conduct of the business*; V. *dispose of*), **divestment** (desinversión), **divestiture** (BANCA desposesión, enajenación; desprenderse o deshacerse; normalmente alude a la venta de un activo bancario,

por ejemplo, una sucursal o una división bancaria, con el fin de obtener un objetivo deseado)].

dividend *n*: dividendo, cupón; V. *cum dividend; ex dividend; interim/final dividend, stock dividend; declare a dividend, declaration date; pass a dividend, date of record; deferred shares; cum/ex dividend*. [Exp: **dividend announcement** (SOC declaración de dividendo; V. *declare a dividend*), **dividend-bearing security** (título con derecho a dividendo), **dividend capture** (TRIB, BOLSA caza de dividendos, lavado de dividendos; adquisición de valores con el fin de cobrar los dividendos; práctica bursátil, también llamada *dividend rollover plan, trading dividends* y *dividend stripping*, que consiste en comprar las acciones poco antes del plazo del pago de dividendos, vendiéndolas poco después a un precio ventajoso; la práctica tiene ventajas fiscales puesto que los dividendos ya han tributado; V. *stripping; bond washing; asset stripping; tax avoidance; ex dividend, cum dividend; zero-coupon*), también llamada *dividend stripping*), **dividend cheque/check** US (SOC cheque para pago de dividendos), **dividend counterfoil/dividend coupon** (talón de dividendo; cupón de dividendo), **dividend cover** (SOC cobertura de dividendo; relación entre beneficios y dividendo pagado; se refiere al número de veces que se podría pagar cada dividendo con los beneficios netos obtenidos; V. *pay-out ratio*), **dividend-equalization reserve** (CONT reserva estabilizadora de dividendos), **dividend mandate** (orden de pago de dividendos), **dividend paid on account/in advance** (SOC dividendo a cuenta; dividendo a cuenta entregado en el ejercicio), **dividend payout ratio** US (SOC porcentaje de pago de dividendos; razón entre los dividendos por acciones ordinarias y los beneficios devengados por las mismas), **dividend per share** (BOLSA dividendo por acción; V. *earning per share*), **dividend price ratio** (BOLSA relación entre el dividendo y el precio de la acción), **dividend-paying shares** (BOLSA acciones generadoras de dividendos, accioneo con derecho a dividendo), **dividend-right certificates** (bonos de disfrute), **dividend rollover plan** (TRIB, BOLSA plan/programa de compra rotatoria de acciones a punto de generar dividendos; la «rotación» se produce al revenderlas poco después de comprar el dividendo, adquiriendo en su lugar otras con plazo de dividendo próximo a vencer; V. *dividend stripping*), **dividend share** (BOLSA acción de goce), **dividend stripping** (V. *dividend capture*), **dividend warrant** (V. *dividend cheque*), **dividend yield** (rentabilidad del dividendo)].

division *n*: división, sección, rama, negocio, departamento; V. *department, office*. [Exp: **divisional coins** (moneda fraccionaria)].

DJ *n*: V. *Dow Jones*.

DJIA *n*: V. *Dow Jones Industrial Average*.

DLO *n*: V. *dispatch at loading only*.

do *v*: hacer. [Exp: **do a moonlight flit** col (darse a la fuga, largarse ◊ *They pulled off a Stock Exchange scam, then did a moonlight flit*), **do business with sb** (hacer negocios con alguien, llegar a un acuerdo, hacer un trato con alguien), **do-it-yourself** (hágalo Vd. mismo; bricolage), **do the business** col (cumplir lo prometido, ser todo lo bueno que se esperaba ◊ *He was brought in to turn the company round and he's certainly doing the business*), **do things by halves** (hacer las cosas a medias; no rematar/redondear la faena)].

dock[1] *n/v*: muelle, dique, espigón; atracar; V. *dry dock, berth*. [Exp: **dock**[2] col (descuento del sueldo; descontar del sueldo, rebajar/reducir el sueldo ◊ *The workers were docked £50 for time lost during the dispute*), **dock charges/dues** (derechos de dársena, derechos portuarios; derechos de atraque), **dock charter** (póliza de fletamento con indicación del muelle), **dock dues** (V. *dock charges*), **dock pilot** (práctico de puerto; V. *pilot, bar pilot*), **dock pass** (permiso de salida del muelle), **dock receipt** (TRANS MAR recibo o talón extendido por una compañía de navegación o por sus agentes haciendo constar que en sus almacenes se ha recibido una mercancía que está a la espera de ser cargada, también llamado *wharfinger's receipt*), **dock warrant, DW** (resguardo de muelle, conocimiento de almacén; V. *warehouse warrant, wharfinger's warrant, deposit warrant*), **dock worker** (trabajador portuario), **dockage** (derechos de atraque, gastos de muelle; amarraje), **docker** (estibador, trabajador portuario, cargador del muelle), **dockyard** (astillero)].

docket[1] *n*: rótulo, etiqueta, ficha, papeleta; relación de contenidos en un paquete; V. *enquiry docket*. [Exp: **docket**[2] (certificado, resguardo de aduanas; factura ◊ *The customs officer checked the goods listed on the docket*), **docket**[3] (actas, orden del día), **docket file** (archivo donde se guardan los resguardos, etc.)].

document *n*: documento, instrumento, acta. [Exp: **document/s against acceptance, D/A** (aceptación de una letra contra entrega de documentos; esta orden la da el exportador al banco, con el fin de que se le entreguen al librado —*drawee*— los documentos que van adjuntos a la letra de cambio —*draft for collection*— sólo cuando aquél acepte el efecto), **documents against cash/payment/ presentation** (pago contra entrega de documentos; los documentos de envío, junto con una letra de cambio, los remite el exportador a un banco del país del importador, quien tras la aceptación de la misma recibe los documentos, con los que podrá retirar las mercancías; V. *cash against documents; cash before delivery*), **documents against acceptance bill** (TRANS MAR, BANCA factura que especifica pago contra entrega de documentos), **documents against presentation, D/P** (V. *cash against documents*)].

documentary[1] *a*: documental, documentario, literal o escrito. [Exp: **documentary**[2] (TRANS documentario; se dice de las letras que, en las transacciones internacionales, van acompañadas de documentos de embarque o de alguna restricción, siendo en este caso antónimo de *clean, clear* o *unqualified*), **documentary acceptance credit** (BANCA, COMER crédito de reembolso, crédito de aceptación documentario; este crédito se le concede al importador, conviniéndose que en su país la letra de cambio del exportador será aceptada al presentar los documentos de embarque; V. *acceptance credit*), **documentary bill** (letra documentaria; efecto documentario; letra adjunta a los documentos de embarque de un envío; también se la llama *document bill*; V. *documentary draft*), **documentary collection** (cobro documentario, remesa documentaria), **documentary credit** (BANCA, COMER crédito documentario; carta de crédito; documento de pago en el comercio internacional mediante el cual un banco anticipa un crédito al comprador, con el fin de que se le pague inmediatamente al vendedor previa entrega de los docu-

mentos correspondientes; V. *letter of credit*), **documentary draft** (letra documentaria, también llamada *bill with documents attached* o *documentary bill*; efecto comercial avalado por documento o carta de crédito), **documentary letter of credit** (carta de crédito documentaria), **documentary remittance** (remesa documentaria), **documentation** (documentación)].

dodge *n/v*: evasión; artificio, trampa; hacer trampas, evadir. [Exp: **dodger** (estafador; V. *tax dodger*), **dodging** (elusión, evitación; V. *tax dodging; tax avoidance*), **dodgy** (arriesgado, dudoso, poco de fiar, peligroso; V. *risky*)].

DOF *n*: V. *degree of freedom*.

dog *n*: MKTNG productos perro; son productos de baja cuota de mercado —*market share*— en mercados con baja tasa de crecimiento —*growth*—; V. *Boston Consulting Group Portfolio Analysis, cash cow, star; watchdog*.

dogsbody *col n*: REL LAB burro de carga ◊ *She left the firm and took a new job because she was tired of being the general dogsbody*.

dole *col n*: subsidio de desempleo; V. *unemployment benefit/compensation*. [Exp: **dole, be on the** *col* (estar en el paro), **dole cheat** (REL LAB defraudador del subsidio de desempleo), **dole cheating** (fraude en el subsidio de desempleo), **dole out** (repartir miseria, distribuir con parquedad o espíritu ahorrativo), **dole queue** (cola del paro)].

dollar *n*: dólar. [Las monedas de cinco centavos se llaman *nickels*, las de diez, *dimes*, y las de veinticinco, *quarters*. Exp: **dollar area** (zona del dólar), **dollar averaging** (BOLSA cálculo del promedio del valor en dólares; práctica seguida a fin de asegurar riesgos en la compra o venta de dólares producidos por cambios en la cotización; V. *averaging*), **dollar balance** (reservas de dólares), **dollar-cost averaging** (FINAN promedio del coste en dólares, también llamado *constant-dollar plan*; V. *pound-cost averaging*), **dollar gap/shortage** (déficit de dólares; V. *dollar glut/overhang*), **dollar glut/overhang** (excedente de dólares; V. *dollar gap/shortage*), **dollar roll** (FINAN venta de valores bursátiles, garantizados por una hipoteca, con pacto de recompra; técnica de financiación a corto plazo, consistente en vender a un intermediario un valor garantizado con una hipoteca, con el compromiso de recomprarle en una fecha posterior un valor similar; V. *reverse repurchase agreement*), **dollar stocks** (títulos en dólares americanos)].

dolly *n/v*: TRANS carretilla de rodillos; V. *dynamic storage; pallet*.

domestic *a*: nacional, interior, interno, familiar, intestino; con el significado de «interno, interior o nacional» aparece en muchas expresiones como *domestic consumption, domestic economy, domestic savings, domestic trade*; en estos contextos es sinónimo parcial de *national, internal* y de *home*, y antónimo de *foreign*; sin embargo, con el nacimiento del euro, la puesta en marcha de la Unión Económica y Monetaria — *Economic and Monetary Union*— y la de sistemas de pago como *Target*, este concepto se ha ensanchado; V. *inland*. [Exp: **domestic administration** (administración interior), **domestic agreement** (acuerdo familiar), **domestic attachment** (embargo contra deudor residente), **domestic bill/draft** (letra girada y pagadera en el mercado interior; V. *land bill*), **domestic/onshore captives** (SEG compañías cautivas domiciliadas en el país de la matriz), **domestic commerce/trade** (comercio interior),

domestic consumption (consumo interno), **domestic exchange** (BANCA tipo de cambio para la compensación bancaria de efectos comerciales norteamericanos efectuada a través del *Federal Reserve System*, que es a la par o sin descuento; V. *foreign exchange*), **domestic open market desk** US (V. *open market desk*), **domestic support program** *US* (programa de apoyo/subvenciones a la economía nacional; V. *deficiency payments*), **domestic savings** (ahorro interno)].

domicile *n/v*: país; domicilio; domiciliar. Exp: **domicile a bill/draft** (domiciliar una letra de cambio), **domiciled bill** US (BANCA letra domiciliada; normalmente se domicilia en la cuenta corriente del librado; V. *direct debit draft*), **domicile of corporation** (domicilio social), **domicile of choice** (país de adopción), **domicile of origin** (país de origen), **domiciliation of bills** (domiciliación de efectos), **domiciling bank** (COMER banco domiciliatario)].

dominant *a*: dominante. [Exp: **dominant firm** (empresa líder)].

donate *v*: donar, contribuir. [Exp: **donation** (donación, donativo, dádiva), **donee** (donatario o receptor de una donación), **donor** (DER donante, dador, mandante; V. *power of attorney; grantee*)].

don't know *fr*: BOLSA negativa a completar una transacción bursátil por falta de información; se suele decir «DK».

doomsday strike *US n*: REL LAB huelga de presión; se suele hacer una vez empezadas las negociaciones; V. *bargaining table*.

door *n*: puerta; V. *back door*. [Exp: **door-to-door canvassing** (búsqueda de votos, de clientes puerta a puerta; sondeo de opinión puerta a puerta), **door-to-door delivery** (TRANS entrega a domicilio), **door-to-door sale/selling** (venta domiciliaria; V. *bell-ringer*), **door openers** (PUBL recursos/trucos publicitarios para entrar en una casa)].

dormant *a*: inactivo, oculto, secreto, durmiente, latente, en letargo, aletargado. [Exp: **dormant account** *US* (BANCA cuenta inactiva, cuenta sin movimientos; V. *escheat law; active account; broken account*), **dormant balance** (saldo inactivo; V. *unclaimed balance*), **dormant, be/lie** (estar/quedar inactivo), **dormant commerce clause** (cláusula de comercio durmiente), **dormant company** (mercantil cuyo domicilio social, a efectos fiscales, está en el extranjero), **dormant partner** (SOC socio comanditario inactivo o capitalista; V. *sleeping/silent/special partner; active/general/industrial/working*partner, ostensible partner*)].

dossier *n*: expediente, dosier.

double *a/v*: doble; duplicar, doblar. [Exp: **double auction** (MERC FINAN/PROD/DINER subasta doble; esta modalidad de subasta, en la que hay a la vez ofertas —*offers*— y pujas —*bids*—, es la forma normal con la que abren los mercados de productos —*commodity markets*— en la modalidad de «a viva voz» —*open outcry*), **double-barrelled bond** (FINAN bono con doble garantía; se trata de bonos emitidos por una empresa con el aval adicional de las autoridades municipales, regionales, etc., cuando el objeto de la inversión es financiar la explotación de un servicio de interés público), **double bind** (callejón sin salida; situación en la que uno se encuentra entre la espada y la pared), **double-book** (reservar la misma plaza a dos personas; V. *overbooking*), **double booking** (duplicación de las reservas), **double bottom** (BOLSA suelo doble; doble valle; existe esta posición bajista en Bolsa cuando hay dos bajas de precio separadas por un alza; V. *chart; double top*), **double call in sinking funds**

(opción a doblar la amortización de bonos), **double congruency** (SEG doble congruencia), **double creditor** (doble acreedor; acreedor de dos gravámenes), **double-cross, double cross** (engaño, traición; engañar, traicionar jugando a dos bandas o barajas), **double damages** (SEG indemnización doble), **double-dealing** (simulación, doblez), **double-decker** (PUBL panel publicitario doble), **double declining balance depreciation** (CONT sistema de amortización acelerada por saldo declinante doble), **double-digit inflation** (inflación de dos cifras; V. *double figures*), **double endowment assurance** (SEG seguro de vida mixto de doble protección; el capital por supervivencia es el doble que el de fallecimiento; V. *endowment assurance*), **double-entry** (partida doble; V. *book-keeping by simple/double entry, single entry*), **double-entry accounting/book-keeping** (contabilidad/teneduría de libros por partida doble; V. *accountancy; single-entry bookkeeping; debit side; statutory books*), **double figures** (de dos cifras, superior al 10 por cien ◊ *Interest rates have reached doble figures*; V. *double digit*), **double floors and caps** (techos y suelos dobles), **double indemnity** (SEG doble indemnización/capital por muerte accidental), **double insurance** (SEG seguro doble o acumulativo), **double leverage** *US* (FINAN apalancamiento doble; se puede dar, por ejemplo, si una sociedad matriz, poseedora de varios bancos, se endeuda en el mercado de dinero y transfiere el importe del préstamo a uno de sus bancos; V. *gearing*), **double liabilities** (SEG responsabilidad suplementaria), **double marginalization** (ECO duplicación de los costes marginales; tendencia que tienen dos empresas, una proveedora de la otra, a añadir ambas un margen de beneficios a sus costes marginales de modo que establecen precios tan altos que sus beneficios combinados serían mayores si el precio final fuera rebajado); **double option** (BOLSA opción doble; opción a comprar y vender; es equivalente a una *put and call option*; V. *butterfly, straddle*), **double-page spread** (PUBL anuncio a doble página; V. *double truck; full column*), **double pricing** (PUBL, COMER técnica comercial, para atraer clientes, consistente en presentar dos precios para un mismo producto: el más caro, tachado; siendo el no tachado el rebajado), **double protection policy** (SEG póliza de doble protección), **double set of books** (CONT doble contabilidad), **double-sheathed** US (con revestimiento doble), **double-stack container train** (TRANS tren de contenedores de dos niveles o doble altura), **double standard** (patrón bimetálico o doble estándar; V. *bimetallism, two-metal standard gold, standard gold exchange standard*), **double taxation** (TRIB doble imposición), **double top** (BOLSA doble pico; V. *chart, double bottom*), **double truck** US (PUBL anuncio a doble página; V. *double-page spread; full column*)].

doubtful *a*: dudoso. [Exp: **doubtful accounts** (CONT cuentas de cobro dudoso; V. *bad debt, allowance for doubtful accounts, reserve for doubtful debts*), **doubtful debts** (créditos de dudoso cobro; V. *allowance for doubtful accounts; allowance/reserve for bad debts*), **doubtful loan** (BANCA crédito dudoso; es el crédito pendiente del que la entidad tiene dudas de poder cobrar; V. *non-performing loan, bad loan; impaired credit*)].

Dow Jones, DJ *n*: BOLSA Dow Jones & Co publica todos los días en el *Wall Street Journal* cuatro índices de valores bursátiles; de todos, el más conocido y, a la vez, el más indicativo es *The Dow Jones Industrial Average*; V. *Nikkei Index, The Financial Times-Stock Exchange 100 Share Index*. [Exp: **Dow Jones Average** (índice Dow Jones), **Dow Jones Indexes** (índices de Dow Jones), **Dow Jones Industrial Average, The, DJIA** (BOLSA índice Dow Jones de Valores Industriales)].

down[1] *adv/n/v*: abajo, bajo, que ha bajado en precio o valor ◊ *Sugar is down 2 pence*; V. *up*. [Exp: **down**[2] (señal, primera entrega, en efectivo, pago a cuenta; V. *down*), **down**[3] *col* (tirria, manía, inquina ◊ *I've no chance of getting promotion, the manager has a down on me*), **down-and-in call** (MERC FINAN/PROD/DINER opción de compra con barrera mínima [ejercitable sólo cuando el valor del activo subyacente rebasa una cantidad fijada]), **down-and-out** (pobre, paupérrimo, derrotado, perdedor), **down-and-out call** (MERC FINAN/PROD/DINER opción de compra con tope máximo en el activo subyacente), **down-at-heel** (venido a menos, decaído ◊ *There is a down-at-heel look to a lot of British industries*), **down market** (MERC, PUBL mercado popular; V. *go down market; up market; down-market*), **down-market** *col* (MERC, PUBL poco elegante, de calidad inferior; propio de las capas más populares del mercado; de andar por casa ◊ *Most of the big foodstores specialise in down-market products*; V. *up-market; luxury*), **down-payment** (COMER primer plazo, entrega/pago a cuenta, pago inicial, entrada, pago parcial por anticipado; arras; V. *make a down-payment; earnest money, good faith deposit; down*[2]), **down periods** US (REL LAB períodos de cierre en una empresa por reforma, etc.), **down side, the** *col* (el lado malo, los aspectos negativos, las desventajas; V. *downside* *risk*), **down tick** (V. *minus tick*), **down time** (REL LAB tiempo muerto, inútil u ocioso; tiempo pagado por la empresa sin que los obreros trabajen por causas ajenas a su voluntad; V. *dead/lost time*), **down tools** (REL LAB hacer un paro laboral; parar la actividad laboral, declararse en huelga, interrumpir la actividad laboral en señal de protesta; interrumpir/suspender el trabajo; V. *strike; labour stoppage; back-to-work movement*), **downgrade** (degradar, bajar de categoría; rebajar la calificación crediticia o de solvencia una agencia de calificación o *rating agency*; V. *demote; promote; upgrade; investment-grade bond*), **downgrading** (degradación, depreciación; V. *demotion*), **downhill** (cuesta abajo, cada vez peor), **downside factor** (factor de riesgo), **downside risk** (cálculo del riesgo de que baje el valor de una inversión; cantidad en riesgo), **downsize** (redimensionar; reducir; V. *streamline, slim down, cut down*), **downsizing** (reducción de plantilla, reducción de las actividades de una empresa; recorte de plantillas, re-dimensionamiento de plantillas), imensionar; reducir; V. *streamline, slim down, cut down*), **downstairs merger** US (FINAN, SOC fusión de una socie-dad matriz con una subsidiaria), **downstream¹** US (FINAN descenden-te, río abajo, aguas abajo, hacia abajo, en sentido descendente; normalmente son créditos o flujos de fondos descen-dentes desde la casa matriz hacia la filial; garantía matriz-filial; V. *mainstream, upstream; parent; subsidiary*), **down-stream²** US (COMER relacionado con los productos derivados o semielaborados tras el proceso de transformación de recursos naturales; V. *by-product, derivative*), **downstream bank** (banco representado por otro; por lo general este banco compra o alquila los servicios del banco representante; V. *correspondent bank, upstream bank*), **downstream industries** (industrias consumidoras de materias primas), **downstream market** (mercado consumidor de materias primas), **down-stream pricing** (deter-minación del precio de los productos derivados o semielaborados; V. *pricing, price-fixing*), **downstream services** (servicios prestados en las fases finales de la cadena de producción), **downswing** (fase descendente; V. *downturn*), **down-time** US (REL LAB tiempo muerto; el trabajador está desocupado por avería de la maquinaria; V. *idle time*), **downtown** US (centro de una ciudad; céntrico; V. *business district*), **downturn** (BOLSA recesión, bache económico, caída o contracción económica; cambio desfa-vorable en la coyuntura; baja, descenso o disminución en el volumen de negocios; V. *drop, turnover, upturn; economic downturn*), **downturn in share prices** (BOLSA baja en las cotizaciones), **down-ward** (BOLSA a la baja, descendente), **downward trend** (BOLSA tendencia a la baja; V. *bearish tendency, tendency to decline; upward trend*)].

D/P *n*: *delivery paid.*

D/P draft *n*: V. *documents against payment.*

DPP *n*: V. *Direct Participation Program.*

draft,¹ draught *n/v*: letra de cambio, efecto; libramiento, libranza; letra girada, giro, en contraste con *acceptance*, que es letra de cambio aceptada; girar una letra de cambio, emitir una letra; los términos *bill of exchange* y *draft* son intercam-biables, aunque algunos de los *bills* no son negociables; no obstante, *draft* se prefiere en los EE.UU., siendo *draught* la ortografía corriente en Canadá; V. *accommodation draft, bank draft, collection draft, demand bill/draft, documentary draft; rough draft; sight* *draft; sight draft with negotiable bill of lading attached.* [Exp: **draft²** (V. *draught*), **draft³** (borrador de un documento; anteproyecto de ley; redactar un anteproyecto; V. *final draft; drafting*), **draft⁴** (trazado, plano, dibujo, diseño; V. *design*), **draft a contract/report, etc.** (redactar el borrador de un contrato, de un informe , etc.; V. *draw up a contract*), **draft acceptance** (BANCA aceptación de la letra de cambio), **draft at sight** *US* (letra a la vista; V. *demand bill*), **draft capture** (COMER cobro electrónico de la factura comercial por compras con tarjeta desde el mismo establecimiento comercial; V. *mail float; bank card data capture*), **draft discounting** (negociación de efectos), **draft for collection** (BANCA letra al cobro; V. *collection draft*), **draft terms** (COMER condiciones de venta para las transacciones pagaderas con letras), **drafting** (PUBL redacción de un documento), **drafting board** (PUBL tablero de diseño o de dibujo), **drafting committee** (PUBL comité de redacción), **drafting stage** (fase preparatoria de un anteproyecto, etc.), **drafts to be collected** (efectos al cobro)].

drag *n*: traba; V. *fiscal drag.*

Dragnet clause *n*: V. *cross-collateral; Mother Hubbard clause.*

dragon markets *n*: mercados de países del Pacífico asiático, como Tailandia, Indonesia, etc.; V. *CARICOM, CARIFTA.*

drain *n/v*: ECO sangría; causa o fuente de pérdidas o disminución; agotar los recursos ◊ *Taxes are a great drain on companies' resources*; V. *deplete.*

draught/draft *n*: calado de un buque; V. *anticipated draught of arrival.* [Exp: **draught marks** (marcas de calado)].

draw¹ *n*: sacar, extraer; V. *draw conclusions.* [Exp: **draw²** (retirar; V. *draw money, withdraw*), **draw³** (librar, emitir, extender, girar, expedir), **draw⁴** (cobrar,

percibir; V. *draw one's salary*), **draw⁵** (dibujar, diseñar, trazar ◊ *The Chairman drew a very rosy picture of the company's future*), **draw⁶** (sortear; sorteo ◊ *The prize is decided by a draw of the serial numbers*; V. *draw lots, cum drawing*), **draw⁷** (atraer, provocar, causar, despertar, llamar ◊ *The deal drew a lot of comment in the financial press*), **draw a bill on somebody** (girar una letra a cargo de alguien), **draw a check/cheque against a deposit** (extender cheques con cargo a una cuenta; V. *draw on a deposit by cheque; write out a cheque*), **draw against** (girar a cargo de), **draw conclusions** (sacar conclusiones), **draw lots** (echar suertes; V. *throw in one's lot with someone*), **draw money** (retirar dinero ◊ *I drew £50 out of the account*; V. *withdrawal*), **draw on¹** (librar a cargo de, girar; V. *draw a bill on somebody*), **draw on,² upon** (recurrir/acudir a, disponer de, echar mano de, sacar provecho de ◊ *Draw on cash reserves*; V. *fall back*), **draw one's salary** (cobrar el sueldo), **draw samples** (extraer muestras), **draw up** (expedir; extender, en especial, cheques, recibos, documentos, pólizas de seguros, etc.; preparar, elaborar, establecer, redactar; V. *make out; draft*), **draw up a contract, programme, agreement, etc.** (redactar un contrato, programa, acuerdo, etc.), **draw up a balance sheet** (CONT hacer balance; V. *strike a balance*), **draw upon** (V. *draw on²*), **drawback¹** (desventaja, pega), **drawback², DBK** (TRIB, COMER tráfico de perfeccionamiento; régimen de perfeccionamiento activo; reintegro de derechos de importación; rebaja arancelaria; devolución o reintegro, al reexportar, de los derechos de aduanas que por el producto/bien o parte de él se abonó al importarlo; en realidad es el nombre abreviado de *duty drawback*;

también se le llama en español *drawback*; V. *customs drawback*), **drawback exports** (COMER sistema de exportación anticipada), **drawback system** (sistema de reintegro, tráfico de perfeccionamiento activo), **drawdown**[1] (BANCA período de giro o de activación de una línea de crédito —*revolving loan*—, en el que el prestamista puede retirar los fondos del préstamo que necesite; V. *line of credit; loan drawdown; flexible drawdown*), **drawdown**[2] (BANCA orden de transferir fondos de un banco a otro), **drawdown**[3] (BOLSA devolución o «pérdida» de los beneficios conseguidos por una cartera, en los períodos menos favorables), **drawdown period** (período de giro [de un crédito rotatorio o *revolving credit*]), **drawee** (FINAN librado; girado; aceptante; persona que debe pagar a su vencimiento la letra que se le gira; V. *acceptor, payee*), **drawer** (FINAN librador; persona que expide o libra una letra de cambio; V. *drawee; payee; refer to the drawer*), **drawing**[1] (dibujo), **drawing**[2] (FINAN giro, libramiento; V. *outstanding drawings, quota limits on drawings; special drawing rights*), **drawing closing date** (fecha tope de los giros), **drawing, cum** (con derecho a sorteo), **drawing account** (BANCA cuenta corriente, también llamada *current account* o *cheque account*; en los EE.UU. los términos utilizados son *demand deposit account* o *checking account*; V. *Trustee Saving Bank; NOW account*), **drawing facilities** (servicios de giro), **drawing rights** (BANCA, FINAN derechos de giro; derecho a disponer de los fondos de una cuenta; derecho a disponer de divisas extranjeras del Fondo Monetario Internacional; este derecho se materializa en varios tramos o *tranches*; el primero, hasta el 25 % de la cuota de cada país, es

automático; V. *special drawing rights*), **drawn bond** (título sorteado), **drawings**[1] (COM, FINAN ingresos; ingresos por venta de localidades; entrada), **drawings**[2] (BANCA reintegros, cantidades retiradas; V. *withdrawal*), **drawings**[3] (SOC, CONT cantidades retiradas por los propietarios o socios de una empresa privada durante un ejercicio para su uso personal; en el balance final aparece como cargo contra la cuenta de pérdidas y ganancias)].

drift *n/v*: deriva; arrastre, movimiento; desplazamiento; tendencia; intención, propósito, significado; ir a la deriva; moverse lentamente, perder el rumbo, bajar de valor ◊ *Trading on the stock was brisk at first, but then it began to drift*; V. *wage drift; brisk/active market; calm/heavy market; broad/thin market*. [Exp: **drift net** (red de pesca a la deriva)].

drip-feed *n/v*: FINAN gota a gota; actuar con cuentagotas; capitalización de una empresa realizada por etapas, pautalinamente o gota a gota; capitalizar una nueva empresa poco a poco, por etapas, o con cuentagotas en vez de con grandes inversiones.

drive[1] *v*: empuje, impulso dinamismo, vitalidad, energía, vigor ◊ *She doesn't have much experience but she's got plenty of drive*. [Exp: **drive**[2] (impulsar, dinamizar, instar, incitar, hacer trabajar a fondo ◊ *The new young sales manager really drives his staff*), **drive**[3] (PUBL campaña, esfuerzo; ataque ◊ *They are mounting a big sales drive in Asia*; V. *advertising drive, economy drive, sales drive*), **drive a hard bargain** (ser un negociador duro, ser duro de roer ◊ *Don't be deceived by her pleasant manner, she drives a hard bargain*), **drive-in bank** (autobanco; cajero automático; V. *drive-in establishment*), **drive-in establishment** (COMER establecimiento de prestación de servicios al cliente sin bajar del coche; se puede aplicar a cualquier establecimiento en el que el cliente puede ser atendido o recibir el servicio sin bajar del coche, como *drive-in cinema*), **drive sb into a corner** (colocar a alguien entre la espada y la pared; arrinconar/acorralar a uno)].

drop *n/v*: caída, disminución; baja; descender, bajar, dejar caer; abandonar, dar de baja, desistir; V. *fall, decline; drop in investments; technical drop*. [Exp: **drop a notch** *col* (bajar ligeramente), **drop-dead fee** (BANCA comisión por operación fallida para evitar pagar intereses por préstamo no utilizado; esta comisión la suele pagar quien pide al banco un préstamo para lanzar una OPA; si ésta no prospera, el interesado sólo pierde el montante de la comisión sin tener que abonar intereses), **drop in investments** (caída de las inversiones), **drop-lock bond** (FINAN bono de interés flotante/variable, empleado normalmente en el mercado internacional, que se convierte automáticamente en fijo cuando los tipos de interés del mercado caen por debajo de un determinado límite), **drop off** (COMER caer, bajar ◊ *Once a company stops couponing, sales drop off*), **drop-out** (marginado social), **drop provision** (FINAN cláusula que prevé la disminución del tipo de interés en determinados préstamos hipotecarios), **drop-ship** (TRANS enviar sin la intervención de intermediarios), **drop-shipment** (TRANS envío directo), **drop-shipper** US (COMER mayorista que sirve a los clientes sin tener depósito de mercancías; proveedor directo; V. *desk jobber, wholesaler*), **drop the rating** (FINAN rebajar la calificación de solvencia una agencia de calificación), **dropping** (goteo)].

drug *n*: medicamento; narcótico, droga. [Exp: **drug money** (dinero procedente del narcotráfico; V. *launder money*), **drug on the market** *col* (producto que no se vende o que no tienen salida ◊ *Business is very slow because cars are a drug on the market right now*), **drug peddler/pusher** (camello, traficante), **drug racket** (tráfico de estupefacientes), **drug traffic** (narcotráfico, tráfico de drogas/narcóticos), **drug use** (consumo de drogas)].

drum[1] *n/v*: tambor; tocar el tambor, tamborilear. [Exp: **drum**[2] (TRANS bidón; V. *can, tin*), **drum sth into sb** (machacar a alguien la misma idea a base de repetírsela, repetirle la misma cosa a alguien una y otra vez), **drum up support** (conseguir apoyo a base de un esfuerzo concertado, fomentar ◊ *The campaign manager drummed up support for the candidate among the rank and file*), **drummer** US (COMER viajante de comercio; viajante de promoción de artículos)].

dry *a*: seco. [Exp: **dry cargo carrier** (buque de carga seca; V. *bulk liquid carrier; OBO ships*), **dry dock** (dique seco; V. *graving dock, wet dock*), **dry farming** (barbecho, cultivo en secano), **dry goods** (mercancías secas, áridos), **dry measure** (medida para áridos o productos secos), **dry run/trial** (prueba; V. *trial, trial run*), **dry season** (temporada de sequía), **dry trust** (fideicomiso pasivo)].

DS *n*: V. *debenture stock*.

DSR *n*: V. *debt service ratio*.

dual *a*: doble. [Exp: **dual banking** US (BANCA sistema bancario doble; se refiere al hecho de que en los Estados Unidos haya bancos estatales —*state banks*—, constituidos —*chartered*— de acuerdo con leyes estatales, y bancos nacionales —*national banks*— regulados por la Intervención General de Hacienda —*Office of the Comptroller of the*

Currency, por lo que las características de los servicios que ofrecen son distintas), **dual capacity system** (BOLSA sistema bursátil de capacidad dual; en él, el corredor —*broker*— actúa como intermediario, y como inversor principal —*dealer*; V. *single capacity system*), **dual control** (control compartido; mando bicéfalo; V. *joint custody*), **dual currency bond** US (BOLSA bono de doble divisa; en una paga los intereses y en otra la amortización; V. *indexed currency option note, ICON; heaven and hell bond*), **dual listing** (doble cotización; alude a los valores que cotizan en más de un mercado), **dual nationality** (doble nacionalidad), **dual pay system** (REL LAB sistema salarial doble), **dual posting** (CONT sistema contable en el que los asientos en el libro mayor se hacen por dos empleados de forma independiente), **dual price criterion** (criterio del doble precio), **dual pricing** (práctica de desdoblamiento de precios), **dual purpose** (de doble uso), **dual purpose fund** (FINAN fondo con dos clases de acciones; se trata de «fondos cerrados» o *closed-end funds* y en ellos los tenedores de acciones preferentes reciben los beneficios que provienen de los intereses y rendimientos, mientras que los accionistas ordinarios o *common share-holders* comparten entre sí las plusvalías), **dual signatures** (SOC firmas mancomunadas), **dual system** US (sistema de doble contabilización)].

dud *a/n col*: falso; falsificación; V. *dummy; palm off*. [Exp: **dud cheque** (cheque sin fondos; V. *bad cheque, return item, bounced cheque*)].

due[1] *a*: debido, exigible, vencido ◊ *Those bills are due on July 5th*; V. *calendar of dates, become due, come due, fall due.* [Exp: **due**[2] (razonable, justo, legítimo, propio, apropiado, correspondiente, debido, conveniente, oportuno, esperado), **due and payable** (vencido y pagadero), **due and proper care** (la atención razonable que se espera), **due and unpaid credit/loan** (FINAN préstamo/crédito vencido; es vencido cuando el crédito no ha sido pagado transcurrido el plazo concertado; V. *doubtful loan, bad loan, non-performing loan; overdue, back, arrears, outstanding, unsettled, pending*), **due balance** (saldo vencido), **due bill**[1] (letra aceptada, reconocimiento de deuda; V. *accepted bill*), **due bill**[2] (abonaré vencido, pagaré), **due care and attention** (diligencia debida, cuidado y atención razonables), **due compensation** (indemnización apropiada, justa remuneración), **due consideration** (causa contractual razonable), **due coupon** (cupón vencido o al cobro; V. *payable coupon*), **due course, in** (en su momento, en su día, a su debido tiempo; cuando corresponda, con las garantías pertinentes; V. *payment in due course*), **due date** (vencimiento, fecha de vencimiento, plazo; V. *date of maturity, maturity date; average due date; equated time*), **due date notice** (aviso de vencimiento de una letra, préstamo, etc.), **due diligence** (diligencia debida en las transacciones comerciales, bursátiles, etc.; diligencia en poner el buque que ha de efectuar el transporte en las debidas condiciones de navegabilidad; V. *negligent*), **due form, in** (en la forma debida o adecuada, en forma legal), **due from** (adeudo-s de), **due from account** (CONT adeudo a ser cargado en cuenta; V. *nostro account*), **due interest** (intereses vencidos), **due maturity date** (fecha de vencimiento), **due notice** (aviso de vencimiento), **due on demand** (pagadero a la vista), **due on sale clause** (FINAN cláusula de una hipoteca por la que se avisa al posible comprador de las cantidades vencidas y pagaderas advirtiéndole también de que no se trata de una hipoteca asumible sin la aprobación del prestamista; V. *assumable mortgage*), **due process of law, in** (con las garantías procesales debidas, ajustado a derecho, según el debido procedimiento legal; fórmula que se utiliza en los contratos para indicar que todo se hace de acuerdo con la ley), **due to** (debido a, como consecuencia de), **due to account** (CONT fondos pagaderos a otros bancos), **due to arrive** (debe llegar), **due to fail** (debido a fallo), **dues** (cuotas, contribución, derechos, tributos; gastos ◊ *Members please note that club dues are now payable*; V. *dock/pier dues; market dues; charge*), **duly** (según lo previsto; en efecto; debidamente; en tiempo y forma; en su debido momento, en su día; V. *suitably, timely*), **duly qualified** (con los títulos pertinentes)].

dull *a*: inactivo, muerto; V. *dead, quiet*. [Exp: **dull market** (MERC FINAN/PROD/DINER mercado inactivo o débil), **dullness** (BOLSA estancamiento, inactividad; V. *heavy*)].

dummy *a/n*: ficticio, simulado; maniquí; entidad fantasma, producto ficticio, hombre de paja ◊ *The list of shareholders is no help; the business is in the names of dummies*; V. *dud*. [Exp: **dummy corporation** (empresa fantasma o simulada; V. *conduit company*), **dummy director** (directivos o consejeros ficticios), **dummy invoice** US (factura provisional), **dummy pack** (envase de muestra; envase vacío o sin uso ◊ *The salesman left a couple of dummy packs to use as advertising*), **dummy stock** (SOC acciones de propiedad simulada), **dummy stockholder** (SOC accionista fantasma; testaferro), **dummy tendering** (COMER V. *collusive tendering*), **dummy transaction** (negocio ficticio)].

dump *n/v*: basurero, escombrera, vertedero; verter; V. *palm off*. [Exp: **dump²** (MERC FINAN/PROD/DINER deshacerse de basura o de objetos inservibles; librarse de acciones-basura en la Bolsa o de mercancías obsoletas o de mala calidad, sobre todo, en países del tercer mundo; vender productos por debajo de su valor con el fin de trastornar o desbaratar el mercado), **dumping** (COMER «dúmping»; competencia desleal; práctica de inundar el mercado con productos a precio muy por debajo del normal del mercado; V. *countervailing duties, panic dumping; dump¹*), **dump display** (PUBL exhibición de productos amontonados)].

dun *v*: apremiar al deudor; reclamar insistentemente el pago. [Exp: **dunning letter** (carta de apremio, de solicitud de pago o de cobranza)].

duopolist *a*: duopolista. [Exp: **duopoly** (ECO duopolio)].

duplicate *a/n*: duplicado; copia. [Exp: **duplicate cheque** (duplicado de cheque), **duplicate, in** (por duplicado), **duplicate invoice** (factura por duplicado), **duplicate technology** (tecnología de duplicación)].

durable *a/n*: durable, duradero; persistente; producto de vida larga, electrodoméstico; V. *consumer durables; perishable; carrying market*. [Exp: **durable asset** (activo duradero ◊ *Durable assets, like machinery, are written down over time*; V. *wasting assets*), **durable goods** (artículos/bienes duraderos; V. *consumer non-durables*), **durables** (bienes no perecederos ◊ *Washing machines and cookers are durables*; V. *non-durables; durable assets*), **duration** (FINAN duración; alude a la vida de un título de renta fija teniendo en cuenta las condiciones del mercado, por ejemplo, las fluctuaciones de los tipos de interés; vida media actualizada de los flujos de cupones y de reembolsos que caracterizan un título), **duration analysis** (análisis de duración), **duration clause** (TRANS/SEG MAR cláusula de duración del riesgo cubierto por la póliza)].

Dutch/Chinese auction/award *n*: subasta/adjudicación a la baja, subasta/adjudicación holandesa o china.

duty[1] *n*: obligación, deber, responsabilidad, competencia. [Exp: **duty**[2] (servicio, turno, guardia), **duty**[3] (tasa, derecho arancelario, derecho de aduana ◊ *These goods are subject to customs duty*; V. *countervailing duties*), **dutiable** (sujeto a derechos/impuestos, gravable, imponible; V. *liable to duty/tax, taxable*), **dutiable value** (valor en aduana), **duties on buyer's account** (derechos a cargo de/abonables por el comprador; V. *duty paid*), **duty drawback** (COMER régimen de perfeccionamiento activo; rebaja arancelaria; devolución o reintegro, al reexportar, de los derechos de aduanas que por el producto/bien o parte de él se abonó al importarlo; también se le llama en español *drawback*; V. *customs drawback*), **duty-free** (COMER libre/ exento de impuestos, con franquicia), **duty-free entry** (franquicia aduanera, admisión libre de derechos, entrada en franquicia), **duty-free goods** (mercancias exentas de derechos), **duty-free importation** (COMER importación con franquicia arancelaria), **duty-free port/ zone** (COMER zona franca; también llamada *free economic zone, free port, free trade zone, export processing zone, special economic zone, foreign trade zone*), **duty-free treatment** (exención de derechos, entrada en franquicia), **duty, from** (por obligación), **duty of fidelity/ good faith** (REL LAB deber de fidelidad que tienen los empleados con relación a los intereses de su empresa), **duty, on** (de guardia), **duty on alcohol/ oil, etc.** (impuestos/derechos sobre el alcohol, el petróleo, etc.), **duty-paid** (TRANS MAR despachado, pagado; V. *ex quay, duty paid*), **duty-paid receipt** *US* (recibo de haber pagado los derechos de aduanas), **duty to account** (obligación que tiene todo agente de rendir cuentas al principal)].

D/W *n*: V. *dock warrant.*

DW, DWT *n*: V. *deadweight.*

D/y *n*: V. *delivery.*

dwindle *v*: menguar, ir perdiendo fuerza, ir menguando o disminuyendo ◊ *Dwindling stocks/savings.*

dynamic *a*: dinámico. [Exp: **dynamic balance sheet** (CONT balance dinámico), **dynamic peg** (ECO/FINAN fijación/ajuste dinámico; sistema de reajustes de los tipos de cambio que prevé una serie de puntos fijos intermedios en una escala móvil para que la devaluación o revaluación no se realice de forma brusca; V. *adjustable/ crawling/sliding peg*), **dynamic hedge/ hedging** (MERC FINAN/PROD/DINER [estrategia de] cobertura dinámica; V. *static hedge*), **dynamic risk** (SEG riesgo dinámico; se refiere a los riesgos que pueden surgir por los continuos cambios, tecnológicos, personales, etc.), **dynamic storage** (almacenaje dinámico; se suelen emplear paletas; V. *pallet; block/random/shelf storage*), **dynamic system** (ECO sistema dinámico)].

E

€: símbolo de la moneda europea «euro».

E[1] *n*: MKTNG Europa; letra que colocada en el envase de un producto sirve para garantizar que éste cumple las normas establecidas por la Unión Europea. [Exp: **e-**[2] (GRAL forma elíptica de «electrónico»), **E bond** *US* (bono del tesoro al descuento, con dos tipos de interés, a opción del titular: fijo o variable de acuerdo con el del mercado; estos bonos han sido sustituidos por los *EE bonds*; V. *saving bond, H bond*), **e-business** (MKTNG comercio electrónico; negocio por medios electrónicos), **e-mail** (GRAL correo electrónico; emilio *col*; comunicar por correo electrónico ◊ *They e-mailed us the text*; V. *electronic mail, @, dot; snail mail*)].

e. & o. e. *fr*: V. *errors and omissions excepted*.

each *a/pron*: cada; cada uno. [Exp: **each way** (MERC FINAN/PROD/DINER comisión de ambas partes; comisión que debe abonar tanto el comprador como el vendedor al agente de cambio en las transacciones de compra y venta de valores), **each-way bet** *col* (apuesta mixta; una parte de la misma se juega a favor de un caballo, corredor, etc; la otra a que salga colocado —*placed*— entre los 3 o 4 primeros puestos; en el lenguaje coloquial significa que una opción, aun siendo probable, no está clara ◊ *She's an each-way bet to be the next president*; V. *hedge*)].

EAGGF *n*: V. *European Agricultural Guidance and Guarantee Fund*.

early *a*: prematuro, anticipado; inicial, precoz; temprano; V. *late*. [Exp: **earliest ascertainable price** (primer precio verificable), **earliest/early convenience, at your** (en el momento propicio, cuando le venga bien, tan pronto como le sea posible), **early bargains** (BOLSA transacciones madrugadoras; son operaciones hechas tras el cierre oficial que quedan registradas como operaciones del día siguiente; V. *after-hours deals, closing prices; street dealing*), **early closing day** (COMER día de la semana en que los comercios, de acuerdo con las disposiciones municipales de cada ciudad, cierran a las 13 horas), **early debt retirement** (amortización anticipada de deudas), **early departure** (TRANS salida anticipada), **early exercise** (MERC FINAN/PROD/DINER ejercicio anticipado de una opción; V. *option style; American/European option; exercise date; exercise notice*), **early payment** (COMER pronto pago), **early redemption/repayment** (amortización anticipada), **early retirement** (REL LAB jubilación anticipada o incentivada; prejubilación, también llamada *early retirement benefits*; V. *redundancy scheme*), **early stage** (etapa, estadio o fase inicial), **early surrender penalty** (penalización por amortización anticipada), **early warning system** (ECO indicador de alerta; sistema de alerta anticipada; sistema de predicción económica; autorización de notificación previa al Gobierno del *IPC* o del alza de precios), **early withdrawal penalty** (FINAN cargo o penalización por reembolso anticipado; V. *certificate of deposit*)].

earmark *n/v*: marca, señal, etc. efectuada para identificar bienes, partidas, cuentas, etc.; asignar, afectar, destinar, apartar, reservar o consignar fondos, cuentas, impuestos, ingresos fiscales, etc. para el pago de determinadas cuentas o de fines específicos o concretos ◊ *Earmark funds for a purpose*; V. *allocate, reserve, set aside*. [Suele acompañar a palabras como *funds, accounts, taxes, revenue, etc.*) Exp: **earmarked** (destinado, asignado o reservado para el pago de determinadas cuentas), **earmarked account** (CONT cuenta reservada, especial o consignada), **earmarked funds** (fondos afectados), **earmarked gold** (oro depositado como garantía; oro depositado en otro país, oro en custodia, oro en consignación ◊ *Earmarked gold to back up monetary currency, etc*; V. *gold bullion*), **earmarked reserves** (reservas destinadas a fines concretos), **earmarked taxes** (TRIB impuestos finalistas; impuestos afectados o de afectación), **earmarking** (CONT, TRIB finalismo; afectación; normalmente alude a la vinculación o afectación de determinados tributos o ingresos presupuestarios a gastos públicos concretos; V.

dedication of revenues; appropriation, allocation)].

earn *v*: ganar, obtener, percibir; devengar, producir ◊ *Earn one's living, a wage, interest, etc.* [Exp: **earn interest** (BANCA devengar intereses; V. *bear/yield/carry interest*), **earned income** (TRIB ingresos por trabajo; ingresos devengados; renta salarial o del trabajo, retribución por el trabajo; este concepto comprende también las *royalties, trade or professional profits*; V. *wage income; unearned/investment income*), **earned income allowance** (TRIB deducciones por renta de trabajo), **earned premium** (SEG prima devengada), **earned revenue** (COMER ingresos percibidos, rentas devengadas; rendimientos empresariales obtenidos en la venta de bienes o en la prestación de servicios; V. *unearned revenue*), **earned surplus** (FINAN ingresos retenidos; beneficios acumulados o no distribuidos), **earned surplus account** (CONT cuenta de superávit), **earner**[1] (asalariado; perceptor; V. *income earner; wage earner*), **earner**[1] *col* (título/valor que se porta bien, bicoca), **earning** (retribución, como en la expresión *earning of management* —retribución de la dirección empresarial—; rentabilidad, rendimiento, beneficio, producto, ganancia; entradas; renta, salario, ingresos, sueldo; V. *earnings; profits; distributed/retained earnings*), **earning assets** (FINAN activos/bienes productivos, rentables o que devengan intereses), **earning capacity** (escala/capacidad de rendimiento; capacidad de ganar dinero; V. *earning power*), **earning expectations** (ECO perspectivas de rentabilidad), **earning forecast** (pronóstico de utilidad), **earning momentum** (FINAN índice de tasa de rendimiento por acción en aumento o crecimiento), **earning per share** (BOLSA beneficio por acción ◊

Earnings per share is usually higher than dividend per share; V. *net earning per share; dividend per share*), **earning potential** (potencial de rentabilidad), **earning power**[1] (FINAN escala de rendimiento, rentabilidad, capacidad de beneficio, poder lucrativo; se refiere a la posibilidad de obtener negocios en el futuro y es un factor determinante del riesgo en la concesión de créditos a una empresa; escala de rendimiento; también se le llama *earning capacity*; V. *return*), **earning power**[2] (REL LAB poder salarial), **earning power ratio** (FINAN coeficiente de rentabilidad), **earning rate** (SOC tasa de beneficios empresariales), **earning the points** (MERC FINAN/PROD/DINER ganancia de puntos; alude a la ganancia que se experimenta cuando, en un mercado de futuros de divisas, el precio de compra de una divisa al contado es inferior al de futuro; V. *losing the points; spot market price*), **earnings**[1] (sueldo, ingresos; V. *pay, wages, salary*), **earnings**[2] (ganancias, beneficios, rentabilidad; V. *price-earnings ratio; rate of earnings on common equity; rate of earnings on total capital employed*), **earnings allowances** (TRIB desgravación por rentas de trabajo; V. *earnings credit*), **earnings basis** (TRIB base imponible a efectos empresariales), **earnings before interest and taxation, EBIT** (beneficios antes de intereses e impuestos), **earnings coverage** (FINAN cobertura de los ingresos, reserva de garantía de las ganancias), **earnings credit** (factor reductor de los cargos bancarios en cuentas de depósito), **earnings per share, EPS** (BOLSA beneficio/rendimiento/dividendos por acción; V. *earnings yield; price-earnings ratio, per*), **earnings potential** (FINAN potencial de ingresos; alude normalmente a la capacidad de una empresa para generar

flujos netos de caja por medio de sus operaciones), **earnings-price ratio** (V. *price-earnings ratio*), **earnings-related pension** (REL LAB pensión calculada según/proporcional a los ingresos), **earnings report**[1] (REL LAB detalle/nominilla con desglose de ingresos y descuentos), **earnings report**[2] (ECO balance de resultados; V. *profit and loss statement*), **earnings rule** (TRIB, REL LAB norma para fijar la base de la pensión; se aplica a los trabajadores que siguen en el empleo tras rebasar la edad oficial de jubilación y congela la base de la pensión), **earnings retained in business** (reservas del negocio), **earnings statement** (CONT estado de resultados, estadio de ingresos y gastos), **earnings/flat/running/current yield** (FINAN rendimiento corriente, rédito actual; V. *return; yield to maturity; earnings per share; price-earnings ratio*)].

earnest money *n*: COMER pago inicial; entrada; entrega a cuenta; señal; prenda; V. *down-payment; hand money, handsel, token payment, bargain money.*

ease[1] *n/v*: facilidad, facilidades; tranquilidad, seguridad; alivio; facilitar, mitigar, suavizar, moderar, aliviar, relajar tensiones, etc., normalizar; hacer más llevadero o menos oneroso. [Exp: **ease**[2] (FINAN bajar, reducir; caer, en especial precios, cotizaciones, etc. ◊ *The market eased slightly*), **ease credit restrictions** (relajar las restricciones crediticias; V. *relax*), **ease into second gear** (ECO ir acelerando con suavidad; ir metiendo la segunda; V. *decelerate smoothly, accelerate smoothly*), **ease of credit** (facilidades de crédito), **ease of entry** (facilidades de entrada), **ease of the market** (MERC FINAN/PROD/DINER relajación del mercado, en la que bajan los precios y la actividad decae), **ease of movement** (BOLSA facilidad de movimiento de un valor bursátil), **ease off/up** (disminuir, reducirse, suavizar el ritmo; aflojar precios, etc.; mostrarse más flexible/más acomodaticio/menos exigente/menos riguroso ◊ *The pressure of work, activity, etc. is easing up*), **easiness** (facilidad, comodidad; moderación de precios), **easiness of the market** (COMER amplitud del mercado), **easing** (facilidad, expansión, normalización, distensión, relajación, moderación; V. *dampening*), **easing of liquidity** (facilidades de liquidez), **easing of the cyclical condition** (ECO normalización del ciclo económico), **easily** (sin problemas, sin dificultades, sin esforzarse mucho)].

East *n*: este. [Exp: **eastern** (oriental), **Eastern European Time, EET** (horario de Europa oriental), **Eastern Exchange Bank** (Asociaciación de bancos británicos que operan en países asiáticos), **Eastern Standard Time, E.S.T.** (horario oficial del este de Estados Unidos)].

easy *a*: fácil, asequible, barato, V. *convenient*, [Exp: **easy, be** (BOLSA bajar o ser asequible el precio de las acciones), **easy market** (BOLSA mercado en calma; mercado de precios bajos; V. *buyer's market*), **easy money** (dinero barato, dinero fácil de ganar; crédito fácil, mercado fácil de dinero; relajación monetaria; chollo, pan comido, cosa de comer y cantar ◊ *It's easy money working for this firm*; V. *cheap money; dear money, tight money*), **easy money policy** (política monetaria expansiva), **easy money syndrome** *col* (cultura del pelotazo; S. *fast-buck syndrome; yuppy style of business, greed culture, self-seeking; get-rich-quick attitude, loadsamoney approach, sleaze*), **easy payments, easy payment terms** *US* (facilidades de pago), **easy terms [of payment]** (facilidades de pago; V.

facilities; monetary ease; convenient terms)].

EAT *n*: V. *Employment Appeal Tribunal*.
EBIT *n*: V. *earnings before interest and taxation*.
ECA *n*: V. *export credit agency*.
EDF *n*: V. *export development fund*.
EEA *n*: V. *European Economic Area/Space*.
EEZ *n*: V. *exclusive economic zone*.
EES *n*: V. *European Economic Space*.
e.g. *n*: ejemplo, ej.
EIB *n*: V. *European Investment Bank, EIB*.
e.o.m. dating *n*: vencimiento a fin de mes.
EC *n*: V. *European Community*.
ECGD *n*: V. *Export Credit Guarantee Department*.
echelon *n*: muestra, jerarquía; V. *upper echelons*.
Ecofin *n*: Consejo de Ministros de Economías y Finanzas de la Unión Europea.
ecology *n*: ecología. [Exp: **ecological** (ecológico), **ecologist** (ecologista)].
econometrics *n*: econometría; V. *technical analysis*. [Exp: **econometrist** (econometra)].
economic *a*: económico; viable, rentable, beneficioso, provechoso; V. *lucrative, profitable*. [El adjetivo *economic* forma incontables unidades léxicas compuestas —*economic activity, economic analysis, economic goals, economic methods, economic stability, etc.*—, cuyos significados son fácilmente deducibles del de las unidades simples: actividad económica, análisis económico, objetivos económicos, métodos económicos, estabilidad económica, etc. Exp: **economic account** (ECO cuenta de resultados), **economic agents** (agentes económicos; V. *employers, trade unions*), **economic aggregates** (agregados económicos), **Economic and Monetary Union, EMU** (Unión Económica y Monetaria; V. *Maastricht Treaty, European Union Treaty, Stability and Growth Pact*,

TARGET; domestic), **Economic and Social Council, ECOSOC** (Consejo Económico y Social de las Naciones Unidas), **Economic and Social Committee** (Comité Económico y Social; órgano consultivo de la Unión Europea), **economic balance sheet** (balance económico), **economic boom** (auge económico), **economic budget** (presupuesto nacional), **economic capacity** (capacidad económica), **Economic Community of West African States, Ecowas** (Comunidad Económica de los Estados de África Occidental), **economic conditions/prospects/situation** (coyuntura económica), **economic cost** (coste de oportunidad), **economic crisis** (económica, depresión económica; V. *slump*), **economic cycle** (ciclo económico), **economic decline** (descenso económico; V. *economic expansion*), **economic delegation** (delegación económica), **economic demand** (demanda económica), **economic depression** (crisis económica), **economic determinism** (determinismo económico), **economic development** (desarrollo económico), **economic development assistance** (ayuda para el desarrollo económico), **Economic Development Committee** (Comisión para el Desarrollo Económico), **economic disturbances** (trastornos económicos), **economic downturn** (depresión; recesión económica; cambio desfavorable de la coyuntura; V. *deflation, economic upturn*), **economic efficiency** (eficacia económica), **economic expansion** (expansión económica; V. *economic decline*), **economic federalism** (federalismo económico), **economic framework** (estructura de la economía; entorno económico), **economic friction** (condicionamiento económico), **economic goods** (bienes económicos; V. *free goods*), **economic growth** (crecimiento económico), **economic growth rate** (tasa de crecimiento económico), **economic indicator** (ECO indicador económico; V. *business barometers; leading indicators, lagging indicators*), **economic life** (vida útil/económica; V. *useful life, product life cycle; operating lease*), **economic lot technique** (ECO técnica de reducción de costos; mediante esta técnica se fija la cantidad de unidades que deben producirse o venderse en un período dado a fin de reducir los costos totales de producción), **economic management** (gestión económica), **economic mobility** (movilidad de empleo), **economic movement** (V. *economic trend*), **economic order quantity model, EOQ** (ECO modelo de gestión de inventarios, modelo de aprovisionamiento; el modelo proporciona una fórmula que orienta en la determinación de las cantidades y momentos apropiados para solicitar suministros), **economic outlook** (perspectiva-s económica-s), **economic participation** (SOC participación social o económica; alude al porcentaje de beneficios o dividendos que tienen el socio de una empresa o de una sociedad limitada; V. *equity holding; voting rights*), **economic phase** (fase coyuntural), **economic planning** (planificación económica), **economic planning agency** (oficina de planificación económica), **economic policy** (política económica; V. *short-term economic policy*), **economic potential** (potencial económico), **economic power** (potencia económica), **economic prospects/conditions/situation** (coyuntura económica), **economic prospects analysis** (análisis de coyuntura), **economic rate of return** (tasa de rendimiento económico; V. *rate of return, yield rate, output rate*), **economic recession** (recesión económica), **economic recovery** (repunte, recuperación económica), **economic rent** (plusvalía, renta diferencial), **economic sanctions** (sanciones económicas), **economic self-sufficiency** (autarquía, autosuficiencia económica), **economic situation/ prospects/condition** (coyuntura económica), **economic slow-down** (estancamiento económico; V. *stagnation*), **economic stabilization** (estabilización económica), **economic take-off** (despegue económico; crecimiento económico, fuerte y sostenido), **economic stabilization tax** (impuesto de estabilización económica; es un impuesto aplicado a las importaciones no esenciales), **economic stagnation** (estancamiento/paralización económica), **economic strength** (fuerza/capacidad económica; V. *economic power/capacity*), **economic structure/frame-work of a country** (estructura económica de una nación), **economic survey** (informe económico; se aplica este término al resumen del Jefe del Gobierno británico que se publica unos días antes del discurso del mismo sobre el estado de la nación), **economic take-off** (despegue económico), **economic trend/movement/situation** (coyuntura/tendencia económica; V. *trend of business, current economic development*), **economic uptrend** (cambio favorable de la coyuntura; V. *economic downturn*), **economical** (económico, ahorrativo, módico, de bajo consumo; *economical* tiene el significado de «barato, tendente al ahorro», mientras que *economic* se emplea con el significado de «relacionado con la economía o la ciencia económica» o «aconsejable desde el punto de vista de la economía» ◊ *An economical device*; V. *sparing, thrifty*), **economicism** (economicismo), **economics** (economía política, economía; V.

economy), **economies** (ahorro, economía; V. *savings*), **economies of agglomeration** (economías de aglomeración), **economies of scale** (ECO economías de escala; alude a la reducción del coste medio unitario de un producto fabricado en grandes cantidades; V. *scale effects*), **economies of scope** (ECO economías de gama; se dice de la reducción del coste total de un conjunto de productos cuando éstos son fabricados por una misma empresa, en vez de por un conjunto de empresas independientes), **economist** (economista), **economize** (economizar; V. *save*), **economy** (economía; este término significa «economía» en todos los sentidos: como ciencia, sistema, disciplina, ahorro, etc.; en posición atributiva significa «económico», «de bajo consumo», etc.; *economics* es el término moderno de *political economy*), **economy class** (TRANS billete de avión de la clase más económica), **economy drive** (COMER, PUBL esfuerzo o campaña para reducir gastos ◊ *The firm is on an economy drive, even cutting down on phone calls*; V. *economy kick; advertising drive, sales drive, drive³*), **economy kick** col (política de recortes o ahorros, o sea, una forma más coloquial de *economy drive*), **economy of abundance/scarcity** (economía de abundancia/escasez), **economy pack** (COMER paquete de ofertas ◊ *In an economy pack you get three units for the price of two*), **economy size** (COMER tamaño familiar/económico), **ecosystem** (ecosistema)].

ecosystem *n*: ecosistema.

ECOWAS *n*: V. *Economic Community of West African States*.

ECP *n*: V. *Euro-commercial paper*.

ECSC carnet *n*: COMER carné ECS; documento relativo a la importación de muestras comerciales; V. *carnet*.

ECSC Treaty *n*: Tratado CECA.
ECOSOC *n*: V. *Economic and Social Council*.
ECU *n*: V. *European Currency Unit*.
EDF *n*: V. *European Development Fund*.
EDGAR *n*: V. *electronic data gathering, analysis and retrival*.
edge[1] *n/v*: filo, margen, borde; avanzar lentamente, abrirse paso con dificultad. [Exp: **edge**[2] (ventaja, mordiente; V. *competitive edge, have the edge over*), **Edge Act Bank** (sucursal bancaria no sujeta a las leyes restrictivas del Estado en que está instalada), **Edge Act Corporation** *US* (corporación bancaria destinada a financiar el comercio exterior; V. *export trading company*), **edge forward/ahead** (avanzar lentamente, progresar poco a poco, subir gradualmente ◊ *The economy is edging forward, the firm is edging ahead*), **edge upwards/downwards** (subir/bajar lentamente; ascender lentamente, deslizarse a la baja), **edged** (ribeteado, cortante; V. *gilt-edged securities*), **edging** (avance)].
EDI *n*: V. *electronic data interchange*.
EDP *n*: V. *electronic data processing*.
EDR *n*: V. *European Depository Receipt*.
education *n*: educación. [Exp: **education loan** (préstamo para estudios)].
EEC *n*: V. *European Economic Community*.
effect[1] *n/v*: resultado, influencia, efecto, consecuencias, repercusión ◊ *The effect on industry of the new tax ceiling*; V. *result; to good effect*. [Exp: **effect**[2] (sentido, tenor; V. *words to that effect*), **effect**[3] (efectuar, realizar, llevar a cabo, poner en ejecución ◊ *Effect payment, inversions, a sale*; V. *carry into effect, achieve, bring about, take effect, come into effect, come into force, be effective, be operative, give effect to, put into effect, take effect*), **effect**[4] (vigencia), **effect, be**

in (regir, tener vigencia, estar vigente o en vigor), **effect from, with** (con efectos desde, vigente a partir de), **effect that, to the** (con el sentido de), **effect, to this** (a estos efectos, en este sentido), **effects** (pertenencias, efectos, bienes, caudal ◊ *Personal effects*; V. *chattels, property, personal effects, personal belongings*), **effects not cleared** (efectos pendientes de cobro), **effects test** *US* (ECO método que evalúa la equidad de los baremos utilizados en la calificación de solicitudes de créditos o préstamos)].
effective *a*: efectivo, eficaz, convincente, llamativo, conseguido, logrado; operativo, práctico, de valor, real; que alcanza los objetivos; V. *profitable, cost-effective, efficient*. [Este término es similar al de *actual*. Exp: **effective annual rate of interest** (FINAN tipo de interés efectivo anual), **effective annual yield** (rendimiento efectivo; se obtiene aplicando el interés compuesto; V. *roll over*), **effective as from** (con valor a partir de), **effective, be** (estar o entrar en vigor, empezar a regir; V. *come into effect, take effect, come into force, be operative from, obtain*), **effective capacity** (capacidad real o efectiva), **effective date** *US* (fecha efectiva o de entrada en vigor; fecha de valor o de vigencia), **effective date of termination** (fecha real de extinción de un contrato), **effective demand** (ECO demanda efectiva), **effective exchange rate** (tipo de cambio efectivo), **effective debt** (deuda efectiva), **effective-interest amortization** (amortización del interés efectivo; alude al método de cancelación sistemática de una prima o descuento de un título, que tiene en cuenta la depreciación del dinero, lo cual da como resultado una tasa de amortización constante para cada perídodo), **effective net worth** (SOC valor efectivo neto),

effective par (valor efectivo), **effective rate/yield** (tipo de interés efectivo; V. *nominal rate; add-on interest, simple interest*), **effective rate of return** (rendimiento efectivo, también llamado *effective yield* o *yield to maturity*), **effective real exchange rate** (tipo de cambio efectivo real), **effectiveness** (eficacia, eficiencia; V. *efficacy*), **effectual** (eficaz, útil ◊ *effectual policy/ guidance*; V. *ineffectual*)].

efficacy *n*: eficacia, poder, validez, eficiencia; V. *effectiveness, efficiency*.

efficiency *n*: rendimiento, productividad; eficacia, eficiencia; buena marcha; V. *gross efficiency*. [Exp: **efficiency bonus** (REL LAB prima de rendimiento), **efficiency expert** (experto en racionalización o ergonomía; V. *time and motion, ergonomics*), **efficiency pay/ wage** (REL LAB salario acorde con el rendimiento; V. *payment by results*), **efficiency principle** (ECO principio de eficiencia; según este principio las instituciones y los modelos organizativos que persisten tienden a ser eficientes), **efficiency variance** (ECO varianza de eficacia), **efficient** (eficiente, eficaz, competente, que rinde, de elevado rendimiento; que alcanza los objetivos con el menor coste posible; apto, capaz; bien organizado; V. *effective, profitable, cost-effective; naive*), **efficient capital market theory** (MERC FINAN/PROD/DINER teoría del mercado de valores eficientes), **efficient market** (BOLSA mercado eficiente; de acuerdo con esta teoría, los mercados financieros eficientes reflejan con claridad toda la información sensible existente en un momento dado), **efficient portfolio** (cartera eficiente), **efficiency ratio** (ECO índice/ratio de eficiencia), **efficiency wage** (ECO, REL LAB salario de eficiencia; se refiere al salario necesario para atraer y retener a los trabajadores en un determinado puesto de trabajo), **efficiently** (eficazmente, eficientemente, bien, con economía de medios, con rapidez y economía, con habilidad, con diligencia)].

effluvium *n*: efluvio; emanación de humos, gases, etc. malolientes, contaminación del aire, tufo. [Exp: **effluent** (aguas residuales), **efflux** (flujo, salida)].

effort *n*: esfuerzo; en el uso coloquial, este término puede tener el significado de «cacharro, cachivache, objeto más o menos inútil, extraño, absurdo» y también el de «obra, producto de valor dudoso». [Exp: **effort bargain** (REL LAB salario a destajo; alude al acuerdo en la negociación colectiva en la que se determina la cantidad de trabajo a realizar, con independencia del número de horas, para percibir un salario), **effort scale** (escala de esfuerzo; alude al tiempo que un comprador destina a la adquisición de un artículo), **effortless** (fácil, sin esfuerzo alguno)].

EFMC *n*: V. *European Fund of Monetary Cooperation*.

EFTA *n*: V. *European Free Trade Association*.

eftpos *n*: *electronic funds transfer at point of sale*.

egalitarian *a*: igualitario. [Exp: **egalitarianism** (igualitarianismo)].

eis *n*: *executive information systems*.

elaborate[1] *a*: complicado, de gran complejidad ◊ *Elaborate plans*. [Exp: **elaborate**[2] (con gran lujo de detalles), **elaborate**[3] (rebuscado, con exceso de cumplidos ◊ *Elaborate politeness*), **elaborate on sth** (extenderse en consideraciones sobre algo, ampliar la información sobre algo, entrar en más detalles respecto de algo ◊ *elaborate on the project outlined earlier*)].

elapse *v*: transcurrir. [Exp: **elapsed time** (tiempo de operación)].

elastic *a*: elástico, flexible; V. *inelastic*. [Exp: **elastic band** (goma), **elastic currency** (circulante elástico, moneda o divisa elástica), **elastic demand/supply** (ECO demanda/oferta elástica; V. *inelastic demand/supply*), **elastic limit** (límite variable), **elasticity** (ECO elasticidad; alude esta teoría al cambio que experimentará una variable como consecuencia del cambio introducido en otra; V. *flexibility*), **elasticity of demand** (ECO elasticidad de la demanda; grado en que la demanda de una materia prima queda afectada por un cambio en el precio; V. *arc elasticity of demand; unitary elasticity of demand*), **elasticity of substitution** (ECO elasticidad de sustitución; grado en que un bien económico puede ser sustituido por otro), **elasticity of supply** (ECO elasticidad de oferta; grado en que la oferta de un producto es sensible al cambio de precio; V. *arc elasticity of demand; elasticity of demand*)].

elderly, the *n*: las personas mayores; V. *senior citizens*.

elect *a/n*: electo; elegir. [El adjetivo *elect*, al igual que *designate*, se coloca detrás del nombre. Exp: **elected domicile** (domicilio convencional o convenido), **election** (comicios, elección), **elective benefits** (SEG opción que se le da al asegurado para que elija el beneficio alternativo que más le interese de los ofrecidos en una póliza de seguros), **elector**[1] (elector), **elector**[2] (persona que hace uso de *elective benefits*)].

electronic *a*: electrónico. [Se emplea con términos que expresan servicios bancarios, financieros, comerciales, etc. para indicar que se llevan a cabo «por medios electrónicos o informáticos». Exp: **electronic banking** (BANCA banca electrónica; V. *home-banking, phone-banking*), **electronic cash register, ERC** (caja registradora electrónica), **electronic** data gathering, analysis and retrieval, **EDGAR** *US* (BOLSA sistema de recogida, análisis y recuperación de datos), **electronic data interchange, EDI** (servicio electrónico de facturación, instrucciones y pagos entre proveedores y clientes, normalmente entre bancos y clientes), **electronic data processing, EDP** (proceso electrónico de datos), **electronic dealing** (BOLSA contratación por medios electrónicos; V. *pitfall*), **electronic mail, e-mail** (GRAL correo electrónico; comunicar por correo electrónico ◊ *We e-mailed them a price list*; es un sistema para enviar mensajes entre ordenadores —*computers*— conectados a redes locales o globales —*local or global networks*—; V. *dot, @, snail mail*), **electronic points of sales, EPOS** (puntos de venta electrónicos), **electronic funds transfer** (transferencia electrónica de fondos; V. *CHIPS, Federal wire*), **electronic funds transfer at point of sale, EFTPOS** (COMER compra con tarjeta de débito, mediante la cual el importe se transfiere automáticamente desde la cuenta del comprador a la del vendedor), **electronic funds-transfer system** (sistema electrónico de transferencia de fondos), **electronic mail** (correo electrónico, también llamado *e-mail*), **Electronic Random Number Indicator Equipment, ERNIE** (ordenador que elige al azar —*at random*— los números premiados en el sorteo semanal de los bonos —*premium bond*— de las cajas de ahorros), **electronic stockmarket** (mercado de valores electrónico/continuo), **electronic trading** (BOLSA contratación electrónica de valores)].

eleemosynary corporation *US n*: sociedad privada de beneficencia; V. *charity*.

eleventh *a*: undécimo. [Exp: **eleventh-hour** (de última hora, con la soga al cuello ◊

An eleventh-hour reprieve for a factory threatened with closure), **eleventh hour, at the** (a última hora, en el último momento)].

eligibility *n*: admisibilidad, elegibilidad; alude a los efectos financieros admisibles a redescuento por el Banco de Inglaterra, llamados *eligible bills.* [Exp: **eligible** (apto, adecuado; elegible, admisible, con derecho, con acceso, aspirante; que reúne o cumple los requisitos o condiciones para gozar de un derecho o para ser elegido o designado; negociable, descontable; V. *ineligible; market-eligible countries, eligible for),* **eligible applicant** (solicitante o aspirante que reúne las condiciones exigidas; V. *assign),* **eligible bills/paper** (FINAN efectos/valores negociables o redescontables; son efectos redescontables por el Banco de Inglaterra y por el *Federal Reserve Bank* en los Estados Unidos, como prestamistas de última instancia —*lender of last resort;* V. *band; Treasury bills, short-dated gilts, first-class trade bills; central bank discount rate; rediscount rate),* **eligible currency** (moneda admisible), **eligible for** (con derecho a; V. *with a right to),* **eligible investment** (FINAN inversión considerada rentable y segura), **eligible list** (relación de bancos autorizados a descontar efectos financieros redescontables o *eligible bills* en el Banco de Inglaterra; V. *accepting house),* **eligible paper** *US* (papel redescontable [por el banco central]; V. *eligible bills),* **elegible reserves** *US* (reservas bancarias totales; son las propias de un banco más las depositadas en un Banco de la Reserva Federal), **eligible securities** (BOLSA títulos clasificados como aptos para la inversión bancaria ◊ *Treasury obligations and municipal bonds are eligible securities in the USA;* V. *ineligible securities)].*

eliminate *v*: extinguir, eliminar. [Exp: **eliminating entry** (CONT asiento de eliminación), **elimination** (extinción, supresión, erradicación), **elimination of customs duties** (COMER INTER desarme arancelario)].

EMA *n*: V. *European Monetary Agreement.*

embargo *n/v*: embargo, prohibición, bloqueo económico, secuestro de géneros, detención de buques, prohibición de cargar o descargar, afectación de bienes a un proceso; también se le llama *trade sanctions;* prohibir, embargar; V. *boycott, lay an embargo on goods; put an embargo on trade.*

embark *v*: embarcar. [Exp: **embark on** (embarcarse ◊ *embark on a new enterprise;* V. *enter on/upon),* **embarkation** (TRANS embarque; V. *check-in)].*

embezzle *v*: desfalcar, malversar, sustraer dinero, hurtar. [Exp: **embezzlement** (desfalco, malversación de fondos; apropiación indebida; V. *abstraction of bank funds, defalcation),* **embezzler** (desfalcador, malversador)].

embody *v*: incorporar.

emboss *v*: realzar, repujar, estampar en relieve ◊ *The expiry date of credit cards is embossed on the card.*

EMCF, EMCOPF *n*: V. *European Monetary Cooperation Fund.*

emend *v*: enmendar. [Exp: **emendation** (enmienda)].

emerge *v*: emerger, salir, surgir, aparecer; dejarse ver; saberse, resultar ◊ *Emerge vitorious.* [Exp: **emergent** (emergente), **emergence** (aparición, surgimiento), **emergency credit** (crédito de emergencia; V. *stop-gap loan; transitional credit),* **emerges that, it** (resulta que, según se sabe ahora), **emerging markets** (mercados emergentes)].

emergency *n*: urgencia, crisis, emergencia, accidente, caso o situación de urgencia o de fuerza mayor, caso de necesidad, caso imprevisto, necesidad o apuro. [Exp: **emergency break/escape clause** (DER cláusula escapatoria; cláusula de salvaguardia, de rescisión, de excepción, de retirada o escapatoria; cláusula que permite ajustar las condiciones o retirarse de un contrato; V. *saving clause, let-out clause; opting-out clause*), **emergency call** (TRANS MAR arribada forzosa), **emergency code** (TAXN clave provisional del tipo impositivo; V. se aplica al trabajador recién incorporado o que acaba de darse de alta en Hacienda, a la espera de asignarle el código del tipo correspondiente a su sueldo y categoría; se llama «de urgencia» porque el código empleado en tales casos es el *999*, que coincide con el teléfono de urgencia en uso en Gran Bretaña para las llamadas de socorro), **emergency credit** *US* (crédito de emergencia; normalmente se trata de créditos superiores a 30 días concedidos por un Banco de la Reserva Federal a una institución financiera no bancaria; V. *extended credit*), **emergency/contigency reserves** (reserva de contingencia o eventualidad; partidas de ajuste de valor para riesgos de créditos pendientes; reserva del credere; V. *provision for doubtful debts*)].

emigrate *v*: emigrar. [Exp: **emigrant/emigré** (emigrante, emigrado), **emigration** (emigración)].

emit *v*: emitir. [Exp: **emit a loan** (emitir un empréstito; V. *float/issue/launch a loan*)].

emolument *n*: emolumento.

emotional buying motives *n*: motivaciones de compra; alude a la motivación subjetiva o irracional que induce al público a comprar; V. *impulse buying*.

emphyteusis *n*: enfiteusis.

employ *v/n*: emplear, dar trabajo o empleo; empleo. [Como nombre equivale a

«servicio», como en *be in the employ of* —estar al servicio de, trabajar para, estar a las órdenes de, etc. Exp: **employed** (empleado; V. *self-employed*), **employee** (asalariado, empleado, trabajador, dependiente, subalterno, oficinista; en forma atributiva significa «laboral»; V. *servant, worker; industrial*), **employee activity rate** (REL LAB grado de productividad laboral), **employee benefit program/plan** *US* (REL LAB plan de jubilación y previsión de los trabajadores; prestaciones sociales a los empleados), **employee contribution** (REL LAB cuota obrera, cuota del trabajador en la seguridad social; V. *employer contribution*), **employee dissatisfaction** (insatisfacción laboral), **employee loyalty share schemes** (planes de recompensa de la fidelidad de los trabajadores con acciones), **employee participation** (ECO participación de la representación social en el accionariado, en el consejo de administración, etc.; V. *worker participation*), **employee pension fund** (fondo de pensiones de empleados), **employee savings plan** (plan de ahorros del personal de una empresa), **employee retirement income security act, ERISA** *US* (ley protectora de las pensiones de los jubilados del sector privado; V. *defined benefit plan*), **employee share/stock ownership programme/plan, ESOP** (REL LAB, SOC programa de oferta de acciones a los empleados; plan de participación de los trabajadores en el capital social de la empresa; V. *employee stock repurchase agreement*), **employee stock repurchase agreement** (SOC, REL LAB venta de acciones a empleados con pacto de recompra; V. *employee share ownership programme*), **employee trust** *US* (REL LAB plan de pensiones de empleados, también llamado *defined benefit pension plan*, financiado por la empresa y administrado por un fideicomisario, normalmente un banco), **employee's amenities** (REL LAB atenciones con el empleado; conjunto de instalaciones, equipamiento y servicios previsto por la empresa para el descanso y recreo de los empleados; V. *fringe benefits; employee's benefits*), **employee's benefits** (prestaciones sociales; V. *employee's amenities*), **employee's buy-out** (FIN adquisición de una empresa, o de una parte importante de sus acciones, por un grupo de empleados, normalmente por el valor en liquidación o *break-up value*; V. *leveraged buy-out*), **employee's liability** (responsabilidad civil de la empresa frente a sus empleados), **employees' shares** (acciones del personal), **employer** (empresario, patrono, dueño, patrono, empleador; V. *master, management*), **employer contribution** (cuota patronal; V. *employee contribution*), **employer's provided retirement or savings plans** (planes de jubilación o ahorro), **employer's liability** (responsabilidad patronal), **employer's liability insurance** (seguro de responsabilidad patronal), **employer's surplus** (plusvalía laboral, también llamado *producer's surplus*), **employers** (REL LAB patronal; V. *management; economic agents*), **employers' association/organization** (asociación/organización empresarial o patronal)].

employment *n*: empleo, colocación, trabajo, ocupación; V. *job; applications for employment, seasonal employment; level of employment*. [Exp: **employment agency/broker/bureau/office/service** (oficina/agencia de colocación; bolsa de trabajo; V. *employment exchange*), **Employment Appeal Tribunal, EAT** (Tribunal de Apelación de las resoluciones adoptadas por los tribunales de lo social —*industrial tribunals*— en lo que

afecta a cuestiones de derechos), **employment application** (solicitud de empleo), **employment clause** (cláusula de empleo), **employment contract** (contrato laboral o de trabajo; V. *labour agreement*), **employment exchange** (bolsa de trabajo; V. *job centre*), **employment interviews** (entrevistas para acceder a un empleo o colocación), **employment opportunities** (posibilidades/ofertas de empleo), **employment practices** (prácticas laborales; V. *fair employment practices*), **employment prospects** (posibilidades de encontrar colocación), **employment protection** (protección del empleo)].

emporium *n*: mercado o centro comercial; tienda, establecimiento comercial; V. *mart*.

empower *v*: facultar, capacitar, dar poder, apoderar, autorizar, conferir poderes, diputar; V. *enable*. [Exp: **empowered person** (apoderado), **empowering** (DER apoderamiento), **empowerment**[1] (capacitación, autorización, transferencia de derechos, poder autoridad o capacidad ◊ *The empowerment of women/minorities*), **empowerment**[2] (motivación de los colaboradores de una empresa a través de la delegación y la transmisión del poder)].

emption *n*: compra, adquisición; la acción de comprar o adquirir y sus efectos.

emptor *n*: comprador; V. *caveat, ultimate emptor*.

empty *a*: vacío, nulo, de ningún valor ni efecto; V. *null, void; mt*. [Exp: **empties** (envases vacíos ◊ *Collect the empties from customers; return/deliver the empties to the factory*; V. *returned empties*)].

EMS *n*: V. *European Monetary System*.

EMTN *n*: V. *Euromedium-term notes*.

EMU *n*: V. *Economic and Monetary Union*.

enable *v*: permitir, habilitar, hacer posible que, hacer capaz, capacitar; V. *empower*. [Exp: **enabling clause** (cláusula de habilitación)].

enc *n*: forma abreviada de *enclosure*.

encash *v*: hacer efectivo, cobrar; por ser formal, se prefiere *cash* en su lugar. [Exp: **encashable** (cobrable), **encashment** (cobro en metálico, conversión)].

enclose *v*: cerrar, encerrar, cercar; incluir, adjuntar, acompañar, remitir adjunto. [Exp: **enclosed** (adjunto; V. *accompanying, enclosed, attached*), **enclosed, please find** (adjunto le enviámos), **enclosed herewith** (adjunto a la presente), **enclosure, enc** (anexo, documento-s adjunto-s; recinto; contenido; V. *annex, appendix*), **enclosure sale** US (DER ejecución de garantía; consiste en la venta del objeto dejado en garantía)].

encounter group *n*: REL LAB reunión de delegados/representantes; grupo de encuentro; alude a los participantes en un programa de actualización o perfeccionamiento laboral o empresarial o en unas jornadas de intercambio de información, etc.

encourage *v*: animar, estimular, promover. [Exp: **encouragement of investment** (estímulo a la inversión)].

encrypt *v*: codificar, cifrar. [Exp: **encryption** (cifrado, codificación; V. *data encryption standards*)].

encumber *v*: gravar, hipotecar, afectar; estorbar, obstruir ◊ *Encumber an estate with mortgages*. [Exp: **encumbered** (gravado con hipoteca, etc.; cargado de deudas, obligaciones, etc.; V. *mortgaged, burdened with a mortgage*), **encumbrance** (gravamen, carga, hipoteca, impedimento, afectación, servidumbre; estorbo; V. *registration of encumbrances, charges register; lien*), **emcumbrance-free** (libre de gravámenes), **encumbrancer** (acreedor hipotecario, tenedor de gravámenes; V. *mortgagee*)].

end *n/v*: fin, meta, objetivo; extremo, cabo; terminar, finalizar; V. *open-ended, closed-end*. [Exp: **end-consumer/-user** (usuario final), **end-game problem** (ECO problema de fin de partido; alude a las dificultades que pueden surgir en una persona cuando su relación laboral está a punto de concluir que le lleven a actuar de forma deshonesta o ineficiente), **end loading** (FINAN cuota de salida; esta cuota la suelen pedir algunos fondos de inversión, ahorro, etc.; V. *front loading; service charges*), **end of period** (COMER, CONT final de ejercicio contable), **end-of-period adjustment** (CONT ajuste por periodificación), **end-of-season sale** (COMER venta de fin de temporada; V. *closing down sale, clearance sale*), **end of the Account** (BOLSA también llamado *Account Day*), **end, on** (sin parar, seguido ◊ *For months on end*), **end-product** (producto final, producto acabado/terminado; V. *final product; by-product, waste-product, spin-off*), **end-to-end** (plazo comprendido desde el último día del mes hasta el último día del mes siguiente), **end-to-end transport services** (servicios de transporte total por un mismo agente), **end-use tariff** (arancel ligado al uso del producto importado), **end-user** (usuario final; V. *ultimate consumer*), **ending** (final, de salida), **ending inventory** (inventario final o de salida)].

endogenous *a*: endógeno. [Exp: **endogenous business-cycle theory, endogenous theory of business cycle** (ECO teoría endógena del ciclo económico; V. *self-generating theory of cycle*), **endogenous fluctuations** (fluctuaciones endógenas al ciclo económico)].

endorse *v*: endosar, apoyar, avalar, garantizar, aceptar, suscribir, abonar, respaldar; aprobar, sancionar, ratificar; anotar las infracciones en el permiso de conducir ◊ *Have one's licence endorsed for speeding*. [Exp: **endorsable** (endosable), **endorsable credit** (crédito transferible), **endorsed bond** (título respaldado; bono asumido o garantizado por otra empresa), **endorsed loan** (préstamo respaldado por otra empresa), **endorsee** (endosatario, tenedor o portador por endoso, cesionario, endosado; girado; V. *endorser*), **endorsement**[1] (aval; garantía, respaldo, endoso, firma de aval o de garantía; V. *guarantee, support; conditional endorsement; accommodation endorsement; negotiable by endorsement*), **endorsement**[2] (SEG suplemento, apéndice, acta de variación o de modificación, convenio anexo; adición o modificación en alguna de las cláusulas de una póliza de seguro; coletilla; V. *increase endorsement, decrease endorsement*), **endorsement guarantees** (garantías colaterales), **endorsement in blank** (endoso en blanco; V. *blank endorsement*), **endorsement in full** (endoso completo o perfecto; V. *special endorsement*), **endorsement without recourse** (endoso completo), **endorsement of certificate of origin** (visado del certificado de origen), **endorser** (endosante, cedente, endosador, girador, transferidor; V. *endorsee*), **endorser's liability** (garantía del endoso)].

endow *v*: dotar, fundar. [Exp: **endowment**[1] (ECO dotación, dote; dotal; dotación inicial; alude, dentro del modelo del equilibrio competitivo —*competitive equilibrium model*— a las cantidades de los diferentes bienes que un consumidor posee antes de comenzar el intercambio; V. *capital endowment, pure endowment*), **endowment**[2] (donación, fondo de ayuda, fundación), **endowment**[3] (FINAN crédito hipotecario a muy largo plazo combinado con un seguro de vida; también se le llama «endowment»), **endowment annuity** (SEG anualidad o pensión mixta), **endowment assurance** (SEG seguro mixto; póliza de seguros mixta; seguro de pensión; seguro de vida y/o de capitalización), **endowment insurance** (seguro de vida mixta), **endowment funds** (fondos de seguro mixto), **endowment life insurance** (seguro de vida de tipo mixto), **endowment mortgage** (hipoteca avalada por una dote o póliza de tipo mixta), **endowment policy** (SEG póliza de seguro de vida; póliza de tipo mixta; V. *life assurance policy*)].

ENEA *n*: V. *European Nuclear Energy Agency*.

energy *n*: energía. [Exp: **energy crisis** (crisis energética), **energy conservation** (ahorro o conservación de energía, ahorro energético), **energy crunch** (crisis energética; escasez de energía), **energy-intensive** (que consume mucha energía ◊ *Energy-intensive device/industry*), **energy-saving programme** (programa o plan de ahorro de energía)].

enfeeble *v*: debilitar, minar. [Exp: **enfeeblement** (debilitamiento, debilitación)].

enforce *v*: aplicar, ejecutar, hacer cumplir, poner en vigor. [Exp: **enforce payment** (exigir el pago), **enforceable** (aplicable, ejecutivo, ejecutorio), **enforced** (compulsivo, coercitivo), **enforced collection** (apremio; cobro compulsivo por vía administrativa), **enforcement** (ejecución, aplicación; ejecución forzosa, cumplimiento, observancia, entrada en vigor), **enforcement of a judgment** (ejecución de un fallo), **enforcement order** (mandato ejecutorio), **enforcement procedure** (proceso coercitivo)].

engage *v*: contratar, emplear, comprometer; nombrar, designar ◊ *Engage sb's services*. [Exp: **engagement** (contrato, compromiso, obligación; V. *undertak-ing*), **engaging** (contagioso, atractivo; V. *An engaging manner; her enthusiasm is engaging*)].

engine *n*: motor, máquina de un barco. [Exp: **engine room** (sala/cuarto de máquinas), **engineer**[1] (ingeniero, técnico;

maquinista, oficial de máquinas; V. *chief engineer*), **engineer**[2] (planear, tramar; conseguir a base de intrigas, maniobras o maña; amañar; idear; ser el artífice de ◊ *To engineer a coup/takeover/victory/ success*), **engineering** (ingeniería; V. *reengineering for business revolution*), **engineering insurance** (SEG seguro industrial, por ejemplo de calderas ascensores; en este seguro la aseguradora se reserva el derecho de inspección), **engineering consultant** (asesor técnico), **engineering goods** (productos de las industrias mecánicas)].

engross[1] *US v*: monopolizar/acaparar mercancías; V. *corner, coemption*. [Exp: **engross**[2] (redactar en forma legal), **engrossing** (acaparamiento; copia de un documento legal), **engrosser** (acaparador; calígrafo), **engrossment** (monopolio, acaparamiento; redacción definitiva de un documento; transcripción manuscrita de un documento)].

enhance *v*: GRAL/MKTNG realzar, mejorar, ampliar; procesar; se usa en expresiones como *enhanced keyboard* —teclado expandido—; *enhanced services* —servicios mejorados—.

enjoin *US n*: REL LAB aviso patronal al sindicato ante posible acciones ilegales o violentas.

enjoy *v*: gozar. [Exp: **enjoy a right, a privilege, a monopoly** (gozar o disfrutar de un derecho, privilegio o monopolio), **enjoy exemption from duty** (disfrutar de franquicia aduanera/arancelaria), **enjoyment of a right** (disfrute o usufructo de un derecho)].

enlarge *v*: ampliar, aumentar, extender. [Exp: **enlargement** (ampliación, aumento, extensión; V. *extension, widening*)].

enlist *v*: alistar-se; reclutar, procurarse. ◊ *Enlist sb's support*.

enquire/inquire *v*: inquirir; investigar, preguntar, pedir información, informarse.

[Exp: **inquire into** (investigar, averiguar, pedir informes)].

enquiry/inquiry[1] *n*: estudio, encuesta, investigación, indagación, pesquisa, consulta. [Exp: **enquiry/inquiry**[2] (COMER carta comercial solicitando información sobre precios, condiciones, etc.), **enquiry docket/office** (oficina de información), **enquiry test** (prueba de sondeo)].

entail *v*: implicar, suponer, tener, entrañar, ocasionar, acarrear, traer consigo; vincular, incorporar ◊ *Entail extra work, heavy expenditure, etc.*; V. *carry, involve*.

enter[1] *v*: entrar, registrar, inscribir, anotar, declarar, asentar, apuntar, dar entrada, contabilizar; V. *entry; note, record*. [Exp: **enter**[2] (formalizar, celebrar, incoar; aducir, presentar; dictar; V. *conclude*), **enter a caveat** (COMER hacer una advertencia), **enter goods** (declarar mercancías), **enter into**[1] (entablar, tomar parte en, concertar), **enter into**[2] (tener que ver con, afectar a ◊ *Factors that don't enter a matter*), **enter into**[3] (entrar en, profundizar en ◊ *Enter into details/explanations*), **enter into an agreement, a contract, etc.** (celebrar/ firmar/suscribir/concertar un pacto, acuerdo, contrato; V. *conclude, sign*), **enter into competition** (competir; V. *compete with*), **enter into partnership** (constituir una sociedad colectiva, asociarse), **enter into a mutual engagement** (obligarse recíprocamente), **enter on/upon** (lanzarse a, emprender, comenzar ◊ *Enter upon a career, a new term of office, etc.*; V. *embark on*), **enter on a list** (inscribirse, apuntarse; V. *join, sign up*), **enter up** (dar entrada a, apuntar, llevar, poner al día ◊ *Enter up figures/an account/a ledger*), **entered as second class matter** (registrado como artículo de segunda clase), **entered value** (valor declarado)].

enterprise *n*: empresa; iniciativa; V. *free-*

enterprise, market economy, entre-preneur; farm enterprise. [Exp: **enterprise splitting** (TRIB método directo de determinación de ganancias), **enterprise value** (valor de la empresa en marcha o en el mercado), **enterprise zone** (zona/polo de desarrollo empresarial; zona de actuación o iniciativa industrial; suelen estar primadas con subvenciones estatales y exenciones fiscales; V. *European Regional Development Fund*), **enterprising** (emprendedor, que muestra iniciativa ◊ *An enterprising businessman proposal*; V. *resourceful; get-up-and-go*)].

entertain[1] *v*: agasajar, hospedar, festejar, recibir, mantener; estar dispuesto a considerar; V. *refuse to entertain a proposal*. [Exp: **entertain**[2] (abrigar, acariciar, tener ilusión por ◊ *Entertain hopes/expectations*), **entertain a claim** (SEG considerar una reclamación), **entertainment** (diversión, entretenimiento, espectáculo), **entertainment allowance/expenses** (REL LAB gastos de representación; V. *representation expenses*), **entertainment business/game** (mundo/negocio del espectáculo), **entertainment shares** (V. *amusement shares*), **entertainment tax** (impuesto de espectáculos)].

enthropy *n*: ECO entropía.

entice *v*: tentar, seducir; inducir con ofertas, promesas o perspectivas halagüeñas ◊ *Entince customers to buy a product.* [Exp: **entice away** (atraerse, tentar a alguien a unirse a uno abandonando su sitio, puesto, etc. ◊ *Entice away from rival firms*; V. *poach away*), **enticing** (tentador, seductor, halagüeño)].

entire *a*: entero, total, completo, indivisible. [Exp: **entirety** (totalidad; V. *estate by entirety*), **entirety, in its** (íntegramente, en su totalidad), **entirety of contract** (indivisibilidad del contrato)].

entitle *v*: dar el derecho, autorizar. [Exp: **entitlement** (título, derecho; derechos adquiridos a prestaciones sociales, como seguro de desempleo —*unemployment compensation*—, seguridad social —*social security*—, etc. ◊ *Grant sb entitlement to sth*; V. *right, title*), **entitlement cut** (reducciones en servicios sociales adquiridos), **entitled, be** (tener derecho o título; estar legitimado)].

entity *n*: entidad; V. *body*.

entrance *n*: entrada, admisión, ingreso; V. *entry*. [Exp: **entrance examination** (examen de ingreso), **entrance card** (pase, autorización, acreditación), **entrance charge** (precio de entrada), **entrance fee** (cuota de entrada), **entrant** (participante, concursante, concurrente)].

entrench *v*: atrincherarse. [Exp: **entrenched, be** (estar atrincherado, mostrarse inflexible, ser de ideas fichas, ser inalterable ◊ *This policy is entrenched; their attitude is entrenched*)].

entrepôt *n*: almacén; depósito, especialmente en puerto franco, puerto franco; centro comercial; V. *warehouse*. [Exp: **entrepôt trade** (COMER comercio entreprôt o de reexportación), **entrepôt port** (TRANS MAR puerto distribuidor)].

entrepreneur *n*: empresario, hombre de empresa; capitalista; patrono; V. *enterprise, intrapreneur*. [Exp: **entrepreneurial** (empresarial, relacionado con los negocios ◊ *Outstanding entrepreneurial abilities*)].

entrust[1] *v*: confiar, depositar, consignar ◊ *Entrust sb with sth; entrust a task to sb*. [Exp: **entrust**[2] (depositar con/en; asignar al cuidado de ◊ *Entrust property/a mission to sb*),

entrusted with, be (ser el encargado de, ser el depositario de ◊ *Be entrusted with a task/property*)].

entry[1] *n*: entrada, admisión, acceso,

ingreso; implantación, instalación, establecimiento, penetración; V. *entrance*. [Exp: **entry²** (CONT asiento contable, apunte o anotación contable, partida, registro, inscripción; palabra, vocablo o artículo de un diccionario ◊ *Check entries in the accounts*; V. *narration; account entry, accounting entry, adjusting entry, book-keeping entry, cancelling entry, cash entry, closing entry, complementing entry, credit entry, cross entry, debit entry, double entry, ledger entry, opening entry, reversing entry, simple entry*), **entry³** (declaración de aduanas; V. *customs entry point, entry visa*), **entry⁴** (TRANS MAR recibo o justificante de entrada o admisión, por ejemplo a un almacén o depósito aduanero; V. *customs entry, warehouse entry*), **entry barriers** (COMER barreras de entrada), **entry bond** (fianza de entrada), **entry visa** (visado de entrada), **entry cost** (ECO coste de acceso), **entry customs** (aduana de entrada; V. *customs, pass the customs entry*), **entry into force** (entrada en vigor; V. *take effect, come into effect, come into force, be effective, be operative*), **entry inwards** (TRANS MAR declaración de entrada; mercancías de entrada; formalidades aduaneras de descarga; despacho, cumplimentación de los trámites de entrada o descarga de un buque), **entry-level employee** (REL LAB empleado del nivel más bajo o del nivel de entrada), **entry-level salary** (REL LAB sueldo de entrada o inicial), **entry outwards** (TRANS MAR declaración de salida; cumplimentación de los trámites de carga o salida de un buque; mercancías de salida), **entry permit** (permiso de entrada; permiso de declaración aduanera)].

environment *n*: medio ambiente, entorno. [Exp: **environment-friendly** (ecológico, que no perjudica o degrada el medio ambiente; V. *green*), **environmental** (ambiental; medioambiental), **environmental impact evaluation** (evaluación del impacto ambiental), **environmentalist** (ecologista, experto en medio ambiente, ambientalista)].

EOE *n*: V. *European Options Exchange*.

EOHP *fr*: V. *except otherwise herein provided*.

EONIA (acrónimo correspondiente a *Euro OverNight Index*; es la media ponderada de todas las operaciones de crédito a un día no garantizadas, realizadas en el mercado interbancario, procesado por *Bridge Telerate*).

EOQ model *n*: V. *economic order quantity model*.

ephemeralization *US n*: obsolescencia programada.

EPOS *n*: V. *electronic points of sales*.

EPP *n*: V. *executive pension plan*.

eps *n*: V. *earnings per share*.

EPU *n*: V. *European Payments Union*.

EPZ *n*: V. *export processing zone*.

equal *a/n/v*: igual, igualado; equitativo; imparcial; igualar, ser igual a. [Exp: **equal absolute sacrifice** (ECO sacrificio igual absoluto; V. *equal proportional sacrifice*), **equal coverage** (SEG, SOC igual cobertura; mediante esta estipulación se garantiza que las emisiones adicionales de obligaciones tendrán el mismo valor que las anteriores), **equal credit act** *US* (BANCA ley reguladora de la concesión equitativa de créditos), **equal employment opportunity** (igualdad de oportunidades para el trabajo), **equal pay** (igual retribución), **Equal Opportunities Commission** (organismo oficial encargado de velar por la igualdad de oportunidades), **equal proportional sacrifice** (ECO sacrificio de igual proporción; V. *equal absolute sacrifice*), **equal protection of the law** (igualdad ante la ley; amparo jurídico), **equal**

terms, on (en igualdad de condiciones), **equality** (igualdad), **equality, on an** (empatados; en igualdad de condiciones), **equality of oppotunities** (igualdad de oportunidades)].

equalization *v*: nivelación, igualación, estabilización, compensación; V. *exchange equalization account; dividend-equalization reserve; freight equalization*. [Exp: **equalization account** (cuenta de compensación), **equalization assessment** (ajuste de la valoración catastral), **equalization claim** (crédito de igualación), **equalization dividends** (dividendos compensatorios o complementarios), **equalization fee** (cuota de igualación, honorarios de estabilización), **equalization fund** (caja/fondo de compensación; V. *Exchange Equalization Account*), **equalization/equalizing grants** (subsidios/subvenciones compensatorias o de equiparación; V. *rate-deficiency grant*), **equalization of burdens/taxes** (nivelación/igualación de cargas, de impuestos o tributaria), **e-qualization payments** (pagos compensatorios), **equalization point** (punto de nivelación), **equalization reserve** (reserva de nivelación), **equalization tax** (TRIB impuesto de compensación), **equalize** (nivelar, compensar, igualar, equilibrar, equiparar, igualar; V. *equate*), **equalize dividends** (BOLSA compensar dividendos), **equalizing** (compensatorio, de equiparación), **equalizing dividend** (dividendo complementario)].

equate *v*: igualar, comparar, equiparar; considerar igual o equivalente; V. *equalize*. [Exp: **equated calculation of interest** (CONT cálculo de intereses basado en los saldos), **equated date/time** (fecha media de vencimiento; V. *average date*), **equation** (ecuación), **equation of international demand** (ecuación de demanda internacional)].

equilibrium *n*: ECO equilibrio; V. *balance*. [Exp: **equilibrium interest rate** (tipo de interés de equilibrio), **equilibrium of firm** (ECO equilibrio de la empresa a corto plazo; V. *short-run equilibrium*), **equilibrium price** (MERC precio de equilibrio; el precio está determinado por la intersección de las curvas de oferta y demanda), **equilibrium quantity** (cantidad de una mercancía comprada o vendida en un mercado en equilibrio)].

equip *v*: equipar, proveer, dotar; V. *furnish, supply, appoint*[3]. [Exp: **equipment** (equipo; bienes de equipo; equipamiento; accesorios, material, útiles), **equipment bonds** (bonos/títulos para la compra de equipo), **equipment leasing** (arrendamiento de bienes de equipo), **equipment trust certificates** (FINAN certificados de equipo en fideicomiso)].

equitable[1] *a*: justo, equitativo, igualitario, imparcial; relacionado con el derecho de equidad o *equity*; V. *fair, just; equity*. [Se emplea en muchas expresiones con el significado de «justo» o «equitativo», como en *equitable tax assessment* —determinación equitativa de impuestos. Exp: **equitable**[2] (reconocido por la rama del derecho inglés llamada equidad; V. *equitable interest*), **equitable assets** (bienes sucesorios que forman parte del activo y que se destinan, tras la disposición de un tribunal de equidad, a la liquidación de las deudas del difunto; V. *legal assets*), **equitable estate** (propiedad basada en el derecho de equidad), **equitable execution** (procedimiento de ejecución equitativa de una sentencia por parte del acreedor de la misma), **equitable fraud** (fraude implícito o legal), **equitable interest** (derechos de equidad o reconocidos por la equidad; V. *ownership*), **equitable lien** (carga con que está gravada una propiedad y que impide el traspaso del dominio pleno;

condición resolutoria), **equitable mortgage** (hipoteca equitativa; mediante esta hipoteca un inmueble queda adscrito al pago de una deuda por hipoteca), **equitable owner** (dueño en equidad), **equitable receivership** (administración judicial en equidad), **equitable right** (derecho reconocido por la equidad; V. *legal right*), **equitable title** (título en equidad), **equitable value** (valor equitativo de venta), **equitable basis, on an** (de forma equitativa)].

equities *n*: BOLSA, SOC títulos; acciones ordinarias o comunes de una mercantil; renta variable; V. *equity securities/ shares, ordinary shares, common stock; non equity security*. [Se trata de la única acepción del término *equity* que cuenta con plural].

equity[1] *n*: CONT patrimonio neto; neto patrimonial; fondos propios; alude al valor de una propiedad o sociedad descontados todos los gravámenes; capital contable de una mercantil, capital escriturado; V. *debt, loan capital, capital resources; non-equity; cost of equity; after-tax cost of equity*. [Exp: **equity**[2] (SOC acciones ordinarias ◊ *Trading on the equity*; V. *equities*), **equity**[3] (beneficios; participación de beneficios), **equity**[4] (BOLSA valor de mercado que tienen los títulos del cliente de un corredor; saldo acreedor representado por los títulos depositados por un cliente en la cuenta que mantiene con su corredor), **equity**[5] (MERC FINAN/PROD/DINER valor neto o residual en una operación de futuros financieros), **equity**[6] (DER justicia, derecho de equidad, derecho de amparo, derecho lato), **equity account** (cuenta de capital social o de participación), **equity annuity** (SEG anualidad variable), **equity capital** (BANCA recursos propios; capital fijo, capital en acciones, capital social, también llamado *contributed capital* o

paid-in capital, imprescindible para que una sociedad pueda obtener la autorización, ficha o carta fundacional; V. *share capital*), **equity capital cost** (coste del capital común), **equity claims** (participación en el capital social), **equity commitment notes** *US* (pagarés convertibles en acciones a un precio de conversión determinado en una fecha marcada, también llamados *capital notes*; V. *mandatory convertible*), **equity contract** (contrato de participación, convenio de valor líquido), **equity dilution** (dilución de capital; disminución del valor de las acciones ordinarias), **equity earnings** (ganancias indirectas de una sociedad anónima que posee una importante participación en una compañía subsidiaria), **equity financing**[1] *US* (FINAN financiación propia de una empresa mediante la emisión de acciones o ampliación del capital; V. *debt financing*), **equity financing**[2] (FINAN financiamiento de patrimonio), **equity funding/funds** (fondos en títulos), **equity gearing** (apalancamiento financiero; relación entre los fondos propios y la deuda a largo plazo en la estructura financiera de una empresa; V. *capital gearing, financial gearing; gearing; leverage; debt-to-equity ratio*), **equity holding** (SOC participación económica; alude a la participación en el patrimonio en poder del socio de una empresa; V. *economic participation; voting rights*), **equity investment** (inversiones en Bolsa, en acciones o en capital social), **equity kicker** *col* (FINAN astilla o incentivo ofrecido por el prestatario en forma de participación en los beneficios futuros; V. *warrants*), **equity-like** (asimilable a capital social), **equity-linked policy** (BOLSA póliza de seguros ligada a valores inmobiliarios; V. *unit-linked policies*), **equity market** (mercado de acciones o de patrimonio), **equity mutual fund** *US* (FINAN fondo de inversión colectiva de renta variable), **equity of a share** (derecho de cada acción a recibir el saldo proporcional correspondiente al activo más los beneficios acumulados tras descontar el pasivo), **equity of a policy** (SEG valor liquidativo de una póliza; V. *policy equity*), **equity of redemption** (DER derecho de rescate; alude al derecho a recuperar los bienes hipotecados tras el pago del último plazo), **equity of taxation** (TRIB principio tributario que postula que las cargas tributarias se soportarán de acuerdo con la capacidad de sacrificio y la capacidad financiera; V. *ability to pay*), **equity reserve account** (cuenta de reserva de participación o de patrimonio), **equity reit** *US* (FINAN entidad de inversión mobiliaria que adquiere los inmuebles en los que invierte; V. *reit; mortgage reit*), **equity securities** (renta variable; valores de especulación, acciones beneficiarias), **equity securities/shares** (BOLSA acciones ordinarias, renta variable), **equity strategist** (analista financiero experto en inversiones, responsable de la política de inversiones de una empresa), **equity swap** (BOLSA permuta financiera o «swap» de acciones), **equity tax** (impuesto equitativo), **equity transaction** (CONT transacción que trae consigo aumento o disminución del activo neto o transferencia entre cuentas), **equity turnover** (SOC capital neto; volumen negociado; alude a la proporción entre la venta de acciones ordinarias y el número de las mismas), **equity value** (valor contable de la participación), **equity yield enhancement securities, eyes** (BOLSA títulos con rendimientos mejorados por estar vinculados a acciones)].

equivalence *n*: equivalencia. [Exp: **equivalence of exchange** (paridad cambiaria o monetaria; V. *monetary/exchange parity*), **equivalent** (equivalente), **equivalent annual rate of interest** (BANCA tasa anual equivalente, TAE), **equivalent coefficient** (coeficiente de equivalencia), **equivalent effect** (TRIB efecto equivalente; se dice de un cargo o pago que tiene efecto equivalente a derechos de aduanas), **equivalent effect exaction** (TRIB exacción de efecto equivalente), **equivalent treatment** (COMER trato arancelario equivalente, reciprocidad; V. *reciprocity*)].

ERA *n*: V. *exchange rate agreement, ERA*.

erase *v*: borrar. [Exp: **erasure** (tachadura)].

ERC *n*: V. *electronic cash register*.

ERDF *n*: V. *European Regional Development Fund*.

erection all-risks insurance *n*: seguro de montaje o de instalación a todo riesgo.

ergonometrics *n*: ergonometría; V. *time and motion*. [Exp: **ergonomics** (ergonomía), **ergonomist** (ergonomista, especialista en ergonomía)].

ERI *n*: V. *euro-related information*.

ERISA *n*: V. *employee retirement income security act*.

erload clause *n*: TRANS MAR cláusula de carga posterior; mediante esta cláusula el buque no está obligado a cumplir el tiempo de carga estimado —*expect/expected ready to load*—, cuando no ha cumplido los contratos previos.

ERM *n*: V. *Exchange Rate Mechanism*.

ERNIE *n*: V. *Electronic Random Number Indicator Equipment*.

erode *v*: erosionar-se, mermar-se, desgastar-se; comerse; perjudicar ◊ *Erode confidence; erode stocks*; V. *bite into, eat into, deplete, run down*. [Exp: **eroding** (en plena disminución, en franco retroceso, menguante), **erosion** (erosión),

erosion of net worth (descapitalización; V. *reduction in net worth*)].

err *v*: errar, equivocarse. [Exp: **err on the side of caution** (pecar por exceso de prudencia), **errata** (plural de *erratum*; fe de erratas), **erratum** (error, errata), **error** (error, yerro, equivocación), **error of fact** (error de hecho o sobre la cosa; V. *posting error*), **error rate** (nivel de errores; V. *tolerable error rate; acceptance sampling; attribute sampling*), **errors and omissions** *US* (SEG seguro por negligencias o fallos profesionales, excepto los médicos), **errors and omissions excepted, e & o. e.** (CONT salvo error u omisión, s.e.u.o.)].

ESA *n*: V. *European Space Agency*.

escalate *v*: escalar-se, crecer, intensificar-se, agudizarse, extender-se, llegar a cotas alarmantes/preocupantes ◊ *Escalating costs/demand*; V. *de-escalate*. [Exp: **escalation** (REL LAB escalada, subida rápida o progresiva; progresividad; se aplica a precios, salarios, etc.), **escalation/escalator clause** (REL LAB escala móvil; cláusula de escala móvil de salarios; cláusula de corrección monetaria; cláusula de revisión automática de precios o salarios; cláusula de ajustes de precios/salarios; cláusula de pagos variables, cláusula de costes o precios escalonados; V. *price escalation clause; price adjustment*), **escalator**[1] (escalera mecánica/automática), **escalator**[2] (REL LAB escala salarial móvil), **escalator cards** (PUBL anuncios en las paredes a ambos lados de una escalera automática del metro, etc.; V. *showcard*), **escalator clause** (V. *escalation clause*)].

escape *n/v*: fuga, huida, salida, escape; escapar/se, huir, eludir, evitar. [Exp: **escape/emergency/break clause** (DER cláusula de salvaguardia, de rescisión, de excepción, de retirada o liberatoria; cláusula que permite ajustar las condi-

ciones o retirarse de un contrato; V. *saving clause, let-out clause; opting-out clause*)].

escheat *v/n*: ley de reversión al Estado; caer en reversión, pasar a ser propiedad del Estado por falta de herederos o por prescripción ◊ *Funds in dormant accounts are escheated to the State*; V. *dormant account*.

escrow *n*: plica, garantía bloqueada; custodia; convenio escrito en el que intervienen el otorgante o accionista, el cesionario y el depositario; escritura otorgada que no entra en vigor el día de su otorgamiento, sino en una fecha aplazada o cuando se cumpla una determinada condición. [Exp: **escrow account** *US* (cuenta de garantía bloqueada), **escrow agent** (depositario de plica), **escrow agreement** (acuerdo de custodia, contrato de depósito en garantía), **escrow churning** (práctica de «marear» la cuenta de plica o custodia/depósito realizando centenares de operaciones con los fondos adelantados para hacer frente a la nueva emisión; los beneficios de estas operaciones ilícitas los percibe el emisor), **escrow deposit** (depósito de plica), **escrow funds** (fondos en plica), **escrow, in** (en depósito fiduciario, en custodia; V. *in trust, in/under bond*), **escrow officer** (oficial/funcionario de custodia o de plica)].

ESF *n*: V. *European Social Fund*.

ESOP *n*: V. *employee share ownership programme, employee stock ownership plan*.

est. *a*: V. *estimated*.

Estabex *n*: Estabex; acuerdo de la Convención de Lome para la protección de las exportaciones.

establish *v*: establecer, adoptar, crear, fundar, instituir, montar, fijar; acreditar, hacer constar, probar, dejar probado, demostrar; determinar, averiguar; proclamar; V. *ascertain, determine, draw* *up, hold; fix.* [Exp: **establish quotas** (COMER contingentar; V. *subject to quota restrictions*), **established**[1] (institucionalizado, arraigado, establecido ◊ *An established custom/usage*), **established**[2] (conocido, de raigambre ◊ *A long-established firm*), **established**[3] (reconocido, admitido ◊ *An established fact*), **established**[4] (prestigioso, sólido, intachable, que goza de buena fama ◊ *An established authority/expert*), **established**[5] (REL LAB fijo, de plantilla ◊ *Established workers*), **establishment**[1] (establecimiento, institución, casa, empresa; V. *institution; freedom of establishment*), **establishment**[2] (plantilla de una empresa, fuerzas, efectivos ◊ *An establishment of two hundred*), **Establishment,**[3] **The** (la clase dirigente, el poder, los poderes fácticos, los que mandan, el sistema), **establishment of a system** (institución de un sistema), **establishment, be on the** (REL LAB estar en plantilla)].

estate[1] *n*: propiedades; patrimonio de bienes raíces; V. *real estate, estate agent*. [Exp: **estate**[2] (finca; hacienda; V. *finance; farm, estate worker*), **estate**[3] (herencia, caudal hereditario, masa hereditaria, activo neto relicto; V. *estate distribution*), **estate**[4] (zona/polígono industrial; V. *industrial estate, trading estate; industrial park*), **estate**[5] (V. *housing estate, council estate; private estate*), **estate**[6] (poder; V. *the fourth estate*), **estate accounting** (CONT contabilidad de heredades, de herencias y legados o de sucesiones), **estate agent** (agente de la propiedad inmobiliaria, corredor de fincas; V. *realtor, real estate agent; estate manager*), **estate duty/duties** (TRIB impuesto sobre sucesiones, contribución sobre la herencia; esta denominación pertenece al pasado; después se llamó *capital-transfer tax*, y desde 1986 *inheritance tax*), **estate in severalty** (DER propiedad unititular), **estate manager** (administrador de fincas; V. *land agent*), **estate of bankrupt** (monto/masa de la quiebra)].

estimate[1] *n/v*: estimación, cálculo estimativo, previsión, apreciación; estimar, evaluar, tasar, computar, calcular, presupuestar, hacer un presupuesto; V. *ballpark figure, budget estimates, actuals*. [Exp: **estimate**[2] (presupuesto ◊ *Provide a customer with an estimate; request an estimate*; V. *appraisal*), **estimate of sales** (estimación de ventas), **estimate the damage** (tasar el daño), **estimated assessment** (estimación del monto o base imponible), **estimated cost** (coste estimado o presupuestado; coste estimativo), **estimated income taxes** (provisión para impuesto sobre la renta), **estimated time of arrival, ETA** (hora estimada de llegada), **estimated time of departure, ETD** (hora estimada de salida), **estimated total return, ETR** (rentabilidad total estimada), **estimates** (ECO previsiones presupuestarias, créditos), **estimates of quantities** (estimaciones cuantitativas), **estimator** (justipreciador)].

ETA *fr*: V. *estimated time of arrival.*

ETD *fr*: V. *estimated time of departure.*

ETR *fr*: V. *estimated total return.*

Euratom *n*: V. *European Atomic Community.*

euribor *n*: euribor; tipo de interés ofertado del mercado interbancario en euros; es el índice que refleja el interés al que se cruzan operaciones los 60 principales bancos europeos; está formado por la palabra *euro* y la siglas de *inter bank offered rate*, esto es, tasa del mercado interbancario en euros, tipo medio del interbancario en euros; lo publica la Federación Europea de Banca; V. *TARGET, LIBOR, MIBOR.*

euro *n*: euro; es la moneda oficial de la llamada «zona euro» —*euro zone*— de la Unión Europea; V. *eurolibor, euribor, ERI.* [Exp: **Euro-** (euro-; el prefijo *euro-* equivale a «europeo» o «relacionado con instituciones europeas», y en el mundo de las finanzas a «internacional», sin referencia concreta a ningún país del mundo en el mercado internacional de deuda y en el de emisión y colocación —*issuance and placement*— internacional de acciones), **Euro Banking Association** (asociación bancaria en euros; es una alternativa a las transferencias paneuropeas de importe mediano que no exigen una rapidez excesiva en su tramitación; V. *TARGET*), **Euro-citizen Action Service** (grupo de presión ciudadana que milita por la supresión de las fronteras intereuropeas), **Euro-commercial paper, ECP** (FINAN europapel comercial, EPC; europagarés de empresa; instrumentos de comercio emitidos en euromoneda; V. *back-up credit*), **Euro-dollar** (eurodólar; son dólares depositados en bancos no estadounidenses, y no necesariamente europeos), **Euro-MP** (eurodiputado; V. *MEP*), **euro-related information, ERI** (mecanismo, desarrollado por SWIFT, para la transmisión en TARGET de información en las monedas originales del Grupo de los Once), **Euro-sterling** (eurolibras), **Eurotrack** (V. *The Financial Times-Stock Exchange Eurotrack 100 Index*), **euro zone** (zona euro; países de la Unión Europea cuya moneda oficial es el euro), **Eurobond** (eurobono, euro-obligación ◊ *Eurobonds are bearer securities*; V. *straight, floating-rate note*), **Eurocapital market** (euromercado de capitales o de euroemisiones), **Eurocard** (eurocard), **Eurocheque** (eurocheque), **Euroclear** (cámaras de compensación de eurobonos;

hay dos, una en Bruselas y otra en Luxemburgo; V. *depository trust*), **Eurocrat** (eurócrata; burócrata de la Unión Europea; V. *burocrat*), **Eurocredit** (eurocrédito), **Eurocurrency**[1] (eurodivisa, euromoneda), **Eurocurrency**[2] (eurodivisa; son depósitos en monedas fuertes pertenecientes a personas o instituciones no residentes en el país de la moneda de denominación), **euroequity** (euroacción) **Euro-issue** (euroemisión), **Euroloan** (europréstamos), **Euromarket** (Mercado Europeo; es sinónimo de Mercado Común Europeo), **Euromedium-term notes, EMTN** (MERC FINAN/PROD/DINER euronotas a medio plazo; V. *Euro-commercial paper*), **Euronote** (europagaré, euronota), **Euronote [issuance] facility** (programa de euronotas), **Europhile** (eurófilo), **Europhobe** (eurófobo), **Eurospeak** (eurohabla; jerga tecnócrata empleada por burócratas y periodistas), **Eurostat** (Eurostat; Oficina de Estadística de la Unión Europea), **Euro-sterling** (eurolibras), **Eurotrack** (V. *The Financial Times-Stock Exchange Eurotrack 100 Index*), **Eurotech** (Eurotech; sociedad de capital riesgo o *joint venture* promovida por la Comisión Europea), **Eurotrack 100** (BOLSA índice de las 100 empresas más importantes europeas no británicas)].

Europe *n*: Europa. [Exp: **European** (europeo), **European Agricultural Guidance and Guarantee Fund, EAGGF** (Fondo Europeo de Orientación y Garantía Agrícola, FEOGA; fondo destinado a la financiacion de la Política Agrícola Comunitaria o *Common Agricultural Policy*; V. *FORPA*), **European Atomic Energy Community, EURATOM** (Comunidad Europea de Energía Atómica; V. *Euratom*), **European Bank for Reconstruction and**

Development (Banco Europeo para la Reconstrucción y el Desarrollo), **European Capital Market** (Mercado Europeo de Capitales), **European Central Bank** (Banco Central Europeo, cuya sede está en Francfort; V. *TARGET*), **European Coal and Steel Community, ECSC** (Comunidad Europea del Carbón y del Acero), **European Commission** (Comisión Europea), **European Community, EC** (Comunidad Europea; V. *Common Market, European Economic Community, Single European Act*), **European Convention on Human Rights** (Convención Europea de Derechos Humanos), **European Court of Human Rights** (Tribunal Europeo de Derechos Humanos), **European Court of Justice** (Tribunal de Justicia Europeo; V. *Community law, Court of Justice of the European Communities*), **European currency unit, ECU** (unidad de cuenta europea, unidad de cambio europea, unidad monetaria europea, ECU), **European Depository Receipt, EDR** (FINAN recibo de depósito europeo; permiten la negociación de acciones extranjeras en mercados europeos; V. *American/International Depository receipt*), **European Development Fund, EDF** (Fondo de Desarrollo Europeo), **European Economic Community, EEC** (Comunidad Económica Europea; V. *Common Market, Single European Act*), **European Economic Space/Area, EES, EEA** (Espacio económico europeo), **European Exchange Rate Mechanism, ERM** (Mecanismo de cambio/paridades del Sistema Monetario Europeo), **European Exchange System** (sistema europeo de cambio), **European Free Trade Area** (Zona Europea de Libre Comercio), **European Free Trade Association, EFTA** (Asociación Europea de Libre Cambio; V. *North American Free Trade Agreement, NAFTA*), **European Fund of Monetary Cooperation, EFMC** (Fondo Europeo de Cooperación Monetaria, FECOM), **European Investment Bank, EIB** (Banco Europeo de Inversiones), **European Monetary Agreement, EMA** (Acuerdo Monetario Europeo, AME; V. *margin*[6]), **European Monetary Cooperation Fund** (Fondo Europeo de Cooperación Monetaria), **European Monetary Snake, The** (la serpiente monetaria europea), **European Monetary System, EMS** (Sistema Monetario Europeo; V. *Exchange Rate Mechanism, parity grid, fluctuation range; par value rate of exchange; short term monetary support; rallonge*), **European Nuclear Energy Agency, ENEA** (Agencia Europea de Energía Nuclear), **European option** (MERC FINAN/PROD/DINER opción europea; las opciones europeas sólo se pueden ejercer, a diferencia de las americanas, en la fecha de su vencimiento o *expiration date*; V. *exercise date; early exercise; option style; Asiatic option, American option*), **European Options Exchange, EOE** (mercado de opciones europeo), **European Parliament** (Parlamento Europeo), **European Payments Union, EPU** (Unión Europea de Pagos, UEP), **European Regional Development Fund, ERDF** (Fondo Europeo de Desarrollo Regional, FEDER; V. *enterprise zone*), **European Regional Fund** (Fondo Regional Europeo), **European Social Charter** (Carta Social Europea), **European Social Fund, ESF** (Fondo Social Europeo), **European Space Agency, ESA** (Agencia Espacial Europea, AEE), **European Unit of Account** (unidad de cuenta europea)].

evade *v*: eludir, evadir, escaparse de, evitar,

esquivar, soslayar, substraerse a ◊ *Evade payments, liability, taxes, etc.* [Exp: **evade rules** (sustraerse a las normas), **evasion** (fraude/evasión fiscal, impago; acción o efecto de substraerse a una responsabilidad; V. *tax avoidance; tax evasion*)].

evaluate *v*: evaluar, tasar, valuar, juzgar, ponderar, calcular; determinar, precisar. [Exp: **evaluation** (avalúo, evaluación)].

even *a/v*: regular, uniforme; igual, equitativo; par; constante; suave, llano, liso; nivelar, igualar, allanar; V. *break even; break-even point, cash break-even point, financial break-even point.* [Exp: **even, be**[1] (estar en paz; no deber nada), **even, be**[2] (estar a la par ◊ *The chances are even*), **even number** (número par; V. *odd number*), **even lot** (BOLSA lote uniforme de 100 acciones o cualquiera de sus múltiplos, normalmente 500; V. *odd lot, round lot*), **even number** (número par), **even out** (igualar, hacer equitativo, distribuir de forma equitativa, repartir por partes iguales, ajustar las diferencias ◊ *Even out payments/inequalities, etc.*), **even up** (igualar, compensar, rectificar, ajustar las cuentas ◊ *Even up with sb*), **evening up** (compensación de saldos; nivelación, operación compensatoria; V. *settlement of balances*)].

event *n*: acontecimiento, suceso, evento; resultado; decisión ◊ *In the event of the owner of the land dying intestate, the property reverts to the Crown.* [El significado de «decisión» es propio del lenguaje jurídico. Exp: **event of ..., in the** (en el caso de que ..., si aconteciere que ...), **event risk** (FIN, SEG riesgo de eventos)].

ever *adv*: siempre; continuamente; alguna vez; «de todos los tiempos», «de la historia», etc., cuando va detrás de superlativos. [Este adverbio combina con ciertos adjetivos para crear compuestos que añaden al sentido del adjetivo la noción de «continuamente», «sin cesar», «cada vez más», etc. Exp: **ever-changing** (siempre cambiante, en continuo proceso de cambio, que varía sin cesar), **ever-increasing** (que aumenta cada vez más, que aumenta constantemente), **evergreen [loan]** (BANCA descubierto bancario permanente, crédito sin vencimiento determinado; en este tipo de descubierto «perenne» o «siempre verde» —*evergreen*— los bancos eximen a los buenos clientes del requisito de «autosuficiencia económica» —*self-help principle*— por medio de la llamada «limpieza general» —*clean-up requirement*—, que se les exige de forma periódica a los clientes regulares para que demuestren la viabilidad de su proyecto empresarial)].

evidence *n/v*: testimonio, prueba, probanza, pruebas documentales, indicios; testimoniar, probar, dar muestras de. [Exp: **evidence of conformity** (atestación de conformidad), **evidencing** (fehaciente; V. *certifying, authentic*), **evidentiary effect** (valor probatorio)].

ex- *prep, prefijo*: ex-, fuera de, franco, sin; V. *former.* [El prefijo inglés *ex-* tiene el mismo significado y valor que en español, equivaliendo a «ex-» o a «por»; cuando va delante de las palabras *rights, capitalization, cap, bonus* quiere decir que estos beneficios los disfruta el vendedor y no el comprador; V. *cum, ex-all.* Exp: **ex aequo et bono** (ex aequo et bono, en equidad y justicia), **ex-all** (los beneficios son del vendedor) **ex-bonus** (V. *ex-scrip*), **ex-cap** (V. *ex-scrip; cap*), **ex-claim** (SEG en satisfacción de una reclamación), **ex contractu** (por contrato), **ex-coupon** (ex cupón; acción/título sin el cupón correspondiente al próximo pago), **ex-directory** (que no consta o figura en la guía telefónica ◊ *Her number is ex-directory*), **ex distribution** (sin derecho a los próximos beneficios o dividendos), **ex-dividend, ed** (BOLSA ex dividendo; sin dividendo; acción/título sin derecho al cobro del próximo dividendo; V. *cum dividend; date of record*), **ex dock, ex quay** (TRANS MAR franco en el muelle, sobre el muelle), **ex factory** (franco fábrica; V. *price ex-factory*), **ex gratia payment** (REL LAB indemnización graciable por servicios a la empresa; V. *golden handshake*), **ex growth** (estacancado; sin perspectiva de crecimiento o desarrollo), **ex growth industries** (industrias estancadas; V. *stagnation*), **ex interest** (sin interés), **ex new** (sin derecho de suscripción de acciones nuevas; V. *cum new; rights issue, scrip issue*), **ex officio** (ex oficio, oficialmente, nato, por razón de su cargo), **ex parte** (a petición de parte interesada, de una de las partes solamente), **ex pier** (V. *ex dock*), **ex-position** (subpartida), **ex post facto** (de hechos posteriores, ex posteriori), **ex-post facto law** *US* (ley retroactiva), **ex post monitoring** (BANCA sistema obligatorio de seguimiento informatizado de las entradas y salidas de las cuentas de los clientes que deben tener todos los bancos a fin de cumplir con la normativa legal respecto de los depósitos, etc.), **ex quay** (V. *ex dock*), **ex quay, duties on buyer's account** (TRANS MAR mercancía [sin despachar] sobre un muelle del puerto de destino convenido con derechos por cuenta del comprador), **ex quay, duty paid** (TRANS MAR mercancía despachada sobre un muelle del puerto de destino convenido libre de derechos), **ex rights, xr** (STK EXCH acción sin derecho de suscripción, ex derecho), **ex-scrip** (BOLSA sin derecho de suscripción; sin derecho a ampliación gratuita; se dice de la acción que se vende sin derechos de suscripción o *scrip issue*; también llamado *ex-bonus, ex-cap*), **ex ship** (TRANS MAR sobre buque, ex ship; a veces

ex va seguido sólo del nombre del barco; mediante esta cláusula el vendedor se compromete a poner la mercancía a disposición del comprador en la fecha prevista a bordo del buque, corriendo el seguro y el flete por cuenta del comprador; por esta razón se la considera una modalidad de los contratos *cif*; V. *free overboard/over-side*), **ex-stock** (teniendo en cuenta las existencias; hasta que se agoten las existencias; se dice del precio que se aplica a un producto), **ex-store** (precio que incluye el transporte hasta el almacén), **ex-subscription rights** (sin derecho de suscripción), **ex-warehouse** (puesto en almacén), **ex-wharf** (V. *ex-quay*), **ex-works** (franco fábrica)].

exact *a/v*: exacto; exigir, arrancar, obligar a cumplir, imponer, insistir en el pago o cumplimiento ◊ *Exact full payment/a promise/obedience, etc.* [Exp: **exaction** (TRIB exacción)].

examination *n*: censura de cuentas; interrogatorio, examen, registro, indagación, reconocimiento, exploración. [Exp: **examine** (examinar, escrutar, considerar, revisar, reconocer, registrar; V. *audit; tackle*), **examiner** (examinador, inspector; V. *tax examiner*), **examine tax returns** (revisar la declaración de la renta)].

exceed *v*: exceder-se; ir más allá de, rebasar, sobrepasar; abusar de. [Exp: **exceed a credit** (exceder/rebasar/sobrepasar un crédito; V. *overdraw a credit*), **exceed arrangements** (exceder-se de lo convenido)].

except *v/prep*: exceptuar; excepto, si no es por, con excepción de, salvo, menos, descontando. [Exp: **excepted perils** (TRANS, SEG riesgos no cubiertos en el seguro de transporte), **exception** (excepción, objeción, salvedad), **exception clauses** (TRANS MAR cláusulas de exoneración de responsabilidad), **ex-**

ception of compact (excepción de compromiso previo; V. *defence of previous accord or settlement*), **exception of lack of capacity** (excepción de incapacidad de la parte o de falta de personalidad), **exception principle**[1] (contingencia), **exception principle**[2] (ECO principio de la excepción), **exceptionable** (impugnable, oponible, recusable), **exceptionableness** (impugnabilidad, recusabilidad), **exceptional** (excepcional, de carácter excepcional), **exceptional non-recurring costs** (costes no incorporables), **exceptional powers** (poderes excepcionales), **exceptions** (TRANS MAR excepciones, riesgos exceptuados o no cubiertos)].

excess[1] *n*: exceso, excedente; V. *surplus; carry sth to excess*. [Exp: **excess**[2] (SEG franquicia ◊ *Have a £100 excess on one's insurance policy*; V. *deductible coverage clause; franchise*), **excess baggage** (exceso de equipaje; V. *excess fare; free allowance*), **excess cash balance cost** (costo de saldos excesivos), **excess clause** (SEG MAR cláusula que contenga una franquicia; cláusula de excedentes), **excess cover treaty** (TRANS tratado de excedentes), **excess demand** (ECO exceso en la demanda; V. *shortage*), **excess demand deficit** (déficit provocado por un exceso de la demanda), **excess demand/supply curve** (ECO curva de exceso de la demanda/oferta), **excess demand inflation** (inflación de demanda), **excess fare** (TRANS suplemento), **excess indebtedness** (endeudamiento excesivo; V. *overindebtedness*), **excess loss** (SEG exceso de siniestralidad), **excess loss cover** (TRANS cobertura de exceso de pérdida), **excess of liabilities over assets** (excedente de pasivo; exceso de deudas), **excess-of-line treaty** (SEG contrato de exceso de pleno), **excess of loss arrangement** (SEG contrato de exceso de siniestros o de pérdidas), **excess of loss reinsurance** *US* (SEG reaseguro por exceso), **excess profit** (beneficio extraordinario; V. *surplus profit*), **excess-profit tax** (TRIB impuesto sobre beneficios extraordinarios), **excess reserves** (BANCA exceso de reservas; normalmente porque hay menos préstamos que los previstos), **excess shares** (BOLSA acciones excedentes o sin cubrir), **excess supply** (ECO exceso de oferta/excedente; V. *surplus*), **excess value** (exceso de valor), **excessive purchasing power** (exceso de poder adquisitivo)].

exchange[1] *n/v*: cambio, canje, trueque o permuta, intercambio, cambio exterior, comisión de cobro; canjear títulos, bonos, etc.; cambiar, intercambiar; V. *bill of exchange; part-exchange, law of exchange; telephone exchange, conversion*. [Exp: **exchange**[2] (mercado, lonja, bolsa; V. *foreign exchange, commodity exchange Stock, Exchange*), **exchange**[3] (cotización, cambio; V. *quotation, foreign exchange*), **exchange acquisition** *US* (BOLSA empaquetamiento; método de adquisición de grandes paquetes de acciones; V. *exchange distribution*), **exchange adjustment** (ajuste cambiario), **exchange agency/bureau** (agencia/casa de cambio), **exchange agreement/arrangement** (FINAN contrato/régimen de cambio), **exchange allocation** (asignación de divisas), **exchange arbitrage** (arbitraje de cambios), **exchange bank** (casa de cambio), **exchange board** (junta de cambio, oficina de conversión monetaria), **exchange broker** (agente/corredor de comercio), **exchange business** (contrataciones/operaciones bursátiles, negociaciones de títulos; V. *security/ stock deals/transactions; stock exchange operations/transactions*), **exchange charge** (cargo/comisión por el servicio de cambio), **exchange certificate** (certificado de cambio), **exchange commercial** *US* (BOLSA anuncio de cambio), **exchange commitment** (compromiso/obligación en divisas), **exchange contracts** (intercambiar contratos), **exchange control** (control de cambios/divisas; V. *dollar pool*), **exchange control board** (junta de control de cambios), **exchange control regulations** (disposiciones de control de cambios), **exchange cover** (cobertura de cambio), **exchange current** *US* (BOLSA cambio actual), **exchange dealer** (operador de cambio, cambista; V. *cambist*), **exchange dealings** (operaciones con divisas, operaciones cambiarias), **Exchange Delivery Settlement Price** (precio de liquidación de un *index futures* o *option contract* en el *London International Financial Futures and Options Exchange*), **exchange discount** (descuento cambiario; pérdida cambiaria), **exchange distribution** *US* (BOLSA empaquetamiento; método de venta de grandes paquetes de acciones; V. *exchange acquisition*), **exchange equalization account** (fondo de estabilización de cambios, cuenta de igualación de tipo de cambio; V. *equalization*), **exchange equalization fund** (fondo de compensación de cambios), **exchange floor** (sala o parqué de la Bolsa), **exchange fluctuations** (fluctuaciones/oscilaciones de los tipos de cambio), **exchange for forward delivery** (cambio a plazo o a término; V. *forward exchange*), **exchange in kind** (V. *barter*), **exchange insurance** (seguro de cambio), **exchange man** (bolsista, jugador de Bolsa), **exchange market** (mercado cambiario, mercado de cambio), **exchange of contracts** (intercambio de contratos), **exchange of goods** (COMER tráfico de mercancías),

exchange of money (cambio de moneda), **exchange of notes** (intercambio de notas), **exchange on the black-market** (cambio en el mercado negro), **exchange parity** (paridad cambiaria o de cambio; V. *equivalence of exchange, monetary parity*), **exchange participation notes** (pagarés de participación en las entradas de divisas), **exchange premium** (prima/ganancia cambiaria), **exchange rate** (FINAN tipo/tasa de cambio; índice de cotización; cotización; V. *rate of exchange*), **exchange rate adjustment** (ajuste cambiario), **exchange rate agreement, ERA** (FINAN contrato sobre tipos de cambio), **exchange rate band** (banda de fluctuación), **exchange rate differential** (diferencial/diferencia-s de tipos de cambio), **exchange rate hedge** (MERC DINER seguro de cambio; consiste en la compra o venta de divisas a plazo —*forward*— para cubrir el riesgo de cambio en una operacion comercial o financiera; V. *hedge, forward currency purchase*), **exchange rate mechanism, ERM** (mecanismo de cambio/paridades del SME; V. *European Monetary System*), **exchange rate policy** (política cambiaria), **exchange rate pool** (horquilla de tipos de cambio), **exchange-rate system** (sistema de tipos de cambio), **exchange risk** (riesgo cambiario), **exchange stabilization fund** (fondo de estabilización cambiaria), **exchange system** (régimen/sistema cambiario), **exchange tender offer** (FINAN oferta de adquisición de las acciones de una empresa pagando con títulos bursátiles), **exchange transactions** (transacciones cambiarias o con divisas), **exchange value** (contravalor; V. *exchangeable value*), **exchangeable** (canjeable), **exchangeable bond** (FINAN bono canjeable por acciones existentes;

V. *convertible bond*), **exchangeable value** (contravalor, valor de cambio; V. *exchange value*), **exchanger** (agente de cambio)].

Exchequer *n*: erario público del Reino Unido; Tesorería del Reino Unido; V. *Chancellor of the Exchequer; abandon goods to the Revenue/Exchequer*. [Exp: **exchequer bills** (vales del Tesoro, letras del Tesoro; nombre antiguo con el que se conocían las actuales *Treasury bills*), **exchequer bonds** (bonos del Tesoro), **Exchequer, Court of** (V. *Court of Exchequer*), **Exchequer stocks** (bonos del Tesoro; V. *Treasury stocks; gilt-edged securities*), **Exchequer Treasury** (Tesoro público; V. *national treasury*)].

excise *n/v*: TRIB impuesto interior, exación; tributos o derechos internos; arbitrio; impuestos especiales; impuesto sobre el consumo, en especial, de alcoholes, hidrocarburos, etc.; derechos de consumo; gravar artículos de consumo. [Exp: **excisable** (imponible, sujeto a exacción ◊ *Excisable liquors*), **Excise Department** (TRIB departamento de impuestos sobre el consumo), **excise duty/tax** (TRIB impuesto-especial-es tasa, impuesto sobre consumos específicos, impuesto indirecto, derecho arancelario, derecho de aduana, arbitrios), **exciseman** (recaudador de impuestos sobre el consumo)].

exclude *v*: excluir, no admitir. [Exp: **excluding** (sin contar, descontado, excluido, con exclusión de, exceptuando, excepto, con excepción de; V. *exclusive of*), **exclusion** (SEG riesgos excluidos o no cubiertos en una póliza de seguros), **exclusion clause** (SEG cláusula de riesgos excluidos), **exclusion allowance** *US* (SEG exención)].

exclusive *a/n*: exclusivo, cerrado, selecto, distinguido, caro, lujoso; exclusiva; noticia en exclusiva ◊ *Prices shown are exclusive of VAT*. [Exp: **exclusive agency** (agencia única o exclusiva; V. *sole agency*), **exclusive dealing contract** COMER *US* (COMER contrato de exclusividad), **exclusive distribution** *US* (COMER distribución exclusiva; V. *sole agent*), **exclusive franchise clause** (cláusula de autorización exclusiva de venta), **exclusive jurisdiction** (jurisdicción exclusiva), **exclusive licence** (licencia/permiso exclusivo), **exclusive listing** *US* (convenio de exclusiva; se refiere a la exclusiva para vender determinada propiedad inmobiliaria), **exclusive of** (sin contar, con exclusión de; V. *excluding*), **exclusive outlet selling** (COMER sistema/red de puntos de venta exclusivos), **exclusive possession** (posesión exclusiva), **exclusive remedy** (recurso exclusivo), **exclusive rights** (derechos exclusivos), **exclusive economic zone, EEZ** (zona de soberanía económica), **exclusivity** (exclusiva, derechos en exclusiva)].

exculpate *v*: justificar, disculpar [Exp: **exculpatory** (eximente, exculpatorio, justificativo, disculpable, dispensable), **exculpatory circumstances** (circunstancias eximentes), **exculpatory clause** (SEG cláusula de exención)].

excusable *a*: excusable, involuntario. [Exp: **excuse** (perdonar, excusar, disculpar)].

execute *v*: celebrar, perfeccionar, completar, formalizar, legalizar, ejecutar, consumir, otorgar; realizar, llevar a cabo; facturar, realizar —aplicado a negocios—; otorgar —aplicado a documentos. [Exp: **execute a deed** (otorgar una escritura), **execute an agreement** (celebrar/firmar/otorgar un convenio o acuerdo), **execute an order** (servir un pedido), **executed contract** (contrato perfeccionado), **executed estate** (propiedad y posesión efectivas), **executed sale** (venta consumada), **executed trust** (fideicomiso formalizado o perfecto; V. *perfect trust*), **executed**

verbal agreement (pacto verbal cumplido por ambas partes), **executing agency** (organismo de ejecución)].

execution[1] *n*: formalización, celebración; firma, sellado y entrega de un instrumento, otorgamiento, acto de otorgamiento. [Exp: **execution**[2] (ejecución de los derechos del acreedor, mandamiento judicial, vía ejecutiva), **execution**[3] (cumplimiento del deber, etc.), **execution committee** (comité ejecutivo), **execution creditor** (acreedor ejecutante), **execution of a deed, a will, an instrument** (otorgamiento de una escritura, testamento, documento), **execution sale** (venta judicial), **execution time** (tiempo de ejecución de un trabajo)].

executive *a/n*: ejecutivo, directivo, alto cargo, alto funcionario; poder ejecutivo; V. *managing clerk, manager; chairman and chief executive*. [Exp: **executive agreement** (convenio ejecutivo), **executive board** (junta de gobierno; directorio ejecutivo), **executive committee** (comisión directiva o gestora o ejecutiva), **executive council** (consejo ejecutivo), **executive director** (director ejecutivo; V. *corporate office*), **executive information systems, eis** (GEST sistema de información para la dirección), **executive largesse** (retribuciones de la gerencia), **executive meeting** (sesión ejecutiva), **executive pension plan, EPP** (REL LAB plan especial de pensiones para ejecutivos), **executive search** (servicio de localización de ejecutivos o personal idóneo, desempeñado por empresas especializadas), **executive share options** (plan de compra de acciones de la empresa por los ejecutivos de la misma), **executive summary** (resumen)].

executor *n*: albacea; V. *administrator*.

exempt *a/v*: exento; eximir, desgravar; franquear, dispensar, exceptuar; V. *free from*. [Exp: **exempt commodity** (COMER,

TRIB mercancía exenta), **exempt company** (compañía exenta), **exempt for tax** (TRIB desgravar), **exempt from duties/taxes** (eximir de derechos/impuestos), **exempt from liability/responsibility** (exento de responsabilidad; V. *scot-free*), **exempt gilts** (BOLSA bonos/títulos del Estado sin retención fiscal), **exemption** (TRIB exención, desgravación, bonificación, beneficio o privilegio fiscal o tributario, exoneración, franquicia, inmunidad; dispensa, privilegio; V. *allowance, enjoy exemption from duty*), **exemption clause** (cláusula de exención de responsabilidad en un contrato), **exemption for dependants** (TRIB exención tributaria por personas a su cargo), **exemption from customs duties** (TRIB franquicia arancelaria), **exemption from duty** (exención de derechos), **exemption from taxes** (exención fiscal; V. *tax-exemption*)].

exercise[1] *n/v*: ejercicio; operación, maniobra, tarea, empresa; ejercer, proceder, obrar con ◊ *Exercise caution*; V. *The object of the exercise*. [Exp: **exercise**[2] (MERC FINAN/PROD/DINER ejercicio de una opción; ejercer una opción; V. *exercise an option*), **exercise a contract** (cumplir un contrato), **exercise a profession** (ejercer una profesión; V. *practise*), **exercise a right** (ejercer/valerse de un derecho), **exercise an option** (BOLSA, MERC PROD/DINER ejercer el derecho de opción; ejercer una opción; alude a la compra o venta del título que es objeto de la opción; V. *declare an option*), **exercise date** (BOLSA fecha de ejercicio de una opción de compra —*call*— o de venta —*put*— en un mercado de opciones europeo; V. *declaration day, option*), **exercise notice** (BOLSA notificación de ejercicio; alude a la notificación formal de que el que tiene una opción de compra o de venta va a ejercerla en el día de ejercicio y al precio de ejercicio; V. *early exercise; exercise date; exercise notice*), **exercise price** (MERC FINAN/PROD/DINER precio de ejercicio; precio de compra, también llamado *strike price*, al que tiene derecho el que posea una opción de compra o *call option*, hasta la fecha de vencimiento o *expiration date*; V. *aggregate exercise price*)].

exhaust *v*: agotar. [Exp: **exhaustion** (agotamiento; V. *depletion*), **exhaustion gap** (BOLSA agujero/hueco de «agotamiento» en un gráfico de barras; V. *breakaway gap, common gap, runaway gap*), **exhaustion of stocks** (CONT agotamiento de existencias; V. *sellout*)].

exhibit[1] *n/v*: PUBL exposición; objeto expuesto en una feria o exposición; exponer; V. *fair*. [Exp: **exhibit**[2] (DER prueba, documento u objeto presentado como prueba), **exhibition** (exposición), **exhibition grounds** (recinto ferial), **exhibition hall** (sala de exposiciones), **exhibition booth** (caseta, stand), **exhibitor** (expositor; V. *fair*)].

Eximbank *n*: Banco de Exportación e Importación; ofrece financiación y cobertura a la exportación afectada por riesgos de carácter político; V. *foreign credit insurance association*.

existing *a*: en vigor, actual, pendiente. [Exp: **existing laws** (leyes vigentes), **existing mortgage** (hipoteca pendiente), **existing right** (derecho existente)].

exit *n*: salida. [Exp: **exit barrier** (COMER barrera de salida), **exit fee** (gastos por amortización o rescate anticipado de una inversión colocada en un fondo; V. *load, redemption charge, back-end load, deferred sales charge, trail commissions*), **exit value** (CONT valor de realización; V. *realizable value; current exit value*)].

expand *v*: ampliar, expandir, desarrollar, crecer; V. *develop, grow*. [Exp: **expanding** (en desarrollo, en expansión; V. *increasing*), **expansion** (ampliación, expansión, desarrollo; V. *enlargement; development, growth; business expansion scheme*), **expansion of capital expenditure** (ampliación de inversiones en activos fijos), **expansionary policy** (política expansionista/expansiva)].

expect *v*: esperar. [Exp: **expectation/s** (expectativa, esperanza, previsión, perspectiva, posibilidad; V. *outlook*), **expectations theory** (ECO teoría de las expectativas; según esta teoría, los inversores se motivan por las expectativas racionales de los rendimientos de sus inversiones; V. *rational expectations; market segmentations theory*), **expected** (estimado, previsto, probable; V. *anticipated*), **expected claim ratio** (tasa prevista de siniestralidad), **expected rate of return** (BOLSA, FINAN tasa de rentabilidad esperada), **expect/expected ready to load** (TRANS MAR hora estimada de inicio de las operaciones de carga; V. *erload clause*)].

expectancy *n*: esperanza, expectativa; V. *life expectancy*. [Exp: **expectancy theory of motivation** (ECO teoría de la motivación basada en la expectativa de mejora)].

expediency *n*: conveniencia, oportunidad. [Exp: **expedient** (conveniente, oportuno)].

expend *v*: gastar, desembolsar. [Exp: **expendable**[1] (prescindible, que no es indispensable o insustituible), **expendable**[2] (gastable, fungible; disponible), **expendable equipment** (material fungible), **expendable funds** US (fondos consumibles)].

expenditure *n*: gasto, desembolso, consumo; V. *above-line expenditure*. [Exp: **expenditure breakdown** (desglose de gastos), **expenditure budget share of a good** (ECO participación presupuestaria de un bien), **expenditure share of a good** (ECO participación en el gasto de un bien), **expenditure tax** (tributación sobre el gasto; V. *outlay tax, income tax*)].

expense *n*: gasto, coste, carga; costo; V. *incidental expenses*. [Exp: **expense account** (CONT cuenta de gastos de representación; V. *account of charges*), **expense capitalization** (CONT activación de gastos; contabilización de gastos como partidas de activo), **expense constant** *US* (SEG gastos fijos), **expense loading** (recargo), **expense ratio** *US* (SEG porcentaje de gestión, porcentaje de gastos generales), **expense voucher** (nota/comprobante de gastos), **expenses advances** (anticipos para gastos de viaje o de representación)

experience *n/v*: experiencia; experimentar; V. *put sth down to experience*. [Exp: **experience effect** *US* (GEST factor experiencia; resultado de la experiencia), **experience in management an advantage** (se valorará la experiencia en gestión), **experience required, no** (no se exige experiencia), **experience table of mortality** (SEG tabla de experiencia de mortalidad; V. *actuarial age*), **experienced** (con gran experiencia, experimentado), **experienced eye/ear, etc.** (ojo/oído, etc. de experto)].

expert *a/n*: especialista, experto, perito, entendido, técnico; pericial. [Exp: **expert accountant** (contador, perito mercantil, técnico contable), **expert advice** (asesoramiento técnico), **expert appraisal** (tasación/avalúo pericial; peritaje), **expert appraiser** (perito tasador o valuador), **expert opinion** (dictamen pericial, peritaje), **expert's report** (juicio del perito), **expert testimony** (peritaje, dictamen pericial), **expert witness** (testigo pericial).

expertise *n*: pericia, competencia, conocimientos especializados; V. *know-how*.

expiration *n*: caducidad, término, expiración, vencimiento; V. *maturity*. [Exp: **expiration clause** (TRANS MAR cláusula de prórroga, cláusula de continuación también llamada *continuation clause*), **expiration date**[1] (fecha de caducidad; límite de validez), **expiration date**[2] (MERC FINAN/PROD/DINER fecha de vencimiento de una opción, etc.; fecha de ejercicio; último día para ejercer una opción en el mercado de opciones norteamericano, la cual, a diferencia del mercado europeo, se puede ejercer en cualquier día del ciclo o *option cycle*; V. *exercise date; American option, European option*), **expiration date/day** (FINAN fecha de vencimiento de una opción o de un contrato de futuros), **expiration of a contract** (vencimiento de un contrato), **expiration of a partnership** (término/disolución de una asociación mercantil; V. *partnership*)].

expire *v*: caducar, prescribir, vencer, expirar; V. *lapse*. [Exp: **expired** (caducado; V. *out of date*), **expiry** (vencimiento, expiración), **expiry date**[1] (fecha de cumplimiento/vencimiento de un plazo, de un contrato, etc.), **expiry date**[2] (MERC FINAN/PROD/DINER fecha de vencimiento de una opción; en los Estados Unidos se pueden ejercer las opciones en cualquier fecha antes de este plazo; en Europa sólo se ejercen en la fecha de vencimiento o se pierden), **expiry period** (plazo o fecha de vencimiento, plazo de prescripción; V. *maturity*)].

explicit *a*: explícito. [Exp: **explicit pricing** (determinación explícita de los precios; V. *bank service pricing*)].

exploratory *a*: indagatorio. [Exp: **explore** (estudiar, examinar, explorar, indagar ◊ *Explore new avenues of inquiry*)].

exponent *n*: exponente. [Exp: **exponential** (exponencial)].

export *n/v*: exportación; exportar; V. *exportation*. [Exp: **Export Advice Council** (Consejo Asesor a la Exportación), **export aids/assistance** (ayuda a la exportación), **export bond** (fianza de exportación), **export bonus** (plus por exportación; incentivo/apoyo/ prima a la exportación), **export bounty** (subvención/prima a la exportación), **export credit** (crédito a la exportación), **export credit agency** ECA (organismo de crédito a la exportación), **export development fund, EDF** (fondo para el fomento de las exportaciones), **export credit insurance** (seguro de crédito a la exportación), **Export Credit Guarantee Department, ECGD** (departamento de garantía de créditos de exportación; crédito oficial británico a la exportación; V. *Export-Import Bank*), **export declaration** (declaración de exportación), **export drive** (PUBL campaña publicitaria de fomento de la exportación), **export-driven** (impulsado por las exportaciones, que depende de las exportaciones o se basa en ella), **export duties** (derechos de exportación, derechos de aduanas sobre exportaciones), **export earnings** (ingresos de exportación), **export house** (casa exportadora), **Export-Import Bank** (V. *Eximbank*), **export incentive** (COMER incentivos/estímulos a la exportación), **export-led** (impulsado por las exportaciones; que depende de la exportación o se basa en ella ◊ *An export-led group*), **export licence/permit** (permiso o licencia de exportación; V. *import licence*), **export list** (arancel de salida), **export packing** (TRANS MAR embalaje), **export parity price** (precio paritario de exportación), **export proceeds** (ingresos de exportación; valor nominal de la exportación), **export processing zone, EPZ** (zona franca industrial, puerto franco, zona franca, zona de libre cambio, área aduanera exenta; también llamada *free economic zone, free trade zone, duty-free port/ zone, free port, special economic zone, foreign trade zone*), **export promotion** (política de desarrollo hacia afuera; consiste en no discriminar la producción para el mercado interno ni para la exportación ni entre compras de bienes nacionales o del exterior; V. *import substitution*), **export quotas** (COMER cuotas a la exportación), **export rebate** (desgravación a la exportación), **export rehabilitation project** (proyecto de rehabilitación de las exportaciones), **export salesman** (agente de exportación), **export shortfall** (insuficiencia de las exportaciones; insuficiencia de los ingresos de exportación), **export trading company** *US* (sociedad de apoyo a la exportación; sociedad, normalmente vinculada a un banco, que presta el apoyo financiero y los servicios para el fomento del comercio exterior; V. *Edge Act Corporation*), **exportation** (exportación; V. *export*), **exporter** (exportador), **exporter charter** (COMER carta de exportador)].

expose *v*: exponer; denunciar, poner al descubierto, revelar, dar publicidad, desenmascarar, sacar a la luz, poner en evidencia. [Exp: **exposé** (exposición oral abreviada; resumen; revelación, denuncia ◊ *The newspaper's exposé of the company's dubious dealings*), **exposition**[1] (exposición, presentación; exposición oral), **exposition**[2] *US* (muestra, exposición; V. *exhibition*), **exposure**[1] (riesgo; probabilidad de siniestro; V. *hazard*), **exposure**[2] (BANCA, MERC FINAN/PROD/DINER riesgo vivo; riesgo bancario o del mercado de futuros; cantidad total prestada a un solo país; exposición; V. *risk; daylight exposure;*

credit exposure), **exposure range** (variedad de riesgos), **exposure ratio** (BANCA índice de riesgos)].

expound *v*: exponer, interpretar, analizar en profundidad ◊ *Expound the principles of economics, etc.*

express[1] *a/v*: absoluto, expreso, preciso, explícito, inequívoco, manifiesto, por escrito; expresar. [Exp: **express**[2] (urgente, rápido; enviar por correo urgente), **express acceptance** (aceptación absoluta o expresa), **express admission** (aceptación absoluta o expresa), **express agreement** (acuerdo expreso), **express authority** (autorización expresa), **express condition** (condición expresa), **express consent** (consentimiento expreso), **express consideration** (causa o contraprestación contractual expresa), **express contract** (contrato expreso o explícito), **express letter** (carta urgente), **express licence** (patente expresa), **express lien** (TRANS MAR derecho de retención por falso flete; V. *lien for dead freight*), **express obligation** (obligación expresa o convencional), **express reserves** (reservas expresas), **express terms** (términos inequívocos), **express waiver** (renuncia voluntaria o expresa), **express warranties** (garantías escritas, expresas)].

expropriate *v*: expropiar. [Exp: **expropriation** (expropiación, enajenación forzosa, confiscación), **expropriator** (expropiador, expropiante)].

extend[1] *v*: extender, ampliar, abarcar, prorrogar, dilatar, propagar, prolongar, diferir, renovar, desarrollar, alargar. [Exp: **extend**[2] (ofrecer, dar, facilitar, conceder; cursar; se aplica a *contracts, credits, bills of exchange*), **extend a mortgage** (aplazar o prorrogar el vencimiento de la hipoteca), **extend a note** (aplazar un pagaré, extender el plazo), **extend credit** (conceder/otorgar

crédito; V. *grant a credit; renew a credit*), **extend powers** (ampliar los poderes), **extend terms** (ampliar plazos), **extend the time of payment** (prorrogar el plazo de vencimiento, diferir el plazo, dar prórroga en los plazos), **extend the time** (ampliar el plazo; dar prórroga), **extend to** (ser de aplicación a, ser extensivo a), **extended** (diferido, ampliado, prorrogado), **extended bond** (bono renovado), **extended coverage** (riesgo o cobertura adicional en una póliza de seguros), **extended coverage endorsement** (SEG V. *extended coverage*), **extended credit** *US* (ampliación de crédito; normalmente se trata de créditos superiores a 30 días concedidos por un Banco de la Reserva Federal a un banco pequeño para hacer frente al crédito estacional; V. *emergency credit; seasonal credit*), **extended protest** (TRANS MAR protesta ratificada; V. *noting protest*), **extended term insurance** (SEG ampliación del plazo o la cobertura de una póliza de seguro de vida), **extendible** (prorrogable, extensible)].

extension[1] *n*: prórroga; aplazamiento; extensión, ampliación de un plazo, ampliación de un edificio; V. *enlargement, widening, renewal; credit extension*. [Exp: **extension**[2] (divulgación), **extension agent/worker** agente de extensión o divulgación agrícola), **extension agreement** (acuerdo de prórroga; V. *standstill agreement*), **extension fee** (comisión de prórroga), **extension of credit** (cesión/ prórroga de crédito), **extensive** (extenso, extensivo, amplio)].

extent[1] *n*: extensión; alcance, amplitud ◊ *The extent of the damage*. [Exp: **extent**[2] (punto, grado, medida ◊ *To a greater or lesser extent*), **extent, to some/a certain** (hasta cierto punto, en cierta medida), **extent of, to the** (hasta el punto de, al extremo de)].

external *a*: externo, exterior; ajeno, independiente; perteneciente a otra institución ◊ *External auditors*. [Con el significado de «extranjero o exterior» es sinónimo parcial de *foreign* y antónimo de *national* y de *home*. [Exp: **external accounts** (cuenta de transacciones con el exterior; cuentas de no residentes), **external bill** (letra de cambio pagadera en otra nación), **external bonds** (empréstitos en moneda extranjera), **external capital requeriments** (necesidades de capital exterior), **external debt** (FINAN deuda exterior; V. *permanent debt, funded debt, unfunded debt; private debt; internal debt, fixed debt, floating debt, deadweight debt*), **external debt outstanding** (deuda externa pendiente), **external deficit** (déficit exterior; déficit de la balanza de pagos), **external debt reporting system** (sistema de notificación de la deuda externa), **external economies** (economías externas), **external effect** (V. *externality*), **external financing** (financiación ajena), **external flow** (corriente externa), **external funds** (fondos/recursos ajenos), **external imbalance** (desequilibrio exterior; desequilibrio de la balanza de pagos), **external indebtedness** (endeudamiento exterior), **external loan** (préstamo exterior), **external national debt** (deuda pública exterior), **external payment position** (situación de pagos externos), **external trade** (comercio exterior), **external transactions** (operaciones con el exterior), **externality/ies** (externalidad; efecto/factor externo o indirecto), **externally** (por fuera; en/desde el exterior; en apariencia; por conducto de terceros, de forma independiente ◊ *The analysis was conducted externally*)].

extinguish *v*: extinguir-se, apagar-se; perder su valor. [Exp: **extinguishable option** (MERC FINAN/PROD/DINER opción extinguible de acuerdo con las fluctuaciones máximas o mínimas del precio del activo subyacente —*underlying asset*)].

extra *a/n*: extra, adicional, suplementario, extraordinario, más, de más; V. *postage extra*. [Exp: **extra charge** (agio), **extra dividend** (dividendo extraordinario), **extra insurance clause** (SEG cláusula de sobreseguro), **extra premium** (SEG sobreprima)].

extract *n/v*: fragmento, extracto; extraer, sacar, arrancar, obtener. [Los significados del inglés y y del español no son enteramente coincidentes; en inglés significa «fragmento», mientras que en español equivale a «resumen». [Exp: **extract of account** (extracto de cuenta, últimos movimientos de la cuenta; V. *statement*; *abstract of account*)].

extraordinary *a*: extraordinario, excepcional, insólito; V. *ordinary*. [Exp: **extraordinary care** (prudencia o diligencia extraordinaria), **extraordinary general meeting** (SOC junta general extraordinaria)].

extrapolate *v*: extrapolar. [Exp: **extrapolation** (extrapolación; corolario)].

extraterritorial *a*: extraterritorial. [Exp: **extraterritoriality** (extraterritorialidad)].

extreme *a/n*: extremo, máximo; valor anormal o extremo. [Exp: **extreme breadth** (manga máxima de un buque), **extreme, in the** (en grado sumo, sumamente, extremadamente)].

eyeball *n/v*: globo ocular; ojo *col*; mirar/leer/observar detenidamente o de arriba a abajo. [Exp: **eyeball control** US (CONT control a ojo; V. *inventory control*), **eyeball-to -eyeball confrontation** *col* (encuentro frente a frente, enfrentamiento a cara de perro), **eyeballs, be up to one's** (estar hasta las cejas, estar agobiado), **eyes** (V. *equity yield enhancement security*)].

F

f & c *n*: V. *free and clear.*

f & f *n*: V. *fixtures and fittings.*

f.a.a. *n*: V. *free of all average.*

fab *col n*: fábrica, punto/planta de ensamblaje.

fabricate *v*: urdir, fingir, inventar; V. *falsify, fake.* [Exp: **fabrication** (mentira, invento; falsificación; cuento; V. *forgery, fake, falsification*)].

f.a.c. *n*: V. *fast as can.*

face *n/v*: faz, cara, anverso; importe o valor nominal; afrontar, hacer frente a, arrostrar, encararse a, verse ante; enfrentarse a; V. *back; call value, market value, surrender value; premium, discount.* [Exp: **face amount** (valor/importe nominal; V. *nominal amount*), **face capital** (capital nominal), **face of it, on the** (a juzgar por las apariencias), **face-out arrangement** (acuerdo de retiro gradual; alude al acuerdo de transferencia gradual de la propiedad de bienes en manos de extranjeros a empresarios nacionales), **face value** (valor nominal o principal de un título de crédito, de un instrumento de comercio, de una póliza de seguros, de una acción o de una unidad monetaria, llamado también *par value* o *nominal value*; V. *denomination; market value*)].

facilitate *v*: facilitar, hacer fácil. [Exp: **facilitating agency/intermediary** (MERC, FINAN agencia de servicios o de asistencia, en especial, en transacciones internacionales)].

facility[1] *n*: facilidad, recurso, servicio, instalación. [Exp: **facility**[2] (FINAN instrumento/recurso/programa financiero; línea de crédito; debe evitarse el uso de la palabra «facilidad» en esta acepción), **facility fee** (BANCA comisión de disponibilidad; comisión de servicio; normalmente se paga por la parte no utilizada de un «crédito rotativo»; V. *commitment fee; revolving credit*), **facilities**[1] (facilidades; en este sentido equivale a *ease*; V. *credit facilities; ease of credit*), **facilities**[2] (instalaciones, equipo; dotaciones y medios; bienes; V. *harbour facilities; storage facilities; production facilities; accessory equipment*), **facilities**[3] (prestaciones, servicio-s, recursos; V. *transportation facilities*)].

facsimile, facsimile broadcasting, fax *n/v*: GRAL facsímil, fax; enviar por fax ◊ *Fax us your answer as soon as possible*; como en español, tiene dos significados en inglés: ① la perfecta reproducción o copia —*exact copy or reproduction*— de un documento; ② método de transmisión de escritos, ilustraciones, etc., por medios electrónicos, también llamado *fax*; el término *facsimile broadcasting* se refiere al medio de transmisión.

fact *n*: hecho, dato; realidad; información. [Exp: **fact book** *US* (GEST cuadro de mando de la gestión empresarial; alude a las variables que se tienen en cuenta para seguir la marcha de un negocio; V. *trend book, management rule-book*), **fact, in** (de hecho, en realidad), **fact-finding board/mission/tour** (comisión/misión/visita de inspección o de investigación; V. *detail*)].

factor[1] *n*: factor, elemento básico, recurso fundamental; coeficiente ◊ *The time factor*; V. *amortization factor, balancing factor, cost factor, imponderable factors*. [Exp: **factor**[2] (COMER factor; agente mercantil; agente comisionado; comisionista; apoderado; el *factor* se diferencia del *agent* en que el primero guarda en depósito las mercancías que vende como intermediario; V. *mercantile agent, wholesaler*), **factor**[3] (GEST, COMER factor; entidad financiera o agente comisionado que negocia el cobro de deudas; V. *agent, debt factor, dealer; factoring; without recourse*), **factor**[4] (administrador de fincas en Escocia), **factor**[5] (V. *factorize*), **factor analysis** (análisis factorial, análisis de factores), **factor, be a** (contar para algo, tener su importancia, merecer ser tenido en cuenta), **factor comparison method** (ECO método del factor comparativo; V. *job evaluation*), **factor comparison system** (ECO sistema de comparación de factores), **factor cost** (coste de los factores; V. *cost factors; marginal factor cost*), **factor cost, at** (al coste de los factores; V. *value at factor cost*), **factor-cost line** (curva de coste-factor), **factor in** (tener en cuenta, contar con, incluir en los cálculos), **factor-in**

cost (elemento de coste), **factor income** (renta/ingreso de los factores), **factor market** (mercado de factores de producción), **factor price equalization theorem** (ECO teorema de la igualdad del precio de los factores), **factor reversal test** (método de comprobación de la validez matemática de un número índice), **factor services** (servicios atribuibles/imputables a factores), **factorage** (comisión, corretaje o porcentaje que reciben los agentes comisionistas o *factors*[2]), **factorial** (factorial), **factorial analysis** (análisis factorial), **factoring**[1] (GEST factorización/facturación/factoraje, descuento de facturas; factoring, gestión y compra de deudas de empresas, venta de deudas a un *factor* [sociedad dedicada a la] gestión de cobro de créditos en comisión de cobranza o en su propio nombre como cesionario de tales créditos; crédito industrial; V. *confirming, discount factoring, maturity factoring; accounts receivable financing; non-recourse basis*), **factoring**[2] (SEG compañía que paga en operaciones con empresas extranjeras, *factoring*), **factoring charges** (coste de la gestión del cobro de deudas), **factorize** *US* (embargar; en algunos Estados norteamericanos el término *factorizing* equivale a *garnishment* y, consecuentemente, *factor* a *garnishee*), **factor's lien** (gravamen de factor, derecho de retención del agente de ventas), **factors of production** (ECO factores o elementos de la producción ◊ *Land, capital, labour and management are all factors of production*)].

factory *n*: fábrica, factoría, planta industrial; V. *fab, plant; ex-factory*. [Exp: **factory accounting** (contabilidad industrial), **factory cost** (costo de fabricación), **factory expenses** (gastos de fabricación, gastos generales de producción; V. *manufacturing expenses*), **factory/shop floor** (taller, fábrica), **factory inspectors/inspectorate** (inspectores de trabajo), **factory overheads** (gastos generales de fabricación), **factory price** (precio de fábrica; V. *price ex factory*), **factory-ships** (buques factoría), **factory supplies** (accesorios de fábrica), **factory unit** (unidad de fabricación, centro de producción), **factory worker** (obrero industrial)].

facultative *a*: facultativo, potestativo; opcional. [Exp: **facultative reinsurance** (SEG seguro opcional entre asegurador y reaseguradora; V. *coinsurance*)].

faculty *n*: facultad; capacidad; competencia, personalidad. [Exp: **Faculty of Actuaries** (colegio de actuarios de Escocia; V. *Institute of Actuaries*), **faculty principle of taxation** (V. *ability-to-pay tax concept*)].

fad *col n*: MERC, COMER novedad, moda pasajera; manía ◊ *The fad for English-sounding trade names.*

fade[1] *v*: debilitarse, perder intensidad, decaer, perder fuelle, perder terreno ◊ *Our competitors are fading*; V. *fade, wane*. [Exp: **fade**[2] (BOLSA desafiar/ir contra corriente en la contratación bursátil), **fade in-fade out** (PUBL fundido de imágenes)].

fail[1] *v*: fallar, fracasar; omitir, dejar de, faltar; V. *due to fail*. [Exp: **fail**[2] (BANCA, COMER quebrar; V. *go bankrupt; systemic risk*), **failsafe** (a toda prueba, a prueba de fallo o error, infalible), **fail to complete** (incumplir, dejar de cumplir), **fail to fulfil** (incumplir), **fail to perform** (incumplir), **failing**[1] (defecto, punto flaco, punto débil, debilidad), **failing**[2] (a falta de, salvo que, a no ser que, a menos que; se emplea en expresiones como *failing prompt payment* —salvo pronto pago—), **failing instructions to the contrary** (salvo instrucciones en contra),

failing that (si no es así, si esto no se produce, en caso contrario), **failure** (incumplimiento de alguna obligación, falta, omisión; defecto, fallo, avería; quiebra, bancarrota; V. *absolute failure, commercial failure; bankruptcy*), **failure in payment** (defecto/falta de pago), **failure of consideration** (falta de causa contractual), **failure of evidence** (falta de prueba), **failure of issue** (falta de sucesión o descendencia, muerte sin descendencia), **failure of justice** (perjuicio de derechos, injusticia), **failure of title** (falta de título bueno), **failure to appear** (incomparecencia), **failure to complete** (incumplimiento; V. *complete; failure to perform*), **failure to comply** (incumplimiento), **failure to operate** (incumplimiento de aplicación), **failure to pay** (impago, falta de pago; V. *failure in payment*), **failure to pay taxes** (defraudación o evasión fiscal), **failure to perform** (incumplimiento; V. *failure to complete*), **fail, without** (sin falta)].

faint *a*: borroso, poco claro, tenue.

fair[1] *a*: justo, leal, equitativo, razonable, imparcial; bueno. [Exp: **fair**[2] (feria, salón, exposición; V. *samples fair, trade fair/show, world fair; exhibitor; furniture fair, leather goods fair*), **fair and feasible** (justo y factible), **fair and just** (justo y equitativo; V. *right and proper*), **fair and square** (en buena ley; con las de la ley ◊ *Win a contract fair and square*), **fair and square where it hurts most** (en la diana; donde a uno le duele), **fair average quality, faq** (COMER buena calidad corriente, calidad media razonable), **fair cash value** (valor justo de mercado o en efectivo), **fair competition** (competencia leal o justa), **fair consideration** (DER causa contractual justa o razonable; retribución justa), **fair copy** (copia en limpio, versión o texto definitivo; V. *rough draft*), **fair credit billing act** *US* (BANCA ley sobre tratamiento equitativo en la facturación y cobro de créditos; V. *credit clinic*), **fair deal** (trato justo), **fair dealing** (V. *fair trading*), **fair employment practices legislation** (REL LAB legislación dirigida a evitar las prácticas laborales injustas o discriminatorias), **fair field** (condiciones justas y equitativas), **fair game** (blanco legítimo, caza legítima ◊ *Rival companies' executives are fair game for talent spotters*), **fairground** (recinto ferial), **fair market value** (valor justo de mercado, valor normal de mercado, valor equitativo de venta, justiprecio; valor venal; V. *fair value*), **fair plan** *US* (plan de ayuda estatal; V. *assigned risk*), **fair play** (proceder leal, juego limpio), **fair price** (justiprecio; precio justo), **fair quality** (calidad buena), **fair return** (beneficio justo, producto equitativo), **fair share** (parte proporcional, lo que corresponde), **fair trade**[1] (mercado basado en la competencia libre y leal, sin trabas arancelarias), **fair trade**[2] (sistema de comercio internacional con reciprocidad arancelaria; V. *reciprocity*), **fair trading/dealing** (prácticas comerciales justas y equitativas; V. *Office of Fair Trading*), **fair trading act** (ley reguladora de las prácticas comerciales justas y equitativas; V. *fair dealing*), **fair value** (COMER justiprecio; valor justo), **fair wage** (REL LAB retribución justa), **fair warning** (aviso oportuno o de antemano, prevención), **fair wear and tear** (desgaste natural; V. *wear and tear*), **fairness** (equidad, imparcialidad, justicia; V. *equity*)].

fairy money *US n*: COMER vales-descuento.

faith *n*: fe, confianza; V. *breach of faith; bad/good faith; keep/break faith with; put one's faith in sb*. [Exp: **faithful** (fiel), **faithful observance/performance** (fiel cumplimiento), **faithfully** (fielmente; V. *yours faithfully*)].

FAK *n*: V. *freight all kinds*.

fake[1] *a/n/v*: falso; impostor, tramposo ◊ *A fake insurance salesman*. [Exp: **fake**[2] (falsificación; imitación; «cuento»; falsear, adulterar, falsificar; fingir ◊ *The business is a fake*; V. *fabricate*), **fakeouts** (maniobras de diversión)].

fall *n/v*: caída, baja, descenso, bajada, disminución, rebaja, reducción; caer, bajar, descender, perder, reducir, disminuir; V. *ride for a fall; decline, decrease, drop; plunge, tumble, collapse, heavy fall; bank rate cut; break*.[4] [Exp: **fall apart** (desmoronarse, desintegrarse, disgregarse), **fall away** (decaer, descender, disminuir, enfriarse; se aplica a la demanda, los negocios, etc.; V. *fall off*), **fall back** (BOLSA descender; volver a descender, caer, recaer; bajar, perder terreno; se aplica especialmente al precio de las acciones; V. *fallback; stage a rally*), **fall back on/upon** (echar mano de, recurrir/acudir a ◊ *Fall back on reserves*; V. *draw on*), **fall behind** (quedar rezagado, perder terreno), **fall behind schedule** (retrasarse con respecto al calendario previsto), **fall behind with** (retrasarse en, demorarse ◊ *He fell behind with the repayment of the mortgage*), **fall by the wayside** (quedarse en el camino, ir quedando por el camino ◊ *As technology takes over, the more old-fashioned industries are beginning to fall by the wayside*), **fall down on the job** (no estar a la altura, no rendir como se esperaba, no cumplir, no esforzarse en el trabajo), **fall due** (vencer un efecto de comercio, vencer un plazo, caducar; V. *mature*), **fall for it/a trick** (caer en la trampa, dejarse engañar, picar, picar en/tragar el anzuelo), **fall foul of** (chocar con, tener un encontronazo con, estar a malas o en conflicto con), **fall guy**

(cabeza de turco, el que paga el pato ; V. *front man, straw man*), **fall in** (vencer, expirar; se aplica a letras, pagarés, etc.), **fall in birth rate/population rate** (descenso en la natalidad/índice de población; V. *decrease*), **fall in demand** (caída de la demanda; V. *decline*), **fall in employment** (caída de/en las cifras de empleo), **fall in line with** (conformarse con, acatar, aceptar ◊ *Fall in line with general policy*; V. *bring into line*), **fall in popularity** (PUBL descenso en el índice de popularidad), **fall in price** (BOLSA, COMER caída en los precios; abaratamiento; V. *decline*), **fall in the discount rate** (reducción del tipo bancario, rebaja del tipo de descuento; V. *bank rate cut; rise in the discount rate*), **fall in with** (aceptar, aprobar, adherirse a; se aplica a propuestas), **fall into abeyance** (caer en desuso), **fall/get/run into debt** (endeudarse), **fall of currency** (devaluación), **fall off** (disminuir, bajar de valor, decaer, empeorar; V. *fall away*), **fall-off/falling-off** (caída, disminución, bajón, reducción), **fall on** (afectar a, incidir en), **fall on hard times** (pasarlo mal económicamente, atravesar dificultades financieras ◊ *Some Swedish companies have fallen on hard times since Sweden joined the E.U.*), **fall out of bed** (BOLSA caer bruscamente los precios), **fall out**[1] (reñir, discutir, pelearse ◊ *Fall out with one's boss*), **fall-out**[2]**/falling out** (riña, disputa, desacuerdo, pelea ◊ *Mr Adam's fall-out with Sir Brian Hill*), **fall out**[3] (salir, resultar, ocurrir ◊ *It fell out much as we had predicted*), **fall out**[4] (hundirse ◊ *The bottom has fallen out of the market*), **fall-out**[5] (lluvia radiactiva; secuela; efectos indirectos; en economía puede tener connotaciones positivas —beneficios indirectos/inesperados/incidentales/suplementarios—, o negativas —reper-

cusiones, consecuencias— ◊ *The fall-out from the energy crisis*), **fall short** (quedarse corto, quedar por debajo de, ser insuficiente, pecar por defecto), **fall short of the mark/target** (quedarse corto, no alcanzar el objetivo/blanco, no llegar al nivel previsto), **fall through** (venirse abajo, no resultar, fracasar, quedar en agua de borrajas), **fall to sb's lot** (ser de la incumbencia de, incumbir, corresponder o tocar a alguien), **fall under the hammer** *col* (subastarse, venderse en pública subasta), **fallback** (de colchón, de emergencia; de aterrizaje; recurso de emergencia; se dice del precio o de la condición que podría ser aceptable como mínimo si no se alcanza el acuerdo ideal ◊ *A fallback price/condition*), **fallback pay** US (REL LAB paga de retiro mínimo garantizada), **fallback price** (precio mínimo aceptable; V. *Common Agricultural Policy*), **fallback/safety stock** (CONT existencias de seguridad; V. *buffer stock/inventory*), **fallen angel** US (BOLSA ángel caído; título puntero cuyo valor de mercado ha caído súbitamente por debajo de su valor nominal o a calificación inferior a *BB*; bonos basura o *junk bonds*; V. *blue chip; junk bonds, angel*), **falling** (decreciente, con tendencia a la baja; caída; V. *bearish tendency; bear*[1]), **falling prices** (precios en descenso/retroceso), **falling rate** (tasa d e c r e c i e n t e)] . **fallow** *n*: barbecho; V. *dry farming*. [Exp: **fallow land** (barbecho)]. **fallacious** *a*: falaz, engañoso, fraudulento. **false** *n*: falso, falsificado, falseado, engañoso, falaz, infundado, fraudulento; con apariencia de validez; postizo. [Exp: **false advertising** (publicidad engañosa), **false claim** (pretensión infundada, reclamación fraudulenta), **false draft** (letra de «pelota» o de favor), **false labelling** (falsedad en el etiquetado),

false pretences (estafa, medios fraudulentos, utilización de medios fraudulentos, imposturas), **false representation** (declaración falsa o engañosa), **false return** (TRIB falsedad en la declaración de la renta), **falsehood** (falsedad, engaño, perfidia), **falsification** (falsificación, adulteración; V. *fabrication*), **falsify** (falsificar, falsear, adulterar, violar; V. *fabricate*)].

family *n*: familia. [Exp: **family allowance** (subsidio familiar, prestación por cargas familiares), **family brand** (COMER marca blanca, marca de la casa; también se llama *umbrella brand, blanket family brand, own/private label*), **family benefits** (subvención familiar), **family company** (empresa familiar), **family income rider** *US* (SEG provisión supletoria de indemnización), **family size** (tamaño familiar o grande), **family-sized farm** (explotación familiar agrícola), **family reunion fare** (TRANS tarifa familiar en transporte aéreo), **family unit** (unidad familiar)].

fan club *n*: FINAN club de interés común; club de «admiradores»; se trata de un grupo de personas que, comprando las acciones de determinada empresa, impiden que un «grupo concertado» o *concert party* adquiera dicha empresa, ya por oferta directa o por una OPA, aunque el *fan club* pueda más tarde ofrecerle dichas acciones al grupo concertado por un precio superior al de adquisición; V. *concert party, acting in concert; takeover, takeover bid, contested takeover, reverse takeover; fan club; dawn raid, shark, greenmail, leveraged buyout, white knight, Schedule 13D, raider, corporate raider, unfriendly takeover, target company.*

Fannie Mae *n*: V. *Federal National Mortgage Association.*

fancy *a/n/v*: fantástico; exorbitante; de lujo, de campanillas, chic; fantasía, capricho, objeto de deseo; apetecerle a uno; considerar bueno, favorecer, dar la preferencia a, ver como favorito ◊ *Fancied shares.* [Exp: **fancy goods** (artículos de lujo, artículos de regalo), **fancy prices** *col* (precios desorbitados/exorbitantes)].

FAO *n*: V. *Food and Agriculture Organization.*

faq *n*: V. *fair average quality.*

far *a/adv*: lejano; lejos. [Exp: **far date** (fecha lejana; V. *near date*), **far as, in so** (en la medida en que; V. *to the extent*)].

fare[1] *n*: billete, pasaje; precio del billete, viaje, etc.; tarifa de transporte de viajeros en tren, etc.; V. *family reunion fare, full fare, return fare, single fare, off-peak fare.* [Exp: **fare**[2] (comida servida en un restaurante; comida, elementos de la comida, platos ◊ *Wholesomne fare, traditional fare*)].

farm *n/v*: granja, finca, explotación agropecuaria; cultivar; V. *estate; family-sized farm.* [El nombre *farm* se emplea, además, con función atributiva, con el significado de «agrícola» o de «agrario». Exp: **farm aid** (ayuda a la agricultura), **farm-bailiff** (administrador de una finca, agente/capataz de un latifundio), **farm consumption** (autoconsumo; V. *internal consumption*), **farm cooperative** *US* (cooperativa agrícola), **farm credit** (crédito agrícola), **farm enterprise** (explotación agrícola), **farm excess** (V. *farm surplus*), **farm labourer, farmhand** (REL LAB peón/bracero agrícola; V. *farmer; farmhand; agricultural ladder*), **farm management** (economía agraria), **farm loan** (préstamo agrario), **farm operator** *US* (peón, trabajador agrícola), **farm out** (ceder, arrendar, subcontratar, delegar responsabilidades o agencias, encargar a terceros ◊ *Farm out work/ taxes*; V. *sub-contract, contract out*), **farm partnership** (aparcería, sociedad agraria de transformación), **farm prices**

(precios agrícolas), **farm produce** (productos agrícolas; V. *home/agricultural produce*), **farm reform** (reforma agrícola, racionalización dela explotación agrícola), **farm subsidies system** (sistema de subvenciones a la agricultura, subvenciones agrícolas; V. *Common Agricultural Policy*), **farm surplus** (excedente agrícola; V. *farm excess*), **farm tenancy** (arrendamiento de finca rústica o de explotación agrícola), **farmer** (agricultor, labrador, campesino; V. *farm labourer, farm operator, life tenant, share farmer, sharecropper, tenant farmer; marginal farmer; agricultural ladder*), **farmhand** (V. *farm labourer*), **farmholding** (finca, granja), **farmhouse** (casa de labor, cortijo), **farming** (agricultura, labranza, cultivo, cría; V. *dry farming, fish farming, mixed farming*), **farmstead** (granja; cortijo, casa de labor; V. *resettlement of farmsteads*)].

FAS, f.a.s *n*: V. *free alongside ship.*

FASB *n*: V. *Financial Accounting Standards Board.*

fashion *n/v*: moda; crear, elaborar, hacer, idear ◊ *Fashion a new management structure*; V. *fad.* [Exp: **fashion goods** (artículos de moda; novedades), **fashion parade** (desfile de modas), **fashion shares** (BOLSA acciones de moda o muy solicitadas en determinado momento), **fashionable** (actual, moderno, de moda, que se lleva/estila), **fashion leader** (primero/abanderado de la moda, número uno de la moda), **fashion magazine** (revista de modas), **fashion designer** (modista; diseñador-a de modas), **fashion show** (pase/desfile de modelos)].

fast *a*: rápido. [Exp: **fast as can, f.a.c.** (TRANS MAR tan rápido como el buque pueda recibir y entregar), **fast buck syndrome** col (cultura del pelotazo; V. *easy money syndrome; yuppy style of business, greed culture, self-seeking; get-*

rich-quick attitude, loadsamoney approach, sleaze), **fast food** (comida rápida; V. *convenience food; junk food*), **fast-moving, fast-selling consumer goods** (COMER productos de venta rápida), **fast-track procedure** (DER procedimiento de agilización por la vía rápida)].

fasten *v*: cerrar, abrochar, sujetar. [Exp: **fasten on** (coger, entender; obcecarse con ◊ *The Sales manager has fastend on to a single idea*)].

fat *a*: gordo, grueso. [Exp: **fat cat** col (ricachón, potentado, tío forrado, pez gordo; V. *ty-coon*), **fat man** (engorde; táctica defensiva de la empresa asediada, consistente en adquirir activos o filiales para dificultar la absorción pretendida por el tiburón o *raider*)].

fate *n*: suerte; V. *advice of fate.* [Exp: **fate of collection** (resultados en la gestión de un cobro), **fate of goods** (suerte de las mercancías)].

fathom, fth *n*: TRANS MAR braza.

fault *n/v*: defecto, vicio, fallo, tara; avería; tachar, encontrar defectos; V. *flaw.* [Exp: **fault²** (culpa, falta), **fault-tolerant system** (GEST sistema capaz de tolerar errores), **faultless** (intachable, impecable, sin defectos), **faulty** (defectuoso, imperfecto; tarado), **faulty workman-ship** (fabricación/elaboración defectuosa)].

favour¹ *n/v*: favor; estar a favor de, estar de acuerdo con, favorecer, patrocinar, proteger; V. *back.* [Exp: **favour²** obs (carta comercial), **favourable** (positivo, favorable, ventajoso; V. *constructive*), **favourable charge** (precio bajo o barato), **favourable trade balance** (balanza comercial favorable; V. *adverse/unfavourable trade balance*), **favoured** (favorecido), **favoured nation status** (trato de nación favorecida), **favourite** (favorito, preferido)].

fax *n/v*: fax, telefax; enviar por fax; V. *facsimile.*

FCA *n*: V. *Fellow of the Institute of Chartered Accountants; Free Carrier.*

FC ships *n*: V. *full container ship.*

FCIA *n*: V. *foreign credit insurance association.*

FCS *s*: V. *free from/of capture and seizure.*

F & D *n*: V. *freight and demurrage.*

FDF *n*: V. *fixed date forward.*

feasible *a*: factible, practicable, viable, hacedero. [Exp: **feasibility** (viabilidad, factibilidad, posibilidad), **feasibility report/study** (informe/estudio de viabilidad)].

feather-bed rule *n*: REL LAB norma sindical que obliga al trabajo lento para evitar despidos en temporada baja; V. *shortage of work, dismissals.* [Exp: **feather-bedding¹** (REL LAB «colchón de plumas», exceso de trabajadores; prácticas restrictivas; V. *overmanned; labour-saving devices*; se aplica a la contratación innecesaria de personal por presión sindical), **feather-bedding²** (COMER protección gubernamental de una industria nacional por medio de subsidios, impuestos o cuotas a la importación; V. *quotas on import, subsidies*)].

feature¹ *n/v*: rasgo, característica, detalle o circunstancia habitual ◊ *These delays are a feature of trade in those parts.* [Exp: **feature²** (PUBL, COMER característica estelar, prestación ◊ *Features of our lastest range of products*), **feature³** (destacar, incluir como característica ◊ *The advert features Chinese businessmen*), **feature article** (PUBL artículo de fondo o especializado)].

feckless *a*: incompetente, ineficiente. [Exp: **fecklessness** (incompetencia, ineficiencia ◊ *I hate the fecklessness of some politicians*)].

fed *a*: V. *federal; Federal Reserve Board, Federal Reserve System.* [Exp: **fed funds** *US* (fondos federales; fondos de cualquier banco de la Reserva federal usados por otro banco del Sistema de la Reserva Federal como préstamo día a día —*day-to-day money*— o exigible en cualquier momento —*overnight money*), **fedwire** (V. *Federal Reserve Wire Network*)].

federal *a*: federal. [Exp: **Federal Advisory Committee** (Consejo Asesor de la Junta Rectora —*Board of Governors*— del Sistema de la Reserva Federal), **federal budget** (presupuesto federal), **Federal Banking regulators** *US* (interventores de Hacienda), **Federal Bills** *US* (letras/ efectos financieros gubernamentales), **Federal Court** (Tribunal Federal, Juzgado Federal), **Federal Deposit Insurance Corporation** *US* (organismo federal de garantía de depósitos bancarios; V. *bridge bank, Bank Insurance Fund*), **federal funds rate** *US* (tipo de interés interbancario o de los fondos federales), **Federal Housing Finance Board** *US* (Junta Federal para la Financiación de las Viviendas; V. *Federal Home Loan Bank System*), **Federal Land Banks** (bancos federales hipotecarios de fomento agrícola), **Federal Home Loan Bank System** *US* (sistema de 11 bancos federales que facilitan créditos a corto plazo a las sociedades de ahorro y crédito inmobiliario o cooperativas de crédito a la construcción —*savings and loans associations*—, actuando como su prestamista de última instancia —*lender of last resort*— al igual que el *Federal Reserve System* lo es de los bancos comerciales; desde 1989 es supervisado por el *Federal Housing Finance Board*), **Federal Home Loan Mortgage Corporation, FHLMC** *US* (entidad financiera federal, también llamada *Freddie Mac*; se trata de un mercado secundario encargado de comprar las hipotecas de las sociedades de ahorro y crédito inmobiliario o cooperativas de crédito a la construcción —*savings and loan association*— y titulizarlas —*securitize*—, es decir, vender bonos y obligaciones respaldados con dichas hipotecas en dicho mercado; V. *Fannie Mae; mortgage-backed securities, MBS; asset-backed securities, ABS; cash flow yield; pass-through, pay-through*), **Federal Housing Administration** *US* (Departamento Federal de la Vivienda), **Federal National Mortgage Association, FNMA** *US* (entidad financiera privada, aunque federal en su nacimiento, también llamada *Fannie Mae*, que con fondos propios de distinta procedencia —emisión de acciones, cobro de comisiones, etc.— compra en el mercado secundario créditos hipotecarios con respaldo oficial, que luego tituliza; V. *Freddie Mac; securitize*), **Federal Open Market Committee, FOMC** *US* (Comité del Mercado Abierto de la Reserva Federal; órgano rector del *Federal Reserve Bank*; V. *green book; blue book, beige book*), **Federal Reserve Bank** (Banco de la Reserva Federal; cualquiera de los doce bancos federales que en conjunto constituyen *The Federal Reserve System* o Banco Central de los Estados Unidos), **Federal Reserve Board, Fed** (Junta/Comisión de Gobierno o de Gobernadores de la Reserva Federal o *Federal Reserve System*; V. *lagged reserves basis; open market desk*), **Federal Reserve Check Collection System** (red/conjunto de casas de compensación afiliadas a la Reserva Federal; V. *Clearing House*), **Federal Reserve Cities** (cada una una de las doce ciudades que son sedes de los doce bancos de la Reserva Federal —Boston, Nueva York, Filadelfia, Cleveland, Richmond, Atlanta, Chicago, St. Louis, Minneapolis, Kansas City, Dallas, San Francisco), **Federal Reserve Float** *US* (dinero ficticio, flotación de la reserva federal creada en una cuenta con el valor de los talones aún no cobrados; cuentas o talones pendientes de cobro; montante de fondos en proceso de recogida), **Federal Reserve System, Fed** *US* (Reserva Federal; equivale a los bancos centrales europeos y está formado por doce Bancos de la Reserva Federal encargados de los cometidos propios de los bancos centrales; V. *Central Bank; domestic exchange*), **Federal Reserve Wire Network** *US* (red de comunicación de los 12 bancos y las 24 sucursales par las transferencias y compensaciones electrónicas, también llamdo *Fedwire*), **Federal Savings and Loan Insurance Corporation** (Corporación Federal de Garantía de las Cooperativas de Ahorro y Crédito Hipotecario), **federals** *US* (documentos librados en bancos de ciudades que cuentan con un banco de la Reserva Federal)].

fee *n*: derecho; impuestos, honorarios, cuota, gratificación, emolumento; retribución; comisión; tasa, matrícula; V. *attendance fees, collection fees, entrance fee; facility fee, lodgement fee; management fees, registration fees, transaction fee; charge; honorarium*. [Exp: **fee scale** (arancel; tabla/escala de derechos, etc.)].

feeble *a*: débil, flojo; V. *weak, slack, soft, frail*.

feed *n/v*: alimento; alimentar. [Exp: **feedback** (respuesta, reacción, retroalimentación, retroacción; estudios de mercado), **feedback control** *US* (previsión; V. *follow-up*), **feeder**[1] (alimentador), **feeder**[2] *US* (fondo de inversión; V. *master feeder funds*), **feeder [transport] services** (servicios de transporte de enlace), **feedforward** *US* (previsión, anticipación a cualquier problema o fallo; medios utilizados para proporcionar información adicional, prevenir errores o controlar los errores previsibles en cualquier proceso; prevenir o anticiparse a cualquier tipo de error en un proceso)].

feel *v*: sentir-se. [Exp: **feel the pinch** *col* (pasar apuros o estrecheces, pasarlas canutas o moradas ◊ *Industries that are feeling the pinch*), **feelgood factor** *col* (optimismo económico, confianza generalizada en la marcha de la economía; conjunto de factores subjetivos basados en la confianza del mercado y que tienen el efecto de relanzar la actividad económica o de mantener una tendencia alcista de las Bolsas ◊ *The feelgood factor has returned to the High Street*)].

fellow *n*: colegiado, miembro titular o de pleno derecho de un instituto, asociación, colegio profesional, etc.; V. *associate*. [En uso atributivo equivale a «co-», «demás», etc. Exp: **fellow citizens** (conciudadanos), **fellow board members** (demás miembros del consejo), **Fellow of the Institute of Chartered Accountants, FCA** (CONT censor público de cuentas colegiado; jurado de cuentas; contador público colegiado; experto contable, perito, diplomado en contabilidad colegiado; V. *chartered accountant*), **Fellow of the Chartered Association of Certified Accountants, FCCA** (CONT censor público de cuentas colegiado; jurado de cuentas; contador público colegiado; experto contable, perito, diplomado en contabilidad colegiado; V. *certified accountant, certified public accountant*), **Fellow of the Chartered Insurance Institute** (SEG miembro del Colegio Oficial de Aseguradores)].

fenced-in market *n*: mercado protegido.

fend off *v*: SEG defenderse de, resguardarse de ◊ *Fend off takeovers.*

ferry *n/v*: TRANS transbordador; transbordar; V. *roll-on roll-off ferry*. [Exp: **ferryboat** (transbordador de coches y trenes)].

fetch *v*: COMER ser vendido por, obtener, cotizarse ◊ *Fetch high prices; Fetch a handsome dividend.*

f.g.a *n*: V. *free from general average.*

FHLMC *n*: V. *Federal Home Loan Mortgage Corporation, Freddie Mac.*

fiat *n*: autorización, edicto, decisión incontestable. [Exp: **fiat money** *US* (dinero de circulación forzoso; dinero que no tiene respaldo en metal, moneda fiduciaria; V. *token money, fiduciary money*)].

fib *n*: V. *free into barge.*

fiction *n*: ficción. [Exp: **fictitious** (ficticio, falso; fraudulento, inexistente), **fictitious assets** (CONT activo ficticio o nominal; activo teórico o sin valor que, por exigencias de la contabilidad de partida doble, aparece en la columna del activo; V. *nominal assets*), **fictitious company** (empresa falsa, inexistente o sin identidad real), **fictitious consideration** (DER causa contractual fingida)].

fidelity *n*: fidelidad. [Exp: **fidelity bond** *US* (SEG fianza de fidelidad; seguro por actos de deslealtad de empleados), **fidelity discount/rebate** (bonificación de fidelidad; V. *loyalty*), **fidelity guarantee/insurance** (SEG póliza de fidelidad; alude a póliza contra la deslealtad financiera de los empleados, el incumplimiento de contratos, etc.; V. *floating insurance*)].

fiduciary *a*: fiduciario, de fideicomiso; V. *trustee*. [Exp: **fiduciary accounting** (contabilidad fiduciaria), **fiduciary bond** (fianza de buena ejecución de mandato, fianza de fidelidad), **fiduciary circulation** (circulación fiduciaria), **fiduciary funds** (fondos fiduciarios), **fiduciary issue** (emisión/moneda fiduciaria), **fiduciary loan** (préstamo fiduciario o sin garantía; V. *loan without security*), **fiduciary money** (moneda fiduciaria; V. *fiat money, token money*), **fiduciary service** (servicio fiduciario;

gastos de financiación), **fiduciary standard** (V. *fiduciary money*)].

fiddle *col n/v*: trampa, timo; embaucar, engañar, amañar, hacer chanchullos ◊ *Fiddle the books/ the Stock Market, etc.*; V. *work a fiddle, swindle*. [Exp: **fiddle, be on the** (andar metido en chanchullos, dedicarse a la estafa)].

field *n*: campo, terreno; esfera, materia, especialidad. [Exp: **field auditor** *US* (interventor o auditor externo), **field man** *US* (COMER viajante de comercio; agente de campo) **field of application** (campo de aplicación), **field staff** (GEST, COMER personal desplazado o sobre el terreno; comprende los representantes y viajantes; V. *travelling salesman, representatives*), **field survey** (encuesta en campaña, encuesta mediante entrevistas), **field test** (experimento, prueba o comprobación realizada *in situ* o sobre el terreno), **field training** (enseñanza con trabajos de campo), **field work** (trabajo de campo, estudios sobre el terreno)].

fierce *a*: feroz, intenso, acérrimo. [Exp: **fierce competition** (competición encarnizada/extremada; V. *cut-throat competition, destructive competition, low-profit margin*), **fiercely** (extremadamente)].

fifo *n*: V. *first-in, first-out*.

fifty-fifty *n*: a partes iguales, a medias; V. *half-and-half*.

figure *n*: cifra, número, guarismo; suma, precio; V. *put a figure on sth*. [Exp: **figure out** (calcular; V. *reckon*), **figures** (cifras, datos, estadísticas ◊ *Figures for unemployment*; V. *double figures*), **figurehead role** (papel de representación o de figura decorativa)].

file *n/v*: expediente, archivo, legajo, fichero; archivador, carpeta; cursar, elevar, instar, formular, iniciar, entablar; archivar; V. *open a file*. [Exp: **file a bill/petition in/of bankruptcy** (declararse en quiebra, presentar/instar una declaración judicial

de quiebra), **file a claim/complaint** (elevar una queja/reclamación), **file a joint return** (hacer un matrimonio la declaración de la renta de forma conjunta; V. *file separately*), **file a patent application** (solicitar una patente), **file a return to the tax office** (TRIB presentar la declaración de la renta en la delegación de Hacienda), **file an application for a patent** (presentar una solicitud de patente), **file away** (archivar), **file copy** (copia para el archivo), **file, on** (archivado; en cartera), **file separately** (TRIB presentar por separado un matrimonio la declaración de la renta; V. *file a joint return*), **file suit** (interponer demanda/pleito; emprender acciones legales; V. *bring suit*), **filer** (declarante; V. *file a return*), **filing**¹ (presentación de una instancia, documento, etc.; V. *date of filing, lodge; late filing*), **filing**² (clasificación, archivo; trabajo de clasificación o de archivo), **filing basket/tray** (bandeja de documentos para su archivo), **filing cabinet** (archivador), **filing card** (ficha de registro), **filing clerk** (funcionario encargado del archivo, archivero), **filing system** (sistema de archivos), **filing tray** (V. *filing basket; in-tray, out-tray*)].

fill¹ *v*: llenar, rellenar, ocupar, proveer, cubrir; reunir, satisfacer, cumplir con ◊ *Fill the requirements*. [Exp: **fill**² (MERC FINAN/PROD/DINER ejecutar/ejecución de una orden de compra o de venta; V. *fill or kill*), **fill**³ (BOLSA precio de ejecución de una orden de compra o venta), **fill a gap in the market** (llenar un vacío en el mercado), **fill a position/post/seat/ vacancy** (cubrir/ocupar un puesto o una vacante), **fill an order** (COMER despachar/cumplimentar/ejecutar un pedido; V. *unfilled order*), **fill in** (rellenar un impreso, etc.), **fill in for** (sustituir/suplir/ reemplazar a ◊ *Fill in for the manager*), fill in your name and address (ponga su nombre y apellidos), **fill or kill, FOK** (MERC FINAN/PROD/DINER orden de ejecución inmediata; orden de compra o venta de títulos de ejecución inmediata, o de anulación automática, si lo anterior no es posible; V. *immediate order; day order; good until cancelled, limit order*), **fill out** (rellenar ◊ *Fill out an application form*), **fill sb in on** (poner a alguien al corriente de, poner a alguien en antecedentes, dar a alguien los detalles respecto de ◊ *Fill sb in on the situation/details/background*)].

filo *n*: V. *first-in, last-out*.

FIMBRA *n*: V. *Financial Intermediaries, Managers and Brokers Regulatory Association.*

finagle *col US v*: conseguir a base de trampas, astucias, camelos o zalamerías; arreglárselas con maña, colarse ◊ *Finagle one's way into a post/sb's confidence.*

final *a*: final, definitivo, acabado; firme, inapelable, absoluto, pleno, incondicional, categórico, decisivo; improrrogable, último; V. *absolute, complete, unconditional.* [Exp: **final acceptance** (aceptación definitiva), **final accounts** (cuentas anuales; conjunto de estados contables que reflejan la marcha de una empresa; V. *annual accounts; chairman's report; account summary*), **final!, and that's** *col* (y no hay más que hablar; sanseacabó), **final balance sheet** (balance final o de cierre; V. *list of closing balances*), **final buyer** (comprador último o definitivo), **final date for payment** (fecha de vencimiento del pago; fecha de pago improrrogable), **final demand**[1] (ECO demanda final), **final demand**[2] (último aviso de requerimiento de pago antes de emprender acciones; V. *application for payment*), **final discharge** (finiquito, liquidación/satisfacción de una deuda ◊

In full and final discharge of the debt), **final dividend** (BOLSA dividendo complementario; dividendo definitivo, final o de liquidación; V. *interim dividend*), **final draft** (versión o redacción final de un documento), **final exchange of principal** (MERC FINAN/PROD/DINER intercambio final del principal en una operación de *swaps* de divisas; V. *initial exchange of principal*), **final expense fund** *US* (SEG suma de liquidación; V. *clean-up fund*), **final instalment** (último plazo), **final offer** (última oferta), **final payment** (último plazo o pago), **final product** (producto acabado; V. *end-product, finished product*) **final receipt** (finiquito), **final sailing** (TRANS MAR salida definitiva; acto de hacerse a la mar), **final tax base** (TRIB base liquidable neta), **final trial balance** (CONT balance definitivo o de comprobación final), **finalize** (aprobar con carácter definitivo; ultimar)].

finance *a/n/v*: financiero; finanzas, fondos, recursos; ciencia financiera; financiar, costear, solventar. [Exp: **Finance Act** (ley presupuestaria), **finance bill** *US* (BANCA efecto financiero, letra financiera; también llamada *banker's bill* o *working capital acceptance*, se trata de un crédito instrumentado mediante la aceptación de una letra de cambio que gira directamente el banco; letra librada por un banco contra otro extranjero respaldada con los valores depositados por éste; V. *kite, accommodation bill*), **finance charges/expenses** *US* (BANCA gastos financieros de un préstamo o línea de crédito; V. *commitment fees*), **finance committee** (comité/comisión de financiación; comisión de gastos o de presupuestos), **finance company/corporation/house** (entidad o sociedad financiera, sociedad de crédito comercial; financiera; establecimiento financiero, también conocido con el nombre de *industrial/secondary bank*; V. *small loan company, commercial credit company*), **finance lease** (FINAN alquiler de un activo durante un plazo de tiempo fijo, en el que el arrendador —*lessor*— facilita su financiación, y el arrendatario —*lessee*—, que tiene la opción de adquirirlo por un precio nominal al final del arrendamiento, corre con los demás gastos; también se le llama «alquiler de capital» —*capital lease*—, y «alquiler de financiación total» —*full-payout lease*; V. *operating lease; conditional sales contract*), **finance market** (mercado financiero), **finance paper** (efectos financieros, papel financiero), **finance parlance** (jerga empresarial; V. *business parlance*)].

financial *a*: financiero, monetario, bancario, hacendista; son innumerables las unidades léxicas transparentes que se forman con *financial*, como *a financial budget, financial operations, a financial plan, the financial world, etc.*; V. *tradeable instrument*. [Exp: **financial accountant** (contable financiero; V. *cost accountant*), **financial accounting** (contabilidad financiera o de fondos), **Financial Accounting Standards Board, FASB** (Comité internacional para la normalización de la contabilidad financiera; desde 1973 continúa la labor del *American Institute of Public Accountants* y, por tanto, hace sugerencias y recomendaciones sobre los principios y prácticas de la contabilidad financiera —*financial accounting*; V. *International Accounting Standards Committee, IASC; generally accepted accounting principles, GAAP*), **financial accounts** (cuentas financieras), **financial analysis** (análisis financiero), **financial analyst** (FINAN analista financiero), **financial adviser/advisor/consultant** (asesor/consultor financiero), **financial aid/**

assistance (asistencia/ayuda financiera), **financial arrangement** (régimen de financiación), **financial assets** (activos financieros; V. *real assets*), **financial audit** (auditoría de cuentas), **financial backing** (respaldo económico), **financial break-even point** (ECO punto de equilibrio financiero; V. *break-even point; cash break-even point*), **financial broker** (agente/corredor financiero; agente de dinero; V. *money broker*), **financial budget** (presupuesto financiero; plan/programa de financiación; V. *financial programme/scheme*), **financial burden/charges** (cargas financieras; V. *financial outlays*), **financial claim** (título de crédito), **financial commitments** (compromisos financieros), **financial condition** (V. *statement of financial condition*), **financial credit** (crédito de financiación), **financial deepening** (aumento de la importancia del sector financiero), **financial embarrassment** (dificultades financieras, apuros económicos), **financial engineering** (ingeniería financiera), **financial futures** (FINAN futuros financieros; se trata de contratos de futuros sobre instrumentos financieros o activos o intangibles; V. *futures contract; commodity futures; currency futures, stock index futures, interest rate futures; LIFFE*), **financial gearing** (apalancamiento financiero; V. *financial leverage*), **financial incentive** (estímulo financiero), **financial income** (ingresos financieros), **financial instrument** (instrumento financiero; V. *negotiable instrument*), **Financial Instrument Exchange, FINEX** (MERC FINAN/DINER Bolsa de instrumentos financieros de Nueva York), **Financial Intermediaries, Managers and Brokers Regulatory Association, FIMBRA** (Asociación profesional de intermediarios, gestores y corredores/agentes financieros; V. *self-regulating organization*), **financial investments** (CONT inversiones financieras; inmovilizado financiero; V. *short-term investments*), **financial leasing** (arrendamiento financiero), **financial leverage** US (FINAN apalancamiento financiero; V. *financial gearing*), **financial leverage level** (nivel de financiamiento financiero), **financial liability** (responsabilidad pecuniaria o económica), **financial management** (gestión financiera, administración/dirección financiera), **financial margin gap** (FINAN índice de la sensibilidad del margen financiero de una institución financiera a las oscilaciones de los tipos de interés, llamado también *gap*), **financial outlays** (cargas financieras; V. *financial burden/charges*), **financial paper** (efectos/valores financieros), **financial partner** (socio capitalista), **financial period** (ejercicio económico), **financial planning** (planificación financiera), **financial position** (situación financiera), **financial pressure** (apuros financieros), **financial product** (producto financiero ◊ *Treasury bills and Treasury Bonds are some of the newest financial products*), **financial programme** (plan/programa de financiación; V. *financial budget/scheme*), **financial rate of return** (tasa de rendimiento financiero), **financial rating** (categoría/calificación/clasificación financiera; V. *standing, financial standing*), **financial reconstruction/rehabilitation** (reorganización financiera, saneamiento financiero), **financial resource costs** (coste de los productos financieros), **financial responsibility law** US (ley de responsabilidad económica), **financial restraint/stringency** (austeridad financiera; restricción del crédito), **financial revenues** US (ingresos financieros), **financial risk** (riesgo financiero),

financial scheme (plan/programa de financiación), **financial settlement** (ajuste fianciero), **financial situation** (situación financiera), **financial soundness/standing** (solvencia financiera; V. *ability-to-pay*), **financial spread variables** (FINAN diferencial de variables financieras), **financial squeeze/straits** (dificultades económicas; apuros financieros; V. *money squeeze*), **financial stabilization** (regularización financiera), **financial statement** (SOC, CONT estado financiero; balance general o financiero; memoria financiera; V. *annual statement*), **financial statement and Budget Report** (informe presupuestario y financiero anual del Ministro de Hacienda o *Chancellor of the Exchequer*), **financial stringency** (austeridad económica, control riguroso de crédito), **Financial Times** (diario económico londinense, célebre por su influencia y por los índices económicos entre los que destacan: *Financial Times Actuaries Share Indexes* —elaborado por *The Institute of Actuaries* y *The Faculty of Actuaries*; *The FT All-Share Index* —índice bursátil global—, elaborado sobre 800 títulos; *The FTA World Share Index* —índice bursátil mundial, calculado sobre 2.400 títulos de 24 países; *The Financial Times Industrial Ordinary Share Index*, —índice bursátil de valores industriales—, también llamado *FT-30*, calculado diariamente por el Instituto y por la Facultad de Actuarios de Londres, y que refleja la capitalización de mercado de los distintos sectores de la Bolsa de Londres sobre los 30 valores industriales y comerciales más importantes; *The Financial Times-Stock Exchange 100 Share Index*, también llamado *Footsie* o *FT-100*, es un índice bursátil informatizado/actualizado minuto a minuto, y publicado dos veces al día, que comprende los valores de las cien mayores sociedades de la Bolsa de Londres; *The Financial Times-Stock Exchange Eurotrack 100 Index*, también llamado *FT-SE Eurotrack 100*; *The Financial Times-Stock Exchange Eurotrack 200 Index*, también llamado *FT-SE Eurotrack 200*; V. *Dow Jones Average, Nikkei Index; business barometer; FT-SE Actuaries 350, FT-SE Small Cap Index*), **financial trust** (trust financiero), **financial year** (ejercicio/año económico o financiero; período contable; año fiscal; el *financial year*, también llamado *accounting period*, no siempre coincide con el *fiscal year*; V. *budgetary/business/fiscal year, economic period; company financial year*), **financier** (financiero, hacendista, economista, rentista; V. *moneylender*), **financing** (financiación, financiamiento; V. *deficit financing*), **financing charges/expenses/costs** US (cargas financieras; gastos financieros), **financing gap** (déficit/agujero financiero), **financing of enterprises** (financiación de empresas)].

find *n/v*: hallazgo, descubrimiento; encontrar, localizar; descubrir, hallar, llegar a la conclusión; fallar, declarar. [Exp: **find out** (averiguar, descubrir; enterarse, obtener información, enterarse), **finder** (intermediario), **finder's fee** (FINAN pago/comisión/derechos/honorarios de intermediación financiera), **finding** (DER fallo, laudo, determinación/resolución de una cuestión de hecho, comprobación; conclusión de un juez, ponente, etc.; sentencia, decisión; V. *fact-finding*), **findings** (conclusiones, resultados de una investigación)].

fine¹ *a*: fino; selecto, excelente, superior, de calidad, sutil, delicado, refinado ◊ *The finer points of economic theory*; V. *cut it fine*. [Exp: **fine²** (multar), **fine and dandy, be** *col* (venir de perlas, ser

estupendo), **fine bank bill** (FINAN letra de cambio de la máxima garantía, también llamada *fine bill, fine trade bill* o *respectable bill*; V. *first-class paper; prime bill; prime trade bill*), **fine bill** (V. *fine bank/trade bill*), **fine cut** (PUBL copia final de un film publicitario), **fine gold** (oro de ley, oro fino), **fine paper** (FINAN efectos comerciales de primera clase, también llamados *first-class paper*), **fine rate of interest** (FINAN interés preferencial; V. *prime rate*), **fine trade bill** (V. *fine bank bill*), **fine-tune** (someter a ajuste fino, poner a punto, afinar ◊ *Fine-tune the plans*), **fine tuning** (ajuste fino; V. *adjustment*), **finely** (con primor), **fineness** (contenido de oro; V. *gold content*)].

FINEX *n*: V. *Financial Instrument Exchange*.

finger¹ *n*: dedo; V. *burn one's fingers, get your finger out! have a finger in every pie, lift a finger, slip through one's fingers*. [Exp: **finger²** (TRANS AÉR pasillo o brazo que va del avión a la terminal; pasillo móvil o pasarela telescópica de acceso directo a las aeronaves, llamado coloquialmente «manguera»), **finger of suspicion, the** (el dedo acusador, la sombra de la sospecha)].

finish¹ *v*: acabar, terminar, rematar. [Exp: **finish²** (PUBL, COMER remate/acabado de un producto), **finish³** (BOLSA cierre de la sesión bursátil), **finish off/up** (terminar, concluir, dar por terminado; rematar, despachar ◊ *Finish off a wounded competitor*), **finished goods** (IND productos acabados/terminados; V. *final/end products*)].

fink US col *n*: REL LAB esquirol.

f.i.o. *n*: V. *free in and out*.

fire¹ *n*: fuego, incendio. [Exp: **fire²** col (REL LAB cesar, echar, despedir; V. *dismiss, sack; hire-and-fire power*), **fire-damaged** (dañado en un incendio), **fire door**

(puerta contra incendios o cortafuegos), **fire escape** (escalera de incendios), **fire extinguisher** (extintor), **fire fighting** *US col* (política de parches), **fire hazard** (SEG peligro de incendio), **fire insurance** (seguro contra incendios), **fire loss adjuster** (SEG tasador/perito de siniestros por incendio; V. *average adjuster, loss adjustor, claims adjuster*), **fire office** (SEG compañía de seguros contra incendios; V. *life office*), **fire plug** (boca/toma de aguas para incendios), **fire-proof** (ininflamable, incombustible; ignífugo; a prueba de fuego), **fire regulations** (normas en caso de incendio), **fire risk** (SEG riesgo de incendio), **fire underwriters** (asegurador/compañía de seguros contra incendios), **fire up** (contagiar con el entusiasmo; enfurecer)].

firm[1] *a*: firme, fijo, definitivo; inequívoco;, en firme ◊ *A firm yes.* [Exp: **firm**[2] (empresa, sociedad mercantil, compañía; V. *law firm*), **firm commitment** (FINAN compromiso en firme; V. *commitment fee*), **firm name** (razón social, denominación comercial; V. *trade name, name of the company*), **firm offer** (oferta en firme), **firm order** (pedido en firme), **firm price** (precio fijo o definitivo), **firm quotation** (cotización en firme), **firm purchase/sale** (compra/venta en firme; V. *outright*), **firm underwriting** (SOC emisión asegurada en firme), **firm up**[1] (ir tomando cuerpo ◊ *The deal is firming up*), **firm up**[2] (fortalecerse, recuperarse ◊ *The Stock Market is firming up*), **firm up**[3] (concretar, cerrar un trato, etc. ◊ *Firm up a deal*), **firmness/steadiness of prices** (estabilidad/firmeza de los precios)].

first *a*: inicial, primero. [Exp: **first, a** (una primicia, un estreno absoluto; una exclusiva), **first bid announcement** (primer aviso de la OPA), **first call** (SOC pago del primer dividendo pasivo; V. *call*[6]), **first-class** (de primera clase),

first-class mail (correo prioritario; V. *second-class mail*), **first-class paper** (FINAN efectos comerciales de primera clase; letra de cambio de la máxima garantía, también llamada *fine bill/paper, fine trade bill* o *respectable bill*; V. *first-class paper; prime bill; prime trade bill*), **first come, first served** (por riguroso orden de llegada/solicitud ◊ *Sell stock on a first-come, first-served basis*), **first cost** (CONT valor de adquisición, precio de coste), **first half** (primer semestre; V. *half-year*), **first-in, first-out, FIFO** (CONT método de valoración de existencias basado en el principio de que los primeros artículos que entraron en el inventario son los primeros en ser vendidos; V. *NIFO, GIGO*), **first-in, last-out, filo** (CONT método de valoración de existencias basado en el principio de que los primeros artículos que entraron en el inventario son los últimos en ser vendidos), **first lien** (primer gravamen, primer derecho de retención), **first line management** *US* (GEST mandos intermedios), **First Lord of Treasury** (Primer Lord de la Tesorería; V. *treasure*), **first loss insurance** (SEG póliza de seguro que sólo se aplica a ciertas pérdidas, determinados robos, etc., casi siempre de entidad menor, siendo el titular de la póliza responsable de las primeras pérdidas, que suelen ser cantidades menores), **first mate** (primer oficial de un buque), **first mortgage** (primera hipoteca), **first mortgage bond** (bono hipotecario de primera clase; bono de primera hipoteca; bono emitido con la garantía directa de la propiedad hipotecada; V. *junior bond*), **first notice day** (MERC PROD día de entrega de lo acordado en el mercado de futuros; primer día de aviso/notificación; notificación al titular de posición compradora en un contrato de futuros de productos de que se le va a entregar el activo subyacente; V. *underlying asset*), **first-occupancy permit** US (cédula de habitabilidad, licencia de primera ocupación), **first of exchange** (primera de cambio), **first open water** (TRANS MAR primeras aguas abiertas; zona navegable tras dejar la zona de hielos), **first-party insurance** US (seguro individual; V. *third-party insurance*), **first right** US (derecho de preferencia o prioridad; derecho preferente, también llamado *preferential/priority right*), **first-stage processing** (IND primera transformación), **first surplus** (primer excedente), **first trial balance** (CONT balance previo de comprobación)].

fiscal *a*: fiscal, tributario; financiero. [Exp: **fiscal administration** (administración fiscal; V. *taxation authorities, tax administration*), **fiscal agency** (agencia tributaria), **fiscal agent** US (agente financiero; agente fiscal), **fiscal boost** (incentivo/estímulo fiscal a la industria/ inversión; V. *fiscal investment incentives*), **fiscal burden** (carga fiscal), **fiscal deficit** (déficit en la recaudación fiscal; V. *shortfall in tax revenue*), **fiscal domicile** (V. *fiscal residence*), **fiscal drag** (TRIB carga fiscal excesiva o contraproducente, traba/lastre/rémora fiscal, estructura fiscal onerosa; efecto de arrastre fiscal; se refiere al fenómeno que se produce por la interacción de la inflación — a veces por la deflación— y los sistemas tributarios progresivos; al pasar los contribuyentes, por el efecto de la inflación, a escalas impositivas más altas, mientras que su poder adquisitivo real está en declive, se produce un efecto de arrastre en toda la economía, impidiendo el crecimiento de la demanda y provocando la caída de la producción; V. *taxflation*), **fiscal evasion** (evasión fiscal), **fiscal identity number** (número de identificación fiscal, NIF), **fiscal investment incentives** (ayudas/incentivos fiscales a la inversión; V. *fiscal boost*), **fiscal license tax** US (licencia fiscal), **fiscal monopoly** (monopolio fiscal), **fiscal neutrality** (neutralidad fiscal), **fiscal oasis** (paraíso fiscal; V. *tax haven*), **fiscal period** (período fiscal o contable; V. *economic/financial year*), **fiscal policy** (política fiscal; V. *budgetary policy*), **fiscal policy stance** (orientación de la política fiscal), **fiscal pressure** (presión tributaria; V. *tax pressure*), **fiscal purposes, for** (a efectos fiscales; V. *for tax purposes*), **fiscal residence/domicile** (domicilio fiscal), **fiscal revenue** (ingresos/rentas fiscales), **fiscal system** (sistema tributario, sistema fiscal, sistema impositivo; V. *tax system, taxation system*), **fiscal transparency** (transparencia fiscal; V. *flow-through transparency*), **fiscal year** (ejercicio económico, año fiscal; en el Reino Unido el año fiscal va del 6 de abril al 5 de abril del año siguiente; en los EE.UU. va del 1 de julio al 30 de junio del año siguiente; V. *accounting year, calendar year, financial year, tax year*), **fiscal yield** (rendimiento fiscal), **fiscally** (fiscalmente, en lo fiscal, respecto al fisco)].

fish *n/v*: pescado; pescar. [Exp: **fish back service** (transporte en contenedores normalizados), **fish farming** (acuicultura, piscifactoría; V. *pisciculture*), **fish in troubled waters** (pescar en río revuelto, *approx* a río revuelto, ganancia de pescadores), **fish war** (guerra pesquera; V. *tuna wars*), **fishery** (pesquería), **fishing gear** (aparejos, artes de pesca), **fishing grounds** (caladeros), **fishing vessel** (buque pesquero), **fishy** (extraño, sospechoso, que huele mal ◊ *There's something fishy about their tax returns*)].

Fisher equation *n*: V. *equation of exchange*.

fit *a/v/n*: apto, capacitado, idóneo, preparado; en forma; en condiciones o situación de; acoplamiento; ajustar-se, acoplar-se. [Exp: **fit a trend line** (ajustar una curva estadística), **fit in** (caber; encajar; encontrar tiempo o lugar en la agenda ◊ *Fit in a visit*), **fit out** (equipar), **fittings** (accesorios; mobiliario; V. *accessory equipment*), **fittings and fixtures** (instalaciones fijas y accesorios; V. *fixtures and fittings*)].

fix[1] *v*: fijar, determinar, evaluar, valorar, calcular, tasar; V. *assess, adjust, determine, establish, ascertain*. [Exp: **fix**[2] *col* (lío, problema, aprieto, apuro; tongo, trampa; arreglar, trapichear; manipular, sobornar; cargarse a uno, arreglar a uno), **fix the accounts** (manipular las cuentas), **fix up with** (conseguir, proporcionar ◊ *Fix sb up with a job*), **fixation** (fijación), **fixation of the quotation** (fijación de los cambios), **fixed** (fijo, determinado, constante), **fixed amortization schedule** (tabla de amortización fija; V. *term loan*), **fixed and other noncurrent assets** (CONT activo/capital fijo o inmovilizado; V. *fixed assets*), **fixed annuity** (anualidad fija), **fixed assets** (CONT inmovilizado; activo inmovilizado, activo fijo —también llamado *capital/ permanent assets* o *fixed and other noncurrent assets*; comprende la planta, el equipo y el activo intangible; V. *long-term operational assets; capital/ permanent assets; current/circulating assets; fixed capital*), **fixed-assets fund** (fondo para activos fijos), **fixed base index** (ECO índice de base fija), **fixed bond** (bono con interés fijo; V. *floating rate note*), **fixed capital** (CONT activo fijo, capital inmovilizado; V. *fixed assets*), **fixed-capital company** (sociedad de capital fijo; V. *open-ended*

company), **fixed charge** (gravamen fijo; gravamen sobre los activos fijos —edificios, etc.— de una empresa, empleados para avalar empréstitos de ésta; V. *charges on assets, floating charge*), **fixed charges** (costes/gastos fijos; cargas fijas; V. *constant cost*), **fixed cost** (coste fijo), **fixed credit line** (FINAN crédito irrevocable; V. *irrevocable credit*), **fixed date forward, FDF** (MERC DINER contrato a plazo de fecha fija en el mercado del oro), **fixed debenture** (préstamo, también llamado *fixed charge debenture*, garantizado con un activo determinado; V. *floating debenture, mortgage debenture, debenture*[2]), **fixed deposit** (depósito a plazo fijo; V. *fixed period deposit; time deposit*), **fixed deposit account** (BANCA cuenta/depósito a plazo fijo; V. *call deposit account*), **fixed depreciation** (amortización fija), **fixed debt** *US* (FINAN deuda perpetua, deuda consolidada; en el Reino Unido se llama *funded debt* o *permanent debt*; V. *unfunded debt; private debt; external debt, floating debt, deadweight debt*), **fixed duty-free amount** (cantidad fija exenta de derechos), **fixed exchange rate** (FINAN tipo de cambio fijo; V. *floating exchange rate*), **fixed exchange rate system** (FINAN sistema de tipos de cambio fijos; V. *adjustable peg exchange rate system; flexible/floating exchange rate system*), **fixed income** (ingresos fijos), **fixed income securities** (BOLSA renta fija; V. *floating income securities; non-equity securities*), **fixed-interest, fixed-interest-bearing** (de interés fijo, de renta fija), **fixed-interest bearing bonds/securities** (bonos/títulos a interés fijo; V. *straight-debt bonds; fixed yields*), **fixed interest rate** (tipo de interés fijo), **fixed interest securities** (renta fija, valores de renta fija; V. *fixed income securities*), **fixed investment** (inversión en activo fijo o inmovilizado; inversión de renta fija), **fixed-investment trust** (FINAN sociedad de inversiones en activos fijos, también llamada *non-discretionary trust*), **fixed liabilities** (pasivo fijo no exigible, deuda consolidada, deuda fija), **fixed liability** (responsabilidad determinada, pasivo fijo; V. *deferred liabilities*), **fixed-order period model** (COMER modelo de determinación temporal de pedidos por cantidades; con este método se determina el número máximo de artículos que pueden ser demandados en un período de tiempo determinado), **fixed-order quantity model** (COMER modelo de fijación de pedidos), **fixed overhead** (coste fijo), **fixed par value** (paridad monetaria fija), **fixed period deposit** (depósito/dinero a plazo fijo; V. *fixed deposit*), **fixed premium** (prima fija), **fixed price** (precio fijo), **fixed price agreement** (acuerdo o contrato a tanto alzado), **fixed-price sale** (COMER venta a precio impuesto; se trata de precios prefijados por el fabricante o la Administración), **fixed price store** US (almacén de precios únicos), **fixed-rate bonds** (bonos a tipo de interés fijo; V. *lock in*), **fixed rate** (tipo de interés fijo), **fixed rate depreciation method** (depreciación calculada a porcentaje fijo; V. *annuity depreciation method*), **fixed rate financing** (financiación con tipo de interés fijo), **fixed rate of exchange** (tipo de cambio fijo), **fixed rate of interest** (tipo fijo de interés; V. *floating rate of interest*), **fixed rate perpetual preferred stock** US (BOLSA acción preferente perpetua y de tipo fijo; V. *preferential/ preferred shares/stock; convertible preferred stock, auction market preferred stock*), **fixed routing** (COMER ruta fija; V. *irregular routing*), **fixed rate currency swap** (FINAN permuta financiera o «swap» de divisas a tipos fijos), **fixed-rate securities** (valores de renta fija; V. *bond*), **fixed sampling** (muestreo fijo), **fixed selling price** (precio fijo de venta), **fixed shift** (REL LAB turno de trabajo fijo), **fixed term** (plazo fijo), **fixed-term assurance** (seguro a término fijo), **fixed term deposits** (imposiciones a plazo fijo), **fixed term insurance** (seguro a plazo fijo), **fixed-term tenancy** (alquiler por un período fijo o determinado; V. *periodic tenancy*), **fixed-to-fixed cash flow swap** (FINAN permuta financiera o «swap» de intereses fijo-fijo; V. *cash flow swap, deferred cash flow swap, accelerated swap*), **fixed-to-floating swap** (FINAN permuta financiera o «swap» fijo-variable; V. *fixed-to-fixed cash flow swap*), **fixed trust** (sociedad inversora con restricciones o sin libertad de acción), **fixed yield** (renta/rendimiento fijo; V. *fixed interest*), **fixer** col (intermediario, gestor, «resuelveapuros»), **fixing** (tipo de cambio base; fijación; cambio base, cambio medio, cambio de referencia; V. *price fixing, price fixing agreement*), **fixing rate** (tipo de cambio), **fixing/setting a ceiling** (fijación de un máximo), **fixing letter** (TRANS MAR carta de confirmación), **fixing-rate bond** (FINAN bono a tipo fijo), **fixing the price** US (COMER fijación de precio)].

fixture[1] *n*: bien mueble; mueble adherido a un bien inmueble; instalación accesoria a un bien inmueble, accesorio fijo, montaje, utillaje. [Exp: **fixture**[2] (TRANS MAR cierre de confirmación de una operación en el mercado de fletes), **fixture**[3] col (persona inamovible, «fundador»; V. *She's a fixture in the firm*), **fixtures** (instalaciones fijas de una empresa; servicios; bienes muebles), **fixtures and fittings, f & f** (instalaciones fijas y accesorios de una empresa;

mobiliario de instalación; V. *fittings and fixtures*)].

fl oz *n*: V. *fluid ounce*.

flag¹ *n/v*: pabellón, bandera; hacer señales. [Exp: **flag²** (flaquear, vacilar, debilitarse ◊ *Flagging economy*), **flag an account** *US* (CONT marcar una cuenta, vigilarla; suspender temporalmente la actividad de una cuenta; V. *rubricated account*), **flag of convenience** (bandera de conveniencia, pabellón de complacencia), **flag of distress** (TRANS MAR señal de socorro), **flag of truce** (bandera de parlamento o de tregua), **flag product** (producto estrella; V. *flag product*), **flagging economy** (economía flaqueante/vacilante), **flagging of a ship** (abanderamiento de un buque; V. *registry of a ship*), **flagship** (buque insignia), **flagship fund** (FINAN fondo estrella o insignia de una sociedad de valores o *securities firm*), **flagship store** *US* (casa central; V. *headquarters*)].

flap¹ *n*: pieza movible, tapa de una caja, pestaña de un embalaje de cartón/plástico. [Exp: **flap²** (agitación, nerviosismo ◊ *A flap over stock market prices*; V. *unflappable*)].

flash *n/v*: instantánea; destello; enviar con rapidez; V. *news flash*. [Exp: **flash, in a** (como un rayo, en un santiamén), **flash note** (billete falso), **flash sales report** *US* (CONT informe resumido de ventas diarias)].

flat¹ *a*: claro, definitivo; rotundo, categórico; neto; uniforme; lisa y llanamente ◊ *Turn an offer down flat*; V. *fall flat*. [Exp: **flat²** (BOLSA átono, sin cambios, fijo; V. *flat market; sluggish*), **flat³** (piso; V. *apartment*), **flat amount** (importe fijo), **flat bond** (bono en cuyo precio se han incluido los intereses acumulados), **flat broke** *col* (en la más absoluta de las ruinas; V. *stony broke*), **flat cancellation** (SEG cancelación anticipada; rescisión definitiva sin prima de indemnización; V.

write-offs), **flat car** *US* (TRANS vagón plataforma, sin techo ni laterales), **flat charge/commission/fee** (comisión fija, tasa uniforme), **flat cost** (coste histórico o primario), **flat dates** (MERC DINER meses completos; V. *broken dates*), **flat lease** *US* (alquiler lineal, arrendamiento directo; V. *straight lease; periodic tenancy*), **flat loan** (préstamo sin interés), **flat market** (MERC FINAN/PROD/DINER mercado plano, átono, apático o sin movimiento), **flat money** (papel moneda; V. *paper money*), **flat organization** (GEST organización plana), **flat out** (a tope, a toda marcha, a todo gas ◊ *Work flat out to finish a contract*), **flat position** (MERC FINAN/PROD/DINER posición compensada; V. *open position*), **flat/uniform price** (precio único), **flat rate¹** (tarifa/cuota única o uniforme; tanto alzado ◊ *Charge a flat rate*; V. *all-in rate; across the board*), **flat rate²** (MERC FINAN/DINER tarifa fija; se dice que tiene lugar cuando son iguales los precios a plazo —*forward*— y de contado —*spot*—), **flat-rate tax system** (TRIB sistema tributario de tarifa única), **flat refusal** (negativa rotunda o categórica), **flat/running/current/earnings yield** (FINAN rendimiento corriente o neto, rédito actual; V. *return; yield to maturity; earnings per share; price-earnings ratio*), **flat yield curve** (FINAN curva de rendimientos planos de bonos; V. *yield curve, inverted yield curve, positive yield curve*), **flatbed** *US* (TRANS tráiler sin paredes), **flatcar** *US* (vagón plataforma)].

flaw *n*: defecto, error, vicio; tara; V. *faulty*. [Exp: **flawed** (defectuoso)].

flea market *n*: mercadillo; rastrillo; mercado de segunda mano.

fleece¹ *v*: trasquilar, desplumar, esquilar. [Exp: **fleece²** *col* (timar, estafar ◊ *Be fleeced by a crooked dealer*)].

fleet *n*: flota de barcos, parque de vehículos,

etc. [Exp: **fleet car** *US* (coche de una empresa), **fleet discount** (descuento por compra o alquiler de los coches de una empresa), **fleet policy** *US* (SEG póliza de flotilla; póliza para un grupo de coches)].

flexibility *n*: ECO flexibilidad; V. *elasticity*), **flexibility/fluctuation margin between exchange rates** (margen/banda de fluctuación de los tipos de cambio; V. *fluctuation/margin in exchange rates*), **flexible** (flexible), **flexible account** *US* (cuenta flexible), **flexible drawdown** (activación por etapas de una línea de crédito; V. *credit line, line of credit*), **flexible/fluctuating/variable exchange rate** (cambio o tipo de cambio flexible/fluctuante/variable), **flexible/floating/fluctuating exchange rate system** (FINAN sistema de tipos flexibles/flotantes/fluctuantes; V. *fixed exchange rate system; adjustable peg exchange rate system*), **flexible hours** (V. *flexitime*), **flexible/floating/fluctuating/variable rate of exchange** (FINAN tipo de cambio flexible/flotante/fluctuante/variable; V. *fixed rate of interest*), **flexible/sliding scale** (escala móvil), **flexible trust** (fideicomiso flexible; compañía inversora que constituye un *trust* o fideicomiso y que tiene cierta flexibilidad para el manejo de los fondos que le son encomendados; V. *general management trust*), **flexitime** (sistema laboral con horarios flexibles), **flexitime working** (horario de trabajo flexible), **flexiyear** (año flexible)].

flier¹ *US n*: PUBL octavilla, folleto publicitario; V. *high flier, get off to a flier*. [Exp: **flier²** (BOLSA transacción bursátil aislada o arriesgada; V. *take a flier*)].

flight¹ *n*: vuelo, huida. [Exp: **flight²** (tramo; V. *top-flight*), **flight capital/money** (dinero especulativo; capital de evasión; V. *hot money*), **flight of capital** (fuga/evasión/huida de capitales).

flip *v/n*: volver, girar con un movimiento rápido; capirotazo. [Exp: **flip-flop note FRN** (FINAN bono con opción de conversión en otro instrumento de deuda), **flip-flop provision** (SOC, FINAN cláusula de conversión de unas acciones de una mercantil en acciones de otra), **flip in provision** (cláusula de defensa de la empresa asediada; consiste en dar a los accionistas la opción de convertir sus bonos en acciones de la empresa a un precio inferior al del mercado)].

float¹ *n/v*: flotación; flotar o hacer flotar una divisa ◊ *The pound is floating against the mark*; V. *dirty/clean/ managed float*; V. *refloat*. [Exp: **float²** (CONT efectivo en caja; anticipo; cantidad o adelanto en efectivo en la cuenta de gastos menores —*petty cash*—; dinero/fondo en efectivo que hay en la caja registradora —*till*— al comenzar la jornada en un comercio o tienda, llamado también *cash float*; V. *imprest system; cash/money in/on hand; till money*), **float³** (lanzamiento de una empresa; V. *flotation; float a company*), **float⁴** *US* (SOC, BANCA parte de una nueva emisión no adquirida por el público), **float⁵** *US* (SOC flotación; parte proporcional de los valores de una empresa en poder del público; V. *undigested securities; free float; digested securities*), **float⁶** *US* (BANCA flotación; cuentas o talones pendientes de cobro; montante de fondos en proceso de recogida; V. *time schedule float, Federal Reserve Float*), **float⁷** (FINAN fondos en tránsito; dinero creado por la demora en la compensación bancaria de cheques; V. *collection float, payment float*), **float⁸** (camión, vehículo o carromato de poca altura para el transporte de mercancías ◊ *A milk float is a delivery van*; V. *advertising float, car float*), **float a company** (fundar o constituir una sociedad mercantil; V.

flotation), **float a loan** (emitir/colocar un empréstito, emitir deuda, lanzar una emisión de bonos; V. *emit/issue/launch a loan*), **float securities** (emitir/colocar valores; V. *launch an issue*), **float the exchange rate** (liberalizar el tipo de cambio)].

floater[1] *n*: título de primera clase al portador. [Exp: **floater**[2] (SEG V. *floating insurance; open insurance*), **floater policy** (SEG póliza flotante; póliza de mercancías transportadas; V. *personal property floater*)].

floating[1] *a*: flotante, fluctuante, variable; con el significado de «flotante, fluctuante, circulante» es sinónimo parcial de *current* y se aplica a *assets, capital, debt, charge, exchange rate, etc.* [Exp: **floating**[2] (flotación), **floating**[3] (lanzamiento de una sociedad), **floating assets** (activo flotante; V. *current assets, quick assets, circulating assets, liquid assets, working assets*), **floating bag** (TRANS saco flotante; embalaje resistente al agua), **floating bank** (banco de inversiones), **floating capital** (capital circulante; V. *current capital*), **floating cash** (efectivo flotante; dinero en caja), **floating charge** (FINAN garantía, cargo u obligación flotante; préstamo comercial garantizado con el patrimonio entero; cesión del activo total como garantía de una deuda; V. *charges on assets, fixed charge; pledged assets*), **floating charge debenture** US (V. *floating debenture*), **floating debenture** US (obligación flotante o no consolidada; préstamo/obligación con garantía de un activo general o empresarial, también llamado *floating-charge debenture*; V. *mortage bond*), **floating debt** (FINAN deuda flotante; se trata de la parte de la deuda nacional o *national debt* formada por títulos a corto plazo, en especial, por letras del Tesoro o *Treasury bills*; V.

unfunded debt), **floating dock** (dique flotante), **floating/flexible/fluctuating exchange rate system** (FINAN sistema de tipos flotantes/flexibles/fluctuantes; V. *fixed exchange rate system; adjustable peg exchange rate system*), **floating fee** (comisión de emisión), **floating income securities** (valores de renta variable; V. *fixed income securities*), **floating insurance** (SEG póliza de seguros que abarque a más de un edificio o a más de un empleado en los casos de seguros contra la deslealtad o *fidelity insurance*; V. *floater, open insurance*), **floating-interest debt** (deuda a tipos de interés variable o flotante), **floating interest rate** (tipo de interés flotante), **floating liabilities** (pasivo circulante), **floating money**[1] (moneda flotante), **floating money**[2] (dinero disponible; V. *money on hand*), **floating note certificate of deposit** (certificado de depósito con interés variable de acuerdo con uno de referencia, por ejemplo el *LIBOR*), **floating policy** (SEG póliza general o flotante, póliza abierta, también llamada *open policy* o *declaration policy*), **floating prime rate of interest** US (tipo de interés flotante), **floating rate** (FINAN tipo de interés flotante), **floating rate bond, FRB** (pagaré con tipo de interés flotante/variable; V. *floating interest note; fixed bond*), **floating rate loan** (deuda flotante; el interés suele estar indexado —*index-linked, indexed*— a un tipo de referencia como el interbancario, tasa de redescuento, etc.; V. *cap*), **floating-rate note, FRN** (FINAN bono/obligación de interés variable; el interés suele estar indexado —*index-linked, indexed*— a un tipo de referencia a corto plazo, normalmente el LIBOR; V. *fixed bond; inverse floating rate note*), **floating rate of exchange** (FINAN cambio o tipo de cambio flotante/flexible/fluctuante/variable), **floating rate of interest** (tipo de interés flotante), **floating-rate option bonds** (FINAN bonos con cláusula de opción de pago en otra moneda a tipo de cambio variable), **floating security investment credit** (BOLSA, BANCA crédito bursátil flotante), **floating supply** (BOLSA títulos en poder de especuladores en vez de inversores), **floating-to-floating swap** (FINAN permuta financera o «swap» variable-variable, también llamado *basis swap*; V. *fixed-to-fixed swap*), **floating voters** (votantes indecisos; horquilla)].

flood *n/v*: inundación, riada; inundar; desbordar ◊ *We are flooded with extra orders*; V. *overflow; awash.* [Exp: **flood of orders** (riada/cantidad desbordante de pedidos), **flood the market** (inundar, desbordar/saturar el mercado; V. *saturate the market, glut*)].

floor[1] *n*: suelo; V. *factory/shop floor; selling floor.* [Exp: **floor**[2] (BOLSA parqué o patio de operaciones de la Bolsa; V. *ring, pit; floor/ring/screen trading, in open cry; callover*), **floor**[3] (FINAN suelo, mínimo, límite/banda inferior, especialmente la de fluctuación de intereses; contrato con tope mínimo del tipo de interés; se trata de un instrumento financiero que protege, mediante el pago de una prima, contra el riesgo de que los tipos de interés, cuando son variables, caigan por debajo de un límite convenido; V. *cap; collar; caption; ceiling; amortizing cap, deferred cap, naked cap, rate cap; seasonal cap; FRA*), **floor**[4] (uso de la palabra, la palabra; V. *give/have the floor*), **floor-broker** (MERC FINAN/PROD/DINER, BOLSA agente auxiliar de Bolsa; comisionista/agente bursátil o de mercados financieros; V. *market-maker, locals, stockbroker*), **floor dealer** US (BOLSA agente bursátil por cuenta propia, normalmente en operaciones a corto plazo; V. *block positioner*), **floor manager** US (director de planta de unos grandes almacenes), **floor price** (ECO precio mínimo; V. *ceiling price*), **floor space** (superficie útil), **floor stand** (PUBL expositor o embalaje expositor), **floor trader** US (MERC BOLSA operador de Bolsa; intermediario del parqué; V. *pit trader*), **floor trading** (BOLSA contratación en el parqué; V. *screen trading*), **floorwalker** US (jefe de una sección de grandes almacenes; vigilante; encargado; supervisor), **floor option** (FINAN opción a adquirir un *floor*[3])].

flop *n/v*: fracaso; fracasar ◊ *The venture plan was a flop.*

flotation[1] *n*: liberación del tipo de cambio. [Exp: **flotation**[2] (SOC flotación, emisión; salida a Bolsa; emisión abierta; proceso de financiación de una actividad económica; lanzamiento/emisión de una sociedad, también llamado *going public*, ofreciendo la suscripción de acciones; V. *introduction, issue by tender, offer for sale, placing, public issue; issuance*), **flotation cost** (coste/gastos de emisión), **flotation line** (línea de flotación), **flotation of an issue** (lanzamiento de una emisión de títulos)].

flotsam *n*: pecio, restos flotantes de un naufragio. [Exp: **flotsam and jetsam** (restos o desechos arrojados al mar; restos de un naufragio; V. *jetsam, derelict*)].

flottant bonds *n*: obligaciones de interés variable.

flourish *v*: florecer, prosperar; V. *thrive.* [Exp: **flourishing** (floreciente, próspero)].

flow *n/v*: flujo, movimiento, corriente; fluir; correr; surgir; manar; proceder, provenir; V. *cash flow.* [Exp: **flow-back, flowback** (FIN flujo de retorno), **flow chart** (diagrama de flujos; organigrama funcional), **flow diagram** (diagrama de flujo), **flow line** (cadena de producción), **flow of funds** (flujo/movimiento de fondos), **flow process chart** (GEST proceso de flujograma), **flow sheet** (plantilla de operaciones sucesivas), **flow-through taxation** *US* (transparencia fiscal; V. *fiscal transparency*)].

flower *n*: flor. [Exp: **flower bond** (bono flor; amortizable si fallece su titular)].

fluctuate *v*: oscilar, fluctuar; V. *market fluctuation*. [Exp: **fluctuating/floating/ flexible exchange rate system** (FINAN sistema de tipos flotantes/flexibles/ fluctuantes; V. *fixed exchange rate system; adjustable peg exchange rate system*), **fluctuating/flexible/floating/ variable rate of exchange** (FINAN tipo de cambio flexible/flotante/fluctuante/ variable), **fluctuating unemployment** (paro fluctuante; V. *forced unemployment*), **fluctuation-s** (oscilación, fluctuación, variación; altibajos; V. *long-term/secular fluctuations*), **fluctuation margins/range** (FINAN bandas/márgenes de fluctuación; se aplica, entre otros casos, a la amplitud máxima autorizada a las divisas ligadas al sistema monetario europeo —*European Monetary System, EMS*; V. *par value rate of exchange; fluctuation/margin in exchange rates*)].

fluid ounce, fl oz *n*: onza líquida o para líquidos; equivale a 29.573 ml³ en los EE.UU y a 28.412 ml³ en Gran Bretaña; V. *troy ounze*.

fly[1] *n*: mosca ◊ *There are no flies on him* —es un lince, no tienen un pelo de tonto—. [Exp: **fly**[2] (volar), **fly**[3] (astuto, zorro; V. *fly customer*), **fly a kite** (BOLSA tantear el terreno, tomarle el pulso a algo, ver de donde sopla el viento, lanzar un globo sonda; V. *kite-flying*), **fly-by-night** *col* (poco escrupuloso, poco de fiar, poco claro, semiclandestino), **fly-by-night business** (actividad clandestina; V. *cowboy, mickey mouse*), **fly customer** (viejo zorro, tipo tramposo ◊ *Watch the accountant, he's a fly customer*), **flyer,**[1] **flier** (PUBL prospecto, folleto publi-

citario), **flyer,**[2] **flier** (FINAN especulación; V. *high flyer*), **flying** (volante), **flying geese pattern** (pauta/patrón en cuña), **flying pickets** (REL LAB piquetes volantes o móviles; V. *peaceful picketing, cross the line*), **flying start** (comienzo fantástico; arranque que distancia a los competidores; *approx* comenzar con buen pie ◊ *The business has got off to a flying start*; V. *flier*)].

FNMA *US* *n*: V. *Federal National Mortgage Association, Fannie Mae*.

fob off *col* *n*: deshacerse de alguien con engaños o excusas; «meterle» a uno una mercancía inferior ◊ *The used-car dealer fobbed me off with a car which lasted a month*.

FOB, f.o.b *n*: V. *free on board*.

focus[1] *n/v*: enfoque; foco; concentración; centro de atención; enfocar; centrarse; concentrar; centrar la atención ◊ *Focus on the retail sector*. [Exp: **focus**[2] (GEST concentración empresarial, concentrar empresas; V. *diversify, refocus*), **focused firm** (GEST empresa concentrada ◊ *A focused firm operates in a single industry*)].

fold[1] *n/v*: pliegue; plegar, doblar. [Exp: **fold**[2] (cerrar/abandonar el comercio; abandonar el juego ◊ *More firms have folded due to the recession*), **folder** (carpeta; folleto desplegable), **folding money** *US* (papel moneda; V. *paper money*)].

follow *v*: cumplir, atenerse a; V. *conform, observe, comply with, abide by*. [Exp: **follows, as** (como sigue, lo siguiente), **follow the leader behaviour** (comportamiento mimético), **follow-up** (controlar, seguir la pista; seguimiento, vigilancia, insistencia, control; V. *collection follow-up; feedback control*), **follow-up advertisement** (PUBL publicidad de seguimiento o de recordatorio), **follow-up control** (GEST control de seguimiento), **follow-up financing** (financiación complementaria), **follow-up letter** (carta de seguimiento, carta de recordatorio, carta de insistencia), **follow-up system** (PUBL sistema de continuidad), **following** (a raíz de, a/como consecuencia de, a resultas de; V. *due to*)].

fonds perdu, à *fr*: a fondo perdido; V. *nonrecoverable grant*.

food *n*: alimento, alimentación, comida. [En función atributiva equivale a «alimentario, alimenticio». Exp: **food additives** .(aditivos alimentarios), **Food and Agriculture Organization, FAO** (Organización de las Naciones Unidas para la Agricultura y la Alimentación), **foor for thought** (motivo de reflexión ◊ *Measures that give economists food for thought*), **food aid** (ayuda alimentaria), **food industry** (industria alimentaria), **food surpluses** (excedentes alimentarios), **foodstuffs** (comestibles, productos alimentarios; abastos; V. *commodities; provisions*)].

foot *n/v*: pie; sumar una columna de cifras y anotar el resultado al pie de la misma. [Exp: **foot the bill** *col* (pagar, ser el pagano, correr con los gastos ◊ *Who will foot the bill?*), **footage** (metraje), **foothold** (punto de apoyo, espacio/sector del mercado ◊ *Foothold in the market*; V. *niche; berth*), **footing**[1] (base, fundamento, posición; V. *shaky footing*), **footing**[2] (CONT total; V. *casting up*), **footloose industries** (industrias de localización indiferente), **footloose knowledge** (conocimientos especializados disociables)].

Footsie *n*: V. *The Financial Times-Stock Exchange 100 Share Index*.

FOR *n*: V. *free on rail*.

foray *n/v*: incursión, redada; hacer una incursión en ◊ *Make a brief foray into the share market*.

forbear *v*: abstenerse de ejercer un derecho, etc., desistir; V. *waive, forfeit*. [Exp: **forbearance** (días de gracia, indulgencia de morosidad; abstención; abstención de ejercer un derecho; V. *respite, day/days of grace, grace period; letter of respite*)].

force *n/v*: fuerza, vigor; vigencia; forzar; V. *in force; binding force*. [Exp: **force down** (forzar a la baja: *force wages down*; V. *force up*), **force majeure** (TRANS MAR fuerza mayor; V. *act of God*), **force, in** (en vigor, en vigencia, vigente, válido, que rige o impera; V. *come into force/effect, take effect, be effective from; put into force*), **force of law** (fuerza de ley), **force out of** (forzar a salir), **force prices down** (hacer bajar los precios), **force up** (BOLSA forzar al alza ◊ *Force prices up*; V. *force down*), **forced** (forzoso), **forced liquidation** US (liquidación forzosa), **forced circulation/currency** (circulación forzada; curso forzoso), **forced loan** (empréstito forzoso), **forced sale** (venta forzosa; V. *winding-up sale*), **forced sale value** (FINAN valor liquidativo; valor de liquidación o monto de realización de una propiedad al disolverse el negocio; valor de venta forzosa; V. *liquidation value*[1]), **forced savings** (ahorro forzoso), **forced unemployment** (paro forzoso), **forces of the market** (fuerzas del mercado), **forcible** (obligatorio, violento, caracterizado por el uso de la fuerza)].

forecast *n/v*: pronóstico, previsión; prever, pronosticar ◊ *Price forecast*. [El participio *forecasting* cuando tiene valor de adjetivo se puede traducir por «previsto», «estimado», «proyectivo». [Exp: **forecasting** (previsión, pronóstico ◊ *Economists are famous for their forecasting failures*)].

foreclose *v*: privar al deudor hipotecario del bien hipotecado, entablar juicio hipotecario; embargar los bienes hipotecados por impago. [Exp: **foreclose a mortgage** (DER ejecutar una hipoteca), **foreclosure**

(DER ejecución de hipoteca; procedimiento ejecutivo hipotecario, juicio hipotecario, embargo de bienes hipotecados, ejecución coactiva; privación), **foreclosure sale** (DER venta judicial hipotecaria, venta por juicio hipotecario; V. *bad debt recovery*)].

foredate *v*: antefechar; V. *backdate*.

foregoing *a*: antecedente, precedente; V. *aforegoing*.

foreign *a*: extranjero, foráneo, exterior; V. *external*. [Con el significado de «extranjero o exterior» aparece en muchas expresiones, como *foreign policy, foreign trade*; en este contexto es sinónimo parcial de *external* y de *from abroad*, y antónimo de *national* y de *home*. Exp: **foreign affairs** (asuntos/relaciones exteriores), **foreign aid** (ayuda exterior), **foreign assets** (CONT activo exterior; V. *assets held abroad*), **foreign balance** (balanza exterior), **foreign bill** (letra/efecto sobre el exterior), **foreign bond** (FINAN bono extranjero o en moneda extranjera; los «bonos extranjeros» son emitidos en la moneda del país por prestatarios no residentes de gran prestigio; V. *matador bond*), **foreign capital** (capital extranjero), **foreign borrowing** (empréstito en el exterior; V. *internal borrowing*), **foreign business/dealings** (negocios con el extranjero), **foreign credit insurance association, FCIA** *US* (SEG asociación voluntaria de compañías de seguros que, constituida en 1961 bajo el patrocinio del *Export-Import Bank*, ofrece cobertura a los exportadores americanos; V. *EximBank*), **foreign currency** (divisas extranjeras, moneda extranjera, billetes extranjeros), **foreign currency clause** (cláusula de reembolso en divisas), **foreign currency debt** (deuda en moneda extranjera), **foreign currency holding** (existencias en divisas), **foreign currency loan**

(empréstito en moneda extranjera), **foreign currency option** (MERC DINER opción sobre divisas; V. *at the money forward/spot*), **foreign currency reserves** (reservas internacionales, reservas de divisas), **foreign currency trade** (comercio de divisas), **foreign debt** (deuda exterior), **foreign exchange**[1] (divisas extranjeras), **foreign exchange**[2] (cambio exterior; se usa en el sentido de *interbank foreign exchange market*; V. *domestic exchange*), **foreign exchange arbitrage** (arbitraje de divisas), **foreign exchange balance/holdings** (existencias de divisas), **foreign exchange broker/dealer** (agente de cambio), **foreign exchange control** (control de cambios, control de operaciones en moneda extranjera), **foreign exchange cost** (costo en divisas), **foreign exchange dealer** (cambista; V. *cambist*), **foreign exchange dealing** (comercio de divisas), **foreign exchange department** (sección de cambio de moneda), **foreign exchange forward market** (mercado de divisas a plazo; V. *foreign exchange spot market*), **foreign exchange futures** (divisas a plazo; V. *forward exchange market*), **foreign exchange licence** (licencia de divisas), **foreign exchange market** (mercado de divisas, mercado cambiario o de cambios), **foreign exchange permit** (permiso para operar con divisas), **foreign exchange rate** (tipo de cambio de divisas), **foreign exchange regulation** (control de cambios), **foreign exchange reserves** (reservas en divisas), **foreign exchange risk** (riesgo de cambio; V. *currency swap*), **foreign exchange spot market** (mercado de divisas al contado; V. *foreign exchange forward market*), **foreign exchange trading** (mercado/comercio/transacciones de divisas ◊ *Foreign-exchange trading is now 70 times bigger than* *world trade*), **foreign exchange value of the currency** (valor de la moneda en divisa extranjera), **foreign interest** (participación extranjera), **foreign issue** (emisión exterior; papel/efectos emitidos en el exterior), **Foreign Office** (Ministerio de Asuntos Exteriores; V. *Ministry of Foreign Affairs*), **foreign owned capital** (FINAN capital extranjero), **foreign law** (derecho extranjero; el derecho escocés también es extranjero para el sistema inglés), **foreign lending** (endeudamiento extranjero), **foreign loss exposure** (riesgos asegurados en el extranjero), **foreign nationals** (extranjeros), **foreign rights** (derechos de venta en el extranjero), **foreign securities** (valores extranjeros), **foreign-owned bank/investment** (banco extranjero; inversión extranjera), **foreign reserves** (reservas en divisas, reservas exteriores), **foreign trade** (comercio exterior), **foreign trade balance** (balanza de comercio exterior), **foreign trade zone** (COMER zona franca, también llamada *duty-free port/zone, free economic zone, free port, free trade zone, export processing zone, special economic zone*), **FOREX** (mercado de cambios; mercado de divisas; acrónimo formado por *foreign* y *exchange*), **foreign transfer** (transferencia al exterior), **forex swap** (permuta financiera o «swap» de divisas)].

foreman *n*: capataz; V. *chargehand, chargeman, overseer.*

forestall the market *v*: COMER impedir el acceso de productos o *commodities* al mercado con el fin de especular; V. *corner.*

forestation *n*: repoblación forestal; V. *afforestation, reafforestation, reforestation, tree-planting; nursery.*

forfait *n*: tanto alzado; V. *all-in price; impôt à forfait.* [Exp: **forfaiter** (empresa especializada en *forfaiting* o forfeti-

zación, «forfetizador»), **forfait tax** (TRIB impuesto concertado; V. *impôt à forfait*), **forfaiting** (FINAN forfetización; técnica de cobertura de riesgo en operaciones a largo plazo; financiación de una operación de exportación-importación, en la que una empresa de forfetización compra, con descuento, los instrumentos de pago extendidos por el importador y renuncia, además, de forma expresa, mediante la llamada cláusula «sin recurso» —*without recourse*— a demandarle; de esta forma, el exportador recibe el pago sin riesgos, a costa del descuento que concede; V. *debt discounting*)].

forfeit *a/n/v*: sujeto a multa, confiscado; comiso, decomiso; pérdida de derechos; pérdida por confiscación; caducidad, prescripción, pérdida legal de algún derecho; prenda; perder el derecho a una cosa; V. *confiscate; estreat; seizure, guarantor; security.* [Exp: **forfeit a patent** (perder [el derecho de] una patente), **forfeit clause** (cláusula de confiscación), **forfeited share** (BOLSA acción caducada), **forfeiture**[1] (caducidad; V. *bond forfeiture*), **forfeiture**[2] (confiscación, decomiso, secuestro; pérdida legal del derecho de propiedad o de cualquier otro bien; multa; V. *non-forfeiture period*), **forfeiture clause** (cláusula de vencimiento), **forfeitable** (confiscable), **forfeiture of a bond** (caducidad de la fianza), **forfeiture of payment** (pérdida legal de pago), **forfeiture of premiums** (SEG pérdida de primas)].

forge[1] *v*: falsificar, falsear. [Exp: **forge**[2] (forja, fragua; forjar), **forge ahead** (ganar terreno, tomar la delantera, empezar a distanciarse ◊ *Forge ahead of one's rivals*), **forger** (falsificador, falsario), **forgery** (falsificación, falsedad; V. *fabrication, counterfeit*), **forgery insurance** (SEG seguro contra falsificación), **forgery-proof** (infalsificable)].

fork *n/v*: tenedor, horquilla; bifurcación; bifurcarse. [Exp: **fork-lift truck** (TRANS carretilla elevadora; camión industrial; suele ser eléctrico y se dedica al transporte interno en una planta industrial; V. *pickup truck; industrial truck*), **fork out** col (aflojar el ala, pagar, desembolsar)].

form[1] *n/v*: forma; modalidad; formar; V. *method, mode*. [Exp: **form**[2] (formulario, cuestionario, modelo), **form a company, etc.** (DER fundar, constituir una mercantil, etc.; V. *incorporate*)].

formal *a*: solemne, formal, ceremonioso; por escrito; esencial, constitutivo. [Exp: **formal contract** (contrato formal o por escrito), **formal defect** (defecto de forma), **formal issue/question** (detalle técnico), **formal notice** (notificación oficial; advertencia/aviso formal), **formal opening** (acto solemne de apertura o inauguración), **formal promise** (promesa formal), **formal requirement**[1] (requisito formal)].

formality/ies *n*: trámite/s, diligencia/s, formalidad/es; solemnidades; V. *step, proceedings; clearance formalities*.

formation *n*: formación. [Exp: **formation expenses** (DER gastos de constitución de una mercantil; V. *promotion expenses*)].

former *a*: anterior, previo, antiguo; V. *ex-*.

fortuitous *a*: SEG accidental, fortuito. [Exp: **fortuitous bankruptcy** (quiebra fortuita), **fortuitousness** (naturaleza fortuita o accidental)].

forward[1] *a*: a plazo, a término, a futuro; anticipado; en el futuro; V. *actuals, forward delivery; charges foward; sell forward*. [Exp: **forward**[2] (remitir, enviar, expedir, reexpedir; V. *dispatch, send; redirect, readdress*), **forward**[3] (elevar, proponer ◊ *Forward a proposal*), **forward**[4] (TRANS MAR en la parte anterior del barco, en la proa; se pronuncia [*'forud*]; V. *forward hold*), **forward buying** (COMER compra a plazo; compra anticipada o especulativa; V. *stockpiling*), **forward contract** (MERC FINAN/PROD/DINER contrato a plazo o a término, contrado anticipado, contrato de entrega diferida, contrato «forward»; aunque los términos *forward contract* —contrato a plazo— y *futures contract* —contrato de futuros— son usados como sinónimos, hay diferencias entre ellos: los contratos a plazo o «forward» son meros acuerdos entre dos partes hechos a la medida —*customized, tailor-made*— de sus necesidades; en cambio, los contratos de futuros —*futures contracts*— son instrumentos negociables que se contratan en mercados organizados de futuros o *futures exchanges*, se liquidan en cámaras —*clearing houses*—, y están, además, normalizados —*standardized*— por la reglamentación oficial en cuanto a la cantidad y el objeto del contrato así como a las fechas de los vencimientos; V. *forward with rebate, break forward; forward-forward, option forward, premium forward exchange, range forward; base*[2]), **forward cover** (cobertura a término), **forward currencies** (cambios a término), **forward currency purchase** (compra a plazo o anticipada de divisas; la entrega de las mismas se hará en el futuro; también se le llama a esta operación, de forma incorrecta, «seguro de cambio», cuya traducción más apropiada es *exchange rate hedge*), **forward dealings** (MERC PROD operaciones a término o a plazo; V. *future time bargain*), **forward delivery** (MERC FINAN/PROD/DINER entrega a plazo, a término o futura; V. *charges forward; spot delivery*), **forward discount** (MERC FINAN/DINER descuento a plazo; en esta situación el precio de la divisa es inferior al de su cotización al contado o *spot*; V. *forward premium*), **forward Eurodollar CD** (FINAN certificado de depósito [CD] a plazo en eurodólares), **forward exchange** (MERC FINAN/DINER cambio a plazo o a término; divisas a plazo; tipo de cambio a plazo; también llamado *forward exchange business/dealings*, alude a la compra o venta de divisas a un precio determinado que se pagará o cobrará en una fecha determinada; V. *exchange for forward/spot delivery*), **forward exchange agreement/contract, FXA** (MERC FINAN/PROD/DINER contrato a plazo sobre tipos de cambio; acuerdo anticipado entre dos partes para intercambiar divisas en una fecha posterior o *forward*), **forward exchange deal/market** (negocio/mercado de divisas a plazo/término; V. *foreign exchange futures*), **forward exchange rate** (tipo de cambio a plazo o término), **forward-forward** (STK & COMMOD EXCH forward-forward; instrumento de protección —*hedging*— diseñado para protegerse de las oscilaciones de los tipos de intereses, consistente en endeudarse a tipo de interés fijo por un período largo, invirtiendo, a su vez, los fondos obtenidos por un período más corto), **forward freight** (TRANS MAR flete en destino), **forward hold** (TRANS MAR bodega de proa), **forward integration** (integración progresiva; consiste en la compra de empresas que realizan el escalón siguiente del producto de la empresa compradora; V. *backward integration, vertical integration, horizontal integration*), **forward linkage** (eslabonamiento hacia adelante), **forward linkage effect** (efecto de propulsión), **forward long contract** (contrato largo de futuro), **forward margin** (MERC FINAN/PROD/DINER margen a plazo; depósito de garantía en las ventas a plazo, también llamado *security deposit*; V. *forward spread, margin*[4]), **forward market** (MERC PROD mercado a plazo fijo; mercado de futuros; mercado a precio fijado para una fecha determinada; V. *foreign exchange forward market; futures market; rollover, spot next, tomorrow next; hedging; premium*), **forward premium** (MERC FINAN/DINER prima/premio a plazo; en esta situación el precio de la divisa es inferior al de su cotización al contado o *spot*; V. *forward discount*), **forward price** (MERC PROD precio a plazo; precio de entrega futura, cotización de precios por entrega y pago a término; precio para entrega aplazada; V. *current price; spot price, backwardation*), **forward purchase** (compra a término), **forward rate** (MERC FINAN/PROD/DINER [tipo de] cambio a plazo o para operaciones a plazo; cotización «forward» o a plazo; V. *spot rate*), **forward/future rate agreement, FRA** (MERC FINAN/PROD/DINER convenio de tipos de interés futuros; acuerdos sobre tipos de interés futuros; contrato a plazo con tipo de interés concertado; acuerdo de interés de futuros, AIF; V. *cap*[2]), **forward sales** (ventas para entrega en el futuro; ventas a plazo), **forward spread agreement, FSA** *US* (MERC FINAN/PROD/DINER margen a plazo; contrato a plazo sobre diferenciales de tipo de interés; V. *forward margin*), **forward stock** *US* (género trasladado; alude a las existencias trasladadas al departamento de ventas), **forward tax** (impuesto adelantado; V. *pre-paid tax*), **forward transaction** (operación a plazo o a término; puede ser de divisas —*currency*—, valores —*securities*— o materias primas —*commodities*; futuros; V. *futures*), **forward with rebate** (MERC DINER contrato o plazo con descuento), **forwarder** (TRANS transportista, embarcador, expedidor de carga; proveedor; V. *cargo forwarder*), **forwarder merchant** (comisionista expedidor), **forwarder's**

bill of lading (conocimiento de embarque expedido por un transportista), **forwarder's receipt** (recibo del transportista), **forwarding**[1] (TRANS expedición, despacho), **forwarding**[2] (CONT suma y sigue), **forwarding**[3] (remesa; remisión por correo de una carta a la nueva dirección desde la antigua; V. *forwarding address*), **forwarding address** (dirección para hacer seguir el correo; V. *forwarding*[2]), **forwarding agency/agent** (agente transitario; agente expedidor; comisionista de tránsito; el transitario es el intermediario entre el embarcador o cargador y el transportista o porteador; agencia de transporte; V. *shipper; carrier*), **forwarding agent receipt** (certificado de transitario), **forwarding instructions** (instrucciones de envío o de expedición), **forwarding country** (país de expedición)].

forwardation *n*: COMER situación en la que los precios al contado —*spot prices*— en los mercados de materias primas son inferiores a los de entrega futura —*forward delivery*—; V. *backwardation*.

FOT *n*: V. *free on truck; free of tax*.

foul *a/n*: sucio, viciado, defectuoso; mal, juego sucio o innoble; V. *dirty, clean, fair; unclean; fall foul of*. [Exp: **foul** (TRANS MAR chocar ◊ *Foul sb's nets/ anchor*), **foul play** (juego sucio, violencia criminal, proceder desleal), **foul bill of health** (TRANS patente de sanidad sucia o con anotaciones), **foul/claused/dirty bill of lading** (TRANS MAR conocimiento de embarque tachado, sucio, con defectos, con reservas, viciado, etc.), **foul up** (estropear, echar a perder ◊ *Foul up a plan*)].

found *v*: constituir, fundar, fundamentar, establecer, basar; V. *create, build, base, ground*. [Exp: **found a business/ company** (SOC establecer un negocio; fundar una sociedad), **foundation**[1] (SOC fundación) **foundation**[2] (fundamento; V.

lay the foundation), **founder** (SOC fundador, empresario, creador; V. *promoter*), **founder member** (socio fundador), **founder's shares/stocks** (SOC, BOLSA acciones de los promotores, acciones/partes de fundador; acciones con derechos especiales de voto; cédulas de fundador, cédulas beneficiarias; V. *'B' shares; management shares; voting shares; classified common stock*), **founding partner** (SOC socio fundador)].

four *a*: cuatro. [Exp: **four-colour** (PUBL a cuatro tintas), **four fourths clause** (SEG MAR cláusula cuatro cuartos; esta estipulación cubre el riesgo de abordaje), **four plus cover** (PUBL cobertura cuádruple; situación en la que probablemente la misma audiencia habrá recibido el mismo mensaje cuatro veces; V. *net cover; cover*[6]), **Four Poor, The** *col* (los cuatro pobres; se aplica en la Unión Europea para aludir a España, Portugal, Grecia e Irlanda), **fourth estate, the** (el cuarto poder; la prensa), **fourth market** *US* (mercado de valores no registrados; este marcado se hace directamente de inversor a inversor)].

Fox *n*: V. *Futures and Options Exchange*.

FR *n*: V. *freight release*.

FRA *n*: V. *forward rate agreement*. [Exp: **FRA contract** (contrato de convenio de tipos de interés futuros)].

fraction *n*: fracción, parte. [Exp: **fraction of shares** (fracción de acciones), **fractional** (fraccional, fraccionado), **fractional banking** (BANCA sistema de reservas proporcional al pasivo bancario; V. *cash ratio*), **fractional/fragmented bargaining** (REL LAB flecos de una negociación colectiva), **fractional money** (moneda fraccionaria), **fractional reserves** *US* (BANCA reserva fraccional o proporcional de depósitos bancarios en la Reserva Federal; V. *legal reserves*), **fractional share** (BOLSA acción fraccionada),

fractionally (por muy poco, por un estrecho margen ◊ *Fractionally higher prices*; V. *marginally*)].

fragment *n/v*: fragmento; fragmentarse. [Exp: **fragmentation** (atomización, fragmentación)].

frail *a*: débil, flojo; V. *weak, slack, soft, feeble*.

frame[1] *n/v*: marco, cuadro, sistema; enmarcar. [Exp: **frame**[2] (PUBL fotograma), **frame**[3] (tender una trampa, preparar una encerrona), **frame agreement** (acuerdo marco), **frame of reference** (marco de referencia, parámetros, coordenadas), **frame-up** (complot, estratagema, trampa, ardid, maniobra), **framework** (marco, sistema, ámbito; V. *legal framework*), **framework agreement** (acuerdo marco)].

franchise[1] *n/v*: COMER franquicia, simple o no deducible, privilegio, patente, inmunidad, exención, derechos, concesión, licencia; otorgar/dar licencia a ◊ *Hold the franchise; operate under franchise*; V. *enfranchise, charter, lie in franchise*. [Exp: **franchise**[2] (SEG MAR franquicia; V. *excess*), **franchise chain** (COMER cadena sucursalista; cadena de empresas o tiendas con franquicia; se trata de una cadena de tiendas con el mismo nombre e imagen, aunque cada una de ellas pertenezca a un propietario distinto; V. *voluntary chain*), **franchise clause** (SEG cláusula de franquicia; el seguro no cubre los daños por una cantidad pequeña predeterminada; V. *deductible clause*), **franchise contract** (contrato de franquicia), **franchise store** (COMER comercio minorista en exclusiva), **franchise tax** (franquicias; tasa abonada por el uso de un nombre comercial), **franchised** (autorizado, con licencia), **franchised dealer** (vendedor en régimen de franquicia), **franchisee** (franquiciado), **franchiser/franchisor** (franquiciador),

franchising (franquicia; concesión de franquicia o licencia)].

franco *a*: franco, libre, gratis; V. *free, frank*. [Exp: **franco delivery** (franco entrega), **franco quay** (franco muelle de destino de embarque, según sea *port of destination* o *port of shipment*; V. *delivery to docks; free to docks*)].

frank *a/v*: franco; franquear, sellar, acuñar; certificar. [Exp: **franked investment income** (FINAN rentas de inversión libres de impuesto; desgravación por dividendos descontados), **franked mail** *US* (correo franqueado), **franking** (franquicia postal), **franking machine** (máquina de franqueo)].

fraud *n*: estafa, fraude, engaño, dolo; V. *deceit, rigging, cheat, feign, swindle, fiddle*. [Exp: **fraud, by** (por medio de fraude o engaño; V. *by deception*), **fraud charge** (acusación de fraude o delito fiscal), **fraudulence, fraudulency** (fraudulencia), **fraudulent** (fraudulento), **fraudulent bankruptcy** (quiebra fraudulenta), **fraudulent conversion** (apropiación ilícita; V. *conversion*[3]), **fraudulent conveyance** (cesión fraudulenta, traspaso fraudulento de dominio), **fraudulent representation** (afirmación o descripción fraudulenta, escrito fraudulento, falsedad fraudulenta, fraude; V. *representation, misrepresentation*)].

Freddie Mac *n*: V. *Federal Home Loan Mortgage Corporation, FHLMC*.

free[1] *a/v*: libre, franco, sin intereses, gratuito; librar de carga, responsabilidad, impuestos, etc.; V. *franco*. [En muchos casos el adjetivo *free* puede aparecer unido al nombre mediante un guión, por ej., *interest-free*, con el significado de *free of interest*. Exp: **free** *col* (en la jerga del sector inversor se usa el término *free* para referirse a los títulos cuyo importe se ha satisfecho íntegramente), **free advance payment** (adelanto sin intereses), **free allowance** (V. *free baggage allowance*), **free alongside vessel, f.a.s** (TRANS MAR, COMER venta FAS, libre o franco al costado del buque; esta cláusula, utilizada en el comercio internacional, indica que el precio de una mercancía se refiere a su valor, colocado sobre el muelle, al lado del buque que lo ha de transportar, y no comprende ni los fletes ni los seguros), **free and clear, f&c** (TRANS sin gastos y franco aduana), **free astray** (TRANS franco por extravío; es decir, sin cargo adicional), **free allotment** (atribución gratuita de acciones), **free baggage allowance** (TRANS franquicia de equipaje, límite de peso de equipaje sin recargo; V. *excess baggage*), **free box** *col* (caja de seguridad de un banco donde se encuentran depositados los títulos de los clientes), **free carrier, FCA** (franco transportista), **free cash flow** (FINAN reserva de fondos disponibles; caja operativa generada; son fondos por encima de la cantidad que pudiera ser reinvertida en la empresa de forma rentable; V. *operating cash flow*), **free circulation** (libre práctica, libre circulación), **free competition** (libre concurrencia), **free convertibility** (convertibilidad gratuita), **free customs zone** (área aduanera exenta), **free dealings** (BOLSA bolsa extraoficial), **free delivery** (entrega gratuita a domicilio; V. *franco domiciled*), **free depot** (depósito franco), **free depreciation** (TRIB amortización libre; elección del método de amortización de un activo, a efectos fiscales, en un solo año o a lo largo de varios; V. *depreciation at choice*), **free economic zone** (V. *free port*), **free enterprise** (libre empresa; V. *freedom of enterprise*), **free enterprise economy** (economía libre de mercado; V. *competitive economy*), **free discharge** (TRANS

MAR sin gastos de descarga), **free dispatch** (TRANS MAR sin prima de celeridad), **free exchange** (libre cambio), **free exchange rates** (cambios libres), **free float** (porcentaje de acciones de una empresa que cotizan libremente en el mercado sin estar en manos de un gran accionista; V. *majority shareholder*), **free foreign exchange** (divisas de libre convertibilidad), **free from** (exento de responsabilidad, no cubriendo los riesgos de; se emplea en algunas pólizas de seguro marítimo), **free from/of capture and seizure (FCS)** (TRANS MAR exento de la responsabilidad que surja por actos de piratería, etc.; esta cláusula en los seguros marinos exime de responsabilidad a los aseguradores por las pérdidas causadas por actos de piratería y similares; a veces va redactada de esta forma: *free of capture and seizure and riots and civil commotions*), **free from encumbrance** (libre de cargas; sanear; V. *clear*), **free from general average, f.g.a.** (libre de avería general), **free goods** (bienes libres; V. *economic goods*), **free-frontier price** (precio franco frontera), **free hand** (carta blanca, vía libre, absoluta discreción ◊ *Have a free hand in the running of sth*; V. *carte blanche*), **free in and out, f.i.o.** (TRANS gastos de carga y descarga no incluidos en el flete; sin gastos dentro y fuera), **free-interest loan** (adelanto sin intereses), **free into barge, f.i.b.** (franco en barcaza), **free-enterprise/market economy** (economía libre de mercado), **free-limit loan** (BANCA préstamo de aprobación autónoma), **free lunch** (degustación, comida gratis, invitación a comer), **free/open market** (mercado libre), **free movement of capital and workers/labour** (libre circulación de capitales/obreros; libertad de circulación de capitales y mano de obra), **free of/from** (libre de, exento de, franco de), **free of all average, f.a.a.** (SEG, TRANS MAR libre de toda avería), **free of charge/commission** (gratis, gratuito, sin cargo, libre de cargo), **free of charges, free of all charges** (libre de cargas), **free of duty** (libre o franco de derechos), **free of encumbrances** (libre de cargas o gravámenes), **free of interest** (sin interés), **free of particular average** (TRANS MAR franco de avería particular), **free of stamp/tax** (exento de timbre, libre de impuestos), **free of turn** (TRANS MAR sin turno; mediante esta estipulación de los contratos de fletamento los días de plancha comenzarán a contarse desde el momento de la llegada del buque al puerto), **free on board FOB, f.o.b.** (venta FOB, franco a bordo), **free on lighter** (TRANS MAR franco gabarra), **free on quay** (franco/libre sobre muelle), **free on rail, FOR** (libre sobre vagón, franco en estación), **free on truck, FOT** (franco/libre sobre camión), **free overboard/overside** US (TRANS precio incluido hasta el puerto de desembarque; V. *ex ship*), **free port** (puerto franco, zona franca, zona de libre cambio, área aduanera exenta; también llamada *free economic zone, free trade zone, duty-free port/zone, export processing zone, special economic zone, foreign trade zone*), **free pratique** (TRANS MAR libre plática; alude a que el barco cumple los requisitos sanitarios, pudiéndose por tanto comenzar las labores de carga o descarga; V. *modified pratique*), **free reserves** (reservas disponibles), **free-rein leadership** (GEST dirección con libre iniciativa), **free rider** (beneficiario gratuito, insolidario, parásito; se dice de quien recibe un beneficio pero evita pagarlo), **free rider problem, the** (ECO el problema del individualista/parásito/insolidario/«listo»; literalmente es el problema del que viaja gratis porque no compra nunca el billete; V. *tragedy of the common*), **free stem** (TRANS MAR libre de espera; V. *subject to stem*), **free stock increase** (BOLSA ampliación blanca), **free time** (TRANS MAR tiempo muerto), **free to docks** (V. *franco quay*), **free trade** (librecambio, libertad comercial), **free-trade agreement** (acuerdo de librecambio), **free-trade area/zone** (zona de libre cambio; V. *free, port, bonded area*), **free trader** (librecambista), **free up resources** (liberar recursos), **free warehouse** (TRANS depósito franco de un puerto/aeropuerto, etc.), **free zone** (zona franca, área aduanera exenta), **freebie** col (regalos, gajes, gangas ◊ *They get lots of freebies in their job*), **freedom** (libertad), **freedom of enterprise** (libertad de empresa; V. *free enterprise*), **freedom of establishment** (libertad de establecimiento), **freedom of movement** (libre circulación), **freehold** (dominio pleno; propiedad absoluta libre de cargas), **freehold estate/property** (propiedad de dominio absoluto, propiedad sin limitación alguna), **freeholder** (dueño o propietario absoluto de una casa, heredad, etc.), **freelance** (profesional/trabajador independiente, autónomo o por cuenta propia; trabajar por libre o cuenta propia; V. *cottage industry, self-employed*), **freelancer** (colaborador autónomo), **freepost** (franqueo pagado en destino), **freeriding** col (BOLSA «tiro libre»; alude a la especulación fraudulenta con títulos de Bolsa), **freesheet** (PUBL publicación gratuita), **Freesheet**[2] (PUBL publicación de la *Audit Bureau of Circulation, ABC*[1] u Oficina de Justificación de la Difusión, OJD), **freeway** US (autopista gratuita; V. *motorway*), **freewheeling** (espontáneo, desenvuelto; imprudente, temerario, irresponsable ◊ *A freewheeling sales policy*)].

freeze *n/v*: congelación, bloqueo; congelar, bloquear; V. *pay/wage freeze; frozen*.

[Exp: **freeze an account, currency, funds, etc.** (bloquear, congelar una cuenta, dinero, fondos, etc.; V. *block*), **freeze-out** (exclusión de accionistas minoritarios), **freeze out a competitor** *col* (eliminar/ahogar a un competidor, pisarle toda la clientela a un competidor)].

freight, frt. *n/v*: TRANS flete; porte, fletamento; precio que se paga por el alquiler de una nave o el transporte de mercancía en ella; carga, cargamento o mercancías transportadas en un barco; servicio de transporte; fletar; V. *air freight, cargo, shipment, collect freight, dead freight, forward freight; measurement freight/rate; charter.* [Exp: **freight a vessel** (fletar un buque), **freight absorption** (TRANS absorción del flete; situación en la que el costeo del flete no repercute en el comprador), **freight account** (TRANS MAR cuenta de fletes), **freight all kinds, FAK** (carga de toda clase), **freight allowances** (descuento en el precio del flete; carga máxima sujeta a transporte gratuito; bonificación en el flete), **freight allowed** (pago de portes a repercutir), **freight and demurrage, F&D** (flete más demoras), **freight and insurance paid up to** (flete y seguro pagados hasta), **freight at risk** (TRANS MAR flete en destino; V. *freight forward*), **freight car** *US* (TRANS vagón de mercancía; V. *luggage van*), **freight charges** (gastos de transporte), **freight circular** (TRANS MAR anuncio de fletes), **freight collect** *US* (TRANS portes debidos; V. *freight forward*), **freight commission** (comisión por flete), **freight contracting** (fletamento), **freight cost** (flete; V. *freight rate*), **freight depot** (estación de mercancías), **freight equalization** (compensación de flete), **freight forward, frt. fwd.** (TRANS flete debido, flete en destino; V. *freight at risk*), **freight forwarder** (agente transitario;

expedidor de carga), **freight forwarding services** (servicios de transitarios), **freight in advance** (TRANS MAR flete anticipado; V. *prepaid freight*), **freight inwards** (TRANS MAR flete de entrada; precio del transporte de un bien de equipo, incluido en su coste total; V. *carriage inwards, return freight*), **freight note** (factura de flete), **freight outwards** (CONT flete de salida; precio del transporte de un bien de equipo vendido, incluido en su coste total; V. *carriage outwards*), **freight paid** (flete pagado, portes pagados), **freight plane** (avión de carga), **freight policy** (SEG póliza de flete), **freight prepaid** (TRANS flete pagado en origen), **freight rate** (flete; tarifa de carga; V. *air freight, sea freight*), **freight rebate** (rebaja del flete), **freight receipt** (TRANS conocimiento de carga), **freight release, FR** (TRANS justificante de pago de fletes; entrega de flete), **freight risk** (TRANS MAR riesgo de flete; mediante esta estipulación se alude a las pérdidas que pueden experimentar ciertas mercancias durante su manipulación en el barco), **freight train** *US* (tren de mercancías; V. *container/goods train, freightliner*), **freight space** (espacio de carga), **freight ton** (tonelada de flete), **freightage** (TRANS flete; carga; transporte de la mercancía), **freighter** (TRANS carguero; buque/avión carguero; V. *coal freighter; cargo boat*), **freightment contract** (contrato de fletamento), **freighting** (TRANS MAR contrato de fletamento, también llamado *affreightment*)].

freshwater *n*: V. *seawater and freshwater damage.*

friction *n*: ECO fricción. [Exp: **frictional unemployment** *US* (REL LAB desempleo/paro friccional; es el que resulta del tiempo ocupado en el cambio de empleo por falta de información o por la movilidad en el mercado de trabajo)].

friendly *a*: amigable, favorable; V. *amicable*. [Exp: **friendly receivership** (sindicatura de quiebra amigable), **friendly settlement** (acuerdo amistoso), **friendly society** (REL LAB mutualidad; sociedad de socorros mutuos; V. *benefit club, mutual company, provident society, mutual savings bank*) **friendly suit** (DER acción amigable)].

fringe *n*: borde, margen. [En función atributiva significa «adicional» o «suplementario». Exp: **fringe benefits** (REL LAB extras, suplementos, incentivos; salario indirecto; beneficios laborales, ingresos suplementarios; beneficios accesorios, adicionales o suplementarios al salario normal, ventajas adicionales ◊ *Good salary plus fringe benefits*; V. *seniority rights; length of service, backtracking*), **fringe time** US (PUBL margen de tiempo; alude al tiempo en que un anuncio está expuesto a una audiencia)].

FRN *n*: V. *floating rate bond*.

frt *n*: V. *freight*.

frt frd *n*: V. *freight forward*.

front *a/n*: delantero; aparente, espurio *fig*; frente; delantera; apariencia, tapadera, persona o empresa con apariencia de respetabilidad detrás de la que se oculta una organización criminal u otra empresa *fig*; V. *blind*. [Exp: **front contracts** (MERC FUTUR contratos de futuros con vencimientos muy próximos, también llamados *nearby contracts*; V. *back months contracts, back contracts, distant*), **front cover** (portada de un libro; V. *back cover*), **front door method/operation** (préstamo directo, por la puerta de delante —a las vistas— que el Banco Central hace a los bancos comerciales, en su calidad de prestamista de última instancia —*last resort lender*— con el fin de inyectar dinero efectivo en los mercados monetarios y, de esta manera, aliviar las tensiones de liquidez de dichos bancos; V. *back door, lender of last resort*), **front end** (FINAN inicial, a la entrada, V. *back end*), **front-end fees** (FINAN, BANCA comisiones/cuotas iniciales, de suscripción o de entrada; comisiones de dirección y de participación; V. *back-end fees*), **front-end load** US (FINAN cuota de entrada; alude a la cuota o comisión inicial aplicada a la inversión en un fondo mutualista, etc., que se suma al valor neto de los títulos adquiridos; dicho cuota representa el beneficio obtenido por el corredor que vende el paquete de valores al fondo; esta «carga frontal» contrasta con el *back-end load*, o «carga trasera», que se paga en el momento de la venta o rescate»; V. *back-end load, exit fee, redemption charge, deferred sales charge*), **front-end money** US (V. *front money*), **front loading** (FINAN sistema de cuota de entrada; V. *load; back-loading; service charges; front-end*), **front-loading loan** (FINAN préstamo con cuotas amortizativas decrecientes; V. *back-loading loan*), **front man**[1] col (FINAN hombre de paja), **front man**[2] col (PUBL presentador de televisión), **front money** US (capital inicial para lanzar un proyecto empresarial; V. *seed money*), **front office** US (BANCA, MERC FINAN/PROD/DINER oficina central; oficina de contratación y de atención al cliente; también llamada *dealing/trading room*, en ella residen los mandos de gestión y de atención al cliente para gestión, arbitraje, especulación; V. *back office*), **front page** (primera plana), **front page news** (noticia de primera plana), **front running** (BOLSA inversión anticipada en valores por parte de un corredor o agente para su uso propio), **fronting** (seg operaciones de fachada; cobertura por cuenta de intereses extranjeros ocultos), **fronting company**

(compañía de fachada), **fronting fee** (comisión de operaciones de fachada), **frontloading** (BANCA sistema de amortización de un préstamo con términos amortizativos decrecientes —incluidos intereses, comisiones y la parte correspondiente del principal—; se llama así por tener el mayor peso de la amortización del principal en la parte inicial —*front load*— de la vida del préstamo; V. *loading; back/front-loading loan, backloading; repayment term*)].

froth *n*: espuma; *fig* turbulencia, agitación ◊ *Froth in the markets.*

FSA *n*: V. *forward spread agreement.*

fudge *col v*: manipular, amañar, falsificar; presentar una versión confusa de ◊ *Fudge the accounts.* [Exp: **fudge the issue** *col* (esquivar el problema, contestar con evasivas, eludir pronunciarse, salirse por la tangente)].

frozen *a*: congelado, bloqueado; V. *freeze; block.* [Exp: **frozen account** (cuenta bloqueada/embargada), **frozen assets** (activo bloqueado), **frozen/blocked deposit** (BANCA depósito bloqueado), **frozen pension** (pensión fija)].

fruit *n*: fruta. [Exp: **fruit carrier, fruiter** (buque frutero)].

frustrate *v*: frustrar. [Exp: **frustration** (frustración)].

FT *n*: V. *Financial Times.* [Exp: **FT-SE Actuaries 250** (BOLSA índice bursátil del *Financial Times* que da una panorámica financiera de las empresas con capital entre £150 millones y £1 billón angloamericano), **FT-SE Actuaries 350** (BOLSA índice que da una instantánea de los mercso de Nueva York y Tokío), **FT-SE Small Cap Index** (BOLSA índice financiero de sociedades con capital entre £20 millones y £150 millones), **FT-SE Small Government Securities Index** (BOLSA índice bursátil de los títulos emitidos por el Tesoro)].

fth *n*: V. *fathom.*

fuel *n/v*: combustible, carburante; abastecer de combustible; *fig* alimentar, avivar, exacerbar, echar leña al fuego ◊ *Fuel speculations/fears, etc.*

fulfil *v*: cumplir con un deber, promesa, etc.; satisfacer una condición; ejecutar una orden, etc. ◊ *Fulfil a bargain, an order a promise, etc.* [Exp: **fulfilment** (cumplimiento, ejecución)].

full *a*: lleno, pleno, completo, suficiente. [Exp: **full amount** (cuantía, importe o monto total), **full and down** (TRANS MAR completo y en calados), **full and final settlement** (finiquito; V. *termination statement, discharge, quittance; acquittance, satisfaction of mortgage; satisfaction piece*), **full authority** (capacidad plena), **full bill of lading** (TRANS MAR conocimiento de embarque con responsabilidad total de la empresa de transporte; V. *released bill of lading*), **full capacity** (plenitud de capacidad de obrar), **full charter** (TRANS MAR fletamento en el que el fletador alquila todo el espacio de carga; V. *partial charter*), **full column** (PUBL a toda plana; V. *double page spread*), **full container** (carga por contenedor completo), **full container ship, FC ship** (buque portacontenedores), **full copy** (transcripción completa), **full cost pricing** *US* (COMER fijación de precios según costes totales, también llamado *average cost pricing*; V. *full costing, functional costing, marginal cost pricing*), **full costing** (V. *absorption costing*), **full covenant and warranty deed** *US* (COMER, SEG título de garantía), **full covenants** (garantía de título), **full cover** (SEG garantía total), **full coverage** (SEG cobertura total; V. *all risks insurance*), **full-crew rule** *US* (REL LAB regulación de plantilla mínima; normalmente alude al número mínimo de obreros obligatorio en determinado trabajo, por razones de seguridad), **full employment** (pleno empleo), **full endorsement** (endoso completo regular o a la orden; V. *regular/special endorsement*), **full fare** (TRANS MAR tarifa normal; V. *half fare, reduced fare*), **full gold standard** (moneda oro; patrón de numerario oro; V. *gold specie standard*), **full hedge** (cobertura completa; V. *hedge*), **full, in** (íntegramente), **full line forcing** (COMER condición contractual que obliga a un comerciante a comprar ciertos productos de un solo proveedor; V. *tied house*), **full load** (carga completa), **full lot** US (BOLSA lote completo; normalmente unidades de 100 títulos de cualquier valor de la Bolsa de Nueva York, también llamado *board lot*; V. *odd-lot order*), **full particulars** (datos completos), **full point** (entero), **full power/s** (carta blanca; plenos poderes; V. *charte blanche*), **full rate** (derechos normales), **full reach and burden** (REL LAB capacidad y tonelajes totales), **full-service bank** US (BANCA banco de servicios generales, también llamado *deposit bank* o *retail bank*; V. *joint-stock bank, commercial bank*), **full-service agency** US (PUBL agencia que ofrece servicios completos; V. *advertising agency*), **full-service wholesaler** US (comerciante mayorista de servicios que ofrece prestaciones al minorista, como las de marketing o publicidad; también uno de los servicios puede ser la financiación), **full set of bills of lading** (TRANS MAR juego completo de conocimientos de embarque), **full settlement** (liquidación o pago completo), **full showing** (PUBL exposición completa, presentación), **full stock** (acción a la par; V. *par value stock*), **full swing, in** (en plena actividad/marcha, con buen ritmo, en plena actividad ◊ *Production is in full swing*), **full terms** (condiciones completas), **full-time work** (REL LAB trabajo a tiempo completo), **full-time worker, full timer** (trabajador a tiempo completo, fijo o de plantilla)].

fully *adv*: totalmente, por completo. [Exp: **fully allocated costs** (CONT costes totalmente asignados), **fully collateralized credit** (crédito compensado), **fully comprehensive insurance** (seguro a todo riesgo; V. *all-risk policy, all-in policy; third party, fire and theft*), **fully diluted earnings per share** (BOLSA remuneración por acción con dilución; dilución total del beneficio por acción; V. *dilution of earning per share*), **fully duty-free treatment** (exención total de derechos), **fully empowered** (con plenos poderes, plenamente autorizado), **fully-paid capital** (SOC capital totalmente desembolsado; V. *called-up capital*), **fully paid-up shares** (acciones completamente desembolsadas; V. *paid-up shares/stock; partly paid-up shares*), **fully vested** US (con plenos derechos; alude a los derechos de los trabajadores)].

function *n*: función, ocupación, atribución. [Exp: **functional costing** US (costeo funcional; clasificación de costes entre almacenaje, facturación, entrega, etc.; V. *full cost pricing*), **functional diagram** (diagrama lógico, diagrama de símbolos funcionales y de sus conexiones; V. *logical diagram*), **functional discount** US (COMER descuento funcional; V. *price discrimination*), **functional finance** (análisis financiero por funciones), **functionary** (funcionario; para referirse a los funcionarios del Reino Unido se prefiere, no obstante, el término *civil servant*)].

fund-s *n/v*: fondo-s, disponible líquido, caja; financiar, costear, invertir, colocar, acumular, pagar; consolidar; V. *means, resources; closed-end fund, management fund, pension fund, public funds, sinking* *fund, redemption fund, reserve fund, renewal fund, strike fund, superannuation fund, trust fund.* [Exp: **fund a debt** (consolidar una deuda), **fundholder** (rentista; tenedor de acciones), **fund-managing company** (entidad gestora de fondos), **fund-raising** (recaudación de fondos; obtención/mobilización de fondos o de capitales; V. *procurement of capital*), **fund management** (GEST gestión de inversiones; V. *investment management*), **fund manager** (FINAN gestor de fondos de inversión; V. *unit trust, mutual funds*), **funded debt** (FINAN deuda perpetua o consolidada; pasivo consolidado o a largo plazo; bonos emitidos por una mercantil; deuda perpetua, también llamada *permanent debt*, y *fixed debt* en los Estados Unidos; V. *unfunded debt; private debt; external debt, fixed debt, floating debt, deadweight debt*), **funded liabilities** (pasivo fijo), **funded retirement plan** *US* (SEG, REL LAB plan de jubilación), **funded trust** (fideicomiso con depósito de fondos), **funding** (FINAN financiación; captación de recursos; financiación mediante la consolidación de todas las deudas en una; conversión de la-s deuda-s en acciones o deuda-s a largo plazo; V. *party funding*), **funding bond** (bono de consolidación), **funding loan** (empréstito de consolidación), **funding of a loan** (consolidación de un empréstito), **funds and properties** (bienes muebles y bienes raíces), **funds available** (activo disponible; V. *cash assets*), **funds broker** *US* (BANCA intermediario de préstamos a corto plazo), **funds statement** *US* (CONT estado de flujo de fondos; estado de origen y aplicación de cuentas, también llamado *funds flow statement*; V. *source and application of funds; statement of sources, accounting summary*), **Funds, the** (BANCA deuda del Tesoro; V. *gilt-edged securities*)].

fundamental *a*: fundamental. [Exp: **fundamental analysis** (ECO análisis fundamental; V. *technical analysis*), **fundamental equilibrium exchange rate** (ECO tasa de cambio del equilibrio fundamental; es la tasa que generará un déficit o superávit igual a las entradas o salidas sostenibles de capital —*sustainable inflow or outflow of capital*—), **fundamental disequilibrium** (ECO desequilibrio estructural de la balanza de pagos), **fundamental law** (derecho orgánico, ley fundamental, legislación de fondo), **fundamental theorem of welfare economics** (ECO teorema fundamental de la economía del bienestar; propugna este teorema que la asignación asociada a un equilibrio competitivo es eficiente; V. *welfare economics*), **fundamental error** (error esencial o de raíz)].

funny money[1] *col n*: dineral ◊ *The figures are astronomical, real funny money.* [Exp: **funny money**[2] (dinero poco claro o de procedencia dudosa ◊ *I'm not sure about the deal — it seems to involve funny money*)].

furlough *n*: *US* permiso laboral; V. *leave.*

furnish *v*: facilitar, aportar, proveer, proporcionar, surtir; V. *supply; equip; appoint*[3]. [Exp: **furnish a bond** (otorgar una fianza), **furnish a guaranty** (otorgar/efectuar una garantía), **furnish capital** (aportar/proporcionar capital, hacer provisión de capital), **furnish information** (facilitar información), **furnish security** (dar garantía), **furnishing of capital** (provisión/prestación de capital),

furniture *n*: mobiliario. [Exp: **furniture and fixtures** (muebles y enseres; mobiliario y equipo; V. *chattel/s*), **furniture fair** (feria del mueble)].

further *a/adv/v*: adicional, más; además, adicionalmente; promover, fomentar ◊

Further aims, a cause, progress, etc.
further notice, until (hasta nuevo aviso, hasta aviso en contra; V. *without previous notice*), **further sales** (promover las ventas), **furthest month** (MERC FINAN mes más alejado, plazo de vencimiento más largo; alude a las fechas de vencimiento previstas en los contratos de futuros y opciones, cuando hay varias posibles, tomándose como fecha de referencia el mes actual; lo contrario es *nearest month*)].
future *n*: futuro; V. *futures contract*. [Exp: **futures interests** (intereses futuros), **future rate agreement** (V. *forward rate agreement, FRA*), **future trading** (mercado a plazo; V. *trading in futures*), **futures** (MERC FINAN/PROD/DINER contrato de compra de valores bursátiles, productos o divisas para entrega en el futuro a un precio fijado con anterioridad; V. *actuals, physicals, financial futures; foreign exchange futures, commodity exchange; forward; forward transactions; LIFFE*), **Futures and Options Exchange, Fox** (Bolsa de futuros y opciones; V. *London Fox*), **future time bargain** (MERC PROD operaciones a término o a plazo; V. *forward dealings*), **futures commission merchant** *US* (COMER comisionista del

mercado de futuros autorizado por la agencia federal del mercado de futuros de productos o *Commodity Futures Trading Commission, CFTC*), **futures contract** (MERC FINAN/PROD/DINER contrato de futuros; contrato para vender o comprar en una fecha y a un precio convenidos, llamados respectivamente «fecha de ejercicio» —*strike/exercise date*— y «precio de ejercicio» —*exercise price*—; los contratos de futuros pueden ser sobre valores —*securities futures*—, productos —*commodity futures*— o sobre instrumentos financieros —*financial futures*— y son distintos de los contratos a plazo o *forward contracts*; V. *back months contracts, back contracts, distant contracts, front contracta; spot cash; hedging; capped*), **futures markets** (MERC FINAN/PROD/DINER mercado de futuros; los principales mercados de futuros son *LIFFE, The Baltic Exchange, The London Fox, The London Metal Exchange* y *The International Petroleum Exchange*; V. *spot markets, cash market; premium*), **futures option** (MERC FINAN/PROD/DINER opción sobre futuros)].
FX department *n*: sala de cambios; V. *dealing room*.
FXA *n*: V. *forward exchange agreement*.

G

g.a., G/A, G.A. *n*: V. *general average.*

GAAP *n*: V. *Generally accepted accounting principles.*

GAAS *n*: V. *Generally accepted auditing standards.*

GAB *n*: V. *General Arrangements to Borrow.*

gadget *col n*: aparato, artilugio, dispositivo, chisme ◊ *Kitchen gadget, electronic gadget.* [Exp: **gadgetry** (dispositivos, aparatos en general)].

GAFTA *n*: V. *Grain and Free Trade Association.*

gage¹ *obs n*: FINAN prenda, caución; se usa en compuesto como *mortgage*; V. *pawn.* [Exp: **gage²** *obs* (Véase la forma más moderna *gauge*)].

gain ¹ *n/v*: ganancia, beneficio, utilidad, lucro; obtener, ganar, conseguir, adquirir; V. *profit; benefit; holding gain.* [Exp: **gain²** (BOLSA aumento, subida; subir, aumentar), **gain and loss statement** (CONT estado de pérdidas y ganancias), **gain experience** (adquirir experiencia), **gain on disposal** *US* (CONT ganancias de liquidación; venta de un activo por un precio superior al contable), **gain/profit sharing** *US* (REL LAB participación en los beneficios, incentivación; V. *participation in profits*), **gainful** (lucrativo, retribuido, remunerado, con remunera-

ción), **gainful activity/employment/occupation** (actividad lucrativa o remunerada, trabajo retribuido; V. *remunerative job*), **gains¹** (ganancias, beneficios; V. *capital gains, capital gains tax, losses and gains*), **gains²** (bono de cupón convertible en bono regular; el nombre es la sigla de *growth and income securities*)].

gallon, gal *n*: galón; equivale a 4,55 litros en Gran Bretaña y 3,79 en los Estados Unidos.

gallop *n/v*: galope; galopar, desbocarse, dispararse ◊ *Prices galloping out of control.* [Exp: **galloping/runaway/snowballing inflation** (ECO inflación galopante, desbocada o desenfrenada; V. *bounding/rampant/headlong inflation*)].

gamble *n/v*: juego de azar; riesgo, jugada arriesgada, apuesta; jugar por dinero, apostar ◊ *Take a gamble, gamble on sth*; V. *speculate on exchange, gaming; standard gamble method.* [Exp: **gamble in stock** (hacer agiotaje), **gambler** (especulador, agiotista, jugador; V. *speculator, punter*), **gambling policy** (póliza de especulación)].

game *n/v*: juego; caza; jugar. [En la acepción de «caza» *game* no tiene plural. Exp: **game licence** (permiso de caza),

game of chance (juego de azar; V. *gamble*), **game plan** (ECO plan de juego), **games theory** (ECO teoría de los juegos), **gaming** (juego, juegos de azar), **gaming duties** (TRIB impuestos sobre el juego), **gaming licence** (autorización para abrir establecimientos dedicados a juegos de azar)].

gamma *n*: gamma. [Exp: **gamma coefficient/value** US (MERC FINAN/PROD/DINER valor/coeficiente gamma; sirve en la «teoría de las carteras» para medir la tasa de cambio del coeficiente delta —*delta coefficient*— de una opción —*option*— cuando cambia en una unidad el precio del activo subyacente —*underlying asset*—; V. *portfolio theory*), **gamma/securities stock/shares** (BOLSA valores, títulos, acciones etc. de índice gamma; V. *alpha stock*)].

gang *n*: cuadrilla, pandilla; camarilla, grupúsculo. [Exp: **gang process chart** (diagrama de proceso del equipo), **ganger** (capataz, jefe de cuadrilla)].

gangplank *n*: pasarela, plancha, vía, sitio donde caminar. [Exp: **gangplank principle** US (ECO, GEST principio de los puentes de comunicación jerárquica)].

GAO *n*: V. *General Accounting Office*.

gantry crane *n*: TRANS grúa de pórtico o sobre raíles.

gap¹ *n*: brecha, separación; agujero; gran diferencia, discontinuidad, disparidad; vacío, espacio, hueco; V. *bridge the gap; niche; breakaway gap, common gap, exhaustion gap, runaway gap*. [Exp: **gap²** (CONT déficit, agujero patrimonial; V. *deficit, deficiency; dollar gap, financing gap; deflationary gap; trade gap, yield gap*), **gap³** (FINAN *gap* o índice de sensibilidad de las partidas renovables del pasivo y del activo de una empresa frente a las oscilaciones de los tipos de interés; brecha del balance de una empresa; V. *net worth gap; sensitivity analysis*), **gap analysis¹** (MERC análisis de las «lagunas» del mercado), **gap analysis²** (CONT análisis/gestión del déficit; análisis de sensibilidad de las partidas renovables del balance de una entidad; V. *dynamic gap, gapping; duration*), **gap between the interest rates** (FINAN diferencia/margen entre los tipos de interés; V. *interest differential/margin; interest spread*), **gap financing** (BANCA préstamo/crédito puente o de empalme; V. *bridge/bridging loan, swing loan, accommodation, day-to-day accommodation/loan, short-term loan*), **gap in coverage** (SEG vacío de garantía), **gap management** (CONT V. *gap analysis²*)].

garbage *n*: basura. [Exp: **garbatrage** US col (BOLSA operaciones basura; término que utilizan los operadores bursátiles para referirse a las transacciones que aprovechan las diferencias de precio entre activos de poco valor afectados por transacciones hechas con otros del mismo campo aunque con mucho valor; V. *in play; rumortrage*), **garbage in, garbage out, gigo** (CONT falsa entrada, falsa salida; alude a la fiabilidad de los datos contables; V. *fifo, nifo*)].

garnering *n*: atesoramiento.

gate¹ *n*: entrada, puerta, portillo. [Exp: **gate²** (ingresos por taquilla en un espectáculo; V. *takings*), **gate money** (ingresos por taquilla; taquilla), **gate pass** (pase, autorización), **gatefold** (PUBL página desplegable, desplegable), **gateway** US (TRANS portal de acceso; lugar de intercambio de carga entre porteadores)].

gather *v*: reunir, captar, recoger, juntar. [Exp: **gathering of funds** (captación/movilización de recursos; V. *club together*)].

GATT *n*: V. *General Agreement on Tariffs and Trade*.

gauge/gage *n/v*: calibre, espesor, grosor, anchura; indicador; calibrar, calcular, medir, evaluar ◊ *Gauge consequences/ effects/an impact, etc.*; V. *broad gauge line*. [Exp: **gauger** (aforador), **gauging** (arqueo, V. *cash gauging*)].

GAV *n*: V. *gross added value*.

gazette *n*: diario o boletín oficial; V. *official journal*.

GCR *n*: V. *general cargo rates*.

GDP *n*: V. *Gross Domestic Product*.

gear[1] *n/v*: engranaje, cambio; equipo, aparejo, herramientas; bártulos; preparar, dirigir, encaminar ◊ *Company geared towards the leisure sector; policy geared towards producing an effect*. [Exp: **gear**[2] (marcha; V. *change/shift gear; throw out of gear; move into a higher gear*), **gear**[3] (FINAN incrementar el apalancamiento financiero, a saber, la relación entre el pasivo exigible y los fondos propios en la estructura financiera de la empresa ◊ *Low-profit highly-geared companies are taking risks with their shareholders' money*; V. *high-geared, low-geared*), **gear box** (caja de cambio), **gear, in** (en marcha), **gear up**[1] (intensificar, redoblar, multiplicar ◊ *Gear up efforts*), **gear up**[2] (prepararse, disponerse, hacer preparativos ◊ *Gear up to meet the new challenge; gear oneself for an offensive*), **geared to** (relacionado con, vinculado a), **gearing** (FINAN apalancamiento, palanqueo, engranaje, efecto de palanca, accionamiento; proporción entre la deuda de una mercantil y el capital desembolsado; importancia relativa de los empréstitos en la estructura del capital de una empresa; se dice que una empresa tiene un «apalancamiento» alto cuando los préstamos bancarios son muy superiores al capital social; V. *debt ratio, leverage; degearing, capital structure, capital gearing; financial gearing*)].

gencon *n*: TRANS MAR nombre codificado de la póliza *Uniform General Charter*; V. *genorecon*.

general *a*: general, universal; ordinario, corriente. [El adjetivo *general* se presenta pospuesto a los nombres con el sentido de «jefe, responsable, general, etc.», como en *secretary general* —secretario general—, *controller general* —interventor general—, *accountant general* —jefe de contabilidad—, etc. En muchos casos son antónimos de *general* los adjetivos *special, limited, particular* y también *qualified*; a veces el adjetivo *gross* es sinónimo de *general*. [Exp: **general acceptance** (letra aceptada de forma incondicional; aceptación incondicional, libre, general o sin reservas; V. *acceptance,*[2] *clean acceptance, qualified acceptance; unconditional acceptance*), **general account** (CONT cuenta general, cuenta para comprar al margen; cuenta de corretaje; término empleado por la *Federal Reserve Board* —Junta de Gobernadores de la Reserva Federal— para describir las cuentas de créditos abiertas con un agente de Bolsa para la adquisición de valores y su posterior venta especulativa «en corto»; tales cuenta están sometidas al control de la *Fed* y, sobre todo, a las normas contenidas en su «reglamento T»; V. *margin account, FEd, Regulation T*), **general accountant** (jefe de contabilidad), **General Accounting Office, GAO** *US* (Oficina General de Contabilidad), **general agent** (apoderado, mandatario o agente general), **General Agreement on Tariffs and Trade, GATT** (Acuerdo General Sobre Aranceles y Comercio), **General Arrangements to Borrow, GAB** (Acuerdo General de Préstamos firmado por el grupo de los diez; V. *Group of Ten*), **general assignment in favour of creditors** (cesión de bienes), **general average, G/A** (V. *gross average*), **general average account** (cuenta de avería gruesa), **general**

average adjustment (liquidación de avería común), **general average expenditure** (gasto de avería gruesa), **general average statement** (declaración de avería común), **general balance sheet** (balance general), **general balance of transfers and capital movements** (saldo global de transferencias y movimientos de capitales), **general bonded-debt fund** (fondo general de la deuda consolidada), **general cargo** (carga general o mixta), **general cargo rate, GCR** (TRANS cuota de carga mixta/general; mercancías varias), **general charges/expenses** (costes/gastos indirectos o generales; V. *overhead charges*), **general chart of accounts** *US* (plan general de contabilidad, PGC), **general choice theory** (CONT teoría general de la elección), **general committee** (presidencia, mesa presidencial), **general creditor** (acreedor solidario, acreedor no privilegiado; V. *secured creditor*), **general customs** (costumbres nacionales, práctica comercial), **general/actual damages** (daños efectivos; V. *special damages*), **general delivery** *US* (lista de correos; V. *poste restante*), **general disequilibrium theory of international trade** (ECO teoría del comercio internacional basada en el desequilibrio general), **general endorsement** (V. *blank endorsement*), **general equilibrium analysis** (ECO análisis del equilibrio general), **general equilibrium system** (ECO sistema de equilibrio general; V. *analytic models, aggregate analysis*), **general equilibrium theory** (teoría del equilibrio general), **general guaranty** (garantía sin restricciones; V. *qualified*), **general ice clause** (TRANS MAR cláusula de hielo, que se incluye en las pólizas de fletamento), **general fertility** (ECO tasa de fecundidad), **general ledger** (libro mayor), **general**

lien *US* (DER embargo preventivo, gravamen, derecho prendario), **general management trust** (FINAN sociedad general de inversiones; V. *flexible trust*), **general manager** (gerente), **general mass media survey** (estudio general de medios; V. *media research*), **general meeting of shareholders** (junta general de accionistas), **general mortgage** (hipoteca colectiva), **general mortgage bond** (obligación con garantía hipotecaria), **general obligation bonds** (bonos de responsabilidad general), **general operation expenses** (gastos generales de explotación), **General Ore Charter Party** (TRANSMAR póliza general de fletamento para minerales publicada por la Conferencia Marítima del Báltico, también llamada *genorecon*; V. *gencon*), **general partner** (SOC socio colectivo; socio capitalista de una sociedad colectiva; V. *managing partner; dormant/sleeping partner*), **general partnership** (SOC sociedad colectiva; sociedad regular colectiva; sociedad civil, sociedad personal), **general policy conditions** (SEG condiciones generales de la póliza), **General Post Office, GPO** (Administración Central de Correos en Gran Bretaña), **general price level** (nivel general de precios), **general property tax** (TRIB impuesto general sobre el patrimonio), **general public** (los ciudadanos, el público en general, la población), **general purpose** (multiuso; V. *all-out strike*), **general reserve** (reserva general), **general resources account** (CONT cuenta de recursos generales), **general ship** (buque de carga general), **general slackness** (BOLSA atonía general), **general staff personnel** (personal en general), **general stockholders meeting** *US* (SOC junta general de accionistas), **general store** (tienda), **general strike** (REL LAB huelga general;

V. *all-out strike*), **general trial balance** (balance general previo), **general warranty deed** US (COMER documento de garantía general; V. *special warranty deed*), **generally accepted accounting principles, GAAP** (CONT principios contables; principios de contabilidad generalmente aceptados, PCGA; V. *International Accounting Standards Committee, IASC; Financial Accounting Standards Board, FASB*), **generally accepted auditing standards, GAAS** (CONT normas de auditoría generalmente aceptadas)].

genorecon *n*: TRANS MAR nombre codificado de la póliza *General Ore Charter Party.*

gentleman's/gentlemen's agreement *n*: pacto de caballeros, convenio verbal, acuerdo entre caballeros; se aplica en materia de acuerdos internacionales para restarles fuerza vinculante.

geometric *a*: geométrico. [Exp: **geometric average/mean** (media geométrica)].

get *v*: conseguir, obtener, alcanzar. [Exp: **get a tight hold** (llevar un control férreo, meter en un puño; agarrar con fuerza, no soltar; estar muy encima, controlar de cerca/rigurosamente; V. *take/have/keep a tight hold*), **get down to business** (ir al grano, ponerse a trabajar en serio, centrarse en los puntos más importantes), **get into debt** (endeudarse; V. *run/fall into debt*), **get no change out of sb** (no conseguir arrancar una sola palabra a alguien; no lograr que alguien se pronuncie), **get off to a flier** *col* (empezar muy bien, tomar ventaja desde el principio ◊ *The new investment company has got off to a flier with this contract*), **get one's cards** *col* (quedar despedido; V. *give sb his cards*), **get one's comeuppance** (recibir uno su merecido, pagar caro la arrogancia ◊ *They unwisely moved into the financial big time, and soon got their comeuppance*), **get-rich-quick attitude** *col* (cultura del pelotazo; S. *easy money syndrome; fast buck syndrome, yuppy style of business, self-seeking; greed culture, loadsamoney approach, sleaze*), **get the axe** *col* (ser descartado ◊ *The project got the axe*), **get the sack** (ser despedido; V. *axe jobs; give sb the sack*), **get-up-and-go** *col* (empuje, iniciativa ◊ *A businessman with plenty of get-up-and-go*; V. *resourceful; enterprising*)].

Giffen good *n*: ECO bien *giffen*; bien que no cumple la ley de la demanda.

gift *n*: donación, regalo, dádiva. [Exp: **gift tax** (TRIB impuesto de donaciones y sucesiones o sobre transferencias a título gratuito), **gift token/voucher** (COMER vale o cupón que da derecho a un regalo), **gift-wrap** (envolver con papel de regalo), **gift-wrapping** (COMER servicio de paquetería para regalos; papel de envolver regalos)].

gigo *n*: V. *garbage in, garbage out.*

gild *n*: V. *guild.*

gilt-edged *a*: FINAN de canto dorado, de óptima calidad, de primerísima clase, con clasificación suprema, «gilt». [En medios financieros se aplica a los bonos, pagarés, libranzas, títulos de crédito, etc. y, en general, a los títulos de la deuda pública en libras esterlinas, todos de la máxima garantía. Exp: **gilt-edged securities/stock** (bonos o valores del Estado, fondos públicos, valores de primera clase, valores de canto rodado, valores de toda confianza, títulos sólidos; V. *blue chip, tap stock, blue chip bond, high-grade bond, clean price, the Funds*), **gilts** (FINAN títulos/bonos de deuda pública, del Estado o del Tesoro, títulos sólidos; V. *exempt gilts*)].

gimmick *n*: PUBL, TRIB truco, invento, recurso; V. *tax gimmick, advertising gimmick/ploy, sales gimmick.*

Ginnie Mae *n*: V. *Government National Mortgage Association, GNMA.*

girl *n*: chica, muchacha. [Exp: **girl Friday** (chica para todo)].

giro[1] *n*: BANCA giro bancario, transferencia bancaria; V. *national giro, postal giro service.* [Exp: **giro,**[2] **giro cheque** (cheque de giro, cheque postal, cheque estatal; V. *postal check; post office cheque*), **giro account** (cuenta de giros), **giro cheque** (cheque postal), **giro system** (sistema de transferencias por giro), **Girobank** (banco similar a la caja postal, especializado en giros bancarios), **Girobank account** (cuenta de caja postal de ahorro)].

gismo, gizmo *col n*: artilugio, chisme, aparato.

give *v*: dar, otorgar, ceder. [Exp: **give a customer the patter** *col* (PUBL soltar el rollo publicitario a un cliente), **give a plug to a new product** (PUBL dar publicidad a un nuevo producto), **give a product a boost on the radio** (darle publicidad a un producto en la radio), **give a ruling** (pronunciar el fallo), **give away** (regalar; V. *giveaway*), **give effect to** (poner en efecto, hacer efectivo), **give notice** (emplazar, comunicar, citar, notificar a la otra parte la rescisión del contrato laboral, siguiendo los plazos que marca la ley; dar aviso de despido; despedir, despedirse de un puesto de trabajo voluntariamente, dando la notificación reglamentaria, notificar la extinción del contrato por voluntad del trabajador), **give in** (ceder, rendirse, plegarse ◊ *Give in to the pressures*), **give notice of** (dar preaviso), **give on** (BOLSA pagar intereses por demora en la entrega de valores; V. *contango*; prestar títulos de Bolsa a una agente mediante el pago de intereses), **give sb a lift** (darle una alegría a alguien, levantarle el ánimo a alguien; ◊ *The news from the Stock*

Exchange gave investors a lift), **give sb/sth a wide berth** (rehuir, evitar a uno, eludir el encuentro con uno; huir de algo, no querer ◊ *Give a new share issue a wide berth*), **give sb his cards** *col* (despedir a alguien de una empresa; V. *ask for one's cards; get one's cards*), **give sth the all-clear** (dar luz verde/el visto bueno a algo), **give sth/sb up as a bad job** (dejar algo/a alguien por inútil o imposible), **give the sack** *col* (despedir, echar a uno; V. *get the sack*), **give up** (renunciar, dejar, abonadonar), **give-up** (contrato que un corredor ejecuta por cuenta de otro corredor), **give up one's job** (IND REL dejar el puesto de trabajo), **giveaway**[1] (regalo), **giveaway**[2] (de saldo, barato), **giveaway prices** (precios de saldo), **giver**[1] (FINAN comprador de una opción), **giver**[2] (FINAN agente o especulador bursátil que paga intereses por demora en el pago de las acciones compradas; V. *give on*), **giver on** (FINAN agente que presta títulos a otro; V. *give on; taker in*)].

glass case *n*: PUBL escaparate, vitrina; V. *show case.*

global *n*: global, mundial. [Exp: **global equity market** (BOLSA mercado global de acciones), **global note facility** (V. *borrowers option for notes and underwritten standby*), **global player** (empresa con negocios en todo el mundo), **global quota** (cuota mundial)].

glut *n/v*: saturación, exceso, abundancia, superabundancia; abarrotar, saturar o atestar de productos el mercado, etc. ◊ *A glut on the market*; V. *flood, saturate the market; market glut; dollar glut, surplus, shortage.*

GMT *n*: V. *Greenwich Mean Time.*

GNMA *n*: V. *Government National Mortgage Association, Ginnie Mae.*

GNP *n*: V. *gross national product.*

GNI *n*: V. *Gross National Product.*

go *v*: ir, salir, andar, acudir. [Exp: **go a**

bear/bull (BOLSA especular a la baja/al alza; V. *sell for a fall, sell short*), **go against the grain** (ir a contrapelo), **go-ahead**[1] (activo, emprendedor, dinámico; V. *enterprising*), **go-ahead**[2] (autorización), **go at it hammer and tongs** (pelear como un jabato, no dar cuartel, luchar a brazo partido), **go back on** (faltar a un acuerdo, compromiso, etc.; retractarse ◊ *Go back on one's word*), **go-between** (COMER intermediario; V. *agent, middleman*), **go broke** *col* (arruinarse, quebrar), **go bust** *col* (quebrar), **go down market** (bajar la calidad de un producto, dirigirse a una clientela menos selecta o exigente; V. *down market*), **go down the plughole** *col* (irse al garete ◊ *His business has gone down the plughole*), **go into bankruptcy** (ir a la quiebra; V. *winding-up*), **go for a burton** *col* (irse al garete/traste ◊ *The firm has gone for a burton*), **go for broke** *col* (ir a por todas, echar el resto, poner toda la carne en el asador, arriesgar hasta la última peseta; V. *bust*), **go halves with sb** (ir a medias con alguien), **go into business** (abrir un negocio, dedicarse a los negocios; V. *go out of business*), **go into liquidation** (quedar disuelto, proceder a la liquidación, quebrar; V. *voluntary liquidation*), **go into partnership with sb** (asociarse con alguien), **go into receivership** (pasar a administración judicial, suspender pagos), **go into the red** (CONT quedar al descubierto, entrar en números rojos; V. *be in the red*), **go into trade** (dedicarse a los negocios, entrar en el mundo del comercio), **go off the boil** (bajar en el rendimiento ◊ *The product has gone off the boil a bit*), **go off with a bang** (ser un exitazo, salir a pedir de boca), **go on sale** (salir/ponerse a la venta ◊ *The product is to go on sale this autumn*), **go on a spending spree** (gastar dinero alegremente/a espuertas, derrochar dinero, tirar la casa por la ventana), **go on strike** (REL LAB declararse en huelga), **go out of business** (cerrar un negocio; cerrar una empresa, fábrica, etc.), **go public** (BOLSA ser admitido a cotización en Bolsa, cotizar en Bolsa, poner en Bolsa; V. *flotation; take private*), **go-slow strike** (REL LAB huelga de trabajo lento; V. *ca' canny, work-to-rule, sit down strike, slow-down strike, wildcat strike*), **go to the dogs** *col* (ir cuesta abajo; ir de mal en peor; V. *plughole*), **go up market/down market** (MERC, PUBL tener productos para un público selecto/popular; subir/bajar de categoría; V. *up market; down-market*), **go to law** (DER entablar juicio, demandar, meterse en pleitos), **go to the bad** (malearse; V. *bad*), **going** (normal, corriente, en marcha, en plena actividad, que funciona, vigente), **going concern** (empresa/negocio que goza de buena salud o que sale adelante; empresa en pleno funcionamiento o actividad), **going concern analysis** (FINAN análisis de funcionamiento), **going/current/market/usual price** (precio corriente/normal/actual/del mercado), **going-public transaction** (transacción de exclusión), **going rate** (FINAN tipo de cambio vigente, corriente o de mercado; precio/tarifa corriente/normal; lo que se suele pedir/pagar; V. *market rate*), **going value** (COMER valor de un negocio por estar en funcionamiento o en ejercicio, valor actual)].

goal *n*: objetivo, meta.

godown *n*: almacén en países del Extremo Oriente.

gofer *US n*: recadero, botones, chico de los recados.

gold *n*: oro. [Exp: **gold account** (cuenta en oro), **gold and convertible currency reserves** (reservas de oro y en divisas; V. *foreign exchange reserves*), **gold bar/lingot** (lingote de oro), **gold bullion**

(lingotes de oro; oro en lingotes, oro en barras), **gold bullion standard** (patrón lingote oro), **gold card** (tarjeta de crédito oro), **gold certificate** (certificado oro, certificado de depósito en oro), **gold clause** (cláusula oro), **gold coin** (oro acuñado o amonedado, monedas de oro), **gold coin and bullion** (existencias oro), **gold content** (contenido en oro; V. *fineness*), **gold cover** (cobertura [en] oro), **gold currency standard** (sistema patrón oro), **gold currency system** (patrón oro convertible), **gold exchange standard** (patrón de cambio oro), **gold guarantee** (garantía en oro), **gold holdings/stock** (reservas/tenencias de oro; V. *reserves*), **gold loan** (empréstito con garantía oro), **gold parity** (paridad oro), **gold-pegged currency** (moneda vinculada al oro), **gold point** (punto oro, límite del oro, también llamado *bullion point* o *specie point*), **gold points of exchange** (puntos de intercambio del oro; alude en el sistema patrón-oro, a los puntos de estabilidad de cotización de las monedas, en los que sólo se aprecia el valor metálico de las mismas), **gold pool** (fondo de oro; se trata de un sistema de mantenimiento del precio del oro, a fin de paliar sus fluctuaciones), **gold ratio** (proporción entre el oro y las monedas en circulación), **gold reserves/holdings** (reservas de oro), **gold settlement fund** (fondo de certificados oro), **gold shares, golds** (SOC acciones auríferas), **gold specie standard** (patrón oro; patrón de numerario oro; V. *full gold standard*), **gold standard** (patrón oro; V. *gold exchange standard, two-metal standard*), **gold sterilization** (política equilibradora de la reserva de oro del país), **gold stocks/holdings** (reservas o existencias en oro), **gold tranche** (tramo oro), **gold tranche position** (posición en el tramo de oro), **gold value** (valor oro)].

golden *a*: dorado, de oro, áureo, de gran valor. [Exp: **golden circle** *US* (círculo dorado, conjunto de marcas comerciales que gozan de la misma aceptación por el público), **gold window** *US* (FINAN convertibilidad del dólar en oro; fue suspendida por el Gobierno de Estados Unidos en 1971), **golden handcuffs** (SOC «esposas doradas»; incentivo o prima de permanencia en una empresa para altos ejecutivos; «bufanda»), **golden handshake** *col* (REL LAB broche de oro, despido con compensación en metálico; gratificación otorgada a la jubilación de un empleado que ha prestado largos servicios o que cesa antes del período previsto, debido a fusión de la empresa, etc.; V. *compensation for loss of office; ex gratia payment*), **golden hello** (SOC prima de fichaje/enganche; incentivo o prima por fichaje o incorporación; se da al agente o directivo que ingresa en una empresa, por abandonar su empresa anterior; V. *golden handcuff; buybacks*), **golden parachute** (REL LAB contrato blindado; cláusula de un «contrato blindado», que asegura grandes beneficios al ejecutivo que sea despedido o cesado en su cargo; V. *cast-iron contract*), **golden retriever** (gratificación por retorno a la empresa), **golden share** (SOC acción de oro; propiedad del 51 % del accionariado; en muchas empresas de carácter estratégico, el Estado se reserva la propiedad en esta proporción, especialmente para preservar de ataques hostiles a las empresas en fase de privatización)].

gondola end *n*: PUBL, COMER cabecera de góndola; espacio privilegiado en unas estanterías para exposición de productos.

good *a*: bueno, válido, razonable; correcto, adecuado; V. *make-good*. [Exp: **good acceptance** (aceptación en firme), **good buy** (COMER una ganga), **good cause**

(motivo suficiente), **good consideration** (DER causa contractual adecuada; V. *valuable consideration*), **good delivery** (entrega, otorgamiento, etc., de acuerdo con lo pactado o según la ley), **good effect, to** (con buenos resultados, con éxito), **good faith, in** (de buena fe), **good faith deposit** (COMER señal, entrega a cuenta, entrada inicial; V. *downpayment*), **good fix, in** (en buen estado), **good health, in** (de salud excelente; que goza de buena salud; V. *A1*), **good job, it's a** (menos mal; V. *it's a bad job*), **good offices** (buenos oficios; V. *mediate*), **good risk** (SEG riesgo normal, bajo o aceptable; se aplica también a a la persona que presenta un índice de riesgo bajo o aceptable; V. *good risk*), **good ship** (TRANS MAR buque apto; este término se emplea en la pólizas de fletamento), **good standing, of** (acreditado; V. *company of good standing*), **good this month/week order** (BOLSA orden para el mes/semana; V. *good until cancelled order*), **good title** (título válido, título seguro o inobjetable; V. *clear title; bad title, cloud on title*), **good until/till cancelled order, gtc** (BOLSA orden abierta; válido hasta su cancelación o nueva orden; V. *day order, limit order*)].

goods *n*: productos, bienes, mercancías, artículos, efectos de comercio, géneros, objetos, especies, mercaderías; V. *bonded goods, consumer goods, perishable goods, investment goods, chattels, basic goods/materials, fashion goods, impulse goods, staples, raw materials*. [El término *goods* es sinónimo parcial de *merchandise* y de *wares*. Exp: **goods and chattels** (bártulos, bienes y efectos, bienes y muebles), **goods and services** (bienes y servicios), **goods declaration** (TRANS MAR declaración de mercancías de acuerdo con el régimen aduanero o *customs procedure*), **goods depot** (almacén/depósito de mercancías), **goods displayed** (artículos expuestos), **goods exchange** (bolsa de comercio), **goods held in bond** (depósito de aduanas, bodega fiscal; V. *customs warehouse*), **goods in transit insurance** (SEG seguro de mercancías en tránsito), **goods-in-transit policy** SEG seguro [de transporte] de mercancías), **goods in process/progress** *US* (IND productos en proceso de elaboración; valor de las mercancías durante su proceso de elaboración; V. *works in progress*), **goods in the process of clearance** (mercancía pendiente de despacho), **goods on consignment** (mercancías en consignación; V. *consignment goods*), **goods to declare** (objetos que declarar), **goods train** (tren de mercancías; V. *freight/goods train, freightliner*)].

goodwill *n*: COMER clientela de una empresa o negocio; crédito mercantil; fondo de comercio, plusvalía, prestigio profesional; valor extrínseco; traspaso; V. *negative goodwill, latent goodwill; badwill; intangible assets*.

govern *v*: regir, gobernar. [Exp: **governed economy** (ECO economía mixta; V. *mixed economy*) **governing** (gobernante; que rige; de; se aplica en expresiones como *rules governing admission* —normas de acceso), **governing board** (Consejo de Administración), **governing body** (órgano, organismo o junta directiva), **governing council** (consejo de gobernadores), **governing law** (ley vigente), **government** (gobierno, Estado, administración del Estado; en función atributiva significa «oficial, gubernamental, estatal o público», como en *government expenditure* —gasto público), **government agency** (organismo público), **government aid/grant** (ayuda/subvención estatal; V. *bounty, subsidy, grant*), government annuity (subsidio estatal), government attorney *US* (fiscal), government bank (banco estatal o nacional), government body (organismo público), government bonds (bonos del Estado/Tesoro; deuda pública; papel del Estado; V. *public debt; debenture stocks*), government-bond markets (mercados de deuda pública), government borrowing (empréstito estatal; deuda pública; V. *debenture loan*), government circulars (directrices ministeriales), government corporation (empresa pública; V. *government-owned/run enterprise*), government debt (deuda pública), government department (ministerio), government depositary (caja general de depósitos), government machinery (aparato estatal), Government National Mortgage Association, GNMA, Ginnie Mae *US* (FINAN organismo oficial, dependiente del Ministerio de la Vivienda y Urbanismo —*US Department of Housing and Urban Development*— que participa en el mercado secundario hipotecario de EE. UU. y garantiza el pago del principal e intereses de los títulos subrogados —*pass through securities*; V. *Fannie Mae, Freddie Mac*), government-owned/run enterprise (SOC corporación pública/estatal; entidad de derecho público; empresa estatal/nacional/pública; V. *state-owned enterprise; government enterprise*), government paper (efectos/valores/títulos públicos o del Estado; V. *public debt; debenture stocks*), government revenues (ingresos fiscales), government securities (títulos o valores del Estado, efectos públicos), government sinking fund (fondo de reserva del gobierno), government spending (gasto público), government stock *US* (títulos del Estado), governmental (gubernamental, estatal, público)].

GPO *n*: V. *General Post Office.*

grab clause *n*: TRANS MAR cláusula de dragas de las pólizas de fletamento.

grace period *n*: espera; período de carencia; período de gracia o de espera que se concede al deudor de buena fe; V. *days of grace; period of grace partial acquittance.*

grade *n/v*: grado, clase, tipo, categoría, calidad, rango condición; escalafón; escala; clasificar, ordenar, graduar, calibrar; V. *basis grade; high-grade bond; level; commercial grade; low-grade; quality, bracket; make the grade; gauge; investment-grade bond; upgrade, downgrade.* [Se emplea en expresiones como *grade A, grade 2, etc.*, significando «de primera calse, de calidad mediana, etc.». Exp: grade assets (activos financieros de primera calidad), grade rate (clase de tarifa; tipo de salario), graded (graduado, clasificado, homologado; V. *graduated*), graded premium (prima de seguros de vida que prevé un incremento anual de la prima durante un período para volverse luego constante), graded tax (impuesto progresivo), grading (clasificación, ordenación, calibración; graduación; nivelación; se aplica a los productos de los mercados de materias primas; el sustantivo *grading* se usa en compuestos como *age grading, size grading*, etc.)].

graduate *a/n/v*: graduado; graduar. [Exp: gradual (gradual, escalonado, paulatino), gradual build-up campaign (PUBL campaña publicitaria escalonada/que va de menos a más; V. *blitz*), gradually (gradualmente, paulatinamente), graduated (graduado, escalonado, progresivo, porporcional), graduated income tax (impuesto de la renta progresivo; V. *graded tax*)].

grain *n*: grano, cereal; hilo, veta; V. *go against the grain.* [Exp: Grain and Free Trade Association, GAFTA (asociación que controla las transacciones comerciales de grano, patatas, etc. en el Mercado de Contratación del Báltico, con sede en Londres; V. *The Baltic Exchange*), **grain fittings** (ECO dispositivos para la estiba de grano)].

graft¹ *col*: chanchullos, corrupción, soborno político, comisión ilegal, cohecho. [Exp: *col* **graft²** (trabajo duro; trabajar muchísimo, currar ◊ *You'll have to graft with your new boss*), **grafter¹** (especulador, sinvergüenza, granuja, chanchullero, tramposo, estafador, timador), **grafter²** (*col* currante, trabajador nato, persona que se mata a trabajar)].

grand¹ *a*: grande, magnífico, colosal, impresionante; general. [Exp: **grand²** *col* (billete de los grandes, billete de mil libras o dólares ◊ *A salary of a hundred grand*), **grand total** (CONT total general, importe/monto total), **grandfather clause** *col* (disposición excepcional, cláusula de exención; recibe este nombre la disposición de un reglamento que exime del cumplimiento de una norma de aplicación general a las personas o empresas que vienen desarrollando desde tiempo atrás la actividad objeto de nueva regulación)].

granger *US n*: agricultor.

grant *n/v*: concesión, donación, cesión, permiso; subsidio, subvención: privilegio, decreto; beca, bolsa de estudios o de viaje; otorgar, conceder, ceder, dar, dispensar, subvencionar; V. *bounty*; *government aid; bounty, subsidy*. [Exp: **grant a credit** (conceder un crédito; V. *extend a credit*), **grant a delay** (acordar/conceder una prórroga o dilación; V. *allow time*), **grant a discount/an allowance** (conceder/hacer un descuento/una rebaja), **grant a licence** (otorgar una licencia o concesión), **grant a loan** (conceder un préstamo), **grant a patent** (otorgar una patente), **grant a post-**ponement** (conceder un plazo para el pago), **grant a request** (acceder a una demanda), **grant a respite** (acordar una moratoria), **grant a subsidy** (conceder una subvención), **grant-aided** (con subvención, subvencionado), **grant amnesty** (amnistiar, conceder una amnistía), **grant an application** (acceder a lo solicitado, aceptar, admitir a trámite una petición, instancia o solicitud), **grant-back provision** (cláusula de retrocesión), **grant of favour or privilege** (acto graciable), **grant-in-aid** (ayuda estatal/federal; subvención; aplicación de fondos de un gobierno central a proyectos específicos), **grantee** (cesionario, concesionario; apoderado; beneficiario de un poder notarial; V. *donor*), **granter/grantor** (otorgante, cesionista), **granting** (concesión), **granting of licences** (concesión de licencias), **grantor** (cesionista, otorgante, poderdante), **grants basis, on a** (en régimen de/a título de donación)].

graph *a*: gráfico, gráfica.

grassroots movements *n*: movimientos comunitarios o de base.

gratuitous *a*: gratuito, gracioso. [Exp: **gratuitous contract** (contrato a título gratuito), **gratuity** (gratificación, propina; V. *bribe, gift*)].

grave *a*: grave. [Exp: **graveyard** (MERC FINAN/PROD/DINER cementerio; se dice de la posición bursátil bloqueada, en la que los de dentro querrían salirse, y a los de fuera no les apetece entrar)].

graving dock *n*: dique seco; V. *dry dock*.

gray *a*: V. *grey*.

greed *n*: avaricia. [Exp: **greed culture** *col* (cultura del pelotazo; S. *easy money syndrome; fast buck syndrome, yuppy style of business, self-seeking; get-rich-quick attitude, loadsamoney approach, sleaze*), **greedy financier** (financiero codicioso; V. *corporate raider*)].

green *a*: verde; ecológico, ecologista; V. *environment-friendly*. [Exp: **green book** *US* (FINAN, BANCA informe sobre las previsiones económicas; el organismo rector del Sistema de la Reserva Federal —*Federal Reserve System*—, llamado *Federal Open Market Committee*, todos los meses, en sus juntas, y para la toma de decisiones, lee tres informes, llamados *blue book* —sobre la situación monetaria—, *beige book* —sobre la situación financiera—y *green book* —sobre las perspectivas económicas), **green card** (SEG tarjeta verde), **green clause credit** (COMER crédito [documentario] de cláusula verde; V. *red clause credit*), **green pound** (libra verde), **green shoe** (BOLSA «zapato verde», cláusula de garantía de emisión futura; garantiza que en caso de demanda excepcional, los suscriptores de una nueva emisión de acciones gozarán de derechos exclusivos en la distribución de toda emisión futura de las mismas; número de acciones que se quedan los bancos tras una oferta pública de acciones —*initial public offering*— para regular el movimiento de la acción), **greenback** *US col* (dólar; V. *buck*), **greenmail** *col* (FINAN, BOLSA órdago; envite; bluff, chantaje, amenaza o táctica del tiburón —*raider*— o inversor hostil, que consiste en adquirir un paquete minoritario de acciones amenazando con presentar una oferta de adquisición de la mayoría del capital, aunque el objetivo real es obligar a la empresa a volver a comprar las acciones a un precio muy favorable para el tiburón; soborno pagado por la dirección de una empresa para inducir a los incursores —*raiders*— a abandonar su ataque; V. *corporate raider; junk bonds; leveraged buyout; black/white knight; takeover, bluff*), **greenmail payments** (pago o liquidación que hace el tiburón —*shark*— por su órdago), **greenmailer** (FINAN, BOLSA especulador de órdagos; revendedor con plusvalías; especulador que adquiere paquetes de acciones de una sociedad para vendérselos a la propia empresa con fuertes ganancias)].

Greenwich Mean Time *n*: tiempo universal, tiempo medio de Greenwich; V. *Western European Time*.

Gresham's Law *n*: Ley de Gresham; teoría propuesta por el financiero inglés sir Thomas Gresham —Director de la Casa de la Moneda en el siglo XVI—, que afirma que cuando circulan dos monedas, una de buena calidad y otra de mala, la gente gasta la mala y atesora la buena.

grey *a*: gris. [Exp: **grey area** (zona gris, terreno ambiguo o mal definido, área subdesarrollada), **grey eminence** (eminencia gris), **grey imports** (importaciones paralelas), **grey knight** *col* (FINAN caballero gris; en las luchas desencadenadas por las opas, es el financiero cuyas intenciones son desconocidas o ambiguas; V. *white knight, black night*), **grey market**[1] (BOLSA mercado gris; se dice del mercado en el que se contratan valores que aún no han sido emitidos), **grey market**[2] (MERC PROD mercado gris; se dice del mercado en el que se contratan de forma legal productos que escasean o faltan), **grey market**[3] (MERC mercado de productos imitados —*knock-offs, pass-offs*— o de productos de marca falsificados —*counterfeits of genuine products*), **greyhound rule** (norma de la imputación de las importaciones según el orden en que se efectúan)].

grid *n*: red, reja, cuadrícula; V. *buy grid; the national grid; parity grid*. [Exp: **gridlock** (inmovilización, paralización, punto muerto ◊ *Talks are now in a state of gridlock*; V. *stalemate*)].

grievance *n*: REL LAB reclamación, queja.

grocer's shop exchange *n*: lonja.

gross[1] *a/v*: bruto, íntegro, grueso, total; en bruto, sin deducciones; obtener unos ingresos brutos ◊ *Firm that grosses £5m a year*; V. *net*. [Con el sentido de «íntegro» o «bruto», es decir, «no neto», aparece junto a *dividends, earnings, income, margin, price, proceeds, profit, revenue, etc.*, al igual que su antónimo *net* —neto líquido. Exp: **gross**[2] (grave, flagrante, temerario; evidente), **gross added value, GAV** (valor añadido bruto, VAB), **gross capital formation** (formación bruta de capitales), **gross charter** *US* (TRANS MAR condiciones brutas, términos a la gruesa; V. *gross terms*), **gross/general average, g.a, G/A, G.A.** (avería gruesa; consiste en el sacrificio intencionado, ordenado por el capitán, de parte de la mercancía para salvar otra parte o todo el barco; contribución proporcional a un daño marítimo costeado por quienes se beneficiaron de la avería; V. *average, particular average*), **gross charter** (fletamento con operación por cuenta del fletante, también llamado *load displacement*), **gross/load displacement** (TRANS MAR desplazamiento en carga máxima), **gross domestic product, GDP** (ECO producto interior bruto, PIB; V. *gross national product; net domestic product*), **gross domestic product deflator** (ECO deflactor del producto interior bruto), **gross efficiency** (rendimiento bruto o total), **gross fixed investment** (FINAN inversión bruta en capital fijo), **gross income** (TRIB ingresos íntegros, renta íntegra; V. *taxable income*), **gross loss** (pérdida bruta), **gross margin** (margen comercial bruto, tasa de beneficio bruto), **gross margin ratio** (ratio del margen bruto o rentabilidad en ventas), **gross mark-down** (rebaja total), **gross national income** (renta nacional bruta), **gross national product, gnp** (ECO producto nacional bruto, PNB; en el *PNB* están incluidas las rentas del exterior; V. *capital consumption allowances; net national product*), **gross negligence** (imprudencia temeraria), **gross operating spread** (margen bruto de la operación), **gross premium** (SEG prima total), **gross presentation** (V. *principle/method of gross presentation*), **gross proceeds** (ingresos totales, producto bruto; V. *net proceeds*), **gross profit** (beneficios brutos, totales o de explotación), **gross product** (FINAN producto bruto; es sinónimo de *gross national product*), **gross rating point, GRP** (PUBL grado de contacto, GRC), **gross receipts** (ingresos brutos), **gross register tonnage, GRT** (tonelaje de registro bruto; V. *net register tonnage*), **gross return** (beneficio bruto), **gross spread** (diferencial bruto; está formado por los gastos y comisiones incurridos en la emisión de bonos en el euromercado), **gross takings** (entradas brutas), **gross tax base** (base imponible íntegra; V. *net tax base*), **gross terms** (TRANS MAR condiciones brutas, términos a la gruesa), **gross-up** (FINAN, COMER calcular el bruto sabiendo el neto y el tipo; V. *netting-down*) **gross value** (valor bruto), **gross weight** (peso bruto), **gross working capital** (capital circulante bruto), **gross yield** (rendimiento bruto)].

ground[1] *n*: terreno, recinto; V. *fair ground*. [Exp: **ground**[2] (fundamento, causa, razón, motivo, base, argumento; fundar, fundamentar, establecer, basar), **ground**[3] (TRANS MAR embarrancar; V. *aground; run aground; grounding*), **ground handling** (servicios de escala), **ground lease** (enfiteusis), **ground rent** (renta de la tierra; pagadera sobre el terreno pero no sobre las casas u otros edificios; renta que paga el enfiteuta), **groundage**

(TRANS MAR derechos de anclaje; V. *anchorage*), **grounding** (TRANS MAR varada, encalladura, embarrancada), **groundless** (sin causa), **groundlessness** (inconsistencia, falta de razón o fundamento), **grounds** (base, razón, motivo, fundamentación), **grounds of, on** (por razón de, por razones de), **groundwork** (cimientos, fundamento, base; trabajo previo o preliminar ◊ *Lay the groundwork for sth*)].

group *n/v*: FINAN grupo, agrupación, consorcio; agrupar-se; V. *pressure group, task group*. [En forma atributiva significa «colectivo», por lo general, y se combina espontáneamente con muchos sustantivos con el significado de «consolidado, del grupo, que afecta a todas las empresas de un grupo», como en *group decisions, group figures, group finance, etc.* Exp: **group accident insurance** (seguro de grupo contra accidentes), **group accounts** (CONT cuentas del grupo consolidadas; V. *consolidated accounts, combined financial statement, consolidated financial statement*), **group agriculture** (agricultura de grupo), **group annuity** (SEG anualidad colectiva), **group balance sheet** (CONT balance de situación del grupo/consorcio), **group banking** (consorcio bancario), **group insurance/policy** (seguro colectivo, póliza colectiva), **group of seven/ten** (ECO grupo de los siete/diez), **group treatment** (TRIB tratamiento fiscal colectivo a las empresas consolidadas de un grupo), **groupage** (TRANS agrupamiento, consolidación, grupaje; consiste en el transporte conjunto a varios envíos), **groupage agent** (TRANS agrupador; V. *consolidator*), **groupage bill of lading** (TRANS MAR conocimiento agrupado), **grouping** (agrupación), **grouping interval** (intervalo de agrupamiento)].

grow *v*: crecer. [Exp: **growing** (pujante; V. *booming, prosperous*), **growth** (crecimiento, desarrollo, acrecentamiento, aumento, expansión, extensión; V. *increase; buy growth*; en función atributiva, *growth* significa «en expansión, en fase de desarrollo o ampliación»), **growth area/centres** (ECO área/polo de desarrollo), **growth company/industry** (empresa/industria en expansión ◊ *Protecting intellectual property has become a growth industry*), **growth curve** (ECO curva de crecimiento), **growth fanaticism** (ECO desarrollismo desenfrenado/descontrolado/salvaje), **growth financing** (financiación del crecimiento), **growth fund** (FINAN fondo de crecimiento; sus beneficios provienen de plusvalías de los valores gestionados; V. *income fund*), **growth index** (índice de crecimiento), **growth industry/market** (industria/mercado en expansión), **growth-oriented** (orientado hacia el crecimiento, cuyo objetivo es el crecimiento, que apunta al crecimiento, etc.; V. *income oriented*), **growth phase** (fase de crecimiento; V. *product life cycle*), **growth rate** (tasa de crecimiento), **growth stocks** (BOLSA valores/títulos de crecimiento; acciones pertenecientes a un sector en alza o crecimiento; V. *income stocks*)].

GRP *n*: V. *gross rating point*.

gtc *n*: V. *good until cancelled order*.

guarantee *n/v*: garantía, aval, afianzamiento, caución, fianza, abono; garante; avalar, garantizar, constituirse en fiador, afianzar; V. *collateral; surety, bail; back*. [Las palabras *guarantee, warranty* y *guaranty* son parcialmente sinónimas; en principio, *guarantee* se emplea en el habla cotidiana, *warranty*, en contextos jurídicos o escritos, y *guaranty* es la más obsoleta. Exp: **guarantee a bill** (avalar una letra), **guarantee agreement**

(acuerdo de garantía), **guarantee, as a** (en garantía; V. *in pledge, in pawn*), **guarantee bond** (fianza), **guarantee capital/fund** (fondo de reserva o de garantía; V. *deposit insurance*), **guarantee certificate** (certificado de garantía), **guarantee credit** (crédito de aval, caución o garantía), **guarantee debenture** (obligación garantizada), **guarantee deposit** (depósito de garantía; depósito garantizado), **guarantee fund** (V. *guarantee capital*), **guaranteed futures account** (MERC FINAN/PROD/ DINER cuenta de futuros con rentabilidad mínima garantizada), **guarantee stocks** (valores garantizados), **guaranteed** (avalado; garantizado; V. *collateral*), **guaranteed by endorsement** (avalado), **guaranteed income bond** (SEG, FINAN póliza de prima única, también llamada *income bond*[2]; V. *single-premium policy*), **guaranteed shares/stocks** (valores con dividendo garantizado),

guarantor (avalista, fiador, garante de una fianza judicial; V. *collateral, surety, warrant*)].

guaranty *n*: V. *guarantee*.

guess *n/v*: adivinanza, estimación, conjetura; adivinar, conjeturar. [Exp: **guesstimate** *col* (calcular aproximadamente o a ojo de buen cubero; cálculo aproximado, presupuesto aproximado o por encima, cálculo aventurado), **guesswork** (tanteo; conjeturas, suposiciones)].

guide *n/v*: guía; guiar, orientar. [Exp: **guidance** (guía, orientación, asesoramiento; dirección, control; V. *provide guidance, vocational guidance*), **guideline** (directriz), **guiding** (orientador, indicativo), **guiding price** (precio recomendado o sugerido)].

guild *n*: gremio, corporación, cuerpo. [Exp: **guild economy** (economía gremial)].

gun *n*: arma. [Exp: **gun-running** (contrabando de armas)].

guru *n*: V. *management guru; pundit*.

H

haggle *v*: regatear ◊ *Haggle over/about the price*; V. *bargain*.

Hague, the *n*: La Haya. [Exp: **Hague Convention, the** (Convención de la Haya), **Hague Rules, The** (TRANS MAR Reglas de la Haya)].

hail insurance *n*: seguro de pedrisco.

haircut *US n*: BOLSA recorte, ajuste —literalmente «corte de pelo»—; alude al recorte que se aplica al valor nominal o de mercado de la cartera de un corredor de Bolsa para calcular el capital neto que representa; el recorte puede variar entre el 0 % y el 100 %, según factores como el riesgo inherente a los títulos, su clasificación o el plazo de vencimiento; V. *risk adjustment; hedge; margin; fail position*.

half *a/n*: medio; mitad. [Exp: **half-and-half** (a medias; V. *fifty-fifty*), **half-finished products** (productos semiacabados; V. *semi*), **half-year** (semestre; V. *quarter*), **half-yearly** (semestral; V. *biyearly*), **halves** (mitades; V. *go halves with sb; do things by halves*)].

hallmark *n/v*: IND marca/sello de contraste en joyería; sello de contraste; contrastar; V. *assay mark*. [Exp: **hallmarked** (con sello de contraste)].

hammer¹ *n/v*: martillo; martillear, machacar; apalear, palizar; V. *go at it hammer and tongs*. [Exp: **hammer²** (BOLSA declarar insolvente en Bolsa; se aplica en este último sentido al corredor de Bolsa que, tras comparecer ante el órgano rector, reconoce que no puede hacer frente a sus compromisos; V. *fall under the hammer, hammering²*), **hammer a point home** (machacar/recalcar un punto o una idea), **hammer out an agreement** (negociar un acuerdo a base de mucha lucha o tras unas negociaciones durísimas), **hammer sth into sb** (repetir algo a alguien una y otra vez o hasta la saciedad), **hammering¹** (paliza; V. *beating*), **hammering²** (insolvencia en Bolsa; V. *hammer²*), **hammering the market** (martilleo del mercado, consistente en fuerte venta de las acciones de una empresa para bajar su cotización)].

hamper *v*: dificultar, obstaculizar ◊ *This policy is hampering agreement*.

hand¹ *n/v*: mano; presentar, entregar en mano; V. *change hands, deck hand, show of hands, high-handed; farm-hand; Adam Smith's invisible hand*. [Exp: **hand²** (obrero, trabajador, operario; V. *all hands*), **hand and seal, under my** (firmado de mi puño y letra y con mi sello, firmado y sellado por mí), **hand down a decision** (fallar, anunciar una sentencia o resolución), **hand, in** (en caja; V. *stock in hand*), **hand in a report** (entregar/elevar/presentar un informe o una memoria), **hand-made** (hecho a mano), **hand money** (arras, depósito; V. *earnest money, token payment, handsel*), **hand notes** (billetes de banco cortados por la mitad y enviados separadamente por correo), **hand, on** (disponible, en cartera, en existencia; se usa en expresiones como *bills on hand, money/ currency on hand, stock on hand, etc.*), **hand-operated** (accionado a mano), **hand out information** (facilitar datos/información), **hand over** (entregar, remitir; V. *handover*), **hand, to** (a mano), **hand-to-mouth buying** (compras para el consumo de un día), **handed** (*heavy-handed*), **handover** (transmisión, transición, entrega, despacho) **hands-off approach** (política de verlas venir o de no intervención; actitud distante; estrategia de no presionar), **hands-on approach** (método directo y práctico; actitud emprendedora, agresividad, dinamismo), **handbill** *US* (prospecto), **handout** (notas, apuntes, notas explicativas que se distribuyen a los asistentes a una reunión o cursillo), **handpick** (seleccionar/escoger con sumo cuidado ◊ *Handpick staff for senior office*), **handshake** (apretón de manos; V. *golden handshake*)].

handicraft *n*: artesanía. [Exp: **handicraft enterprise** (empresa artesanal)].

handle[1] *n/v*: mango, asa, asidero; manejar, tratar con; encargarse/ocuparse de; V. *tax handle*. [Exp: **handle**[2] (comerciar en determinados artículos o negocios), **handler** (tratante, comerciante, negociante), **handling**[1] (tramitación, gestión; conducción, manipulación; manejo; manutención; V. *claims handling,*

materials handling, cargo handling), **handling**[2] (TRANS AÉREO despacho/servicio de equipajes; servicio de asistencia en tierra a aeronaves; servicio de embarque en el avión de pasaje y equipajes; atención a pasajero y carga; V. *cargo handling, inprocess handling, auto-handling*), **handling and shipping** (gastos de envío), **handling charges** (gastos por gestión/tramitación, costes de manipulación), **handling of goods** (manipulación de mercancía)].

handsel *n/v*: señal; dar una señal; V. *earnest money, hand money, token payment*.

harassment of exports *n*: trabas a las exportaciones.

harbour/harbor *n/v*: puerto; abrigar, albergar. [Exp: **harbour dues/fees** (TRANS MAR derechos de puerto o portuarios; V. *keelage*), **harbour facilities** (instalaciones portuarias), **harbour master** (capitán de puerto; V. *warden of a port*), **harbour pilot** (práctico de puerto), **harbour station** (estación marítima)].

hard *a*: duro, difícil, severo, resistente, empedernido; V. *harsh; fall on hard times*. [Exp: **hard advertising** (publicidad agresiva), **hard and fast rule** (regla rígida; V. *inflexible*), **hard cash/money** (dinero efectivo o en metálico, dinero contante y sonante), **hard commodities** (MERC mercaderías duras; materias primas minerales y metales; V. *soft commodity*), **hard copy** (copia impresa; V. *print-out*), **hard core** (núcleo duro, núcleo estable o dirigente), **hard currency** (divisa fuerte/estable; divisa convertible; V. *strong currency; soft currency*), **hard discount** (superdescuento), **hard goods** (bienes de consumo duradero), **hard loan** (préstamo en condiciones gravosas a tipos de mercado; también alude al préstamo que se hace a un país debiendo devolverlo en las divisas del prestamista; V. *soft loan*), **hard sell/selling** (PUBL, MERC técnicas agresivas de venta; V. *soft sell*), **harden** (endurecer), **hardening of loan terms** (empeoramiento de las condiciones de préstamo), **hardware** (equipo, material, soporte, maquinaria; equipo físico; V. *software*)].

harmonisation *n*: armonización, equiparación; V. *tax harmonisation; approximation*. [Exp: **harmonize** (armonizar), **harmonized commodity description and coding system** (sistema armonizado de codificación y descripción de productos básicos)].

harvest strategy *n*: COMER estrategia de recogida de beneficios; consiste esta estrategia de inversión —*investment strategy*— en reducir al mínimo los fondos de promoción —*promotional funds*— de un producto —*SBU, product*— con el fin de recoger beneficios o generar *cash flow*; V. *divest strategy, harvest strategy, build strategy*.

hatchet man *col n*: asesino a sueldo, sicario; hombre duro de una empresa que ejecuta las tareas desagradables.

haul *n/v*: transporte, acarreo; transportar, acarrear; V. *average haul; transport*. [Exp: **haulage** (transporte; portes; V. *road haulage; trucking, carriage, conveyance*), **haulage contractor** (contratista de transporte por carretera), **haulier** (transportista; V. *carrier, shipper, transporter*)].

have *v*: tener, haber. [Exp: **have a bill noted** (protestar una letra), **have a break** (descansar, hacer una pausa; V. *coffee break*), **have a finger in every pie** *col* (tener el dedo metido en todo, meter su cuchara en todas partes), **have a hold over sb** (dominar a uno, ejercer influencia sobre uno, tener a alguien a su merced ◊ *The Unions have a political hold over the party*), **have a narrow escape** (salvarse por los pelos), **have a tight hold** (llevar un control férreo, meter en un puño; agarrar con fuerza, no soltar; estar muy encima, controlar de cerca/rigurosamente; V. *get/take/keep a tight hold*), **have control over** (tener bajo control), **have designs on** (estar tramando algo respecto de, maniobrar con la vista puesta en ◊ *Have designs on a rival's market share*), **have first refusal** (tener la primera opción de compra, tener derecho a ser el primero al que una oferta se somete), **have money to burn** *col* (tener dinero de sobra; sentirse rico), **have no record** (no tener constancia), **have one's work cut out** (vérselas y deseárselas, tener que emplearse a fondo, sudar la gota gorda para lograr algo), **have recourse to** (recurrir a), **have sb over a barrel** *col* (tener a alguien arrinconado o a su merced, colocar a alguien entre la espada y la pared; V. *scrape the bottom of the barrel*), **have the edge over sb** (llevar ventaja sobre ◊ *Have a slight edge over one's competitors*; V. *edge*[2]), **have the floor** (tener la palabra; V. *give the floor*), **have the jump on/over sb** *col* (llevarle ventaja a uno, llevar las de ganar frente a uno)].

haven *n*: puerto, abrigo, refugio; V. *tax haven*.

hawker *n*: buhonero; V. *street hawker; pedlar*.

hazard *n/v*: peligro, riesgo, azar; perjuicio; arriesgar, poner en peligro; V. *dangerous, occupational hazard, industrial accident; exposure; jeopardy, jeopardise, ultrahazardous activities*. [Exp: **hazard bonus** (REL LAB plus de peligrosidad; V. *danger money*), **hazardous** (arriesgado, peligroso), **hazardous and noxious substance,**

HNS (IND producto peligroso y tóxico), **hazardous contract** (contrato aleatorio)].

head[1] *a/n*: principal; jefe, superior, cabeza; presidir, dirigir, estar al frente; V. *chief*. [Exp: **head**[2] (epígrafe, título; preámbulo; V. *heading*), **head buyer** (GEST jefe de compras de una empresa), **head and shoulder formation** (gráfica con la forma de una cabeza y dos hombros), **head hunter** (buscatalentos), **head of household** *US* (TRIB cabeza de familia; a efectos tributarios tienen esta consideración los solteros que tengan cargas familiares —*dependents*— en el año fiscal), **head of the company** (presidente de la empresa), **head office** (oficina principal, central, casa matriz, sede social/central; V. *home office*), **head teller** (cajero jefe, cajero principal), **headquarters** (SOC sede principal, cuartel general, centro de operaciones), **head tax** (TRIB capitación; impuesto por cabeza; V. *poll tax, capitation tax*), **head/central office** (sede, oficina principal; V. *branch office*), **headed paper** (papel con membrete, papel timbrado), **headhunt** (caza de cabezas o de gente con talento, de ejecutivos o de personal especializado), **headhunter** (cazatalentos; agencia o empresa que se dedica a cazar o reclutar personal especializado), **heading/head**[2] (título, partida, epígrafe, mancheta; V. *title, rubric; newspaper heading*), **headlong inflation** (inflación galopante; V. *galloping inflation*), **heady** (embriagador, que se sube a la cabeza), **heady days of the eighties, in the** (en los años dorados/gloriosos/triunfales de los ochenta)].

health *n*: salud, higiene; V. *in good health*. [Exp: **Health and Safety at Work Act** (REL LAB ley de seguridad e higiene en el trabajo), **health care** (atención sanitaria, cuidado sanitario), **health certificate** (certificado de sanidad), **Health maintenance organisation, HMO** *US* (organización privada de asistencia médica), **health insurance** (seguro de enfermedad), **healthy** (SEG, ECO próspero, saludable, con buena salud, que demuestra solidez ◊ *A healthy balance*)].

heat up *v*: BOLSA calentar, mover al alza; V. *ramping*.

heaven *n*: cielo. [Exp: **heaven and hell bond** *US* (BOLSA bono cielo-infierno; se trata de un bono vinculado a un tipo de cambio entre dos monedas; V. *indexed currency option note, ICON*)].

heavy *a*: grave, fuerte, importante, considerable, abundante; oneroso, pesado. [Exp: **heaviness of the market** (BOLSA depresión del mercado; V. *heavy market*), **heavy advertising** (publicidad masiva), **heavy claim** (siniestro mayor), **heavy fall** (BOLSA hundimiento, derrumbamiento, fuerte caída, colapso; V. *collapse*), **heavy fall in prices** (caída fuerte de los precios o de las cotizaciones), **heavy grain** (grano pesado), **heavy-handed** (autoritario, falto de flexibilidad, poco hábil, sin gracia ◊ *Heavy-handed management/policies, etc.*), **heavy industry** (industria pesada; V. *light industry*), **heavy lift** (izada de una pieza pesada), **heavy lift ship** (TRANS MAR buque de gran aparejo), **heavy loss** (quebranto, pérdida considerable/importante), **heavy/depressed market** (BOLSA mercado deprimido, mercado a la baja; mercado lento o sin variación; V. *active/hesitant market*)].

hedge[1] *col n/v*: evasiva; responder con evasivas; ponerse a cubierto. [Exp: **hedge**[2] (MERC FINAN/PROD/DINER cobertura contra cambios de precios de los mercados financieros; protección; resguardo; operación financiera efectuada para protegerse contra los posibles riesgos de otra anterior; compensar las apuestas u operaciones de bolsa entre sí; cubrir los contratos de futuros, compensar contratos ◊ *The firm hedged its bets*; V. *dynamic/static hedge; cross-hedge; anticipatory hedge; artificial/ natural hedge; full/partial hedge; rolling strip hedge; exchange rate hedge, forward currency purchase; leg, straddle; cover*[3]), **hedge**[3] (cuña o gráfico en forma de triángulo), **hedge a risk** (MERC FINAN/PROD/DINER reducir un riesgo), **hedge clause** (DER cláusula de salvaguardia/protección/escape), **hedge currency** (moneda de cobertura), **hedge funds** (FINAN fondos de cobertura; son fondos de inversión especulativa de muy alto riesgo, formados con productos derivados —*derivatives*— ◊ *In theory, hedge funds, unlike mutual funds, should be able to make money in financial markets that are falling as well as rising*), **hedged** (con posición de riesgo compensado; V. *long leg*), **hedged money market instrument** (MERC FINAN/PROD/DINER instrumento protegido del mercado de dinero; V. *basis,*[2] *futures contract*), **hedger** (MERC FINAN/PROD/ DINER operador de cobertura, inversor asegurado; V. *commercial hedger, long/short hedger*), **hedging**[1] (MERC PROD/DINER estrategias de cobertura, cobertura de riesgos, cobertura de operaciones a plazo; cobertura de futuros; garantía de cambio; compensación de riesgos; operaciones de cobertura o compensatorias; protección/ cobertura contra las oscilaciones de precio del mercado; se aplica a las medidas de protección que adoptan tanto el comprador como el vendedor en las operaciones de contratos de futuros —*forward contracts*—; V. *futures market, long investor, writer*), **hedging**[2] (BOLSA arbitraje), **hedging between cash and settlement** (arbitraje contado-plazo), **hedging device** (FINAN instrumentos de cobertura financiera; V. *derivative securities*), **hedging offset** (MERC PROD compensación con operación de cobertura), **hedging pressure theory** (MERC FINAN/PROD/DINER teoría de la presión de la cobertura de riesgos), **hedging ratio** (ratio de cobertura)].

hemline theory *US col n*: ECO teoría de largo de las faldas; de acuerdo con esta observación, la época en que las mujeres han llevado faldas cortas han sido tiempos alegres, que han coincidido con períodos alcistas de la Bolsa.

hesitant *a*: vacilante, dudoso, indeciso. [Exp: **hesitant market** (BOLSA mercado indeciso; V. *heavy market*), **hesitate** (vacilar; V. *fluctuate*)].

HH bond *US n*: bono del tesoro, con interés variable y ventajas fiscales; V. *saving bond*.

hide *v*: ocultar, encubrir. [Exp: **hidden** (oculto; cubierto; encubierto, invisible, subyacente; V. *dormant*), **hidden/ concealed assets** (CONT activos ocultos o invisibles; diferencia entre el valor contable de los activos y el del mercado, cuando este último es mucho mayor; activos no reconocidos; se emplea este término en la determinación del activo de una compañía aseguradora a efectos de calificación de su estado financiero), **hidden defect** (defecto o vicio oculto; V. *defect of substance; inherent, latent/ patent/apparent defects*), **hidden economy** (economía sumergida, oculta, subterránea, clandestina, encubierta o irregular; V. *underground economy, informal economy*), **hidden employment** (empleo encubierto), **hidden inflation** (ECO inflación subyacente/larvada/ encubierta; V. *runaway inflation*), **hidden obstacles to trade** (barreras encubiertas a la libre transacción comercial), **hidden protectionism** (proteccionismo encubierto), **hidden reserves** (BANCA reservas ocultas o tácitas; también llamada *off-balance sheet reserve*; reserva extracontable o fuera del balance de situación; es legal en la instituciones bancarias pero no en las sociedades anónimas), **hidden tax** (impuesto encubierto), **hidden threat** (peligro, amenaza o escollo oculto), **hiding** (ocultación; encubrimiento; V. *go into hiding*)].

hifo *n*: V. *high input, first output*.

higgling *n/a*: regateo; regateador, pesetero.

high *a*: superior, elevado, alto; grave. [Exp: **high and dry** (en seco, en bajamar), **High Court of Justice** (Tribunal Superior de Justicia, *aprox.* Audiencia Nacional), **high flier/flyer**[1] (persona ambiciosa; persona de altos vuelos; joven valor o promesa), **high fliers/flyers**[2] (BOLSA valores punteros; acciones cuya cotización sube con rapidez, acciones de altos vuelos; V. *gilts*), **high flier/flyer**[3] (PUBL prospecto de publicidad), **high-handed** (arbitrario, imperioso), **high-grade** (de la máxima categoría, de primera clase; V. *top-grade*), **high-grade bond** (bono de confianza, de canto rodado; V. *gilt-edged securities, blue chip bond*), **high input, first output, hifo** (CONT valoración de las existencias basada en el principio de que las entradas de mayor valor deben ser las primeras en salir), **high level** (de alto nivel o rango), **high-priced** (caro; de alta cotización), **high/top office** (alto cargo; V. *company officers*), **high-pressure** (alta presión), **high-ranking** (de alta categoría; V. *senior/top ranking*), **high-salaried staff** (REL LAB personal con ingresos altos o bien retribuido), **high seas, on the** (en alta mar; V. *open seas*), **high season** (temporada alta; V. *dead season*), **High Street banks** (bancos comerciales;

reciben otros nombres como *joint-stock banks* o *clearing banks*; V. *branch banking; feelgood factor*), **high water** (pleamar), **high yield bond** (FINAN bono de alto rendimiento), **higher income bracket/class/group** (TRIB grupo/clase/nivel/tramo de renta más alta; V. *salary bracket, age bracket, lower/upper income bracket*), **highest bidder** (mejor postor), **highest scale of taxation** (TRIB máxima presión fiscal, máxima escala tributaria), **highly-geared** (FINAN con un elevado índice de apalancamiento de capital; se dice de las mercantiles que tienen una gran deuda en comparación con el capital desembolsado; V. *gear; capital gearing; lowlygeared*), **highly rated** (TRIB fuertemente gravado, con impuestos municipales muy altos), **highs and lows** (BOLSA cotizaciones máximas y mínimas)].

hike *n/v*: caminata; ECO, BOLSA subida fuerte o repentina; aumento brusco; subir/aumentar de golpe ◊ *Hike in prices, tax hike*; V. *surge, steep, rise*. [Exp: **hike up** (aumentar de golpe, subir de forma brusca ◊ *Hike up prices/wages*)].

hi-lo index *US n*: BOLSA índice ponderado de la tendencia de las cotizaciones.

hinder *v*: embargar; obstaculizar, obstruir, dificultar. V. *restrain*.

hipshooter *col n*: directivo de resoluciones rápidas; persona dura, fría o que desenfunda rápido.

hire *n/v*: alquiler, arriendo, contratación; alquilar, tomar en arrendamiento; contratar; V. *rent, lease; contract of hire*. [Exp: **hire-and-fire power** (autorización/capacidad/mano libre para contratar y despedir a empleados), **hire labour** (contratar mano de obra), **hire-purchase, HP** (FINAN, COMER compra-venta a plazos; el comprador accede a la posesión del bien cuando abona la entrada o primer plazo y será su propietario cuando pague el último plazo ◊ *Buy sth on HP*; V. *consumer instalment loan, instalment plan; cash sales, instalment purchase, the never never*), **hire-purchase agreement** (contrato de venta a plazo), **hiring** (arrendamiento, contratación; V. *personnel hiring*), **hiring hall** (oficina de colocación)].

historical *a*: histórico. [Exp: **historical cost** (coste histórico)].

hit[1] *n/v*: impacto; golpear, incidir, tener un efecto adverso ◊ *Industries hit by the recession*; V. *impact, incidence*. [Exp: **hit**[2] (éxito ◊ *The idea was a hit*), **hit back** (contraatacar, devolver golpe por golpe ◊ *Management team that hits back at its detractors*), **hit rock bottom** (ECO tocar fondo, alcanzar el punto más bajo; V. *hit the floor*), **hit on** (descubrir; ocurrírsele a uno de repente o por inspiración ◊ *Hit on a solution to the problem*), **hit out** (atacar, criticar con dureza ◊ *Report that hits out at inefficient policies*), **hit the floor** (BOLSA tocar fondo ◊ *Bond yields have hit their floor*; V. *hit*[3]), **hit the big time** (triunfar, lanzarse al estrellato), **hit the skids** *col* (venirse abajo ◊ *The industry has hit the skids*)].

hive *n/v*: colmena; lugar o región de muchísima actividad, donde se trabaja mucho. [Exp: **hive of activity, a** *col* (una auténtica sala de máquinas), **hive off** (GEST, CONT fragmentar los activos de una empresa; separar el sector más sano, rentable o jugoso de una industria, empresa, etc.; venderlo por separado o privatizarlo ◊ *Hive off the transport sector of a formerly nationalised industry*; V. *break off, sell off, spinoff*)].

HMO *n*: V. *Health maintenance organisation*.

HNS *n*: V. *hazardous and noxious substance*.

hoard *v*: acaparar, atesorar; V. *corner; nurse stock; dishoard, idle balance*. [Exp: **hoarding**[1] (atesoramiento; alude al hecho de guardar activos en sitios secretos sin obtener rendimientos económicos, normalmente por temor o incertidumbre; V. *outdoor hoarding; dishoarding; garnering*), **hoardings**[2] (vallas; V. *advertisement hoardings; poster hoarding; paste*), **hoarding of goods** (acaparamiento/atesoramiento de bienes o mercancías; V. *accumulation of goods; victualling, corner; stock piling*)].

hock *col n/v*: empeño; empeñar, pignorar; V. *pawn*. [Exp: **hock, in** (empeñado ◊ *The goods are now in hock*)].

hold[1] *n/v*: apresamiento, custodia, posesión; asidero; retención; tener, poseer, gozar, guardar, ocupar; V. *cheque/account hold*. [Exp: **hold**[2] (mantener, opinar, sostener, considerar, juzgar, creer, estimar), **hold**[3] (celebrar, mantener), **hold**[4] (bodega de un barco; V. *in the hold*), **hold a brief for** (identificarse con, apoyar a ◊ *I hold no brief for the company's chairman; I merely wish to state the facts*), **hold a hearing/session** (celebrar una audiencia/sesión), **hold an auction** (celebrar una subasta), **hold an interview** (mantener un entrevista), **hold as pledge** (conservar como fianza), **hold at bay** (tener a raya; V. *at bay, keep in check, keep off*), **hold back** (abstenerse de; V. *abstain, restrain*), **hold elections** (celebrar elecciones), **hold, in the** (en bodega), **hold in trust** (guardar en depósito ◊ *Hold money in trust for sb*), **hold office** (ostentar un cargo, desempeñar una función, desempeñar un cargo público), **hold one's own** (defenderse ◊ *The new firm is holding its own against competitors*), **hold out for** (empeñarse en conseguir algo, no rendirse hasta recibir algo ◊ *The strikers are holding out for a further £30 a week*), **hold-overs** *US* (REL LAB trabajos en turnos fuera de la jornada normal), **hold strategy** (COMER estrategia de mantenimiento; consiste esta estrategia de inversión —*investment strategy*— en mantener los fondos de promoción —*promotional funds*— de un producto —*SBU, product*— con el fin de conservar —*maintain*— su cuota relativa de mercado —*relative market share*—; V. *divest strategy, harvest strategy, build strategy*), **hold to** (aferrarse, persistir ◊ *Hold to a position*; V. *stick to*), **hold the balance** (actuar de bisagra, estar en situación de hacer que se incline la balanza, tener la llave), **hold the key** (tener la llave/clave), **hold together** (mantener-se unidos; ser coherente, tener sentido o lógica ◊ *The group is holding together; the argument holds together*)].

holder *n*: titular, portador, tenedor, poseedor, habiente; V. *proxy holder*. [Exp: **holder in due course** (tenedor legítimo o de buena fe; V. *in due course*), **holder for value** (tenedor de buena fe), **holder of a chattel mortgage** (acreedor prendario), **holder of an account** (titular de una cuenta), **holder of bonds/ debentures/shares** (bonista, obligacionista, accionista), **holder of debt** (acreedor; titular de deuda), **holder of procuration** (mandatario, apoderado; V. *attorney*), **holder of record** (tenedor inscrito; poseedor de título)].

holding *n*: tenencia, pertenencia, posesión, existencias, posesión de tierras, valores en cartera, terratenencia; grupo industrial, asociación, sociedades tenedoras de títulos de otras sociedades; V. *combine, conglomerate; foreign currency holding*. [Exp: **holding company** (SOC sociedad instrumental; aunque a veces los términos *holding company* y *parent company* aparecen como sinónimos, es decir, como «mercantil tenedora o matriz», con frecuencia la primera es la «sociedad instrumental creada para liberar a la primera de transacciones y de responsabilidades»; sociedad de control o sociedad mercantil que controla a otras sociedades; sociedad tenedora de acciones de otras sociedades, sociedad de cartera de inversiones; V. *parent company, nominee; proprietary company; shell company; immediate holding company; nominee holding*), **holding costs** (costes de conservación), **holding gain** (CONT, FINAN plusvalía; aumento de valor de un título durante el tiempo en que se tiene; diferencia entre el coste histórico y el valor de sustitución); **holding losses** (minusvalías), **holdings** (cartera, valores en cartera, tenencias, propiedades, haberes disponibles), **holding of bonds** (bonos en cartera)].

holistic *a*: holístico; entero, completo, global. [Exp: **holistic evaluation** (PUBL evaluación global de una campaña publicitaria o de mercadotecnia)].

holograph *a*: hológrafo, ológrafo. [Exp: **holographic will** (testamento ológrafo)].

home *n*: hogar; nación. [En algunos contextos, empleado en función atributiva, el término *home* es sinónimo de *domestic* y de *national*, como en *home market* y, por tanto, equivale a «interior, nacional, doméstico». Exp: **home address** (dirección particular/privada, domicilio particular; V. *business address*), **home appliances** (aparatos del hogar, menaje), **home banking** (banca en casa, banca a domicilio; V. *electronic banking*), **home-based** (nacional, doméstico; V. *domestic*), **home consumption** (consumo interior), **home country** (FINAN país inversor), **home currency** (moneda nacional), **home delivery** (entrega a domicilio), **home-equity credit line** (FINAN crédito con aval personal; línea crediticia cuyo aval es la casa del prestatario), **home freight** (flete de retorno), **home industry** (industria artesanal; V. *cottage industry*), **home market** (mercado interior/nacional), **home office** US (oficina central; V. *head offfice*), **home-owners** (propietarios de viviendas), **home patent** (patente original, patente primitiva; V. *basic patent*), **home port** (TRANS MAR puerto de origen), **home produce** (productos agrícolas nacionales; V. *agricultural/farm produce*), **home run** (TRANS MAR viaje de vuelta), **home savings insurance** (seguro de ahorro inmobiliario), **home service** (servicio de ventas a domicilio), **home service agent** (SEG agente de seguros), **home service insurance** (SEG sistema de seguros de vida populares; V. *industrial life assurance; block system; industrial business*), **home straight/stretch** (recta final ◊ *They're on the home stretch*), **home visit** (visita a domicilio), **home waters** (aguas territoriales), **home worker** (trabajador a domicilio), **homeward bill of lading** (TRANS MAR conocimiento de retorno), **homework system** (REL LAB trabajo a domicilio)].

honorarium n: honorarios; V. *fee*.

honour, honor n/v: honor, honradez, rectitud; aceptación, pago; atender; pagar una deuda, una letra, un cheque, etc., hacer frente a, atender ◊ *Honour a bill of exchange/commitment*; V. *meet one's duties; dishonour; act of honour; seek*. [Exp: **honour a bill, a cheque, etc.** (pagar/atender una factura/deuda; pagar/aceptar/descontar una letra ◊ *Banks are not required to honour staledated cheques*; V. *take up; retire*), **honour a debt** (pagar una deuda), **honor supra protest** (pago por intervención), **honorary** (honorario)].

horizontal a: horizontal. [Exp: **horizontal bear/bull spread** (diferencia o «spread» horizontal bajista/alcista), **horizontal/ lateral amalgamation/integration/ merger** (amalgamación de dos empresas dedicadas a la misma industria o comercio; V. *vertical integration/amalgamation; conglomerate amalgamentaion*), **horizontal diversification** (MERC FINAN diversificación horizontal; consiste en ofrecer a los clientes productos o actividades no relacionadas con las anteriores de la empresa; V. *concentric/ conglomerate/vertical diversification*), **horizontal labour mobility** (movilidad horizontal del trabajo; V. *vertical labour mobility*), **horizontal spread** (FINAN diferencial horizontal, también llamado *time/calendar spread*)].

horse n: caballo. [Exp: **horse power, HP** (caballo de vapor)].

hostile a: hostil; V. *friendly, amicable*. [Exp: **hostile bid** (puja hostil, OPA hostil), **hostile embargo** (embargo de buques enemigos), **hostile takeover bid** (FINAN OPA hostil)].

hot[1] a: caliente. [Exp: **hot**[2] col (robado, dudoso), **hot**[3] col (ducho, experto ◊ *A hot economist; hot at figures*), **hot bill** (FINAN efecto de vencimiento a corto plazo), **hot line** (servicio de asistencia telefónica), **hot money** col (dinero/capital especulativo; dinero caliente, dinero que entra y sale; V. *refugee money; short-term foreign investment*), **hot seat, be in the** col (tener que tomar las decisiones difíciles), **hot spot** (punto caliente)].

hotchpot n: colación.

hour n: hora; V. *trading hour*.

house n: casa. [Exp: **house agent** (agente de la propiedad inmobiliaria; V. *real estate property agent, realtor*), **house air-way bill** (TRANS guía aérea expedida por un expedidor de carga), **house brand** (marca de la casa), **house bill of lading** (TRANS MAR certificado de embarque; conocimiento de embarque de la empresa), **house cheque** (BANCA talón que se cobra en el mismo banco y, por tanto, no pasa por la cámara de compensación bancaria; V. *clearing*), **house journal** (boletín interno de una empresa), **house magazine** (boletín interno de una empresa), **house port** (TRANS MAR puerto de matrícula), **house-to-house salesman** (vendedor a domicilio; V. *bell-ringer; door-to-door selling*), **household** (casa, unidad familiar, economía doméstica), **household appliances** (electrodomésticos), **household goods** (bienes de uso doméstico, enseres domésticos), **housing allowance** (subsidio por vivienda), **housing estate** (barrio periférico; urbanización; barrio residencial; puede ser de viviendas unifamiliares de clase media o media-alta, equivaliendo a *suburb*, o de casas modestas, llamado en este caso también *housing scheme* o simplemente *scheme*; V. *slum; estate, suburb; council estate*), **household insurance** (seguro del hogar)].

hover *v*: cernirse, flotar, girar en torno a ◊ *The yield is now hovering around 6 %.* [Exp: **hovercraft** (hovercraft, aerodeslizador, hidrodeslizador)].

HP *n*: V. *hire-purchase; horse power.*

hub *n*: centro, núcleo [económico, comercial, etc.].

hull *n*: casco de un buque. [Exp: **hull insurance** (SEG seguro del casco o del buque entero)].

human *a*: humano. [Exp: **human capital** (capital humano), **human rights** (derechos humanos), **human relations** (relaciones humanas), **humane** (humanitario)].

hushmail *n*: gratificación mordaza dada al directivo que cesa para que guarde silencio o discreción.

hype *n/v*: alharacas, bombo publicitario, exageración, propaganda o publicidad excesiva, campaña histérica; anunciar a bombo y platillo. [Exp: **hype up** (anunciar a bombo y platillo, exagerar, lanzar con un exceso de propaganda]].

hyper- *prefijo*: hiper. [Exp: **hyper/ruwaway inflation** (ECO inflación galopante/desbocada; V. *galloping inflation; hidden inflation*)].

hypothecate *v*: hipotecar, pignorar, empeñar. [Término empleado en el derecho marítimo para describir la acción del capitán de un buque al hipotecar el barco y/o el cargamento como garantía de la devolución de un préstamo pedido por causa urgente, como reparaciones, averías, etc.). Exp: **hypothecation** (pignoración; V. *collateralize, pledge*), **hypothecator** (hipotecante)].

I

IAEA *n*: V. *International Atomic Energy Agency.*

IAOECH *n*: V. *International Association of Options Exchanges and Clearing Houses.*

IATA *n*: V. *International Air Transport Association.*

IBBR *n*: V. *Inter Bank Bid Rate.*

IBEL *n*: V. *interest-bearing eligible liabilities.*

IBF *n*: V. *International Banking Facilities.*

IBMBR *n*: V. *Inter Bank Market Bid Rate.*

IBOR *n*: *interbank offered rate.*

IBRD *n*: *International Bank for Reconstruction and Development.*

ICA *n*: V. *International Commodity Agreements.*

ICC *n*: V. *International Chamber of Commerce.*

ICCH *n*: V. *International Commodities Clearing House.*

ice *n*: hielo; V. *cut no ice, put a project on ice.* [Exp: **ice clauses** (TRANS MAR cláusulas de hielo de los contratos de fletamento), **ice deviation clause** (TRANS/SEG MAR cláusula de autorización de desviación a causa del hielo), **iceberg company** *US* (SOC sociedad iceberg; se dice de la sociedad en la que sus dos terceras partes no alcanzan el umbral de rentabilidad; V. *break-even point*), **icebound** (TRANS MAR bloqueado por el hielo; V. *pack²*), **icebreaker** (TRANS MAR rompehielos), **iced-in** (TRANS MAR inmovilizado por el hielo)].

ICOR *n*: V. *incremental capital-output ratio.*

IDA *n*: V. *International Development Association.*

ideal *a*: ideal, perfecto.

identification *n*: identificación. [Exp: **identification badge/card** (tarjeta de identificación), **identification code** (referencia técnica, clave de identificación), **identified cost** (CONT coste identificado; precio neto de adquisición), **identified-unit cost** (CONT coste unitario identificado), **identify** (identificar), **identity card** (carné de identidad), **identity equation** (ECO ecuación de identidad)].

idle *a*: inactivo, estéril, infecundo, ocioso, improductivo, desocupado, sin utilizar; V. *inactive, dormant; make sb idle.* [Exp: **idle balance** (FINAN saldo inactivo o estéril; V. *hoarding; dishoard*), **idle, be** (estar en el paro/desocupado), **idle capacity** (capacidad ociosa, excedentaria o no utilizada; V. *surplus capacity*), **idle capacity cost** (coste de capacidad no utilizada), **idle capacity loss** (CONT pérdida por capacidad desperdiciada), **idle capital/cash/funds/money/holdings** (FINAN capital improductivo, ocioso, inactivo o mal invertido; fondos improductivos o excesivos en cajas y bancos; V. *active/productive capital; unproductive/dead capital; treasury work-station*), **idle facilities** (instalaciones/edificios desocupados), **idle labour** (mano de obra desocupada), **idle lands** (tierras improductivas), **idle liquidities** (fondos líquidos inactivos), **idle machine time** (tiempo de máquina parada), **idle machinery** (maquinaria parada), **idle plant** (fábrica parada; V. *shutdown*), **idle resources** (recursos improductivos), **idle time** (REL LAB tiempo muerto, ocioso, perdido o inactivo; tiempo retribuido sin actividad laboral por falta de trabajo; V. *downtime*), **idle time labour cost** (CONT coste del tiempo perdido), **idleness** (desocupación)].

IDR *n*: V. *International Depository Receipt*.

IEA *n*: V. *International Energy Agency*.

IFC *n*: V. *International Finance Corporation*.

IFOX *n*: V. *Irish Futures and Options Exchange*.

ILO *n*: V. *International Labour Organisation*.

ILU *n*: V. *Institute of London Underwriters*.

illegal *a*: ilegal, ilícito, ilegítimo, contrario a la ley; V. *unlawful, lawful, legal*. [Exp: **illegal exaction** (TRIB exacción ilegal), **illegal interest** (usura), **illegal practice** (corruptela, práctica ilegal; V. *malpractice*), **illegal consideration** (causa contractual ilícita), **illegal strike** (huelga no autorizada; V. *cooling-off period*), **illegalize** (ilegalizar), **illegally** (ilegalmente)].

illicit *a*: ilícito, ilegal. [Exp: **illicit work** (trabajo clandestino)].

illiquid *a*: ilíquido, irrealizable, no líquido; sin documentar, que no consta en un documento; V. *not/non-liquid; liquid*. [Exp: **illiquid assets/funds** (CONT activo no realizable o convertible en efectivo a corto plazo), **illiquidity** (falta de liquidez)].

illuminated advertisement *n*: PUBL anuncio luminoso.

im- *prefijo*: in-; V. *in*. [Exp: **imbalance** (desequilibrio; V. *unbalance*), **imbalance in international payments** (desequilibrio de los pagos internacionales), **immaterial** (inmaterial, irrelevante, sin importancia, intangible), **immaterial assets** (CONT activos/bienes/valores/ inmovilizaciones inmateriales/intangibles/incorporales; activo intangible, inmaterial o nominal; inmovilizado inmaterial ◊ *Goodwill, patents, copyrights and trademarks are immaterial assets*; V. *intangible assets*), **immediate** (inmediato), **immediate annuity** (SEG anualidad con efecto inmediato), **immediate beneficiary** (primer beneficiario, también llamado *present/ primary beneficiary*; V. *ultimate beneficiary*), **immediate delivery** (MERC PROD, COMER entrega inmediata; V. *spot delivery*), **immediate holding company** (sociedad matriz tenedora de otras subsidiarias, que, a su vez, es controlada por otra matriz o *parent company*; V. *holding, holding company*), **immediate-or-cancel order, IOC** (MERC FINAN/ PROD/DINER ejecución inmediata o cancelación), **immediate order** *US* (BOLSA orden de compra o venta de ejecución inmediata; V. *fill or kill*), **immediate specific perforformance** (DER ejecución forzosa inmediata), **immobilization** (inmovilización), **immobilize** (paralizar, inmovilizar; V. *lock up, tie up*), **immobilized assets** (activo fijo, activo inmovilizado), **immovable**

(inmóvil, inamovible, inmueble), **immovable goods** (bienes inmuebles), **immovable property, immovables** (bienes inmuebles o raíces; propiedad inmobiliaria/inmueble; inmuebles; patrimonio inmueble; valores inmobiliarios/inmuebles; V. *real assets/estate/property, realty; rural property*), **immunity from taxation** (inmunidad tributaria/fiscal), **immunization** (FINAN inmunización; estrategia de gestión de carteras de renta fija para defenderse de las fluctuaciones de los tipos de interés; V. *active/multiple/passive/contingent immunization*), **impartial** (imparcial; V. *biased*), **impartiality** (imparcialidad), **impecunious** (carente de fondos, sin fondos, insolvente; V. *insolvent*), **imperfect** (imperfecto, incompleto, defectuoso), **imperfect competition** (ECO competencia imperfecta), **imperfect items** (COMER artículos defectuosos), **imperfect trust** (fideicomiso imperfecto; V. *perfect trust*), **imperfection** (defecto, imperfección), **imponderable** (imponderable), **imponderables** (factores imponderables; V. *acts of God*), **improper** (inadecuado), **invisible** (invisible), **invisibles** (importaciones y exportaciones invisibles)].

image *n*: imagen, reputación; V. *corporate image, brand image, down-market image*. [Exp: **image building** US (asesoría de imagen, creación de imagen)].

imaginary *a*: simulado, imaginario. [Exp: **imaginary account** (CONT cuenta imaginaria/simulada)].

IMCO *n*: V. *Intergovernmental Maritime Consultative Organization*.

IMF *n*: V. *International Monetary Fund*.

IMM *n*: V. *International Monetary Market*.

immune *a*: inmune, exento. [Exp: **immunization** (inmunización de títulos, etc.), **immunity from taxation** (TRIB inmunidad tributaria)].

impact *n*: incidencia, impacto; V. *hit; incidence*. [Exp: **impact day** (SOC, BOLSA día de impacto; día en que se dan a conocer las condiciones de una nueva emisión de acciones), **impact effect** (ECO efecto inmediato)].

impair *v*: dañar, perjudicar, menoscabar, deteriorar, empeorar. [Exp: **impaired capital/credit** (CONT, SOC, BANCA capital/crédito no respaldado por activo equivalente; V. *doubtful loan, substandard, loss*), **impaired productivity** (productividad inferior a la normal), **impairment**[1] (menoscabo, deterioro, afectación, reducción; V. *disability*), **impairment**[2] US (CONT deterioro patrimonial; alude a la situación contable en la que los pasivos son superiores a los activos, por causa de pérdidas), **impairment of the capital of the corporation** (SOC menoscabo del capital de la sociedad), **impairment of collateral** (deterioro de la garantía prendaria), **impairment, without** (sin menoscabo)].

impawn *obs v*: empeñar, pignorar; V. *pawn, pledge*.

impecunious *a*: arruinado, pobre.

imperilled *a*: SEG en peligro.

implement *n/v*: utensilio, instrumento, herramienta; ejecutar, cumplir, aplicar, poner en práctica, instrumentar, llevar a cabo ◊ *Implement a decision*; V. *effect, execute, achieve*. [Exp: **implement the budget** (ejecutar el presupuesto), **implementation** (cumplimiento, aplicación, ejecución, instrumentación, realización, puesta en práctica, medios para poner en práctica), **implementation schedule** (programa de ejecución de un proyecto), **implements** (útiles, utensilios, instrumentos, herramientas)].

implicit *a*: implícito; virtual. [Exp: **implicit costs** (CONT costes implícitos)].

imply *v*: implicar, significar, presuponer.

[Exp: **implication** (incidencia, impacto, repercusión, consecuencia ◊ *Decision that has implications for the economy*; V. *impact, incidence, knock-on effect*), **implied** (implícito, sobreentendido; V. *constructive; expressly, imputed, implicit*), **implied term** (condición implícita o sobreentendida)].

import[1] *n/v*: importación, artículo de importación; importar; V. *importation*. [Exp: **import**[2] (sentido, significado, significación; significar), **import bill** (factura/importe/coste de las importaciones), **import certificate** (certificado de importación), **import commodities/ goods** (artículos/mercancías de importación), **import declaration** (declaración de importación), **import duties** (aranceles; derechos de importación; arbitrios), **import excise duty** (impuesto especial sobre las importaciones), **import-export firm** (empresa de importación-exportación), **import licence/license/permit** (permiso o licencia de importación; V. *export licence*), **import on government/private account** (importación por cuenta del Estado/ de un particular), **import quotas** (cupo/cuota de importación; contingente; contingente arancelario; contingentación de importaciones; V. *feather-bedding, subsidies*), **import-replacing production** (ECO producción destinada a reemplazar la importación), **import restrictions** (restricciones a la importación; V. *restrictions on import*), **import substitution** (política de sustitución de importaciones; política de desarrollo hacia adentro; V. *export promotion*), **import surcharge** (recargo a la importación), **import tariff** (arancel de importación), **importer** (importador), **importation** *US* (importación; en Gran Bretaña se prefiere *import*; V. *duty-free importation*)].

impose *v*: imponer, gravar, prescribir, exigir. [Exp: **imposable** (imponible; V. *taxable*), **impose a surcharge/tax on** (TRIB gravar con una sobretasa o con un impuesto; V. *levy*), **impose trade barriers** (imponer barreras comerciales; V. *lift trade barriers*), **impose sanctions** (imponer sanciones económicas; V. *lift sanctions*), **imposition** (imposición; obligación impuesta; carga; tributo, impuesto; abuso ◊ *These rules are a real imposition*), **imposition of prices** (fijación de precios, imposición de precios; V. *price fixing/maintenance*), **imposition of taxes** (imposición de contribuciones; V. *levy/raising of taxes*), **impositive** (impositivo), **impost** (TRIB impuesto; contribución; derechos de aduana; V. *tax, duty*)].

impôt à forfait *n*: impuesto concertado; V. *forfait tax*.

impound *v*: depositar; incautar, embargar, confiscar ◊ *Goods impounded pending payment of duties*. [Exp: **impounder** (embargante), **impounding** (confiscación)].

imprest *a/n*: anticipado, adelantado; préstamo, anticipo, adelanto; V. *advance; cash imprest*. [Exp: **imprest account/ fund** (CONT cuenta/fondo de anticipos de caja para gastos menores), **imprest cash** (caja chica; fondo para gastos menores; V. *petty cash*), **imprest cash fund** (fondo fijo o rotativo para gastos menores), **imprest fund** (CONT fondo fijo de caja; V. *petty cash fund*), **imprest payroll account** (cuenta de anticipos de sueldo), **imprest system** (CONT sistema con saldo de caja positivo; sistema de fondo fijo; V. *cash float*)].

improve *v*: mejorar, revalorizar. [Exp: **improved real estate** (predio mejorado), **improvement** (mejora; V. *betterment*)].

impulse *n*: impulso; capricho, ventolera *fig*. [Exp: **impulse buyer** (comprador caprichoso o por impulso), **impulse buying/purchasing** (compra por capricho o por impulso; V. *emotional buying motives*), **impulse goods/ items/merchandise** (COMER artículos llamativos/atractivos; artículos no necesarios; V. *novelties, fad*), **impulse purchase/sales** (compra/venta impulsiva o caprichosa)].

imputation *n*: imputación; acusación. [Exp: **imputable** (imputable; V. *implicit, constructive*), **imputation of taxes** (imputación de impuestos), **imputation system of taxation** (TRIB sistema de imputación de liquidación de impuestos; V. *corporation tax*), **impute** (imputar, atribuir, acumular), **imputed¹** (atribuido, imputado), **imputed²** (implícito, nocional; V. *implicit; notional*), **imputed cost** (CONT coste imputado, implícito o virtual; V. *shadow prices; accounting prices*), **imputed interest** (intereses calculados)].

IMRO *n*: V. *Investment management regulatory organization*.

in *adv/prep*: dentro. [Exp: **in-and-out** *col* (BOLSA pase; especulación rápida en la Bolsa; transacción bursátil «mete-saca»; V. *quickie; purchase and immediate resale*), **ins and outs** *col* (los de dentro y los de fuera; *in* alude a los países que forman parte de la Unión Económica y Monetaria —EMU— y *out* a los que no se han integrado en ella; V. *euro zone*), **in-basket** (bandeja con docu-mentos de entrada; V. *out-basket*), **in-basket test** *US* (examen de casos prácticos para el acceso a un puesto de trabajo), **in-basket training** *US* (formación práctica), **in-built tendency** (tendencia automática), **in-clearing items** (BANCA efectos liquidados enviados por la cámara de compensación, también llamados *incoming clearings*; V. *out clearing items*), **in-depth** (en profundidad), **in-**depth **interview** (entre-vista en profundidad), **in-flight catering** (servicio de restauración a bordo), **in-hand foods** (COMER alimentos que se consumen en el lugar donde se venden; ◊ *Ice-cream is in-hand food*; V. *take-home foods*), **in-house** (interno, dentro de la empresa ◊ *In-house promotion*), **in-house advertising agencies** (PUBL agencias de publicidad internas), **in-house funds** (fondos de clientes), **in-house training** (REL LAB formación en el mismo puesto de trabajo; V. *on-the-job training; refresher course, retraining*), **in-process** (en curso), **in-process handling** (transporte interprocesal), **in-process materials** (materiales en curso de fabricación), **in-progress inventory** (inventario de bienes semimanufac-turados; V. *work in progress*), **in-store** (en almacén, dentro del almacén o de la tienda), **in-transit** (cargamento en tránsito), **in-tray** (bandeja de docu-mentos de entrada o pendientes; V. *out-tray; filing tray basket*)].

in- *prefijo*: in-. [El prefijo inglés *in-* tiene el mismo significado negativo que en español, equivaliendo en la mayoría de los casos a «in-»; también equivale a «dis» y en ocasiones se acude a la perífrasis «falta de» para su traducción; a veces, el prefijo *in-*, por influencia de la consonante que sigue, se transforma en *il-* (*illicit*, etc.), en *im-* (*immobilized*, etc.) o en *ir-* (*irrelevant*, etc.). Exp: **inability** (falta de medios; impotencia, inca-pacidad; V. *ability-to-pay*), **inaction** (inacción, descanso), **inactive** (inactivo, sin movimiento, inmovilizado; V. *idle, dormant*), **inactive account** (cuenta sin movimiento; V. *dormant account*), **inactive bond** (V. *active bond*), **inactive money** (V. *idle money*), **inactive stock** (CONT existencias inmovilizadas), **inadequacy** (insuficiencia, incapacidad, ineptitud), **inadequacy of reserves** (insuficiencia de reservas), **inadequate** (insuficiente, inepto; incapaz), **inadequate** (insuficiente, incompleto, incapaz; inaceptable; V. *insufficient, unqualified*), **inadmitted** (improcedente), **inadmitted assets** (CONT activo no computable, activo no aprobado o confirmado; V. *affected liabilities; admitted assets*), **inappropriate** (inapropiado; V. *appropriate*), **incertitude** (incertidumbre), **incompetent** (inepto, incompetente; V. *disqualified*), **inconclusive** (inconcluyente), **inconsistency** (falta de coherencia, contradicción, inconsecuencia), **inconsistent** (contradictorio, incongruente), **incontestability clause** (SEG cláusula de incontestabilidad; V. *indisputability clause*), **incontestable** (en firme), **incontestable clause** (cláusula indiscutible o en firme), **incorporeal** (intangible; V. *intangible*), **inconvertibility** (inconvertibilidad), **inconvertible** (inconvertible; no convertible), **incorporeal property** (bienes intangibles; V. *intangible*), **incorrect** (incorrecto, inválido, erróneo), **independent** (independiente), **independent bank** US (banco de ámbito local también llamado *community bank; downstream/upstream bank*), **independent financial adviser** (asesor financiero externo a la empresa), **independent means, of** (acomodado; V. *well-off*), **independent variable** (variable independiente), **indifference curves** (ECO, BOLSA curvas de indiferencia), **indirect** (indirecto, implícito), **indirect labour** (mano de obra indirecta), **indirect liabilities** (pasivo indirecto o contingente), **indirect quotation** (MERC DINER cotización indirecta; es la cotización que utiliza la divisa nacional como básica —*base currency*— y la extranjera, como

cotizada —*quoted currency*; V. *direct quotation*), **indirect tax** (impuesto indirecto), **indispensable** (imprescindible, indispensable), **indisputability clause** (SEG cláusula de incontestabilidad o indisputabilidad; V. *incontestability clause*), **ineffective** (ineficaz, incompetente, incapaz), **ineffectual** (ineficaz), **inefficiency** (ineficacia, ineficiencia; V. *abnormal spoilage*), **inelastic** (rígido, inelástico; V. *elastic*), **inelastic demand/supply** (ECO demanda/oferta inelástica; V. *elastic demand/supply*), **ineligible** (no apto, inadecuado; inaceptable, innegociable; que no reúne o cumple los requisitos o condiciones para gozar de un derecho o para ser elegido o designado ◊ *She's ineligible on the grounds of age*; V. *eligible; disqualified*), **ineligible securities** (BOLSA títulos no aptos para inversión bancaria ◊ *Corporate bonds are usually in eligible securities in the USA*; V. *eligible securities*), **ineligibility** (incapacidad o imposibilidad de ser elegido para ejercer un cargo; incumplimiento de los requisitos exigidos; inadmisibibilidad al redescuento del Banco de Inglaterra; V. *eligibility; disqualification*), **inexpensive** (económico, barato), **informal** (informal, no solemne, familiar, oficioso, extraoficial, sencillo), **informal economy** (economía informal, sumergida, oculta, subterránea, encubierta, irregular, etc.; V. *hidden economy, underground economy*), **input** (entrada, insumo; materia o componente; alimentación, inyección, compras; cantidad y valor de los bienes que pasan de un sector a otro en una tabla de entradas y salidas; factores de producción; consumo de un factor en un proceso; información recibida en un ordenador con el fin de operar con ella; aducto; entrar; introducir; V. *output*), **input data** (datos de entrada), **input-**

output analysis (ECO análisis de entradas y salidas; análisis insumo-producto, análisis «input-output»; alude al análisis macroeconómico que examina las interrelaciones sectoriales del sistema económico), **input-output coefficient** (ECO coeficiente insumo-producto, coeficiente técnico), **input-output table, IOT** (ECO tabla de entradas y salidas, tabla intersectorial), **input-output terminal** (terminal de entrada y salida), **input tax** *US* (impuesto sobre el valor añadido de bienes y servicios empresariales), **insecure** (poco seguro, arriesgado ◊ *An insecure investment*), **insolvency** (insolvencia), **insolvency practitioner** (profesional especialista en liquidación de quiebras; V. *liquidator*), **insolvency proceedings** (concurso de acreedores), **insolvent** (insolvente, fallido, quebrado; V. *impecunious*), **insolvent debtor** (deudor insolvente), **insufficiency in bankruptcy** (falta de masa), **insufficiency of packing** (TRANS MAR insuficiencia en el embalaje), **insufficient** (insuficiente), **insufficient consideration** (causa contractual insuficiente o no reconocida por la ley), **insufficient funds** (saldo insuficiente), **intangible** (intangible), **intangible assets** (CONT activos/bienes/valores/inmovilizaciones inmateriales/intangibles/incorporales; activo intangible, inmaterial o nominal; inmovilizado inmaterial ◊ *Goodwill, patents, copyrights and trademarks are intangible assets*; V. *immaterial assets*), **intangible fixed assets** (activos intangibles inmovilizados, intangibles; V. *goodwill*), **intangible property** (bienes intangibles, inmateriales o incorporales; V. *incorporeal*), **intransmissible** (intransmisible), **invalid** (inválido, nulo, caducado, írrito; V. *null*), **invalidate** (anular, invalidar, cancelar), **invalidation** (invalidación, anulación), **invalidity** (nulidad, incapacidad, invalidez), **involuntary** (fortuito, involuntario, accidental), **involuntary bankruptcy** (quiebra forzosa o fortuita, concurso necesario), **involuntary trust** (fideicomiso sobreentendido o implícito)].

inc. *a*: V. *incorporated company*.

incentive[1] *n*: REL LAB móvil, incentivo, estímulo; V. *wage incentive; incentive payment*. [Exp: **incentive**[2] (COMER bonificación, incentivo; V. *export incentive; tax incentive*), **incentive bonus scheme** (REL LAB sistema/plan de primas de incentivos), **incentive earnings** (prima, bonificación), **incentive payment/wage** (REL LAB incentivo; prima de producción), **incentive taxation** (TRIB sistema tributario de estímulo a la inversión), **incentive wage system** (escala de sueldos según productividad)].

inception *n*: comienzo, principio; V. *date of inception*. [Exp: **inception report** (informe inicial; V. *progress report*)].

incestuous *a*: incestuoso. [Exp: **incestuous share dealing** *US* (TRIB comercio/compraventa de acciones mutuas; compra y venta mutua de acciones empresariales del mismo grupo o *holding* con objeto de desgravar fiscalmente)].

inch *n*: pulgada; V. *yard, mile, metre*.

inchoate *a*: incompleto; rudimentario; empezado y no acabado, futuro. [Exp: **inchoate bill** (FINAN letra perjudicada) **inchoate instrument** (FINAN documento incompleto; documento no registrado), **inchoate interest** *US* (interés futuro sobre un bien inmueble)].

incidence *n*: incidencia, impacto, repercusión; V. *impact, implication, knock-on effect*. [Exp: **incidence of a tax or taxation** (TRIB incidencia fiscal, tributaria o de la imposición), **incidental** (concomitante, conexo; contingente, casual; irregular), **incidental expenses**

(gastos menores, accesorios, imprevistos o varios; V. *contingencies*), **incidentals** (gastos imprevistos)].

include *v*: comprender, abarcar, englobar, cubrir, encerrar, incluir; insertar, meter; V. *cover*. [Exp: **included in the agenda, be** (figurar en el orden del día), **inclusive** (inclusivo; inclusive; todo incluido), **inclusive of all charges** (incluidos todos los gastos; V. *all charges deducted*), **inclusive rate** (tarifa a tanto alzado), **inclusive sum** (suma global)].

income *n*: renta-s, ingreso-s; producto; V. *earned income, gross income, taxable income, unearned income, investment income; revenue*. [Exp: **income account**[1] (CONT cuenta/declaración de entradas o ingresos; estado/extracto de ingresos; V. *revenue account*), **income account**[2] (CONT cuenta de pérdidas y ganancias, cuenta de resultados; declaración de rentas o ingresos; V. *income statement, profit and loss account/statement*), **income allowance** (deducción o desgravación fiscal por gastos personales), **income and expenditure account** (CONT cuenta de ingresos/ entradas y gastos/salidas, también llamada *receipt and disbursements/ expenditures*; la utilizan las sociedades sin ánimo de lucro —*non-trading non organizations*— y es similar a la cuenta de explotación o *profit and loss account*; V. *income and expenses; incomings and outgoings; receipts and expenditure/ expenses/payments*), **income and expenditure equation** *US* (ECO ecuación de renta y gasto), **income and ex- penditure/expenses/outlays account** (CONT cuenta de ingresos/entradas y gastos/salidas; la utilizan las sociedades sin ánimo de lucro —*non-trading profit- making organizations*— y es similar a la cuenta de explotación o *profit and loss account*; V. *incomings and outgoings;*

receipts and expenditure/expenses/ payments), **income and outlay account** *US* (cuenta de ingresos y desembolsos), **income and surplus statement** *US* (CONT cuenta de pérdidas y ganancias), **income approach to value** (TRIB valoración según rentas), **income basis** *US* (renta imponible; V. *taxable base*), **income bond**[1] (SEG póliza de prima única, también llamada *guaranteed income bond*; V. *single-premium policy*), **income bond**[2] (V. *National Savings Income Bonds*), **income bond**[3] (FINAN bono de ingreso; obligación participativa, también llamada *income debenture* y *participating bond*; se trata de bonos/ obligaciones cuyas amortizaciones e intereses se efectúan con las rentas obtenidas por el prestatario; V. *adjustment bond*), **income bracket/class/ group** (TRIB tramo/escalón de renta; grupo, nivel, categoría, clase de personas/rentas, grupo/nivel de ingresos/ rentas; V. *salary bracket, age bracket, lower/upper/higher income bracket*), **income-consumption curve** *US* (ECO curva de renta consumo), **income debenture** (V. *income bond*), **income distribution**[1] (FINAN distribución de la renta), **income distribution**[2] (FINAN abono semestral de los rendimientos de los fondos de inversión; V. *unit trust*), **income earner** (perceptor de rentas; V. *income receiver*), **income effect** (ECO efecto renta; V. *price effect*), **income elasticity** (ECO elasticidad renta; elas- ticidad con respecto a la renta/ingreso), **income elasticity of demand** (ECO elasticidad-renta de la demanda), **income equation** (ECO ecuación de la renta), **income expenditure** (gastos vinculados a las rentas obtenidas), **income from capital** (TRIB rendimiento de capital mobiliario; V. *tax schedules*), **income from employment** (TRIB rentas por trabajo personal; V. *tax schedules*), **income from/on investments** (FINAN ingresos derivados de inversiones; V. *investment income*), **income fund** (FINAN fondo de renta; sus beneficios provienen de los intereses y dividendos de los títulos que gestionan; S. *growth fund*), **income gearing** (CONT apalancamiento de la renta; alude a la proporción entre los beneficios de una empresa y sus cargas financieras; V. *balance sheet*), **income growth** (FINAN alto crecimiento de dividendos e intereses producido por títulos ◊ *Bonds provide income growth but limited capital growth*; V. *income stock; capital stocks*), **income in kind** (renta en especie), **income liable to tax** (TRIB renta gravable), **income maintenance program** *US* (programa de subsidio familiar), **income multiplier** (multiplicador de la renta), **income-offer line** *US* (curva de renta-oferta), **income-oriented** (que busca la renta más que el crecimiento; V. *growth-oriented*), **income policy** (política de rentas), **income producing** (rentabilización), **income property** (propiedad de explotación), **income-purchase line** *US* (curva de renta-compra), **income receiver** *US* (perceptor de renta; V. *income earner*), **income return** (V. *income tax return*), **income share** *US* (participación en la renta nacional), **income-spending lag** (desfase renta-gasto), **income splitting** (TRIB partición de la renta a efectos tributarios; división de la renta por el número de perceptores de una unidad familiar y aplicación de las tarifas tributarias a cada una de las rentas resultantes), **income statement** *US* (CONT balance/cuenta de resultados; estado/extracto de ingresos, balance de estado; cuenta de ingresos o ganancias, cuenta de pérdidas y ganancias; declaración de rentas o ingresos; V. *income account,*

profit and loss account/statement, earnings report), **income statement account** (CONT cuenta de balance de resultados), **income stock** (BOLSA título apreciado por su renta alta o estable; V. *fixed-interest gilt; income growth, capital growth, capital stock*), **income summary** *US* (CONT cuenta de explotación; V. *operating statement*), **income support** (subsidio, ayuda, complemento estatal para compensar los sueldos bajos; V. *supplementary benefit*), **income tax** (impuesto sobre la renta IRPF; V. *capital levy, capital gains tax*), **income tax allocation** (TRIB distribución del impuesto de la renta), **income tax allowance** (deducciones del impuesto sobre la renta; V. *allowance[3], relief*), **income tax form** (impreso de declaración de la renta), **income tax reliefs** (desgravaciones en el impuesto de la renta; V. *capital allowances*), **income tax reserve** (SOC reserva para impuestos de la renta), **income tax return** (declaración de la renta, declaración fiscal), **income velocity of circulation** (ECO velocidad de circulación de la renta; velocidad-ingreso del dinero), **income-yielding** (rentable), **incomes policy** (ECO política de rentas), **incoming** (entrante, de fuera, nuevo, por llegar; entrada; V. *outgoing; receipt, taking*), **incomings and outgoings** (CONT cuenta de ingresos/entradas y gastos/salidas; la utilizan las sociedades sin ánimo de lucro —*non-trading non-profit-making organizations*— y es similar a la cuenta de explotación o *profit and loss account*; V. *income and expenses; receipts and expenditure/expenses/payments*), **incoming bills** (letras/facturas por cobrar), **incoming-clearings** (V. *in-clearing items*), **incoming mail** (correspondencia recibida; V. *outgoing mail*), **incoming orders** (pedidos recibidos)].

incorporate *v*: incorporar, agregar, incluir; constituir una sociedad mercantil, etc.; V. *corporate, form a company*. [Exp: **incorporate a company** (constituir una sociedad mercantil), **incorporated bank** *US* (banco por acciones; sociedad bancaria por acciones; V. *joint stock bank*), **incorporated business/company, inc** *US* (SOC sociedad anónima; mercantil constituida legalmente; el nombre equivalente en el Reino Unido es *Public Limited Company, PLC*), **incorporating clauses** (TRANS MAR cláusulas especiales de algunos conocimientos de embarque), **incorporation** (constitución de una sociedad anónima, acto constitutivo; incorporación, en sentido general; V. *act of incorporation*), **incorporation by royal charter** (sociedad creada mediante cédula o privilegio real; V. *corporation charter*), **incorporation papers** (escritura social o constitutiva, contrato de sociedad; certificado de incorporación; V. *deed of incorporation, certificate of incorporation, articles of incorporation*), **incorporator** (otorgante)].

incoterms *n*: términos de comercio internacional; reglas internacionales para la interpretación de los términos del comercio internacional; el término *incoterms*, formado por las palabras *international commerce terms*, alude a las reglas internacionales, publicadas desde 1936 por la Cámara de Comercio Internacional, dirigidas a la comprensión e interpretación de los términos comerciales de mayor uso.

increase *n/v*: aumento, ampliación, elevación, alza, incremento, crecimiento, acrecentamiento; aumentar, ampliar, elevar, crecer; V. *natural increase, net worth increase/decrease, unearned increment; rise, growth*. [Exp: **increase capital stock** (ampliar el capital social; V. *reduce*), **increase endorsement** (SEG tomar una póliza adicional; V. *decrease endorsement*), **increase in capital expenditure** (ampliación de inversiones en activo fijo), **increase in costs** (alza de costes), **increase in cover** (SEG ampliación de cobertura), **increase in economic activity** (crecimiento económico), **increase in value** (aumento de valor), **increase of population** (crecimiento demográfico), **increase of share capital** (ampliación de capital social; V. *capital increase, reduction*), **increased value insurance** (SEG seguro de plusvalía), **increasing** (creciente), **increasing charge depreciation** *US* (amortización/depreciación creciente/progresiva; V. *progressive depreciation*), **increasing-cost industry** (industria de costes crecientes), **increasing costs** (costes crecientes; V. *decreasing costs; law of diminishing/increasing returns*), **increasing marginal utility** (utilidad marginal creciente), **increasing returns theory** (ECO teoría de los rendimientos crecientes o de escala), **increasingly** (cada vez más)].

increment *n*: incremento, aumento salarial, aumento periódico; *aprox.* anualidad, trienio, etc. ◊ *Annual increment*. [Exp: **increment value** (plusvalía), **incremental** (incremental, gradual; adicional), **incremental budgeting** (presupuestación incremental), **incremental capital-output ratio, ICOR** (relación marginal capital-producto), **incremental cash flow** (flujo incremental de circulante), **incremental cost** (coste marginal, incremental o diferencial), **incremental increase** (incremento salarial anual), **incremental influence** (influencia incremental), **incremental rate of return** (tasa diferencial de rentabilidad), **incremental scale** (escala móvil de salarios), **increment tax** *US* (impuesto de plusvalías; V. *capital gains tax*), **incrementalism** (gradualismo)].

incubator space *n*: oficinas de alquiler con todos los servicios imprescindibles.

incumbent¹ *a/n*: de la incumbencia de, que incumbe a ◊ *It's incumbent on us to provide for the widow*. [Exp: **incumbent²** (titular, el/la que ocupa un cargo o puesto ◊ *The present incumbent*), **incumbent on, be** (incumbir a)].

incumbrance *n*: V. *encumbrance*.

incur *v*: incurrir en, contraer, asumir, sobrevenir, ocasionar, sufrir ◊ *Incur a loss, penalty, etc*. [Exp: **incur a debt/expenses** (contraer una deuda, ocasionar/hacer gastos; V. *bear the expenses*), **incur a liability/an obligation** (contraer una responsabilidad u obligación), **incur a loss** (SEG sufrir/ experimentar una pérdida), **incur the risk of** (correr el riesgo de, hacerse responsable del riesgo de), **incurred expenses** (gastos contraídos/ocasionados), **incurred losses** (SEG siniestros ocurridos; pérdidas sufridas/experimentadas)].

incurably depreciated *US n*: desvalorizado a perpetuidad, sin remedio.

indebted *a*: adeudado, endeudado; obligado. [Exp: **indebted to sb, be** (estar en deuda con alguien; agradecerle a alguien ◊ *I'm indebted to you for your help*), **indebtedness** (adeudos, deudas, pasivo, obligaciones, endeudamiento; V. *balance of indebtedness; borrowing*), **indebtedness account** (cuenta de endeudamiento), **indebtedness certificate** (certificado de deuda)].

indemnification *n*: indemnización, reparación, resarcimiento, compensación. [Exp: **indemnify** (indemnizar, resarcir, compensar, reparar), **indemnify oneself** (resarcirse), **indemnities and bonuses to personnel** (REL LAB indemnizaciones y gratificaciones al personal), **indemnity¹** (REL LAB, SEG indemnidad, indemnización, resarcimiento; indemnización

doble en caso de muerte por accidente; indemnizar; V. *compensation; bonus compensation, double indemnity; protection and indemnity club; termination indemnity, letter of indemnity¹*), **indemnity²** (DER inmunidad; V. *immunity*), **indemnity³** (SEG garantía; exoneración de responsabilidad por el incumplimiento de las obligaciones de un tercero; V. *letter of indemnity²*), **indemnity⁴** *US* (BOLSA opción a comprar o vender acciones a un precio determinado durante cierto tiempo; V. *option*), **indemnity agreement/contract** (SEG pacto de indemnización ◊ *Most insurance policies are indemnity contracts*), **indemnity bond** (contrafianza, caución de indemnidad, fianza de indemnización; V. *back bond, bond of indemnity*), **indemnity clause** (TRANS cláusula de indemnización; cláusula de exoneración de responsabilidad al propietario del medio de transporte), **indemnity club** (V. *The Baltic and International Maritime Conference*), **indemnity for dismissal** (REL LAB indemnización por despido), **indemnity insurance** (SEG seguro de indemnización; seguro de compensación por pérdida, extravíos, etc.), **indemnity policy** (póliza de indemnización)].

indent¹ *n/v*: COMER orden de compra; solicitud de cotización; cursar una orden de compra; V. *put in an indent; closed/ open/specific indent*. [Exp: **indent²** (sangrado; sangrar párrafos), **indent agent** *US* (agente de compras), **indent for** (COMER hacer un pedido de algo), **indent house** *US* (COMER agencia de importación; casa importadora de productos extranjeros), **indent merchant** *US* (comerciante importador), **indented paragragh** (párrafo sangrado; V. *blocked paragraph*), **indentor** *US* (comprador), **indenture¹** (escritura, contrato, instrumento, partida, contrato con el comisario;

contrato bilateral; contrato de aprendizaje; el *indenture* se llama así porque al partirse en dos el documento, como las *charterparties,* sus bordes quedaban con *indenture*, es decir, «dentados»; V. *bond/debentures indenture, trust indenture*), **indenture²** (FINAN escritura de emisión de bonos u obligaciones o *bond indenture*; sin embargo, una versión más moderna de este término es *deed* o *deed of trust*; V. *closed mortgage*), **indentured labour** (REL LAB mano de obra contratada a largo plazo), **indentured to, be** (REL LAB tener contrato de aprendiz o de prácticas en una empresa, trabajar de aprendiz), **indentures** (contrato de aprendizaje; V. *articles of apprenticeship*)].

independent *a*: independiente; separado, por cuenta propia. [Exp: **independent taxation** (TRIB declaración de la renta separada; V. *individual income tax return; joint filing*), **independent means, of** (de posición acomodada, que vive de rentas, que no depende de un sueldo)].

index *n/v*: índice, coeficiente; indexar, indiciar, referenciar; V. *chain-based/ linked indices, retail price index, consumer price index, base-weighted indices*). [La forma plural es *indexes* o *indices*. Exp: **index arbitrage** (arbitraje de índices), **index card** (ficha; V. *card index*), **index filing** (clasificación por archivos o ficheros), **index fund** (BOLSA, FINAN fondo de índice; alude al fondo de inversión formado por los títulos de un índice bursátil), **index futures** (MERC FINAN/PROD/DINER futuros sobre índices; futuros vinculados a los índices calculados de acuerdo con el comportamiento del mercado; V. *portfolio insurance*), **index futures option** (MERC FINAN/ PROD/DINER opción sobre futuros en índices bursátiles), **index-linked/tied** (ajustado al coste de la vida; actua-

lizable/ajustable a un índice; indiciado, indexado), **index-linked adjustments** (ajustes referenciados a un índice), **index-linked annuities** (anualidades/ renta vitalicias actualizables con el índice de coste de la vida), **index-linked bond issue** (préstamo con cláusula de índice de precios), **index-linked savings bonds/ certificates** (obligaciones indexadas), **index-linked wage agreement** (convenio salarial ajustado al coste de la vida), **index numbers** (ECO números índice; V. *cost-of-living index numbers*), **index of disparity** (índice de disparidad), **index of orders booked** *US* (índice de pedidos en cartera), **index of retail prices** (ECO índice de precios al consumo; V. *consumer price index*), **index of weekly earnings** (REL LAB índice de sueldos y salarios), **index option** (FINAN opción sobre índice; el activo subyacente sobre el que se ejerce la opción es un índice), **index option writing** (MERC FINAN/ PROD/DINER emisión de opciones sobre índices), **index-related arbitrage** (FINAN arbitraje sobre índices bursátiles; V. *risk arbitrage*), **index-tied** (V. *index-linked*), **index-tied loan** (préstamo con tipo de interés vinculado a un índice económico establecido), **index trading** (MERC FINAN/PROD/DINER contratación basada en índices), **indexed** (indexado, indiciado; referenciado; por lo general, actualizado, vinculado, referenciado o ajustado a un precio o índice, por ej., el de inflación; V. *index-linked; oil-indexed; index-linked/tied*), **indexed bond** (FINAN bono indexado/indiciado/ajustable; bono con intereses vinculados a un determinado índice, normalmente el de inflación), **indexed currency option note, ICON** (FINAN título indiciado de opciones sobre divisas; bono en dos denominaciones o divisas indiciado a opciones sobre divisas; V. *dual currency bond; heaven* *and hell bond*), **indexed loan** (empréstito indexado/indizado), **indexed pension** (pensión actualizada al coste de la vida), **indexes** (ECO índices, también llamados *indices*), **indexing** (indexación/indización)].

indexation *n*: ECO indexación; indiciación; vinculación/referencia a un índice económico. [Exp: **indexation allowance** (ECO deducción vinculada al índice de precios al consumo, en los impuestos por aumentos o disminuciones patrimoniales para compensar los efectos de la inflación), **indexation strategies** (BOLSA estrategias de indexación/indiciación)].

indicator *n*: indicador.

indices *n*: ECO índices, también llamados *indexes*.

indifference *n*: indiferencia. [Exp: **indifference analysis** (ECO análisis de indiferencia, en especial, en la demanda de consumo), **indifference curve** (ECO curva de indiferencia, en especial, en la demanda de consumo)].

indigenization *n*: ECO indigenización; reemplazo de personal extranjero por personal nacional.

indirect *a*: indirecto. [Exp: **indirect export** (exportación indirecta), **indirect labour** (mano de obra indirecta, trabajo indirecto), **indirect earnings** (ingresos no salariales), **indirect tax** (impuesto indirecto), **indirect taxation** (régimen o sistema de impuestos indirectos)].

individual *a/n*: individual; persona natural, persona física, individuo; V. *private person*. [Exp: **individual capacity, in one's** (a título personal), **individual income tax return** (declaración de la renta individual o por separado; V. *joint income tax return; independent taxation*), **individual retirement account, IRA** *US* (SEG, REL LAB plan de jubilación individual; V. *company-pension scheme*), **individual insurance scheme** (plan de

seguro individual), **individual underwriter** (suscriptor individual)].

indorse/indorsement *v/n*: V. *endorse, endorsement*.

induce *v*: inducir, incentivar. [Exp: **induced-by benefit** (beneficio inducido indirecto), **inducement** (PUBL aliciente, estímulo, incentivo, móvil; astilla, soborno), **inducement** (aliciente), **inducement to invest** (incentivo a la inversión)].

industrial *a*: industrial, laboral, ocupacional; referido a las relaciones laborales. [El término *industrial* se aplica al mundo de lo socio-laboral o profesional de la empresa, mientras que *corporate* se aplica a la esfera de la patronal o a los aspectos del derecho societario; aplicado a la Bolsa, equivale a «valores industriales». Exp: **industrial accident** (REL LAB accidente laboral; V. *occupational injury, accident at work*), **industrial action** (REL LAB medidas/acciones reivindicativas, de conflicto colectivo o de fuerza; movilizaciones; huelga), **industrial and provident society** (sociedad de beneficencia, mutualidad de prestación de servicios; V. *beneficial association, charitable society; benefit club/society*), **industrial arbitration** (arbitraje entre empresa y obreros), **industrial bank** *US* (financiera; establecimiento financiero, también conocido con el nombre de *finance house*; V. *small loan company, commercial credit company*), **industrial belt** (cinturón industrial), **industrial business** (SEG sistema de seguros de vida populares; V. *industrial life assurance; block system; home service insurance*), **industrial carrier** (TRANS MAR buque para el transporte de mercancías), **industrial combine** (grupo industrial), **industrial complex** (complejo industrial), **industrial cluster** (aglomeraciones industriales), **industrial deepening** (intensificación industrial), **industrial development certificate** (autorización para la construcción de una planta industrial en una zona de desarrollo industrial o *development area*), **industrial dispute** (REL LAB conflicto colectivo; V. *demarcation dispute, labour dispute*), **industrial espionage** (espionaje industrial), **industrial estate** (polígono industrial; V. *industrial park; trading estate*), **industrial expansion and modernisation policy** (ECO acción concertada, política industrial de expansión y modernización), **industrial goods** (bienes/productos industriales), **industrial health/hygiene/medicine** (salud, higiene, medicina industrial), **industrial injuries** (accidentes laborales), **industrial injuries insurance/ industrial insurance** (SEG seguro contra accidentes laborales, también llamado *workmen's compensation insurance* en los EE.UU.), **industrial life assurance** (TRIB sistema de seguros de vida populares; V. *block system; home service insurance; industrial business*), **industrial market economy** (país industrial con economía de mercado), **industrial output** (producción industrial), **industrial park** *US* (polígono industrial; V. *industrial/trading estate; business park, science park*), **industrial partner** (SOC socio industrial; V. *dormant partner*), **industrial partnership** (SOC empresa laboral, empresa cooperativa; participación obrera en los beneficios), **industrial plant** (ECO explotación industrial), **industrial production index** (ECO índice de producción industrial), **industrial property** (DER propiedad industrial; patentes, marcas, etc.), **industrial relations** (REL LAB relaciones entre empleados y empleadores; V. *labour-*

management relations), **industrial reserve army** (ECO ejército industrial de reserva, masas permanentes de desempleados), **industrial restructuring** (reconversión industrial; V. *industrial expansion and modernisation policy*), **Industrial Revolution** (ECO Revolución Industrial), **industrial safety** (seguridad en el trabajo), **industrial securities/ shares** (BOLSA valores/acciones industriales; V. *industrials*), **industrial training** (capacitación laboral), **industrial tribunal** (DER magistratura de trabajo, juzgado de lo social), **industrial truck** *US* (TRANS camión industrial; suele ser eléctrico y se dedica al transporte interno en una planta industrial; V. *forklift truck; pickup truck*), **industrial union** (REL LAB sindicato industrial), **industrial unrest** (REL LAB malestar laboral, clima de crispación laboral; V. *industrial action*), **industrial waste** (residuos/ vertidos industriales), **industrialism** (industrialismo), **industrialization** (ECO industrialización), **industrialize** (industrializar), **industrials** (BOLSA títulos/ valores industriales; V. *industrial securities*), **industrious** (trabajador, aplicado, laborioso), **industry** (industria, sector industrial), **industry bargaining** (convenio colectivo)].

infant *a/n*: niño; menor de edad; infantil; naciente, en su infancia; V. *minor*. [Exp: **infant death rate** (mortalidad infantil), **infant industry** (industria naciente), **infant industry argument** *US* (COMER INTER protección a la industria naciente; se suele hacer con restricciones a la importación), **infant's contract** (REL LAB contrato laboral de menores)].

infer *v*: deducir, inferir, concluir. [Exp: **inference** (deducción, inferencia, conclusión), **inferential** (deductivo)].

inferior *a*: inferior. [Exp: **inferior good** (ECO bien inferior)].

inflate *v*: aumentar, inflar, hinchar, aumentar. [Exp: **inflated prices** (precios elevados o exagerados), **inflated currency** (moneda inflacionista), **inflation** (inflación; V. *inflation runaway*), **inflation accounting** (V. *current cost accounting*), **inflation-deflation cycle** (ECO ciclo inflación-deflación), **inflation factor** (SEG factor inflación; en las pólizas de seguro alude al ajuste de las primas de acuerdo con la inflación; V. *inflationary factor*), **inflation proof/ proofed** (protegido contra la inflación), **inflation spiral** (ECO espiral inflacionaria de precios y salarios), **inflationary factor** (factor inflacionista), **inflationary gap/spiral** (ECO brecha/espiral/déficit inflacionista)].

inflow/influx *n*: entrada, afluencia; flujo de entrada, V. *cash inflow, capital inflow, capital flight*. [Exp: **inflow of capital/ currency** (afluencia de capitales o inversiones/divisas; V. *outflow*)].

inform *v*: avisar, informar; denunciar; V. *information*. [Exp: **informatics** (informática, también llamada *information science*; V. *computer science*), **information** (aviso, información, datos; denuncia, acusación; V. *notice, advice, price-sensitive information*), **information aggregation** (volumen de información de un banco de datos), **information desk** (información, mostrador de información), **information for bidders** (pliego de licitación, bases del concurso), **information gap** (vacío informativo), **information officer** (documentalista), **information/data retrieval** (recuperación de datos), **information science** (V. *informatics*), **informative** (informativo, aclaratorio)].

infrastructure *n*: infraestructura.

infringe *v*: incumplir, infringir, violar, vulnerar, conculcar. [La palabra *infringe* y sus derivados aluden principalmente a la violación, vulneración, etc. de los derechos de patentes (*patents*), marcas comerciales (*trademarks*), derechos de autor (*copyrights*), etc. Exp: **infringe a contract/ right/rule, etc.** (incumplir un contrato, derecho, norma, etc.), **infringe a patent** (violar una patente), **infringement** (DER violación, contravención; violación de patente, uso indebido, incumplimiento, vulneración, infracción; V. *copyright/ patent infringement; repetition of infringement*), **infringer** (infractor, violador)].

ingot *n*: lingote, barra.

inherent *a*: inherente, propio ◊ *Inherent in the system*. [Exp: **inherent vice** (defecto propio, defecto/vicio de partida; V. *vice*)].

inhibit *v*: inhibir, prohibir. [Exp: **inhibition** (inhibición; prohibición de la inscripción en el registro de la propiedad por fraude, quiebra, etc.; V. *abstention*), **inhibitory** (inhibitorio)].

initial *a/n/v*: inicial; rubricar, poner las iniciales o visto bueno a un documento. [Exp: **initial balance sheet** (CONT balance inicial), **initial campaign** (lanzamiento), **initial capital** (capital fundacional, de establecimiento o inicial; V. *opening capital*), **initial capital outflow** (desembolso inicial de capital), **initial charge** (FINAN cuota de entrada a un fondo de inversión o *unit trust*), **initial margin** (MERC FINAN/PROD/DINER depósito inicial), **initial exchange of principal** (MERC FINAN/PROD/DINER intercambio inicial del principal en una operación de *swaps* de divisas; V. *final exchange of principal*), **initial guarantee deposit** (garantía inicial), **initial margin** (MERC FINAN/PROD/DINER margen inicial; depósito de garantía; se trata del depósito que debe efectuarse en una operación de compra o de venta de futuros; V. *margin; maintenance margin; margin call*), **initial mark-on** (COMER margen inicial),

initial period (SEG cobertura de los gastos de la nómina durante las primeras semanas después de un accidente industrial, en los casos de *business interruption policy*), **initial premium** (SEG prima inicial, ajustable según circunstancias), **initial private placement** *US* (SOC, BOLSA colocación privada inicial), **initial public offering, IPO** *US* (SOC, BOLSA OPV, oferta pública de acciones o inicial, llamada en el Reino Unido *flotation*), **initialize** (iniciar; «inicializar»), **initials** (siglas, iniciales)].

inject *v*: inyectar, aportar. [Exp: **injection** (SOC aportación, inyección, contribución ◊ *A cash inyection*; V. *contribution*)].

injunction *n*: DER interdicto, auto, requerimiento/mandamiento judicial, prohibición, mandato judicial; amparo. [Exp: **injunction bond** (DER fianza de entredicho), **injunctive suit** (demanda de interdicción)]

injure *v*: dañar, perjudicar, lesionar, damnificar, agraviar, ofender. [Exp: **injuries and losses** (daños y perjuicios), **injury** (daño, lesión, herida, daños corporales, perjuicio, agravio; V. *loss, damages, legal injury*), **injury at work** (REL LAB accidente laboral; V. *occupational injury*), **injury to credit** (descrédito)]).

inland *a*: interior, nacional; del interior de Gran Bretaña, doméstico. [Aplicado al Reino Unido equivale a *domestic* o *national*. Exp: **inland bill of exchange** (letra de cambio interior, también llamada *agency bill*), **inland freight** (TRANS flete terrestre), **inland marine/transit insurance** (SEG seguro para aguas fluviales o marítimas interiores), **inland revenue** (ingresos fiscales, rendimiento impositivo; V. *tax receipts/revenue*), **Inland Revenue Office** (Hacienda; en el Reino Unido es la responsable de la recaudación de los impuestos y de la inspección correspondiente; V. *Commissioners of Inland Revenue; Internal Revenue Service; tax field audit*), **inland transit insurance** (SEG V. *inland marine insurance*), **inland transportation** (transporte terrestre), **inland water transport** (transporte fluvial), **inland waterway** (vía de navegación interior), **inland waterway bill of lading** (TRANS MAR conocimiento de embarque fluvial), **inland waterway consignment** (conocimiento de embarque fluvial)].

innocent *a*: inocente. [Exp: **innocent non-disclosure** (SEG olvido, sin mala fe, de algún dato importante al suscribir una póliza de seguro; V. *concealment*), **innocent misrepresentation** (SEG falseamiento, desnaturalización o desfiguración de algún dato importante, sin mala fe, al suscribir una póliza de seguro; *concealment*)].

innominate contract *n*: DER contrato innominado.

innovate *n*: innovar. [Exp: **innovation** (innovación), **innovation theory of cycle** (ECO teoría del ciclo económico basada en la innovación), **innovative** (innovador)].

inquiry *n*: V. *enquiry*.

inscribe *v*: registrar, inscribir. [Exp: **inscribed securities** (acciones nominativas/registradas; títulos-valores nominativos; V. *registered shares/stock*), **inscribed stock** *US* (BOLSA valores registrados en bancos de la Reserva Federal o *Federal Reserve System*; V. *certificate of inscription*), **inscription** (inscripción, admisión), **inscription on stock-exchange list** (BOLSA admisión a cotización oficial)].

insert *n/v*: encarte; insertar, encartar; introducir, incluir. [Exp: **insertion** (PUBL inclusión, inserción)].

inside *a*: interno, interior, de dentro. [Exp:

inside director *US* (GEST director interno; se dice del director de una empresa que procede de su consejo de administración; V. *outside director*), **inside trading range option** (MERC FINAN/PROD/DINER opción ejercible en unos límites fijados; la opción no se puede ejercer si el precio del activo subyacente —*underlying asset*— es superior o inferior a los límites fijados), **insider** (DER persona con información privilegiada; enterado; «iniciado», el de dentro, el que está dentro de un secreto; se dice de los directivos de una empresa, en expresiones como *insider selling, insider buying*, es decir, compra y venta de valores por el que tiene información; V. *outsider*), **insider information** (información confidencial), **insider dealings/trading** (BOLSA contratación en bolsa con información privilegiada; delito de iniciado; tráfico de información privilegiada, especialmente, en la contratación —*trading*— y transacciones llevadas a cabo en los mercados de valores; transacciones comerciales hechas utilizando información privilegiada a la que tienen fácil acceso muy pocas personas en razón de su cargo o de su puesto de trabajo en una empresa; V. *aboveboard, daylight trading, price sensitive information; disclose financial issues; tippee; RICO Act*)].

inspect *v*: inspeccionar, fiscalizar, revisar, reconocer, examinar, registrar. [Exp: **inspection** (inspección; V. *acceptance inspection*), **inspector** (inspector, revisor; V. *sergeant, superintendent, customs inspector; factory inspector*), **inspector of taxes** (TRIB inspector de tributos; V. *tax collector*), **inspectorate** (cuerpo de inspección; V. *factory inspectorate*)].

inst *n*: los corrientes, el mes actual ◊ *Our letter of the 15th inst*; V. *instant*.

instal *v*: instalar, montar, establecer. [Exp:

installation (instalación, establecimiento, montaje), **installation costs** (costes de instalación), **installation allowance** (TRIB desgravación por gastos de iniciación de un negocio)].

instalment[1] *n*: entrega; plazo; pago parcial, escalonado o a plazo; cuota; en los EE.UU. se escribe *installment*. [Exp: **instalment**[2] (SOC pago parcial del dividendo pasivo, también llamado *payment*[2] o *instalment payment*; V. *call*[6]), **instalment account** (cuenta a plazo), **instalment bond** (FINAN título/bono amortizable a plazos), **instalment buying** (compra a plazos), **instalment credit** (BANCA crédito para compra de bienes de consumo; crédito que se devuelve en uno o más plazos; V. *consumer credit, non-instalment credit*), **instalment loan** (préstamo a plazos), **instalment note** *US* (letra/pagaré firmado en las compras a plazo), **instalment payment**[1] (pago a plazos o escalonado), **instalment payment**[2] (SOC dividendo pasivo, también llamado *instalment*; V. *call*[6]), **instalment plan** (compra-venta a plazos; V. *hire-purchase; cash sales*), **instalment purchase** *US* (compra a plazos; V. *hire-purchase*), **instalment refund life annuity** (SEG seguro de renta vitalicia; anualidad con reembolso en cuotas; en caso de muerte anticipada del asegurado, los beneficiarios perciben el resto de la cantidad asegurada)].

instant *a/n*: inmediato; corriente, del mes; instante, momento; V. *inst*. [Exp: **instant credit** (crédito instantáneo), **instant vesting** (REL LAB reconocimiento inmediato de derechos adquiridos en la empresa antigua al cambiar a una nueva)].

institute *n/v*: instituto; crear, fundar una sociedad, una institución, etc.; incoar, instruir, entablar; V. *commence, initiate;*

incorporate, form. [Exp: **institute an action** (entablar una acción), **Institute Clauses** (SEG MAR cláusulas del Instituto; se trata de cláusulas normalizadas de las pólizas de seguro marítimo publicadas por el Instituto de Aseguradores de Londres —*Institute of London Underwriters*— y relacionadas con los cargamentos), **Institute of Actuaries** (colegio de actuarios de Inglaterra; V. *the Faculty of Actuaries*), **Institute of Certified Public Accountants** US (Colegio de censores jurados de cuentas), **Institute of Chartered Accountants** (Colegio de censores jurados de cuentas), **Institute of London Underwriters, ILU** (SEG Instituto de Aseguradores de Londres), **institute proceedings** (entablar un pleito, interponer demanda), **institute private proceedings** (querellarse), **Institute warranties** (SEG garantías del Instituto; V. *Institute of London Underwriters*) **institution** (institución; V. *establishment*), **institution of bankruptcy proceedings** (apertura de los trámites de la quiebra), **institutional framework** (marco institucional), **institutional investors** (inversores institucionales), **institutional operation** US (GEST unidad de explotación estratégica), **institutionalism** (ECO institucionalismo), **institutionalize** (institucionalizar), **instruction** (providencia, instrucción; norma, orientación)].

instrument *n*: título, documento, efecto, instrumento, escritura; acto; V. *false instrument, negotiable/registered instrument.* [Exp: **instrument of transfer** (escritura de traspaso; V. *deed of transfer*), **instrumental** (eficaz; instrumental), **instrumental trust** (fideicomiso sin albedrío fiduciario), **instrumentality** (agencia, medio)].

insurance *n*: seguro; V. *accident insurance, annuity insurance; blanket insurance,* *casualty insurance, disability insurance, endowment insurance, life insurance, National Insurance; self-insurance, unit-linked policy; assure, ensure; uberrimae fidei.* [Exp: **insurable** (asegurable), **insurable interest** (SEG interés asegurable; V. *policy proof of interest*), **insurance actuary** (actuario de seguros), **insurance against fire** (seguro contra incendios), **insurance agent** (agente de seguros), **insurance and bonds** (seguros y fianzas), **insurance broker** (agente libre de seguros), **insurance carrier** (entidad aseguradora), **insurance claim** (solicitud de indemnización por siniestro), **insurance company** (aseguradora, compañía aseguradora, compañía de seguros; V. *assurer/assuror*), **insurance cover** (cobertura del seguro), **insurance cover letter** (SEG carta de cobertura provisional; V. *cover letter/note; slip; covering note; binder*), **insurance in transit** (seguro contra daños durante el transporte), **insurance policy** (póliza de seguro; V. *additional extended coverage*), **insurance premium** (prima de seguro), **insurance rating** (TRIB tarifación de seguros), **insurance trust** (agrupación documental de seguros; fideicomiso de seguro), **insurance underwriter** (asegurador, reasegurador), **insure** (asegurar), **insure against sea risks** (asegurar contra riesgos marítimos), **insured** (SEG asegurado; V. *the named person; person named in the policy*), **insured bank** (banco cuyos depósitos están asegurados), **insurer** (asegurador; V. *underwriter*), **insuring clause** (cláusula de establecimiento de un seguro; es la parte fundamental del seguro)].

insurgent *n*: tiburón; V. *raider, shark.*

intangible *a*: intangible, incorpóreo, inmaterial. [Exp: **intangible assets** (CONT activo intangible o inmaterial), **intan-**

gible fixed assets (inmovilizado inmaterial), **intangible tax** (TRIB impuesto intangible; impuesto sobre activos bancarios)].

integral *a*: íntegro. [Exp: **integral part** (parte integrante), **integrate** (integrar, incluir), **Integrated Common Tariff** (arancel aduanero comunitario integrado, también conocido con el nombre de la sigla francesa *TARIC*), **integrated development action** (ECO acción integrada de desarrollo), **integrated programme for commodities IPC** (programa integrado para los productos básicos), **integration** (integración; V. *amalgamation, absorption, combination, merger; take-over*)].

intellectual property *n*: propiedad intelectual; V. *copyright, World Intellectual Property Organization, WIPOC.*

intensive *a*: intensivo; V. *capital/labour-intensive industry.* [Exp: **intensive cultivation/farming** (cultivo intensivo), **intensive investment** (inversión para racionalización; V. *rationalization investment*), **intensive working day** (jornada intensiva)].

intent *n*: V. *letter of intent.*

inter- *prep*: entre. [Exp: **interbank** (interbancario), **interbank bid rate** (V. *London Inter-Bank Bid Rate*), **interbank deposit** (depósito interbancario), **interbank deposit rate** (tipo de interés para depósitos interbancarios), **interbank foreign exchange market** *US* (mercado de compensación de efectos comerciales extranjeros; V. *foreign exchange*), **interbank funds** (dinero bancario o en cuentas), **interbank loan** (préstamo interbancario), **interbank market** (mercado interbancario), **interbank market bid rate, IBMBR** (precio de oferta en el mercado interbancario), **interbank market re-**

purchase agreement (BANCA, FINAN operación de préstamo en el mercado interbancario con acuerdo de recompra; V. *repo*), **interbank money market** (mercado interbancario), **interbank offered rate IBOR** (tipo prestador interbancario), **interbank rate** (BANCA tipo de interés interbancario; tasa de descuento interbancaria; es el tipo que se aplica a las operaciones a corto plazo entre bancos), **intercommodity spread** (MERC FINAN/PROD/DINER diferencial entre activos; «spread» o diferencial por compra-venta simultánea de contratos de futuros sobre mercaderías —*commodities*— distintas que tienen la misma fecha de vencimiento —*expiry date*; V. *intermarket spread*), **intercompany comparison** (PUBL comparación de los presupuestos publicitarios de varias empresas y de los resultados comerciales obtenidos; V. *intramedia comparison; intermedia comparison*), **intercompany participation** (participación subsidiaria), **intercorporate** (intercorporativo, entre empresas), **interconvertibility** (interconvertibilidad), **interdealer broker** (mediador de la deuda, MEDA), **interdelivery spread** (MERC FINAN/PROD/DINER diferencial entre fechas), **Intergovernmental Maritime Consultative Organization, IMCO** (Organización Consultiva Marítima Intergubernamental), **interleave** (intercalar), **interlink** (entrelazar, interrelacionar ◊ *Interlinking factors*), **interlinking** (sistema de interconexión informática que une los distintos bancos centrales entre sí y con el Banco Central Europeo; V. *target*), **interlock** (trabar, entrelazar-se, engranar-se), **interlocking directorates** (BANCA, SOC consejeros comunes de varias empresas interrelacionadas; vinculación por medio de consejeros comunes; V. *chain banking*), **interlocking reports**

(CONT informes de cierre), **interlocking stock ownership** (SOC concentración en las mismas manos de la propiedad de acciones de empresas distintas pero relacionadas), **intermarket spread** (MERC PROD «spread» o diferencial por compra-venta simultánea del mismo contrato de futuros en dos mercados de futuros diferentes; V *intercommodity spread; intramarket spread*), **intermedia comparison** (PUBL comparación de varios medios de comunicación; V. *intramedia comparison; intercompany comparison*), **intermodal transport** (transporte combinado; transporte multimodal/intermodal; V. *multimodal transport, combined transport*), **intermodalist** (TRANS intermodalista; agente de carga que opera con diversos medios de transporte), **interpositioning** (BOLSA intervención de un segundo agente de cambio entre el primero y el cliente)].

interest[1] *n/v*: interés, renta; interesar; V. *abstinence theory of interest; advance interest; agio theory of interest; classical theory of interest.* [Exp: **interest**[2] (participación; intereses o relaciones jurídicas transmisibles, derecho que se tiene sobre alguna propiedad; bienes, derechos ◊ *Look after sb's interests*), **interest-bearing/yielding** (FINAN con intereses, con rendimiento de intereses), **interest-bearing eligible liabilities, IBEL** (obligaciones de la lista oficial que producen intereses), **interest-bearing paper/securities** (valores que generan/ producen/dan intereses; V. *yield*), **interest-charge coverage** (coeficiente de cobertura de intereses), **interest charges** (BANCA cargos en concepto de intereses), **interest charges coverage** (FINAN cobertura de intereses), **interest compounded quarterly** (intereses compuestos trimestralmente), **interest**

cost (coste por pago de intereses), **interest coverage** US (cobertura del interés), **interest coverage ratio** (FINAN ratio de cobertura de los intereses debidos; V. *times-interest-earned ratio*), **interest differential/margin** (FINAN margen de interés; diferencia/margen entre los tipos de interés; V. *gap between the interest rates; interest spread*), **interest equalization tax** US (impuesto de equiparación de intereses), **interest for delay** (intereses moratorios; V. *default interest*), **interest for payment in arrears/for late payment** (intereses moratorios; V. *interest on arrears*), **interest-free** (sin intereses), **interest-free loan** (empréstito sin intereses), **interest income** (ingresos por intereses), **interest margin** (margen de interés; margen de beneficios por intereses, margen de intereses deudores y acreedores), **interest groups** (grupos dominantes), **interest of capital** (renta de capital), **interest on arrears** (interés de mora, interés moratorio; V. *interest for payment in arrears*), **interest only securities** (FINAN obligaciones sólo intereses; V. *principal only securities*), **interest parity theory** (ECO teoría de la paridad de los tipos de interés), **interest payable** (intereses deudores/pagaderos; V. *debit interest*) **interest payment** (abono de intereses, pago de intereses), **interest profit** (rendimiento o beneficios derivados de los intereses), **interest rate** (FINAN tipo/tasa de interés; V. *spurt in interest rates, spike in interest rates, rate of interest*), **interest rate arbitrage** (arbitraje de tipos de interés), **interest-rate differential** (diferencial de tipos de interés), **interest-rate futures** (MERC FINAN/DINER [contrato de] futuros sobre tipos de interés; V. *futures contract; financial/commodity futures; stock index futures, currency futures; spot cash;*

hedging), **interest rate increase** (alza/subida en los tipos de interés), **interest rate option** (MERC FINAN/PROD/ DINER opción sobre tipos de interés), **interest rate rebate** (abono/bonificación de intereses, también llamado *interest rebate*), **interest rate risk** (FINAN riesgo de los tipos de interés; V. *credit risk*), **interest rate swap** (FINAN permuta financiera de tipos de interés, crédito recíproco o «swap» de tipos de interés; se emplean para obtener préstamos a costes más bajos que con los instrumentos financieros tradicionales; V. *currency interest rate swap*), **interest service** (pago de intereses; servicio de intereses), **interest spread** *US* (FINAN diferencia/ margen entre los tipos de interés; V. *gap between the interest rates; interest differential/margin*), **interest-warrant** (talón de intereses), **interest-yielding** (con rendimiento de intereses; V. *interest-bearing*), **interested party** (parte interesada)].

intercept *v/n*: interceptar; intercepción, intervención ◊ *Put an intercept on sb's phone.*

interim *a*: provisional, provisorio, interino, temporal, transitorio; V. *interlocutory, provisional.* [Exp: **interim account** (cuenta provisional o transitoria), **interim adjustment** (CONT, SEG ajustes intermedios en los seguros de crédito), **interim arrangements** (disposiciones transitorias o provisorias; acuerdo provisional), **interim audit** (auditoría preliminar; auditoría intermedia), **interim balance sheet** (balance provisional), **interim certificate** (resguardo/ título provisional de acciones; V. *scrip certificate*), **interim dividend** (BOLSA dividendo activo a cuenta; dividendo provisional; V. *final dividend; common dividend, declared dividend*), **interim financial statements** (estados financieros provisionales o a fechas inter-

medias), **interim payment** (pago a cuenta), **interim receiver** (administrador provisional), **interim report** (informe provisional), **interim reporting** (informes en el intervalo de ejercicios), **interim statement** (CONT estado provisional)].

intermediary *n*: agente mediador, intermediario; V. *agent, dealer, broker; middleman; mediator; go-between.* [Exp: **intermediary bank** (banco intermediario; el banco intermediario puede actuar de *advising/notifying bank, confirming bank* o *paying bank*; V. *issuing bank*), **intermediation** (intermediación; flujos de capital entre prestamistas y prestatarios a través de intermediarios; V. *disintermediation*)].

internal *a*: interno. [En algunos contextos, *internal* es sinónimo de *national* y de *domestic.* Exp: **internal audit** (auditoría/ censura interna), **internal borrowing** (préstamo interno; adscripción contable de partidas de una cuenta a otra dentro de la misma empresa; V. *foreign borrowing*), **internal cash generation** (recursos provenientes de operaciones), **internal check** (control interno), **internal consumption** (autoconsumo, consumo interno; V. *farm consumption*), **internal debt** (FINAN deuda interior; V. *permanent debt, funded debt, unfunded debt; private debt; external debt, fixed debt, floating debt, deadweight debt*), **internal drain** (BANCA agotamiento interno), **internal exchange rate** (tipo de cambio interno; V. *modified Bruno ratio*), **internal financing** (autofinanciación, financiación interna; V. *self-financing*), **internal rate of return, IRR** (tasa de rendimiento interno, TIR), **internal revenue** (ingresos internos), **Internal Revenue Code** *US* (Ley del Impuesto sobre la Renta), **internal revenue tax** (impuesto; V. *excise tax*), **Internal Revenue Service,**

IRS *US* (Hacienda, Agencia Tributaria; Dirección General de Tributos; V. *Inland Revenue; revenue service, Bureau of Internal Revenue, BIR*)].

international *a*: internacional. [Exp: **International Accounting Standards Committee, IASC** (CONT comisión internacional de normas contables; V. *generally accepted accounting principles, GAAP; Financial Accounting Standards Board, FASB*), **International Air Transport Association, IATA** (Asociación de Transporte Aéreo Internacional, ATAI/IATA), **International Association of Options Exchanges and Clearing Houses, IAOECH** (Asociación internacional de mercados de opciones y de cámaras de compensación), **International Bank for Reconstruction and Development, IBRD** (Banco Internacional para la Reconstrucción y el Desarrollo, BIRD; junto con el IDA constituye el *World Bank*), **International Banking Facilities, IBF** (servicios o prestaciones bancarias internacionales), **international bond market** (MERC FINAN/DINER mercado internacional de obligaciones en divisas; V. *matador bonds*), **International Chamber of Commerce, ICC** (Cámara de Comercio Internacional), **International Commodity Agreements, ICA** (COMER Acuerdos Internacionales de Productos Básicos; V. *buffer stock*), **International Commodities Clearing House, ICCH** (Cámara internacional de compensación del mercado de productos y de futuros; en esta cámara liquida sus contratos el mercado de futuros de Londres o *LIFFE*), **International Depository Receipt, IDR** (FINAN recibo de depósito internacional; recibo de acciones americanas negociadas en mercados bursátiles extranjeros; V. *American Depository Receipt; European Depository Receipt; bearer document*), **International Development Agency/ Association, IDA** (Asociación Internacional de Desarrollo; junto con el IBRD constituyen el *World Bank*), **international division of labour** (división internacional del trabajo), **International Energy Agency, IEA** (Agencia Internacional de la Energía, AIE), **International Finance Corporation, IFC** (Corporación/Sociedad Financiera Internacional), **international nautical mile** (milla náutica internacional; equivale a 1852 metros), **international tax agreements** (acuerdos fiscales internacionales), **International Labour Organization, ILO** (Organización Internacional del Trabajo), **International Monetary Fund, IMF** (Fondo Monetario Internacional, FMI), **International Monetary Fund quota** (contribución al Fondo Monetario Internacional), **International Monetary Market, IMM** (MERC FINAN/PROD/DINER Mercado Monetario Internacional; radicado en el *Chicago Mercantile Exchange*, está especializado en la contratación de contratos de opciones y futuros de metales preciosos, divisas, índices bursátiles y tipos de interés), **International Petroleum Exchange** (MERC PROD bolsa internacional de productos petrolíferos), **International Primary Market Association, IPMA** (FINAN Asociación Internacional de Entidades del Mercado Primario de Bonos), **international mutual fund** (mutua internacional, sociedad de inversión immobiliaria internacional), **international reserves** (reservas internacionales), **international share** (BOLSA acción cotizada en los mercados internacionales), **International Swap Dealers Association, ISDA** (FINAN Asociación Internacional de Agentes

Intermediario de «swaps» o créditos recíprocos), **International Stock Exchange** (Bolsa Internacional; V. *Stock Exchange Automatic Exchange Facility, SEAF*), **international trade arbitration** (Arbitraje comercial internacional), **International Trade Centre** (Centro de Comercio Internacional), **international waterway traffic** (tráfico fluvial internacional)].

interval *n*: intermedio, espera. [Exp: **interval measure** (FINAN cobertura de financiación), **interval reinforcement** *US* (REL LAB aumento de salario por antigüedad)].

intervene *v*: intervenir, tomar la palabra, tomar cartas en un asunto. [Exp: **intervene a draft** (intervenir una letra), **intervene for non-acceptance** (intervenir por falta de aceptación), **intervene for the honour of a signature** (intervenir en honor de una firma), **intervener** (interventor, tercerista), **intervening party** (avalista), **intervention** (ECO intervención, tercería; V. *acceptance by intervention*), **intervention exchange rates** (tipos/cambios de intervención), **intervention price** (precio de intervención; V. *threshold price, target price*), **interventionism** (intervencionismo), **intervention point** (punto de intervención/apoyo/sostén; V. *support point*), **intervention rate** (cambio de intervención/apoyo/sostén; V. *pegged/support rate*), **interventionist** (ECO intervencionista)].

interview *n/v*: entrevista; entrevistar. [Exp: **interviewee** (entrevistado, encuestado, solicitante, candidato; V. *applicant, candidate; shortlist, appointee*), **interviewer** (encuestador, entrevistador; V. *pollster*)].

intra- *pref*: intra-. [Exp: **intracommunity payment** (pago intracomunitario), **intraday** (MERC FINAN/PROD/DINER

intradía; alude a las posiciones del mismo día o sesión), **intraday system/trader** (MERC FINAN/PROD/DINER sistema/intermediario de intradía), **intramedia comparison** (PUBL comparación de distintas opciones publicitarias en el mismo medio; V. *intramedia comparison; intermedia comparison*), **intramarket spread** (MERC PROD «spread» o diferencial intramercado; diferencial por compra y venta simultánea de contratos de futuros en el mismo mercado sobre un mismo activo subyacente —*underlying asset*— con fechas de vencimiento —*expiry dates*— distintas; V. *intercommodity spread; intermarket spread*)].

introduction *n*: introducción, presentación; venta en Bolsa de pequeños paquetes de acciones por intermediarios a clientes seleccionados; V. *issue by tender; flotation; offer for sale; public offering; public issue; offer by prospectus*), **introduce** (introducir, presentar, meter), **introductory** (introductorio), **introductory phase** (fase de introducción; V. *product life cycle*), **introductory price** (precio de lanzamiento; V. *publicity price*)].

intrust *v*: V. *entrust*.

inventory *n*: inventario; existencias; V. *list; stock; supply; stock-in-trade; trading stock; estate inventory, take inventory*. [Exp: **inventory account** (CONT cuenta de inventario o de almacén), **inventory adjustments** (CONT ajustes de inventario; consiste en adecuar el inventario contable al real tras efectuar el inventario físico), **inventory at market** (inventario al valor de mercado), **inventory break** (CONT ruptura de existencias, falta de existencias; V. *lack of inventory, stockout*), **inventory control** *US* (CONT control inventarial, control de existencias; V. *eyeball control*), **inventory count**

(comprobación de inventario), **inventory cutoff** *US* (CONT corte en los inventarios; se refiere a la determinación de cuáles serán las partidas que se incluirán en el inventario del balance final), **inventory evaluation method** (método de evaluación de inventarios), **inventory financing** (financiación del inventario), **inventory holding cost** (precio de almacenaje), **inventory investment** (inversión en inventarios), **inventory management** (CONT gestión de existencias), **inventory pledging** (inventario como garantía colateral), **inventory pricing** (CONT valoración de existencias), **inventory profit** (beneficios por modificación de los valores inventariables), **inventory record** (CONT libro de existencias), **inventory risk** (FINAN riesgo de cartera; V. *portfolio insurance/ protection*), **inventory shortage/shrinkage** (CONT falta de existencias), **inventory taking** (formación del inventario, recuento de existencias; V. *stocktaking*), **inventory turnover** (CONT movimiento/rotación de inventario; V. *ratio of cost of goods sold to average inventory*), **inventory valuation adjustment** (CONT ajuste de valoración de las existencias), **inventory value** (valor de inventario), **inventory write-down** (rebaja en el valor del inventario por saneamiento)].

inverse *a*: inverso. [Exp: **inverse demand pattern** (ECO demanda inversa), **inverse floating-rate note** (FINAN bono de interés variable inverso; el interés suele estar indiciado —*index-linked, indexed*— de forma inversa a un tipo de intéres de referencia; V. *fixed bond; floating rate note*)].

invert *v*: invertir. [Exp: **inverted market** (MERC FINAN/PROD/DINER mercado invertido, también llamado *backwardation*; V. *contango, forwardation*), **inverted yield curve** (FINAN curva de rendimientos invertidos de bonos; en esta situación, los intereses a corto plazo son superiores a los de largo plazo; V. *flat curve, positive yield curve*)].

invest[1] *v*: invertir; V. *place* [Exp: **invest**[2] (revestir, investir de poder, autoridad, dignidad, etc.; V. *vest*), **invested capital** (capital aportado), **invested demand-schedule** (ECO curva de la demanda de inversión), **investee company** (SOC sociedad participada), **investment** (inversión, colocación; V. *placement; capital formation, accelerator theory of investment*), **investment account** (cuenta de inversiones), **investment appraisal** (análisis de inversiones), **investment appropriation/credits** (créditos de inversión), **investment bank** *US* (banco de negocios o inversiones, banco de emisión de valores; institución financiera especializada en el lanzamiento —*flotation*— de las acciones de una sociedad anónima en una Bolsa de Comercio; se trata de un banco al por mayor, con pocas oficinas, que no concede créditos ni acepta depósitos, especializado en la colocación —*placement*— de emisiones de títulos, en la intermediación de valores y en el asesoramiento financiero; por esta razón también se le llama *underwriters*[1]; V. *merchant bank; issuing bank/house*), **investment banking** (negociación de inversiones; banca de inversión o de emisión de valores), **investment bill** (letra comprada con fines inversores), **investment center** *US* (GEST centro de explotación), **investment certificate** (BANCA certificado de inversión; estos certificados son títulos negociables; V. *certificate of deposit*), **investment club** (FINAN club de inversión; su importancia ha decaído desde la aparición de los *investment trusts* y de los *unit trusts*), **investment coefficient** (coeficiente de inversión), **investment company** (V. *investment trust*), **investment expansion** (expansión de las inversiones), **investment fund** (fondo de inversión; V. *mutual fund, open-end investment fund/trust; unit trust*), **investment-grade assets/bond** (FIN activos/bono de primera calidad calificado como apto para la inversión por las agencias calificadoras —*rating agencies*— ; V. *sub-investment grade*), **investment grants** (ayuda a la inversión; V. *investment support policy*), **investment in house property or in real estate** (inversión mobiliaria), **investment incentive** (estímulo a la inversión), **investment income** (FINAN ingresos derivados de inversiones o bienes muebles; V. *income from/on investments; unearned income*), **investment income surcharge** (TRIB tasa/recargo/impuesto especial en ciertas rentas de capital extraordinarias), **investment goods** (bienes de inversión), **investment management** (GEST gestión de inversiones o carteras; V. *funds investment*), **Investment Management Regulatory Organization, IMRO** (Organismo Regulador de la Gestión de Inversiones), **investment managers** (gestores de carteras), **investment multiplier** (multiplicador de inversión), **investment paper** (valor/título de colocación o de inversión; título de inversión), **investment portfolio** (cartera de inversiones; V. *security holdings*), **investment property** (propiedad inmobiliaria o bienes raíces adquiridos u ofrecidos como inversión; inversiones inmobiliarias), **investment rate/ratio** (tasa/coeficiente de inversión), **investment schedule** (ECO función de inversión), **investment securities/shares/stock** (valores de cartera/inversión; cartera de títulos/valores de inversión), **investment strategy** (MKTNG estrategia de inversión; nacen estas estrategias del análisis de una

cartera de productos —*portfolio analysis*—; las cuatro estrategias de inversión más importantes son de ampliación —*build strategy*—, de diversificación —*divest strategy*—, de recogida de beneficios —*harvest strategy*— y de mantenimiento —*hold strategy*—), **investment support policy** (política de apoyo a la inversión; V. *investment grants*), **investment trust/company** (FINAN sociedad de inversión mobiliaria; sociedad de cartera; compañía de sustitución de valores; fondos comunes/mutuos de inversión; las sociedades de inversión mobiliaria difieren de los fondos de inversión —*unit trusts*— en que en aquéllas los inversores son accionistas de una sociedad mientras que en éstos sólo compran unidades de participación en un fondo; V. *authorised funds; unit trust; open-end investment company*), **investment trust share unit** (FINAN [unidad de] participación en un fondo de inversión), **investor** (inversor, inversionista), **investor buyer** (inversor especulador), **investing company** (sociedad de inversiones)].

investigate *v*: investigar, explorar, analizar, indagar. [Exp: **investigation** (investigación, indagación; inspección de la contabilidad de una empresa por las autoridades administrativas)].

invisible *a*: invisible; se aplica a *exports, imports, transactions*, etc.; V. *Adam Smith's invisible hand*. [Exp: **invisible balance** (balanza de invisibles), **invisible exports/imports** (exportaciones/importaciones invisibles), **invisible items** (CONT partidas [de] invisibles), **invisible transactions/trade** (operaciones/comercio de invisibles)].

invitation *n*: invitación, oferta; ruego, petición, solicitud. [Exp: **invitation to bid** (anuncio de subasta/concurso; llamada a licitación), **invitation to**

bidders (convocatoria a licitadores, llamada a licitación, citación a licitadores), **invitation to tender for a contract** (concurso público; V. *limited/ public invitation to tender*), **invitation to subscribe a new issue** (oferta para suscribir nuevas acciones), **invitation to treat** (solicitud de ofertas o licitaciones), **invite** (invitar, ofrecer, anunciar), **invite tenders** (sacar a concurso, convocar a licitadores, llamar a licitación, abrir licitación; V. *call for bids*), **invite subscriptions for a loan** (invitar a la suscripción de un empréstito; V. *offer a loan for subscription*)].

invoice *n/v*: factura; facturar; V. *bill*[1]; *itemized invoice; duplicate invoice, proforma invoice*. [Exp: **invoice for damage** (factura de indemnización), **invoiced amount/price** (importe/precio de la factura), **invoicing** (facturación; V. *billing; order invoicing*), **invoicing department** (departamento de facturación)].

involuntary *a*: involuntario, forzoso; V. *forced*. [Exp: **involuntary unemployment** (paro forzoso; V. *forced/fluctuating unemployment*)].

involve *v*: concernir, atañer, afectar, envolver, complicar, involucrar, implicar, acarrear, traer consigo. [Exp: **involvement** (complicación, implicación, participación; V. *implication*)].

inward/inwards *a/adv*: hacia el interior, de importación; V. *carriage inwards, clearance inwards*. [Exp: **inward acquisition** (adquisición interna o compra de empresas nacionales por firmas extranjeras; V. *outward acquisition*), **inward clearing bill** (despacho, entrada; certificado/conocimiento de despacho, llegada o entrada; V. *clearing inwards*), **inward mission** (misión comercial extranjera; V. *outward mission*), **inward processing trade** (tráfico de perfeccionamiento activo),

inward treaty business (SEG negocios de reaseguro activo)].

IO *n*: FINAN sólo interés o *interest only*; V. *PO*.

IOC *n*: V. *immediate-or-cancel order*.

IOT *n*: V. *input-output table*.

I.O.U. *n*: pagaré, reconocimiento de deuda; las cuasi-siglas *I.O.U.* corresponden a la oración *I owe you* —yo le debo.

IPA *n*: V. *issuing and paying/payment agent*.

IPC *n*: V. *integrated programme for commodities*.

IPMA *n*: FINAN V. *International Primary Market Association*.

IPO *US n*: V. *initial public offering*.

ir- *prefijo*: im-, in-, ir-; V. *in*. [Exp: **irrecoverable debt** (crédito incobrable o irrecuperable; V. *bad debts*), **irredeemable** (irredimible; irrescatable; no amortizable, inconvertible; que no se puede redimir, rescatar o reembolsar; en plural, *irredeemables*, se refiere de forma genérica a todos los instrumentos de deuda perpetua: *annuity/irredeemable/ perpetual bond/stock*; V. *callable; inconvertible*), **irredeemable bond/ debenture** (deuda perpetua/irrescatable, también llamada *annuity/perpetual bond/stock*), **irregular** (irregular, anormal, anómalo; ocasional, casual), **irregular bid** (propuesta informal), **irregular endorsement** (endoso irregular), **irregular deposit** (depósito irregular), **irregular dividend** (dividendo ocasional), **irregularity** (irregularidad, anomalías, discrepancias), **irrelevant** (impertinente, inoportuno, fuera de lugar), **irreprehensible goods** (bienes perecederos), **irrespective of** (con independencia de, independientemente de, no obstante), **irrespective of the terms of the agreement** (no obstante lo dispuesto en el contrato), **irrevocable** (irrevocable; V. *irredeemable*), **irrevocable credit**

(FINAN crédito irrevocable; V. *fixed credit credit*), **irrevocable documentary credit** (crédito documentario irrevocable), **irrevocable letter of credit** (FINAN, COMER carta de crédito irrevocable), **irrevocable trust fund** (fondo fiduciario irrevocable)].

IRA *n*: V. *individual retirement account*.

Irish *n*: irlandés. [Exp: **Irish Futures and Options Exchange, IFOX** (Mercado Irlandés de Futuros y Opciones)].

iron *n*: hierro. [Exp: **iron and steel industry** (industria siderúrgica), **iron and steel plant** (acería)].

irrigate *v*: regar. [Exp: **irrigated land** (regadío), **irrigation** (regadío)].

IRS *n*: V. *Internal Revenue Service*.

IS-LM analysis *n*: ECO análisis IS-LM o análisis de inversión-ahorro —*investment, savings*— diferenciado de liquidez-dinero —*liquidity, money*)].

ISDA *n*: V. *International Swap Dealers Association*.

island *n*: COMER isla en grandes almacenes. [Exp: **island display** US (PUBL escaparate isla; alude al producto exhibido en un espacio abierto), **island position** US (PUBL posición isla en un periódico)].

ISM *n*: V. *issuer set margin*.

iso- *pref*: iso-. [Exp: **iso-cost, iso-cost line** (ECO isocoste), **isomorphism** (ECO isomorfismo), **isoquant** (ECO isocuanta), **isoquant curves** (ECO isolíneas)].

issuable[1] *a*: emitible, emisible. [Exp: **issuable**[2] (en litigio o discusión), **issuance**[1] (emisión, expedición; V. *flotation, launch*), **issuance**[2] (entrega, libranza), **issuance day** (SOC, BOLSA día de emisión), **issuance of documentary credit** (apertura de crédito documentario)].

issue[1] *n/v*: emisión de moneda, títulos, valores, etc., apertura; libramiento, conclusión, expedición; emitir, expedir, librar, extender, poner en circulación; publicar, hacer público; V. *bank of issue, date of issue, new issue; rights issue, scrip/bonus issue*. [Exp: **issue**[2] (número de una publicación, tirada, distribución), **issue**[3] (punto, cuestión, asunto, controversia), **issue**[4] (resultado, consecuencias, decisión), **issue**[5] (DER descendencia), **issue a cheque** (extender o librar un cheque), **issue a guarantee** (emitir una garantía), **issue a letter of credit** (abrir una carta de crédito), **issue a loan** (emitir/colocar un empréstito, emitir deuda; V. *emit/float/launch a loan*), **issue a statement** (publicar/hacer público un comunicado, publicar una nota oficial), **issue, at/in** (en disputa), **issue by tender** (SOC venta de acciones por subasta; V. *introduction; flotation; offer for sale; public offering; offer by prospectus*), **issue bonds** (emitir obligaciones; V. *put out bonds*), **issue department** (departamento de emisión), **issue, in the** (al final), **issue manager** (colocador de emisiones; V. *underwriter*), **issue of cheques** (libramiento de cheques), **issue of securities/shares** (emisión de valores/acciones), **issue on tap** (emisión abierta; emisión en ventanilla; V. *share/stock issue*), **issue premium** (prima de emisión), **issue price** (SOC, BOLSA precio/tipo de emisión; V. *rate of issue*), **issue prospectus** (prospecto de emisión; V. *subscription/underwriting prospectus*), **issued capital, issued capital stock** (SOC capital emitido; capital en cartera; es la parte del capital social escriturado que ha sido emitida y suscrita por los accionistas; V. *authorized capital, subscribed capital; unissued capital; called-up capital*), **issued stock** US (SOC acciones autorizadas, libradas o emitidas), **issued, when; WI** (BOLSA en caso de emisión; término que se aplica a las operaciones condicionales de emisión de valores, por ejemplo, cuando éstos aún no se han emitido; la expresión completa es *when, as and if issued*, es decir, que alude a los valores «en las condiciones hipotéticas de su emisión, si ésta ha tenido lugar»; abarca, entre otros, los bonos del Tesoro y las nuevas emisiones en general; V. *when distributed*), **issuer** (emisor, persona o sociedad emisora de valores; dador), **issuing and paying/payment agent, IPA** (MERC FINAN/DINER agente de emisión y pago; V. *dealer³*), **issuer set margin, ISM** (MERC FINAN/PROD/DINER margen fijado por el emisor; V. *strike offered yield, SOY*), **issuing authority of certificates** (autoridad expedidora de certificados), **issuing bank¹** (banco emisor; suelen ser los bancos centrales), **issuing bank²** (COMER INTER banco que emite o abre un crédito documentario), **issuing bank/house** (casa/banco de emisión; V. *underwriting house*), **issuing expenses** (BOLSA, SOC gastos de emisión), **issuing house** (casa emisora; banco de emisión de valores; banco de negocios o institución financiera especializada en el lanzamiento —*flotation*— o colocación —*placement*— de los títulos de una sociedad anónima en una Bolsa de Comercio; V. *investment bank; merchant bank*)].

item¹ *n*: artículo, mercancía, elemento. [Exp: **item²** (punto del orden del día, artículo; V. *article, issue, point; next business*), **item³** (BANCA efecto, valor; artículo; V. *imperfect item*), **item⁴** (CONT asiento, apunte, partida o capítulo de un balance o de un presupuesto; V. *entry; cash/budget item*), **item of news** (noticia), **item on consignment** (partida en consignación), **item on hand** (partida disponible), **item on the agenda** (punto del orden del día), **item in transit** (mercancía, efecto o partida en tránsito), **item shortage/shrinkage** (merma o pérdida de mercancía), **itemize** (detallar, desglosar), **itemized** (detallado, pormenorizado, expreso), **itemized appropriation** (consignación presupuestaria específica o expresa), **itemized breakdown** (desglose por conceptos), **itemized deductions** *US* (desglose de gastos deducibles de impuestos), **itemized invoice** (factura detallada o pormenorizada; V. *breakdown*), **items of value** (prendas/objetos de valor), **items for collection** (valores al cobro)].

itinerant *a*: ambulante, itinerante. [Exp: **itinerant sale** (venta ambulante), **itinerant worker** (trabajador temporal o itinerante), **itinerary** (itinerario)].

J

J.A. *n*: V. *joint account*.

jacket *n*: chaqueta. [Exp: **jacket custody** (depósito separado; custodia individual de títulos; V. *joint custody*)].

jam¹ *n*: compota, conserva. [Exp: **jam²** (atasco, embotellamiento; abarrotar; V. *bottleneck; congest*), **jam³** *col* (aprieto, apuro económico ◊ *Help sb out of a jam*; V. *spot, tight corner*)].

Jason clause *n*: SEG TRANS MAR cláusula que cubre los desperfectos causados a las mercancías por el propio buque.

jawboning *col n*: conversaciones de presión de los accionistas sobre el consejo de administración.

jeopardise, jeopardize *v*: poner en peligro, exponer, arriesgar. [Exp: **jeopardy** (riesgo, peligro; V. *double jeopardy; place/put in jeopardy*), **jeopardy assessment** (TRIB evaluación y exacción de impuestos por vía preventiva), **jeopardy, in** (en peligro)].

jet *n*: surtidor, chorro; avión a reacción. [Exp: **jet lag** (desacomodación horaria), **jet set** (pijos *col*, gente bien, ricos para quienes lo más normal es viajar en avión a reacción de un sitio de vacaciones a otro)].

jerque note *col* nota de inspección; V. *certificate of inward clearance*.

jetsam *n*: artículos o mercancías arrojadas al mar, echazón; V. *flotsam, jettison*.

jettison *v*: lanzar, arrojar artículos o mercancías al mar, alijar; *fig* deshacerse de, echar por la borda, abandonar ◊ *Jettison a project/principle*; V. *cast away*)].

jetty *n*: malecón, rompeolas, dique, muelle, pantalán, espigón, embarcadero.

jnr *n*: V. *junior*.

job *n*: REL LAB puesto de trabajo, trabajo, empleo; faena, actividad, tarea, deber, cometido; destajo; dificultad, cosa que cuesta trabajo; V. *employment; odd jobs, white-collar job; cushy job, plum job*. [Exp: **job analysis** (análisis de puestos de trabajo), **job application** (solicitud de empleo), **job, by the** (a destajo), **job centre** (oficina de empleo, bolsa de trabajo, en el pasado llamado *employment exchange* o *labour exchange*), **job cost accounting** (contabilidad de costes por pedidos), **job creation** (creación/fomento del empleo), **job creation scheme** (plan nacional para el fomento del empleo), **job description** (denominación/descripción del puesto de trabajo; V. *job title*), **job evaluation** (valoración del puesto de trabajo; V. *factor comparison method*), **job evaluation**

scale (escala móvil; V. *escalator clause; flexible/sliding scale*), **job factor** (factor de trabajo), **job grading** (clasificación de/por puestos de trabajo), **job hunting** (búsqueda de empleo), **job, in a** (empleado, con trabajo), **job in hand** (la tarea que nos ocupa, el trabajo que tenemos entre manos), **job in stocks** (BOLSA jugar al alza y baja en la Bolsa), **job losses** (REL LAB destrucción de empleo, empleos destruidos; V. *natural wastage; redundancy; unemployment*), **job lot** (lote irregular; partida de saldo; conjunto de artículos vendidos como lote en una subasta o como saldo ◊ *Sell as a job lot*), **job offer** (oferta de trabajo), **job order cost accounting** (contabilidad de costes por órdenes de trabajo), **job, on the** (en plena faena), **job-order system** (sistema de órdenes de trabajo), **job, out of a** (en paro, desocupado), **job queue** (cola del paro, cola de la gente que busca trabajo), **job ranking system** (sistema de establecimiento de categorías para los empleos), **job reductions** (REL LAB reducción de plantilla; V. *make job reductions*), **job rotation** (rotación de trabajos, rotación de puestos), **job satisfaction** (satisfacción laboral/ profesional), **job security** (seguridad en el empleo), **job seniority** (antigüedad en el puesto de trabajo), **job sharing** (trabajo compartido; V. *work sharing*), **job time hours** (horas de trabajo), **job time recording clock** (reloj de control del tiempo de trabajo), **job time ticket** (tarjeta de tiempo de trabajo), **job title** (puesto de trabajo, denominación del puesto de trabajo; V. *job description*), **job training** (formación y adiestramiento para el puesto de trabajo), **job-and-knock** col (arreglo mediante el cual los obreros dan por finalizada la jornada al terminar una tarea concreta, les ocupe el tiempo que les ocupe), **job/task wage**

(salario a destajo; V. *payment by the job; piece-work pay/wage*), **job-seeker** (persona que busca empleo), **jobber** (agiotador, agiotista, el que negocia con fondos públicos, especulador, corredor de bolsa, comisionista, corredor, intermediario, agente de cambio y bolsa; mayorista ◊ *Jobbers are agents who buy and sell for other people*; V. *pulpit; broker; rack jobber*), **jobbery** (agiotaje, agio), **jobbing**[1] (agiotaje, especulación en Bolsa; cambalache), **jobbing**[2] (vender al por mayor ◊ *In the trade jobbing is virtually synonymous with wholesaling*), **jobbing in-and-out** (BOLSA pase; especulación rápida en Bolsa; operación rápida de compra de acciones con reventa casi inmediata; operación «mete-saca»; V. *purchase-and-immediate resale; in-and-out*), **jobbing in contango** (arbitraje en los reportes), **jobless** (desempleado, cesante, sin trabajo, los parados; V. *unemployed*), **jobs for the boys** col (enchufismo ◊ *Outsiders have no chance with that firm: it's strictly jobs for the boys*)].

join *v*: afiliarse, incorporarse a, inscribirse/apuntarse en una asociación, unirse a, sumarse a, adherirse a, tomar parte en; unir, ensamblar; V. *sign up, enter on a list*. [Exp: **join a firm** (entrar en una empresa), **join an agreement** (adherirse a un acuerdo), **joined shares** (agrupación de acciones), **joinder** (DER unión, asociación, açumulación de acciones, proceso acumulativo, concurrencia de acciones; junta, unión)].

joint *a*: conjunto, colectivo, común, mancomunado, copartícipe, en participación, asociado; V. *in common, mutual, concurrent*. [Como prefijo, equivale a «co-», «con-» —*joint owner, joint participation, joint property, etc.* Exp: **joint accounts, J.A.** (cuentas mancomunadas, cuentas conjuntas, cuentas en participación, cuentas en participación mancomunada), **joint agent** (coagente), **joint agreement** (acuerdo mutuo, convenio), **joint aid** (ayuda conjunta), **joint-and-service annuity** (anualidad/pensión mancomunada o de supervivencia), **joint and several** (solidario), **joint and several bond** (fianza solidaria; bono garantizado solidariamente), **joint and several guarantee** (garantía solidaria), **joint and several liability** (responsabilidad conjunta y solidaria), **joint-and-survivor annuity** (SEG anualidad o pensión mancomunada y de supervivencia o de última vida), **joint beneficiary** (beneficiario proindiviso), **joint bond**[1] (fianza u obligación mancomunada), **joint bond**[2] (fianza emitida por un grupo de sociedades), **joint cash** (caja social), **joint-chairmanship** (presidencia conjunta), **joint committee** (comisión mixta), **joint contract** (contrato colectivo o conjunto), **joint cost** (coste común a dos o más productos), **joint covenant** (pacto mancomunado), **joint creditors** (coacreedores, acreedores mancomunados), **joint custody** (custodia compartida; V. *dual control; jacket custody*), **joint debt** (deuda colectiva, compartida o solidaria), **joint debtor** (codeudor, deudor mancomunado), **joint enterprise** (empresa colectiva, común o conjunta, empresa en participación), **joint estate** (copropiedad, propiedad mancomunada), **joint financing** (cofinanciación), **joint income tax return** (TRIB declaración de la renta conjunta; V. *individual income tax return, independent taxation*), **joint interest** (interés común/colectivo), **joint insurance** (seguro colectivo), **joint liabilities** (pasivo mancomunado), **joint liability** (responsabilidad/deuda conjunta o mancomunada), **joint-life annuity** (SEG anualidad conjunta para marido y esposa; se paga a ambos a partir de una fecha predeterminada; V. *last survivor annuity; contingent annuity*), **joint management** (cogestión), **joint manager** (cogerente), **joint note** (pagaré mancomunado), **joint obligation** (obligación conjunta o mancomunada), **joint owner** (comunero, copropietario, condómino, condueño; V. *co-owner*), **joint ownership** (condominio, propiedad mancomunada, coposesión, copropiedad, comunidad de bienes), **joint partnership** (empresa colectiva), **joint policy** (SEG póliza conjunta), **joint property** (propiedad indivisa o comunitaria), **joint production** (producción conjunta), **joint programme** (programa común), **joint return** (declaración de la renta conjunta), **joint security** (garantía mancomunada), **joint signature** (firma colectiva o mancomunada), **joint stock** (capital/fondo social), **joint-stock banks** (BANCA bancos comerciales, más conocidos con los nombres de *commercial banks*, de *High Street Banks* o de *clearing banks* y de *incorporated banks* en los Estados Unidos; V. *full/service bank; branch banking; deposit banks; private banks*), **joint stock company/firm** (SOC sociedad anónima, sociedad por acciones o en comandita, también llamada *limited company*), **joint supply** (COMER oferta conjunta; V. *complementary supply*), **joint surety** (cofiador, garante mancomunado), **joint tenancy** (coarriendo, condominio), **joint trustee** (cofiduciario), **joint venture** (SOC sociedad de capital riesgo, empresa de alto riesgo compartido, agrupación temporal, empresa en común o mancomunada; riesgo comercial compartido, riesgo colectivo, sociedad/cuentas/negocios en participación; V. *capital venture enterprise; new business venture group*), **joint venture tender** (oferta conjunta de dos sociedades para absorber otra), **jointly** (conjuntamente, colectivamente, mancomunadamente, acordadamente ◊ *A jointly-owned company*), **jointly with** (en colaboración con)].

jouissance share *n*: BOLSA acción beneficiaria.

journal *n*: diario, libro diario; V. *day book; prime entry book*. [Exp: **journalese** *col* (jerga periodística; V. *cablese, legalese*)].

jr *n*: V. *junior*.

judge *n/v*: juez; juzgar, enjuiciar, adjudicar, evaluar; elegir; considerar. [Exp: **judgment, judgement** (fallo, sentencia, decisión judicial; V. *decree, sentence*), **judgment bond** (fianza de apelación), **judgment debt** (deuda decretada en juicio), **judgment creditor/debtor** (acreedor/deudor judicial o por sentencia), **judgment sampling** (muestreo de opiniones), **judicial** (judicial, procesal), **judiciary** (poder judicial, judicatura)].

jumble sale *n*: venta para recaudar fondos, normalmente con fines caritativos.

jumbo risks *n*: SEG riesgos sustanciales.

jump *n/v*: BOLSA salto; aumento brusco, subida brutal o tremenda; saltar; dispararse, subir de golpe o pegar una subida las acciones, el mercado bursátil, etc.; V. *bounce*. [Exp: **jump at the chance** (tomar la ocasión por los pelos, apresurarse a aprovechar la ocasión, no hacerse de rogar), **jump on/off stocks and shares** *col*(BOLSA aprovechar el momento para comprar/vender acciones), **jump on the bandwagon** (subirse al carro), **jump over** *col* (saltarse a la torera, saltar por encima de, omitir), **jump to it** *col* (apresurarse, menearse, mover el trasero), **jumpy** (nervioso; V. *jumpy market*)].

junior, jnr, jr *a*: joven, inferior, secundario, menor, subordinado; V. *minor*. [Exp: **junior accountant** (ayudante de contabilidad, contador auxiliar), **junior/subordinated bonds** (FINAN obligaciones subordinadas; obligaciones garantizadas por una hipoteca de rango inferior; V. *senior bond; first mortgage bond*), **junior creditor** (acreedor secundario), **junior debt** (deuda subordinada; V. *subordinated debt; senior debt*), **junior mortgage** (hipoteca secundaria o posterior; segunda hipoteca), **junior official** (funcionario subalterno; V. *top official*), **junior partner** (socio menor, subalterno o de menor antigüedad; V. *senior partner*), **junior pips** (las dos últimas cifras decimales de los tipos de cambio), **junior staff** (personal en formación o de poca experiencia, personal auxiliar)].

junk *n*: quincalla, trastos viejos; basura, objetos usados o sin valor. [Exp: **junk bond** (bono basura, bono podrido; muchas compras apalancadas de empresas —*leveraged buyouts*— efectuadas por tiburones —*raiders*— de *Wall Street* se financian con bonos basura; V. *AAA; low-rated*), **junk food** (comida basura; comida rápida; V. *fast food*), **junk heap** (vertedero, basurero ◊ *Throw sth on the junk heap*), **junk mail** (correo no solicitado, propaganda enviada por correo; V. *bumf*), **junkbonder** (especulador financiero, tiburón), **junkyard** (chatarrería, desguace; V. *scrap*)].

just *a*: justo, equitativo, legítimo, razonable, de justicia, justificado; V. *fair, equitable*. [Exp: **just charge** (acusación fundada), **just in time** (trabajo realizado en tiempo ajustado; sistema de gestión día a día de las existencias o de la producción)].

K

keel *n*: quilla; V. *keep sth on keel; put sth back on an even keel*. [Exp: **keelage** (derechos de puerto; V. *harbour dues*)].

keen *a*: entusiasta, agudo, intenso, vivo. [Exp: **keen competition** (COMER competencia intensa o reñida; V. *cut-throat competition*)].

keep¹ *n*: manutención, subsistencia. [Exp: **keep²** (mantener, contener, guardar, retener), **keep³** (regentar, estar al frente de, ser responsable de; V. *manage, control, supervise*), **keep a tally of** (llevar la cuenta de, ir sumando/anotando ◊ *Keep a tally of expenses*), **keep a tight hold** (llevar un control férreo, meter en un puño; agarrar con fuerza, no soltar; estar muy encima, controlar de cerca/rigurosamente; V. *get/have/take a tight hold*), **keep books, an account, a register, a tally, etc.** (CONT llevar libros de comercio, una cuenta, un registro, etc.; V. *bookkeeping*), **keep down** (contener; V. *check³, stifle*), **keep good faith with** (cumplir la palabra dada a; V. *break faith with*), **keep hold of** (no soltar, guardar para sí), **keep in check** (tener a raya; V. *hold at bay*), **keep off** (tener a raya; V. *hold at bay*), **keep one's cool** (no perder los nervios; V. *lose/blow one's cool*), **keep/stay one jump ahead** (mantener/administrar la ventaja, mantenerse a la cabeza), **keep sth on keel** (mantener algo en equilibrio; restablecer la estabilidad; V. *put sth back on an even keel*), **keep the ball rolling** *col* (mantener las cosas en marcha/movimiento; V. *set/start the ball rolling*), **keep up** (mantenerse, no ceder terreno; seguir, continuar, mantenerse a tono o a la par con ◊ *Wages are keeping up with inflation*; V. *pace*), **keep up with the news** (mantenerse al tanto/corriente), **keep up with the times** (mantenerse al día, seguir el ritmo de la vida moderna)].

keiretsu *n*: término japonés que ha entrado en la jerga económica con el significado de conglomerado financiero e industrial que domina amplios sectores de la economía.

Keogh plan *US n*: plan de jubilación privado que permite el aplazamiento del pago de impuestos; V. *self-employment retirement*.

kerbside *n*: borde de la acera. [Exp: **kerbside conference** (MERC clase de mercadotecnia «al borde de la acera»; tras la venta, el vendedor y su pupilo analizan sobre el terreno las técnicas empleadas)].

key *a/n*: clave o principal, neurálgico; llave, clave, tecla; ◊ *Key issue*. [Exp: **key card** (tarjeta llavero), **key centre** (centro neurálgico), **key in** (teclear, introducir), **key management** (GEST control de identificación de los códigos de redes de instituciones financieras), **key reversal day** (MERC FINAN/PROD/DINER día clave de reversión o del comienzo de una nueva tendencia financiera; V. *reversal day*)].

kick *n/v*: patada, culatazo; revulsivo, impacto secundario, impulso; dar una patada, impulsar, actuar como/servir de revulsivo ◊ *Supply an industry with a kick, give sb/sth a kick forward.* [Exp: **kickback** US (incentivo; mordida, tajada, soborno ◊ *Take kickbacks in exchange for services*), **kicker** *col* (FINAN incentivo, astilla; plus, bonificación, o convertibilidad en acción, que hace más atractivo un bono u obligación como en *equity kicker*), **kickout** US *col* (REL LAB despido; V. *fire*)].

kill *v*: matar; V. *fill or kill; move/close in for the kill.* [Exp: **kill, be in at the** (estar en el momento oportuno, tener la caña puesta), **kill off** (rematar, dar la puntilla a, acabar con ◊ *Kill off a project/competition/speculation, etc.*), **killer bees** *col* (SOC abejas asesinas; «cazatiburones», inversores anti-opa; enjambre de inversores que ayudan a una empresa amenzada por una OPA hostil a reunir el dinero necesario para salvarse), **killing** *col* (BOLSA, COMER gran jugada; gran negocio, pingües beneficios ◊ *Make a killing on a stock*)].

kind, in *adv*: en especie; con frecuencia, *in kind* significa «con acciones o con títulos», es decir, en vez de pagar intereses el rendimiento de un título se materializa con la entrega de otros ◊ *Payment in kind V. in cash; benefits in kind; barter; like kind.*

king *n*: rey. [Exp: **king size** (tamaño grande; V. *regular size*)].

kite *n*: FINAN letra de pelota, letra de colusión, papel pelota; V. *fly a kite, windbill, accommodation bill of exchange; round tripping.* [La «letra de pelota» es emitida de común acuerdo entre el librador y el librado sin que haya negocio entre ellos, y a veces sin el conocimiento de este último, con el único fin de proporcionar crédito al primero por medio de un descuento bancario. Exp: **kite cheque** (cheque sin fondos o en descubierto; V. *rubber check*), **kite flying**[1] (libranza de letras de cortesía), **kite flying**[2] (V. *fly a kite*), **kite mark** (marca que se coloca en los productos ingleses para indicar que cumplen los requistos y el control de calidad de la *British Standards Institution*), **kiting** (BANCA circulación de cheques sin fondos; V. *check kiting*)].

kitty *n*: *col* fondo común, bote; en los juegos especulativos es la «banca» o «bote» ◊ *There's not much left in the kitty.*

knock[1] *v/n*: golpear; golpe. [Exp: **knock**[2] (criticar, vapulear, hablar pestes de), **knock back** *col* (rechazar ◊ *Our offer was knocked back*), **knock down**[1] (desarmar, desmontar; V. *semiknocked down*), **knock down**[2] (convencer u obligar a otro a rebajar el precio ◊ *Knock the seller down to half price*), **knock down**[3] (rematar, adjudicar en pública subasta ◊ *Knock down to the highest bidder*; V. *adjudge*), **knock-for-knock agreement** *col* (SEG convenio de compensación mutua entre aseguradoras o un golpe por el otro), **knock off**[1] (rebajar ◊ *Knock of the price*), **knock off**[2] (REL LAB terminar de trabajar, salir del trabajo; interrumpir el trabajo; V. *leave off work*), **knock-offs**[3] (COMER imitaciones; S. *close duplications, pass-off*), **knock-on effect** (reacción en cadena, repercusión, efecto secundario; V. *incidence, implication*), **knock-out**

agreement *col* (tongo; acuerdo tramposo entre dos postores aliados en detrimento de un tercero), **knock-out price** (precio muy rebajado), **knock the bottom out of something** (acabar con algo, echarlo por tierra ◊ *The credit squeeze has knocked the bottom out of our growth plans*), **knock the competition** (COMER propinar un duro golpe a la competencia), **knockdown price** (precio rebajado), **knocking copy** *col* (PUBL texto/eslogan publicitario que critica los productos de la competencia; campaña publicitaria descalificadora; anuncio faltón)].

know-how *col n*: asistencia técnica, pericia, experiencia, práctica; V. *expertise*.

L

label *n/v*: etiqueta, etiqueta para inventarios; referencia; marbete; etiquetar, calificar; tachar a alguien de; V. *tag; brand*. [Exp: **label coding** (indicación de código; aplicación del lenguaje de códigos a un documento), **labelling** (etiquetaje, etiquetado, clasificación), **labelling machine** (máquina etiquetadora)].

labour/labor *n/v*: mano de obra, personal asalariado, trabajadores, obreros; trabajo; trabajar; V. *manpower, hard labour; management*. [La forma *labor* es la preferida en los Estados Unidos. Exp: **labour agent** (agente de colocaciones), **labor agreement** *US* (contrato/convenio colectivo de trabajo; V. *employment contract*), **labor allowances and make up** *US* (beneficios sociales o complementarios del sueldo; extras o incentivos no salariales comprendidos en un puesto de trabajo), **labour arbitration** (REL LAB arbitraje laboral), **labour availability** (disponibilidad de mano de obra), **labour budget** (presupuesto de mano de obra), **labour buy-out/buyout** (FINAN adquisición de una empresa por los propios obreros/empleados con el fin de controlarla; V. *leveraged buyout; employees' buyout; management buyout;*

bid, take over), **labour camp** (campo de trabajos forzados, colonia penitenciaria), **labour code** (reglamentación de trabajo), **labor contract** *US* (convenio colectivo), **labour costs** (coste laboral, de personal o de mano de obra; V. *labour expenses*), **labour court** (DER magistratura de trabajo; V. *industrial tribunal*), **Labor/Labour Day** (Día del Trabajo), **labour-displacing area** (sector expulsor de mano de obra), **labour dispute** (conflicto o disputa laboral; V. *demarcation dispute*), **labour exchange** (oficina de colocaciones; bolsa de trabajo; V. *job centre*), **labour expenses** (gastos de personal; V. *labour costs*), **labour force** (fuerza laboral; mano de obra, población activa; V. *manpower, work-force; dependent labour force*), **labour force adjustment plan** (expediente de regulación de empleo; V. *redundancy*), **labour force penetration** *US* (REL LAB tasa de actividad; V. *participation rate*), **labour force sample survey** (encuesta de la población activa, EPA), **labour-intensive industry** (ECO industria que requiere/absorbe mucha mano de obra ◊ *Textiles is a labour-intensive industry*; V. *capital-intensive industry*), **labour input** (factor trabajo), **labour law** (derecho del

trabajo, reglamentos sociales), **labour
layoff** (baja laboral; despido de
trabajadores, reducción de plantilla),
labour leader (dirigente sindical;
dirigente de organizaciones obreras),
labour-management accord/relations
(REL LAB pacto social; relaciones entre
patronal/directivos/empleadores y
obreros/empleados; V. *industrial relations*), **labour market** (mercado de
trabajo, mercado laboral o de mano de
obra), **labour market segmentation**
(segmentación del mercado de trabajo),
labour mobility (REL LAB movilidad
laboral; V. *occupational mobility*),
labour-output ratio (relación trabajo-
producto), **labour policy** (política de
empleo), **labour productivity** (productividad del trabajo), **labour relations**
(relaciones laborales), **labour-relations
report** (balance social), **labour retrenchment** (supresión de puestos de
trabajo, recortes de plantilla), **labour-
saving** (automático; que ahorra mano de
obra), **labour-saving devices/equip-
ment/machinery** (maquinaria automática; equipo automatizado; dispositivo
para ahorrar/reducir la mano de obra o
para facilitar una tarea; V. *feather-
bedding; overmanned*), **labour shedding**
(recorte de plantilla), **labour shortage**
(escasez de mano de obra), **labour
standards** (normas laborales), **labour
stoppage** (REL LAB paro laboral; V.
strike), **labour supply** (oferta de trabajo),
labour surplus to requirements (REL
LAB excedente laboral; V. *overmanning*),
labour turnover (REL LAB rotación de
personal; personal de reemplazo;
movimiento de obreros, cambios en el
personal para mantener un número fijo;
desplazamiento de personal; número de
obreros que reemplazan a los que dejan
el trabajo), **labor union** *US* (gremio o
sindicato obrero; V. *trade union*),

labourer (peón, jornalero, obrero,
bracero, trabajador, operario)].
LAC *n*: V. *least/less advanced country.*
lack *n/v*: ausencia, falta, carencia; carecer.
[Exp: **lack of foresight** (imprevisión; V.
unwariness), **lack of interest** (apatía),
lack of inventory *US* (ruptura de
existencias, falta de existencias; V.
inventory break, stock-out), **lack of
investment** (BOLSA atonía inversora),
lack of resources (falta de recursos),
lack of support (falta de apoyo)].
ladder *n*: escalera; escala; V. *agricultural
ladder, promotion ladder.*
lade *v*: cargar un buque. [Exp: **laden**
(cargado; V. *loaded*), **laden in bulk** (con
carga a granel), **laden weight** (TRANS
MAR peso cargado; V. *gross laden
weight*), **lading** (carga, cargamento,
embarque, flete; V. *loading; bill of
lading*), **lading port** (TRANS MAR puerto
de carga; V. *discharge port*)].
lady *n*: señora, dama. [Exp: **Lady Day**
(Fiesta de la Anunciación; desde un
punto de vista económico es importante a
ciertos efectos, por ejemplo, el pago de la
renta trimestral; V. *quarter day*), **Lady
Macbeth strategy** (estrategia de «Lady
Macbeth» en la absorción/compra
—*take-over*— de un empresa por otra; en
esta estrategia, una tercera empresa que,
en principio, acude en socorro de la
empresa que es objeto de la adquisición,
presta finalmente todo su apoyo a la
empresa compradora)].
LAFTA *n*: V. *Latin American Free Trade
Association.*
lag *n/v*: desfase, retraso, retardo; COMER
atraso en el cobro de las exportaciones y
en el pago de las importaciones;
retrasarse, rezagarse; V. *distributed lag;
income-spending lag; jet lag; leads and
lags.* [Exp: **lag behind** (quedarse
rezagado/atrás ◊ *Industry that lags
behind its competitors*), **laggard**

(rezagado; BOLSA valor bursátil rezagado o que no remonta; V. *leader²*), **laggard industries** (industrias anticuadas), **lagged reserves basis** (CONT principio contable por el cual ciertas partidas se consignan en las reservas con un desfase cronológico respecto del devengo real ◊ *Time deposits are reported to the Federal Reserve Board on a lagged reserves basis*), **lagged variable** (ECO variable desfasada), **lagging** (retraso; retardo), **lagging/lag indicators** (ECO indicadores atrasados o retardados; indicador explicativo de hechos de un ciclo económico, el cual se conoce y publica con retraso respecto de la actividad dinámica de la economía, por ej. la tasa de paro, los tipos de interés bancario, etc.; este término contrasta con el de *lead/leading*; V. *leading indicators*)].

laid down *n*: TRANS entregado; aplicado a mercancías. [Exp: **laid down cost** (coste en el lugar convenido),

laissez faire *n*: ECO principio de economía liberal que preconiza la mínima intervención estatal.

lame *a*: lisiado, defectuoso. [Exp: **lame duck¹** *col* (especulador bursátil insolvente; lastre, hándicap; persona/empresa fracasada; político/empresario quemado/tocado/acabado; cadáver político; en Estados Unidos, presidente saliente que ha perdido las últimas elecciones), **lame duck firms** (empresas en crisis)].

land¹ *n/v*: tierra, terreno; propiedad, bienes raíces; nación; descargar, desembarcar; V. *building land/plot, accommodation land*. [Exp: **land²** *col* (pescar *col*, conseguir ◊ *Land a cushy job in a big company;* V. *plum job*), **land agent** (administrador de fincas; V. *estate manager*), **land and buildings** (bienes raíces, propiedades inmuebles, inmuebles y edificios), **land bank** (banco/caja rural;

V. *agricultural bank*), **land bill** (letra girada y pagadera en el interior; V. *domestic bill/draft*), **land bond** (fianza de desembarque), **land certificate** (escritura de propiedad; certificado expedido por el Registro de la Propiedad Inmobiliaria o *Land Registry*; el asiento o inscripción que se hace en el *Land Register* consta de tres partes: *property register, proprietorship register* y *charges register*), **land charges** (TRIB tributos territoriales; cargas a las que está sometido un bien raíz, como hipotecas, contribución y también las servidumbres que pesan sobre la propiedad; V. *registration encumbrances*), **land consolidation** *US* (concentración parcelaria), **land damages** (indemnización por terreno expropiado o por daños producidos a terreno colindante), **land developer** *US* (promotor de desarrollo urbanístico), **land development** (urbanización), **land freight** (flete terrestre), **landholder** (terrateniente), **land-locked country** (país interior, sin litoral o sin salida al mar), **land office/register** (oficina del catastro; V. *cadastre*), **landowner** (terrateniente), **land ownership** (propiedad rural), **land reform** (reforma agraria), **land registration** (inscripción de la propiedad inmobiliaria; V. *register, registration, registry*), **land settlement** (colonización), **land surveyor** (agrimensor), **land tax** (TRIB contribución rústica/territorial/predial), **land tenure** (terratenencia), **land value tax** (impuesto sobre el valor de una finca), **land registrar extract** (nota registral), **Land Registry** (Catastro, Registro de la Propiedad Inmobiliaria; V. *Department of the Register of Scotland, Registrar General of Northern Ireland*), **land trust** *US* (fideicomiso sobre una finca), **land use** (explotación/utilización de la tierra),

landed (desembarcado), **landed cost/price** (TRANS precio de mercancía puesto en destino), **landed estate** (bienes raíces), **landed price** (COMER precio puesto en el punto de destino), **landed property** (bienes raíces, predio, finca rústica; V. *loan on landed property*), **landed proprietor** (terrateniente; V. *landlord, landowner*), **landed terms** (TRANS MAR puesto en el muelle de descarga), **landed weight** (peso de descarga), **landfall** (recalada), **landholder** (terrateniente), **landing** (desembarco, aterrizaje), **landing bond** (fianza de desembarque), **landing certificate** (certificado de descarga), **landing charges** (TRANS MAR gastos de descarga), **landing order** (permiso/autorización de descarga dado por aduanas), **landing strip** (pista de aterrizaje; V. *runway*), **landing, storage, delivery, LSD** (descarga, almacenamiento y entrega), **landlady** (patrona, casera; V. *landlord*), **landlord** (arrendador, casero, terrateniente, patrón; V. *lessee, lessor, tenant; landowner; absentee landlord; landed proprietor; landlady*), **landmark** (mojón de lindero, marca de lindes, señal, límite; V. *abuttals, call, boundary*), **landowner** (terrateniente, dueño de una finca; V. *landed proprietor*), **lands in abeyance** (bienes mostrencos; V. *abeyance; unclaimed goods, waif*), **landslide** (corrimiento de tierras, derrumbe), **landslide victory** (victoria abrumadora; V. *win by a landslide*)].

largesse *n*: V. *executive largesse*.

lapping *US n*: CONT solapamiento/encubrimiento fraudulento de asientos contables; manipulación/falseamiento/encubrimiento de cuentas; desfalco mediante ingeniería contable.

lapse *n/v*: lapso, caducidad, prescripción, traslación de dominio; caducar, prescribir, transcurrir, extinguirse ◊ *Lapsing*

of right; V. *expire*. [Exp: **lapse²** (SEG caducidad de una póliza de seguros por falta de pago; V. *lapsed policy*), **lapse of a patent** (expiración de una patente), **lapsable** (prescriptible), **lapsation** (caducidad), **lapse of time** (caducidad, transcurso o lapso de tiempo), **lapse-of-time decision** (decisión tácita por vencimiento de un plazo), **lapsed** (transcurrido; caducado, prescrito; desaparecido), **lapsed discount** (descuento caducado), **lapsed option** (opción vencida; opción no ejercitable o negociable), **lapsed policy** (SEG póliza caducada), **lapsing** (prescripción; caducidad), **lapsing schedule** (CONT cuadro de periodificación; programa de vencimientos; estado de análisis de activos fijos; modo de registro de los activos fijos y de los detalles de distribución de sus costes en el curso de los ejercicios contables siguientes a su compra)].

large *a*: grande. [Exp: **large, at** (con amplios poderes; en general; en libertad; con todo lujo de detalles; de forma exhaustiva), **large estate owner** (latifundista), **large landholding** (latifundio), **large market** (mercado amplio; V. *narrow/limited/thin market*), **large-scale** (COMER a gran escala)].

lash *n/v*: trinca, amarre; amarrar, atar, trincar. [Exp: **lashed** (TRANS MAR trincado, amarrado; equilibrado; V. *stowed, trimmed*)].

last *a/v*: último; durar; V. *ultimate*. [Exp: **last date** (fecha tope/límite; V. *closing date*), **last-ditch** (desesperado, a la desesperada ◊ *A last-ditch effort/attempt/ campaign, etc.*), **last in, first out, lifo** *col* (REL LAB, CONT, TRIB último en entrar, primero en salir; salida en orden inverso al de entrada/adquisición; en los expedientes de regulación de empleo —*labour force adjustment plan*— implica que se despide a los que entraron en último lugar; en la valoración contable de inventarios significa que la última mercancía que entra es la primera que sale; este método de valoración de grandes existencias durante períodos prolongados tiende a uniformar los beneficios netos, especialmente cuando ocurren amplias oscilaciones en los precios; desde un punto de vista fiscal, es beneficioso para la empresa ya que, al ser los últimos precios más altos, se declaran menos ingresos, menos beneficios y, por tanto, menos impuestos; V. *redundancy; fifo, filo*), **last-looking** (ventaja ilícita; consiste en «echar una última miradita», ilegal por supuesto, a las propuestas presentadas por otros licitadores; quizás en alusión a la «última mirada» antes de cerrar la tapa del ataúd), **last resort** (última instancia, último recurso), **last resort, as a** (como último recurso, a la desesperada, en último caso o término), **last resort lender** (BANCA prestamista último, también llamado *second window*; V. *currency board*), **last sale** (BOLSA última operación que afecta a un título; cotización de un título en la transacción más reciente; no se debe confundir con «cotización al cierre» —*closing sale*—; su importancia estriba en que las normas bursátiles no permiten la venta corta —*short sale*— de títulos a un precio inferior al de la venta más reciente, ni tampoco a un mismo precio, a no ser que el anterior haya sido inferior; V. *plus tick, minus tick, zero plus tick, zero minus tick*), **last survivor annuity** (SEG anualidad que se abona a un cónyuge, a partir del fallecimiento del otro; V. *joint life annuity; contingent annuity*), **last trading day** (MERC FINAN/PROD/DINER día último de negociación; último día de un período de entrega —*delivery period*— para efectuar transacciones de una determinada mercadería o *commodity*),

last will and testament (última voluntad, testamento)].
lastage *n*: derechos de flete o embarco, lastre, cargamento de un buque.
late *a/adv*: tarde; tardío. [Exp: **late interest** (recargo de intereses por pago atrasado), **late filing** (presentación fuera de plazo), **late filing penalty** (recargo/penalización por presentación fuera de plazo), **late opening** (COMER jornada comercial prolongada; horario comercial extraordinario), **late payment** (pago atrasado), **latest, at the** (a más tardar), **latest date** (fecha límite; V. *deadline*)].
latent *a*: latente, oculto; V. *hidden*. [Exp: **latency time** (tiempo de espera), **latent ambiguity** (ambigüedad latente), **latent deed** (escritura de propiedad oculta durante más de veinte años), **latent defect** (vicio o defecto oculto; V. *inherent defect, defect of substance; hidden/patent/conspicuous defects*), **latent goodwill** (plusvalía latente; V. *unrealized gain*)].
lateral *a*: lateral. [Exp: **lateral/horizontal amalgamation** (amalgamación de dos empresas dedicadas a la misma industria o comercio; V. *vertical amalgamation*)].
Latin American Free Trade Association *n*: V. *LAFTA*.
launch *n/v*: lanzamiento; lanzar; iniciar, emprender; lanzar en bolea, botar; botadura; V. *issuance;*[1] *flotation*. [Exp: **launch a new product/brand** (lanzar un nuevo producto, una nueva marca; V. *campaign*), **launching a product** (lanzamiento publicitario), **launching pad** (plataforma de lanzamiento; trampolín ◊ *Get a project off the launching pad*), **launch an issue** (emitir/colocar valores, efectuar una emisión de valores; V. *float securities*), **launch on the market** (presentar en el mercado), **launch price** (PUBL precio de lanzamiento)].
launder funds/money *v*: blanquear capi-

tales/dinero; V. *money laundering, drug money.*

LAUTRO *n*: V. *Life Assurance and Unit Trust Regulatory Organization.*

law *n*: derecho, ley, jurisprudencia. [Exp: **law of averages** (estadística, cálculo probabilístico), **law of demand** (ley de la demanda), **law of decreasing/increasing costs** (ECO ley de costes decrecientes/crecientes; V. *marginal cost, net cost*), **law of diminishing marginal productivity** (ley de la productividad marginal decreciente), **law of diminishing returns** (ECO ley de los rendimientos decrecientes o de disminución de la tasa de ganancias), **law of large numbers** (ECO ley de los grandes números), **law of supply and demand** (ECO ley de la oferta y la demanda), **law of the land** (ley nacional), **law of the market** (ley del mercado), **lawful** (legal, lícito, legítimo; hábil), **lawful day** (día hábil; V. *business day*), **lawful holder** (tenedor o titular legal), **lawful interest** (interés legal), **lawful money** (moneda de curso legal; V. *legal tender*), **lawful reserve** (reserva legal), **lawless** (ilegal, ilícito, desaforado; licencioso, desordenado), **lawsuit** (pleito, litigio, proceso/acción/demanda judicial), **lawyer** (abogado, jurisconsulto, procurador, jurista)].

lay[1] *a*: lego; seglar, secular. [Exp: **lay**[2] (poner, colocar, imponer cargas u obligaciones), **lay a tax on something** (aplicar impuestos, gravar algo; V. *burden something with taxation*), **lay-away** (apartar, guardar, reservar), **lay-away shop** (tienda en la que «apartan, reservan» el objeto que se va a adquirir siempre que se dé una entrada ◊ *Shop with a lay-away system*), **lay claim to** (reclamar, pretender), **lay in a stock** (almacenar, proveerse), **lay-off** (V. *layoff*), **lay off risks** (SEG reasegurar), **lay on** (hacerse cargo de, proporcionar,

ofrecer ◊ *Lay on entertainment*), **lay out**[1] (FINAN gastar, invertir/emplear dinero ◊ *Lay out money on a project*; V. *outlay*), **lay out**[2] (PUBL maquetar, componer, diseñar; trazar, disponer, arreglar ◊ *Lay out buildings, a plan of campaign*), **lay over** (aplazar), **lay/place/put an embargo on goods, etc.** (prohibir el comercio con mercancías, etc., secuestrar mercancías; V. *put an embargo on trade*), **lay the foundation** (sentar las bases), **lay up**[1] (dejar inactivo/incapacitado; mantener indispuesto ◊ *Be laid up with an illness*), **lay up**[2] (almacenar, guardar, hacer acopio de ◊ *Lay up supplies*), **lay up**[3] (TRANS MAR amarrar), **lay-up warranty** (garantía dada por el tenedor de una póliza marítima de que el barco estará fuera de servicio o en el puerto durante un período determinado), **layaway plan** (plan de ahorros; cantidad a cuenta), **laying up clause** (SEG cláusula de reducción de la prima de seguro en caso de que el buque quede fuera de servicio; V. *lay-up return*), **layoff, lay-off** (REL LAB despido laboral, baja, cesantía, suspensión; despedir, dar de baja; V. *labour layoff, disciplinary layoff*), **layoff dismisal pay** (REL LAB indemnización por despido), **layout** (disposición, arreglo, distribución), **layout plan** (plan de distribución), **laytime/lay days** (TRANS MAR estadía; plancha, tiempo de plancha; se usan indistintamente los términos *laytime* y *lay days* para referirse al tiempo que un buque permanece dedicado a tareas de carga o descarga, cuya duración y cómputo se acuerda en las pólizas de fletamento; V. *running days; reporting day; demurrage; reversible laydays*) **laytime for discharging** (TRANS MAR tiempo de plancha para la descarga), **laytime for loading** (TRANS MAR tiempo de plancha para la carga)].

lb *n*: libra; V. *pound.*

LBO *n*: V. *leveraged buy-out.*

L/C *n*: V. *Letter of credit.*

LC *n*: V. *Lord Chancellor.*

LCE *n*: London Commodity Exchange.

LCH *n*: V. *London Clearing House.*

LCO *n*: V. *leveraged cash-out.*

LDCs *n*: V. *less developed country.*

ldp *n*: V. *London daily prices.*

lead[1] *n/v*: ventaja; adelanto; dirigir, llevar, abanderar, conducir, guiar; adelanto en el cobro de las exportaciones y en el pago de las improtaciones; ponerse a la cabeza, llevar la delantera ◊ *Lead in the polls; Have a lead over one's rivals; Be in the lead*; V. *champion; leads and lags.* [Exp: **lead**[2] (PUBL titular; destacar, poner como noticia destacada ◊ *The paper led with an account of the company's collapse*), **lead**[3] (plomo), **lead**[4] (principal; V. *leading, leader*), **lead agency** (organismo director o principal), **lead-s and lag-s** (CONT adelantos y atrasos [en los pagos]; indicadores premonitorios y retardados; cómputo o tabla estadística del desfase cronológico —*time lag*— entre los primeros y los últimos pagos de una deuda u obligación, o entre los períodos de liquidación de deudas con plazos de vencimiento distintos; se aplica para conocer en un momento determinado el estado real del balance o de las reservas; V. *lagging/lag indicator*), **lead bank** (banco principal/director de un consorcio —*syndicate*—; también llamado *concentration bank*, en él están depositados los fondos de una empresa; V. *non-credit services; lead manager*), **lead-lag relationship** (CONT relación contable entre adelantos y retrasos; V. *leads and lags*), **lead lag technique** (técnica de predicción), **lead manager** (jefe de fila, banco director principal, gestor líder; es el banco principal de un sindicato/consorcio bancario que organiza la emisión), **lead manager bank** (FINAN, BANCA banco director; banco gestor líder; director principal; coloquialmente se le llama «jefe de filas»; recibe del prestatario la orden o autorización —*mandate*— para poner en funcionamiento un préstamo sindicado —*syndicate loan*—, organizar la emisión de obligaciones y buscar las instituciones que las suscriban; V. *agent bank, co-manager bank, lead manager bank, participant bank, underwriter bank*), **lead off** *US* (hoja resumen), **lead time**[1] (COMER plazo de entrega; plazo de espera para recibir un producto desde que se hace el pedido; tiempo empleado en la fabricación de un producto; plazo de ejecución de un proyecto; V. *delivery time; manufacturing lead time*), **lead time**[2] (PUBL tiempo que necesita un consumidor para decidirse a comprar algo), **lead time of a project** (período de gestación de un proyecto), **leader**[1] (dirigente, jefe; V. *market leader*), **leader**[2] (MERC FINAN/PROD/DINER valor puntero; V. *blue chips; market leader; laggard*), **leader/leading article** (PUBL artículo de fondo, noticia principal, editorial), **leader product** (producto estrella; V. *flag product*), **leadership** (dirección, mando, liderazgo; liderato; jefatura; cualidad o capacidad de mando o dirección ◊ *Group leadership; leadership qualities*), **leadership continuum** (GEST escala de dirección), **leader merchandising/pricing** (venta a pérdida), **leading**[1] (principal; V. *lead*[4]), **leading**[2] (tendencioso, capcioso, sugestivo, impertinente), **leading company** (SEG compañía abridora; V. *opener*), **leading article** (V. *leader article*), **leading edge** (borde de atraque o anterior; *fig* vanguardia, punta de lanza), **leading-edge technology** (tecnología punta; V. *high-tech*), **leading**

hand (jefe de equipo), **leading indicators** (ECO indicadores de tendencia; indicadores adelantados/anticipados/premonitorios; indicadores que se anticipan a los cambios económicos; entre ellos figuran los pedidos nuevos, las cotizaciones actuales en Bolsa, etc.; V. *business barometer; economic indicator; lagging indicators*), **leading item** (MERC, PUBL artículo líder, mercancía estrella), **leading shares** (BOLSA acciones favoritas; V. *blue chips*), **leadman** US (capataz)].

leaflet *n/v*: prospecto, folleto, octavilla; repartir folletos/octavillas o propaganda ◊ *Leaflet the town centre.*

league *n/v*: liga, alianza, confederación, unión; confederarse, ligarse, aliarse, unirse. [Exp: **League of Nations** (Liga de Naciones)].

leak *n/v*: fuga de agua, información, etc.; escape; vía de agua; derramar; filtrar información o noticias; hacer agua ◊ *Leak a document/secret information.* [Exp: **leak information** (filtrar información, pasar información al adversario), **leakage** (TRANS/SEG MAR merma, derrame, escape, vía de agua; descuento por derrame; V. *navigation perils; extraneous perils*)].

leap[1] *n/v*: salto; saltar. [Exp: **leap**[2] (V. *long-term equity anticipation securities*), **leapfrog** (pídola, saltacabrilla; saltarse, saltar por encima, quemar etapas, dejar atrás ◊ *Leapfrog over one's rivals*), **leap-frogging** (en cadena, en una serie de saltos)].

lease *n/v*: arrendamiento; arriendo, escritura de arrendamiento o locación; arrendamiento financiero, alquiler-compra; tomar en arrendamiento; arrendar; V. *true lease; let on lease, net lease, take on lease, extension of lease; rental; occupational lease.* [Desde un punto de vista tributario, los contratos de arrendamiento que, entre sus fines, buscan una reducción en los impuestos se llaman «arrendamientos auténticos» —*true leases.* Exp: **lease at will** (arriendo a voluntad, arriendo denunciable en cualquier momento o sin plazo fijo de duración; V. *flat/straight lease; periodic lease*), **lease-back, lease back** (FINAN cesión-arrendamiento; arrendamiento-venta, también llamado *renting back*, y *sale and lease back* en EE. UU.; venta de un activo y arrendamiento simultáneo a su vendedor; de esta manera el vendedor cuenta con un capital que puede utilizar con fines financieros o empresariales; esta operación puede incluir o no el derecho o la obligación de recompra por parte del vendedor; efectuar operaciones de alquiler-compra; V. *leasing; sale and leaseback*), **lease broker** (corredor de arrendamiento financiero), **lease financing** (financiamiento del arriendo), **lease for years** (arriendo a plazo), **lease, on a** (en arrendamiento), **lease on parol** (arriendo verbal), **lease period** (plazo o período de duración del arrendamiento), **lease-purchase agreement** (contrato de arrendamiento y compra, contrato de *leasing*), **leasehold** (inquilinato, derecho de arrendamiento, contrato de locación, contrato de alquiler o arrendamiento, propiedad tenida en arrendamiento), **leasehold assurance** (seguro de amortización), **leasehold improvements** (mejoras a propiedades arrendadas; V. *improvements*), **lease mortgage** (hipoteca respaldada con el arrendamiento de una propiedad), **leasehold mortgage bond** (cédula hipotecaria garantizada con el arrendamiento de una propiedad), **leasehold property** (propiedad arrendada), **leaseholder** (arrendatario)].

leasing *n*: FINAN arrendamiento de un bien o activo con opción de compra a su vencimiento por un valor residual; alquiler-venta; arrendamiento financiero, «leasing»; V. *equipment leasing*. [Exp: **leasing arrangement** (acuerdo de arrendamiento financiero), **leasing company** (sociedad de arrendamiento financiero)].

least *a*: menor, ínfimo. [Exp: **least cost analysis** (análisis de costo mínimo), **least-cost decision** (GEST decisión de menor coste), **least developed countries** (los países menos desarrollados), **least squares method** (ECO método de mínimos cuadrados)].

leather *n*: cuero, piel. [Exp: **leather goods** (artículos de marroquinería o de piel), **leather goods fair** (feria de la piel)].

leave¹ *n/v*: REL LAB vacaciones, permiso, licencia; V. *furlough; accumulated leave; permission; day off; working day; maternity leave*. [Exp: **leave²** (abandonar, dejar), **leave behind** (dejar atrás ◊ *Leave one's rivals behind*), **leave of absence** (licencia sin sueldo; excedencia; permiso para ausentarse; V. *absence without leave*), **leave off** (parar, interrumpir, dar por terminado ◊ *Leave off work*), **leave off work** (V. *knock off*), **leave office** (abandonar o dimitir de un cargo), **leave, on** (con licencia), **leave on record** (dejar constancia), **leave without pay** (licencia sin sueldo)].

LEBO *n*: V. *leveraged employee buy-out*.

led *a*: part. pasado del verbo *lead*; forma compuestos con el sentido de «impulsado» como en *export-led*.

ledger *n*: CONT libro mayor; V. *cashbook; acceptance ledger, attachment ledger, general ledger, subsidiary ledger*. [Exp: **ledger assets** (activo en libros), **ledger entry** (asiento del libro mayor), **ledger value** (valor contable o en los libros)].

lee *n*: sotavento, socaire. [Exp: **leeward** (a sotavento), **leeway¹** (margen de maniobra; libertad de acción ◊ *Leave sb plenty of leeway*; V. *scope for action*), **leeway²** (tiempo perdido, retraso ◊ *Make up the leeway*), **leeway³** (TRANS MAR abatimiento de un buque, deriva lateral)].

left *a*: dejado, abandonado; izquierda. [Exp: **left-luggage office** (consigna, sala de equipajes), **leftovers** (excedentes, sobrantes)].

leg¹ *n*: pierna; vuelta, fase, etapa ◊ *The next leg of negotiations*; V. *round, stage*. [Exp: **leg²** *col* US (MERC FINAN/PROD/ DINER lado; cada una de las opciones de venta —*put*— o compra —*call*— que forman una estrategia especulativa de combinación o *combination*; cuando un inversor tiene dos en una situación cubierta —*hedged*—, cada uno de los riesgos está compensado, cubierto o protegido; el término *leg*, así como *straddle*, deriva de la idea de «seto» —*hedge*—, que es es como se llama la situación de cobertura o riesgo compensado, ya que remite a la imagen gráfica de alguien sentado, a horcajadas, encima de un seto con una pierna a cada lado, es decir bien asegurado; V. *break a leg, straddle; lift a leg; long leg*), **legs, be on one's last** *col* (estar en las últimas ◊ *The firm is on its last legs*)].

legal *a*: jurídico, legal, que marca la ley, en derecho, de acuerdo con la ley; implícito. [Exp: **legal action** (acciones legales), **legal currency/money/tender** (moneda de curso legal; V. *lawful money, banknote, currency*), **legal debts** (deudas documentarias), **legal department** (asesoría jurídica), **legal environment** (marco/entorno jurídico), **legal harassment** (obstruccionismo legal), **legal holiday** (día inhábil; V. *business day*), **legal strike** (huelga autorizada), **legal opinion** (dictamen jurídico, opinión jurídica), **legal remedy** (recurso legal), **legal reserve** (reserva legal u obligatoria; encaje legal; V. *voluntary reserve; foreign reserves*), **legal tender** (moneda/dinero corriente o de curso legal, circulación fiduciaria; V. *non-physical* *money; substitute money; near money, real money*), **legal year** (año civil; V. *accounting year, calendar year, fiscal year, tax year*), **legalese** (jerga de los juristas; V. *legalese*), **legalize** (legalizar, legitimar)].

leisure *n*: ocio, tiempo libre. [Exp: **leisure centre** (centro deportivo; polideportivo), **leisure industry/sector** (industria del ocio; V. *amusement industries; gear*), **leisure tax** (impuesto sobre actividades de tiempo libre), **leisure wear** (ropa sport)].

lend *v*: prestar; V. *loan*. [Exp: **lend-lease** (préstamo y arriendo), **lend on bottomry/collateral/pawn, etc.** (prestar dinero a la gruesa, con seguridad colateral, con prenda, etc.), **lender** (prestamista; acreedor crediticio; V. *money-lender; borrower*), **lender of last resort** (prestamista de última instancia; última ventanilla; los bancos centrales, como «última ventanilla», redescuentan instrumentos financieros ya descontados en bancos comerciales; V. *front door method/operation; central bank*), **lend on collateral** (prestar con seguridad colateral), **lending** (préstamo; concesión de un préstamo; el término *lending* en función atributiva significa «acreedor, de crédito»), **lending agency/institution** (organismo/institución/entidad de crédito; V. *credit institution*), **lending at sight** (préstamo a la vista), **lending authority** (facultad para conceder préstamos), **lending business** (operaciones activas), **lending country** (país acreedor; V. *creditor country*), **lending institution** (institución de crédito), **lending/credit limit** (límite de crédito), **lending operations** (operaciones de crédito; V. *foreign lending*), **lending pipeline** (proyectos en tramitación o en reserva; V. *pipeline of projects*), **lending program** *US* (programa de financiamiento, programa de operaciones

crediticias), **lending rate** (tipo/tasa de interés en préstamos)].

length[1] *n*: longitud; duración, extensión. [Exp: **length[2]** (eslora de un buque; V. *breadth*), **length, at** (de forma prolija; por extenso; largo y tendido; pormenorizadamente), **length of load** (TRANS longitud de la carga), **length of service** (REL LAB antigüedad; duración de los servicios prestados; V. *seniority*), **length overall** (eslora total)].

less *a/adv*: menor; menos; V. *least*. [Exp: **less advanced countries, LACs** (países menos avanzados; V. *developing countries*), **less amount, for** (por menor importe), **less developed country, LDCs** (país menos desarrollado; V. *least developed countries*), **lesser media** (PUBL medios menores o secundarios para la captación de la audiencia, tales como los folletos, los carteles, las vallas publicitarias, la propaganda que se envía por correo, etc.; V. *mass media*), **less than container load** (TRANS MAR menos de contenedor completo)].

lessee *n*: arrendatario, locatario, inquilino. [Exp: **lessor** (arrendador, locador; V. *tenant; landlord*).

let *v*: arrendar; permitir, dejar. [Exp: **let a bill lie over** (no atender una letra; V. *dishonour*), **let on lease** (arrendar), **let-out clause** (cláusula de salvaguardia o de excepción, cláusula que permite ajustar las condiciones o retirarse de un contrato: V. *saving clause, escape clause*), **let the contract** (adjudicar el contrato), **letting** (arrendamiento)].

letter *n*: carta; V. *covering letter*. [Exp: **letter-box company** (SOC mercantil sin oficinas; mercantil en un paraíso fiscal), **letter of acceptance** (SOC carta de asignación, carta de notificación al suscriptor del número de acciones que se le han asignado; V. *letter of allotment*), **letter of accreditation** (carta credencial),

letter of administration (nombramiento de administrador judicial; V. *administrator of an estate*), **letter of advice** (carta de aviso, de expedición), **letter of allotment** (carta de adjudicación; carta de notificación al suscriptor del número de acciones que se le han asignado; V. *letter of application, letter of regret*), **letter of application** (instancia, carta de solicitud; se aplica, con frecuencia a la de solicitud para acudir a una sucripción o compra de acciones; V. *application money, payable on application*), **letter of attorney** (poder, procuración, carta; los términos *letter of attorney* y *power of attorney* son intercambiables; el primero se refiere al documento que lleva la autorización; V. *power of attorney*), **letter of authority** (carta de autorización), **letter of comfort** (BANCA carta de seguridades; informe positivo a la solicitud de un préstamo), **letter of complaint** (carta de reclamación; V. *claim letter*), **letter of credence** (carta credencial), **letter of credit, L/C** (BANCA carta de crédito, letra de crédito; medio de pago equivalente al crédito documentario, utilizado en los Estados Unidos y el Reino Unido; V. *documentary credit, bill of credit, direct letter of credit; confirmed letter o credit*), **letter of credit opening** (apertura de crédito documentario), **letter of delegation** (carta de diputación, poder), **letter of deposit** (carta de depósito), **letter of guaranty** (carta de garantía), **letter of hypothecation** (carta de pignoración o de hipoteca; mediante esta carta el exportador ofrece en garantía los documentos de embarque al barco que concede el crédito, autorizándole a vender la mercancía si el comprador no hace frente a los pagos correspondientes, a fin de resarcirse), **letter of identification/indication** (carta de identi-ficación con reconocimiento de firma, extendida por un banco), **letter of indemnity**[1] (SEG carta de garantía de pago de la indemnización; carta de indemnización), **letter of indemnity**[2] (carta de indemnidad o exención de responsabilidad; en transporte marítimo este documento lo extienden los cargadores a los porteadores contra entrega de un documento de embarque limpio; V. *back letter; backward letter; clean bill of lading*), **letter of intent** (carta de intenciones; se trata del acuerdo alcanzado entre las partes, en especial, en fusiones empresariales), **letter of licence** (escritura de concordato/moratoria/espera; V. *deed of arrangement*), **letter of lien** (carta/documento por el cual el comprador acepta que se retenga la mercancía en depósito hasta que se efectúe el pago correspondiente), **letter of recommendation/reference** (carta de recomendación), **letter of regret** (SOC carta denegando la solicitud de acciones; V. *letter of application; letter of allotment*), **letter of request** (carta suplicatoria enviada por un juez a otro juez de un país extranjero, rogándole que le tome declaración a un particular; comisión rogatoria; V. *rogatory commission*), **letter of respite** (carta de gracia), **letter of safe-conduct** (salvo-conducto), **letter of the law** (letra de la ley), **letter of transmittal** (escrito u oficio de remisión), **letter of understanding** (carta de entendimiento), **letter of undertaking** (carta de compromiso), **letterhead** (membrete; papel timbrado o con membrete; V. *business letterhand*), **letters of administration** (auto de nombramiento de administrador judicial o testamentario), **letters of guardianship** (cartas de tutoría), **letters patent** (patente/cédula de invención; título de privilegio)].

level *a/n/v*: estable; nivel, grado, escala, cuantía; llano, plano, raso, a ras de; aplanar; nivelar, igualar ◊ *Prices remained level*; V. *standard*. [Exp: **level charge plan** (método uniforme de reparto de cargas), **level-line repayment** (amortización en cuotas iguales), **level of default** (morosidad), **level of employment** (nivel de ocupación), **level of living** (nivel de vida), **level off** (nivelar, igualar), **level, on the** *col* (leal, honrado, sincero, fiable, de fiar ◊ *An agent who is on the level*), **level out** (nivelar), **level playing field** (FINAN reglas de juego uniformes), **level-premium insurance/ plan** (SEG plan/seguro de primas niveladas), **level premium method** (sistema de capitalización), **level tendering** (COMER oferta igual [acordada por distintas empresas]; V. *collusive tendering*), **level with, be on a** (estar a la altura de, tener un nivel comparable con ◊ *We're on a level with our competitors abroad*), **level with sb** *US col* (ser sincero o franco con alguien; decirle la verdad, dejarse de evasivas), **levelling** (nivelación), **levelling-off** (nivelación, estabilización; aplanamiento)].

leverage[1] *n*: palanca, influencia, impulso, ventaja, fuerza, poder; V. *gearing, debt ratio, capital leverage*. [Exp: **leverage**[2] *US* (apalancamiento financiero; operaciones financieras rentables efectuadas con préstamos; relación deudas-capital propio; el término británico correspondiente es *capital gearing* ◊ *Person with a lot of leverage*), **leverage coefficient** (FINAN relación entre endeudamiento y medios propios), **leverage effect** (efecto palanca, apalancamiento, influencia o impulso), **leverage factor** (factor apalancamiento; posibilidad de incrementar la rentabilidad de las acciones por encima de la propia explotación industrial), **leveraged buy-**

out, LBO (compra/adquisición apalancada; compra de activos por emisión de obligaciones; operación de compra de las acciones de una empresa basadas en el endeudamiento; V. *leveraged management buyout; bid, take over*), **leveraged cap** (FINAN apalancamiento defensivo mediante endeudamiento), **leveraged cash-out, LCO** (FINAN compra apalancada con pago de acciones; a los dueños de la empresa antigua se les paga, en parte, con acciones de la empresa nueva), **leveraged debt** (pasivo con apoyo económico), **leveraged employee buy-out, LEBO** (compra apalancada por los empleados), **leveraged lease** (arrendamiento apalancado; forma de arrendamiento en la cual el arrendador toma un préstamo para cubrir parte del precio de adquisición de la mercancía objeto del arrendamiento), **leveraged management buy-out, LMBO** (compra apalancada por ejecutivos o gerencia, CAPE; V. *leveraged buy-out, LBO; management buy-out*), **leveraged recap** (FINAN apalancamiento defensivo; alude a la técnica de utilización al máximo de la capacidad de endeudamiento de una empresa para evitar que esta capacidad la explote el «tiburón» que se haga con la empresa)].

levy *n/v*: exacción de impuestos, exacción reguladora; leva, gravamen, impuesto, contribución; imposición o recaudación de impuestos; contribución o impuesto de cooperación; imponer, recaudar, exigir un impuesto; percibir/cobrar; gravar, embargar; V. *capital levy*. [Exp: **leviable** (gravable, imponible, exigible, recaudable), **levy a distress** (exigir el pago de una deuda mediante secuestro o embargo), **levy duties/taxes** (recaudar impuestos, derechos o tasas; V. *impose/lift a tax*), **levy of taxes** (imposición de contribuciones; V. *imposition/raising* *of taxes*), **levying** (exacción del impuesto, recaudación de impuestos)].

LGC *n*: V. *liquified gas carrier.*

liabilities[1] *n*: CONT pasivo, deudas, obligaciones; exigible; V. *capital liabilities, current liabilities, double liabilities, joint liabilities, net liabilities, passive liabilities.* [En plural, se aplica al pasivo, siendo el antónimo de *assets.* Exp: **liabilities**[2] (CONT acreedores; recursos ajenos; V. *long/short-term liabilities*), **liabilities and responsibilities** (responsabilidades; conviene aclarar que en inglés se distingue entre [1] el principio abstracto de la responsabilidad —el deber jurídico, moral o profesional— que es *responsibility*, y [2] las posibles consecuencias, sanciones, pérdidas, etc., que se derivan de incumplir dicho deber o *liability*; un tercer término, *answerable*, que es de uso más común que técnico, abarca ambas ideas, a las que hay que sumar también el matiz de la obligación de «rendir cuentas»), **liability** (responsabilidad civil, obligación; V. *double liability, joint and several liability, strict liability; incur liability, meet liabilities*), **liability account** (CONT cuenta de pasivo), **liability bond** (fianza de responsabilidad civil), **liability certificate** (certificado de pasivo), **liability for endorsement** (responsabilidad por endoso o aval), **liability insurance** (SEG seguro de responsabilidad civil, seguro de daños, seguro contra terceros; V. *third-party*), **liability reserve** (reserva de pasivo o para obligaciones), **liability restructuring** (FINAN reestructuración del pasivo; es una actuación defensiva consistente en aumentar el número de accionistas, emitir acciones en favor de una empresa amiga o recompensar con prima a los accionistas; V. *poison pill*)].

liable[1] *a*: responsable, obligado. [Exp:

liable[2] (expuesto a, sujeto a; V. *exposed, open, subject to*), **liable for, be** (ser responsable de), **liable for tax** (gravable, sujeto a impuesto), **liable to** (susceptible de), **liable to duty/tax** (sujeto a derechos/impuestos, gravable, imponible; V. *dutiable, taxable*)].

liberty *n*: libertad. [Exp: **liberalism** (liberalismo), **liberalization** (liberalización), **liberalize** (liberar, liberalizar, eximir), **liberalized** (liberalizado, exento de derechos), **liberalized goods** (productos exentos)].

LIBID *n*: V. *London Inter Bank Bid Rate.*

LIBOR *n*: V. *London Inter Bank Offered Rate.*

licence, license *n/v*: permiso, autorización, matrícula, licencia; permiso de conducción; cédula; autorizar, facultar, dar permiso, permitir, licenciar ◊ *TV licence, driving licence.* [En inglés americano el nombre *licence* se escribe *license*; el verbo es *license* en ambas variantes del inglés. Exp: **licence agreement** (autorización, [contrato] de licencia), **licence plates** (placas de matrícula), **licence to print money** *col* (negocio redondo, el mejor negocio del siglo; robo descarado), **licence, under** (con licencia), **license a car** (sacar el impuesto de circulación), **licensed** (autorizado, concesionario), **licensed carman** *US* (TRANS transportista autorizado a recoger mercancías en la aduana destinadas a la re-exportación), **licensed conveyancer** (abogado autorizado para emitir escrituras de traspaso de dominio), **licensed dealer** (distribuidor o concesionario autorizado), **licensed premises** (establecimiento autorizado para vender bebidas alcohólicas ◊ *Only licensed restaurants may serve wine with meals*), **licensed trader** (comerciante autorizado), **licensee** (persona autorizada, concesionario, beneficiario o titular de una licencia), **licenser/**

licensor (concedente/otorgante de una licencia)].

lie[1] *n/v*: mentira; mentir. [Exp: **lie**[2] (yacer), **lie at anchor** (estar fondeado un buque), **lie**[3] (haber/tener lugar, haber fundamento para, corresponder, caer, venir), **lie**[4] **with** (ser de la incumbencia de, competer a), **lie/sit down on the job** (tomarse el trabajo con mucha calma, echarse al surco, no pegar golpe)].

lien *n*: retención, derecho de retención, derecho prendario, embargo preventivo, hipoteca; gravamen, carga; V. *no-lien affidavit*. [Exp: **lien bonus** (prima de compensación), **lien clause** (cláusula de rentención), **lien creditor** (acreedor embargante, acreedor prendario), **lien for dead freight** (derecho de retención por falso flete; V. *express lien*), **lien for demurrage/salvage** (TRANS MAR derecho de retención por sobreestadías/salvamento), **lien of partners** (derecho equitativo del socio en la distribución de los bienes sociales), **lienee** (embargado), **lienor** (embargante o embargador; depositante)].

lieu of, in *prep*: en lugar de. [Exp: **lieu, tax in** (impuestos sobre los beneficios brutos)].

life *n*: vida, vigencia, plazo, duración, efectividad; vida útil; vitalicio ◊ *The life of a Parliament*; V. *live the life of Riley*. [Cuando acompaña a palabras como *contract, loan, etc.*, equivale a «plazo». Exp: **life annuitant** (rentista, pensionista), **life annuity** (SEG renta vitalicia, censo de por vida; la prima se calcula con las esperanzas de vida del asegurado; V. *annuity certain, joint annuity, participating annuity, retirement annuity*), **Life Assurance and Unit Trust Regulatory Organization, LAUTRO** (SEG, FINAN organismo regulador de la actividad de las compañías de seguros de vida y de los fondos de inversión), **life assurance/insurance policy** (póliza de seguro de vida), **life beneficiary** (beneficiario vitalicio), **life estate** (usufructo, dominio vitalicio), **life contingency** (SEG riesgo dependiente de la duración de la vida humana), **life expectancy** (SEG esperanza de vida al nacer; probabilidad de vida; V. *normal life expectancy*), **life, for** (de por vida, con carácter vitalicio), **life imprisonment** (cadena perpetua), **life income insurance/policy** (seguro mixto con renta vitalicia; póliza de renta vitalicia), **life insurance** (seguro de vida), **life insurance company** (compañia de seguros de vida), **life interest** (renta vitalicia), **life insurance policy** (póliza de seguro de vida), **life member** (socio o miembro vitalicio), **life of a guaranty** (vigencia de la garantía), **life of a loan** (vigencia de un préstamo), **life of a patent** (vigencia de una patente), **life of delivery** (STK & COMMOD EXCH duración de un contrato de futuros o de opciones), **life office** (SEG compañía de seguros de vida; V. *fire office*), **life span** (SEG duración de la vida), **life table** (tabla de mortalidad), **life tenant** (usufructuario vitalicio), **lifeboat** (salvavidas; en sentido figurado se emplea en círculos financieros para aludir a «fondos salvavidas»), **lifeline** (cuerda de salvamento; cable, capote, mano ◊ *Throw a debtor a lifeline*), **lifeline banking** (servicios bancarios ofrecidos a clientes modestos —jubilados o de rentas bajas, etc.—, por un precio módico; V. *basic banking*), **lifeline tariff** (tarifa mínima/vital), **lifetime transfers** (DER transmisiones inter vivos)].

LIFFE *n*: V. *London International Financial Futures and Options Exchange*.

lifo *n*: V. *last in, first out*.

lift *n/v*: elevación, levantamiento; ascensor; alzar, elevar; levantar, quitar; V. *remove,* *raise; give sb a lift.* [Exp: **lift a ban** (levantar una prohibición), **lift a finger** (hacer algo por alguien, mover un dedo ◊ *The bank won't lift a finger to help us*), **lift a leg** *US col* (MERC FINAN/PROD/DINER cerrar un lado o *leg*; clausurar o cerrar una opción; ejercer una de las dos opciones en una situación de riesgo compensado o de cobertura; se suele entender la venta de la opción de venta, quedándose sólo con la de compra, siendo la idea literal la de «retirar uno de los pies o piernas que sirven de apoyo; también se llama *take off a leg*; V. *hedge, straddle, leg²*), **lift a mortgage** (extinguir una hipoteca; V. *raise, remove*), **lift a tax** (suprimir un impuesto; V. *levy/impose a tax*), **lift an embargo** (levantar un bloqueo económico o determinadas sanciones), **lift sanctions** (levantar sanciones económicas; V. *impose santions*), **lift trade barriers** (suprimir las barreras comerciales; V. *impose trade barriers*), **lift-van** (TRANS contenedor; V. *container*), **lifting** (hurtar)].

light¹ *a*: ligero. [Exp: **light²** (TRANS MAR en lastre, sin carga), **light displacement** (desplazamiento en lastre), **light draught** (TRANS MAR calado en lastre), **light industry** (industria ligera; V. *heavy industry*), **light goods** (mercancías ligeras), **light trading** (BOLSA sesión de poca contratación), **lighter** (TRANS gabarra), **lighterage** (TRANS gastos de gabarra)].

like kind *n*: TRIB de la misma o similar naturaleza.

limitation *n*: limitación, restricción, prescripción; congelación; V. *limitation of dividend*. [Exp: **limit** (límite, precio límite), **limit down/up** (MERC FINAN/ PROD/DINER límite a la baja/al alza; alude a las modificaciones a la baja o al alza autorizadas diariamente en un contrato de futuros), **limit order** (BOLSA orden con límite; orden limitada a unas instrucciones concretas; orden de compra o venta de acciones con límites o restriciones impuestas por el cliente; V. *day order, at best, at market, good until cancelled; do not reduce order; stop order, stop limit order; market order, cabinet crowd*), **limit move** (fluctuación dentro del límite), **limited** (limitado, parcial, restringido; el adjetivo *limited* es sinónimo parcial de *qualified* y antónimo de *absolute*; V. *narrow; broad*), **limited acceptance** (BANCA aceptación limitada de una letra por una cantidad inferior a la del efecto; V. *qualified acceptance*), **limited cheque** (cheque con importe limitado), **limited collision coverage** *US* (SEG cobertura por accidente limitada; V. *broadened collision coverage; no-ownership automobile insurance*), **limited company** (sociedad anónima, también llamada *limited liability company* o *company limited by shares*), **limited interpretation** (interpretación restrictiva), **limited invitation to tender** (concurso restringido; V. *public invitation to tender*), **limited liability company** (SOC sociedad de responsabilidad limitada; V. *private limited company*), **limited liability partner** (socio comanditario), **limited liability partnership** (SOC compañía de responsabilidad limitada; V. *commandite*), **limited line store** *US* (tienda de línea limitada), **limited market** (BOLSA mercado escaso, mercado con escaso volumen de contratación; V. *narrow/thin market*), **limited partner** (socio comanditario), **limited partnership** (sociedad en comandita, sociedad personal/personalista de responsabilidad limitada; V. *commandite*), **limited partnership by shares** (sociedad comanditaria por acciones), **limited price store** (tienda a precios únicos)].

line¹ *n*: línea; cadena, cuerda, cable; V.

accommodation line, assembly line, above-line expenditure. [En su función atributiva, equivale a «lineal». Exp: **line²** (producto, artículo; V. *product*), **line³** (COMER especialidad, ramo; negocio, compañía comercial; V. *tack²*), **line-s⁴** (TRANS MAR cabo-s de amarre de un buque), **line⁵** (SEG pleno [de conservación o retención]), **line activities** (GEST actividades de gestión), **line and staff** (GEST organigrama de mandos intermedios), **line-and-staff type of organization** (organización de tipo lineal y funcional), **line department** (departamento de ejecución o de operaciones), **line filling** *US* (COMER descubrimiento de/actuación sobre las potencialidades no explotadas en un mercado o gama de producto), **line-haul** (transporte, acarreo entre terminales), **line item** (partida presupuestaria), **line item kid** (oferta para partidas concretas), **line management** (dirección/supervisión/gestión en línea), **line management position** (cargo de dirección/de supervisión o de gestión en línea), **line manager** (supervisor directo/inmediato o de línea), **line ministry/department** (ministerio, departamento de operaciones), **line of business** (línea de producción, ramo de negocio, género de actividad comercial), **line of command** (orden jerárquico), **line of credit** *US* (línea de crédito, monto del crédito otorgado por un banco, descubierto permitido, también llamado *bank line*; V. *drawdown*), **line of goods** (partida, línea/serie de artículos), **line of products** (línea de productos), **line of samples** (muestrario), **line operation** (operación lineal), **line organization** (organización lineal), **line position** (cargo/puesto de operaciones), **line staff** (personal de operaciones), **line type of organization** (GEST organización de tipo lineal), **line-**

up¹ (alineación, composición, organización, integración ◊ *The line-up of the Board/senior executives*), **lineup²** (ponerse en fila; cerrar filas ◊ *Senior management lined up behind the Board of Directors*), **lineup³** (línea de servicio o productos de una empresa o fábrica ◊ *We don't include sports cars in our lineup*), **line with, in¹** (en proporción con, al mismo ritmo que, a la par de ◊ *Salaries rising in line with inflation*; V. *keep pace with*), **line with, in²** (de acuerdo con, al igual que ◊ *In line with government directives*; V. *bring/fall into line with*), **lineal, linear** (directo, en línea directa), **linear adjustment** (ajuste lineal), **linear breakeven analyis** (ECO análisis de equilibrio lineal), **linear regression** (regresión lineal), **lined up** (en mente, planeado, pensado ◊ *Have sb lined up for a post*)].

liner *n*: buque de línea regular, transatlántico; V. *tramp, cargo liner*. [Exp: **liner trade** (tráfico de servicio de línea)].

link *n/v*: conexión, vínculo, eslabón, lazo, enlace; unión; unir, enlazar, vincular, supeditar, ajustar; V. *index-linked*. [Exp: **link/tie to an index** (vincular a un índice económico), **link up** (conectar-se, acoplar-se), **linkage effect** (efecto de propagación), **linked industry** (industria de montaje de componentes)].

liquid *a*: líquido, disponible, realizable; V. *illiquid*. [Exp: **liquid assets** (CONT activos líquidos, disponibles o realizables, disponibilidades; V. *available/quick assets; illiquid assets*), **liquid market** (mercado activo), **liquid money** (dinero líquido), **liquid ratio** (V. *liquidity ratio*), **liquid reserves** (reserva realizable), **liquid resources** (recursos realizables o líquidos), **liquidate** (liquidar, pagar, cancelar, saldar; el verbo *liquidate* se aplica normalmente a la liquidación por orden judicial; V. *wind up, dissolve*), **liquidate by order of the Court** (liquidar judicialmente), **liquidated** (liquidado, saldado, pagado; definitivo, efectivo, líquido, fijo; el adjetivo *liquidated*, cuando acompaña a palabras como *claim* o *damages*, indica que el monto de la pretensión o de los daños ha sido prefijado en el contrato), **liquidated claim** (reclamación en cantidad prefijada), **liquidated damages** (indemnización por daños y perjuicios exigible y líquida o determinada por operación matemática, indemnización cuyo monto ha sido fijado o convenido en un contrato; V. *unliquidated damages*), **liquidated debt** (deuda liquidada), **liquidating balance sheet** (CONT balance general de liquidación), **liquidating dividend** (dividendo de liquidación), **liquidating value** (valor liquidativo, de/en liquidación o de/en realización), **liquidation** (liquidación, pago, cancelación, disolución ◊ *The company went into liquidation when the banks called in the debt*; V. *go into liquidation; voluntary liquidation*), **liquidation sale** (venta en liquidación), **liquidation analysis** (FINAN análisis de liquidación; análisis del riesgo crediticio), **liquidation value**[1] (FINAN valor liquidativo; valor de liquidación o monto de realización de una propiedad al disolverse el negocio; V. *forced sale value*), **liquidation value**[2] (valor de liquidación de las garantías de un préstamo avaladas por un seguro; V. *minimum liquidation value*), **liquidator** (liquidador, síndico, administrador judicial; V. *receiver; insolvency practitioner*), **liquidity** (liquidez, disponibilidad en dinero; V. *cash position; yield*), **liquidity diversification** (diversificación de la liquidez), **liquidity enhancement** (mejora de la negocia-

bilidad de activos financieros), **liquidity management, liquidity portfolio management** (gestión de la liquidez), **liquidity position** (situación de liquidez), **liquidity preference theory** (teoría del interés basada en la preferencia por la liquidez), **liquidity premium** (prima de liquidez), **liquidity ratio** (coeficiente de liquidez; relación entre el activo disponible y el pasivo corriente; V. *acid-test ratio, quick ratio; capital ratio, balance sheet ratios*), **liquidity risk** (BANCA riesgo de falta de liquidez), **liquidity shortage** (iliquidez, falta o insuficiencia de liquidez), **liquidity squeeze** (iliquidez, crisis/restricción/ dificultades de liquidez), **liquidity statement** (estado de liquidez), **liquidity trap** (FINAN trampa de la liquidez excesiva; se da cuando el tipo de interés está en el punto más bajo posible, sin que un aumento del dinero en circulación pueda hacerlo bajar más, por lo que nadie invierte, puesto que es preferible estar en posesión de dinero efectivo o liquidez), **liquified gas carrier, LGC** (buque de transporte de gas licuado)].

list[1] *n/v*: lista, listado, relación, catálogo; boletín, nómina, planilla; poner en una lista, hacer una lista de; enumerar; V. *tax list; shortlist; inventory*. [Exp: **list**[2] (BOLSA cotizar), **list of assets** (cartera), **list of closing balances** (balance de cierre; V. *final balance sheet*), **list of foreign exchange rates** (boletín de cambios de moneda), **list of quotations** (BOLSA boletín/lista de cambios), **list price** (precio según catálogo), **listed** (registrado; cotizable, cotizado), **listed building** (edificio declarado de interés histórico), **listed company** (SOC sociedad cuyas acciones cotizan en Bolsa; V. *quoted company; listing; application for quotation, official list*), **listed option** (opción cotizada, opción admitida a cotización), **listed shares/securities/stock** (BOLSA títulos/valores admitidos a cotización en Bolsa, valores cotizados, valores inscritos/registrados en Bolsa, acciones cotizables; V. *non-quoted securities/shares; unlisted/non-listed shares*), **listing** (BOLSA cotización de valores en Bolsa; listado; valores cotizados; admisión de un valor a cotización en Bolsa; derecho a cotizar en Bolsa; V. *yellow book*), **listing fee** (BOLSA comisión de cotización)].

little *a*: pequeño. [Exp: **little board** (BOLSA Bolsa pequeña; es el nombre que se da a la *American Stock Exchange* de Nueva York, Bolsa de empresas medianas, en contraste con la *New York Stock Exchange* o *Big Board*)].

live *a/v*: vivo, activo, pendiente; sin liquidar o satisfacer; vivir ◊ *Live claim*. [Exp: **live at subsistence level** (tener lo justo para vivir; V. *breadline*), **live file** (fichero activo o de movimientos; V. *live files*), **livestock** (cabaña, ganado; V. *cattle, stock*[4]), **livestock rearing/raising** (ganadería; V. *stockbreeding*), **live the life of Riley** *col* (darse la gran vida *col*; vivir como un pachá *col*), **living** (vida; V. *make a living of*), **living expenses** (gastos de manutención), **living trust** (fideicomiso activo), **living wage** (salario mínimo)].

Lloyd's *n*: Lloyd's. [Aunque en su nacimiento *Lloyd's* fue una única entidad, hoy son dos instituciones distintas ligadas al tráfico marítimo y al mundo de los seguros: el Registro de Buques de Lloyd —*Lloyd's Register of Shipping*— y la Corporación Lloyd's —*Corporation of Lloyd's*—, también llamada *Lloyd's of London*. Exp: **Lloyd's names** (SEG inversores institucionales de *Lloyd's of London*, llamados también *names*), **Lloyd's of London** (TRANS/SEG MAR Corporación Lloyd's; con sede en Leaden Hall St. de Londres, la Corporación Lloyd's, también llamada el *Lloyd's of London* es, en realidad, una asociación, o mercado internacional de seguros, formada por aseguradores —*underwriters*— y agentes de seguros —*insurance brokers*— interesados en suscribir —*underwrite*— seguros de alto riesgo —*high-risk insurance*—, tanto marítimos como de aviación —*aircraft*— o de automóviles —*motor car*—; los clientes no tratan directamente con los aseguradores —*underwriters*; son los agentes de seguros los que hacen las propuestas de seguro a las compañías, que se formalizarán tras los estudios de primas —*premiums*— y riesgos efectuados por ésta. Desde esta perspectiva de mercado o de asociación, el *Lloyd's* es en sí el organismo rector —*a governing body*— de una asociación, encargado de dictar normas para sus miembros y de asesorarles. Los miembros pueden trabajar individualmente —*singly*— o en grupos —*groups*— llamados «consorcios» —*syndicates*—, los cuales están formados, a su vez, por «nombres» —*names*—, es decir, por inversores), **Lloyd's Register of Shipping** (TRANS/SEG MAR Registro de Buques de Lloyd's; es una asociación sin ánimo de lucro —*charitable/non profit association*—, financiada con las tasas correspondientes a los servicios de clasificación de buques, los de inspección —*surveys*—, con su correspondientes certificados —*certificate of survey* o *survey report*— y con la finalidad de facilitar información clara, veraz e independiente sobre la calidad y estado de los barcos a los aseguradores —*underwriters*— y demás personas o entidades que la necesiten.; todos los años publica las «reglas/normas de Lloyd's» —*Lloyd's rules*—, que son las de mayor prestigio y que regulan el mantenimiento y conservación de buques; relación de buques registrados y clasificados por *Lloyd's*, los cuales llevan en su costado una cruz maltera), **Lloyd's agent** (agente del *Lloyd's*)].

LME *n*: *London Metal Exchange*.

load[1] *n/v*: TRANS carga, cargamento; cargar; V. *annual load factor*. [Exp: **load**[2] (FINAN gastos de rescate de parte de la inversión de un fondo de inversión; cargar; V. *back-loading, front-loading, front-end load*), **load/gross displacement** (TRANS MAR desplazamiento en carga máxima), **load draught** (calado en carga), **load factor** (TRANS coeficiente de carga, carga de trabajo, grado de saturación), **load-factor pricing** (precio según coeficiente de carga), **load fund** US (fondo de inversión, también llamado *mutual fund* que exige unos gastos por rescate de la inversión; V. *no-load fund*), **load lines** (líneas de máxima carga), **load draught** (calado en cargo), **loaded** (TRANS MAR cargado; V. *laden*), **loaded premium** (sobreprima), **loading**[1] (operación de carga; carga, alimentación; V. *lading*), **loading**[2] (BANCA recargo; gastos por rescatar o disponer de parte de la inversión de un fondo de inversión; V. *frontloading, backloading*), **loading berth** (TRANS MAR muelle de carga), **loading charges** (TRANS MAR gastos de embarque), **loading facilities** (instalaciones para la carga), **loading for adverse claims** (SEG recargo por exceso de siniestralidad), **loading for contingencies** (SEG recargo de seguridad), **loading participation in profits** (carga de participación en beneficios), **loading percentage** (SEG porcentaje de la prima bruta destinada a cubrir gastos y margen de lucro), **loading profit** (SEG beneficio sobre gastos de gestión), **loading space** (espacio disponible)].

loadsamoney approach *col n*: cultura del pelotazo; la primera palabra corresponde a la pronunciación popular de *loads of money*. V. *easy-money/fast buck syndrome; yuppy style of business, greed culture, self-seeking; get-rich-quick attitude*.

loan *n/v*: préstamo, empréstito; prestar; V. *borrowing, bond loan, capital loan, cash loan, dead loan, debenture loan, hard loan, demand loan, term loan, time loan; lend*. [Exp: **loan account** (cuenta de préstamo o de empréstitos o de crédito), **loan against pledge/securities** (préstamos sobre prenda/valores), **loan agreement** (contrato/convenio de préstamo), **loan application** (solicitud de préstamo), **loan arrangement expenses** (gastos de formalización de préstamos), **loan assumption agreement** (convenio de absorción de préstamo), **loan bond** (obligación de préstamo/empréstito), **loan call** (BOLSA solicitud de préstamo; V. *call money*), **loan capital** (capital en préstamo; recursos ajenos a largo plazo; fondos ajenos; parte del patrimonio social de una empresa procedente de obligaciones y otros empréstitos a largo plazo y que figura en el pasivo, también llamado *debt capital*; se contrapone a *equity* o fondos/recursos propios; V. *debenture*), **loan contract** (contrato de préstamo), **loan covenant** (contrato de préstamo; V. *acceleration clause*), **loan crowd** US col (BOLSA intermediarios bursátiles que piden o prestan acciones a otros para ventas en descubierto o *short sale*; V. *crowd,*[2] *cabinet crowd*), **loan drawdown** (disposición de crédito), **loan fund** (fondo de crédito para empréstito), **loan guarantee scheme** (programa gubernamental de respaldo a los préstamos dirigidos a la promoción de la pequeña empresa), **loan in default** (impagados), **loan portfolio** (cartera de préstamos u obligaciones), **loan loss reserves** (BANCA reservas para fallidos; provisiones para cubrir las deudas incobrables; V. *charge-off; write-off; bad debts; allowance for uncollectibles, contingent reserve*), **loan on bottomry** (préstamo a la gruesa, préstamo a riesgo marítimo; V. *bottomry loan*), **loan on landed property** (crédito hipotecario), **loan on policy** (FINAN/SEG anticipo sobre póliza; el asegurado puede pedir un anticipo con cargo al valor de rescate de la póliza de seguro de vida), **loan outstanding** (BANCA préstamo pendiente/vigente; préstamo vencido y no pagado), **loan participation** (FINAN participación sindicada en un empréstito), **loan payment** (plazo, pago de un plazo correspondiente a un préstamo), **loan policy** (política de préstamos, política crediticia), **loan processing** (tramitación de un préstamo), **loan redemption insurance** (seguro de amortización de préstamos), **loan review** (V. *credit review*), **loan shark** (prestamista tiburón, usurero, financiero dedicado al crédito abusivo), **loan stock** (fondos ajenos, obligaciones de interés fijo; V. *debentures; convertible loan stock*), **loan teller** (empleado de la sección de créditos), **loan without security** (préstamo fiduciario; V. *fiduciary loan; uncovered/unsecured loan*), **loan-to-value ratio** (porcentaje entre el principal de un préstamo y el valor del activo que la respalda; V. *debt service ratio*), **loan value** (SEG valor de rescate; V. *surrender value*), **loanback** (préstamo solicitado al fondo de pensión), **loans department** (BANCA departamento de crédito)].

local[1] *a*: local, municipal, nacional. [De acuerdo con el contexto puede significar «local» o «nacional». Exp: **local**[2] (MERC FINAN/PROD/DINER, BOLSA operador que contrata en nombre propio; V. *scalper, day trader, position trader, spreader*), **local authority/government** (administración local, corporación local), **local cost** (costo en moneda nacional; V. *onshore cost*), **local currency** (moneda nacional), **local draft** (letra sobre la plaza), **local office/store** (sucursal; delegación; V. *head office; branch office; bank branch*), **local rates**[1] (impuestos municipales), **local rates**[2] (precio local; alude al precio corriente, normal o usual de la zona, región o nación de la que se trate ◊ *Pay for transport at local rates*), **local tax office** (delegación de Hacienda), **local taxation** (TRIB impuestos municipales; V. *community*), **local/municipal taxes** (impuestos locales; V. *rates*)].

location *n*: ECO localización; rama del análisis económico que considera el espacio como eje fundamental.

lock *n/v*: cerradura; cerrar con llave; V. *land-locked countries*. [Exp: **lock-box** US (BANCA apartado de correos ofrecido por bancos a clientes regulares para acelerar el envío de pagos, etc.; V. *zero-balance account*), **lock gate** (puerta de esclusa), **lock in** (echar el cerrojo; bloquear; asegurar-se/proteger-se a largo plazo contra altibajos en el rendimiento de una inversión ◊ *Lock in high yields/safe profits*), **lock-in period**[1] (período «blindado» o de protección contra rescate anticipado en emisiones de bonos o de valores avalados con hipotecas; V. *call protection*), **lock-in period**[2] (plazo de tiempo, también llamado *rate lock*, durante el que un prestamista se compromete a mantener inalterable el tipo de interés; V. *commitment*), **lock-up**[1] (inmovilizar; V. *immobilize, tie up*), **lock-up**[2] (cierre; es el período posterior a una colocación —*placement*— en el que el oferente de acciones no puede colocar más títulos),

lock-up³ (local comercial sin vivienda), **lock-up**⁴ (calabozo), **lock-up agreement** (acuerdo de irreversibilidad; encierro; se utiliza para garantizar un contrato de fusión; V. *stock lock-up*), **lock-up of capital** (inmovilización de capital), **lock-up premises** (local comercial sin vivienda), **locked-in** (MERC FINAN/ PROD/DINER sin salida para comprar o vender, encerrado, indisociable), **locked-in capital gains** (ganancias de capital realizadas), **locked-in interest rate** (tipo/tasa de interés inmodificable), **locked market** (BOLSA, COMER mercado inmovilizado o restringido; mercado sin posibilidades de maniobra, mercado que padece el efecto cerrojo; en esta situación se estancan la cotizaciones al ser idénticos los precios ofertados y demandados; para que se «abra» el mercado hay que esperar la llegada de nuevos compradores y vendedores, impulsados por un «especialista» o *market maker*, que relance la oferta; V. *backwardation; crossed market*), **locked-up capital** (capital inmovilizado), **locking-up** (inmovilización de efectivos, etc.), **lockout** (cierre patronal, paro provocado por la empresa; V. *cover; strike and lockout clause*)].

lodge *v*: presentar, formular, remitir, entregar, cursar, depositar ◊ *Lodge documents, lodge a deposit*; V. *file*. [Exp: **lodge a caution** (pagar una fianza), **lodge a complaint against somebody** (querellarse contra alguien; V. *bring action, institute proceedings, proceed, sue*), **lodge an appeal** (recurrir, apelar, interponer/presentar un recurso de apelación; V. *make/launch an appeal*), **lodge an objection** (impugnar), **lodge claims** (formular pretensiones), **lodgement** (remesa, depósito), **lodgement fee** (BANCA comisión por cobro de cheque o por su ingreso en cuenta)].

log *n/v*: diario, registro, cuaderno, documento, archivo; tronco; logaritmo; anotar, registrar, documentar, hacer constar. [Exp: **log-book** (cuaderno de inspección, mantenimiento y traspasos de vehículos; historial técnico de un vehículo), **log-book**² (TRANS MAR cuaderno de bitácora; V. *official log-book*), **log calls** (anotar las llamadas telefónicas recibidas), **log tables** (tabla de logaritmos), **logging**¹ (anotación en el cuaderno de bitácora), **logging**² *US* (explotación forestal; extracción de madera), **logrolling** *US col* (enchufismo, amiguismo, favoritismo, sistema de favores mutuos ◊ *The logrolling that goes on in business and politics*)].

logical *a*: lógico. [Exp: **logical diagram** (diagrama lógico, diagrama de símbolos funcionales y de su conexiones; V. *functional diagram*)].

logo/logotype *n*: logotipo; V. *corporate logo.*

lo-lo *n*: almacenamiento vertical en paletas; forma mutilada o abreviada de *lift on, lift off*; V. *ro-ro.*

lombard *n*: tipo de interés que cobra el *Deutsche Bundesbank* o Banco Central Alemán por el dinero que presta a otros bancos en créditos u operaciones de emergencia a muy corto plazo. [En la Edad Media los lombardos, los judíos y los cahorsinos fueron los banqueros por excelencia. Exp: **Lombard loan** *US* (FINAN préstamo/crédito pignoraticio, adelanto sobre valores; préstamo con garantía prendaria, empréstito con garantía, préstamo sobre valores, pignoración, préstamo respaldado por efectos en garantía, llamado *collateral loan* en los Estados Unidos; V. *asset backed lending*), **Lombard street** (calle londinense donde residen gran parte de las instituciones financieras y monetarias de la *City*; por extensión los «financieros» o el mercado de dinero)].

London *n*: Londres. [Exp: **London acceptance credit** (letra de crédito aceptada por una *accepting house* —financiera o bancos de negocios— de Londres, hecho que le da reputación y mayor garantía; V. *acceptance credit*), **London Bankers' Clearing House** (Cámara de Compensación Bancaria de Londres formada por *Barclays Bank, Lloyds Bank, The Midland Bank, the National Westminster Bank* y otros bancos; V. *clearing banks, non-clearers*), **London Bullion Market Association** (Asociación de profesionales del mercado de oro de Londres), **London Clearing House, LCH** (Cámara de compensación de mercado de productos o materias primas— *commodities market*— de Londres; V. *Clearing House; Federal Reserve Check Collection System; Association for Payment Clearing Services*), **London Commodity Exchange, LCE** (Lonja/mercado de mercaderías de Londres), **London daily prices** (MERC PROD precios diarios de los mercados de azúcar blanca), **London Discount House Association** (Asociación de Casas de Descuento de Londres), **London Foreign Exchange Market** (Mercado londinense de valores extranjeros), **London Fox, Futures and Options Exchange** (MERC PROD mercado de materias primas —cacao, café, azúcar, soja, etc.— y de productos agropecuarios —patatas, trigo, cebada, cordero, cerdo, etc.— y de las transacciones antes efectuadas en el *Baltic International Freight Futures market*; V. *The Baltic Exchange; RIE*), **London Gold Market** (Mercado de Oro; V. *bullion market*), **London Gold Market business days** (MERC FINAN/PROD/DINER días hábiles del Mercado de Oro de Londres; V. *market business days*), **London InterBank Bid Rate, LIBID** (BANCA tipo de interés

demandado del mercado interbancario de Londres; V. *London Inter Bank Offered Rate, LIBOR; bid rate*), **London Inter Bank Offered Rate, LIBOR** (BANCA tipo de interés ofertado del mercado interbancario de Londres; tipo medio de interés diario del mercado interbancario de Londres; interés libor; V. *AIBOR, PIBOR, MIBOR; EURIBOR; bid rate*), **London International Financial Futures and Options Exchange, LIFFE** (MERC FINAN/DINER Mercado de Futuros de Londres; Bolsa internacional de opciones y futuros financieros; mercado para contratos a plazo; V. *financial futures, futures markets; Exchange Delivery Settlement Price, RIE*), **London Metal Exchange, LME** (MERC METALES Mercado de Metales de Londres; V. *London Gold Market, troy ounze*), **London Produce Clearing House** (Cámara de Compensación de Productos/Mercaderías de Londres), **London Silver Exchange** (Mercado de profesionales de la plata de Londres; V. *London Bullion Market Association*), **London Stock Exchange** (Bolsa de Londres), **London Traded Options Market, LTOM** (mercado organizado de opciones y futuros, integrado en *Liffe*; V. *traded options*)].

long[1] *a/adv/v*: largo; largamente, por mucho tiempo; anhelar. [Exp: **long**[2] (BOLSA, MERC PROD, FINAN largo; comprador de futuros; alude a la situación del tenedor de acciones, bonos, opciones o transacciones de futuros que ha satisfecho íntegramente y por adelantado el precio de dichos títulos y que tiene, por lo tanto, el derecho de comprar o vender en los mercados a un precio prefijado hasta una fecha límite; dicha situación contrasta con la del comprador/vendedor que va *short*, o corto, esto es, que no ha adquirido aún las acciones, mercancías, etc. sino tan sólo una opción a cambio de la prima pagada. Ambas posiciones son especulativas, ya que el *long hedger*, o tenedor de una cobertura larga, espera que el precio suba, mientras que el *short hedger*, o tenedor de una cobertura corta, juega a que baje; sin embargo en muchos casos las opciones no se ejercen, y hay multitud de técnicas muy sofisticadas de combinación de posiciones largas y cortas en las que lo que más importa es el «diferencial» —*spread*— entre unas y otras, junto al juego intermedio de diferencia de primas, con todo lo cual el inversor busca el equilibrio o procura protegerse con el riesgo; V. *short; hedge; call, put; option; futures contract; long position; long leg*), **long account** (BOLSA cuenta del comprador a largo plazo), **long, be** (estar largo; V. *long*²), **long butterfly** (FINAN mariposa comprada; es una estrategia de compras y ventas de opciones de compra —*calls*— y de venta —*puts*—; V. *short butterfly*), **long bill, long-dated bill** (letra a largo plazo; V. *short-dated bill*), **long bond** (FINAN bono a largo plazo de vencimiento, esto es, más de diez años; pagan tasas más altas de interés para compensar el mayor riesgo), **long buyer** (MERC FINAN/PROD/DINER comprador de una posición a plazo), **long condor** (MERC FINAN/PROD/DINER cóndor largo o comprado; alude a la combinación —*combination*³— o estrategia combinatoria de compras y/o ventas de opciones de venta —*puts*— y de compra—*calls* en la que por una parte, se compran dos opciones de compra o *call options*, la primera con el precio de ejercicio o *strike price* alto y la segunda con un precio de ejercicio bajo, y por otra, se venden dos opciones de compra, una con un precio de ejercicio medio alto y la otra con un precio de ejercicio medio bajo; V.

condor, short condor; straddle, butterfly, leg), **long coupon** (cupón a largo plazo; cupón cuyo primer plazo de interés vence a un intervalo más largo que los restantes; para el cómputo de plazos largos o cortos —*short*— se suele tomar como referencia el período mediano de seis meses; V. *short coupon*), **long cycles** (ECO ondas largas, ciclos largos), **long-dated** (a largo plazo), **long-dated gilts** (títulos del Estado a largo plazo), **long-dated securities** (títulos a largo plazo), **long-distance call** (conferencia interurbana o internacional; V. *trunk call*), **long-distance train** (TRANS tren de largo recorrido), **long-drawn-out** (exhaustivo, prolongado, larguísimo), **long-established** (arraigado, tradicional, ancestral), **long-haul** (de gran distancia), **long hedge** (MERC FINAN/PROD/DINER cobertura larga, cobertura con posición larga, también llamada *buying hedge;* V. *short hedge*), **long hedger** (operador de cobertura larga, tenedor de una cobertura larga; V. *short hedger*), **long investor** (inversor asegurado, inversor que va «largo»; V. *hedger, writer*), **long leg** (MERC FINAN/PROD/DINER componente largo en la posición de riesgo compensado —*hedged*— de un inversor tenedor de dos opciones, una larga y otra corta en la misma mercancía o producto financiero, por ej., la combinación de una opción larga de compra con otra corta de venta; V. *leg, hedge*), **long-lived assets** (CONT activos de larga vida), **long maturity** (vencimiento a largo plazo), **long notice** (largo plazo), **long odds against** (muy poco probable), **long odds on** (muy probable), **long position** (MERC FINAN/PROD/DINER (posición «larga» o compradora; situación del inversor de mercados de futuros y mercaderías/mercancías —*commodities*— que ha pagado ya el importe de la opción con la que especula; situación en la que el intermediario/inversor de contratos de futuros, de acciones o de opciones ha desembolsado ya el precio de los valores, con lo que se ha cubierto contra la eventualidad de que se ejerza la opción de compra; espera una subida en su cotización, es decir, compra, a su entender, a precios baratos para entregar en el futuro; V. *bull position; net position; short position*), **long pull** (MERC PROD posición por largo tiempo), **long purchase** (MERC PROD, FINAN exceso en la compra de valores, productos o divisas porque se espera que su cotización subirá; V. *close out, open position; short sale*), **long-range** (de largo alcance; a largo plazo), **long-range planning** (planificación a largo plazo o de largo alcance), **long run** (ECO largo plazo; V. *short run*), **long-run marginal cost, LRMC** (coste marginal a largo plazo), **long sale** (BOLSA venta de acciones en mano), **long squeeze** (MERC PROD apretón/estrangulamiento a los largos), **long-standing** (implantado), **long-standing customer** (cliente antiguo o de la casa), **long-tail business** (SEG riesgos cuyos siniestros se liquidan a muy largo plazo), **long-term** (a largo plazo; plurianual; se aplica a *bills, bonds, creditors, debt, liabilities, loans, etc.*; V. *short-term*), **long term-bank debt** (BANCA deuda bancaria a largo), **long-term equity anticipation securities, leap** (MERC FINAN/PROD/DINER opciones a largo plazo operadas en el *Chicago Board Options Exchange*), **long-term credit commitment** (compromiso de crédito a largo plazo), **long-term debt** (CONT acreedores a largo plazo; deuda/pasivo a largo plazo, normalmente con vencimiento superior a un año), **long-term debt ratio** (relación de endeudamiento a largo plazo), **long-term deferred charges** (FINAN gastos diferidos a largo plazo), **long-term facility for financing** (servicio de financiamiento a largo plazo), **long-term forward foreign exchange contract** (MERC FINAN/DINER permuta de divisas de tipo fijo a tipo fijo), **long-term investments** (CONT inversiones financieras a largo plazo; inmovilizado financiero; V. *long-term investments; financial investments*), **long-term liabilities** (CONT pasivo a largo plazo; acreedores a largo plazo; V. *short-term liabilities; deferred liabilities, non-current liabilities*), **long-term partial requirements contract** (contrato de suministro parcial a largo plazo), **long-term prime rate, LTPR** (tipo, tasa preferencial a largo plazo), **long-term notes** (FINAN pagarés a largo plazo), **long-term operational assets** (CONT activo fijo/inmovilizado —también llamado *capital/permanent assets, fixed assets*; V. *current/ circulating assets*), **long-standing** (histórico, antiguo, en pie hace tiempo, de rancia tradición ◊ *Long-standing agreement/relationship*; V. *standing*), **long straddle** (FINAN «straddle» comprado, también llamado *bottom straddle*), **long-term fluctuations** (variaciones a largo plazo; V. *secular fluctuations*), **long-term solvency** (capacidad de pago a largo plazo)].

longshore *a*: portuario, relativo a los muelles. [Exp: **longshore gang** *US* (cuadrilla de estibadores), **longshoreman** (TRANS MAR estibador)].

look *n/v*: mirada, vistazo; análisis, examen riguroso; mirar considerar, observar, vigilar, parecer; V. *last-looking*. [Exp: **look at** (mirar; hablar de, hablar en términos de ◊ *We're looking at a million-pound deal here*), **look-in** *col* (posibilidad, oportunidad, ocasión ◊ *Big investors won't let the others get a look-in*), **look into** (examinar, investigar, analizar; V.

examine, analyse/analize, investigate; inspect), **look sharp** (darse prisa, menearse), **look up** (mejorar, cambiar para mejor ◊ *Business is looking up*), **lookback option** (MERC FINAN/PROD/ DINER opción retrospectiva; se trata de una opción europea —*European option*— de compra —*call*— o de venta —*put*— que faculta a su tenedor, en el tiempo que dure su vigencia —*life*—, a comprar o vender el activo subyacente —*underlying asset*— al mejor precio logrado por la opción), **lookback option with strike** (MERC FINAN/PROD/DINER opción retrospectiva con ejercicio; se trata de una «opción retrospectiva» —*lookback option*— en la que entra en juego el precio de ejercicio —*strike price*—; en el caso de una opción de compra —*call*—, su tenedor puede conseguir la diferencia entre el precio máximo alcanzado por el activo subyacente —*underlying asset*— durante la vida de la opción y el precio de ejercicio —*strike price*—, y si la opción es de venta —*put*— la diferencia que puede recibir su tenedor es la existente entre el precio de ejercicio y el mínimo del activo alcanzado durante la vida de la opción), **lookback price** (MERC FINAN/PROD/DINER precio retrospectivo de un activo financiero)].

loophole *n*: DER escapatoria, vía de escape, vacío legal, laguna en las leyes o reglamentos ◊ *A loophole in a contract*; V. *tax loophole*.

loose[1] *a/v*: suelto, sin atar; vago, impreciso; soltar ◊ *Loose wording in a contract*. [Exp: **loose**[2] (suelto, a granel ◊ *Cosmetics are not sold loose, they are packaged by their manufacturer*), **loose change** (moneda fraccionaria, calderilla, cambio, suelto; V. *change, small change*), **loose-leaf binder** (carpeta de hojas sueltas o de anillas), **loose end, be at a** (no saber a

qué dedicarse), **loose ends** (cabos sueltos; V. *tie up the loose ends*)].

loro account *n*: BANCA a la cuenta de un tercero; V. *nostro account; dure from account; vostro account*.

lorry *n*: camión; V. *truck*. [Exp: **lorry, by** (por carretera; V. *byair/rail/boat*)].

lose *v*: perder ◊ *Lose customers to one's competitors*. [Exp: **lose on/out on a deal** (salir perdiendo en un negocio), **lose/ blow one's cool** *col* (perder los nervios, ponerse histérico; V. *keep one's cool*), **lose momentum** (deshincharse), **lose out** (salir perdiendo), **lose value** (bajar, perder valor), **losing the points** (FINAN pérdida de puntos; alude a la pérdida que se experimenta cuando, en un mercado de futuros de divisas, el precio de compra de una divisa al contado es superior al de futuro; V. *losing the points; spot market price*), **lost and found** (sección de objetos perdidos), **lost-opportunity cost** (coste de oportunidad perdida), **lost or not lost insurance** (SEG seguro de viaje comenzado, con efecto retroactivo), **lost policy clause** (SEG cláusula de póliza extraviada), **lost-working hours** (horas de trabajo perdidas)].

loss *n*: pérdida, quebranto, daño, detrimento, quiebra, siniestro; V. *carryback loss; impaired credit, doubtful loan; paper loss; dead/total loss; sell at a loss*. [Exp: **loss according to the books** (pérdida contable), **loss adjustment** (ajuste de pérdidas; tasación de pérdidas; V. *adjustment of claims*), **loss adjustor** (tasador de los siniestros; V. *average adjustor; adjust a claim*), **loss advice** (SEG aviso/notificación de siniestros), **loss assessment** (SEG evaluación del daño), **loss, at a** (con pérdidas; *fig.* perplejo), **loss carry-back** (CONT pérdidas con efecto retroactivo; traslado o repercusión de pérdidas a ejercicios anteriores a efectos fiscales), **loss carry-**

forward (traslación o repercusión de pérdidas a un ejercicio posterior a efectos fiscales), **loss carryover** (traslado de pérdidas), **loss leader** (MERC, PUBL artículo de propaganda o de reclamo publicitario, artículo vendido a pérdida), **loss leader price** (PUBL precio de reclamo; artículo vendido a pérdida), **loss leader selling** (venta con pérdida), **loss list** (lista de siniestros), **loss-making** (deficitario, poco rentable; generador de pérdidas ◊ *A loss-making airline*), **loss of earnings** (pérdida de ingreso), **loss of office** (cese en el cargo; pérdida del puesto), **loss of profit** (lucro cesante, pérdida de beneficios), **loss of profits policy** (SEG póliza de seguro contra pérdida de beneficios o lucro cesante; V. *consequential loss policy, accountants clause*), **loss provision** (CONT reserva para pérdidas; V. *reserve for losses*), **loss ratio** (coeficiente de pérdidas o relación entre primas y pérdidas generadas durante un ejercicio en una compañía de seguros), **loss ratio** (SEG índice de siniestralidad), **loss reserve** (reserva para pérdidas), **loss statement** (declaración de quiebra), **losses** (pérdidas, números rojos; V. *in the red*), **losses incurred** (daños sobrevenidos, siniestros pendientes)].

lot[1] *n*: lote, unidad comercial, porción, parte ◊ *Auction as a lot*; V. *broken lot, even lot, odd lot, job lot, round lot*. [Exp: **lot**[2] US (terreno, solar; V. *parking lot*), **lot**[3] (suerte; sorteo; destino; V. *draw lots; throw in one's lot with sb*), **lot-acceptance sampling** (muestreo de aceptación de lotes), **lot, by** (por sorteo), **lot of goods** (lote de mercancías)].

low[1] *a/n*: bajo. [Exp: **low**[2] (BOLSA precio más bajo; V. *fall back; stage a rally*), **low absorbers** (ECO países con baja capacidad de absorción; se dice de los países exportadores de petróleo con baja

capacidad para utilizar al máximo sus ingresos), **low-geared** (con un índice bajo de apalancamiento de capital; con una proporción baja de fondos ajenos con relación a los propios ◊ *Low-geared companies or sectors*; V. *capital gearing; high gearing*), **low-grade** (de categoría inferior; V. *top grade*), **low grade petrol** (gasolina normal; V. *top-grade petrol*), **low-income group** (personas de/con rentas bajas), **low-pitched offers** (ofertas a precios bajos [en el mercado de materias primas]), **low-priced** (barato, económico), **low profile** (tono medio o bajo; de baja intensidad; nivel de compromiso o participación bajo, actuación distante o poco comprometida; intento de esconderse o de evitar la publicidad ◊ *Keep a low profile*), **low profit margin** (margen comercial muy bajo; V. *cut-throat competition*), **low-rated** (poco valorado o estimado; de clasificación baja; V. *rating bureaux, AAA, junk bonds*), **low trading volume** (volumen de operaciones o negociación bajo), **low-yield bond** (bono de bajo rendimiento), **lower** (inferior; reducir; V. *reduce, decrease; raise*), **lower bound** (límite inferior), **lower/reduce/cut prices** (reducir precios), **lower case letter** (letra minúscula; V. *capital letter*), **lower income bracket** (TRIB tramo/nivel inferior de ingresos; V. *upper income bracket*), **lower prices** (reducir precios, abaratar; V. *mark down, cheapen*), **lowering** (caída, baja, disminución; V. *fall*), **lowest [responsible] bidder** (licitante que presenta la oferta más baja; mejor ofertante; V. *best bidder*)].

loyalty *n*: lealtad, fidelidad; V. *customer*. [Exp: **loyalty/fidelity discount/rebate** (COM bonificación por fidelidad), **loyalty rebate cartel** (cártel de bonificación por fidelidad)].

LRMC *n*: V. *long-run marginal cost*.

LSD *n*: V. *landing, storage, delivery*.

Ltd. *s*: V. *limited company; Inc*.

LTOM *n*: V. *London Traded Options Market*.

LTPR *n*: V. *long-term prime rate*.

lucrative *a*: lucrativo; V. *economic, paying, profitable, profit making*. [Exp: **lucre** col (pasta, «el maldito parné»)].

luggage *n*: equipaje; V. *baggage*. [Exp: **luggage van** (TRANS vagón de mercancías; V. *freight car; left-luggage office*)].

lump *n*: bulto, conjunto. [Exp: **lump freight** (flete a tanto alzado), **lump sum** (global, precio global, cifra global, cantidad global, tanto alzado, monto global; V. *all-round price*), **lump sum appropriation** (CONT asignación a tanto alzado), **lump sum contract** (contrato a tanto/precio alzado, especialmente en la construcción), **lump sum charter** (fletamento a tanto alzado), **lump sum, for a** (a tanto alzado), **lump sum price** (precio alzado), **lump sum settlement** (indemnización a tanto alzado), **lump-entry** (asiento global)].

lurch *n/v*: bandazo, vaivén, sacudida; dar bandazos. [Exp: **lurch, leave sb in the** col (dejar a uno en la estacada o dejarlo plantado)].

luxury *n*: lujo. [Exp: **luxury commodity/goods/items** (artículos de lujo, productos suntuarios; V. *fancy goods; down-market products*; V. *up-market; luxury*), **luxury tax** (TRIB impuesto de lujo)].

M

M *n*: ECO oferta monetaria, dinero en manos del público; inicial correspondiente a *money*. [Exp: **M factors** (MERC factores «m»; éstos son *merchandise, markets, motives, messages, media* y *money; the five c's*), **M₁** (ECO circulación fiduciaria), **M₂** (ECO obligaciones vencidas; en los listados en la prensa especializada aparecen bajo la *M* de *matured bonds*), **M₃** (ECO activos en manos del público y activos a corto plazo; disponibilidades líquidas, siendo igual a la suma de **M₂** más los depósitos a plazo —*time deposits*—), **M₄** (ECO activos líquidos en manos del público, ALPES)].

Maastricht Treaty *n*: Tratado de Maastricht o de la Unión Europea; V. *European Union Treaty, EMU, Stability and Growth Pact*.

MACD *n*: V. *moving average convergence-divergence*.

machine *n/v*: máquina, maquinaria; fresar, tornear, labrar, ajustar; V. *political machine*. [Exp: **machine accounting** (CONT contabilidad mecanizada), **machine finish** (acabado a máquina), **machine-made/produced** (hecho a máquina), **machine posting** (CONT contabilidad mecanizada), **machinery** (maquinaria, equipo; aparato, organización, estructura de una empresa; trámites burócráticos; mecanismo; V. *administrative machinery; political machine; durable assets*), **machinery and equipment** (maquinaria y equipo), **machinery and tools** (maquinaria y herramientas), **machinery breakdown insurance** (SEG seguro de maquinaria contra avería mecánica), **machining** (labrado, fresado, maquinado de una pieza), **machinist** (maquinista, mecánico)].

macro-¹ *prefijo*: macro-; grande; a gran escala. [[Exp: **macro²** (BANCA calificación *macro* dada a bancos; V. *watch list, CAMEL*), **macroeconomics** (macroeconomía; V. *microeconomics*)].

made *a*: fabricado, hecho; V. *make*. [Exp: **made in Spain** (fabricado en España), **made-over** (rehecho), **made out to bearer** (pagadero al portador; V. *payable to bearer*), **made out to order** (a la orden), **made redundant, be** (REL LAB quedar despedido, cesar, perder el empleo; V. *dismiss*), **made-to-order** (hecho a la medida; fabricado por orden o pedido expreso)].

Madrid *n*: Madrid. [Exp: **Madrid Interbank Offered Rate, MIBOR** (BANCA tasa del mercado interbancario de Madrid; tipo de interés ofertado del mercado interbancario de Madrid, tipo medio del interbancario; V. *LIBOR, SIBOR*), **Madrid Stock Exchange general index** (índice general de la Bolsa de Madrid, IBEX)].

mail *n/v*: correo, enviar por correo; V. *post; outgoing mail; incoming mail*. [Exp: **mail advertising** (publicidad por correo), **mail boat** *US* (barco correo; V. *packet boat*), **mail, by** (por correo), **mail-car** (furgón postal), **mail drop** (MKTNG/GRAL buzón; dirección de correo [físico o electrónico] ◊ *Collect a message from one's mail drop*; V. *mail shot*), **mail-order** (COMER [de] venta por correo, [de] pedido postal; se emplea en expresiones como *mail-order catalogue* —catálogo de ventas por correo—, *mail-order firm* —empresa de ventas por correo—, *mail-order selling/shopping* —venta/compra por catálogo, correo o correspondencia—), **mail-order business** (comercio por correo), **mail-order catalogue** (catálogo de ventas por correo), **mail-order firm/house** (empresa de ventas por correo), **mail-order business/selling** (venta por correo), **mail plane/steamer/train** (avión estafeta, vapor correo, tren correo), **mail shot** («buzoneo», envío [masivo] de correo; alude al sistema de envío masivo de información por correo, tanto convencional como interno o electrónico; es frecuente su uso como vehículo —*advertising vehicle*—; el uso en español de la palabra inglesa «mailing» es espurio en este sentido al igual que palabras como *footing, parking*, etc. ◊ *The use of mail shot in modern advertising is resented by many consumers*; V. *Robinson list, junk mail, mailing piece*), **mailing** (acción de enviar, envío [de correo, etc.]; correspondencia; difusión postal; envío publicitario, buzoneo de propaganda ◊

Electronic mailing is a convenient way of circulating information; V. *mail drop, mail shot*), **mailing list** (lista de direcciones, de suscriptores, de receptores, de clientes o de abonados; alude a cualquier lista con los nombres, direcciones y demás datos personales que mantienen las empresas e instituciones para el envío de pedidos —*orders*—, catálogos —*catalogues*—, etc. ◊ *Update the mailing list*), **mailing piece/shot** (PUBL envíos de publicidad a domicilio; V. *mail shot*), **mailman** *US* (GRAL cartero; V. *postman*)].

main *a*: fundamental, básico, principal; V. *major*. [Exp: **main contractor** (contratista principal; V. *prime contractor*), **main estimates** (CONT cálculos básicos), **main office** (oficina central, casa matriz, sede social o central; V. *head office; headquarters*), **main power grid** (red principal de electricidad), **mainstay** (ECO pilar, soporte principal ◊ *Tourism in the most important economic mainstay of some countries*; V. *pillar, support*), **mainstream** (principal; curso/flujo normal u horizontal; actividades financieras de curso normal; núcleo; para aludir a las relaciones entre una empresa matriz y sus filiales se suele emplear la imagen del «curso del río» —*mainstream, upstream, downstream*; en el primer caso —*mainstream*— las aguas, es decir, las actividades financieras siguen el curso normal, que por lo general es de dominio de la empresa matriz sobre sus filiales; en el segundo caso —*upstream*—, las actividades financieras, por ejemplo, flujos de fondos en buenas condiciones financieras, «ascienden» desde una filial hacia la casa matriz, y en el tercer caso —*downstream*— la dirección de los flujos es la inversa; en castellano la traducción que parece aproximarse, sin perder la imagen original, es la de «curso normal o núcleo principal», «aguas arriba» o «aguas abajo»; V. *upstream, downstream*), **mainstream corporation tax** (TRIB grueso de la deuda tributaria de una empresa; es la diferencia entre el impuesto de sociedades total pagadero en un ejercicio y el *advance corporation tax*, o cantidad ya ingresada a cuenta; V. *corporation tax, advance corporation tax*)].

maintain[1] *v*: conservar, preservar, mantener, sustentar. [Exp: **maintain**[2] (defender, argumentar, justificar, sostener, mantener; V. *argue, assert, claim, hold*), **maintained markup** (COMER margen comercial efectivo o retenido; ventas netas menos coste de ventas, margen real), **maintenance** (conservación; entretenimiento, mantenimiento; manutención; pensión de alimentos; cuidado; sostenimiento; V. *resale price maintenance agreement; repairs and maintenance*), **maintenance charges** (gastos de conservación; V. *carrying charges*), **maintenance man/worker/ personnel** (empleado del servicio de mantenimiento; celador), **maintenance margin** US (MERC FINAN/PROD/DINER margen/depósito de mantenimiento; cobertura mínima; se trata del saldo mínimo autorizado por un intermediario a un inversor en una cuenta de futuros —*futures account*; V. *margin; margin call; initial margin; security deposit; forward margin*), **maintenance service** (servicio de mantenimiento)].

major *a*: fundamental, principal, predominante, sustantivo, mayoritario, importante, de primera importancia; V. *main*. [Exp: **major currency** (moneda importante o principal), **major medical insurance** (SEG seguro para gastos médicos mayores), **major duty** US (REL LAB ocupación principal), **major-minor** holding company structure (estructura de control multiestratificada o mayor-menor), **major part of the capital** (mayoría del capital), **major provisions** (disposiciones más importantes), **major retail outlets** (COMER grandes superficies de venta), **major shareholder** (SOC accionista principal o más importante; V. *control person*), **major trend** (MERC FINAN/PROD/DINER tendencia predominante), **majority** (mayoría, mayoritario; mayoría de edad), **majority decision** (voto mayoritario), **majority-held subsidiary** (SOC compañía subsidiaria controlada por interés mayoritario; V. *majority-owned subsidiary*), **majority holding** (SOC participación mayoritaria), **majority interest/shareholding** (SOC participación mayoritaria), **majority of votes** (mayoría de votos), **majority-owned subsidiary** (SOC filial de participación mayoritaria; V. *majority-held subsidiary*), **majority rule** (gobierno de la mayoría), **majority shareholder** (SOC accionista mayoritario; V. *controlling shareholder; main interest; free float*), **majority shareholding** (SOC V. *majority interest*), **majority vote** (voto mayoritario)].

make *n/v*: marca, modelo; hacer, realizar, fabricar; V. *produce, manufacture; make a profit/money*. [Exp: **make a bid** (presentar una oferta, pujar, licitar), **make a buck or two** col (ganarse unas pelas; V. *fast/quick/big buck*), **make a call for funds** (SOC reclamar/exigir fondos; V. *capital call*), **make a claim, a complaint, a demand, a petition, a protest** (exponer/cursar/elevar/formular una pretensión, una queja, una demanda, una petición, una protesta), **make a comeback** (V. *stage a comeback*), **make a composition with creditors** (pactar un convenio con los acreedores), **make a contract** (celebrar un contrato), **make a**

credit entry (abonar, acreditar), **make a deal** (hacer un trato), **make a down-payment** (dar/pagar una entrada; V. *pay on account*), **make a good/poor job of sth** (esmerarse haciendo algo, hacerlo bien/mal, lucirse/no lucirse haciendo algo), **make a killing** (COMER hacer un gran negocio o una gran jugada), **make a living out of/from** (ganarse la vida con), **make a loss** (COMER tener pérdidas; V. *make a profit*), **make a market** (BOLSA, MERC FINAN/PROD/DINER crear mercado; V. *market maker*), **make a play for** (hacer una oferta de compra, licitar; intentar llevarse o hacerse con ◊ *Make a play for control of the board*), **make/name/quote a price** (ofrecer un precio), **make a profit** (COMER tener ganancias; obtener/sacar beneficios; V. *make a loss*), **make a recommendation** (dirigir una recomendación), **make a tender offer** (FINAN lanzar una OPA u oferta pública de adquisición de una empresa), **make an advance** (anticipar una cantidad, hacer un anticipo), **make an allowance** (hacer una rebaja, conceder un descuento; V. *make allowances for*), **make an appeal** (hacer un llamamiento/una llamada), **make an application** (cursar una solicitud), **make an assignment** (hacer cesión), **make an entry** (asentar una partida, efectuar un asiento, inscribir en un libro), **make allowances for** (hacer concesiones, tener en cuenta, ser considerado, ser comprensivo o poco severo), **make available to** (poner a disposición de), **make away with** (llevarse, hurtar), **making away/off without payment** (irse sin pagar), **make good a deficit** (cubrir un déficit), **make good the damage** (indemnizar o compensar daños), **make good a loss** (subsanar una pérdida), **make it up to sb** (compensar a alguien, resarcir a alguien por la pérdida sufrida o el esfuerzo

realizado ◊ *They worked 2 hours extra and the firm made it up to them*; V. *make up*), **make job reductions** (REL LAB reducir la plantilla), **make money** (ganar dinero), **make one's own arrangements** (actuar con independencia o por cuenta propia; arreglárselas solo), **make-or-buy decision** (SOC decisión de producir o de comprar; una empresa debe decidir si compra un producto o lo fabrica), **make out** (expedir; extender; se aplica a cheques, recibos, documentos, pólizas de seguros, etc.; V. *draw up*), **make over** (ceder, traspasar), **make over a business** (traspasar, ceder un negocio), **make-ready time** (tiempo de preparación previo a cualquier acontecimiento), **make provision for** (prever, cubrir la eventualidad de que, asegurar el futuro de; V. *provide*), **make representations** (quejarse, presentar una demanda), **make sb idle** (dejar a alguien sin empleo; despedir a alguien; V. *redundant*), **make sb redundant** (despedir a alguien por exceso de mano de obra), **make the best of a bad job** (poner al mal tiempo buena cara), **make the grade** col (triunfar, llegar al puesto apetecido ◊ *Make the grade as a consultant*), **make up** (completar, compensar, poner/reponer lo que falta, hacer que cuadre un balance ◊ *Make up a shortage/sum*; V. *make it up to sb*), **make up a cash shortage** (reponer/poner de su bolsillo el dinero que falta al hacer un arqueo de caja; V. *make up*), **make up for** (compensar), **makeup**[1] (composición, estructura ◊ *Makeup of the management team*), **makeup**[2] (ECO recuperación ◊ *Cash makeup*), **makeup**[3] (REL LAB ventajas adicionales; extras, pluses que acompañan a un sueldo, como por ejemplo, un coche de la empresa, educación gratuita para los hijos, etc.), **maker**[1] (fabricante), **maker**[2] (firmante, otorgante, girador, librador; V. *market maker; sign*), **maker's name** (marca o nombre del fabricante)].

makeshift *a/n*: provisional, temporal, improvisado; arreglo improvisado o temporal ◊ *Be reduced/driven to makeshifts*.

malfunction *n/v*: fallo de funcionamiento, mal funcionamiento; avería; fallar, funcionar mal.

malpractice n: infracción del código profesional o deontológico, malas prácticas profesionales, inobservancia de las normas, ilegalidad o negligencia profesionales ◊ *Sue for malpractice*; V. *misconduct, negligence*. [Exp: **malpractice insurance** (seguro contra la negligencia o malas prácticas profesionales)].

mall *n*: paseo, calle peatonal, calle comercial; galería/centro comercial, sobre todo en los EE.UU.; V. *shopping mall, shopping centre*.

man *n/v*: hombre; tripular, atender un servicio ◊ *Man a post, a ship, etc.* [Exp: **man-hour** (hora-hombre, hora de mano de obra), **man-month contract** (contrato por meses-hombre), **man of affairs** (hombre de negocios; V. *businessman*), **man of means** (persona pudiente o con posibles; V. *absolute poor*), **man of straw** (testaferro; V. *straw man*), **manning** (dotación de personal), **manning table** (lista de personal o de recursos humanos para la producción; V. *workforce*), **manpower** (recursos humanos, mano de obra; V. *labour, workforce*), **manpower development** (perfeccionamiento/formación de recursos humanos o de la mano de obra), **manpower planning** (planificación de recursos humanos o de la mano de obra), **manpower services** (recursos humanos, personal, servicio de personal)].

manage *v*: dirigir, gestionar, llevar, administrar, controlar; planificar,

intervenir. [Exp: **manageable** (administrable; controlable; manejable; gobernable), **managed account** (MERC FINAN/PROD/DINER cuenta gestionada), **managed currency** (FINAN moneda intervenida, controlada o dirigida; V. *directed currency, dirty float, clean float*), **managed economy** (ECO moneda/economía intervenida, controlada o dirigida; V. *command economy; planned economy; market-oriented economy; mixed economy*), **managed float** (flotación dirigida o sucia; V. *managed currency*), **managed/dirty/floating exchange rate system** (ECO/FINAN sistemas de tipo de cambio de fluctuación/flotación dirigida o sucia; V. *clean floating exchange rate system*)].

management[1] *n*: GEST gestión; administración; gerencia; dirección; dirección empresarial; V. *portfolio management; mismanagement; middle management; earning management*. [Exp: **management**[2] (patronal, empresa; V. *top management; labour; union*), **management access time** US (GEST tiempo de acceso a la dirección; tiempo que tarda en llegarle a la dirección la información que ésta solicita), **management accounts** (cuentas de gestión), **management accounting** (contabilidad de gestión/administración; contabilidad de costes; V. *cost accounting*), **management agent** (agente gestor), **management audit** (GEST evaluación administrativa; evaluación de la labor de gestión; V. *compliance audit*), **management auditor** (inspector administrativo), **management board** (junta directiva), **management buy-in** (adquisición de una empresa por directivos/ejecutivos ajenos a ella), **management buyout, MBO** (FINAN OPA —oferta pública de adquisición— de exclusión presentada por la gerencia; adquisición de una empresa por la gerencia o por sus propios ejecutivos/directivos con el fin de controlarla; V. *leveraged buyout; leveraged management buy-out, LBO; employees' buyout; labour buyout; bid, takeover; going-private transactions*), **management by exception** (dirección por excepción), **management by objectives, MBO** (GEST gestión/administración/dirección por objetivos, DPO), **management by walking/wandering-around, MBWA** (dirección por paseo o por contacto), **management committee** (comité de gestión/dirección), **management company** (FINAN sociedad administradora o de gestión; sociedad gestora de fondos o *unit trusts*), **management consultant** (asesor/consultor para la organización/dirección/administración/gestión empresarial), **management consulting firm** (empresa asesora en la dirección de empresas), **management contract** (contrato de gestión), **management control** (control de gestión; V. *operating control*), **management decentralization** (descentralización administrativa), **management development** (GEST perfeccionamiento o formación continua del personal administrativo o de la función de gestión), **management fee** (MERC FINAN, BANCA comisión de gestión/administración, comisión de dirección del banco director —*manager bank*— [también llamado jefe de fila —*lead manager*—], en un préstamo sindicado —*syndicate loan*— por la gestión realizada; V. *arrangement/commitment/ fee, front-end fees; take-up fee*), **management fund** (fondo de maniobra), **management game** (juego de gestión), **management/managing group** (FINAN, BANCA grupo de dirección; S. *underwriting group*), **management guru** (gurú, santón de la teoría de la gestión;

V. *pundit*), **management information system, MIS** (GEST sistema de información gerencial), **management of business** (gerencia empresarial), **management of portfolio** (gestión de cartera de valores; V. *portfolio investment*), **management performance chart** (diagrama/gráfico de situación o de rendimiento de la gestión; V. *working table*), **management privatization** (privatización de la gestión), **management ratio** (coeficiente de dirección; relación entre número de empleados y de directivos), **management ownership** (acciones de la gerencia), **management report** (informe de gestión), **management representative** (representante patronal), **management rule-book** (cuadro de mando de la gestión empresarial; V. *fact book*), **management/promoter's/founder's shares** (SOC acciones de fundador, de la gerencia o de la administración), **management securities safe custody account** (depósito de administración de bienes), **management succession planning** (GEST plan de sucesión en los cargos de dirección), **management team** (GEST equipo directivo; V. *makeup*), **management trainee** (ejecutivo en formación), **management training** (formación de mandos de gestión), **management trust** (sociedad general de inversiones; sociedad inversora sin restricción de colocaciones, sociedad de inversiones con derechos de administración), **managing agent** (agente administrador), **managing board** (junta directiva, consejo de administración; V. *management board; board of management*), **managing clerk** (pasante; V. *law clerk, legal executive*), **managing company** (FINAN sociedad gestora), **managing director** (SOC consejero delegado, director gerente; director ejecutivo o general;

administrador, gestor, ejecutivo, jefe, responsable; en EE.UU. se emplea normalmente *chief executive director*; V. *executive*), **managing/management group** (grupo/ consorcio de dirección), **managing owner** (propietario gerente), **managing partner** (socio gerente/administrador/gestor), **managing underwriter** (SOC, BOLSA director de la emisión)].

manager *n*: director, empresario, gestor, gerente, administrador; V. *executive; risk manager; accounts/area/department/ personnel/sales manager; entrepreneur.* [Exp: **manager bank** (FINAN, BANCA banco director, llamado coloquialmente «jefe de fila»; en un préstamo sindicado —*syndicate loan*— organiza la emisión de obligaciones y busca las instituciones que las suscriban; V. *agent bank, co-manager bank, lead manager bank, participant bank, underwriter bank*), **manager's service charge** (FINAN comisión/gastos del gestor de un fondo de inversión), **manageress** (encargada o jefa de un servicio secundario o dependiente; directora, gerente, etc.; con la nueva sensibilidad lingüística hay una tendencia a evitar los sufijos femeninos que puedan connotar dependencia o inferioridad; para la alta dirección se emplea siempre *manager*, ya que *manageress* puede connotar «servicio dependiente»), **managerial** (gerencial, directivo, administrativo), **managerial accounting** (contabilidad gerencial), **managerial group** (grupo gerencial), **managerial moral hazard** (GEST riesgo moral de la gerencia; V. *moral hazard*), **managerial position** (cargo directivo o de gestión), **managerial post** (puesto directivo, órgano de gestión), **managerial sidepayments** (astillas a la gerencia, «sobres» de la alta dirección), **managerial staff** (personal de gerencia), **managerial style** (GEST estilo gerencial;

se suele hablar de seis estilos gerenciales: *affiliative, authoritative, coercive, democratic, pacesetting, coaching*), **managerial turnover** (sustitución de la gerencia), **managership** (gestión, dirección, administración)].

mandate *n*: mandato, mandamiento, imperativo legal, orden, procuración, encargo; V. *bank mandate; order, commission.* [Exp: **mandatory**[1] (mandatario; V. *proxy holder*), **mandatory**[2] (preceptivo, forzoso, mandatorio, obligatorio, de obligado cumplimiento; *mandatory* significa «preceptivo»; por ejemplo, un informe preceptivo no tiene por qué ser vinculante —*binding*— para la persona que lo solicita), **mandatory convertible** (deuda subordinada convertible en acciones de forma obligatoria; V. *capital note, equity commitment notes*), **mandatory redemption value** (valor total de amortización)].

manifest[1] *a/n*: obvio; manifiesto. [Exp: **manifest**[2] (TRANS manifiesto de aduanas, declaración de mercancías importadas o exportadas ◊ *Passenger manifest, cargo manifest*; V. *passenger manifest*; V. *passenger manifest/list*)].

manipulate *v*: manipular. [Exp: **manipulation** (manipulación; V. *market rigging*), **manipulator** (manipulador; V. *stock market manipulator*)].

MANTIS *n*: V. *Market and Trading Information System.*

manual *a*: manual ◊ *Manual worker/ labour*; V. *manufactured.*

manufacture *n/v*: manufactura, fabricación; fabricar, manufacturar, confeccionar, elaborar; V. *make, produce.* [Exp: **manufacture under licence** (fabricar/ elaborar bajo licencia), **manufactured article/goods/products** (COMER manufacturas; productos manufacturados o elaborados), **manufacturer** (fabricante, industrial), **manufacturer direct to**

MAP 442

consumer (del fabricante al consumidor), **manufacturer-retailer/wholesaler** (fabricante detallista/mayorista), **manufacturer's recommended price, MRP** (precio recomendado para la venta al público; V. *recommended retail price*), **manufacturing** (fabricación, confección, elaboración; industrial, fabril), **manufacturing accounting** (contabilidad industrial), **manufacturing concern** (empresa fabril), **manufacturing cost** (coste de fabricación/producción), **manufacturing expenses** (gastos de fabricación/elaboración o de fábrica; V. *factory expenses*), **manufacturing for stock** (fabricación para almacén), **manufacturing industry** (industria manufacturera), **manufacturing lead time** (tiempo mínimo de espera en la fabricación; plazo de fabricación), **manufacturing licence** (licencia de fabricación), **manufacturing margin** (margen de fabricación), **manufacturing schedule** (programa de fabricación), **manufacturing to order** (fabricación según pedidos), **manufacturing unit value index** (índice del valor unitario de las manufacturas)].

MAP[1] *n*: V. *multiple asset performance*. [Exp: **map[2]** (mapa), **mapping** (trazado), **mapping of poverty areas** (trazado de las zonas de pobreza)].

Mareva injunction *n*: COMER, DER interdicto o auto Mareva; dentro del campo del comercio internacional, para impedir los posibles movimientos fraudulentos de capitales o el retiro de la jurisdicción de los bienes de un deudor, a instancia de parte, los tribunales pueden bloquear los activos —*freeze the assets*— de los demandados extranjeros, con el fin de que el actor pueda preparar con garantía la demanda por incumplimiento de contrato —*breach of contract*; V. *Anton Pillar Order*.

margin[1] *n*: margen; orilla. [Exp: **margin[2]** (sobrante, ganancia), **margin[3]** (FINAN margen; diferencia entre el precio de compra y el de venta, también llamado *gross margin, manufacturing margin, profit margin*; V. *mark-up, spread*), **margin[4]** (BANCA margen; diferencia de prima; margen añadido a un tipo de interés de referencia; diferencia entre el interés que se abona a los depositantes y el que se cobra a los prestatarios), **margin[5]** (MERC FINAN/PROD/DINER margen; depósito de garantía; fianza; reserva de fondos; suma pagada por el cliente cuando utiliza el crédito de un corredor para comprar un valor; depósito previo en un contrato de futuros o de productos, definido en los *margin requirements*; anticipo o depósito que da el inversor al intermediario —*broker*— al solicitar una compra de valores o al abrir una cuenta de futuros —*futures account*—, llamado también *caution money, collateral* o *earnest money*; acción pagada en parte por medio de un anticipo o *margin*; V. *order to a broker; maintenance margin; margin call; initial margin; premium; buying on margin; additional margin requirement security deposit; forward margin; securities account*), **margin[6]** (banda de fluctuación; diferencia autorizada entre el precio de las divisas europeas dentro del Sistema Monetario Europeo; V. *European Monetary System*), **margin[7]** (BANCA margen; proporción del activo pignorado como garantía; V. *haircut*), **margin account** (MERC FINAN/PROD/DINER cuenta de margen; cuenta para comprar al «margen»; cuenta de crédito con margen de garantía; cuenta para comprar al margen; V. *cash account; general account; close out; minimum maintenance, special miscellaneous account, carrying charges[1]*), **margin buying**

(MERC FINAN/PROD/DINER mercado a crédito; compra de valores desembolsando sólo una parte de su valor; V. *margin transaction, margining, margin*[5]), **margin call** *US* (BOLSA, MERC FINAN/PROD/DINER demanda de cobertura suplementaria; demanda de depósito; exigencia/petición de reposición del margen de garantía o *margin*; la hace el intermediario —*broker*— al titular de una cuenta de futuros —*futures account*— por estar la cuenta del cliente por debajo del margen mínimo de mantenimiento; V. *margin*;[5] *order to a broker; initial margin; security deposit; forward margin*), **margin of error** (margen de error), **margin of income** *US* (margen comercial; V. *profit margin, trade profit margin, trading margin, markup*), **margin of liquid funds** (margen de liquidez), **margin of preference** (preferencia; margen de preferencia; V. *preference margin*), **margin of profit** (COMER margen de beneficios/ganancias; V. *profit margin*), **margin of safety** (BOLSA margen de seguridad; alude al respaldo real en activos fijos de un título bursátil; V. *safety margin*), **margin percent** (margen porcentual), **margin purchases** (MERC FINAN/PROD/DINER compras al «margen»; V. *marging buying; call-money markets, finance brokers' margin purchases*), **margin requirements** (MERC FINAN/PROD/DINER depósito mínimo exigido en las compras al «margen»), **margin security** (título o valor que puede ser objeto de las operaciones registradas en una cuenta de margen o de crédito con un operador bursátil —*margin account*—; por lo general, son los valores que cotizan en Bolsa —*listed securities*—; cualquier otra clase de título o acción tiene que comprarse o venderse en efectivo), **margin transactions** (BOLSA

operaciones a crédito; V. *margin buying*), **margining** (MERC FINAN/PROD/DINER compra de títulos del mercado a crédito desembolsando sólo una parte de su importe; V. *cross-margining, margin buying transaction*)].

marginal[1] *a*: marginal, mínimo, nimio, insignificante. [Exp: **marginal** (ECO incremental; marginal; en economía el terminal «marginal» debe entenderse como «incremento», «de incremento», «incremental» y por supuesto «marginal»; V. *marginal cost; marginal income*), **marginal benefit** (beneficio marginal), **marginal borrower** (FINAN prestatario marginal; este prestatario no pide préstamos cuando sube el tipo de interés; V. *marginal lender*), **marginal buyer** (BOLSA comprador con límite máximo de precio; V. *marginal seller*), **marginal cash reserves** (reservas líquidas marginales), **marginal cost** (ECO coste marginal/incremental/diferencial; incremento/decremento del coste total derivado de la producción de una unidad más/menos de un producto; V. *decreasing costs; law of increasing costs*), **marginal cost price** (precio de coste marginal), **marginal cost pricing; marginal costing** (COM fijación de precios de acuerdo con el coste marginal; V. *full costing, full cost pricing, functional costing*), **marginal efficiency** (eficiencia/utilidad/productividad marginal), **marginal efficiency of capital** (ECO eficiencia/productividad marginal del capital; V. *declining marginal efficiency-of-capital theory*), **marginal factor cost** (ECO coste marginal de adquisición de alguno de los factores), **marginal-income ratio** (índice de ingreso marginal), **marginal income tax rate** (TRIB tipo impositivo marginal), **marginal labourer** (V. *marginal worker*), **marginal lender** (FINAN prestamista marginal; este prestamista no prestará ni invertirá cuando baje el tipo de interés), **marginal letter of credit** (carta de crédito impresa al margen de una letra de cambio), **marginal income** (ECO ingreso marginal; incremento del ingreso por unidad de ventas), **marginal note** (nota marginal o al margen, apostilla), **marginal pair** (comprador y vendedor marginales), **marginal pricing** (fijación de precios de acuerdo con el coste marginal), **marginal product** (producto marginal), **marginal productivity** (ECO productividad marginal; alude al producto adicional que un empresario obtendrá, añadiendo otro factor de producción, p. ej., otro empleado, etc.; V. *elasticity of substitution*), **marginal productivity of capital** (ECO productividad marginal del capital), **marginal propensity to consume/import/save, etc.** (ECO propensión marginal al consumo, a la importación, al ahorro, etc.; V. *average propensity to import*), **marginal purchase** (compra marginal o sin gran valor), **marginal rate** (FINAN tipo marginal de una subasta de bonos o Letras del Tesoro), **marginal rate of tax** (TRIB V. *marginal income tax rate*), **marginal reserve requirement** («encaje» legal adicional; reserva legal obligatoria marginal), **marginal return** (rendimiento marginal), **marginal revenue** (ingresos marginales), **marginal sea** (DER aguas jurisdiccionales, mar territorial), **marginal seller** (BOLSA vendedor con límite máximo de precio; V. *marginal buyer*), **marginal tax rate** (TRIB V. *marginal income tax rate*), **marginal trading** (BOLSA operaciones marginales; V. *buying on margin*), **marginal unit cost** (coste unitario marginal), **marginal yield** (rendimiento marginal), **marginalism** (ECO marginalismo), **marginally** (marginalmente, por poco; V. *fractionally*)].

marine *a*: marino, relacionado con el mar; V. *merchant marine*. [Exp: **marine accident** (accidente de navegación, siniestro naval, siniestro marítimo, accidente del comercio marítimo; V. *accident of navigation*), **marine insurance** (SEG seguro marítimo; V. *sea insurance*), **marine hull insurance** (seguro marítimo del casco), **marine insurance broker/underwriter** (corredor/compañía de seguros marítimos), **marine risks** (riesgos marítimo)].
maritime *a*: marítimo, relacionado con el mar o con la navegación. [Exp: **maritime cause** (litigio dentro del derecho marítimo), **maritime Court** (Tribunal marítimo), **maritime declaration of health** (declaración marítima de sanidad; V. *bill of health, foul bill of health*), **maritime freight** (TRANS MAR flete marítimo), **maritime labour** (trabajadores portuarios, estibadores), **maritime law** (derecho marítimo), **maritime lien** (gravamen o privilegio marítimo), **maritime perils** (V. *perils of the sea*), **maritime trade** (comercio marítimo)].
mark[1] *n/v*: marca, señal; marcar, señalar; V. *check; kite mark; shipping mark; come up to the mark*. [Exp: **mark**[2] (marco, moneda alemana), **mark boundaries** (acotar; V. *mark off*), **mark down** (COMER abaratar, rebajar/reducir el precio; V. *cheapen, lower prices, mark up*), **mark-down** (COMER reducción/rebaja/descuento en el precio de un producto, saldo; porcentaje de rebaja; V. *gross mark-down, marked down prices, mark-up*), **mark-down sale** (rebajas, venta a precios reducidos), **mark off** (acotar), **mark-on** (COMER margen, recargo; margen entre coste y precio de venta; V. *average mark-on, initial mark-on; mark-down, mark-up*), **mark out** (marcar, señalar con una marca), **mark sensing** US (COMER lectura automática de

etiquetas), **mark-to-market exposure** (riesgo calculado sobre la base del precio del mercado), **mark to the market** (MERC FINAN/PROD/DINER ajustar al valor del mercado; ajustar diariamente/poner al día/actualizar la valoración de los títulos o carteras de valores, las cuentas al margen, los contratos de futuros, las opciones o fondos de inversión, de acuerdo con la del mercado diario, para que reflejen su valor real, reconociendo las pérdidas y las ganancias; liquidar/compensar las pérdidas y ganancias; «marcar al mercado»), **mark up** (COMER recargar, aumentar/subir el precio; V. *mark down*), **mark-up**[1] (COMER subida/aumento en el precio de un producto; V. *mark-down*), **mark-up**[2] (COMER margen de beneficio del comerciante, del banco, del especulador, etc.; margen comercial, *margin of income; profit margin, trade profit margin, trading margin, cumulative markup*, V. *margin, spread*), **mark-up**[3] (aumento de la cotización de la empresa asediada o *target company*), **mark-up on cost** (COMER subida/aumento del coste), **marked cheque** (cheque conformado, aceptado o visado; una vez visado por el banco, éste es responsable del mismo; V. *certified cheque, cashier's cheque*), **marked price** (precio marcado), **marker** (rotulador), **marker crude/price** (crudo/precio de referencia; V. *benchmark crude/price*), **marked down prices** (precios con rebaja), **marking** (V. *packing and marking*), **marks and numbers** (marcas y números), **markup cancellation** (anulación del margen comercial), **markup pricing** (COMER fijación de precio mediante la adición del margen comercial —*trading margin*— al precio de adquisición —*bought-in price*— al mayorista)].

market *n/v*: mercado, bolsa, plaza; valor de mercado; comercializar, vender o vender en el mercado, explotar comercialmente, lanzar al mercado, introducir en el mercado; ponerse en venta ◊ *A market can be a network of buyers and sellers who deal with each other over a computer screen*; V. *be priced out of the market, black market, bull market, Common Market, flea market, free enterprise/market economy, forward markets, over-the-counter market; ready market, market maker; dampen the market, clobber the market*. [Exp: **market allocation** (reparto de mercado, reserva de mercado), **market amplitude** (FINAN amplitud del mercado; volumen negociado), **Market and Trading Information System, MANTIS** (sistema de información de la Bolsa de Londres que permite la ejecución automática de transacciones; mercado continuo), **market area** (zona comercial), **market, at** *US* (BOLSA orden de comprar o vender títulos tan pronto sea recibida al precio del mercado o el mejor posible también llamada *at market order*; orden ilimitada; V. *at best; in the market; at the close order; day order, good until cancelled, limited order; no-limit order; on the market*), **market basket** (bolsa de la compra), **market, be on the** (estar en venta; V. *come on to the market*), **market breadth** (MERC PROD/FINAN/DINER amplitud/liquidez de un mercado; volumen de contratación de un mercado), **market business days** (MERC FINAN/PROD/DINER días hábiles; V. *London gold market business days*), **market capitalization** (BOLSA, SOC capitalización bursátil; valor de mercado de las acciones emitidas; valor de una mercantil de acuerdo con el valor en Bolsa de sus acciones), **market clearing** (desatascamiento del mercado; son medidas dirigidas a desatascar el mercado por medio de cambios en las cotizaciones que buscan el equilibrio entre compradores y vendedores), **market-clearing prices** (precios que devuelven el equilibrio al mercado), **market-clearing quotations** (cotizaciones que tienden al equilibrio del mercado), **market-clearing returns** (rentabilidad calculada con vistas al equilibrio del mercado), **market conditions** (condiciones del mercado), **market control** (dominio del mercado), **market coverage** (cobertura del mercado), **market decline/descent** (baja del mercado), **market demand** (demanda del mercado), **market discount rate** (FINAN tasa de descuento privado, llamado *prime rate* en los Estados Unidos), **market depreciation** (depreciación/abaratamiento del mercado), **market disruption** (desorganización del mercado), **market division** (repartición del mercado), **market dues** (cuota por un sitio o puesto en el mercado), **market economy** (economía de mercado; V. *planned economy*), **market-eligible countries** (países con acceso al mercado financiero), **market equilibrium** (equilibrio del mercado), **market expectations** (previsiones del mercado), **market-extension merger** (SOC fusión orientada a ampliar la cobertura del mercado; fusión que obedece a un proyecto de expansión del mercado; V. *vertical amalgamation/integration, horizontal/ lateral amalgamation; conglomerate amalgamation; product extensión merger*), **market external forces** (BOLSA fuerzas externas al mercado; comprende el conjunto de factores externos a la Bolsa que influyen en los precios; V. *overbought; technical position*), **market forbearance** (no injerencia en los mercados ajenos), **market if touched order** (MERC FINAN/PROD/DINER orden de compra/venta si se llega al precio

solicitado), **market failures** (descalabros; fiascos; proyectos u operaciones que fracasan en el mercado), **market fluctuations** (oscilaciones/fluctuaciones del mercado), **market glut** (saturación del mercado), **market hours** (BOLSA horas de contratación bursátil; horas de Bolsa), **"market-in-hand" agreement** (convenio «mercado en mano»), **market, in the** (de venta, en el mercado; V. *at the market*), **market index** (BOLSA índice del mercado), **market leader**[1] (SOC, BOLSA empresa líder, empresa puntera; valor bursátil importante; V. *leader, blue chip*), **market leader**[2] (COMER artículo líder o de gran venta en el mercado; V. *loss leader*), **market maker** (BOLSA creador de mercados; especialista de mercados; agente/operador de mercado activos; sociedad de contrapartida; se trata de una sociedad instrumental cuyo fin es la creación de un mercado secundario para un título-valor de renta fija o variable; V. *specialist; floor maker, make a market*), **market manipulation** (MERC FINAN/ PROD/DINER manipulación del mercado; V. *stock market manipulation, rigging the market*), **market maturity** (COMER madurez del mercado; se dice que un producto alcanza la madurez del mercado cuando las ventas y los beneficios son estables), **market model** (FINAN modelo de mercado; V. *capital asset pricing model; modern portfolio theory*), **market niche** (ECO, COMER nicho de mercado; hueco abierto/asequible para el mercado de un producto; V. *market share; market segment; niche marketing; market penetration*), **market offtake** (ventas en el mercado), **market on close/opening** (orden de venta o compra a la última/primera cotización), **market, on the** (en venta; que cotiza en el mercado; V. *at the market, in the market*), **market order US** (BOLSA orden al mercado; V. *at the market order*), **market-oriented economy** (ECO economía de mercado; V. *managed economy; mixed economy*), **market overt** (mercado abierto), **market penetration** (MERC FINAN/PROD/DINER penetración/participación en el mercado; V. *market share*), **market potential** (MERC FINAN/PROD/DINER capacidad/ potencial en/para el mercado), **market portfolio** (FINAN cartera teórica de mercado), **market position/situation** (situación en el mercado), **market/ going/current/usual price** (precio corriente/normal/actual/del mercado), **market price** (cambio/precio del mercado), **market price method** (ECO método del precio de mercado), **market quotation** (cotización/cambio/precio del el mercado), **market rate**[1] (FINAN tipo de interés de mercado; a tipo de mercado; V. *market rate liabilities*), **market rate**[2] (REL LAB tarifa del mercado; sueldos del mercado; lo que cuesta o que se paga en el mercado; V. *going rate*), **market rate liabilities** (CONT pasivo/obligaciones al tipo de mercado), **market-related lending** (crédito/préstamo ofrecido según las condiciones del mercado), **market research/survey** (estudio/investigación/ prospección del mercado), **market rigging** (BOLSA manipulación/maniobra bursátil; V. *rigging the market*), **market risk** (BOLSA riesgo de mercado), **market risk premium** (BOLSA prima por riesgo de mercado), **market SDR** (V. *market special drawing rights*), **market segment** (segmento/sector del mercado; V. *market niche, market share*), **market segmentation** (división del mercado), **market segmentation theory/strategy** (teoría/estrategia de segmentación de mercados; según esta teoría, también llamada *segmented markets theory*, los mercados de interés a largo y a corto

plazo son distintos y actúan con total independencia; V. *expectation theory*), **market share** (ECO, COMER cuota de mercado; V. *market niche; market segment; market penetration*), **market size** (MERC FINAN/PROD/DINER volumen de ventas; dimensión del mercado), **market sluggishness** (MERC FINAN/PROD/DINER atonía/aletargamiento del mercado), **market special drawing rights, market SDR** (ECO derechos especiales de giro de mercado; DEG de mercado; V. *SDR*), **market supply** (oferta del mercado), **market test** (COMER análisis/encuesta/prospección de mercado; alude a cualquier análisis de mercadotecnia encaminado a comprobar el éxito o las perspectivas de un producto entre sus destinatarios), **market survey** (estudio/análisis de mercado), **market timer** (oportunista del mercado ◊ *Market timers cash in on bull and bear runs*), **market timing** (sensibilidad inversora; olfato para la toma de decisiones bursátiles o comerciales; sentido de la oportunidad comercial), **market-to-book ratio** (CONT, SOC, BOLSA ratio precio-valor contable; relación entre el precio contable de una empresa y el del mercado bursátil), **market tone** (tono/tónica/tendencia del mercado), **market transparency** (transparencia del mercado), **market trend** (tendencia del mercado), **market upheaval** (BOLSA sacudida del mercado), **market value/ price** (MERC FINAN/PROD/DINER valor en plaza, valor de mercado; V. *face value; actual value, revaluation; premium, discount*), **market yield** (rentabilidad de mercado), **marketability** (MERC FINAN/ PROD/DINER comerciabilidad, negociabilidad, vendibilidad o capacidad de ser vendido), **marketable** (negociable, vendible, comerciable; V. *merchantable, salable/saleable; vendable/vendible*), marketable collateral (garantía corriente o negociable), **marketable title** (título limpio, título válido, seguro o inobjetable; V. *good title, clear title; cloud on title, bad title*), **marketable money instruments** (FINAN instrumentos monetarios realizables; V. *readily marketable money instruments*), **marketable papers** (papel negociable, valores cotizables), **marketable/ negotiable securities** (BOLSA títulos negociables, valores mobiliarios, valores transferibles), **marketing** (MERC PROD comercialización, mercadeo, mercadotecnia, mercadología, «marketing»; alude al modo de concebir y ejecutar la relación de intercambio de ideas, bienes y servicio, que sea satisfactoria a las partes, valiéndose de los cuatro elementos básicos, llamados las cuatros «pes»: *product* —producto—, *price* —price—, *place* —distribución— y *promotion* —promoción—; a veces, se habla de una quinta «p», o *packaging*; V. *demarketing, megamarketing*), **marketing agreement** (acuerdo de comercialización), **marketing arrangements** (acuerdo de ordenación del mercado), **marketing audit** (control interno, evaluación de la política de mercadeo), **marketing channels/facilities** (COMER canales/medios de comercialización de un producto; V. *marketing outlets*), **marketing costs/expenses** (costes/gastos de comercialización), **marketing desk** (sección/departamento de mercadotecnia), **marketing intelligence** (información comercial), **marketing mix** *US* (MERC PROD combinación de los cuatro instrumentos básicos del marketing, es decir, *product* —producto—, *price* —precio—, *place* —distribución— y *promotion* —promoción—, con el fin de alcanzar los objetivos previstos; síntesis de los elementos básico del mercado),

marketing outlet (MERC PROD canal de ventas, salida de mercado), **marketing department** (departamento de comercialización), **«marketisation» of banking** («mercadización» de la actividad bancaria»), **marketplace** (mercado, plaza; V. *marketing channels*), **marketplace communities** (comunidades laborales)].

married put *US n*: opción de venta casada o emparejada; se llama así porque se adquiere justo con valores o acciones del negocio subyacente, como salvaguardia o protección —*hedge*— contra las posibles pérdidas, si las acciones bajan de valor.

marshal *v*: ordenar, clasificar, graduar, establecer una prelación. [Exp: **marshalling assets and claims** (DER ordenación de los bienes y clasificación de las deudas según un orden de prioridad a fin de satisfacerlas con los bienes existentes)].

mart *n*: mercado, lonja, centro comercial; V. *emporium; auction mart; property mart.*

martingale *n*: martingala.

mask *n/v*: máscara; enmascarar, ocultar; V. *massage the numbers.* [Exp: **masked inflation** (inflación oculta), **masking** (enmascaramiento ◊ *Masking of a weak position*)].

mass *n*: masa, muchedumbre. [En posición atributiva significa «masivo, de masas, a gran escala, en serie, gran cantidad». Exp: **mass advertising** (PUBL campaña publicitaria masiva en todos los medios de comunicación; V. *hoardings*), **mass insurance** (SEG seguro de grupo; V. *master policy*), **mass-market product** (producto de alto consumo), **mass marketing** (comercialización a gran escala), **mass media** (medios de comunicación social; V. *press*[2]), **mass meeting** (mitin o concentración), **mass-produce** (fabricar a gran escala), **mass-produced article** (artículo hecho en serie), **mass production** (producción en serie/masa), **mass publication** (PUBL periódico/revista de gran circulación), **mass storage** (almacenamiento masivo; V. *block/dynamic/random/shelf storage*), **mass transportation** (transporte público o colectivo)].

massage *n/v*: masaje; dar un masaje; maquillar, manipular ◊ *Massage the accounts*; V. *mask*. [Exp: **massaging the numbers** (CONT maquillaje de cifras/números; V. *window dressing; cook the books*)].

master[1] *a/n*: principal; V. *master agreement*. [Exp: **master**[2] (maestro, matriz, original; V. *copy*), **master**[3] (REL LAB patrono, dueño, amo; hasta no hace mucho, al hablar de las relaciones entre la patronal y la parte social se utilizaban los términos *masters and servants*; hoy se emplea, en su lugar, *employers and employees*; V. *management*), **master**[4] (capitán de barco; V. *mate*), **master**[5] (título de posgrado llamado «magister» o master; V. *Master in Business Administration*), **master**[6] *US* (FINAN fondo de inversión principal; V. *master feeder funds*), **master agreement** (acuerdo marco o principal), **master feeder funds** *US* (FINAN fondos de fondos; son instrumentos de inversión colectiva que invierten sus activos en diversos fondos de inversión o *feeders*), **master copy of a file** (copia maestra), **master file** (archivo principal), **Master in Business Administration** (Master en Administración de Empresas), **master policy** (SEG póliza general/base; certificado de seguro que se extiende a los asegurados en una póliza de seguros de vida colectiva; V. *certificate of insurance; mass insurance*), **master's protest** (TRANS MAR protesta del capitán; V. *captain's protest*), **master trust account** (V. *collective investment fund*)].

matador bond *n*: bono matador; obligación emitida en europesetas; V. *foreign bond*.

match[1] *n/v*: combate; emparejar, igualar; hacer juego. [Exp: **match**[2] (MERC FINAN/PROD/DINER casar operaciones), **match up** (acoplar-se, concordar, coincidir; hacer coincidir ◊ *Match up prices with market tendencies*), **matched orders** (BOLSA órdenes casadas o emparejadas; son órdenes ficticias de compra y venta de la misma acción cuyo único fin es fijar un precio determinado sin que se produzca realmente un cambio de tenencia de las acciones; V. *market maker*), **matched samples** (muestras emparejadas), **matching** (emparejamiento; simetría; contrapartida; equilibrio entre entradas y salidas; que combina, que hace juego), **matching grant** (subvención compensatoria), **matching payment** (pago de contrapartida), **matching rule** (regla de equiparación), **matchmaker** (intermediario)].

mate[1] *n*: compañero, colega, compañero de trabajo. [Exp: **mate**[2] (TRANS MAR piloto; oficial de puente de un barco mercante; el término *mate* se emplea en expresiones como *first mate, second mate* y *third mate* con el significado de primer piloto/oficial, segundo piloto/oficial y tercer piloto/oficial; V. *master, first mate*), **mate's receipt, M/R** (TRANS MAR recibo del piloto; recibo de embarque de las mercancías; lo entrega un oficial del buque como justificante de haber recibido las mercancías; V. *clean receipt*)].

material *a/n*: esencial, importante, influyente, apreciable, significativo; material, físico; tela, tejido; materias primas, materiales; datos, notas, observaciones, documentación; se emplea en plural en expresions como *building materials* —materiales de construcción—, *raw materials* —materias primas; V.

basic goods/materials; classified material; staples. [Exp: **material/tangible assets** (activos materiales/tangibles), **material available** (CONT disponibilidades existentes), **material fact** (hecho esencial, fundamental o pertinente), **material handling equipment** (equipo de movimiento de materiales), **material and supplies** (efectos y materiales), **materials buyer** (jefe de compras de materias primas de una empresa), **materials cost** (coste de los materiales), **materials handling** (gestión y almacenaje de los materiales), **materialize** (convertirse en realidad, materializarse, sustanciarse ◊ *The deal never materialized*)].

maternity *n*: maternidad. [Exp: **maternity allowance/benefit** (REL LAB subsidio de maternidad), **maternity leave** (REL LAB licencia, permiso o baja por maternidad)].

matrix *n*: matriz. [Exp: **matrix reporting** US (REL LAB responsabilidad ante más de una autoridad, entidad o jefe)].

matter *n/v*: cuestión, materia, asunto, problema; importar, contar, tener importancia. [Exp: **matter of course** (cosa o hecho rutinario o natural), **matter of course, as a** (por rutina), **matter of fact** (cuestión de hecho), **matter of fact, as a** (de hecho, en realidad, el caso es que …), **matter of interest** (asunto de interés), **matter of record, as a** (a [los únicos] efectos de información pública ◊ *This announcement appears as a matter of record only*), **matter of time** (cuestión de tiempo), **matter on the agenda** (punto del orden del día; V. *item*), **matter has been referred, the** (se ha remitido/se ha dado traslado del asunto a otras instancias; se está a las espera de la resolución de instancias superiores)].

maturation *n*: vencimiento. [Exp: **maturation of debt** (vencimiento de la deuda), **mature**[1] (maduro, completo, acabado, en fase de finalización, suficientemente estudiado o trabajado; productivo; madurar), **mature**[2] (FINAN vencido, pagadero, cumplido el plazo; cumplirse/vencer el plazo de un efecto de comercio ◊ *A loan/bond matures*; V. *deadline; fall due*), **mature investments** (inversiones que han llegado a su fase productiva), **mature markets** (MERC FINAN/PROD/DINER mercados bien establecidos), **mature note** (FINAN pagaré vencido), **mature project** (proyecto en avanzado estado de ejecución o próximo a terminarse), **matured** (FINAN vencido), **matured bonds** (obligaciones vencidas; V. *M factors*), **matured coupon** (FINAN cupón vencido), **maturities** (SEG valores/pólizas vencidas o a punto de vencer; V. *maturity*[2]), **maturing** (FINAN vencimiento; vencedero, de próximo vencimiento), **maturity**[1] (maduración), **maturity**[2] (vencimiento o plazo de un efecto, etc.; plazo de vencimiento de un efecto; madurez; en plural se aplica a «valores con vencimiento próximo» en expresiones como *buy/sell maturities*; V. *current maturities; yield to maturity, maturity yield; expiration, due date*), **maturity assets** (CONT activos/bienes al vencimiento), **maturity basis** (MERC PROD/FINAN/DINER precio al vencimiento, razón de intereses al vencimiento), **maturity date** (FINAN fecha de vencimiento; V. *date of maturity, expiry*), **maturity factoring** (compra por un factor o comisionista de deudas a empresas por el valor que aquéllas tienen en la fecha de vencimiento; V. *discount factoring; factor*[2]), **maturity mismatch** (discordancia entre los vencimientos), **maturity of a loan, bond, etc.** (vencimiento o plazo de vencimiento de un préstamo, obligación, etc.), **maturity of bills** (vencimiento de letras),

maturity, on (al vencimiento), **maturity period/phase** (período de maduración; V. *product life cycle*), **maturity premium** (prima de reembolso o rescate; V. *redemption premium*), **maturity proceeds** (SEG capital pagado al vencimiento), **maturity structure** (FINAN calendario de vencimientos), **maturity value** (valor al vencimiento), **maturity yield** (FINAN rentabilidad de un efecto a su vencimiento; V. *yield to maturity*)].

maximization *n*: optimización, maximización. [Exp: **maximize** (optimizar, maximizar, elevar al máximo ◊ *Minimize cost and maximize efficiency*) **maximum** (máximo), **maximum divergence distance** (MERC DINER distancia máxima de divergencia), **maximum entropy method** (método de entropía máxima), **maximum foreseeable loss** (SEG daño máximo previsible), **maximum issue yield** (MERC FINAN/DINER tipo efectivo máximo de remuneración [de una emisión de euronotas o *note issuance facilities, NIF*], también llamado *maximum offering yield* y *maximum interest rate*), **maximum likelihood method** (método de verosimilitud o probabilidad máxima)].

MBA *n*: V. *Master in Business Administration*.

MBO *n*: V. *Management Buyout; management by objetives*.

me-too product *col n*: COMER, PUBL producto plagio, producto imitamonos.

mean *a/n*: medio; promedio; media; V. *average; assumed mean*. [Exp: **mean/average deviation** (desviación media), **mean life** (SEG vida media), **mean, on the** (por/como término medio), **mean range** (recorrido medio), **means** (recursos, medios, ingresos; V. *resources; funds; private means; man of means*), **means of payment/settlement** (medios de pago), **means test** (comprobación de los recursos económicos del solicitante de una ayuda o subvención)].

measure *n/v*: medida; diligencia, trámite, evaluación; medir. [Exp: **measure of damages/indemnity** (SEG medida o evaluación de los daños/indemnización), **measure, to** (a la medida; V. *tailor-made*), **measure up**[1] (evaluar, juzgar, formarse una idea de, calcular a ojo de buen cubero; V. *size up*), **measure up**[2] (dar la talla, estar a la altura de las circunstancias ◊ *Measure up to the task/post*), **measurement** (medida, dimensión; volumen; cubicación; aforo; arqueo; V. *weight or measurement*), **measurement bill** (certificado de arqueo de un buque), **measurement cargo** (TRANS MAR carga tasada por cubicación o volumen), **measurement freight/rate** (TRANS MAR flete según volumen)].

mechanic *n*: mecánico, automático. [Exp: **mechanics** (mecánica; funcionamiento, detalles prácticos ◊ *Learn the mechanics of a job*), **mechanism** (mecanismo), **mechanization** (mecanización), **mechanized** (mecanizado; V. *automated*)].

media *n*: PUBL medios informativos, publicitarios, de comunicación, etc.; V. *mass media, medium*. [Exp: **media buyer** (PUBL agente de publicidad que compra espacios publicitarios en varios medios de comunicación/publicitarios para sus clientes), **media buying** (PUBL compra de medios; V. *media buyer*), **media coverage** (PUBL cobertura/difusión periodística dada por los medios de comunicación a un asunto), **media research** (PUBL estudio de medios; V. *general mass media survey*)].

mediate *a/v*: mediato; mediar, ser mediador, servir de intermediario; intervenir ◊ *Mediate in a dispute*; V. *good offices*. [Exp: **mediate descent** (descendencia mediata), **mediate interest** (interés mediato), **mediate**

powers (poder incidental o necesario), **mediate testimony** (prueba derivada), **mediation** (mediación, tercería, interposición, intercesión; V. *arbitration; trading*), **mediator** (mediador, tercero, avenidor, medianero; V. *broker; middleman*)].

medium *a/n*: medio; mediano; medio, instrumento; V. *media* [Exp: **medium-dated** (a medio plazo; V. *medium term*), **medium farm** (explotación agrícola media), **medium-sized** (de tamaño medio, de capacidad mediana), **medium-sized firm** (empresa mediana; V. *small and medium-sized firms*), **medium-term** (a medio plazo; V. *short-term, long-term*), **medium-term financial assistance** (préstamo a corto solicitado por un banco central a otro de un país perteneciente al Sistema Monetario Europeo por razones de balanza de pagos adversa; V. *short-term monetary support*), **medium-term bond** (bono a medio plazo)].

meet *v*: reunir-se; encontrar, hallar; conocer; responder, satisfacer, cumplir, atender, hacer frente a ◊ *Meet the costs/expenses*. [Exp: **meet a deadline** (cumplir los plazos de vencimiento; acabar dentro del plazo), **meet a draft** (atender una letra), **meet competition** (COMER encontrarse con/hacer frente a la competencia), **meet conditions** (sujetarse a/aceptar las condiciones), **meet one's liabilities** (hacer frente a los compromisos contraídos), **meet specifications** (cumplir con las especificaciones), **meet the needs** (satisfacer las exigencias), **meet the price** (MERC PROD/FINAN/DINER aceptar el precio del comprador, ajustar el precio a las pretensiones del comprador), **meet the requirements** (cumplir requisitos, satisfacer las necesidades), **meet with a ready market** (COMER venderse bien un producto, encontrar un mercado a su medida),

meeting (asamblea, sesión, reunión, junta general; V. *board meeting; mass meeting, roundtable meeting*), **meeting of creditors** (concurso de acreedores), **meeting of creditors/shareholders, etc.** (junta de accionistas), **meeting of minds** (coincidencia; V. *coincidence*), **meeting-room** (sala de juntas; V. *boardroom*)].

mega *prefijo*: mega-. [Exp: **megabucks** *col* (pasta gansa, pasta seria; V. *fast/ quick/big buck*), **megastore** (hipermercado), **megaton** (megatón)].

member *n*: socio, miembro, vocal, afiliado, integrante. [Exp: **member of the bar** (abogado en ejercicio, letrado; V. *practising lawyer*), **member of the board** (vocal, consejero; V. *board-member*), **member of the crew** (tripulante), **member of the European Parliament, MEP** (eurodiputado; V. *Euro MP*), **members' voluntary liquidation** (SOC liquidación voluntaria; V. *compulsory winding up by the court; compulsory liquidation*), **members' winding up** (SOC disolución/liquidación voluntaria de una mercantil), **membership** (afiliación; calidad de miembro o socio, conjunto de socios; los socios; V. *apply/application for membership*), **membership card** (tarjeta de socio), **membership dues** (cuotas de asociación; V. *association dues*), **membership qualifications** (requisitos para ser socio), **membership shares** (SOC acciones de socio; V. *trading shares*)].

memo *n*: forma abreviada de *memorandum*. [Exp: **memo book** (bloc de notas/ mensajes; V. *waste book*)].

memorandum *n*: memoria, memorándum, protocolo, documento, informe, circular. [Exp: **memorandum account** (CONT cuenta de orden; en ella se incluyen los avales, las garantías, etc.), **memorandum agreement** (memoria de un acuerdo concertado), **memorandum bill of**

lading (TRANS MAR copía justificativa de que se ha emitido el conocimiento de embarque original), **memorandum invoice** (factura provisional, nota de envío, factura de embarque), **memorandum of association** (SOC escritura de constitución de una sociedad mercantil, carta constitucional, carta orgánica de una mercantil; escritura social; estatutos sociales; V. *certificate of incorporation, articles of incorporation; charter*), **memorandum of satisfaction** (documento de satisfacción o de cancelación; documento del acuerdo entre las partes por la cancelación de la hipoteca, etc.; V. *satisfaction piece*), **memorandum of understanding** (protocolo de intenciones), **memorandum clause** (TRANS MAR cláusula o lista de excepciones que limita la responsabilidad en avería simple; V. *particular average*)].

MEP *n*: V. *member of the European Parliament*; V. *Euro-MP*.

mercantile *a*: mercantil, comercial, mercante. [Exp: **mercantile accounting** (contabilidad comercial), **mercantile agent** (agente de comercio, también llamado *factor*), **mercantile company** (compañía mercantil), **mercantile law** (derecho mercantil; V. *business law*), **mercantile paper** (FINAN letra de cambio comercial, también llamada *commercial bill, commercial paper* o *trade bill*), **Mercantile Register** (Registro Mercantil), **mercantile terms** (condiciones crediticias)].

merchandise *n/v*: COMER mercancía, mercaderías, géneros; efectos; primeras materias; comercializar, gestionar el mercadeo, la promoción y las ventas; abrir líneas, buscar salidas; V. *commodity*. [Exp: **merchandise arbitrage** (V. *arbitrage*), **merchandise turnover** (rotación de existencias), **merchandiser** (jefe de comercialización de productos), **merchandising** (COMER comercializa-

ción; «merchandising»; es un término algo vago o polisémico; ① normalmente se refiere a las actividades de promoción de un producto o servicio, complementarias de las de publicidad, que dirigidas a los consumidores —*consumers*—, se llevan a cabo en el punto de venta —*point of sale*—; son estrategias incitadoras de la compra de un producto o servicio, que se desarrollan al amparo de la *place* —distribución— del *marketing*; entre estas estrategias destacan la presentación del producto, la disposición de los expositores —*in-store displays*—, estanterías o vitrinas —*showcases*— , material de publicidad, etc.; ② también se aplica este término a las actividades de promoción que se dirigen a los vendedores —*sales force*—, a los mayoristas —*wholesalers*—, a los minoristas —*retailers*—, a los concesionarios —*dealers*—, etc.; V. *marketing; character merchandising*)].

merchant *n*: comerciante, negociante, mercader, marchante, tratante; V. *dealer, trader*. [Exp: **merchant bank** (BANCA banco de negocios o financiero; banco mercantil; casa de aceptaciones; un *merchant bank* es similar a un *investment bank* norteamericano, pudiendo también efectuar las transacciones clásicas de los bancos comerciales aunque normalmente con grandes clientes; V. *investment bank, issuing bank/house, acceptance bank*), **merchant banking** (banca industrial), **merchant fleet** (flota mercante), **merchant guild** (asociación/gremio), **merchant marine** *US* (marina mercante; V. *mercantile marine*), **merchant navy** (marina mercante), **merchant wholesaler** (mayorista), **merchantable** (comerciable, negociable; vendible; realizable; V. *marketable, salable/saleable; vendable/vendible*), **merchantable goods** (mercancía apta para el comercio o consumo), **merchantable title** (título válido o seguro; derecho a vender), **merchanting services** (servicios de comercialización)].

merge *v*: fusionar, combinar, unir, fundir, incorporar, intercalarse ◊ *Merge two companies*; V. *absorb*. [Exp: **merged company** (compañía fusionada), **merger** (fusión, incorporación, unión, consolidación de empresas; V. *integration, amalgamation, absorption, combination; take-over*), **mergers and brokers** (FINAN agencias especializadas en fusiones y adquisiones de empresas)].

merit *n/v*: mérito; DER fondo de la cuestión, fundamento, fundamentos de derecho; tener derecho a. [Exp: **meritorious** (meritorio, benemérito), **meritorious consideration** (DER causa contractual valiosa)].

MERM *n*: V. *Multilateral Exchange Rate Model*.

message *n*: recado, mensaje. [Exp: **messenger** (mensajero; recadero), **messenger service/company** (servicio/ empresa de mensajeros; V. *courier service*)].

Messrs *n*: señores, en el ámbito comercial, especialmente en la correspondencia ◊ *Messrs Smith and Green*.

meter[1] *n/v*: contador; medir con un contador ◊ *Meter water/gas, etc.* [Exp: **meter**[2] US (metro; V. *metre*),

method *n*: método, modalidad, procedimiento; V. *form, mode*. [Exp: **method of depreciation** (método de amortización), **method/principle of gross presentation** (CONT principio de no compensación), **method/principle of net presentation** (CONT principio de la compensación de saldos), **method of settlement** (fórmula dada a una solución extrajudicial), **methods of quotation** (modalidades de cotización)].

metre *n*: metro; V. *yard; inch; meter*. [Exp: **metric** (métrico), **metric ton** (tonelada métrica; V. *short ton; metric ton*)].

mezzanine *n*: entresuelo. [Exp: **mezzanine bracket** US (FINAN segundo nivel de suscriptores que asumen el nivel intermedio de riesgo en la emisión de nuevos títulos), **mezzanine debt** (deuda intermedia o de entresuelo), **mezzanine financing** US (FINAN financiación de entresuelo; es la financiación inicial para la puesta en marcha de un proyecto empresarial; V. *seed money*), **mezzanine level** (SOC coyuntura o estadio intermedio de una empresa a punto de entrar en Bolsa; es el momento que aprovechan los inversores de capital riesgo —*venture capital*— para hacer su aportación, dado el menor riesgo y la rentabilidad mayor y más rápida que se esperan de la coyuntura)].

MFN Clause *n*: V. *Most Favoured Nation Clause*.

MIBOR *n*: V. *Madrid Interbank Offered Rate*.

Mickey Mouse col *n*: el ratoncito Mickey; de poca monta, poco serio, de risa ◊ *Mickey Mouse goods/money/outfit*; V. *cowboy, fly-by-night*.

micro- *prefijo*: micro-. [Exp: **microeconomics** (microeconomía; V. *macroeconomics*)].

middle *a/n*: medio. [Exp: **middle class** (clase media), **middle ground** (postura intermedia entre dos posiciones enfrentadas ◊ *Occupy the middle ground in a dispute*), **middle management** (GEST mandos/cuadros intermedios; V. *manager*), **middle-of-the road** (mediano, mediocre; moderado ◊ *A middle-of-the road policy*), **middle price** (precio medio), **middleman** (COMER intermediario, mediador, comerciante, corredor, agente de negocios; revendedor; V. *go-between, agent; intermediary; mediator; broker*), **middling stock performer** col (BOLSA valor bursátil de rendimiento mediano; V. *performer*)].

MĬGA *n*: V. *Multilateral Investment Guarantee Agency.*

migration *n*: migración. [Exp: **migratory** (migratorio), **migratory balance** (balance migratorio)].

mile *n*: milla; V. *international nautical mile, yard, inch.* [Exp: **mileage¹** (kilometraje, «millaje»; V. *allowance for motor-car mileage; car mileage allowance rate*), **mileage²** *fig* (provecho, ventaja, capital ◊ *Get some mileage out of sth*)].

mill¹ *n*: fábrica; V. *factory.* [Exp: **mill²** *US* (TRIB milésima parte de un dólar; se emplea como unidad básica en el cálculo de los impuestos ◊ *A tax rate of 5 mills per dollar*)].

mine *n*: mina; V. *data mining.*

mini *a*: mini. [Exp: **minimax bond** (FINAN obligación/bono mini-max; es una obligación de interés variable con suelo —*floor*— y techo —*ceiling*), **minimum** (mínimo), **minimax rate** (BANCA tipo de interés acotado), **minimize** (reducir al mínimo, subestimar, minimizar ◊ *Minimize cost and maximize efficiency*), **minimum cash ratio** (FINAN coeficiente mínimo de reservas líquidas o reservas de efectivo, llamado en la jerga bancaria, «de encaje» o «encaje legal»; V. *minimum reserve requirements*), **minimum lending rate, MLR** (BANCA tipo bancario, tipo de interés/descuento bancario/oficial, redescuento bancario; también se emplean los términos *base rate* o *bank rate*), **minimum cash requirement** (BANCA coeficiente mínimo de reserva legal; porcentaje de reserva obligatoria), **minimum charge/rate** (tarifa mínima), **minimum liquidation value** (SEG valor mínimo de liquidación de las garantías de un préstamo avaladas por un seguro; V *collateral value insurance*), **minimum maintenance** (MERC FINAN/PROD/DINER saldo mínimo preceptivo en una cuenta al margen —*margin account*—; V. *close out³*), **minimum reserve ratio** (BANCA coeficiente de reserva obligatoria), **minimum reserve requirements** (BANCA reserva obligatoria; reserva legal, llamado en la jerga económica «encaje legal»), **minimum wage** (REL LAB salario mínimo)].

minister *n*: ministro. [Exp: **Minister of Finance** (Ministro de Finanzas; V. *Chancellor of the Exchequer*), **Minister without Portfolio** (ministro sin cartera), **ministry** (ministerio; V. *department*), **Ministry of the Treasury** (Ministerio de Hacienda)].

minor *a/n*: menor, menor de edad; inferior, secundario; V. *infant.* [Exp: **minor coin** (moneda fraccionaria), **minor/junior official** (funcionario subalterno; V. *top official*), **minor shareholder** (V. *minority shareholder, small stockholder*), **minority** (minoría, minoritario), **minority holding** (interés minoritario, participación minoritaria), **minority interest¹** (V. *minority holding*), **minority interest²** (CONT intereses devengados y abonados a las filiales o empresas participadas, en las cuentas consolidadas), **minority parties** (partidos de la minoría), **minority protection** (legislación que ampara a los accionistas minoritarios de las mercantiles frente a los posibles abusos cometidos por los accionistas mayoritarios), **minority shareholder/stockholder** (SOC accionista minoritario; V. *assenting/non-assenting shareholders; minor shareholder*), **minority shareholding** (SOC participación minoritaria en una compañía)].

mint *n/v*: moneda, Casa/Fábrica de la Moneda; acuñar moneda; V. *coinage; Master Warden of the Mint.* [Exp: **mint par** (paridad intrínseca; paridad entre el tipo de cambio y el valor metálico de las monedas), **mint price** (número de monedas que entran en una cantidad determinada de oro o plata), **mintage** (acuñación, derechos de acuñación; V. *brassage; abrasion*)].

minus *a/prep* menos, sin, de menos; negativo, desfavorable, deudor. [Exp: **minus balance** (saldo negativo o desfavorable; V. *adverse balance*), **minus side, on the** (considerando los aspecto negativos), **minus tick** *col US* (MERC FINAN, BOLSA venta de un título a precio inferior al de su cotización inmediatamente anterior, también llamada *downtick*; según el reglamento de la Bolsa de Nueva York, en estas condiciones no se pueden realizar «ventas cortas» o *short sales*; V. *zero plus tick, zero minus tick*)].

minutes *n*: actas; V. *take the minutes*. [Exp: **minute** (hacer constar en acta, levantar acta de ◊ *The point was minuted*), **minute book** (libro de actas; V. *proceedings, record, transcript; agree as correct record*), **minuted, be** (constar en acta; V. *put in the minutes*)].

mirror *a/v*: espejo; reflejar. [Exp: **mirror swap** (FINAN permuta financiera o «swap» simétrico)].

MIS *n*: v. *Management Information Service*.

mis- *prefijo*: dis-, des-, in-. [El prefijo inglés *mis-*, en la mayoría de los casos, connota «error, incorrección, falsedad, fracaso, anulación, mala intención», etc.: [Exp: **misacceptation** (aceptación falsa), **misalignment** (ECO alineamiento incorrecto; V. *alignment; currency alignment, realignment*), **misallocation** (asignación ineficiente, desacertada o inadecuada), **misapplication** (malversación o distracción de fondos), **misappropriate** (malversar, distraer fondos; V. *embezzle*), **misappropriation** (malversación, defraudación, apropiación indebida, distracción de fondos; V.

embezzlement), **misconstruction** (mala interpretación, interpretación errónea; V. *construction*), **misconstrue** (interpretar erróneamente; V. *misinterpret*), **misinterpret** (interpretar mal; V. *misconstrue*), **misinterpretation** (interpretación falsa), **mislead** (engañar), **misleading** (engañoso, equívoco), **mismanagement** (GEST mala administración), **mismatch** (FINAN asimetría, discordancia, desfase, descuadre de posiciones; V. *maturity mismatch*), **mismatch risk** (MERC FINAN/PROD/DINER riesgo de desfase/asimetría/desfasamiento en la permuta financiera), **mismatched floating rate note** (FINAN bono variable asimétrico; el rasgo «asimétrico» lo constituye el posible desfase existente entre los períodos de ajuste del tipo de interés del bono al referencial y los plazos reales de abono de intereses), **mismatching** (MERC FINAN/PROD/DINER fase de casación de cada contrato comprador con su contrato vendedor correspondiente en una cámara de compensación), **misprint** (errata), **misrepresent** (tergiversar, falsear, desnaturalizar), **misrepresentation** (DER falseamiento, falsedad; declaración falsa; tergiversación; desnaturalización; desfiguración, descripción equivocada; V. *innocent misrepresentation/non-disclosure; concealment*), **misunderstand** (interpretar mal, entender mal), **misunderstanding** (malentendido), **misuse of trust** (abuso de confianza; V. *embezzlement*), **misuse** (explotación abusiva, aplicación abusiva; aplicar o explotar abusivamente; V. *abuse, corruption, perversion*), **misuse of power** (desviación de poder, abuso de poder o autoridad; V. *abuse of power*)].

miscellaneous *a*: misceláneo, diverso. [Exp: **miscellaneous charges/costs/ expenses** (gastos diversos; V. *sundry* *expenses*), **miscellaneous income/ revenues** (ingresos varios, otros ingresos)].

mission *n*: misión; V. *fact-finding mission; outward mission*. [Exp: **mission statement** (SOC declaración de objetivos y miras de una empresa; V. *objective, business plan, corporate plan*)].

mitigation *n*: alivio, atenuación; V. *tax mitigation; relief².*

mix *n/v*: mezcla, combinación, popurrí; relación; mezclar, combinar; V. *marketing/product mix; yield-risk mix; policy mix*. [Exp: **mixed** (mixto), **mixed account** (cuenta mixta), **mixed cargo** (TRANS MAR cargamento mixto), **mixed carload rate** (TRANS tarifa de carga mixta), **mixed company** (empresa mixta), **mixed contract** (contrato mixto), **mixed economy** (ECO economía mixta; V. *governed economy; managed economy; market-oriented economy*), **mixed farming project** (policultivo, proyecto agropecuario, proyecto de cultivos múltiples), **mixed financing** (financiación combinada; V. *blend financing*), **mixed insurance company** (sociedad de seguros de mutua y de acciones), **mixed model** (modelo mixto), **mixed policy** (TRANS/SEG MAR póliza mixta; en derecho marítimo se trata de una «póliza de doble»), **mixing** (mezcla), **mixture** (mezcla)].

MLR *n*: V. *minimum lending rate.*

MMPS *n*: V. *money market preferred stock.*

mobility *n*: movilidad; V. *labour/ occupational mobility*. [Exp: **mobility allowance** (subsidio o prestación de desplazamiento para minusválidos), **mobility barriers** (barreras a la movilidad), **mobilization of resources** (ECO movilización de recursos), **mobilize** (movilizar)].

mod cons *n*: V. *modern conveniences.*

mode *n*: tipo, modo, modalidad, moda; manera, forma; V. *method, form*. [Exp: **modes of carriage/transport** (TRANS tipos/modalidades de transporte)].

moderate *a/v*: moderado, razonable; moderar. [Exp: **moderate inflation** (inflación moderada), **moderate price** (precio módico/moderado/mediano)].

modern *a*: moderno. [Exp: **modern conveniences, mod cons** (comodidades ◊ *House for sale with all modern conveniences*), **modern portfolio theory, MPT** (FINAN teoría moderna de carteras; V. *capital asset pricing model; market model*), **modernize** (modernizar, actualizar, reestructurar, reconstruir; V. *update*)].

modification *n*: modificación, enmienda; V. *amendment*. [Exp: **modified Bruno ratio** (tipo de cambio interno; coeficiente modificado de Bruno; V. *internal exchange rate*), **modified cash basis accounting** *US* (CONT contabilidad que utiliza el método de acumulación —*accrual basis*— para activos a largo plazo; consiste este método contable en emplear el sistema cumulativo para los activos a largo plazo y el sistema de efectivo para el resto de operaciones; V. *cash basis accounting, accrual basis accounting*), **modified duration** (FINAN vencimiento corregido de un bono, duración corregida), **modified pratique** (TRANS MAR plática modificada), **modify** (modificar)].

mogul *n*: magnate; V. *tycoon.*

MOF *n*: V. *multicurrency option facility, MOF.*

momentum¹ *n*: ímpetu; impulso; ritmo de aceleración, tasa de crecimiento; V. *lose momentum*. [Exp: **momentum²** (FINAN barómetro o indicador que mide la tasa de variación —*rate of change, ROC*— del precio de un valor o *security* ◊ *Earnings momentum*)].

monetary *a*: monetario; V. *International Monetary System, IMV*. [Exp: **monetarism** (ECO monetarismo), **monetarist** (ECO monetarista), **monetary aggregates** (FINAN agregados monetarios, magnitudes monetarias; V. *money supplies*), **monetary authorities** (autoridades monetarias), **monetary analysis** (análisis monetario), **monetary assets** (activos monetarios), **monetary base** (ECO base monetaria), **monetary control** (control monetario; V. *open market operations*), **monetary ease** (relajación/flexibilidad monetaria; V. *easy terms; monetary restraint*), **monetary growth rate target** (senda objetivo; alude a la meta fijada por el banco emisor en lo que se refiere a la tasa de crecimiento de las disponibilidades líquidas), **monetary parity** (paridad cambiaria o de cambio; V. *monetary/exchange parity*), **monetary flow** (corriente/flujo monetario), **monetary incentive** (prima en metálico), **monetary policy** (política monetaria; V. *discount window*), **monetary restraint** (austeridad monetaria; V. *monetary ease*), **monetary reserves** (reservas monetarias líquidas), **monetary snake** (serpiente monetaria), **monetary standard** (patrón monetario), **monetary stock** (masa monetaria), **monetary stringency** (rigor monetario, restricciones monetarias, control monetario severo o estricto), **monetary support** (ayuda monetaria), **monetary system** (sistema monetario), **monetary union** (unión monetaria), **monetary unit** (unidad monetaria; V. *unit of currency*), **monetization** (monetización; se dice de la venta de letras del Tesoro a los bancos para financiar un déficit presupuestario; V. *debt monetization*), **monetize** (monetizar)].

money[1] *n*: dinero. [En función atributiva, se traduce, en algunos contextos técnicos, por «monetario», «dinerario», etc. como en *money spending* —gasto monetario; V. *danger money; easy money; near money; quasi-money, real money, substitute money, non-physical money; legal tender*. Exp: **money**[2] (BOLSA posición dinero; V. *paper*), **money allotment** (asignación de fondos), **money at/on call** (BANCA dinero exigible; dinero/disponibilidades a la vista; dinero con preaviso de un día; V. *call money*), **money, at the; ATM** (MERC FINAN/PROD/DINER a dinero; se dice de la opción en la que su precio de ejercicio —*strike price*— es igual al del activo subyacente —*underlying asset*—; V. *in the money, out of the money*), **money back** (COMER devolución garantizada ◊ *A money-back guarantee*), **money-back option** (MERC FINAN/PROD/DINER opción de devolución de la prima si no se ejerce), **money balance** (saldo en efectivo), **money, be in the** (estar forrado o forrándose ◊ *She's certainly in the money the way her business is going*), **money broker** (corredor de cambios, cambista; V. *financial broker*), **money capital** (capital monetario), **money centres** (FINAN centros financieros), **money-center banks** US (bancos especializados en la intermediación de productos financieros), **money changing** (operaciones de cambio de divisas; V. *agiotage; moneychanger*), **money-commodity** (dinero mercancía), **money contribution** (aportación monetaria), **money demand** (demanda de dinero), **money equivalents** (liquideces cuasi-monetarias; V. *secondary liquidity; earn money*), **money flow** (flujos monetarios), **money-flow analysis** (análisis de flujos monetarios), **money, for** (BOLSA en efectivo; V. *The Account, account*[5]), **money forward, at the** (MERC DINER dinero a plazo o «forward»; surge esta situación cuando el precio de ejercicio —*strike price*— de una opción sobre divisas —*foreign currency option*— es igual al precio a plazo o «forward» de dicha divisa en el tiempo que queda hasta su fecha de vencimiento o *expiration date*; V. *at the money spot*), **money fund** (fondo de dinero), **money-grubbing** *col* (avaro, codicioso; avaricioso; codicia), **money in circulation** (circulación fiduciaria; dinero en circulación), **money, in the; ITM** (MERC FINAN/ PROD/DINER en dinero; se dice de la opción de compra cuyo precio de ejercicio —*strike/exercise price*— es más favorable que el precio del mercado, esto es, inferior en el caso de la opción de compra —*call*— y superior, si se trata de la de venta —*put*—; V. *deep in the money; at the money, out of the money*), **money option, in the** (MERC FINAN/ PROD/DINER opción con beneficio probable), **money-laundering** (blanqueo de dinero; V. *launder money*), **money-lender** (prestamista, financiero; V. *financier*), **money-maker** (V. *money maker*), **money-making** (remunerativo, rentable, productivo; V. *rewarding*), **money management** (gestión del capital), **money market** (FINAN mercado monetario o de dinero; V. *capital market*), **money market account** (cuenta del mercado monetario), **money market certificate** (certificado del mercado monetario), **money market deposit accounts** *US* (cuenta de depósito del mercado de dinero), **money market fund** (FINAN fondo común de inversiones; fondo mutuo; fondo de dinero a corto plazo; V. *mutual fund*), **money market house** (FINAN sociedad mediadora del mercado de dinero), **money market instrument** (título o efecto del mercado de dinero), **money market investment funds** (FINAN fondos de inversión en activos del mercado monetario, FIAMM), **money market mutual funds** (fondos de inversión en activos del mercado monetario; fondos de dinero a corto plazo; fondos mutuos de inversión en activos del mercado del dinero; V. *money market fund*), **money-market paper** (papel monetario; efectos del mercado de dinero; V. *bankable paper*), **money market paper** (títulos/valores del mercado monetario), **money market preferred stock, MMPS** (STK EXCH acciones preferentes con dividendo vinculado a un índice), **money market rate** (FINAN tasa del mercado monetario; tasa de los fondos comunes de inversiones; tipos de cambio del mercado de dinero), **money of account** (moneda/divisa de una cuenta; V. *unit of account*), **money on hand** (dinero disponible; V. *floating money*), **money/ postal order** (giro postal), **money, out of the** (MERC FINAN/PROD/DINER fuera de dinero; se dice del momento en que una opción se cotiza a un precio desfavorable respecto del mercado, esto es, superior en el caso de la opción de compra —*call*— e inferior si se trata de la de venta —*put*—; V. *in the money, deep out of the money*), **money payment** (pago en efectivo; V. *cash*), **money position** (BOLSA posición dinero), **money rates** (tipos de interés del dinero), **money refund offer** (oferta de reembolso), **money-spinner** *col* (MERC PROD, PUBL artículo/género que da dinero o que se vende bien; filón, mina de oro), **money spot, at the** (MERC DINER a dinero al contado o «spot»; surge esta situación cuando el precio de ejercicio —*strike price*— de una opción sobre divisas —*foreign currency option*— es igual al precio al contado o «spot»), **money squeeze** (falta de liquidez, escasez de fondos/dinero fresco/efectivo; apuros pecuniarios/monetarios; dificultades monetarias o pecuniarias; restricción o recorte en el dinero en circulación; V. *financial squeeze/straits*), **money stock** (reservas monetarias), **money supply** (ECO activos líquidos en manos del público; disponibilidades monetarias; masa monetaria; oferta monetaria; medio circulante; V. *volume of money*), **money transfer** (transferencia, envío de fondos; V. *remittance, transfer of funds/money*), **money wage** (salario monetario, nominal), **moneychanger** (cambista; máquina que da cambio; máquina cambia-monedas), **moneyed** (adinerado), **moneymaker** (producto de gran venta o aceptabilidad; inversión/negocio rentable/productivo/lucrativo ◊ *Those shares are real money-makers*), **monies** (cantidades, fondos; se emplea sobre todo al hablar de las asignaciones de dinero público ◊ *Monies paid out; public monies*)].

monitor *n/v*: monitor, instructor; seguir de cerca, controlar, comprobar, seguir la pista/marcha de ◊ *Monitor progress/development/prices*. [Exp: **monitoring** (REL LAB vigilancia; seguimiento; supervisión; V. *follow-up; monitoring intensity principle*), **monitoring incentives** (ECO incentivos para la vigilancia [empresarial]), **monitoring intensity principle** (REL LAB principio de intensidad de la vigilancia; se refiere a la conveniencia, en la contratación por objetivos, de dedicar los recursos necesarios para medir los rendimientos esperados; V. *monitoring*)].

monopoly *n*: monopolio; V. *cartel, coemption, corner, trust; absolute/perfect/pure monopoly*. [Exp: **monopolist** (monopolizador, acaparador), **monopolization** (monopolización), **monopolize** (monopolizar, acaparar; V. *hoard,*

engross, monopolize, corner, capture), **monopolizer** (acaparador), **monopoly sales office** (expendeduría), **monopsony** (monopsonio)].

month *n*: mes. [Exp: **month-end statements** (estados de cuenta mensuales), **month order** (MERC FINAN/PROD/DINER orden de efectuar una transacción válida para un mes), **monthly** (mensual), **monthly allowance** (mensualidad, sueldo mensual), **monthly installment** (cuota o plazo mensual, mensualidad)].

mood *n*: disposición anímica, estado de ánimo, humor. [Exp: **mood of the market** (clima bursátil o del mercado; disposición anímica del mercado)].

moonlighting *col n*: pluriempleo; V. *do a moonlight flit*. [Exp: **moonlighter** (pluriempleado; V. *part-timer*)].

moor *v*: amarrar, echar amarras; atracar; fondear. [Exp: **moorage** (TRANS MAR derechos de amarre), **mooring** (fondeadero, atracadero)].

moral hazard *n*: SEG riesgo moral; V. *adverse selection; managerial moral hazard*.

moratorium *n*: moratoria.

mortality *n*: mortalidad; liquidabilidad. [Exp: **mortality table/rate** (tabla/tasa de mortalidad; V. *birth rate*)].

mortgage *n/v*: hipoteca, fianza hipotecaria; hipotecar. [En posición atributiva equivale a «hipotecario», como en *mortgage deed, mortgage market, etc.*; V. *assumable mortage, due on sale clause; chattel mortgage, endowment mortgage, equitable mortgage, general mortgage, underlying mortgage, unified mortgage, package mortgage, pledge, real estate mortgage, regulated mortgage, security, tenant in mortgage, trust mortgage*. [Exp: **mortgage assignment** (traspaso de hipoteca), **mortgage-backed bond** (FINAN bono con garantía hipotecaria), **mortgage-backed**

securities, MBS (FINAN titulizaciones hipotecarias; valores-títulos respaldados por hipotecas; títulos con garantía hipotecaria; son paquetes de hipotecas convertidas —*repackaged*— por los bancos en bonos negociables en el mercado secundario; V. *Federal Home Loan Bank System; asset-backed securities, ABS; cash flow yield; pass-through, pay-though; REMIC*), **mortgage bank** (banco hipotecario o de crédito inmobiliario; sociedad de crédito hipotecario), **mortgage bond** *US* (FINAN cédula/obligación hipotecaria, bono con garantía hipotecaria; en el Reino Unido se llaman *mortgage debentures*; V. *floating debentures; bond debentures*), **mortgage certificate** (certificado de hipoteca), **mortgage charge** (carga/gravamen hipotecario), **mortgage credit** (crédito hipotecario), **mortgage creditor** (acreedor hipotecario; V. *mortgagee*) **mortgage company** (sociedad de crédito hipotecario), **mortgage debenture** (cédula hipotecaria, obligación hipotecaria, título garantizado por hipoteca; en EE.UU. se llaman *mortgage bonds*; V. *fixed debenture; secured debenture; naked debenture*), **mortgage deed** (escritura hipotecaria), **mortgage debtor** (deudor hipotecario; V. *mortgager*), **mortgage financing** (préstamos/créditos hipotecarios), **mortgage indebtedness** (deudas hipotecarias), **mortgage interest relief** (desgravación fiscal de los intereses hipotecarios), **mortgage insurance** (seguro de hipoteca), **mortgage law** (derecho hipotecario), **mortgage loan** (préstamo hipotecario), **mortgage loan bank** (banco/caja de crédito hipotecario), **mortgage note** (pagaré hipotecario), **mortgage ordered by the court** (hipoteca judicial), **mortgage reit** *US* (FINAN entidad de inversión mobiliaria que presta a constructores y promotores; V. *reit; equity reit*), **mortgage repayment** (amortización de una hipoteca; pago de los plazos de una hipoteca), **mortgage repayment insurance** (seguro de ahorro inmobiliario), **mortgage securities** (títulos-valores con garantía hipotecaria), **mortgage security** (garantía hipotecaria; V. *real security*), **mortgaged** (gravado con hipoteca; V. *covered by a mortgage, encumbered, burdened with a mortgage*), **mortgageable** (hipotecable), **mortgagee** (acreedor hipotecario; V. *mortgage creditor, chargee, encumbrancer*), **mortgager/mortgagor** (deudor hipotecario; V. *mortgage debtor, after-acquired clause*), **mortgaging credit** (crédito hipotecario), **mortgaging creditor** (acreedor hipotecario; V. *mortgagee, tenant in mortgage*), **mortgagor** (V. *mortgager, mortgage debtor*)].

most *a*: más. [Exp: **Most Favoured Nation Clause, MFN clause** (DER cláusula de nación más favorecida; V. *pari passu clause*)].

Mother Hubbard clause *n*: V. *cross-collateral; Dragnet clause*.

motion *n*: moción, iniciativa, solicitud, propuesta, petición, ponencia, pedimento; V. *time and motion*. [Exp: **motion economy** (economía de movimientos), **motion pattern** (ECO diagrama de movimiento), **motion time** (cadencia, ritmo de producción fabril o industrial)].

motive *n*: motivo, razón. [Exp: **motive, without** (sin motivo; V. *groundless*)].

motor *n*: máquina, motor. [Exp: **Motor Insurers' Bureau** (consorcio de aseguradores de automóviles), **motorcar comprehensive insurance** (SEG seguro de automóvil a todo riesgo), **motor industry** (industria automovilística), **motor insurance** (SEG seguro de

automóvil; V. *automobile insurance*),
motorcar mileage (kilometraje; V.
allowance for motor-car mileage),
motorship, M/S, m/s, M.V. (motonave),
motorway (autopista; V. *toll*)].
movable *a*: V. *moveable*.
move *n/v*: movimiento, iniciativa, gestión,
medida, maniobra; mover-se, tomar una
iniciativa, promover, proponer; incitar,
impulsar; peticionar; V. *take a step*.
[Exp: **move/close in for the kill**
(aprestarse para dar la puntilla, entrar a
matar, perfilarse para dar la estocada ◊ *As
the company foundered, speculators
moved in for the kill*), **move into a
higher gear** (acelerar, pisar el acelerador; V. *throw out of gear*), **movables/
moveables** (CONT bienes muebles,
valores mobiliarios), **movement**
(movimiento, circulación; tendencia; V.
*freedom of movement, seasonal
movements*), **movement along demand
curve** (ECO movimiento a lo largo de la
curva de demanda), **movements of
capital** (circulación de capitales; V. *free
movements of capital*), **moving** (móvil o
variable; V. *running*), **moving average**
(media móvil), **moving average
convergence-divergence, MACD** (FINAN
media móvil convergencia-divergencia;
es un orientador para la compra o venta
de productos financieros)].
MPT *n*: V. *modern portfolio theory*.
M/R *n*: V. *mate's receipt*.
MRP *n*: V. *manufacturer's recommended
price*.
M/S, m/s, M.V. *n*: V. *motorship*.
mt *n*: forma abreviada de *empty*.
multi- *pref*: múltiple. [Exp: **multi-tranch
tap notes** (FINAN pagarés/bonos del
Tesoro de libre disposición y con varios
tramos de vencimiento; V. *tap*), **multicurrency clause** (cláusula multidivisa;
permite al prestatario elegir entre varias
divisas), **multi[currency]-option**

facilities, MOF (FINAN programas
[financieros] multiopcionales del
euromercado; servicios financieros con
opciones múltiples; éste es el nombre
genérico que reciben los mecanismos de
captación de fondos para operaciones
crediticias, documentados en un solo
contrato y administrados por un solo
agente en representación de un sindicato
bancario, en los que el prestatario puede
elegir la forma del préstamo dentro de
una amplia gama de programas de
financiación vinculados), **multicurrency
transaction** (operación multidivisa),
multicurrency stock (BOLSA acción
multidivisa), **multidwelling houses**
(viviendas multifamiliares), **Multifibre
Arrangement** (acuerdo multifibras),
multi-index option (FINAN opción multi-
índice; los rendimientos del valor están
condicionados a varios índices bursátiles), **multilateral** (multilateral),
multilateral agreement (acuerdo o
contrato multilateral), **Multilateral
Exchange Rate Model, MERM** (FINAN
modelo multilateral de tipos de cambio,
MMTC), **multilateral investment
insurance** (seguro multilateral de
inversiones), **Multilateral Investment
Guarantee Agency, MIGA** (Organismo
Multilateral de Garantía de Inversiones),
multilateral payment system (sistema
de pagos multilaterales), **multilateral
trade negotiations** (negociaciones
comerciales multilaterales), **multilateralism** (multilateralismo), **multimodal transport** (transporte combinado;
transporte multimodal; V. *intermodal
transport, combined transport*), **multinational** (multinacional, transnacional),
multinational corporation (sociedad
multinacional o transnacional), **multipack** (envase grande que contiene
envases individualizados del mismo
producto, *multipack*; V. *container, pack,*

packaging), **multisectoral general equilibrium model** (modelo multisectorial de equilibrio general), **multisequential** (multisecuencial), **multistage** (multifásico o por fases), **multistage tax/taxation** (imposición multifásica, imposición en cascada; V. *cascade tax*), **multitrack** (de muchas/varias vías, de varias velocidades ◊ *The multitrack Europe of Maastricht*), **multivariant analysis** (análisis multivariante), **multiyear rescheduling agreements, MYRAS** (acuerdos de reescalonamiento plurianual de la deuda)].

multiple *a/n*: múltiple; múltiplo; V. *single*. [Exp: **multiple asset performance, MAP** (FINAN gestión de fondo de renta fija en el que entran opciones y futuros), **multiple component facility** (FINAN instrumento o línea de crédito multiopcional; se trata de una línea de emisión de pagarés con diversas fórmulas para el prestatario), **multiple correlation** (correlación múltiple), **multiple correlation coefficient** (cociente o coeficiente de correlación múltiple), **multiple coverage policy** (póliza para riesgos múltiples), **multiple currency option bond** (bono/obligación con opción de cambio de divisa), **multiple immunization** (FINAN inmunización múltiple; V. *immunization*), **multiple-line underwriting laws** *US* (SEG leyes de seguros de autorización multilineal), **multiple ownership** (multipropiedad; V. *timeshare*), **multiple placing agency** (BOLSA, MERC FINAN/DINER agente de colocación múltiple [de euronotas, papel comercial, etc.]; V. *sole placing agency*), **multiple rate of exchange** (tasa/tipo de cambio múltiple), **multiple regression analysis** (análisis de regresión múltiple), **multiple-stage-process costing** (CONT cálculo de costes por etapas de la producción multifásica), **multiple stage**

tax (impuesto multifásico, en casacada o de etapas múltiples), **multiplicity** (multiplicidad, pluralidad, gran diversidad)].

multiply *v*: multiplicar. [Exp: **multiplier** (FINAN multiplicador; alude al efecto de ampliación de un determinado parámetro de política macroeconómica), **multiplier effect/principle** (ECO efecto multiplicador; principio del multiplicador; alude a la interrelación existente entre la renta inicial y un aumento inicial de la inversión o las exportaciones), **multiplication** (multiplicación)].

municipal *a*: municipal. [Exp: **municipal/local taxes** (impuestos locales; V. *rates*)].

mutual *a*: mutuo, recíproco; V. *bilateral*. [Exp: **mutual agreement** (convenio mutuo), **mutual assent** (mutuo acuerdo; V. *meeting of minds*), **mutual company** (mutua, sociedad mutua), **mutual condition** (condición mutua), **mutual consent** (consentimiento mutuo, común acuerdo), **mutual consideration** (DER causa contractual recíproca), **mutual consultation** (consultas recíprocas), **mutual dealings** (relaciones mutuas), **mutual debt** (deuda recíproca; débito recíproco), **mutual fund**[1] (mutualidad; los mutualistas se aseguran mutuamente contra los daños o pérdidas que puedan sufrir), **mutual fund**[2] *US* (FINAN fondo de inversión [mobiliaria] colectiva, también llamado *money market fund*; cotizan diariamente en Bolsa y están constituidos por participaciones o unidades participativas —*units*—; su nombre es *unit trust* en el Reino Unido; V. *open-end investment companies; equity mutual funds*), **mutual guarantee company** (sociedad de garantía recíproca), **mutual insurance company** (mutua de seguros, compañía de seguros mutuos; en estas compañías, también llamadas *assessment insurance companies*, los beneficios obtenidos facilitan el abaratamiento de las pólizas de sus socios; V. *participating/reciprocal insurance*), **mutual investment company/trust** (sociedad mutualista de inversiones), **mutual life insurance company** (SEG compañía de seguros mutualista), **mutual loan association** (cooperativa de crédito para la construcción; V. *savings and loan association; building society*), **mutual mistake** (DER error mutuo cometido por las partes contratantes que invalida el contrato), **mutual mortgage insurance system** (sistema de seguros hipotecarios), **mutual obligation** (obligación recíproca), **mutual savings bank** (caja mutua de ahorros), **mutual society** (sociedad mutua), **mutual trust and confidence** (REL LAB principio legal de respeto y confianza mutuos entre empleador y empleado), **mutual understanding** (convenio recíproco), **mutualism** (mutualismo), **mutuality** (mutualidad), **mutually** (mutuamente, recíprocamente), **mutually exclusive classes** (clases mutuamente excluyentes), **mutually offsetting entries** (CONT partidas recíprocamente compensadas o que se compensan mutuamente), **mutuum** (mutuo, contrato de mutuo; en este contrato el mutuante entrega al mutuario un objeto fungible, con la condición de que éste le devuelva en su momento otro objeto de la misma especie y calidad)].

M.V. *n*: abreviatura de *motor vessel*.

MYRAS *n:* V. *multiyear rescheduling agreements*.

N

n.a. *n*: V. *not applicable; not available.*

NAFTA *n*: V. *North American Free Trade Agreement; Australia, New Zealand Commercial and Economic Trade Area.*

NAFO *n*: V. *North Atlantic Fishing Organization.*

nail[1] *n/v*: clavo, uña; clavar, clavetear, sujetar, fijar; V. *cash on the nail.* [Exp: **nail**[2] *col* (coger, pillar), **nail down** *col* (fijar, concretar, obligar a otro a ser concreto o a comprometerse ◊ *Nail sb down to a price, a date, etc.*)].

NAIRU *n*: V. *non-accelerating-inflation-rate of unemployment.*

naked *a*: desnudo, descubierto; nudo; mero; carente de las condiciones necesarias; V. *covered.* [Este adjetivo y los sinónimos *bare* y *mere* se combinan espontáneamente con un gran número de sustantivos, siempre con la idea de «sin respaldo», «sin más» o «sin otros elementos». Exp: **naked authority** (autorización unilateral), **naked bond** (FINAN bono/obligación sin seguro; V. *unsecured*), **naked call option** (MERC FINAN/PROD/DINER opción de compra al descubierto o sin el respaldo del correspondiente activo subyacente —*underlying asset*; V. *covered option; naked option*), **naked call writing** (FINAN venta en descubierto, compromiso —*writing*— de adquirir una opción de compra o *call option* que uno no posee; V. *naked writing*), **naked cap** (MERC FINAN/PROD/DINER «cap» o tope máximo desnudo o al descubierto; se debe a la falta de protección suficiente de flujos de caja; V. *amortizing/deferred/seasonal cap*), **naked contract** (DER contrato sin causa, precio o contraprestación, nudo pacto; V. *bare contract*), **naked debenture** (FINAN obligación sin garantía prendaria; V. *unsecured bond/debenture*), **naked option** (FINAN opción al descubierto o sin el respaldo del correspondiente activo subyacente —*underlying asset*; V. *naked call option; covered option; selling short*), **naked position** (MERC FINAN/PROD/DINER posición abierta/descubierta/en descubierto o no respaldada por activos), **naked trust** (DER fideicomiso pasivo), **naked warrant** (FINAN derecho especial de suscripción/adquisición desnudo o desprendido del bono original), **naked writing** (MERC FINAN/PROD/DINER venta de opciones en descubierto; V. *naked call writing*)].

name *n/v*: nombre; llamar, nombrar, designar, denominar, mencionar; V.

business name; composite name; names, Lloyd's names; nominate. [Exp: **name/ make/quote a price** (poner/fijar un precio; fijar la cotización), **name brand** *US* (PUBL marca de prestigio, renombre o confianza; marca «de toda la vida»; V. *store name*), **Name Day** (BOLSA día de intercambio de nombres, también llamado «día de los boletos» o *Ticket Day*; es el segundo día de la fase de liquidación de acciones, llamada *the settlement*, la cual comprende los últimos cinco días del *account period* o quincena de contratación bursátil a cuenta o a crédito; en el «día de intercambio de nombres», el corredor de Bolsa entrega a los vendedores los boletos o *tickets*, en los que figuran los datos de los compradores de la quincena), **name of, in the** (en nombre de; V. *on behalf of*), **name of the company** (SOC razón social; V. *company/firm/trade name, registered office*), **name plugging** (PUBL publicidad insistente de una marca), **name-ticket** (BOLSA V. *name day*), **named**[1] (nominativo; V. *bearer*), **named**[2] (convenido, designado, como en *named point of departure* —punto de partida convenido—, *named point of delivery* —punto de entrega convenido, etc.), **named bill of lading** (TRANS MAR conocimiento de embarque nominativo; V. *straight bill of lading*), **named bill insurance** (SEG póliza de seguro para un riesgo determinado; V. *all risks insurance*), **named perils system** (SEG sistema de individualización de los riesgos cubiertos), **named person, the** (SEG el asegurado o beneficiario de una póliza de seguro; V. *person named in the policy; insured*), **naming** (nombramiento, documento o título de nombramiento; V. *appointment*), **nameless** (anónimo), **namely** (a saber), **names** (TRANS/SEG MAR inversores institucionales de

Lloyd's, llamados también *Lloyd's names*; V. *Lloyd's of London; syndicate*[3]), **naming** (COMER creación de marcas verbales; están formadas por acrónimos totales o parciales como *Inespal* —Industria Española del Aluminio— o por la unión, fusión, amalgamamiento, etc., de palabras enteras o mutiladas, como *Servired* —Red Nacional de Cajeros Automáticos—, de forma tal que se puedan emitir oralmente en una sola unidad léxica, atractiva comercialmente, sin tener que recurrir a toda la expresión larga; V. *packaging*)].

narration, narrative *n*: CONT descripción del contenido de un asiento contable; V. *entry*.

narrow *a/v*: estrecho, reducido; restrictivo, restringido, escaso; intolerante; reducir, estrechar, limitar; V. *limited; tight; broad*. [Exp: **narrow demand** (demanda escasa o reducida), **narrow down** (reducir-se, restringir-se), **narrow escape** (V. *have a narrow escape*), **narrow margin** (margen escaso, diferencia pequeña), **narrow market** (BOLSA mercado escaso/estrecho, mercado con escaso volumen de contratación; V. *limited/thin market*), **narrow-minded** (cerrado, de mentalidad cerrada, estrecho de miras; intolerante), **narrow money** *col* (FINAN nombre coloquial que se da al cálculo de los activos líquidos en manos del público contando los billetes y monedas en circulación, más el de los bancos y los saldos de las cuentas de los bancos abiertas en el Banco de Inglaterra; V. *money supply, broad money*), **narrow the commercial margin** (reducir el margen comercial), **narrow the gap** (cerrar la brecha, acercarse, reducir las diferencias), **narrowly** (por escaso margen, por poco ◊ *They narrowly missed bankruptcy*), **narrower-range investment** (BOLSA inversiones de «gama estrecha»; valores de inversión

obligatoria para ciertos fondos e
instituciones; también se llaman inversiones de fideicomiso —*trustee investments*— o inversiones legales
—*legal investments*; son inversiones en
valores muy seguros, en las que, por ley,
deben invertirse el 50 % de ciertos fondos de inversión; V. *wider-range investment*), **narrowness** (ECO escasez,
estrechez; V. *shortage*)].

NASD *n*: V. *National Association of
Security Dealers*.

NASDAQ *n*: V. *National Association of
Dealers in Securities Automated
Quotation*.

natality rate *n*: tasa de natalidad; V. *birth
rate; mortality rate*.

nation *n*: nación, país. [Exp: **national**
(nacional; súbdito, ciudadano; los
adjetivos *domestic* y *national* y el
nombre *home*, con el significado de
«interno, interior o nacional», son
sinónimos parciales en algunos contextos
y antónimos de *foreign* ; V. *inland; gross
national product*), **national accounting**
(CONT contabilidad nacional), **national
accounts budget** *US* (presupuestos
generales del Estado; V. *national
budget*), **National Aeronautics and
Space Administration, NASA** *US*
(Administración Nacional de la
Aeronáutica y del Espacio), **National
Association of Security Dealers, NASD**
US (Asociación Nacional de Operadores
en Valores o Bolsa; V. *National
Association of Securities Dealers*),
**National Association of Dealers in
Securities Automated Quotation,
NASDAQ** *US* (BOLSA sistema de
negociación automatizada para in-
versores institucionales —*institutional
investors*— de valores en los mercados
bursátiles regidos por las normas de
NASD; V. *SOES*), **National Audit
Office** (Centro de Investigaciones

Sociológicas), **national bank** *US* (BANCA
banco nacional; en Estados Unidos los
bancos nacionales se rigen por las
normas de la *Federal Reserve System* y la
palabra *national* forma parte del nombre
oficial de cada uno de estos bancos; V.
*dual system, state bank; central bank;
commercial bank*), **National Board for
Prices and Incomes** (Junta Nacional de
Precios y Rentas), **National Bureau of
Standards** *US* (ECO Agencia Nacional de
Normalización; V. *standardization;
British Standard Institution; National
Bureau of Standards*), **National Coal
Board, NCB** (Junta Nacional del
Carbón), **national/internal debt** (FINAN
deuda pública; endeudamiento de una
nación, llamado en los EE.UU. *public
debt*; V. *private debt; deadweight debt;
external debt, fixed debt, floating debt,
funded debt, unfunded debt*), **National
Enterprise Board, NEB** (Junta Nacional
para el Fomento de la Industria; *aprox*
Instituto Nacional de Industria), **national
flag** (pabellón), **national giro** (servicio
de giro postal; V. *postal giro service;
bancogiro*), **national grid** (red nacional
de suministro de electricidad), **National
Health Service** (Servicio Nacional de la
Salud; Seguridad Social, Insalud),
national heritage (patrimonio nacional;
V. *national treasures*), **national income,
NI** (FINAN renta nacional; V. *gross
national product*), **National Institute of
Economic and Social Research, NIESR**
(ECO Instituto Nacional de Investigación
Económica y Social; su sede es Londres
y publica *Economic Review*), **National
Insurance, NI** (seguridad social, también
llamado *social insurance*), **National
Insurance contributions** (REL LAB
cotización/cuota a la seguridad social),
National Insurance Number (número
de afiliación a la seguridad social; en
muchos casos sirve como documento

nacional de identidad), **national insurance tribunal** (tribunal que entiende de las reclamaciones de subsidio de paro, enfermedad, accidentes laborales, etc.), **National Labor Relations Board** *US* (Junta Nacional para las Relaciones Laborales; V. *union certification, bargaining unit, bargaining agent*), **national park** (parque nacional), **national planning** (ECO ordenación territorial), **National Quotation Bureau** *US* (Oficina Nacional de Cotizaciones del mercado extrabursátil —*over-the-counter market*), **National Savings Banks** (BANCA Corporación Bancaria del Estado, antes llamada Caja de Ahorros Postal o *Post Office Savings Department*), **National Savings Income Bonds** (FINAN pagarés del Tesoro sin deducción en origen), **national savings certificates** (FINAN bonos de ahorro nacional; estos bonos pertenecen a un grupo de títulos emitidos por el Tesoro para pequeños inversores llamado *national savings securities*), **national savings securities** (FINAN títulos emitidos por el Tesoro para pequeños inversores como los *national savings certificates*), **national security** (defensa nacional), **National Steel Corporation** (Empresa Nacional del Acero), **national treasures** (patrimonio nacional; V. *national heritage*), **National Treasury** (Tesoro público; V. *Exchequer Treasury*), **National Trust** (organismo no gubernamental encargado del cuidado y protección de edificios y lugares de interés histórico artístico), **national wealth** (ECO patrimonio/riqueza nacional), **nationality** (nacionalidad), **nationalization** (nacionalización, estatalización; V. *privatization; denationalization; socialization*), **nationalize** (nacionalizar, estatalizar; V. *socialize*), **nationalized industry** (industria estatal o nacionalizada), **nationwide** (de ámbito nacional, a escala nacional), **nationwide marine definition** *US* (SEG MAR riesgos marítimos), **nationwide strike** (REL LAB huelga a escala nacional)].

natural *a*: natural, nativo; razonable, normal. [Exp: **natural domicile** (domicilio de origen), **natural hedge** (MERC FINAN/PROD/DINER cobertura natural; alude a las estrategias empresariales usuales, sin acudir a los productos financieros derivados —*derivative products*—, para protegerse de determinados riesgos; *artificial hedge*), **natural increase** (ECO crecimiento vegetativo), **natural finance** *US* (FINAN financiación directa; V. *direct financing*), **natural monopoly** (monopolio natural), **natural park** (parque natural), **natural person** (DER persona física; V. *artificial person, juristic person, legal person*), **natural rebate** (bonificación en especie), **natural resources** (ECO recursos naturales), **natural wastage** (desgaste natural; REL LAB amortización de puestos de trabajo/reducción de la plantilla con bajas incentivadas o por jubilación; V. *wastage; job losses; redundancy; unemployment*), **nature** (naturaleza, carácter)].

NAV *n*: V. *net asset value*.

navigation *n*: navegación. [Exp: **navigable** (TRANS MAR navegable), **navigate** (navegar), **Navigation Act** (Acta de Navegación), **navigation company** (compañía naviera), **navigation perils** (TRANS/SEG MAR peligros del mar; este término alude a *negligence, short delivery* y *leakage*; V. *extraneous perils; perils of the sea*)].

navy *n*: marina; V. *Merchant Navy*. [Exp: **naval** (naval, marítimo, de marina), **naval dockyard** (arsenal, astillero naval)].

navvy *col n*: peón, peón caminero.

neap tide *n*: marea muerta.

near *a/prep/adv*: cerca; cercano, próximo. [Exp: **near cash items** (CONT activos líquidos), **near date** (fecha próxima; V. *far date*), **near money** (CONT cuasidinero o *quasi-money*; V. *liquid assets, real money, substitute money, legal tender, money equivalents, non-physical money*), **near price, or** US (precio a discutir; precio negociable, también llamado *or nearest offer*; V. *or best order*), **nearby contracts** (MERC FUTUR contratos de futuros [con vencimientos más] próximos, también llamados *front contracts*; V. *back months contracts, back contracts, distant contracts; forward contract; spot cash; hedging*), **nearest month** (MERC FINAN mes más próximo; V. *furthest month*)].

NBV *n*: V. *net book value*.

NCB *n*: V. *National Coal Board*.

necessary *a*: necesario, indispensable; lógico, razonable. [Exp: **necessaries** (auxilios necesarios para la vida, lo imprescindible, cosas necesarias, ropa y sustento; V. *alimony, allowance, palimony*), **necessary bankruptcy** (quiebra forzosa), **necessary damages** (daños generales o directos), **necessary domicile** (domicilio necesario), **necessary inference** (deducción ineludible, razonable o lógica), **necessary parties** (partes indispensables), **necessities** (ECO artículos de primera necesidad), **necessity** (necesidad; V. *flag of necessity/convenience*)].

neck *n*: cuello. [Exp: **neck, by a** (por los pelos ◊ *Win by a neck*), **neck or nothing** (todo o nada), **neck sleeve** US (precinto; V. V. *sealing strap*)].

NDP *n*: V. *net domestic product*.

NEB *n*: V. *National Enterprise Board*.

need *n/v*: necesidad, exigencia; necesitar, requerir; V. *necessity; meet the needs*. [Exp: **needy** (necesitado, pobre), **needless** (innecesario, superfluo)].

negative *a/n*: negativo; negativa. [Esta palabra se combina espontáneamente con gran número de sustantivos: **negative bubble** (FINAN burbuja negativa; desviación especulativa a la baja del precio de un activo, respecto de su valor lógico y probable, motivada por perspectivas de futuro poco claras; V. *bubble*), **negative carry** (financiación negativa, inversión negativa), **negative cash flow** (flujo de caja negativo), **negative certificate of origin** (COMER, TRANS certificado de origen negativo), **negative elasticity** (ECO elasticidad negativa), **negative goodwill** (COMER fondo de comercio/crédito mercantil negativo; plusvalía negativa), **negative income tax, NIT** (TRIB impuesto inverso; sistema impositivo teórico según el cual el Estado se compromete a pagar a los declarantes con ingresos muy bajos un «impuesto» equivalente a la diferencia entre dichos ingresos y el salario mínimo oficial), **negative investment** (FINAN desinversión; V. *disinvestment*), **negative mortgage security clause** (cláusula de pignoración negativa), **negative net present value** (CONT valor actual neto negativo; V. *net present value*), **negative pledge clause** (FINAN cláusula hipotecaria negativa; cláusula de pignoración/garantía negativa), **negative sum game** (ECO juego de suma negativa), **negative verification** (BANCA consentimiento implícito; se considera que el saldo es correcto si el cliente no reclama en un plazo señalado), **negative yield curve** (FINAN curva de rendimientos invertidos)].

neglect *n/v*: descuido, negligencia; descuidar, desatender. [Exp: **neglect of official duty** (incumplimiento o inobservancia de un deber oficial. V. *breach of statutory duty, dereliction of duty*), **neglected securities** (BOLSA acciones subestimadas/subvaloradas/despreciadas por los inversores), **neglectful** (descuidado), **negligence** (negligencia, imprudencia), **negligence clause** (TRANS/SEG MAR cláusula de negligencia; mediante ella se exonera de responsabilidad al naviero por las faltas del capitán o de la tripulación), **negligence-liability policy** (SEG seguro contra responsabilidad por negligencia), **negligent collision** (TRANS/ SEG MAR abordaje culpable, abordaje con negligencia)].

negotiate *v*: negociar, gestionar, agenciar, discutir; V. *deal*. [Exp: **negotiable** (negociable, transferible, transmisible, a convenir; V. *by agreement*), **negotiable bill** (BOLSA letra de cambio negociable), **negotiable/order bill of lading** (TRANS MAR conocimiento de embarque negociable o al portador; V. *sight draft with negotiable bill of lading attached; bill of lading to bearer, blank bill of lading; straight bill of lading*), **negotiable by endorsement** (transferible por endoso), **negotiable certificate of account/deposit** (BANCA certificado de depósito negociable; su nominal suele ser superior a $100,000; V. *certificate of deposit; investment certificate, zero-coupon, CD*), **negotiable cheque** (cheque a la orden), **negotiable documents/ instruments** (FINAN efectos, títulos, instrumentos/valores negociables, valores a la orden, también llamados *paper* —papel—; V. *financial instrument; title documents; acceptance; restrictive endorsement*), **negotiable order of withdrawal** US (orden negociable de retirada), **negotiable order of withdrawal account, NOW account** US (BANCA cuenta de ahorro a la vista con interés, cuenta corriente o hipotecaria especial; este tipo de cuenta da derecho a que el resguardo o certificado de reintegro se convierta en un efecto negociable, con lo que el tenedor puede optar por no retirar los fondos en cuestión, dejando que sigan acumulando interés; V. *cheque account, drawing account*), **negotiable papers** (efectos negociables), **negotiable/marketable securities** (títulos negociables, valores mobiliarios, valores transferibles/transmisibles), **negotiate** (tratar, negociar), **negotiate a loan** (negociar un empréstito), **negotiated price** (COMER precio negociado; V. *upset price*), **negotiation** (negociación; negociación con acciones empresariales, valores, letras de cambio, etc.), **negotiation package** (paquete de medidas negociadas o a negociar), **negotiated procurement** (compras negociadas), **negotiator** (negociador, gestor)].

Nenko system US *n*: GEST sistema de gestión Nenko.

nest-egg col *n*: ahorrillos; *col;* dinero ahorrado para lo que pueda pasar, normalmente para la jubilación.

net, nett[1] *a*: neto, líquido; en contadas ocasiones, se puede escribir *net* o *nett* como en *net/nett price*; con el sentido de «neto, líquido», aparece junto a *assets, dividends, earnings, income, margin, price, proceeds, profit, revenue, worth, yield*, etc., al igual que su antónimo *gross* —íntegro, bruto; V. *clear*. Exp: **net[2]** (ganar una cantidad neta ◊ *The company netted £2m on all activities last year*), **net[3]** (red), **net accretion method** (método de acumulación neta), **net amount** (monto/importe neto), **net annual rentable value** (TRIB valor catastral, valor imponible de bienes inmuebles, también llamado *rateable value*), **net asset value, NAV** (CONT valor activo neto; V. *net book value*), **net assets/worth** (CONT activo/patrimonio/ valor neto; V. *shareholders' equity*), **net avails** US (CONT neto disponible; es el valor nominal de un pagaré menos el descuento bancario), **net benefit-investment ratio** (relación beneficio neto-inversión), **net book value, NBV** (CONT valor neto en libros; V. *net asset value*), **net borrowing** (endeudamiento neto), **net capital formation** (formación neta de capital), **net cash requirements** (necesidades netas de efectivo), **net cash value** (valor en efectivo neto), **net change** (BOLSA variación neta; alude a la diferencia entre el valor de cierre de una acción de un día a otro), **net charter** (póliza de fletamento en la que los gastos de operación corren por cuenta del fletador; V. *gross charter*), **net claims** (SEG prestaciones e indemnizaciones netas), **net cost** (CONT coste neto; alude a la diferencia entre el coste bruto o *gross cost* y la ganancia financiera), **net cover** (PUBL cobertura simple; situación en la que probablemente la misma audiencia habrá recibido el mismo mensaje al menos una vez; V. *four plus cover; cover⁶*), **net current assets** (CONT activo corriente neto; circulante neto; capital circulante o de trabajo; V. *working capital*), **net discounted value** (valor neto actualizado), **net dividend per share** (SOC, BOLSA dividendo neto por acción), **net domestic product, NDP** (ECO producto interior neto, PIN; es igual al producto interior bruto deducidas las amortizaciones; V. *gross domestic product*), **net earning per share** (beneficio neto por acción), **net export of goods and services** (CONT balanza por cuenta corriente; alude a la diferencia entre el valor de las exportaciones y las importaciones de bienes y servicios), **net income/revenue** (ingresos netos; renta neta), **net interest income** (BANCA margen de explotación o de intermediación), **net leasing** (FINAN arrendamiento neto; arrendamiento más gastos,

arrendamiento en el que el arrendatario se hace cargo, además, del pago de impuestos, del seguro y del mantenimiento), **net lending** (importe neto de los créditos concedidos; V. *net borrowing*), **net liabilities** (pasivo real), **net limit/line** (pleno de retención/conservación), **net loss** (CONT pérdida neta; V. *trading loss*), **net margin** (margen de beneficio neto), **net migration** (saldo migratorio), **net national product, NNP** (ECO producto nacional neto, PNN; V. *gross national product; capital consumption allowances*), **net-net income** *US* (ingreso neto neto; beneficio líquido en caja tras pagar todos los gastos), **net-net weight** (TRANS MAR peso neto neto; es decir, el peso de un artículo desprovisto de cualquier envase o envoltura), **net operating income** (CONT ingresos netos de explotación), **net operating losses** (pérdidas de explotación neta; se puede emplear, a efectos fiscales, para compensar rentas de un año anterior; V. *operating losses*), **net option** (opción de compra a precio prefijado), **net out** (expresar en cifras netas; obtener cifras netas; calcular el valor/patrimonio neto ◊ *Netting out figures*), **net output** (producción neta), **net position** (MERC FINAN/PROD/DINER posición neta de un inversor de opciones o de contratos de futuros; esta posición puede ser larga/compradora —*long position*— o corta/vendedora —*short position*), **net present value, NPV** (CONT valor actual neto, valor neto presente, también llamado *capital value*; es la diferencia entre los valores presentes de ingresos y gastos derivados de una inversión; V. *negative net present value, net realizable value; accounting rate of return*), **net present value in efficiency prices** (valor actual neto a precios económicos), **net present value method** (FINAN método del valor neto presente; método de valoración de la rentabilidad probable de la inversión en un activo tomando en consideración el valor neto presente; V. *discounted cash flow method; yield method*), **net presentation** (CONT V. *method/principle of net presentation*), **net/nett price** (precio neto), **net proceeds** (beneficios líquidos; beneficios netos; valor neto de realización; V. *gross proceeds*), **net profit** (CONT beneficio neto, ganancia neta; V. *net loss; operating profit*), **net profit ratio** (COMER coeficiente de beneficio neto), **net quick assets** (activo neto realizable; activo neto circulante sin contar las existencias en almacén), **net realizable value, NRV** (CONT valor realizable neto; es el valor de un activo, si se pusiera a la venta, menos los gastos de la operación; V. *net present value*), **net register** (TRANS toneladas de registro neto), **net register tonnage, NRT** (tonelaje de registro neto), **net retained business** (volumen de negocio neto por cuenta propia), **net revenue/income** (ingresos netos, renta neta), **net salary** (sueldo neto; V. *take-home pay*), **net sales/turnover** (ventas netas; cifras netas de negocios), **net sales to inventory** (CONT ventas netas a inventario), **net sales to net worth** (CONT ventas netas a capital contable), **net settlement** (MERC FINAN/PROD/DINER compensación neta/líquida; V. *continuous net settlement*), **net settlement terms** (MERC FINAN/PROD/DINER condiciones de liquidación neta en las operaciones de permuta financiera o «swap»), **net tax base** (TRIB base liquidable; V. *gross tax base*), **net tax liability** US (TRIB cuota líquida; cuota a ingresar; impuestos netos adeudados), **net turnover/sales** (ventas netas; cifras netas de negocios), **net value** (valor neto), **net weight** (peso neto; V. *gross*

weight), **net working capital** (ECO capital de explotación neto, capital circulante neto), **net worth**[1] (TRIB valor neto), **net worth**[2] (CONT valor/activo neto; fondos propios; capital/patrimonio neto; neto patrimonial; capital contable; activo líquido; V. *erosion of net worth; reduction in net worth; net sales to net worth*), **net worth increase/decrease** (TRIB incremento/disminución patrimonial), **net worth gap** (FINAN, CONT índice de la sensibilidad del valor neto de una institución financiera respecto de las oscilaciones de los tipos de interés; V. *gap*[3]), **net worth ratio** (CONT ratio de activo/valor), **net worth statement** (declaración de bienes), **netback value** (garantía neta; V. *back value*), **netting** (CONT liquidación/compensación por saldos netos; alude a la liquidación de deudas mutuas de dos empresas, especialmente de exportación-importación, por el saldo neto de las mismas), **netting-down** (FINAN, COMER cálculo del neto sabiendo el bruto y el tipo; V. *grossing up*), **network** (red/cadena de distribución, de ventas, etc.; circuito, sistema; difundir/transmitir a través de una cadena o red ◊ *Sales network; communications network*), **network analysis** (ECO análisis de redes)].

neutral *n*: neutro; neutral. [Exp: **neutral money** (FINAN dinero neutral; dinero afectado por los tipos de cambio), **neutrality** (neutralidad, imparcialidad), **neutralization** (neutralización, anulación, amortiguamiento), **neutralize** (neutralizar, contrarrestar, amortiguar, anular ◊ *Neutralize the effect of bad publicity*)].

never *adv*: nunca. [Exp: **never-never, the** *col* (sistema de compras a plazos; V. *hire-purchase*), **never-outs** US (COMER artículos de demanda continua)].

new *a*: nuevo; V. *brand new*. [Exp: **new**

business venture group *US* (grupo que comparte el riesgo en un nuevo negocio; V. *joint venture*), **New Deal** (programa o pacto político-económico ofrecido por el presidente Roosevelt), **new for old** (TRANS MAR nuevo por viejo; implica que lo nuevo se pagará en parte con la venta de lo viejo), **new investment** (colocación nueva), **new issue** (emisión de acciones nuevas), **new issue market** (BOLSA mercado de acciones nuevas), **new look** (imagen nueva), **new-look** (nuevo, actual, actualizado, remodelado, super-moderno ◊ *New-look offices*), **new money** (dinero fresco, nueva inyección de fondos; alude sobre todo a la diferencia entre las obligaciones que se extinguen y las que las sustituyen), **new releases** (nueva producción discográfica; V. *release a new record*), **new time buying** (BOLSA compra de acciones a crédito en los dos últimos días del período de liquidación de transacciones bursátiles a crédito —*account period*— que serán liquidadas en la quincena siguiente; V. *Account day; trading period*), **New York common stock index** (BOLSA índice ordinario de la Bolsa de Nueva York; V. *Financial Times; Dow Jones Average; Nikkei 225 Index*), **New York Curb Exchange** (BOLSA Bolsa Secundaria de Nueva York; su nombre actual es *American Stock Exchange*; V. *New York Stock Exchange; Curb Exchange*), **New York Stock Exchange, NYSE** (BOLSA Bolsa de Nueva York; V. *Curb Exchange, Outdoor Curb Exchange*), **newcomer** (recién llegado, cara nueva, desconocido, novedad ◊ *A firm that is a newcomer to the scene*), **newfangled** *col* (último grito, hipermoderno; puede tener connotación peyorativa ◊ *Newfangled machinery*), **newly industrialised** (de reciente industrialización)].

news *n*: noticia/s. [Exp: **news flash** (noticia de última hora), **news of, on** (BOLSA a la vista de, al tener conocimiento de, a raíz de ◊ *The FTSE index closed 3 points up on news of the rise in interest rates*; V. *on the back of*), **news release** (boletín), **newscast** (noticiario), **newsletter** (PUBL boletín), **newspaper circulation** (PUBL tirada de un periódico; V. *readership circulation*), **newspaper clipping** (recorte de prensa), **newspaper headline** (titular de prensa)].

next *a*: próximo. [Exp: **next business** (punto siguiente del orden del día; V. *item, article, issue, point*), **next-in first-out** (CONT NIFO, valoración de existencias con el precio de reposición o *replacement price*; V. *FIFO*), **next highest bidder** (segundo mejor ofertante)].

nexus[1] *n*: nexo, relación; red. [Exp: **nexus**[2] (TRIB nexo impositivo; alude a la relación entre impuesto y la actividad laboral que la grava; V. *bracket; salary brackets, age group, income bracket, age bracket*)].

niche *fig n*: COMER nicho, cuota, espacio/segmento de mercado; filón *col*; acomodo, puesto de trabajo, colocación conveniente; a veces se emplea la palabra francesa *creneau* —hueco o agujero—; uno de los objetivos del marketing es descubrir los huecos y llenarlos; a veces pueden estar en los productos de precio reducido —*low-price creneau*—, o en el tamaño de los mismos —*size creneau*— por ejemplo, el de los coches, etc. [Exp: **niche marketing** (marketing de sectores especializados; alude a los segmentos especializados como el del turismo, la salud, los barcos, etc.; V. *market niche*), **niche marketeer** (comerciante especializado en determinados productos, de los cuales ofrece una amplia gama), **niche industries** (industrias con posibilidades ◊ *His specialty is reviving troubled companies in niche industries*)].

nickel *US n*: moneda de cinco centavos; V. *dime*.

NGO *n*: S. *non-government organization*.

NI *n*: V. *National income; National Insurance*.

nibble strategy *n*: estrategia cuentagotas.

NIF *n*: V. *note issuance facilities*.

NIFO *n*: *next-in first-out*.

night *n*: noche. [Exp: **night desk** (BANCA servicio de compensación y liquidación de activos de renta fija y variable a cualquier hora y con cualquier país), **night duty** (servicio nocturno), **night safe/depository** (BANCA caja nocturna; depósito nocturno; depósito fuera de horas de oficina), **night shift** (REL LAB turno de noche; V. *rotating/fixed shift; day shift*)].

Nikkei 225 Index *n*: índice Nikkei 225; V. *Financial Times; Dow Jones Average; New York Common Stock Index*.

NIT *n*: V. *negative income tax*.

nitty-fifty *n*: las 50 principales empresas en la bolsa.

NL *n*: V. *no-load fund*.

no *adv*: no, sin. [El adverbio *no* actúa como prefijo negativo en ciertas expresiones, al igual que *non*. Exp: **no account** (BOLSA sin cuenta; cheque devuelto por no tener cuenta; V. *no funds*), **no admittance except on business** (prohibida la entrada a las personas ajenas a este centro o dependencia), **no advice** (BOLSA sin orden de pago; también se dice *no orders* y se escribe al dorso de las letras presentadas al cobro y no aceptadas por no haber recibido órdenes de pago por parte del librado), **no bills** (se prohíbe fijar carteles), **no business** (sin actividad empresarial; sin negocios), **no-claims bonus** (SEG descuento/bonus/reducción/ bonificación en la prima anual de la póliza de seguro por no haber sufrido ningún siniestro; V. *claims adjuster/ assessor, loss adjuster*), **no collateral** (sin garantías), **no cure, no pay** (TRANS MAR regla de salvamento según la cual el intento de salvamento sin éxito no es remunerado; V. *salvage*), **no-down-payment** (COMER sin entrada), **no effects/funds** (BOLSA sin fondos; V. *no funds*), **no-fault automobile insurance** *US* (SEG seguro de automóvil a todo riesgo; V. *all-in insurance; fully comprehensive*), **no-frills** (funcional, básico, sin lujo, económico, barato ◊ *The no-frills version; a no-frills article*), **no funds** (BOLSA sin fondos; cheque devuelto por no tener fondos suficientes el titular de la cuenta; hoy se emplea en su lugar la expresión «devuélvase al librador —*refer to drawer*—; V. *no account*), **no go, it's col** (no hay trato; no se acepta la propuesta), **no-go situation** *col* (punto muerto, situación de bloqueo o sin salida; V. *deadlock*), **no-growth economy** (economía de crecimiento cero), **no-lien affidavit** *US* (DER declaración jurada de inexistencia de cargas), **no-limit order** *US* (BOLSA orden de compra o venta sin límite de precio; V. *market order; stop order*), **no-load fund, NL** *US* (FINAN fondo de inversión sin comisiones ni intermediarios ◊ *No-load funds do not charge investors up-front fees*; V. *load, load fund*), **no orders/advice** (BOLSA sin orden de pago; se escribe al dorso de las letras presentadas al cobro y no aceptadas por no haber recibido órdenes de pago por parte del librado), **no par capital stock, no par stock, no par value stock** (BOLSA acciones de valor designado; acciones sin valor nominal; acciones sin valor a la par; se dice de las que carecen de valor nominal fijo), **no par value** (BOLSA sin valor nominal) **no-passbook savings** *US* (BANCA ahorro sin libreta), **no protest** (sin protesto, sin gastos de protesto), **no sale final** *US* (COMER ninguna venta es firme hasta que el cliente esté totalmente satisfecho), **no-strike clause** US (REL LAB cláusula que garantiza la no declaración de huelga), **no-win situation** (situación imposible, callejón sin salida, situación en la que todas las salidas son malas)].

nominal *a/n*: nominal; V. *nominal/face amount*. [Exp: **nominal accounts** (CONT cuentas general de gastos; cuenta impersonal ◊ *A company's heating and lighting overheads are recorded in the nominal account*), **nominal amount** (valor o cantidad nominal; V. *face amount*), **nominal assets** (CONT activo ficticio o nominal; activo sin valor —y, por tanto, no es un activo— que por exigencias de la contabilidad de partida doble aparece en la columna del activo; V. *fictitious assets*), **nominal capital** (SOC capital autorizado, capital nominal; V. *registered capital, authorized share capital*), **nominal consideration** (DER causa contractual o precio nominal), **nominal damages** (SEG daños nominales o de poca consideración; V. *actual damages*), **nominal exercise price** US (FINAN precio de ejercicio nominal; alude a las opciones sobre las obligaciones del Estado con garantía hipotecaria —*Government National Mortgage Association* o *Ginnie Mae*—; el precio de ejercicio efectivo —*adjusted exercise price*— se expresa como un porcentaje del nominal), **nominal group technique** US (GEST técnica de grupo nominal; reunión de un grupo reducido de expertos para intercambiar ideas y proyectos; V. *brainstorming*), **nominal interest rate** (FINAN tipo de interés nominal), **nominal partner** (socio nominal), **nominal price/quote/value** (BOLSA precio, cotización o valor nominal de una acción), **nominal rebate** (rebaja, descuento o devolución ficticios), **nominal return** (FINAN rentabilidad nominal de un activo; V. *nominal yield*), **nominal share** (BOLSA acción nominativa; V. *named; bearer*), **nominal trust** (fideicomiso nominal), **nominal value/price** (BOLSA valor nominal; V. *face/par value*), **nominal yield** US (FINAN rendimiento nominal; V. *nominal return*)].

nominate *v*: designar, nombrar, proponer una candidatura, dar nombres de candidatos, señalar, elegir; V. *name, appoint*. [Exp: **nominate sb as proxy** (nombrar representante, dar poderes a alguien; V. *authorize*), **nominate somebody to a post** (designar a alguien para un cargo o puesto no electivo), **nomination** (nombramiento; designación, nominación, presentación de candidaturas, candidatura, propuesta, elección), **nominations committee** (comité de candidaturas), **nominative** (nominativo), **nominative cheque** (cheque nominativo), **nominee**[1] (candidato propuesto, nominatario; representante; apoderado; V. *appointee*), **nominee**[2] (BOLSA sociedad interpuesta, también llamada *nominee company/holding* o *street name*; persona interpuesta; tenedor nominativo de un título cuyo dueño es otro; V. *conduit company, dummy corporation; parking deal; street name*)].

non *prefijo*: no, dis, etc. [*Non* actúa como prefijo negativo al igual que *no-*; se traduce normalmente por «in», «falta de», «no-»; no obstante, a veces es preferible recurrir a un antónimo o a una perífrasis para evitar, en lo posible, una traducción forzada o extranjerizante. Exp: **non-accelerating-inflation rate of unemployment, NAIRU** (tasa de desempleo no aceleradora de la inflación), **non-acceptance** (BANCA falta de aceptación o rechazo de algún instrumento comercial, etc.; V. *default of acceptance*), **non-accrual** (improductivo), **non-accrual assets** (activo no acumulado), **non-accrual status** (CONT régimen de no contabilización de intereses impagados; V. *accrual basis accounting*), **non-adjusting event** (CONT circunstancia contable o financiera que no requiere un ajuste o corrección en libros; V. *adjusting event*), **non-admission** (inadmisión, rechazo, negativa), **non-assenting shareholders/stockholders** (BOLSA accionistas disidentes; V. *minority shareholder/stockholder; assenting shareholders*), **non-admitted assets** (activo no confirmado/reconocido), **non-admitted carrier** (TRANS compañía de transporte no autorizada), **non-apportionable annuity** (SEG anualidad que se extingue con la muerte del beneficiario), **non-assenting stockholders** (accionistas disidentes), **non-assessable** (TRIB no gravable), **non-assessable stocks** (TRIB acciones no gravables), **non-assignable** (no transferible, no negociable, intransferible), **non-attendance** (inasistencia; incomparecencia; V. *appearance*), **non-bank bank** (entidad financiera), **non-budgetary expenditure** (gastos extrapresupuestarios), **non-business day** (día inhábil; día no laborable), **non-callable** (no rescatable, no redimible antes del vencimiento), **non-callable bond** (bono no retirable), **non-cash** (no monetario), **non-cash capital** (capital de trabajo, de explotación; V. *working capital*), **non-cash input** (insumo no monetario; entrada no monetaria), **non-cash item** (CONT partida de transacción no monetaria; partida contable sin movimiento de efectivo; V. *cash items; collection items*), **non-clearer** (BANCA banco que no pertenece al *London Bankers' Clearing House*; V. *clearer*), **non-collectable** (incobrable), **non-commercial agreement** (acuerdo no comercial/lucrativo), **non-committal** (evasivo, equívoco), **non-competing groups** (grupos no competitivos; V. *competing groups*), **non-competitive bid/tender** (subasta de acciones, etc. no competitiva; en este caso el precio de las acciones es el promedio ponderado del correspondiente a la subasta competitiva; V. *competitive bid*), **non-compliance** (incumplimiento, falta de cumplimiento), **non-concurrent** (no concurrente), **non-conformance** (disconformidad, inconformidad), **non-consolidated** (no consolidado), **non-contentious** (no contencioso, que no implica litigio), **non-contestable** (incontestable, indisputable), **non-contributory pension scheme** (REL LAB pensión no contributiva; sistema de jubilación al que no aporta nada el empleado), **non-convertible** (inconvertible), **non-convertible funds** (BOLSA bonos simples), **non-core** (secundario), **non-credit services** (BANCA servicios no crediticios; alude a los servicios de asesoría que algunos bancos prestan a los clientes principales, es decir, a los que tienen concentrados sus fondos en un solo banco; V. *concentration/lead bank*), **non-cumulative dividend** (dividendo no cumulativo), **non cumulative preferred stock** (BOLSA acción preferente no acumulativa), **non-current assets** (CONT activos no circulantes; V. *current assets, liquid assets, quick assets, circulating assets, floating assets, working assets, fixed assets; bills receivable*), **non-current liabilities** (CONT pasivo exigible a largo plazo, pasivo no circulante; V. *long-term liabilities, deferred liabilities*), **non-customs-duties barrier** (barreras no arancelarias), **non-delivery** (incumplimiento de la entrega prometida), **non-disclosure** (DER, CONT incumplimiento del deber de publicar o revelar cualquier información; omisión u ocultación de datos importantes; V. *innocent non-disclosure*), **non-discriminatory** (no selectivo), **non-discriminatory import restrictions** (restricciones no selectivas a la importación), **non-distribution** *US* (SOC retención/omisión de dividendo; V. *passing of a dividend*), **non-divestiture options** (opciones sin venta del capital), **non-durables** (material fungible; V. *durables*), **non-dutiable** (no gravable, no sujeto al pago de derechos), **non-equity securities** (BOLSA títulos de renta fija; V. *fixed income securities; floating income securities, equities, equity*[3]), **non-executive director** (consejero sin cargo ejecutivo), **non-expendable equipment** (equipo permanente), **non-dutiable** (franco/exento de aranceles, impuestos o derechos de aduanas; V. *dutiable; liable to duty/tax, taxable; subject to tax*), **non-forfeiture options** (SEG opciones abiertas al asegurado durante la negociación del período de gracia llamado *non-forfeiture period*), **non-forfeiture clause/period** (SEG cláusula/período de no caducidad; durante este período la póliza de seguros no se anula por falta de pago de la prima, debiéndose negociarse su rescate o anulación; V. *days of grace*), **non-fulfillment** (falta de cumplimiento, incumplimiento), **non-fundable** (no consolidable), **non-government organization, NGO** (organización no gubernamental, ONG), **non-hazardous risk** (riesgo no peligroso), **non-instalment credit** (crédito a devolver de una sola vez), **non-interest-bearing** (que no devenga intereses), **non-interest-bearing note** (pagaré sin intereses), **non-interest-earning account** (BANCA cuenta que no devenga intereses; cuenta de interés cero; V. *reserve account*), **non-investment grade assets** (activos financieros de calidad inferior), **non-insurable risk** (SEG riesgo no asegurable), **non-ledger**

assets (CONT activos no reflejados en el libro mayor), **non-liquid** (FINAN ilíquido; V. *not liquid*), **non-listed securities/shares** (BOLSA valores no inscritos o no cotizados en la Bolsa de Comercio; títulos/valores no admitidos a cotización en Bolsa, valores no cotizados; V. *listed securities; non-quoted securities/shares; non-listed share*), **non-luxury good** (ECO bien no de lujo; V. *normal good*), **non-marketable bond** (bono/obligación no transferible), **non-member** (no asociado, que no es socio), **non-member bank** (BANCA banco que no es miembro de la Cámara de compensación o de la Reserva Federal; V. *non-par bank*), **non-member broker** (operador/corredor independiente en un mercado de valores; V. *outside broker*), **non-monetary** (no monetario), **non-monetary exchange** (CONT reformulación/ajuste contable que refleja la sustitución de un activo no monetario por otro), **non-monetary item** (CONT partida no monetaria), **non-negotiable** (no negociable, intransferible), **non-negotiable note** (pagaré no negociable), **non-observance** (inobservancia, incumplimiento), **non-observance of a formality** (incumplimiento de un trámite o formalidad), **non-occupational accident** (accidente no laboral), **non-oil products** (productos no petroleros), **non-operating income** (FINAN beneficios atípicos; se trata de beneficios de carácter financiero más que empresarial; V. *operating income*), **non-paid share** (BOLSA acción no liberada), **non-par** (que no participa en el sistema de compensaciones a la par), **non-par bank** (banco fuera del sistema de compensaciones; V. *non-member bank*), **non-par stock/non-par value stock** (BOLSA acciones sin valor nominal), **non-payment** (impago, impagado; falta de pago; V. *failure to pay*), **non-performance** (incumplimiento, falta de ejecución o de cumplimiento de un contrato, etc.; V. *specific performance*), **nonperforming assets** (CONT activos no productivos o morosos, activos a sanear), **non-performing loans** (FINAN créditos morosos; un crédito es moroso cuando se han cumplido tres impagos —*failure to pay*— consecutivos; fallidos; V. *bad loan; doubtful loan; recoverable debts; write off; coverage ratio*), **non-physical money** (ECO dinero no real; efectos de comercio que, aun no siendo dinero de curso legal o *legal tender*, se aceptan como dinero; también se le llama «dinero de sustitución» o «sucedáneo de dinero» —*substitute money*; V. *real money, near money*), **non-profit association/organization** (empresa u organización no lucrativa, sin ánimo de lucro o sin fines lucrativos, también llamada *non-trading organization* o *non-profit-making organization*; ente moral), **non-purpose loan** (préstamo sin finalidad específica), **non-quota imports** (importaciones no contingentadas), **non-quoted securities/shares** (BOLSA valores no inscritos o no cotizados en la Bolsa de Comercio; acciones no cotizadas; títulos/valores no admitidos a cotización en Bolsa, valores no cotizados; V. *listed/unlisted/non-listed securities/shares*), **non-recourse basis** (FINAN sin derecho a reclamación; cláusula en la concesión de un crédito a los socios comanditarios de una sociedad —*partnership*—, mediante la cual el acreedor acepta no tener acceso o recurso —*recourse*— en caso de impago, más que a la parte del activo de la sociedad representada por la participación de los socios tomadores del crédito; V. *without recourse; factoring; accounts receivable financing*), **non-recourse financing** (FINAN financiación o concesión de un crédito de acuerdo con los principios del

non-recourse basis), **non-recoverable grant** (subvención a fondo perdido; V. *à fonds perdu*), **non-recurring** (extraordinario; ocasional; no periódico; atípico; imprevisto; no recurrente/repetitivo; que no se repite; V. *exceptional non-recurring costs*), **non-recurring charges** (gastos atípicos, ocasionales o extraordinarios), **non-recurring receipts** (ingresos atípicos, ocasionales o extraordinarios), **non-refundable** (a fondo perdido, no reembolsable), **non-registered** (no inscrito), **non-registered bonds** (bonos/obliga-ciones al portador; V. *bearer; registered bond*), **non-renewable** (improrrogable, no extendible, no renovable), **non-renewable natural resources** (recursos naturales no renovables), **non-resident** (no residente), **non-returnable** (desechable; no retornable, no recuperable; V. *returnable, disposable*), **non-returnable empties** (envases desechables, no recuperables o no retornables), **non-restrictive** (sin restricción, completo; V. *qualified*), **non-risk** (exento de riesgo), **non-scheduled airline** (línea aérea no regular o independiente), **non-stock corporation** (sociedad sin acciones), **non-stop** (TRANS sin escalas), **non-support** (falta de manutención), **non-taxable** (exento/libre de impuestos, no gravable), **non-trading organization** (organización sin ánimo de lucro), **non-transferable** (intransferible, innegociable), **non-user** (abandono de un derecho, prescripción o pérdida de un derecho por falta de ejercicio), **non-voting shares/stock** (SOC acciones sin derecho de voto; V. *'A' shares; voting shares, classified common stock*), **non-waiver agreement** (SEG cláusula de no renuncia; mediante esta cláusula el asegurado acepta que las diligencias o gestiones que haga su compañía no significan admisión de responsabilidad), **non-yielding assets** (activos no productivos ◊ *Works of art are non-yielding assets*; V. *productive assets*), **noncontractual** (extracontractual)].

norm *n*: norma, práctica habitual, ley, regla. [Exp: **normal** (normal, usual, habitual, básico; esperado, previsible, probable), **normal course of events, in the** (si todo va bien, en condiciones normales), **normal curve of error** (ECO curva normal de errores), **normal good** (ECO bien normal; V. *non-luxury good*), **normal foreseeable loss** (SEG siniestro previsible; V. *consequential loss, above-normal loss*), **normal life expectancy** (SEG esperanza de vida normal o media), **Normal Market Size, NMS** (sistema de valoración de la liquidez de los valores de la Bolsa de Londres que desde 1991 ha sustituido a las denominaciones *alpha, beta*; V. *Alpha stock*), **normal rate** (BOLSA tipo de interés corriente o normal), **normal sampling error** (error normal de muestreo), **normal tax** (impuesto normal o habitual), **normal trading unit** (BOLSA lote de cien acciones, considerado como lote normal en la contratación bursátil; V. *round lot, odd lot*), **normal value** (valor normal), **normal window loan** (préstamo ordinario), **normal wear and tear** (desgaste normal, deterioro normal por uso; V. *ordinary use*), **normalization** (normalización; V. *customization; standardization*), **normalize** (normalizar; estandarizar, tipificar; V. *standardize, customize; normalize*), **normative economics** (ECO economía normativa)].

north *n*: norte. [Exp: **North American Free Trade Agreement, NAFTA** (Acuerdo Norteamericano de Libre Comercio; V. *EFTA*), **North Atlantic Fishing Organization, NAFO** (Organización Pesquera del Atlántico Norte)].

nosedive *col n/v*: MERC FINAN/PROD/DINER caída en picado de precios, cotizaciones, etc.; caer en picado; V. *slump, sink, sag, decline, drop, fall, slacken, weaken.*

nostro account *n*: BANCA cuenta de un banco en otro banco extranjero en la moneda de éste; con la aparición de TARGET no son necesarias; V. *loro account; vostro account*. [Exp: **nostro overdraft** (BANCA nuestro descubierto, descubierto interior)].

not *adv*: no. [Exp: **not applicable** (no pertinente; que no procede ◊ *Strike out where not applicable*), **not available** (no disponible, no utilizable; que no está en venta), **not based on books** (CONT extracontable), **not due** (no vencido), **not entered** (no registrado/declarado), **not for profit** (sin ánimo de lucro; V. *non-profit*), **not held** (BOLSA orden de compra o venta de título al mejor precio posible; con esta instrucción el cliente no responsabiliza —*will not hold responsible*— al corredor por la gestión que haga), **not included** (no incluido), **not later than** (en un plazo no superior a), **not liable** (irresponsable, no responsable), **not liquid** (V. *non-liquid*), **not negotiable** (no negociable; V. *not transferable; copy not negotiable*), **not quoted** (BOLSA no inscrito, no cotizado en la Bolsa de Comercio; V. *unlisted/non-listed/non-quoted securities/shares*), **not rated, NR** (FINAN sin calificar/calificación; es decir, no figura en las listas de calificaciones de *rating agencies* o agencias calificadoras de riesgos), **not recoverable** (irrecuperable), **not subject to** (exento de, exceptuado de; libre de), **not taxable** (no gravable; V. *dutiable*), **not transferable** (intransferible; V. *not negotiable*)].

notarial *a*: notarial. [Exp: **notarial act/certificate/deed** (acta o testimonio notarial), **notarial instrument** (escritura pública), **notarial power** (poder notarial), **notarization** (atestación por notario público), **notarize** (autenticar, otorgar ante notario), **notary/notary public** (notario; V. *public notary*), **notary's office** (notaría)].

notch *n*: V. *drop a notch.*

note[1] *n/v*: nota, apunte; anotar, apuntar, registrar, entrar; advertir, observar; V. *notice; slip; record, enter.* [Exp: **note**[2] (pagaré, efecto, obligación, nota de crédito; documento fehaciente; V. *bearer/demand note, noteholder; capital note, credit note, debit note, promissory note; bill*), **note**[3] (billete de banco; en posición atributiva se traduce por «fiduciario» ◊ *Note circulation*; V. *bill; bank note; note circulation*), **note**[4] (carta; V. *consignment note; air consignment note*), **note**[5] (levantar acta, impugnar, protestar una letra, un efecto, etc.; V. *have a bill noted*), **note a bill/draft** (protestar un pagaré o una letra; levantar acta notarial, a instancias del tenedor, en la que se hace constar la falta de aceptación o falta de pago del librado; V. *protest*), **note circulation** (circulación fiduciaria), **note covering** (aval, garantía comercial), **note-holder** (tenedor de pagaré u obligación), **note issuance facility, NIF** (FINAN programa/servicio de emisión de pagarés o euronotas, PEE; euronotas; programa de financiación a medio plazo; papel a corto plazo; constan estos programas de dos líneas de financiación: la primera es financiación desinterme-diada, y la segunda interme-diada, por si no se obtuvieran en la primera los fondos deseados; V. *commitment, back-up credit; revolving underwriting facility, RUF; short term note issuance facility*), **note-issuing bank** (banco emisor; V. *bank of issue*), **note of hand** (FINAN pagaré; letra a cargo propio; V. *bill of debt, promissory note, note*), **note of protest** (notificación del protesto efectuado por el notario; protesta del mar/averías; V. *captain's protest*), **noteholder** (tenedor de un pagaré), **notes/currency in circulation** (BANCA dinero en circulación o e manos del público; V. *currency circulation*), **notes payable** (efectos a pagar, pagarés), **notes receivable** (efectos a cobrar), **notes to the accounts** (notas/explicaciones que acompañan a los estados financieros), **noting a bill** (protesto de una letra), **noting protest** (TRANS MAR formulación de una protesta; V. *extended protest*)].

notice *n*: aviso, nota, letrero; preaviso; plazo de preaviso o aviso previo; notificación formal de despido, dimisión, etc.; notificación por anticipado, notificación con la antelación debida, emplazamiento, citación, convocatoria ◊ *Give a week's notice*; V. *warning, at X days' notice; call; citation; account subject to notice; advance notice; give notice of, serve notice; service; special notice; without previous/prior notice.* [Exp: **notice, at** (con preaviso; V. *at call*), **notice account** US (cuenta de depósito a plazo; V. *time account, deposit account*), **notice clause** (SEG cláusula de notificación incluida en la póliza de seguros, mediante la cual el asegurado está obligado a notificar a la compañía de seguros los siniestros ocurridos, dentro de un tiempo marcado), **notice day** (MERC FINAN/PROD/DINER día de aviso de entrega del bien o activo subyacente o de referencia —*underlying asset*— al titular de una opción de compra en un contrato de futuro), **Notice is hereby given that** (Por la presente se hace saber que ...; ésta es la frase usual con la que comienzan las convocatorias a asambleas, juntas, etc.; V. *notice of meeting*), **notice of abandonment** (SEG aviso de abandono; este escrito lo remite un asegurado a su compañía de seguros con el fin de reclamar pérdida total o *total loss*), **notice of accident** (SEG parte de siniestro; V. *notice of claim*), **notice of arrears** (aviso de mora), **notice of cancellation** (aviso de rescisión), **notice of assessment** (TRIB notificación de inspección/comprobación tributaria; acta de liquidación de impuestos; V. *tax assessment notice*), **notice of award** (notificación de adjudicación), **notice of claim** (SEG parte o notificación de accidente, siniestro o reclamación; V. *notice of accident*), **notice of discharge** (REL LAB expediente de despido; V. *give notice*), **notice of dishonour** (aviso de protesto; notificación de no aceptación de una letra), **notice of meeting** (convocatoria, citación; V. *Notice is hereby given*), **notice of protest** (aviso de protesto), **notice of readiness** (TRANS MAR carta de aviso; carta de alistamiento dando cuenta de que se está listo para cargar o descargar estando con póliza de fletamento o en *charter*), **notice of termination of employment** (REL LAB notificación de despido), **notice of withdrawal of deposits** (aviso de retirada de depósitos), **notice to quit** (notificación de desahucio, advertencia de desalojo o abandono)].

notification *n*: citación, notificación; V. *advice; report, letter of advice.*

notify *v*: notificar, participar, avisar; V. *advise, inform, announce, upon being notified.* [Exp: **notification** (aviso, notificación), **notifying bank** (banco notificador; V. *advising bank*)].

notional *a*: nocional, teórico, especulativo, hipotético; V. *imputed.* [Exp: **notional bond** (MERC FINAN/PROD/DINER bono nocional; este bono es uno de los subyacentes —*underlying*— del mercado de derivados —*derivative market*— de renta fija y está compuesto por una cesta —*basket*— de obligaciones del Tesoro fijada por las condiciones generales del mercado de derivados), **notional day** (TRANS/SEG MAR día imaginario, hipotético, teórico, convencional, nominal; fracción de día real), **notional income** (TRIB ingresos teóricos; renta nocional ◊ *The advantage of being able to live in a house that you own is considered as notional income*), **notional principal amount** (MERC FINAN/PROD/DINER principal teórico/hipotético)].

novelty *n*: novedad, innovación ◊ *Buy for the novelty of the thing*; V. *impulse goods.*

now *adv*: ahora. [Exp: **NOW account** *US* (BANCA V. *negotiable order of withdrawal account*)].

NPV *n*: V. *net present value.*

NRT *n*: V. *net register tonnage.*

NRV *n*: V. *net realizable value.*

nude contract *n*: contrato sin causa, nudo pacto; V. *naked contract, bare contract.*

nudge *n/v*: empujoncito; empujar suavemente, dar un empujón a; hacer subir ligeramente ◊ *Nudge up interest rates*; V. *give sb a slight nudge.*

null *a*: nulo, sin valor; V. *render null.* [Exp: **null and void** (nulo de pleno derecho, sin efecto)].

number[1] *n*: número; cifra, cantidad; V. *index numbers.* [Exp: **number**[2] *col* (artículo ◊ *The big-selling number brought out by Smith & Co*), **number**[3] *col* (chollo, colocación comodísima ◊ *Her new job's a cushy number*), **number transposition** (CONT baile de cifras)].

nunc pro tunc *fr*: con efecto retroactivo.

nurse *n/v*: enfermero-a; cuidar con mucha atención. [Exp: **nurse a business** (GEST enderezar un negocio que ha tenido pérdidas), **nurse a project through** (lograr que se apruebe un proyecto, ir sorteando los obstáculos para que se apruebe un proyecto, salvar las dificultades que amenazan a un proyecto), **nurse an account** (COMER dar facilidades a quien se ha retrasado en el pago de sus cuentas), **nurse stocks** (guardar existencias, esperando que suban de precio; V. *corner; hoard*), **nursing mother** (REL LAB madre lactante)].

O

OAS *n*: V. *option-adjusted spread.*

oasis *n*: oasis; V. *fiscal oasis; tax haven, off-shore bank.*

OAP *n*: V. *old-age pensioner.*

object[1] *n*: objeto, fin, propósito; elemento, materia, punto, cosa; V. *purpose, target.* [Exp: **object**[2] (protestar, objetar, oponerse a); **object cost** (CONT coste por elementos o conceptos), **object of the exercise, the** (el fin perseguido, lo que uno se propone), **object to** (oponerse a, desaprobar; objetar, impugnar, formular reparos, hacer cargos; V. *raise/lodge/ sustain an objection*), **objection** (reparo, objeción, oposición, impugnación, recusación, excepción, réplica, reclamación; V. *raise an objection*), **objects clause** (SOC cláusula de la carta constitucional de una sociedad mercantil —*Memorandum of Association*— que expresa el objeto o fines de la misma)].

objective *a/n*: objetivo; meta, propósito, aspiraciones; V. *target, mission statement; management by objectives, MBO.* [Exp: **objective statement** (CONT estado de gastos por conceptos), **objective value** (valor objetivo)].

obligate *US v*: apremiar, obligar, comprometer, empeñar; ligar; hacer un favor; afectar fondos a un fin concreto. [En inglés británico se prefiere la forma *oblige.* Exp: **obligate a sum** (consignar en firme una cantidad), **obligated balance** (saldo comprometido), **obligated funds** (CONT fondos afectados a un fin concreto), **obligated capital** (SOC capital suscrito; V. *outstanding capital, paid-up capital, call*), **obligation**[1] (deuda, obligación ◊ *Meet one's obligations,* **obligation**[2] (obligación, compromiso; responsabilidad, deber, incumbencia; V. *duty, liability, promise*), **obligation incurred/outstanding** (obligación contraída/pendiente), **obligation to disclose** (obligación de declarar), **obligation to sell** (compromiso de venta), **obligation, under** (obligado, comprometido), **obligation under capital lease** (FINAN deuda de arriendo de capital), **obligation under seal** (contrato sellado), **obligation, without** (sin compromiso), **obligatory** (obligatorio, vinculante; V. *binding, mandatory*)].

oblige *v*: apremiar, obligar, comprometer, empeñar; ligar; hacer un favor; afectar fondos a un fin concreto. [En inglés americano se emplea *obligate.* Exp: **obligee** (acreedor; obligatario; tenedor/ acreedor de una obligación, obligante, sujeto activo de una obligación; V.

creditor), **obligor** (deudor, obligado, persona que contrae una obligación; V. *debtor*)].

obliterate *v*: CONT tachar, borrar, cancelar. [Exp: **obliteration** (tachadura, cancelación, extinción)].

OBO *n*: V. *OBO ship; or best order*.

OBO ship *n*: TRANS MAR forma abreviada de *ore bulk oil*, mineral, granel/grano, crudo; V. *dry cargo carrier; oil-ore ship*.

observe *v*: observar; advertir; cumplir, guardar, atenerse a, respetar, velar por el cumplimiento de; V. *conform, follow, comply with, abide by*. [Exp: **observance** (cumplimiento, acatamiento; observancia, uso; V. *compliance, acquiescence*), **observation** (observación, comentario), **observe all the formalities/ regulations** (cumplir todos los trámites, requisitos o formalidades)].

obsolete *a*: obsoleto; anticuado; se aplica a *assets, machinery*, etc. [Exp: **obsolescence** (obsolescencia, caducidad, desuso, envejecimiento, depreciación por desuso; V. *planned/built-in obsolescence*)].

obstacle *n*: impedimento, traba, cortapisas, obstáculo; V. *check*.

obstruct *v*: obstruir, impedir, poner trabas, obstaculizar, bloquear; V. *hinder*. [Exp: **obstruction** (obstrucción), **obstructive** (obstruccionista, que pone trabas u obstáculos)].

obtain¹ *v*: adquirir, obtener, lograr, alcanzar; recabar, sacar; V. *seek, secure*. [Exp: **obtain²** (existir, ser el caso, estar en vigor, regir, prevalecer ◊ *The situation obtaining in the market*; V. *come into effect, take effect, come into force, be operative from*), **obtain delivery** (TRANS MAR recibir entrega; V. *back letter*)].

occasion *n/v*: ocasión, motivo, acontecimiento; causa, origen; causar, ocasionar. [Exp: **occasional** (ocasional, esporádico, aislado; eventual, temporero, interino; irregular, extraño), **occasional worker** (obrero interino/eventual)].

OCC *n*: V. *Options Clearing Corporation*.

occupy *v*: ocupar; dar empleo o trabajo; emplear; tomar posesión de. [Exp: **occupancy** (DER ocupación, tenencia; V. *tenancy; occupation, possession*; V. *certificate of occupancy*), **occupancy permit** (cédula de habitabilidad), **occupant** (inquilino), **occupation¹** (DER ocupación, tenencia; V. *tenancy; occupancy, possession*), **occupation²** (REL LAB empleo, ocupación, actividad, profesión; V. *job*), **occupation rate** (índice de ocupación), **occupation tax** *US* (TRIB licencia fiscal), **occupational** (REL LAB laboral, profesional; ocupacional; en estos casos aparece junto a *accident, injury, hazard, illness/disease, injury*, etc.; V. *industrial, non-occupational*), **occupational accident/ injury/disease** (REL LAB accidente/ enfermedad laboral; V. *industrial accident, accident/injury at work*), **occupational hazard** (REL LAB riesgo laboral/profesional), **occupational level** (nivel de empleo), **occupational mobility** (REL LAB movilidad profesional o interprofesional; V. *labour mobility*), **occupational pension scheme** (SEG, REL LAB plan de pensiones de empleo o de empresa; V. *contracting out; State earnings-related pension scheme; personal pension scheme*), **occupational seniority** (REL LAB prioridad en el puesto de trabajo/cargo de acuerdo con la antigüedad), **occupational therapy** (REL LAB terapia de rehabilitación laboral por haber sufrido algún accidente, etc.), **occupational training** (REL LAB formación/capacitación profesional), **occupied in, be** (dedicarse a), **occupier** (inquilino; V. *beneficial occupier*)].

occur *v*: ocurrir, suceder. [Exp: **occurrence**

(hecho, suceso, incidente, suceso fortuito; caso)].

ocean *n*: océano; en posición atributiva equivale a «marítimo». [Exp: **ocean bill of lading** (TRANS MAR conocimiento de embarque marítimo), **ocean freight** (flete marítimo)].

odd *a*: extraño, singular, poco corriente; sobrante, pico, desparejado, suelto, único, solo; impar; V. *even*. [Exp: **odd even pricing** (COMER precios no acabados en números redondos —*odd numbers*— para hacerlos más atractivos psicológicamente; también se llama *odd pricing*), **odd job** (trabajo pequeño; chapuza; V. *occasional worker*), **odd-job man** (persona que hace chapuzas), **odd lot**[1] (lote de artículos variados), **odd lot**[2] US (BOLSA orden de pico; lote de acciones suelto o incompleto, es decir, inferior a cien acciones; V. *round lot*), **odd-lot broker/dealer** (BOLSA corredor de picos; es decir, que compra y vende órdenes de pico, o sea, lotes de acciones menores de cien), **odd-lot order** (BOLSA picos; órdenes de pico; alude a órdenes de compraventa de acciones no expresadas en unidades de 100; V. *even lot, small blocks of securities*), **odd-lot theory** (ECO teoría de la opinión contraria), **odd-lot trading system** (BOLSA sistema de pequeños lotes; consiste en tomar posiciones bursátiles contrarias, en pequeños lotes, a las de los grandes inversores), **odd number** (número impar; V. *even number*), **odd pricing** (COMER precios no acabados en números redondos —*odd numbers*— para hacerlos más atractivos psicológicamente; también se llama *odd-even pricing*), **oddments** (COMER retales, artículos de saldo), **odds** (pronóstico; probabilidades de ganar o perder; apuestas; esta expresión —muy extendida en la jerga de los economistas y en el habla común— se opone a la de *even* —par— en el sentido de la probabilidad mayor —*odds on*— o menor —*odds against*—. De esta manera, *odds of five to one against* significa que hay una probabilidad en cinco de que tal o cual cosa suceda; *odds of five to one on* significa la situación contraria, es decir, que hay cinco probabilidades a favor por cada una en contra. Si se le pide a alguien que calcule las probabilidades de que algo suceda, o que cruce una apuesta, se dice *What odds will you give me?*, que es tanto como decir «¿Cuánto apuestas?», «¿Qué te apuestas»; V. *pay over the odds, against all odds*), **odds and ends** (restos, retazos, cosas varias, cabos sueltos), **odds-on** (probable; que lleva las de ganar ◊ *An odds-on chance*; V. *long odds on, long odds against, pay over the odds, against the odds*)].

OECD *n*: V. *Organization for Economic Cooperation and Development*.

off[1] *a/adv*: ausente, de baja, de permiso ◊ *Take three days off*. [Exp: **off**[2] (frente a la costa, a la altura de), **off**[3] (cancelado, suspendido; apagado; V. *call off*), **off-balance-sheet** (CONT extracontable), **off-balance-sheet activities/business** (operaciones fuera de balance), **off-balance-sheet exposure** (BANCA riesgo de firma, crédito de firma), **off-balance-sheet financing** (FINAN, CONT financiación extracontable o fuera del balance de situación; alude normalmente al alquiler de maquinaria y equipo en vez de su compra), **off-balance-sheet liabilities** (BANCA, CONT responsabilidades financieras no incluidas en el estado de posición a efectos de la inspección o *call report*; V. *contingent liability*), **off-balance sheet transactions** (MERC FINAN/PROD/DINER transacciones fuera del balance de situación; por ejemplo, las de opciones, contratos a plazo —*forward contracts*— y contratos de futuros —*futures contracts* no suelen aparecer en los estados contables), **off-board** (operaciones extrabursátiles, transacciones con títulos no registrados en Bolsa; V. *Big Board*), **off-balance-sheet reserve** (BANCA reserva extracontable o fuera del balance de situación; es legal en la instituciones bancarias pero no en las sociedades anónimas; también llamada *hidden reserve*), **off-board securities** (valores no inscritos o no cotizados en la Bolsa de Comercio; títulos/valores no admitidos a cotización en Bolsa, valores no cotizados; V. *unlisted securities*), **off duty** (libre, fuera de servicio), **off-hire** (TRANS MAR cláusula de averías o de suspensión del alquiler del buque en las pólizas de fletamento por tiempo, también llamada *breakdown clause* o *suspension of hire*), **off-licence** (COMER permiso para vender bebidas alcohólicas que van a ser consumidas fuera del establecimiento; establecimiento con este permiso), **off-line** (fuera de línea), **off-peak fare/rate/service** (COMER, TRANS tarifa/servicio de horas/tiempo llanura o de poca demanda; tarifa para las horas de menor tráfico, de menor movimiento o consumo), **off-period adjustments** (CONT ajustes después del período de cierre), **off-season** (COMER temporada baja; fuera de temporada), **off-shore**[1] (IND frente a la costa; marino, submarino; de alta mar; V. *onshore*), **off-shore**[2] (FINAN internacional; transnacional; en el extranjero; se dice de los bancos y entidades financieras radicadas en países que ofrecen ventajas fiscales por no estar sujetas a ninguna autoridad estatal; V. *tax haven, euro-*), **off-shore assembly/processing** (elaboración/montaje de material fabricado en otro país), **off-shore bank** (FINAN banco transnacional; banco extraterritorial; banco situado en un paraíso fiscal; V. *tax haven; fiscal oasis*), **off-shore financial centre** (FINAN plaza o centro financiero «offshore» o transnacionales, también llamado *off-shore market*; V. *off-shore*[2]), **off-shore funds** (FINAN inversiones en paraísos fiscales; V. *umbrella fund; tax haven*), **off-shore company** (compañía explotadora de plataformas petrolíferas; compañías inscritas en paraísos fiscales), **off-shore market** (mercado no regulado), **off-shore oil** (petróleo procedente de las plataformas de perforación marítima), **off-shore oil field** (yacimiento petrolífero submarino), **off-shore well** (pozo marino de petróleo), **off-site** (REL LAB fuera del lugar del domicilio social de la empresa), **off-the job training** (formación profesional en un centro especializado; V. *on-the job training; in-house training*), **off-the-peg** (COMER de la percha, «prêt-a-porter»; V. *buy off-the-shelf; ready made, tailor made; off the rack*), **off the price** (de descuento sobre el precio marcado; V. *take off the price*), **off-the-record** (sin que conste; reservado, en confianza, extraoficialmente), **off-the-shelf goods** (COMER bienes/mercancías en existencia), **off-the-shelf price** (precio en almacén), **off-the-shelf purchases** (compra de bienes en existencia en el mercado), **off work** (con la baja por enfermedad, que falta al trabajo; V. *in work*), **offhand buying** (compra directa), **offload** (repercutir, trasladar/pasar el peso o la carga a otro; «meterle a otro» ◊ *Offload unwanted stock on sb*; V. *pass on*), **offprint** (separata), **offset**[1] (compensación, equivalencia, contrapartida; absorber, compensar, contrarrestar, equilibrar ◊ *Offset debts with fresh funds*; V. *setoff*), **offset**[2] (derecho de un banco a embargar el saldo de una cuenta por impago del avalado), **offset**[3] (MERC FINAN/PROD/DINER anulación de la obligación de entregar la materias primas —*commodities*— vendidas en un contrato de futuros —*futures contract*—; efectuar un contrato de compra equivalente al de venta; anular), **offset account** (CONT cuenta de compensación o de orden; contracuenta), **offset agreement** (acuerdo compensatorio; acuerdo comercial con contrapartidas del proveedor), **offset a position** (MERC PROD compensar/liquidar una posición), **offset credit** (crédito compensatorio), **offset liabilities** (absorber pérdidas), **offset losses against taxes** (CONT, TRIB deducir las pérdidas con los impuestos), **offset transactions** (operaciones de compensación; V. *compensation transactions*), **offsetting** (compensatorio), **offsetting devices** (dispositivos de desplazamiento), **offsetting entry** (CONT asiento de regularización o compensación; contrapartida; V. *adjusting/readjusting/cancelling/offsetting/rectifying/balancing entry/item*), **offsetting factors** (factores de compensación), **offsetting flows** (flujos compensatorios), **offsetting gains** (beneficios compensatorios o equilibradores), **offsetting purchase** (compra compensatoria de futuros)].

offer *n/v*: oferta; postura; ofrecer, proponer; V. *job offer; invitation to treat; offers over*. [Exp: **offer a loan for subscription** (invitar a la suscripción de un empréstito; sacar un empréstito a suscripción; V. *invite subscriptions for a loan*), **offer and acceptance** (oferta y aceptación), **offer by prospectus** (SOC oferta de venta directa de acciones, sin intermediario, con prospecto informativo; V. *offer for sale*), **offer curve** (ECO curva de oferta), **offer documents** (documentos enviados a los accionistas con información sobre una oferta pública de adquisición o *take-*

over bid), **offer for sale** (SOC ofrecer/poner a la venta; oferta de venta de acciones a través de un intermediario, llamada en EE.UU. *public offering*; V. *offer by prospectus; flotation; issue by tender*), **offering memorandum** (circular; en los préstamos sindicados es la información financiera sobre el prestatario —*borrower*— que envía el banco director —*bank lead*— a los prestamistas potenciales), **offer/offering price** (MERC FINAN/PROD/DINER precio del vendedor, de oferta o de tanteo; precio ofrecido o pedido; precio al que el vendedor ofrece un título en un mercado financiero; cambio vendedor; en los EE.UU. se le llama *asked/asking/ask price*; V. *bid price; bid-offer spread; selling price*), **offer to pay** (oferta de pago; V. *tender of payment*), **offer to purchase** (FINAN oferta pública de adquisición de las acciones de una mercantil; V. *takeover bid*), **offered market** (MERC FINAN/PROD/DINER mercado con oferta superior a la demanda), **offered rate** (BANCA tipo ofertado, prestador o de venta; en el mercado interbancario alude al tipo de interés ofrecido por un banco para préstamos; V. *bid rate*), **offering** (oferta, ofrecimiento), **offering for subscription** (oferta de suscripción; V. *tender*), **offering memorandum** (BANCA circular de información [sobre el prestatario]; en los préstamos sindicados contiene información precisa, ofrecida a los bancos prestamistas, sobre las características financieras de los potenciales prestatarios), **offering price** (V. *offer price*), **offering rate** (cambio vendedor), **offers over** (PUBL/COMER se invita a hacer propuestas a partir de ...; fórmula que aparece habitualmente en los anuncios por palabras —*small ad section*— de los periódicos en referencia al precio mínimo —*minimum asking price*— al que se ofrece una propiedad en venta; la expresión significa literalmente «ofertas por encima de ...», y, como es lógico, se coloca a continuación de la cantidad pedida; V. *convenience, des res*)].

office *n*: oficina, despacho, bufete; cargo; ministerio, cartera ministerial; V. *perform the office of; loss of office; top/high office; head/main office*. [La palabra *office* precedida del nombre de un cargo indica el rango del mismo, por ejemplo *dean's office* —decanato. Exp: **office automation** (ofimática), **office accommodation** (espacio/locales para oficina; V. *accommodation*[5]), **office, be in** (ocupar un cargo, desempeñar una función, tener el poder; V. *out of office*), **office equipment** (equipo de oficina; V. *office supplies*), **Office for Harmonization in the Internal Market [trade marks and designs], OHIM** (Oficina de Armonización del Mercado Interior [marcas, diseños y modelos], OAMI), **office holder** (empleado o funcionario público), **office hours** (horas de oficina; horario de atención al público; V. *business hours*), **office job** (trabajo de oficina; V. *white collar job*), **office junior** (auxiliar administrativo), **Office of Fair Trading** (Servicio de protección al consumidor), **office premium** (SEG prima comercial [según tarifa]), **office-seeker** (candidato), **office staff** (personal administrativo o de oficinas, empleados), **office use only, for** (reservado para la administración), **office supplies** (suplidos, material de oficina; V. *office equipment*), **officer** (funcionario, oficial, ejecutivo, administrador, director, representante de la dirección, responsable; V. *company officer*)].

official *a/n*: oficial, público; autorizado; funcionario público, autoridad, dignatario; V. *bank official; officer*. [Exp: **official authority** (poder público),

official bond (fianza de funcionario público), **official business** (asuntos oficiales), **official capacity, in an** (con carácter oficial), **official cheque** (cheque de ventanilla, cheque bancario; también se le llama *cashier's cheque* o *treasurer's cheque*; V. *certified cheque*), **official document** (acta pública, documento oficial), **official duties** (funciones públicas), **official exchange rate** (cambio oficial), **official exchange rate list** *US* (lista oficial de cambios), **official journal** (gaceta oficial, boletín oficial; V. *gazette*), **official list** (BOLSA lista oficial de todos los valores contratados, que contiene información sobre dividendos, ampliaciones, etc.; V. *listed*), **official log-book** (diario de navegación), **official market** (bolsa oficial), **official quotation** (BOLSA precio oficial, cotización oficial en Bolsa), **official rate** (cambio oficial de una moneda), **official receiver** (SOC administrador/interventor judicial de una quiebra; síndico de una quiebra; síndico definitivo, liquidador, intendente de liquidación; V. *trustee in bankruptcy*), **official return** (declaración oficial del resultado electoral; V. *returning officer*), **official use only, for** (para uso oficial; reservado a la administración)].

OID *n*: V. *original issue discount*.

oil *n*: petróleo; aceite, queroseno; gasoil; V. *offshore oil*. [Exp: **oil bill** (factura petrolera [de un país]), **oil derrick** (torre de perforación petrolera), **oil exchange** (MERC PROD mercado de petróleo), **oil-exporting/importing countries** (países exportadores/importadores de petróleo), **oil-indexed bond** (FINAN bono indiciado al precio del petróleo), **oil lease** (arriendo de una explotación petrolera), **oil-ore ship** (TRANS MAR buque petrolero), **oil pipeline** (oleoducto), **oil-producing countries** (países productores de petróleo), **oil slick** (mancha de petróleo, marea negra), **oil spill** (SEG vertido/ derrame de petróleo en el mar, desastre ecológico), **oil tanker** (petrolero; camión cisterna), **oilman** (magnate del petróleo, ejecutivo de una compañía petrolera)].

old *a*: viejo. [Exp: **old age** (vejez), **old-age benefit** (subsidio de vejez), **old-age insurance** (seguro de vejez), **old-age pension** (jubilación de vejez; V. *pensioners*), **old-age pensioner, OAP** (pensionista, jubilado), **old-established** (antiguo; V. *long standing*), **Old Lady of Threadneedle Street** («La vieja dama de *Threadneedle Street*; apodo afectuoso con que se conoce al Banco de Inglaterra por estar en la calle del gremio de la confección)].

oligopoly *n*: oligopolio. [Exp: **oligolistic** (oligolístico), **oligopsony** (MERC FINAN/ PROD/DINER oligopsonio; alude a la situación en la que hay pocos compradores, normalmente para fijar las condiciones de compra; oligopsonio laboral; V. *duopsony, monopsony*), **oligopsony price** (precio de oligopsonio)].

olive *n*: aceituna. [Exp: **olive-belt group** *col* (países mediterráneos de la Unión europea; V. *cotton/corn belt*)].

ombudsman *n*: ombudsman; defensor del pueblo.

omit *v*: omitir; suprimir, olvidar. [Exp: **omittance** (omisión), **omission** (omisión; V. *errors and omissions excepted, e. & o. e.*)].

omnibus *a/n*: general, amplio, colectivo. [Exp: **omnibus account** (CONT cuenta combinada), **omnibus agreement** (acuerdo general), **omnibus clause** (SEG cláusula de extensión del seguro del automóvil a todos sus usuarios), **omnibus reserves** (CONT reservas para contingencias), **omnibus survey** (encuesta amplia/de alcance amplio)].

on *prep/adv*: en, encima de, sobre. [Exp: **on-balance sheet assets** (BANCA activos inscritos en el balance), **on-balance volume** (BOLSA volumen general de operaciones de compra y venta de un valor bursátil, balance de volumen), **on, be**[1] (estar de servicio, tener el turno de trabajo ◊ *She's on from 2 to 10*), **on, be**[2] (tener lugar, celebrarse ◊ *There's a meeting on at 11*), **on, be**[3] (aceptarse, ser aceptable ◊ *Your proposal is not on*), **on, be**[4] (seguir en pie ◊ *Confirm the deal is on*), **on board bill of lading** (TRANS MAR conocimiento a bordo; se extiende después de haber cargado a bordo la mercancía), **on-calls** (anticipos directos; V. *call money*), **on-lending** (represtamo), **on-lending borrower** (subprestatario), **on-lent loan** (préstamo representado), **on-line** (en directo, conectado a la central, en línea), **on-shore** (nacional, local, interior; terrestre; V. *off-shore*), **on-shore cost** (costo en moneda nacional; V. *local cost*), **on-the-job training** (formación sobre la marcha o en el mismo puesto de trabajo; V. *off-the job training; in-house training*), **oncosts** (CONT costes fijos), **ongoing** (continuo, en curso, que sigue en pie, presente, que no ha terminado todavía ◊ *Ongoing talks*), **onstream services** (servicios prestados o disponibles en el momento del lanzamiento efectivo de un producto; V. *on stream, come onstream, downstream*)].

one *a/pron*: uno, una; único. [Exp: **one-class stock** (SOC acciones únicas; V. *class A stock*), **one-horse race** *col* (paseo, pan comido, triunfo que estaba cantado de antemano), **one-man business** (COMER empresa individual; V. *sole trader*), **one-month/-year money** (BANCA depósito a un mes/año), **one-name paper** (documento no endosable; documento que sólo requiere una firma de autorización), **one-off** *col* (negocio/ operación/acontecimiento único o para una sola vez; por una única vez; excepcional, irrepetible, único ◊ *A one-off payment*), **one-off deal** (COMER transacción única), **one-off hedge** (MERC FINAN/PROD/DINER modalidad de cobertura de riesgo completa en contratos de futuros; V. *stacked hedge*), **one-payment policy** (SEG póliza de prima única), **one-price law** (MERCA FINAN ley del precio único), **one-sided** (sesgado, parcial, desigual, unilateral), **one-way fare/ticket** (TRANS billete de ida; V. *full fare; single fare; return fare; round trip fare, single ticket*), **one-way trade** (comercio unilateral)].

onerous contract *n*: contrato leonino.

OPEC *n*: V. *Organization of Petroleum Exporting Countries*.

open *a/v*: abierto; variable, modificable, ampliable; público; libre; claro, notorio; no resuelto, pendiente; abrir. [Exp: **open a credit** (abrir un crédito), **open a file** (abrir/incoar un expediente ◊ *Open a file on a firm's activities*), **open account** *US* (BANCA cuenta abierta; cuenta no liquidada o no saldada; normalmente equivale a cuenta corriente con un margen de descubierto; V. *charge account*), **open account credit** (BANCA crédito de cuenta abierta), **open and aboveboard** (sin trampa ni cartón, limpio y sin tapujos), **open and shut case** (caso clarísimo o que no ofrece duda alguna), **open charter** (contrato de fletamento sin especificaciones), **open cry, in** (MERC FINAN/PROD/DINER por voceo, de viva voz; V. *ring trading, pit*), **open banking hall** *US* (banco con ventanillas abiertas o sin cristal), **open bid** (licitación pública o abierta; oferta pública; V. *sealed bid*), **open bidding** (sistema de licitación pública o abierta), **open bill of lading** (TRANS MAR conocimiento abierto), **open charter** (TRANS MAR contrato de fletamento abierto; contrato de fletamento en el que

no se especifica la carga o el destino), **open commitments** (MERC PROD compromisos pendientes), **open cheque** (BANCA cheque abierto, cheque sin cruzar; V. *uncrossed cheque*), **open cover** (SEG póliza abierta, general o flotante; V. *floating policy, open policy, declaration policy*), **open credit** (crédito en blanco; V. *blank credit*), **open-door policy** (ECO política de puertas abiertas), **open-end** (abierto, ampliable; variable, modificable, sin límite, susceptible de modificaciones; V. *closed-end*), **open-end bond** *US* (obligación abierta), **open-end company** (empresa de capital variable o ilimitado; S. *fixed capital company*), **open-end credit** (BANCA crédito abierto; también se le conoce con los nombres de *revolving credit, revolving line of credit* y *charge account credit*; se trata de un crédito rotatorio renovable periódicamente, que funciona de forma análoga a la «cuenta de crédito»; V. *line of credit*), **open-end fund** *US* (FINAN fondo de inversión o *unit trust* de capital variable o ampliable, llamado también *mutual fund*, que los gestores pueden ampliar sin consultar a los titulares del fondo; V. *closed-end fund, unit trust, investment fund*), **open-end investment company** *US* (FINAN sociedad de inversión mobiliaria de capital y cartera variable, y fondo mutualista, también llamada *mutual fund*; las acciones de estas sociedades son «rescatables» a precio de mercado en cualquier momento; V. *closed-end investment company/trust*), **open-end investment fund** (sociedad de cartera), **open-end investment trust** (fondo de inversión abierto; V. *mutual fund*), **open-end lease** (contrato de arrendamiento que ofrece al arrendatario la opción de compra al final de éste, abonando un plazo mayor o *balloon* al final; V.

closed-end lease), **open-end mortgage** (hipoteca ampliable; V. *closed-end mortgage*), **open-end mortgage bond** (FINAN cédula hipotecaria ampliable), **open-end mutual fund** (FINAN fondo mutualista no limitado), **open-end quota** (contingente abierto), **open-end trust** (sociedad de inversiones con cartera libre), **open-ended** (modificable, ampliable, sin límites preestablecidos, abierto, no limitado de antemano; V. *closed-end*), **open indent** (COMER pedido abierto; orden de compra abierta dada a un agente, en la que éste puede decidir sobre la marca, tamaño, precio, proveedor, etc.; V. *specific/closed indent*), **open insurance** (SEG póliza de seguros que abarca a más de un edificio o a más de un empleado en los casos de seguros contra la deslealtad o *fidelity insurance*; V. *floater, floating insurance*), **open insolvency** (SOC insolvencia sin bienes embargables), **open interest** (MERC FINAN/PROD/DINER interés abierto; es el volumen total de contratos de futuros cuya posición no ha sido cerrada mediante la negociación de otro de signo contrario), **open listing** US (lista abierta; sistema de publicación de las propiedades en venta para que las agencias inmobiliarias se encarguen de la operación, pero sin firmar un contrato con ninguna en concreto; la que encuentre un comprador se lleva la comisión), **open/free market** (mercado libre, abierto o muy competitivo), **open market desk** US (Oficina del Sistema de la Reserva Federal —*Federal Reserve System*—, en concreto del *New York Federal Reserve Bank*, también llamado *domestic market desk* que, en su nombre, lleva a cabo operaciones de mercado abierto —*open market operations*; V. *Federal Reserve Board*), **open market operations** US (BANCA operaciones de mercado abierto; consisten en la compra o venta de bonos del Estado —*gilt-edged securities*— efectuadas por el Sistema de la Reserva Federal —*Federal Reserve System*— con el fin de influir en los tipos de interés a corto plazo, dentro de la política de control monetario; V. *monetary control*), **open-market paper** US (FINAN pagarés a corto plazo muy rentables), **open-market rate of exchange** (FINAN tipo de cambio del mercado libre), **open market value** US (BANCA valor de un activo en el mercado abierto), **open negotiations** (entablar conversaciones), **open-mouth operations** US (FINAN declaraciones de las autoridades monetarias norteamericanas cuyo objetivo es la instrumentación de la política monetaria), **open-minded** (razonable, abierto, sin perjuicio, de mentalidad abierta; V. *narrow-minded*), **open order**[1] (COMER pedido pendiente; V. *closed order*), **open order**[2] US (BOLSA orden de compra o venta de un título a un precio fijo), **open order, at the**[2] (BOLSA orden de compra o venta de acciones al precio de apertura del mercado; V. *at the market order; at the close order*), **open outcry** (MERC FINAN/PROD/DINER a viva voz; transacciones bursátiles y financieras hechas a viva voz en el parqué o en mercado de materias primas o en lonjas de contratos de futuros y opciones; V. *call out,*[2] *call-over, double auction*), **open outcry auction** (subasta a viva voz, también llamada «a la inglesa»), **open policy** (SEG póliza abierta, general o flotante; V. *floating policy, declaration policy*), **open position** (MERC FINAN/PROD/DINER posición abierta o pendientes; el intermediario en «posición abierta» debe cerrarla —*close out*— ya que ésta es muy vulnerable a las fluctuaciones del mercado, porque [1] o tiene valores, productos, o divisas que no ha vendido o para las que no está protegido —hedged—, o [2] ha efectuado ventas para las que no está cubierto —covered— o protegido —hedged—; V. *long position, long purchase; short sale; flat position, open position; position*³), **open question** (cuestión pendiente, punto sin resolver), **open rates** (tarifa oficial), **open safekeeping account** (depósito abierto), **open seas** (alta mar; V. *high seas*), **open secret** (secreto a voces), **open shop** (REL LAB empresa que no exige la sindicación como condición previa al ingreso en la misma; V. *closed shop agreement*), **open stock** (CONT inventario abierto; alude a que no hay más existencias que las de los estantes y escaparates), **open tare** (precio del envase), **open tender** (licitación abierta o pública), **open trade** (COMER transacción no concluida; negocio abierto), **open the meeting** (abrir la sesión; V. *call the meeting to order*), **open ticket** (TRANS billete abierto), **open to** (expuesto a, que se presta a ◊ *Be open to interpretation/misunderstanding*), **open to offers** (se admiten ofertas), **opener** (SEG compañía abridora; esta compañía, que encabeza la lista de coaseguradores, negocia las condiciones del contrato de seguros; V. *leading company*)].

opening *a/n*: inicial, inaugural; apertura, salida profesional; V. *openings*. [Exp: **opening balance** (CONT saldo de apertura; V. *closing balance*), **opening bank** (BANCA banco emisor; banco que abre o concede el crédito documentario; V. *paying bank*), **opening bids** (apertura de propuestas), **opening capital** (capital fundacional, de establecimiento o inicial; V. *initial capital*), **opening entry** (CONT asiento de apertura o de constitución), **opening of accounts** (CONT apertura de cuentas), **opening of new markets** (apertura de nuevos mercados), **opening inventory** (CONT inventario inicial), **opening liabilities** (CONT pasivo de apertura), **opening licence** (licencia de apertura), **opening price/quotation/rate** (MERC FINAN/PROD/DINER cambio/precio/cotización de apertura; V. *opening range*), **opening range** (MERC FINAN/PROD/DINER rango/banda de apertura; alude al diferencial entre las cotizaciones de apertura más alta y más baja; se aplica más a los mercados de productos que a la Bolsa; V. *opening price*), **opening speech** (discurso inaugural; V. *closing speech*), **opening statement** (declaración inaugural), **opening stock** (CONT existencias iniciales, en la apertura de un período contable; V. *closing stock*), **openings** (plazas/puestos vacantes)].

operate *v*: operar, funcionar; obrar, proceder; negociar, llevar a cabo operaciones comerciales, desarrollar actividades; ejercer una influencia o un poder moral; poner en marcha, llevar, conducir, pilotar, dirigir, explotar ◊ *Operate a business*. [Exp: **operate**² (regir, actuar, surtir efecto, entrar en vigor, aplicarse, hacer funcionar, ◊ *Factors operating on the market*), **operate under cover of** (tener como pantalla), **operating** (funcionamiento; operativo; de operación; de explotación; relativo a una operación empresarial o financiera; V. *working*), **operating account** (CONT cuenta de explotación), **operating/current assets** (CONT activos de explotación; capital circulante; V. *working assets*), **operating budget** (CONT presupuesto de explotación), **operating carryback and carryforward** (CONT transferencia de resultados de operación), **operating carryover** (CONT pérdida de operación pasada a otra cuenta), **operating cash flow** (FINAN caja operativa generada; V. *free cash flow*), **operating**

charges (gastos de explotación), **operating control** (GEST control de gestión; V. *management control*), **operating cycle** (ciclo operativo), **operating company** (compañía operadora o de explotación, empresa de explotación), **operating cost** (coste/gastos de explotación/operación; V. *running/ working costs*), **operating deficit** (déficit de explotación), **operating earnings/ income/profit** (COMER ganancias/ingresos/beneficio de la explotación empresarial; V. *non-operating income; net profit*), **operating expenses** (CONT gastos de operación, gastos de funcionamiento, gastos de explotación), **operating income** (CONT ingresos de explotación), **operating lease** (FINAN arrendamiento operativo de un activo; V. *finance lease; capital lease; leveraged lease*), **operating leverage** (FINAN apalancamiento operativo; palanca de la operación financiera; ventaja de operación; es la relación entre los costes fijos y variables de una empresa), **operating losses** (pérdidas de explotación; V. *net operating losses, operating profit*), **operating management** (gerencia de operación), **operating margin** (margen de explotación; margen/beneficio operativo), **operating profit** (beneficio de explotación; V. *operating losses*), **operating ratio** (CONT coeficiente/ratio de explotación; ratio de partidas de ingresos a gastos; es la relación entre gastos de explotación e ingresos de explotación), **operating results** (beneficios de explotación; V. *trading profits*), **operating-performance income statement** (FINAN estado de resultados de la operación, cuenta de explotación o resultados), **operating reserve** (CONT reserva de operación), **operating spread** (margen de la operación), **operating statement** (CONT estado de pérdidas y ganancias; cuenta de explotación; V. *income summary*), **operating supplies** (materiales de consumo), **operating surplus** (excedente de explotación; beneficios acumulados), **operating system** (sistema operativo), **operating working capital** (SOC capital circulante operativo)].

operation *n*: operación, transacción, funcionamiento, actividad, explotación. [Exp: **operation, be in** (funcionar; V. *come into operation*), **operation, in** (en curso), **operation flow chart** (diagrama de flujo de operaciones), **operational** (operacional, operativo), **operative**[1] (válido, operativo, eficaz, vigente), **operative**[2] (operario, trabajador), **operative from, be** (estar en vigor desde; V. *come into effect, take effect, come into force, be effective from.*), **operator**[1] (BOLSA agente, corredor de Bolsa; empresario; operador; V. *tour operator*), **operator**[2] (telefonista; V. *switchboard operator*)].

opinion *n*: opinión; dictamen. [Exp: **opinion poll** (encuesta/sondeo de opinión)].

opportunity *n*: ocasión, posibilidad; V. *employment opportunities*. [Exp: **opportunity cost** (ECO/TRIB coste de oportunidad, alternativo o de sustitución; se llama «coste de oportunidad» a la rentabilidad que deja de obtenerse por los impuestos adelantados)].

opposite *a/adv*: opuesto, contrario; en frente, frente a. [Exp: **opposite number** (homólogo ◊ *The London manager and his opposite number in Madrid*)].

opt *v*: optar, decidirse, elegir. [Exp: **opt out** (excluirse voluntariamente; decidir no participar; abandonar, desentenderse ◊ *Opt out of an agreement/scheme*), **opting-out clause** (DER cláusula de autoexclusión, cláusula de descuelgue, cláusula de exclusión voluntaria; V. *escape clause, saving clause, let-out clause*)].

optimal *a*: óptimo. [Exp: **optimize** (optimizar), **optimum** (óptimo), **optimum life** (duración óptima), **optimum portfolio** (MERC FINAN/PROD/DINER cartera óptima; V. *naive; efficient*)].

option[1] *n*: opción, alternativa, posibilidad, derecho de elección, derecho prioritario; V. *pre-emption*. [Exp: **option**[2] (MERC FINAN/PROD/DINER opción; contrato que, mediante el pago de una prima, otorga el derecho de comprar o vender una determinada cantidad de valores, divisas o productos en una fecha fija y a un precio fijado llamado precio de ejercicio —*exercise price*—; las «opciones», al igual que los «futuros», permiten a los intermediarios y a los particulares protegerse —*hedge*— de las fluctuaciones del mercado y especular a la vez; V. *declaration, declaration day; call option; put option; American/Asiatic/European option; traded/traditional options; indemnity*), **option-adjusted spread, OAS** (MERC FINAN/PROD/DINER diferencial ajustado por opciones), **option bargain** (negocio/operación/transacción a prima; V. *share/stock option*), **option class** (MERC FINAN/PROD/DINER opciones similares con la misma fecha de ejercicio o *strike date*), **option contract** (MERC FINAN/PROD/DINER contrato de opción; contrato de opciones), **option cycle** *US* (MERC FINAN/PROD/DINER ciclo para el ejercicio de la opciónes americanas; V. *American option; exercise date, expiration date*[2]), **option dealing** (MERC FINAN/PROD/DINER operación/transacción a prima; operación de opciones), **option elasticity** (elasticidad de una opción), **option-holder** (titular/tenedor de una opción), **option on futures** (opción sobre futuros; es decir, el derecho a tomar una posición larga en un contrato a plazo específico), **option on swap spread** (MERC FINAN/PROD/DINER opción sobre el diferencial de la permuta financiera o «swap»), **option premium** (MERC FINAN/PROD/DINER precio/prima de una opción), **option pricing model** (MERC FINAN/PROD/DINER modelo de valoración de opciones), **option-rate debt** (deuda con tasa o tipo opcional), **option stock** (BOLSA acciones con opción), **option style** (MERC FINAN/PROD/DINER estilo de una opción; los dos estilos más importante son la opción americana y la europea; V. *American option, European option, Asiatic option*), **option to double** (BOLSA opción a comprar o vender el doble de las acciones estipuladas; en el primer caso se llama *call-of-more options*, y en el segundo *put-of-more options*; V. *buyer's option to double, seller's option to double*), **option to purchase** (opción de compra; V. *put-of-more, repeat option, seller's option to double*), **option to repeat** (BOLSA operación facultativa a opción del vendedor; V. *put-of-more, repeat option, seller's option to double*), **option to sell** (opción de venta; V. *put, put option, seller's/selling option*), **option warrant** (certificado/título/justificante de opción de compra o venta de acciones a precio fijo), **optional** (facultativo, opcional, discrecional), **optional bond** (bono opcional), **optional clause** (cláusula facultativa), **optional condition** (condición potestativa), **optional valuation date** *US* (TRIB fecha opcional de tasación del patrimonio), **optionee** (tenedor de una opción), **Options Clearing Corporation** (MERC FINAN/PROD/DINER Cámara de compensación de opciones), **options exchange/market** (bolsa/mercado de opciones)].

oral *a*: oral, no solemne; V. *written*. [Exp: **oral/parol agreement/contract** (acuerdo/contrato verbal), **oral contract** (contrato verbal), **oral trust** (fideicomiso no solemne, acordado de viva voz),

oral vote (votación oral; V. *show of hands*)].

order[1] *n/v*: orden; estado, condición; ordenar, poner en orden. [Exp: **order**[2] (COMER pedido, encargo; hacer un pedido ◊ *Put in/place an order*; V. *place an order; money order, purchase order, sales order, shipping order, standing order, trial order; available to order only*), **order**[3] (orden; mandato; orden ministerial, decreto; resolución; ordenar, dar/dictar una orden, resolver, gobernar, dirigir; V. *mandate; commission; bank mandate; delivery order; standing order*), **order acceptance** (COMER aceptación del pedido), **order and on account of, by** (de orden y por cuenta de), **order at sight** (BOLSA a la ejecución; orden de ejecución inmediata), **order bill of lading** (TRANS MAR conocimiento negociable o a la orden; albarán al portador), **order blank/form** (formulario/impreso para hacer un pedido; hoja de pedido en blanco), **order book** (cartera de pedidos), **order cheque** (cheque a la orden; V. *negotiable cheque, cheque to the order*), **order clause** (DER cláusula a la orden), **order fulfilment** (COMER despacho de pedidos; V. *unfulfilled order*), **order, in** (ordenado, en regla; V. *out of order*), **order instrument** (título a la orden, título-valor transferible por endoso), **order invoicing** (facturación de pedidos), **order of business** (orden del día), **order of, by** (por orden de), **order of the day** (orden del día; V. *agenda, order of business, point of order*), **order of, to the** (a la orden de; V. *to the bearer*), **order, on** (pedido y aún no servido ◊ *The goods are on order*), **order on hand** (pedido en cartera; V. *backlog order in hand*), **order, to** (por encargo ◊ *Made to order*), **order to broker** (BOLSA orden de compra o venta dirigida al agente de Bolsa; V. *best order/price, at*),

order turn around (V. *designated order turn around*), **ordered** (ordenado), **orderly** (metódico, ordenado, sistemático)].

ordinary *a*: ordinario, común, normal, corriente. [Exp: **ordinary annuity** (anualidad ordinaria), **ordinary hazards** (REL LAB riesgo profesional sin negligencia, riesgos normales; V. *occupational hazards*), **ordinary income** (ingresos de explotación, ingresos por operaciones ordinarias), **ordinary mail** (correo ordinario), **ordinary margin** (margen ordinario), **ordinary meeting** (junta ordinaria), **ordinary share/stock** (acción ordinaria; a las acciones ordinarias también se las llama *equities*; V. *common stock*), **ordinary use** (uso normal; V. *normal wear and tear*)].

ore *n*: mineral, mena. [Exp: **ore carrier/ship** (buque mineralero; V. *OBO ship*)].

organization/organisation *n*: organización. [Exp: **organization chart** (organigrama; V. *table of organization*), **Organisation for Economic Cooperation and Development, OECD** (Organización para la Cooperación y el Desarrollo Económico, OCDE), **Organization for European Economic Cooperation** (Organización Europea de Cooperación Económica, OECE), **organisation meeting** (asamblea o sesión constitutiva), **Organisation of Petroleum Exporting Countries, OPEC** (Organización de Países Exportadores de Petróleo, OPEP; V. *petrodollars*), **organizational goal** (GEST objetivo de la organización), **organise/organize** (organizar-se, constituir-se; ordenar), **organized labour** (REL LAB obreros sindicados; V. *union*), **organiser** (organizador; agenda profesional), **organism** (organismo)].

orient, orientate *v*: orientar, guiar, dirigir. [Los participios pasados de estos verbos se combinan espontáneamente con nombres o adverbios para formar expresiones adjetivales compuestas como *demand-oriented pricing* —fijación del precio en función de la demanda—, *growth-oriented* —orientado hacia el crecimiento, cuyo objetivo es el crecimiento, que apunta al crecimiento, etc.—, *technologically-oriented* —orientado hacia la tecnología, destinado a/relacionado con la tecnología, etc. Exp: **orientation** (orientación, tendencia)].

original *a/n*: original, inicial, primario o no derivado; documento original. [Exp: **original acquisition** (adquisición original), **original bill** (demanda original; V. *bill*), **original capital** (capital inicial o de entrada), **original-issue capital** (SOC capital fundacional de la sociedad), **original equipment manufacture** (fabricación de equipo de marca), **original issue discount, OID** (con descuento en la emisión; se dice de la deuda a largo plazo —*long-term debt instruments*— emitida por un valor inferior al señalado para su reembolso —*redemption*—), **original margin** (cobertura, margen inicial), **originality** (originalidad), **originator**[1] (creador, autor de una idea), **originator**[2] (FINAN promotor de una operación de titulización de activos financieros; V. *securitization*)].

oscillate *v*: oscilar, fluctuar. [Exp: **oscillation** (oscilación, fluctuación), **oscillator** (oscilador; V. *accumulation-distribution oscillator*)].

ostensible *a*: aparente, pretendido, supuesto; V. *apparent*. [Esta palabra es un «falso amigo» ya que en inglés tiene la connotación de «aparente más que real». Exp: **ostensible partner** (socio aparente; V. *dormant partner*), **ostensible right** (derecho aparente o pretendido)].

OTC market *n*: V. *over-the-counter market*.

otherwise *adv*: si no, de lo contrario, de otro modo, de no haber mediado dicha circunstancia.

ounce *n*: onza de 28,35 gramos; unidad de peso y de volumen usada en muchos países de habla inglesa; en una libra hay 16 onzas; V. *fluid ounce; troy ounce; pound*.

out[1] *adv/prep*: fuera, afuera, pasado. [Exp: **out**[2] (publicado ◊ *A report out this week*), **out, be**[1] (estar pasado de moda ◊ *That sort of advertising is out*), **out, be**[2] (quedar prohibido, no estar tolerado), **out, be**[3] (contener un error de cálculo, estar equivocado ◊ *The trial balance was £500 out*), **out-clearing items** (BANCA efectos enviados a la cámara para su correspondiente compensación, también llamados *outgoing clearings*; V. *in clearing items*), **out of** (desde, desde la base de ◊ *A company that operates out of Hong Kong*), **out of, be** (no quedarle a uno existencias ◊ *We're out of sugar*), **out of bounds** (fuera de los límites), **out of control** (descontrolado), **out of control, be/get** (desmandarse, desbocarse), **out of date** (caducado, obsoleto, desfasado, pasado de moda, anticuado; V. *expired*), **out of office, be** (no tener el poder, haber perdido las elecciones; V. *in office*), **out of order** (inadmisible; roto, desordenado; que no funciona, desarreglado, descompuesto; descartado, improcedente), **out of phase** (desfasado; V. *time lag*), **out of pocket** (con pérdidas; que no ha recuperado el gasto desembolsado ◊ *The firm is £1000 out of pocket on the deal*; V. *at a loss, at a sacrifice*), **out-of-pocket expenses** (gastos varios, otros desembolsos, gastos sufragados por el individuo de su propio bolsillo), **out-of-pocket costs** (gastos de explotación, gasto en efectivo), **out of**

stock (agotado, sin existencias), **out of the money** (MERC FINAN/PROD/DINER fuera de dinero; no interesa; se dice del momento en que una opción se cotiza a un precio desfavorable respecto del mercado, esto es, superior en el caso de la opción de compra —*call*— e inferior si se trata de la de venta —*put*—; V. *in the money, deep out of the money*), **out of time** (fuera de plazo), **out-tray** (bandeja de documentos despachados; V. *in-tray; filing basket/tray*), **out-turn**[1] (rendimiento, resultado), **out-turn**[2] (TRANS MAR cantidad desembarcada), **out-turn report** (TRANS MAR informe de descarga),].

out- *prefijo*: Como prefijo tiene muchos significados, confiriendo la idea de «más alto, hacia afuera, exceso, etc.». [Exp: **outbid** (licitar/pujar más alto, sobrepujar), **outbound vessel** (buque de salida), **outbreak** (brote; estallido), **outcome** (resultado, consecuencia), **outcry** (V. *open outcry*), **outdoor** (externo, exterior, al aire libre), **outdoor advertising** (PUBL publicidad exterior o en la vía pública), **outdoor hoarding** (PUBL valla publicitaria), **outfit**[1] (ropa, conjunto, modelo), **outfit**[2] *col* (organización, empresa, negocio ◊ *A spare parts outfit*), **outfitter** (sastrería, tienda especializada en ropa ◊ *Gentlemen's outfitters*), **outflow** (flujo de salida; V. *inflow*), **outflow of capital** (salida de capital; V. *inflow*), **outgoing** (saliente; V. *outgoings, incoming*), **outgoing business** (SEG reaseguro pasivo), **outgoing calls** (llamadas al exterior), **outgoing clearings** (V. *out-clearing items*), **outgoing invoices** (facturas despachadas o enviadas, facturas al cobro), **outgoing mail** (correspondencia despachada; V. *incoming mail*), **outgoings** (gastos, salidas; V. *income, expenses*), **outlay** (gastos de operación; desembolso; V. *lay out*), **outlay tax** (TRIB tributación sobre el gasto; V. *expenditure tax, income tax*), **outlet** (COMER punto de venta, establecimiento, mercado; salida comercial; V. *retail outlets, major retail outlets; channel; marketing channels; stall*), **outline** (bosquejo, esquema, líneas generales; delinear), **outlook** (actitud, punto de vista, perspectiva, expectativa; V. *expectations; world economic outlook*), **outperform** (BOLSA superar, sacar mejores resultados que, ofrecer mayor rendimiento que; V. *performer*), **outplacement** (REL LAB recolocación, orientación profesional y búsqueda de salidas alternativas para los trabajadores cesantes o despedidos), **outport** (zona anterior del puerto, de mayor calado), **output** (producción; rendimiento; información de salida; educto; V. *input*), **output rate** (tasa o índice de rendimiento o beneficio; V. *yield rate, rate of return*), **outreach worker** (trabajador social involucrado en un programa de acción directa; su misión es informar a los posibles beneficiarios de ayudas y prestaciones sociales de sus derechos, para que la cobertura prevista alcance —*reach out*— a sus destinatarios), **outright**[1] (rotundo, categórico, total, completo; rotundamente, completamente, en su totalidad, sin trabas, sin carga alguna ◊ *The outright owner*; V. *absolute, final, express, complete, unconditional*), **outright**[2] (en el acto y con todos los derechos ◊ *Buy sth outright*; V. *outright purchase*), **outright forward** (MERC FINAN/PROD/DINER contrato a plazo simple; V. *forward*), **outright purchase** (compra en firme; V. *firm purchase*), **outs** (salidas, gastos), **outsell** (vender a mejor precio o más barato; vender más unidades que), **outside** (externo, exterior, de fuera; independiente), **outside bidder** (licitante independiente), **outside director** (GEST director externo; se dice del contrado/nombrado por su reputación o valía profesional; V. *inside director*), **outside trading range option** (MERC FINAN/ PROD/DINER opción ejercible fuera de unos límites fijados; la opción sólo se puede ejercer cuando el precio del bien subyacente —*underlying asset*— es superior o inferior a los límites fijados), **outsider** (el de fuera, intruso, forastero; V. *insider*), **outsize** (hinchado, falto de agilidad, sobredimensionado, hinchado, ineficiente, desproporcionado; V. *swollen; overdeveloped, inefficient; topheavy*), **outsourcing** (subcontratación externa de servicios propios; sobre todo de tecnologías y sistemas de información; externalización empresarial, o cesión a otros, de ciertas áreas de una empresa), **outstanding**[1] (destacado, destacable ◊ *Outstanding event*), **outstanding**[2] (pendiente de pago, atrasado, en mora, vencido, devengado y no pagado; en consignación; se usa en expresiones como *cheques outstanding, cross-border outstandings, etc.*; V. *overdue, unsettled, pending, arrears, back*), **outstanding**[3] (en circulación; V. *capital stock outstanding*), **outstanding account** (cuenta pendiente), **outstanding balance** (saldo vivo; V. *contemporaneous reserves*), **oustanding bill** (factura pendiente), **outstanding bills of exchange** (letras o efectos por pagar o impagados), **outstanding bond** (bono en circulación), **outstanding capital** (SOC capital desembolsado/suscrito; V. *obligated capital, paid-up capital, call*), **outstanding cheque** (cheque librado y no cobrado por el beneficiario), **outstanding claims** (reclamaciones no satisfechas o resueltas), **outstanding contracts** (contratos en curso), **outstanding debt** (ACCTS pasivo

circulante), **outstanding debts** (deudas pendientes o existentes), **outstanding drawings** (giros pendientes), **outstanding instalment credit** (crédito a plazo pendiente de pago), **outstanding items** (CONT partidas pendientes), **outstanding loan** (préstamo sin amortizar), **outstanding money** (moneda en circulación), **outstanding note** (pagaré pendiente de rescate), **outstanding securities/shares/stock** (SOC títulos/ acciones en circulación, capital emitido en acciones, capital suscrito, acciones en manos del público; acciones viejas), **outstrip the competition** (COMER desmarcarse de los rivales), **out-takes** *US* (ocultaciones), **out-trade** (MERC FINAN/PROD/DINER transacción de un mercado de futuros no compensada con otra de signo contrario), **outward** (exterior; de ida; de salida), **outward acquisition** (adquisición externa o compra de empresas extranjeras por firmas nacionales; V. *inward acquisition*), **outward and home freight** (flete de ida y vuelta), **outward bill/draft** (letra/efecto de remesa o salida), **outward bill of lading** (TRANS MAR conocimiento exterior), **outward bound** (TRANS MAR en viaje de ida), **outward cargo** (TRANS cargamento de ida; V. *clearance outwards*), **outward clearance** (despacho de salida de un buque), **outward financial flows** (salidas de recursos financieros), **outward freight** (TRANS flete/acarreo de ida por cuenta del vendedor), **outward mission** (COMER misión comercial a un país extranjero; V. *inward mission*), **outward payment** (pago efectuado), **outward-processing trade** (tráfico de perfeccionamiento pasivo), **outward reinsurances** (bonificación por no siniestralidad), **outward switching** (compra de moneda extranjera con la consiguiente salida de la moneda nacional; V. *switching*[4]), **outweigh** (compensar, pesar más que, contrapesar ◊ *The advantages outweigh the disadvantages*; V. *punitive damages*), **outwork** (REL LAB trabajo a domicilio), **outworker** (trabajador a domicilio)].

OVA *n*: V. *overhead value analysis*.

over *prep*: sobre, de más, por exceso; V. *buyers over, sellers over*. [*Over* puede actuar como prefijo con el significado de «exceso», «sobre», siendo antónimo, en este caso de *under*. Exp: **over-50s, the** (los mayores de 50 años), **over-and-short account** (CONT cuenta de faltantes y sobrantes; cuenta puente), **over-indebtedness** (endeudamiento excesivo; V. *excess indebtedness*), **over on bill** (TRANS MAR de más sobre conocimiento de embarque; V. *over without bill*), **over, short and damaged** (TRANS/SEG MAR de más, de menos y con daños), **over spot discount** (disagio), **over the counter, OTC** (FINAN mercado extrabursátil; transacciones en mostrador; transacciones de valores no registradas en Bolsa en un mercado secundario; en mostrador; en el despacho; V. *over the counter market*), **over-the-counter market, OTC market** (BOLSA, FINAN mercado extrabursátil, mercado secundario, segundo mercado; mercado no listado; mercado de aplicaciones —*applications*—; mercado atípico, informal, extrabursátil, desregulado o no organizado; aunque se llama «no organizado» no se trata de mercados anárquicos; eso sí, no disponen de un emplazamiento físico determinado y los intermediarios se ponen en contacto unos con otros a través de los sistemas de comunicación modernos ◊ *OTC contracts are not pegged to an exchange index*; V. *second market; check the market; interbank foreign exchange market*), **over-the-counter corporation** (sociedad que negocia la compraventa de valores en mostrador, es decir, en un mercado no organizado; V. *over the counter*), **over-the-counter transaction** (operación/contratación extrabursátil), **over-the-telephone market** (mercado telefónico), **over without bill** (TRANS MAR de más sin conocimiento de embarque; V. *over on bill*), **over-absorbed burden** (CONT gastos de fabricación absorbidos en exceso), **overabsorption** (sobreabsorción), **over-accruals** (exceso de gastos devengados; gastos contables excesivos), **overage** (superávit), **overages and shortages** (déficits y excedentes de caja; V. *cash shorts-and-overs; cash over and short account*), **overage loan** (préstamo para cubrir posibles excesos de costes), **overall**[1] (total, global, general; en conjunto), **overall**[2] (TRANS MAR eslora total; V. *length, length overall; breadth*), **overall balance of payments** (balance/balanza total de pagos), **overall measures** (medidas generales), **overassess** (sobrevalorar), **overall policy** (política global o general), **overall survey** (visión de conjunto; V. *survey*), **overallocation** (sobreasignación), **overbid** (sobrevalorar una oferta; ofrecer demasiado; ofrecer por encima del valor), **overboard** (por [encima de] la borda), **overbook** (contratar/reservar con exceso; sobrecontratar), **overbooking** (TRANS sobrecontratación hotelera; superocupación; exceso de contratación de plazas hoteleras, de transportes, etc., con exceso de compra; V. *double-book*), **overborrowing** (endeudamiento excesivo), **overbought** (MERC FINAN/PROD/DINER sobrecomprado, sobrevalorado; se dice del título o del mercado cuyos precios han subido en exceso por superabundancia de órdenes compradoras; V.

oversold; technical position), **overburden** (sobrecargar), **overcapitalize** (sobrecapitalizar, supercapitalizar), **overcharge** (cobro excesivo, recargo, carga excesiva; cobrar de más, sobrecargar; V. *undercharge; refund; pay over the odds*), **overcome** (superar, vencer), **overcredit** (abonar de más), **overdebit** (cargar de más), **overdeduction** (descuento excesivo), **overdeveloped** (hinchado, falto de agilidad, sobredimensionado, inflado, ineficiente, desproporcionado; S. *swollen; outsize, inefficient; top-heavy*), **overdo** (extralimitarse), **overdraft** (descubierto bancario; exceso de disposición; descubierto en cuenta; adelanto en cuenta corriente; sobregiro, llamado *current account credit* en los EE.UU.; V. *credit line; bank overdraft; nostro overdraft*), **overdraft facilities** (autorización para girar en descubierto), **overdraw** (sobregirar/sobrepasar una cuenta; girar en descubierto), **overdraw one's account** (girar en descubierto; dejar una cuenta en descubierto), **overdrawing** (cuenta al descubierto), **overdrawn** (en descubierto), **overdrawn account** (cuenta en descubierto; cuenta deudora), **overdrawn credit** (crédito al descubierto), **overdue** (vencido, en mora, atrasado, pendiente, devengado y no pagado; V. *past due, back, delinquent, unsettled, pending, outstanding, arrears*), **overdue bill** (efecto impagado, también llamado *dishonoured bill*), **overdue cheque** (cheque vencido), **overdue coupon** (cupón pendiente por falta de pago), **overdue payment** (pago vencido; V. *payment in arrears*), **overfill** (abarrotar; V. *pack out*), **overfreight** (sobrecargar), **overhaul** (revisar, reparar; revisión; reparación; V. *clean up,[1] restructure, rescue, streamline, sort out, refit*), **overhead** (gastos/costes indirectos

◊ *Manufacturing/administrative overhead*), **overhead charges/expenses** (gastos generales o indirectos, cargas de estructura; V. *general charges/expenses*), **overhead cost** (CONT coste de estructura), **overhead value analysis, OVA** (ECO análisis de gasto de estructura), **overheads** (gastos generales, gastos indirectos, gastos de fábrica), **overheated economy** (economía recalentada), **overheating** (recalentamiento), **overestimate of costs** (exceso de cobertura de gastos), **overflow** (desbordar, inundar; V. *awash*), **overinsurance** (exceso de seguro), **overinvestment** (sobreinversión, inversión excesiva), **overissue** (BOLSA emisión de acciones excesiva y, por tanto, no cubierta; V. *oversubscription*), **overlap** (coincidir parcialmente, entrar en conflicto; superponerse; montarse uno sobre otro; coincidencia, conflicto, superposición ◊ *Overlapping of interests*), **overlapping** (duplicación), **overlapping interests** (intereses superpuestos, coincidentes o que entran en conflicto), **overload** (sobrecarga; sobrecargar), **overlook[1]** (omitir por error, pasar por alto ◊ *Overlook an item in the accounts*), **overlook[2]** (hacer la vista gorda, dejar pasar ◊ *Overlook an employee's mistake*), **overlook[3]** (no tener en cuenta, pasar a otra persona por encima ◊ *She was overlooked for the manager's job*), **overlying mortgage** (FINAN hipoteca superpuesta o segunda hipoteca), **overman** (REL LAB dotar de exceso de personal; V. *feather-bedding; labour-saving devices; understaffed, overstaffed*), **overmanning** (excedente laboral; V. *labour surplus to requirements*), **overnight deposit/money/loan** (BANCA dinero interbancario depósito/préstamo a un día, también llamado *today-tomorrow*; V. *day-to-day* *money; tomorrow-next deposit*), **overpay** (pagar de más; V. *pay over the odds*), **overpayment** (sobreprecio; pago excesivo), **overpopulation** (exceso de población), **overproduction** (sobreproducción), **overage** (excedente, exceso, sobrante; cantidad sobrante en una cuenta; exceso de carga), **overrate** (sobrevalorar), **overreaction effect** (BOLSA efecto sobrerreacción), **override**[1] US (REL LAB prima, comisión, incentivo o compensación extraordinaria dada a un ejecutivo, vendedor, etc.), **override**[2] (no hacer caso de, anular, invalidar; V. *annul*), **overriding** (primordial, de rango superior, predominante, imperioso, acuciante ◊ *Overriding priority*), **overriding clause** (cláusula derogatoria), **overrider** (comision excesiva, supercomisión), **overriding commission** (comisión excesiva), **overrule** (denegar, anular, rechazar, desestimar; V. *annul; protest*), **overrun** (exceder, rebosar, pasarse; exceso, rebosamiento ◊ *Be overrun by demand*), **overrun commitment** (compromiso de financiación del exceso en coste), **oversaving** (exceso de ahorro), **overseas** (internacional; exterior; en el extranjero; ultramar; foráneo), **overseas countries and territories** (países y territorios de ultramar), **overseas market** (mercado exterior), **oversee** (supervisar, controlar), **overseer** (capataz, supervisor; V. *foreman, chargeman*), **overshooting** (intervencionismo excesivo [en la política de cambios]), **overside** (costado del buque), **overside delivery** (TRANS MAR entrega sobre el costado), **overside port** (puerto de alijo; V. *craft port*), **oversight** (descuido, inadvertencia, fallo; V. *carelessness*), **oversold** (MERC FINAN/PROD/DINER sobrevendido; se dice del título o del mercado cuyos precios han bajado súbitamente por super-

abundancia de órdenes vendedoras; V. *overbought; technical position*), **overspend a budget** (sobrepasar/rebasar los límites presupuestarios), **overspending** (gastos excesivos), **overstaffed, be** (tener exceso de personal; V. *understaffed, undermanned; overmanning, overmanned; labour-saving devices; understaffed*), **overstaffing** (exceso de personal o de plantilla), **overstate** (exagerar; sobrevalorar una partida contable o un elemento del inmovilizado ◊ *The value of the machine was overstated*; V. *understate*), **overstatement** (sobreaplicación, sobreestimación, sobredeclaración, contabilización de más), **overstock** (exceso de existencias; abarrotar, acumular en exceso), **overstraining** (ECO recalentamiento, exceso de tensión; V. *cyclical over-straining*), **overtrading** (exceso de contratación/inversión), **oversubscribed** (SOC, BOLSA suscrito en exceso, con exceso de demanda; supercubierta; se refiere al exceso de solicitudes por encima del número de acciones disponibles ◊ *The issue is three times oversubscribed*; V. *ballot, flotation*), **oversubscription** (SOC suscripción cubierta con exceso; V. *overissue*), **oversupply** (exceso de oferta, oferta excedentaria/excesiva), **overtake** (adelantar, rebasar, superar, dejar atrás ◊ *Overtake one's rivals*), **overtax** (gravar en exceso), **overthrow** (derribar, derrocar; anular), **overtrade** (vender en exceso), **overtime** (REL LAB horas extraordinarias; V. *balancing time*), **overtime bond/premium** (bono/premio por tiempo extra), **overtures** (propuesta, tanteo, intento de aproximación, actitud conciliadora, intento de congraciarse ◊ *Make overtures to a client/the government*), **overturn** (revocar, anular, dar un vuelco a una decisión), **overvalue** (sobrevalorar, tasar, valuar en exceso), **overvalued currency** (divisa/moneda sobrevalorada), **overwrite** (BOLSA vender en exceso)].

owe *v*: deber, adeudar. [Exp: **owe for sth** (deber algo, tener una deuda pendiente por algo ◊ *They still owe for the new machine*), **owing to** (debido a, por culpa de, a causa de)].

own¹ *a*: propio. [Exp: **own account, for one's** (por cuenta propia), **own brand** (V. *family brand*), **own cost and risk** (costo y riesgo propios), **own, on one's** (por sí solo, sin la ayuda de nadie), **own price elasticity** (ECO elasticidad con respecto al propio precio), **own sake, for one's** (por su propio bien, por el bien de uno)].

own² *v*: poseer, tener a propio; V. *hold*

one's own. [Exp: **own outright** (ser dueño absoluto), **owner**¹ (dueño, propietario, titular; V. *proprietor, freehold owner*), **owner**² (armador, naviero; forma elíptica de *shipowner*), **owner-manager** (GEST gerente propietario), **owner-occupier** (propietario o inquilino a largo plazo), **owner of record** (propietario registrado; V. *registered*), **ownerless property** (objeto abandonado; V. *derelict*), **owner's broker** (TRANS MAR corredor del armador; V. *charterer's broker*), **owner's risk, at** (por cuenta y riesgo del dueño/propietario; V. *buyer's risk; at seller's risk*), **ownership** (titularidad, propiedad, pertenencia, dominio, posesión ◊ *Ownership rights*; V. *proprietorship*), **ownership stakes** (COMP LAW intereses de la propiedad)].

P

p *n*: p. [Exp: **P-1, -2, -3** (V. *prime -1, -2, -3*), **P45** (TRIB impreso normalizado para la declaración de la renta en Gran Bretaña), **p's of marketing, the four** (*product* —producto—, *price* —precio—, *place* —distribución —y *promotion* —promoción—; V. *marketing*)].

P & I club *n*: V. *protection and indemnity club*.

P.A. *n*: V. *personal account, personal assistant, power of attorney, particular average; per annum; public address*.

PAC *n*: V. *planned amortization class*.

pace *n*: pauta, ritmo, paso ◊ *That company is setting the pace*. [Exp: **pacemaker, pacesetter** (líder que marca la pauta), **paceseting managerial style** (GEST estilo gerencial imitativo; en este tipo de gestión, el gerente marca la pauta y norma de trabajo y espera que todos sigan su ejemplo; V. *affiliative managerial style, authoritative managerial style, coaching managerial style, coercive managerial style*)].

pack¹ *n/v*: embalaje, envase, paquete, fardo, bulto, lío; lote; embalar, envasar, enlatar, empaquetar; V. *crate; picking pack services; blister/bubble pack*. [Exp: **pack²** (TRANS MAR campo de hielo), **pack³** (medida de capacidad; equivale a

109 kilos), **pack it in** *col* (abandonar, decir basta, retirarse, dejarlo, cerrar el negocio, etc.; darse por vencido), **pack of items** (lote de artículos), **pack off** (despachar, enviar, despedir), **pack one's bags** (preparar la maleta), **pack out** (abarrotar; llenar de bote en bote/hasta la bandera), **pack up and go** (hacer las maletas, liar el petate, abandonar), **pack up¹** *col* (averiarse, romperse, dejar de funcionar ◊ *The machine has packed up*), **pack up² col** (concluir la jornada ◊ *The workers packed up at 8*; V. *knock off*), **packer** (embalador, empaquetador; V. *wrapper*), **packing** (embalaje, envasado, envase; V. *insufficiency of packing; p & p; send sb packing; export packing, storage, assorting; accessorial service, package, cushioning, absorbent package; in closed cases*), **packing and marking** (TRANS embalaje y marcado), **packing case** (caja, envase, caja de embalaje), **packing charges** (gastos de embalaje), **packing cost** (gastos de embalaje; V. *packaging cost*), **packing department** (departamento de embalaje), **packing for shipment** (embalaje marítimo), **packing house** (casa refrigeradora), **packing in crates** (embalaje en jaulas), **packing list/slip** (lista de bultos, especificaciones

de embalaje), **packing paper** (papel de embalar)].

package,[1] **pkge** *n/v*: embalaje, envase; bulto, paquete, carga embalada; lote, conjunto; embalar, envasar ◊ *Packages must be marked*; V. *absorbent package, cushioning, close cases, packing; repackage*. [Exp: **package**[2] (ECO, REL LAB condiciones, propuesta; «paquete», paquete de beneficios laborales, conjunto o programa de medidas económicas, también llamado *financial package*; conjunto/serie de disposiciones, proyectos, actividades, servicios, etc., ofrecidos a un precio unitario o global; V. *negotiation package*), **package**[3] (MERC PROD presentar un producto, crear la imagen de un producto ◊ *Attractive packaging of a product/idea*; V. *repackage*), **package compensation** (REL LAB indemnización/beneficios por jubilación anticipada, despido pactado, etc.; V. *compensation package*), **package deal**[1] (COMER «paquete», venta de un conjunto de artículos o servicios a un precio económico y único; propuesta, acuerdo/arreglo global), **package deal**[2] («paquete», conjunto de medidas de estabilización económica; V. *recovery package, package holiday*), **package design** (PUBL diseño de envoltura), **package freight** (carga por lotes), **package holidays/deal/tour** (viaje organizado; vacaciones organizadas; oferta turística con hotel y viaje incluidos), **package insurance** *US* (SEG seguro general; seguro a todo riesgo; V. *blanket insurance*), **package licensing** (licencias conjuntas), **package loan** (préstamo diseñado de acuerdo con las necesidades de una empresa, negocio o sector), **package mortgage** (hipoteca para financiar la compra del inmueble y de su mobiliario), **package shot** (PUBL bodegón; alude normalmente a la última

escena de una película publicitaria en la que aparece el logotipo de la empresa con los productos anunciados), **package store** (establecimiento que expende bebidas alcohólicas para ser consumidas fuera del mismo), **package tour/trip** (viaje de turismo organizado), **packaging**[1] (envasado), **packaging**[2] (PUBL envoltorio publicitario; V. *marketing*), **packaging cost** (gastos de embalaje; V. *packing cost*), **packaging services** (servicios de envase y embalaje)].

packet[1] *n*: paquete, cajetilla. [Exp: **packet**[2] *col* (montón, riñón ◊ *Cost a packet*), **packet**[3] (TRANS MAR buque de línea regular; buque correo, también llamado *packet boat* o *mail boat*), **packet-switch transmission services** (servicio de transmisión de datos con conmutación por paquetes)].

Pacman strategy *col n*: BOLSA estrategia del comecocos *col*; estrategia del ataque defensivo, lanzando una contraofensiva —por ejemplo, adquiriendo acciones de la empresa agresora— cuando la sociedad mercantil es objeto de una OPA hostil; V. *takeover, white knight, dawn raid*.

pact[1] *n*: convenio, pacto, acuerdo; V. *agreement, covenant, treaty*. [Exp: **pact**[2] *US* (REL LAB pacto laboral, convenio colectivo; V. *collective agreement*)].

pad *n/v*: bloc; rellenar, inflar, meter paja ◊ *Note/writing pad*. [Exp: **pad out** *col* (rellenar, hinchar, meter paja o rollo ◊ *Pad out a report with irrelevant statistics*), **padding** (CONT falsificación/relleno ficticio de documentos contables, nóminas, etc.)].

page *n/v*: página; mensajero, botones; avisar por megafonía, llamar por el altavoz ◊ *Paging Mr Smith from Manchester*; V. *front page, double page spread*. [Exp: **pager** (busca, aparato localizador)].

paid *a*: pagado, retribuido; liquidado, cancelado; recibí. [Exp: **paid circulation** (PUBL tirada de una publicación vendida por suscripción), **paid holiday** (vacación retribuida), **paid-in capital** *US* (SOC capital desembolsado, llamado *paid-up capital* en el Reino Unido; capital en acciones, también llamado *equity capital* o *contributed capital*, capital fundacional; es la parte del capital escriturado aportada por los accionistas a través de los dividendos pasivos; V. *share capital, call*), **paid in full** (liquidado; saldado; satisfecho íntegramente; V. *partly paid*), **paid-in surplus**[1] (BOLSA prima de emisión), **paid-in surplus**[2] (SOC excedente de capital), **paid leave** (licencia o permiso con sueldo), **paid-up** (pagado; liberado, cancelado; saldado; desembolsado), **paid-up capital** (SOC capital desembolsado, llamado *paid-in capital* en los EE.UU.; V. *issued capital, call letter, allotment money; call*[3], *call up; authorized capital; uncalled capital; partly-paid up; pay*), **paid-up insurance/ policy** (SEG seguro liberado de prima, póliza liberada), **paid-up shares/stock** (SOC acciones cubiertas; acciones liberadas, acciones enteramente pagadas; V. *fully paid stock*), **paid-up value** (SEG valor de redención/reducción de una póliza)].

paint *n/v*: pintura; pintar. [Exp: **paint the tape** *US col* (BOLSA manipular las cotizaciones; normalmente la manipulación la hacen grupos de especuladores mediante operaciones de compra y venta cuyo único propósito es que queden reflejadas en el indicador automático —*painting the tape*— a fin de atraer el interés de legítimos compradores, atraídos por la actividad artificialmente estimulada)].

pair *n/v*: par, pareja; emparejar.

pallet *n/v*: TRANS paleta; bandeja; plata-forma; plancha/plataforma para transporte y almacenaje de mercancías; empaletar, embandejar; V. *dynamic storage; dolly; container; tray*. [Exp: **palletized shipment** (TRANS envío empaletado/embandejado; alude al transporte de mercancías sobre paletas)].

palm *n/v*: palma de la mano; escamotear, birlar. [Exp: **palm off**[1] *col* (quitarse de encima con excusas o promesas ◊ *Palm off a customer with excuses*), **palm off**[2] *col* (meterle algo a alguien ◊ *Palm dud merchandise off on sb*; V. *dump*)].

PAL *US n*: V. *passive activity losses*.

paltry *a*: insignificante, nimio, escaso.

panel *n*: comisión, comité, comisión técnica, ponencia, equipo, panel; lista; V. *arbitration panel; tender panel*. [Exp: **panel board** (mando; tablón de control o de instrumentos), **panel discussion** (mesa redonda; debate), **panel member** (integrante de la lista de conciliación o de árbitros), **panel of experts** (comisión/ grupo de expertos)].

panic *a/v*: pánico, angustia, miedo, terror; dejarse llevar por el pánico. [Exp: **panic button** (botón de alarma), **panic buying** (compra febril; avalancha de compras motivada por el pánico), **panic dumping of a currency** (MERC FINAN/DINER venta rápida o febril de una divisa a un precio inferior al normal por miedo a la devaluación), **panic selling** (BOLSA venta febril de valores), **panic stations** *col* (situación dominada por el pánico, locura colectiva)].

pantry *n*: despensa. [Exp: **pantry check** (control de despensa; alude a la comprobación visual de marcas comerciales que hace el encuestador)].

paper[1] *n*: papel, efectos, valores, instrumento de crédito; periódico, publicación; comunicación en un congreso; ensayo, trabajo escrito; V. *negotiable instrument, title documents; bank paper;*

bankable paper; euro-commercial paper, accommodation paper, engrossment paper, commodity paper, ship's papers, financial paper, trade paper, working paper. [Exp: **paper**[2] (BOLSA posición papel; V. *money*), **paper currency/ money** (papel moneda; billetes; V. *flat money, soft money; folding money*), **paper loss/profits** (pérdidas/ganancias teóricas o sobre el papel; V. *actual loss*), **paper, on** (en teoría, sobre el papel; V. *in practice*), **paper profit** (V. *paper loss*), **paper standard** (sistema monetario papel), **paper title** (título dudoso; V. *paramount*), **paper transactions** (transacciones con papel [o no físicas]), **paperback** (libro en rústica), **paperboard** (cartón; V. *pasteboard*), **paperwork** (burocracia, papeleo, trabajo administrativo; V. *red tape*), **papers** (documentos, documentación)].

par *n*: paridad, equivalencia, igualdad; ciento por ciento; valor nominal; V. *face value, mint par.* [Exp: **par, at** (BOLSA a la par, a su precio nominal; V. *par value; above par, at a premium, below par, nominal price, face value*), **par clearance/collection** (BANCA cobro a la par; compensación bancaria sin cargo por gestión), **par exchange rate** (paridad de cambio), **par items** (efectos cobrables sin comisión), **par list bank** *US* (BANCA banco que no cobra comisiones en la compensación de cheques), **par of exchange** (cambio a la par; paridad de cambio, paridad cambiaria; V. *real par of exchange*), **par price** (cambio a la par; V. *price rate*), **par rate** (coeficiente de paridad de ingresos; V. *parity income ratio*), **par value** (paridad; valor nominal; valor a la par, sin prima ni descuento; V. *at par; face value, no-par-value capital stock*), **par value capital stock** *US* (BOLSA acciones con valor nominal), **par value common stock**

(BOLSA acciones ordinarias con valor a la par), **par value rate of exchange** (tipo de cambio central; alude al nivel medio de la banda de fluctuación —*fluctuation range*— de una moneda; V. *EMS*), **par value stock** (acción a la par; V. *full stock*)].

parachute *n*: paracaídas; V. *golden parachute.*

paradox *n*: paradoja. [Exp: **paradox of thrift** (ECO paradoja de la frugalidad o del ahorro; de acuerdo con la formulación de Keynes, un país que ahorra en exceso puede empobrecerse), **paradox of value** (ECO paradoja del valor; muchos bienes imprescindibles, como el agua, tienen un precio bajo en el mercado, mientras que otros superfluos lo tienen muy alto)].

parallel *a/n*: paralelo, simultáneo; paralela, paralelo, paralelismo ◊ *Draw a parallel between two things.* [Exp: **parallel/ black/submerged/underground economy** (economía paralela/negra/sumergida/subterránea), **parallel financing** (financiación paralela, financiamiento paralelo), **parallel loans** (FINAN préstamos paralelos; V. *back-to-back credit; swap*), **parallel market** (mercado paralelo, mercado libre de cambios/ divisas; V. *unofficial exchange market*), **parallel rate of exchange** (tipo de cambio paralelo o no oficial), **parallel storage** (almacenamiento en paralelo)].

parameter *n*: parámetro. [Exp: **parameter estimation/optimization** (estimación/optimización de parámetros), **parametric method** (método paramétrico)].

paramount *a*: supremo, superior, con mejor título o derecho, indiscutible, primordial. [Exp: **paramount clause** (TRANS MAR cláusula suprema o principal que contienen todos los conocimientos de embarque a los que se les aplica el arbitrio de las Reglas de la Haya de 1924; V. *bill of lading*)].

parcel[1] *n/v*: paquete, bulto; empaquetar. [Exp: **parcel**[2] (parcela de terreno, partida; V. *plot,*[2] *building land/plot*), **parcel list** (lista de aduana), **parcel of shares** (BOLSA paquete de acciones; V. *block of shares; batch of shares*), **parcel out** (parcelar; repartir, dividir), **parcel post** (servicio de paquetes postales), **parcel post policy** (SEG póliza de seguros de paquetes postales), **parcel rate** (TRANS tarifa para paquetes pequeños), **parcel up** (empaquetar)].

pare *v*: cortar; pelar, mondar. [Exp: **pare down expenditure** (reducir/recortar gastos)].

parent *n*: padre o madre; matriz, principal. [Exp: **parent company/corporation** (SOC sociedad matriz, tenedora, controladora o principal; V. *holding company, affiliate, subsidiary, associated company; nominee*), **parent-to-parent divestment** (venta de filiales por grupos matrices), **parent's equity** (SOC participación de la compañía matriz)].

pari passu clause *n*: DER cláusula de *pari passu*, de igual ritmo con las mismas condiciones; implica igualdad y ausencia de preferencias en el mercado de capitales; en la terminología del comercio internacional equivale a «cláusula de nación más favorecida»; V. *Most Favoured Nation Clause, MFN clause*.

Paris *n*: París. [Exp: **Paris Club** (Club de París), **Paris Inter Bank Bid Rate, PIBOR** (BANCA tasa del mercado interbancario de París; V. *LIBOR, MIBOR*)].

parity *n*: paridad, igualdad, cambio a la par; V. *conversion parity*. [Exp: **parity change** (cambio a la par), **parity clause** (cláusula de paridad), **parity grid** (ECO parrilla de paridades, red de relaciones de paridad; V. *European Monetary System*), **parity income ratio** (coeficiente de paridad de ingresos; V. *par rate*), **parity price/rate** (cambio a la par, precio de paridad), **parity rate/ratio** US (precio/coeficiente de paridad; alude al precio agrícola con paridad de poder adquisitivo), **parity value** (valor de paridad)].

park *n/v*: parque; aparcar. [Exp: **parking** (FINAN aparcamiento de valores; se refiere a la reinversión temporal en valores sólidos de rentabilidad segura, aunque no muy alta, de ingresos procedentes de la venta de un producto financiero; el dinero queda «aparcado» mientras el inversor decide el destino definitivo que quiere darle), **parking deal** (BOLSA operación de aparcamiento de acciones; el vendedor de las mismas lo hace con carácter fiduciario conservando su propiedad), **parking lot** US (aparcamiento; V. *car park*)].

Parkinson's law *n*: ECO, REL LAB ley de Parkinson; entre bromas y veras la ley reza así: «el trabajo se expande hasta ocupar todo el tiempo del que se dispone para llevarlo a cabo».

parlay US *n/v*: apuesta, apuesta acumulativa; apostar, ganar mediante una apuesta o un gasto bien planeado ◊ *Parlay a small outlay into a profit*.

parole *n*: palabra de honor. [Exp: **parole/oral agreement/contract** (acuerdo/contrato verbal)].

part[1] *n/v*: parte, sección, pieza, trozo, porción, componente; papel; dividir, separar, repartir ◊ *Play a part*; V. *parts*. [En función atributiva puede significar «parcial» o «parcialmente». Exp: **part and parcel** (parte integrante, esencial o inseparable), **part delivery** (TRANS entrega parcial), **part exchange** (canje parcial, pago parcial como parte de algo ◊ *She traded in her old car in part exchange*), **part-owner** (condueño, copropietario, comunero; V. *time-sharing*), **part-paid** (pagado parcialmente; V. *paid in full*), **part-paid stock** (BOLSA, SOC acción parcialmente liberada; V. *fully paid stock; bonus shares/ stock; stock dividend; cash bonus*), **part-payment** (pago/abono parcial o a cuenta; V. *partial payment*), **part-performance** (DER ejecución parcial, satisfacción parcial; doctrina de la validez del contrato satisfecho en parte; esta doctrina de equidad sobre las responsabilidades contractuales asumidas se puede invocar para impedir que una de las partes contratantes, aprovechándose de un defecto de forma, se eche atrás cuando la otra ha empezado a obrar de acuerdo con lo estipulado en el contrato), **part-settlement of claim** (ajuste/satisfacción parcial de la reclamación), **part shipment** (envío parcial; V. *partial delivery*), **part-time** (a tiempo parcial; con jornada parcial/reducida), **part-time employment** (empleo de jornada reducida), **part-timer** (REL LAB contratado/trabajador a tiempo parcial), **part with** (deshacerse de, desprenderse de; desembolsar ◊ *Part with assets/money*), **partly-paid bond** (obligación con desembolso aplazado), **partly paid-up shares** (SOC acciones parcialmente liberadas; V. *fully paid-up stock*), **partly-processed goods** (productos semiacabados), **parts** (repuestos, piezas, recambios)].

partial *a*: parcial; sesgado; incompleto. [Exp: **partial acceptance** (aceptación condicionada), **partial acquittance** (DER quita; V. *grace period*), **partial cargo** (TRANS carga parcial), **partial charter** (TRANS MAR fletamento en el que el fletador alquila sólo parte del espacio de carga), **partial delivery** (entrega parcial; V. *part shipment*), **partial disability** (REL LAB invalidez parcial), **partial equilibrium analysis/theory** (ECO análisis/teoría del equilibrio parcial), **partial hedge** (MERC FINAN/PROD/DINER cobertura parcial; V. *hedge*), **partial loss, P/L** (SEG pérdida parcial; V. *constructive total loss*), **partial merger** (SOC fusión parcial de sociedades), **partial payment** (pago a cuenta; abono parcial; plazo; V. *part-payment*), **partial replacement** (reposición parcial), **partial requirements contract** (contrato de suministro parcial), **partially-covered** (parcialmente incluido)].

participate *v*: participar, tomar parte, compartir. [Exp: **participant** (partícipe, participante; V. *plan participant*), **participant bank** (banco participante), **participating** (FINAN participativo; se aplica a muchas operaciones financieras, en las que el prestamista, en cierto sentido, queda relacionado con el préstamo, ya en tipos, ya en plazos, etc.), **participating annuity** (anualidad con participación en las ganancias), **participating bank** (FINAN, BANCA banco participante; en un préstamo sindicado —*syndicate loan*— es uno de los miembros del sindicato bancario o *bank syndicate*; V. *agent bank, manager bank, lead manager bank, underwriter bank*), **participating bond** (FINAN bono participativo; bono con participación en los beneficios líquidos de la sociedad, también llamado *income bond/ debenture*), **participating capital stock** *US* (SEG acciones con participación; son acciones preferentes con participación adicional en un dividendo fijo), **participation certificate** (bono participativo; certificado de participación; su titular participa en los beneficios de la sociedad, aunque sin derecho a voto), **participating credit** (crédito participativo; en este tipo de crédito el prestamista está directa o indirectamente involucrado en los resultados de la empresa —por ejemplo, en la fijación del tipo de interés del préstamo),

participating dividends *US* (dividendos con participación), **participating forward contract** (MERC FINAN/PROD/DINER contrato a plazo participativo, contrato «forward» participativo; V. *forward*), **participating/reciprocal insurance company** *US* (mutua de seguros; V. *mutual insurance*), **participating interest rate agreement, PIRA** (MERC FINAN/PROD/DINER acuerdo participativo sobre tipos de interés; operación combinada de *floor* y *cap* para que el conjunto de la transacción resulte cero), **participating reinsurance** (SEG reaseguro con prorrateo entre diversas aseguradoras), **participative management by objectives, PMBO** (dirección participativa por objetivos, DPPO), **participating mortgage** *US* (hipoteca conjunta o de participación), **participating policy** (SEG póliza con participación de beneficios), **participating preference shares** (acciones preferentes con participación de beneficios, llamadas *participating preferred stock* en los Estados Unidos), **participating program** *US* (programa compartido o de participación), **participating reinsurance** *US* (reaseguro de participación o de prorrateo entre compañías), **participating rights** (derechos de participación), **participating stock** *US* (acciones preferidas con participación, acciones participantes preferentes), **participation** (SOC, MERC participación, cuota; V. *share; economic participation; participation certificate; loan participation*), **participation account** (cuenta de participación), **participation certificate**[1] (FINAN certificado de participación en un fondo de inversión, normalmente un fondo de hipotecas titulizadas; certificado de transferencia de préstamos; V. *pass-through securities*), **participation certificate**[2]

(SOC certificado de participación en el capital social de una mercantil), **participation fee** (comisión de participación), **participation in profits** (participación en beneficios; V. *gain/profit sharing*), **participation loan** *US* (préstamo de participación), **participation rate** (REL LAB tasa de actividad laboral; V. *activity rate*), **participative management** *US* (GEST administración/gestión participativa/participatoria), **participator** (socio de una *close company*)].

particular *a*: particular, determinado; especial. [Exp: **particular average** (TRANSPT, INSCE avería simple o particular, pérdida; V. *average, gross average; memorandum clause*), **particular average, with; wpa** (con avería particular o simple), **particular, in** (en especial), **particular lien** (gravamen específico; derecho de retención de un objeto o bien concreto), **particular operating expenses** (gastos variables directos), **particulars** (detalles, pormenores; datos, datos personales; informe pormenorizado; descripción de un informe ◊ *Particulars of claim*; V. *full particulars*)].

partition *n/v*: partición, división; partir, dividir, seccionar, separar.

partner *n*: socio, asociado; partícipe; V. *active/dormant/silent/sleeping partner, managing partner, junior/senior partner; limited company; farm partnership*. [Exp: **partner bank** (banco corresponsal), **partners' capital account** (SOC cuenta de capital de los socios), **partners' capital contributions** (SOC participación de los socios en una compañía limitada), **partners' equity** *US* (capital contable), **partnership** (SOC sociedad colectiva, sociedad comanditaria, entidad social; compañía «parternariado»; la *partnership* es una organización comercial típica del mundo anglosajón; equivale parcialmente, en algunas ocasiones, a una sociedad colectiva, a una sociedad civil o a una comunidad de bienes en el derecho español; V. *sole trader; company, corporation; deed of partnership, limited partnership, limited partnership by shares, special partner-ship; go into partnership with sb; company, corporation*), **partnership account** (cuenta colectiva), **partnership agreement** (contrato de sociedad), **partnership articles** (cláusulas estatutarias, estatutos, escritura de sociedad), **partnership assets** (SOC activo social de una sociedad colectiva), **partnership at will** (sociedad colectiva sin plazo fijo de duración y denunciable por cualquiera de sus socios), **partnership capital** (capital de los socios o la sociedad), **partnership contract** (contrato de sociedad, contrato de asociación), **partnership debt** (SOC pasivo social), **partnership limited by shares** (SOC sociedad comanditaria por acciones), **partnership property** (fondo social, bienes sociales, propiedad en participación)].

party[1] *n*: parte, persona; V. *accommodation party; concert party; third party, working party*. [Exp: **party**[2] (partido político), **parties in litigation** (partes litigantes), **parties to the suit** (litigantes, partes de la demanda, partes personadas en un proceso, sujetos de la acción), **party and party basis of taxation** (TRIB sistema según el cual la parte que perdía un pleito era condenada a pagar todas las costas razonables de la parte ganadora; V. *standard basis of taxation*), **party funding** (financiación de partidos), **party in interest** US (parte interesada), **party line** (línea telefónica compartida), **party to something, be** (ser parte interesada o afectada en algo, apersonarse, personarse en algo), **party to the contract** (parte contratante), **party wall** (pared medianera)].

pass *n/v*: permiso, pase, autorización, tarjeta, entrada; aprobar, pasar; transcurrir; V. *permit, authority; by-pass*. [Exp: **pass a dividend** (omitir el pago de un dividendo; no declarar/pagar un dividendo en un ejercicio; V. *declare a dividend*), **pass a resolution** (acordar/adoptar/tomar un acuerdo o resolución; V. *carry a motion*), **pass off** (engañar haciendo pasar una cosa por otra; cometer el fraude de imitación ◊ *They passed the goods off as their own*), **pass on** (repercutir; V. *offload*), **pass over** (pasar por alto; V. *promotion*), **pass-off** (COMER imitaciones fraudulentas; artículos o mercancías que son comercializadas haciéndolos pasar por productos de una marca conocida o registrada; V. *close duplications, knock-offs*), **pass the buck** *col* (escurrir el bulto, pasar-se la patata caliente; V. *buck*), **pass the customs entry** (TRANS MAR cumplimentar los documentos propios del trámite aduanero; V. *customs entry*), **pass-through** US (FINAN con título subrogado; subrogación; se dice de los valores creados por la titulización —*securitization*— de unas obligaciones, cuyas rentas antes de llegar a su propietarios —*registered security holder*— pasan previamente por —*pass through*— las manos del obligacionista primitivo, el cual las envía a aquél al ritmo que a él le llegan; se diferencian de los títulos *pay-through* en que éstos tienen una calendario de pagos prefijado; uno de los valores más comunes son los títulos con garantía hipotecaria o *mortgage-backed securities*, los cuales suelen nacer de paquetes o fondos de créditos hipotecarios —*pools of residential mortgages*— del mercado norteamericano, reconvertidos —*repackaged*— en acciones; en estos casos una agencia federal, por ejemplo *GNMA*, que actúa normalmente como intermediaria —*serving agent, intermediary*— y fiduciaria, garantiza la transferencia —*pass through*— desde el acreedor hipotecario —*mortgagee*— al inversor o propietario del título, de los pagos mensuales de principal e intereses —*monthly principal and interest payments*; V. *pass-through securities*), **pass-through basis** (FINAN régimen de transferencia inmediata de los rendimientos de un producto financiero a los tenedores de sus títulos; rendimientos de un activo, título, bono, etc. basados en la transferencia inmediata de sus rendimientos tan pronto como éstos se producen; V. *pass-through securities; borrowing on a pass-through basis*), **pass-through certificate** (FINAN certificado de transferencia de préstamos; V. *participation certificate*), **pass-through derivatives** (FINAN derivados de titulizaciones —*securitizations*), **pass-through securities** *US* (BOLSA, FINAN valores titulizados de fondos de hipotecas; títulos subrogados; estos valores están garantizados por la agencia federal *Freddie Mac* o *The Federal Home Loan Association*; los cupones se abonan cuando se cobran los plazos de los activos titulizados; V. *securitization; participation certificate; current pool factor, collateralized mortgage obligations; asset/mortgage-backed securities, MBS; mortgage closing date; MBS*), **pass up a claim** (renunciar a un derecho), **passbook** (BANCA libreta o cartilla de ahorros o de depósitos; V. *savings book, bank book; no-passbook savings*), **passed dividend** (dividendo omitido o no distribuido/repartido), **passing of a dividend** *US* (SOC omisión o retención de un dividendo; V. *non-distribution*),

passing off (plagio o imitación fraudulenta de un producto; V. *plagiarism*), **password** (clave de acceso)].

passage *n*: TRANS MAR pasaje; travesía. [Exp: **passage ticket** (billete de pasaje), **passenger** (pasajero, viajero), **passenger boat** (buque de viajeros; V. *cargo boat*), **passenger clause** (SEG cláusula que concede doble indemnización por muerte o lesión del viajero), **passenger liner** (buque de viajeros), **passenger list/ manifest** (lista de pasajeros; V. *crew list*), **passenger terminal/train** (tren/ terminal de pasajeros)].

passive *a*: pasivo, inactivo, quieto; V. *active*. [Exp: **passive activity losses, PAL** *US* (TRIB pérdidas sufridas por la participación en actividades indirectas; V. *passive income*), **passive bond** (bono sin intereses), **passive debt** (FINAN deuda que no genera intereses), **passive immunization** (FINAN inmunización pasiva; V. *immunization*), **passive income** *US* (TRIB ingresos procedentes de actividades en las que el contribuyente no participa directamente, como por ejemplo, los beneficios de los socios comanditarios; tales ingresos, o, en su caso, las pérdidas correspondientes —*passive activity losses*— se separan, a efectos tributarios, de las rentas directas, esto es, las del trabajo o inversión; V. *passive income generator*), **passive income generator, PIG** *US* (TRIB inversión que produce ingresos indirectos; V. *passive income*), **passive liabilities** (CONT pasivo fijo), **passive trust** (fideicomiso pasivo; V. *active trust*)].

past *a*: pasado. [Exp: **past consideration** (DER causa contractual pasada), **past due** (vencido y no pagado; V. *delinquent, overdue, back, unsettled, pending, outstanding, arrears*), **past-due accounts**

(cuentas vencidas y no liquidadas; V. *collection*³)].

paste *n/v*: pasta, engrudo; pegar ◊ *Paste adverts on hoardings*. [Exp: **pasteboard** (cartón; V. *paperboard*)].

patent¹ *a*: manifiesto, claro, evidente, patente. [Exp: **patent**² (patente, privilegio de invención; patentar; V. *trademark; design; wasting asset; basic patent; home patent, life of a patent; intangible assets; take out a patent, grant a patent*), **patent ambiguity** (ambigüedad patente), **patent amendment** (certificado de adición; sirve para proteger mejoras introducidas en patentes registradas), **patent an invention** (patentar un invento), **patent and trademarks office** (oficina de marcas y patentes), **patent application** (solicitud de patente), **patent attorney** *US* (abogado especializado en patentes), **patent bureau/office** (oficina de patentes), **patent, copyright and design rights** (derechos de patente, derechos de autor y derechos de dibujos y modelos [diseños]), **patent defect** (vicio manifiesto o patente; V. *hidden, inherent; latent defects*), **patent fee** (V. *annual patent fee*), **patent holder** (titular, tenedor o concesionario de una patente; V. *patentee*), **patent infringement** (violación o infracción de patente), **patent law** (legislación en materia de patentes), **patent licence** (licencia de patente), **patent licensing agreement** (acuerdo de concesión de licencia para el uso de patentes), **patent office** (V. *patent bureau*), **patent pending** (patente solicitada, en tramitación o pendiente), **patent pool** (patentes mancomunadas), **patent priority date** (fecha de entrada en vigor de una patente), **patent rights** (derechos de patente), **patent rolls** (registro de patentes), **patent specifications** (especificaciones de patente),

patent royalties (derechos de patente, derechos de fabricación), **patentee** (titular, tenedor, poseedor o concesionario de una patente; V. *patent holder; patentor*), **patentor** (dueño de la patente; V. *patentee*), **Patents Court** (tribunal formado por jueces especializados en cuestiones de patentes)].

path *n*: senda, camino, curso, pista; trayecto, trayectoria; V. *critical path analysis*. [Exp: **path-finder** *col* (FINAN emisión exploratoria, también llamada «buscasendas»; en realidad, se trata de un prospecto informativo previo a una emisión de bonos o acciones, conocido en los Estados Unidos con el nombre de *red-herring*²)].

patron¹ *n*: COMER cliente regular. [Exp: **patron**² (patrono, mecenas), **patronage**¹ (clientela), **patronage**² (patrocinio, auspicio, mecenazgo, influencia), **patronage letter** (BANCA carta de recomendación/respaldo entre bancos o instituciones financieras), **patronise**¹ (ser cliente regular de, frecuentar), **patronise**² (patrocinar, favorecer; V. *sponsor*)].

patter *col n*: PUBL jerga, rollo publicitario, labia, palabrería propagandística ◊ *Sales patter*; V. *give a customer the patter*.

pattern¹ *n*: pauta, composición, estructura, modelo, esquema, configuración, tendencia; patrón; V. *changing pattern; set the pattern*. [Exp: **pattern**² (molde, prototipo), **pattern book** (muestrario), **pattern of investment/trade** (tendencia/composición/estructura/situación de la inversión/del comercio), **pattern of prices/sales** (tendencia/estructura de los precios/las ventas), **patterns and drawings** (moldes y planos)].

pawn *n/v*: prenda; empeño; pignoración; garantía; dejar/dar en prenda, empeñar, pignorar; V. *hock, pledge, lend, borrow*. [Exp: **pawn shop** (casa de empeño, monte de piedad), **pawn, in** (en prenda; V. *as a guarantee, in pledge*), **pawn**

ticket (papeleta de empeño), **pawn to, in** (a merced de, en manos de), **pawnbroker** (fiador, prestamista sobre prenda), **pawnbroker's** (casa de empeño; V. *pawnshop*), **pawnbroker's loan** (préstamo contra prenda), **pawnbroker's shop** (casa de préstamos, monte de piedad), **pawnbroking** (préstamos pignoraticios), **pawned/pledged securities** (valores pignorados/empeñados o dados en prenda/garantía; V. *pledged securities; securities held in pawn/pledge*), **pawnee** (prestamista, acreedor prendario, el que recibe un objeto en prenda; V. *pledgee, secured creditor*), **pawner** (prestatario, el que deja un objeto en prenda), **pawning** (empeño, pignoración)].

pay *n/v*: paga, sueldo, abono, remuneración; pagar, satisfacer, retribuir, abonar, liquidar; hacer efectivo, desembolsar; cancelar; consignar, remunerar; producir ganancia, ser provechoso. [Exp: **pay a call on a share** (SOC liberar una acción del dividendo pasivo correspondiente; V. *call; payment in full*), **pay a cheque into one's account** (abonar en cuenta, depositar un cheque), **pay accounts** (saldar/liquidar/ajustar cuentas), **pay-as-you-earn, PAYE, pay-as-you go** (impuesto a cuenta, retención de impuestos en la fuente de la renta de trabajo; esta retención, también llamada *pay-as-you-go*, especialmente en EE.UU., se aplica mensual o semanalmente a las rentas de trabajo), **pay-as-you-go system** (régimen de pagos con cargo a los ingresos corrientes), **pay at the desk** (pagar en caja; V. *pay desk*), **pay back** (devolver, reembolsar, restituir, pagar una deuda; V. *payback, refund, repay, reimburse, return*), **payback** (FINAN recuperación del capital invertido; también se usa en el sentido de *pay-back period²*), **pay-back period¹**

(TRIB período de devolución de impuestos, etc.), **pay-back period²** (FINAN período/plazo de reembolso/recuperación/amortización de una inversión; V. *pay-off*), **pay-bed** (cama o habitación por la que se paga en un hospital estatal), **pay by cheque** (pagar con un talón), **pay by instalments** (pagar a plazos), **pay cash down** (pagar en efectivo o en metálico; V. *spot cash*), **pay check** US (sueldo del mes; V. *take-home pay*), **pay claim** (reivindicación salarial), **pay comparability** (REL LAB escala de sueldos comparables), **pay-day** (REL LAB día de pago/cobro de la nómina), **pay desk** (caja; V. *cash desk; pay at the desk*), **pay dispute** (conflicto salarial; V. *pay settlement*), **pay down** (pagar al contado; pagar como depósito o desembolso inicial), **pay in** (abonar en ventanilla), **pay-in slip** (impreso de ingreso; V. *paying-in slip*), **pay into court as security** (prestar fianza ante el juzgado, pagar como consignación), **pay envelope** (sobre con la paga), **pay-off¹** (liquidación, pago final; FINAN período/plazo de reembolso/recuperación/amortización de una inversión; V. *pay-back period,² pay-off*), **pay-off²** *col* (soborno ◊ *Collect the pay-off*), **pay-off³** *col* (premio, recompensa, compensación ◊ *The promotion was the pay-off for her collaboration*), **pay off¹** (saldar/liquidar/cancelar una deuda, etc.; desembolsar; amortizar o redimir una hipoteca, etc.; V. *payoff; discharge a debt; redeem*), **pay off²** (REL LAB pagar y despedir; despedir a un empleado, liquidándole los haberes; ajustar cuentas, *lit y fig*), **pay off a debt** (satisfacer una deuda; V. *discharge a debt*), **pay off a mortgage** (redimir/levantar una hipoteca; deshipotecar; V. *redeem*), **pay on account** (dar una entrada o anticipo, pagar a cuenta; V. *make a downpayment*), **pay on open**

account (pagar a la mejor conveniencia del comprador, pagar en cuenta abierta; V. *open account*), **pay one's bills by banker's orders** (domiciliar las cuentas en un banco), **pay out**[1] (desembolso; desembolsar; V. *cash dividends pay-out ratio*), **pay-out**[2] (BOLSA, SOC beneficio de una sociedad que se distribuye como dividendo), **pay-out period** (período de recuperación de una inversión), **pay-out ratio** US (FINAN cobertura de dividendo; ratio de distribución de dividendos; se refiere al número de veces que se podría pagar cada dividendo con los beneficios netos obtenidos; V. *dividend cover*), **pay over** (entregar una cantidad), **pay over the odds** (pagar más de la cuenta; V. *overpay, overcharge*), **pay phone** (teléfono público), **pay rise/raise** (aumento/mejora de sueldo), **pay review** (revisión de sueldos y salarios), **pay/salary package** US (REL LAB paquete salarial; V. *compensation package*), **pay packet** (la paga, el sobre; V. *wage packet*), **pay/wage restraint** (moderación salarial), **pay scale** (REL LAB escala salarial), **pay settlement** (acuerdo salarial; V. *pay conflict*), **pay slip** (hoja de salarios, nómina; V. *paysheet*), **pay statement** (nómina; hoja detallada de haberes; V. *payroll*), **pay talks** (REL LAB conversaciones salariales), **pay threshold** (REL LAB nivel permitido de inflación, pasado el cual se aplica una subida de sueldos; V. *tax threshold*), **pay-through securities** (BOLSA bonos/títulos garantizados en el pago, con un calendario prefijado, por un fondo —*pool*— de hipotecas; también se le llama *cash flow bond*; V. *pass-through securities*), **pay up** (saldar, pagar por completo, liquidar, desembolsar acciones, etc.; ir pagando, pagar a plazos ◊ *Pay up the debt over two years*), **pay up a share** (SOC liberar una acción

totalmente; V. *payment in full*), **pay/wage freeze** (REL LAB congelación salarial), **pay warrant** (autorización, orden de pago, certificado de pago), **payable** (pagadero, a/por pagar, pagable, debido, pendiente de pago), **payable accounts** (cuentas a pagar, cuenta de proveedores, libro mayor de compras; V. *accounts payable*), **payable at sight** (pagadero a la vista), **payable coupon** (SOC cupón al cobro; V. *due coupon*), **payable on demand** (exigible a la vista, pagadero a su presentación), **payable on presentation** (pagadero a su presentación), **payable to bearer/order** (pagadero al portador/a la orden; V. *made out to bearer*), **payables** (CONT efectos/saldos a pagar; V. *receivables*), **payback** (devolución, reembolso; V. *pay-back*), **payback clause/period** (BANCA cláusula/período de reembolso, especialmente en los préstamos), **payee** (portador, tenedor, perceptor, beneficiario; endosado, tomador por endoso; V. *payer*), **payee of a cheque** (beneficiario de un cheque), **payee of a bill** (FINAN tomador o tenedor de una letra; normalmente es una entidad de crédito que concierta un contrato de descuento cambiario con el librador; V. *drawer; drawee, acceptor*), **payer** (pagador; V. *slow payer; payee; taxpayer*), **payer of a bill** (tomador de una letra), **payer swaption** (MERC DINER derecho, mediante el pago de una prima, a efectuar un trueque o *swap*, consistente en recibir tipos de interés variable y pagarlos a interés fijo; V. *receiver swaption*), **paying** (pagador; beneficioso, rentable ◊ *A paying proposition*; V. *profitable*), **paying agent/office** (agente de pagos, pagaduría), **paying bank** (banco pagador; V. *opening bank*), **paying-in book** (libreta de ahorros), **paying-in slip** (nota/resguardo de pago o ingreso; V. *credit slip*), **payload** (carga útil), **paymaster** (pagador; cajero; contador; tesorero; gerente, habilitado, funcionario o empleado encargado de pagar los salarios), **paymaster general** (ordenador general de pagos, habilitado general), **paymaster's office** (pagaduría), **payoff period** *US* (período de redención o liquidación), **payoff ratio** (ratio de rentabilidad; V. *profitability ratio*), **payout**[1] (desembolso; subvención), **payout**[2] (SOC beneficios asignados a dividendos; técnicamente es el cociente resultante de dividir la cantidad destinada al pago del dividendo por el beneficio total de la mercantil), **payout date** (fecha de desembolso), **payout price** (precio neto), **payroll, paysheet** (nómina de salarios o sueldos; monto de la nómina; V. *pay statement*), **payroll assistant** (pagador; V. *wages clerk*), **payroll padding** *US* (nómina fantasma), **payroll clerk** (pagador), **payroll deductions** (REL LAB deducciones en nómina), **payroll department** (departamento de nóminas), **payroll expenses** (gastos de personal), **payroll tax** (impuesto sobre rentas de trabajo; V. *pay-as-you-earn*), **paysheet** (V. *payroll*), **payt** (forma abreviada de *payment*)].

payment[1] *n*: pago, abono, desembolso; ingreso; remuneración; plazo ◊ *Monthly payment*; V. *ex gratia payment*), **payment**[2] (SOC pago parcial del dividendo pasivo, también llamado *instalment* o *instalment payment*; V. *call*[6]), **payment against documents** (pago contra entrega de documentos), **payment agreement** (convenio de pagos), **payment arrears** (atrasos en los pagos; morosidad; pagos en mora; V. *payment in arrears*), **payment basis, on a** (a título oneroso), **payment bill** (letra presentada al cobro; letra pagadera antes de la entrega de documentos), **payment bond** (fianza, fianza de pago), **payment by the job**

(salario a destajo; V. *piecework pay; job/task wage*), **payment by results** (REL LAB salario acorde con el rendimiento; V. *efficiency pay/wage*), **payment card** (V. *debit card*), **payment capacity** (capacidad de gasto o de pago; V. *ability to pay*), **payment/cash against documents** (pago contra entrega de documentos; V. *cash against documents*), **payment date** (día de pago; plazo para el pago), **payment deferred** (pago diferido o aplazado), **payment float** (intereses que puede ganar el pagador de un cheque; V. *collection float; float*[6]), **payment for honour** (pago por honor, por intervención o por un tercero), **payment in advance** (pago anticipado; V. *anticipated payment*), **payment in arrears** (pago vencido, retrasado o atrasado; pago a plazo vencido; V. *overdue payments; payment arrears*), **payment in due course** (abono en el/su momento debido), **payment in full** (SOC pago total, pago de liberación total de un acción; V. *pay up a share; pay a call on a share*), **payment in kind, PIK** (pago en especie; valores de cupón en especie; con frecuencia, en el mundo financiero, *in kind* también significa «con acciones o con títulos», es decir, en vez de pagar intereses, el rendimiento de un título se materializa con la entrega de otros; V. *in cash; benefits in kind; barter*), **payment in kind bond** (bono con intereses en forma de títulos), **payment of freight** (pago del flete), **payment on account** (pago a cuenta o como abono parcial; abono en cuenta), **payment on delivery, P.O.D** (pago contra entrega; V. *cash on delivery*), **payment on due term** (pago a término), **payment order** (orden de pago), **payment record** (historial de una empresa en el pago de deudas y obligaciones contraídas; V. *capital rating*), **payment stopped** (pago suspendido o retenido), **payment transactions** (movimiento de pagos, también llamado *payments*), **payment/cash with order** (COMER remítase el importe junto con el pedido; sólo se atienden los pedidos que vayan acompañados del correspondiente pago; V. *cash items, cash order*), **payments adjustment** (ajuste de la balanza de pagos), **payments assistance** (ayuda a la balanza de pagos), **payments deficit** (déficit de pagos), **payments position** (estado/situación de los pagos de un país)].

payola *col n*: soborno.

PDR *n*: V. *P/D ratio; price-dividend ratio*.

P/D ratio *n*: V. *price-dividend ratio*.

P/E ratio *n*: V. *price-earnings ratio, PER*.

peace *n*: paz. [Exp: **peaceful** (pacífico), **peaceful picketing** (REL LAB formación o estacionamiento de piquetes informativos o no violentos; V. *flying pickets; secondary picketing*)].

peak *n/v*: pico, punta, punto máximo, cumbre, cima; auge; llegar al máximo o techo, alcanzar el nivel más alto ◊ *Prices peaked in August*; V. *boom*. [Exp: **peak advertising slot** (PUBL espacio publicitario que coincide con las horas de máxima audiencia), **peak business activity** (período de maxima actividad empresarial), **peak capacity** (capacidad óptima), **peak demand** (demanda máxima), **peak fare** (TRANS tarifa de horas punta; V. *off-peak fare*), **peak hours** (horas de máxima actividad/afluencia; V. *rush hour*), **peak load** (demanda máxima; carga de punta), **peak period** (horas punta o de mayor consumo; horas de mayor afluencia/actividad; V. *rush hour*), **peak rate** (tipo/tarifa más alto), **peak risk** (SEG riesgo punta), **peak sales** (récord de ventas; ventas máximas), **peak season** (temporada alta), **peak shaving** (recorte de la demanda de punta)].

Pearson measure of skewness *n*: coeficiente de asimetría de Pearson.

peculation *n*: desfalco, distracción de fondos; V. *embezzlement, misappropriation*.

pecuniary *a*: pecuniario, financiero, monetario.

peddler/pedlar *n*: buhonero, vendedor ambulante o callejero. [Exp: **peddle** (dedicarse a la venta ambulante, vender por la calle o de puerta en puerta; trapichear), **peddling** (trapicheo)].

peg *n/v*: percha, clavija; taco, fijación, ajuste; valor estable; vincular, fijar, limitar, congelar, estabilizar; ajustar; etiquetar, catalogar, encasillar; se aplica a *interest rates, prices, etc.* ◊ *Peg a currency to the dollar*; V. *adjustable/composite/crawling/dynamic/sliding peg; currency peg; unpeg*), **pegged** (vinculado; V. *gold-pegged currency; over-the-counter market*), **pegged exchange rates** (tipos de cambio fijos), **pegged rate** ([tipo] de cambio fijo o intervenido/intervención/sostén; V. *intervention/support rate*), **pegging** (FINAN fijación artificial de precios; estabilización mediante medidas políticas), **pegging of prices** (mantenimiento/sostén de los precios; V. *price maintenance/support*)].

penalty *n*: penalización. [Exp: **penalty clause** (cláusula penal de un contrato, cláusula de penalización), **penalty for bad loss experience** (SEG recargo por exceso de siniestralidad), **penalty interest** (intereses de demora), **penalise** (penalizar, sancionar; perjudicar)].

pending[1] *a/prep*: pendiente, en trámite, sin resolver; a la espera de, hasta que, pendiente de; como adjetivo suele colocarse detrás del nombre, como en *issues pending*; V. *overdue, outstanding, unsettled, patent pending; awaiting, arrears*. [Exp: **pending balance** (saldo pendiente)].

penetration *n*: MERC penetración; V. *achieved penetration; market penetration/share*. [Exp: **penetration pricing** *US* (MERC fijación de precios de penetración), **penetrate** (penetrar, introducirse, abrirse paso)].

penny *n*: penique; V. *pound sterling*. [Exp: **pence** (peniques), **penny share** (BOLSA acción de poco valor), **penny pinching** *col* (tacañería, ahorro excesivo, «el chocolate del loro»; tacaño, ahorrativo, agarrado)].

pension *n/v*: jubilación, pensión, retiro; jubilar, pensionar. [El término *pension* —pensión— se aplica a la retribución anual, mensual, etc. por jubilación, generada con las aportaciones a la Seguridad Social, mientras que la *annuity* —anualidad, renta— está generada con aportaciones a un plan en una compañía de seguros, etc.; V. *indexed pension*. Exp: **pension annuity** *US* (pensión, anualidad de retiro), **pension fund** (fondo/caja de pensiones o de jubilación; V. *superannuation fund*), **pension plan** (plan de pensiones o de jubilación), **pension scheme** (plan de pensiones; V. *personal pension scheme*), **pension trust** (fondo de pensiones), **pensioners** (jubilados, pensionistas, clases pasivas; V. *old age pension*)].

pent-up *a*: contenido, reprimido. [Exp: **pent-up demand/inflation** (ECO demanda/inflación contenida o insatisfecha)].

PEP *n*: V. *personal equity plan*.

peppercorn rent *n*: alquiler nominal.

per[1] *prep*: por. [Exp: **PER**[2] (V. *price-earning ratio, PER, P/E ratio*), **per annum, p.a.** (por año, anualmente), **per capita** (per cápita, por habitante, por cabeza), **per capita income** (renta per cápita), **per cent** (por ciento), **per diem allowance** (dieta; viático; V. *travelling allowance*), **per exhibit** (según anexo), **per hour** (por hora), **per pro, per**

procurationem (por poder-es; V. *pro*), **performance agreements** (acuerdos de resultados), **percentage** (porcentaje, tanto por ciento), **percentage distribution** (distribución porcentual), **percentage of completion** (porcentaje de obra ejecutada), **percentage point** (entero, punto porcentual), **percentile** (percentil; V. *quartile*)].

PERCS *n*: V. *preferred equity cumulative redemption stock*.

perfect *a*: legal, perfecto, completado, formalizado. [Exp: **perfect equity** (título completo de equidad), **perfect monopoly** (monopolio absoluto; V. *absolute/pure monopoly*), **perfect obligation** (obligación perfeccionada), **perfect ownership** (dominio perfecto), **perfect the sight** (completar debidamente en la aduana los documentos correspondientes a la descripción de las mercancías importadas; V. *bill of sight*)].

perform *v*: cumplir, ejercer, practicar, desempeñar, efectuar, ejecutar. [Exp: **perform a balancing act** *col* (hacer malabarismos; andar en la cuerda floja), **perform a contract** (cumplir un contrato), **perform a duty** (cumplir con un deber), **perform a task/a function** (llevar a cabo una tarea, desempeñar una función; V. *discharge an obligation*), **perform the office of** (ocupar el cargo de; suplir a alguien en un cargo, hacer las veces de), **performing rights** (derechos de ejecución o intepretación), **performer** *col* (BOLSA valor bursátil de buen rendimiento; valor estrella; V. *middling stock performer*)].

performance[1] *n*: cumplimiento, actuación, desempeño, ejercicio, ejecución [de un contrato] ◊ *In the performance of his duties*; V. *discharge, part performance, non-performance, place of performance, specific performance*. [Exp: **performance**[2] (rendimiento, rentabilidad, resultados de un fondo, empresa, etc.; eficacia; evolución de la cotización de una acción; nivel de ejecución, resultado de la gestión; V. *accelerated performance test, abnormal performance index, outperforming unit*), **performance agreements** (acuerdos de resultados), **performance attribution** (FINAN atribución de rentabilidad o rendimiento; se utiliza en el control de gestión de carteras), **performance audit/evaluation** (evaluación de resultados), **performance bond/guarantee/security** (garantía de pago, aval de cumplimiento, fianza de ejecución o cumplimiento de un contrato; lo debe presentar el contratista o adjudicatario para garantizar el correcto cumplimiento del contrato), **performance budget** (presupuesto por funciones), **performance chart** (diagrama/gráfico de situación; V. *working table*), **performance criteria** (criterios orientadores para diseñar la estrategia de obtención de mayores rendimientos comerciales, como la productividad, las ventas, etc.; con referencia al Banco Monetario Internacional, alude a las condiciones que se deben cumplir en la solicitud de un crédito de esta institución), **performance index** (nivel de rendimiento), **performance indicators** (indicadores del rendimiento o rentabilidad; indicadores de cumplimiento de las normas de protección ambiental), **performance of one's duties, in the** (en el ejercicio/desempeño de su cargo), **performance of services** (prestación de servicios), **performance rating** (valoración de resultados; rendimiento efectivo), **performance-related pay, PRP** (REL LAB sueldo vinculado al rendimiento), **performance standards** (niveles de rendimiento)].

peril *n*: peligro, riesgo; V. *maritime perils, dangerous, extraneous perils*. [Exp: **peril point clause** (cláusula de punto crítico), **perils of the sea** (TRANS/SEG MAR riesgo, accidentes o eventualidades del mar)].

perimeter surveillance *US n*: vigilancia externa de unas instalaciones.

period *n*: época, ejercicio, período, plazo; V. *accounting period, transitional period, prior period*. [Exp: **period bill** (letra pagadera en una fecha marcada; V. *term bill*), **period cost** *US* (coste fijo; V. *fixed cost*), **period for acceptance** (plazo de aceptación), **period of appointment** (duración de las funciones), **period of economic expansion** (ECO ciclo de expansión económica), **period to be covered** (período a revisar), **period of falling prices** (ECO período de baja o de disminución, caída de los precios; V. *bear period*), **period of grace** (espera; período de carencia; período de gracia o de espera que se concede al deudor de buena fe; moratoria; V. *days of grace; partial acquittance*), **period of maturity** (plazo de vencimiento), **period of qualification** (REL LAB período de formación; V. *training period; probationary period*), **period of reimbursement** (período de amortización), **period of rising prices** (BOLSA período de alza; V. *bull period*), **period of validity** (vigencia, tiempo/plazo/período de vigencia), **periodic** (periódico), **periodic tenancy** (arriendo o inquilinato por tiempo indefinido; V. *fixed-term tenancy, notice to quit*), **periodical** (revista, publicación periódica, también llamado *periodical journal*), **periodicity** (periodicidad)].

perish *v*: perecer, estropearse, deteriorarse. [Exp: **perishable** (perecedero), **perishable goods** (productos perecederos; V. *wasting assets, non-durables; durable goods*)].

perk *col n*: REL LAB plus, extra, emolumento, ventaja ◊ *Salary plus perks*; V. *perquisite*. [*Perk* es la abreviación coloquial de *perquisite*. Exp: **perk up** *col* (animarse, repuntar, mejorar ◊ *Business is perking up*)].

permanent *a*: permanente, definitivo, duradero, estable; irreversible, irreparable ◊ *Permanent damage*; V. *casual; regular*. [Exp: **permanent assets** (CONT bienes de capital, activo fijo, permanente o inmovilizado —también llamado *capital/fixed assets*; V. *fixed/capital ·assets; current/circulating assets; real estate*), **permanent cover** (SEG póliza abierta), **permanent debt** (FINAN deuda perpetua, también llamada *funded debt*, y *fixed debt* en los Estados Unidos; V. *unfunded debt; private debt; external debt, fixed debt, floating debt deadweight debt*), **permanent disability** (REL LAB incapacidad permanente), **permanent financial investment** (inmovilizado financiero), **permanent fixtures** (instalaciones fijas), **permanent income** (renta permanente o perpetua), **permanent investments** (inversiones a largo plazo), **permanent market** (BOLSA mercado continuo), **permanent partial/ total disability** (incapacidad absoluta/ parcial permanente), **permanent revolving fund** US (fondo rotativo permanente), **permanent unemployment** (desempleo permanente, paro endémico)].

permit *n/v*: autorización, licencia, permiso, pase; patente; permitir, autorizar; V. *authority, licence, pass; building/entry/ residence/work permit*. [Exp: **permissible** (permisible), **permission** (licencia, permiso, autorización), **permit bond** US (fianza de tenedor de licencia), **permit holder** (titular de un permiso, autorizado; V. *Parking is for permit holders only*), **permitted development** (urbanización autorizada), **permittee** (autorizado, tenedor/titular de licencia o de patente)].

permutation *n*: permuta, trueque, cambio; V. *barter, swap*.

perpetual *a*: perpetuo; V. *fixed rate perpetual preferred stock*. [Exp: **perpetual annuity** (renta vitalicia o perpetua), **perpetual bond** (bono de renta perpetua; deuda perpetua o sin vencimiento fijo, título de renta vitalicia; también llamado *annuity/irredeemable bond/stock*), **perpetual debenture** (obligación perpetua; acciones irredimibles o privilegiadas; V. *debenture stock*), **perpetual debt** (deuda perpetua), **perpetual floating rate note** US (bono perpetuo con interés variable, bono variable perpetuo), **perpetual inventory** (CONT inventario constante o permanentemente actualizado), **perpetual loan** (empréstito de renta perpetua; pasivo permanente), **perpetual option** (MERC FINAN/PROD/DINER opción perpetua; V. *American option*), **perpetual trust** (fideicomiso perpetuo), **perpetuate** (perpetuar, hacer permanente), **perpetuity** (perpetuidad, anualidad perpetua)].

perquisite *n*: REL LAB plus, extra, emolumento, complementos de sueldo; V. *trimmings*. [Se usa más la forma coloquial *perk*].

person *n*: persona; V. *artificial person, juristic person, natural person*. [Exp: **person, in** (en persona), **person named in the policy** (SEG beneficiario de una póliza; V. *named person*), **personal** (personal, particular, privado, individual; nominativo), **personal account, PA** (cuenta individual/personal/privada), **personal allowance**[1] (TRIB deducción o desgravación por gastos personales; V. *abate, rebate; personal relief*), **personal allowance**[2] (REL LAB suplemento personal; V. *personal needs allowance*), **personal assets** (bienes personales, sobre todo, los muebles), **personal assistant, PA** (ayudante/secretario particular),

personal banker (BANCA empleado bancario que actúa como agente personal de todos los servicios de varios clientes, que están a su cargo a fin de lograr una atención más personalizada; V. *relationship banking, private banking*), **personal belongings** (efectos personales; V. *chattels, belongings, personal effects*), **personal bond**[1] (obligación personal, particular o nominativa), **personal bond**[2] (fianza personal o particular), **personal chattels** (bienes muebles; bienes personales), **personal effects** (efectos personales; V. *chattels, belongings, personal belongings*), **personal equity plan, PEP** (BOLSA, FINAN plan personal de adquisición de acciones, con ventajas fiscales, dirigido al fomento de la inversión bursátil del pequeño ahorrador ◊ *With the Personal Equity Plan the British government wanted to make the British people a nation of shareowners*), **personal guaranty** (garantía personal, fianza; V. *secured by a personal guaranty*), **personal identification number, PIN** (número de identificación personal para uso en tarjetas de crédito, etc.), **personal income tax** (impuesto sobre la renta de las personas físicas), **personal loan** (crédito personal, también llamado *consumer loan*), **personal management** (GEST gestión personal), **personal needs allowance** (suplemento por necesidades personales), **personal pension scheme** (SEG plan de pensiones personales; V. *contracting out; State earnings-related pension scheme; occupational pension scheme*), **personal property** (bienes muebles; V. *chattels, personalty*), **personal property floater** (SEG póliza de seguro contra pérdidas personales), **personal record** (historial, antecedentes; V. *background*), **personal relief** (TRIB desgravación; V. *personal allowance*), **personal security** (garantía personal; garantía sin documentos), **personal stock** (acciones nominativas; V. *registered stock*), **personal wealth tax** (TRIB impuesto sobre el patrimonio), **personality** (personalidad; V. *corporate personality*), **personalty** (bienes muebles; V. *personal property; realty*)].

personnel *n*: personal, empleados, plantilla de una empresa; gestión de personal; V. *labour, staff*. [Exp: **personnel hiring** (contratación de personal), **personnel manager/officer** (GEST jefe de personal), **personnel rating** (evaluación de la plantilla o personal de una empresa), **personnel rating scales** (REL LAB escalas de clasificación de personal), **personnel representatives** (REL LAB delegados laborales), **personnel roster** (relación o nómina de la plantilla)].

PERT *n*: V. *Programme/Project Evaluation Review Technique*.

peter out *v*: agotarse, desaparecer paulatinamente, quedar en nada ◊ *Interest has petered out*; V. *wane, fade*. [Exp: **Peter principle** (REL LAB principio de Peter o de la incompetencia)].

petro- *pref* petro-. [Exp: **petrochemical industry** (industria petroquímica), **petrocurrency** (petrodivisa), **petrodollars** (petrodólares; se dice de los dólares obtenidos por los países productores de petróleo e invertidos en centros financieros; V. *Organisation of Petroleum Exporting Countries, OPEC*), **petrol** (gasolina), **petroleum** (petróleo; hidrocarburos), **petroleum revenues** (rentas del petróleo o por hidrocarburos)].

petty *a*: menor, pequeño, insignificante, de poca monta. [Exp: **petty average** (TRANS MAR avería simple; V. *common average*), **petty cash** (fondo/caja para gastos menores; caja chica; V. *float cash, imprest fund/system, management cash; kitty*), **petty cash book** (libreta de cuentas de gastos menores), **petty expenditure** (gastos menores)].

phantom stocks *n*: acciones ficticias.

phase *n/v*: fase, aspecto; escalonar; V. *rephasing of a debt*. [Exp: **phase in** (introducir de forma escalonada ◊ *Phase in a new system of taxation*), **phase of the business cycle** (fase coyuntural; V. *economic phase*), **phase out** (eliminar/ reducir/suspender por etapas, paulatina o progresivamente; V. *run down*), **phase-out period** (período de eliminación gradual de los préstamos del Banco Mundial), **phase, out of** (desfasado, inadaptado a las nuevas tecnologías; V. *time lag; acculturation period*), **phase zero** *US* (fase cero), **phased development** (desarrollo escalonado o programado; evolución gradual o por etapas), **phased withdrawal** (retirada programada/escalonada; V. *Phased withdrawal of tax advantages*), **phasing and performance clause** (cláusula de escalonamiento y ejecución), **phasing-in** (expansión gradual), **phasing-out** (eliminación gradual), **phasing-out arrangements** (acuerdos de reducción gradual de la participación del capital extranjero)].

phoenix company/syndrome *n*: compañía/síndrome fénix.

phone *n/v*: teléfono; telefonear, llamar por teléfono; V. *telephone*. [Exp: **phone banking** (banca telefónica; V. *home banking; electronic banking*), **phone card** (tarjeta telefónica), **phone service** (servicio telefónico)].

photo/photograph *n*: foto. [Exp: **photo caption** (PUBL pie de foto), **photocopy** (fotocopia; V. *xerocopy*)].

physical[1] *a*: físico, material, real, tangible, inmediato; corporal, corpóreo, natural; V. *substantial, material*. [Exp: **physical/s**[2] (MERC FINAN/PROD/DINER productos/ activos físicos o tangibles; mercaderías;

activos tangibles; mercancías, artículos de consumo, bienes; *actual*,[3] *cash*[2]), **physical assets** (CONT activo físico/ tangible; valores materiales o físicos), **physical contingencies** (asignación para excesos de cantidades físicas), **physical contracts** (MERC PROD contratos de físicos), **physical count** (CONT recuento físico de inventario), **physical damage** (SEG daños físicos), **physical delivery** (COMER entrega real; V. *constructive/ symbolic delivery*), **physical distribution** (distribución física), **physical facilities** (instalaciones), **physical hazard** (riesgo material), **physical infrastructure** (infra-estructura física), **physical inventory** (inventario real o físico), **physical investment** (inversión en activos fijos), **physical planner** (planificador de obras), **physical planning** (planificación del espacio físico), **physical possession** (posesión material), **physical price** (V. *cash price; actual price*), **physical quality of life index, PQLI** (índice de la calidad material de vida), **physical stocks** (existencias de físicos), **physical value** (valor real, valor/coste de reposición), **physically handicapped** (REL LAB disminuido/discapacitado/minusválido físico)].

P & I *n*: V. *protection and indemnity*.

PIBOR *n*: V. *Paris Inter Bank Bid Rate*.

pick[1] *v/n*: escoger, elegir, seleccionar; elección, selección; derecho de elegir; V. *take one's pick*. [Exp: **pick**[2] col (lo más selecto, la «crème de la crème», los números uno ◊ *The pick of the bunch, the pick of young executives*), **pick up**[1] (coger, recoger), **pick up**[2] (ECO recuperarse, recuperar, repuntar ◊ *The economy sector is picking up*; V. *pick-up*[5]), **pick up**[3] col (ganar, embolsarse, cobrar ◊ *Pick up £12,000 a month*), **pick-up**[4] (recogida), **pick-up**[5] (mejora, aumento, repunte; V. *pick up*[2]), **pick-up a bargain** (hacer un buen negocio), **pick**

up and delivery (recibo y entrega de carga), **pick-up in demand** (aumento de la demanda), **picked port** (TRANS MAR puerto selecto), **picking list** *US* (CONT inventario de posición), **picking pack services** (servicio de recogida de paquetes), **pickings** *col* (ganancias, beneficios ◊ *The easy pickings in the Stock Market are gone*; V. *profits*), **pickup** (V. *pickup*[4,5]), **pickup and delivery service** (TRANS servicio de reparto), **pickup truck** (furgoneta o camioneta de reparto; V. *fork*), **pickup point** (punto o lugar de recogida)].

picket *n/v*: piquete de huelga; miembro de piquete; estacionar piquetes de huelguistas; V. *flying pickets*. [Exp: **picketing** (REL LAB piquetes; formación, estacionamiento u organización de piquetes; V. *chain picketing, peaceful picketing*), **picket line** (piquete de vigilancia, barrera/cordón de huelguistas; V. *scab*)].

pie chart *n*: gráfico circular, sectorial o por sectores; V. *bar chart*.

piece[1] *n*: trozo, pieza; V. *satisfaction piece, work at piece rates, mailing piece*. [Exp: **piece**[2] *col* (ADVTG artículo periodístico; V. *scoop*), **piece rate** (destajo, precio unitario o por pieza), **piece rate wage payments** (trabajo a destajo), **piece work, piecework** (a destajo, trabajo a destajo), **piece-work pay/wage** (salario a destajo; V. *payment by the job; job/task wage*), **piece worker** (destajista)].

pier *n*: espigón, muelle, atracadero, embarcadero, malecón. [Exp: **pier dues** (derechos de muelle), **pierage** (derechos de muelle)].

PIG *US n*: V. *passive income generator*.

pigeon-hole[1] *n/v*: casillero, casilla; categoría; encasillar, clasificar, catalogar ◊ *Pigeonhole items of expenditure*. [Exp: **pigeonhole**[2] (aplazar, archivar, dar carpetazo a, aparcar ◊ *Pigeonhole a proposal*; V. *put on the back burner*)].

piggyback *col n*: GRAL/ECO combinado, doble, a caballo, superpuesto, montado sobre el anterior; se emplea en publicidad y en economía; en el primer caso, por ejemplo, *piggyback advertisement* —anuncio doble— alude a la emisión consecutiva, sin solución de continuidad, de dos anuncios de productos distintos fabricados o patrocinados por la misma casa en el tiempo asignado a uno; de esta forma los dos se pasan en el tiempo de uno; en economía, por ejemplo, *piggyback export* —exportación montada sobre la infraestructura de otro—, es una forma de exportación concertada que se produce cuando un fabricante utiliza sus canales o subsidiarias de distribución en otros mercados para vender los productos de otros fabricantes conjuntamente con los suyos; la expresión tiene su origen en las expresiones familiares *to ride piggyback/to give a child a piggyback*, que se refieren a la diversión infantil en la que una persona mayor lleva a un niño a hombros o a cuestas. [Exp: **piggyback financing** (FINAN financiación concatenada o superpuesta), **piggyback registration** (SOC lanzamiento o emisión combinada de acciones; alude a la emisión cuyo prospecto aclara que las acciones nuevas se ofrecen en combinación con otras antiguas puestas en venta por sus titulares, cuya identidad debe figurar en el pliego de condiciones; V. *prospectus, placement memorandum; red herring*), **piggyback transport** (transporte combinado o mixto; modalidad combinada de transporte mediante la cual los remolques de los camiones viajan por ferrocarril)].

pignorate *v*: pignorar. [Exp: **pignoration** (pignoración; V. *pledge*)].

pigs (acrónimo despectivo con que algunos periódicos llaman a los países mediterráneos de la Unión Europea: P̲ortugal, I̲taly, G̲reece, S̲pain).

PIK *n*: V. *payment in kind*. [Exp: **PIK securities** títulos pagaderos en especie, es decir, aquellos valores —normalmente bonos o acciones preferentes— que producen intereses o dividendos en forma de acciones o bonos adicionales)].

pile *n/v*: montón, pila; amontonar, apilar; V. *stock piles, strategic stock piles*.

pilot[1] *n*: piloto, guía; guiar, pilotar, dirigir, conducir ◊ *Pilot an operation*. [Exp: **pilot**[2] (TRANS MAR práctico de puerto; V. *bar pilot, dock pilot; harbour pilot*), **pilot boat** (TRANS MAR embarcación del práctico del puerto), **pilot plant** (planta piloto), **pilot study** (estudio piloto), **pilotage** (practicaje; derechos de practicaje; pilotaje; V. *towage*)].

PIN *n*: V. *personal identification number*.

pinch[1] *col n/v*: aprieto, apuro, estrecheces; apretar; V. *tight corner, feel the pinch*. [Exp: **pinch**[2] (robar, birlar, levantar, quitar, pisar ◊ *Pinch sb's idea*), **pinch**[3] (hacer economías o sacrificios, reducir gastos, privarse de cosas, vivir muy frugalmente ◊ *Pinch and scrape to keep a business going*), *pinch, at a* (en caso de necesidad, si me apuras, etc.; como mucho)].

pink *a*: rosa. [Exp: **pink sheets** *US* (suplemento o cuaderno rosa; publicación diaria del *National Quotation Bureau* —Oficina nacional de cotizaciones— que contiene una relación actualizada del mercado extrabursátil —*over-the-counter market*), **pink sheet market** *US* (mercado bursátil informal, por teléfono, en donde cotizan los recibos de depósito americanos)].

pint *n*: pinta; equivale a 0,568 litros en el Reino Unido y a 0,473 litros en los Estados Unidos; V. *fluid ounze; gallon, litre*.

pioneer *n/v*: pionero, descubridor; iniciar, promover. [Exp: **pioneer industry** (industria de vanguardia), **pioneering** (PUBL promoción, introducción), **pioneering research** (investigación inicial), **pioneering stage** *US* (PUBL fase/etapa de lanzamiento/introducción de un producto)].

pip[1] *n*: MERC FINAN/PROD/DINER, BOLSA pipo; se aplica este término, calcado del inglés, a la fluctuación en un tipo de cambio, equivalente a 0,00001 unidades; en su origen, la palabra inglesa se refiere a cada uno de los puntos que aparecen en las fichas de dominó o de los dados; V. *junior pip*. [Exp: **pip**[2] (ganar por un margen escasísimo ◊ *The company was just pipped for/to the contract*), **pipped at the post, be** *col* (perder en los últimos metros/por un pelo)].

pipe *n/v*: tubo, tubería; llevar/transportar por tuberías o gasoductos. [Exp: **pipeline** (gasoducto, oleoducto), **pipeline, be in the** *col* (estar en proyecto, estar en trámite; estar próximo a anunciarse o realizarse ◊ *A pay deal that is in the pipeline*; V. *in the commitments pipeline*), **pipeline loan/credit** (préstamo/crédito en tramitación), **pipeline of projects** (proyectos en tramitación o en reserva; V. *lending pipeline*), **pipeline project** (proyecto en tramitación, en reserva), **piped water** (agua corriente)].

PIRA *n*: V. *participating interest rate agreement*.

pisciculture *n*: piscicultura; V. *fish farming*.

pit[1] *n*: mina. [Exp: **pit**[2] *US col* (MERC FINAN/PROD/DINER patio/corro de operaciones financieras, especialmente las de los mercados de productos —*commodity markets*— donde las transacciones se efectúan «por voceo» o *in open cry* ◊ *The oil pit*; V. *trading floor; callover, ring, pulpit*), **pit trader** *US* (MERC FINAN/PROD/DINER operador de mercados de materias primas; V. *floor trader*), **pitfall**

(fallo, escollo, trampa, dificultad; riesgo ◊ *The pitfalls of electronic dealings*)].

P/L *n*: V. *partial loss*.

placard *n*: pancarta.

place¹ *n/v*: lugar, sitio, plaza, puesto; situar, colocar, depositar, poner, hacer ◊ *Place a call*; V. *work place*. [Exp: **place²** (COMER distribución, V. *marketing*), **place³** (invertir; V. *invest*), **place/award a contract** (adjudicar un contrato), **place/negotiate/contract a loan** (gestionar/negociar/colocar un empréstito), **place an issue** (colocar una emisión), **place/put in an order** (hacer/formular un pedido), **place and date of issue** (lugar y fecha de la emisión, de la firma, de la expedición, etc.), **place/put in jeopardy** (poner en peligro, hacer peligrar), **place money** (invertir dinero; V. *raise money*), **place of entry** (aduana de entrada), **place of performance** (lugar de pago), **place/put on the record** (hacer constar en acta), **place responsibility** (exigir responsabilidad), **place restrictions on** (limitar, controlar, restringir ◊ *Place restrictions on the sale of arms*), **place of business** (local de un negocio, domicilio social), **placer** (contratante, colocador de una emisión; V. *place²*), **placing agent** (agente colocador), **placing memorandum** (V. *placement memorandum*), **placing of shares** (SOC colocación de una emisión de acciones; V. *public issue; V. issue by tender; flotation; offer for sale; public offering; public issue; offer by prospectus, bought deal; assured/direct/private/public placement; pre-emption right*), **placing power** (SOC capacidad de colocación de nuevas emisiones en mercados financieros)].

placement¹ *n*: empleo, colocación; experiencia laboral, período de prácticas ◊ *Trainee managers doing work placements*. [Exp: **placement²** (BOLSA colocación institucional de una emisión nueva de acciones; en Gran Bretaña también se llama *placing of shares*; V. *investment; private placement*), **placement office** (oficina/agencia de colocaciones), **placement memorandum** (SOC folleto de emisión; V. *prospectus*), **placement services of personnel** (servicios de colocación de personal)].

plagiarism *n*: plagio; V. *passing off*. [Exp: **plagiarist** (plagiario), **plagiarize** (plagiar, hurtar)].

plain *a*: sencillo, simple, claro, normal, corriente. [Exp: **plain vanilla¹** *US col* (corriente, normal, sin lujos), **plain vanilla²** (MERC FINAN/PROD/DINER intercambio o «swap» clásico de intereses fijo-variable), **plain dealing** (negocio limpio, las cosas claras ◊ *Be in favour of plain dealing*), **plain speaking** (franqueza; hablar sin rodeos)].

plaintiff *n*: demandante.

plane *n*: avión; V. *air/train travel*. [Exp: **plane, by** (en avión; V. *by air/boat*)].

plan *n/v*: plan, proyecto, programa; planificar, planear, prever, programar. [Exp: **plan participant** (partícipe en un fondo de inversión), **planned** (planeado, programado, planificado, previsto), **planned amortization class, PAC** *US* (FINAN clase de títulos con amortización planificada; son títulos con garantía hipotecaria; V. *controlled amortization bond; targeted amortization class*), **planned economy** (economía dirigida o planificada; V. *state-controlled economy, command economy; market economy*), **planned obsolescence** (ECO obsolescencia incorporada o programada; caducidad calculada, también llamada *built-in obsolescence; product obsolescence*), **planner** (proyectista, planificador), **planning** (planeamiento, planificación, programación, organización, previsión, proyección; urbanismo; V. *city/town planning; comprehensive planning*),

planning and decision making (planeación y toma de decisiones), **planning agency/authority/board** (ECO comisión/junta/autoridad de urbanismo/planificación; oficina encargada de la planificación urbanística), **planning board/committee** (junta/comisión de planificación), **planning permission** (autorización de urbanización; plan de urbanización; permiso/licencia municipal de obras; V. *development, permitted development, plot, town planning*), **planning, programming and budgeting system, PPBS** (GEST sistema de planificación, programación y presupuestación)].

plant *n/v*: planta; fábrica; instalación o unidad industrial; central de energía; plantar; V. *factory; assembly plant.* [Exp: **plant and equipment** (instalaciones y bienes de equipo), **plant assets** (activos físicos), **plant breeding** (fitogenética), **plant committee** (REL LAB comité de empresa, de fábrica o de planta industrial), **plant manager** (jefe de planta), **plant personnel** (personal de fábrica), **plant, property and equipment** (COMER inmovilizado material; planta, inmuebles y equipo), **plantation** (plantación, hacienda; V. *coffee/sugar/tobacco plantation*), **plantation economy** (economía de plantación; V. *export cropping*), **planter** (hacendado, colono, cosechero), **planting material** (material de siembra)].

plastic *n*: plástico. [Exp: **plastic bonds** (FINAN bonos de plástico; se trata de obligaciones titulizadas —*securitized bonds* —o bonos de crédito emitidos con cargo a las deudas de los usuarios de las tarjetas de crédito), **plastic products** (productos de plástico), **plastics industry** (industria de plástico)].

platform[1] *n*: plataforma, andén, muelle, tribuna. [Exp: **platform**[2] *US* (BANCA sección de atención al cliente; V. *hot line; copy platform*), **platform automation** (BANCA conexión automática de los servicios de la ventanilla/mostrador de atención al cliente con el centro neurálgico o trastienda —*back office*— del banco)].

play *n/v*: juego; holgura; jugar ◊ *Give more play to a department*; V. *make a play for.* [Exp: **play ball** col (cooperar, colaborar), **play fast and loose** (ser poco escrupuloso, jugar a engañar), **play for a rise** (especular al alza), **play, in** *US col* (BOLSA en juego; término que utilizan los operadores bursátiles para referirse a los títulos afectados por rumores, por ejemplo, de OPAS; V. *garbatrage; rumortrage*), **play safe** (ir sobre seguro), **play the market** (BOLSA jugar a la baja), **player** col (jugador, especulador; participante, candidato o posible candidato; persona o empresa que «suena» o se perfila como posible comprador de un negocio, etc., o que está en el ajo o está metido en una movida o maniobra; V. *global player*)].

plc *n*: V. *public limited company.*

pledge *n/v*: promesa; prenda, señal, pignoración, garantía, caución, derechos reales de garantía; dar/dejar en prenda, garantía o aval; pignorar; prometer solemnemente, jurar; V. *pawn, redeem a pledge.* [Exp: **pledge agreement/contract** (contrato prendario), **pledge allegiance** (jurar lealtad; V. *oath of allegiance*), **pledge, in** (en prenda o garantía; V. *in pawn, as a guarantee*), **pledge loan** (préstamo pignoraticio o prendario; V. *mortgage, security*), **pledge of collateral** (FINAN aportación de aval), **pledge of shares** (promesa de participación en el accionariado), **pledge share certificates** (pignorar acciones), **pledgeable** (pignorable), **pledged** (pignorar), **pledged assets** (activos gravados con aval, etc.; V. *charge, floating charge*),

pledged/pawned securities (valores/efectos pignorados/empeñados o dados en prenda/garantía; V. *against pledged securities; debt collection for realisation of pledged property; securities held in pawn/ pledge*), **pledgee** (depositario, acreedor, prendario, tenedor de una prenda; V. *secured creditor, pawnee*), **pledger** (prendador, pignorador/pignorante), **pledging** (pignoración, prenda)].

plenary meeting *n*: sesión/reunión plenaria.

plenipotentiary *n*: plenipotenciario.

plot[1] *n/v*: complot, trama, conspiración; conspirar, urdir, tramar, intrigar. [Exp: **plot**[2] (parcela de terreno, solar, también llamado *lot of land* o *building land/plot*), **plot sb's downfall** (intrigar para derrocar a alguien, tramar la caída de alguien), **plotting** (conspiración, confabulación)].

plough/plow back *v*: reinvertir; invertir los beneficios en la propia empresa ◊ *Plough back £1m into the business*; V. *rolled up coupon*. [Exp: **plough back profits** (reinvertir los beneficios), **ploughed-back profits** (beneficios reinvertidos), **ploughback** (reinversión), **plowing back of profits** (autocapitalización)].

ploy *n*: V. *advertising ploy*.

plug[1] *n/v*: tapón, clavija, enchufe; tapar, rellenar; enchufar. [Exp: **plug**[2] (PUBL publicidad; «enchufe»; recomendar insistentemente, machacar; dar publicidad encubierta/incidental ◊ *Give a new product a plug*; V. *name plugging; fire plug; pull the plug on a scheme*), **plug a line** (machacar siempre lo mismo; estar siempre con la misma cantinela ◊ *They're forever plugging that line*), **plug away** (machacar, seguir trabajando sin hacer caso, seguir erre que erre, ser inasequible al desaliento ◊ *We'll have to keep plugging away until we finish the work*), **plug in**[1] (enchufar), **plug in**[2] *col*

(sintonizar, captar la onda), **plug the drain on resources/reserves** (FINAN taponar la salida, frenar el goteo/la sangría de recursos/reservas), **plug the gaps** (tapar los agujeros), **plug up** (taponar, sellar), **plughole** (desagüe, salida; V. *go down the plug hole*), **plugged in, be** *col* (estar al loro), **plugging** (conexión)].

plum *n*: ciruela. [Exp: **plum job** *col* (puestazo, chollo, bicoca ◊ *Land a plum job with an engineering firm*)].

plummet *v*: caer en picado; V. *heavy fall, crumbling, plunge, sink; soar*. [Exp: **plummeting** (en picado)].

plunge[1] *v*: zambullirse, meterse a fondo, lanzarse de cabeza ◊ *Plunge into a dubious operation*; V. *plummet, tumble, fall; rise; soar*. [Exp: **plunge**[2] (BOLSA caída brusca, descenso marcado, desplome; riesgo, apuesta/jugada fuerte; caer, desplomarse, caer en picado ◊ *Stocks have plunged 50 points*; V. *take a plunge; bounce back*)].

plus *prep/a*: más. [Exp: **plus tick** *US* (BOLSA venta de un título a precio superior al de su cotización inmediatamente anterior; aumento en la cotización de un título, también llamado *uptick*; según las normas de la Bolsa estadounidense, la ejecución de la venta en corto o *short sale* sólo se permite si el precio de ejecución es superior —*has had a plus tick*— a la cotización inmediatament anterior, o bien, siendo igual a ésta, si es superior a la cotización anterior distinta, en cuyo caso se llama *zero plus tick*; V. *minus tick, zero plus tick, zero minus tick*)].

ply *v*: comerciar, ejercer/llevar un negocio, practicar; tener una línea regular; realizar el servicio entre dos puntos concretos. [Exp: **ply between** (hacer el servicio entre), **ply for hire** (ofrecer sus servicios el trabajador autónomo poniéndose regularmente en un lugar convenido, como los taxistas, etc.), **ply one's trade** (ejercer la profesión, llevar un negocio), **ply with questions** (acosar con preguntas, importunar)].

pm *n*: V. *premium*.

PM *n*: V. *Prime Minister*.

PN *n*: V. *promissory note*.

PO^1 *n*: V. *post office*. [Exp: **PO**^{2} (FINAN sólo principal o *principal only*; V. *IO*)].

poach *v*: cazar furtivamente; robar, «pisar». [Exp: **poach away** (hacerse con; quitar/atraerse/pisar un empleado de otra empresa ◊ *They have been poaching trade away from us*; V. *entice away*), **poacher** (cazador furtivo; oportunista)].

pocket *n/v*: bolsillo, bolsa; embolsar-se; V. *net; poverty pockets*. [Exp: **pocket a profit** (embolsarse los beneficios; V. *rake in a profit*), **pocket money** *col* (dinero de bolsillo)].

P.O.D *n*: V. *payment on delivery*.

point^1 *n/v*: punto, cuestión, proposición; apuntar, señalar, indicar ◊ *Make a point*; V. *issue*. [Exp: **point**^{2} (punto; suele tratarse de intereses que se pagan por anticipado al prestamista entero, también llamado *tick* ◊ *The index is down 2 points*; V. *unit; earning/losing the points*), **point**^{3} (punto, lugar; V. *place, customs entry point*), **point and figure chart** (gráfico de punto y figura), **point at issue** (punto en cuestión/litigio), **point of order** (cuestión de orden, cuestión de procedimiento), **point of sale, POS** (punto/terminal de venta; V. *outlet*), **point-of-sale advertising** (PUBL publicidad en punto de venta), **point-of-sale material** (PUBL material disponible en punto de venta), **point out** (señalar ◊ *Point out an error*), **point to** (señalar, apuntar), **pointer** (ECO indicador económico, etc.)].

poison *n/v*: veneno; envenenar. [En forma atributiva se emplea *poison* en el lenguaje, muy coloquial, de muchas operaciones financieras. Exp: **poison pill** (FINAN píldora envenenada para evitar la absorción de una sociedad; actuación defensiva contra una OPA hostil, vendiendo, por ejemplo, activos muy importantes; V. *corporate raider; greenmail; scorched earth policy, liability restructuring*)].

policy^1 *n*: política, programa, directrices, normas de actuación, líneas de conducta. [Exp: **policy**^{2} (SEG póliza ◊ *The policy only covers us against third-party, fire and theft*; V. *abandonment policy; open policy, sea/marine policy*), **policy assignment** (SEG cesión de póliza), **policy-based lending** (préstamos/financiamiento en apoyo de reformas de políticas), **policy framework paper** (documento sobre parámetros de política económica), **policy equity** (SEG valor liquidativo de una póliza; V. *equity of a policy*), **policy extended coverage** (ampliación de cobertura de póliza), **policy-holder** (SEG asegurado, titular de una póliza de seguros), **policy loan** (SEG anticipo/préstamo sobre póliza; lo puede pedir el asegurado teniendo como garantía el valor de rescate de la póliza), **policy mix** (ECO combinación de políticas), **policy of welfare** (política de bienestar), **policy is, our** (tenemos por norma), **policy package** (conjunto de medidas políticas), **policy paper/document** (documento de política sectorial, financiero, etc.); texto o documento que contiene unas directrices o anuncia una política o una línea a seguir, **policy proof of interest** (SEG la póliza es prueba de que existe interés asegurable; V. *insurable interest*), **policy reserves** (SEG previsiones matemáticas), **policy surrender** (rescate de la póliza), **policy values** (SEG valoraciones actuariales)].

politics *n*: política. [Exp: **political** (político), **political asylum** (asilo político), **political funds** (fondos sindicales destinados a objetivos políticos), **political machine** (maquinaria política; V. *machinery*), **political office** (cargo político, función política), **politician** (político)].

poll *n/v*: cabeza, persona, individuo; encuesta, sondeo, votación; elección, elecciones, escrutinio, lista electoral; votar, obtener votos; sondear, realizar una encuesta; V. *conduct a poll, go to the polls, opinion poll.* [Exp: **poll tax** (capitación, reparto de tributos o contribuciones, por personas o cabezas; V. *capitation tax, head tax, community charge; rate*), **polling** (sondeo; V. *canvassing*), **polling-booth** (cabina electoral), **polling-place/polling station** (mesa electoral, colegio electoral; se refiere al lugar en donde se lleva a cabo la votación; el conjunto de electores elegidos por un gran colectivo con el fin de que, a su vez, voten en representación de éstos se llama *electoral college*), **pollster** (encuestador, técnico de encuestas; V. *interviewer*)].

pollicitation *n*: policitación, compromiso, oferta o compromiso contraído por una de las partes, sin ser aceptado por la otra.

pollute *v*: contaminar. [Exp: **pollutant** (agente contaminante), **pollution** (contaminación ◊ *Environmental pollution*)].

pool[1] *n/v*: consorcio, concentración/mancomunidad de empresas, aseguradores, etc.; fusión de intereses; comunidad de intereses para la ejecución de medidas comunes; mancomunar intereses, hacer un fondo común, unir esfuerzos o recursos ◊ *Some stock exchanges have planned to pool data on dealings*; V. *share.* [Exp: **pool**[2] (fondo, reserva; fuente ◊ *Pool of resources*; V. *unemployed*

labour; buffer pool; typing pool), **pool**[3] (equipo ◊ *A pool of 100 typists*), **pool**[4] (MERC FINAN/PROD/DINER agrupación/acuerdo temporal de manipuladores de los mercados financieros; camarilla, banda, sindicato; V. *ring, syndicate; monopoly*), **pool-based lending rate system** (sistema de tipos de interés basados en una cesta de empréstitos pendientes), **pool-based variable lending rate** (tipo de interés variable basado en una cesta de empréstitos pendientes), **pool of currencies** (cesta/fondo común de monedas), **pool of unemployed labour** (REL LAB reserva de mano de obra desocupada), **pool operations** (manipulación de mercados financieros organizada por grupos de forma combinada o concertada), **pool resources** (unir/reunir recursos/esfuerzos, llegar a un acuerdo de cooperación), **pool risks** (SEG mancomunar riesgos), **pooled concession** (concesión mancomunada), **pooled decision making** (toma de decisiones combinadas), **pooled earnings** (ganancias en fondo común), **pooled loan** (préstamo incluido en el sistema de fondo común de monedas), **pooled shares** (SOC acciones mancomunadas), **pooling** (unión; centralización, puesta en común, socialización de fondos, agrupamiento, combinación), **pooling agreement** (convenio consocial; son acuerdos establecidos por las empresas para reducir la competencia en algunas líneas; V. *shipping pool*), **pooling of errors** (notificación mutua de errores; política o acuerdo de seguimiento mutuo de errores para facilitar su subsanamiento entre todos), **pooling of interests** (CONT agrupación/consolidación de intereses/fondos; método contable utilizado en la fusión de empresas tras su adquisición, consistente en la suma de las dos hojas de balance partida por partida; V. *acquisition; purchase acquisition method*), **pooling of risks** (mancomunación de riesgos), **pooling principle** (ECO principio de concentración industrial)].

population *n*: población. [En función adjetiva equivale a «demográfico». Exp: **population displacement** (desplazamiento de población), **population exploitation** (explosión demográfica), **population growth rate** (índice de aumento de población), **population policy** (política demográfica)].

porcupine provision *n*: cláusula puerco espín, de carácter defensiva o disuasoria.

port *n*: puerto; babor. [Exp: **port authority** (dirección/administración/autoridad portuaria), **port charges/dues/tariffs** (derechos de dársena; tarifas portuarias; V. *harbour dues/fees*), **port charter** (póliza de fletamento con mención expresa del puerto de arribada; V. *berth charter*), **port duties** (derechos portuarios), **port of call** (puerto de escala; V. *visitation port; call at a port*), **port of delivery** (puerto final o terminal), **port of departure** (puerto de salida), **port of distress** (puerto de refugio o de arribada forzosa; V. *distress, vessel in distress*), **port of entry** (puerto de entrada, fiscal, aduanero o habilitado), **port of refuge** (puerto de refugio, de arribada forzosa o de amparo), **port of registry** (puerto de matrícula/registro), **port of shipment/transit** (puerto de embarque/tránsito), **port risk insurance** (seguro de riesgos portuarios)].

portage, porterage *n*: porte, gastos de transporte.

portable *a*: portátil. [Exp: **portable pension** (pensión transferible), **portability** (transportabilidad, transferibilidad)].

portfolio *n*: FINAN cartera, cartera de valores ◊ *Minister without portfolio*; V. *defensive portfolio*. [Exp: **portfolio analysis** (COMER análisis de carteras de productos; V. *Boston Consulting Group portfolio analysis, General Electric portfolio analysis*), **portfolio adjustment** (ajuste/reajuste de cartera), **portfolio assets** (activos de cartera), **portfolio company** (sociedad de cartera; la especulación se efectúa en la compraventa de participaciones accionariales; V. *security investment company*), **portfolio consideration** (SEG prima de cartera), **portfolio holding company** (sociedad de cartera), **portfolio insurance/protection** (cartera asegurada; seguramiento/seguro de cartera; V. *inventory risk*), **portfolio investments** (inversiones de cartera; V. *direct investment*), **portfolio management** (gestión/administración de cartera de valores), **portfolio manager** (gestor de carteras), **portfolio managing company** (sociedad gestora de carteras), **portfolio performance** ([control de] rendimiento de carteras), **portfolio securities** (valores de cartera/inversión; cartera de títulos/valores de inversión; V. *investment securities/shares/stock*), **portfolio selection theory** (teoría de la selección de carteras), **portfolio theory** (ECO teoría del análisis de carteras de valores; análisis económico para minimizar los riesgos y maximizar las ganancias en bolsa; V. *alpha/beta coefficient*), **portfolio transfer** (cesión de cartera)].

portion *n*: lote, parte, porción. [Exp: **portion out** (distribuir, repartir ◊ *Portion out aid*), **portion icecream** (helado en porciones)].

POS *n*: V. *point of sale*.

position *n/v*: empleo, cargo, puesto ◊ *Fill a position, advertise a position*; V. *job, post²*. [Exp: **position²** (situación; situación económica; estado, posición; emplazamiento; V. *balance of payments* *position; financial position*), **position**[3] (emplazamiento), **position**[4] (MERC FINAN/PROD/DINER posición; en los mercados de futuros y de opciones es la posesión de un contrato no liquidado, es decir, en plena vigencia), **position book-keeping** (contabilidad de posición), **position limit** (MERC PROD límite de posición), **position of an account** (estado de una cuenta; V. *state of an account*), **position of trust** (puesto de confianza), **position paper** (informe detallado de situación; informe que aclara la situación actual de una empresa, etc., identificando los problemas coyunturales), **position trader** (MERC FINAN/PROD/DINER operador de posición; posicionista; es el intermediario/inversor de acciones, opciones o contratos de futuros que posee más de los que realmente necesita, es decir, adopta una posición larga o compradora —*long position*— estando pendiente de las fluctuaciones de los precios; V. *day trader, scalper, spreader; local; dabber*), **positioning** (MERC PROD situación; búsqueda/toma de posición; V. *interpositioning*)].

positive *a*: positivo, constructivo. [Exp: **positive yield curve** (FINAN curva de rendimientos positivos; en esta situación, los intereses a largo plazo son superiores a los de corto plazo; V. *flat curve, inverted yield curve*)].

possess *v*: tener, poseer, gozar de, disfrutar. [Exp: **possession** (tenencia, goce, disfrute, posesión), **possessor** (poseedor), **possessory** (posesorio), **possessory lien** (derecho de retención)].

post- *prefijo*: post-, pos-. [Exp: **post-closing** (posterior al cierre; V. *pre-closing*), **post-closing trial balance** (CONT balance de comprobación posterior al cierre; balance de situación; estado contable/financiero; V. *statement of condition; closing trial balance*), **post-**date (posdatar, posfechar; V. *antedate, post-date, update*), **post-dated cheque** (cheque posfechado; V. *stale-dated*), **post entry** (entrada adicional; V. *prime entry*), **post-entry closed shop** (lugar de trabajo cuyo reglamento interno incluye la obligación de hacerse militante de un sindicato determinado dentro de un plazo señalado a partir de la admisión como empleado; V. *closed shop, pre-entry closed shop*), **post-obit bond** (obligación pagadera después de la muerte de un tercero del que el prestatario es heredero), **post-shipment export financing** (créditos de posfinanciación de exportaciones), **post-statement disclosures** (CONT información recibida —o datos descubiertos— con posterioridad a la publicación del estado financiero; V. *audit report*)].

post[1] *n/a/v*: correos; postal; enviar por correo, echar al buzón; V. *mail*. [Exp: **post**[2] (puesto, empleo, cargo; V. *position, vacant post; post*[4]), **post**[3] (avisar, pegar carteles ◊ *"Post no bills"*; V. *bill*), **post**[4] (anunciar, publicar ◊ *Post pre-tax profits of £1m*), **post**[5] (destinar, enviar ◊ *Be posted abroad*; V. *post*[2]), **post**[6] (CONT pasar asientos al Libro Mayor, contabilizar; registrar; anotar; V. *post a debit/credit*), **post a credit** (CONT abonar; anotar en el haber de una cuenta; practicar una nota de abono o crédito en la contabilidad; V. *posting; credit entry*), **post a debit** (CONT adeudar; anotar en el debe de una cuenta; practicar una nota de cargo o débito en la contabilidad; V. *posting; debit entry*), **post bail** (DER pagar la fianza), **post free** (sin gastos de franqueo), **post gains** (BOLSA registrar ganancias), **post office** (oficina/estafeta de correos), **post-office box** (apartado de correos), **post office cheque** (cheque postal; V. *postal check*), **Post Office Savings Bank** (BANCA Caja de Ahorros

Postal; V. *National Savings Bank*), **postal check** US (cheque postal; V. *post office cheque*), **postal consignment** (envío postal), **postal giro** (servicio de giro postal; V. *national giro service; bank giro*), **postal giro transfer** (giro postal), **postal/money order** (giro postal), **postal code** (código postal; V. *zip code*), **posting** (CONT asiento; pase al libro Mayor; V. *abstract of posting; cash book posting, credit/debit posting, machine posting*), **posting, packing and insurance** (gastos de franqueo, embalaje y seguro), **posting errors** (CONT errores contables; errores al pasar asientos; V. *casting errors*), **postage** (tarifa postal, franqueo), **postage and packing, p. & p.** (gastos de franqueo y embalaje), **postage paid** (franqueo concertado, porte pagado, con franqueo pagado), **postage stamp** (sello), **postal authority** (administración postal), **postage extra** (gastos de envío no incluidos), **poste restante** (lista de correos; V. *general delivery*), **postman** (cartero; V. *mailman*), **postmark** (matasellos; poner el matasellos), **postmaster** (administrador de correos), **Postmaster General** (Director General de Correos), **postpaid** (franqueo concertado/pagado; portes pagados; V. *pre-paid*)].

postscript, P.S. *n*: postdata, P.D.

poster *n*: cartel, mural. [Exp: **poster designer** (PUBL cartelista), **poster hoarding** (PUBL valla publicitaria)].

postpone *v*: aplazar, posponer, diferir, dilatar, postergar. [Exp: **postponable** (aplazable, prorrogable), **postponement** (aplazamiento, prórroga)].

potential *a/n*: potencial ◊ *Potential for development, sales potential*. [Exp: **potential market** (mercado potencial), **potential stock** (SOC acción potencial o no emitida; V. *unissued stock*)].

pouch *n*: V. *diplomatic pouch*.

pound[1] *n*: libra, también llamada *pound sterling*; cada libra tiene cien peniques; V. *penny, pence*. [Exp: **pound**[2] (libra, cada libra consta de 16 onzas), **pound-cost averaging** (cálculo del coste medio en libras; V. *constant-dollar plan, dollar cost averaging*), **pound sterling** (libra esterlina; V. *penny*), **poundage** (comisión/impuesto por cada libra de peso o de valor; cuando se trata de impuestos, corresponde a las autoridades fiscales fijar esta relación)].

poverty *n*: pobreza, indigencia. [Exp: **poverty effect** (efecto pobreza; V. *wealth effect*), **poverty income threshold** (nivel mínimo de rentas/umbral de pobreza; V. *poverty line*), **poverty line** (nivel mínimo de ingresos, [nivel de ingresos en el] umbral de pobreza; V. *poverty income threshold*), **poverty pockets** (bolsas de pobreza), **poverty trap** (trampa de la pobreza; situación que se da cuando los tipos impositivos absorben los aumentos salariales de los más desfavorecidos, produciendo un círculo vicioso)].

power *n*: poder, potencia, energía, capacidad, potestad, poder de acción, facultad, competencia; apoderamiento; V. *competence, capacity, faculty; decision-making power; hire-and-fire power*. [Exp: **power base** (zona de influencia, fuente del apoyo ◊ *A trade union's power base*), **power cut** (apagón, corte en el suministro de energía), **power of appointment** (derecho, facultad o capacidad de disponer de una propiedad nombrando a un beneficiario), **power of attorney, PA** (poder, poder notarial; poder de representación, mandato de procuraduría; V. *special power of attorney; grantee*), **power of attorney, by** (por poder, pp; V. *by authority*), **power-driven vessel** (TRANS MAR buque de propulsión mecánica; V. *sailing-boat*),

power fail (fallo o caída en la tensión de alimentación eléctrica), **power plant/station** (central eléctrica), **power takeoff** (toma de fuerza), **powerful** (poderoso, omnipotente), **powers that be, the** (poderes fácticos, el poder, las autoridades)].

p & p *n*: V. *postage and packing*.

PPP *n*: V. *purchasing power parity*.

PPBS *n*: V. *planning, programming, budgeting system*.

practical *a*: práctico, pragmático, viable, factible. [Exp: **practicality** (viabilidad; sentido práctico, sensatez), **practicalities** (el día a día, los aspectos prácticos ◊ *Examine the practicalities of a scheme*)].

practice[1] *n*: práctica, uso, costumbre ◊ *Trade practices*. [Exp: **practice**[2] (ejercicio; de entrenamiento, de prueba ◊ *Practice scheme*), **practice, in** (en la práctica, en realidad; V. *on paper*), **practice of a profession** (ejercicio de una profesión), **practise as** (ejercer de), **practise a profession** (ejercer una profesión), **practising lawyer** (abogado en ejercicio; V. *member of the bar*), **practitioner** (profesional; normalmente se aplica a los profesionales de la abogacía y de la medicina)].

praecipium *n*: FINAN comisión previa; anticipo de parte de la comisión de gestión —*management fee*— que le corresponde al «jefe de fila» o *lead manager bank* de un préstamo sindicado o *syndicate loan*.

pratique *n*: V. *free pratique; modified pratique; certificate of pratique*.

pre- *prefijo*: pre; previo; de antemano. [Exp: **pre-acceptance surveys of risks** (SEG evaluaciones previas de los riesgos antes de su aceptación), **pre-allocation** (distribución/asignación previa), **pre-arrival processing** (tramitación del despacho antes de la llegada de las mercancías), **pre-authorized payment** (BANCA pago autorizado de antemano; V.

direct debiting), **pre-closing** (anterior al cierre; V. *post-closing*), **pre-decease** (premorir; premoriencia), **pre-decease clause** (SEG cláusula de premoriencia; V. *common disaster clause, survivorship clause*), **pre-development work** (actividades previas a la explotación), **pre-empt** (adelantarse a algún acontecimiento actuando primero), **pre-empt a takeover bid** (adelantarse a/prevenir una OPA), **pre-emption** (prioridad, derecho de prioridad o preferente, opción de compra prioritaria), **pre-emption clause** (cláusula de prioridad), **pre-emptive** (preventivo), **pre-emptive right** (derecho preferente; derechos prioritarios/preferenciales; derecho de tanteo; prioridad que tiene todo accionista a suscribir acciones de nuevas emisiones en ampliaciones; V. *rights issue; right offering; first refusal rights, bought deal*), **pre-engage** (contratar o comprometer de antemano), **pre-entry closed shop** (empresa o lugar de trabajo que, por acuerdo sindical, condiciona la contratación de nuevo personal a la afiliación de éste al sindicato en cuestión; V. *closed shop, post-entry closed shop, shop steward, union rules*), **pre-exporter** (exportador sin experiencia), **pre-financing** (prefinanciación, financiación anticipada), **pre-judge** (prejuzgar), **pre-holiday effect** (BOLSA efecto día prefestivo; V. *day's effect*), **pre-matured loan** (préstamo cuyo vencimiento se ha anticipado), **pre-maturing** (anticipación del vencimiento), **pre-opening** (BOLSA de preapertura, anterior a la apertura), **pre-organization certificate** (título provisional de accionista antes de la fundación de la mercantil; V. *incorporation*), **pre-packed/-packaged** (envasado/empaquetado/envuelto para la venta), **pre-paid** (abonado por anticipado; pagado en origen ◊ *Insurance* *premiums are paid in advance*; V. *postpaid*), **pre-paid expenses** (CONT ajustes por periodificación; gastos contabilizados en una cuenta especial por corresponder al ejercicio siguiente; V. *deferred income*), **pre-paid freight** (TRANS MAR flete anticipado; V. *freight in advance*), **pre-paid interest** (descuento hecho por adelantado; interés cobrado por adelantado; V. *unearned discount*), **pre-paid reply card** (tarjeta de respuesta con el franqueo pagado), **pre-paid tax** (impuesto adelantado; V. *forward tax*), **pre-pay** (pagar por anticipado), **pre-payable** (pagadero por anticipado), **pre-payment** (anticipo, reembolso anticipado; pago previo, anticipado o por adelantado), **pre-payment penalty/premium** (penalización/prima por cancelar el préstamo antes de su vencimiento), **prepayment of taxes** (TRIB impuest a cuenta), **prepayments** (activo transitorio), **pre-production costing** (presupuesto provisional), **pre-sold issue** (SOC emisión precolocada; V. *bought deal*), **pre-tax earnings/profits** (beneficios antes de descontar/deducir/pagar impuestos), **pre-tendering arrangements** (concertación previa a la presentación de ofertas en licitaciones), **pre-test** (anterior a la prueba), **pre-test data** (datos obtenidos con anterioridad a las pruebas)].

precautionary measure *n*: medida preventiva o cautelar.

precinct *n*: V. *shopping precinct*.

predatory *a*: predador, depredador, de rapiña; rapaz; abusivo; de buitre. [Exp: **predatory price** (precio desleal o abusivo), **predatory pricing** (BOLSA fijación de precios a la baja para hundir a los competidores; tarifas abusivas o de buitre; V. *rate war*)].

predominate *v*: predominar, tener prioridad. [Exp: **predominancy** (predominio), **predominant** (predominante)].

prefer *v*: preferir, dar preferencia o prioridad. [Los términos *preference, preferential, preferred* aplicados a *terms, price, discount, shares, tariff, etc.* tienen el sentido de «preferente, privilegiado, prioritario», siendo sinónimos parciales de *privileged* y de *priority*. Exp: **preference** (preferencia; V. *order of preference*), **preference beneficiary** (beneficiario de preferencia), **preference bond** (obligación preferente/privilegiada), **preference dividend** (dividendo preferencial, preferente o de prioridad; V. *preferential/preferred dividend*), **preference margin** (preferencia; margen de preferencia; V. *margin of preference*), **preference option** (opción de preferencia), **preference receiving country** (país receptor de preferencias), **preference share/stock** (SOC, BOLSA acción privilegiada o preferente; acción de capital; V. *preferred stock*), **preference shareholder** (titular de acciones privilegiadas; V. *absolute priority*), **preference/preferential tariff** (arancel/tarifa preferente, de preferencia o preferencial, tarifa de favor), **preferential** (privilegiado, preferente, prioritario, con prioridades), **preferential agreements** (acuerdos preferenciales), **preferential allocation** (aplicación preferencial), **preferencial arrangement** (sistema de preferencias), **preferential assignment** (cesión con prioridades), **preferential bond/debenture** (obligación preferente), **preferential/preferred creditor/prior creditor** (acreedor preferente, privilegiado o prioritario), **preferential debt** (deuda privilegiada; V. *priority of debts, privileged debt*), **preferential dividend** (V. *preference dividend*), **preferential duty** (arancel/tarifa preferente, de preferencia o preferencial, tarifa de favor; V. *discriminating duty, differential duty*),

preferencial entry (entrada en régimen preferencial), **preferencial lien** (SEG crédito preferente, privilegio del asegurado), **preferential/priority right** (SOC, BOLSA derecho de preferencia o prioridad; derecho preferente, también llamado *first right*), **preferential rate of exchange** (tipo de cambio preferente), **preferential shop** (REL LAB empresa que da prioridad a la contratación de empleados sindicados; V. *closed shop*), **preferential stock** (SOC BOLSA títulos o acciones preferentes o privilegiadas; V. *preferred stock*), **preferential tax treatment sectors** (ECO, TRIB actividades/sectores con tratamiento fiscal privilegiado o bonificado), **preferential treatment** (trato preferencial, medidas preferenciales, términos preferentes), **preferred as to assets/dividend** (privilegiado en el patrimonio/dividendos), **preferred capital stock** (acciones preferentes), **preferred creditor** (acreedor privilegiado o preferente), **preferred debt** (deuda privilegiada o de prioridad), **preferred dividend** (dividendo preferencial, preferente o de prioridad; V. *preferential/ preference dividend; in arrears; common dividend*), **preferred equity cumulative redemption stock, PERCS** (BOLSA acción preferente acumulativa rescatable), **preferred lien** (gravamen preferente), **preferred position** (situación privilegiada o prioritaria), **preferred stock** *US* (SOC, BOLSA acciones privilegiadas, de prioridad o preferentes; acciones de capital; también se las llama «obligaciones participativas» porque, al ser títulos intermedios entre la acción y la obligación, dan derecho a un dividendo fijo aunque, normalmente no tienen derecho de voto; su nombre en el Reino Unido es *preference share*; V. *'A' shares US; absolute priority; non-voting shares, voting*

shares; common stock; classified common stock; convertible preferred stock, auction market preferred stock, fixed-rate perpetual preferred stock), **preferred stockholders** *US* (SOC accionistas preferentes), **preferring creditors** (acreedores preferentes o prioritarios)].

prejudice *n/v*: detrimento, perjuicio, daño; prejuicio; perjudicar; producir o acarrear perjuicios, lesionar; prejuzgar ◊ *Prejudice sb against sth*; V. *without prejudice*. [Esta palabra tiene los significados repartidos entre los términos españoles «perjuicio, perjudicar» y «prejuicio, prejuzgar». Exp: **prejudice of, to the** (en perjuicio de, en detrimento de), **prejudice to, without** (sin perjuicio de, sin perjuicio o detrimento de los propios derechos, con reserva de derecho), **prejudiced** (con prejuicio, parcial; V. *bias, partial*), **prejudicial** (perjudicial)].

preliminary *a*: preliminar. [Exp: **preliminary trial balance** (balance antes del cierre)].

premises *n*: establecimiento, local, edificio; propiedad ◊ *Open new premises*; V. *business premises; licensed premises*. [Exp: **premises, on the** (en el lugar/ casa/establecimiento, etc.)].

premium[1], **pm** *n*: SEG prima; lo opuesto de *premium* es *discount* ◊ *Insurance premium*; V. *insurance premium, acceleration premium, earned premium, graded premium, prepayment premium, risk premium*. [Exp: **premium**[2] (BOLSA prima de emisión; diferencia del precio de un título en el mercado secundario con relación al de emisión o a la par; V. *face value; market value*), **premium**[3] (COMER prima; entrega a cuenta o depósito previo en un contrato de futuros o de productos, también llamado *margin*[4]), **premium**[4] (COMER prima; diferencia entre el precio inicial y el final de un producto divisa en un mercado de futuros), **premium**[5] (de primera categoría, de calidad ◊ *Premium grade/rate*), **premium**[6] ([prima por] traspaso), **premium, be at a**[1] (BOLSA estar por encima de la par, tener agio, tener prima; V. *par value; above/below par, nominal price, face value*), **premium, be at a**[2] (ser muy solicitado, tener buena demanda, escasear ◊ *Gold is at a premium*), **premium bonds** (bonos/obligaciones del Estado con prima; obligaciones con lotes; bonos del Estado que entran en un sorteo periódico; cualquier bono u obligación que cotiza por encima del valor nominal; V. *ERNIE*), **premium deal** (operaciones con prima), **premium discount** (descuento de prima), **premium discount plan** (SEG política de prima con descuento a pólizas de alto valor nominal), **premium due** (prima emitida), **premium earned** (prima devengada), **premium for risk** (prima de riesgo), **premium forward exchange** (MERC DINER contrato de divisas a plazo con premio; su titular tiene garantizado un tipo de cambio determinado sin renunciar a la posible especulación), **premium income** (ingresos por venta de una opción), **premium loan** (préstamo avalado por la prima que devenga una póliza), **premium note** (pagaré garantizado por la prima que devenga una póliza), **premium offer** (COMER, PUBL oferta especial; normalmente contiene un obsequio publicitario o una reducción de precio; V. *deal, special offer*), **premium on prepayment** (prima por reembolso anticipado), **premium over bond value** (BOLSA prima sobre el valor de obligación; se refiere a la diferencia de cotización en el mismo mercado entre la obligación convertible y la no convertible emitidas por la misma sociedad), **premium over conversion value** (BOLSA prima sobre valor de conversión; se refiere a la diferencia en el mismo mercado entre la cotización de la obligación convertible y el precio al que ésta es convertible), **premium quality** (alta calidad), **premium raid** (BOLSA «asalto prima en mano»; es el intento por parte de un tiburón de hacerse con el control de una empresa ofreciendo primas a los accionistas de la misma), **premium rate** (tipo de prima), **premium reserves** (SEG reservas para riesgos en curso), **premium sale** (venta con prima), **premium stock** (acción con prima o primada)].

prescribe *v*: prescribir, caducar; ordenar, reglamentar, prever. [Exp: **prescribed dividend** (dividendo reglamentario, previsto o anunciado)].

present *a/n/v*: actual, presente; regalo; regalar; presentar, elevar una petición, documentos; dar, entablar, denunciar, citar; V. *actual, current.* [El verbo tiene el acento en la última sílaba. Exp: **present a bill for acceptance** (presentar una letra a la aceptación), **present, at** (actualmente), **present for collection/payment** (presentar al cobro/pago), **present for signature** (presentar a la firma), **present/primary beneficiary** (primer beneficiario, también llamado *immediate beneficiary*; V. *ultimate beneficiary*), **present use** (uso actual), **present value/worth** (valor actual, actualizado o descontado), **presentation** (presentación), **presentation, on/upon** (al presentar, al ser presentado; contra entrega; V. *upon surrender; on call, on demand, on notice of*)].

preserve *v*: preservar, conservar; mantener, salvaguardar. [Exp: **preservation** (conservación; V. *building preservation notice*)].

preside over *v*: presidir. [Exp: **presidency** (presidencia), **president** (SOC presidente; el término *chairman* suele designar al presidente o moderador de un comité, junta, etc.; cuando en una sociedad hay *chairman* y *president*, este último suele ser el cargo ejecutivo, especialmente en los Estados Unicos; a veces, en el Reino Unido, *the president* es un cargo honorífico; para evitar equívocos se emplea el término *chairman and chief executive* —presidente ejecutivo)].

press *n/v*: prensa; V. *gutter press, yellow press*. [Exp: **press**² (presionar, apremiar, instar, obligar, abrumar), **press advertising/publicity** (publicidad en la prensa), **press a debtor** (apremiar a un deudor), **press bales** (embalar, empacar), **press briefing** (reunión o sesión informativa; reunión breve con la prensa para dar una información), **press bureau** (negociado de prensa), **press clipping/cutting** (recorte de prensa), **press conference** (conferencia/rueda de prensa; V. *kerbside conference*), **press coverage** (cobertura informativa, espacio dado en la prensa), **press gallery** (tribuna de prensa; V. *reporter's gallery*), **press release** (comunicado o nota oficial de prensa), **pressing** (urgente, apremiante), **pressman** (periodista, tipógrafo *US*), **pressure** (urgencia, presión; apremio; presionar; V. *financial pressure; put pressure on*), **pressure group** (grupo de presión; V. *lobby*), **pressurise** (presionar ◊ *Pressurise sb into doing sth*)].

prestige *n*: prestigio. [Exp: **prestige advertising** (PUBL publicidad en revistas selectas)].

presume *v*: presumir, suponer. [Exp: **presumption** (supuesto, presunción, suposición), **presumptive** (presunto, presuntivo), **presumptive assessment/ taxation** (TRIB imposición en régimen de evaluación global))].

presuppose *v*: presuponer. [Exp: **presupposition** (supuesto, presupuesto, presuposición)].

prevail *v*: predominar, prevalecer, estar vigente. [Exp: **prevailing** (corriente, extendido, preponderante, dominante, predominante, común, generalizado, imperante, reinante, actual), **prevailing conditions** (coyuntura actual, condiciones imperantes), **prevailing market rate** (tipo/tasa vigente en el mercado), **prevalence** (predominio, frecuencia), **prevalent** (predominante)].

prevent *v*: evitar, impedir. [Exp: **prevention** (prevención), **preventive** (preventivo, precautorio, cautelar), **preventive measures** (medidas preventivas o cautelares)].

previous *a*: previo, anterior. [Exp: **previous/prior notice, without** (sin preaviso, sin previo aviso; V. *until further notice*)].

price *n/v*: precio, cotización; cambio; tipo de cambio; fijar, poner o calcular el precio; estimar, valorar; V. *quotation; spot price, forward price*. [Exp: **price advance** (subida de precios), **price adjustment** (ajuste de precios), **price agreement** (BOLSA a cambio convenido [entre las partes compradora y vendedora de una transacción]), **price alignment** (aproximaciones de precios), **price allowance** (rebaja, descuento), **price appreciation** (alza de precios), **price behaviour** (comportamiento de los precios), **price-cash flow ratio** (FINAN ratio precio-flujo de capital; el precio al que alude es el bursátil del total de las acciones de la empresas), **price ceiling** (COMER tope de precios; precio máximo permitido por la ley o autorizado en el mercado; V. *price floor; ceiling price*), **price change** (cambio en el precio o en las cotizaciones), **price contingencies** (imprevistos en el movimiento de los precios), **price control** (control de precios), **price cutting** (rebaja/reducción de precios; rebajas), **price-cutting war** (guerra de precios), **price decline** (caída de los precios; V. *price cutting*), **price differential/spread** (ECO diferencial de inflación), **price discovery mechanisms** (MERC PROD mecanismos de formación del precio), **price discrimination** *US* (COMER discriminación en el precio; V. *functional discount*), **price-dividend ratio, PDR** (BOLSA relación entre precio y dividendo), **price-earnings ratio, PER, P/E ratio** (BOLSA relación precio/beneficio, P/B; aplicado a acciones es el coeficiente que se obtiene al dividir el precio de mercado de una acción por los beneficios obtenidos por la misma en el período anterior; también llamado *earnings yield*, es el número de veces que hay que pagar los beneficios de una empresa para adquirirla; V. *earnings per share, eps*), **price effect** (ECO efecto precio, efecto en los precios; V. *income effect*), **price escalation clause** (fórmula de revisión de precios; cláusula de previsión de subidas en el precio; se emplea en los contratos con un largo plazo de entrega, como los de construcción, servicios de ingeniería, etc.), **price ex factory** (precio franco en fábrica o almacén, precio de fábrica; V. *factory price*), **price ex-warehouse** (precio franco en almacén), **price fixing**[1] (fijación de precios, también llamado *pricing*; estabilización de precios; V. *common pricing, competitive/penetration/predatory/downstream pricing*), **price-fixing**[2] (COMER pacto de imposición de precios, también llamado *price maintenance*; alude al convenio ilegal entre empresas para controlar precios; V. *combination in restraint of commerce/trade; illegal combination, code of fair competition/trading, conspiracy in restraint of trade*), **price fixing agreement** (COMER pacto de precios; acuerdo de fijación de precios entre competidores; V. *price-fixing*), **price fixing authority** (COMER organismo encargado de la fijación de precios), **price floor** (COMER precio mínimo autorizado; V. *price ceiling*), **price freeze** (congelación de precios), **price label/tag** (etiqueta con el precio), **price leader** (empresa líder en materia de precios), **price level accounting** (contabilidad según el nivel general de precios), **price list** (lista de precios), **price maintenance/support** (sostenimiento de los precios; V. *price fixing;*[2] *pegging of prices*), **price movement limit** (límite de fluctuación del precio), **price nursing** (compras de sostén o apoyo), **price off** (oferta, precio reducido), **price on the free market** (cotización no oficial), **price oneself out of the market** (pedir precios que el mercado no está dispuesto a pagar), **price quotation** (cotización de precios), **price range** (gama de precios), **price rate** (cambio a la par; V. *price rate*), **price reporting agreement** (acuerdo de información sobre los precios), **price-rigging** (manipulación de precios), **price rise** (subida de precios; alza de cotizaciones), **price-sensitive information** (información privilegiada que afecta a la cotización de valores; V. *insider dealing*), **price-sensitive product** (COMER producto cuya venta depende del precio que tenga, no de la calidad u otros factores), **price spread/differential** (diferencial de precios; V. *spread, bear spread, butterfly spread, calendar spread, credit spread, vertical spread, diagonal spread; put, call*), **price squeeze** (compresión de los precios), **price support** (MERC FINAN/PROD/DINER mantenimiento de los precios), **price swing** (fluctuación/oscilación de precios), **price tag/label** (etiqueta de precios), **price-to-be-fixed contract** (contrato a precio por determinar), **price to factory** (precio puesto en fábrica), price war (guerra de precios), **prices on application** (los precios serán comunicados si nos los solicitan), **pricing** (ECO, COMER determinación, cálculo, marcación o fijación de los precios; V. *common pricing, competitive/penetration/predatory/downstream pricing; explicit pricing; cost-plus charging/pricing*), **pricing models/strategies/theories** (MERC FINAN/PROD/DINER modelos/estrategias/teorías de fijación de precios; V. *marginal pricing*), **pricing policy** (política tarifaria o de precios), **pricing spread** (diferencial de precios)].

primage *n*: TRANS MAR prima adicional por cuidado especial a la mercancía y a su transporte; capa, bonificación que daba el cargador al capitán de un buque.

primary *a*: primario, básico, primordial; directo. [Exp: **primaries** (elecciones preliminares), **primary allotment** (asignación inicial), **primary beneficiary** (V. *present beneficiary*), **primary budget suplies** (excedente fiscal primario), **primary commodities/products** (productos primarios, básicos o de primera necesidad), **primary liability** (responsabilidad directa), **primary market** (FINAN mercado primario; V. *secondary market*), **primary powers** (poderes primarios o principales), **primary production** (producción primaria), **primary reserves** (reservas básicas), **primary sector** (sector primario), **primary wants** (artículos de primera necesidad)].

prime *a*: principal, fundamental, primordial, básico; de primera clase. [Exp: **prime -1, -2, -3** (FIN calificaciones de solvencia —*ratings*— aplicadas por *Moody's* a la capacidad de pago o devolución de las empresas emisoras de deuda a corto plazo; V. *A1*), **prime bill** (FINAN letra de cambio sin riesgo; efecto comercial de primera clase; letra de

cambio de la máxima garantía, también llamada *prime trade bill* o *first-class paper*; V. *fine bill/paper, fine trade bill; respectable bill*), **prime commercial paper** *US* (FINAN pagarés de empresa a corto plazo, de seguridad y rentabilidad; V. *commercial paper*), **prime contractor** (contratista principal; V. *main contractor*), **prime costs** (costes básicos de producción, coste variables), **prime entry** (entrada principal; V. *post entry*), **prime entry book** (CONT libro diario; libro de contabilidad primario; V. *journal*), **prime interest** (FINAN tipo de interés preferencial o preferente; V. *fine rate of interest*), **prime lending rate** (tipo preferencial, tipo básico; V. *base/prime rate*), **Prime Minister, PM** (Primer Ministro), **prime rate** (BANCA interés o tasa/tipo de interés preferencial; es el tipo de interés que la banca aplica a los clientes de menor riesgo, también llamado *market discount rate*), **prime time** (PUBL horario estelar; banda horaria de mayor audiencia o interés publicitario, en televisión o radio), **prime trade bill** (V. *prime bill*), **priming** (V. *pump priming*)].

principal[1] *a*: principal, fundamental, primario, básico; V. *chief, main, primary*. [Exp: **principal**[2] (GEST principal, jefe, ordenante, poderdante, cedente, mandante, comitente; V. *donor; agent, mandator; assignee, attorney, factor, proxy, default by principal*), **principal**[3] (capital, principal), **principal amount** (principal, montante principal), **principal and agent** (poderdante y apoderado, mandante y mandatario, principal y agente), **principal and interest** (capital e intereses), **principal only securities, PO** (FINAN obligaciones sólo capital; V. *interest only securities*), **principal's contingency insurance** (SEG seguro combinado de empresarios)].

principle *n*: principio, axioma, norma fundamental, criterio; V. *accounting principles*. [Exp: **principle of comity** (principio de cortesía), **principle/method of gross presentation** (FINAN principio de no compensación), **principle of taxation** (principio impositivo)].

print[1] *v*: imprimir; ◊ *A licence to print money*. [Exp: **print**[2] (impresión; letras de molde; tipo; V. *small print*), **print, be in** (estar en catálogo, estar disponible), **print, be out of** (haberse agotado la edición, estar fuera de catálogo), **print money** (darle a la máquina de hacer billetes), **print-out** (copia impresa), **print-run** (tirada), **printed matter** (impresos)].

prior *a*: anterior, previo; privilegiado. [Exp: **prior allocation of the quota** (asignación previa del contingente), **prior approval** (aprobación previa), **prior claim** (derecho de adjudicación), **prior/preferential/preferred creditor** (acreedor privilegiado, preferente o prioritario), **prior death, on** (SEG si es que muere antes), **prior endorser/indorser** (endosante anterior), **prior lien** (gravamen precedente o anterior, obligación preferente), **prior lien bond** (bono/obligación con garantía preferente), **prior period** (ejercicio anterior), **prior period adjustments** (CONT ajustes sobre el período previo), **prior preferred stock** (acciones preferentes con derechos especiales), **prior repayment** (reembolso anticipado), **prior stock** (BOLSA acción preferente con derechos especiales), **prior to** (antes de), **prior to maturity** (antes del vencimiento), **prior year** (ejercicio anterior; V. *prior period*), **prioritize** (priorizar, dar preferencia), **priority** (prioridad, prelación, precedencia; V. *absolute priority*), **priority figure** (cifra establecida por anticipado), **priority of debt** (prioridad de la deuda, deuda privilegiada; V. *privileged debt*), **priority/preferential right** (derecho preferente)].

privacy *n*: intimidad. [Exp: **private** (privado, particular, restringido), **private act** (ley aprobada por el Parlamento a petición o iniciativa de un particular o de una autoridad local, de quien es privativa; V. *public act*), **private accountant** (contable de empresa), **private bank** US (banco comercial constituido al amparo de la legislación de *partnerships* en vez de la de sociedades anónimas; banco privado; banco que no es miembro de una cámara de compensación bancaria o *clearing house*; V. *commercial banks*), **private banking** US (banca privada; se dedica más a los servicios de gestión de carteras de inversión; V. *retail banking; personal banker, relationship banking*), **private brand** (COMER marca de distribuidor, marca blanca, marca de la casa; marca de productos patrocinada por el vendedor en vez de por el productor, también llamada *dealer's brand*; V. *family brand*), **private capacity, in one's** (oficiosamente, a título personal, sin carácter oficial), **private carrier** (transportista privado; suele estar especializado en el transporte de mercancías homogéneas, no estando sujeto a las obligaciones del porteador común o *common carrier*), **private company/corporation** (SOC empresa privada, sociedad particular, corporación privada, entidad de derecho privado; la diferencia esencial entre este tipo de sociedad y la *public company* está en que las acciones en las que está dividido el capital social de esta última cotizan en Bolsa y pueden ser adquiridas por el público, mientras que en la empresa privada no es así; de todos modos importa subrayar que ambas formas de empresa gozan de responsabilidad limitada y tienen la consideración jurídica de sociedades anónimas, circunstancia evidenciada por la obligación legal de incluir la aclaración *limited* o *ltd* en el caso de las privadas y *public limited company* o *plc* en el de las públicas, como parte de su denominación social; por lo tanto, los dos tipos de empresa se apartan de la situación de las *partnerships* —sociedades colectivas o comanditarias, según el caso—, cuyos socios responden individual y solidariamente con su patrimonio personal de las deudas de la sociedad; V. *public company, limited liability, partnership, general partnership*), **private control, be under** (estar en manos de particulares, ser del sector privado, ser independiente), **private debt** (FINAN deuda privada; V. *government bonds/papers; national debt, public debt; deadweight debt; private debt; external debt, fixed debt, floating debt, funded debt, unfunded debt*), **private deed** (escritura privada), **private enterprise** (empresa libre), **private estate** (barrio residencial; V. *housing estate, council estate; housing scheme*), **private income** (rentas ◊ *He lives on his private income*), **private international law** (Derecho internacional privado), **private limited company** (SOC sociedad de responsabilidad limitada; V. *limited liability company, private company, public limited company*), **private means** (rentas ◊ *She doesn't need to work, she has private means*), **private person** (particular; V. *individual*), **private police** (guardas jurados), **private placement** (SOC, BOLSA colocación privada de valores; colocación directa a los inversores de una emisión de títulos, por ejemplo, una compañía de seguros, sin recurrir a intermediarios o a suscripción pública; V. *direct placing/placement, public offering*), **private property**

(propiedad particular), **private sale** (venta en documento privado), **private sector** (sector privado; V. *corporate sector; public sector; privatization; denationalization*), **private sector liquidity, PSL** (FINAN liquidez en manos del público; activos financieros en manos del público; V. *M4*), **private-sector money market instruments** (efectos privados), **private trust** (fideicomiso particular o privado), **private view** (opinión personal o extraoficial), **privatization** (privatización; V. *denationalization*), **privatize** (privatizar ◊ *The government has recently privatised water in Britain*)].

privilege *n*: trato de favor; fuero, inmunidad, concesión, privilegio, gracia, prerrogativa, dispensa, patente, opción. [Exp: **privilege broker** (corredor de opciones), **privileged leave** (REL LAB excedencia; V. *annual leave*), **privileged** (aforado, privilegiado), **privileged communication** (comunicación de confianza o privilegiada, por ejemplo entre profesional y cliente, etc.), **privileged bank** (banco privilegiado), **privileged debt** (deuda privilegiada o prioritaria; V. *preferential debt*), **privileged person** (persona aforada), **privileges and inmunities** (privilegios e inmunidades; V. *immunity, priority*), **privileged will** (testamento privilegiado, testamento exento de las formalidades habituales)].

privity *n*: relación de partes de interés común, co-participación. [Exp: **privity of contract** (relación/obligación contractual, relación particular de las partes contratantes)].

prize *n*: presa marítima; botín.

pro *prep*: a favor de, por; V. *per pro*. [Exp: **PRO** (V. *public relations officer*), **pro-forma invoice** (factura proforma), **pro rata** (prorrata), **pro rata distribution**

clause (SEG cláusula de distribución proporcional, también llamada *average distribution clause*; se aplica cuando el seguro abarca más de una pérdida), **pro rata rules** (principio de proporcionalidad), **pro tem/tempore** (REL LAB interino, provisional, temporal, *pro tempore*)].

probability *n*: probabilidad. [Exp: **probability distribution** (distribución de probabilidad), **probability sampling** (muestreo probabilístico), **probability theory** (teoría de la probabilidad), **probable** (probable, verosímil), **probable maximum loss, pml** (SEG daño máximo probable)].

probation[1] *n*: REL LAB período de prueba en un empleo. [Exp: **probation**[2] (libertad condicional o a prueba, libertad probatoria), **probation, on** (REL LAB a prueba), **probationary period** (REL LAB período de prueba; V. *training period, qualification period*)].

procedure *n*: procedimiento, tramitación; modo de proceder, normas de actuación; normas o fases procesales. [Aunque son sinónimos parciales, *procedure* y *proceeding* no son intercambiables. En el contexto jurídico *procedure* se refiere al conjunto de normas procesales o a la ley adjetiva mientras que *proceedings* alude a los trámites y actuaciones concretas, o a la demanda o el proceso en sí; es decir que éste se refiere a lo actuado y aquél al modo de actuar. [Exp: **proceed** (proceder, actuar, seguir los trámites), **proceed to** (pasar a ◊ *Proceed to the next stage*), **proceed to liquidation** (proceder/emprender/poner en marcha los trámites de liquidación), **proceeding-s**[1] (procedimiento, actuaciones, trámites, diligencias, actos, acto procesal, proceso), **proceedings**[2] (actas, minutas, autos, deliberaciones), **proceedings of a general meeting** (acta de la junta general), **proceeds** (ganancias, beneficios, frutos, productos, rédito, producto neto o líquido de una operación; V. *returns; venue; gross/net proceeds*), **proceeds of a credit** (fondos de un crédito)].

process *n/v*: proceso, método, procedimiento; elaborar, procesar, transformar; tramitar, preparar. Exp: **process a claim** (SEG tramitar una reclamación), **process control** (control de procesos industriales), **process, in** (en trámite, en gestión o en curso), **process of clearance, in the** (pendiente de despacho), **processed data** (datos elaborados; V. *raw data*), **processed product** (producto transformado), **processing** (trámite; elaboración, tratamiento; transformación; V. *assembly*[2]; *offshore assembly/processing*), **processing fee** (comisión de tramitación)].

procure *v*: lograr, conseguir, obtener, hacerse con ◊ *Procure sb's services*. [Exp: **procurement** (logro; compra, adquisición; V. *bulk procurement*), **procurement agent/officer** (agente de adquisiciones/compras; V. *materials buyer*), **procurement authorities** (servicio de compras del Estado), **procurement budget** (presupuesto de compras), **procurement guidelines** (normas de contratación), **procurement of capital** (obtención de capital; V. *fund raising*)].

produce[1] *n/v*: producto; producir, fabricar; elaborar; V. *agricultural produce, make; manufacture; production*[1]), **produce**[2] (presentar, mostrar, exhibir, rendir ◊ *Produce a profit*; V. *show, present; production*[2]), **produce broker** (V. *commodity broker*), **produce exchange-s** (lonja de productos perecederos; lonjas o bolsas de contratación —*commodities markets*—, especializadas en cualquier materia prima excepto metales, donde las transacciones se efectúan tanto con productos físicos —*actuals*— o con *futures*; V. *commodities exchange, trader in actuals, trader in futures*), **produce results** (producir/arrojar buenos resultados), **producer** (productor, fabricante), **producer price index** (ECO índice de precios al por mayor, también llamado *wholesale price index*; V. *cost of living index, consumer price index, threshold agreement, retail price index*), **producer's surplus** (V. *employer's surplus*), **producing** (productor; V. *oil-producing countries*)].

product *n*: producto; V. *line; products of first-stage processing*. [Exp: **product abandonment** (abandono del proyecto de producir, comercializar, etc. determinado producto comercial; V. *abandon a product*), **product advertising** (publicidad de un producto), **product coverage** (productos incluidos), **product differentiation** (diferenciación de productos), **product extensión merger** (fusión orientada a aumentar la comercialización o mejorar la cuota de mercado de un producto; V. *vertical amalgamation/ integration, horizontal/lateral amalgamation; conglomerate amalgamation; market-extension merger*), **product family** (PUBL familia de productos), **product leader** (MERC artículo líder; se trata de un artículo con alta cuota de mercado), **product liability insurance** (seguro de responsabilidad civil por productos defectuosos), **product life cycle** (ciclo de vida de un producto; en el ciclo de vida de un producto se distinguen cuatro fases: *introduction phase* —fase de introducción—, *growth phase* —fase de crecimiento—, *maturity phase* —fase de madurez— y *decline phase* —fase de declive—; V. *shelf life, product rotation*; *economic life, useful life; shelf life*), **product line** (MERC, PUBL gama/abanico/línea de productos; alude a la gama de servicio o productos dentro de la misma categoría; V. *range of products; product mix*), **product management** (dirección/gestión de un producto), **product manager** (GEST jefe de producto; es el responsable del desarrollo de los nuevos usos y aplicaciones de un producto, o de su gama, para evitar su estancamiento u obsolescencia en el mercado), **product/marketing mix** (gama total, composición o combinación de productos de una empresa ◊ *Get the right product mix*; V. *product line*), **product obsolescence** US (obsolescencia del producto; V. *planned obsolescence*), **product planning** (adaptación de un producto a las necesidades del mercado), **product planning manager** (jefe de programación de productos), **product range** (gama de artículos), **product range analysis** (análisis del surtido)].

production[1] *n*: producción; V. *make, manufacture; produce.*[1] [Exp: **production**[2] (presentación; V. *present; produce*[2]), **production build-up** (aumento de la producción), **production cost accountant** (contable de costes de producción), **production facilities** (medios de equipo de producción), **production index** (índice de producción), **production line** (cadena de montaje; V. *assembly line*), **production manager** (director de producción), **production, on** (a la presentación, al ser presentado; V. *on demand, upon request*), **production-planning process** (proceso de planificación de la producción), **production schedule** (plan de producción), **production unit** (unidad de producción), **productive** (productivo, rentable, fructífero, remunerativo; V. *profitable; active; idle*), **productive debt** (FINAN deuda activa o productiva; deuda para gastos de inversiones, no para gastos corrientes; V. *deadweight debt; private* *debt; external debt, fixed debt, floating debt, funded debt, unfunded debt*), **productive assets** (activos que devengan rentas o intereses; V. *non-yielding assets*), **productivity** (productividad), **productivity bonus** (REL LAB prima de productividad), **productivity factor** (REL LAB factor de productividad; se incluye en algunos contratos laborales)].

profession *n*: profesión. [Exp: **profession, by** (de profesión), **professional** (profesional; de oficio; experto), **professional disease** (REL LAB enfermedad profesional; V. *industrial disease*), **professional fees/charges** (honorarios, minuta, derechos), **professional misconduct** (mala conducta profesional, falta de ética profesional), **professional standing** (consideración/reputación profesional), **professional troubleshooter** (REL LAB mediador de disputas laborales, conciliador profesional; apagafuegos; V. *conciliation officer*)].

proficiency *n*: pericia, aptitud.

profit *n*: beneficio, ganancia, lucro, rédito, utilidad; V. *benefit; gain; deficit; surplus*. [El término *profit/s*, en su sentido de «beneficio empresarial» es equivalente a *earnings*. Exp: **profit, at a** (BOLSA, FINAN con beneficio ◊ *Sell shares at a profit*), **profit and loss account/statement** (CONT cuenta de resultados, cuenta de pérdidas y ganancias; cuenta de distribución de beneficios; presenta la situación financiera de un determinado momento, a diferencia del *balance sheet*; V. *income statement, statement of source and aplication of funds, results account, income and expenditure account; statement of condition, statement of financial position, assets and liabilities statement, earnings report*), **profit and loss ratio** (CONT relación de ganancias a pérdidas), **profit and loss statement** (V.

profit and loss account), **profit breakdown** (distribución o reparto de beneficios), **profit by** (sacar provecho de), **profit capitalization model** (modelo de capitalización de beneficios), **profit cannibalism** (fagocitosis de beneficios), **profit distribution** (aplicación de resultados, distribución de beneficios), **profit-making** (lucrativo, productivo; V. *lucrative, profitable*), **profit margin** (COMER margen comercial, margen de beneficios/ganancias; V. *margin of income/profit; trade profit margin, trading margin; markup*), **profit objective** *US* (beneficios previstos, beneficios o rentabilidad que una empresa se propone alcanzar; V. *target*), **profit plus depreciation** (beneficios más amortizaciones), **profit rate** (tasa de beneficio), **profit-sharing** (reparto de beneficios; participación de los empleados en los beneficios empresariales; V. *participation in profits*), **profit-sharing debenture** (obligación participativa, acción preferente; es un título de renta fija, intermedio entre la obligación y la acción, que garantiza una rentabilidad fija anual, sólo si la empresa emisora produce beneficios), **profit-sharing scheme** (REL LAB plan de participación en los beneficios empresariales), **profit-sharing trust fund** (fondo fiduciario de participación de beneficios en fideicomisos), **profit-taking [session]** (BOLSA [sesión bursátil de] realización o toma de beneficios; V. *counter*), **profit-to-equity ratio** (ratio de rentabilidad), **profitability** (rentabilidad; V. *earning power*), **profitability/payoff ratio** (ratio de rentabilidad), **profitability test** (FINAN test de rentabilidad), **profitable** (fructífero, provechoso, ventajoso, rentable; lucrativo; remunerador; V. *economic, lucrative, paying; cost-effective, efficient; profit-making*), **profiteer** (agiotista, acaparador, logrero, usurero, explotador; aprovechado; usurear, explotar, dedicarse a la usura o al estraperlo), **profiteering** (usura, apropiación excesiva de beneficios), **profits acceleration** (aceleración de las ganancias), **profits costs** (honorarios del letrado), **profits pool** (puesta en común de los beneficios)].

proforma invoice *n*: factura proforma.

programme, program *n*: programa, plan; campaña. [Exp: **programme aid** (ayuda/asistencia para programas), **Programme Evaluation and Review Technique, PERT** (V. *Project Evaluation and Review Technique*), **programme trading** (MERC FINAN/PROD/DINER contratación informatizada en opciones y futuros; contratación programada de valores bursátiles; son transacciones de arbitraje entre el mercado de contado para los títulos integrantes del índice y el mercado de futuros de índices bursátiles; V. *arbitrage*), **programmed decisions** (GEST decisiones programadas), **programming** (elaboración de programas)].

progress *n/v*: promoción, progreso, marcha, desarrollo, avance; progresar, avanzar; subir, escalar ◊ *Make good progress*; V. *advancement, development*. [Exp: **progress chart** (gráfica de la marcha del trabajo/estudio/proyecto, etc.; V. *flow chart, bar chart*), **progress chaser** (GEST encargado del seguimiento), **progress of, in** (en curso de, en vías de; V. *in-progress inventory*), **progress of completion, in** (en curso de elaboración/cumplimiento), **progress payment** (FINAN pago parcial, escalonado o a cuenta; en especial se aplica a la entrega parcial de un préstamo hipotecario al finalizar cada una de las fases construidas), **progress report** (informe sobre la marcha de los trabajos, proyectos, etc.; V. *inception report*), **progressive assembly** (montaje en cadena), **progressive depreciation** (CONT depreciación/amortización creciente/progresiva; V. *increasing charge depreciation*), **progressive scale** (escala progresiva; V. *regressive scale*), **progressive tax** (impuesto progresivo; V. *ability to pay*), **progressive taxation** (tributación progresiva; V. *regressive taxation*)].

prohibit *v*: prohibir. [Exp: **prohibited** (prohibido), **prohibition** (prohibición, auto inhibitorio), **prohibition notice** (REL LAB orden dictada por la inspección de trabajo prohibiendo la actividad laboral hasta que se haya subsanado el riesgo o el peligro detectado; V. *improvement notice*), **prohibitive** (prohibitivo ◊ *Prohibitive costs*)].

project *n/v*: proyecto; proyectar, prever. [Exp: **project agency** (organismo responsable del proyecto), **project contract** (contrato de obras), **Project Evaluation Review Technique, PERT** (GEST técnica de revisión y evaluación de programas; esta técnica persigue la utilización óptima de los recursos para la consecución de los fines marcados; V. *critical path method*), **project financing** (FINAN financiación de/por proyectos en la que el prestamista asume cierto riesgo), **projection** (previsión, extrapolación)].

prolong *v*: prolongar, ampliar, extender, prorrogar. [Exp: **prolongation** (prórroga; V. *renewal*), **prolongation of time** (ampliación del plazo; V. *extension*)].

promise *n/v*: promesa; prometer. [Exp: **promisee** (tenedor de una promesa), **promising** (halagüeño, prometedor), **promissor** (el que promete), **promissory** (promisorio), **promissory oath** (juramento promisorio), **promissory bill** (pagaré), **promissory note, PN** (pagaré, vale, abonaré, nota de pago, reconocimiento de deuda, papel comercial; V. *note, note of hand, bill of debt, IOU,* *commercial paper*), **promissory warranty** (garantía promisoria)].

promote *v*: fomentar, promover, impulsar, promocionar, animar, estimular, favorecer; dar publicidad a, lanzar propaganda en favor de; agenciar; V. *upgrade; demote, downgrade*. [Se aplica a *cooperation, investment, international relationships, etc.* Exp: **promote a person** (ascender, promover a alguien en el cargo, empleo, etc.; V. *upgrade, downgrade*), **promoter** (gestor, promotor de una mercantil o de una entidad, fundador; animador; V. *founder, incorporator, organizer, developer; company promoter, sales promoter*), **promoter's shares/stock** (acciones de aportación o de fundador; V. *management shares, founders'shares*), **promotion**[1] (promoción, ascenso en el cargo o empleo; V. *advancement*), **promotion**[2] (fomento, promoción, lanzamiento de un producto; desarrollo; se usa en expresiones como *promotion of house construction* —fomento de la construcción de viviendas; V. *publicity*), **promotional allowance** (descuento de promoción; pago promocional para salvar la reputación del librado), **promotion examination** (prueba/concurso de ascenso; V. *entrance examination*), **promotion by seniority** (ascenso por antigüedad), **promotion expenses/money**[1] (PUBL gastos de promoción; V. *development expenses*), **promotion expenses/money**[2] (DER gastos de constitución de una mercantil), **promotion ladder** (REL LAB escalafón), **promotion prospects** (oportunidades de ascenso), **promotional** (en/de promoción), **promotional appropriation** (asignación de fondos para publicidad)].

prompt *a/v*: puntual, pronto, rápido; inducir, provocar, animar, mover, empujar, hacer pensar ◊ *The downturn prompted fears of job losses*. [Exp: **prompt cash** (pago al contado), **prompt payment** (pronto pago; pago al contado; V. *cash discount*), **promptness of payment** (puntualidad en el pago)].

proof *n*: prueba. [Se emplea en muchos compuestos como en *dustproof* —cerrado herméticamente—, *soundproof* —insonorizado—, etc. Exp: **proof department** (departamento de comprobación), **proof of cash** (prueba/comprobación/conciliación de caja), **proof of footing accuracy** (CONT prueba/comprobación de la exactitud de las sumas horizontales y verticales), **proof of loss** (SEG declaración de siniestro, documento acreditativo del siniestro), **proof of posting accuracy** (CONT prueba/comprobación de exactitud de los asientos de los libros), **proofreading** (corrección de prueba o galeradas)].

prop *n*: V. *proprietor*.

propensity *n*: propensión; V. *average propensity to import; marginal propensity to import*. [Exp: **propensity to import** (propensión a la importación), **propensity to invest** (propensión a la inversión), **propensity to risk** (BOLSA propensión del inversor al riesgo; actitud ante el riesgo)].

proper *a*: debido, correcto; conveniente, oportuno, adecuado, apropiado, bueno, justo; indicado, ◊ *The proper authorities*. [Exp: **proper care** (prudencia debida), **proper evidence** (prueba admisible), **proper law of a contract** (ley de aplicación a los contratos internacionales)].

property *n*: bien, posesión, bienes, pertenencias; bien raíz, inmueble, bienes inmuebles, propiedad; haberes. [La palabra *property*, en términos generales, se aplica a cualquier cosa de la que uno es el dueño o propietario; aunque siempre hay que tener en cuenta el contexto, se suele entender como «bienes raíces», sobre todo, si no va precedido de un adjetivo como «personal», etc. Exp: **property and casualty insurance, property-casualty insurance** (seguro de responsabilidad civil), **property and liability insurance** *US* (SEG seguro de responsabilidad civil, también llamado *property-casualty insurance*: V. *casualty insurance*), **property company** (sociedad inmobiliaria), **property damages** (SEG daños materiales; V. *damage to property*), **property developer** (promotor de viviendas; V. *development, permitted development*), **property equity** (valor líquido, derecho patrimonial), **property-holder** (tenedor de bienes), **property increment tax** (impuesto de plusvalía o sobre incremento de valor de los bienes raíces), **property market** (mercado inmobiliario), **property mart** (sección de un periódico que contiene anuncios de venta de la propiedad inmobiliaria), **property register** (parte primera de un asiento o inscripción en el *Land Register*, en la que se describe el bien mueble objeto de la inscripción), **property rights** (derechos de la propiedad), **property tax** (contribución territorial; impuestos prediales; impuesto sobre bienes inmuebles; V. *real estate tax*), **property value** (valor de una finca ◊ *Property values appreciate with time*)].

proportion *n*: proporción. [Exp: **proportional** (proporcional, en proporción), **proportional allocation** (distribución/asignación proporcional, cupo; V. *random*), **proportional assesment** (liquidación proporcional, derrama; V. *call*[11]), **proportional covers** (reaseguros proporcionales), **proportional reinsurance arrangement** (contrato de reaseguro proporcional), **proportional tax** (TRIB impuesto proporcional)].

proposal *n*: propuesta, proposición; oferta;

idea, sugerencia ◊ *An interesting new proposal*. [Exp: **propose** (proponer, recomendar; presentar ◊ *Propose a motion*), **proposed dividend** (dividendo propuesto o a repartir; propuesta de dividendo), **proposition** (oferta, propuesta; idea, plan, proyecto; perspectiva ◊ *An attractive proposition, a callenging proposition*)].

proprietary *a*: propietario, patrimonial; V. *property*. [Exp: **proprietary brand/name** (marca comercial/registrada), **proprietary company** (SOC sociedad tenedora; V. *holding*), **propietary make/product** (artículo de marca), **proprietary reserves** (superávit para fondos de reservas), **propietary rights** (derechos exclusivos), **proprietary technology** (tecnología patentada), **proprietor, prop.** (propietario, dueño, titular; V. *owner*; las palabras *owner* y *proprietor* son casi sinónimas; la primera es más general, *the owner of a car*, y la segunda se aplica con más frecuencia al dueño de un negocio, de una propiedad inmobiliaria —*the proprietor of a business, land, a building, etc.*), **proprietors' capital account** (CONT cuenta de capital), **proprietorship** (derecho de propiedad, calidad de propietario, titularidad, posesión), **proprietorship certificate** (certificado de propriedad), **proprietorship register** (parte segunda de un asiento o inscripción en el *Land Register*, donde quedan consignados el nombre del titular y la clase de título que posee, a saber, absoluto, posesorio, limitado, etc.; V. *land certificate, land registry, land registration, property register*), **propriety** (lo que es correcto, apropiado o decente; esta palabra es sinónima de *appropriateness*, no de *property*)].

prospect-s *n*: perspectiva-s, panorama, expectativa-s, posibilidad-es; persona que «suena» para un puesto, un cargo, etc. ◊ *She's a prospect for the manager's position*. [Exp: **prospective** (posible, anticipado, probable, presunto, futuro; en perspectiva), **prospective buyer** (posible comprador), **prospective damages** (SEG daños anticipados)].

prospectus *n*: SOC folleto/prospecto de emisión; V. *placement/placing memorandum; red herring; piggyback registration*.

protect *v*: proteger, amparar, tutelar. [Exp: **protected bear** (V. *covered bear*), **protection** (protección, amparo; proteccionismo), **protection and indemnity club** (SEG club o asociación de protección e indemnidad; protección e indemnización; mutua de seguros de armadores; V. *club call*), **protectionism** (proteccionismo), **protective** (protector, amparador, que protege), **protective/break/emergency/escape clause/covenant** (DER cláusula de salvaguardia, evasión o escape), **protective covenant** (cláusula de protección), **protective cover** (funda protectora), **protective duty** (arancel/impuesto proteccionista), **protective measures** (medidas de salvaguardia, medidas protectoras, medidas de protección), **protective tariff** (COMER arancel proteccionista)].

protest *n/v*: protesta, protesto; protestar. [Exp: **protest in common form** (TRANS MAR protesta del capitán, declaración hecha ante cónsul o notario por el capitán de un barco inglés al llegar a puerto, detallando las circunstancias irremediables que han ocasionado algún daño o perjuicio; V. *captain's protest; note of protest; noting protest, extended protest*), **protest jacket** *US* (notificación de falta de pago; V. *notice of dishonour*), **protest march** (marcha de protesta), **protest of a bill** (protesto), **protest charges** (gastos de protesto), **protest for non-acceptance** (protesto por falta de aceptación),

protest for non-payment (protesto por falta de pago), **protest of a bill** (protesto de una letra), **protest, under** (bajo protesta, haciendo constar el interesado su protesta), **protest vote** (voto de castigo o de protesta), **protestable** (protestable; con gastos), **protestable bill** (letra con gastos), **protestee** (protestado), **protestor** (acreedor que ordena levantar un protesto), **protested bill** (letra o efecto protestado)].

prototype *n*: prototipo.

provide[1] *v*: disponer, estipular, estatuir, fijar, señalar ◊ *As provided in the contract*. [Exp: **provide**[2] (facilitar, ofrecer, proveer, proporcionar, dar, permitir, suministrar ◊ *Provide an outlet/a solution*), **provide for**[1] (prever, estipular), **provide for**[2] (garantizar medios de vida a, asegurar el futuro de; mantener ◊ *He provided for his family in his will*), **provide guidance** (orientar), **provide with implements** (pertrechar, dotar de los medios necesarios), **provided that** (a condición de que, siempre que, con tal de que), **provider** (proveedor), **providing** (V. *provided that*)].

provident *a*: prudente, prevenido, previsor. [Exp: **provident fund** (fondo de previsión), **provident society** (sociedad de seguros mutuos, mutua, mutualidad)].

provision[1] *n*: disposición, estipulación, precepto, artículo; V. *regulation; make provision for*. [Exp: **provision**[2] (abastecimiento, provisión; abasto; V. *foodstuffs*), **provision account** (cuenta de reserva), **provision for bad debts** (reserva para fallidos o deudas incobrables; V. *allowance for bad debts*), **provision for doubtful debts** (reserva para créditos dudosos), **provision market** (mercado central o de mayoristas), **provision of capital/funds** (provisión de fondos; V. *furnishing of capital; allocation*), **provisions** (FINAN reservas, en especial a efectos de la responsabilidad contingente; V. *contingent liability*), **provisional** (provisional, provisorio, cautelar, interino; V. *qualified, conditional*), **provisional certificate** (certificado provisional)].

proviso *n*: condición, salvedad.

proximate damages *n*: SEG daños consecuentes; perjuicios.

PRP *n*: V. *performance-related pay*.

proxy *n*: poder, procuración, delegación; delegación de voto; apoderado, mandatario, poderhabiente, representante o delegado en una junta; V. *procuration*. [Exp: **proxy contest/fight** (SOC lucha por la delegación del voto; cuando se desencadena esta lucha entre accionistas suele ser un desafío al consejo de administración), **proxy for, as** (en sustitución de), **proxy, by** (por persona interpuesta, por poder o procuración), **proxy form** (impreso de representación; cuando el interesado no puede ir a una junta o reunión delega su voto por medio de este impreso; algunas sociedades mercantiles exigen que este representante sea un abogado en ejercicio —*a qualified legal practitioner*— o un auditor oficial —*an approved auditor*), **proxyholder** (apoderado, poderhabiente; V. *mandatory*), **proxy vote** (voto por poder)].

prudence *n*: prudencia. [Exp: **prudence concept** (ECO concepto de prudencia), **prudent** (prudente), **prudent investment cost standard** (norma o método del coste prudente de inversión), **prudent man rule** (normas de prudente discreción; esta norma autoriza al fideicomiso invertir en valores no incluidos en la lista legal o *eligible paper*), **prudent shopping** (BOLSA prudencia bursátil; comparación de precios u obtención de cotizaciones antes de comprar), **prudential constraints** (limi-taciones o restricciones impuestas por razones de prudencia)].

prune *v*: podar, cortar, reducir, recortar ◊ *Prune costs/jobs, etc.* [Exp: **pruning dead wood theory** (BOLSA teoría de la poda de ramas)].

PSBR *n*: V. *public sector borrowing requirement*.

PSL *n::* V. *private sector liquidity*.

pte *n*: V. *private*.

pty *n*: V. *proprietary company*.

public *a*: público; V. *become public, general public, go/take public*. [Exp: **public accountant** (censor jurado de cuentas; contador público; V. *certified public accountant*), **public accounting** (contaduría pública), **public adjuster** (SEG tasador de siniestros en representación de los intereses del asegurado; V. *adjuster, claim representative*), **public administrator** (testamentario público de una sucesión *ab intestato*), **public address, pa system** (megafonía, sistema de megafonía o altavoces), **public attorney** (fiscal), **public auction/sale** (pública subasta, venta en almoneda), **public authority** (entidad gubernamental, organismo público autónomo, autoridad pública), **public bid** (oferta pública de adquisición, OPA), **public bill** (proyecto de ley presentado por el gobierno; V. *private member's bill*), **public body** (organismo público), **public bond** (letra del tesoro; V. *treasury bill, treasury bond*), **public bonded warehouse** (almacén afianzado para todos los importadores), **public business agent** (agente mediador de comercio), **public comment proceedings** (información pública), **public company** (empresa que cotiza en Bolsa; sociedad anónima de responsabilidad limitada cuyo capital social está divido en acciones, que pueder adquiridas por el público; por ley tiene la obligación de incluir la mención *public limited company*, o *plc*, en su razón social; V. *public limited company, private company*), **public convenience of necessity** (interés público; V. *certificate of public convenience*), **public conveyance** (TRANS transporte público), **public corporation** (SOC corporación pública o municipal; entidad de derecho público; V. *state-owned company*), **public debt** (FINAN deuda pública o del Estado, también llamada *national debt* en el Reino Unido; títulos de renta fija del Estado; papel del Estado; bonos del Estado/Tesoro; V. *private debt; deadweight debt; external debt, fixed debt, floating debt, funded debt, unfunded debt, government debt*), **public domain** (dominio público; información, terrenos o propiedades que están a disposición del público; V. *public property*), **public document** (escritura pública), **public enterprise**[1] (sociedad anónima), **public enterprise**[2] (empresa pública), **public finance** (política fiscal), **public finance law** (derecho financiero), **public funds** (FINAN fondos públicos), **public goods problem, the** (ECO el problema de los bienes públicos; V. *the tragedy of the common*), **public health** (sanidad/salud pública), **public health services** (servicios sanitarios), **public housing** US (vivienda de protección oficial, vivienda social; V. *council housing, corporation housing*), **public image** (PUBL imagen), **public, in** (en general), **public instrument** (instrumento público, escritura pública), **public interest, in the** (de interés público; V. *affected with a public interest*), **public invitation to tender** (concurso público; V. *invitation to tender for a contract*), **public issue** (SOC oferta pública de acciones nuevas; V. *issue by tender; flotation; offer for sale; public offering; public issue; offer by prospectus*), **public liability** (responsa-bilidad civil, responsabilidad ante terceros), **public liability insurance** (seguro obligatorio de responsabilidad civil), **public limited company, plc** (SOC sociedad anónima cuyas acciones cotizan en Bolsa; el nombre equivalente en los Estados Unidos es *incorporated business/company, INC*; V. *private company, public company*), **public notary** (notario público), **public notice** (aviso al público), **public offering** US (SOC, BOLSA salida a Bolsa; oferta pública de venta de acciones a través de un intermediario, llamada en Gran Bretaña *offer for sale*; *OVP*; V. *offer by prospectus; issue by tender; direct placing/placement, private placement*), **public opinion** (opinión pública), **public opinion polling services** (servicios de encuestas/sondeos públicos), **public opinion survey** (sondeo de la opinión pública), **public order** (orden público), **public office/service** (cargo público), **public placement** (colocación pública de bonos), **public policy** (DER interés público o general ◊ *A matter of public policy*), **public property** (bienes públicos o de dominio público; V. *public domain*), **public prosecutor** (fiscal, acusador público; V. *Crown prosecutor*), **public record** (documento público, registro público, archivo público; V. *matter of public record*), **public relations** (relaciones públicas), **public relations advertising** (PUBL publicidad institucional), **public relations officer, PRO** (encargado de las relaciones públicas), **public revenue** (ingresos fiscales), **public sale** (V. *public auction*), **public sector** (sector público), **public sector borrowing requirement, PSBR** (FINAN necesidades de endeudamiento del sector público), **public securities** (efectos públicos), **public service**[1] (servicio público; trabajo al servicio de la comunidad ◊ *A reward for her devoted public service*), **public service**[2] (servicio público; funcionariado ◊ *Work in the public service*), **public service corporation** (empresa de servicio público), **public share offer** (oferta de acciones en suscripción pública), **public spending** (gasto público), **public tender** (licitación pública/abierta), **public treasury** (Tesoro, erario público), **public trust** (entidad fiduciaria pública, fundación estatal o pública, entidad de beneficencia; V. *charitable trust*), **public utilities** (empresas concesionarias, empresas del servicio, empresas del sector del servicio público), **public utility bond** (obligación emitida por una empresa del sector del servicio público), **public welfare** (bienestar público), **public works** (obras públicas), **Public Works Administration, PWA** (dirección general de obras públicas), **publicly guaranteed debt** *US* (deuda con garantía pública), **publicly-held corporation** (empresa que cotiza en bolsa), **publicly-held government debt** *US* (deuda pública en poder de particulares), **publicly-held stock** (acciones colocadas entre el público), **publicly issued bonds** *US* (obligaciones/bonos emitidos mediante oferta pública), **publicly-owned company** (empresa estatal; V. *state-owned company*), **public ownership** (titularidad pública o estatal, *approx* nacionalización, situación de la empresa que es propiedad del Estado), **public transport** (transporte público), **publicly traded company** *US* (soc sociedad cuyas acciones se cotizan en Bolsa)].

publication *n*: publicación, edición, divulgación. [Exp: **publication advertising** (publicidad en revistas especializadas), **publicise** (dar publicidad a, divulgar, difundir; V. *plug*), **publicist** (publicitario), **publicity** (publicidad; V. *advertising*), **publicity campaign** (campaña de publicidad), **publicity price** (precio introductorio o de lanzamiento; V. *introductory price*), **publish** (publicar, editar, promulgar; V. *issue*), **publisher** (editorial; editor)].

pull *n/v*: estirón, tirón; tirar, estirar. [Exp: **pull a fast one on sb** *col* (meterle un pufo a uno, dársela a uno con queso, colarle un gol a uno), **pull date** *US* (fecha de caducidad de un producto), **pull off** *col* (triunfar contra pronóstico, salirse con la suya ◊ *Pull off a contract*), **pull out** (abandonar, salirse, retirarse, dar marcha atrás ◊ *Pull out of a contract*), **pull rank** *col* (hacer valer la superioridad jerárquica, recordar al interlocutor la diferencia de categoría ◊ *Don't pull rank on me*), **pull strategy** (estrategia del tirón; V. *push strategy*), **pull the plug on a scheme** (chafar/fastidiar/desbaratar un plan/proyecto), **pulling power** (PUBL tirón/atractivo publicitario)].

pulpit *n*: plataforma elevada en los patios de contratación —*pit/ring*— de un mercado de futuros —*futures exchange*— donde se presentan las fluctuaciones de precios.

pump *n/v*: bomba; bombear, inyectar, invertir ◊ *Pump money into a firm*. [Exp: **pump priming** (ECO reactivación, expansionismo económico), **pump priming policy** *col US* (ECO política de cebar la bomba; política económica expansionista; teoría económica que sostiene que el gasto público, hasta ciertos límites, puede «cebar la bomba», es decir, activar la economía deprimida; V. *deficit financing*), **pump sb for information** (freír a alguien a preguntas)].

pundit *n*: supuesto experto, sedicente entendido ◊ *Stockmarket pundits*; V. *guru; whizz-kid*.

punt[1] *n*: libra irlandesa. [Exp: **punt**[2] *col* (apostar, jugar, especular; apuesta, inversión especulativa), **punt one's money away** (arruinarse especulando), **punter** (especulador, jugador; V. *gambler*)].

pup *n*: V. *sell sb a pup.*

purchase *n/v*: compra, adquisición; comprar, adquirir; V. *compulsory purchase order*. [Exp: **purchase agreement/ contract** (pacto/contrato de compraventa; V. *sales contract*), **purchase-and-immediate resale** *US* (BOLSA pase; operación rápida de compra de acciones con reventa casi inmediata; transacciones bursátiles «mete-saca»; V. *jobbing in-and-out*), **purchase and lease-back** (compra y arriendo al que vendió), **purchase-and-sales register** (registro de compras y de ventas), **purchase allowances** (COMER rebajas/descuentos en las compras), **purchase discount** (descuento en la compra), **purchase for forward delivery** (MERC PROD compra para entrega futura, compra a término), **purchase fund** (FINAN fondo de rescate; V. *sinking fund*), **purchase ledger** (CONT libro mayor de compras), **purchase on term** (compra para entrega futura; V. *term purchase*), **purchase order** (pedido u orden de compra, carta de pedido), **purchase price** (precio de adquisición), **purchase requisition** (petición de compra), **purchase returns** (devoluciones de compras), **purchase tax** (impuesto sobre la compra), **purchaser** (comprador, adquirente), **purchasing agent** (agente de compras), **purchasing power** (poder adquisitivo), **purchasing power parity, PPP** (ECO paridad del poder de compra ◊ *Once a year "The Economist" calculates the PPPs by comparing the prices of a McDonald's Big Mac burger in different countries*; V. *burgernomics*), **purchasing power parity theory** (ECO teoría de la paridad del poder adquisitivo; de acuerdo con esta teoría, el tipo de cambio entre dos monedas no experimenta modificación alguna cuando, con dicho tipo, son equivalentes sus respectivos poderes adquisitivos)].

pure *a*: puro. [Exp: **pure accident** (accidente inevitable), **pure capital** (capital permanente), **pure captives** (compañías cautivas puras), **pure competition** (competencia perfecta), **pure economic rent** (renta económica o de situación), **pure endowment** (SEG seguro de ahorro; capital diferido; se trata de un seguro con rescate tomado exclusivamente para una finalidad determinada), **pure interest** (interés puro), **pure monopoly** (monopolio absoluto; V. *absolute/perfect monopoly*), **pure play** (empresa no diversificada), **pure premium** (SEG prima pura/neta)].

purse *n*: monedero; bolso *US*; premio. [Exp: **purser** (TRANS sobrecargo de un barco o avión; V. *head steward US*)].

pursue *v*: proseguir, seguir, continuar; perseguir. [Exp: **pursuance** (cumplimiento), **pursuance of, in** (de conformidad con, con arreglo a, a tenor de, en cumplimiento de; V. *under*), **pursuant to** (en virtud de, en aplicación de, de conformidad con, de acuerdo con, a tenor de lo dispuesto, de acuerdo con), **pursue a policy** (aplicar una política), **pursuer** (demandante; este término del derecho escocés equivale al *plaintiff* del derecho inglés), **pursuit** (búsqueda; persecución, perseguimiento; ejercicio)].

purvey *v*: proveer, abastecer, suministrar, aprovisionar. [Exp: **purveyor** (abastecedor, proveedor, suministrador; V. *supplier, caterer, victualler*)].

push *n/v*: empujón; empujar. [Exp: **push one's way in** (abrirse paso; V. *penetrate*), **push strategy** (estrategia del empujón; V. *pull strategy*), **pushover** *col* (tarea fácil, pan comido *col*, chollo *col*; tirado *col*, chupado *col*; ◊ *The deal was* a *pushover*), **pusher** (arribista; persona ambiciosa; camello, traficante de drogas; V. *share pusher*), **pushy** col (agresivo, avasallador, prepotente ◊ *A pushy salesman, a pushy young executive*)].

put[1] *v*: poner, colocar. [Exp: **put**[2] (FINAN opción de venta de un activo; se puede vender o comprar una opción de venta; la primera da opción a vender el efecto o producto en la fecha acordada; la segunda obliga a comprarlo por el precio acordado), **put a ban on** (prohibir, proscribir; V. *raise the ban on*), **put a ceiling on** (fijar un límite a), **put a check on** (imponer restricciones a), **put a damper on** (echar un jarro de agua fría en, acabar con el entusiasmo por, echar el freno a ◊ *Put a damper on the plans for expansion*), **put a figure on sth** (estimar la cuantía de algo, cifrar el valor de algo, reducir algo a cifras), **put a motion to the vote** (someter a votación una moción), **put a project on ice** col (aparcar/congelar un proyecto), **put a proposal to the board** (someter una propuesta al consejo de administración), **put a tick** (marcar con una señal), **put an embargo on trade** (prohibir el comercio; V. *lay an embargo on goods*), **put and call option** BOLSA opción a vender y a comprar; operación de doble opción; doble opción; V. *double option*), **put back** (aplazar; V. *shelve, postpone, adjourn*), **put back in the black, put back on the rails** col (sanear, hacer rentable), **put bond** (bono con opción de recompra; V. *callable bond*), **put by** (ahorrar), **put-call parity** (MERC FINAN/PROD/DINER paridad entre opciones de venta y de compra), **put down money** (dar una entrada), **put down on the agenda** (incluir en el orden del día), **put forward** (exponer, proponer, presentar, plantear), **put in** (presentar, cursar; V. *file*), **put in a bid** (pujar, licitar), **put in a claim** (presentar

una reclamación ◊ *Put in an insurance claim*), **put in an indent** (cursar una orden de compra), **put in an order** (V. *place an order*), **put in capital** (aportar capital), **put/place in jeopardy** (poner en peligro, hacer peligrar), **put in place** (poner en vía de ejecución; V. *set in effect*), **put in the minutes** (hacer constar en acta; V. *be minuted*), **put into effect** (ejecutar, poner en ejecución; V. *take effect*), **put into execution** (poner en ejecución), **put money aside** (ahorrar; V. *save*), **put money down** (dar una entrada; V. *put up cash/money*), **put money into a business** (invertir en el negocio), **put off** (aplazar; V. *shelve, postpone, adjourn, put back*), **put on** (BOLSA subir ◊ *The pound put on three points*), **put on the slate** col (apuntar en la cuenta), **put one's finger on the problem** (poner el dedo en el problema/la llaga, localizar/identificar/concretar el problema), **put-of-more option** (BOLSA opción del vendedor a vender el doble de acciones estipuladas si lo desea; V. *option to repeat; repeat option, seller's option to double; call-of-more option, buyer's option to double*), **put on gains** (BOLSA experimentar/registrar subidas), **put/place on [the] record** (hacer que conste en acta, dejar constancia), **put on the back burner** col (aplazar, aparcar, dejar en suspensión ◊ *Put a project on the back burner*; V. *pigeon-hole*), **put one's faith/trust in** (depositar su confianza en), **put one over on sb** (colarle un gol a uno, darle gato por liebre ◊ *They put one over on us at the negotiating table*), **put option** (COMER, BOLSA, FINAN opción de venta; opción de venta de acciones, prima de opción a vender o a la baja; contrato que da a su propietario el derecho a vender el activo subyacente —*underlying asset*— en el mercado de valores —*stock* *market*—, de materias primas —*commodities*— o de divisas —*currency*— a un precio determinado, llamado *strike price* o *exercise price*, hasta una fecha fijada, llamada *expiration date*; V. *option to sell; call-and-put option, seller's/selling option*), **put out** (encargar; V. *put work out*), **put out bonds** (emitir obligaciones; V. *issue bonds*), **put over** *US* (aplazar, prorrogar, diferir), **put premium** (prima de opción a vender; prima a la baja o la venta; V. *premium for the put*), **put pressure on** (apremiar, presionar), **put ratio backspread** (diferencial/«spread» retroactivo o inverso entre los valores porporcionales de las opciones de venta), **put ratio spread** (MERC FINAN/PROD/DINER diferencial o «spread» entre los valores proporcionales de las opciones de venta; V. *call ratio spread*), **put sb out of business** (llevar a uno a la quiebra), **put sth back on an even keel** (devolver el equilibrio a algo; restablecer la estabilidad ◊ *Put a business back on an even keel*), **put sth down to experience** (encajar bien el golpe, aprender del revés sufrido, madurar como consecuencia de un chasco), **put sth up for auction** (sacar a pública subasta, subastar, rematar; V. *auction*), **put sth up for sale** (poner algo en venta, sacar algo a la venta), **put to a vote** (someter a vota-

ción), **put up at auction** (rematar, llevar a remate), **put up cash/money** (aportar fondos; V. *put money down*), **put up bail** (pagar la fianza), **put up prices** (subir los precios), **put work out to a specialized agency/bureau** (encargar el trabajo a una agencia especializada), **put work out to contract** (subcontratar), **puttable** (con opción de reventa; la opción corresponde al titular —*holder*— del valor; V. *callable; convertible puttable bonds*), **puttable bond** (SOC, BOLSA bono con opción de reventa o retorno; su titular posee una opción de venta o *put* que le da el derecho a devolverlo a un precio pactado; V. *callable privilege*), **puttable stock** (BOLSA acción retornable), **puttable swap** (MERC FINAN/PROD/DINER intercambio/«swap» fijo-variable cancelable, antes de la fecha de vencimiento, por la parte pagadora del tipo fijo; V. *callable swap*)].

PWA *n*: V. *Public Works Administration*.

pyramiding *n*: SOC piramidación; efecto cascada; control precario o de dudosa legalidad ejercido por la sociedad matriz sobre un grupo de filiales cuyo capital conjunto supera al de ella; estrategia de apalancamiento utilizando los beneficios no realizados en posiciones abiertas de mercado; piramidación fiscal; ahorro de capital social; V. *cascade effect, tax pyramiding*.

Q

qlty *n*: V. *quality*.

qtr *n*: V. *quarter*.

qty *n*: V. *quantity*.

quadratic mean *n*: media cuadrática.

qualification[1] *n*: capacitación profesional, preparación, formación, habilitación; competencia, título, certificado, diploma, requisito; en plural, *qualifications* significa currículum, formación, capacidad, aptitudes, idoneidad, méritos y, en general, el conjunto de títulos, diplomas o certificados que acreditan la formación teórica y práctica de una persona que la habilita para el ejercicio de una profesión; V. *period of qualification*. [Exp: **qualification**[2] (excepción de auditoría, reserva, salvedad, excepción, matización, precisión), **qualification shares** (acciones de garantía), **qualifications for a career** (requisitos para ejercer una profesión)].

qualified[1] *a*: profesional, preparado, habilitado, autorizado, experto, idóneo, capaz, apto, que reúne las condiciones o requisitos, que está en posesión del título que lo habilita para el ejercicio de una profesión, «cualificado»; V. *skilled, suitable*. [Exp: **qualified**[2] (condicional, limitado, con reparos, con salvedades; es sinónimo de *conditional* o de *special* y, antónimo de *absolute* y también de *clean*

o de *general*; en algunos casos puede ser ambiguo el significado; por ejemplo, *a qualified opinion* puede ser «un dictamen autorizado» o «un dictamen restrictivo»; V. *conditional; absolute*), **qualified acceptance** (BANCA letra aceptada de forma condicional o con restricciones; aceptación limitada o condicional; V. *acceptance, limited acceptance; special acceptance, clean/general acceptance, unconditional acceptance*), **qualified accountant** (experto contable), **qualified accounts** (CONT cuentas aceptadas con reservas; V. *qualified audit report*), **qualified agreement to reimburse** (acuerdo/convenio condicional de reembolso), **qualified audit report** *US* (CONT cuentas aceptadas con reservas; V. *qualified accounts*), **qualified certificate/opinion** *US* (CONT informe/certificado con salvedades; informe de auditoría con reservas o restricciones; V. *unqualified opinion*), **qualified endorsement** (endoso limitado o condicional), **qualified goods** (mercancías que pueden acogerse al trato preferencial), **qualified guarantee** (garantía condicional), **qualified interest** (interés limitado), **qualified majority** (mayoría cualificada), **qualified opinion**[1] (CONT dictamen de auditoría restrictivo o con reparos; abstención de opinión; también ha entrado el calco inglés «opinión calificada», con el significado de «informe de un auditor que pone de relieve sus reparos a la auditoría efectuada, esto es, auditoría con reparos»; V. *qualified²*), **qualified opinion²/certificate** (CONT dictamen autorizado; V. *unqualified certificate*), **qualified rights** (derechos limitados o condicionales)].

qualify¹ *v*: habilitar, capacitar, autorizar; tener derecho a, cumplir los requisitos. [Exp: **qualify²** (restringir, limitar, modificar; aprobar con reservas; V. *qualify the accounts*), **qualify as** (efectuar estudios de; prepararse/capacitarse/habilitarse para ejercer de), **qualify for** (cumplir/satisfacer/reunir los requisitos, tener derecho; clasificarse, quedar clasificado ◊ *She qualifies for unemployment pay*; V. *entitle*), **qualify the accounts** (CONT aprobar las cuentas con reservas; V. *agree the accounts*), **qualifying** (con derecho a), **qualifying for offset** (compensable), **qualifying certificate** (certificado de capacidad), **qualifying clauses** (cláusulas modificadoras), **qualifying date** (fecha límite), **qualifying period¹** (período de prueba o de formación), **qualifying period²** (SEG período de carencia), **qualifying process** (operación que confiere el carácter de producto originario), **qualifying ratio** (norma del prestamista para calcular la solvencia o capacidad económica —*ability-to-pay*— del prestatario), **qualifying shares** (SOC acciones de/con garantía; las depositan los miembros del Consejo de Administración durante el tiempo de su mandato en calidad de garantía de su responsabilidad; acciones necesarias para acceder a determinados derechos societarios; acción estatutaria de garantía)].

qualitative *a*: cualitativo. [Exp: **qualitative factor** *US* (factor cualitativo), **qualitative co-insurance** (coaseguro cualitativo)].

qualities, the *col n*: los periódicos serios, la prensa seria; V. *quality press*.

quality, qlty *n*: COMER calidad, cualidad, atributo, dote, carácter ◊ *Possess leadership qualities*. [En función atributiva significa «de calidad», como en *quality produce* —producto de calidad—. Exp: **quality certificate/inspection/control** (COMER certificado/inspección/control de calidad), **quality management** (V. *total quality management*), **quality premium** (prima de/por calidad), **quality press** (la prensa seria; V. *the qualities*)].

quango *n*: organismo para-estatal ◊ *The University Grants Committee is one instance of a quango*. [La palabra *quango* se forma con las siglas de *quasi-autonomous non-governmental organization*].

quantify *v*: cuantificar. [Exp: **quantifiable** (cuantificable), **quantitative** (cuantitativo), **quantitative co-insurance** (coaseguro cuantitativo), **quantitative factor** *US* (factor cuantitativo), **quantity, qty** (cantidad), **quantity discount** (descuento por grandes cantidades), **quantity survey** (presupuesto de construcción que comprende materiales y mano de obra), **quantity surveyor** (aparejador; estimador/medidor de materiales; perito o técnico especializado en el cálculo de las cantidades de materiales y mano de obra necesarias para realizar una obra), **quantity theory of money** (ECO teoría cuantitativa del dinero)].

quantum *n*: cantidad, cuantificación, cuantía, quántum, cuánto, cuántico ◊ *Quantum mechanics*. [Exp: **quantum index** (índice de volumen), **quantum leap** (aumento sustancial)].

quarantine *n/v*: cuarentena; poner en cuarentena.

quarter, qrt[1] *n*: cuarto; trimestre; V. *second half; year's second half*. [Exp: **quarter**[2] *US* (moneda de 25 centavos; V. *dime*), **quarter days** (día de liquidación del alquiler; la renta de alquiler se suele abonar por anticipado en los *quarter days*, que son el 25 de marzo, el 24 de junio, el 29 de septiembre y el 25 de diciembre; V. *Lady Day*), **quarter's rent** (alquiler trimestral; V. *rack rent; quarter days*), **quarterly** (trimestral, por trimestres, trimestralmente)].

quasi- *prefijo*: cuasi-; para-. Se aplica en expresiones como *quasi-contractual*, etc., con el mismo significado que en español. [Exp: **quasi-autonomous nongovernmental organization** (V. *quango*), **quasi-contract** (cuasi contrato), **quasi-equity** (cuasicapital), **quasi-fiscal** (TRIB parafiscal), **quasi-money** (CONT cuasidinero o; V. *real money, substitute money, legal tender, near money, nonphysical money*), **quasi-public** (paraestatal), **quasi-public corporation** (persona privada de derecho público, sociedad privada con intervención pública; V. *private/public company*)].

quay *n*: muelle de atraque; dársena de un puerto o de una estación de autobuses; V. *wharf*. [Exp: **quayage** (derechos de muelle; V. *wharfage*)].

query *n/v*: pregunta; poner en duda, cuestionar ◊ *Query a bill/figures*.

question *v/n*: pregunta; cuestión; asunto, tema, problema; interrogar, preguntar; dudar; disputar; cuestionar, poner en duda. [Exp: **question at issue** (punto/asunto en cuestión/litigio), **questionnaire** (cuestionario, encuesta)].

queue *n/v*: cola; hacer cola; esperar. [Exp: **queueing theory/problem** (ECO teoría/problema de las colas)].

quick *a*: rápido. [Exp: **quick-acting** (de efecto rápido), **quick assets** (CONT activo líquido, disponible o realizable; activo de realización inmediata, también llamado *realizable assets*; disponibilidades; indicador rápido de liquidez que resulta de restar al activo circulante el valor de las existencias; V. *working/current/circulating/floating/liquid assets*; *net quick assets*), **quick assets ratio** (CONT ratio de activo disponible a pasivo corriente; coeficiente líquido, obtenido dividendo el activo disponible por el pasivo corriente), **quick buck** *col* (dinero fácil; V. *fast/easy buck*), **quick disbursing loan** (préstamo de rápido desembolso), **quick ratio** (CONT relación entre el activo disponible y el pasivo corriente; V. *liquidity ratio, acid-test ratio*), **quick-yielding project** (proyecto de rápido rendimiento), **quickfire** (a quemarropa ◊ *Some quickfire questions and answers*), **quickie** *col* (BOLSA especulación rápida en Bolsa; V. *in-and-out*)].

quiet *n*: tranquilo. [Exp: **quiet market** (mercado inactivo o poco animado; V. *dead, dull*)].

quit *v*: abandonar; V. *notice to quit*. [Exp: **quit one's job** *US* (abandonar el puesto de trabajo, dimitir, dejar el trabajo; V. *walk off the job; resign*), **quitclaim** (finiquito), **quittance** (finiquito, descargo; V. *acquittance, discharge, settlement, full and final settlement; receipt*)].

quorum *n*: quórum.

quota *n*: cuota, contribución; cupo, contingente; V. *opened quota; amortization quota, import quotas*. [Exp: **quota amount** (contingente cuantitativo), **quota country** (país sujeto a contingentes), **quota-free goods** (mercancías no sujetas a contingente), **quota limits on drawing** (limitación de los giros en función de la cuota), **quota linked with export performance** (contingente vinculado a los resultados de exportación), **quota**

restriction (limitación de cupo), **quota sampling** (muestreo por cuotas), **quota share** (cuota), **quota system** (sistema de cupos o cuotas), **quota subscription** (suscripción, pago o agotamiento de cuota o cupo), **quota-year** (año-cuota)].

quote[1] *v*: citar; dar/ofrecer precios ◊ *We've been quoted a variety of prices.* [Exp: **quote**[2] (BOLSA cotizar ◊ *Their shares are quoted at 255 p*), **quotation** (cotización, precio, cambio, oferta; V. *price; exchange; rate*[4]; *marking*), **quotation list** (BOLSA boletín de cotizaciones), **quotation of stocks** (cotización de las acciones), **quotation on the Stock Market** (cotización en Bolsa), **quote/name/make a price** (dar/ofrecer/poner un precio), **quoted company** (SOC mercantil cuyas acciones cotizan en Bolsa; V. *listed company*), **quoted currency** (MERC DINER divisa cotizada o variable; V. *base currency; direct/indirect quotation*), **quoted securities** (títulos cotizados)].

R

r & d *n*: V. *research and development.*

rabbi trust *US* (fideicomiso del rabino; se trata de un plan de pagos diferidos —*deferred*— a un empleado por parte de su empresa hasta una fecha convenida con unas características fiscales y financieras).

race¹ *n*: raza, etnia. [Exp: **race²** (carrera ◊ *The arms race*; V. *racing certainty; rat race*), **race is on, the** (ha empezado la carrera/campaña; ha sonado el pistoletazo de salida), **Race Relations Board** (REL LAB Comisión encargada de la vigilancia del cumplimiento del *Race Relations Act*, ahora llamada *Commission for Racial Equality*), **racial** (racial), **racial segregation** (REL LAB segregación racial), **racing certainty** *col* (FINAN chollo garantizado, especulación que no puede fallar; esta expresión coloquial tiene su origen en la jerga de las carreras de caballos, que es fuente, como el vocabulario del juego en general, de muchas otras locuciones empleadas corrientemente en el lenguaje de las finanzas y los negocios; V. *dead cert*), **racist** (racista)].

rack *n*: estante, anaquel; perchero ◊ *Buy one's suits off the rack*; V. *display rack; off the peg*. [Exp: **rack jobber** (MKTNG ① agente de estanterías; es un intermediario que visita a los detallistas y se asegura de que no falten artículos —*convenience goods*— en sus estantes; ② mayorista que alquila varios estantes a minoristas y se encarga de que no falten productos en los mismos; V. *jobber, shelf filler*), **rack rent** (alquiler/arriendo exorbitante o exagerado)].

racket *col n*: negocio sucio o fraudulento, tinglado, extorsión, chantaje, estafa, chanchullo. [Exp: **racketeer** (chantajista; estafador), **Racketeer-influenced and Corrupt Organizations Act, RICO Act** *US* (ley contra los delitos organizados; en el mundo de los negocios se ha aplicado a los llamados «delitos de iniciados» o *insider trading*), **racketeering** (negocio sucio o ilícito; prácticas comerciales ilegales)].

radar *n*: radar. [Exp: **radar alert** (BOLSA vigilancia constante de las operaciones bursátiles que afectan a los títulos de una mercantil, efectuada por parte de los dirigentes de la misma, a fin de evitar operaciones no deseadas; V. *shark watcher*)].

RAFT, R.A.F.T *n*: V. *revolving acceptance facility by tender.*

rag *n*: trapo, harapo. [Exp: **rag trade** *col*

(industria de la confección o del vestido; ramo de la confección)].

raid *n/v*: BOLSA ataque, agresión, incursión, correría; redada; toma de posiciones por sorpresa; hacer una redada; atacar por sorpresa, asaltar; *bear raid, dawn raid*. [Exp: **raider** *US* (BOLSA tiburón, especulador; V. *corporate raider; junk bonds; leveraged buyout; black/white knight; takeover, bluff, greenmail*), **raiding** (maniobra bursátil dirigida a controlar una mercantil mediante la adquisición imprevista de la mayoría de acciones; V. *bear raid*)].

rail *n*: ferrocarril. [Exp: **rail, by** (TRANS por tren; V. *by boat/lorry*), **rail travel** (TRANS viaje en tren; V. *air travel*), **railhead** (estación central o término), **railroad**[1] *US* (ferrocarril, transporte por ferrocarril; V. *railway*), **railroad**[2] *US col* (tramitar por la vía rápida, forzar la aprobación de ◊ *Railroad a measure/bill through*), **railroad**[3] *US col* (apremiar/ atosigar a alguien para que haga algo ◊ *We were railroaded into signing the contract*), **railroad bill of lading** *US* (V. *railway bill*), **railroad bond** (obligación emitida por los ferrocarriles), **railroads** (BOLSA acciones de compañías ferroviarias), **rails** (BOLSA acciones o valores ferroviarios; V. *railways*), **railway** (vía férrea, ferrocarril; V. *raildoad*), **railway bill** (TRANS resguardo de transporte por tren; documento fehaciente de contrato de mercancías por ferrocarril, también llamado *waybill*, y en los Estados Unidos *railroad bill of lading*), **railway consignment note** (talón de ferrocarril), **railway junction** (nudo ferroviario), **railway shares/stock** (BOLSA valores ferroviarios; V. *rails, railways*), **railways** (BOLSA valores ferroviarios)].

rain *n/v*: lluvia; llover. [Exp: **rain forest** (selva húmeda o tropical), **rainfed** (de secano)].

raise[1] *n/v*: aumento/incremento de sueldo; elevar, alzar, subir, aumentar, levantar, ascender, mejorar. [El uso de *raise* como sustantivo —aumento de sueldo— es propio del inglés americano, siendo *rise* la forma empleada en Gran Bretaña. Exp: **raise**[2] (plantear, suscitar; presentar; V. *raise a point, etc.*), **raise**[3] (obtener/ conseguir/reunir/allegar/recoger/procurar/arbitrar recursos/fondos; V. *obtain; raise cash, etc.; fundraising*), **raise**[5] (promover, fundar, promocionar, constituir), **raise a claim** (presentar una reclamación), **raise a loan** (conseguir/ obtener un crédito; contraer un empréstito; V. *secure/obtain a loan*), **raise a point/question** (plantear una cuestión; V. *point of order*), **raise an embargo** (levantar una prohibición o embargo), **raise an objection** (oponerse, plantear/poner una objeción), **raise capital** (conseguir/ampliar capital), **raise cash/funds/money** (arbitrar recursos; recaudar/recoger/movilizar fondos; sacar/conseguir dinero; procurarse dinero o efectivo; V. *raising of funds, club together; rake in*), **raise difficulties** (poner trabas, suscitar problemas; suscitar dificultades), **raise taxes** (elevar los impuestos), **raise/up the ante** *col* (subir la apuesta o el envite ◊ *Their rivals in the price war have raised the ante*), **raise the ban on** (COMER levantar la prohibición; V. *put a ban on*), **raise the price of a product** (encarecer un producto), **raising** (aumento, subida, elevación; obtención; imposición), **raising of funds** (obtención de fondos o de capitales; V. *fund-raising; raise cash*), **raising/ levy of taxes** (imposición de contribuciones)].

rake *v*: rastrillo; raqueta o rastrillo empleado por el croupier para recoger las fichas; recoger con rastrillo. [Exp: **rake in** *col* (sacarse, ganar ◊ *Rake in* *a big profit*; V. *earn, scoop*), **rake it in** *col* (forrarse, ganarse una pasta gansa), **rake-off** *col* (una buena tajada, un buen pellizco, una rica comisión ◊ *She gets a nice rake-off from commissions)*].

rallonge *n*: ampliación del plazo de devolución de un préstamo pedido por un banco central a otro de un país perteneciente al Sistema Monetario Europeo, conocido también como *short term monetary support*.

rally[1] *v* concentrar-se, reunir-se; replegarse; infundir ánimo; recuperarse, reanimarse, recuperar la confianza, mejorar. [Exp: **rally**[2] (MERC FINAN/PROD/DINER recuperación temporal del mercado; subida pronunciada de precios tras un prolongada caída; recuperse el mercado ◊ *The market rallied after a slow start*; V. *technical rally; stage a rally; recovery; reflex rally)*, **rally**[3] (mitin, manifestación de apoyo/adhesión), **rally in/of prices** (recuperación/ mejora en los precios), **rally round sb** (apoyar a alguien, hacerse una piña/ reunirse en torno a alguien, solidarizarse con/mostrar su adhesión a alguien)].

RAM *n*: V. *reverse annuity mortgage*.

ramp *n*: rampa, desnivel; recompra ilegal. [Exp: **ramping** (BOLSA compra masiva de títulos para mejorar la imagen de la propia empresa, provocando la subida del precio de los títulos; V. *heat up)*].

rampant *a*: descontrolado, galopante, desenfrenado. [Exp: **rampant, be** (estar extendido, predominar, cundir, estar a la orden del día ◊ *Unemployment is rampant in the area*; V. *rife)*, **rampant inflation** (inflación galopante/desenfrenada; V. *galloping/runaway/snowballing/ bounding inflation)*].

ranch *US n*: hacienda, finca ganadera; V. *farming, agriculture*.

random *a*: aleatorio, fortuito, casual; errático ◊ *Random shot*. [Exp: **random, at** (al azar; de forma aleatoria; aleatorio), **random draw, by** (por suerte, por sorteo ◊ *Allot shares by random draw*; V. *allotment of shares)*, **random error** (error aleatorio), **random fluctuations** (fluctuaciones erráticas), **random impulse process** (proceso de impulso aleatorio), **random noise** (FINAN ruido aleatorio; alude a los datos financieros no estructurados que pueden afectar a los ciclos de los mercados), **random route sampling** (ECO muestreo por itinerarios aleatorios), **random sample** (muestra aleatoria o al azar), **random sampling** (muestreo aleatorio o al azar), **random sampling error** (error del muestreo aleatorio), **random selection** (selección aleatoria), **random series** (serie aleatoria), **random variable** (variable aleatoria), **random walk hypothesis/ theory** (BOLSA hipótesis/teoría del paseo/recorrido/trayectoria aleatorio; según esta teoría, el precio de un título de un mercado financiero no se puede predecir mediante el análisis de las etapas anteriores de su comportamiento), **random walk index** (MERC FINAN/PROD/ DINER índice de recorrido aleatorio de mercados bursátiles o de productos), **randomization** (aleatorización), **randomize** (aleatorizar), **randomized blocks** (bloques aleatorios), **randomly selected** (seleccionado al azar)].

range[1] *n*: gama, selección, surtido, abanico, serie ◊ *Range of financial products; price range*. [Exp: **range**[2] (límite, orden, banda, escala, horquilla [de precios], banda de fluctuación [de cambios]; abanico, alcance, extensión, campo, ámbito, esfera, radio de acción; tramo; amplitud; recorrido de una variable; V. *average true range; mean range)*, **range**[3] (grupo, fila, hilera, serie, tabla ◊ *A range of shops*), **range⁴** (alinear, arreglar, ordenar, clasificar, jerarquizar, colocar; poner-se en fila, colocar-se al mismo nivel ◊ *Range products on a shelf*; V. *line up*), **range⁵** (extenderse, abarcar, cubrir una gama, recorrer, variar, fluctuar, oscilar, alcanzar, elevarse/descender hasta ◊ *Prices range from £5 to £50*; V. *cover, extend, reach an outer limit*), **range chart** (gráfica de amplitud), **range forward** (MERC FINAN/PROD/DINER «forward» de rango, opción de rango), **range of prices** (gama/abanico de precios), **range of coverage** (escala de cobertura), **range of products** (gama/ abanico de productos; V. *product line*), **range of tide** (TRANS MAR amplitud de la marea), **range of values** (escala de valores), **range outside/beyond** (salirse, aventurarse, extenderse ◊ *Range beyond the local market*), **range table** (tabla de escalas), **rangeland** *US* (tierra de pastoreo)].

rank¹ *n/v*: grado, rango, categoría, dignidad, graduación; clase de tropa; figurar, contarse entre, encuadrarse, colocarse; ordenar, clasificar; V. *pull rank*. [Exp: **rank²** (fila; V. *close ranks*), **rank and file** (soldados rasos; aplicado a sindicatos, partidos políticos, etc. significa «bases, afiliados/militantes de base»; en posición atributiva equivale a «ordinario, corriente»), **rank correlation** (ECO correlación por rangos), **rank equally** (tener la misma categoría), **ranking** (escala, clasificación, orden de importancia; ordenación por importancia, méritos, etc.; lugar que se ocupa en una clasificación empresarial, de acuerdo con el volumen de ventas, fondos propios, etc.; V. *high/top/senior ranking*), **ranking method** (REL LAB método de categorías en la evaluación de puestos)].

RAROC *n*: V. *risk-adjusted return on capital*.

rat *n*: rata. [Exp: **rat race** *col* (competencia desenfrenada o a muerte, lucha descarnada por triunfar al precio que sea ◊ *Taking this job means joining the rat race*; V. *cutthroat competition; destructive competition, low-profit margin; keen competition; fiercely competitive*)].

ratable *a*: V. *rateable*.

ratchet *n*: trinquete. [Exp: **ratchet effect** (ECO efecto de trinquete/raqueta; alude a un cambio irreversible en una variable económica), **ratchet effect theory** (ECO teoría del efecto de trinquete), **ratchet up** *col* (aumentar, subir, pegarle una subida a), **ratcheting up** (alza/subida por efecto de trinquete)].

rate¹ *n/v*: índice, coeficiente, nivel, proporción, razón, relación; grado, baremo; baremar, calificar, evaluar, clasificar, conceptuar; merecer, puntuar ◊ *Rate a product highly*; V. *age-specific death/divorce rate, average rate, bank rate, birth rate, mortality rate*. [Exp: **rate²** (cotización, precio, cuota, valor; V. *quotation; flat rate; going rate*), **rate³** (rédito; cambio; tipo de interés; V. *exchange rate*), **rate⁴** (tasa, tarifa; tarifario; honorarios; tasar ◊ *The going rate*; V. *depreciation rate*), **rate⁵** (TRANS MAR flete), **rate⁶** (TRIB impuesto o contribución municipal, especialmente en plural, *rates*; V. *rate support grant; tax, poll tax; uniform business rate; ratepayer, highly-rated; rate-capping*), **rate⁷** (velocidad; ritmo; frecuencia ◊ *Turnover rate*; V. *rate of sales, average purchase rate*), **rate base¹** (base de la tasa; alude a los gastos previstos para el cálculo de un precio o tasa), **rate base², rate basis** (base tarifada/tarifaria), **rate book** (libro de tarifas), **rate cap¹** (poner un tope al presupuesto municipal por parte del gobierno central; consiste en fijar un límite el gobierno central a la contribución municipal o urbana recaudable por los ayuntamientos ◊ *A rate-capped Council*; V. *rate-capping*), **rate cap**^{2} (FINAN tipo máximo de interés acordado o permitido durante la vigencia de un crédito; V. *cap*^{2}), **rate capping** (TRIB limitación en la facultad de fijar impuestos municipales; el gobierno central emplea esta táctica para forzar a los ayuntamientos, sobre todo los de las grandes ciudades, a recortar el gasto público y acatar la política de racionalización de recursos en tiempos de restricción; tiene el efecto, lógicamente, de reducir la capacidad de endeudamiento de los municipios rebeldes; V. *rate cap*^{1}), **rate cutting** (reducción tarifaria), **rate-deficiency grant** (subvención estatal para suplir el déficit en la recaudación de la contribución municipal; V. *equalization grants; rate support grant*), **rate discrimination** (discriminación tarifaria), **rate fixing** (fijación de tarifas), **rate-fluctuating deposit** (depósito con tasa/tipo fluctuante), **rate for advances/loans against collateral** (tipo pignoraticio, tasa de préstamo con garantía, también llamada *rate for advances on securities*), **rate for secured advances/ loans** (V. *rate for advances/loans against collateral*), **rate lock** (V. *lock-in period*), **rate of absenteeism** (REL LAB nivel/tasa de ausentismo), **rate of assessment** (TRIB tipo de gravamen o impositivo; V. *rate of taxation*), **rate of change, ROC** (FINAN tasa de variación del precio de un valor, porcentaje mensual de cambio; V. *momentum*^{2}), **rate of depreciation** (CONT tasa, ritmo o porcentaje de amortización), **rate of discount** (tipo de descuento), **rate of earnings on common equity** (SOC, BOLSA tipo/tasa de rendimiento de las acciones ordinarias), **rate of earnings on total capital employed** (FINAN tipo/tasa de rendimiento por capital total empleado), **rate of exchange** (tasa/tipo de cambio, cotización de divisas; cambio; V. *exchange rate; buying/selling rate of exchange, current rate of exchange, foreign exchange rate*), **rate of exchange for spot delivery** (tipo de cambio al contado; V. *spot exchange rate*), **rate of expansion** (tasa de expansión), **rate of growth** (tasa/ritmo de crecimiento; V. *rate*^{9}), **rate of increase** (ritmo/tasa de aumento), **rate of inflation** (índice de inflación), **rate of interest** (rédito, tipo/tasa de interés, precio del dinero; V. *interest rate; fixed rate of interest, floating rate of interest*), **rate of investment** (tasa de inversión), **rate of issue** (tipo/precio de emisión; V. *issue price*), **rate of output** (coeficiente de rendimiento/producción), **rate of profit** (rentabilidad, tasa de beneficios), **rate of rental** (precio de alquiler, canon de arrendamiento), **rate of return** (tasa/tipo/índice de rentabilidad/rendimiento o beneficio; V. *yield rate, output rate; economic rate of return, annual percentage rate*), **rate of return on average investment** (rentabilidad media, tipo/tasa media de rentabilidad/ rendimiento de la inversión), **rate of sales** (COMER ritmo de ventas; V. *rate*^{9}), **rate of savings** (tasa de ahorro), **rate of substitution** (tasa de sustitución), **rate of tax/taxation** (tasa impositiva, tipo de gravamen, tipo impositivo; V. *rate of assessment*), **rate of turnover** (índice de rotación; velocidad de circulación; V. *velocity of circulation*), **rate per cent** (tanto por ciento), **rate pattern** (FINAN escala/estructura de tipos/tarifas), **rate rebate/relief** (desgravación en los impuestos municipales por tener rentas bajas; rebaja impositiva), **rate regulation** (control de tarifas), **rate restriction clauses** (cláusulas que limitan las tarifas), **rate scale** (escala de tarifas), **rate support grant** (subvención del gobierno central a los ayuntamientos; V. *rate deficiency grant*), **rate war** (guerra de tipos/tarifas), **rateable/ratable** (valuable, tasable; imponible), **rateable value** (TRIB valor catastral, valor imponible de bienes inmuebles, también llamado *net annual rateable value*), **rated capacity** (capacidad de diseño, nominal o de régimen), **rated concern** (FINAN empresa clasificada por una agencia calificadora de riesgos; V. *rating²*), **ratepayer** (TRIB contribuyente municipal; V. *taxpayer; business rate-payer*), **rates** (impuestos municipales o locales; V. *municipal/local taxes*), **rates and taxes** (impuestos locales/municipales y de carácter nacional)].

rating¹ *n*: valoración, tasación, evaluación; valor asignado; categoría, rango; clasificación, puntuación; V. *brand rating*. [Exp: **rating²** (FINAN calificación crediticia; calificación de la solvencia financiera de una empresa; calificación de las emisiones de renta fija; V. *AAA; credit/financial rating*), **rating³** (SEG tarifación, ajuste de primas; V. *retrospective rating*), **rating⁴** (PUBL índice de audiencia de un programa de radio/televisión), **rating agency/bureau** (FINAN, SEG agencia de calificación; agencia calificadora/evaluadora de riesgos; agencia ajustadora de tipos de prima; oficina que analiza experiencia y riesgo para fijar los tipos de prima, agencia de *rating*; estas agencias, en su valoración —*rating*— tienen en cuenta el capital y la solvencia de la empresa en el pago de obligaciones contraídas —*payment record*; V.

financial rating, credit reference agency, credit agency/bureau), **rating agreement** (SEG convenio para la tarifación de riesgos), **rating officer** (tasador oficial), **ratings** (PUBL nivel de audiencia; V. *share*), **rating service** (servicio de clasificación de valores), **rating-up** (SEG tarifación de riesgos agravados)].

ratify *v*: ratificar, confirmar; V. *adopt, approve; repudiate*. [Exp: **ratification** (ratificación)].

ratio *n*: índice, razón, relación, coeficiente, ratio, proporción, cociente, porcentaje, grado; V. *current ratio, working capital ratio, price/earnings ratio*. [Exp: **ratio analysis** (FINAN análisis de ratios; son las ratios financieras de una empresa), **ratio of capital to fixed assets** (ratio de capital sobre activo fijo), **ratio of collection** (índice de cobros), **ratio of cost of goods manufactured to plant investment** (relación del costo de producción a la inversión de la planta), **ratio of cost of goods sold to average inventory** (razón del costo de ventas al inventario promedio o rotación de inventarios; V. *inventory turnover*), **ratio of net debt to assessed value** (relación de la deuda neta al valor fiscal), **ratio of fixed assets to fixed liabilities** (CONT ratio de activo fijo sobre el pasivo permanente), **ratio of net income to net worth** (CONT relación entre la utilidad neta y el capital contable o neto patrimonial), **ratio of net income to total assets** (relación de la utilidad neta al activo total), **ratio of owned capital to borrowed capital** (ratio/índice de autosuficiencia financiera; V. *clean-up requirement*), **ratio of raw materials inventory to cost of manufacture** (CONT ratio de consumo de materias primas por coste de producción), **ratio of returns to sales** (relación entre devoluciones y ventas), **ratio of solvency**

(índice de solvencia), **ratio of the ending capital balances** (proporción de los saldos finales de las cuentas de capital), **ratio of the total debt to the owners' equity** (CONT razón del pasivo total a capital contable o neto patrimonial, también llamado *debt to worth*), **ratio spread** (MERC FINAN/ PROD/DINER diferencial/ «spread» a ratio; se refiere a la compra o la venta de opciones de compra —*calls*— o de venta —*puts*—, en proporciones diferentes, siempre que tengan la misma fecha de ejercicio —*strike date*— y que sus precios de ejercicio —*strike prices*— sean distintos)].

ration *n/v*: ración, suministro; porción, dosis; limitar, restringir, racionar, dosificar. [Exp: **ration funds/mortgages, etc.** (limitar/restringir fondos/hipotecas), **ration out** (ir dosificando, distribuir/ repartir de forma racionada ◊ *Ration out scarce items*), **rational** (racional), **rational expectations** (expectativas racionales; V. *expectations theory*), **rationale** (lógica, filosofía, principio, razón fundamental, fundamento lógico de un hecho), **rationalization** (racionalización), **rationalization investment** (inversión para racionalización; V. *intensive investment*), **rationalize** (racionalizar), **rationing** (racionamiento; control; restricción; contingentación), **rationing of foreign exchange** (contingentación/control gubernamental de divisas para la importación/exportación)].

raw *a*: crudo, en bruto; primario; verde, bisoño, novato. [Exp: **raw data** (datos brutos, datos no analizados/examinados/procesados; V. *processed data*), **raw employee** (empleado sin experiencia), **raw materials** (materias primas; V. *basic goods/materials, staples; commodities*), **raw material yield** (rendimiento de las materias primas)].

re *fr*: con relación a, con referencia a; asunto; en el proceso/causa/asunto ◊ *Re your enquiry of 28 April*.

re- *prefijo*: re-, de nuevo; volver a. [Exp: **re-account** (CONT cuenta de resaca; V. *redraft*), **reallocation** (redistribución, reasignación), **re-examine** (volver a examinar o inspeccionar), **re-present** (volver a presentar; V. *represent*), **re-rummage** (nueva inspección de/inspeccionar de nuevo un buque en el embarque; V. *re-rummage*), **re-run** (reestreno), **reaction** (reacción; corrección, rectificación; V. *reversal*), **reaction capability** (BOLSA capacidad de reacción), **reaction function** *US* (FINAN función correctora o de control del sistema monetario efectuada por la Reserva Federal), **reactive trading system** (MERC FINAN/PROD/DINER sistema operativo reactivo; este sistema anticipa lo que puede pasar en los mercado utilizando datos almacenados), **readjusting entry** (CONT contrapartida), **readjustment** (actualización; reajuste; V. *updating*), **readjustment of currencies** (reajuste monetario), **readmission** (readmisión), **readmit** (REL LAB readmitir, volver a contratar ◊ *Readmit a dismissed employee*), **reafforestation** (reforestación; repoblación forestal; V. *reforestation*), **realignment/realinement of par values** (realineamiento/reajuste/reordenación de paridades; V. *alignment*), **reallowance** (FINAN comisión de venta en una emisión de bonos), **reapply** (volver a solicitar; volverse a presentar), **reapplication** (nueva solicitud), **reappraisal** (reavalúo, revaluación), **reappraisal of assets** (CONT actualización del neto patrimonial, regularización del balance; nueva comprobación del valor de los activos o del patrimonio), **reappraisal of assets special reserve** (CONT reserva especial para la regularización del balance), **reappraise** (revaluar, revalorizar), **reappraise costs** (actualizar costes; V. *restate costs*), **rearrange** (reorganizar, retocar, adaptar, programar de nuevo), **reassign¹** (cambiar de destino ◊ *Reassign sb to another department*), **reassign²** (hacer retrocesión de), **reassignment** (retrocesión), **reassess** (revaluar), **reassessment** (revaluación), **reassume** (arrogarse de nuevo; volver a asumir ◊ *Reassume control*), **reassure** (tranquilizar; reasegurar), **reassurance** (garantía, seguridad, alivio; reaseguro), **reattach** (volver a embargar, reembargar), **reattachment** (nuevo embargo, reembargo), **rebuild/ replenish the reserve** (reconstituir la reserva), **reborrow** (refundir una deuda), **rebound** (rebote; recuperación; repercusión; rebotar, repercutir; salir el tiro por la culata, perjudicar el plan al que lo ideó ◊ *The scheme rebounded on them*; V. *backfire, blow up*), **rebound effect** (efecto de recuperación), **rebound, on the** (de rebote, de rechazo), **rebound tax** (impuesto repercutido), **recall¹** (recuerdo; recordar ◊ *Recall a product*), **recall²** (revocación, retiro; revocar, retirar, anular, destituir ◊ *Recall a representative*; V. *annul, call back; withdraw*), **recall test** (PUBL prueba de memorización o recuerdo), **recapitalization** (recapitalización; concentración; V. *refinancing*), **recapitulation entry** (CONT asiento combinado o de concentración), **recapture** (rescatar, recuperar; rescate, recuperación; represa de un navío), **recapture clause** (cláusula de reversión/reintegro), **recapture of earnings** (reintegro al Tesoro del superávit de las empresas públicas),

recede from a contract (retractarse, volverse atrás en un contrato), **rechartering** (TRANS MAR refletamento; V. *subletting*), **reclaim¹** (reclamar; bonificar), **reclaim²** (ganar al mar, al desierto, etc.; sanear ◊ *Reclaimed land*), **recompense** (resarcir un daño, indemnizar, recompensar; V. *reward*), **reconcile** (conciliar, reconciliar, cuadrar, ajustar ◊ *Reconcile figures/an account*), **reconcilement** (conciliación, ajuste, conformidad; reconciliación; V. *reconciliation; account reconcilement*), **reconcilement/reconciling items** (CONT partidas de conciliación), **reconciliation** (conciliación; armonización; ajuste; V. *account reconciliation, capital reconciliation statement*), **reconciliation account** (cuenta de reconciliación/ajuste), **reconciliation item** (partida de reconciliación), **reconciliation of capital funds** (evolución de los recursos propios), **reconciliation statement** (BANCA conformidad; estado de conciliación bancaria), **reconcialiation table** (cuadro de conciliación), **reconstruct the finances** (reorganizar/sanear la finanzas), **reconstruction/reorganization of a company** (reorganización/saneamiento de una sociedad mercantil), **reconstruction import credit, RIC** (crédito de importación para fines de reconstrucción), **reconvene** (convocar de nuevo, reunirse de nuevo), **reconversion** (reconversión; V. *conversion²*), **reconvey** (transferir a un poseedor precedente; traspasar de nuevo), **recover¹** (recuperar, recobrar; resarcirse de daños y perjuicios; reponerse, recuperarse, restablecerse, quedar saneado ◊ *Recover from a slack period*), **recover²** (recuperar, sacar, derivar ◊ *Recover by-products*), **recoverable** (recuperable, indemnizable, recobrable, reivindicable; V. *debtor in default, write-off; not recoverable*),

recoverable waste (residuos recuperables; pérdidas recuperables o reversibles; tierras saneables), **recovery**[1] (FINAN reactivación, recuperación; resarcimiento; se aplica a fallidos —*bad debts*—, dudosos —*nonperforming loans*—, etc.), **recovery**[2] (ECO reactivación; V. *rally*), **recovery package** (ECO paquete de medidas de reactivación económica; medidas dirigidas a la recuperación económica), **recycle** (reciclar), **recycling of capital** (reciclaje/recirculación de capital), **redate** (rectificar la fecha), **redetermination of quotas** (revisión de cuotas; V. *adjustment of quota*), **redeliver** (devolver a origen), **redeploy personnel/workforce** (adscribir/destinar/trasladar a empleados a nuevos puestos de trabajo; V. *deploy*), **redeployment of staff** (ajuste de plantilla; V. *staff cuts, shake-up, staff shake-up*), **redevelopment plan** (plan de reorganización), **rediscount/rediscounting** (redescuento; redescontar; V. *lender of last resort*), **rediscount ceiling** (límite de redescuento), **rediscount of drafts** (redescuento de efectos), **rediscount rate** (tasa/tipo de redescuento), **rediscountable** (redescontable), **rediscounted loan** (FINAN préstamo cedido en descuento), **redraft** (letra de resaca; letra protestada presentada de nuevo con los gastos de protesto; libranza girada sobre el girado de una letra por el importe más los gastos de protesto; V. *re-account*), **redress** (reparación, compensación, desagravio, satisfacción, justicia; reparar, compensar, remediar, equilibrar), **redress the balance** (restablecer el equilibrio), **reengineering for business revolution** (GEST reingeniería de procesos), **refill** (pieza de repuesto, repuesto), **refinance** (refinanciar, suministrar nuevo capital), **refinance credit** (crédito de re-

financiación), **refinancing** (refinanciación; se suele hacer con créditos a interés más bajo; V. *recapitalization; debt refinancing*), **refinancing of maturing loans** (refinanciación de adeudos vencidos), **refit** (reparación, reforma; reformar ◊ *Give a ship a refit*; V. *overhaul*), **refittings** (reformas), **reflation** (reflación), **refloat** (reflotar), **reflow of capital** (reflujo de capitales), **reforestation** (repoblación forestal; V. *reafforestation, tree-planting; nursery*), **refund** (reembolso, reintegro, restitución; reembolsar, devolver, consolidar, amortizar; reintegrar; V. *pay back, reimburse, reimbursement; repay, repayment; return*), **refund annuity** (anualidad con reembolso), **refund life annuity** (anualidad vitalicia con reembolso), **refundable** (reembolsable, reintegrable, restituible), **refundable deposit/tax** (depósito/impuesto reembolsable), **refunding** (reembolso; amortización; V. *reimbursement*), **refunding bond** (bono de conversión, reintegro o reembolso), **refunding mortgage** (hipoteca de reintegración), **refunding of a loan** (conversión/refinanciación/renegociación de un préstamo), **regrading** (reclasificación de personal), **regrant** (restitución), **regrowth** (rebrote), **rehabilitate** (rehabilitar, reinsertar), **rehabilitate a company** (sanear una empresa), **rehabilitation** (rehabilitación; reorganización; modernización; etc.; reinserción; V. *financial rehabilitation*), **rehabilitation of the finances** (saneamiento financiero), **rehouse** (realojar, acomodar en nuevas viviendas), **reimburse** (reembolsar, reintegrar; V. *pay back, refund, repay, return*), **reimbursement** (reembolso, reintegración; V. *withdrawal; redemption, repayment, recapture, refunding*), **reimbursable** (reembolsable, reintegrable, restituible), **reimbursement credit** (crédito de reembolso), **reimbursement letter of credit** (crédito documentario mediante letra a plazo; V. *usance credit*), **reimbursement premium** (prima de reembolso), **reimbursement price** (precio de reembolso), **reinstate** (readmitir, rehabilitar, restablecer, reincorporar ◊ *Reinstate dismissed workers*), **reinstatement**[1] (readmisión, reposición, restablecimiento, restitución; V. *unfair dismissal; dismissal statement*), **reinstatement**[2] *US* (SEG rehabilitación; rehabilitación de las condiciones de la póliza de seguro ◊ *Reinstatement of the sum insured*), **reinstatement clause** (SEG cláusula de rehabilitación o reposición); V. *automatic reinstatement clause*), **reinsurance** (reaseguro; V. *coinsurance, facultative reinsurance*), **reinsurance carriers** (SEG cesiones de reaseguros), **reinsurance pool** (consorcio de reaseguro; V. *syndicate*), **reinsurance premium** (prima de reaseguro), **reinsurance recoverables** (SEG siniestros por cobrar de los reaseguradores), **reinsurance slip** (borderó, boletín de aplicación), **reintermediation** (vuelta a la intermediación; V. *disintermediation*), **reinvest/reinvestment** (reinvertir/reinversión), **reinvestment allowance** (deducción por reinversión de beneficios), **reinvestment discount** (descuento a la reinversión), **reinvestment relief** (desgravación por reinversión), **reinvestment risk** (riesgo de la inversión), **reissue** (reedición, nueva emisión de acciones; reeditar; sacar una nueva emisión; emitir de nuevo), **relocate** (reubicar), **relocation** (reasentamiento, reubicación), **relocation grant** (subsidio por traslado), **remargining** *US* (MERC FINAN/PROD/DINER reposición en la cuenta de depósito; suplemento de cobertura; cobertura suplementaria; es un depósito de garantía adicional o complementario, llamado *additional cover/margin* en Gran Bretaña; V. *margin*[4]), **renegotiate** (reajustar, renegociar), **renegotiation** (renegociación), **renew** (prorrogar, extender, reanudar, renovar; se aplica a *contracts, credits, bills of exchange, etc.*; V. *renewal; extend*), **renewable energy** (energía renovable), **renewable term life insurance** (SEG seguro de vida renovable periódicamente), **renewal** (renovación, prórroga ◊ *Renewal of a policy*), **renewal coupon** (talón de renovación), **renewal date** (fecha de renovación), **renewal fund** (fondo de reposición o de reemplazo, reserva de reposición), **renewal premium** (prima de renovación), **reopening** (reapertura, reanudación ◊ *Reopening of a matter*), **reorganization/reconstruction of a company** (FINAN reorganización; saneamiento de una empresa), **reorganize** (reorganizar, reconstituir), **repackage**[1] (renegociar, cambiar el envoltorio, dotar de nuevo envoltorio, volver a empaquetar; convertir, transformar, reagrupar ◊ *Repackage goods/products*), **repackage**[2] (FINAN «titulizar», «retitulizar»; transformar un producto financiero en otro; crear títulos nuevos a partir de obligaciones, bonos, cupones y efectos de comercio ◊ *Repackage mortgage certificates as bonds*; V. *securitize; asset-backed securities; pass-through*), **repay** (reembolsar, reintegrar, devolver, amortizar), **repayable** (reembolsable), **repayment** (amortización; plazo amortizativo; reembolso, devolución, pago; V. *return, refund, pay back, reimburse, advanced repayment; redemption*), **repayment before maturity** (reembolso anticipado), **repayment period/term** (plazo de reembolso), **repayment guarantee** (garantía de reembolso),

repayment schedule (calendario de amortizaciones), **rephasing of a debt** (reprogramación de los vencimientos de la deuda, reprogramación/reorganización de los plazos de la deuda; V. *rescheduling of debt; debt rescheduling*), **replace** (reemplazar, sustituir, cambiar, reponer), **replacement**[1] (renovación, reemplazo, sustitución, reposición), **replacement**[2] (sustituto ◊ *Come in as a replacement for sb*), **replacement**[3] (pieza de recambio ◊ *A replacement part*; V. *part, component*), **replacement clause** (cláusula de repuestos), **replacement certificate** (certificado de sustitución), **replacement cost** (CONT coste corriente o de reposición, reemplazo o renovación; V. *asset replacement cost; repairs, betterment; current cost*), **replacement cost accounting** (CONT método contable en el que las partidas de los activos se valoran por el coste de sustitución; V. *current cost accounting*), **replacement level of population** (nivel de reemplazo/renovación de la población), **replacement value** (valor de reposición o de adquisición, valor de la cosa nueva; V. *current entry value*), **repossess** (recuperar, recobrar, reivindicar; embargar, adueñarse el acreedor hipotecario de la propiedad por impago de la cantidad aplazada; ejecutar la hipoteca el acreedor volviendo a tomar posesión de la propiedad o mercancía), **repossession** (ejecución de una hipoteca por parte de un banco, recuperación, recobro), **repurchase agreement, repo** (FINAN, BOLSA pacto de recompra/retroventa, operación de dobles, venta con pacto de retrocesión, repo), **repurchase agreement sale** (venta con pacto de recompra; venta de un producto financiero con pacto de recompra, también llamada *repo*; consiste en la adquisición de un producto financiero con pacto de

recompra por el vendedor en unas condiciones convenidas; V. *reverse purchase agreement; interbank market repurchase agreement*), **re-registration** (transformación o adaptación de una mercantil en otra con nueva inscripción en el registro mercantil), **rerun** (reestreno, reestrenar), **resale** (reventa, venta de segunda mano), **resale price maintenance agreement** (COMER acuerdo de fijación/imposición/mantenimiento del precio de reventa), **rescaled range analysis** (análisis de rango reescalado), **rescheduling agreement** (reescalonamiento [de deudas, pagos, etc.]), **rescheduling of debt** (reescalonamiento/reprogramación/renegociación del servicio de la deuda; V. *debt rescheduling; rephasing of a debt*), **resell** (revender), **resell back** (retrovender), **resettlement** (traslado; restablecimiento; repoblación ◊ *Resettlement of families following slum clearances or a natural disaster*; V. *slum clearance*), **resettlement allowances** (indemnizaciones por traslado), **resettlement grant** (subsidio por reasentamiento, por reinstalación), **resettlement of farmsteads** (descongestión rural), **reship** (reembarcar), **reshipment** (reembarque), **reshuffle** (remodelar, reorganizar; remodelación, reorganización), **restate**[1] (reformular; V. *understate, overstate*), **restate**[2] (CONT actualizar, corregir, revalorar), **restate costs** (actualizar costes; V. *reappraise costs*), **restock** (renovar/reponer/reconstituir existencias; repostar), **restructure** (reestructurar; sanear, reconvertir ◊ *Restructure an industry*; V. *rescue; overhaul, clean up,*[1] *streamline, sort out*), **restructure debt** (renegociar la deuda), **restructuring** (reestructuración, saneamiento, renegociación ◊ *Debt restructuring*; V. *corporate restructuring*),

resubmission (resometimiento), **resubmit** (volver a presentar ◊ *Resubmit an amended proposal*), **resurvey** (peritaje de comprobación), **reswitching** (BOLSA marcha atrás en un cambio de posición; readquisición de la posición abandonada; nueva inversión en títulos adquiridos con anterioridad; V. *capital reswitching*), **retrain** (reciclar), **retraining** (reconversión/reciclaje profesional; V. *vocational retraining; refresher course*), **retransfer** (retransmisión), **revaluate** (revalorizar; reevaluar; ajustar al precio del mercado; V. *appreciate*), **revalue** (revalorizar), **revaluation**[1] (FINAN revaluación; ajuste al precio del mercado; reajuste al alza efectuado por las autoridades monetarias; V. *devaluation; appreciation*), **revaluation**[2] (BOLSA revalorización, adaptación de los valores que constan en los libros contables al precio del mercado), **revaluation reserve** (provisión para revaluación), **revaluation surplus** (excedente, superávit por evaluación), **revalue** (revaluar, revalorizar), **revamp** *col* (reorganizar, renovar, dar nuevos ímpetus a, revitalizar), **revamping** *col* (revitalización, renovación, modernización, reorganización)].

reach *n/v*: alcance; alcanzar, lograr; V. *cumulative reach*. [Exp: **reach a ceiling** (tocar techo), **reach a solution** (adoptar una resolución), **reach an accommodation** (FINAN llegar a un acuerdo, en especial, sobre asuntos financieros; V. *compromise, settlement, agreement, accord*), **reach an agreement** (alcanzar un acuerdo, llegar a un acuerdo; V. *come to/conclude an agreement*), **reach rock bottom** (FINAN tocar fondo; V. *hit bottom*)].

read *v*: leer; interpretar ◊ *A good reader of the situation*. [Exp: **read a paper** (presentar una comunicación en un congreso, etc.), **readership circulation** (PUBL número de persona que se supone leen la tirada de un periódico; V. *newspaper circulation*)].

ready *a*: listo, dispuesto, preparado. [Exp: **readily** (sin problemas, fácilmente), **readily marketable money instruments** (FINAN instrumentos monetarios fácilmente realizables; V. *ready market*), **readiness** (disposición; V. *notice of readiness*), **readiness to invest** (FINAN disposición a la inversión inmediata), **ready for sea** (TRANS MAR a son de mar; V. *seaworthy*), **ready-made** (V. *ready-to-wear*), **ready market** (mercado favorable/fácil; salida fácil o rápida de un producto; V. *meet with a ready market*), **ready money** (dinero efectivo, dinero contante; V. *cash*), **ready-money crop** (cultivo con fines comerciales, no de subsistencia; V. *cash crop*), **ready reckoner** (libro de tablas, tablas, baremo, tabla de cálculo ◊ *Work out mortgage repayments with a ready reckoner*), **ready sale** (venta o sálida fácil de un producto; V. *command a ready sale*), **ready-to-wear** (confeccionado, de confección, prêt-à-porter; V. *off-the-peg; ready-made*), **ready-to-wear trade** (negocio de ropa confeccionada o de confección)].

real *a*: real, efectivo, verdadero, auténtico, material; constante; V. *actual*. [Exp: **real accounts** (CONT cuentas de balance; cuentas de existencia; los balances de estas cuentas son la base del balance de situación; V. *balance sheet*), **real assets** (CONT bienes inmuebles o raíces; propiedad inmobiliaria/inmueble, inmuebles, patrimonio inmueble; valores inmobiliarios o inmuebles; V. *real estate/property; realty; financial assets; immovable property, immovables;*

permanent assets), **real balances effect** (CONT efecto de saldos reales o efectivos), **real bond** (bono inmobiliario, bono hipotecario), **real burden** (carga real), **real cash balance** (CONT saldo de efectivo en términos reales), **real colateral** (cobertura real), **real dollar value** (valor en dólares constantes), **real effective exchange rate** (tipo de cambio efectivo real), **real estate** *US* (bienes raíces, propiedad inmobiliaria; V. *real assets/property; realty; immovable property, immovables; permanent assets; rural property*), **real estate agency** (agencia de la propiedad inmobiliaria), **real estate agent/broker** *US* (agente/corredor de la propiedad inmobiliaria; V. *realtor*), **real estate bond** (bono hipotecario o inmobiliario), **real estate deals** (transacciones inmobiliarias), **real estate developer** (promotor inmobiliario; urbanizador), **real estate equity** (participación en inversiones inmobiliaria), **real estate mortgage** (hipoteca inmobiliaria), **real estate tax** (impuesto predial), **real estate investment trust, REIT** *US* (FINAN sociedad mercantil especializada en inversión inmobiliaria; V. *equity reits, mortgage reits*), **real estate law** (derecho inmobiliario), **real estate loan** (préstamo inmobiliario), **real estate mortgage investment conduit, REMIC** (FINAN entidad financiera dedicada a la emisión de valores titulizados —*securitized assets*— con cobro de rendimientos por el sistema de subrogación o *pass-through*; las *remics*, nombre coloquial con que se las conoce, son entidades caracterizadas por su flexibilidad, pudiendo ser creadas como sociedades mercantiles —*corporations*—, sociedades colectivas —*partnerships*—, etc.; V. *mortgage-backed securities*), **real estate tax** (impuesto sobre bienes raíces, contribución territorial, impuesto predial), **real income** (ingresos efectivos, renta real/efectiva), **real investment** (inversión en bienes y servicios públicos de una ciudad; si la inversión la realiza una empresa privada, se entiende aplicada a fábricas, plantas, etc.; V. *community investment*), **real interest rate** (tipo real/efectivo de interés), **real money** (dinero real; dinero de plata y oro; dinero formado por billetes y moneda de curso legal o *legal tender*; V. *near money; quasi-money, substitute money, non-physical money*), **real obligation** (obligación real/hipotecaria), **real par of exchange** (paridad real de cambios), **real property** (bienes raíces; V. *real assets/estate; realty; immovable property, immovables; permanent assets*), **real property tax** (V. *real estate tax*), **real return** (rentabilidad real), **real securities** (garantías hipotecarias/reales, prenda hipotecaria; V. *security on mortgage*), **real estate lien** (derecho de prenda inmobiliario; V. *charge on real property*), **real terms, in** (en términos o cifras reales), **real time** (tiempo real), **real value** (valor real), **real yield** (rentabilidad real), **real wage gap** (aumento de los salarios reales por encima de la productividad), **realtor** *US* (agente de la propiedad inmobiliaria, corredor de fincas; V. *real estate agent*), **realty** (bienes inmuebles, propiedad inmobiliaria; V. *real assets/estate/ property; immovable property, immovables; permanent assets*)].

realise/realize[1] *v*: darse cuenta, comprender, ver, hacerse cargo. [Exp: **realise/realize**[2] (liquidar, realizar, convertir en efectivo, vender ◊ *Realize assets/an estate*), **realisability** (realizabilidad), **realisable/realizable** (realizable), **realizable assets** (V. *quick assets*), **realizable current assets** (CONT activo circulante realizable), **realizable value** (CONT valor realizable o de realización; V. *current exit value; exit value*), **realization** (realización; liquidación; venta de un activo), **realization account** (CONT cuenta de liquidación de activos de una sociedad colectiva o *partnership*), **realization and liquidation account** (CONT cuenta de realización y liquidación), **realization value** (valor de realización/venta; valor en liquidación), **realization of the assets** (venta/liquidación de activos o de sociedades), **realization value** (valor de liquidación)].

reason *n/v*: razón, motivo; justificación, argumento, sentido, lógica; motivar, razonar, argumentar, discurrir; V. *argument, ground, proof*. [Exp: **reason of, by** (a causa de), **reason, within** (dentro de un orden o de lo razonable), **reasonable** (fundado, razonable, racional, moderado, decoroso, justo, prudente, equitativo, legítimo, lógico, suficiente), **reasonable prices** (precios moderados)].

rebate[1] *n/v*: desgravación; rebaja, descuento; rebajar, descontar, disminuir, reducir. [Exp: **rebate**[2] (TRIB devolución o desgravación fiscal, bonificación; exención parcial; retorno al final del ejercicio; devolución/reembolso de impuestos, restitución de impuestos; desgravar, anular ◊ *A tax rebate*; V. *export rebate, freight rebate; allowance, abatement; aggregated/deferred rebates*), **rebate**[3] (COMER retorno, «rappel»; es un descuento especial dado por el proveedor al minorista por volumen de ventas; V. *volume discount*), **rebate of tax** (TRIB devolución/reembolso de impuestos; V. *tax rebate/refund*)].

rebut *v*: refutar, contradecir, rebatir. [Exp: **rebuttable** (refutable, disputable), **rebuttal** (refutación; V. *point-by-point rebuttal*)].

recap *col n/v*: recapitulación, resumen; recapitular, resumir; es la forma abreviada de *recapitulate/recapitulation*. [Exp: **recapitulate, to** (en resumen, resumiendo, para resumir)].

receipt *n/v*: recibo, resguardo, carta de pago, comprobante; recibí, talón, finiquito; recepción; SEG recibo de renovación; extender un recibo, finiquitar una deuda, dar recibo; V. *cash voucher; acknowledgement; incoming, taking; quittance*. [Exp: **receipt for shipment bill of lading** (TRANS MAR conocimiento de embarque recibido para embarque), **receipt in full** (finiquito; recibo por saldo de cuenta), **receipt of, on** (al recibo de), **receipt of goods** (recepción de la mercancía), **receipt slip** (justificante), **receipts and disbursements/expenditures** (CONT cuenta de ingresos/entradas y gastos/salidas, también llamada *income and expenditure account*; la utilizan las sociedades sin ánimo de lucro —*non-trading/profit organizations*— y es similar a la cuenta de explotación o *profit and loss account*; V. *income and expenses; incomings and outgoings*)].

receive *v*: recibir, cobrar, percibir. [Exp: **receivable** (a/por cobrar, vencido; exigible), **receivable accounts/receivables** (CONT deudores; créditos; «clientes»; sumas/cuentas por cobrar, cuentas a recibir, cuentas en cobranza, contabilidad de deudores; estas cuentas pueden servir de garantía para solicitar un préstamo o pueden venderse a un factor para su cobro; también se las llama *receivables* o *accounts receivable*; V. *debtors; assigned account, book debts, factor, factoring; bills receivable; acceptances receivable*), **receivables** (CONT «clientes», deudores, deudores de crédito en

573

RECIPROCAL

cuenta corriente; efectos/saldos/partidas/ cuentas a/por cobrar, activo exigible; V. *payables*), **receive versus payment** (MERC FINAN/PROD/DINER recibir las acciones, los futuros, etc. mediante el pago correspondiente; V. *delivery versus payment*), **received bill of lading** (conocimiento de embarque recibido o de recibo o para embarque), **received for shipment** (TRANS MAR recibida para embarque), **received for shipment bill of lading** (TRANS MAR conocimiento acreditativo de recepción de mercancía para su carga), **received payment** (recibí), **received with thanks** (recibí), **receiver**[1] (perceptor, receptor, destinatario; V. *recipient*), **receiver**[2] (recaudador; liquidador, síndico; V. *official receiver, receiver/trustee in bankruptcy; conservator; depository*), **receiver**[3] (receptador; V. *receiver of stolen goods*), **receiver swaption** (MERC DINER derecho, mediante el pago de una prima, a efectuar una permuta financiera o «swap», consistente en recibir tipos a interés fijo y pagarlos a interés variable; V. *payer swaption*), **receiver/trustee in bankruptcy** (síndico de la quiebra, administrador concursal, depositario, tenedor, consignatario, síndico; V. *official receiver, referee*), **receiver of stolen goods** (receptador), **receiver of taxes** (recaudador de impuestos; V. *tax collector*), **receiver's certificate** (certificado del síndico; pagaré a corto plazo extendido por el síndico a fin de obtener fondos operativos para la empresa que se encuentra en apuros financieros), **receivership** (sindicatura, receptoría, administración judicial de la masa de la quiebra, suspensión de pagos, situación de quiebra técnica ◊ *The company has gone into receivership*; V. *trusteeship in bankruptcy; friendly receivership, go into receivership,*

temporary receivership), **receiving** (recepción; V. *receiving service*), **receiving bank** (banco receptor), **receiving book** (libro de entradas), **receiving clerk** (recepcionista; V. *reception desk*), **receiving department/office** (departamento/servicio de recepción), **receiving order**[1] (COMER albarán de entrada)́, **receiving order**[2] (SOC, DER auto de declaración judicial de suspensión de pagos o quiebra técnica; con este auto se nombra el administrador judicial; los antiguos *receiving orders* y *adjudication orders* han sido sustituidos por el *bankruptcy order*), **receiving service** (servicio de recepción), **receiving teller** (BANCA bancario/ empleado encargado del servicio de cheques y talones)].

reception *n*: recepción. [Exp: **reception clerk** (recepcionista, también llamado *receptionist*), **reception desk** (recepción de un hotel/oficina, etc.)].

recess *n*: suspensión, descanso; vacaciones parlamentarias ◊ *Easter recess*; V. *adjournment*. [Exp: **recession** (ECO recesión, regresión económica, retroceso de la actividad económica, bache; V. *depression; boom*)].

recipient *n*: receptor, beneficiario, destinatario; V. *beneficiary; receiver*. [Exp: **recipient country** (país receptor o beneficiario)].

reciprocal *a*: bilateral, mutuo, recíproco; V. *mutual, bilateral*. [Exp: **reciprocal contract** (contrato bilateral/recíproco), **reciprocal covenants** (DER garantías recíprocas/mutuas), **reciprocal exchange guarantee** (garantía cambiaria recíproca), **reciprocal exclusive dealing** (acuerdo exclusivo de reciproceidad), **reciprocal exemption** (exención recíproca), **reciprocal guarantee company** (sociedad de garantía recíproca), **reciprocal holding** (BOLSA tenencia recíproca de acciones), **reciprocal/participating insurance** *US* (mutua de seguros; seguros mutuos; V. *mutual insurance*), **reciprocal share-holding** (V. *reciprocal holding; cross-holding*), **reciprocal swap arrangement** (MERC FINAN/PROD/DINER acuerdo mutuo de permuta financiera o «swap» de divisas de divisas), **reciprocal tied purchasing** (vinculación recíproca de las compras), **reciprocal trade agreement** (tratado comercial recíproco), **reciprocate** (reciprocar), **reciprocity** (COMER reciprocidad; sistema de comercio internacional con reciprocidad arancelaria; reciprocidad en derechos y obligaciones; V. *fair trade; equivalent treatment*)].

reckon *v*: calcular, contar; V. *figure out, work out*. [Exp: **reckoning** (factura, cuenta; cálculo)].

recognition *n*: reconocimiento; gratitud, agradecimiento; fama, renombre. [Exp: **recognition strike** (REL LAB huelga para reconocimiento del gremio; V. *sympathetic strike, wildcat strike*), **recognition of qualifications** (convalidación de estudios), **recognize** (reconocer, acreditar), **recognize an obligation** (reconocer una obligación), **recognized agent** (agente acreditado), **recognizee** (beneficiario de un reconocimiento), **Recognized Investment Exchange, RIE** (MERC FINAN/PROD/DINER mercados financieros legalmente autorizados ◊ *The LIFFE, the London Fox, etc. are RIES*), **Recognized Professional Body, RPB** (Colegio Profesional), **recognizor** (autor o agente de un reconocimiento)].

recommend *v*: recomendar, aconsejar. [Exp: **recommendation** (recomendación; propuesta), **recommended retail price, RRP** (COMER precio recomendado para venta al público; V. *manufacturer's recommended price*)].

recompense *n/v*: recompensa, retribución, remuneración; recompensar, remunerar.

reconnaissance survey *n*: estudio preliminar, tanteo, exploración del terreno ◊ *Conduct a reconnaisance survey prior to marketing a product*.

record[1] *n*: acta, informe, expediente; registro, inscripción; anotación; antecedentes; historial; memorial, autos procesales, actas, sumario, protocolo judicial; contabilizar; inscribir, registrar, anotar, apuntar, hacer constar en acta; V. *accounting records, public record, minutes, transcript, verbatim record; agree as a correct record, put on record; note, enter*. [Exp: **record**[2] (marca, récord; excepcional, sin precedente, de marca ◊ *Record sales; break the record*), **record a mortgage** (inscribir una hipoteca), **record a provision** (constituir/registrar una provisión), **record date**[1] (fecha según registro; V. *date of record*), **record date**[2] (BOLSA fecha límite de adquisición o tenencia de acciones para tener derecho a los dividendos correspondientes; fecha de reparto de dividendos; las empresas suelen anunciar con unos 30 días de antelación el pago de dividendos a los accionistas que acrediten haber desembolsado sus acciones antes de esta fecha límite, por ejemplo 15 días después de publicada dicha notificación; V. *ex-dividend, date of record*), **record figures/levels** (cifras/niveles sin precedentes ◊ *Several major indexes reached record levels in stock exchanges last night*), **record, for the record** (que conste en acta; V. *place/put on the record*), **recordable** (registrable), **recordation** *US* (inscripción de una carga o gravamen contra un inmueble, en un registro público; registro legal), **recorded delivery** (correo certificado con acuse de recibo), **recording** (inscripción; anotación; anotación en cuenta; V. *registration; account entry*), **recording fees** US (DER gastos de registro de una escritura; V. *title-examination fees; closing charges*), **records** (documentación; actas; archivo, registro), **records office** (registro general), **record, on** (que consta en acta ◊ *The highest price on record*), **record, there is no** (no consta en acta)].

recoup *n/v*: resarcimiento; resarcirse, descontar, recobrar, indemnizar. [Exp: **recoup one's losses** (resarcirse de las pérdidas), **recoup percentage** (FINAN porcentaje de recuperación), **recoupment** (reembolso, resarcimiento, recuperación; compensación de deuda)].

recourse *n*: recurso, remedio; V. *have recourse to*. [Exp: **recourse action** (recurso judicial), **recourse agreement/ basis** (COMER condición en un contrato mediante la cual una de las partes declina expresamente cierta responsabilidad, remitiendo a la otra a terceros en caso de incumplimiento de lo pactado; suele incluirse en contratos de venta a plazo donde interviene una financiera, que remite al vendedor al comprador para cualquier recurso por impago; V. *non-recourse basis*), **recourse, sans; without recourse** (se declina toda responsabilidad; sin derecho a reclamación; se emplea esta expresión en el cobro de cuentas llevado a cabo por un factor que asume el riesgo de impago por parte del deudor; en comercio internacional el riesgo lo asume el banco intermediario, en caso de impago del efecto; V. *non-recourse basis; forfaiting; accounts receivable financing*)].

recover *v*: recobrar, recuperar. [Exp: **recoverable** (recuperable, recobrable), **recovery** (recuperación; reactivación; cobranza; V. *rally, revival*), **recovery package** (ECO [paquete de] medidas de recuperación económica), **recovery stock** (FINAN acciones que recuperan con facilidad el valor perdido)].

recruit *v*: reclutar, contratar, seleccionar; captar. [Exp: **recruitment** (contratación; captación; V. *personnel hiring*), **recruitment office** (centro, sección agencia o departamento de selección de personal), **recruiting** (contratación, reclutamiento)].

rectify *v*: rectificar, modificar, reequilibrar. [Exp: **rectification** (rectificación, modificación)].

recur *v*: repetirse, recurrir, salir u ocurrir repetidamente, aparecer una y otra vez. [Exp: **recurrence** (reaparición, reincidencia), **recurrent/recurring** (periódico, que se repite, recurrente, permanente), **recurrent costs/expenditures** (gastos ordinarios/periódicos), **recurring/ recurrent** (periódico, repetitivo, recurrente), **recursive** (repetitivo)].

red *a*: rojo. [Exp: **red, be in the** *col* (estar en números rojos; estar al descubierto; tener saldo contable negativo; V. *go into the red; red ink; be in the black*), **red clause** (COMER cláusula roja; cláusula de anticipo al exportador), **red clause credit** (COMER crédito [documentario] de cláusula roja; V. *green clause credit*), **red-handed** (in fraganti, con las manos en la masa), **red-herring**[1] (pista falsa, trampa para desviar la atención del investigador), **red-herring**[2] US *col* (FINAN prospecto preliminar; en realidad, se trata de un «avance de prospecto informativo» de una nueva emisión de bonos o acciones, conocido en el Reino Unido con el nombre de *pathfinder prospectus*; V. *prospectus;*

placement memorandum), **red interest** (CONT números rojos, intereses deudores o en contra), **red herring issue** (BOLSA emisión exploratoria), **red label** (etiqueta roja; indicación de mercancías peligrosas), **red product** (mercancía peligrosa), **red tape** *col* (papeleo administrativo, rutina administrativa, burocracia; V. *paper work*)].

reddendum *n*: cláusula de un contrato de alquiler en donde se especifican la cantidad a pagar y los plazos acordados.

redeem *v*: amortizar, cancelar, redimir, rescatar, reembolsar; V. *write off*. [Exp: **redeem a loan** (amortizar un préstamo), **redeem a mortgage** (cancelar una hipoteca; V. *pay off a mortgage*), **redeem a pledge, etc.** (rescatar/liberar una prenda, etc.), **redeem a promise** (cumplir una promesa), **redeem bonds** (amortizar bonos), **redeem prior to/before maturity** (rescatar antes del vencimiento), **redeem shares** (reembolsar acciones), **redeemability** (amortizabilidad, reembolsabilidad, rescatabilidad), **redeemable** (amortizable, rescatable, reembolsable, exigible; V. *callable, refundable*), **redeemable bond** (obligación rescatable/amortizable/exigible; V. *callable bond*), **redeemable debt** (deuda amortizable; V. *unsinkable debt*), **redeemable/callable preferred stock** (SOC acciones preferentes amortizables), **redeemable securities** (títulos rescatables/amortizables), **redeemable stock** (SOC acciones rescatables), **redeemable trust certificates** *US* (FINAN participaciones reembolsables adquiridas en un fondo de inversión de renta fija o *unit investment trust*; V. *unit trust*), **redeemed shares** (BOLSA acciones amortizadas; V. *amortized stock*)].

redemption *n*: reembolso; amortización de la deuda pública, bonos, obligaciones, etc.; amortización financiera; redención, rescate, cancelación, extinción; V. *repayment; recapture, reimbursement; original issue discount*. [Exp: **redemption charge** (FINAN gastos por amortización o rescate anticipado de una inversión colocada en un fondo; V. *load, back-end load, deferred sales charge, exit fee, trail commissions*), **redemption before/prior to maturity** (amortización antes del vencimiento; V. *redeem prior to/before*), **redemption date** (fecha de amortización/rescate/reembolso), **redemption fund** (fondo de rescate, caja de amortización), **redemption/amortization of a debt** (amortización/extinción de una deuda), **redemption of bonds** (amortización de bonos/obligaciones), **redemption of public debt** (amortización de la deuda pública), **redemption payment/premium** (pago/prima de rescate o de redención), **redemption/maturity premium** (prima de rescate/reembolso/redención), **redemption price** (precio de redención, rescate o amortización de acciones u obligaciones retirados —*redeemed* o *called*— por el emisor antes del vencimiento fijado; V. *call price*), **redemption price of bond at maturity** (precio de rescate al vencimiento del bono), **redemption table** (cuadro de amortizaciones), **redemption value** (valor de amortización; V. *mandatory redemption value, surrender value*), **redemption yield** (rentabilidad/rendimiento de un efecto en la fecha de rescate, también llamado *yield redemption, maturity yield*)].

reduce *v*: disminuir, rebajar, reducir, recortar, cercenar; V. *lower, abate, curtail, reduce, decrease; raise*. [Exp: **reduce capital stock/share capital** (reducir el capital social; V. *increase*), **reduce order, do not; DNR** (BOLSA *aprox* orden de mantener el precio; orden dada por el cliente al operador bursátil para que éste no rebaje el precio de compra o venta fijado en una orden *stop* o *limit*, aun cuando los títulos objeto de la transacción se encuentren en período de cobro de dividendo y, como consecuencia, su cotización baje en la cantidad del dividendo pagadero; V. *limit order, stop order, stop-limit order; ex-dividend; fill or kill*), **reduce/cut/lower prices** (reducir precios), **reduce the par value** (rebajar la paridad), **reduced** (COMER «oferta», «artículo rebajado»; esta mención acompaña a la mercancía ofrecida a precios reducidos ◊ *Reduced to clear*; V. *clear*[5]), **reduced fare** (TRANS MAR tarifa con descuento; V. *half/full fare*), **reduced rate** (tarifa reducida), **reducing** (decreciente), **reducing balance/charge method of depreciation** (sistema de amortización de saldo decreciente; V. *declining balance depreciation method*), **reducing premium** (prima decreciente), **reduction** (reducción, abaratamiento, rebaja, disminución, recorte), **reduction coefficient** (SEG coeficiente de detracción), **reduction in net worth** (descapitalización; V. *erosion in net worth*), **reduction in pay** (reducción salarial), **reduction of capital** (reducción de capital), **reduction of capital stock/ share capital** (reducción del capital social)].

redundancy *n*: despido; expediente de regulación de empleo; excedente de plantilla, exceso de personal; reducción de personal, pérdida del puesto de trabajo; V. *staffing; unemployment, job losses, natural wastage; labour force adjustment plan; pay off, lay off, early retirement, voluntary redundancy*. [Exp: **redundancy payment** (REL LAB indemnización por despido producido por expediente de regulación de empleo), **redundancy policy** (REL LAB política de reducción de plantillas), **redundant** (excedente, sobrante, redundante, innecesario, superfluo, ocioso; V. *be made redundant*), **redundant account** (SEG cuenta estacionaria), **redundant check** (comprobación de redundancia o con dígitos adicionales), **redundant staff** (exceso de plantilla)].

ref *n*: V. *reference*.

refer *v*: remitir, someter; trasladar, dar traslado a; referirse, mencionar; V. *the matter has been referred*. [Exp: **refer to arbitration** (someter a arbitraje), **refer to the drawer** (BANCA devuélvase al librador; se aplica a los cheques que se devuelven por no tener fondos suficientes el titular de la cuenta; también se puede emplear la expresión *no funds* —sin fondos—; V. *no account*), **referee**[1] (administrador judicial de la quiebra, ponente de la quiebra, juez de la quiebra; interventor del concurso nombrado por los acreedores, síndico en quiebras, árbitro, ponente, hombre bueno, amigable componedor, funcionario auxiliar del Tribunal; V. *receiver, trustee in bankruptcy*), **referee**[2] (árbitro, censor, garante; persona que facilita informes), **referee in bankruptcy** (juez de la quiebra), **reference, ref** (referencia; remisión, informe para solicitud de trabajo, mención, alusión, bibliografía; V. *call number*), **reference bank** (banco de referencia; V. *reference rate*), **reference number** (número de referencia), **reference on consent** (referencia al ponente con consentimiento de las partes), **reference rate** (tipo de referencia), **reference to, with** (en lo que afecta a; V. *with respect to*), **referral** (remisión, referencia; envío)].

referendum *n*: referéndum.

refine *v*: refinar, perfeccionar, pulir, mejorar, clarificar. [Exp: **refinery** (refinería)].

reflate *v*: provocar una reflación. [Exp: **reflate the economy** (reflacionar/reactivar/reanimar la economía), **reflation** (reflación), **reflationary measures** (medidas reflacionarias; V. *inflation, deflation*)].

reflex rally *n*: BOLSA aumento de la tendencia compradora por actos reflejos, inexplicable con los indicadores macroeconómicos; recuperación del mercado de valores debido a factores cíclicos o psicológicos más que estructurales.

refresher course *n*: REL LAB curso de reciclaje/actualización profesional; V. *retraining; in-house training; on-the-job training.*

refuge *n*: refugio, asilo. [Exp: **refugee** (refugiado, asilado), **refugee capital** (dinero especulativo —*hot money*— procedente del extranjero, capital errante; V. *hot capital*)].

refund *n/v*: devolución, reembolso, reintegro; bonificar, reembolsar, amortizar, devolver ◊ *Refund taxes*; V. *overcharge.* [Exp: **refund annuity** (SEG seguro/renta con garantía total de devolución de la cantidad asegurada, ya al asegurado, ya a sus herederos), **refund of charges** (reembolso de gastos), **refundable** (reintegrable, reembolsable; V. *non-refundable*), **refunding** (reintegro, amortización, reembolso, conversión), **refunding bond** (bono de conversión, bonos de reintegro o de refundición), **refunding mortgage** (hipoteca de reintegración), **refunding of duties** (devolución de derechos de aduanas)].

refusal *n*: denegación, rechazo, negativa, resistencia, repulsa; V. *have first refusal.* [Exp: **refusal of acceptance** (no aceptación; V. *non acceptance, default of acceptance*), **refusal of goods** (rechazo de mercancías), **refusal of payment** (denegación de pago; negativa a pagar)].

refuse *v*: denegar, negar-se, rechazar. [Exp: **refuse an application** (denegar, desestimar o no admitir a trámite una petición, instancia o solicitud; V. *grant leave*), **refuse to entertain a proposal** (rechazar una propuesta de plano o sin contemplaciones; no querer ni oír hablar de una propuesta; V. *entertain a proposal*), **refuse to accept** (rechazar)].

regard *n/v*: respecto, aspecto; respeto; considerar, estimar, tomar en consideración. [Exp: **regard to, with** (en materia de), **regarding** (con relación a, en cuanto a), **regardless** (sin tener en cuenta)].

register *n/v*: lista, registro, relación; acto de registrar; inscripción, asiento, asiento registral, anotación a registro, matrícula; libro de registro; establecimiento de registro; inscribir-se, registrar-se, matricular-se, darse de alta; consignar, certificar. [Exp: **register a ship/vessel** (abanderar un buque), **register a trademark** (registrar una marca comercial o de fábrica), **register book** (libro de registro), **register for space** (inscribirse o solicitar la participación como expositor en una feria; V. *apply for space*), **register of charges** (SOC registro de cargas y gravámenes que consta en el Registro de la Propiedad), **register of electors** (censo electoral), **register of members, shareholders, ships, etc.** (lista o registro de socios, accionistas, buques, etc.), **register of tax-payers** (lista o registro de contribuyente), **register tonnage** (tonelaje de registro), **registered**[1] (inscrito; registrado), **registered**[2] (autorizado; V. *authorized*), **registered**[3] (nominativo; V. *registered* *securities*), **registered bank holding companies** *US* (empresas propietarias o controladoras de uno o más bancos; se las llama así porque deben inscribirse o registrarse ante el *Board of Governors of the Federal Reserve System*), **registered bond/share, etc** (BOLSA bono/acción, etc. nominativos; V. *personal stock; bearer/ non-registered bond*), **registered capital** (capital social, capital nominal, capital en acciones; V. *authorized share capital, nominal capital*), **registered charity** (entidad de beneficencia legalmente reconocida), **registered company/ corporation** (sociedad inscrita en el registro mercantil; V. *corporation incorporated by royal charter; chartered company, statutory companies*), **registered holder** (tenedor inscrito), **registered instrument** (título/instrumento nominativo), **registered land** (finca o propiedad inscrita en el registro), **registered lien charge** (garantía hipotecaria en registro), **registered mail** (correo certificado; V. *certified mail*), **registered note** (pagaré nominativo), **registered office of a company** (SOC domicilio social; V. *domicile, address for service*), **registered property** (bienes inmuebles inscritos o registrados), **registered representative** *US* (BOLSA agente de Bolsa dependiente de o autorizado por un corredor de Bolsa o *stockbroker*; V. *authorized clerk, customers' broker*), **registered securities** (BOLSA valores/títulos nominativos; derechos-valores), **registered shareholder** (accionista registrado; V. *shareholder/stockholder of record*), **registered shares** (acciones anotadas/registradas; títulos-valores nominativos, llamado *registered stock* en los EE.UU.; V. *inscribed securities*), **registered trademark** (marca registrada), **registered unemployment** (paro re-

gistrado; V. *disguised unemployment*), **registered vehicle** (vehículo matriculado)].

registrar *n*: registrador; secretario general; archivero; juez auxiliar. [Exp: **Registrar General** (Registro de la Propiedad Inmobiliaria en Irlanda del Norte; V. *H.M. Land Registry, Department of the Register of Scotland*), **registrar of companies** (secretario/encargado del Registro Mercantil; registro de sociedades; V. *declaration of compliance*), **registrar of deeds** (registrador de la propiedad), **registrarship** (registro, registraduría, funciones de registrador o archivero)].

registration *n*: asiento registral, asiento de inscripción, inscripción, acto de inscripción en el registro; matriculación, abanderamiento; V. *recording; deregistration; re-registration; piggyback registration*. [Exp: **registration and transmittal** (regístrese y comuníquese a quien corresponda), **registration dues/ fees** (matrícula; derechos de matrícula, registro o inscripción), **registration number** (número de matrícula de un coche; número de registro, de inscripción o de expediente), **registration of a mortgage** (inscripción de una hipoteca), **registration of business names** (inscripción/registro de empresas comerciales), **registration of encumbrances** (registro de cargas sobre los bienes raíces), **registration of title to property** (registro en el Catastro de un derecho de propiedad), **registration statement** *US* (SOC, BOLSA documento obligatorio de registro de una mercantil en la Bolsa de Valores; se trata de la declaración que presenta una sociedad emisora de títulos a la Comisión de Valores y Bolsa en torno a sus actividades, la naturaleza del producto financiero que ofrece y su propuesta; V. *Stock Exchange Commission*), **registration with receipt requested** (certificado con acuse de recibo)].

registry *n*: inscripción; registro; V. *certificate of registry; port of registry*. [Equivale a *register*, y también a *registration*, aunque en la mayoría de los casos se refiere a la oficina de registro. [Exp: **registry in the Trade Register** (inscripción en el Registro Mercantil), **registry of a ship** (abanderamiento de un buque; V. *flagging of a ship*), **registry of charges** (registro de cargas; V. *land certificate; registration of encumbrances*), **Registry Office** (Oficina del Registro Civil), **registry of property** (registro de la propiedad; V. *cadastre, land registry*)].

regression *n*: regresión, retroceso. [Exp: **regression analysis/coefficient/curve, etc.** (análisis/coeficiente/curva, etc. de regresión), **regressive** (regresivo), **regressive supply** (oferta regresiva), **regressive scale** (escala regresiva; V. *progressive scale*), **regressive taxation** (TRIB imposición/tributación regresiva; V. *progressive taxation*)].

regular *a*: regular, ordinario, corriente, normal; periódico; habitual; V. *permanent, casual*. [Exp: **regular endorsement** (endoso completo; V. *full endorsement, special endorsement*), **regular course of business** (marcha o curso normal de los negocios), **regular customer** (cliente habitual), **regular job** (empleo fijo), **regular lending program** (programa ordinario de financiamiento), **regular mail** (correo ordinario), **regular meeting** (junta ordinaria), **regular member** (vocal titular), **regular premium** (SEG prima periódica), **regular price** (precio normal), **regular session** (sesión ordinaria), **regular size** (tamaño normal; V. *king size*), **regular staff** (personal de plantilla; personal fijo), **regular term** (período ordinario de sesiones), **regular-way delivery** *US* (BOLSA liquidación/formalización de la transacción en la forma acostumbrada; V. *delivery*[4]), **regularization** (regularización), **regularization account** (cuenta de regularización)].

regulate *v*: regular, ajustar, reglamentar. [Exp: **regulated mortgage** (hipoteca protegida por tratarse de propiedad afectada por *regulated tenancy*), **regulated tenancy** (inquilinato o contrato de arrendamiento protegido por la Ley de Viviendas, inquilinato reglamentado o estatutario), **regulation** (regulación; disposición, reglamento, norma, reglamentación, ordenanza; V. *deregulation*), **regulations** (disposiciones reglamentarias, normas, normativa, reglamento, reglamentación; cada *regulation* consta de *paragraphs* y *subparagraphs*; V. *provision*), **regulations for preventing collisions at sea** (reglamento internacional para prevenir los abordajes en la mar; V. *rules of the road*), **regulator** *US* (FINAN institución supervisora de entidades financieras; autoridad [bancaria] de supervisión y vigilancia; inspector/interventor general del Banco central o emisor; V. *Board of Banking Institutions, Federal Banking Regulator*), **regulatory** (reglamentario, regulador), **regulatory agency/body** (organismo regulador, interventor o de control; V. *watchdog*), **regulatory base** (base reguladora), **regulatory power** (potestad normativa), **regulatory scheme** (normativa, marco legal; proyecto de nuevo ordenamiento)].

REIT *n*: V. *US real estate investment trust*.

reject *v/n*: rechazar, rehusar, desechar, denegar, desestimar; repeler, repulsar; producto/mercancía/pieza rechazada por tener algún defecto, producto defectuoso;

persona rechazada o no admitida por no reunir las condiciones imprescindibles; V. *acceed to, dismiss.* [Exp: **reject a motion** (rechazar una propuesta; V. *carry a motion, defeat a motion*), **reject a will** (repudiar una herencia), **reject stock** (artículos defectuosos), **rejection** (rechazo, repulsa, inadmisión)].

relapse *n/v*: reincidencia, recaída; reiteración; recaer, reincidir, reiterar.

relate *v*: referirse a; emparentar; relatar. [Exp: **related** (relacionado; afín; en función de; este participio se combina espontáneamente con un gran número de sustantivos, resultando adjetivos compuestos de significado transparente, por ejemplo, *earnings-related* —relacionado con o basado en los ingresos—, *tax-related* —relativo a o derivado de los impuestos, etc.), **related company** (mercantil afiliada; V. *affiliated company*), **related to** (emparentado con, conexo a), **relating to** (acerca de, en materia de)].

relation *n*: relación, relato; pariente; V. *bearing*. [Exp: **relations** (relaciones, nexos, vínculos, intercambios ◊ *Business/trade/international relations*), **relationship banking** (banca personalizada; con este término se alude a la tendencia a hacerse cargo de los servicios financieros de los clientes de forma personalizada a cambio de una tasa o comisión global, en vez de por cada uno de los servicios prestados; V. *transaction fee, bank service pricing*), **relative** (relativo; pariente, deudo)].

relax *v*: relajar, mitigar, suavizar, aliviar, hacer más llevadero o menos oneroso ◊ *Relax currency controls*; V. *ease*. [Exp: **relax credit restrictions** (relajar las restricciones crediticias; V. *ease credit restrictions*), **relaxation of credit** (FINAN disponibilidad del crédito, facilidad en su concesión; V. *easing of credit*)].

release[1] *n/v*: descargo, liberación de una obligación, finiquito, quita; cesión; rescisión; liberar, descargar, eximir, librar; ceder; exonerar; relevar de una carga/promesa, etc.; V. *relieve, free, set free, settle, settlement*. [Exp: **release**[2] (REL LAB permiso para reciclaje profesional; V. *day release course, block course*), **release**[3] (comunicado; V. *press release*), **release**[4] (revelar, dar a conocer ◊ *Release results/figures*), **release**[5] (estreno, producción, lanzamiento, novedad; producción cinematográfica, musical, etc.; poner en venta, publicar, hacer público; sacar, estrenar ◊ *Release a new film/record*; V. *issue; new releases*), **release a guaranty** US (suspender una garantía), **release a mortgage** (redimir una hipoteca; V. *dismortgage*), **release a pledge** (despignorar), **release a right** (renunciar a un derecho), **release capital** (entregar o liberar capital), **release from a contract** (DER rescisión de un contrato; liberar de un contrato; eximir/exonerar del cumplimiento de un contrato), **release from a debt/promise/obligation** (liberar o descargar de una deuda/ promesa/obligación), **release of funds** (desbloqueo de fondos), **release order** (orden de entrega; V. *delivery order*), **release the bond** (desafianzar), **released** (TRANS despachado; se dice de las mercancías despachadas en aduanas), **released bill of lading** (conocimiento de embarque con responsabilidad parcial de la empresa de transporte; V. *full bill of lading*)].

relief[1] *n*: REL LAB subsidio, socorro, ayuda material, asistencia o prestación social; conjunto de prestaciones de la seguridad social; ayuda prestada a los damnificados en una catástrofe; beneficencia ◊ *Relief fund*; V. *welfare, public assistance*. [Exp: **relief**[2] (TRIB desgravación; V. *allowance,*[3] *deduction; mitigation; tax relief; tax mitigation*), **relief**[3] (DER desagravio, compensación, satisfacción; reparación solicitada a los tribunales o concedida por estos, amparo; V. *remedy, redress*), **relief**[4] (relevo ◊ *Relief team*), **relief**[5] (descongestión, alivio ◊ *Relief route*), **relief works** (obras para aliviar el desempleo), **relieve** (aliviar, librar; relevar), **relieve sb of his/her duties** (relevar a alguien de su puesto; cesar a alguien; destituir a alguien), **relieve sb of part of his/her task/workload** (descargar a alguien de parte de su trabajo)].

rely on *v*: fiarse de, confiar en; contar con, depender de; basarse en, alegar como fundamento en derecho. [Exp: **reliability** (fiabilidad, formalidad, seriedad, veracidad, crédito, confianza), **reliable** (fiable, serio, seguro, digno de crédito; fidedigno, veraz, de confianza, cumplidor), **reliance** (confianza; dependencia)].

remain *v*: permanecer. [Exp: **remaining** (restante ◊ *The debt remaining*), **remaining balance** (saldo remanente)].

remainder *n/v*: resto; residuo, ejemplares de una edición no vendida; vender a precio de lote los ejemplares que quedan de una edición. [Exp: **remainder balance** (CONT saldo remanente), **remainder estate** (nuda propiedad)].

remedy *n/v*: solución jurídica, remedio, medios, recurso; reparación; satisfacción; poner remedio, solucionar; rectificar, superar. [Exp: **remedy a mistake** (rectificar un error)].

reminder *n*: aviso, aviso de pago, recordatorio ◊ *Send a customer a final reminder*; V. *warning*. [Exp: **reminder of due date** (aviso de vencimiento)].

remission *n*: remisión; remesa comercial; abandono de un derecho. [Exp: **remission of a tax** (cancelación/reducción de un impuesto), **remit**[1] (remitir, enviar, hacer remesas, remesar), **remit**[2] (cancelar/condonar deudas, impuestos, etc), **remit**[3] (cometido, área de competencia de un comisionado o de un representante; competencia, atribuciones ◊ *That matter falls/is within our remit; they have no remit to enquire into this aspect of the affair*), **remitment** (gracia, exoneración, exención, condonación; V. *remit*[2]), **remittance** (transferencia; remesa; envío; provisión de fondos, giro, letra de cambio; V. *workers' remittances; money transfer, transfer of funds/money, remit*[3]), **remittance account** (cuenta de remesas), **remittance charges** (tasa de transferencia), **remittance for collection** (remesa de cobro), **remittance slip** (aviso de remesa; V. *stub*), **remittee** (destinatario de una remesa, etc.; V. *transferee*), **remitter** (remitente), **remitting bank** US (banco presentador o remitente; V. *collecting bank*)].

remote *a*: remoto, alejado, apartado, indirecto; a distancia. [Exp: **remote cause** (causa indirecta o remota, motivo indirecto), **remote damages** (daños remotos o indirectos), **remoteness of damage** (grado de proximidad de la causa del perjuicio)].

removal[1] *n*: remoción, supresión, eliminación; deposición o cese en un cargo o empleo. [Exp: **removal**[2] (transporte, cambio de domicilio; V. *cost of removal*), **removal company** (TRANS empresa de mudanzas/transportes), **removal of tariff barriers** (desarme arancelario; V. *tariff dismantling*), **remove** (deponer, cesar de su cargo, destituir; quitar, suprimir, sacar, extraer, mudar, trasladar, suprimir), **remove the embargo** (levantar el embargo; V. *lift, raise*)].

remunerate *v*: remunerar, premiar. [Exp: **remuneration** (retribución, remuneración, premio), **remunerative job** (trabajo remunerativo o bien remunerado; V. *gainful activity*)].

render *v*: hacer, rendir, prestar, devolver; verter ◊ *Render obsolete*. [Exp: **render a**

service (prestar un servicio; V. *for services rendered*), **render an account** (pasar factura, presentar una factura, rendir cuenta; V. *account rendered*), **render assistance** (prestar auxilio), **render down** (derretir), **render into** (traducir, verter a), **render null** (anular), **render useless** (inutilizar), **render void** (invalidar, anular), **rendering** (versión, traducción, rendición), **rendering of accounts** (rendición de cuentas), **rendering of services** (prestación de servicios)].

renew *v*: renovar, prorrogar; reanudar. [Exp: **renewal** (renovación; prórroga; renovación de la deuda; V. *prolongation; extension*. [Exp: **renewal of contract by a tacit agreement** (renovación tácita del contrato), **renewal index** (índice de vencimiento), **renewal notice** (aviso de renovación de contrato/suscripción, etc.), **renewal coupon** (talón de renovación de la hoja de cupones)].

renounce *v*: renunciar, abandonar; V. *resign; accede*. [Exp: **renouncement** (V. *renunciation*), **renunciation of an inheritance** (renuncia o dejación de herencia), **renounce a right** (renunciar a un derecho), **renunciation** (SOC renuncia oficial, normalmente a derechos de ampliación a accionistas; V. *rights letter*)].

rent *n/v*: alquiler, arriendo, arrendamiento; canon; precio de alquiler; renta; anualidad; alquilar, arrendar, dar en arrendamiento; V. *lease*. [Exp: **rent assessment committee** (comisión evaluadora o supervisora de los alquileres; V. *tribunal*), **rent-book** (libreta que conserva el inquilino y donde se anotan los pagos periódicos del alquiler), **rent-free** (exento de alquiler), **rent officer** (funcionario nombrado por el gobierno para supervisar los alquileres en una región determinada), **rent rebate**

(subsidio o subvención del alquiler), **rent receipt** (recibo de alquiler), **rent recovery index** (índice de recuperación de la renta económica), **rent registration** (registro de los alquileres oficiales permitidos en una región), **rent out** (alquilar), **rent-seeking** (sistema de captación de rentas), **rent tribunal** (tribunal de alquileres), **rental** (arrendamiento, arriendo, alquiler ◊ *Radio/TV rentals*; V. *lease, leasing contract; car rental firm*), **rental period** (plazo o periodicidad del alquiler), **rentier** (rentista), **renting** (alquiler de un bien a una empresa por una entidad financiera, que es la propietaria del bien; para la empresa es tratado como gasto), **renting back** (V. *lease-back*)].

rep *n*: V. *representative*.

repair *n/v*: arreglo, reparación; arreglar, reparar; V. *betterments*. [Exp: **repair lease** (arrendamiento con reparaciones a cargo del arrendatario), **repair shop** (taller de reparaciones), **repairs and maintenance/upkeep** (reparación y mantenimiento/conservación), **reparation** (reparación, satisfacción), **reparations** (compensación en derecho internacional)].

repatriate *v*: repatriar. [Exp: **repatriation** (repatriación)].

repeal *n/v*: derogación, abrogación, revocación, anulación; derogar, revocar, abrogar, anular.

repeat *n/v/a*: repetición; repetir; de repetición, repetido ◊ *Repeat performance*. [Exp: **repeat financing** (financiamiento complementario), **repeat option** (V. *option to repeat*), **repeat order** (pedido suplementario), **repeater loan** (préstamo complementario), **repeater project** (proyecto complementario)].

repellent *n*: V. *shark repellent*.

replenish *v*: rellenar, volver a llenar, reponer, proveer, abastecer ◊ *Replenish stocks*. [Exp: **replenish an account** (reponer/reconstituir una cuenta), **replenish the reserve** (reconstituir/ rellenar la reserva; V. *rebuild the reserve*), **replenishment** (reposición de fondos, recursos, existencias, etc.), **replenishment of resources** (reposición/reconstitución de los recursos)].

reply *n/v*: contestación, respuesta, réplica; contestar, responder; replicar a la demanda. [Exp: **reply coupon/slip** (cupón/boletín de respuesta comercial), **reply-paid card/envelope** (tarjeta de respuesta/sobre con franqueo gratuito o pagado o a franquear en destino)].

repo *n*: FINAN pacto de recompra, repo, operaciones de pacto de recompra; es un concepto muy recurrente en mercados monetarios; invertir en *repos* equivale a depositar el dinero a plazo fijo; el tipo *repo* es el que usa el *Bundesbank* para inyectar liquidez semanalmente en el sistema; V. *repurchase agreement*. [Exp: **repo rate** (MERC FINAN/PROD/DINER tasa de recompra)].

report[1] *n/v*: informe, boletín, memoria, nota, comunicación; informar, relatar, comunicar; V. *advice*. [Exp: **report**[2] (atestado, denuncia, parte o informe de un accidente, etc.; denunciar, dar cuenta/ parte ◊ *Report an insurance loss*), **report**[3] (informar contra, expedientar, denunciar ante instancias más altas ◊ *Report a worker for late-coming*), **report**[4] (TRANS MAR informe de arribada), **report-form balance sheet** (balance general en forma de informe; V. *account-form balance sheet*), **report form, in** (CONT informe contable con el formato de un informe, es decir, en primer lugar el debe y debajo el haber; V. *account form*), **report of Commission** (acta de la Comisión), **report of condition** (V. *statement of condition*),

report stage (fase de ponencia parlamentaria; V. *commission stage*), **report to a place** (presentarse en un sitio ◊ *Interviewees should report to the Personnel Manager's office*), **report to sb** (rendir cuenta a alguien; depender de alguien; V. *answer*), **reported debt** (deuda notificada), **reportedly** (al parecer, según se dice), **reporter** (informante, delator; periodista; recopilador, compilador; taquígrafo del tribunal), **reporter's gallery** (tribuna de periodistas; V. *press gallery*), **reporting agency** (organismo notificador), **reporting country** (BANCA país declarante o informante), **reporting system** (sistema de presentación de informes), **reporting day** (TRANS MAR día en que el capitán comunica a los fletadores que pueden iniciar las tareas de carga o descarga; V. *lay days*), **reporting level/limit** (MERC PROD límite de notificación), **reporting pay** (REL LAB paga por asistencia al trabajo; V. *appearance money*), **reporting policy** (SEG póliza con prima variable de acuerdo con riesgos notificables periódicamente), **reporting traders** (MERC PROD operadores obligados a declarar sus operaciones)].

reprehend *v*: reprender, censurar. [Exp: **reprehensible** (reprensible), **reprehensibleness** (incorrección), **reprehension** (reprensión, amonestación, censura, correctivo)].

represent *v*: representar, ser apoderado/agente de; describir, caracterizar ◊ *The goods are not as they were represented*; V. *represent*. [Exp: **representation**[1] (declaración/manifestación/aseveración oral o escrita, llamada normalmente *representations*, realizada durante la negociación de un contrato; declaraciones del asegurado [en la solicitud del seguro]; si resulta ser falsa —*misrepresentation*— podrá dar lugar a la anulación del contrato y a una demanda por daños y perjuicios; descripción; en los contratos, por ejemplo los de eurocréditos, se les llama también *warranties and representations* y son las confirmaciones de las manifestaciones realizadas en el contrato; V. *fraudulent representation, strong representation, representations and warranties*), **representation²** (demanda; protestas, declaraciones; V. *make representations*), **representation allowance/expenses** (REL LAB gastos de representación; V. *entertainment expenses*), **representations and warranties** (FINAN cláusula de aseguramiento; en un préstamo sindicado es la declaración solemne que el prestatario hace al banco director —*lead manager*— de cumplir o estar en condiciones de cumplir las normas exigidas por la ley), **representation letter** (carta de manifestaciones del cliente), **representative¹** (representativo), **representative, rep²** (agente comercial, representante; diputado, albacea; V. *travelling salesman; field staff*), **representative³** (BOLSA agente de Bolsa ayudante de corredor de Bolsa; V. *registered representative*), **representative at large** (representante de distrito general, representante por acumulación), **representative moneys US** (papel moneda), **representative office** (representación), **representatives' expense claims** (gastos de representación)].

repudiate *v*: repudiar; rechazar, descartar, desechar; cancelar anular. [Exp: **repudiate an agreement** (denunciar un acuerdo)].

reputable *a*: acreditado, de confianza, reputado. [Exp: **reputation** (fama, reputación), **repute** (fama, reputación; reputar), **reputed** (supuesto, presunto, con fama de; según se cree o se

dice ◊ *The reputed expert in economic theory got his figures wrong*), **reputed, be** (pasar por ser, tener fama de ◊ *The company is reputed to be worth £15m)*].

request *n/v*: petición, ruego, demanda, instancia, requerimiento; rogar, pedir, solicitar. [Exp: **request, by** (a petición del público o de los interesados ◊ *The treasurer addressed the meeting by request*), **request for payment** (demanda de pago), **request for review** ([interponer] recurso de reposición), **request of, at the** (a instancias de), **request, on** (a petición ◊ *Further information is available on request*), **request the floor** (solicitar el uso de la palabra), **requesting organization** (organismo solicitante)].

require *v*: exigir, pedir; demandar; necesitar. [Exp: **required mathematical reserve** (SEG provisión matemática necesaria), **requirement¹** (necesidad, requisito, deber), **requirement²** (estipulación, condición; V. *condition; stipulation*), **requirements contract** (acuerdo de suministros exclusivos), **requisite** (necesario, requisito)l.

requisition *n/v*: requisición, requisitoria; requisa; solicitud/petición oficial; demanda; solicitar, pedir, requerir; requisar.

rescind *v*: rescindir, anular, revocar. [En la *rescission*, la anulación va a la raíz de los hechos, que, a efectos contractuales, se considera que nunca existieron. Exp: **rescind a contract** (rescindir un contrato; V. *repudiate/cancel*), **rescindible** (rescindible), **rescinding/rescission** (rescisión, abrogación, anulación), **rescissory** (rescisorio)].

rescue¹ *n/v*: rescate, auxilio; rescatar. [Exp: **rescue²** (sanear, efectuar una operación de salvamento ◊ *Rescue a stricken bank/company*; V. *overhaul, clean up*,¹ *restructure, streamline, sort out)*, **rescue package** (ECO programa/conjunto de medidas de rescate/salvamento), **rescue party** (equipo de socorro), **rescuer** (libertador)].

research *n/v*: investigación; investigar, estudiar ◊ *Research new techniques.* [Exp: **research and development, R & D** (investigación y desarrollo, I+D), **research facilities** (medios de investigación), **researcher** (investigador), **research programme** (programa/proyecto de investigación)].

reservation *n*: reserva, reservación; salvedad. [Exp: **reservation of title clause** (cláusula contractual mediante la cual el vendedor se reserva el derecho de no entregar las mercancías al comprador hasta que éste haya pagado el importe correspondiente; V. *Romalpa clause*), **reservation price** *US* (precio mínimo de venta por el que el vendedor accede a vender; V. *upset price; reserve price*)].

reserve *n/v*: reserva, provisión; reservar, hacer salvedades; V. *bad debt reserve; provision, allowance; legal reserve, voluntary reserve, foreign reserves.* [Exp: **reserve account** *US* (BANCA cuenta de garantía de depósito, con interés cero, abierta en un Banco Federal, de acuerdo con la ley, por un banco comercial, en la que se deben ingresar determinadas cantidades todos los miércoles de acuerdo con los saldos medios quincenales de la entidad bancaria; V. *window discount, adjustment credit; noninterest earning account*), **reserve against/for losses** (reserva para pérdidas), **reserve assets** (CONT activos líquidos de reserva), **reserve capital** (capital de reserva; capital no desembolsado), **reserve center** *US* (centro de reserva), **Reserve City Bank** *US* (banco de una de las doce ciudades que tienen

bancos perteneciente al Sistema de Reserva Federal —*Federal Reserve System*), **reserve currency** (moneda/divisa de reserva; divisas fuertes; V. *currency reserves*), **reserve for bad debts/doubtful accounts** (reserva para fallidos, deudas incobrables o cuentas dudosas; V. *allowance for bad debts/ doubtful accounts*), **reserve/allowance for contingencies** (reserva para imprevistos; V. *contingency allowance*), **reserve/allowance for depreciation of securities** (reserva para depreciación/ fluctuación de valores), **reserve for losses** (CONT reserva para pérdidas; V. *loss provision; provision for losses*), **reserve for renewals and replacements** (reserva para renovaciones y sustituciones), **reserve for sinking fund** (reserva para fondo de amortización), **reserve for taxes** (provisión para impuestos), **reserve funds** (fondos de reserva), **reserve for working capital** (reserva para aumentar el capital circulante), **reserve gap** (déficit o agujero en las reservas, brecha de recursos), **reserve holdings** (reservas), **reserve position** (posición de reservas; situación de las reservas), **reserve price** (precio de salida de una subasta, precio mínimo solicitado, también llamado *reserve*; V. *with reserve; buy in*), **reserve quota** (parte de reserva), **reserve ratio** (BANCA coeficiente de reservas, de liquidez o encaje), **reserve relief fund** (REL LAB fondos de ayuda social a empleados), **reserve requirement** (BANCA reserva legal; reserva obligatoria; V. *demand/ time deposit*), **reserve rights** (reservarse el derecho o derechos), **reserve, with/ without** (con/sin precio mínimo fijado; se aplica a los precios de determinados objetos en una subasta), **reserves requirements** (BANCA exigencias de reservas de fondos de acuerdo con la ley)].

reside *v*: residir, vivir; tener la residencia fijada. [Exp: **residence** (domicilio, residencia, morada), **residence permit** (permiso de residencia; V. *work permit*), **resident** (residente, habitante, vecino; permanente; interno), **resident alien** (extranjero con permiso de residencia), **residential investments** (inversiones en vivienda), **residential occupier** (inquilino; ocupante legal de una vivienda)].

residual/residuary *a*: remanente, residual. [Exp: **residual amount** (saldo; V. *balance, remainder*), **residual value** (valor residual o restante), **residue** (residuo; resto)].

resign *v*: dimitir, renunciar; V. *send in/tender one's resignation; walk off the job; quit one's job*). [Exp: **resignation** (renuncia, dimisión)].

resolute *a*: resuelto. [Exp: **resolution** (resolución, acuerdo, decisión), **resolutory** (resolutorio)].

resolve *v*: decidir, resolver, acordar. [Exp: **resolve on** (decidirse a, acordar, optar por, adoptar ◊ *Resolve on a compromise*)].

resource-s *n*: recurso, medios, fuentes; V. *funds; means; state resources*. [Exp: **resource allocation** (asignación de recursos), **resource file** (COMER fichero de proveedores), **resource-s gap** (déficit/insuficiencia/brecha de recursos propios), **resource-based industries** (industria basada en recursos naturales), **resource flows** (corrientes de recursos), **resource-neutral** (sin efecto sobre los recursos), **resource balance** (balanza de recursos), **resource gap** (déficit de recursos), **resourceful** (emprendedor, ingenioso, imaginativo ◊ *A resourceful management team*; V. *enterprising*)].

respect *n/v*: respeto, acatamiento; acatar, respetar. [Exp: **respect of, in** (en razón de, en lo que afecta, en el campo de, en materia de), **respect to, with** (respecto de, con relación a), **respectable bill** (V.

fine bank/trade bill), **respectively** (respectivamente)].

respite *n*: respiro, aplazamiento, suspensión, plazo, prórroga ◊ *Get no respite from the pressure of business*. [Exp: **respite for payment** (aplazamiento del pago; ampliación del plazo para pagar)].

respondent *n*: demandado, apelado; V. *defendant, co-respondent*.

respondentia *n*: préstamo a la gruesa, préstamo hipotecario sobre la carga de un navío; V. *bottomry bond*.

responsible *a*: responsable, fiable, solvente, autorizado; formal, serio ◊ *Deal in a responsible manner with one's clients*. [Exp: **responsible for, be** (incumbir), **responsible bidder** (proponente solvente y técnicamente capaz), **responsibility** (responsabilidad, carga; obligación, solvencia; seriedad, formalidad; V. *liabilities; diminished responsibility; decline responsibility*), **responsibility accounting** (CONT contabilidad por responsabilidades; su objeto es obtener información sobre los resultados de cada una de las unidades de la empresa)].

revoke *v*: revocar.

rest[1] *n/v*: descanso, reposo; descansar, apoyar; recaer, corresponder, dar por concluido. [Exp: **rest**[2] (resto, los demás ◊ *Take the rest of the day off*), **resting order** (BOLSA orden tope; orden de compra de valores por debajo del precio de mercado, o de venta de valores por encima del mismo; V. *good until cancelled order*), **resting point** (punto de reposo)].

restate[1] *v*: redactar de nuevo; exponer con otros términos, volver a plantear; repetir, reiterar ◊ *Restate one's position on reflection*. [Exp: **restate**[2] (CONT actualizar, revalorar, corregir, enmendar ◊ *Restate the figures*), **restated balance sheet** (balance regularizado), **restatement** (regularización, nueva exposición, puesta a punto; V. *accounting restatement*), **restatement reserves** (reservas de actualización)].

restitution *n*: restitución, devolución, reintegración.

restore *v*: restaurar, restablecer, restituir. [Exp: **restorable** (restituible), **restoration** (restauración, restablecimiento, rehabilitación), **restoration of stock** (reposición/restauración de las existencias)].

restrain[1] *v*: limitar, reprimir, restringir; disuadir, contener, frenar, controlar, refrenar, impedir; embargar ◊ *An order restraining the defendant from exploiting the patent.* [Exp: **restraint** (austeridad; restricción, sujeción, limitación, represión; V. *financial restraint/stringency; pay/wage restraint*), **restraint of commerce/trade** (restricción de comercio; limitación al libre comercio; V. *combination in restraint of commerce/trade*), **restraint policy** (política de austeridad; V. *wage/pay restraint*)].

restrict *v*: limitar, restringir, reducir, coartar. [Exp: **restricted distribution** (distribución reservada), **restricted issue** (emisión limitada), **restricted items** (artículos restringidos), **restricted market** (mercado restringido), **restricted shares** *US* (SOC acciones con derechos aplazados; normalmente no tienen derecho a dividendo hasta que se alcance cierto nivel de beneficios; V. *participating preference/preferred shares/stock*), **restricted stock option** *US* (opción de compra de acciones para empleados, de acuerdo con ciertos requisitos legales)].

restriction *n*: restricción, limitación; V. *place restrictions on.* [Exp: **restrictions on import** (restricciones a la importación; V. *import restrictions*), **restrictive** (restrictivo, represivo), **restrictive**

condition (condición limitativa, restrictiva o negativa), **restrictive covenant** (DER pacto restrictivo o limitativo), **restrictive endorsement** (FINAN endoso restrictivo con prohibición de negociación ◊ *If a bill of exchange has a restrictive endorsement it is no longer a negotiable instrument*), **restrictive measures** (medidas restrictivas), **restrictive practices** (prácticas comerciales restrictivas; V. *collusive*), **Restrictive Practices Court** (Tribunal de Defensa de la Competencia; V. *code of fair competition/trading, Director-General of Fair Trading*), **restrictive trade policy** (política comercial restrictiva), **restrictive trade practices** (V. *restrictive practices*)].

result *n/v*: resultado; resultar; V. *effect.* [Exp: **resulting trust** (fideicomiso resultante, fideicomiso creado por presunción legal; V. *constructive trust*), **results** (resultado, conclusión; resultados del ejercicio; V. *produce results*), **results account** (CONT cuenta de resultados; V. *profit and loss account*)].

resume *v*: reanudar; reasumir. [Exp: **resumption** (reanudación, reasunción), **résumé** (resumen; curriculum vitae *US*)].

retail *n/v*: venta/vender al por menor, al detalle o al menudeo. [Exp: **retail bank** (BANCA banco comercial, también llamado *commercial bank, deposit bank* o *full service bank*), **retail banking** (banca de menudeo o al por menor; servicios bancarios para los particulares; V. *private banking; wholesale banking, corporate banking*), **retail business** (comercio al por menor), **retail deposits** (depósitos de particulares), **retail dealer/firm** (minorista; detallista, comerciante de menudeo; tienda al detalle; V. *wholesale dealer*), **retail investor** (inversor detallista), **retail method** (método de precio de menudeo), **retail merchant** (COMER minorista; V. *co-*

branded credit card), **retail money** (FINAN dinero procedente de pequeños ahorradores), **retail outlet** (puesto/establecimiento de venta al por menor; V. *major retail outlets*), **retail price** (precio al por menor, precios al detall), **retail price index, rpi** (índice de precios al consumo, ipc; coste de la vida; V. *cost of living index, consumer price index, threshold agreement, producer price index*), **retail price maintenance, RPM** (política intervencionista de control de los precios de venta al público, fijación vertical de los precios), **retail sales tax** (impuesto sobre ventas al por menor), **retail store** US (tienda de minorista; comercio al por menor), **retail trade** (comercio al por menor; V. *wholesale*), **retail trader** (comerciante al por menor, detallista, minorista; V. *wholesale trader*), **retail training** (REL LAB formación en el propio país), **retailer** (minorista, detallista; revendedor, vendedor al por menor; V. *wholesaler*), **retailing** (comercio al por menor, gestión minorista)].

retain *v*: conservar, retener, acumular; V. *retention*. [Exp: **retained** (no distribuido), **retained cash** (reservas libres, beneficios retenidos), **retained earnings/profits** (CONT reservas; beneficios retenidos; ganancias o beneficios acumulados o no distribuidos; resultados de ejercicios anteriores; remanentes; V. *undistributed earnings*), **retainer/retaining fee** (iguala; honorario anticipado; anticipo sobre los honorarios ◊ *Pay a lawyer a retainer*)].

retaliate *v*: vengarse, desquitarse, tomar represalias. [Exp: **retaliation** (desquite, represalia), **retaliatory customs duties** (COMER, TRIB aranceles sancionadores, disuasorios o compensatorios; V. *contingent duties/fees; countervailing duty*), **retaliatory laws** (legislación de

represalia; V. *reciprocal laws*), **retaliatory measures** (medidas de represalia)].

retention *n*: retención. [Exp: **retention interchange scheme** (SEG plan de intercambio de retenciones), **retention line** (SEG pleno de retención o conservación), **retention money** (retención en garantía), **retention policy** (SEG póliza con prima reducida)].

retire *v*: jubilarse, retirarse; redimir; V. *compulsory retirement, early retirement; withdraw*. [Exp: **retiral** (retiro; V. *retirement*), **retire a bill** (retirar una letra o efecto, satisfaciendo el importe antes del vencimiento), **retire a debt** (liquidar una deuda de forma anticipada), **retire bonds** (amortizar bonos), **retired** (jubilado, pensionista), **retirement** (jubilación, retiro; redención; V. *compulsory retirement; early retirement; retiral; individual retirement account*), **retirement allowance/annuity** (anualidad, renta de jubilación, pensión; V. *annuity, pension*), **retirement/pension fund** (caja de jubilación), **retirement of debt** (redención de la deuda), **retirement of outstanding debt** (reembolso/rescate anticipado de la deuda), **retirement pension** (pensión de jubilación), **retirement plan** (plan de pensiones o de jubilación), **retirement rate** (precio de reeembolso/rescate), **retiring president** (SOC presidente saliente)].

retour sans protêt *fr*: exp francesa que se incluye en una letra de cambio para que se devuelva sin protesto en caso de impago.

retract *v*: retractar, retirar; abjurar. [Exp: **retractable bond** (FINAN bono amortizable anticipadamente; V. *callable bond*), **retractation** (retractación)].

retrench *v*: reducir, cercenar, economizar ◊ *Retrench on public spending*. [Exp: **retrenchment** (reducción/ahorro/racionalización de gastos/planes de expansión, etc. ◊ *A policy of retrenchment in the face of inflation*)].

retrieve *v*: recuperar, salvar; rescatar; reparar ◊ *Retrieve earlier losses*; V. *recoup*. [Exp: **retrieval** (recuperación, rescate, reparación; V. *data/information retrieval; damage-limitation, damage containment exercise*), **retriever** (V. *golden retriever*)].

retro- *pref*: retro-. [Exp: **retroactive** (retroactivo; *a posteriori*; V. *back; arrears, outstanding, overdue, unsettled, pending; backdated; retrospective*), **retroactive financing** (financiación retroactivo), **retroactivity** (retroactividad), **retroactive law/legislation** (ley/legislación retroactiva), **retroactive wages** (salarios con efecto retroactivo; V. *back pay*), **retroactivity** (retroactividad), **retrocede** (devolver; retroceder), **retrocession** (retrocesión, retroceso; V. *reversal entry*), **retrocession treaty** (contrato de retrocesión), **retrocessionary covers** (SEG retrocesiones), **retrospect** (retrospectiva; retrospección; recordar), **retrospective** (retrospectivo; V. *retroactive*), **retrospective law/legislation** (legislación retroactiva; V. *retroactive law*), **retrospective rating** (SEG tarifación retrospectiva de la prima; ajuste retrospectivo de la prima inicial)].

return¹ *n/v*: regreso, vuelta; regresar, volver, retornar. [Exp: **return²** (devolución, reembolso, restitución, recuperación; protesto; devolver, restituir, pagar; protestar; V. *refund, pay back, reimburse, repay; return of duties*), **return³** (rendimiento, resultado, producto, beneficio, ganancia; recompensa; V. *yield; earning power, benefit, profit, profitability; return to scale; diminishing returns; gross return, annual return²*), **return⁴** (cambio, trueque), **return⁵** (declaración de la renta, etc.; relación, informe, respuesta; nómina, lista, padrón, censo; contestación, comparecencia; informe de las ventas; declarar; V. *income tax return, calendar of dates, official return, joint return, separate return, return of population, annual return¹*), **return⁶** (proclamar, elegir como diputado ◊ *Be returned by a narrow majority*; V. *returning officer*), **return address** (dirección del remitente), **return cargo** (TRANS carga de retorno o de regreso), **return commission** (SEG comisión reembolsada), **return fare** (TRANS billete de ida y vuelta; V. *round-trip fare; full fare; single fare*), **return freight** (CONT precio del transporte de un bien de equipo, incluido en su coste total; flete de ida y vuelta; flete de retorno; V. *carriage/freight inwards; back freight*), **return item** (cheque sin fondos, devuelto o a devolver; V. *bad cheque, cheque kiting*), **return load** (carga para el viaje de vuelta; V. *back load*), **return of duties** (devolución de los derechos de aduana), **return of guarantee** (devolución de la garantía), **return of income** (V. *income tax return*), **return of population** (censo de población), **return of post, by** (a vuelta de correo), **return of premium** (reembolso/restitución de la prima; V. *return premium*), **return on assets, ROA** (FINAN rentabilidad sobre activos; rendimiento económico; es decir, beneficios antes de intereses e impuestos sobre recursos totales; rendimiento del activo, sobre todo, de los bienes de equipo; V. *return on equity*), **return on capital** (rendimiento del capital o de la inversión; V. *return on investment*), **return on capital employed/invested, ROCE** (V. *return on investment*), **return on equity, ROE** (BOLSA rentabilidad de los recursos propios; aumento de la rentabilidad financiera sobre los recursos propios; es decir, los flujos que llegan a los accionistas ya como dividendos ya como plusvalías o *capital gains*; se producen porque el coste de la deuda es inferior a la rentabilidad económica o *return on assets*), **return on invested funds, ROIF** (rentabilidad de los fondos invertidos), **return on investment, ROI** (FINAN rendimiento/rentabilidad de la inversión, también llamado «rendimiento del capital invertido» o *return on capital employed/invested, ROCE*; V. *financial return, diminishing returns, rate of return*), **return on equity** (FINAN rentabilidad de los recursos propios), **return on financial leverage** (FINAN rentabilidad del apalancamiento financiero), **return on the residual surplus** (rentabilidad del excedente residual), **return to the gold standard** (vuelta/volver al patrón oro), **return premium** (SEG prima a devolver; V. *return of premium*), **return ratio** (FINAN coeficiente/tasa/ratio de rendimiento), **return ticket** (billete de ida y vuelta), **return to capital** (reconstitución del capital), **return-s to scale** (ECO rendimiento-s de/según escala), **return value** (valor de retorno), **returnable** (retornable; que puede ser devuelto; V. *non-returnable, disposable*), **returned** (COMER devuelto ◊ *Returned items/goods returned*; acompaña a *products, goods, etc.*), **returned bill of exchange** (letra de cambio protestada o devuelta), **returned cheque** (cheque rechazado o devuelto; V. *soiled cheque*), **returned empties** (envases devueltos), **returning officer** (*aprox* presidente de una mesa electoral; funcionario encargado de anunciar el resultado del recuento de votos en una circunscripción y de proclamar el nombre del candidato elegido o *returned*), **returns** (productos devueltos)].

reveal *v*: revelar, mostrar, manifestar, descubrir. [Exp: **revealed comparative advantage index** (índice de ventaja comparativa manifiesta), **revelation** (revelación)].

revenue *n*: ingresos, rentas, ventas, cifra de negocios, entradas, recaudación, rendimiento, beneficio, ganancia; rentas públicas/fiscales, ingresos del erario, contribuciones a la hacienda pública; V. *Inland Revenue; Internal Revenue Service; abandon goods to the Revenue/Exchequer; earning, profit, income, fiscal revenue, inland revenue; earned revenue, unearned revenue*. [Exp: **revenue account** (CONT cuenta de explotación o de gastos e ingresos; cuenta de ingresos por las operaciones comerciales y de sus gastos necesarios; cuenta o capítulo de gastos corrientes, en especial en la contabilidad del sector público; V. *capital account*), **revenue and expenditure** (ingresos y gastos), **revenue authorities** (TRIB fisco, autoridades/agentes fiscales), **revenue bond** (FINAN obligación abonable con ingresos fiscales), **revenue duties** (derechos fiscales), **revenue earned** (ingresos totales obtenidos), **revenue-earning enterprise** (empresa productiva), **revenue expenditure** (gastos corrientes o de operación), **revenue laws** (leyes fiscales), **revenue forgone** (ingresos fiscales no percibidos), **revenue-neutral** (TRIB fiscalmente neutral), **revenue officer** *US* (recaudador de impuestos; oficial de aduanas), **revenue receipts** (TRIB ingresos fiscales), **revenue received in advance** (ingresos cobrados por adelantado), **revenue reserves** *US* (CONT provisiones contables disponibles), **revenue service** (V. *internal revenue service, Bureau of Internal Revenue*), **revenue sharing** (participación en los ingresos fiscales), **revenue shortfall** (disminución de los ingresos; lucro cesante; V. *shortfall in receipts*), **revenue stamp** (timbre fiscal o de impuesto), **revenue tariff** (arancel financiero), **revenue-transfer effect** (efecto de transferencia de ingresos fiscales)].

reversal[1] *n*: anulación, revocación; reversión; revés; inversión. [Exp: **reversal[2]** *US* (MERC FINAN/PROD/DINER cambio de sentido en la tendencia de los mercados financieros; V. *reaction*), **reversal day** (BOLSA día de reversión; V. *key reversal day*), **reversal entry** (CONT asiento de retrocesión; V. *retrocession; reversing/cancelling entry*), **reversal of a loan** (reintegro de un préstamo), **reversal of entries** (CONT retrocesión de asientos; V. *posting error*)].

reverse[1] *a*: inverso, invertido, contrario, opuesto ◊ *Inverse order*. [Exp: **reverse[2]** (revés, contrario, marcha atrás ◊ *The company's affairs have gone into reverse*), **reverse[3]** (invertir el orden; dar un giro de 180 grados, cambiar por completo, anular, revocar, cancelar; reversión; reverso, contrario; revocar, anular un fallo, etc. ◊ *Reverse a decision*), **reverse a swap** *US* (MERC FINAN/PROD/DINER revocar/deshacer una permuta financiera o «swap»; consiste en volver a la posición inicial de una cartera de bonos tras aprovecharse de los beneficios fiscales o de diferenciales obtenidos con la permuta financiera o «swap»; V. *yield spread*), **reverse annuity mortgage, RAM** (FINAN hipoteca invertida; el propietario, normalmente un jubilado, entrega la propiedad de su casa a una institución financiera, la cual le garantiza una pensión mensual mientras viva), **reverse cash-and-carry** (MERC FINAN/PROD/DINER arbitraje inverso; en el mercado de materias primas o *commodity market* consiste en una venta al contado y

simultáneamente una compra a futuros; V. *cash and carry[2]*), **reverse charge call** (conferencia telefónica a cobro revertido; V. *collect call*), **reverse conversion** (conversión inversa), **reverse cost method** (CONT método de coste inverso), **reverse engineering** (retroingeniería), **reverse floating rate notes** (bonos con interés variable inverso), **reverse repurchase agreement, reverse repo** *US* (FINAN operación de dobles; compra con pacto de reventa; es un método de financiación a corto plazo consistente en la compra de valores por un banco o intermediario al tomador del crédito, estipulando, además, la reventa al mismo en una fecha determinada a un precio convenido; V. *repurchase agreement; interbank market repurchase agreement, dollar roll*), **reverse stock split** *US* (SOC reducción del capital de una mercantil, también llamada *split down*; V. *stock split, split up*), **reverse substitution** (sustitución de otros recursos energéticos por petróleo), **reverse swap** (MERC DINER permuta financiera invertida/inversa), **reverse takeover** (FINAN absorción inversa; adquisición de una gran empresa por otra más pequeña; V. *contested takeover*), **reverse transfer of technology** (transferencia inversa de tecnología), **reverse wire transfer** *US* (pagos por medio de domiciliación bancaria; V. *direct debit; standing order*), **reverse yield gap** (FINAN brecha de rendimiento inverso; alude al rendimiento excesivo —dando así la vuelta a la situación normal o prevista— de los títulos del Estado o *gilts* en comparación con el de las acciones ordinarias —*common stock*; V. *yield gap*)].

reversible *a*: reversible, anulable, revocable, reponible. [Exp: **reversible laydays** (TRANS MAR días de plancha reversibles; el tiempo ganado en la carga se puede acumular en la descarga, o el tiempo empleado de más en la carga se puede compensar empleando menos tiempo en la descarga), **reversible swap** (MERC DINER permuta financiera o «swap» reversible), **reversing entry** (asiento de reversión, contraasiento, contrapartida; V. *reversal entry*)].

reversion/reverter *n*: reversión, devolución, derecho de reversión, acto de reversión; V. *remainder*. [Exp: **reversion formation** (formación de reversión), **reversionary** (reversible, recuperable, revertible), **reversionary annuity** (V. *contingent annuity*), **reversionary interest** (derecho de reversión), **reversioner** (titular o tenedor de un derecho de reversión)].

revert *v*: revenir, retornar, volver. [Exp: **reverter** (reversión; V. *reversion*), **reverter of sites** (derecho de reversión a los propietarios originales o sus herederos de las parcelas que en su día se donaron o se expropiaron para determinados fines, siempre que se modifiquen los fines o las circunstancias para los que fueron donados o expropiados), **revertible** (reversible)].

review *n/v*: revisión, análisis, examen; control judicial, tutela judicial; recurso de revisión contra sentencias firmes; revista; revisar, fiscalizar, estudiar, someter a nueva consideración, reconsiderar ◊ *Review a decision/policy*. [Exp: **review clause** (cláusula de examen; V. *periodic review clause*), **review mission** (misión de examen), **reviewing authority** (autoridad fiscalizadora), **review, under** (en estudio ◊ *Pay and conditions are under review*)].

revise *v*: revisar, reconsiderar; modificar, enmendar, corregir. [Exp: **revise upwards** (revisar al alza), **revision** (corrección, revisión)].

revive *v*: reanimar-se, resucitar, reavivar, restablecer-se, reponerse ◊ *Markets revived after a sluggish period*. [Exp: **revival** (recuperación, reactivación, restablecimiento; V. *recovery, upturn*)].

revolve *v*: revolver, dar vueltas. [Exp: **revolving** (BANCA renovable; con el compromiso bancario), **revolving acceptance facility by tender, RAFT** (FINAN línea renovable de financiación por subasta mediante aceptaciones), **revolving credit** (crédito renovable automáticamente; crédito rotativo/rotatorio; funciona de forma análoga a la cuenta/línea de crédito y se renueva periódicamente; también se le llama *open-end credit* y *revolving line of credit*; V. *overdraft credit; facility fee, commitment fee, home-equity credit line*), **revolving credit plan** (plan de crédito renovable o rotatorio), **revolving documentary credit** (crédito documentario rotativo o automáticamente renovable), **revolving fund** (fondo circulante/rotatorio/rotativo/operativo de capital destinado a un fin concreto; fondo de compensación; V. *working capital fund*), **revolving fund accounting** (CONT contabilidad de caja o de fondos), **revolving letter of credit** (FINAN carta de crédito renovable), **revolving line of credit** (V. *revolving credit*), **revolving underwriting facility, RUF** (MERC DINER fondo o garantía de crédito autorrenovable o rotatoria o a corto plazo; suscripción renovable garantizada; programa de financiación a medio/corto plazo; papel a corto plazo; compromiso de suscripción continuada; fondo permanente de garantías sucesivas; se trata de la obligación contraída por un consorcio de bancos de adquirir en firme, en condiciones de mercado más un margen fijo, pagarés de empresa a medio plazo sobrantes; V.

transferible revolving underwriting facility, TRUF; note issuance facility; SNIF)].

reward *n/v*: recompensa, gratificación, premio, remuneración; recompensar, gratificar, premiar, remunerar. [Exp: **reward bases** *US* (bases reguladoras, base de remuneración), **rewarding** (remunerador, útil, provechoso, beneficioso, gratificante ◊ *Rewarding work*)].

RIC *n*: V. *reconstruction import credit*.

RICO Act *n*: V. *Racketeer influenced and corrupt organizations act*.

ride *v*: cabalgar; estar fondeado un buque. [Exp: **ride at anchor** (estar fondeado; V. *be at anchor*), **ride for a fall** (tentar a la suerte, buscarse la ruina, jugar con fuego ◊ *They knew when they bought the high-risk options that they were riding for a fall*), **rider** (anexo, acta adicional, añadidura, cláusula adicional)].

RIE *n*: V. *Recognized Investment Exchange*.

rife *a*: extendido, abundante, frecuente, común, generalizado. [Exp: **rife, be** (ser muy frecuente; darse mucho; ser muy extendido, común o endémico ◊ *Corruption is rife in modern business and politics*; V. *be rampant*)].

rig[1] *v*: aparejar, armar, montar; equipar un buque. [Exp: **rig**[2] (torre de perforación de hidrocarburos, plataforma petrolera), **rig**[3] *col* (manipular, cometer fraude, amañar, hacer chanchullos ◊ *The elections were rigged*), **rig the market** (MERC FINAN/PROD/DINER manipular el mercado; crear una apariencia de actividad bursátil falsa, por medio de alzas artificiales de los precios, con el fin de inducir al público a comprar; V. *stock market manipulation; market manipulation*) **rigging**[1] (aparejo de un buque; montaje), **rigging**[2] (BOLSA chanchullo, manipulación, fraude; alta/baja ficticia; V. *manipulation, market/price-rigging*; V. *yield rigging*)].

right *a/n/v*: correcto, legítimo; recto; acertado, cierto, bueno, adecuado; derecho, privilegio, título, poder; autoridad, libertad; corregir. [Exp: **right a wrong** (corregir un abuso), **right-hand man** (hombre de confianza), **right of admission** (derecho de admisión), **right of admission reserved** (se reserva el derecho de admisión), **right of property** (título/derecho de dominio privado), **right of redemption** (retracto, derecho de retracto, derecho a redimir una propiedad, derecho de redención, de tracto), **right to, with a** (con derecho a; V. *eligible for*), **right to buy** (derecho que tienen ciertos inquilinos a comprar el inmueble en el que habitan a precio inferior al del mercado; V. *secure tenancy*), **right to discharge** (REL LAB derecho de despido; libertad de desahucio), **right to strike** (derecho de huelga), **right to work law** *US* (ley que prohíbe la filiación sindical obligatoria para poder acceder a determinado puesto de trabajo; V. *union shop arrangement*), **rights** (derechos de propiedad; en lenguaje económico, cuando se emplea en posición atributiva, significa «con derecho preferentes»; V. *rights issue*), **Rights Accumulation Programme, RAP** (programa de acumulación de derechos, PAD), **rights issue** (SOC, BOLSA emisión de acciones nuevas con derechos preferentes para los accionistas, ampliación de capital; V. *preemptive right; debt warrant; scrip issue*), **rights letter** (SOC notificación oficial de ampliación del capital con derecho preferente para accionistas; V. *renunciation*), **rights market** (mercado de derechos), **rights offering** (SOC oferta a los accionistas de compra de acciones nuevas; ampliación de capital con derecho preferente de adquisición para los accionistas; como ésta es la situación jurídica de partida, se suele considerar que *rights issue* y *rights offering* son expresiones equivalentes a «ampliación de capital»; V. *pre-emptive right²*), **rightful** (legítimo; V. *lawful, legal*), **rightful owner** (propietario legítimo), **rightly** (de forma correcta, como es debido, debidamente, correctamente; con toda razón, de forma legítima)].

ring¹ *n*: camarilla, banda, sindicato, cartel; V. *pool, syndicate²*. [Exp: **ring²** (MERC FINAN/PROD/DINER en sentido peyorativo, es el corro de un mercado o la sesión celebrada en un corro; V. *stock exchange ring; pit; pulpit; floor*), **ring trading** (MERC FINAN/PROD/DINER negociación a viva voz —*in open cry*— en corros bursátiles o en mercados de opciones y de futuros; V. *callover; floor/screen trading*), **ring-leader** (cabecilla)].

riparian rights *n*: derechos ribereños.

ripple *n*: onda, ondulación. [Exp: **ripple effect** (efecto residual), **ripple price effects** (repercusiones de las alzas de precios)].

rise¹ *n/v*: alza, aumento, elevación, subida; subir, aumentar; ascender, avanzar ◊ *Rise in one's firm*; V. *dip*. [Exp: **rise²** (aumento de sueldo; V. *raise*), **rise³** (levantarse; levantar la sesión ◊ *The court rose at 1 p.m.*), **rise in the discount rate** (elevación del tipo bancario; V. *bank rate cut; fall in the discount rate*), **rise, on the** (en aumento ◊ *House prices are on the rise again*), **rise to the bait** *col* (tragarse el anzuelo, picar, caer en la trampa ◊ *When we dropped the price briefly, our rivals rose to the bait*), **rising** (creciente, en aumento; alcista; V. *bullish, upward*), **rising cost of living** (coste de la vida en aumento/creciente), **rising prices** (precios en aumento), **rising tendency** (tendencia al alza en la Bolsa, etc.)].

risk *n/v*: riesgo, peligro; arriesgar, exponerse, comprometer; V. *freight at risk; exposure.* [Exp: **risk-adjusted assets** (BANCA, CONT activos ajustados a riesgos; las partidas no incluidas en el balance de situación —*off-balance-sheet items*— se consideran activos ajustados a riesgo; V. *risk-free assets, capital adequacy ratio*), **risk-adjusted return on capital, RAROC** (FINAN rentabilidad del capital ajustada a riesgos), **risk adjustment** (FINAN ajustes por riesgos en la evaluación de la gestión de carteras de valores; V. *haircut; hedge, fail position*), **risk-averse** (contrario a/enemigo de/opuesto a riesgos/peligros ◊ *He's a great entrepreneur who has challenged his country's risk-averse business establishment*), **risk allowance** (margen de precio en concepto de riesgos en los proyectos), **risk approval** (BANCA autorización de riesgos), **risk arbitrage** (MERC FINAN/PROD/DINER arbitraje especulativo, arriesgado o con riesgo; consiste normalmente en que el arbitrajista adquiera acciones de una empresa objeto de una OPA, vendiendo simultáneamente las que posea de la empresa adquirente, con la esperanza de que, durante la operación, suba el valor de las primeras y baje el de las segundas; si no se cumple la previsión, las pérdidas pueden ser drásticas; V. *index-related arbitrage*), **risk arbitrageur** (MERC FINAN/PROD/DINER arbitrajista especulativo; especialista en comprar sociedades infravaloradas; tiburón, ave de rapiña; individuo, empresa o grupo dedicado a la caza y captura de empresas por lo general mediante OPAS hostiles o astucias financieras; en los Estados Unidos se le llama también *corporate raider*), **risk, at a** (con cierto riesgo, con peligro, corriendo cierto riesgo), **risk aversion** (FINAN aversión al riesgo; V. *coefficient of absolute risk aversion*), **risk-bearing capital** (capital de especulación, capital riesgo; V. *risk capital; venture capital*), **risk-bearing potential** (SEG potencial de absorción de riesgos), **risk capital** (FINAN capital-riesgo, capital de riesgo; los bancos de negocio —*merchant banks, investment banks*— son los especialistas en préstamos de capital-riesgo; V. *venture capital*), **risk contract** (contrato de riesgo; se utiliza aplicado a la extracción de hidrocarburos), **risk disclosure statement** (MERC FINAN/PROD/DINER declaración de conocimiento de riesgos; suele exigir esta declaración el intermediario de mercados de futuros y opciones al cliente potencial; V. *disclosure*), **risk-free** (libre de riesgo, sin riesgos; V. *riskless*), **risk exposure** (SEG exposición al riesgo), **risk-free asset/ investment** (activo/inversión libre de riesgo; V. *risk-adjusted assets*), **risk management** (gestión de riesgos/ siniestros), **risk manager** (gestor de riesgos), **risk of, at the** (a riesgo de, con peligro de), **risk premium** (SEG prima de riesgo; V. *market-risk premium*), **risk ratio** (coeficiente de riesgo; sobre todo en la banca, donde se refiere a la relación entre los créditos concedidos y demás activos en riesgo y los depósitos en las cuentas de capital), **risk-return tradeoff analysis** (MERC FINAN/PROD/DINER análisis riesgo-rendimiento; análisis de la relación entre riesgos y rendimientos), **risk sharing** (riesgo compartido), **risk swaps** (SEG intercambio/permutas de riesgos), **risk-taking** (aceptación/asunción de riesgos), **risk, under** (en condiciones de riesgo; V. *under certainty*), **riskless** US (libre de riesgo; V. *risk-free*), **risky** (arriesgado, peligroso ◊ *A risky undertaking*; V. *dodgy*)].

rival *n/v*: competidor, contrincante; concurrente; competir ◊ *There's no one to rival them for efficiency*. [Exp: **rival demand** (COMER demanda rival; V. *substitute demand*)].

ROA *n*: V. *return on assets*.

road *n*: carretera. [Exp: **road haulage** (transporte por carretera; V. *trucking, carriage, cge*; *haulage; trucking*), **road networks** (TRANS redes arteriales), **road patching** (bacheo; reparación de baches; V. *spot improvement*), **road show** *col* (FIN «gira», «peregrinación», «romería», «campaña explicativa, publicitaria o de marketing»; es el período de explicación de las bonanzas de un título —*security*—, antes de salir a Bolsa —*go public*—, por las distintas plazas financieras —*securities markets*—), **road transit transport** (transporte en tránsito por carretera), **road-user charges** (tasas a los usuarios de las carreteras), **road tax** (impuesto de vehículos rodados)].

roar *v*: rugir. [Exp: **roaring trade** *col* (actividad comercial febril, negoción, negocio en que la mercancía se vende como rosquillas)].

ROC *n*: V. *rate of change; return on capital*.

rock[1] *n*: roca; escollo. [Exp: **rock**[2] (balancearse, sacudirse; tambalearse; sacudir; coger por sorpresa; horrorizar, pasmar ◊ *Be rocked by the news/ scandal/the sudden drop in prices*), **rock-bottom** (FINAN fondo, el nivel más bajo; V. *reach rock-bottom*), **rock-bottom price** (precio supermínimo; precio último; precio reventado), **rocks, on the** (FINAN con dificultades financieras, contra las cuerdas)].

rocket *n/v*: cohete; subir rápidamente, subirse por las nubes ◊ *Prices are rocketing*. [Exp: **rocketing prices** (precios disparados), **rocket scientist** US *col* (sociedad de cartera o individuo diestro en la creación de productos financieros innovadores)].

ROE *n*: V. *return on equity*.

ROI *n*: V. *return on investment.*

roll *n/v*: legajo, rollo; expediente, registro; lista/relación de colegiados o asociados de un colegio o asociación profesional; nómina, padrón; girar, rodar, enrollar; laminar el acero. [Exp: **roll-back** (desmantelamiento de medidas proteccionistas), **roll down** (MERC DINER renovar a la baja una opción de compra o *call*; V. *roll up*), **roll forward** (MERC DINER renovar una opción con otra que tenga una fecha de vencimiento posterior), **roll-on/roll-off, RORO, ro/ro** (autotransbordo; con acceso directo para vehículos; embarque/desembarque por propulsión propia; almacenamiento en horizontal), **roll-on roll-off ship; RORO, ro/ro** (TRANS MAR buque «roll-on roll-off»; V. *lo-lo*), **roll on roll off ferry** (TRANS MAR transbordador/ferry con acceso para vehículos), **roll over**[1] (reinvertir o renovar una inversión —una obligación, los fondos acumulados en un plan de pensiones, etc.— a su vencimiento o al final del período estipulado ◊ *Roll over an individual retirement account into an annuity*), **roll over**[2] (refinanciar, reestructurar una deuda o los plazos para su devolución ◊ *The World Bank allows countries in financial difficulties to roll over their debt repayments*), **roll-over** (V. *rollover*), **roll up**[1] (MERC DINER renovar al alza una opción de compra o *call*; V. *roll down*), **roll up**[2] (BOLSA reinvertir; V. *plough back; rolled up coupon*), **roll-up/rollover funds** (fondos de reinversión; fondos procedentes de una inversión anterior reinvertidos en otra nueva, normalmente para aprovecharse de ventajas fiscales; V. *rollover*), **rollback** US (COMER reducción de precios por medio de medidas gubernamentales —rebaja en los márgenes comerciales autorizados, reducción de impuestos,

etc.), **rolled costs** (costes promediados), **rolled-up coupon** (BOLSA cupón reinvertido; V. *plough back*), **roller-coaster swap** (MERC FINAN/PROD/DINER permuta financiera o «swap» de montaña rusa), **rolling** (rodante, giratorio, oscilante; permanentemente actualizado; renovación), **rolling hedge** (MERC FINAN/PROD/DINER cobertura completa sucesiva; modalidad de cobertura de riesgo en contratos de futuros consistente en la compra continua de contratos de vencimientos sucesivos; V. *stacked hedge, one-off hedge, striped hedge*), **rolling in it/money** *col* (forrado, que tiene pasta por un tubo ◊ *She doesn't need the cash because she's rolling in it*), **rolling back** (reducción), **rolling mill** (tren de laminación), **rolling plan** (plan renovable o periódicamente actualizado), **rolling readjustment** (ECO reajuste por sectores, reajuste flexible u oscilante), **rolling over of short-term debt** (renovación de la deuda a corto plazo), **rolling settlement** (MERC FINAN/PROD/DINER liquidación rodada; alude a la liquidación de las transacciones días después de firmadas, en una fecha fija), **rolling stock** (material rodante o móvil), **rolling strip hedge** (FINAN cobertura parcial sucesiva), **rollover** (FINAN refinanciación; emisión de títulos u obligaciones cubierta con el vencimiento de otra anterior; reembolso de obligaciones por intercambio con otras de la misma clase; emisión de valores del Estado que se cubren con la amortización de los títulos anteriores; cierre de posiciones en un contrato y apertura en otro de vencimiento posterior; renovación; reinversión; refinanciamiento/refinanciación continuo-a; V. *roll over*,[2] *roll-up/rollover funds*), **rollover CD, roly poly** (bono o certificado de depósito —*CD, certificate of deposit*— con tipo de interés renovable; se trata de una estrategia inversora para beneficiarse de desgravaciones fiscales, ya que la reinversión —*rollover*— del rendimiento obtenido aplaza hasta el vencimiento del certificado de depósito —a un año vista— el pago de los impuestos correspondientes), **rollover credit/loan** (crédito de interés variable, crédito renovable, crédito/préstamo a corto plazo de interés variable renovable/refinanciable con ajuste periódico de las tasas de interes cada 3, 6 o 12 meses, que el prestatario asume; V. *rollover*[2]), **rollover of gains** (reutilizacion o reinversión de las ganancias; V. *plough back*), **rollover relief from capital gains** (TRIB desgravación fiscal de los rendimientos sobre el capital obtenida mediante estrategias de reinversión y de aplazamiento del pago al fisco; esta desgravación se emplea en las ventas de acciones a empleados en los programas *ESOP* o *employee share-ownership plan*; V. *rollover CD*)].

roly poly V. *rollover CD*.

Romalpa clause *n*: cláusula contractual mediante la cual el vendedor se reserva el derecho de no entregar las mercancías al comprador hasta que éste haya pagado el importe correspondiente; V. *reservation of title clause*)].

RORO *n*: V. *roll-on, roll-off*.

roster *n*: lista, registro; escalafón.

rotate *v*: rotar. [Exp: **rotating** (rotativo, giratorio), **rotating bid system** (sistema de licitación rotatoria), **rotating presidency** (presidencia rotativa), **rotating shift** (turno de trabajo o laboral rotatorio; V. *day/night shift; fixed shift*), **rotation** (alternancia, rotación; V. *crop rotation*), **rotation, by** (por turnos, por rotación), **rotation in office** (rotación en el cargo)].

rough *a*: basto, sin refinar; aproximado ◊ *Rough calculation*. [Exp: **rough draft** (primer borrador, borrador en sucio), **rough estimate** (cálculo aproximado), **rough guess, at a** (calculando aproximadamente; a ojo de buen cubero), **rough layout** (PUBL boceto), **rough out** (preparar/esbozar/trazar a grandes rasgos o de forma aproximativa ◊ *Rough out a project/plan*)].

round[1] *a/v*: redondo; circular; pleno; redondear. [Exp: **round**[2] (ronda; visita ◊ *The factory inspector did his rounds*), **round**[3] (serie, sucesión, ronda ◊ *The Uruguay Round; another round of Government spending cuts*), **round chartering** (TRANS MAR flete de ida y vuelta), **round down** (redondear a la baja o por defecto; V. *round up*), **round figures, in** (en números redondos), **round lot** (BOLSA lote completo, lote redondo; paquete de cien acciones, considerado como lote normal/usual —*normal trading unit*— o mímimo —*minimum trading unit*— en la contratación bursátil; V. *odd lot*), **round-lot trade** (contratación bursátil de paquetes de cien acciones; V. *odd-lot trade*), **round off** (redondear las cifras; completar, terminar), **round table** (mesa redonda), **round-table ◄meeting/conference** (mesa redonda), **round-the-clock** (todo el día; de 24 horas), **round-trip fare** (TRANS billete de ida y vuelta; V. *return fare; full fare; single fare*), **round-trip charter** (contrato de fletamento de ida y vuelta), **round trip trade** (MERC FINAN/PROD/DINER contratación de ida y vuelta; compra y venta de los mismos valores o productos —*commodities*—; cuando esta contratación es excesiva se llama «tejemaneje/metesaca financiero» o *churning*), **round turn** (BOLSA entrada y salida; compra/venta para compensar una venta/compra), **round-turn commission**

(STK & COMMOD EXCH comisión de ida y vuelta), **round tripping** (FINAN pelota; peloteo; V. *kite, kiting*), **round up**[1] (redondear al alza o por exceso; V. *round down*), **round up**[2] (reunir ◊ *Round up all the spare workers for a task*), **round up**[3] (resumir; hacer un resumen ◊ *Round up the financial news*), **round-up** (resumen, síntesis), **round off** (rematar, concluir, terminar ◊ *He rounded off his report with three brisk recommendations*), **round-about process/production** (proceso/producción indirecto-a), **rounded floors and caps** (techos y suelos redondeados), **roundtripping operations** (operaciones de ida y vuelta)].

route *n*: ruta, trayecto, rumbo; V. *fixed/irregular routing; random route sampling*. [Exp: **route, en** (en ruta, en tránsito, con dirección a, que se dirige a, de paso, aprovechando el viaje, durante el viaje a ◊ *Pick up passengers en route*), **routing**[1] (GEST cadena; alude a las secuencias en las operaciones de transformación de los materiales en el proceso productivo), **routing**[2] (BOLSA sistema de contratación informatizado o por pantalla)].

routine *n*: rutina. [Como atributivo significa «ordinario», «normal», «de rutina» en expresiones como **routine maintenance** (mantenimiento ordinario)].

royal *a*: real. [Exp: **royal charter** (cédula real, carta real, título real, carta de privilegio), **Royal Mint** (Casa de la Moneda del Reino Unido), **royal factories** (fábricas reales), **royalty** (regalía, canon; derecho de autor/inventor; derecho de patente; V. *wasting asset*), **royalty of an author** (derechos de autor, regalía del autor), **royalty tax** (TRIB impuesto de explotación)].

RPB *n*: V. *recognized professional body*.

RPI *n*: V. *retail price index*.

RPM *n*: V. *resale price maintenance*.

RRP *n*: V. *recommended retail price*.

rubber *n*: goma, caucho. [Exp: **rubber check/cheque** US col (cheque devuelto; V. *bounced cheque*), **rubber stamp** (sello de caucho; dar el visto bueno; sellar, refrendar, aprobar sin debate ◊ *Rubber-stamp a proposal*)].

rubric *n*: título, epígrafe, encabezamiento; instrucción, instrucciones; V. *heading, title*. [Exp: **rubricate** (marcar, señalar; poner título, epígrafe o instrucciones), **rubricated account** US (cuenta con un destino determinado)].

RUF *n*: V. *Revolving Underwriting Facility*.

rule[1] *n/v*: regla, norma, artículo, precepto; principio; ley; reglamentar, estatuir, fallar, decidir, resolver, dictaminar. [En plural, *rules* equivale a reglamento —*regulation*. Exp: **rule**[2] (gobierno, forma de gobierno; poder, mando, autoridad; mandar, dominar, ordenar; gobernar, reinar, regir), **rule against accumulation** US (ley que impide la formación de *trusts,* o monopolios), **rule against perpetuities** (principio que limita la inalienabilidad de bienes; establece que el derecho que se tenga sobre ciertos bienes ha de ejercerse en un plazo determinado; V. *statutory lives in being; vest*), **rule against unreasonable accumulations** (legislación antimonopolios, norma limitativa de la acumulación excesiva de empresas en un sector), **rule-making power** (capacidad de/autoridad para reglamentar o redactar reglamentos), **rule of reason** (regla del sentido común), **rule out** (descartar, desechar, no admitir, hacer imposible, excluir ◊ *The possibility of a takeover can't be ruled out*), **rule over** (dominar, gobernar), **rule the market** (controlar o dominar el mercado), **ruler** (gobernante, dirigente, soberano; V. *leader*), **rules**

(reglas, normas, reglamento; V. *regulation*), **rules and regulations** (normativa; V. *staff rules and regulations*), **rules of the road** (TRANS reglamento del mar, normas de la buena marinería; en realidad es la expresión coloquial para referirse a *Regulation for preventing collisions at sea*; V. *accidental collision, negligent collision*), **ruling**[1] (DER decisión o resolución judicial, fallo, auto judicial; V. *judgment, rule, resolution*), **ruling**[2] (vigente, corriente, predominante; dirigente, en el poder; V. *current*), **ruling price** (precio corriente, vigente o predominante ◊ *Try to undercut ruling prices*)].

rummage *n/v*: inspección de/inspeccionar un buque en la descarga; V. *re-rummage*. [Exp: **rummager** (TRANS MAR estibador), **rummaging officer** (TRANS MAR policía de aduana; funcionario para la prevención de contrabando; V. *preventive officer*)].

rumour, rumor *n*: rumor. [Exp: **rumortrage** US *col* (BOLSA «rumoritraje»; operaciones motivadas por la rumorología; término que utilizan los operadores bursátiles para referirse a las transacciones de arbitraje motivadas por la rumorología; V. *in play; garbatrage*)].

run[1] *v*: correr; dirigir, organizar, explotar ◊ *Run a business, an enterprise*; V. *manage, administer*. [Exp: **run**[2] (realizar, llevar a cabo ◊ *Run a survey*), **run**[3] (tener, mantener, ofrecer, poner ◊ *Run a trade deficit with a dealer*), **run**[4] (marchar, andar, funcionar ◊ *Business is running smoothly*), **run**[5] (presentar-se ◊ *She's running as a candidate*), **run**[6] (carrera, vuelta, secuencia, serie, racha ◊ *Run of good/bad luck*), **run**[7] US (BOLSA lista de valores actualizada que utilizan los operadores bursátiles y en la que constan los precios de puja —*bid*

prices— y los del vendedor —*asked prices*), **run**[8] US (MERC FINAN/PROD/DINER recorrido/secuencia del precio de un valor o producto), **run**[9] (venta apresurada; demanda extraordinaria, pánico, fuerte presión; retirada masiva de depósitos ◊ *Run on a bank*; V. *run on the dollar; bear run, bull run*), **run a ship aground** (hacer varar un buque), **run aground** (embarrancar; V. *ground*), **run away** (huir; V. *abscond, escape, flee, runaway*), **run down** (reducir gradualmente; descapitalizarse), **run into** (abordar; V. *collision, rule of the road*), **run/fall/get into debt** (endeudarse), **run of prices** (MERC PROD movimiento de precios), **run on sth** (fuerte demanda; V. *heavy demand*), **run on a bank** (retirada súbita y masiva de los depósitos de un banco; V. *call in*), **run on a currency** (presión o movimientos especulativos contra una moneda), **run out of** (quedarse sin, acabársele/agotársele a alguien algo; V. *deplete, exhaust*), **run the risk of** (correr el peligro o riesgo de), **run to** (ascender a ◊ *The bill runs to £156*), **run to settlement** (MERC FINAN/PROD/DINER debe hacerse efectiva la entrega del producto; se emplea esta expresión cuando en un mercado de futuros ha llegado la fecha de liquidación del contrato sin que haya habido compensación —*set off*— con otro contrato de compra o de venta), **run up** (acumular, ir sumando; período de alza ◊ *Run up a bill*), **run-up** (período previo, días inmediatos ◊ *Run-up to the crisis*)].

runaway *a*: incontrolado, desbocado, galopante; clandestino, fugitivo. [Exp: **runaway/galloping/snowballing inflation** (ECO inflación galopante/desmedida/desbocada/desenfrenada; V. *bounding/rampant/headlong inflation; hyperinflation*), **runaway gap** (BOLSA agujero/hueco de «continuación» en un gráfico de barras; V. *breakway gap, common gap, exhaustion gap*), **runaway shop** (REL LAB planta/empresa que se traslada a otro país huyendo de la presión sindical)].

rundown¹ *n*: informe o resumen rápido o breve, normalmente oral ◊ *Give sb a rundown on the situation*; V. *breakdown, briefing, itemized*. [Exp: **rundown²** (reducción, recorte ◊ *A staff rundown, a rundown of stock*)].

runner¹ *n*: corredor, agente, mensajero. [Exp: **runner²** (contrabandista ◊ *He was accused of belonging to a gang of whiskey runners*; V. *smuggler*)].

running¹ *a*: corriente; se aplica a *expenses, interest, etc.* [Exp: **running²** (organización, marcha; V. *gun running*), **running³** (consecutivo, seguido, acumulado; V. *for the second day running*), **running⁴** (móvil; V. *moving*), **running account** (cuenta corriente; V. *account current, open account*), **running account credit** (crédito en cuenta corriente), **running/ moving average** (media/promedio móvil), **running broker** (intermediario de efectos de descuento; V. *bill broker*), **running costs/expenses** (gastos de explotación o corrientes; mantenimiento; costes variables; V. *operating/working costs*), **running days** (días seguidos; en sentido comercial, en especial en derecho marítimo, equivale a «días naturales» incluidos sábados y domingos; V. *lay days, business days*), **running-down clause** (TRANS MAR cláusula de abordaje, también llamada *collision clause*), **running hours** (horas seguidas), **running interest** (interés corrido), **running inventory** (inventario permanente), **running-off** (cola/punta/ resto [de una cartera]), **running time** (tiempo de máquina), **running total** (total actualizado o hasta la fecha), **running/ current/earnings/flat yield** (FINAN rendimiento corriente o neto, rédito actual; V. *return; yield to maturity; earnings per share; price-earnings ratio*)].

runway *n*: TRANS pista de aterrizaje; V. *air strip, landing strip*.

rural *a*: rural; V. *agricultural*. [Exp: **rural planning** (ordenación rural), **rural property** (bienes rústicos; V. *real estate*), **rural sector** (sector agrario)].

rush *n/v*: prisa; apresurarse; enviar con carácter urgente; meter prisa. [Exp: **rush hour** (hora punta; hora de máxima actividad/afluencia; V. *peak hour*), **rush order** (pedido urgente)].

S

s *n*: V. *section; steamer, shilling.*

S&L *n*: V. *savings and loan association.*

S&P 500 *n*: V. *Standard and Poor's 500 Stock Index.*

sack, sk¹ *n/v*: saco, saca; envasar. [Un *sack* de harina pesa 280 libras o 127 kilos y un *sack* de lana pesa 364 libras o 165 kilos. Exp: **sack²** col (despedir, echar del trabajo; V. *dismiss, fire, get the sack, give sb the sack, send sb packing*), **sack³** (saquear, pillar; V. *loot*)].

sacrifice *n/v*: sacrificio; sacrificar. [Exp: **sacrifice, at a** (ECO con pérdidas; V. *sell sth at a sacrifice*), **sacrifice tax theory** (ECO teoría tributaria basada en el sacrificio)].

s.a.e. *fr*: V. *stamped addressed envelope.*

SAEF *n*: V. *SEAQ automated execution facility.*

safe¹ *a*: seguro, fuera de peligro, sin riesgo, salvo, a salvo, ileso; prudente; leal, digno de confianza ◊ *Safe investments.* [Exp: **safe²** (caja fuerte, caja de caudales; cámara acorazada; V. *safe deposit box; strong box*), **SAFE³** (V. *synthetic agreement for forward exchange*), **safe aground/berth** (TRANS MAR atraque seguro), **safe-cracker** (ladrón de cajas fuertes), **safe custody** (custodia bancaria de documentos, etc.), **safe custody of securities and valuables** (custodia de valores; V. *safekeeping; securities safekeeping account*), **safe-deposit** (BANCA depósito en caja fuerte; cámara de seguridad que contiene varias cajas fuertes; a ellas pueden acceder directamente los clientes en horas de oficina; V. *night safe*), **safe deposit box** (BANCA caja fuerte o de seguridad; caja de alquiler; V. *strong safe*), **safe deposit charge** (BANCA derechos de custodia), **safe/safety deposit box** (caja de seguridad de un banco; caja fuerte de alquiler), **safe-deposit company** (empresa o compañía de depósitos o de seguridad), **safe deposit vault** (BANCA cámara acorazada/blindada; V. *strong room*), **safe harbor** US (SOC puerto seguro; se trata de un «ahuyentatiburones o repelente contra tiburones» —*shark repelent*— destinado a evitar las OPAS no deseadas, consistente en la adquisición por la empresa objeto de la OPA —*target company*— de otra empresa sometida a una fuerte reglamentación federal, haciendo menos atractiva, de esta forma, la adquisición de la empresa principal; V. *fat man, asset restructuring*), **safe investment** (inversión segura o con garantía), **safe load** (TRANS carga límite o admisible, carga máxima permitida por razones de seguridad), **safeguard** (medida de control, protección, salvaguardia; garantía, resguardo; salvaguardar, proteger), **safeguard clause** (cláusula de salvaguardia), **safekeeping fee** (BANCA derechos de custodia), **safekeeping, in** (BANCA en custodia; V. *safe custody*), **safely** (sin peligro; con seguridad), **safety** (seguridad; V. *margin of safety*), **safety at work** (REL LAB seguridad en el trabajo; V. *Health and Safety at Work Act*), **safety deposit box** (V. *safe deposit box*), **safety factor** (FINAN factor de apalancamiento; es la relación entre el interés de una deuda consolidada y el beneficio neto tras el pago de intereses), **safety loading** (SEG recargo de seguridad), **safety margin** (BOLSA margen de seguridad; alude al respaldo real en activos fijos de un título bursátil; V. *margin of safety*), **safety measures** (medidas de seguridad), **safety net** (protección, red/medida de seguridad o de protección social ◊ *Keep some shares as a safety net*), **safety paper** (papel de seguridad), **safety standards** (REL LAB normas de seguridad), **safety statutes** (REL LAB legislación sobre seguridad laboral), **safety/fallback stock** (CONT existencias de seguridad; nivel mínimo de existencias; V. *buffer stock/inventory, strategic stock piles*)].

sag *n/v*: caída, baja; caer, bajar, disminuir, flaquear; aflojarse ◊ *The crisis is bound to deepen as consumption sags*; V. *decline, drop, fall, slump, slacken, weaken*. [Exp: **sagging market** (MERC FINAN/PROD/DINER mercado flojo)].

sail *n/v*: vela; navegar, hacerse a la mar. [Exp: **sailing boat** (embarcación de vela; V. *power-driven boat*), **sailing directions** (derroteros del Almirantazgo)].

SAL *n*: V. *Structural adjustement loan*.

salary *n*: sueldo; salario; V. *wages;*

earnings. [El término *salary* equivale a «sueldo», mientras que «salario» se traduce por *wage* o *wages*; en posición atributiva, *salary* equivale muchas veces a «retributivo». Exp: **salaried** (asalariado, retribuido), **salaried staff** (asalariados), **salaried partner** (socio con sueldo), **salaried post** (puesto retribuido), **salary advances** (anticipos de sueldo), **salary brackets/levels** (categorías/escalas salariales), **salary cut** (recorte salarial), **salary differential** (pago diferencial o de ajuste de sueldo), **salary levels** (niveles retributivos; V. *income bracket*), **salary scale/grade** (banda salarial; escala retributiva), **salary package** *US* (REL LAB acuerdo salarial; paquete de medidas salariales; V. *compensation package; pay package*), **salary plus profit share** (REL LAB sueldo más participación en beneficios), **salary structure** (estructura salarial)].

sale[1] *n*: venta, enajenación; V. *absolute sale, bill of sale, clearance sale, conditional sale, execution sale, short sale; come up for sale, go on sale*. [Exp: **sale**[2] (saldo; rebaja; se emplea principalmente en plural ◊ *The January sales*), **salability/saleability** (vendibilidad), **salable/saleable** (vendible; V. *marketable, merchantable; vendable/vendible*), **sale against the box** (BOLSA venta corta, al descubierto o a futuro —*short sale*— de valores por el tenedor efectivo que, por razones tácticas o fiscales, prefiere mantener oculta su titularidad de los mismos, confiándolos a la custodia de una institución financiera —*box*— mientras él aparece en el negocio como prestatario de los títulos que vende; gracias a esta artimaña, parece estar en posición corta cuando en realidad va largo; V. *short sale, long position*), **sale and lease-back** (venta con arrendamiento; venta de un bien —local, maquinaria, etc.— y arrendamiento posterior al vendedor del mismo bien de acuerdo con las condiciones estipuladas en la venta; V. *leaseback*), **sale as seen** (venta sin derecho a reclamación; venta tal cual el artículo se ve; venta en las condiciones que se aprecian a simple vista; V. *sale by description*), **sale at a loss** (venta con pérdida), **sale by auction** (remate, venta en pública subasta), **sale by description** (venta conforme a las descripción; V. *sale as seen*), **sale by instalments** (FINAN, COMER venta a plazos; el comprador accede a la propiedad del bien cuando firma el contrato de compraventa; V. *hire-purchase, instalment plan; cash sales, instalment purchase*), **sale by private contract** (venta por contrato privado), **sale by sample** (venta por muestrario o sobre muestras; V. *sale by description, sale as seen*), **sale charges/fees** (en el seguro marítimo se refiere a los gastos pagados para conseguir la venta de la mercancía que llegó con daños, pérdidas o desperfectos), **sale, for** (en venta; V. *on sale*), **sale for future delivery** (venta a entrega), **sale for the account** (venta a cuenta), **sale of services** (prestación de servicios), **sale of work** (rastrillo, venta benéfica; V. *bring-and-buy sale*), **sale, on** (en venta, de venta; V. *for sale; in the sale*), **sale on approval/trial** (venta a prueba, venta sujeta a aprobación; V. *sale or return*), **sale or return** (venta a prueba, en depósito o consignación; compra con derecho a devolución; contrato de retroventa; V. *sale on approval*), **sale room** (sala de subastas), **sale, up for** (en venta, que se subasta, con la etiqueta de «se vende» ◊ *The company is up for sale*), **sale value** (valor comercial o de mercado), **sale with repurchase option** (venta con pacto de recomprar o retroventa), **sale with right to repurchase** (venta

con derecho de retracto/retroventa), **saleable** (vendible, enajenable)].

sales *n*: ventas; cifra/volumen de negocios/ventas; V. *slaughter; sale²*. [Exp: **sales account** (cuenta de ventas; en esta cuenta, el agente comisionista detalla al principal las mercancías o servicios vendidos, los gastos, las comisiones de venta, los beneficios brutos y los líquidos; V. *commission agent, gross proceeds, net proceeds*), **sales allowance/bonus** (bonificación/rebaja sobre precio de factura), **sales analysis sheet by products** (hoja de análisis de ventas por productos), **sales assistant** (dependiente), **sales at break-even** (ventas realizadas al precio de coste o punto de equilibrio), **sales book** (libro de ventas, libro de salidas), **sales campaign** (PUBL campaña de ventas; campaña publicitaria de un producto; V. *advertising drive; advertising campaign, sales drive, campaign; launch*), **sales clerk** *US* (vendedor; dependiente; V. *salesman, saleswoman*), **sales conference** (sesión de trabajo para promover las ventas; V. *kerbside conference*), **sales contract** (contrato de venta o compraventa), **sales cost analyst** (especialista en costes de venta), **sales costing** (fijación del coste de venta), **sales discount** (descuento a clientes; descuento/bonificación por pronto pago), **sales drive** (COMER, PUBL promoción o campaña de ventas; V. *advertising drive, economy drive, sales campaign*), **sales expenses** (gastos de ventas), **sales force/staff** (red/personal de ventas; equipo de vendedores), **sales force allocation program** *US* (programa de asignación de personal de ventas), **sales forecast** (previsión de ventas), **sales gimmick** *col* (truco/recurso/invento/treta para vender ◊ *The so-called "free holidays" are just a sales gimmick*), **sales**

management (gestión de ventas), **sales manager** (GEST jefe/gerente de ventas; director comercial), **sales order** (pedido; orden de venta), **sales order clerk** (receptor de órdenes de venta), **sales performance** (rendimiento de ventas; cifras de ventas conseguidas ◊ *A poor sales performance for the year*), **sales pitch** (PUBL rollo publicitario), **sales proceeds** (productos o beneficios de las ventas), **sales promoter** (animador/ promotor de ventas), **sales promotion** (campaña de promoción de ventas; V. *sales drive/campaign*), **sales quota** (cupo de ventas), **sales ratio** (índice de ventas), **sales rebates and allowances** (descuentos y rebajas sobre ventas), **sales receipt** (comprobante de caja), **sales return** (CONT devolución de un artículo vendido), **sales revenues** (COMER, CONT cifra de negocios; facturación; ingresos por ventas; V. *turnover, total sales revenue*), **sales tax** (impuesto sobre el tráfico de empresas; impuesto sobre ventas; V. *turnover tax*), **sales to receivables ratio** (razón entre ventas y créditos al cobro), **sales team** (equipo de ventas; V. *sales force*), **sales terms** (condiciones de venta), **sales to working capital ratio** (razón del volumen de ventas al capital circulante), **sales volume** (volumen de ventas), **salesman** (vendedor, agente, dependiente; V. *travelling salesman; saleswoman; sales clerk*), **saleslady/saleswoman** (vendedora; V. *salesperson; salesman*), **salesmanship** (aptitud en ventas; maña o habilidad del vendedor; tácticas o técnicas del vendedor ◊ *Ignore all that: it's pure salemanship*; V. *high pressure salesmanship*), **salesperson** (vendedor; V. *saleswoman, salesman*)].

salvage[1] *n/v*: salvamento, servicio de salvamento, recuperación, restitución; salvar, recuperar, recobrar; V. *rocket*

signals. [Exp: **salvage**[2] (objetos salvados, también llamados *salvage items*), **salvage agreement/charges/reward, etc.** (contrato/derechos de salvamento; premio o indemnización por el servicio de salvamento), **salvage lien** (derecho de retención de lo salvado), **salvage money** (prima de salvamento), **salvage value** (valor de recuperación/rescate), **salvage vessel** (buque de salvamento), **salvaged goods** (géneros/objetos salvados de un siniestro), **salvor** (salvador; V. *contractor*)].

sample *n/v*: muestra, muestreo; probar; hacer un muestreo; V. *sale by sample*. [Exp: **sample a product** (probar un producto), **sample copy** (ejemplar de muestra), **sample line** (línea de muestreo), **sample number** (número de la muestra o muestral; V. *average sample number*), **sample only** (muestra gratuita), **sample point** (punto de muestreo), **sample size** (tamaño de la muestra), **sample survey** (encuesta por muestra o muestreo), **sample space** (espacio de muestreo), **sample statistics** (estadística de la muestra; V. *labour force sample survey*), **samples fair** (feria de muestras), **sampling** (muestreo; V. *acceptance sampling*), **sampling inspection** (inspección por muestreo), **sampling procedure** (técnica/procedimiento de muestreo), **sampling survey** (encuesta por muestreo), **sampling tolerance** (tolerancia del muestreo), **sampling variability** (variabilidad en el muestreo), **sampling variance** (variancia del muestreo), **sampling with replacement** (muestreo con reposición)].

sanction[1] *n/v*: sanción, aprobación, autorización, permiso, ratificación; aprobar, sancionar, ratificar, confirmar, validar, dar fuerza de ley, autorizar ◊ *Sanction a measure*. [Exp: **sanction**[2] (castigo, sanción, restricción; castigar; V.

economic sanctions; impose/lift sanctions)].

sandbag *n/v*: *col* farol/ardid con el que se intenta frenar una OPA; engañar al adversario en el juego dejándose ganar o fingiendo tener peor juego que el que se tiene en realidad; ganar tiempo ante la amenaza de una OPA mediante ardides o faroles ◊ *The raiders didn't realize they were being sandbagged*; V. *takeover, white knight, shark, raider, bluff, greenmail*.

sandwich *n*: bocadillo, sandwich. [Exp: **sandwich course** (REL LAB curso de formación profesional que combina la enseñanza en las aulas con la práctica en las empresas; V. *day release course*), **sandwich man** (PUBL hombre-anuncio)].

SAS *n*: V. *statement of auditing standards*.

satisfaction *n*: satisfacción, desagravio, pago, finiquito, liquidación, cumplimiento; V. *memorandum of satisfaction, compensation, accord and satisfaction*. [Exp: **satisfaction of mortgage** (levantamiento de hipoteca; carta de pago en la que se asegura por escrito del pago o exención de una deuda; finiquito, descargo de una deuda, recibo; V. *discharge, quittance; acquittance, termination statement*), **satisfaction piece** (escritura de cancelación, documento de satisfacción; V. *memorandum of satisfaction; termination statement*), **satisfactory/satisfying** (satisfactorio), **satisfied, be** (constar a alguien algo, estar convencido de algo), **satisfied lien** (gravamen cancelado o liquidado), **satisfied term** (plazo cumplido), **satisfy** (convencer, satisfacer, complacer; cumplir; pagar, liquidar, cancelar, finiquitar ◊ *Satisfy all the conditions*)].

saturate *v*: saturar. [Exp: **saturate the market** (abarrotar el mercado; V. *glut, flood the market*), **saturation** (saturación), **saturation campaign** (PUBL campaña de saturación), **saturation point** (punto de saturación)].

save[1] *v*: ahorrar, economizar; salvar, guardar, proteger; V. *economize; put by; put money aside; salvage*. [Exp: **save**[2] (salvo, excepto, a no ser que ◊ *All save four*), **save-as-you-earn scheme, SAYES** (plan de ahorro mediante descuentos en el sueldo), **saver** (ahorrador), **saving**[1] (ahorro, economía; ahorrativo; el adjetivo *saving* suele formar compuestos como *labour-saving device, time-saving, etc.*; en este caso, el antónimo de *saving* es *consuming*), **saving**[2] (salvo, excepto, exceptuando), **saving account in shares** (cuenta de ahorro en acciones), **saving capital/funds** (capital proveniente del ahorro, fondos de ahorro), **saving clause** (cláusula de excepción, salvedad o reserva; V. *escape clause*), **saving of goods** (salvamento de mercancías en un naufragio), **savings** (ahorro-s; economía; V. *economies; forced savings*), **savings account** (cuenta de ahorro; V. *special interest account, thrift account*), **savings and loan association, S&L** *US* (asociación/sociedad de ahorro y crédito inmobiliario; cooperativa de ahorro y crédito a la construcción, antes llamada *building and loan association*, llamada *building society* en el Reino Unido; V. *cooperative bank*), **savings and loan shares** *US* (BOLSA acciones de sociedades de ahorro y crédito inmobiliario), **savings bank** (caja de ahorros; V. *thrift*[2]), **savings bonds** *US* (bonos de ahorro; son bonos del Estado con interés variable, aunque con un mínimo asegurado, dependiendo del mercado; V. *EE bond, HH bond*), **savings book** (libreta o cartilla de ahorro; V. *passbook*), **savings certificate** (certificado de cuenta de ahorro a plazo fijo; certificado de ahorro; estos certificados no son negociables como los *negotiable certificates of deposit*; V. *time deposit; certificate account*), **savings deposit** (BANCA imposición), **savings plan** (plan de ahorro), **savings ratio** (índice/ratio de ahorro)].

SAYES *n*: V. *save-as-you-earn scheme*.

SBU *n*: V. *strategic business unit*.

scab *n*: REL LAB esquirol ◊ *Those who crossed the picket line were jeered at as scabs*; V. *blackleg, strike-breaker*.

scale *n*: baremo, escala, magnitud, proporción, envergadura; tarifa, arancel; V. *chart, table; sliding scale, fee scale; table; scales*. [Exp: **scale buying** (compra a precios escalonados), **scale down** (reducir/disminuir/recortar proporcionalmente ◊ *Scale down production*), **scale down/up buying/selling** (compras/ventas en escala descendente/ascendente**scale effect** (efecto de escala, economías de escala; V. *economies of scale*), **scale of charges** (lista/escala de precios), **scale/table of deductions** (TRIB tabla de retenciones; V. *allowance*[3]), **scale of discount** (tarifa o tabla de descuentos), **scale of fees/charges, etc.** (arancel/tarifa de honorarios, de derechos, comisiones, precios etc.), **scale of wages** (escala salarial), **scale order** (BOLSA orden escalonada; se trata de una orden de compra o de venta de títulos bursátiles indicando el número de acuerdo con la cotización), **scales** (balanza; V. *weighing machine*), **scaling** (ajuste, escalada)].

scalp *col US v*: revender; dedicarse a operaciones de poca monta en la Bolsa; jugar a la Bolsa en pequeña escala. [Exp: **scalper** (MERC FINAN/PROD/DINER, BOLSA posicionista de un solo día en un solo corro; operador de mercados en nombre propio o *local*, que se mueve, a diferencia del *day trader*, en un solo corro de mercados a corto plazo sobre fluctuaciones mínimas, obteniendo pequeños beneficios, o soportando pequeñas pérdidas, con el *spread*[3] o diferencial entre los precios de compra y venta de los valores; y como éste mantiene posiciones diarias, es decir, liquida las que ha tenido al final de la sesión ◊ *Scalpers generally do a lot of daylight trading*; V. *day trader, position trader, spreader; local; dabber*)].

scam *col n*: fraude, estafa, timo ◊ *Pull off a Stock Market scam*.

scarce *a*: escaso. [Exp: **scarce, be** (escasear ◊ *Funds are scarce at the moment*), **scarce resources/goods** (ECO recursos/bienes escasos), **scarceness/scarcity** (ECO escasez; carestía; V. *dearth; economy of scarcity*), **scarcity value** (valor en razón de la escasez)].

scare *n/v*: pánico, sobresalto; asustar, meter miedo. [Exp: **scare away/off** (asustar, espantar, ahuyentar ◊ *The news scared away potential buyers*), **scare on the stock exchange** (pánico en la Bolsa)].

scatter *v*: esparcir, dispersar, desperdigar. [Exp: **scatter chart/diagram, scattergram** (gráfica/diagrama de dispersión o de puntos diversos)].

scenario *n*: caso hipotético, panorama posible o hipotético, serie o secuencia futurible de acontecimientos, desarrollo previsible o hipotético de una situación, marco hipotético ◊ *Analyze the various possible scenarios*; V. *setting*.

schedule[1] *n/v*: programa, calendario, plan; lista, relación; horario; cédula; periodificación ◊ *Production schedule*; V. *on schedule; aging schedule, non-scheduled disability, Scott schedule, amortization schedule; balance sheet and schedules*. [Exp: **schedule**[2] (programar, proyectar, prever, catalogar, fijar ◊ *Production is scheduled to begin in the autumn*), **schedule**[3] (anexo de una ley o a cualquier convenio, documento, etc.; protocolo ◊ *The MP referred to Schedule*

3 of the 1991 Act; V. *annex*), **schedule⁴** (arancel, escala de tarifas ◊ *Schedule of brokers*), **schedule⁵** (TRIB apartado, tabla; cuadro; sección o epígrafe del impreso de declaración de la renta, como *schedule D* —apartado para las rentas profesionales—, *schedule E* —apartado para las rentas de trabajo—; V. *tax schedule*), **schedule⁶** (SEG plan; V. *accumulation schedule*), **schedular** (cedular), **schedular income tax** (impuesto sobre la renta con especificación de apartados o secciones; impuesto cedular), **Schedule 13 D** *US* (FINAN declaración jurada presentada obligatoriamente ante las autoridades de la Bolsa y ante la Comisión de Control de Bolsa y Valores —*Security and Exchange Commision*— al adquirir 51 % o más de las acciones de una empresa que cotiza en Bolsa; la información exigible incluye una declaración de intenciones respecto de la empresa afectada, como parte de los mecanismos habituales de vigilancia y en previsión de absorciones o adquisiciones irregulares, especulativas o potencialmente destructivas; V. *fan club, acting in concert; takeover, takeover bid, dawn raid, shark, greenmail, leveraged buyout, white knight, raider, corporate raider, unfriendly takeover, target company*), **schedule, behind** (atrasado, retrasado), **schedule of charges/duties** (arancel), **schedule contract** (DER contrato basado en una lista oficial de precios), **schedule of events** (programa de actividades), **schedule of par value** (lista de paridades, tabla de valores a la par), **schedule, on** (al día; de acuerdo con el calendario previsto ◊ *Production is right on schedule*; V. *ahead of schedule; fall behind schedule*), **schedule policy** (SEG póliza de seguros varios), **schedule taxes** (impuestos cedulares; V. *tax rate schedule*), **scheduled** (programado,

previsto, proyectado), **scheduled costs** (costes proyectados), **scheduled flight** (vuelo regular; V. *charter flight*), **scheduled charges** (tarifas/precios oficiales), **scheduled working hours** (REL LAB horas de trabajo regulares; V. *call-back pay*), **scheduled deliveries** (entregas programadas), **scheduling** (programación, calendario de programación)].

scheme¹ *n*: marco estatutario, régimen, idea, plan, esquema, proyecto, programa, sistema; V. *pension scheme; bonus scheme; composition; superannuation*. [Exp: **scheme²** (intriga, manipulación; intrigar, manipular; V. *manipulate, manoeuvre*), **scheme³** (barrio de casas modestas, también llamado *housing scheme*; V. *slum; estate, suburb*), **scheme of composition** (DER acuerdo preventivo, transacción previa a la quiebra), **schemer** (maniobrero; V. *wheeler-dealer*)].

science *n*: ciencia. [Exp: **science park** (parque tecnológico; V. *industrial/ trading estate; business park*)].

scoop¹ *v*: sacar, sacar con pala o cuchara, o a puñados, o a manos llenas ◊ *The firm scoops millions a year*; V. *earn, rake in*. [Exp: **scoop²** (PUBL exclusiva, primicia ◊ *Their piece on the new car was a real scoop*), **scoop up** (recoger, llevarse, coger a manos llenas, forrarse a base de ◊ *Fund managers scoop up bargains when prices start to tumble*), **scoop the pool** *col* (llevarse el primer premio/el bote; ganar un fortunón ◊ *She scooped the pool with those options she bought*)].

scope¹ *n*: alcance, envergadura; campo, ámbito, esfera; marco; campo/ámbito de aplicación, competencia; extensión, cobertura; amplitud; fin, objeto, propósito ◊ *Within the scope of the agreement*; V. *range*. [Exp: **scope²** (margen, posibilidad-es, libertad de movimiento; capacidad de movimiento, maniobra, flexibilidad; cancha ◊ *The conditions agreed give us plenty of scope for manoeuvre*), **scope for action** (margen de maniobra; V. *leeway*), **scope of a provision** (ámbito o alcance de aplicación de una disposición)].

scorched earth policy *n*: ECO política de tierra quemada; V. *shark repellent.*

score *n/v*: resultado; tanteo, marcador; ajuste de cuentas; marcar, apuntar, anotar; V. *settle a score*. [Exp: **score high/well/poorly** (obtener/sacar una buena puntuación ◊ *The company scored high in after-sales service*), **score over** (aventajar, superar ◊ *Point on which a firm scores over its competitors*), **scoreboard** (cuadro de mando integral; es un sistema de gestión que permite canalizar las energías, habilidades y conocimientos específicos de los colaboradores de una organización)].

scot-free *col a*: exento de responsabilidad; V. *exempt from liability/responsibility.*

Scott schedule *n*: CONT hoja de balance de formato preestablecido utilizado en el cálculo y presentación ante el tribunal de cuentas ajustadas, de acuerdo con el procedimiento *Official Referee's business.*

SCOUT *n*: V. *Shared Currency Option Under Tender.*

scrap[1] *n/v*: desperdicio, residuo; desguace; chatarra; desguazar; V. *junk yard*. [Exp: **scrap**[2] (dar de baja; abandonar/desechar/descartar un proyecto, etc.; suspender ◊ *Plans were scrapped over difficulties with financing*. [Exp: **scrap**[2] (sobras ◊ *They take all the good business and leave the scraps to the other firms in the sector*), **scrap dealer** (chatarrero), **scrap material** (material de desecho), **scrap sale** (venta de restos), **scrap value** (valor residual, como chatarra o de desecho; valor venal), **scrapyard** (desguace, lugar de desguace; V. *junkyard*)].

scrape *v*: rascar, rasgar. [Exp: **scrape the bottom of the barrel** col (tocar fondo, echar mano de cualquier recurso, agarrarse a cualquier solución por deseperación o impotencia ◊ *Our rivals are really scraping the bottom of the barrel if they have to use such tactics*; V. *have sb over a barrel*)].

scratch *v/n*: arañar, rayar, rasguñar, rascar, tachar, borrar; raya, línea de salida, posición del atleta que no recibe ventaja en la salida de una carrera, «hándicap», la nada, cero; V. *scrape*. [Exp: **scratch money together** (arañar dinero, reunirlo con dificultad), **scratch pad** (bloc de apuntes), **scratch, from** (de cero, de la nada ◊ *Build a company from scratch*), **scratchcard** (COMER «rasca premio», lotería instantánea; al cliente, con la compra de un producto, se le da una tarjeta que debe «rascar» para saber si tiene premio)].

screen *n/v*: pantalla; selección, criba; seleccionar, cribar, tamizar; ocultar, tapar; proteger; investigar, examinar, registrar ◊ *Screen products for hidden defects*. [Exp: **screen-based system** (BOLSA [sistema de] contratación por pantalla *SEAQ*; V. *routing*), **screen out** (eliminar por medio de la investigación ◊ *Screen out defects*), **screen trading** (BOLSA contratación bursátil por pantalla; V. *floor trading, computer-assisted trading system, CATS, computer trading*), **screening** (selección; depuración, examen/control previo), **screening committee/board** (comité de selección; V. *selection board*)].

scrip *n*: cédula, póliza, vale, certificado/título/resguardo provisional. [Exp: **scrip certificate** (resguardo provisional, certificado provisional de título; certificado de dividendo diferido; V. *interim certificate*), **scrip dividend** (dividendo abonado con pagaré), **scrip**

issue (SOC emisión liberada; emisión/ entrega de acciones gratuitas a los accionistas; también se le llama *capitalization issue* y *bonus issue*, y en los Estados Unidos, *stock dividend* y *stock split*; V. *rights issue; share splitting; share premium account*)].

scupper *v*: sabotear, hundir; dar al traste con, echar por tierra, torpedear ◊ *Scupper a project, plan, etc.*; V. *scuttle*.

scuttle *v*: sabotear; dar al traste con, echar por tierra, torpedear, hundir; V. *scupper*. [Exp: **scuttle a project/proposal** (sabotear o torpedear un proyecto/propuesta ◊ *The local authorities have scuttled our plans for building here*), **scuttle a ship** (TRANS MAR barrenar un buque, provocar intencionadamente el hundimiento de un buque abriendo vías de agua), **scuttling** (hundimiento provocado)].

S.D. *n*: V. *short delivery*.

SDR, V.D.R. *n*: V. *special drawing rights*.

sea *n*: mar. [Como adjetivo se emplea en el sentido de «marítimo», «marino» o «relacionado con el mundo del mar». [Exp: **sea and air transport** (transporte marítimo y aéreo), **sea, at** (confundido, perdido, mareado, desnortado ◊ *The findings of the report left us feeling all at sea*), **sea carrier** (empresa de transporte marítimo), **sea customs** (costumbres marítimas), **sea damage** (avería marítima; V. *average*), **sea freight** (TRANS flete marítimo; V. *freight rate, air freight*), **sea insurance** (seguro marítimo; V. *marine insurance*), **sea perils** (riesgos, peligros de la navegación), **sea risks** (riesgos del mar), **sea trade** (comercio marítimo), **seawater and freshwater damage** (SEG daños causados por agua de mar y agua dulce), **seaworthiness** (navegabilidad; aptitud para navegar; V. *airworthiness*), **seaworthy** (apto para navegar, a son de mar, en condiciones de hacerse a la mar, en estado de navegar; V. *ready for sea*)].

SEA *n*: V. *Single European Act*.

SEAEF *n*: *Stock Exchange Automatic Exchange Facility*.

seal *n/v*: sello, precinto, sello de papel timbrado; sellar, lacrar, cerrar, precintar; V. *customs seal, under my hand and seal, obligation under seal*. [Exp: **seal with wax** (lacrar), **sealed** (lacrado; precintado, en sobre lacrado), **sealed and stamped** (sellado y timbrado), **sealed bids** (ofertas de compra, propuestas selladas/lacradas; OPAS presentadas en pliegos cerrados), **sealed document** (documento sellado o solemne; V. *covenant*), **sealed instrument** (escritura sellada), **sealed safekeeping account** (BANCA depósito cerrado), **seal, under** (escriturado, protocolizado; V. *signed, sealed and delivered*)].

SEAQ *n*: V. *Stock Exchange Automated Quotations System*. [Exp: **SEAQ automated execution facility** (BOLSA servicio de liquidación automática de la contratación bursátil efectuada por el sistema *SEAQ*)].

search *n/v*: registro, busca, inspección, investigación; registrar, buscar, investigar, cachear. [Exp: **search²** (comprobación/inspección en el registro de la propiedad)].

season *n/v*: estación, temporada, campaña; madurar; aclimatar, estabilizar, moderar. [Exp: **season ticket** ([billete de] abono), **season-ticket holder** (abonado, socio), **seasonable** (conveniente, oportuno; de estación o de temporada), **seasonableness** (oportunidad), **seasonal** (estacional, de temporada, de campaña), **seasonal adjustment** (ajuste estacional), **seasonal business** (negocio de campaña), **seasonal cap** (FINAN contrato estacional con tope máximo del tipo de interés; «cap» o tope máximo estacional; V. *amortizing/deferred/naked cap*), **seasonal credit** *US* (crédito estacional;

crédito de 90 días concedido por un banco de la Reserva Federal en la ventanilla de descuento —*discount window*— a bancos pequeños que tengan activos de interés fijo invertidos a largo plazo; V. *extended credit, discount window*), **seasonal employment** (REL LAB empleo estacional), **seasonal fluctuation** (fluctuación estacional), **seasonal goods** (productos de temporada) **seasonal movements** (vacilaciones/oscilaciones estacionales), **seasonal peak** (máxima estacional, punto máximo estacional), **seasonal rate** (precio/tarifa de temporada), **seasonal sale** (venta por fin de temporada), **seasonal swap** (permuta financiera o «swap» de tipo de interés estacional), **seasonal unemployment** (REL LAB desempleo/paro estacional; V. *disguised unemployment*), **seasonally** (estacionalmente), **seasonally adjusted** (ajustado según temporada), **seasoned** (avezado, maduro; consolidado), **seasoned security** (títulos/valores consolidados/cotizados/acreditados), **seasoning** (aclimatación, estabilización; moderación)].

SEATS *n*: V. *Stock Exchange Alternative Trading System*.

SEC *n*: V. *Stock Exchange Commission*.

second[1] *a*: segundo; V. *seconds*. [Exp: **second**[2] (apoyar, secundar, respaldar una moción, etc.; V. *back, support*), **second**[3] (trasladar, enviar en comisión de servicios; en este caso, el verbo *second* se pronuncia con acento en la segunda sílaba ◊ *Second sb to another division*; V. *secondment*), **second ballot** (votación en segunda vuelta; V. *single ballot*), **second best** (segundo; óptimo secundario; inferior; segundón perdedor, de segundo orden ◊ *We don't want the second-best label for our products*; V. *theory of second best; come off second-best*), **second best theory** (teoría del sub-

óptimo), **second-class mail** (correo de segunda clase o no prioritario, propio de impresos, publicidad, etc.; V. *first-class mail*), **second-class papers** (valores de segunda clase), **second-class ticket** (billete de segunda clase), **second distress** (embargo suplementario), **second half** (segundo semestre; V. *quarter*), **second-hand** (de segunda mano; V. *used; thrift shop*), **second hand of reserves** (REL LAB segunda línea de piquete de apoyo), **second market** (BOLSA, FINAN segundo mercado; V. *over the counter market, OTC*), **second mortgage** (segunda hipoteca, hipoteca de segundo grado), **second of exchange** (segunda de cambio), **second-rate** (de calidad inferior; V. *seconds*), **second tier** (de nivel intermedio; de importancia secundaria), **second to none, be** (PUBL ser el mejor, el número uno, insuperable; no haber producto que le iguale ◊ *This firm is second to none*), **second trial balance** (CONT balance de inventario), **second window** (BANCA segunda ventanilla, también llamada *last resort lender*), **secondary** (derivado, secundario, subordinado, accesorio), **secondary bank** (banco secundario; reciben este nombre las financieras o *finance houses*), **secondary liquidity** (liquideces secundarias; V. *money equivalents*), **secondary market** (FINAN mercado secundario; mercado de valores ya emitidos; contratación de valores entre inversores; en estos mercados se comercializan activos financieros ya existentes; los beneficios de estas operaciones revierten a los inversores y no a las empresas; V. *primary market; premium*[2]), **second offering** (venta en lotes de acciones adquiridas en bloques), **secondary picketing** (REL LAB formación o uso de piquetes secundarios; alude a la práctica, prohibida por la legislación laboral vigente, de formar piquetes con huelguistas ajenos al establecimiento, fábrica o sector objeto de la movilización de que se trate; V. *flying pickets*), **secondary reserves** (segunda línea de reservas), **secondary rights** (derechos secundarios), **secondary securities** (valores de segundo orden), **secondhand** (de segunda mano), **secondment** (adscripción; envío en comisión de servicios; V. *second*[3]), **seconds** (artículos defectuosos o de calidad inferior)].

secret *a/n*: secreto, confidencial; secreto. [Exp: **secret ballot** (voto secreto; V. *show of hands*), **secret partner** (socio secreto; V. *sleeping partner; active partner*), **secret trust** (fideicomiso secreto), **secrecy** (secreto, reserva)].

secretary *n*: secretario. [Exp: **secretary-general** (secretario general), **Secretary of State** (título de algunos ministros en los países de habla inglesa), **Secretary of State for the Foreign Office** (Ministro de Asuntos o de Relaciones Exteriores), **secretary's office** (secretaría)].

section[1] *n/v*: sección; departamento, división; parte, sector; región, ramal, tramo; seccionar, cortar, dividir, partir. [Exp: **section**[2] (DER artículo), **sectional** (seccional, en corte por secciones, regional, formado por compartimentos o secciones), **sectional tariff** (TRIB tarifa por secciones)].

sector *n*: sector, zona; V. *branch, sphere*. [Exp: **sector study** (estudio sectorial)].

secular *a*: secular, a muy largo plazo. [Exp: **secular fluctuations** (variaciones a largo plazo; V. *long-term fluctuations*), **secular stagnation theory** (ECO teoría del estancamiento secular o de madurez de la economía), **secular trend** (tendencia secular o a largo plazo; esta tendencia no está influida por factores cíclicos o estacionales)].

secure *a/v*: seguro, firme, tranquilo, confiado; asegurar, garantizar, obtener, conseguir, adquirir, lograr, procurarse; afirmar, reafirmar; afianzar, garantizar; V. *seek*. [Exp: **secure a credit/loan** (obtener/garantizar un crédito/préstamo), **secure oneself** (FINAN cubrirse o asegurarse con una garantía o prenda), **secured** (asegurado, garantizado, cubierto, con garantía/caución), **secured accounts** (cuentas garantizadas), **secured bond** (bono hipotecario o con caución/garantía; bono colateral; V. *collateral bond*), **secured business loan** (BANCA préstamo comercial garantizado o con caución; V. *unsecured loan; belt and supenders*), **secured by a personal guaranty** (con fianza; V. *personal guaranty*), **secured credit** (crédito con caución; crédito pignoraticio), **secured creditor** (acreedor asegurado, pignoraticio o con garantía; V. *pawnee, pledgee, general creditor*), **secured debenture** (FINAN cédula hipotecaria, obligación o bono con garantía de activos, también llamado *debenture bond* en el Reino Unido; V. *mortgaged debenture; unsecured/simple debenture*), **secured debt** (deuda garantizada; V. *unsecured debt*), **secured lending** (FINAN préstamos con caución ◊ *The four types of collateral used in secured lending are trade goods, paper, intangibles and business proceeds*), **secured liabilities** (pasivos garantizados; deuda garantizada), **secured loan** (BKG préstamo prendario, garantizado o con aval; V. *unsecured loan; belt and suspenders*), **secured promisory notes** (pagarés garantizados), **secured value** (valor en prenda o garantía)].

securities *n*: BOLSA valores, títulos, activos financieros, acciones y bonos; V. *security*[2]; *asset-backed securities, bonds, debentures, dated securities, discount securities, listed securities, shares,* *treasury securities.* [Exp: **Securities and Exchange Commission, SEC** *US* (comisión de vigilancia y control del mercado de calores, organismo equivalente a la Comisión Nacional del Mercado de Valores; la institución más aproximada del Reino Unido se llama *Securities and Investments Board, SIB*; V. *Commodity Exchange Authority, CEA, Schedule 13 D*), **Securities and Investments Board, SIB** (V. *Securities and Exchange Commission*), **Securities and Futures Authority Ltd** (MERC FINAN/PROD/DINER organismo regulador de la prácticas profesionales y deontológicas de corredores y agentes de los mercados de futuros, opciones, etc.), **securities account** (MERC FINAN/PROD/DINER cuenta de valores; V. *margin*), **securities broker** *US* (agente/corredor de cambio; corredor/agente de Bolsa; V. *stockbroker*), **securities business** (operaciones con valores), **securities clearing** (compensación de títulos/valores), **securities department** (departamento de valores), **securities held in pawn/pledge** (valores/efectos pignorados/empeñados o dados en prenda/garantía; V. *pledged/pawned securities; against pledged securities; debt collection for realisation of pledged property*), **securities dealer/firm/house** (corredor/sociedad/casa de bolsa/valores), **securities in hand** (efectos en cartera), **securities investment trust** (fondo de títulos/valores; fondo de inversión cuyo patrimonio se invierte en acciones, obligaciones y otros valores), **securities lending** (préstamo de títulos/valores por un período de tiempo), **securities market** (mercado de valores, plaza bursátil), **securities market line, SML** (BOLSA línea del mercado de títulos; esta línea marca la relación entre la rentabilidad esperada y su riesgo sistemático), **securities safe-**keeping account (cuenta de custodia de valores; V. *custodianship account*), **securities trading department** (sección de valores, negociado de títulos), **securities underwriting and distribution** (aseguramiento y colocación de emisiones de valores), **securities with a fixed interest/income** (valores de renta fija)].

securitization *n*: FINAN titulización, «securitización»; V. *originator*. [Exp: **securitize** (FINAN titulizar; «securitizar»; convertir activos bancarios, hipotecas, etc. en títulos negociables —*marketable securities*— en el mercado secundario; vender bonos y obligaciones respaldados con hipotecas, etc.; V. *marketable securities, secondary market; mortgage-backed securities, MBS; asset-backed securities, ABS; cash flow yield; pass-through, pay-though*), **securitized mortgage** (hipoteca titulizada), **securitized paper** (FINAN efectos titulizados)].

security[1] *n*: BANCA, FINAN seguridad, garantía, caución, prenda ◊ *Put up one's house as security on a loan*; V. *collateral; charge,*[4] *against the security of, dead security.* [Exp: **security**[2] (BOLSA valor, título, activo financiero; V. *securities*), **security agreement** (acuerdo de garantía), **security analist** (BOLSA analista de valores; V. *chartist; equity strategist*), **security deposit** *US* (MERC FINAN/PROD/DINER depósito de garantía en las ventas a plazo, también llamado *forward margin*; V. *margin*), **security/stock holding** (cartera de acciones/títulos; paquete accionarial; V. *block/parcel of shares, batch of shares; investment portfolio*), **security investment company** (sociedad de inversión mobiliaria), **security issuance** (BOLSA emisión de valores), **security loans** (préstamos sobre/contra valores), **security of tenure** (inamovilidad/seguridad en el puesto de trabajo; seguridad de tenencia de la vivienda alquilada; V. *statutory tenancy; sitting tenant*), **security, on** (con garantía; V. *collateral*), **security on mortgage** (garantía hipotecaria/real, prenda hipotecaria), **security price fluctuation allowance** (fondo de fluctuación de valores), **security stock deals/transactions** (contrataciones/operaciones bursátiles, negociaciones de títulos; V. *exchange business; stock exchange operations/transactions*), **security sharing agreement** (convenio de participación en las garantías)].

seed *n/a*: semilla, siembra; inicial. [Exp: **seed financing** (FINAN inversión siembra; es una variante del *venture capital*), **seed capital/money** *US* (FINAN capital simiente; capital inicial para la puesta en marcha de un proyecto empresarial; V. *front money; mezzanine financing; start-up costs*)].

seek *v*: solicitar, pedir, exigir, proponer, instar, recabar ◊ *They sought to have the contract honoured*; V. *urge, obtain.* [Exp: **seek employment** (buscar o solicitar empleo), **seek damages** (reclamar daños y perjuicios)].

segment *n*: segmento. [Exp: **segmentation** (segmentación), **segmentation theory** (FINAN teoría de la segmentación), **segmented markets theory** (teoría de los mercados segmentados de tipos a largo y a corto plazo; V. *market segmentation theory*)].

segregate *v*: segregar, separar. [Exp: **segregated account** *US* (cuenta separada, destinada al pago de letras, cheques, etc.) **segregation** (segregación)].

seize *v*: secuestrar, incautar, embargar, decomisar, confiscar, aprehender ◊ *Seize the assets of a debtor.* [Exp: **seizure** (embargo; retención; secuestro; confiscación; decomiso, comiso; captura, aprehensión, incautación; la confiscación se aplica como pena por comerciar con artículos prohibidos o de contrabando; V. *attachment*), **seizure of collateral** (decomiso de los bienes en garantía; V. *debt rescheduling*), **seizure of goods** (embargo de bienes)].

select *a/v*: selecto, escogido, de primera clase; seleccionar, escoger, elegir. [Exp: **selection** (selección; V. *staff selection and training*), **selection board/committee** (comité de selección; V. *screening board*) **selection effect** (FINAN efecto selección), **selective** (selectivo, seleccionado), **selective advertising** (publicidad selectiva), **selective distribution approach** (ECO técnica/enfoque de la distribución selectiva), **selective employment tax** (TRIB impuesto selectivo según empleo; impuesto con desgravación diferencial según sector), **selective strike** (REL LAB huelga estratégica o selectiva; huelga que afecta a sectores y a puntos geográficos seleccionados)].

self *a/prefijo*: propio; auto-, por sí mismo. [Es incalculable el número de unidades léxicas que se pueden formar con este prefijo. Exp: **self-adjusting** (autoajustable; con ajuste automático), **self-adjustment** (autocorrección; autorregulación), **self-assembly** (automontaje de muebles comprados por pares), **self-assessment** (TRIB autoliquidación tributaria; declaración de la renta), **self-balancing accounting** (contabilidad autónoma), **self-consumption** (autoconsumo), **self-employed person** (trabajador autónomo o por cuenta propia; V. *cottage industry, free-lance*), **self-employed, be** (trabajar por cuenta propia), **self-employment** (trabajo por cuenta propia o autónomo), **self-employment retirement** (plan de jubilación para trabajadores autónomos, también llamado *Keogh plan*), **self-enforcing** (de aplicación/ejecución automática), **self-enhancement** (FINAN reforzamiento automático del crédito; V. *credit enhancement, third-party enhancement*), **self-executing** (efectivo automáticamente o de forma inmediata), **self-financing** (autofinanciación; financiación interna; V. *internal financing*), **self-financing ratio** (porcentaje de autofinanciación), **self-generating business cycle/trend theory** (teoría endógena del ciclo económico; V. *endogenous business-cycle theory, endogenous theory of business cycle*), **self-help principle** (principio de autosuficiencia o de independencia económica), **self-imposed export quotas** (COMER limitación voluntaria de exportaciones), **self-incrimination** (autoincriminación; V. *caution, Miranda warning/Rule, privilege against self-incrimination*), **self-inflicted injury** (autolesión), **self-insurance** (SEG autoseguro; fondo de la empresa para hacer frente a riesgos difícilmente asegurables; V. *Directors and Officers Insurance*), **self-insurance fund** (fondo de autoseguro), **self-interest** (egoísmo), **self-liquidating** (autoliquidable, de liquidación automática), **self-liquidating asset purchase** (compra de activos autoliquidables), **self-liquidating loan** (crédito autoamortizable o de liquidación automática), **self-liquidating premium** (COMER prima autoliquidable; premio por compra en gran volumen), **self-management** (autogestión), **self-regulating** (autorregulado; responsable de su propia regulación; V. *FIMBRA*), **self-seeking** (egoísmo, cultura del pelotazo; V. *easy money syndrome; fast buck syndrome, yuppy style of business, get-rich-quick attitude; greed culture, loadsamoney approach, sleaze*), **self-service store** (autoservicio), **self-sticking** (autoadhesivo), **self-sufficiency** (autarquía,

autosuficiencia, independencia económica), **self-sufficient** (autosuficiente), **self-sufficient economy** (economía cerrada o sin contactos con el exterior), **self-supply** (autoaprovisionamiento), **self-sustaining growth** (crecimiento autosostenido o mantenido por su propio peso o impulso), **self-targeting commodity** (producto destinado por su propia naturaleza a determinados grupos de la población; producto o artículo que por su prestigio o precio va dirigido automáticamente a un público de un perfil determinado, producto que se vende a sí mismo), **self-tender** (auto-OPA, autolicitación, concurso interno)].

sell *v/col n*: vender; venderse, tener demanda; ser o resultar aceptable; estafa, engaño. [Exp: **sell and lease-back agreement** (contrato de venta y rearrendamiento al vendedor con opción de compra), **sell at a sacrifice** (vender con pérdida), **sell at a deep discount** (vender con gran descuento, muy por debajo del valor nominal o a precio de saldo), **sell at a loss** (vender con pérdidas), **sell at the closing/opening market** (BOLSA vender a precio de cierre/apertura del mercado), **sell at auction** (rematar, vender en subasta), **sell-by date** (fecha de caducidad; V. *best before, use-by date*), **sell down** *US* (vender un crédito fuera del consorcio; V. *selldown of loans*), **sell for a fall** (BOLSA especular/vender a la baja; V. *go a bear, sell short*), **sell for cash** (vender al contado), **sell for future delivery** (vender a plazo o a término), **sell forward** (vender con entrega aplazada), **sell off** (liquidar, saldar, realizar; vender las existencias viejas o los restos de una empresa estatal en proceso de privatización; venta parcial; V. *break up, hive off*), **sell on trust** (vender al fiado), **sell oneself** (saber venderse, tener don de gentes o carisma, comunicar bien, ser buen comunicador), **sell out**[1] (liquidar, agotar las existencias de un producto, no quedarle a uno existencias ◊ *We're completely sold out of that product at the moment*; V. *sellout*), **sell out**[2] (vender un negocio ◊ *The firm's founder sold out to a consortium*), **sell out**[3] (MERC FINAN/ PROD/DINER vender títulos al mejor precio el intermediario que los compró, cuando el cliente no puede hacer frente al pago de los mismos; el cliente no obstante debe abonar la diferencia de precios; V. *buying in; close out*), **sell out**[4] (venderse, traicionar la causa, etc. ◊ *Union representatives accused the government of selling out to the bosses*), **sell rate** (cambio vendedor; V. *buy rate; offer rate*), **sell short**[1] (BOLSA vender/ir corto; especular a la baja; vender/operar en descubierto; V. *go a bear, sell for a fall; short*[2]), **sell short**[2] (engañar; infravalorar, despreciar ◊ *Union leaders accused of selling the workers short; sell an employee short in a character reference*), **sell short against the box** (V. *sale against the box*), **sell sb a pup** *col* (darle gato por liebre a alguien ◊ *Shortly after signing the contract they realized they'd been sold a pup*), **sell sth at a sacrifice** (vender algo a precio de saldo, malvender; V. *at a sacrifice*), **sell the spread** (MERC FINAN/PROD/DINER vender un *spread* o diferencial; consiste en vender el contrato más cercano y comprar el más alejado; V. *buy the spread*), **selldown of loans** (cesión de créditos), **seller** (vendedor, comerciante), **seller's market** (MERC FINAN/PROD/DINER mercado favorable al vendedor, mercado de vendedores; mercado en el que hay escasez de oferta de productos; V. *buyer's market*), **seller's/selling option** (COMER, BOLSA, FINAN opción de venta; V. *put option, option to sell; call-and-put*

option), **seller's risk, at** (por cuenta y riesgo del comprador; V. *buyer's risk; at owner's risk*), **seller's option to double** (BOLSA operación facultativa a opción del vendedor de vender el doble de acciones estipuladas si lo desea; V. *repeat option, put-of-more option; call-of-more option, buyer's option to double*), **sellers over** (BOLSA mercado débil; finalización de la sesión de la bolsa con posición de papel; exceso de vendedores y falta de compradores), **selling agent** (agente de ventas), **selling consortium/group/ syndicate** (consorcio bancario; grupo de colocación o vendedor), **selling floor** (punto, sección o lugar de venta), **selling group** (grupo de colocadores), **selling inventory** (inventario de cesión), **selling option** (V. *seller's option*), **selling order** (orden de venta), **selling period** (período de ventas), **selling points** («gancho» de un producto; atractivo o puntos positivos de un artículo; cualidades que hacen atractivo un producto, *approx* prontuario del vendedor), **selling pressure** (presión del papel), **selling price** (precio/cambio de venta; V. *asked price, offering price*), **selling rate** (cambio vendedor; V. *offer rate; buying rate*), **selling rate of exchange** (tipo de cambio vendedor; V. *rate of exchange, buying rate of exchange*), **selling short** (BOLSA, COMER venta en corto o en descubierto; venta de valores, divisas, productos o contratos de futuros por quien no los posee aunque espera obtenerlos a un precio más bajo, en un mercado bajista —*bear market*— antes del día pactado para la entrega; esta práctica la suelen seguir los especuladores cuando el mercado es bajista; V. *sale against the box; bear spread, bear squeeze, bear clique*), **selling the spread** (MERC FINAN/PROD/DINER venta de un *spread* o diferencial; consiste en vender el contrato más cercano y comprar el más alejado; V. *bear spread*), **selling value** (valor/precio de liquidación/realización), **sellout[1]** (COMER producto que se vende rápidamente; agotamiento de las existencias; V. *exhaustion of stocks, sell out*), **sellout[2]** (éxito de taquilla; lleno ◊ *The event is a complete sellout*) **sold, be** (ser estafado, recibir gato por liebre ◊ *you've been sold*)].

semi *pref*: semi; V. *half*. [Exp: **semi-annual** (semestral), **semifinished** (semiacabado, semielaborado), **semiknocked down, SKD** (semimontado), **semimanufactured products** (productos semiacabados)].

send *v*: enviar; V. *dispatch, forward*. [Exp: **send in/tender one's resignation** (presentar la dimisión), **send for collection** (pasar al cobro), **send off for** (pedir por correo, solicitar mediante carta el envío de ◊ *Send off for goods from a catalogue*), **send sb packing** *col* (enviar a uno a hacer gárgaras; dejar a uno de patitas en la calle; V. *sack*), **sender** (remitente, transmitente)].

senior *a*: mayor; de mayor antigüedad; principal; prioritario; V. *junior*. [Exp: **senior bond** (FINAN obligación prioritaria; V. *junior/subordinated bond*), **senior citizens** (los jubilados, las personas mayores; V. *the elderly*), **senior debt** (deuda principal/prioritaria/preferencial o «senior»; V. *subordinated debt*), **senior issue** (emisión prioritaria; V. *subordinated issue, debenture[2]*), **senior level staff** (altos ejecutivos, personal con cargos de responsabilidad, funcionarios superiores), **senior management** (administración superior), **senior mortgage** (hipoteca prioritaria), **senior partner** (socio principal; V. *junior/sleeping partner*), **senior officer** (alto cargo, cargo directivo), **senior post** (cargo directivo o de responsabilidad), **senior-ranking** (de alta categoría; V.

high/top ranking), **senior share** (BOLSA acción con derecho de prioridad), **senior vice-president** (vicepresidente primero), **seniority** (REL LAB antigüedad; mayor rango en la jerarquía; V. *length of service, backtracking; fringe benefits*), **seniority basis, on a** (por orden de antigüedad)].

sensitive *a*: sensible, confidencial; volátil; este término se combina a veces con un sustantivo, expresando así la idea de «sensibilidad en relación con» la cosa mencionada, por ej. *price-sensitive* —afectado por/susceptible a los [cambios en los] precios o que varía en función de los precios—. [Exp: **sensitive information** (información delicada, susceptible o confidencial), **sensitivity analysis** (ECO análisis de sensibilidad)].

separate *a/v*: separado; independiente; separar-se. [Exp: **separate assessment/ filing/return/taxation** (TRIB declaración de la renta por separado; V. *joint return, file separately*), **separate cover, under** (por correo aparte), **Separate Trading of Registered Interest and Principal Securities, STRIPS** (segregación de cada uno de los flujos que un bono genera a lo largo de su vida)].

sequence *n*: secuencia. [Exp: **sequence analysis** (ECO análisis secuencial), **sequence, in** (por orden, según la secuencia o el orden lógico), **sequential** (ordenado, secuencial, consecutivo)].

sequester *v*: embargar, secuestrar, confiscar. [Exp: **sequestration** (confiscación, embargo)].

series *n*: serie. [Exp: **series filtering** (filtrado de series), **serial** (seriado, en serie), **serial bond** (bono/obligación de vencimiento escalonado; bono con vencimiento elegido a la suerte; bono con amortización parcial), **serial commercial paper** (pagaré en serie), **serial number** (número de serie), **serial correlation** (correlación en serie o serial)].

serious *a*: serio; grave, importante. [Exp: **serious fraud** (fraude o desfalco importante/grave), **Serious Fraud Office** (Fiscalía especial de delitos monetarios, brigada anti-fraude), **seriously** (en serio ◊ *We are taking the proposal seriously*)].

servant *n*: empleado; criado; V. *civil servant*.

serve[1] *v*: servir, abastecer, proveer; V. *supply*. [Exp: **serve**[2] (servir, ser miembro, prestar servicio, desempeñar un cargo ◊ *Serve a useful purpose*; V. *serve an office, serve articles*), **serve**[3] (dar traslado a, notificar un comunicado oficial ◊ *Notice is hereby served that ..*), **serve**[4] (COMER atender, despachar a un cliente ◊ *Are you being served?*), **serve**[5] (TRANS cubrir/ofrecer un servicio ◊ *Alicante is served by El Altet Airport*), **serve/service a debt/loan** (FINAN pagar los intereses de un empréstito; hacer el servicio de un empréstito), **serve an office** (desempeñar un cargo), **serve articles** (trabajar de pasante; V. *articles, articled clerk*), **serving** (en funciones)].

service[1] *n/v*: servicio, administración; revisar; V. *employment service; length of service*. [Exp: **service**[2] (notificación, servicio; entrega; V. *accessory service*), **service**[3] (servicio, amortización, pago; V. *debt-service; ability to service*), **service/serve a debt/loan** (pagar/hacer frente a [los intereses de] la deuda; V. *debt-service*), **service agreement/contract** (acuerdo/contrato de servicios), **service bureau** (empresa de servicios), **service charge**[1] (suplemento por el servicio; se utiliza en facturas de restaurantes, etc.; V. *fee*), **service charge**[2] (BANCA comisión/cuota de entrada o de salida en un fondo de inversión; V. *front loading; manager's service charge*), **service life** (duración de la prestación de un servicio), **service of a loan** (servicio de un empréstito; V. *service/serve a debt/ loan*), **service/servicing/tertiary industry** (empresa/industria de servicios), **service record** (historial, profesional, hoja de servicios), **serviceable** (útil, utilizable), **services rendered, for** (por servicios prestados)].

set[1] *n/v*: conjunto; juego; expediente formado por el original y las copias; fijar, señalar; premeditar. [Exp: **set**[2] (fijado/ preparado de antemano; listo; decidido, resuelto, dispuesto; empeñado, inflexible ◊ *Prices are set to rise*), **set a target** (marcarse una meta), **set against** (compensar, deducir ◊ *Set the advantages against the disadvantages*), **set aside**[1] (DER dejar sin efecto, anular, desestimar, rechazar, cancelar, resolver, abrogar; V. *reverse, vacate, cancel, annul, invalidate, repeal, revoke, quash, abate*), **set aside**[2] (reservar, apartar ◊ *Set the best articles aside for loyal customers*), **set-aside system** (ECO banco de tierras; abandono de tierras; sistema estatal que financia la transformación de la superficie cultivada en zona de forestación, a fin de aliviar el exceso de producción agropecuaria; reconversión de las explotaciones agrícolas, en la política de la Unión Europea), **setback/set back** (revés, escollo, dificultad, retroceso, problema, contratiempo; retrasar, obstaculizar, trabar, causar o suponer un revés), **set down** (hacer constar, poner por escrito, apuntar, registrar), **set in effect** (poner en vía de ejecución; V. *put in place*), **set off** (compensar; V. *run to settlement*), **set-off** (compensación de deudas/pérdidas entre empresas), **set-off clause** (cláusula de compensación de deudas), **set out** (alegar, afirmar; exponer, expresar ordenadamente), **set over** (traspasar, transferir), **set/start the ball rolling** *col* (poner las cosas en marcha/movimiento; V. *keep the ball rolling*), **set the pattern**

(establecer las pautas a seguir, fijar las normas o el modelo), **set up** (crear, establecer, montar, constituir, fijar, marcar), **set-up, setup**[1] (SOC organización; preparación; sistema organizativo de una empresa u oficina; estructuración, estructura financiera ◊ *New staff find it hard to understand the set-up*), **set-up, setup**[2] *col* (arreglo, apaño, tinglado; el sustantivo *set-up*, en ocasiones, puede tener cierto tono coloquial o incluso despectivo, a diferencia del verbo *set up,* que no lo suele tener; V. *I'm dubious about that firm: they're an odd setup*), **set up a business** (abrir un negocio), **set up a company** (crear/fundar una empresa o sociedad mercantil), **set up in business** (establecerse), **set up shop** *col* (abrir un negocio ◊ *The partners signed the lease and set up shop immediately*), **setting** (marco, escenario, entorno), **setting/fixing a ceiling** (fijación de un máximo), **setting-up costs** (costes iniciales de fabricación o producción, también llamados *setup costs*)].

settle[1] *v*: pagar, liquidar, saldar; resolver, solucionar, determinar, allanar; arreglar, finiquitar, ajustar ◊ *To settle one's debts promptly.* [Exp: **settle**[2] (colonizar; asignar una dote o una pensión; arraigar, consolidar), **settle a claim** (SEG pagar/ satisfacer una reclamación o demanda), **settle a score** (ajustar/saldar una cuenta ◊ *We have a score to settle with them for poaching trade away from us*), **settle accounts** (saldar/liquidar/ajustar cuentas; V. *pay accounts, keep accounts*), **settle by arbitration** (ajustar por arbitraje o por vía arbitral), **settle differences/ disputes** (componer o arreglar diferencias/disputas), **settle money on somebody** (asignarle una cantidad o renta a alguien), **settle price** (MERC FINAN/ PROD/DINER precio oficial de cierre), **settle up** (pagar deudas, arreglar cuentas

◊ *The firm settles up with its suppliers at the end of each month*), **settlement**[1] (liquidación, acomodo, acuerdo, finiquito; composición, acuerdo extrajudicial; convenio, arreglo, solución, transacción, conciliación; dote; V. *adjustment of the difference; quittance*), **Settlement,**[2] **The** (MERC FINAN/PROD/ DINER liquidación de los valores en Bolsa; fase de liquidación de las operaciones bursátiles de la quincena; esta fase está formada por los últimos cinco días del *account period* o quincena de contratación bursátil a cuenta o a crédito; al último día de la fase de liquidación de valores bursátiles se le llama *Settling Day, Account Day* o *Pay Day*; V. *Name Day; contango, continuation; continuous net settlement; run to settlement*), **settlement**[3] (DER disposición sucesoria que establece condiciones y limitaciones; V. *act of settlement*), **settlement account** (cuenta de liquidación), **settlement date** (fecha de cierre o de liquidación), **Settlement Day** (BOLSA día de liquidación, también llamado *Account Day*; V. *Settling Day, Pay Day; The Settlement*), **settlement flow** (flujo de liquidación), **settlement in cash** (pago en efectivo), **settlement of, in** (en pago de), **settlement of action** (retirada de la demanda por acuerdo entre las partes), **settlement of an estate** (V. *proceedings for settlement of an estate*), **settlement of balances** (CONT compensación de saldos; V. *evening up*), **settlement of creditors** (convenio de acreedores), **settlement price** (precio de liquidación), **settling** (establecimiento; liquidación), **settling day** (día de liquidación de valores de la Bolsa de Londres, correspondientes a las transacciones efectuadas durante la quincena; V. *Account Day, Pay Day; The Settlement*), **settling-in grant** (subsidio de instalación ◊ *Families obliged to move* *to the area will receive a settling-in-grant from the local council)*].

sever *v*: romper, separar; excluir, anular. [Exp: **severable** (divisible; separable), **severable contract** (contrato válido aun después de la exclusión de alguna cláusula viciada), **severance** (ruptura, separación, cese, baja definitiva; separación de efectos; V. *words of severance*), **severance damage** (perjuicio por división, separación, despido, etc.), **severance pay** (REL LAB indemnización por despido o desahucio, cesantía ◊ *The dismissed workers claim-ed severance pay*; V. *dismissal pay*)].

several *a*: varios; algunos; individual, de cada uno, por separado, privativo; V. *joint and several*. [Exp: **several covenant** (pacto solidario), **several obligor** (obligado solidario), **severally** (separadamente, por separado), **severally liable** (responsable solidariamente), **severalty** (posesión exclusiva; parte de una propiedad o conjunto de bienes que pertenece exclusivamente a uno)].

SFA *n*: V. *Securities and Futures Authority*.

shade[1] *n/v*: sombra, matiz; *col* un poquito ◊ *Prices are a shade higher this month*. [Exp: **shade**[2] *col* (ganar por un pelo, ganar por un margen muy estrecho ◊ *A just shaded B in the ballot*), **shadow** (sombra; seguir secretamente), **shadow exchange rate** (FINAN tipo de cambio de cuenta, tipo de cambio sombra, también llamado *shadow pricing of the exchange rate*), **shadow prices** (CONT precios contables o fantasmas; precios de cuenta; precios sombra; V. *accounting prices; imputed cost*), **shadow rate of interest** (tipo de interés sombra, tipo de interés de cuenta), **shadow wages** (REL LAB salario sombra), **shady** (sospechoso, turbio ◊ *I don't trust that agent — he's a shady customer*)].

shake *v*: agitar, perturbar. [Exp: **shakeout** *col* (reorganización, reestructuración;

sacudida, conmoción ◊ *A big shakeout in the Stock Market*), **shakeup** *col* (remodelación de arriba abajo; reorganización total ◊ *Order a major shakeup of the staffing arrangements*; V. *staff cuts, staff shake-up, redeployment of staff*), **shaky** (inseguro, precario), **shaky footing** (situación precaria o de gran inestabilidad)].

sham *a/n*: ficticio, fingido, falso; fulero; impostura, fraude, engaño; comedia; teatro ◊ *Their business is just a sham*. [Exp: **sham dividend** (dividendo ficticio), **sham title** (título falso)].

share[1] *n/v*: participación; compartir, participar, repartir, dividir; V. *pool*. [Exp: **share**[2] (SOC acción; parte alícuota del capital de una empresa comercial; cuota, contingente, cupo, participación; V. *unallotted shares*), **share**[3] (MERC cuota de mercado ◊ *They are streamlining their market strategy in an attempt to push up their share*), **share**[5] (PUBL cuota de pantalla; porcentaje de audiencia de un programa, con respecto al número de personas que están viendo la televisión u oyendo la radio en ese momento; V. *rating officer*), **share buy-back** (BOLSA rescate, recompra de los títulos propios; procedimiento de reducción de capital de una mercantil mediante la recompra de acciones y la consiguiente amortización de las mismas), **share capital** (SOC capital social, capital en acciones, llamado *capital stock* en los EE.UU.; V. *equity capital*), **share certificate/warrant** (BOLSA título físico o resguardo de una acción), **share dealings** (TRIB contratación/compraventa de acciones; V. *trading*), **share in profits** (participación en los beneficios; parte/tanto de beneficio; participar en los beneficios), **share index** (índice bursátil), **share issue** (emisión de acciones; V. *stock issue*), **share issued at**

a **premium** (acción con prima), **share/stock option** (opción de compra o venta de acciones; V. *option bargain*), **share premium account** (cuenta de primas de emisión; contiene las reservas que resultan del exceso del precio efectivo de las acciones sobre el valor nominal de las mismas; estas partidas no se pueden distribuir en forma de dividendo, pero sí en forma de acción liberada; V. *bonus share, stock dividend, scrip issue, capitalizacion*), **share purchase warrant** (certificado de opción a adquirir acciones), **share pusher** (colocador de valores dudosos), **share split-up/splitting** (fraccionamiento de acciones de alto valor nominal en otra de nominal inferior, a fin de facilitar su contratación; V. *scrip issue; splitting of shares*), **share trading** (contratación en Bolsa), **share transfer** (certificado de transferencia de acciones al portador), **share warrant** (V. *share/interim certificate*), **sharecropper** (REL LAB aparcero; V. *agricultural ladder*), **sharecropping/ sharefarming** (aparcería), **Shared Currency Option Under Tender, SCOUT** (opción a participar en las operaciones con divisas incluida en una solicitud de licitaciones; cuando el objetivo de las licitaciones es el suministro de bienes y/o servicios en el extranjero; a veces se incluye esta oferta de participación en las operaciones monetarias derivadas del negocio futuro como incentivo adicional), **shareholder** (accionista, titular de acciones; V. *debenture holder*), **shareholder/stockholder of record** (accionista registrado; V. *registered shareholder*), **shareholders' equity** (CONT activo/patrimonio/ valor neto; recursos propios de una empresa; capital fiscal; capital más reservas; V. *net assets/worth*), **shareholders' funds** (V. *shareholders'*

equity), **shareholders' meeting** (junta de accionistas), **shareout** (reparto/distribución de beneficios, etc.), **sharing** (reparto, participación; V. *participation; profit sharing, time-sharing*)].

shark[1] *col n*: FINAN tiburón; V. *fan club, acting in concert; takeover, takeover bid, dawn raid, greenmail, leveraged buyout, white knight, Schedule 13D, raider, corporate raider, unfriendly takeover, target company, sleeping beauty*. [Exp: **shark**[2] (estafador, timador; jugador/ especulador hábil; pirata ◊ *I wouldn't deal with him — he's a shark*), **shark repellent** (FINAN medida antitiburón; medida defensiva contra una absorción no deseada; también se le llama *porcupine provision*; entre las medidas que puede adoptar una sociedad destacan los contratos blindados —*golden parachute*—, la política de tierra quemada —*scorched earth policy*—, consejo de administración que se renueva escalonada o parcialmente —*staggered board of directors*—, indemnización a empleados por pérdida de empleo, —*tin parachute*— etc.; V. *defense against acquisitions; safe harbor*), **shark watcher** (BOLSA vigía, empresa dedicada a detectar iniciativas de OPAS hostiles o especulativas; V. *radar alert*)].

sharp *a*: afilado; agudo; puntiagudo; fuerte; repentino, brusco; rápido, vivo, astuto ◊ *She's a very sharp businesswoman*. [Exp: **sharp call** (BANCA préstamo diario o a la vista —*call loan*— exigible en cualquier momento por el banco, sin ningún tipo de favor, consideración o miramiento por su parte; V. *slow call*), **sharp practice** (malas artes, triquiñuelas, trucos, chanchullos, maña, trampas; prácticas profesionales poco claras u honestas; V. *malpractice insurance*), **sharp rally** (BOLSA recuperación repentina o repunte inesperado de la Bolsa), **sharper**

(estafador, timador, fullero), **sharply** (acusadamente, claramente, de forma marcada o brusca)].

shed[1] *n*: tinglado, cobertizo; V. *customs shed.* [Exp: **shed**[2] (deshacerse/desprenderse/despojarse de, suprimir ◊ *The company has closed 2 of its factories, shedding 500 jobs*)].

shelf *n*: estante, anaquel. [Exp: **shelf life** *col* (PUBL vida útil/comercial de un producto; V. *product life cycle*), **shelf registration** (MERC FINAN/DINER registro previo de una emisión), **shelf warmer** (PUBL artículo que no se vende; V. *sleeper; slow-moving goods*), **shelve** (archivar, aplazar, posponer ◊ *Development plans have been shelved due to lack of funds*; V. *postpone, adjourn*)].

shell[1] *n*: concha; esqueleto, armazón, obra gruesa, casco. [Exp: **shell company** (sociedad ficticia; empresa fantasma), **shell out** *col* (desembolsar, aflojar el ala, apoquinar ◊ *After the inquiry, the insurance company had to shell out*)].

shelter *n/v*: protección, refugio, abrigo, amparo; proteger-se, amparar-se, abrigarse, ocultar-se; V. *tax shelter.*

shift[1] *n/v*: cambio; variación; cambio de tendencia; evolución, desplazamiento, corrimiento; cambiar; trasladar; moverse; cambiar de postura o actitud, evolucionar. [Exp: **shift**[2] (REL LAB turno de trabajo; tanda; V. *fixed/rotating shift; day/night shift*), **shift**[3] *col* (vender, quitarse de encima ◊ *These big hypermarkets shift a lot of stock*), **shift/change gear** (cambiar de marcha o de velocidad, avivar el ritmo), **shift of demand curve** (ECO desplazamiento de la curva de demanda), **shift of risks** (SEG desplazamiento del riesgo), **shift of supply curve** (ECO desplazamiento de la curva de oferta), **shift premium** (REL LAB prima por turno), **shift work** (trabajo por turnos), **shifting** (CONT traslación,

desplazamiento, repercusión; V. *backshifting*), **shifting of tax** (TRIB traslación/repercusión del impuesto)].

shilling *n*: chelín.

ship *n/v*: buque; transportar por vía marítima o fluvial; despachar, expedir; enviar por cualquier medio de transporte. [Exp: **ship-broker** (TRANS MAR consignatario; agente/corredor marítimo; V. *shipping agent; backed note*), **ship broking, shipbroking** (corretaje marítimo), **ship hiring** (arrendamiento del buque), **ship mortgage** (hipoteca marítima o naval), **ship's agent** (consignatario del buque), **ship's articles** (contrato de empleo de los marineros; V. *articles*), **ship's blue book** (libro azul del barco), **ship's book/journal** (diario de navegación, cuaderno de bitácora; V. *log book*), **ship's master** (capitán; V. *captain*), **ship's papers** (documentación de a bordo; certificado y documentos que identifican a un buque y sus actividades), **shipbuilder** (constructor naval/de buques; V. *shipowner*), **shipbuilder's policy** (póliza del constructor de buques; V. *shipbuilder's policy*), **shipbuilding** (construcción naval), **shipment**[1] (carga, cargamento, envío, remesa, partida; V. *cargo*), **shipment**[2] (transporte, embarque, envío, expedición), **shipowner** (armador, naviero; V. *shipbuilder*), **shipped bill of lading** (conocimiento de embarque incluido en el envío), **shipped on board** (COMER embarcado-a sobre bordo), **shipper** (remitente, expedidor; fletador, embarcador; transportista, cargador; V. *consignee, carrier*), **shipping**[1] (transporte marítimo; embarque; envío; expedición; V. *handling and shipping*), **shipping**[2] (barcos, embarcaciones; navegación), **shipping advice** (aviso de embarque), **shipping agency** (agencia de transportes marítimos), **shipping conference** (TRANS MAR asociación de empresas navieras), **shipping agent** (consignatario de buques; V. *ship broker*), **shipping and forwarding agent** (TRANS MAR agente de transportes marítimos, transportista), **shipping broker** (corredor/agente marítimo), **shipping charges** (gastos de envío o de embarque), **shipping company/line** (compañía armadora, empresa naviera o marítima, compañía de navegación), **shipping cost/freight** (flete; V. *freight cost/rate*), **shipping documents** (documentos de embarque; V. *warehouse receipt, commodity paper*), **shipping expenses** (gastos de embarque), **shipping instructions** (instrucciones de envío/transporte/embarque), **shipping lane** (ruta de navegación, ruta marítima), **shipping line** (línea marítima), **shipping marks** (TRANS MAR marcas de embarque; marcado de la expedición o envío), **shipping note** (nota de envío), **shipping order** (orden de embarque o envío), **shipping pool** (fusión de intereses de varios armadores, consorcio de armadores; V. *pooling agreements*), **shipping port** (puerto de embarque), **ship's papers** (documentación del buque), **ship's receipt** (recibo de a bordo o de embarque), **shipwreck** (naufragio), **shipyard** (astillero)].

shock wave *n*: onda expansiva; conmoción profunda, fuerte impresión, sacudida ◊ *The company's collapse sent shock waves through the City.*

shoddy *n*: de mala calidad, de calidad ínfima, de pacotilla; chapucero ◊ *Shoddy goods/workmanship*; V. *shop-soiled, deterioration.*

shogun bond *n*: bono shogun.

shoot *v*: disparar, fusilar. [Exp: **shot** (disparo, tiro; inyección), **shot in the arm** *col* (estímulo, impulso, inyección de moral, empujón ◊ *Economic policies that are a shot in the arm for industry*; V.

boost morale), **shoot up** (dispararse ◊ *Prices have shot up dramatically over the past year*; V. *soar*)].

shop *n/v*: almacén, tienda, taller, fábrica; lugar de trabajo; comprar, hacer la compra, ir de compras; V. *store*. [Exp: **shop/factory floor** (taller, fábrica), **shop-soiled, shopworn** (deteriorado; se aplica a los artículos manchados o deteriorados durante el período de almacenamiento o de exposición, los cuales se suelen vender a precios reducidos ◊ *Shop-soiled goods*; V. *shoddy, deterioration*), **shop steward** (REL LAB enlace/delegado sindical; V. *closed shop*), **shopkeeper** (tendero, comerciante), **shoplifter** (ladrón, ratero de tienda), **shoplifting** (robo en tiendas, hurto o ratería de tiendas; V. *making off without payment*), **shopper** (comprador), **shopping** (compras; V. *window shopping*), **shopping bag/basket** (bolsa/cesta de la compra), **shopping centre/complex/mall** (galería/centro comercial; V. *business centre, mall, emporium, entrepôt*), **shopping precinct** (zona comercial peatonal), **shopping spree** (fiebre/locura compradora; sesión intensa de compras donde se tira la casa por la ventana), **shopwalker** (jefe de sección; supervisor de empleados; vigilante), **shopworn** (V. *shop-soiled*)].

shore *n*: tierra, orilla, costa; V. *off shore*. [Exp: **shore up** (apuntalar; apoyar, sostener, reforzar; se aplica a balances —*balance sheet*—, bancos —*banks*—, etc. ◊ *The Bank of England stepped in to shore up the pound*)].

short[1] *a*: corto, reducido, breve, escaso, insuficiente, deficiente; V. *narrow*. [Exp: **short**[2] (MERC FINAN/PROD/DINER, COMER corto o al descubierto; deudor, en posición deudora; bajista; V. *sell short; long, futures contract*), **short bill** (V. *short-dated bill*), **short bond** (obligación a corto plazo), **short butterfly** (FINAN mariposa vendida; es una estrategia de compras y ventas de opciones de compra —*calls*— y de venta —*puts*—; V. *butterfly*), **short-change** (dar de menos en el cambio; defraudar ◊ *Firms in the private sector felt they'd been short-changed by the policy*), **short condor** (MERC FINAN/PROD/DINER cóndor corto o vendido; alude a la combinación —*combination*[3]— o estrategia combinatoria de compras y/o ventas de opciones de venta —*puts*— y de compra— *calls*— en la que, por una parte, se venden dos opciones de compra o *call options*, la primera con el precio de ejercicio o *strike price* alto y la segunda con el precio de ejercicio bajo, y por otra, se compran dos opciones de compra, una con un precio de ejercicio medio alto y la otra con un precio de ejercicio medio bajo; V. *condor, long condor; straddle, butterfly, leg*), **short covering** (BOLSA cobertura a corto plazo; o de cobertura; cobertura de posición faltante; compra de cobertura; compra de valores, productos, etc. que se vendieron en corto con el fin de cerrar una posición abierta; V. *bear covering, open position, short selling*), **short credit** (crédito a corto plazo), **short date, at** (con vencimiento a corto plazo), **short-dated** (a breve/corto plazo), **short-dated bill** (letra a corto plazo; V. *long-dated bill*), **short-dated securities** (títulos con vencimiento a corto plazo, normalmente inferior a una semana), **short delivery** (TRANS entrega corta, incompleta, insuficiente o deficiente; merma; envío incompleto; V. *navigation perils; extraneous perils*), **short discount** (descuento por pronto pago), **short-haul flight** (vuelo de corto recorrido), **short hedge** (MERC FINAN/PROD/DINER cobertura corta, operación de cobertura por venta a plazo; V. *long hedge*), **short hedger**

(MERC FINAN/PROD/DINER operador de cobertura corta, tenedor de una cobertura corta; V. *long hedger*), **short interest ratio** (ratio de las posiciones cortas), **short lease** (arriendo a corto plazo), **short leg** (MERC FINAN/PROD/DINER componente corto en la posición de riesgo compensado —*hedge*; V. *long leg*), **short-list/shortlist** (lista de preseleccionados; preseleccionar; los solicitantes de una plaza o puesto de trabajo son *applicants*; hecha la primera selección, se publica la lista de preseleccionados o *shortlist*, los cuales al ser citados para celebrar una entrevista se convierten en entrevistados o *interviewees* y finalmente la persona seleccionada se llama *appointee*), **short notice** (aviso a corto plazo), **short of, be** (faltar, carecer de ◊ *Short of time/money/stocks, etc.*), **short on the basis** (corto de base), **short paper** (BOLSA papel bursátil a corto plazo), **short position** (FINAN, MERC PROD posición corta, deudora o vendedora; situación del inversor/intermediario que ha vendido en descubierto acciones, opciones o contratos de futuros; ha vendido a precio alto porque cree que el precio va a bajar en el futuro, cuando tenga que hacer la entrega del activo correspondiente; V. *bear position; net position; short position*), **short squeeze** (apretón a los cortos), **short-range forecast/planning** (previsión/planificación a corto plazo), **short run** (ECO corto plazo; V. *long run*), **short-run cost curve** (curva de coste a corto plazo), **short-run equilibrium** (ECO equilibrio de la empresa a corto plazo), **short sale/selling** (MERC FINAN/PROD/DINER venta al/en descubierto; venta corta; venta de valores, divisas, productos o contratos de futuros por quien no los posee aunque espera obtenerlos a un precio más bajo, en un mercado bajista —*bear market*— antes del día pactado para la entrega; V. *selling short, sale against the box; bear squeeze; loan crowd; close out; short covering; cover*[3]), **short-seller** (MERC FINAN/PROD/DINER vendedor en corto o en descubierto; el vendedor en corto vende valores que no tiene, con la esperanza de que los precios caigan, y así comprarlos más baratos; V. *short sale*), **short squeeze** («estrujón» padecido por los vendedores al descubierto; presión a la que se ven sometidos los especuladores en posición corta —*short position*— en los contratos y opciones a futuro ante una subida inopinada de las cotizaciones; para proteger —*hedge*— su posición, se ven obligados a comprar títulos idénticos a los que ya tienen a cotizaciones más altas, lo que provoca una espiral de alzas cuyas consecuencias pagan los que no se han protegido), **short-staffed** (escaso de personal; V. *shorthanded*), **short straddle** (MERC DINER cono vendido, «straddle» corto o vendido, también llamado *top straddle*; consiste esta estrategia especulativa en la venta de una opción de compra —*call option*— y de una opción de venta —*put option*— con los mismos precios de ejercicio —*strike prices*—, generalmente igual al precio de contado —*spot price*— del activo subyacente —*underlying asset*—, y las mismas fechas de vencimiento —*expiry dates*—; V. *straddle; strangle*), **short supply, in** (MERC escaso, que escasea), **short synthetic call** (venta de una opción de compra —*call*— sintética), **short synthetic put** (venta de una opción de venta —*put*— sintética), **short-tail fire account** (SEG cartera de riesgos de incendios cuyos siniestros se liquidan), **short-term** (a corto plazo; se aplica a *bonds, capital gains, creditors, debt, liabilities, loans, etc.*; V. *long-term;*

short-dated), **short-term bank debt** (CONT préstamo bancario a corto plazo), **short-term bond** (FINAN bono de caja; bono a corto plazo; los emiten empresas, bancos y cajas de ahorros), **short-term debt** (deuda a corto plazo; pasivo exigible o exigible), **short-term debtors** (CONT clientes a corto plazo; deudas de clientes cobrables a corto plazo), **short-term equity participation unit, STEP** (FINAN fondo de renta variable de Morgan Stanley), **short-term economic policy** (acción coyuntural, política económica a corto plazo), **short-term foreign investment** (FINAN inversión extranjera a corto plazo ◊ *"Hot money" is short-term foreign investment*), **short-term indicators** (indicadores de coyuntura), **short-term liabilities** (CONT acreedores a corto plazo; V. *long/short-term liabilities; liabilities*[2]), **short-term loan** (préstamo día a día o a corto plazo; V. *day-to-day accommodation/loan*), **short-term monetary support** (préstamo a corto solicitado por un banco central a otro de un país perteneciente al Sistema Monetario Europeo; V. *rallonge; medium-term financial assistance*), **short-term note issuance facility, SNIF** (FINAN programa/servicio/plan de emisión de pagarés a corto plazo), **short-termism** (tendencia a privilegiar el corto plazo), **short time, be on** (trabajar a jornada reducida), **short ton** US (tonelada corta o americana; equivale a 907 kilos; V. *ton, metric ton*), **shortage** (falta, escasez, carestía, déficit; V. *excess demand; dearth, scarcity; glut, surplus; narrowness*), **shortage of work** (escasez/precariedad de trabajo; V. *feather-bed rule; dismissal*), **shortcomings** (defectos, puntos flacos ◊ *Point out the shortcomings of a policy*), **shortfall** (deficiencia; disminución; insuficiencia; diferencia; déficit ◊ *Figures released* *today show a 10 % shortfall in exports*), **shortfall analysis** (análisis del déficit), **shortfall in receipts** (menores ingresos; lucro cesante; V. *revenue shortfall*), **shortfall in tax revenue** (déficit en la recaudación fiscal; V. *fiscal deficit*), **shorten** (abreviar, reducir, condensar, acortar; V. *abridge; condense; resumir*), **shortermism** (visión a corto plazo), **shorthand** (taquigrafía), **shorthanded** (escaso de personal ◊ *We're very short-handed at the moment*; V. *short-staffed*), **shorts** (valores/inversiones amortizables en menos de cinco años)].

shot *col n*: oportunidad ◊ *He is so good that he should be entitled to a second shot.*

show *n/v/a*: demostración; exposición; feria; desfile; mostrar, demostrar; arrojar; joya, modelo, estrella ◊ *The Showpiece of the exhibition*; V. *fair*. [Exp: **show of hands, by** (a mano alzada; V. *by ballot*), **showbiz** *col* (mundo del espectáculo; *biz* es forma coloquial abreviada de *business*), **showbusiness** (mundo del espectáculo), **showcard** (PUBL rótulo, letrero; V. *escalator cards*), **showcase** (expositor, vidriera, vitrina; escaparate; estrella, joya, modelo; V. *floor-stand, glass case*), **showing a profit/loss** (positivo, negativo ◊ *Balance showing a profit/loss*), **showroom** (sala de exposiciones)].

shrink *v*: mermar, disminuir; encogerse, quedar reducido. [Exp: **shrink-wrapped** (embalado/empaquetado al vacío o con papel de plástico transparente; V. *vacuum-packed, blister pack; bulge packaging; bubble card/pack; breathing package; corrugated box*), **shrinkage** (merma, déficit, pérdidas, fugas; contracción, encogimiento, reducción ◊ *Shrinkage of stocks*; V. *shortage; item shrinkage*), **shrinking market** (MERC FINAN/PROD/DINER mercado reducido o en declive)].

shunter *n*: arbitrajista; V. *arbitrage*.

shut *v*: cerrar-se. [Exp: **shut down** (cerrar, cerrar las puertas, parar/paralizar las actividades laborales temporalmente por vacaciones u otras razones ◊ *The factory shut down with the loss of 1000 jobs*; V. *close down*), **shutdown** (cierre; paralización de las actividades laborales por vacaciones, falta de materias primas, etc.), **shutdown factory** (fábrica parada; V. *idle plant*)].

shy[1] *adj*: desconfiado, huraño, cauteloso, retraído, reservado, reacio, que no está por la labor, que evita o no se presta a ◊ *The firm fought shy of committing itself any further*; en algunos casos *shy* constituye el segundo elemento de un compuesto cuyo primer término es la cosa evitada, p.ej. *work-shy* —poco dispuesto a trabajar, perezoso, gandul—, *publicity-shy* —que evita la publicidad, que procura que los detalles de la vida privada o del negocio no trasciendan—. [Exp: **shy**[2] US (a falta de, a corto de ◊ *The customer is 50 dollars shy*), **shyness** (retraimiento, timidez, desconfianza)].

SIB *n*: V. *Securities and Investments Board.*

SIBOR *n*: BANCA acrónimo equivalente a *Singapore Interbank Offered Rate* o tasa del mercado interbancario de Singapur; tipo de interés ofrecido del mercado interbancario de Singapur; V. *LIBOR, MIBOR.*

SIC *n*: acrónimo correspondiente a *Standard Industrial Classification.*

sick *a*: enfermo. [Exp: **sick/sickness benefit/pay** (REL LAB subsidio/salario de enfermedad o invalidez; V. *statutory sick pay*), **sick leave** (REL LAB baja por enfermedad)].

side *n*: lado. [Exp: **side effect** (efecto secundario), **side letter** (carta complementaria; V. *supplemental letter*), **side, on the** *col* (por su cuenta, por cuenta propia), **sideline, sideline business** (actividad mercantil complementaria), **sideline trader** (BOLSA barandillero), **sidepayment** (astilla), **sideways channel** (canal lateral o banda de fluctuación lateral)].

sight *n/v*: vista; avistar; ver, observar. [El término *sight* en posición atributiva significa «a la vista» siendo equivalente a *demand*. Exp: **sight a bill** (presentar una letra), **sight assets** (activos a la vista), **sight, at/on** (a la vista; V. *after sight, on demand, upon presentation, at call, on prescription*), **sight bill of exchange** (letra a la vista), **sight deposit** (BANCA depósito exigible o disponible a la vista; V. *demand/checking deposit; time deposits; deposit accounts; bank deposits; current/cheque account*), **sight draft** (letra a la vista; V. *time draft*), **sight draft with negotiable bill of lading attached** (letra a la vista con nota de embarque negociable adjunta), **sight letter of credit** (crédito a la vista), **sight liabilities** (pasivo/obligaciones exigibles a la vista), **sight rate** (BANCA comisión por cobro de talones o títulos extranjeros a la vista; cambio a la vista; V. *cheque rate, cable rate, short rate*)].

sign[1] *n/v*: señal, seña, indicio; firmar, suscribir, rubricar; V. *conclude, close*. [Exp: **sign**[2] (rótulo, cartel, distintivo; letrero, placa; pancarta ◊ *Shop sign*; V. *showcard*), **sign a contract** (firmar/celebrar/concertar/suscribir/formalizar un contrato; V. *enter into a contract, close/conclude a contract*), **sign and seal** (firmar y rubricar), **sign away** (firmar la cesión de o la renuncia a ◊ *Sign away a right/property/inheritance*), **sign by procuration/proxy** (firmar por poder), **sign jointly** (mancomunar firmas), **sign in blank** (firmar en blanco), **sign off** (firmar la ficha al terminar el trabajo, firmar la salida), **sign on** (firmar la ficha al entrar al trabajo, firmar la entrada; firmar un contrato, fichar; firmar el subsidio de paro, pasar al paro), **sign somebody in/out** (firmar el registro de llegadas/salidas, de visitas, de alta/baja médica, etc.), **sign something over to somebody** (firmar la cesión o traspaso de algo o alguien), **sign up**[1] (contratar ◊ *Sign up a new recruit*), **sign up**[2] (apuntarse, inscribirse; V. *join, enter on a list*), **signatory** (signatario, firmante), **signboard** (letrero, señal, indicador), **signature** (firma; rúbrica; V. *collateral signature, authorized signature*), **signed, sealed and delivered** (firmado y sellado; entregado en debida forma con la firma y el sello correspondientes), **signwriter** (rotulista)].

signal *n/v*: señal; señalar; V. *distress signals*.

silent partner *n*: socio comanditario secreto, inactivo o capitalista; V. *special/sleeping/dormant partner; active/general/industrial partner, ostensible partner*. [Exp: **silent partnership** (sociedad en comandita)].

SIMEX *n*: mercado de futuros y derivados de Singapur.

simple *a*: simple, sencillo; V. *ordinary*. [Exp: **simple average** (avería simple), **simple contract** (contrato simple o verbal), **simple debenture** (obligación simple o sin garantía específica; V. *secured debenture; floating charge*), **simple guarantee** (garantía simple; fianza), **simple interest** (interés simple), **simple majority** (mayoría simple)].

single *a*: único, sencillo, simple. [Exp: **single ballot** (votación a una sola vuelta; V. *second ballot*), **single bill** (sola de cambio; V. *sole of exchange*), **single capacity system** (BOLSA sistema de capacidad simple; en él las sociedades de valores, llamadas creadoras de mercado —*market-makers*—, pueden actuar de principal y de intermediario; V.

dual/single capacity system; dealer), **single condition** (condición única), **single creditor** (acreedor único), **single crop country** (ECO país de monocultivo), **single customs document** (documento único aduanero, DUA), **single entry** (CONT partida simple), **single entry bond** (fianza de declaración única), **single entry bookkeeping** (contabilidad o teneduría de libros por partida simple; V. *accountancy, double entry bookkeeping*), **single exchange rate** (tipo de cambio único), **Single European Act, SEA** (Acta Única Europea; V. *EEC, Common Market*), **single fare/ticket** (TRANS billete de ida; V. *full fare; one-way fare*), **single-figure inflation** (ECO inflación de un solo dígito o por debajo del 10 %; V. *two-digit inflation*), **single market** (mercado único), **single name draft** (letra/efecto sin endoso), **single-owner pure captives** (compañías cautivas de un solo propietario), **single ownership/ proprietorship** (propiedad de un solo dueño, dominio a título individual), **single peg** (vínculo a una sola moneda; V. *peg*), **single premium assurance/ policy** (SEG seguro/póliza de prima única; V. *guaranteed income bond*), **single-price policy** (política de precios únicos), **single schedule tariff** (arancel fijo), **single-stage process** (operación de una sola fase), **single tax** (impuesto único), **single ticket** (TRANS billete de ida; V. *one-way fare fare; full fare; return fare; round trip fare*)].

sink[1] *v*: hundir-se, irse a pique; bajar/caer bruscamente; bajar, disminuir; V. *slump; nosedive*. [Exp: **sink**[2] (amortizar, colocar a fondo perdido), **sink**[3] (sumidero, pozo negro; sentina, lugar asqueroso), **sink a debt** (amortizar una deuda), **sink a loan** (amortizar un empréstito), **sink in price** (bajar de precio; disminuir en el precio), **sink money** *col* (REL LAB prima por trabajo portuario desagradable o insalubre; V. *dirty money; danger money*), **sinking instalment** (plazo de amortización), **sinking fund** (fondo/caja de amortización de deudas; fondo acumulativo; V. *purchase fund; depreciation, amortization fund*), **sinking fund assurance** (SEG seguro de amortización de un fondo), **sinking fund loan** (empréstito de amortización; V. *bond loan*), **sinking fund method of depreciation** (CONT método de depreciación basado en el fondo de amortización)].

siphon *n/v*: sifón; sacar con sifón. [Exp: **siphon off** *col* (desviar ◊ *Siphon off funds*; V. *divert*)].

sister *n*: hermana. [Exp: **sister/affiliated companies** (SOC empresas asociadas, afiliadas o pertenecientes al mismo grupo), **sister ship** (buque gemelo)].

sit *v*: sentar-se; constituir un tribunal, formar parte de un tribunal, celebrar una sesión, reunirse, tener la sede. [Exp: **sit-down strike** (huelga de brazos caídos o cruzados, sentada; V. *work-to-rule strike, slow-down strike*), **sit-in** (REL LAB sentada; encierro), **sit on a committee** (ser vocal de una comisión), **sit/lie down on the job** *col* (tomarse el trabajo con mucha calma, echarse al surco, no pegar golpe), **sit tight** (capear el temporal, aguantarse, no moverse de su sitio ◊ *The Board could do nothing to halt the move except to sit tight*), **sitting** (sesión, reunión; turno, junta; V. *session*), **sitting tenants** (inquilinos con derecho a seguir con el arrendamiento aunque la propiedad del inmueble pase a otras manos; V. *security of tenure*)].

site *n/v*: emplazamiento, solar, lugar; situarse; estar situado; V. *building/construction site*. [Exp: **site auditing** (ACCTS auditoría domiciliaria o en la sede empresarial), **site development** (trabajos de urbanización), **site engineer** (ingeniero de obra)].

situate *v*: situar, colocar, emplazar, ubicar. [Exp: **situated, be** (tener una determinada situación económica ◊ *The credit terms depend on how the client is situated*), **situation**¹ (situación, lugar; estado general; V. *financial situation*), **situation**² (REL LAB empleo, puesto), **situations vacant/wanted** (ofertas/demandas de puestos de trabajo anunciada en la prensa; V. *appointments vacant*)].

six-pack *n*: COMER envase/paquete de seis unidades.

size *n/v*: tamaño, talla; volumen; magnitud, alcance, dimensión; clasificar según tamaño o talla ◊ *A machine that sizes the product*. [Exp: **sizable** (grande, importante, de magnitud o tamaño considerable ◊ *A sizable investment*), **size effect** (efecto tamaño), **size grading** (clasificación por tamaños), **size up** col (calibrar, evaluar, tomar la medida de ◊ *Japanese investors are sizing up new global markets*; V. *measure up*)].

sk *n*: V. *sack*.

SKD *n*: V. *semi-knocked down*.

skeleton *n*: esquema, trazado, proyecto pergeñado ◊ *Outline the skeleton of the plan*. [Exp: **skeleton staff** (servicios mínimos, personal reducido), **skeleton in the cupboard** (asunto tapado, secreto vergonzoso)].

skew *n/v*: distorsión, desvío, sesgo; desviar, torcer, distorsionar ◊ *These figures skew the statistics*.

skid *n*: V. *hit the skids*.

skill *n*: destreza, habilidad, técnica, conocimiento, aptitud. [Exp: **skilled** (apto, profesional, preparado; V. *qualified, skilled, suitable*), **skilled staff** (personal especializado/cualificado; V. *qualified; unskilled*), **skilled labour/manpower** (mano de obra especializada/cualificada), **skilful** (diestro)].

skint col *a*: pelado, sin blanca. [Exp: **skint, be** (estar pelado, no tener ni un duro)].

skip¹ *n/v*: salto; saltar-se, omitir-se; tomar las de Villadiego, poner pies en polvorosa, pirárselas, abrirse), . [Exp: **skip**² (contenedor para escombros o basura ◊ *A skip on a building site*), **skip account** col (BANCA cuenta de un deudor moroso que ha desaparecido sin dejar rastro; V. *forwarding address*), **skip town** col (desaparecer del mapa), **skip tracer** US (GEST cobrador profesional de deudores morosos que desaparecen sin previo aviso; V. *collection; past due accounts*), **skipper** col (patrón de cabotaje, capitán)].

sky *n*: cielo. [Exp: **sky-high** col (por las nubes; a niveles muy altos ◊ *Prices are sky-high*), **skyjacking** (secuestro aéreo), **skyrocket** (cohete; subir como la espuma ◊ *Interest rates have skyrocketed*)].

slack¹ *a*: flojo, débil, parado, muerto, de poca actividad; se dice de los negocios, mercados, la coyuntura, etc.; V. *frail, weak, soft*. [Exp: **slack**² col (vago, flojo, remolón ◊ *Slack worker*), **slack period** (época de atonía o de baja/poca actividad empresarial, etc.; V. *busy season*), **slacken** (aflojar/se, disminuir, decaer; V. *sag, decline, drop, fall, slump, slacken, weaken*), **slacken off** (decaer ◊ *Demand has slackened off*), **slackening** (decaimiento, atonía; V. *sluggish*), **slackness** (atonía, desánimo, decaimiento)].

slash *v*: acuchillar, dar cuchillazos. [Exp: **slash prices** (COM machacar/reducir precios)].

slate¹ *n/v*: pizarra; lista de candidatos; triturar, vapulear, zurrar, poner de vuelta y media ◊ *Slate a project on proposal*. [Exp: **slate**² col (cuenta ◊ *Have a lot on the slate*; V. *put on the slate*), **slate**³ US (programar, planear, prever ◊ *The talks are slated for the spring*)].

slaughter col *v*: masacrar, tirar por los suelos, liquidar a precios muy bajos ◊ *Slaughter prices*; V. *sale*².

sleaze *col n*: corrupción, corruptelas; historias turbias/sórdidas, rumores de escándalo; cultura del pelotazo; V. *graft, fiddle, sweetener, bribery, shady, greed culture, back-hander.* [Exp: **sleaze factor** (factor corrupción, efecto de las alegaciones escandalosas ◊ *A firm whose business is suffering as a result of the sleaze factor*)].

sleep *v*: dormir. [Exp: **sleeper** (PUBL artículo de difícil venta; V. *slow-moving goods; shelf-warmer*), **sleeping** (dormido, inactivo), **sleeping beauty** *col* (bella durmiente; se llaman así las empresas que por su estructura financiera y situación saneada atraen la atención de los tiburones, considerándose por ello objetivos probables de OPAS hostiles; V. *shark, takeover*), **sleeping partner** (socio comanditario secreto, inactivo o capitalista; V. *special/silent/dormant/ partner; active/general/industrial/senior/ ostensible partner*)].

slice *n/v*: rebanada, loncha, tramo, fracción; tajar, cortar, partir, cercenar. [Exp: **slice and package** (fraccionamiento de adquisiciones), **slice and package contract** (contrato fraccionado)].

slide *n/v*: baja, deslizamiento, caída; resbalar-se, deslizar-se, bajar/caer en picado, bajar, caer. [Exp: **slide in rates** (baja en los tipos de interés), **sliding parity/peg** (paridad móvil), **sliding/ flexible scale** (escala móvil ◊ *Salaries are subject to a sliding scale*; V. *chart, scale*), **sliding scale clause** (cláusula de revisión de precios; cláusula de escala móvil), **sliding scale tariff** (tarifa de escala móvil), **sliding peg** (V. *crawling peg*), **sliding wage scale** (REL LAB escala móvil de salarios)].

slim *a/v*: delgado, esbelto; remoto, exiguo; reducir ◊ *Slim chance of succeeding.* [Exp: **slim down** (reducir, racionalizar, reestructurar, reconvertir ◊ *Slim down a*

business; V. *streamline, downsize, cut down*)].

slip[1] *n*: resguardo, recibo, volante, papel, cédula, boletín; V. *note; pay slip; complimentary slip; receipt slip.* [Exp: **slip**[2] (carta de cobertura de un seguro de transporte marítimo, también llamada *covering note*), **slip**[3] (error, desliz; deslizar), **slip through one's fingers** (escaparse de las manos ◊ *The contract slipped through our fingers*), **slip up** (desliz, patinazo; equivocarse, cometer un desliz, patinar), **slippage**[1] (retraso; demora; desfase; V. *lag*), **slippage**[2] (MERC FINAN/PROD/DINER deslizamiento; corresponde a la diferencia entre los costes estimados y los reales en una transacción ◊ *Investor confidence is showing signs of slippage*)].

slot[1] *n*: ranura. [Exp: **slot**[2] (PUBL espacio), **slot**[3] (plaza, puesto, vacante ◊ *Step into the manager's slot*), **slot**[4] (espacio de tiempo disponible en aeropuertos para aterrizar y despegar), **slot in** *col* (encajar, meter, introducir; hacerle un hueco o sitio a), **slot machine** (máquina tragaperras; máquina expendedora)].

slow *a/v*: lento; atrasado, flojo, de ritmo lento o bajo; ralentizarse, decaer en el ritmo ◊ *Business is slow*; V. *sluggish*. [Exp: **slow assets** (CONT activo fijo; activo no disponible; activo de baja liquidez; V. *permanent assets; quick assets*), **slow call** (préstamo diario o a la vista —*call loan*— en el que existe el entendimiento tácito de que el banco sólo lo exigirá como último recurso; V. *sharp call*), **slow down** (desacelerar, reducir la velocidad; ralentizar-se; V. *speed up*), **slow-down, slowdown** (desaceleración; parón ◊ *Profits have dropped because of the slowdown in consumer spending*), **slow-down strike** (REL LAB huelga de celo; V. *go-slow*), **slow-moving goods** (COMER mercancías de salida lenta o difícil; V. *sleeper; shelf* *warmer*), **slow payer** (moroso), **slow start** (MERC FINAN/PROD/DINER titubeos iniciales del mercado; V. *rally*), **slowing-down of economic activity** (reducción/disminución/contratación de la actividad económica; V. *upswing in economic activity*)].

sluggish *a*: inactivo; pesado, lento, flojo; V. *slack, slow, flat.*[2] [Exp: **sluggish demand** (demanda floja), **sluggish growth** (ECO crecimiento lento), **sluggish period** (período flojo o de poca actividad, momento bajo, período de atonía), **sluggish recovery** (recuperación económica lenta), **sluggishness** (inactividad, lentitud, flojedad, morosidad)].

slump *n/v*: caída repentina o en picado; baja; crisis/depresión económica; contracción; recesión; sufrir una baja repentina; caer en picado; hundirse, desplomarse; V. *heavy fall, crumbling, plummet, plunge, sink; economic crisis.* [Exp: **slumpflation** (ECO eslumpflación; recesión con inflación)].

slush fund *n*: fondo de reptiles; fondo secreto para chanchullos, sobornos, etc.; V. *snakes box.*

small *a*: pequeño, menor, modesto. [Exp: **small ad** (anuncio clasificado o por palabras), **small and medium-sized enterprises, SME** (pequeñas y medianas empresas, PYMES), **small blocks of securities** (BOLSA picos de títulos; V. *odd lot order*), **small change** (moneda fraccionaria, calderilla, cambio, suelto; V. *change, loose change*), **small claims** (demandas de menor cuantía), **small consideration, for a** *col* (por un poco de dinero; a cambio de pago/retribución ◊ *I'll do it, but for a small consideration*), **small investors** (pequeños inversores), **small loan company** *US* (financiera especializada en préstamos personales, también conocida con el nombre de *commercial credit company*; V. *industrial bank, finance house*), **small order execution system, SOES** *US* (BOLSA sistema de negociación automatizada para pequeños inversores *—small investors—* de valores en los mercados bursátiles regidos por las normas de *NASDAQ* o *National Association of Securities Dealers Automated Quotation*; V. *NASDAQ*), **small print, the** (la letra pequeña o menuda ◊ *You should always read the small print*), **small savers** (pequeños ahorradores), **small scale** (a pequeña escala, de poca envergadura/monta, de dimensiones reducidas), **small shareholder** (SOC pequeño accionista; V. *minor/minority shareholder; small stockholder*), **small-holder** (pequeño agricultor), **smallholding** (pequeña explotación agrícola)].

smart *a*: inteligente, con memoria incorporada. [Exp: **smart card** (tarjeta inteligente; se trata de una tarjeta de débito/crédito con microprocesador incorporado, también denominada *carte à memoire*; V. *chip card, debit card*)].

SME *n*: V. *small and medium enterprises.*

smoke *n*: humo. [Exp: **smoke screen** *col* (operación tapadera; V. *cover-up*)].

smuggle *v*: pasar/introducir contrabando; hacer contrabando, dedicarse al contrabando ◊ *Smuggle banned items past the customs.* [Exp: **smuggle in** (introducir de contrabando o fraudulentamente), **smuggled goods** (mercancías o artículos de contrabando), **smuggler** (contrabandista), **smuggling** (contrabando)].

smurf money *col fr*: atomizar dinero.

SML *n*: V. *securities market line.*

snake *n*: serpiente; V. *currency/monetary snake.* [Exp: **Snake, The** (la Serpiente; V. *The European Monetary Snake*), **snakes box** (fondo de reptiles; V. *slush fund*)].

snap *a/v*: repentino, rápido, improvisado; romper-se, desprender-se. [Exp: **snap up** (abalanzarse/tirarse sobre, tirarse a por; agotar las existencias de ◊ *Snap up a bargain, snap up the entire stock*)].

snatch *n/v*: tirón, robo, secuestro; arrebatar, agarrar; coger de un tirón, robar secuestrar ◊ *Snatch a handbag*. [Exp: **snatch an opportunity** (aprovechar la oportunidad)].

sneak *a/n/v*: furtivo, a traición; soplón, chivato; birlar. [Exp: **sneak attack** *US* (BOLSA compra secreta de un paquete de acciones), **sneak in** (colarse), **sneak out** (esfumarse, largarse sin ser visto), **sneak preview** (anticipo no oficial, prees-treno)].

SNIF *n*: V. *short-term note issuance facility*.

snowball *n/v*: bola de nieve; crecer como una bola de nieve, aumentar de forma descontrolada o imprevista ◊ *Demand has snowballed*. [Exp: **snowball effect** (BOLSA efecto de bola de nieve; V. *change of month effect*), **snowball growth** (ECO crecimiento de «bola de nieve» o vertiginoso), **snowballing/run-away/galloping inflation** (ECO inflación galopante, desbocada o desenfrenada; V. *bounding inflation; hyper inflation*)].

soar *v*: dispararse, subir/aumentar de forma vertiginosa, remontarse, elevarse, ponerse por las nubes ◊ *Prices are soaring*; V. *shoot up; plummet*.

society *n*: sociedad. [Exp: **social** (social), **social accountancy** (contabilidad social, basada en técnicas contables macroeconómicas), **social audit** (balance social), **social contract** (contrato social; acuerdo social o socioeconómico), **social dumping** (dumping social; oferta de mano de obra barata), **Social Insurance** (seguridad social, también llamada *National Insurance*), **social net present value** (valor social neto actual o actualizado), **social opportunity cost** (coste de oportunidad social), **social overhead capital** (infraestructura social), **social overhead investment** (inversión en infraestructura social), **social**

responsibility report (informe sobre el balance con la comunidad; comprende las actividades con empleados, provee-dores, clientes, etc.), **social security** (seguridad social), **social security benefit** (subsidio/prestación de la seguridad social), **social security contribution** (cuota de la seguridad social), **social work assistance** (asistencia social, labor de los asistentes sociales), **social service** (servicio social, prestación social), **social worker** (asistente social), **socialization** (sociali-zación; V. *nationalization*), **socialize** (socializar; V. *nationalize*), **socio-economic** (socioeconómico)].

SOES *n*: V. *Small order execution system*.

SOFFEX *n*: acrónimo correspondiente a *Swiss Options and Financial Futures Exchange* o Mercado Suizo de Opciones y Futuros Financieros.

soft *a*: blando, flojo, débil; V. *frail, weak, slack*. [Exp: **soft/weak currency** (MERC DINER moneda/divisa débil/blanda/floja o de valor inestable; V. *hard currency*), **soft commodity** (MERC PROD mercadería agrícola; V. *hard commodity; staple commodities, basic/primary commodi-ties*), **soft credit** (FINAN crédito blando), **soft currency** (divisa débil; V. *hard currency*), **soft loan** (crédito blando, subvencionado o a precio por debajo del mercado; V. *hard loan*), **soft money** (papel moneda), **soft sell** (venta blanda; se basa en el tacto la discreción y la persuasión; V. *hard sell/selling*), **soft window facilities** (servicios de prés-tamos blandos o subvencionados), **soft window loan** (préstamo blando), **soft-ware** (programa informático; soporte lógico; V. *hardware*), **softs** (MERC FINAN/PROD/DINER forma coloquial de *soft commodities*; V. *spots*)].

soil *v*: manchar, ensuciar, estropear. [Exp: **soiled** (deteriorado; V. *shop-soiled*),

soiled cheque (cheque inutilizado; V. *stale cheque, voided cheque*)].

sole *a*: solo, individual, único, exclusivo; V. *aggregate*. [Este adjetivo se encuentra a veces pospuesto al nombre, como en *agent sole*. Exp: **sole agency** (agencia con exclusiva), **sole agent** (exclusivista, representante, agente, mandatario, apoderado, factor o gestor exclusivo; V. *exclusive distribution; distributor, supplier, assignee, factor, proxy; principal*), **sole and unconditional owner** (propietario único de dominio pleno), **sole bill of exchange** (sola de cambio; V. *single bill*), **sole corporation** (sociedad anónima formada por una sola persona), **sole dealer/distributor** (agente/distribuidor único), **sole licensee** (concesionario único), **sole owner** (único propietario), **sole placement** (colocación única), **sole placing agency** (BOLSA, MERC FINAN/DINER agente único/monopolio de distribución/colocación de papel comercial, etc.; V. *multiple placing agency*), **sole proprietor** (V. *sole trader*), **sole representative** (exclusivista, representante o agente exclusivo), **sole selling rights** (derechos de venta exclusivos), **sole trader/proprietor** (empresario individual; V. *one-man business; partnership*)].

solicitor *n*: abogado; procurador; V. *lawyer; barrister*.

solidary *a*: solidario; V. *joint and several*. [Exp: **solidary account** (cuenta solidaria; V. *joint account*), **solidary obligation** (obligación solidaria)].

solidum, in *fr*: en todo, solidariamente, in sólidum.

solvency *n*: solvencia; capacidad de pago; V. *bankruptcy, temporary receivership*. [Exp: **solvency coefficient** (coeficiente de solvencia), **solvent** (solvente), **solvent debt** (deuda exigible)].

sort *n/v*: tipo, clase; ordenar, clasificar.

[Exp: **sort out** (arreglar, explicar, aclarar, solucionar ◊ *Sort out a company's problems*; V. *clean up,[1] overhaul, restructure, rescue, streamline*)].

sound *a*: sólido, razonable, sano, firme, prudente; cabal, justo ◊ *Sound finances/policies*. [Exp: **sound business practice** (buenos usos mercantiles), **sound currency** (moneda sana; V. *hard/stable/weak/soft currency*), **soundness** (solvencia, solidez, vigor; rectitud, justicia)].

source *n*: fuente, origen. [Exp: **source and application of funds statement** (CONT estado de origen y aplicación de fondos, llamado en los EE.UU. *funds statement*; V. *statement of sources, accounting summary*), **source, at** (en origen ◊ *Deduct tax at source*), **source of finance** (fuente de financiación), **source of income/revenue** (fuente de ingresos), **source rule** (TRIB norma legal para evitar la doble imposición)].

SOY *n*: V. *strike offered yield*.

space[1] *n/v*: espacio; espaciar; V. *advertising space, sample space*. [Exp: **space[2]** (recinto ferial; V. *apply/register for space*), **space arbitrage** (arbitraje de plaza a plaza), **space broker** (PUBL agente de publicidad), **space out** (espaciar, escalonar ◊ *Space out payments*), **space, watch this** (PUBL no deje de estar atento a las ofertas que aparecerán aquí próximamente)].

span *v*: abarcar; V. *extend, embrace*.

spare *a/n/v*: disponible, sobrante, libre, ahorrado; repuesto; pasarse sin. [Exp: **spare capital** (capital disponible), **spare labour** (mano de obra sobrante; desempleados), **spare part** (pieza de repuesto; repuesto, recambio; en plural significa «repuestos»), **spare no expense** (no escatimar gastos), **sparing** (económico; V. *thrifty, economical*), **spare, to** (de sobra ◊ *We have no materials to spare*)].

spec *n*: forma mutilada de *speculation* o de *specifications*. [Exp: **spec slim** (reducción, adelgazamiento o empobrecimiento de las cualidades de un producto), **spec, on** *col* (para probar suerte ◊ *Apply for a job on spec*), **specs** (forma mutilada de *specifications*)].

special *a*: especial, singular, excepcional, específico, extraordinario. [Exp: **special acceptance** (letra aceptada de forma condicional o con restricciones de lugar, tiempo, etc.; aceptación limitada, especificada o condicional; aceptación de una letra para pago en lugar concreto; V. *acceptance,*[2] *qualified acceptance, clean/general acceptance, unconditional acceptance*), **special agent** (apoderado singular o para un fin determinado), **special assessment** (TRIB impuesto especial), **special business** (orden del día o punto único para junta extraordinaria), **special counsel** (FINAN grupo asesor de los aspectos jurídicos de los préstamos sindicados), **special crossing** (cruce especial de un cheque), **special damages** (SEG daños indirectos; V. *actual/general damages*), **special delivery** (entrega urgente), **special development area** (zona o región de urbanización prioritaria), **special drawing rights** (derechos especiales de giro, DEG; papel dinero internacional creado y distribuido por el Fondo Monetario Internacional a los gobiernos; V. *drawing rights; market special drawing rights*), **special development area** (zona de urbanización prioritaria; V. *assisted area, development area*), **special economic zone** (zona franca industrial, puerto franco, zona franca, zona de libre cambio, área aduanera exenta; también llamada *free economic zone, free trade zone, duty-free port/zone, free port, export processing zone, foreign trade zone*), **special endorsement** (endoso completo o perfecto; V. *endorsement in full, full endorsement; regular endorsement*), **special miscellaneous account** *US* (cuenta de orden especial; en ella, depositada con un corredor o agente de Bolsa, se lleva el saldo de los valores, títulos, etc. del cliente por encima del mínimo legal exigido por la cuenta de margen; V. *margin account*), **special notice** (notificación especial hecha con 28 días hábiles de antelación para presentación de puntos de importancia extraordinaria en la junta de accionistas de una sociedad mercantil), **special offer** (COMER, PUBL oferta especial con obsequio o reducción de precio; V. *deal, premium offer*), **special partner** (SOC socio comanditario inactivo o capitalista; V. *sleeping/dormant/silent partner; active/general/industrial partner, ostensible partner*), **special partnership** (SOC sociedad constituida para un fin concreto y determinado), **special purpose vehicle, SPV** (FINAN entidad instrumental en la titulización —*securitization*— de activos, encargada de la emisión de los títulos-valores), **special warranty deed** *US* (COMER documento de garantía especial; V. *general warranty deed*), **specialist** *US* (BOLSA especialista, creador de mercado de la Bolsa de Nueva York; V. *market maker*), **specialize** (especializar-se), **specialized mutual fund** (fondo de inversión especializado en un sector concreto), **speciality, specialty** (especialidad), **specialty contract** (escritura de convenio, contrato sellado), **specialty debt** (deuda escriturada), **specialty goods** (artículos selectos o de calidad), **specialty store** (tienda de lujo, comercio especializado en artículos selectos o de calidad)].

specie point *n*: V. *gold point*.

specific *a*: concreto, específico, especial. [Exp: **specific assets** (CONT activos cuya utilización queda limitada a determinadas industrias), **specific indent** (COMER orden de compra cerrada, también llamada *closed indent*, dada a un agente, fijando la marca, tamaño, precio, etc.; V. *open indent*), **specific performance** (DER cumplimiento o ejecución exacta del contrato tal como se estipuló; demanda o recurso exigiendo el estricto cumplimiento de lo convenido en el contrato; ejecución forzosa, cumplimiento material; V. *damages in lieu, action for specific performance*), **specifically** (concretamente, expresamente, explícitamente), **specifications, specs** (pliego de condiciones, especificaciones), **specified time, within the** (en el plazo indicado), **specify** (mencionar, especificar, detallar, precisar, indicar)].

specimen *n*: muestra, modelo, facsímil, espécimen; V. *sample*.

spectrum *n*: espectro. [Exp: **spectral analysis** (análisis espectral)].

speculate *v*: especular, jugar. [Exp: **speculate for the advance** (jugar al alza; V. *bull, bear*), **speculation** (especulación), **speculative** (especulativo), **speculator** (especulador; V. *gambler*)].

speed *n/v*: velocidad; ir a prisa. [Exp: **speed up** (acelerar ◊ *Speed up production/ payments*; V. *slow down*)].

spend *v*: gastar, consumir; invertir; pasar tiempo. [Exp: **spend big** *col* (gastar a lo grande o a espuertas; V. *talk big, think big*), **spendable** (disponible; para gastos, efectivo; V. *cash*), **spendable earnings** (ingresos disponibles o efectivos; V. *cash earnings*), **spending** (gasto-s; V. *deficit spending; consumer spending*), **spending cuts** (reducción de gastos; recortes presupuestarios), **spending money** (dinero para gastos), **spending power** (poder adquisitivo; V. *purchasing/buying power; ability-to-pay*), **spending unit** (unidad de gasto), **spending spree** (período de derroche/gasto alocado; exhibición de despilfarro; V. *go on a spending spree*), **spendthrift** (pródigo, disipador, derrochador; V. *big spender*), **spendthrift clause** (cláusula de inembargabilidad de los beneficios)].

sphere *n*: esfera, campo; competencia; sector, ámbito; V. *branch, sector*. [Exp: **sphere of activity** (área de competencia, campo de actividad), **sphere of influence** (ámbito/esfera de influencia)].

spill *n/v*: derramamiento, derrame, vertido; derramar; V. *oil spill*. [Exp: **spillover** (derramamiento; desbordamiento; riesgo de expansión de la liquidez bancaria; efectos externos o indirectos), **spillover effect** (efecto derramamiento/desbordamiento/indirecto), **spillover benefits** (beneficios indirectos o de desbordamiento)].

spin *n/v*: giro, vuelta; revolución; efecto giratorio; dar vueltas a. [Exp: **spin-off¹** (subproducto, producto secundario o derivado; V. *by-product, end-product, waste-product*), **spin-off²** (consecuencia, resultado o efecto indirecto ◊ *The new appointments are spin-off from the merger*), **spin-off³** (beneficio indirecto/ secundario/incidental ◊ *Spare parts sales provide some juicy spin-off; his consultancy work is a spin-off from his job*), **spin-off,⁴ spinoff** (SOC segregación, escisión; constitución de una nueva sociedad por escisión; transferencia de activo; transformar una parte de una mercantil en una filial de la misma, distribuyendo las acciones de la nueva sociedad entre los accionistas de la primera ◊ *Spin off a subsidiary company*; V. *bust-up; hive off*), **spin-off split** (SOC escisión; división de una sociedad mercantil en dos o más, a fin de optimizar o proteger mejor los negocios; V. *break-up; merger*), **spin out** (alargar, prolongar ◊ *Spin out a speech*)].

split[1] *a/n/v*: dividido; desdoblado; en desacuerdo; división, grieta, escisión, desdoble/desdoblamiento; reparto; desdoblado; partir-se, hender-se, dividir-se, fraccionar-se, desdoblar-se, escindir-se; repartir, ir a medias ◊ *The board is split over the question of the buy-out.* [Exp: **split**[2] (SOC desdoblamiento del nominal de las acciones; fraccionamiento de las acciones, canjeando, por ejemplo, dos nuevas por cada una de las antiguas), **split**[3] *col* (largarse, pirárselas), **split-capital investment trust** (FINAN sociedad de inversión de duración limitada, que invierte en acciones de renta —*income shares*— y capital —*capital shares*), **split decision** (decisión no unánime, decisión alcanzada por mayoría simple), **split down** *US* (reducción del capital de una mercantil, también llamada *reverse stock split*; V. *split up*), **split exchange rates** (tipos de cambio múltiples), **split funding** (programa de formación de capital), **split-level shopping centre** (centro comercial a dos niveles), **split-level trust** (V. *split-capital investment trust*), **split-off** (escisión; segregación; reparto o canje de acciones al escindirse e independizarse una filial de la sociedad matriz; separar-se, desprender-se, escindir-se; V. *demerger*), **split order** (BOLSA orden de venta de acciones por lotes y a precios diferentes), **split pricing** (desdoblamiento de precios), **split second, in a** (en la milésima parte de un segundo, en un abrir y cerrar de ojos), **split-second timing** (coordinación perfecta, cálculo exacto del momento más propicio, precisión milimétrica en el ritmo), **split shares** (dividir las acciones), **split shift** (jornada partida), **split the difference** (partir la diferencia, ceder mutuamente), **split the takings** (repartirse las ganancias/el botín), **split trust** (V. *split-capital*

investment trust), **split up**[1] (dividir-se, partir; parcelar; separarse; fisión; V. *spin-off split*), **split up**[2] *US* (SOC fraccionamiento del valor nominal de las acciones, también llamado *stock split*; V. *split down*), **splitting** (TRIB desdoblamiento; consiste en dividir por dos la base imponible, aplicar los tipos a las nuevas bases y sumar las cuotas parciales; división, fraccionamiento; V. *income splitting*), **splitting of loads** (división de los cargamentos, fraccionamiento de la carga), **splitting of shares** (división de acciones; V. *share split-up/splitting; scrip issue*)].

spoil *v*: estropear, deteriorar; arruinar. [Exp: **spoilage** (deterioro; desperdicios; V. *abnormal spoilage, normal spoilage*), **spoilage costs** (costes de desperdicio)].

spokesman, spokeswoman, spokesperson *n*: portavoz.

sponsor *n/v*: garante, responsable, avalista; patrocinador, padrino; patrocinar, auspiciar; V. *surety, backer, guarantor; patronise*[2]. [Exp: **sponsoring country** (país firmante, responsable o patrocinador), **sponsorship** (patrocinio)].

spontaneous recall *n*: PUBL recuerdo espontáneo; V. *day after recall; aided recall; suggested recall.*

spot[1] *n*: sitio, paraje, lugar; punto, punto exacto; V. *spot improvement.* [Exp: **spot**[2] (PUBL anuncio, cuña publicitaria; V. *advertising spot*), **spot**[3] (compra para entrega en el acto; V. *forward*), **spot**[4] *col* (punto, pinta; unidad, dólar ◊ *A five spot, a ten spot, etc.*), **spot**[5] (en forma atributiva, *spot* se usa con el sentido de «disponible» como en *spot goods* —mercancías disponibles—, o «inmediato» como en *spot delivery* —entrega inmediata; V. *on the spot*), **spot**[5] (apuro aprieto, brete; V. *jam tight corner*), **spot broker** (corredor de mercaderías —*commodities*— de entrega inmediata),

spot cash (pago al contado; pago y entrega inmediata; dinero contante; V. *cash on delivery, futures; pay cash-down*), **spot check** (inspección sorpresa; verificación/comprobación/inspección realizada al azar y/o de forma rápida), **spot contract** (STK & COMMOD EXCH contrato al contado), **spot delivery** (MERC PROD, COMER entrega inmediata; V. *immediate delivery; forward delivery; charges forward*), **spot exchange** (divisa al contado), **spot exchange deal** (operación de divisas/cambio al contado), **spot exchange rate** (tipo de cambio al contado; V. *spot rate, rate of exchange for spot delivery*), **spot goods** (mercancías vendidas en el acto o para entrega inmediata), **spot improvement** (bacheo, reparación de baches; V. *road patching*), **spot market** (MERC PROD, FINAN mercado al contado; mercado a término; también se le llama *cash market*; V. *carrying charge market; derivative market, futures market; foreign exchange spot market*), **spot month** (MERC FINAN/PROD/DINER mes inmediato; es el mes de vencimiento inmediato al de negociación de un contrato de futuros u opciones), **spot, on the** (en el acto), **spot option** (MERC FINAN/PROD/DINER opción americana), **spot price/rate** (precio de entrega inmediata; cotización en efectivo; V. *cash market price; forward price, backwardation*), **spot rate** (V. *spot exchange rate; spot price; forward rate*), **spot trading/transaction** (operación al contado), **spots** (MERC FINAN/PROD/DINER mercancías disponibles inmediatamente; V. *softs*)].
spread[1] *n/v*: gama, abanico; divulgación, propagación, circulación; extender; V. *range, centre spread*. [Exp: **spread**[2] (margen; diferencial; banda de rentas; amplitud; diferencia/margen entre el precio de puja, compra o demanda —*bid*

price— y el de oferta —*offer price*— el de compra y el de venta en una transacción financiera; V. *bear spread, bear squeeze, selling the spread; intercommodity spread; margin*), **spread**[3] (MERC FINAN/PROD/DINER, BOLSA «spread»; compra y emisión simultánea de dos opciones del mismo; diferencial entre dos precios a futuro; [1] en el mercado de futuros —*futures market*— es la compra y venta simultánea de contratos de futuros —*futures contracts*— cuyos activos subyacentes —*underlying assets*— o fechas de vencimiento —*expiry dates*— son distintas; [2] en el mercado de opciones —*options market*— es la compra y venta simultánea de opciones de compra —*call options*— o de venta —*put options*— con el mismo activo subyacente —*underlying assets*—, aunque con distintos precios de ejercicio —*strike price*— o fechas de ejercicio —*strike dates*; [3] en los créditos con tipo de interés flotante —*floating interest rate*— es la prima añadida al tipo de interés de referencia; V. *scalper, central spread, mark up, margin*), **spread a risk** (FINAN diluir un riesgo; V. *spreading of risks*), **spread between spot and forward quotations** (margen entre las cotizaciones al contado y a término), **spread effect** (efecto propagador o de propagación; se dice de la repercusión favorable que ejerce un *polo de crecimiento* sobre su entorno; también se aplica en publicidad; V. *backwash effect*), **spread of risk** (diversificación de riesgos), **spread of spreads** (diferencia entre los márgenes), **spread out payments** (escalonar los pagos), **spread option** (MERC FINAN/PROD/DINER opción diferencial; esta opción tiene dos activos subyacentes o *underlying assets*), **spread the risk** (TRIB extender/diversificar el riesgo), **spreader**

(MERC FINAN/PROD/DINER especulador de contratos de futuros y a plazo; compra y vende simultáneamente contratos del mismo activo subyacente —*underlying asset*— con diferentes vencimientos —*maturity dates*— a la espera de obtener un beneficio en el diferencial o *spread*; V. *day trader, scalper, position trader*), **spreading**[1] (propagación; V. *calendar spreading*), **spreading**[2] (TRIB ampliación a mayor número de ejercicios de las rentas obtenidas en uno, a efectos fiscales; se aplica especialmente a artistas, escritores, etc.), **spreading of risks** (distribución de riesgo), **spreadsheet** (hoja de cálculo)].

spree *n*: V. *shopping spree; spending spree.*

spur *n/v*: espuela, incentivo, aguijón ◊ *Spur to exports*; espolear, estimular, incentivar, incitar.

spurt *n/v*: acelerón, tirón, aumento/incremento repentino; acelerar. [Exp: **spurt in interest rates** (aumento repentino en los tipos de interés)].

SPV *n*: V. *special purpose vehicle.*

squander *v*: derrochar, despilfarrar, malgastar ◊ *Squander funds*. [Exp: **squandering** (derroche, despilfarro; V. *spending spree*)].

square *a/n/v*: justo, equitativo; honrado, cuadrado; cuadrar, ajustar ◊ *Give the customer a square deal*. [Exp: **square accounts** (ajustar cuentas), **square, be** (estar en paz), **Square Mile** (centro financiero de Londres también llamado *City*)].

squeeze[1] *n/v*: restricción, estrujón; apuro, aprieto, disminución; restringir, limitar, estrechar, asfixiar, estrujar, apretar; V. *bear squeeze; money squeeze*. [Exp: **squeeze**[2] (MERC FINAN/PROD/DINER incremento artificial de los precios del futuro; V. *corner*[4]), **squeeze credits** (restringir créditos; V. *credit squeeze*), **squeeze-out** (exclusión de los accionistas minoritarios), **squeeze out** (excluir o eliminar a un competidor, etc.)].

stability *n*: estabilidad, solidez, firmeza. [Exp: **Stability and Growth Pact** (pacto de estabilidad y crecimiento; de acuerdo con este pacto, los países con déficit presupuestarios superiores al 3 % del producto interior burto —GDP— serán multados, a menos que la producción —*output*— haya caído por debajo del 2 %; V. *Maastricht Treaty, European Union Treaty*), **stabilization** (estabilización), **stabilization and compensation fund** (fondo de estabilización), **stabilization loan** (empréstito de estabilización), **stabilization measures** (medidas de estabilización), **stabilize** (estabilizar; V. *earmarked gold*), **stabilizer** (fuerza estabilizadora), **stable** (estable), **stable currency** (moneda sana/estable; V. *hard/sound/weak/soft currency*)].

stack *n/v*: montón, pila; amontonar; apilar. [Exp: **stack the cards** *col* (arreglar la baraja; amañar; hacer trampas), **stacked hedge** (MERC FINAN/PROD/DINER cobertura completa concentrada; modalidad de cobertura de riesgo en contratos de futuros consistente en la compra simultánea de contratos de vencimientos sucesivos; V. *one-off hedge, stripped hedge, rolling hedge*), **stacking** (concentración)].

staff *n/v*: plantilla, personal; estado mayor; contratar personal; dotar de personal; V. *personnel, skeleton staff; office staff*. [Exp: **staff and line organization** (GEST gestión combinada de órganos de asesoramiento y de ejecución), **staff, be on the** (pertenecer a la plantilla), **staff committee** (comité de personal), **staff cuts** (ajuste de plantilla; V. *staff shake-up, redeployment of staff*), **staff rules and regulations** (normas, estatuto o reglamento del personal), **staff selection and training** (selección y formación del personal), **staff shake-up** (ajuste de plantilla; V. *redeployment of staff*), **staff shares** (acciones del personal), **staff shortage** (falta de personal), **staff, on the** (de plantilla, que forma parte de la plantilla), **staffed** (dotado de personal, con personal de servicio), **staffer** *US* (empleado de plantilla), **staffing** (contratación o dotación de personal ◊ *Reduce staffing levels*)].

stag *n*: BOLSA especulador «ciervo»; se caracteriza por la rapidez con la que adquiere y revende participaciones en nuevas emisiones. [Exp: **stagging** *US* (BOLSA mayorización; suscripción inflada; táctica dirigida a obtener la máxima asignación de títulos cuando la demanda es superior a la oferta)].

stage *n/v*: etapa, estadio, fase; trámite; organizar; V. *early stage, first-stage processing, multi-stage tax.* [Exp: **stage/make a comeback** (COMER remontar dificultades, volver a la fama, el poderío o la importancia anterior; V. *stage/a rally*), **stage a rally** (BOLSA recuperarse el precio de las acciones; V. *fall back*), **stages, in** (por etapas), **stages of growth** (ECO etapas de crecimiento)].

stagflation *n*: estanflación; estagflación; estancamiento con inflación; V. *stagnation.*

stagger *v*: escalonar; V. *step.* [Exp: **staggered/classified board of directors** (FINAN consejo de administración con tiempo de servicio escalonado; sus componentes son reelegidos o renovados de forma escalonada como medida disuasoria contra cualquier intento de absorción, lanzamiento de OPA, etc.; V. *shark repellent*)].

stagnant *a*: estancado. [Exp: **stagnate** (estancarse), **stagnation** (estancamiento; V. *secular stagnation theory; ex growth industries; stagflation*)].

stake[1] *n/v*: apuesta, cantidad arriesgada o jugada; juego; apostar, arriesgar, invertir, jugar-se. [Exp: **stake** (SOC inversión/participación/intereses en una sociedad mercantil o negocio ◊ *Acquire a stake in a business*; V. *ownership stakes, controlling stake*), **stake a claim** (reclamar un derecho), **stake, at[1]** (en juego ◊ *There is a lot at stake in this project*), **stake, at[2]** (en cuestión ◊ *The issue at stake*), **stake money on something** (arriesgar dinero en algo), **stakeholders** (interesados, partícipes, parte interesada de una empresa, terceros que en ciertos juegos o apuestas se constituyen en custodios del dinero arriesgado a la espera del resultado)].

stale *a*: caducado. [Se suele aplicar a *cheque, claim, date, debt, etc.* Exp: **stale check, staledated cheque** *US* (cheque caducado; normalmente por haberse presentado al cobro seis meses después de la fecha en que fue extendido; V. *postdated; soiled cheque*), **stalemate** (estancamiento, paralización, punto muerto; posición de tablas en ajedrez ◊ *The talks have reached stalemate*; V. *deadlock; gridlock*)].

stalking-horse *n*: pretexto, cortina de humo, maniobra de distracción; candidato falso lanzado para desviar la atención y ocultar la identidad del auténtico ◊ *The rumour about the merger is just a stalking-horse.*

stall[1] *n*: COMER puesto, quiosco, tenderete; V. *stand, kiosk, outlet.* [Exp: **stall[2]** (atascar-se, paralizar-se, entrar en un callejón sin salida ◊ *Negotiations with the unions have stalled*; V.), **stall[3]** *col* (contestar con evasivas, emplear maniobras dilatorias ◊ *They're stalling for time to ward off bankruptcy*)].

stamp *n/v*: sello, timbre, póliza; cuño; vale, bono; sellar, timbrar, estampillar. [Con el significado de «vale o bono» se emplea en expresiones como *food stamp* —bono o vale alimenticio—. Exp: **stamp duty/ tax** (TRIB timbre, impuesto del timbre), **stamp pad** (tampón), **stamped addressed envelope, s.a.e** (sobre con sello y con el nombre y dirección del solicitante, etc.), **stamped paper/documents** (papel/efectos timbrados), **stamping** (estampillado)].

stand[1] *n/v*: local de exposición; permanecer, ofrecer; avalar, soportar, sufrir; V. *standing*. [Exp: **stand**[2] (STK & COMMOD EXCH cotizar ◊ *IBM securities stood in the market last night at ..*), **stand at a discount** (BOLSA cotizar por debajo de su valor nominal ◊ *Shares standing at a discount*), **stand down** (dimitir de un cargo; V. *step down*), **stand behind** (respaldar; V. *back, support, uphold, endorse, second*), **stand by** (apoyar; estar o ponerse a disposición o a las órdenes de alguna autoridad; estar listo o a la expectativa), **stand liable for damages** (ser responsable de los daños y perjuicios)].

stand by[1] *v*: estar a la expectativa, estar preparado y a la espera de órdenes, estar en la lista de espera. [Exp: **stand by**[2] (cumplir, mantener, reafirmar, «sostenella y no enmendalla» ◊ *They stood by their decision to close the factory*), **stand by sb** (apoyar/defender a alguien ◊ *The Board stood by the treasurer*), **stand-by/standby**[1] (reserva, recurso; persona, objeto o recurso socorrido o del que se puede echar mano en caso de necesidad ◊ *The ready-reckoner is a great standby if the computer crashes*), **stand-by/standby**[2] (suplente, de repuesto, de reserva, en lista de espera ◊ *The assistant sales manager was present as a standby*), **stand-by/ standby**[3] (crédito contingente o de emergencia), **standby agreements** (FINAN acuerdos *standby*, contrato de préstamo *stand-by*, créditos contingentes, acuerdos

de compromiso contingente, acuerdos de disponibilidad inmediata; acuerdos de suscripción subsidiaria), **standby arrangement**[1] (acuerdo de derecho de giro), **standby arrangement**[2] (planes de contingencia), **standby commitment** *US* (operación de compromiso de compra), **standby condition** (condición de reserva), **standby cost** (coste de mantenimiento), **standby credit** (línea de crédito; crédito de apoyo; crédito con garantía; crédito de disposición inmediata, crédito contingente, crédito «standby»), **standby equipment** (equipo de reserva), **standby equity investment** (compromiso contingente de participación en el capital social), **standby facility** (recurso de emergencia/reserva; V. *back-up credit*), **standby lending program** (plan o programa de financiamiento de reserva), **standby letter of credit** (carta de declaración de garantía), **standby loan** (préstamo contingente), **standby, on** (de guardia, como reserva o suplente; preparado para intervenir ◊ *Put senior personnel on 24-hour standby*), **standby placement** (colocación *standby* o a la expectativa; el mediador trabajando a comisión, coloca los títulos del emisor y se compromete a quedarse con los títulos no vendidos a un precio especial acordado previamente), **standby ticket** (billete en lista de espera), **standby underwriting commitment** (compromiso contingente de garantía de suscripción; compromiso para compra de valores no vendidos)].

stand down *v*: dimitir, renunciar, ceder su puesto ◊ *The chairman stood down after two years in the post*; V. *resign*.

stand in *v*: suplir, sustituir ◊ *She stood in for her boss*.

standard *a/n*: normal, normalizado, uniforme, corriente, vigente; criterio, norma, medida, rasero; patrón; estándar;

V. *level; gold standard, gold exchange standard, two-metal standard.* [En posición atributiva significa «normalizado», «tipificado», «unificado», «estándar», «tipo», «corriente», etc. Exp: **Standard and Poor's 500 Stock Index, S&P 500** *US* (BOLSA índice bursátil de Standard and Poor's), **standard contract** (contrato tipo), **standard deviation** (desviación típica/normal), **standard error** (error típico), **standard-form contract** (contrato de adhesión), **standard gamble method** (ECO método del juego estándar, basado en la elección por probabilidades), **standard gold** (oro fino), **standard industrial classification** (clasificación industrial estándar), **standard grades** (calidades normalizadas), **standard of living** (nivel de vida), **standard parts** (piezas normalizadas), **standard periods** (períodos estandarizados), **standard price** (precio regulador), **Standard Rate and Data Service** *US* (PUBL Instituto de Medios y Audiencias; V. *British Rate and Data, BRAD*), **standard rate of interest** (tipo de interés vigente), **standard time data** (datos de tiempos normalizados), **standard, up to** (conforme a la norma; ◊ *None of the parts tested comes up to standard*), **standard value** (valor estándar o unitario), **standard-yield method** (CONT método del rendimiento estándar), **standardization** (ECO normalización; V. *British Standard Institution; National Bureau of Standards*), **standardize** (normalizar, estandarizar, tipificar, homologar; V. *customize; normalize*)].

standing[1] *a/n*: de pie, en pie; reputación, situación, posición. [Exp: **standing**[2] (vigente, permanente ◊ *A standing committee*), **standing**[3] (crédito, posición, reputación, fama, estatus ◊ *Financial standing*; V. *of good standing; rating,*

status, soundness; financial/credit standing, customer's credit standing), **standing**[4] (crédito, solvencia), **standing**[5] (antigüedad; V. *seniority; long-standing*), **standing committee** (comisión permanente), **standing order**[1] (norma habitual, procedimiento normal, reglamento), **standing order**[2] (BANCA domiciliación, orden de domiciliación bancaria, también llamada *standing order at a bank*; la diferencia entre *direct debit* y *standing order* radica en que en esta última se especifican las cantidades y las facturas ◊ *Pay rent by standing order*; V. *banker's order*), **standing order**[3] (COMER pedido regular o permanente), **standing order form** (BANCA impreso para domiciliar el pago de determinadas facturas), **standing vote** (voto que se emite y se cuenta poniéndose de pie; V. *show of hands*)].

standoff *US n*: callejón sin salida, punto muerto; pulso, enfrentamiento; V. *deadlock, stalemate; standstill.*

standstill *n*: paro, paralización; punto muerto, callejón sin salida, bloqueo; V. *deadlock.* [Exp: **standstill agreement** (acuerdo de inmovilización, acuerdo de moratoria, acuerdo de prórroga o de salvaguardia; acuerdo para la suspensión de un contrato o procedimiento), **standstill clause** (cláusula que prohíbe la incorporación de medidas restrictivas)].

staple *a/n/v*: básico, principal; materias primas; productos básicos; grapar; V. *raw materials, basic goods/materials.* [Exp: **staple commodities** (artículos de primera necesidad, artículos/géneros de consumo corriente; V. *primary commodities*), **staple industry** (industria fundamental o principal), **stapler** (grapadora), **staples** (materias primas)].

star *n*: COMER producto estrella; V. *leader product; Boston Consulting Group portfolio analysis, dog, cash cow.*

start *n/v*: iniciación, comienzo; iniciar,

comenzar; V. *slow start*. [Exp: **start up** (iniciar, lanzar, fundar ◊ *Start up a business*), **start-up costs/expenses** (costes/gastos de primer establecimiento o de puesta en funcionamiento de un negocio; V. *seed money*), **start-up firm** (empresa incipiente o naciente), **starting financing** (financiación de puesta en marcha [capital riesgo]), **starting salary** (REL LAB sueldo inicial o de entrada)].

state *n/v*: estado, condición; afirmar, declarar, informar; estipular, establecer, fijar, indicar. [Exp: **state accounts** (cuenta general del Estado), **state affairs** (negocios de Estado), **state bank** *US* (BANCA banco estatal; en los Estados Unidos los bancos estatales se rigen por las normas propias del Estado en donde se fundó y no por las de la *Federal Reserve System*; V. *dual system, national bank; commercial bank*), **state banking department** *US* (agencia que autoriza la creación de bancos estatales americanos y los supervisa; el inspector general se llama *commissioner of banking*; V. *dual system; national bank*), **state banking institutions** (banca oficial), **state capitalism** (capitalismo), **state-controlled** (estatal, controlado por el gobierno), **state-controlled economy** (economía dirigida o planificada; V. *planned economy, command economy; market economy*), **State earnings-related pension scheme, SERPS** (SEG plan de pensiones dentro del programa estatal llamado «SERPS»; V. *contracting out*), **state-funded pension schemes** (planes de pensiones estatales; V. *company-pension schemes, personal pension schemes*), **state machinery** (aparato de la administración pública, maquinaria del Estado), **state of an account** (estado de una cuenta; V. *position of an account*), **state of emergency** (estado de emergencia), **state of origin** (país de

nacimiento u origen), **state of the art**[1] (estado de la cuestión), **state-of-the art**[2] (de lo más moderno, último grito, punta, de vanguardia ◊ *State-of-the-art technology*; V. *high technology*), **state resources** (fondos estatales), **state-owned** (estatal, de titularidad pública; V. *private; disallow*), **state-owned bank** (banca estatal), **state-owned corporation** (SOC corporación pública o municipal; entidad de derecho público; V. *public company; publicly-owned company*), **state property** (propiedad pública), **state-subsidized** (subvencionado por el Estado), **stated account** (CONT cuenta conforme o convenida; palabras empleadas para dejar constancia de la conformidad de las partes con relación a una cuenta; V. *account stated*), **stated capital** (capital declarado), **stater** (V. *average stater*)].

statement *n*: declaración, informe; estado, cuenta, relación, estadillo, extracto; memoria, estado de posición ◊ *Financial statements, sworn statement*; V. *comparative statement*. [Exp: **statement analysis** (análisis de balance), **statement of account** (estado/extracto de la cuenta; V. *audited statement of accounts, extract, accounting statement*), **statement of affairs** (CONT balance/estado de liquidación; estado financiero), **statement of assets and liabilities** (balance financiero; estado de activo y pasivo), **statement of auditing standards, SAS** *US* (normas aceptadas para la redacción de los informes de auditoría), **statement of claim** (DER escrito de pretensiones), **statement/report of condition** *US* (BANCA balance diario o de situación; estado/informe financiero; evolución del balance; también se lo conoce con los nombres de *balance sheet, statement of financial position, assets and liabilities statement*; V. *call report*), **statement of**

expenses (hoja de dietas, resumen/ declaración de gastos), **statement of facts** (TRANS MAR exposición detallada de hechos relativos a las operaciones de carga y descarga correspondientes a una póliza de fletamento, que sirve de base a las hojas de tiempo —*time sheets*—, con las que se calculan los días de plancha y, por tanto, las posibles demoras —*demurrages*— o el despacho adelantado o premio por despacho adelantado —*despatch money*— si existe), **statement of financial position** (balance general o de situación; también se le conoce con los nombres de *balance sheet, statement of condition, assets and liabilities statement*), **statement of income** (declaración de ingresos), **statement of sources and application of funds** (CONT estado de flujo de fondos; estado de origen y aplicación de fondos; V. *funds statement; source and application of funds; accounting summary*), **Statement of Standard Accounting Practice** (Guía de la Práctica Contable; V. *accounting standards*)].

static *a*: estático. [Exp: **static hedge** (MERC FINAN/PROD/DINER estrategia de cobertura estática; V. *dynamic hedge*)].

stationery *n*: material de oficina, papelería, efectos de escritorio. [Exp: **stationery supplies** (suplidos)].

statistics *n*: estadística. [Exp: **statistician** (estadístico), **statistical** (estadístico)].

status *n*: estado, posición reputación, consideración, categoría, rango. [Exp: **status enquiry** (BANCA solicitud de información relativa a la solvencia de un cliente dirigida a un banco por un tercero; V. *banker's reference*)].

statute *n*: ley parlamentaria, también llamada *act*. [Exp: **statutory** (legal; reconocido, amparado, exigido o especificado explícitamente por las leyes o las normas legales; estatutario; reglamentario; de derecho público; que cumple los requisitos exigidos por ley aprobada en el Parlamento), **statute-barred** (prescrito, caducado), **statutory body** (organismo de derecho público), **statutory bond** (fianza legal), **statutory books** (CONT libros oficiales de contabilidad), **statutory company/ corporation** (sociedad constituida por ley parlamentaria expresa; V. *corporation incorporated by royal charter; chartered company, registered companies*), **statutory declaration** (SOC declaración que se presenta en el registro mercantil manifestando que la sociedad en cuestión cumple todos los requisitos exigidos por la ley), **statutory mortgage** (hipoteca legal; V. *legal mortgage*), **statutory requirements** (normas legales, requisitos marcados por la ley), **statutory reserves** (reservas legales), **statutory right** (derecho legal reconocido por ley parlamentaria, derecho expresamente establecido por la ley), **statutory sick pay, SSP** (REL LAB indemnización por baja laboral), **statutory tenancy** (arriendo o inquilinato amparado por las leyes de la vivienda; V. *security of tenure*)].

stave off *v*: apartar, evitar, conjurar; aplazar, diferir, retrasar, retardar ◊ *Stave off bankruptcy*.

stay *n/v*: suspensión, aplazamiento; suspender, detener, aplazar ◊ *Stay of proceedings*. [Exp: **stay of collection** (suspensión de pago)].

steadiness[1] *n*: constancia, regularidad, firmeza, estabilidad ◊ *Steadiness of prices*; V. *firmness*. [Exp: **steadiness**[2] (formalidad, seriedad ◊ *An employee's steadiness*), **steady** (firme, estable, sostenido, constante; formal, serio; estabilizarse ◊ *Prices have steadied over the past months*), **steady customer** (cliente regular o fijo), **steady growth**

(ECO crecimiento sostenido), **steady market** (mercado estable), **steady seller** (COMER producto de buena venta, con venta regular o garantizada; producto que se vende bien; V. *best-seller*), **steady up** (estabilizarse, regularizarse)].

steamer *n*: buque de vapor.

steel *n*: acero. [Exp: **steel industry** (industria siderúrgica), **steel works** (acería, fábrica siderúrgica)].

steep *a*: empinado; exorbitante, vertiginoso, fuerte ◊ *Steep prices*.

steer *v*: guiar, orientar, dirigir. [Exp: **steering** (gobierno, conducción), **steering committee/group** (junta rectora; grupo directivo; comité de seguimiento; V. *board*)].

stem *n*: TRANS MAR turno de carga de carbón; V. *free stem, subject to stem*.

stenographic record *n*: transcripción/acta taquigráfica.

step *n/v*: paso, escalón, grado; gestión, trámite, diligencia, medio; escalonar; V. *measure, formality; take steps*. [Exp: **step by step** (paso a paso), **step control** (regulación/control gradual), **step down**[1] (dimitir, renunciar, abandonar un cargo ◊ *The manager will step down on his sixtieth birthday*; V. *resign, stand down*), **step down**[2] (bono declinante; V. *step-up bond*), **step, out of** (desfasado), **step up** (subir/elevar; intensificar; aumentar), **step-up bond** (bono ascendente; es un bono con interés ajustable al alza), **stepped** (escalonado; V. *staggered*), **stepped bonus** (prima escalonada), **stepped cost** (coste escalonado), **stepped-rate bond** (bono con tipo de interés escalonado), **stepped-rate premium insurance** (póliza de seguro con primas escalonadas o variables), **steps** (V. *short-term equity participation unit*)].

sterling *a/n*: esterlina, libra esterlina ◊ *Pound sterling*. [Exp: **sterling area** (zona de la libra esterlina), **sterling balances** (reservas de/en libras esterlinas), **sterling bonds** (obligaciones pagaderas en libras esterlinas)].

stevedore *n*: estibador; V. *longshoreman*.

steward *n*: administrador de una finca; camarero de a bordo, auxiliar de vuelo, guarda jurado, encargado del servicio de orden de un local; V. *shop steward*. [Exp: **stewardess** (azafata de vuelo)].

stick *n/v*: palo, estaca, bastón; pegar, adherir. [Exp: **sticker** (etiqueta engomada)].

stiff[1] *a*: rígido, tieso, inflexible ◊ *Stiff regulations*. [Exp: **stiff**[2] (duro, difícil ◊ *Stiff competition/challenge*), **stiff**[3] (caro, alto ◊ *Stiff prices*), **stiff market** (mercado duro/fuerte/competitivo), **stiffen** (endurecerse, hacer-se más duro, poner-se más difícil, fuerte o competitivo ◊ *Stiffening markets/prices, etc.*)].

stipulate *v*: estipular, especificar; pactar. [Exp: **stipulation** (estipulación; V. *condition, requirement*)].

stock[1] *n/v*: existencias, reservas, almacén, mercancías en almacén, «stock»; acopiar, almacenar, aprovisionar, tener existencias; abastecer, surtir; V. *store, warehouse; safety stock, strategic stock piles*. [Exp: **stock**[2] (valores, acciones; este término es prácticamente sinónimo de *shares* en los Estados Unidos; en el Reino Unido significa «valores de renta fija»; V. *listed stock, non-voting stock, option stock, premium stock, outstanding stock, voting stock*), **stock**[3] *fig* (crédito, reputación ◊ *Her stock is rising in the firm*), **stock**[4] (ganado; V. *livestock; stock farm, stockbreeding*), **stock accounting** (contabilidad de existencias), **stock basket** (cesta de acciones), **stock certificate/warrant** US (certificado/título de acciones), **stock control** (control de existencias), **stock controller** (responsable de las existencias o almacén), **stock declaration policy** (seguro declarado, también llamado *declaration insurance*), **stock dividend** *US* (SOC, BOLSA acción liberada, acción gratuita, dividendo en acciones llamado *bonus share, scrip issue* o *capitalization issue* en Gran Bretaña; V. *stock split; share premium account*), **stock dilution/ watering** (dilución del capital en acciones), **Stock Exchange** (Bolsa de Valores; en posición atributiva significa «bursátil»; V. *commodity exchange*), **Stock Exchange Alternative Trading System, SEATS** (BOLSA Bolsa londinense complementaria del *SEAQ*), **Stock Exchange Automatic Exchange Facility, SEAEF** (BOLSA servicio automático de transacciones bursátiles en la Bolsa Internacional —*International Stock Exchange*), **Stock Exchange Automatic Execution Facility, SEAEF** (BOLSA servicio de la Bolsa de Londres para la ejecución de transacciones automáticas desde las terminales de los corredores), **Stock Exchange Automatic Quotation, SEAQ** (BOLSA sistema informatizado de información y de transacciones de la Bolsa de Londres; V. *screen-based system*), **stock exchange brokers** (BOLSA agencia de valores; V. *dealers, brokers*), **stock exchange clearing house** (BOLSA cámara de compensación de valores bursátiles), **Stock Exchange Commission, SEC** (Comisión Nacional del Mercado de Valores, CNMV; Comisión de Bolsa y Valores; V. *registration statement*), **Stock Exchange Committee** (cámara sindical de agentes de cambio), **Stock Exchange Daily Official List** (boletín de la Bolsa), **Stock Exchange list** (boletín de cambios, boletín de la Bolsa), **stock exchange operations/transactions** (contrataciones/operaciones bursátiles, negociaciones de títulos; V. *exchange*

business; security/stock deals/transactions), **stock exchange securities** (valores bursátiles), **stock exchange turnover** (movimiento bursátil; volumen de transacciones en Bolsa), **stock farm** (ganadería; V. *stock,*[4] *livestock rearing, stockbreeding*), **stock-gap loan** (crédito de emergencia; V. *transitional credit; emergency credit*), **stock/security holding** (BOLSA cartera de acciones/ títulos; paquete accionarial; V. *block/ parcel of shares, batch of shares; investment portfolio*), **stock-holding company** (sociedad por acciones), **stock, in** (en existencia; V. *out of stock*), **stock in hand** (mercancías en almacén), **stock-in-trade** (existencias en venta, mercaderías disponibles, inventario; *fig* repertorio, lo típico o habitual en alguien, su especialidad ◊ *Promises of improved performance are their stock-in-trade*; V. *trading stock, inventory*), **stock index futures** (MERC FINAN/DINER [contrato de] futuros sobre índices bursátiles; V. *futures contract; financial/commodity futures; interest rate futures, currency futures; spot cash; hedging*), **stock investment funds** (fondos de inversión mobiliaria, FIM), **stock issue** *US* (emisión de acciones; V. *share issue*), **stock item** (artículo corriente o que se puede adquirir en cualquier tienda), **stock jobber** (bolsista; agiotista), **stock jobbing** (agiotaje), **stock lock-up** (MERC FINAN/PROD/DINER encierro por emisión de acciones; V. *lock-up agreement*), **stock management** (gestión de existencias), **stock market index** (índice bursátil), **stock market manipulation** (manipulación del mercado de la Bolsa; V. *rigging*), **stock market price** (stock market price), **stock note** (pagaré garantizado por acciones), **stock on hand** (existencias disponibles), **stock/ share option** (opción de compra o venta de acciones), **stock option** (opción sobre acciones), **stock, out of** (sin existencias, agotado; V. *in stock*), **stock power** *US* (poder notarial autorizando la venta de valores), **stock premium** (prima de emisión), **stock rights** (derechos de suscripción), **stock size** (talla corriente), **stock split** *US* (SOC emisión de acciones gratuitas a los accionistas; desdoble de acciones; también se lo llama *stock dividend*, y en el Reino Unido *capitalization issue* y *scrip/bonus issue*), **stock syndication** (sindicación de acciones), **stock-taking price** (precio de inventario), **stock turnover/turnround** (CONT rotación de existencias; V. *average stock*), **stock up** (acumular), **stock warrant** *US* (V. *stock certificate*), **stock watering** (V. *stock dilution*), **stock yield** (rendimiento por acción), **stockage** (almacenaje), **stockbreeder** (ganadero; V. *livestock/cattle dealer*), **stockbreeeding** (ganadería; V. *livestock rearing/ raising*), **stockbroker** (corredor o agente de cambio y bolsa, bolsista; en plural significa «agencia de valores»; V. *authorized clerk; street jobber*), **stockbroking** (correduría de Bolsa), **stockbuilding** (acumulación/constitución de existencias), **stockbroker company** (sociedad instrumental de agentes), **stockbroking** (correduría de Bolsa), **stockfarming** (ganadería; V. *dairy farm*), **stockholder** *US* (accionista; V. *shareholder*), **stockholder/shareholder of record** (accionista registrado; V. *registered shareholder*), **stockholders' equity** (CONT activo/patrimonio/valor neto; capital social; V. *shareholders' equity*), **stockholders' meeting** (asamblea/junta de accionistas), **stockist** (MKTNG proveedor, distribuidor; V. *distributor, broker supplier, caterer, purveyor*), **stockjobber** (corredor de Bolsa), **stockjobbing** (agiotaje), **stock-**

pile (acopiar), **stockpiles** (reservas; niveles de existencias; V. *strategic stock piles*), **stockpiling** (COMER acumulación de existencias; V. *hoarding of goods; accumulation of goods; victualling, corner; forward buying*), **stockroom** (almacén, depósito), **stocks and shares** (valores, títulos), **stocktaking** (inventario; formación del inventario; recuento de existencias; V. *inventory taking*)].

stochastic *a*: estocástico. [Exp: **stochastic process** (proceso estocástico)].

stone *n*: piedra. [Exp: **stonewalling** (táctica obstruccionista o defensiva), **stony broke** (*col fr*: sin blanca, pelado, en la más absoluta de las ruinas; V. *flat broke*)].

stop[1] *n/v*: interrupción, parada, alto; detener, parar, interrumpir, bloquear; V. *suspend, revoke, adjourn*. [Exp: **stop**[2] (MERC FINAN/PROD/DINER «stop» o límite en una posición abierta en mercados de futuros fijado por el inversor; V. *stop-loss order*), **stop a cheque** (bloquear/ suspender el pago de un talón), **stop an account** (retirar el crédito), **stop and go** (V. *stop-go*), **stop-and-go growth** (ECO crecimiento intermitente), **stop and go policy** (ECO política de tirones; política de avance intermitente, también llamada *stop-go policy*), **stop and reverse** (BOLSA parada/stop y reversión), **stop for freight** (TRANS MAR orden de retención por impago de flete), **stop-gap loan** (préstamo urgente para cubrir un déficit; V. *bridging arrangement/loan*), **stop gap measure** (V. *stopgap measure*), **stop-go** (de intermitencia, de alternancia, de interrupciones constantes, de avanza y frena ◊ *A stop-go period in industry*; V. *stop-and-go*), **stop-limit order** *US* (BOLSA orden stop con límite; orden de comprar o vender títulos entre dos cotizaciones predeterminadas; combinación de orden «stop» y de orden «límite»; la orden es de comprar o vender valores una vez alcancen una cotización determinada, siempre y cuando se haya llegado con anterioridad a otra cotización especificada; ésta se llama *stop price* y aquélla *stop-limit price*; V. *no-limit order; limit order; day order, at best, at market, good until cancelled; do not reduce order*), **stop-list** (lista de suspensión), **stop-loss order** (BOLSA, MERC FINAN/PROD/DINER orden de «stop»; orden de pérdida limitada; son órdenes de venta —o de compra— de acciones efectuadas normalmente por fondos de inversión de alto riesgo cuando una divisa cae por debajo de un tipo de cambio determinado, con el objeto de cubrir una posición que limite las pérdidas o que proteja las ganancias), **stop loss reinsurance** (SEG reaseguro de exceso de siniestralidad), **stop notice** (orden judicial prohibiendo el registro de acciones transferidas por un deudor), **stop order** *US* (BOLSA orden stop/límite; si la orden es de compra, el precio debe ser superior al del mercado, y si es venta debe ser inferior; estas órdenes se emplean para reducir pérdidas o para proteger beneficios en una orden a crédito; V. *no-limit order; limit order; day order, at best, at market, good until cancelled; do not reduce order; stop-limit order; market order, cabinet crowd*), **stop payment advice** (aviso de bloqueo o suspensión de pago), **stop price** (precio límite), **stopover** (escala/parada en un puerto/aeropuerto; V. *call*), **stoppage** (REL LAB plante; suspensión, paro, parada, retención, detención, demora, interrupción ◊ *Industrial action led to stoppage*; V. *walk-out*), **stoppage in transit** (retención de mercancías transportadas), **stopgap measure** (medida de emergencia)].

storage *n*: almacenaje, almacenamiento; depósito; V. *block/dynamic/random/shelf storage*. [Exp: **storage capacity** (capacidad de almacenamiento), **storage charges** (derechos de depósito), **storage, in** (en depósito), **storage space** (espacio disponible para almacenamiento), **storage facilities** (instalaciones de almacenamiento), **store¹** (almacén; tienda, en los EE.UU; bodega; acopiar, guardar, almacenar), **store²** (provisión, pertrecho; V. *stock*), **store list** (manifiesto de provisiones de un buque), **store name** (PUBL marca de la casa, marca comercial de mayorista ◊ *The grocery chain's products bore the store name*; V. *name brand*), **store space** (espacio disponible para almacenamiento), **store-to-door delivery** (reparto a domicilio directamente desde el almacén), **storeroom** (depósito, almacén)].

stow *v*: arrumar, estibar, almacenar; V. *overstow, overstowed cargo*. [Exp: **stowage** (arrumaje, estiba, almacenaje; bodega marítima; gastos de estiba; V. *deck stowage*), **stowage factor** (factor de estiba), **stowed** (TRANS MAR estibado; V. *trimmed*)].

straddle *n*: MERC DINER cono, [posición de] cobertura a horcajadas; posición de riesgo compensado; es una estrategia mixta de espera, llamada también «cono»; consiste esta estrategia especulativa en la compra de una opción de compra —*call option*— y otra de venta —*put option*— con los mismos precios de ejercicio —*strike prices*—, generalmente idénticos al del mercado del activo subyacente —*underlying asset*—, y las mismas fechas de vencimiento —*expiry dates*—; es una estrategia de espera, bastante segura, sobre todo, cuando los valores de los títulos garantizados son muy volátiles, aunque con esta estrategia también se pueda uno «romper una pierna» —*break a leg*—, es decir, sufrir una gran pérdida, siendo en este caso *leg* cada una de las opciones —*options*— que forman el cono o *straddle*; el término está relacionado con la idea de «seto» —*hedge*—, que es como se llama la situación de cobertura o riesgo compensado, y remite a la imagen gráfica de alguien sentado encima de un seto con un pie o pierna en cada lado, es decir bien asegurado; V. *bottom/long/top/ short straddle; condor, butterfly; strangle*.

straight[1] *a/adv*: recto, directo; ordenado, exacto, correcto; uniforme, en línea recta; irrevocable; honrado, equitativo, justo; V. *go straight*. [Exp: **straight**[2] (FINAN eurobono corriente; normalmente con interés fijo de tres a ocho años; V. *eurobond, floating-rate note*), **straight bill** (letra simple, sin acompañamiento o respaldo de documentos), **straight bill of lading** US (conocimiento de embarque intransferible, no negociable/traspasable, corrido o nominativo; conocimiento a persona determinada o intraspasable; V. *named bill of lading*), **straight bond** (bono clásico, simple u ordinario; bono no convertible), **straight debt** (deuda simple), **straight-debt bond** (bono a interés fijo), **straight currency swap** (MERC FINAN/DINER permuta financiera de divisas directa o simple), **straight-debt bond** (FINAN bono de interés fijo; V. *fixed-interest bearing bond*), **straight letter of credit** (carta de crédito confirmada e irrevocable; V. *irrevocable letter of credit*), **straight life insurance** (SEG seguro de vida entera), **straight-line method of depreciation** (CONT método de amortización/depreciación uniforme, lineal, constante o de cuotas fijas en cada ejercicio; depreciación proporcional; V. *asset depreciation range system; direct method of depreciation; accelerated depreciation*), **straight-line production**

(producción continua), **straight-line rate** (tarifa constante), **straight mortgage** (hipoteca directa, limpia o clásica)].

strand *n/v*: orilla, playa, litoral, costa; varar, embarrancar. [Exp: **stranded** (varado, embarrancado; *fig* abandonado a su suerte), **stranding** (varada, varadura, encalladura)].

strangle *n*: MERC FINAN/PROD/DINER posición mixta de compras o ventas de opciones a distintos precios; consiste en la combinación de compras o ventas simultáneas de opciones de compra —*call options*— o de opciones de venta —*put options*— sobre el mismo activo subyacente —*underlying asset*— y con diferentes precios de ejercicio —*strike prices*— teniendo las dos las mismas fechas de vencimiento —*expiry dates*—; esta estrategia especulativa de combinación puede dar lugar a varias posiciones mixtas, siendo la más corriente la de compra de una opción de compra por un precio superior al del activo subyacente —*underlying asset*—, y la de compra simultánea de una opción de venta por un precio inferior al del activo subyacente; V. *straddle; condor, butterfly*.

strap[1] *n/v*: correa, fleje; sujetar con correa. [Exp **strap**[2] («strap»; alude a la combinación —*combination*[3]— o estrategia combinatoria de compras y/o ventas de opciones de venta —*puts*— y de compra—*calls*— consistente en comprar dos opciones de compra y una de venta con el mismo precio de ejercicio —*exercise price*— y la misma fecha de vencimiento —*expiry date*—; V. *straddle; strip; condor; butterfly*), **strapped** (flejado, asegurado; V. *banded*), **strapped for cash** *col* (con apuros económicos)].

strategic *a*: estratégico. [Exp: **strategic benchmarking** (fijación o establecimiento de pautas o criterios de competencia comparativa en gestión), **strategic business unit, SBU** (MKTNG unidad estrategia de negocio; producto; es una unidad formada por productos, marcas —*brands*—, divisiones, segmentos de mercado —*market segments*— que tienen algo en común, como puede ser su distribución), **strategic stock piles** ([niveles de] existencias estratégicas), **strategist** (estratega; V. *equity strategist*)].

straw *n*: paja. [Exp: **straw bond** (fianza ficticia), **straw man** (testaferro; V. *man of straw; nominee,*[2] *nominee company/ holding; parking deal*), **straw vote** (voto de tanteo o no oficial)].

stream *n/v*: flujo, afluencia; fluir, correr, emitir. [Exp: **stream, on** (en plena productividad, en funcionamiento activo; V. *come on stream*), **streamline** (aerodinamizar; racionalizar, sanear; redimensionar ◊ *They're trying to streamline a bloated business*; V. *restructure, slim down, rescue; overhaul, clean up,*[1] *sort out; share*[3]; V. *downsize*), **streamlined** (racionalizado, saneado, eficiente), **streamlining** (agilización; simplificación; racionalización), **streams of costs and benefits** (corrientes/flujos de costes y beneficios)].

street *n*: calle, vía pública. [Exp: **street broker** (agente de Bolsa no oficial), **street dealing/trading** (BOLSA contratación de valores no oficial, es decir, antes o después del cierre de la Bolsa; venta ambulante, venta en vía pública; V. *after-hours dealing*), **street hawker** (vendedor ambulante; V. *street trader*), **street jobber** (agente de Bolsa no oficial; V. *stockbroker*), **street market** (BOLSA transacciones en horas no oficiales), **street price** (BOLSA precio/cotización no oficial, o sea, después del cierre de la sesión oficial de la Bolsa; V. *after-hours market/price*), **Street, the** *US* (la calle financiera por anotonomasia o Wall Street), **street trader** (vendedor ambulante), **street trading** (venta ambulante, venta en la vía pública)].

strengthen *v*: reforzar, consolidar.

stricken *a*: damnificado, herido. [Exp: **stricken company** (empresa en apuros o perjudicada)].

strike[1] *n/v*: REL LAB huelga; declararse en huelga; pegar, golpear; V. *labour stoppage; back-to-work movement; down tools; doomsday strike; direct action; selective strike, sit-down strike, slow-down strike, sympathetic strike, wildcat strike; strike-breaker; industrial action.* [Exp: **strike**[2] (ganga; éxito), **strike**[3] (MERC FINAN/PROD/DINER ejercicio; V. *strike price*), **strike a balance**[1] (encontrar el justo medio), **strike a balance**[2] (CONT hacer balance), **strike a bargain** (cerrar un trato, llegar a un acuerdo), **strike and lockout clause** (cláusula de huelga y cierre patronal), **strike-breaker** (esquirol; V. *blackleg, scab*), **strike fund** (caja de resistencia, fondo de huelga), **strike from the record** (borrar del acta), **strike notice** (aviso de huelga), **strike offered yield, SOY** (FINAN, BANCO precio de emisión o de referencia [al que los bancos suscriptores —*underwriters*— pueden hacer sus peticiones de títulos]; V. *issuer set margin*), **strike, on** (en huelga), **strike out** (tachar, borrar ◊ *Strike out where not applicable*), **strike out on one's own** (poner un negocio propio, independizarse), **strike price** (MERC FINAN/PROD/DINER precio de ejercicio, precio de compra en el mercado de valores, de materias primas —*commodities*— o de divisas —*currency*—, también llamado *exercise price*, hasta una fecha fijada, llamada *expiration date*, al que tiene derecho el que posea una opción de compra o *call option*), **strike**

rate (MERC FINAN/PROD/DINER tipo de ejercicio para efectuar un intercambio o *swap*), **striker** (huelguista), **strikes, riots and civil commotions clause** (SEG cláusula de las pólizas de seguro que exceptúa los daños causado por huelgas, tumultos y desórdenes; V. *civil commotions*), **strikebound** (paralizado por la huelga), **striker** (huelguista)].

stringency *n*: rigor, austeridad, severidad, estrechez; V. *financial restraint, finan-cial stringency, monetary stringency*. [Exp: **stringent** (severo, estricto, riguroso; austero ◊ *Stringent budget control*)].

strip[1] *n/v*: banda, tira, tira de cupones; desnudar, despojar, vaciar ◊ *Strip a company of its assets*; V. *stripping; asset stripping*; *air strip*. [Exp: **strip**[2] (MERC FINAN/PROD/DINER alude a la combinación —*combination*[3]— o estrategia combinatoria de compras y/o ventas de opciones de venta —*puts*— y de compra —*calls*— consistente en comprar dos opciones de venta y una de compra con el mismo precio de ejercicio —*exercise price*— y la misma fecha de vencimiento —*expiry date*; V. *strap, straddle; condor; butterfly*), **strip**[3] (V. *strips*), **strip hedge** (MERC FINAN/PROD/DINER cobertura en bandas), **strip of maturities** (porción de cada uno de los vencimientos de un préstamo), **strip off/out** (quitar, despojar ◊ *Strip out the coupons*), **strip participation** (participación en cada uno de los vencimientos de un préstamo), **stripped hedge** (MERC FINAN/PROD/DINER cobertura sucesiva en mercados de futuros), **stripped mortgage-backed securities, stripped MBS** (BKG bonos con garantía hipotecaria desprovistos del cupón, cuyo cobro ha motivado la adquisición con título subrogado —*pass-through*—), **stripper** (V. *asset-stripper*), **stripping** (BOLSA, SOC desdoble o separación de acción y cupón; suele tener

lugar este desdoble en las ampliaciones de capital; V. *asset stripping; clipping off; dividend stripping, zero-coupon bond/CD coupon stripping*), **strips** (FINAN segregación de los flujos que genera un bono a lo largo de su vida; la palabra es un acrónimo de *Separate Trading of Registered Interest and Principal Securities*; es un acrónimo muy expresivo; *strip* en inglés connota la idea de «segregación» ya que significa «desvestir, cortar a tiras, descortezar, etc.)].

stripped hedge *n*: MERC FINAN/PROD/DINER cobertura completa escalonada; modalidad de cobertura de riesgo en contratos de futuros consistente en la compra escalonada, cuando se necesiten, de contratos de vencimientos sucesivos; V. *stacked hedge, one-off hedge, rolling hedge*.

stroke *n*: ataque, apoplejía.

strong *a*: fuerte; firme; pujante. [Exp: **strong bargaining position, be** (REL LAB contar con buenas bazas para la negociación; poder negociar desde una posición de fuerza), **strong box** (caja fuerte o acorazada; V. *safe*), **strong currency** (moneda fuerte; V. *hard currency*), **strong market** (mercado firme), **strong representations** (fuertes protestas o manifestaciones), **strong safe** (caja fuerte o de seguridad; V. *strong deposit box*), **strong room** (BANCA cámara acorazada/blindada; V. *safe deposit vault*)].

structure *n/v*: estructura; estructurar. [Exp: **structural analysis** (análisis estructural)]. **structural adjustment facility, SAF** (servicio de ajuste estructural), **structural adjustment lending/loan, SAL** (préstamos para fines de ajuste estructural), **structural unemployment** (ECO desempleo estructural), **structural work** (obra gruesa)].

struggle *n/v*: lucha, conflicto, contienda; esfuerzo; luchar, pelear, forcejear. [Exp: **struggle along** (ir tirando ◊ *The stricken firm struggled along somehow*), **struggling** (afligido, atribulado)].

stub *n*: matriz de un talonario, resguardo ◊ *Keep the stub as a check*; V. *remittance slip*.

stuff *n*: materia, material; mercancías, género; V. *know one's stuff*. [Exp: **stuffing** (TRANS cargamento de mercancías en un contenedor)].

stumer *col n*: cheque devuelto o sin valor; V. *bouncer, bounced cheque*.

stunt[1] *v*: atrofiar, impedir el crecimiento o desarrollo de, asfixiar ◊ *Poor communications are stunting the firm's growth*. [Exp: **stunt**[2] (proeza acrobática, truco, treta o ardid publicitario ◊ *Their "special offer" is just a stunt to make people buy*)].

sub *prefijo*: sub-; V. *under*. [Exp: **subcontract** (subcontratar), **subheading** (subtítulo), **sub-lease** (subarriendo; V. *underlease*), **sublessee** (subarrendatario), **sublessor** (subarrendador), **sublet** (subarrendar), **subletting**[1] (subarrendamiento), **subletting**[2] (TRANS MAR refletamento; V. *rechartering*), **substandard** (de calidad inferior a la media; inferior, defectuoso), **subtract** (restar, sustraer), **subtenancy** (subarriendo), **subtenant** (subinquilino), **subtrust** (fideicomiso derivado de otro, creado cuando un beneficiario del primero se declara fideicomiso de terceros)].

subject[1] *n*: sujeto, súbdito, ciudadano. [Exp: **subject**[2] (tema, cuestión, asunto, materia), **subject**[3] (someter), **subject-matter** (contenido, asunto), **subject to** (pendiente de, a reserva de, sin perjuicio de, previa condición de, dentro de, sujeto a, sometido a, supeditado a, con la salvedad de, según; V. *not subject to*), **subject to a quota** (COMER contingen-

tado; V. *commodity subject to a quota*), **subject to approval** (pendiente de aprobación, sujeto a aprobación), **subject to availability** (según disponibilidades), **subject to contract** (previo contrato, sujeto a contrato), **subject to legal regulations** (dentro de lo que marca la ley), **subject to notice** (con preaviso; V. *account subject to notice*), **subject to stem** (TRANS MAR libre de espera; V. *free stem*), **subject to tax** (gravable, imponible, tributable)].

submerge *v*: sumergir. [Exp: **submerged economy** (economía sumergida/oculta/subterránea/encubierta/irregular; V. *hidden economy, informal/parallel economy*)].

submission *n*: propuesta; presentación. [Exp: **submission of a claim** (presentación de una demanda o una reclamación), **submission of bids** (presentación de licitaciones), **submit** (presentar, formular, rendir; proponer, solicitar), **submit for discussion** (presentar a debate), **submit to arbitration** (someter a arbitraje)].

subordinate *a/n/v*: subordinado, subalterno; subordinar. [Exp: **subordinate lender** (prestamista subordinado), **subordinated/junior bond** (bono subordinado; V. *senior bond*), **subordinated debt** (deuda subordinada; V. *senior debt; junior debt*), **subordinated issue** (emisión subordinada)].

subscribe *v*: suscribir, firmar; contribuir, abonar-se. [Exp: **subscribe a loan, capital, shares, etc.** (suscribir un empréstito, capital, acciones, etc.), **subscribed capital** (capital suscrito; V. *issued capital; authorized capital*), **subscriber** (suscriptor, abonado)].

subscription *n*: suscripción, abono. [Exp: **subscription certificate/warrant** (certificado, resguardo provisional o cédula de suscripción; V. *warrant*), **subscription**

prospectus (prospecto de emisión; V. *issue/underwriting prospectus*), **subscripción right** (derecho de suscripción), **subscription terms** (condiciones de suscripción), **subscription warrant** (V. *subscription certificate*)].

subsidiary *a/n*: subsidiario; filial. [Exp: **subsidiary company** (filial; empresa filial; sociedad mercantil que, aun teniendo responsabilidad jurídica y autonomía financiera, depende de una sociedad matriz poseedora al menos del 51 % de su capital; V. *parent/holding company, daughter company; associate, affiliate*; *capital stocks of subsidiaries*), **subsidiary ledger** (registro/libro auxiliar de cuentas), **subsidiary loan** (préstamo subsidiario)].

subsidize *v*: subvencionar. [Exp: **subsidized area** (ECO zona de preferente localización industrial —*industrial subsidized area*—, agrícola —*farming/agrobusiness subsidized area*—, etc.), **subsidized prices** (precios subvencionados o políticos), **subsidy** (FINAN subsidio, subvención; V. *grant, bounty, featherbedding, quota on import*; V. *disallow*)].

subsistence *n*: subsistencia; V. *live at subsistence level*. [Exp: **subsistence allowance** (dietas y viáticos, gastos de manutención; V. *travelling allowance*)].

substitute *a/n/v*: sustitutorio, sustituto, suplente; sustituir, reemplazar. [Exp: **substitute-s** (ECO sustitutivo-s), **substitute demand** (ECO demanda sustitutiva; V. *competitive demand*), **substitute goods** (ECO bienes sustitutivos; estos bienes son los opuestos a los *complementary goods*), **substitute money** (ECO dinero de sustitución, sucedáneo de dinero; son efectos de comercio que, aun no siendo dinero de curso legal o *legal tender*, se aceptan como dinero; también se lo llama «dinero no físico» —*nonphysical money*; V. *real money, near*

money), **substituted service** (citación o notificación por cualquier medio sustitutorio de entrega en mano o envío por correo), **substitution** (sustitución, reemplazo), **substitution effect** (ECO efecto sustitución), **substitution of debt** (traspaso de deuda)].

subvention *n*: subvención; V. *subsidy*.

succeed *v*: heredar, suceder; triunfar. [Exp: **successful bidder** (adjudicatario; V. *awardee*), **succession** (herencia, sucesión), **successive** (sucesivo, seguido, consecutivo), **successor in title** (derechohabiente)].

sue *v*: entablar juicio contra, pedir en juicio, demandar. [Exp: **sue and labour clause** (TRANS MAR cláusula de gestión y trabajo; mediante su inserción en una póliza de seguros marítimos, el asegurado se compromete a tomar todas las medidas razonables y oportunas con el fin de evitar o disminuir en lo posible las consecuencias del riesgo; el asegurador queda obligado a indemnizar esos gastos razonables independientemente del éxito que se obtenga; V. *waiver clause*), **sue for damages** (demandar por daños y perjuicios), **sueable** (procesable)].

suffer *v*: sufrir; tolerar, consentir. [Exp: **sufferance** (consentimiento, tolerancia), **sufferance, at/on** (por tolerancia ◊ *The tenant is occupying the property on sufferance*; V. *estate by sufferance*), **sufferance wharf** (TRANS MAR muelle tolerado; V. *bill of sufferance*)].

sufficient *a*: suficiente.

suggest *v*: sugerir. [Exp: **suggestive selling-station concept** (PUBL, COMER concepto de punto de venta atractivo o con gancho; concepto de mercadotecnia que subraya la originalidad o fantasía en el decorado o presentación del punto de venta), **suggested recall** (PUBL recuerdo sugerido; V. *day after recall; aided recall; spontaneous recall*)].

suit *n*: demanda, litigio, pleito, proceso; V.

sue. [Exp: **suitable** (apropiado, apto, idóneo; V. *skilled, qualified*)].

sum *n/v*: suma, adición, cuenta, cantidad; sumar; V. *lump sum*. [Exp: **sum of the years digits depreciation** (CONT amortización por suma de dígitos de los años), **sum up** (resumir, recapitular, evaluar, valorar, darse cuenta de, hacerse una composición de lugar ◊ *Sum up the situation*), **summing up** (recapitulación; V. *summation*)].

summarize *v*: resumir, hacer resumen de. [Exp: **summary**[1] (resumen, sumario), **summary**[2] (inmediato, breve, corto sumario), **summary account** (extracto), **summary dismissal** (REL LAB despido inmediato), **summary book** (CONT contabilidad de asociaciones y clubes no lucrativos; V. *club accounts*), **summary statement** (estado resumen, estado recapitulativo)].

sun *n*: sol. [Exp: **sunset clause/provision** US col (disposición transitoria, *aprox*; disposición o artículo de una ley o reglamento que fija el plazo de extinción, salvo legislación contraria, de un derecho o privilegio derogado por la nueva regulación)].

sundry *a*: varios, diversos. [Exp: **sundries, sundry items** (artículos varios, géneros diversos), **sundry charges/expenses** (cargos diversos, gastos varios; V. *miscellaneous charges/costs*), **sundry questions** (otras cuestiones), **sundry services** (servicios varios), **sundry taxes** (impuestos varios)].

sunk *v*: V. *sink*. [Exp: **sunk cost** (CONT costo no recurrente de capital, coste con pérdida)].

super *prefijo* super, sobre. [Exp: **superannuation** (fondo de pensiones ocupacional; jubilación; pensión de retiro; V. *pension fund*), **superannuation benefits** (beneficios de jubilación), **superannuation fund** (fondo de pensión), **superannuation scheme** (plan de jubilación), **superintend** (supervisar, vigilar, ser responsable de), **superintendent** (responsable, vigilante, supervisor), **supermarket** (supermercado), **supertanker** (superpetrolero), **supervise** (supervisar, controlar, vigilar, dirigir, intervenir), **supervision** (superintendencia, supervisión), **supervisor** (supervisor), **supervisory** (relacionado con la superintendencia o supervisión), **supervisory powers** (competencias de control)].

superior *a/n*: superior, de mayor rango; superior, jerárquico.

supervise *v*: supervisar, controlar, intervenir, fiscalizar; V. *control; check*[1]; *manage; monitor; follow-up; oversee*.

supplement *n/v*: suplemento; completar, suplementar. [Exp: **supplemental** (carta complementaria; V. *side letter*), **supplementary** (suplementario, adicional, secundario), **supplementary benefit** (sobresueldo, subvención que se pagaba en el pasado para igualar un salario al mínimo establecido; su nombre actual es *income support*), **supplementary special deposit** (V. *corset*), **supplementary tax** (impuesto adicional)].

supplied *a*: suministrado. [Exp: **supplied as loose part** (entregado separadamente), **supplier** (distribuidor, abastecedor, proveedor, suministrador; V. *caterer, purveyor, victualler*), **supplies** (suministros, aprovisionamiento, pertrechos; V. *tenders and supplies; factory supplies*)].

supply *n/v*: oferta; abastecer, proveer, suministrar, avituallar; V. *stock, inventory; provide, victual*. [Exp: **supply and demand** (oferta y demanda), **supply curve** (curva de la oferta), **supply management** (regulación de la oferta), **supply-side economics** (economía de la oferta)].

support *n/v*: apoyo, manutención, subvención; soporte; avalar, prestar fianza, afianzar, respaldar, apoyar, ayudar, suscribir, amparar, sostener, mantener; V. *mainstay backing, back up, uphold, endorse, second*. [Exp: **support level** (MERC FINAN/PROD/DINER nivel de apoyo/intervención de precios), **support rate** (cambio de apoyo/intervención/ sostén; V. *intervention/pegged rate*), **support of, in** (en apoyo de, en favor de, en pro de), **support the market** (BOLSA mantener los precios del mercado), **supporter** (defensor, protector, simpatizante), **supporting** (justificativo, de apoyo, fundado), **supporting documents** (comprobantes o documentos justificativos), **supporting evidence** (pruebas fehacientes, material de apoyo)].

supra protest *n*: supraprotesto, intervención bajo protesto; V. *acceptance supra protest*.

surcharge *n/v*: recargo, sobretasa, sobreprima, sobrecarga; sobrecargar, recargar, aplicar un recargo.

surety *n*: fianza, caución, recaudo; fiador, garante, abonamiento; V. *guarantor, collateral, warrant; stand for surety*. [Exp: **surety company** (institución de fianzas), **surety for a bill** (aval de una letra), **suretyship** (fianza, garantía, seguridad, afianzamiento, obligación de indemnidad en favor de alguno)].

surface *n/v*: superficie; firme; salir a la superficie, emerger, surgir, aflorar. [Exp: **surface mail** (correo terrestreo de superficie), **surface workers** (personal que trabaja a cielo abierto)].

surmount *v*: superar, remontar, vencer ◊ *Surmount obstacles*. [Exp: **surmountable** (superable, remontable)].

surpass *v*: superar, rebasar, sobrepasar ◊ *Surpass one's rival's expectations*.

surplus *n/a*: superávit, excedente, sobrante; plusvalía; V. *excess; excess supply; farm surplus/excesses; personnel surplus;* *acquired surplus, book surplus, food surplus, labour surplus to requirements, trade surplus; operating surplus; glut; shortage*. [En función atributiva significa muchas veces «excedentario», como en *surplus country, surplus population, surplus production, etc.* Exp: **surplus balance** (CONT saldo activo), **surplus capacity** (capacidad excedentaria, ociosa o no utilizada; V. *idle capacity*), **surplus cash/funds** (fondos sobrantes o excedentes), **surplus disposal** (colocación, liquidación, venta de excedentes), **surplus dividend** (dividendo por superávit), **surplus labour and value theory** (teoría de la plusvalía), **surplus of money/paper** (BOLSA posición dinero/papel), **surplus on current account** (superávit de la balanza de pagos por cuenta corriente), **surplus profit** (beneficio extraordinario; V. *excess profit*), **surplus reserves** *US* (fondos reservados para fines especiales), **surplus stock** (existencias sobrantes)].

surrender *n/v*: entrega, renuncia, cesión, abandono, rendición, rescate; renunciar, ceder, abandonar; capitular, rendirse. [Se aplica a *property* —bienes—, *rights* — derechos—, *charter* —cédula, privilegio o concesión real—, etc. Exp: **surrender charge** (coste de rescate), **surrender, on/upon** (contra entrega de), **surrender value** (SEG valor de rescate de una póliza de seguros; V. *redemption value; loan value, cash surrender value; call value, face value*) **surrenderee** (cesionario), **surrenderor** (cesionista)].

surrogation *n*: subrogación. [Exp: **surrogate** (sustituto), **surrogacy** (sustitución, condición de sustituto)].

surtax *n*: recargo tributario, sobretasa, impuesto complementario o adicional; V. *surcharge*.

surveillance *n*: vigilancia; V. *perimeter surveillance*.

survey *n/v*: estudio, reconocimiento, peritaje, medición, análisis, informe detallado, panorámica; encuesta; inspección, investigación; catastro, registro, apeo; contemplar, examinar, medir, estudiar, inspeccionar, levantar un plano, etc.; V. *examination; examine.* [Exp: **survey fees** (SEG gastos de peritación), **survey report** (certificado/ informe de inspección; peritaje; certificado de averías; V. *certificate of survey; Lloyd's Register of Shipping*), **surveyor** (experto, perito; tasador; inspector; topógrafo, agrimensor; V. *average surveyor, quantity surveyor*), **surveyor's report** (SEG informe pericial, acta de inspección)].

suspend *v*: suspender, dejar en suspenso. [Exp: **suspend business** (suspender los negocios), **suspend without pay** (REL LAB suspender de empleo y sueldo), **suspense account** (cuenta de orden; cuenta provisional, de tránsito, en tránsito o transitoria), **suspense entry/ item** (entrada/partida transitoria; asiento técnico incluido para que la cuenta cuadre), **suspension** (suspensión), **suspension of hire** (TRANS MAR cláusula de averías o de suspensión del alquiler del buque en las pólizas de fletamento por tiempo, también llamada *off-hire*), **suspensory** (suspensivo), **suspensory effect** (efecto suspensivo)].

sustain[1] *v*: sufrir, aguantar, soportar, experimentar ◊ *Sustain heavy losses*; V. *suffer.* [Exp: **sustain**[2] (sostener, mantener, sustentar; confirmar, corroborar; V. *hold, uphold, maintain*), **sustain a loss/a wrong, damage/injury** (ser víctima de una injusticia; sufrir o experimentar una pérdida/daño), **sustainable development** (ECO desarrollo sostenible)].

swamp *n*: atolladero; situación incómoda, apurada, peligrosa o comprometida ◊ *A corporate/financial swamp*).

swap *n/v*: FINAN [contrato de] permuta financiera, canje financiero; «swap», operación «swap»; operación vinculada, crédito recíproco o cruzado; crédito/operación de dobles; operación de reporte; son acuerdos contractuales, negociados en mercados no organizados —*over-the-counter markets*—, por los que dos partes se comprometen a intercambiarse flujos financieros en la misma moneda —*interest swap*— o en distinta moneda —*currency swap*—; éstos son los dos tipos más convencionales de *swaps*, siendo otros *debt for bond swap, debt for equity swap, debt swap, etc.*; cambiar, canjear, intercambiar ◊ *Some banks are thinking of swapping their loans for equity*; V. *callable swap, puttable swap.* [Exp: **swap agreement** (BANCA acuerdo de intercambio bancario; por medio de éste las centrales de dos bancos situados en diferentes países se conceden crédito mutuo con el fin de facilitar el intercambio de divisas), **swap assignment** (MERC FINAN/PROD/DINER cesión de permutas/swaps), **swap contracts** (contratos de permutas financieras), **swap credit/line** (crédito de dobles o *swap*, línea de crédito «swap»), **swap point** (MERC FINAN/PROD/DINER punto de «swap»), **swap rate** (FINAN cotización «swap»; es la diferencia entre el tipo de cambio al plazo convenido y el tipo de cambio *spot*), **swap-related issues** (bonos emitidos con operaciones de permuta de obligaciones financieras), **swaptions** (MERC FINAN/PROD/DINER opciones sobre permutas o financieras o «swaps»; «swapción»; V. *payer/receiver swaption; callable/puttable swap*)].

swear *v*: jurar, prestar juramento; declarar bajo juramento ◊ *sworn.* [Exp: **swear in** (tomar juramento ◊ *The King swore in the new ministers*)].

sweat *n/v*: sudor; sudar. [Exp: **sweat**

damage (TRANS MAR daño por exudación), **sweat equity** (aportación en mano de obra propia), **sweat it out** *col* (pasarlas moradas; aguantar el tipo ◊ *Investors sweated it out as the dollar crashed*), **sweat shop** *col* (taller de economía sumergida; taller donde se explota a los trabajadores ◊ *A lot of modern electronic gadgets are made in sweat shops*), **sweated labour** (esclavitud, mano de obra mal pagada), **sweater** (explotador)].

sweeten *v*: dulcificar; *col* sobornar ◊ *Sweeten a deal*. [Exp: **sweetener** *col* (astilla, soborno; V. *bonus, bribe*)].

sweep *v*: barrer; llevarse por delante, arrastrar; V. *sweepstake*. [Exp: **sweep account** *US* (BANCA cuenta con servicio de barrido —*sweep service*), **sweep aside/away** (aplastar, barrer ◊ *Sweep aside the opposition*), **sweep service** (BANCA servicio bancario de barrido o de transferencia automática del saldo de una cuenta de un cliente a otra del mismo que ofrezca mayor remuneración, siempre que dicho saldo supere cierto límite acordado), **sweeping** (dogmático; general, radical ◊ *Sweeeping changes/statements*), **sweepstake** (lotería, sobre todo la que se organiza en una oficina u otro lugar de trabajo cuando se celebra una carrera de caballos importante; el acertante se lleva todo el dinero, esto es, «*sweeps*» las «*stakes*», o apuestas)].

SWIFT *n*: sistema electrónico de transferencias; acrónimo correspondiente a *Society for Worldwide Interbank Financial Telecommunication* o Sociedad para la Telecomunicación Financiera Internacional; V. *CHIPS, CHAPV, TARGET, ERI*.

swindle *n/v*: estafa, timo; estafar, timar; V. *fiddle*. [Exp: **swindler** (estafador, timador; V. *confidence man*), **swindling** (fraude, estafa, timo; V. *fraud*)].

swing *n/v*: oscilación, fluctuación, giro, viraje, cambio, vaivén, corrimiento, desplazamiento; oscilar, fluctuar, balancear-se, columpiar-se ◊ *The country has swung to the left*. [Exp: **swing²** (influir ◊ *Swing a committee*), **swing³** (ritmo marcha, actividad; V. *in full swing*), **swing capacity** (capacidad de producción flexible), **swing credit** (descubierto recíproco, crédito recíproco al descubierto), **swing index** (índice de fluctuación), **swing line** (FINAN línea de crédito a muy corto plazo; préstamo/crédito puente o de empalme; V. *bridge/bridging loan, gap financing, accommodation, day-to-day accommodation/loan, short-term loan*), **swing of quotations** (oscilación de las cotizaciones), **swing of trade** (fluctuación del mercado), **swing round** (cambiar bruscamente de dirección; hacer virar o girar ◊ *She swung the Board round to her opinion*), **swingline** (FINAN préstamo puente o corto plazo; V. *back-up line, roll over*)].

switch¹ *n/v*: cambio; cambiar, trasladar, transferir; V. *reswitching*. [Exp: **switch²** (cambio de posición; V. *switching*), **switch order** (BOLSA orden condicional de cambiar unos títulos por otros al llegar a determinada cotización; V. *switching*), **switch trade** (COMER, FINAN comercio triangular en divisas; liquidación total o parcial del saldo favorable de un convenio bilateral de pagos a través de un tercer país), **switchboard** (centralita de teléfonos), **switchboard operator** (telefonista), **switching¹** (MERC FINAN/PROD/DINER rotación de contratos de opciones y de futuros, cambiándolos por otros sobre el mismo activo subyacente con vencimiento posterior; se venden los que se poseen y se sustituyen por otros similares con vencimiento posterior), **switching²** (FINAN rotación de títulos en la gestión de una cartera de valores; se venden los que ofrezcan un perfil poco atractivo y se sustituyen por otros de mejores perspectivas), **switching³** (FINAN exportación e importación a través de un tercer país, por razón de las facilidades en divisas), **switching⁴** (intervención de las autoridades monetarias en los mercados internacionales de divisas para evitar las salidas de su moneda; V. *outward switching*), **switching discount** (FINAN descuento ofrecido para pasar de un fondo de inversión a otro de la misma entidad o grupo)].

swollen *a*: hinchado, falto de agilidad, sobredimensionado, inflado, ineficiente, desproporcionado; V. *top-heavy; over-developed, inefficient; outsize.*

SWOT analysis *n*: MERC, GEST análisis DAFO; el acrónimo inglés *swot* corresponde a las palabras inglesas s̲trengths, w̲eaknesses, o̲pportunities, t̲hreats; el acrónimo español corresponde a «d̲ebilidades, a̲menazas, f̲ortalezas, o̲portunidades»; es un método de análisis de desarrollo de una estrategia de marketing basado en la evaluación de los puntos fuertes y débiles de la empresa y en las oportunidades y amenazas del mercado.

swop *n*: V. *swap.*

sworn *a*: jurado. [Exp: **sworn decla-ration/statement** (declaración jurada; V. *affidavit*), **sworn in, be** (prestar juramento ◊ *The president will be sworn in next week*; V. *swear in*)].

subsidiarity *n*: subsidiariedad.

symbolic delivery *n*: entrega simbólica, esto es, entrega del albarán o de otro documento acreditativo de envío; V. *constructive delivery, physical delivery.*

sympathetic strike *n*: huelga de solidaridad o de apoyo; V. *strike, wildcat strike; token strike.*

syndicate¹ *n/v*: corporación de síndicos; consorcio de instituciones financieras que se agrupan para garantizar la colocación de una nueva emisión de acciones o bonos; consorcio asegurador; sindicato; sindicar; V. *consortium, pool, bank syndicate, underwriting syndicate; underwriter.* [Exp: **syndicate²** (SEG grupo de aseguradores de Lloyd's constituido por «nombres» o *names*), **syndicate³** US (banda criminal, «sindicato»; V. *ring*), **syndicate of brokers** (Colegio de Corredores), **syndicate a loan** (concertar un préstamo a través de un consorcio bancario o de financiación), **syndicate of bond-holders/stockholders** (sindicato de obligacionista/accionistas), **syndicated loan** (BANCA préstamo sindicado; normalmente tiene poco margen financiero y está concedido por un consorcio de bancos, de los cuales el más impor-tante de todos, que se hace cargo sólo de una parte del préstamo, sindica el resto a otros bancos; V. *club deal; tombstone*), **syndication** (sindicación), **syndication fee** (derechos/tasas de ingreso en un consorcio bancario)].

synthetic¹ *a*: sintético; V. *short synthetic call/put.* [Exp: **synthetic²** (FINAN sintético; instrumento híbrido o a la medida —*customized*— que combina un activo financiero y una operación de cobertura), **synthetic agreement for forward exchange, SAFE** (MERC FINAN/PROD/DINER acuerdo sintético para tipos de cambio de divisas a plazo), **synthetic-assets-based swap** (intercambio de activos sintéticos), **synthetic security** (MERC FINAN/PROD/DINER título sintético; está formado por la combinación de varios derivados —*deri-vatives*—)].

system *n*: sistema, régimen; V. *beat the*

system. [Exp: **systems analysis/analyst** (análisis/analista de sistemas; análisis de una actividad a fin de tomar las decisiones convenientes), **system of** **taxation** (régimen fiscal), **systematic risk** (riesgo sistemático de una cartera o título; V. *beta coefficient, market risk*), **systematize** (sistematizar)].

T

t *n*: tonelada ◊ *A 350t cargo*; V. *ton*. [Exp: **T-bills** (letras del Tesoro; V. *Treasury Bills*), **T-bonds** (bonos del Tesoro; V. *Treasury Bonds*)].

TAA *n*: V. *tactical asset allocation*.

table[1] *n*: mesa; tabla, cuadro, relación, estado, índice, listado. [Con el significado de «tabla» o «cuadro comparativo» se encuentra en muchos compuestos transparentes como *contingency table* —tabla de contingencia—, *frequency table* —tabla de frecuencias—, *mortality table* —tabla de mortalidad—, *range table* —tabla de escalas—, *redemption table* —cuadro de amortización—, etc.; V. *graph, chart, diagram*. Exp: **table**[2] (someter a aprobación, presentar, poner sobre el tapete; retrasar la presentación de un informe, dar carpetazo a un informe; suele ir con palabras como *a motion, a bill, an amendment, a report*, siendo sinónimo de *submit*; en inglés americano el significado es, en cambio, «retrasar la presentación de un informe, dar carpetazo a un informe» siendo sinónimo de *defer, shelve*), **Table A** (modelo general utilizado en la redacción de los Estatutos de una Sociedad Anónima, según la Ley de sociedades de 1948; V. *Articles of Incorporation, Companies Act*), **table a motion**[1] (presentar una moción), **table a motion**[2] *US* (aplazar el estudio de una moción), **table of contents** (índice de materias), **table/scale of deductions** (TRIB tabla de retenciones; V. *allowance*[3]), **table of mortality** (tabla de mortalidad; V. *life table; mortality table*), **table of organisation** (organigrama; V. *organisation chart*), **table rate** (baremo), **tabular** (tabular), **tabular mortality** (mortalidad tabular o esperada), **tabulate** (tabular), **tabulation of data** (tabulación de datos)].

TAC *n*: V. *total allowed catch*.

tactic *n*: táctica ◊ *Delaying tactics*. [Exp: **tactical** (táctico, estratégico ◊ *Tactical voting*), **tactical asset allocation, TAA** (colocación/asignación estratégica/táctica de activos)].

tacit *a*: tácito, implícito, no escrito, de común acuerdo; V. *implied, implicit; constructive; expressed*.

tack[1] *v*: chincheta, tachuela; hilván; clavar; hilvanar. [Exp: **tack**[2] (rumbo, dirección; táctica, línea, política ◊ *Change Tack; try a different tack*; V. *line*), **tack on** (unir, añadir, pegar, agregar; V. *tag on*), **tacking** (FINAN fusión de dos hipotecas)].

tackle *v*: abordar, emprender, enfrentarse a ◊ *Tackle an issue/a problem*.

tag *n/v*: etiqueta, rótulo, tejuelo, marbete; identificación; etiquetar, denominar; V. *label; price tag*. [Exp: **tag on** (pegar, añadir; V. *tack on*)].

tailor *n/v*: sastre; confeccionar; adaptar o ajustar de acuerdo con las necesidades concretas, hacer a la medida ◊ *Tailor a package to sb's needs*. [Exp: **tailor-made** (hecho a la medida ◊ *An organization tailor-made for sb's skills*; V. *buying off the peg; made to measure, customized*), **tailor-made commercial paper** (FINAN pagaré singular o hecho a la medida)].

take *v/n*: tomar, llevar; ingresos, recaudación, caja ◊ *Count the take*; V. *takings*. [Exp: **take a ballot on sth** (someter un asunto a votación), **take a bath** *US col* (FINAN sufrir un revés/batacazo, sufrir fuertes pérdidas como consecuencia de una especulación ◊ *Take a bath when prices drop*), **take a beating/hammering** (ser vapuleado, quedar maltrecho, salir mal ◊ *The pound took a beating*), **take a flier** *col* (FINAN arriesgar mucho especulando; ◊ *She's taking a flier by buying that stock*), **take a position**[1] (FINAN tomar posiciones; adquirir títulos más o menos expuestos a riesgo; la posición puede ser larga —*long*— o corta —*short*—), **take a position**[2] (FINAN arriesgar una participación de cierta importancia en las acciones de una empresa; puede ser el preludio de un intento de hacerse con el control; V. *take over, buy into*), **take a risk** (arriesgarse; V. *run a risk*), **take a tight hold** (llevar un control férreo, meter en un puño; agarrar con fuerza, no soltar; estar muy encima, controlar de cerca/rigurosamente; V. *get/have/keep a tight hold*), **take a vote** (celebrar una votación), **take action** (tomar medidas), **take an account** (pedir cuentas; calcular o ajustar el estado de las cuentas entre dos o más personas un tercero que actúa de juez o árbitro ◊ *The court ordered an account to be taken*), **take an inventory** (hacer inventario; V. *take stock*), **take-and-pay contract** (contrato de compra garantizada), **take away** (quitar, sustraer, deducir; llevarse; V. *takeaway*), **take back** (devolver; revocar; volver a tomar/emplear/usar), **take, be on the** *col* (dejarse corromper), **take bids** (licitar, rematar, subastar), **take charge of** (encargarse de, tomar en depósito), **take delivery** (tomar posesión, aceptar, hacerse cargo de), **take down** (aceptar valores de una nueva emisión), **take effect** (surtir efecto, entrar en vigor, entrar en vigencia, empezar a regir, tener efecto, producir efectos; V. *effect, come into effect*), **take for granted** (asumir, dar por hecho), **take-home/takeaway foods** (COMER alimentos preparados que se compran para ser consumidos en casa; V. *takeaway*), **take-home pay** (REL LAB salario líquido/neto; V. *gross; pay check*), **take in a cargo** (tomar mercancías en depósito), **take into account** (tener en cuenta), **take into custody** (detener), **take off** (rebajar, quitar ◊ *She took 5 % off the label price*), **take-off** (despegue, impulso; despegar; dispararse; V. *economic take-off*), **take off a leg** (V. *lift a leg*), **take out of bond** (sacar mercancías —*goods*— del depósito aduanero), **take office** (tomar posesión de un cargo), **take on**[1] (asumir, aceptar), **take on**[2] (REL LAB emplear, dar empleo ◊ *Take on extra staff*), **take on**[3] (retar, desafiar, enfrentarse a ◊ *You're taking on the craftiest dealers on Wall Street*), **take on board** (aceptar, asumir, compartir ◊ *The management took the union's proposal on board*), **take on lease** (tomar en arrendamiento), **take one's pick** (escoger), **take-or-pay agreement/contract** (acuerdo/contrato firme de compra sin derecho de rescisión), **take/buy-out agreement** (acuerdo de recompra), **take out a patent** (patentar, sacar una patente; V. *grant a patent*), **take out an insurance policy, take out insurance** (asegurarse, hacerse un seguro), **take-out commitment** (compromiso de una institución bancaria de sustituir el préstamo inicial dado a una constructora o *construction loan* por otro hipotecario a largo plazo; V. *back-to-back commitment*), **take-out investor** (inversor que recibe un *take-out commitment*), **take-out loan** (préstamo hipotecario a largo plazo que recibe un constructor para sustituir el préstamo inicial o *construction loan* que le hizo una institución financiera; suele amortizarse en un solo plazo o *balloon payment* al vencimiento; V. *zero-coupon mortgage*), **take over**[1] (hacerse cargo de, tomar el mando de; absorber, asumir; V. *They've been taken over by a Japanese firm*; V. *take a position*[2]), **take over**[2] (sustituir, ocupar el puesto de ◊ *She has taken over the front retired sales manager*), **take-over, takeover** (SOC, FINAN toma/cambio de control de un empresa por otra, por medio de su absorción o compra; adquisición; absorción; relevo; V. *bust-up takeover, bankmail; absorption; contested takeover; reverse takeover*), **take-over bid**[1] (SOC, FINAN oferta pública de adquisición, OPA; consiste en ofrecer a los accionistas de una empresa la compra de sus acciones; si no la aprueba el consejo de la empresa ofertada, se considera hostil; V. *tender offer; offer to purchase; dawn raid, corporate raider*), **take-over bid**[2] (BOLSA oferta pública de intercambio), **take-over merger** (fusión por absorción), **take possession** (tomar posesión, entrar en posesión), **take-over premium** (prima de control empresarial,

de acciones, etc.), **takeover target** (empresa atacada en un intento de toma de control, empresa objeto de una OPA o intento de adquisición), **take private** (salir de Bolsa; V. *go public*), **take steps** (hacer gestiones, tomar medidas), **take the floor** (tomar la palabra), **take stock** (hacer inventario; V. *take an inventory*), **take the minutes of a meeting** (levantar acta de una sesión), **take the minutes** (SOC hacer el acta de una sesión, actuar de secretario; V. *minute*), **take up a bill** (pagar una deuda; pagar/aceptar/descontar una letra; V. *honour; retire*), **take-up fee** (BANCA comisión de adquisición; la reciben los bancos suscriptores o *underwriter banks* por cada título que compren de acuerdo con su compromiso de colocación), **take up shares** (SOC suscribir acciones), **takeaway** (preparado, para llevar; local/restaurante que prepara comida para llevar ◊ *Do a nice line in takeaway food*), **takeaway meal** (comida para llevar), **taker** (SEG tomador de un seguro, adquirente, etc.), **taker in** (FINAN agente que toma prestados títulos a otro; V. *giver on*), **taker of averages** (tasador o liquidador de averías; V. *average adjustor*), **taking-over price** (precio de reactivación), **takings** (ingresos, recaudación; caja; V. *take, cash up; incoming, receipt, gate*[2])].

talent *n*: talento. [Exp: **talent-spotter/scout** (cazatalentos; V. *fair game; poach*)].

talk *v*: hablar, charlar. [Exp: **talk big** *col* (fanfarronear, darse bombo o ínfulas; V. *spend big, think big*), **talks** (negociaciones)].

tally *n/v*: cuenta, cómputo, recuento; registro, anotación; contar, computar, llevar la cuenta, puntear; concordar con, conciliar, corresponder con; cuadrar, coincidir; V. *keep a tally of, buy by the tally*. [Exp: **tally** (TRANS MAR lista de carga; inventario/lista de artículos/ mercancías que se cargan o descargan; V. *cargo list*), **tally clerk** (listero, persona que comprueba la lista de carga), **tallyman/tallywoman** (vendedor ambulante, que vende a fiado productos de baja calidad; V. *tally trade*), **tally-roll** (rollo de papel de máquina de calcular; V. *adding roll*), **tally sheet** (hoja de cuentas), **tally trade** *col* (venta ambulante al fiado o a plazos; V. *tallyman*), **tallying** (conciliación)].

tangible *a*: tangible, concreto, material, real. [Exp: **tangible/material assets** (CONT activo tangible; activo fijo material), **tangible fixed assets** (CONT inmovilizado fijo o material), **tangible property** (CONT bienes tangibles), **tangible security** (garantía real)].

tank *n*: tanque, depósito. [Exp: **tanker** (petrolero; buque cisterna/tanque; camión cisterna; V. *oil tanker*)].

tap[1] *n/v*: grifo, llave, espita; espitar, explotar, sacar, aprovechar ◊ *Tap resources*. [Exp: **tap**[2] *col* (sablear, pegar un sablazo), **tap issue** (SOC emisión continua, constante o abierta; emisión gota a gota; emisión de bonos del Tesoro disponible en cualquier momento; pagarés de libre disposición; a diferencia de las normales, éstas no salen al mercado monetario ni están sujetas a las normas de *tender* —licitación— sino que están a disposición de los departamentos de la Administración, etc., a precio fijo), **tap, on** (disponible permanentemente, en funcionamiento, en pleno rendimiento), **tap stock** (emisión de títulos del Estado; V. *issue of gilt-edged stock*)].

tardy *a*: moroso, retrasado, tardío. [Exp: **tardy debtor** (moroso; V. *debtor in default*)].

tare *n*: tara; V. *dead weight*. [Exp: **taring** (fijación de la tara)].

target[1] *n/v*: objetivo, meta, objeto; blanco, diana; dirigir-se a; fijar-se como meta u objetivo ◊ *Target the foreign market*; V. *object, objective, set a target*. [Exp: **target**[2] (sistema de pago interbancario en tiempo real; está centralizado en la sede del Banco Central Europeo —*European Central Bank* en Francfort; los estándares de actuación de *Target* están dotados de una gran transparencia y seguridad jurídica a las órdenes de pago que por él transitan; es el sistema de pagos entre los bancos de los Once países de la zona euro; se liquidará instantáneamente en operaciones que deben pasar por el banco central del país en el que opere ese banco y por el Banco Central Europeo —*European Central Bank*—; es el acrónimo de <u>*T*</u>*rans-European* <u>*A*</u>*utomated* <u>*R*</u>*eal Time* <u>*G*</u>*ross* <u>*S*</u>*ettlement* <u>*E*</u>*xpress* <u>*T*</u>*ransfer*; V. *BIC; EONIA; ERI; Euribor, nostro account; SWIFT, CHAPS, CHIPS*), **target company** (SOC sociedad blanco [de una OPA], empresa asediada o atacada, empresa objeto de una OPA o ataque por un corsario/tiburón empresarial o *corporate raider*; V. *safe harbour, takeover target*), **target contract** (contrato ansiado o pretendido, contrato objeto de las pretensiones), **target day** (día en que está abierto el sistema de pagos denominado *Target*), **target group** (grupo beneficiario; grupo escogido como meta; grupo previsto), **target language** (lengua de llegada en la traducción; V. *source language*), **target price** (precio indicativo; V. *threshold price; intervention price*), **target pricing** (fijación de precios con el mínimo beneficio), **target risk** (riesgo masivo), **target time** (tiempo pretendido), **targeted amortization class** *US* (FINAN clase de títulos con objetivo de amortización; son títulos protegidos con garantía hipotecaria; V. *planned* *amortization class, pac*), **targeting of interest rates** (utilización como objetivo de la práctica monetaria), **targeting the monetary aggregates** (control de los agregados monetarios)].

TARIC *n*: V. *Integrated Common Tariff*.

tariff *n*: derecho aduanero, arancel, tarifa, precio; V. *customs duty, excise duty, fee scale, stamp duty; General Agreement on Tariffs and Trade*. [En su función atributiva, *tariff* equivale a «aduanero» o «arancelario» como en **tariff agreement** (convenio aduanero), **tariff barrier/wall** (COMER barrera arancelaria), **tariff base** (base imponible), **tariff dismantling** (desarme arancelario; V. *removal of tariff barriers*), **tariff escalation** (progresividad arancelaria), **tariff heading** (partida arancelaria), **tariff item** (partida arancelaria), **tariff premium rate** (SEG prima comercial), **tariff protection** (protección arancelaria; V. *trade wall*), **tariff quota** (cuota/cupo/contingente arancelario), **tariff rates** (tasas o derechos arancelarios), **tariff reduction** (bonificación del arancel), **tariff round** (negociaciones arancelarias), **tariff schedule** (arancel), **tariff union** (unión aduanera), **tariff whit quota** (arancel con cupo)].

task *n*: tarea, función, labor, mandato, misión. [Exp: **task force** (equipo de trabajo, fuerza de choque, destacamento), **task force for human resources** (equipo operativo de recursos humanos), **task group** (comité/grupo de trabajo; V. *steering group*), **task/job wage** (salario a destajo; V. *payment by the job; piecework pay/wage*)].

tax *n/v*: impuesto, contribución; timbre, póliza; gravar con impuestos; imponer tasas, tributos, contribuciones etc.; V. *after tax, before tax, accrued taxes, betterment tax, earmarked taxes, land tax, multi-stage tax, rebound tax,*

sacrifice tax theory; stamp; levy/lift/impose a tax. [En función atributiva, *tax* se traduce por «tributario, impositivo, fiscal, etc.». Exp: **tax abatement** (reducción de un impuesto o del tipo impositivo; V. *tax allowance, tax exemption*), **tax absorption** (absorción fiscal), **tax accounting** (contabilidad fiscal), **tax accrual** (impuesto-s acumulado-s; acumulación fiscal por devengo), **tax adjustment** (ajuste/reajuste impositivo; V. *border tax adjustment*), **tax administration** (administración fiscal o tributaria; V. *taxation authorities, fiscal administration*), **tax advance** (impuesto anticipado; V. *advance tax*), **tax advantage** (beneficio/privilegio fiscal), **tax advisor/consultant** (asesor fiscal), **tax allowance** (bonificación/exención/deducción/rebaja tributaria; desgravación fiscal; V. *tax abatement/concession/relief*), **tax amnesty** (amnistía fiscal, condonación de sanciones tributarios; V. *tax clearing*), **tax anticipation bond** (bono del Estado deducible al hacer la declaración de la renta), **tax anticipation certificate/note** (certificado con intereses aplicables al pago de impuestos), **tax arrears** (impuestos vencidos/atrasados; V. *back taxes*), **tax assessed** (impuestos estimados o exigibles), **tax assessment** (estimación de la base impositiva; base impositiva; amillaramiento, avalúo), **tax assessment notice** (aviso/notificación de la estimación impositiva), **tax assessor** US (inspector de Hacienda; V. *inspector of taxes; tax collector*), **tax at source** (deducir los impuestos en la fuente o en origen), **tax attorney** (abogado especialista en derecho tributario; V. *tax consultant*), **tax audit** (auditoría o intervención fiscal), **tax auditor** (auditor fiscal), **tax authorities** (administración fiscal; Hacienda), **tax avoidance** (remoción de impuestos, rebaja/evasión fiscal utilizando recursos legales; elusión legal de impuestos; V. *bond washing, tax evasion; tax dodging*), **tax awareness/ consciousness** (conciencia fiscal, conciencia tributaria), **tax barrier** (barreras aduaneras), **tax base** (TRIB base imponible íntegra; V. *final tax base; gros/net tax base*), **tax-based income policy** (política de rentas de base tributaria), **tax benefit/break/privilege** (beneficio fiscal, desgravación fiscal; V. *tax incentives*), **tax benefit system** (sistema de beneficios o incentivos fiscales o tributarios), **tax bill** (cuota tributaria final, cuota a pagar, tarifa fiscal), **tax bracket** (categoría impositiva, grupo/tramo/escalón fiscal; V. *top tax bracket*), **tax break** (beneficio, ventaja o exención fical; desgravación fiscal), **tax buoyancy** (TRIB elasticidad tributaria global), **tax burden** (carga/ presión fiscal/tributaria/impositiva), **tax certainty** (certeza del impuesto), **tax clearance certificate** (certificado de pago de impuestos, certificado de haber liquidado a Hacienda lo que correspondía), **tax clearing** (liquidación de deudas tributarias; V. *tax amnesty*), **tax code** (régimen/código tributario/impositivo), **tax collection** (recaudación fiscal), **tax collection incentive** (premio de retención), **tax collector** (recaudador de impuestos; V. *tax examiner*), **tax collector's office** (administración de impuestos), **tax compensation** (compensación de deudas tributarias), **tax compliance** (cumplimiento de las obligaciones fiscales), **tax concession** (desgravación; beneficio fiscal; V. *tax relief, tax allowance*), **tax consequences** (efectos tributarios), **tax consultant/ advisor** (asesor fiscal; V. *tax attorney*), **tax credit** (crédito por impuestos pagados), **tax debt** (deuda tributaria), **tax**

deducted at source (impuesto retenido en origen; V. *collection at source*), **tax-deductible** (TRIB deducible, desgravable), **tax deductions** (deducciones de la cuota; V. *rebate; allowance*), **tax deferral** (moratoria fiscal, aplazamiento en el pago de impuesto), **tax deferred basis** (se dice de los planes de jubilación que aplazan el pago de impuesto al momento de percepción del plan; V. *defined contribution plan*), **tax-deferred issue** (SOC, BOLSA emisión bonificada fiscalmente), **tax dodger** *col* (TRIB defraudador fiscal; V. *amnesty for tax dodgers*), **tax dodging** *col* (evasión de impuestos; V. *tax evasion, tax avoidance*), **tax due** (devengo del impuesto, deuda tributaria o a pagar; V. *tax liability*), **tax effort** (esfuerzo fiscal), **tax equalization account** (cuenta de compensación tributaria, reserva para la compensación fiscal/tributaria de impuestos), **tax equalization fund** (fondo/reserva de compensación tributaria), **tax evasion** (defraudación fiscal; V. *tax dodging, tax avoidance, failure to pay taxes*), **tax event** (hecho imponible; V. *taxable matter*), **tax examiner** (inspector fiscal; V. *tax collector*), **tax-exempt** (exento de impuesto; V. *non taxable*), **tax exemption** (exención tributaria, exoneración de impuestos), **tax exemption cutoff** (TRIB mínimo exento), **tax farming** (cesión de la acción recaudatoria a un particular), **tax field audit** *US* (inspección fiscal; V. *inland revenue inspection*), **tax fraud** (fraude fiscal), **tax-free** (exento de impuestos; V. *tax-exempt; free of tax*), **tax gimmick** (trampa/malabarismo fiscal), **tax handle** (TRIB asidero fiscal), **tax harmonisation** (TRIB armonización impositiva), **tax haven** (paraíso fiscal o tributario; V. *fiscal oasis, offshore bank/company; off-shore funds; umbrella* *funds*), **tax holiday** (moratoria fiscal, «vacaciones fiscales», exoneración parcial o temporal de impuestos, franquicia, franquicia tributaria), **tax inclusive** (impuestos incluidos), **tax immunity** (inmunidad fiscal), **tax incentive** (TRIB beneficio fiscal; incentivo tributario; V. *tax benefits*), **tax inspector** (inspector de Hacienda), **tax law** (derecho fiscal, disposición tributaria), **tax liability** (TRIB cuota líquida, impuesto a pagar; V. *net tax liability*), **tax lien** (embargo fiscal), **tax list** (registro de contribuyentes), **tax loophole** (vacío/laguna/resquicio legal en las leyes o reglamentos tributarios), **tax loss carryback** (compensación fiscal retroactiva; deduccción/desgravación fiscal por la aplicación de parte de los beneficios del ejercicio para compensar pérdidas habidas en ejercicios anteriores; V. *tax loss carryover/carryforward, tax shelter, tax umbrella*), **tax loss carryforward/carryover** (compensación fiscal retartada o aplazada; deduccción/desgravación fiscal justificada por la declaración de pérdidas pasada o presentes, compensándolas en ejercicios posteriores; V. *tax loss carryover/carryforward, tax shelter, tax umbrella*), **tax mitigation** (TRIB atenuación/reducción impositiva; V. *relief²*), **tax oasis** (paraíso fiscal; V. *tax haven*), **tax offence** (delito fiscal), **tax offset** (compensación de impuestos, deducción por impuestos ya abonados o pagados a cuenta, deducción de impuestos a cuenta), **tax on increment value** (impuesto sobre plusvalías), **tax on value added** (V. *VAT*), **tax payable** (deuda tributaria), **tax-paying capacity** (capacidad impositiva/contributiva; V. *ability to pay basis*), **tax practitioner** (asesor fiscal), **tax pressure** (presión fiscal), **tax privilege/benefit** (ventaja o privilegio impositivo), **tax purposes, for** (a efectos fiscales; V. *fiscal purposes*), **tax push** (encarecimiento de la vida por motivos fiscales), **tax pyramiding** (piramidación del impuesto), **tax rate** (tipo impositivo; V. *abatement*), **tax rate schedule** (TRIB tarifa impositiva, escala impositiva), **tax rebate** (desgravación fiscal, bonificación tributaria/fiscal, devolución de impuestos; V. *rebate of tax*), **tax receipts/revenue** (ingresos fiscales, rendimiento impositivo; justificante de abono de impuestos), **tax refund** (devolución de impuestos pagados; desgravación), **tax release** *US* (desgravación fiscal), **tax relief** (desgravación, reducción impositiva), **tax relief to export** (desgravación a la exportación), **tax reserve certificates** (bonos para la liquidación de impuestos), **tax remission** *US* (TRIB deducción fiscal; V. *tax allowance*), **tax retained** (impuesto retenido; retención fiscal; V. *tax withheld*), **tax return** (declaración tributaria/fiscal, declaración a Hacienda; autoliquidación tributaria; V. *examine tax returns*), **tax revenue** (recaudación tributaria; ingresos por impuestos), **tax roll** (censo de contribuyentes, registro tributario o fiscal; V. *taxpayer roll*), **tax schedules** (TRIB escala del impuesto; secciones/apartados de los tipos de renta en el impreso de declaración de la renta; hay seis apartados; el E, por ejemplo, es para rentas por trabajo —*income from employment: wages, salaries, directors' fees*—, el F es para rentas de dividendos, etc.; escalas impositivas; V. *income from capital/employment*), **tax seal** (precinto), **tax shadowing** (equiparación fiscal para evitar la doble imposición), **tax shelter** (amparo/protección fiscal; exención fiscal para proyectos industriales, etc.; V. *tax shield; abusive tax shelter*), **tax sheltered savings** (ahorros derivados de exenciones fiscales), **tax shield** (refugio tributario, amparo fiscal), **tax shifting** (traslación tributaria), **tax straddle** (FINAN operación cubierta o «straddle» con fines fiscales o de compensación fiscal; consiste en proteger una plusvalía mediante la adquisición de contratos de opciones o futuros para provocar una «pérdida» artificial en el ejercicio actual, aplazando la deuda fiscal por la plusvalía a un ejercicio posterior), **tax surchage** (recargo impositivo), **tax system** (sistema tributario; V. *fiscal system, taxation system; flat-rate tax system*), **tax threshold** (TRIB umbral impositivo; nivel de ingresos en el que se comienza a tributar o se cambia el tipo impositivo), **tax valuation** (avalúo catastral), **tax umbrella** (pantalla/protección fiscal consistente en la aplicación, a efectos fiscales, de pérdidas de ejercicios anteriores a los resultados de un ejercicio posterior; V. *tax loss carry forward*), **tax value** (valor gravable), **tax withheld** (impuesto retenido; V. *tax retained*), **tax write-off** (amortización fiscal; depreciación contable a efectos tributarios), **tax year** (año/ejercicio fiscal), **taxable** (gravable, imponible, tributable, sujeto a impuesto; V. *dutiable, liable to duty/tax, fiscal; imposable*), **taxable base** (TRIB base imponible; V. *income basis*), **taxable income** (líquido imponible, renta imponible o gravable, valor gravable, cuota imponible ◊ *Taxable income is equal to gross income minus expenses*; V. *gross income, assessable*), **taxable matter** (hecho imponible; objeto del impuesto; V. *tax event*), **taxable policy/ system** (política/sistema fiscal o tributario), **taxable transaction** (TRIB acto gravado), **taxable year** (año fiscal), **taxation** (imposición, tasación, fijación de impuestos, tributación; tributos, sistema fiscal, sistema tributario; V.

double taxation, principle of taxation; flow-through taxation), **taxation at source** (retención/imposición fiscal en origen; V. *withholding tax*), **taxation authorities** (administración fiscal o tributaria; V. *tax administration, fiscal administration*), **taxation of costs** (DER tasación de costas; V. *assessor, taxing master, bill of costs*), **taxation on an accrual basis** (imposición sobre la base de acumulación o devengo), **taxation service** (servicio de asesoramiento fiscal), **taxation system** (sistema tributario; V. *fiscal system, tax system*), **taxflation** US (estorbo/rémora/traba fiscal; esta palabra, compuesta de *tax* —impuesto— e *inflation* —inflación—, alude al efecto de arrastre que resulta de la combinación de la inflación con el sistema tributario progresivo; en Gran Bretña se llama *fiscal drag*), **taxing** (tasación), **taxing pensions** (pensiones contributivas), **taxman** col (Hacienda, la administración fiscal), **taxing master** (funcionario de los tribunales que calcula las costas de los litigantes; V. *assessor, taxation of costs, bill of costs*), **taxpayer** (contribuyente, sujeto pasivo), **taxpayer roll** (lista de contribuyentes, padrón; V. *tax roll*), **taxpaying ability** (capacidad tributaria, impositiva o contributiva; V. *ability*)].

T-bills n: V. *treasury bills*.

T-bonds n: V. *treasury bonds*.

team n: equipo, de/en equipo. [Exp: **team up** (unirse, asociarse), **teamster** US (camionero; V. *trucker, lorry-driver*)].

tease v: provocar, tomarle el pelo a; hacer rabiar; intrigar. [Exp: **teaser advertising** (PUBL publicidad enigmática, lúdica o de intriga; publicidad que incita al público a resolver un misterio o a interpretar un enigma)].

technical a: técnico. [Exp: **technical adviser** (consejero técnico), **technical**

analysis (ECO análisis técnico; análisis de previsión de factores relacionados con el mercado de valores, de productos, de futuros, etc.; a diferencia del *fundamental análisis*, sólo considera las tendencia del mercado tales como demanda, fluctuación de cotizaciones, volumen de contratación, etc. V. *charting; econometrics; fundamental analysis*), **technical assistance** (servicio técnico; asistencia técnica), **technical balance** (SEG saldo técnico), **technical barrier** (COMER barrera técnica), **technical benefit** (beneficio técnico), **technical decline** (MERC PROD fluctuación técnica a la baja), **technical default** (impago técnico), **technical drop** (BOLSA bajada técnica; V. *technical rally*), **technical error** (error técnico), **technical matters** (cuestiones técnicas), **technical move** (medida/paso/operación/decisión técnico-a), **technical position** (BOLSA posición técnica; comprende el conjunto de factores internos de la Bolsa, distintos a las fuerzas externas al mercado que influyen en los precios; V. *overbought; market external forces*), **technical rally** (BOLSA recuperación momentánea del mercado por razones técnicas; se trata de un breve respiro o subida de precios tras una prolongada caída y se debe a la presencia de compradores, a la búsqueda de gangas o de nuevas tomas de posición antes de la nueva bajada; V. *technical drop*), **technical service** (servicio técnico), **technicality** (tecnicismo, formalidad), **technician** (técnico), **technique** (técnica)].

technological *a*: tecnológico. [Exp: **technological breakthrough** (innovación, avance o adelanto tecnológico, significativo o espectacular), **technological park** (parque tecnológico, parque industrial), **technological unemployment** (paro tecnológico), **technolo-**

gically-oriented (orientado hacia la tecnología, destinado o relacionado con la tecnología, etc.), **technology** (tecnología)].

teddy bear hug *n*: SOC abrazo del osito; situación en la que el consejo de una sociedad establece contacto con el de otra manifestando sus deseos de comprar sus acciones y estos últimos no se oponen a la operación aunque piden un precio mayor por sus acciones; V. *bear hug*)].

telegraph *n/v*: telégrafo; telegrafiar. [Exp: **telegram** (telegrama), **telegraphese** (lenguaje telegráfico; V. *cablese, journalese*), **telegraphic address** (COMER dirección telegráfica; V. *cable address*), **telegraphic transfer, TT** (BANCA transferencia telegráfica; V. *cable transfer, CT*)].

telephone *n/v*: teléfono; telefonear; V. *phone*. [Exp: **telephone box/booth** (cabina de teléfonos; V. *call box*), **telephone directory** (guía telefónica), **telephone exchange** (centralita de teléfonos)].

Telextext Output Price Information Computer, TOPIC[2] *n*: V. *block order exposure system, SEAC, bid-offer spread*.

teller *n*: cajero; V. *cashier, bank clerk*. [Exp: **teller's proof** US (arqueo o control de caja)].

telex *n*: télex.

temp *col n/v*: oficinista temporal o eventual; trabajar como oficinista temporal; forma abreviada de *temporary*. [Exp: **temp agency** (agencia privada de colocación; agencia responsable de la contratación de oficinistas temporales o eventuales; V. *employment exchange, job centre*)].

temporary *a/n*: temporal, provisional, eventual, provisorio, interino, momentáneo, transitorio; oficinista eventual o interino, mecanógrafo eventual o interino; V. *momentary, acting*. [Exp: **temporary admission** (admisión temporal), **temporary annuity** (SEG anualidad a plazos), **temporary employment** (empleo eventual/temporal/precario), **temporary imports** (régimen de perfeccionamiento, importación temporal), **temporary interruption to capacity to work** (incapacidad laboral transitoria; V. *ability-to-work*), **temporary investments** (inversiones transitorias), **temporary partial disability** (incapacidad parcial temporal), **temporary provisions** (disposiciones transitorias; V. *transitional provisions*), **temporary receivership** (suspensión de pagos; V. *solvency; receiver*), **temporary staff** (personal eventual), **temporary total disability** (incapacidad absoluta temporal)].

tenancy *n*: arrendamiento, inquilinato, tiempo/período de arrendamiento; período durante el cual se ocupa un cargo; tenencia, duración de un derecho, tiempo de posesión; V. *business tenancy; leasehold; occupation, occupancy, possession*. [Exp: **tenant** (inquilino), **tenant farmer** (rentero, arredantario agrícola)].

tend *v*: tender a, tener tendencia a. [Exp: **tendency** (tendencia/propensión), **tendency to decline** (tendencia a la baja; V. *bearish tendency, downward trend*)].

tender[1] *n/v*: oferta de concurso-subasta, propuesta, ofrecimiento, concurso público, licitación; oferta de suscripción; licitar, ofrecer, hacer una oferta, presentar una propuesta; V. *offering for subscription; invite for a tender; legal tender*. [Exp: **tender**[2] (embarcación auxiliar), **tender call** (convocatoria a la licitación), **tender for a contract** (licitar para un contrato, presentar una oferta para un contrato), **tender guarantee**

(COMER INTER aval de oferta; garantía de licitación; fianza de licitación o de participación en un concurso; garantía bancaria para responder del cumplimiento de la ejecución en caso de que el contrato le sea otorgado al licitante, también llamado *bid bond*), **tender of payment** (oferta de pago; oferta de compensación económica; V. *offer to pay*), **tender offer** (oferta pública de adquisición de una empresa, OPA; V. *takeover bid, make a tender offer*), **tender one's resignation** (presentar la dimisión), **tender panel, TP** (BOLSA comisión de licitación de suscripción; unión o consorcio de suscriptores del mercado del Eurocrédito; se trata de un consorcio del sector bancario que licita —*tenders*— para adquirir efectos a corto plazo del mercado financiero a través de un sistema de suscripción rotativa; V. *banking syndicate; competitive bid option*), **tender panel agreement** (FINAN cláusula de asignación de títulos; mediante ella los suscriptores o *underwriters* se comprometen a la colocación de los títulos no vendidos), **tenderable/deliverable grades** (MERC PROD calidades aceptables), **tenderer** (postor, licitante, licitador; V. *bidder*), **tendering** (oferta; V. *collusive tendering*), **tenders and supplies** (convocatorias para la adjudicación de obras, servicios y suministros), **tendering ring** (cártel de licitadores)].

tentative *a*: provisional, a/de prueba; vacilante, cauteloso. [Exp: **tentatively** (provisionalmente, con cautela, de forma dubitativa ◊ *Agree tentatively to a proposal*)].

tenure *n*: tenencia, posesión; ocupación, mandato ◊ *Tenure of office*.

term *n*: trimestre, plazo, duración, período, vigencia; condición; mandato; término, terminología, texto; V. *come to terms* *with*. [Exp: **term bond** (bono con vencimiento fijo; V. *dated bond*), **term bill** (letra pagadera en una fecha marcada, letra a plazo vista; V. *period bill*), **term deposit, TD** *US* (depósito a plazo; V. *time deposit*), **term assurance/ insurance** (SEG seguro [de vida] temporal; seguro para el caso de muerte, limitado al plazo contratado; V. *whole-life insurance*), **term life insurance** (SEG seguro temporal a plazo fijo), **term loan** (crédito a plazo; préstamo a medio y largo plazo, con fecha de amortización fija, destinado a la financiación de bienes de equipo que generen *cash flow*, amortizable de acuerdo con una tabla de amortización fija; V. *fixed amortization schedule; demand loan, time loan*), **term of a patent** (duración de la patente), **term of delivery** (plazo de entrega), **term of insurance** (SEG vigencia de la póliza), **term of office** (mandato, período de un cargo, tenencia, disfrute), **term purchase** (compra para entrega futura; V. *purchase on term*), **term structure of interest rate** (FINAN estructura temporal de los tipos de interés), **terms** (condiciones ◊ *Offer easy terms*; V. *stipulations, conditions, warranty; easy terms, trade terms*), **terms and conditions** (plazos y condiciones), **terms of art** (terminología especializada de cualquier disciplina), **terms of payment** (condiciones/modalidades de pago, plazos; V. *easy terms of payment*), **terms of reference**[1] (tarea, cometido; funciones, atribuciones, responsabilidades, especificaciones ◊ *A committee's terms of reference*), **terms of reference**[2] (puntos concretos de una investigación, ámbito de un informe, campo de aplicación ◊ *Her report departed somewhat from the terms of reference*), **terms of sale** (condiciones de venta) **terms of the treaty** (texto de un tratado), **terms of trade** (relación de intercambio; relación o índice de comercio exterior; relación real de intercambios; relación entre el índice de precios de exportación y el de precios de importación ◊ *A recent surge in export prices has led to an improvement in the terms of trade*), **terms of underwriting** (condiciones de suscripción)].

terminal *a/n*: terminal, último, final; terminal. [Exp: **terminal basket** (bolsa de mercancías), **terminal bonus** (SEG bonificación a la conclusión del seguro)].

terminate *v*: terminar, concluir, finalizar; poner fin o término a ◊ *Terminate a contract*. [Exp: **terminable** (terminable, limitable), **terminable annuity** (SEG V. *annuity certain*), **terminate an agreement** (poner término a un acuerdo; V. *repudiate an agreement*), **termination** (terminación, cese, extinción, expiración, rescisión, anulación, fin, supresión, revocación; V. *completion*), **termination clause** (cláusula resolutoria), **termination indemnity** (REL LAB indemnización por rescisión del contrato o nombramiento), **termination notice** (notificación de la rescisión del contrato), **termination of employment** (REL LAB despido laboral; V. *notice of termination of employment*), **termination statement** (finiquito, descargo de una deuda, recibo; carta de pago en la que se asegura por escrito del pago o exención de una deuda; V. *discharge, full and final settlement, quittance; acquittance, satisfaction of mortgage; satisfaction piece*)].

territory *n*: territorio, zona, región. [Exp: **territorial waters** (aguas jurisdiccionales o territoriales, mar territorial)].

tertiary *a*: terciario. [Exp: **tertiary/ service/servicing industry** (empresa/ industria de servicios)].

TESSA *n*: *Tax-Exempt Special Savings Account*; cuenta de ahorros especial que lleva aparejados ciertos beneficios o ventajas fiscales; se trata de una cuenta ofrecida por bancos o sociedades de crédito hipotecario —*building societies*— a pequeños y medianos ahorradores; los ahorros se acogen a la exención tributaria durante cinco años, siendo los máximos permitidos de £3.000 durante el primer año y de £1.800 en los años sucesivos hasta un tope de £8.000 libres de impuestos; V. *PEP, tax break, tax exemption.*

test *n/v*: prueba, ensayo; análisis, examen; probar, someter/poner a prueba ◊ *Test a product.* [Exp: **test of effects** (criterio de actividades), **test ratios** (relaciones de solvencia)].

text *n*: texto. [Exp: **text processor** (procesador de textos)].

theft *n*: robo. [Exp: **theft insurance** (seguro contra robo)].

theory *n*: teoría. [Exp: **theory of games** (teoría de los juegos), **theory of demand** (teoría de la demanda), **theory of second best** (teoría del subóptimo)].

theta coefficient *n*: coeficiente zeta; V. *delta/gamma coefficient.*

thick *a*: grueso, espeso. [Exp: **thick market** (MERC FINAN/PROD/DINER mercado de gran consumo; V. *limited/narrow market; active market, heavy market; thin market*)].

thin *a/v*: delgado, fino; disminuir, reducirse. [Exp: **thin on the ground, be** (escasear, no abundar, haber poco-s ◊ *Buyers are thin on the ground*), **thin market** (MERC FINAN/PROD/DINER mercado escaso o de poco consumo/volumen; V. *limited/narrow market; active market, heavy market; thick market*), **thin turnover** (BOLSA volumen de contratación escaso)].

think *v*: pensar, reflexionar. [Exp: **think big** col (hacer proyectos ambiciosos, planear a lo grande, tener ideas grandiosas ◊ *Companies don't grow if they don't think big*; V. *spend big, talk big*), **think tank** (laboratorio de ideas, grupo de expertos; gabinete de estrategia, planificación o investigación; se trata de instituciones apartidistas dedicadas a la investigación de la situación política, económica, social, de defensa, etc. para suministrar ideas, especialmente, a la élite del poder; V. *brains trust; lobby*)].

third *a*: tercero. [Exp: **third-market trading** (BOLSA contratación en el tercer mercado, aplicación), **third-party** (DER terceros, tercera persona), **third-party, fire and theft** (seguro de responsabilidad contra terceros, contra incendios y robo; V. *casualty insurance, fully comprehensive; liability insurance*), **third-party insurance/policy** (seguro de automóviles contra terceros; V. *first-party insurance; act liability insurance*), **Third World** (Tercer Mundo), **thirds** US (baratijas; V. *seconds*)].

threshold *n*: umbral, entrada; V. *pay/tax threshold.* [Exp: **threshold agreement** (REL LAB acuerdo de actualización salarial automática; V. *cost of living index, consumer price index, producer price index, retail price index*), **threshold price** (precio umbral; V. *intervention price, target price*)].

thrift[1] *n*: economía, frugalidad; V. *paradox of thrift.* [Exp: **thrift**[2] US (ahorro, ahorros; V. *savings bank*), **thrift account** US (cuenta de ahorro), **thrift institution** (entidad de ahorros; puede tratarse de una caja de ahorros —*savings bank*— de un banco hipotecario o inmobiliaria —*savings and loans association*—), **thrift shop** US (tienda de artículos de segunda mano; V. *second-hand*), **thrifty** (ahorrativo, frugal, económico; V. *economical, sparing*)].

thrive *v*: prosperar, florecer; medrar, crecer ◊ *Their business is thriving*; V. *flourish.* [Exp: **thriving** (próspero, floreciente)].

through *prep*: a través de. [Exp: **through bill of lading** (conocimiento de embarque mixto; conocimiento directo o corrido sin intervención de reembarcadores, conocimiento de embarque combinado; este tipo de conocimiento se usa cuando son varios los transportistas —ferrocarril y barco, por ejemplo— que se hacen cargo de la mercancía; V. *combined transport bill of lading, direct bill of lading*), **through rate** (gastos directos), **through the offices of** (por el conducto de, por mediación de), **throughout** (en el conjunto de, en todas partes de, durante todo, en todo momento, durante todo el período, etc.)].

throw *v*: tirar, lanzar. [Exp: **throw in one's lot with sb** (unirse a la suerte de alguien; unirse con alguien para bien o para mal), **throw in** (incluir/añadir/poner de regalo ◊ *If you buy the more expensive model we'll throw in a cassette-player free*), **throw into disarray** (sembrar la confusión, dar al traste con, provocar el pánico ◊ *Investors thrown into disarray by falling prices*), **throw out of gear** (desbaratar, desbarajustar, liar, dar al traste con ◊ *Factors throwing the market out of gear*; V. *move into a higher gear*), **throw shares on the market** (emitir acciones en el mercado), **throw sb off balance** (desconcertar a uno)].

tick[1] *n/v*: marca, señal, punteo; marcar, señalar; V. *put a tick*. [Exp: **tick**[2] (MERC FINAN/PROD/DINER punto [básico]; valor mínimo de variación; variación mínima de los precios; unidad empleada para medir las oscilaciones del precio de los activos financieros —*financial assets*— y productos derivados —*derivatives*— equivalente a la diezmilésima parte del valor nominal del instrumento en todas las monedas —mil pesetas en España—, excepto en el yen, que es la millonésima; V. *minus tick, plus tick, zero tick*), **tick**[3] *col* (crédito ◊ *On tick*), **tick index** (BOLSA índice tick), **tick over** (marchar al ralentí; ir tirandillo, llevar un ritmo lento, estar en compás de espera ◊ *We'll let things tick over till the market improves*), **tick volume** (MERC FINAN/PROD/DINER volumen de operaciones), **ticker** (BOLSA teletipo de cotizaciones de la Bolsa, transmisión telegráfica de cotizaciones), **ticker tape** (BOLSA cinta de cotizaciones)].

ticket[1] *n*: billete, entrada; resguardo, boleto. [Exp: **ticket**[2] (BOLSA boleto, también llamado *name-ticket*; estos boletos los entrega el corredor de Bolsa a los vendedores de acciones el día de los boletos —*Ticket Day, Name Day*—, para la liquidación —*settlement*— de las valores bursátiles comprados a cuenta o a crédito durante la quincena o *account period*, y contienen los datos de los compradores de dichos valores), **ticket agency** (agencia de viajes; agencia de entradas o localidades para espectáculos), **Ticket Day** (BOLSA «día de los boletos» también llamado «día de intercambio de nombres», o *Name Day*; es el segundo día de la fase de liquidación de acciones —*The settlement*—, la cual comprende los últimos cinco días del *account period* o quincena de contratación bursátil a cuenta o a crédito; en este día, el corredor de Bolsa entrega a los vendedores boletos o *tickets*, que contienen los datos de los compradores de la quincena), **ticket items** (V. *big ticket items*), **ticket machine** (máquina expendedora de billetes), **ticket office** (taquilla, despacho de billetes)].

tie *n/v*: empate; empatar, atar, vincular, paralizar, inmovilizar. [Exp: **tie down** (obligar, limitar, comprometer ◊ *Tie oneself down to a date*), **tie in** (relacionar-se; cuadrar, encajar ◊ *The terms of their offer don't tie in with what* *they promised*), **tie-in** (relación, conexión, enlace; V. *dealer tie-in*), **tie-on label** (etiqueta de las de colgar), **tie/link to an index** (vincular a un índice económico), **tie up** (inmovilizar; amarrar, sujetar ◊ *Our money is tied up in bonds*; V. *immobilize, lock up*), **tie-up** (enlace, conexión, relación; compromiso, pacto previo; V. *connection*), **tie up the loose ends** (atar los cabos sueltos; dejarlo todo atado y bien atado), **tied vote** (empate), **tied house** (COMER empresa vinculada a una marca comercial), **tied-up capital** (FINAN capital inmovilizado), **tied loan** (FINAN préstamo condicionado; préstamos vinculado a un fin), **tied share** (BOLSA acción vinculada/sindicada)].

tier *n*: grada, nivel, escalón, fase, capa; velocidad *fig*; V. *two-tier; tranche; block*.

TIGER, TIGR *n*: V. *Treasury Investors Growth Receipt*.

tight[1] *a/v*: restringido, restrictivo, ajustado, ceñido, apretado, estrecho, severo, duro, riguroso, escaso, difícil de conseguir ◊ *Money is very tight at the moment.* [Como sufijo *-tight* aparece en expresiones como *airtight, watertight, etc.* Exp: **tight**[2] *col* (tacaño ◊ *My boss is really tight*), **tight budget** (presupuesto restrictivo), **tight control** (control riguroso), **tight credit** (crédito restringido o escaso), **tight credit policy** (FINAN política de restricción de créditos), **tight for time, be** (andar justo/escaso de tiempo, echársele a uno el tiempo encima), **tight corner, be in a** (estar en un aprieto/apuro/brete), **tight credit/money/policy** (política de restricción de crédito), **tight-fisted** (agarrado, tacaño, roñoso), **tight hold** (V. *get/take/have/keep a tight hold*), **tight market** (mercado estrecho), **tight monetary policy** (política monetaria restrictiva), **tight money** (dinero escaso o

caro; V. *easy money; dear money; deflation*), **tighten** (endurecer, hacer más riguroso, apretar, tensar, estrechar), **tighten one's belt** (apretarse el cinturón, pasar privaciones), **tighten up restrictions** (endurecer las restricciones), **tightening** (restricción, rigidez), **tightening of credit** (BANCA restricción de crédito), **tightening of the money market** (rigidez en el mercado monetario), **tightness of money** (escasez de dinero)].

till *n*: caja, caja registradora ◊ *Pay at the till*; V. *cash register; dip the till; check the till*. [Exp: **till money** (efectivo en caja; tesorería; «encaje» bancario), **till-roll** (rollo de papel para recibos de caja; V. *cash register, cash up*)].

time *n/v*: tiempo, plazo; cronometrar, tomar el tiempo, calcular/medir el tiempo que algo o aguien lleva; V. *within the specified time; piece work*. [Exp: **time account** (cuenta de depósito a plazo; V. *notice account, deposit account*), **time and motion** (REL LAB desplazamientos y tiempos; cálculo/medición de eficiencia laboral, análisis o estudio de racionalización de tareas laborales, análisis de productividad, ergonometría ◊ *Time-and-motion studies*; V. *ergonomics, efficiency expert*), **time and motion analysis** (ECO, REL LAB análisis de desplazamientos y tiempos), **time bargain** (BOLSA venta al descubierto), **time-barred** (fuera de plazo, prescrito, sujeto a prescripción), **time bill/draft** (letra a plazo fijo; V. *sight draft*), **time bill rate** (tipo de descuento de los efectos a plazo fijo; V. *cheque rate, cable rate*), **time call spread** (MERC FINAN/PROD/DINER margen estacional), **time charter** (TRANS MAR fletamento en *time charter*, fletamento por tiempo y precio determinado, fletamento por plazo; V. *full charter, partial charter, voyage charter*), **time-**

clock card *US* (REL LAB tarjeta de control de entradas y salidas), **time-consuming/saving activity** (actividad que consume/ahorra tiempo), **time decay** (pérdida de valor temporal), **time deposit, TD** (depósito/imposición a plazo; V. *term deposit*), **time draft** (V. *time bill*), **time factor, the** (ECO el factor tiempo), **time-frame** (calendario, programa; ritmo de actuaciones; V. *schedule*), **time-lag** (efecto diferido, desfase cronológico), **time limit** (plazo, límite), **time loan** (crédito con vencimiento a plazo; préstamo a corto plazo con fechas de amortización fijadas previamente; se diferencia del *demand loan* en que la devolución de éste puede exigirse en cualquier momento; V. *term loan*), **time of delivery** (plazo de entrega), **time of departure** (hora de salida), **time of prescription** (plazo de prescripción), **time operation** (contrato a término), **time on risk** (SEG plazo de cobertura), **time period adjustment** (periodificación), **time policy** (seguro a término), **time rates** (V. *work at time rates*), **time scale** (escala de tiempo), **time schedule float** *US* (masa de cheques pendientes de cobro; V. *float⁵*), **time series** (ECO serie temporal; V. *decomposition; differencing*), **time series data** (ECO datos de series temporales; V. *cross-section data*), **time sharing** (DER multipropiedad; V. *multiple ownership, part-owner*), **time sheet** (registro de jornales devengados; hoja de asistencia, hoja de tiempos), **time spread** (FINAN diferencial horizontal, «spread temporal», también llamado *calendar/horizontal spread*; V. *spread, bear spread, butterfly spread, credit spread, price spread, vertical spread, diagonal spread; put, call*), **time wages** (salarios por horas), **time-weighted** (ponderado temporalmente), **time-weighted return** (FINAN rentabilidad ponderada por tiempo; V. *day-weighted method*), **time work** (trabajo pagado por horas), **timekeeping** (REL LAB puntualidad ◊ *He was sacked for poor timekeeping*), **timer** (oportunista; V. *market timer*), **times and sales** *US* (MERC FINAN/PROD/DINER registro oficial de transacciones de los mercados de futuro en el que aparecen los precios, la hora, etc.), **times interest earned ratio** (FINAN ratio de cobertura de intereses; expresión que significa «ratio del número de veces que el intereés se ha devengado», esto es, la ratio que resulta de dividir las ganancias totales antes de la deducción de intereses e impuestos por los intereses a deducir; mide la capacidad de una empresa para hacer frente al pago de los intereses de su endedudamiento, y es lo mismo que *interest coverage ratio* o ratio de cobertura de los intereses debidos), **timetable** (horario), **timing** (calendario, organización, planificación; elección del momento adecuado o propicio ◊ *The timing of the bid is crucial*)].

tin *n*: estaño. [Exp: **tin parachute** (paracaídas de estaño; se trata de indemnización a empleados por pérdida de empleo; V. *shark repellent; golden parachute*)].

tip¹ *n/v*: propina; dar propina. [Exp: **tip²** *col* (BOLSA información bursátil confidencial, pronóstico de buena fuente o de dentro; V. *insider trading*), **tip off** *col* (aviso, consejo, insinuación; avisar, dar el soplo), **tippee** (BOLSA avisado; con información privilegiada para operar en Bolsa, sin pertenecer a la plantilla de la empresa; V. *insider trading*), **tipper** (fuente de una información confidencial; V. *tipster*), **tipster** (BOLSA enterado; especialista en dar pronósticos o consejos)].

TIR *n*: V. *Transport International Routier*.
title *n*: título, rótulo; dominio, derecho de

propiedad; denominación, inscripción. [Exp: **title by prescription** (título por prescripción adquisitiva), **title bond** (fianza de título o de propiedad), **title deed** (título/escritura de propiedad, título traslativo de dominio), **title documents** (títulos, instrumentos o valores negociables también llamados *paper* —papel; V. *negotiable instrument*), **title-examination fees** (gastos por consulta en el registro de la propiedad; V. *closing charges*; *recording fees*), **title to property** (derecho a la propiedad; título de propiedad)].

TLC *n*: V. *transferable loan certificate*.

TLI *n*: V. *transferable loan instrument*.

TM *n*: V. *trade mark*.

tobacco *n*: tabaco. [Exp: **tobacco plantation** (tabacal; V. *coffee/sugar plantation*)].

today *n*: hoy. [Exp: **today order** (STK EXCH orden limitada a la sesión acutal o del día; V. *valid for one day*), **today-tomorrow** (BANCA V. *overnight deposit/ money/loan*)].

toe *n*: dedo/punta del pie. [Exp: **toe the line** (acatar la disciplina, respetar la política establecida ◊ *Managers must ensure their employes toe the line*)].

together with *fr*: junto con; acompañado de.

token[1] *n*: señal; signo, símbolo, ficha; V. *phone token*. [Exp: **token**[2] (vale, bono ◊ *Record Token*), **token charge** (precio/ pago simbólico), **token coin/coinage/currency/money** (moneda fiduciaria; V. *fiduciary money*), **token payment** (señal; adelanto a cuenta del pago de una obligación; pago simbólico; V. *earnest money, hand money, handsel*), **token strike** (huelga simbólica; V. *sympathetic strike*)].

tolerable error rate *n*: nivel de error tolerable; V. *acceptance sampling;*

attribute sampling, variables sampling.

toll[1] *n*: peaje, tasa ◊ *At present no tolls are paid on British motorways*. [Exp: **toll**[2] (SEG estragos, daños, siniestralidad, mortalidad, número de bajas o víctimas ◊ *The toll of road deaths continues to rise*; V. *rate*), **toll-call** US (llamada interurbana, conferencia; se llama así porque las locales son *tall-free* o gratuitas), **toll-free** (gratuito; V. *call toll-free*), **toll gate** (peaje; barrera)].

tom-next *n*: V. *tomorrow-next deposit*.

tombstone *n*: PUBL lápida; anuncio-lápida de emisión sindicada cubierta; alude a la forma de lápida que tiene el anuncio de prensa de un préstamo sindicado, y su objeto es mostrar el éxito del banco director en la sindicación como la confianza en el prestatario; V. *syndicated loan; as a matter of record*.

tomorrow-next deposit *n*: BANCA depósito que se realiza mañana y vence en el siguiente día hábil, también llamado *tom-next*; V. *overnight deposit*].

ton, tonne *n*: tonelada; equivale a 1016 kilos; V. *metric ton; short ton*. [Exp: **tonnage** (arqueo, tonelaje; derecho de tonelaje; V. *deadwight tonnage*), **tonnage certificate** (certificado de arqueo), **tonnage dues** (derechos de tonelaje)].

tootsie *n*: BOLSA índice de las acciones de 100 empresas importantes de la Bolsa de Londres.

top[1] *a/n/v*: alto, máximo, superior; absoluto; cumbre, tope; superar. [Exp: **top**[2] (BOLSA pico; V. *double/triple top*), **top-down approach** (enfoque descendente, deductivo o de arriba abajo; V. *bottom-up approach*), **top copy** (original), **top-flight** (de primera clase; V. *top-ranking*), **top-flight managers** (altos directivos), **top grade** (de la máxima categoría; V. *high-grade; low grade*), **top-hat** (sombrero de copa; de alto copete), **top-hat pension** (REL LAB jubilación especial para directivos), **top-heavy** (hinchado, falto de agilidad, sobredimensionado, inflado, inefi-ciente, desproporcionado; V. *swollen; over-developed, inefficient; outsize*), **top management** (GEST alta dirección), **top manager** (GEST alto ejecutivo; V. *above-the-line people*), **top/high office** (alto cargo; V. *company officers*), **top tax bracket** (tramo impositivo más alto), **top-grade petrol** (gasolina súper; V. *low-grade petrol*), **top official** (alto funcionario; V. *junior official*), **topout** *US* (BOLSA cotización más alta; período de mayor demanda), **top out** (culminar un proceso, poner la última piedra; llegar al techo, tocar techo), **top priority** (prioridad absoluta), **top quality** (alta calidad), **top ranking** (de alta/mayor categoría; V. *top-flight; high/senior ranking*), **top straddle** (FINAN «straddle» superior, también llamado *short straddle*; consiste en vender simultáneamente una opción de compra —*call option*— y de venta —*put option*—, con los mismos precios de ejercicio —*strike price*— y fechas de vencimiento —*expiry date*—, sobre el mismo activo subyacente —*underlying asset*— especialmente cuando la volatilidad del precio de éste es muy baja; V. *bottom straddle*), **top up** (completar; rellenar, reponer ◊ *Top up when stocks are running low*)].

Toronto Stock Exchange *n*: Bolsa de Toronto; V. *CATV*.

topic¹ *n*: asunto, cuestión, tema. [Exp: **TOPIC²** (acrónimo correspondiente a *Telextext Output Price Information Computer*; V. *SEAC, bid-offer spread*), **TOPIX** (BOLSA índice la Bolsa de Tokio)].

torpedo *n/v*: torpedo; torpedear ◊ *Torpedo expansion plans.*

tot up *col v*: sumar, echar la cuenta.

total *a/n/v*: total, completo; total, suma

total, monto, montante; totalizar, ascender una cifra a. [Exp: **total asset value** (activo contable), **total account** (cuenta colectiva), **total allowed catch, TAC** (total autorizado de captura), **total capitalization** (capitales permanentes), **total disability** (incapacidad o invalidez absoluta, inhabilitación total, inutilidad física total), **total earnings** (ganancias globales o totales; masa salarial), **total exposure/risk** (SEG riesgo vivo), **total loss** (pérdida total efectiva o absoluta; V. *actual total loss, partial loss, abandonment*), **total quality control, TQC** (GEST control de calidad total), **total quality management** (GEST gestión de calidad total; se caracteriza porque cada una de las etapas de cualquier proceso cumple los requisitos de calidad), **total sales revenue** (COMER, CONT facturación, volumen de nego-cios/ventas; cifra de las transacciones, también llamado *turnover*), **total sum** (cifra global, suma total)].

tough¹ *a*: duro, fuerte; correoso, resistente; terco, tenaz ◊ *Tough negotiatior*. [Exp: **tough²** (inflexible, severo, de mano dura ◊ *A tough policy*), **toughen** (endurecer-se, fortalecer-se, afianzar-se, hacer-se más duro o inflexible ◊ *The govern-ment's stance has toughened*)].

tour *n/v*: visita, gira; visitar, hacer la ronda; V. *fact-finding tour*. [Exp: **tour operator** (operador turístico; agencia de viajes organizados), **tourism** (turismo), **tourist** (turista)].

tout *col n/v*: revender, trapichear ◊ *Tout dud stock*. [Exp: **tout²** (revende-dor, gancho, promotor poco escrupu-loso), **tout for custom** (andar a la caza de clientes), **tout one's wares** (intentar colarle la mercancía a cual-quiera)].

town *n*: ciudad. [Exp: **town planning** (urbanismo; V. *urban development*)].

TP *n*: V. *tender panel*.
TQC *n*: V. *total quality control*.
TQM *n*: V. *total quality management*.
trace *n/v*: huella, vestigio, señal; trazar; seguir, seguir la pista, rastrear; localizar ◊ *Trace a Call*.
track *n*: pista, carril, trayectoria; vía de tren ◊ *After Maastricht, everybody wants to be on the fast track*; V. *two-speed; multitrack; rail, derail*. [Exp: **track record** (historial, antecedentes; datos)].
trade *n/v*: comercio, actividad comercial; negocio; tráfico; intercambios comerciales; industria, ramo, sector, gremio, profesión, oficio, ocupación; mercancía; comerciar, negociar, traficar, contratar, llevar a cabo transacciones comerciales. [Aun siendo sinónimos virtuales en inglés, los términos *trade* y *commerce* tienen, en la práctica, usos distintos; el primero es más concreto y cotidiano, mientras que el segundo es más abstracto. La práctica diaria del negocio es *trade*, en cualquiera de sus ramos y especialidades, mientras que el estudio abstracto, intelectual o universitario de las condiciones y relaciones de la realidad comercial forma el concepto de *commerce*. Además, la acepción de «sector, gremio, ramo particular y concreto del comercio», que recogemos entre los posibles significados, es privativo del término *trade*. Nótese, finalmente, que el sentido de «tienda, lugar donde se lleva un negocio», tan frecuente en español, no se da en ninguno de los dos términos ingleses, empleándose *shop, establishment*, etc., en estos casos. En posición atributiva, *trade* y también *trading* tienen el significado de «comercial», «mercantil» o «económico» como en *trade bill/paper* —efecto comercial—, *trade brand* —marca comercial—, *trade route* —ruta comercial—, *trade policy* —política comercial—, *trade practice* —práctica comercial—, etc.; V. *Board of Trade, foreign trade, deflection of trade; do business with, farming*. Exp: **trade acceptance** (aceptación mercantil o comercial, aceptación de efectos de comercio; V. *bank acceptance*), **trade agreement** (tratado o convenio comercial, acuerdo de intercambio; V. *labour agreement*), **trade accounts payable** (cuentas de proveedores a pagar), **trade allowance/discount** (descuento comercial; descuento/rebaja que se concede al minorista; V. *bulk discount, cash discount*), **trade association** (gremio, asociación de comerciantes; asociación/agrupación gremial, empresarial o sectorial), **trade balance** (balanza o saldo comercial, balanza mercantil; V. *balance of trade, active trade balance*), **trade bank** (V. *commercial bank*), **trade barrier** (barrera arancelaria/comercial), **trade, be in** (llevar un negocio, tener un comercio), **trade bill** (FINAN letra de cambio comercial, efecto/papel comercial/mercantil, también llamada *commercial bill, commercial paper* o *merchantile paper*), **trade bill obligor** (obligado cambiario), **trade brand** (marca comercial), **trade by barter** (comercio basado en el trueque), **trade channel** (canal de distribución), **trade credit** (COMER/CONT proveedores, cantidades debidas por una empresa por mercancías pendientes de pago; crédito comercial; V. *accounts payable*), **trade customs** (usos comerciales), **trade cycle** (coyuntura, ciclo económico; V. *business cycle*), **trade debtors** (COMER/CONT clientes; deudores comerciales; V. *trade receivables*), **trade deficit** (déficit comercial, déficit de la balanza comercial; V. *balance of payments deficit*), **Trade Descriptions Act** (ley

británica que regula la descripción comercial de las mercancías puestas en venta, ley normativa para el comercio británico), **trade directory** (guía comercial/sectorial, guía de empresas), **trade discount** (V. *trade allowance*), **trade dispute** (REL LAB conflicto laboral; V. *labour dispute*), **trade fair/show** (feria de muestras, feria comercial), **trade figures** (cifras/datos comerciales), **trade gap** (déficit comercial, déficit de la balanza de pagos o de la balanza de comercio; V. *unfavourable balance of trade*), **trade guild** (gremio, corporación), **trade in**[1] (comerciar con), **trade in**[2] (aportar como parte del pago ◊ *She traded in her old car when she bought the new one*), **trade-in** (permuta, práctica de aportar mercancías usadas como parte del pago de otras nuevas, cosa aceptada u ofrecida con esta condición; V. *trade in rubber/oil/wine, etc.*; V. *deal*), **trade-in allowances** (rebajas al entregar un artículo usado), **trade-in value** (valor comercial del artículo aportado como parte del pago), **trade investment** (participación de una sociedad en otra), **trade levies** (gravámenes comerciales), **trade liabilities** (CONT pasivo comercial), **trade loans and discounts** (crédito comercial, préstamos y descuentos comerciales, es decir entre empresas o comerciantes; V. *commercial credit*), **trade mark, trademark, TM** (marca registrada, marca de fábrica, marca industrial; V. *patents and trademarks; intangible assets*), **trade mark protection** (protección de marcas), **trade mission** (misión comercial), **trade name** (COMER nombre comercial; marca de comercio, nombre/dibujo registrado como marca; nombre o denominación comercial, nombre de marca o de fábrica, razón social; V. *name of the company, business name*), **trade notes** (docu-

mentos o pagarés comerciales), **trade off**[1] (intercambio, cambio, canje; canjear, intercambiar), **trade-off**[2] (descontar parte del valor al hacer un intercambio, compensar una cosa con otra, renunciar a parte del valor a cambio de alguna compensación; hacer concesiones mutuas, transigir, llegar a una transacción; alternativa, relación, correspondencia, concesión mutua, compromiso, aceptación mutua de ciertas pérdidas, ponderación, equilibrio, compensación ◊ *The trade-off between speed and efficiency*), **trade-off of goods and services** (ECO disyuntiva entre bienes y servicios), **trade on** (sacar partido de, explotar ◊ *They're trading on their knowledge of their competitors' weakness*), **trade paper** (revista/periódico gremial o del sector), **trade price** (precio del mayorista al minorista; precio de venta al comerciante minorista, distribuidor o detallista, también llamado *wholesale price*; V. *retail price, gross margin*), **trade profit margin** (COMER margen comercial o de beneficios; V. *margin of income/profit; trading margin; markup*), **trading profit** (beneficio de ejercicio, beneficio de explotación), **trade receivables** (deudores comerciales; clientes; V. *trade debtors*), **trade register** (registro mercantil; V. *register of companies*), **trade restriction** (restricciones comerciales), **trade sanctions** (sanciones comerciales; V. *embargo*), **trade school** (escuela de artes y oficios), **trade secret** (secreto industrial/profesional), **trading shares** (SOC acciones para negociar; V. *membership shares*), **trade surplus** (balanza comercial favorable), **trade terms** (descuento para comerciantes del ramo), **trade union** (sindicato; V. *labour union; social agents, economic agents, employers*), **trade unionism/unionist** (sindicalismo/sindicalista), **trade wall** (barrera arancelaria; V. *tariff protection*), **trade war** (guerra comercial o sectorial, guerra de precios en un sector), **tradeable** (comerciable, vendible, negociable, intercambiable), **tradeable instrument** (efecto comercial, valor negociable; V. *financial instrument*), **traded options** (MERC FINAN/PROD/DINER opciones negociadas en mercados financieros; V. *traditional options; London Traded Options Market*), **trademark** (V. *trade mark*), **trader** (comerciante, negociante; operador; mercader, detallista; V. *dealer, merchant; broker's broker; dual trader*), **trader in actuals** (operador/comerciante de bolsa/lonja de contratación de productos físicos; V. *commodity exchange, actuals*), **trader in futures** (operador/comerciante de bolsa/lonja de contratación de futuros; V. *commodity exchange, futures*), **Trades Union Congress/TUC** (congreso nacional de los gremios y sindicatos de Gran Bretaña), **tradesman** (obrero especializado; tendero; proveedor, repartidor; artesano), **tradesman's entrance** (puerta de servicio)].

trading *n*: comercio; operaciones; contratación/compraventa de acciones; transacción u operación de valores en Bolsa, negocio, intercambio comercial; ritmo del negocio; toma de posición [en un mercando financiero]: comercial, mercantil; V. *share dealing; insider trading; flurry*. [Exp: **trading account** (cuenta de explotación/comercial, cuenta de ejercicio), **trading area** (zona comercial), **trading capital** (capital circulante), **trading barter** (trueque, cambio en especie; V. *exchange in kind*), **trading capital** (capital de explotación, capital circulante; V. *working capital*), **trading certificate/licence** (licencia de apertura de establecimiento; licencia para ejercer como agente comercial, licencia comercial), **trading company** (sociedad mercantil, corporación comercial), **trading concern** (empresa comercial; V. *business enterprise, going concern*), **trading corporation** (sociedad mercantil), **trading difference** (fracción de un punto en el precio de acciones compradas o vendidas en cantidad menor a la usual), **trading dividends** (V. *dividend stripping*), **trading enterprise** (empresa mercantil/comercial), **trading estate** (zona comercial o industrial, polígono industrial; V. *industrial park, industrial estate*), **trading floor** (BOLSA parqué del patio de operaciones de la Bolsa; patio de operaciones, llamado *pit* en los Estados Unidos), **trading hours** (horario de apertura de la Bolsa), **trading in futures** (MERC FINAN/PROD/DINER mercado a plazo, mercado de futuros), **trading investment** (SOC intereses empresariales; empresa vinculada a un *holding*; se dice que la empresa que posee menos del veinte por cien de otra tiene intereses empresariales o un *trading investment* en ella; V. *subsidiary, holding company, parent company, daughter company, associate/associated company, minority interests*), **trading losses/profits** (COMER pérdidas/beneficios de explotación o comerciales; V. *gross loss; net loss*), **trading margin** (COMER margen comercial o de beneficios; V. *margin of income/profit; trade profit margin; markup*), **trading on the equity US** (SOC situación de la estructura financiera de una empresa que emplea los fondos ajenos a plazo fijo para incrementar el rédito de las acciones ordinarias; V. *gearing, leverage*), **trading partnership** (asociación comercial, sociedad colectiva), **trading periods** (BOLSA períodos de contratación bursátil a cuenta o a crédito, también llamados *account periods*; hay veinticuatro *account periods* en un año, de 14 días cada uno, durante los cuales los operadores bursátiles liquidan entre sí las transacciones efectuadas a cuenta durante la quincena; V. *The Account, Account Day; contango, continuation*), **trading post** (representación/establecimiento comercial muy alejado de la sede o de las rutas habituales ◊ *They keep up trading posts in Malaysia and Borneo*), **trading practices** (usos o prácticas comerciales), **trading profits** (beneficios empresariales o de explotación; V. *business profits*), **trading range** (banda de fluctuación), **trading ring** (MERC FINAN/PROD/DINER puesto de transacciones de una lonja), **trading office** (MERC FINAN/PROD/DINER V. *dealing room*[2]), **trading stamp** (cupón/vale/timbre comercial o de descuento por compra), **trading stock** (inventario; V. *inventory, stock-in-trade*), **trading vessel** (barco mercante), **trading volume** (volumen de contratación, transacciones u operaciones), **trading year** (ejercicio)].

traditional *a*: tradicional. [Exp: **traditional options** (MERC FINAN/PROD/DINER opciones tradicionales; estas opciones no son objeto de negociación en mercados financieros; V. *traded options*)].

traffic[1] *n/v*: tráfico, circulación, tránsito; traficar, tratar, comerciar; trapichear. [Exp: **traffic**[2] (tráfico, negocio ilícito; traficar ◊ *Drug traffic; traffic in arms*), **traffic jam** (embotellamiento; V. *congestion*)].

tragedy of the common *n*: ECO tragedia de los bienes comunes, es decir, de lo que es de todos y no es de nadie, también llamado *the free rider problem*, *the common-resource problem* o *the public goods problem*; alude a la situación en que varias partes, que se benefician de un recurso cuyo derecho de propiedad no está claramente definido, no reciben los beneficios que debieran, por no sufragar los gastos correspondientes a sus acciones.

trail *n/v*: pista; seguir la pista de. [Exp: **trail commissions** US (FINAN gastos por amortización o rescate anticipado de una inversión colocada en un fondo; V. *load, back-end load, deferred sales charge, exit fee, redemption charge*), **trailing** (seguimiento), **trailing stop** (MERC FINAN/PROD/DINER «stop» móvil; V. *stop*[2])].

train *n/v*: tren; capacitar; formar-se, educarse, preparar-se. [Exp: **trained** (formado, preparado, licenciado, titulado, competente), **trainee** (aprendiz; empleado/funcionario/personal en período de formación o prácticas), **trainee managers** (ejecutivos en prácticas; V. *placement*[1]), **trainee solicitor** (pasante, abogado en prácticas; en el pasado se les llamaba *articled clerks*), **traineeship** (aprendizaje; V. *apprenticeship*), **training** (formación, preparación, enseñanza, aprendizaje, adiestramiento, entrenamiento; V. *in-basket training; off-the-job training*), **training programme** (programa de formación o enseñanza), **training period** (período de formación; V. *period of qualification*), **training unit** (unidad de formación o capacitación)].

tramp *n*: vagabundo. [Exp: **tramp corporation** US (SOC sociedad anónima constituida en un estado donde no tiene negocios), **tramp ship** (buque que no tiene línea regular; V. *liner*)].

tranche *n*: tramo, paquete, bloque ◊ *A tranche of shares*; V. *credit tranche; drawing rights; block, tier*.

Trans-European Automated Real Time Gross Settlement Express Transfer, TARGET (sistema de pagos bruto en tiempo real que asienta las transferencias de pagos transnacionales de forma muy rápida; es un sistema de pagos en euros, a través del *interlinking*, en el que normalmente cada transferencia no tarda más de 30 minutos desde que se inicia la orden hasta que se asienta en la cuenta de destino; V. *Ecu Banking Association*).

transact *v*: negociar, hacer negocio, llevar a cabo ◊ *Transact a deal*. [Exp: **transaction** (transacción, negocio, gestión; V. *business*), **transaction costs** (costes de transacción), **transaction fee** (BANCA comisión por operación o servicio bancario; V. *bank service pricing, relationship banking*), **transactional** (transaccional)].

transfer *n/v*: traspaso, traslado, transferencia, trasbordo; cesión; traspasar, transferir, ceder, consignar, hacer una transferencia; V. *assignment; certificate of transfer*. [Exp: **transfer a business** (traspasar un negocio), **transfer agent** (agente de transferencias), **transfer by endorsement** (traspaso por medio de endoso), **transfer earnings/income** (ECO renta/rentabilidad de transferencia; rentabilidad o ingreso mínimos necesarios para seguir destinando un factor de producción al uso actual; en términos económicos la rentabilidad que exceda de dichos ingresos forma parte de la renta o rédito económico —*economic rent*— y/o los beneficios o *profit*), **transfer entry** (CONT asiento de traspaso), **transfer fees** (DER derechos de traspaso), **transfer files** (archivos inactivos; V. *live files*), **transfer income** (ingresos por transferencias), **transfer of funds/money** (transferencia/envío de fondos; V. *remittance, money transfer*), **transfer of title** (traslación de dominio, transmisión de la propiedad), **transfer payment** (ECO transferencia), **transfer tax** *US* (impuesto de timbre en las operaciones de Bolsa), **transferable/ transferible** (transferible; V. *assign-*

able), **transferable interbank deposit** (FINAN depósito interbancario transferible), **transferable loan certificate, TLC** (FINAN certificado de préstamo transferible; sirven para favorecer la liquidación y liquidez de las participaciones en eurocréditos), **transferable loan instrument, TLI** (FINAN instrumento de préstamo transferible; sirven para favorecer la liquidación y liquidez de las participaciones en eurocréditos), **transferable sterling** (libras transferibles), **transferee** (destinatario; cesionario, beneficiario de una transferencia; V. *assignee, remittee*), **transferible revolving underwriting facility, TRUF** (sistema/servicio transferible de suscripción rotatoria; servicio de suscripción autorrenovable rotatoria transferible; la suscripción —*underwriting*— es transferible de unos bancos de negocios —*underwriter banks*— a otros; V. *revolving underwriting facility; note issuance facility; SNIF*), **transferor** (cesionista, enajenante), **transferred-in-costs** (CONT costes acumulados y transferidos/traspasados; alude a los costes de producción acumulados en el momento en que el artículo semiacabado o sin terminar pasa en la cadena de producción de una unidad, departamento o centro de fabricación a otra)].

transship *v*: transbordar. [Exp: **transshipment** (transbordo)].

transit *n/v*: tránsito; transitar. [Exp: **transit account** (cuenta de orden), **transit agent** (comisionista de tránsito), **transit clause** (SEG cláusula de seguro de la mercancía en el tránsito; cláusula de almacén a almacén), **transit customs** (aduanas de tránsito; V. *customs*), **transit duties** (derechos de tránsito), **transit goods** (mercancías en tránsito), **transit trade** (comercio de tránsito), **transition** (transición, paso), **transitional credit**

(crédito de transición o emergencia; V. *stop-gap loan; emergency credit*)].

transmit *v*: transmitir, enviar. [Exp: **for transmittal** (comuníquese), **transmittal** (comunicación), **transmissibility** (transmisibilidad), **transmissible** (transmisible), **transmission** (envío; cesión), **transmission of shares** (traspaso o cesión de acciones)].

transport *n/v*: transporte; transportar; V. *sea and air transport; cartage*. [Exp: **transport costs** (costes/gastos de expedición/transporte), **transport/transportation facilities** (medios de transporte), **Transport International Routier, TIR** (transporte internacional por carretera), **transportation** (transporte), **transporter** (transportista; V. *haulage, carrier*)].

trap *n*: trampa; V. *liquidity trap*.

travel *n/v*: viaje; viajar; trasladarse. [Exp: **travel allowance** (V. *travelling allowance*), **travel and entertainment expenses** (gastos de viaje y representación), **travel expenses** (V. *travelling expenses*), **travel voucher** (bono de viaje; lo emite una agencia de viajes y, con él, el cliente tiene asegurada una plaza hotelera, etc.), **traveller** (viajero), **traveller's cheques** (cheques de viaje, llamados *traveler's checks* en los Estados Unidos), **traveller's policy** (SEG póliza de seguros de viajes que cubre gastos médicos y riesgos por accidentes o por pérdida de equipaje o *baggage policy*), **travelling allowance** (gastos de viaje, compensación por gastos de viaje, viático; V. *per diem, subsistence allowance*), **travelling expenses** (gastos de viaje), **travelling salesman** (viajante de comercio; V. *commercial traveller, representative; field staff*)].

trawler *n*: pesquero de arrastre.

treasure *n*: tesoro. [Exp: **treasurer** (tesorero), **treasurer's cheque** (cheque de ventanilla, cheque bancario; también se le llama *cashier's cheque* o *official cheque*; V. *certified cheque*), **Treasury** (tesorería; Tesoro público, erario, Departamento del Tesoro, Hacienda Pública; también llamado *Department of the Treasury*), **Treasury advance** (anticipo de tesorería; se aplica al concedido por la Hacienda Pública hasta que se apruebe el crédito extraordinario), **treasury bill, T-bill** (FINAN letra del Tesoro a corto plazo; V. *floating debt; exchequer bills; Treasury commercial paper; Treasury note*), **treasury bond, T-bond** (bono del Tesoro a largo plazo; V. *coupon issue*), **treasury capital stock** (acciones de tesorería), **Treasury commercial paper** (pagaré del Tesoro; V. *Treasury bill*), **Treasury currency** (moneda emitida por el Tesoro), **Treasury fund** (Fondo del Tesoro o Fontesoro), **Treasury guarantees** (avales del Tesoro Público), **Treasury Income Growth Receipt, TIGR, TIGER** *US* (bono/cédula titulizada del Tesoro, también llamada *Treasury Investors Growth Receipt*; título de obligación del Estado o Tesoro, parecida a los *CATS*, pero aquí la garantía subyacente puede ser indistintamente el bono original o el cupón correspondiente; como en el caso de los *CATS* no producen interés aunque se venden a un descuento muy favorable, siendo rescatables, a su vencimiento, al valor nominal; V. *Certificate of Accrual on Treasury Securities, CATS*), **Treasury notes**[1] (billetes de banco), **Treasury notes**[2] *US* (pagarés/obligaciones del Tesoro a medio plazo, vales del Tesoro, también llamados *bradbury*; cédulas; vales de tesorería; V. *currency notes*), **Treasury securities/stock**[1] (valores del Tesoro ◊ *Nearly all Treasury securities* *are issued in book-entry forms*), **treasury securities/stock²** (SOC, CONT autocartera, acciones en cartera; acciones propias a corto plazo; V. *common/ordinary stock*, **treasury workstation** US (BANCA sistema informatizado para acelerar la gestión de cobros y evitar los llamados fondos ociosos o *idle money*)].

treat *v*: negociar, tratar. [Exp: **treatment** (tratamiento; V. *preferential treatment*)].

treaty *n*: tratado, pacto, convenio; V. *terms of a treaty*. [Exp: **treaty duties** (TRANS MAR derechos convencionales), **treaty reinsurance** (SEG reaseguro contractual)].

tree *n*: árbol; V. *decision tree*. [Exp: **tree-planting** (repoblación forestal; V. *afforestation, forestation, reforestation; nursery*)].

treble damages *n*: SEG daños triplicados.

trend *n*: tendencia, tónica, moda; V. *buck the trend*. [Exp: **trend analysis** (análisis de la tendencia), **trend book** (GEST cuadro de mando; alude a las variables que se tienen en cuenta para seguir la marcha de un negocio; V. *fact book*), **trend line** (BOLSA línea de tendencia, gráfico de la tendencia de las cotizaciones en el análisis técnico), **trend of economic activity** (coyuntura o tendencia económica), **trend-setter** (lanzador de modas, estimulador de tendencias)].

tret *n*: rebaja/reducción por merma.

trial *n*: comprobación, ensayo; prueba, experiencia; juicio, pleito, vista. [Exp: **trial and error** (ensayo y error; tanteo), **trial balance** (CONT balance de comprobación), **trial, on** (a prueba), **trial period** (período de prueba)].

tribunal *n*: tribunal, organismo deliberativo con ciertas atribuciones judiciales; V. *court, industrial tribunal*.

trick *n/v*: truco; estafa; engañar, estafar ◊ *Trick sb out of £1000*. [Exp: **tricks of the trade** (triquiñuelas/trucos del negocio o la profesión), **trickster** (timador, estafador)].

trickle *n/v*: hilito, gota, goteo, cantidad pequeña; gotear, salir/entrar gota a gota o poco a poco ◊ *The trickle of business became a flood*. [Exp: **trickle away** (desaparecer/irse consumiendo poco a poco ◊ *Our spare cash is trickling away*), **trickle down** (filtrarse desde arriba, ir alcanzando poco a poco las capas o estamentos inferiores ◊ *Prosperity trickles down from bigger firms to smaller ones*), **trickle down effect** (efecto de filtración)].

trigger¹ *n*: gatillo, catalizador ◊ *The policy was a trigger for an upward trend*. [Exp: **trigger²** (provocar, causar, activar; catapultar, impulsar, desencadenar ◊ *Trigger a panic in the markets*), **trigger price** (precio de intervención)].

trillion *n*: trillón; billón en los Estados Unidos, es decir 10^{12} o un millón de millones; V. *billion*.

trim *a/n/v*: compuesto, ajustado; trimado; asiento, diferencia de calado; compostura; orden; trimar, estibar adecuadamente la carga, poner en calado; componer, poner en orden, disponer, arreglar, pulir, adaptar, ajustar; recortar, podar. [Exp: **trim interest rates** (recortar/podar el tipo de interés), **trim the budget** (recortar el presupuesto), **trimmed** (TRANS MAR carga equilibrada; V. *stowed, lashed*), **trimmings** (REL LAB gajes, extras; V. *perquisites, perks*)].

triple *a/v*: triple; triplicar. [Exp: **triple-A** (FIN AAA; V. *de la máxima confianza*), **triple bottom** (BOLSA triple valle; V. *double bottom*), **triple tax exempt** US (exento/libre de las tres clases de impuestos, esto es, los federales, los del estado y los municipales), **triple top** (BOLSA triple pico)].

trolley *n*: carretilla, carrito; V. *truck; fork-lift truck*.

trouble *n/v*: problema, dificultad; molestar; preocupar, traer/causar problemas. [Exp: **troubled countries** (países en dificultades), **trouble-shooting** (misión de apagar fuegos, solucionar conflictos, apaciguar ánimos o neutralizar problemas; mediación, conciliación), **troubleshooter** (apaga-fuegos, solucionador de problemas; mediador, conciliador ◊ *Political troubleshooter*; V. *professional trouble-shooter*)].

trough *n*: ECO seno, depresión de una ola o de un gráfico; punto mínimo o más bajo en el ciclo económico; V. *slump*.

troy ounze *n*: onza troy; hay 16 onzas en una libra; la onza líquida —*fl. oz.*— británica equivale a 28,41 cm³, y la americana a 29,57 cm³. En los mercados de metales preciosos —*London Metal Exchange*— la onza troy equivale a 31,10 gramos.

truce *n*: tregua.

truck *n*: camión; V. *lorry; fork-lift truck, trolley*. [Exp: **truck bill of lading** *US* (conocimiento de transporte por carretera; V. *bill of lading*), **truck jobber** *US* (camión de reparto de comestibles), **trucker** (camionero; V. *lorry-driver*), **trucking** (acarreo, transporte por carretera, agencia de transporte por carretera; V. *carriage; haulage*), **truckload** (camión lleno, camionada; montón *fig*; V. *lorryload*)].

true *a*: verdadero, auténtico, legítimo, fiel, seguro. [Exp: **true copy** (copia exacta; fiel copia del original), **true lease** (FINAN arrendamiento auténtico; son contratos de arrendamiento cuyo fin principal es la reducción de los impuestos, ya que el arrendador, por ser el dueño del activo, obtiene los descuentos fiscales por amortización y por inversión; V. *lease*), **true value** (valor verdadero), **truth in lending act** *US* (ley que obliga a la transparencia en todas las operaciones de crédito, etc., por parte del prestamista)].

TRUF *n*: V. *transferible revolving underwriting facility*.

trump *n/v*: triunfo en los juegos de cartas; baza; triunfar, hacer baza ◊ *His trump card was the revelation of a buyer for the company's shares*. [Exp: **trump up** (falsificar)].

trunk call *n*: llamada interurbana; V. *long-distance call*.

trust¹ *n*: confianza; V. *breach of trust, desert one's trust, put one's trust in*. [Exp: **trust²** (grupo industrial, combina-ción, consorcio, cartel; V. *combine, group of companies; cartel, coemption, commodity, corner*), **trust³** (fideicomiso, consorcio; sociedad autorizada; fiducia; fundación), **trust account** (cuenta fiduciaria, cuenta de registro; V. *account in trust*), **trust accounting** (contabilidad fideicomisaria), **trust agreement** (convenio de fideicomiso, contrato de fiducia), **trust bank** (caja de depósito, banco de gestión de patrimonios), **trust bond** (obligación de fideicomiso), **trust certificate** (certificado de participación en una sociedad de inversión; V. *participation certificate*), **trust company/corporation** (compañía o institución fiduciaria, sociedad de fideicomiso, banco fiduciario), **trust deed/indenture** (escritura de emisión, escritura fiduciaria, contrato de fideicomiso, título constitutivo de hipoteca), **trust department** (BANCA departamento de administración de bienes; V. *Chinese wall*), **trust deposit** (depósito especial), **trust estate** (bienes de fideicomiso), **trust fund** (fondo fiduciario, de fideicomiso o de custodia), **trust, in** (en fideicomiso; en custodia; en administración fiduciaria; V. *in escrow*), **trust indenture** *US* (escritura de fideicomiso, contrato fiduciario; V. *trust deed; indenture*), **trust instrument** (escritura fiduciaria; V. *settlement*), **trust**

mortgage (hipoteca fiduciaria), **trust, on** (sin más prueba que la palabra, a crédito, al fiado), **trust receipt** (COMER recibo de fideicomiso; se trata de un documento de reconocimiento de recibo de las mercancías por el importador, quien se compromete a pagar al banco el importe del mismo en cuanto éstas sean vendidas), **trustbusting** (disolución de un monopolio), **trustee** (fideicomisario, administrador fiduciario, administrador de un consorcio o trust; consignatario; comisario de los obligacionistas; miembro del consejo de administración de una fundación; V. *settlor; board of trustees; testamentary trustee*), **trustee/receiver in bankruptcy** (síndico de la quiebra, administrador concursal, depositario, tenedor, consignatario; V. *official receiver, referee, assignee in bankruptcy, commissioner; bankrupcy trustee*), **trustee savings banks** (red de cajas de ahorro que en el momento de su fundación se regían como una organización fiduciaria ◊ *Trustee savings banks usually pay some interest on current accounts*), **trustee work** (administración de bienes), **trusteeship** (administración de la masa de la quiebra; condición de fideicomisario; administración fiduciaria; V. *receivership; sequestration*), **trusteeship system** (régimen de administración fiduciaria), **trustor** (fideicomitente), **trustworthy** (de confianza, cumplidor)].

try *v*: juzgar, enjuiciar, procesar; ensayar, probar. [Exp: **try a case** (ver una causa, conocer una causa)].

TT *n*: V. *telegraphic transfer*.

tug *n*: remolcador.

tumble *col v/n*: caer-se, desplomarse; caída brusca o en picado ◊ *Stock prices have taken a tumble*; V. *plunge, rise*.

tuna *n*: atún. [Exp: **tuna wars** (guerra del atún; V. *fish war*)].

tune *n/v*: melodía; afinar, ajustar, poner a punto. [Exp: **tune of, to the** *col* (por el monto de, por la bonita suma de ◊ *Repair costs to the tune of £1m*), **tune-up** (afinar, poner a punto, ajustar), **tuning** (ajuste; V. *fine tuning*)].

turn[1] *n/v*: rotación, vuelta; girar; V. *stock turnover*. Exp: **turn**[2] (ganancia ◊ *A nice little turn on equities*), **turn a profit** (sacar un beneficio), **turn around** (sanear, salvar, rescatar ◊ *Turn an ailing compnay around*; V. *designated order turnaround*), **turn, in** (por rotación o turnos), **turn down** (rechazar; V. *disallow*), **turn over** (facturar, tener una cifra de negocios o volumen de ventas de ◊ *They turned over £ 10m last year*; V. *gross*), **turn round** (hacer rentable), **turn the corner** (salir del túnel, doblar la esquina), **turning point** (MERC FINAN/PROD/DINER punto de cambio de tendencia), **turnkey** (llave en mano; se refiere a la preparación exhaustiva de un proyecto o a la realización de una tarea de construcción, equipamiento, etc., por parte de la empresa contratada, de forma que el contratante o su gestor pueda ponerse a trabajar, producir o comenzar la explotación sin más demora, como si se limitase a «hacer girar la llave» para arrancar ◊ *Turnkey project/contract*), **turnover** (COMER, CONT facturación, cifra/volumen de negocios/contratación o ventas, cifra de negocios, cifra de las transacciones, tráfico de empresas, movimiento de mercancías o de capital, también llamado *total sales revenue*; rendimiento, rotación; V. *sales revenues; business turnover, capital turnover, equity turnover, inventory turnover, labour turnover; downturn*), **turnover ratio**[1] (velocidad de circulación; V. *velocity of circulation*), **turnover ratio** (COMER coeficiente de facturación o volumen de negocios; V. *asset turnover ratio*), **turnover tax** (TRIB impuesto sobre el tráfico de empresas; impuesto sobre los ingresos brutos o sobre el volumen de contratación; V. *sales tax*), **turnpike** *US* (autopista de peaje; V. *motorway*), **turnpike theorem** (ECO teorema de la autopista)].

twist *n/v*: vuelta, giro; giro sorprendente o inesperado; torcer, distorsionar ◊ *Unexpected twists in economic life.* [Exp: **twister** *col* (estafador, timador; tramposo, fulero), **twisting** (engaño, práctica poco ética; consiste sobre todo en inducir al cliente a hacer un gasto innecesario para que el agente de seguros o el corredor de Bolsa pueda cobrar una comisión)].

two *a/pro*: dos. [Exp: **two-digit inflation** (ECO inflación de dos cifras; V. *single-figure inflation*), **two-metal standard** (patrón bimetálico; V. *bimetalism; gold standard, gold exchange standard*), **two-part invoice** (factura con copia), **two-party draft** (giro endosado), **two-sided market** (mercado equilibrado; mercado en el que se ha establecido un equilibrio entre los precios de oferta —*bid price*— y los de pedido —*ask prices*— gracias a la intervención en los *market makers* o *specialists* —creadores de mercado—), **two-tier** (doble, de dos niveles; en dos fases; de dos velocidades *fig*), **two-tier**

bid (FINAN OPA de dos niveles; en este caso el futuro adquirente ofrece más por las acciones que necesita para controlar la empresa objeto de la oferta que por las otras, por lo que hay «dos niveles» de cotización), **two-tier foreign exchange market** (doble mercado de cambio), **two-tier price system for gold** (régimen del doble precio para el oro), **two-tier pricing** (práctica de desdoblamiento de precios; V. *dual pricing*), **two-way** (de dos vías o direcciones; bilateral ◊ *Two-way agreement*), **two-way**[2] (mutuo, recíproco ◊ *Two-way guarantee/process*), **two-way**[3] (FINAN precio de compra y de venta; los bancos y los intermediarios financieros suelen dar dos precios en la cotización de las divisas, el de compra y el de venta)].

tycoon *n*: magnate.

type *n/v*: naturaleza, clase, tipo; tipo de letra, caracteres, letras de imprenta; mecanografiar. [Exp: **type approval certificate** (certificado de homologación), **typeset** (componer), **typesetter** (componedor), **typewriter** (máquina de escribir), **typing pool** (sección de mecanografía de una empresa), **typist** (mecanógrafo)].

U

u.a. *n*: V. *unit of account*.

uberrimae fidei *n*: de la máxima confianza, de total buena fe ◊ *Contracts uberrimae fidei*.

UBR *n*: V. *uniform business rate*.

UK *n*: iniciales de *United Kingdom* o Reino Unido, R. U.

ullage *n*: TRANS vacío de seguridad de un barril, botella, etc.; diferencia por merma.

ultimate, ult *a*: final, último, decisivo, esencial, fundamental. [Exp: **ultimate balance** (saldo final), **ultimate beneficiary** (beneficiario final; V. *immediate beneficiary*), **ultimate consumer** (usuario final; V. *end-user*), **ultimate emptor** (comprador final), **ultimately** (finalmente, al final, en última instancia)].

ultra *pref*: ultra-, super-; muy. [Exp: **ultra-hazardous activities** (REL LAB actividades altamente peligrosas o que entrañan un riesgo excepcional; V. *danger money, occupational hazard*)].

umbrella *n*: paraguas, sombrilla; égida; pantalla, parachoques ◊ *Act as an umbrella*; V. *tax umbrella*. [Exp: **umbrella brand** (V. *family brand*), **umbrella cover** US (SEG seguro sombrilla; seguro suplementario de responsabilidad civil que cubre [1] los riesgos no previstos en otras pólizas contratadas y [2] las cantidades que superen las aseguradas en éstas), **umbrella investment funds** (FINAN fondos paraguas), **umbrella organization** (organización égida, sombrilla o protectora; V. *holding*)].

umpire *n/v*: árbitro, tercero, amigable componedor; arbitrar, terciar, decidir, juzgar; V. *arbitrator*. [Exp: **umpirage** (arbitraje; tercería; laudo arbitral; V. *arbitral award*)].

UN *n*: iniciales de *United Nations* o Naciones Unidas.

un- *prefijo*: in-, des-, etc. [El prefijo inglés *un-* otorga un significado negativo —privación, negación, oposición— a la palabra de la que forma parte, equivaliendo a los españoles «in-», «des-», y también a «sin», «no» y otros; muchas veces se puede traducir por una locución de infinitivo con «sin» o «por», por ejemplo *unallocated* «sin/por asignar», o bien por «pendiente de» seguido del sustantivo, por ejemplo, «pendiente de asignación», «de asignación aún sin determinar», etc. Si la palabra a la que acompaña es de significación negativa, el resultado final será positivo como en *unabated* —completo, íntegro, no disminuido—, *unabridged* —íntegro, sin abreviar—. Exp: **unable** (incapaz, impotente, imposibilitado), **unacceptable** (inaceptable), **unaccomplished** (incompleto, inacabado), **unachievable** (inejecutable), **unacknowledged** (inconfeso, no reconocido, no declarado, no acreditado), **unadjusted** (no ajustado, pendiente, ilíquido), **unadjusted assets** (activo o valores transitorios), **unadjusted credits** (abonos pendientes), **unadjusted debits** (débitos pendientes), **unadjusted liabilities** (CONT pasivo transitorio, pasivo por ajustar), **unadjusted profits** (beneficios sin ajustar o pendientes de modificación), **unadmitted asset** (CONT activo no confirmado), **unallocated** (no asignado/distribuido; sin asignar o distribuir; V. *unappropriated*), **unallocated costs** (costes no asignados o pendientes de asignación), **unallocated/unallotted share** (acción no distribuida), **unallowable** (inadmisible), **unanswerable** (incontrovertible, irrefutable, incontestable), **unappropriated** (sin consignar, sin asignar, sin repartir, disponible, general; V. *unallocated; appropriate*), **unappropriated benefits/funds/surplus** (beneficios/fondos/superávit sin destino asignado), **unassailable** (inatacable, inexpugnable, irrefutable), **unassignable** (intransferible), **unattached** (no embargado), **unaudited** (sin revisar/auditar/comprobar; se aplica a *balance, accounts, etc.*), **unauthenticated** (no legalizado, no autorizado), **unavailable** (no disponible, agotado), **unbalance** (desequilibrar; V. *imbalance*), **unbalanced** (desequilibrado, sin cuadrar), **unbalanced budget** (presupuesto desequilibrado/desnivelado; presupuesto sin ajustar/equilibrar), **unballast** (deslastrar; V. *ballast*), **unbinding** (no vinculante), **unbundling**[1] (venta de una

filial durante el proceso de adquisición de la central; absorción de un conglomerado; V. *asset stripping*), **unbundling**[2] US (BANCA pago por cada uno de los servicios prestados por el banco; V. *bundling*), **unbribable** (insobornable), **uncallable** (no exigible), **uncalled** (no desembolsado; V. *called-up capital, fully-paid capital*), **uncalled capital** (capital no desembolsado), **unchallengeable** (irrecusable), **uncertain** (dudoso, incierto), **unclaimed** (no reclamado, no solicitado), **unclaimed dividend** (dividendo no cobrado/reclamado), **unclaimed goods** (bienes mostrencos; V. *lands in abeyance, waif*), **unclean** (no limpio, con observaciones; V. *foul*), **unclean bill of lading** (conocimiento defectuoso, con reservas u observaciones; V. *dirty/foul/claused bill of lading*), **uncleared** (TRANS MAR derechos de aduanas no pagados; V. *cleared without examination; customs cleared*), **uncollected items** (efectos al cobro), **uncollectable/uncollectible accounts** (cuentas incobrables; V. *bad debts, accounts uncollectible, allowance for uncollectibles; loan loss reserves*), **uncollected trade bill** (efecto impagado), **uncommitted** (no comprometido, sin pronunciarse, disponible), **uncommitted balance** (saldo no comprometido), **uncommitted surplus** (superávit disponible o no comprometido), **uncommon** (raro, poco frecuente), **uncompromising** (intransigente), **unconditional** (incondicional, absoluto; V. *complete, final and absolute; clean*), **unconditional acceptance** (aceptación incondicional o sin condiciones; V. *clean conditional*), **unconfirmed credit** (crédito no confirmado), **unconfirmed irrevocable credit** (FINAN crédito documentario irrevocable no confirmado), **unconscionable** (poco razonable, excesivo, desmedido), **uncontested** (no disputado, sin oposición, no defendido), **uncontrolled** (no intervenido; libre, sin controlar), **uncovered** (en descubierto, sin garantía, no garantizado; se aplica a *cheque, credit, creditor, debt, loan, etc.*; V. *unsecured*), **uncovered acceptance** (letra de cambio en descubierto o sin garantía; V. *acceptance*²), **uncovered loan** (préstamo fiduciario; V. *unsecured loan; loan without security*), **uncrossed cheque** (cheque abierto, sin cruzar o no cruzado; V. *open cheque*), **undamaged** (indemne, intacto, ileso), **undeclared money** (dinero no declarado o negro), **undefended** (que no presenta reclamación, con el consenso de las partes, de mutuo acuerdo), **undesigned** (sin premeditación, involuntario), **undesirable** (indeseable), **undischarged bankrupt** (quebrado no rehabilidato; V. *discharged bankrupt*), **undisgested securities** *US* (BOLSA, SOC acciones de difícil colocación; valores no vendidos al público; V. *digested securities; absorption point*), **undisclosed principal** (comitente encubierto o no revelado, mandante encubierto u oculto), **undisputed** (sin debate, incontestable, indiscutible), **undistributed profits** (beneficios retenidos o no distribuidos), **undivided** (indiviso, entero), **undivided profits** (beneficios no distribuidos), **undivided surplus** (superávit no repartido), **undrawn balance** (saldo no utilizado o retirado), **undue** (innecesario, excesivo, desmedido, inapropiado), **unduly** (indebidamente, ilícitamente), **undue influence** (intimidación, influencia indebida o impertinente, abuso de poder, tráfico de influencias; V. *abuse of power, coercion, duress*), **undrawn balance** (saldo disponible o no utilizado), **unearned** (no devengado), **unearned discount** (descuento hecho por adelantado; interés cobrado por adelantado; V. *prepaid interest*), **unearned income** (rentas de bienes muebles; rentas no salariales; rentas de intereses y dividendos; V. *earned income, investment income*), **unearned increment** (plusvalía), **unearned revenue** (ingresos recibidos por rentas no devengadas; esta cuenta forma parte del pasivo —*liabilities*—; V. *earned revenue*), **uneconomic** (poco rentable, antieconómico), **uneconomic-al** (antieconómico, no rentable o lucrativo), **unemployed** (parado, desocupado, desempleado, en paro forzoso; V. *jobless*), **unemploy-ment** (REL LAB desempleo, paro; V. *disguised unemployment, registered employment, technological unemployment; job losses, natural wastage; redundancy*), **unemployment benefit/ compensation** (subsidio de desempleo; V. *dole*), **unemployment fund** (fondo de seguro al desempleo), **unemployment insurance** (seguro de paro o desempleo; V. *forced unemployment, fluctuation unemployment*), **unemployment rate** (tasa de desempleo), **unemployment relief** (subsidio de desempleo; V. *unemployment benefit, dole*), **unemploy-ment trap** (REL LAB estímulo al desempleo; trampa o círculo vicioso del desempleo), **unenacted law** (derecho no escrito), **unencumbered** (libre de gravamen; sin cargas o hipotecas; disponible), **unenforceable** (que no puede ejecutarse o hacerse cumplir, de cumplimiento voluntario), **unengaged** (libre, no comprometido), **unequivocal** (inequívoco, claro), **uneven** (impar; V. *odd*), **unexceptionable** (irrecusable, que no admite excepción), **unexempt** (no exento, no privilegiado), **unexpendable** (no fungible), **unexpired** (inconcluso, no cumplido, no vencido, vigente), **un-**

expired insurance premium (seguro vigente, prima de seguro no vencida), **unexpired term of office** (mandato inconcluso), **unfair** (desleal, no equitativo, injusto, sin equidad, de mala fe), **unfair competition** (competencia/concurrencia desleal, injusta o inequitativa), **unfair dismissal** (despido improcedente o injusto; V. *wrongful dismissal, constructive dismissal, dismissal statement, reinstatement*), **unfaithful** (infiel, pérfido, desleal, traidor), **unfavourable trade balance** (balanza comercial desfavorable; V. *adverse trade balance*), **unfettered** (sin estorbos), **unfilled** (vacío, no cubierto), **unfilled seat** (plaza vacante), **unfilled order** (pedido no despachado), **unfinished** (sin terminar, inacabado, inconcluso, no concluido), **unfinished products** (productos semiacabados), **unfit** (incapaz, incompetente, no apto), **un-flappable** *col* (sereno, impertubable, flemático, tranquilo), **unfounded** (infundado, sin motivo; V. *ungrounded, groundless, unsubstantiated*), **unfulfilled** (incumplido, no ejecutado, no acatado; V. *order fulfillment*), **unfulfilled orders** (pedidos no servidos; V. *backlog of orders*), **unfunded** (no consolidado, sin fondo para el pago de intereses), **unfunded borrowing** (empréstito no consolidado), **unfunded debt** (deuda flotante, deuda no consolidada; V. *floating debt*), **unfunded trust** (fideicomiso sin depósito de fondos), **unfurnish** (despojar), **ungeared** (no apoyado con préstamos; V. *gearing*), **ungrounded** (sin fundamento, infundado, gratuito; V. *groundless*), **unimpeachable** (incontestable, irreprochable, irrecusable), **unimpaired** (intacto, inalterado), **unimpaired capital** (capital libre de gravámenes), **unincorporated association** (sociedad no inscrita en registro oficial; V. *partnership, club, society, trade unions*), **unindorsed** (sin endoso, no endosado), **uninscribed** (no inscrito, sin inscripción), **uninsured** (sin asegurar), **unissued** (en cartera, sin emitir), **unissued capital stock** (acciones no libradas o por emitir, capital no emitido; la parte del capital escriturado que no ha sido emitida; V. *authorized capital; issued capital*), **unissued shares/stock** (acciones no emitidas; V. *potential stock*), **unlawful** (ilícito, ilegítimo), **unlawfulness** (ilegalidad), **unlicensed** (no autorizado), **unlimited¹** (pleno), **unlimited²** (BOLSA por lo mejor; V. *valid for one day*), **unliquid asset** (CONT activo inmovilizado), **unliquidated** (no liquidado, no pagado, no saldado; pendiente de pago; no fijado), **unliquidated debt** (deuda ilíquida), **unlisted/unquoted company** (sociedad mercantil que no cotiza en Bolsa; V. *unlisted securities market*), **unlisted securities/shares** (BOLSA valores no inscritos o no cotizados en la Bolsa de Comercio; títulos/valores no admitidos a cotización en Bolsa; V. *off-board securities; listed securities; non-quoted securities/shares; unlisted/non-listed shares*), **unlisted securities market, USM** (BOLSA segundo mercado; bolsa secundaria), **unload** (descargar), **unmarketable** (invendible, incolocable), **unmatured** (no vencido), **unmatched** (no superado; desparejado; V. *odd*), **unofficial exchange market** (mercado libre de cambios; mercado paralelo; mercado libre de divisas), **unofficial strike** (huelga no oficial; V. *wildcat strike*), **unpacked** (a granel; sin embalar; sin envoltorio; V. *in bulk*), **unpaid** (impagado, vencido, en descubierto, sin pagar; V. *back, arrears, outstanding, overdue, unsettled, pending*), **unpaid/**

uncalled capital (SEG capital suscrito y no desembolsado; V. *call*[6]), **unpaid debts/loan** (crédito vencido; V. *due and unpaid; non-performing loans, bad debts, doubtful loans*), **unpeg** (desvincular), **unpeg the rate** (desvincular el tipo de cambio), **unperformed** (no ejecutado, no cumplido), **unprejudiced** (sin prejuicios; sin predisposición, imparcial; V. *unbiased*), **unproductive capital** (FINAN capital inactivo; efectivo ocioso; fondos improductivos o excesivos en cajas y bancos; V. *active/productive capital; dead capital*), **unpublished** (inédito), **unqualified**[1] (que carece de la titulación correspondiente, no autorizado; V. *qualified*), **unqualified**[2] (limpio, sin salvedades ni reservas ◊ *Unqualified support*), **unqualified certificate/opinion** (CONT certificado o dictamen sin reservas emitido por una auditoría, etc.; V. *clean certificate; qualified opinion*), **unqualified endorsement** (endoso total o sin reservas), **unrealized [capital] gains** (plusvalía teórica, beneficios no materializados en los accionistas; V. *latent goodwill*), **unreasonable** (arbitrario, no acorde a razón, poco razonable), **unreasonable accumulations** (V. *rule against unreasonable accumulations*), **unrefundable** (no restituible), **unrefunded** (no reembolsado), **unrepresented** (no representado, sin representación), **unreserved** (sin reservas, no reservado), **unrest** (malestar, inquietud; desorden, disturbios), **unrestricted** (ilimitado), **unrestricted reserves** (reservas disponibles), **unsatisfied** (no liquidado, insatisfecho), **unscheduled** (no programado), **unscheduled overtime** (horas extraordinarias no programadas), **unseasoned investment** (inversión en vías de rendimiento pleno), **unsecured** (BANCA sin garantía, sin caución o colateral, no garantizado; se aplica a *account, cheque, credit, creditor, debt, loan, etc.* V. *naked, uncovered, unwarranted*), **unsecured creditor** (acreedor común, sin caución o sin aval respaldado por un bien concreto), **unsecured debt** (deuda no garantizada), **unsecured debenture/bond** (FINAN cédula hipotecaria/obligación/bono sin garantía prendaria, también llamado *debenture bond* en los Estados Unidos y *naked debenture* en el Reino Unido; V. *secured debenture*), **unsecured loan** (BANCA préstamo sin caución, préstamo a la sola firma; préstamo fiduciario; V. *belt and suspenders, secured loan, uncovered loan; loan without security*), **unsettled** (pendiente de pago, atrasado, pendiente, en mora, vencido, sobrevencido, sin pagar, impagado, devengado y no pagado; V. *overdue, outstanding, unsettled, pending, arrears, back*), **unsinkable debt** (deuda no amortizable; V. *redeemable debt*), **unskilled** (no cualificado; no especializado; V. *skilled, qualified*), **unsolicited** (no pedido), **unsound** (defectuoso, erróneo, falso, viciado, perturbado, mentalmente inestable o incapacitado), **unspent** (no utilizado, sin/por gastar), **unstructured** (abierto, no estructurado), **unsubstantiated** (no probado, infundado; V. *groundless, unfounded*), **unsuccessful** (fracasado, sin éxito; infructuoso), **unsubscribed** (no suscrito), **unswear** (abjurar), **untied aid** (ayuda no condicionada), **untransferable** (intransferible), **untrue** (falso, engañoso, inexacto), **untruth** (falsedad), **unused** (disponible), **unwarranted** (no garantizado, injustificado, sin justificación; V. *unsecured*), **unweighted** (no ponderado)].
unanimity *n*: unanimidad; V. *majority*. [Exp: **unanimous** (unánime), **unanimously** (por unanimidad)].

UNCTAD *n*: V. *United Nations Conference on Trade and Development.*

under[1] *prep*: debajo de, bajo, al mando de; a tenor de lo dispuesto en, en virtud de, de conformidad con, de acuerdo con, al amparo de, según, comprendido en, contemplado en, considerado en ◊ *Act under the terms of a contract.* [Exp: **under bond** (bajo fianza; en depósito), **under contract** (con contrato, según los términos del contrato), **under cover** (bajo sobre), **under instructions from** (por orden de), **under licence** (con licencia), **under my hand and seal** (sellado y firmado por mí, de mi puño y letra y con mi sello), **under obligation** (obligado, bajo obligación), **under protest** (bajo protesta, con reserva), **under the table** *col* (bajo cuerda, ilegalmente), **under the provisions of** (conforme a lo dispuesto/establecido en)].

under[2] *prefijo*: sub-, infra-, secundario, etc. [*Under* puede actuar como prefijo, siendo sinónimo de *sub-* y antónimo de *over-* en la mayoría de los casos; el significado más típico es el de «sub» o «por debajo de», con las connotaciones de «secundario, accesorio, menor, inferior, mal, etc.». Exp: **under-insured** (infraasegurado; sin la debida cobertura, asegurado por un valor inferior al real; se dice cuando la póliza es insuficiente para los riesgos posibles), **underaction** (acción secundaria, acción accesoria), **underage** (menor de edad; V. *elderly, full legal age*), **underagent** (subagente), **underbought** (BOLSA no suscrito en su totalidad), **undercapitalized** (descapitalizado, infracapitalizado), **undercharge** (cobrar de menos; V. *charge, overcharge*), **undercover** (clandestino; V. *clandestine*), **undercut** (ofrecer mejor precio), **undercut a competitor** (vender por debajo de los precios de los competidores ◊ *They cornered the market by undercutting the competition*), **underdeveloped** (subdesarrollado; V. *backward area*), **underdeveloped country** (país subdesarrollado; V. *developing country, less advanced country, less developed country*), **underestimate** (subestimar), **undergo** (sufrir), **underground economy** (economía sumergida, oculta, subterránea, encubierta o irregular; V. *hidden economy, informal/parallel/submerged economy*), **underinvestment** (subinversión; inversión insuficiente), **underlease** (subarriendo; subarrendar; V. *sublease*), **underlie** (subyacer, estar en el fondo), **underlying asset** (MERC FUTUR activo subyacente; V. *basic asset*), **underlying market** (mercado secundario o no organizado), **underlying mortgage** (hipoteca subyacente u original), **underlying stock** (BOLSA acción soporte), **undermanned** (falto/escaso de mano de obra; V. *understaffed*), **undermine** (minar, socavar), **undermine the authority of** (desautorizar), **underpaid** (mal pagado, mal retribuido), **underperforming unit** (unidad [empresarial] no rentable), **underproduction** (producción deficitaria), **underproductive asset** (CONT activo poco productivo o antifuncional), **underrate** (subestimar), **undersecretary** (subsecretario), **undersell** (rebajar el precio; vender más barato que la competencia; V. *undercut*), **undersigned** (infrascrito, suscrito, abajo firmante), **understaffed, be** (estar faltos de personal; V. *overstaffed*), **understanding** (acuerdo; V. *agreement*), **understate**[1] (subestimar; V. *overstate; restate*), **understate**[2] (CONT consignar en los asientos con un valor inferior al suyo real o actual, infravalorar en libros), **undertake** (encargarse de, asumir/aceptar un compromiso), **undertake the**

del credere (asumir los riesgos del crédito; garantizar el pago; V. *assume the del credere*), **undertaker** (especulador; empresario), **undertaking** (empresa; compromiso [unilateral] ◊ *Sign an undertaking*; V. *engagement*), **undervalue** (infravalorar, tasar en menos de su valor real, subestimar; V. *currentaccount balance*), **underweight** (de peso insuficiente), **underwrite** (asegurar, reasegurar; suscribir acciones, etc.; garantizar la colocación de acciones; firmar), **underwrite a risk** (asegurar o reasegurar un riesgo), **underwrite an issue** (suscribir/garantizar una emisión), **underwrite bonds** (suscribir obligaciones), **underwriter**[1] (FINAN, BANCA [banco] suscriptor de emisiones; asegurador de emisiones, suscriptor [del primer mercado]; entidad financiera suscriptora de una emisión de acciones, que garantiza la colocación —*placement*— de la misma entre el público; V. *syndicate; investment bank*), **underwriter**[2] (SEG compañía de seguros, empresa aseguradora, reaseguradora; V. *insurance underwriter*), **underwriter bank** (SOC, BOLSA, BANCA banco asegurador, banco suscriptor; en un préstamo sindicado garantiza la colocación de una emisión de eurobonos; V. *underwriting; take-up fee*), **underwriter's fees** (SOC, BOLSA, BANCA comisión del banco asegurador o *underwriter bank*; V. *underwriting fee*), **underwriting** (SOC, BOLSA, BANCA aseguramiento; suscripción; aseguramiento de colocación de una emisión; alude al compromiso de colocar una nueva emisión de bonos o de acciones asumido por el banco suscriptor o *underwriter bank*; V. *revolving underwriting facility, RUF; transferible revolving underwriting facility, TRUF*), **underwriting agreement** (acuerdo de suscripción de una emisión), **underwriting banks** (bancos aseguradores), consorcio bancario de colocación de una emisión), **underwriting clauses** (FINAN cláusulas de aseguramiento), **underwriting commitment** (SOC, BOLSA, BANCA compromiso de suscripción/colocación de una nueva emisión de bonos o acciones asumido por un banco suscriptor o *underwriter bank*; V. *assured placement*), **underwriting contract** (contrato de suscripción), **underwriting fee** (SOC, BOLSA, BANCA comisión de suscripción/colocación de una emisión; V. *arrangement fee*), **underwriting group** (FINAN, BANCA sindicato de garantía; sindicato de emisión; consorcio de suscriptores; V. *syndicate*), **underwriting house** (casa/banco de emisión; V. *issuing house*), **underwriting prospectus** (prospecto de emisión o suscripción; V. *issue/subscription prospectus*), **underwriting syndicate** (SOC, BOLSA, BANCA consorcio/sindicato de emisión, consorcio de garantía; es responsable de la suscripción o colocación de una emisión de bonos/acciones hecha por un consorcio bancario o *bank/banking syndicate*; V. *underwriter*[1])].

UNIDO n: V. *United Nations Industrial Development Organization*.

uniform a/n: uniforme, homogéneo, constante; uniforme. [Exp: **uniform business rate, UBR** (TRIB impuesto municipal por licencia profesional; V. *business ratepayer*), **Uniform General Charter** (TRANS MAR póliza de fletamento de la Conferencia Marítima del Báltico, también llamada *gencon*), **uniform practice code** US (código normalizado de prácticas comerciales; reglamento consensuado o normalizado que rige las operaciones de la *National Association of Securities Dealers,*

NASD), **uniform/flat price** (precio único)].

unify *v*: unificar. [Exp: **unified mortgage** (hipoteca consolidada)].

union *n*: unión; sindicato obrero, gremio, asociación; V. *organized labour, trade union*. [Exp: **union certification** *US* (legalización/reconocimiento de un sindicato en una empresa por la *National Labor Relations Board* o Junta Nacional para las Relaciones Laborales), **union dues/fees** (cuota sindical), **union headquarters** (central sindical), **union labour** (trabajadores sindicalizados), **union leader** (dirigente sindical), **union membership** (sindicación; afiliación sindical; V. *unionization*), **union official** (cargo sindical), **union rules** (reglamento sindical), **union shop** (empresa cuyo contrato colectivo exige la afiliación del trabajador contratado en el sindicato; V. *right to work law, closed shop agreement*), **unionization** (sindicación), **unions and management** (sindical y patronal)].

unit[1] *n*: unidad. [Exp: **unit**[2] ([unidad de] participación de un fondo de pensiones ◊ *Owns so many units in a fund*), **unit banking** (sistema bancario formado por bancos independientes; V. *branch banking*), **unit cost** (coste unitario; V. *average unit cost*), **unit holder** (FINAN partícipe o titular de participaciones de un fondo de inversión colectiva o *unit trust*), **unit-linked policy** (SEG póliza de seguro de vida vinculada a un fondo de valores, también llamada *unit link*; el valor del rescate es el precio de venta de las participaciones o *units* del fondo, menos gastos el día de la cancelación; V. *equity-linked policy*), **unit of account, u.a.** (unidad de cuenta), **unit of currency** (unidad monetaria; V. *monetary unit*), **unit of output** (unidad de producción), **unit of value** (unidad de valor), **unit, per**

(unitario, por unidad), **unit price** (precio por unidad), **unit teller** *US* (cajero de pagos y cobros), **unit trust** (FINAN fondo de inversión colectiva de renta variable o cartera de inversión mobiliaria, que cotiza diariamente en Bolsa, constituido por participaciones o unidades participativas —*units*—; en los Estados Unidos se llaman *mutual funds* y también *open-end funds*; V. *unit holder, management company; authorised funds; investment company/trust; income distribution; initial charge*), **unit value** (valor unitario)].

unitary *a*: unitario. [Exp: **unitary elasticity of demand** (ECO elasticidad unitaria de la demanda; V. *arc elasticity of demand; elasticity of demand*), **unitary rate** (tipo de cambio único)].

unite *v*: unir, reunir. [Exp: **United Nations Organizations, UNO** (Organización de las Naciones Unidas), **United Nations Common Fund for Commodities, CFC** (Fondo de las Naciones Unidas para facilitar la creación de existencias de seguridad o «stocks» reguladores de materias primas o *buffer stocks*), **United Nations Conference on Trade and Development, UNCTAD** (Conferencia de las Naciones Unidas sobre Comercio y Desarrollo), **United Nations Industrial Development Organization, UNIDO** (Organización para el Desarrollo Industrial de las Naciones Unidas), **United States Government Guaranteed, USGG** (con la garantía del gobierno de los Estados Unidos de América), **United States of America, USA** (Estados Unidos de América), **United Kingdom, UK** (Reino Unido), **unitized cargo** (cargamento «unitarizado» u organizado en forma de unidades de carga)].

unity of possession *n*: posesión conjunta.

universal *a*: universal, general. [Exp:

universal agent (apoderado general), **universal time** (tiempo universal medido en Greenwich)].

unless *conj*: a menos que, salvo. [Exp: **unless otherwise agreed** (salvo acuerdo en contra), **unless otherwise stated** (salvo que se exprese lo contrario, salvo estipulación en contra)].

UK *n*: V. *United Kingdom.*

UNO *n*: V. *United Nations Organization.*

up *adv/a/v*: arriba; que ha subido de precio o valor; subir ◊ *Sugar is up 2 pence*; V. *down.* [Exp: **up-and-in put** (FINAN opción de venta o *put* con tope mínimo; su tenedor sólo la puede ejercer cuando el valor del activo subyacente —*underlying asset*— sobrepase un tope mínimo fijado), **up-and-out put** (FINAN opción de venta o *put* con tope máximo; su tenedor no podrá ejercerla cuando el valor del activo subyacente —*underlying assets*— sobrepase un tope máximo fijado), **up-front** (por adelantado, pagado/pagadero por adelantado de una sola vez a la entrada ◊ *Up-front costs*), **up-front fees** (FINAN cuota de entrada a un fondo de inversión; comisiones pagaderas por adelantado; en un préstamo sindicado son las que reciben la dirección de la sindicación ◊ *No-load funds do not charge investors up-front fees*), **up-market** (de o para una clientela selecta/exigente/pudiente; del sector más selecto del mercado ◊ *An up-market area*; V. *go up market; down market*), **up/raise the ante** *col* (subir la apuesta o el envite ◊ *Their rivals in the price war have upped the ante*), **update** (actualizar, poner al día, modernizar; V. *modernize; post-date, antedate*), **updating** (actualización; V. *bring up to date*), **upgrade** (mejorar; aumentar la calidad de; ascender; V. *promote; demote, downgrade; investment-grade bond*), **upgrading** (ascenso en graduación, mejora en

explotación, etc.; aumento), **upkeep** (mantenimiento; V. *maintenance*), **upmarket** *col* (MERC, PUBL elegante, de calidad superior; propio de las capas más selectas del mercado; V. *up-market; down-market*), **upstream** *US* (ascendente, río arriba, aguas arriba, hacia arriba, en sentido ascendente; normalmente se aplica a créditos o flujos de fondos ascendentes desde la filial a la casa matriz, conseguidos en buenas condiciones; V. *mainstream, downstream, parent, subsidiary*), **upstream bank** (banco agente o corresponsal de otro; V. *correspondent bank, downstream bank*), **uptick** (V. *plus tick*), **upturn** (mejora, reactivación, recuperación, reanimación, tendencia ascendente; cambio favorable en la coyuntura; V. *revival, recovery; downturn*), **upwards** (al alza; V. *revise upwards*)].

upheaval *n*: sacudida; S. *market upheaval.*

upper *a*: superior. [Exp: **upper echelon** (la cúpula; las altas esferas; V. *above-the-line people*), **upper income bracket** (ECO tramo superior de la escala salarial o de rentas; V. *lower income bracket*)].

upset *n*: trastorno, perturbación, alteración, desconcierto; trastornar, perturbar, alterar, desconcertar ◊ *Factors that upset the market*; V. *disturbance.* [Exp: **upset price**[1] *US* (COMER precio mínimo; precio mínimo al que el vendedor estaría dispuesto a vender; V. *negotiated price; reservation price*), **upset price**[2] (precio inicial de subasta; V. *auction*), **upsets in the economy** (perturbaciones económicas)].

upswing *n*: alza, período de recuperación, movimiento ascendente; V. *boost, boom, rise.* [Exp: **upswing in economic activity** (ECO auge coyuntural de la actividad económica; V. *slowing-down economic activity*)].

upward *a*: alcista, ascendente; V. *rising,*

bullish. [Exp: **upward trend** (tendencia alcista; V. *downward trend*), **upwardly mobile** (que va hacia arriba en la escala social, con movilidad social ascendente ◊ *Upwardly mobile young executives*), **upward mobility** (movilidad social ascendente), **upward-sloping yield curve** (curva creciente de tipos de interés)].

Uruguay Round *n*: Ronda de Uruguay; V. *GATT*.

urban *a*: urbano; urbanístico ◊ *Urban districts.* [Exp: **urban development** (desarrollo urbanístico; V. *town planning*), **urban planning standards** (normas urbanísticas), **urban sprawl** (crecimiento irregular o descontrolado de los barrios periféricos; expansión urbana descontrolada)].

urge *n/v*: impulso, afán, deseo, ansia; instar, exhortar, animar, apremiar, solicitar, urgir, recomendar encarecidamente; V. *seek*. [Exp: **urgency** (urgencia), **urgent** (urgente)].

USA *n*: V. *United States of America*.

USGG *n*: V. *United State Government Guaranteed*.

usance *n*: uso, usanza. [Exp: **usance bill** (letra de cambio con vencimiento común, letra de cambio a uso; V. *bill at usance*), **usance credit** (crédito documentario mediante letra a plazo; V. *reimbursement letter of credit*), **usances** (usos comerciales)].

usage *n*: costumbre, uso.

use[1] *n/v*: uso, costumbre; usar, hacer uso, utilizar. [Exp: **use**[2] (gasto, consumo; consumir), **use**[3] (aprovechamiento, utilidad), **use**[4] (uso, disfrute, beneficio,

usufruto), **use a privilege** (hacer uso de un privilegio), **use as a cover** (usar de pantalla), **use-by date** (fecha de caducidad; V. *sell-by date*), **usual covenants** (garantías habituales), **usual place of abode** (residencia habitual; V. *whereabouts*), **usual/market/going/current price** (precio corriente/normal/actual/del mercado), **used** (usado; V. *second-hand*) **useful** (útil; V. *effective*), **useful life** (vida técnica, vida útil; V. *product life cycle*), **useful load** (TRANS carga útil), **user** (usuario, consumidor), **user calls** *US* (COMER visitas a clientes hechas por representantes de comercio; V. *callback*), **user-friendly** (fácil de entender y de usar ◊ *User-friendly gadgets/instructions*)].

USM *n*: V. *unlisted securities market*.

utility *n*: utilidad; servicio público, empresa de servicio público; empresa de suministro público ◊ *Create new utilities by privatization.* [En plural puede indicar las acciones de una empresa de suministro público —agua, gas, electricidad, etc.—; en posición atributiva significa «funcional, utilitario, de servicio», por ejemplo, *utility furniture* —mobiliario funcional—, *utility vehicle* —vehículo de servicio—, etc. Exp: **utility company** (empresa de servicios), **utility function** (FINAN función de utilidad), **utility fund** (fondo de subvenciones públicas), **utilization fee** (MERC FINAN/DINER comisión de utilización; V. *underwriting fee; arrangement/management fee*), **utilize** (usar, utilizar)].

V

vacancy *n*: REL LAB vacante, puesto vacante; baja; laguna; V. *fill a vacancy*. [Exp: **vacancy** (desocupación de vivienda), **vacancy factor** (factor de desocupación de un inmueble; se refiere a las pérdidas ocasionadas por su no ocupación), **vacant** (vacante, disponible, libre), **vacant post** (REL LAB puesto/empleo/cargo vacante; V. *appointments vacant, situations vacant*), **vacate**[1] (anular, revocar ◊ *Vacate a judgement/contract*), **vacate**[2] (evacuar, desalojar, desocupar)].

vacuum *n*: vacío. [Exp: **vacuum-packed** (embalado/empaquetado/envasado al vacío o con papel de plástico transparente; V. *shrink-wrapped*)].

valid *a*: válido, valedero. [Exp: **valid for one day** (BOLSA orden válida para un día; V. *unlimited*), **validate** (validar, convalidar, legalizar), **validation** (convalidación), **validity** (vigencia, validez, plazo de validez; fuerza legal; V. *period of validity*), **validity check** (BANCA comprobación de validez), **validity of a credit** (plazo de validez de un crédito)].

valuable *a*: valioso, de valor. [Exp: **valuable consideration** (DER causa contractual onerosa; V. *good consi-deration; remuneration*), **valuables** (valores, artículos u objetos de valor), **valuation** (tasación, valoración, estimación, avalúo, evaluación, apreciación), **valuation basis** (según valor, de acuerdo con el peritaje o valoración), **valuation changes** (CONT corrección valorativa), **valuation criteria** (criterios de valoración), **valuator** (tasador, evaluador),

value *n/v*: valor, valoración; este término equivale a *worth* y suele ir precedido de las palabras *fair* o *fairmarket*; valorar; dar valor a. [Exp: **value added statement** (estado o cuenta de valor añadido; se trata de un estado financiero que detalla exhaustivamente el incremento del coste, o el «valor añadido», habido en el proceso de producción de bienes y servicios; la cifra final es la diferencia entre los ingresos totales por ventas y los costes iniciales), **value added tax, VAT** (impuesto sobre el valor añadido; V. *zero-rated supply*), **value analysis** (MERC análisis de valor; análisis del valor o utilidad que tiene para el consumidor cada elemento del coste de un producto), **value assessed** (valor estimado), **value at factor cost** (valor al costo de los factores), **value at maturity** (valor al vencimiento), **value chain**

(COMER cadena de valor), **value date** (fecha valor, día de valor), **value for collection** (valor al cobro), **value for money** (dinero bien empleado; relación calidad-precio, aprovechamiento del dinero gastado), **value for money audit** (auditoría de la marcha de una entidad benéfica o sin fines de lucro), **value in exchange** (valor al cambio), **valued policy** (póliza de seguro marítimo en la que se especifica el valor asegurado), **valueless** (sin valor; V. *worthless*), **valuer** *US* (tasador, evaluador; V. *appraiser*)].

variance *n*: discrepancia, desacuerdo, oposición; varianza, variación. [Exp: **variance analysis** (análisis de la varianza), **variance with, at** (en desacuerdo con, reñido con)].

variable *a/n*: variable. [Exp: **variable annuity** (anualidad variable), **variable cost** (coste variable; V. *average variable cost*), **variable interest rate** (tipo de interés variable), **variable/fluctuating/ flexible/floating rate of exchange** (FINAN tipo de cambio variable/flexible/ flotante/fluctuante), **variable levy** (exacciones variables), **variable yield securities** (títulos de renta variable), **variables sampling** (muestreo de o por variables; V. *acceptance sampling, attribute sampling*)].

variation *n*: variación, modificación, discrepancia.

VAT *n*: V. *Value Added Tax*.

vault *n*: BANCA cámara acorazada o de seguridad; V. *cash box; safety deposit box*. [Exp: **vault cash** *US* (reservas líquidas o en efectivo; este concepto se opone al de *currency in circulation*; V. *cash on hand, cash holdings*)].

vehicle *n*: vehículo.

velocity *n*: velocidad, rapidez. [Exp: **velocity of circulation** (velocidad de circulación; V. *turnover rate*)].

vend *v*: vender. [Exp: **vendable/vendible** (vendible; V. *marketable, merchantable; salable/saleable*), **vendee** (comprador; V. *vendor*), **vending** (venta), **vending machines** (máquinas expendedoras o vendedoras; V. *dispenser*), **vendor** (vendedor, proveedor; V. *vendee*), **vendor performance/placing** (SOC índice/indicador del ritmo de venta o colocación de productos)].

venture *n*: actividad comercial nueva, arriesgada o especulativa; operación empresarial con riesgo; empresa arriesgada; V. *deal stream; joint venture, aggregate corporation*. [Exp: **venture capital** (FINAN capital riesgo; V. *risk capital; seed financing*)].

verbal *a*: verbal, oral. [Exp: **verbal agreement** (GEST acuerdo verbal), **verbal trademark** (PUBL/MKTNG marca verbal; están formadas estas marcas verbales por acrónimos totales o parciales como *Inespal*— Industria Española del Aluminio— o por la unión de palabras enteras o mutiladas, como *Servired* —Red Nacional de Cajeros Automáticos—, de forma tal que se puedan emitir oralmente en una sola unidad léxica sin tener que recurrir a toda la expresión larga; V. *naming; packaging*)].

verbatim *a/adv*: literal, al pie de la letra. [Exp: **verbatim record** (acta literal)].

verify *v*: averiguar, comprobar, verificar. [Exp: **verification** (verificación, comprobación, constatación)].

vertical *a*: vertical. [Exp: **vertical amalgamation/integration** (concentración vertical; normalmente se trata de empresas que realizan diversas fases de la producción de un artículo; V. *horizontal/lateral amalgamation; conglomerate amalgamation*), **vertical bear/bull spread** (estrategia combinatoria de compra y venta simultánea «vertical bajista/alcista», en el mercado de futuros —*futures market*—, de contratos de futuros, y en el mercado de opciones —*options market*—, de opciones de compra —*call options*— o de venta —*put options*— sobre el mismo activo subyacente —*underlying asset*—, aunque con distintos precios de ejercicio —*strike price*— o fechas de ejercicio —*strike dates*), **vertical bull spread** (spread/diferencial/margen vertical alcista), **vertical diversification** (MERC diversificación/integración vertical; V. *concentric/conglomerate/horizontal diversification*), **vertical labour mobility** (REL LAB movilidad vertical de los trabajadores; V. *horizontal labour mobility*), **vertical line chart** (barras), **vertical merger** (fusión vertical), **vertical spread** (FINAN diferencial vertical; V. *spread, bear spread, butterfly spread, calendar spread, credit spread, price spread, diagonal spread; put, call*)].

vessel *n*: buque; V. *boat, ship*. [Exp: **vessel in distress** (buque en peligro; V. *distress, port of distress, signals of distress*), **vessel term bond** (fianza de buque a término)].

vest *v*: investir, conferir, conceder, transferir el título de propiedad, pasar a, descender a, recaer en. [Exp: **vested interests** (intereses creados), **vesting of assets** (traspaso de activos)].

vicarious *a*: vicario, sustituto, subsidiario. [Exp: **vicarious liability/responsibility** (responsabilidad civil subsidiaria; V. *strict liability rule*), **vicarious performance** (cumplimiento de contrato por persona interpuesta)].

vice *n*: vicio, defecto; V. *defect, flaw*.

victual *v*: avituallar, proveer, abastecer; V. *supply, provide*. [Exp: **victualler** (proveedor, abastecedor; buque proveedor o de abastecimiento; V. *purveyor, supplier,*

caterer; supply ship), **victualling** (avituallamiento; V. *hoarding, corner*), **victuals** (provisiones, víveres)].

viewpoint *n*: punto de vista.

VIP lounge *n*: sala de personalidades —*very important people*—.

vision *n*: visión, punto de vista. [Exp: **vision statement** (declaración de objetivos)].

visit *n/v*: visita; visitar. [Exp: **visitation port** (puerto de escala; V. *call*[10])].

visual *a*: visual. [Exp: **visual display unit** (expositor, vitrina)].

vocation *n*: vocación, ocupación, empleo, oficio. [Exp: **vocational guidance/training** (orientación/formación profesional), **vocational retraining** (reconversión profesional)].

void *a/v*: nulo, inválido, írrito, sin ningún efecto, valor o fuerza; anular, rescindir, cancelar, invalidar. [Exp: **void a contract** (anular un contrato; V. *cancel a contract*), **void of** (desprovisto de), **voidability** (anulabilidad), **voidable** (anulable, cancelable; V. *uberrimae fidei*), **voided cheque** (cheque anulado; V. *stale cheque, soiled cheque*)].

volatile *a*: voluble, inestable, cambiante, volátil, imprevisible ◊ *Volatile market.* [Exp: **volatility** (volatilidad)].

volume *n*: volumen. [Exp: **volume discount** (COMER retorno, «rappel»; es un descuento especial dado por el proveedor al minorista por volumen de ventas; V. *rebate*[3]), **volume of dealings** (volumen de contratación), **volume of money** (ECO activos líquidos en manos del público; disponibilidades monetarias; masa monetaria; oferta monetaria; medio circulante; V. *money supply*)].

voluntary *a*: espontáneo, voluntario. [Exp: **voluntary arbitration** (arbitraje voluntario), **voluntary assignment** (cesión contractual de bienes), **voluntary bankruptcy** (concurso voluntario, quiebra voluntaria), **voluntary chain** (COMER cadena de tiendas con el mismo nombre e imagen, aunque cada una de ellas pertenezca a un propietario distinto; V. *franchise chain*), **voluntary conveyance** (cesión sin causa valiosa; V. *consideration*), **voluntary liquidation** (disolución/liquidación voluntaria), **voluntary bankruptcy** (quiebra voluntaria, suspensión de pagos), **voluntary redundancy** (retiro, baja, despido o jubilación anticipada, incentivada, pactada o voluntaria), **voluntary reserve** (reserva voluntaria; V. *legal reserve*), **voluntary restraint agreement** (acuerdo de autolimitación), **voluntary winding-up** (liquidación voluntaria; V. *compulsory winding-up*)].

vostro account *n*: BANCA cuenta abierta en un banco comercial por un banco extranjero; V. *due from account; nostro account*.

vote *n/v*: voto, sufragio, votación; votar, elegir; pronunciarse. [Exp: **vote by ballot** (votación secreta), **vote by proxy** (voto por poder), **vote by roll call** (voto nominal), **vote by show of hands** (votación a mano alzada), **vote by acclamation** (voto por aclamación), **vote down** (rechazar una propuesta por mayoría de votos), **vote of lack of confidence** (moción de censura o de falta de confianza), **vote of thanks** (voto de gracias, agradecimiento expresado y aprobado para que conste en acta), **vote**

with the minority (unir sus votos a los de la oposición), **voter** (elector, votante), **voting** (votación, comicios), **voting right** (BOLSA derecho a voto, participación política), **voting shares** (acciones con derecho a voto; V. *'B' shares; non voting shares, classified common stock*), **voting list** (censo electoral), **voting-slip** (papeleta que contiene el voto; V. *ballot-paper*), **voting shares/stock** (acciones políticas o con derecho a voto), **voting trust** (grupo o consorcio que acumula acciones con derecho a voto; bloque de votos adquiridos por cesión del derecho de voto)].

vouch *v*: certificar, garantizar. [Exp: **vouch for somebody** (responder de alguien, ser garante de alguien, constituirse en fiador suyo), **voucher** (comprobante, justificante, recibo o resguardo de cualquier transacción; vale, cheque de descuento comercial ◊ *Luncheon voucher; pay part of the price by voucher*; V. *warrant, slip, receipt, gift voucher*), **voucher of indebtedness** (comprobante de adeudo)].

voyage *n*: viaje por mar o aire; travesía. [Exp: **voyage charter** (TRANS MAR fletamento de un buque o avión para un solo viaje de transporte de carga o pasajeros, contrato por viaje; V. *time charter*), **voyage clause** (SEG, TRANS MAR cláusula que autoriza el cambio de rumbo sin pérdida de los derechos del seguro; V. *deviation clause*)].

W

W.A. *fr*: V. *with average*.

wage-s *n*: REL LAB salario, paga, jornal; V. *pay, earnings; daily wage, salary; package deal*. [Exp: **wage adjustment** (ajuste salarial), **wage adjustment clause** (cláusula de escala móvil salarial), **wage agreement** (acuerdo laboral), **wage band** (banda salarial), **wage and price control** (ECO control de precios y salarios; V. *wage-price spiral*), **wage ceiling** (techo/tope salarial; V. *wage floor*), **wage council** (comisión de revisión de salarios), **wage dispute** (disputa salarial), **wage drift** (diferencial de salarios; se trata de la diferencia entre los salarios garantizados por convenios sectoriales y las cantidades percibidas efectivamente por todos los conceptos, incluidos los incentivos, las horas extra, etc.; tales prácticas causan una desviación —*drift*— de la situación ideal contemplada en los acuerdos globales), **wage-earner** (asalariado, jornalero; V. *income earner*), **wage earner schedule** (nombre informal con que se conoce el llamado plan de devolución de las deudas del quebrado o *debt repayment schedule*), **wage earning population** (asalariados; V. *dependent labour force*), **wage floor** (base salarial, salario mínimo; V. *wage ceiling*), **wage incentive** (incentivo salarial), **wage income** (ingresos por trabajo; ingresos devengados; renta salarial o del trabajo, retribución por el trabajo; V. *earned income*), **wage-induced/led inflation** (V. *wage-pull/push inflation*), **wage leadership** (posición puntera en los salarios pagados, liderazgo salarial), **wage negotation** (negociación salarial), **wage packet** (paga efectiva, el sobre salarial; V. *pay packet*), **wage/pay freeze** (congelación salarial), **wage/pay restraint** (moderación salarial; V. *restraint policy*), **wage-price spiral** (ECO espiral de precios y salarios; V. *wage and price control*), **wage-pull/push inflation** (inflación provocada por alzas salariales), **wage scale** (escala salarial), **wage settlement** (acuerdo salarial), **wages clerk** (jefe de la sección de nóminas; pagador de nóminas; V. *payroll assistant*), **wages guarantee fund** (fondo de garantía de pago de sueldos)].

wager *n/v*: apuesta, cantidad apostada; apostar. [Exp: **wager policy** (póliza de juego), **wagering contract** (contrato de juego)].

wait *n/v*: espera; esperar. [Exp: **wait and see** (compás de espera), **waiting delay**

(plazo de carencia; V. *grace period*), **waiting period** (término suspensivo)].

waive *v*: renunciar a, ceder, inhibirse, no hacer uso de, dispensar, pasar por alto, no tomar en consideración. [Exp: **waive a claim** (abandonar una reclamación; renunciar a un derecho; V. *abandon a claim*), **waive one's rights** (abdicar de o renunciar a sus derechos; V. *yield one's rights, forbear, forfeit*), **waiver** (renuncia, repudio; excepción a una regla o norma; V. *non waiver agreement*), **waiver clause** (SEG cláusula de renuncia al derecho de abandono, por parte del asegurado, o del de aceptación del abandono por parte del asegurador; V. *disclaimer; sue and labour, abandonment clause; anti-waiver clause*), **waiver of premium** (SEG cláusula de exención del pago de la prima en caso de accidente, incapacidad, etc.)].

walk *v*: caminar. [Exp: **walk-away price** (precio de ruptura), **walk off the job** (REL LAB abandonar el puesto de trabajo; V. *resign; quit one's job*), **walk out** (REL LAB abandonar una reunión, lugar de trabajo, etc. en señal de protesta), **walk-out** (REL LAB plante, abandono airado, huelga ◊ *Stage a walk-out*; V. *stoppage, pull out*), **walking delegate** *US* (REL LAB delegado sindical)].

wall *n*: muro, pared; V. *Chinese wall*. [Exp: **Wall Street** (centro financiero de Nueva York; V. *The City; The Bay Street*), **wallflower** (en sentido figurado significa marginado, rechazado, no aceptado, sin suerte, poco agraciado; en su primer sentido quiere decir «alhelí», pero en el registro coloquial se refiere a «la fea, la sosa, la menos querida o la menos agraciada del grupo, la que nadie saca a bailar»; aplicado a los negocios, alude a las empresas o valores marginados por los inversores por no gozar de su confianza ◊ *The firm was a wallflower in this year's bidding for government contracts*)].

wane *v*: decaer, menguar, ir disminuyendo o declinando, desaparecer paulatinamente ◊ *Interest in purchasing the firm has waned*; V. *peter out, fade*.

want *n/v*: falta, necesidad, carencia; querer, desear; faltar. [Exp: **want ads** (PUBL anuncios pequeños), **want of** (falta de)].

ward *n*: persona bajo tutela judicial. [Exp: **ward off** (protegerse contra; evitar, rechazar, desviar ◊ *They're stalling for time to try to ward off bankruptcy*)].

ware *n*: mercadería, mercancía. [Exp: **warehouse** (almacén, depósito; almacenar, acopiar, «estocar»), **warehouse acceptance** (aceptación del almacén), **warehouse, at** (precio incluidos el transporte y la carga; V. *ex warehouse*), **warehouse certificate** (V. *warehouse receipt*), **warehouse, ex** (precio sin incluir el transporte; V. *at warehouse*), **warehouse entry bond** (fianza de entrada para almacén afianzado), **warehouse bond** (fianza de almacén), **warehouse receipt** (recibo, certificado, conocimiento, guía o resguardo de almacén; guía de depósito, vale de prenda; estos certificados son títulos que, en muchos casos, son negociables; V. *commodity paper*), **warehouse warrant** (certificado de depósito; duplicado del certificado de almacén; V. *warrant*), **warehousing** (almacenaje)].

warn *v*: avisar, amonestar, alertar, advertir, prevenir, conminar. [Exp: **warning** (aviso, amonestación, caución, notificación, advertencia; V. *early warning system, notice*)].

warped economic system *n*: sistema económico corrompido o distorsionado.

warrant[1] *n/v*: vale, comprobante, resguardo, certificado, justificante, justificación; resguardo de almacén; duplicado; nota de empeño; bono de prenda; garantía, cédula; garantizar; avalar, certificar, responder por, salir fiador, justificar; V. *cash warrants*. [Exp: **warrant²** (autorización; libranza, orden de pago o libranza, libramiento; orden o decisión judicial; autorizar, dar orden; justificar; V. *pay warrant, warrant of attorney*), **warrant³** (BOLSA bono de suscripción de títulos nuevos en condiciones fijadas con anterioridad; derecho especial de sucripción/adquisición; alude a un derecho a comprar/ suscribir acciones nuevas o viejas de la empresa emisora a un precio convenido, que suele ir incorporado a distintos activos financieros, como acciones, tipos de interés, índices bursátiles, deuda pública, etc.; derecho especial de suscripción o de compra; se diferencian de las opciones de compra o *calls* en que aquéllas producen aumento en el accionariado y en que las *calls* son emitidas por terceros), **warrant⁴** (pagaré a corto plazo emitido por autoridades locales, abonable con motivo de una circunstancia indicada, por ejemplo, cuando se haya cobrado los impuestos locales; reconocimiento de deuda), **warrant bond** (bono con derecho de suscripción incorporado o *warrant³*), **warrant for payment** (orden de pago), **warrant of attorney** (procuración, poder, mandato), **warranted** (garantizado), **warrantee** (garantizado, beneficiario de un aval o garantía), **warranter/ warrantor** (garante, fiador), **warranty** (garantía, seguridad, compromiso; V. *terms, representations*), **warranty deed** (escritura de propiedad con garantía de título), **warranty of fitness** (garantía de aptitud), **warranty of title** (garantía o certificado oficial de título; V. *breach of warranty, express warranty*)].

wash *v*: lavar. [Exp: **wash sale** US (BOLSA cruce; transacción cruzada ilegal o de dudosa legalidad; operación bursátil, también llamada *crossing* y *cross* en el Reino Unido, en la que el mismo agente de Bolsa actúa como intermediario del lado comprador y del vendedor; puede ser legal si el corredor ha ofrecido los títulos con anterioridad y públicamente a un precio superior al de oferta; V. *crossing*), **wash transaction** (operación ficticia), **washing** (V. *bond washing*)].

wastage *n*: pérdida, derroche, despilfarro; desgaste, merma; V. *natural wastage; job losses; redundancy; unemployment*. [Exp: **wastage in bulk** (merma del granel), **waste¹** (residuos, deterioro, desecho, pérdida, desperfecto, uso, desgaste; estropear, deteriorar, echar a perder, gastar, desgastar, derrochar, despilfarrar), **waste²** (ECO/TRIB despilfarro; también se le conoce en economía como «pérdida irrecuperable de la eficiencia debido a los impuestos» —*deadweight burden of taxes*), **waste allowances** (CONT estimación para desperdicios), **waste book** (libro borrador; V. *memo book*), **waste materials** (materiales de desecho), **waste-products** (productos de desecho, desechos, desperdicios, residuos industriales; S. *by-product, end-product, spin-off*), **wasting assets** (CONT activo/bien consumible/ perecedero/agotable; activo o bien que se va consumiendo con el uso o tiene una vida útil limitada ◊ *An oil-well is a wasting asset*; V. *depletable/diminishing assets; durable assets; perishable goods*)].

watch *v*: vigilar. [Exp: **watch lists** (FINAN listas de alerta, control o vigilancia; así, las entidades financieras que obtienen una calificación —*rating*— baja, por ejemplo, entre 4 y 5 en la evaluación *CAMEL*, están en estas listas), **watchdog** (comité/entidad/órgano de vigilancia, intervención o control interno; censor

◊ *The Court of Auditors is the financial watchdog of the European Community*; V. *TV watchdog committee; regulatory agency*), **watchdog committee** (comisión de vigilancia de un organismo oficial, un ente público, una entidad bancaria, etc.; comité de dirección ◊ *The advert has been banned by the TV watchdog committee*; V. *regulatory agency*)].

water *n/v*: agua; aguar, regar; diluir, rebajar. [Exp: **watered assets** (activo diluido), **water down** (diluir, rebajar, suavizar ◊ *Water down criticism/the terms of a report*), **water rate** (impuesto municipal/cuota por consumo de agua), **water rights** (servidumbre de aguas), **watered capital** (capital diluido, inflado o sobrevalorado), **watered stocks** (BOLSA acciones diluidas o sobrevaloradas; acciones infladas por exceso de capitalización; acciones cuyo valor nominal es superior al valor de los activos subyacentes), **watering of share capital** (dilución del capital en acciones; V. *stock dilution/watering*), **watertight case/ package** (TRANS envase/paquete hermético; V. *airtight*), **waterway** (río; canal, vía fluvial o canal navegable; V. *inland waterway*)].

wave *n*: ola, oleada. [Exp: **wave of inflation** (ola inflacionista)].

wax seal *n*: sello de lacrar.

way *n*: vía, camino; forma, manera. [Exp: **way of, by** (pasando por, vía ◊ *By way of Cairo*), **way-mark** (mojón, poste, término; V. *abuttals*), **waybill** (TRANS conocimiento de embarque; carta de porte no negociable; resguardo de transporte por tren; documento fehaciente de contrato de mercancías por ferrocarril, también llamado *railway bill*, y en los Estados Unidos *railroad bill of lading*; V. *consignment note, air consignment note*), **ways and means**

(procedimiento, metodología, arbitrio), **Ways and Means Committee** (comisión del Senado o del Parlamento encargada de arbitrar recursos y aprobar las decisiones presupuestarias)].

weak *a*: débil, flojo, inestable; V. *frail, slack, soft, feeble*. [Exp: **weak/soft currency** (MERC DINER moneda/divisa débil/blanda/floja/inestable; V. *hard currency*), **weak demand** (atonía de la demanda), **weaken** (debilitar), **weakness** (debilidad, flojedad, atonía)].

wealth *n*: riqueza; patrimonio. [Exp: **wealth changes** (cambios patrimoniales), **wealth ratio** (ratio de enriquecimiento), **wealth tax** (impuesto sobre el patrimonio), **wealthy** (rico, opulento, acaudalado; V. *affluent; well-off*)].

wear and tear *n*: desgaste/deterioro lógico, normal o natural; uso; V. *current cost accounting, normal wear and tear*; esta frase se encuentra en las cláusulas de los contratos de arrendamiento y en muchas garantías, como *fair wear and tear* y también como *ordinary wear and tear*.

weather *n*: tiempo atmosférico. [Exp: **weatherbound** (bloqueado por el mal tiempo), **weather working days** (cuando el tiempo lo permita; mediante esta frase o la sinónima *weather permitting* se excluyen del cálculo de los días de plancha o *laydays*, los días que por mal tiempo no se puedan dedicar a la carga o descarga)].

webzine *n*: revista cibernética.

week *n*: semana. [Exp: **weekday** (día laborable; V. *working day*), **Weekly Casualty Reports, The** (SEG servicio de información de accidentes marítimos publicado por Lloyd's)].

weigh *v*: pesar, sopesar, ponderar, valorar. [Exp: **weighing machine** (balanza; V. *scale*), **weight**[1] (peso, preponderancia, importancia; pesa; V. *net weight; measurement*), **weight**[2] (añadir peso, poner aumentar el peso, cargar, gravar; ponderar), **weight or measurement** (peso o volumen), **weighted** (ponderado; V. *unweighted*), **weighted average/ index/sample** (media/índice/muestra ponderado-a), **weighted average costing** (coste medio ponderado; V. *average costing*), **weighted distribution** (distribución ponderada), **weighted hedge** (MERC FINAN/PROD/DINER cobertura ponderada; V. *cross hedge*), **weighting** (ponderación; carga), **weights and measures** (pesas y medidas)].

welfare *n*: bien, bienestar. [En su función atributiva equivale a «social», como en *welfare legislation* —legislación social. Exp: **welfare charges** (recaudación por asistencia social), **welfare economics** (ECO economía del bienestar; V. *fundamental theorem of welfare economics*), **welfare fund** (fondo de previsión), **welfare payment** (ayuda, asistencia social, prestación social), **welfare state** (estado/sociedad del bienestar, estado benefactor)].

well *adv*: bien. [Exp: **well-appointed** (bien equipado; amueblado/decorado con gusto, comodidad, etc.), **well-equipped** (con las cualidades o el material necesarios para), **well-off** (acomodado; V. *of independent means; wealthy; man of means; absolute poor*)].

wet *a*: húmedo. [Exp: **wet dock** (dique flotante; V. *dry dock*), **wetback** US (espalda mojada, bracero ilegal, sobre todo mejicano, en los Estados Unidos)].

whether ... or *conj* : o ... o. [Exp: TRANS MAR **whether in berth or not** (atracado o no)].

wharf *n*: muelle; V. *quay*. [Exp: **wharfage** (derechos de muelle), **wharfinger** (administrador/jefe del muelle), **wharfinger receipt** (TRANS MAR recibo de muelle; recibo o talón extendido por una compañía de navegación o por sus agentes haciendo constar que en sus almacenes se ha recibido una mercancía que está a la espera de ser cargada, también llamado *dock receipt*), **wharfinger's warrant** (cédula o recibo de muelle)].

wheel *n/v*: rueda, volante, timón; rodar, girar, hacer girar. [Exp: **wheel, at the** (al timón; al volante), **wheeler-dealer** *col* (maniobrero, manipulador, chanchullero, intrigante, especulador sin escrúpulos ◊ *He is a real wheeler-dealer and brings in a lot of business for the firm*), **wheels-within-wheels** *col* (intríngulis, entresijos ◊ *Board meetings are tricky with so many wheels-within-wheels*)].

whiff *n*: olor, tufo, tufillo ◊ *Investors rushed to sell government bonds at the faintest whiff of inflation.*

whip *n*: látigo. [Exp: **whiplash** (BOLSA latigazo; pérdidas tanto en posición compradora como en vendedora)].

white *a*: blanco. [Exp: **white-collar job** (trabajo de oficina; V. *office job*), **white-collar worker** (empleado de oficina; V. *brown-collar worker*), **white knight** (BOLSA caballero blanco, príncipe; en las luchas desencadenadas por las OPAS, es el financiero bien recibido porque su presencia mejorará la empresa; V. *grey/black knight; corporate raider; leveraged buyout; takeover, bluff*), **white squire** (BOLSA escudero blanco; estrategia de defensa contra una adquisición hostil), **whitewash** *col* (tapar, encubrir; tapadera, encubrimiento ◊ *The report whitewashed the Board's actions*)].

whizz-kid/whiz-kid *col n*: tipo listo, aprovechado, joven lince, avispado que sube como la espuma; normalmente se dice del que crea grupos de empresas cuyas compras financia con *junk bonds*; V. *pundit.*

whole *a*: completo, total, íntegro. [Exp: **whole-life insurance** (SEG seguro de vida entera; el asegurador paga la prestación aunque no haya recibido las primas pactadas; V. *term assurance/insurance*), **wholesale** (mayorista; al por mayor; en masa), **wholesale banking** (banco mayorista; negocios del mercado interbancario; opera con empresas, fondos de pensiones, instituciones gubernamentales, etc.; V. *retail banking, corporate banking*), **wholesale funds** (fondos procedentes del mercado interbancario ◊ *Central banks provide wholesale funds to commercial banks*), **wholesale dealer** (mayorista), **wholesale house** (almacén), **wholesale purchase** (compra al por mayor; V. *bulk purchase*), **wholesale price** (precio de mayorista, también llamado *trade price*), **wholesale price index** (índice de precios al por mayor; V. *producer price index*), **wholesale trade** (comercio al por mayor o mayorista), **wholesale trader** (comerciante al por mayor), **wholesaler** (mayorista)].

wide *a*: amplio. [Exp: **wide berth** (V. *give sb/sth a wide berth*), **widen** (ampliar; V. *extend, enlarge, narrow*), **widening** (ampliación; V. *capital widening; extension, enlargement*), **wider-range investment** (BOLSA inversiones de «gama ancha»; son inversiones en valores, como las acciones de cotización en Bolsa, menos seguros aunque más rentables que las inversiones de gama estrecha o *narrower-range investment*), **widespread** (muy difundido, ampliamente extendido)].

widow *n*: viuda. [Exp: **widow's benefit** (subsidio de viudedad, formado por una suma a tanto alzado), **widow's pension** (pensión de viudedad), **widower** (viudo)].

width *n*: manga de un buque.

wildcat *n/a*: pozo o perforación especulativa o exploratoria; salvaje; arriesgado, especulativo; empresa con alto potencial de crecimiento. [Exp: **wildcat scheme** (proyecto arriesgado), **wildcat strike** (huelga no oficial, huelga salvaje; V. *unofficial strike*)].

win *v/n*: ganar, conseguir; triunfo, victoria. [Exp: **win by a landslide** (ganar por un margen aplastante, conseguir una victoria arrolladora o abrumadora), **winner's curse** (ECO maldición del ganador; alude al hecho de que el ganador de una subasta —*winning bidder*— haya sobrevalorado la utilidad del objeto subastado, y también a que el ganador de un concurso público —*winning bidder in a contracting competition*— haya infravalorado el coste de ejecución de la obra)].

wind[1] *n*: viento. [Exp: **wind**[2] (enroscar, enrollar; dar cuerda), **wind down inflation** (reducir la inflación), **wind up** (liquidar, disolver; terminar ◊ *Wind up a bankrupt company*), **windfall** (inesperado), **windfall gain or loss** (ganancia o pérdida inesperada), **windfall tax** (impuesto sobre ingresos extraordinarios), **winding-up** (disolución, liquidación; V. *declaration of solvency; bankruptcy*), **winding-up sale** (venta forzosa; V. *forced sale*)].

window *n*: ventanilla. [Exp: **window discount** (anticipo a corto plazo hecho a un banco por uno de los doce *Federal Reserve Banks*; V. *adjustment credit, advance*), **window cheque** (talón de ventanilla), **window dressing**[1] (escaparatismo), **window dressing**[2] (CONT manipulación contable, maquillaje de balance, manipulación; V. *massaging the numbers; cook the books, alter the books*), **window dressing of the balance sheet** (BANCA, CONT alteración/maquillaje/retoque del balance; manipulación de la contabilidad; para evitar los «retoques» de la situación financiera de una entidad financiera, las autoridades inspectoras solicitan los informes en fechas no prefijadas llamadas *call dates*; V. *massaging the numbers*), **window-shopping, go** (ir a mirar escaparates)].

wip *n*: V. *work in progress*.

wipe *v*: limpiar. [Exp: **wipe out** (cancelar, borrar), **wipe out a debt** (enjugar una deuda; cancelar una deuda; V. *pay off*)].

wire *n/v*: cable, alambre; *col* telégrafo, telegrama, teletipo, sistema de telecomunicaciones ◊ *Send sb a wire*; *col* meta, línea de llegada; telegrafiar, enviar por giro telegráfico, comunicar por telegrama ◊ *Wire money to sb*. [Exp: **wire house** *col US* (casa de corretaje o agencia de cambio y Bolsa de las más antiguas y prestigiosas; el nombre alude al período en que sólo las casas más importantes contaban con sistemas de comunicación electrónicos), **wire room** *US* (dependencia de una agencia de cambio y Bolsa donde están los sistemas de comunicación electrónicos; sala de operaciones de una casa de corretaje), **wire transfer** *US* (transferencia electrónica, giro telegráfico; V. *direct debit; standing order*)].

withdraw *v*: retirar-se, dar-se de baja, reintegrar, anular, borrar, rescindir, abandonar; sacar; V. *recall, annul, call back*. [Exp: **withdraw a bid** (retirar una oferta o propuesta), **withdraw cash from the bank** (sacar dinero del banco), **withdraw from a partnership** (retirarse de una sociedad), **withdraw from circulation** (retirar de la circulación), **withdraw from membership** (darse de baja, desafiliarse), **withdraw from the agenda** (borrar del orden del día), **withdrawal**[1] (reintegro; V. *draw money*), **withdrawal**[2] (retirada, retiro; retracto, acto de retractarse, anulación, supresión), **withdrawal from reserves** (detracción de reservas), **withdrawal of an order** (anulación de un pedido; V. *abandonment*), **withdrawal of authority** (desautorización), **withdrawal of benefits** (supresión o retirada del subsidio o de las prestaciones sociales), **withdrawal receipt** (comprobante o recibo del reintegro)].

withhold *v*: retener, denegar, impedir. [Exp: **withhold at source** (retener en origen o en la fuente), **withholder** (retenedor), **withholding** (retención, retención a cuenta; V. *backup withholding*), **withholding tax** (retención del impuesto en origen, normalmente sobre intereses o dividendos; V. *taxation/ collection at source; tax withheld*), **withholding tax exempt** (bonificado, sin retención fiscal)].

witness *n/v*: testigo; actuar de testigo. [Exp: **witness the signature of** (actuar de testigo en la firma de)].

word *n/v*: palabra; promesa, garantía; noticias, rumores; redactar, expresar, formular, elegir los términos. [Exp: **wording, the** (la redacción, los términos literales ◊ *The exact wording of a clause*)].

work *n/v*: trabajo; obra; trabajar. [Exp: **work a fiddle** *col* (meter un pufo, llevar a cabo una estafa), **work at piece rates** (trabajo a destajo, trabajo remunerado por unidad de obra), **work at time rates** (trabajo pagado por horas, trabajo remunerado por unidad de tiempo), **work council** (REL LAB comité de empresa), **work flow** (circuito de producción), **work flow chart** (diagrama de flujo de trabajo), **work, in** (empleado, que tiene trabajo; V. *off work*), **work-in** *col* (REL LAB ocupación de la fábrica por los obreros, encierro laboral), **work in progress, wip** (productos semiacabados o en curso de fabricación; valor contable de los mismos; V. *in-progress inventory*),

work-in-progress inventory (CONT inventario de productos semiacabados), **work out** (elaborar, calcular, efectuar; idear, concebir; resultar, salir; V. *draw up, figure out*), **work permit** (REL LAB permiso de trabajo), **work relief** (empleo comunitario ◊ *Roads, reforestation, and other public work projects are work relief*), **work round the clock** (trabajar sin descanso o día y noche), **work-sharing** (REL LAB trabajo compartido; reparto equitativo del trabajo de una empresa para evitar despidos), **work-to-rule** (REL LAB huelga de celo; V. *sit down strike, slow-down strike, wildcat strike, go slow*), **workable** (explotable; viable factible), **workaholic** (adicto al trabajo), **worker** (trabajador, obrero, empleado), **worker participation** (V. *employee participation*), **workers' committee** (REL LAB comité de empresa), **workers incorporated** (sociedad anónima laboral, SAL), **workforce** (personal, plantilla o recursos humanos para la producción; V. *manpower; directors*), **working** (funcional; operativo; activo; V. *operating*), **working account** (cuenta de explotación), **working assets** (activo circulante, activo de explotación; V. *current assets, liquid assets, quick assets, circulating assets, floating assets*), **working age population** (población en edad de trabajar), **working balance** (CONT saldo activo), **working capital** (capital de explotación, capital circulante; fondo de maniobra; V. *trading capital*), **working capital acceptance** US (V. *finance bill*), **working capital fund** US (fondo operativo de capital destinado a un fin concreto; también llamado *revolving fund*), **working capital loan** (crédito de explotación; crédito de avío), **working class** (clase obrera o trabajadora), **working control** (control de hecho), **working costs** (gastos de explotación; V.

operating/running costs), **working credit** (crédito de explotación), **working data** (datos operativos), **working day** (día laborable; V. *weekday; day off*), **working day of 24 hours** (se emplea en el cálculo de los días de plancha para indicar que sólo correrá un día por cada período de 24 horas), **working expenses** (gastos de explotación), **working funds** (fondos de explotación), **working hours** (horas hábiles, horario de trabajo, jornada laboral), **working hypothesis** (hipótesis de trabajo), **working interest** (participación del concesionario; interés económico directo), **working life** (vida activa), **working order, in** (en condiciones de servicio, en buen estado de funcionamiento), **working paper** (documento de trabajo), **working partner** (socio activo; V. *dromant partner*), **working party** (grupo de trabajo; consejo industrial mixto), **working population** (población activa), **working ratio** (coeficiente de explotación), **working reserve** (reserva general de explotación), **working session** (sesión de trabajo), **working table** (diagrama/gráfico de situación; V. *performance/management chart*), **workload** (carga laboral; volumen de trabajo; trabajo total asignado), **workman** (obrero), **workmanlike** (profesional, esmerado; eficaz, eficiente), **workmanship** (trabajo, oficio, calidad del trabajo, factura; V. *faulty workmanship*), **workmate** (compañero de trabajo), **workmen's compensation insurance** US (SEG seguro de accidentes laborales, llamado *industrial injuries insurance* en el Reino Unido), **workout agreement** US (acuerdo entre prestamista y prestatario para refinanciar la deuda; V. *debt workout, bad debt recovery*), **workplace** (puesto de trabajo), **works** (fábrica; obras ◊ *Road-works*; V. *factory, plant*),

worksheet (CONT hoja de cálculo), **workshop** (taller)].

world *n*: mundo. [Exp: **World Bank** (Banco Mundial; V. *International Bank for Reconstruction and Development, International Development Association*), **World Bank Capital Markets System** (sistema de información del Banco Mundial sobre los mercados de capital), **World Bank Debtor Reporting System** (sistema de notificación de la deuda al Banco Mundial), **World Bank Group** (Grupo del Banco Mundial), **world development indicators** (indicadores del desarrollo mundial), **world economic outlook** (informe sobre la economía mundial), **World Intellectual Property Organization, WIPO** (organización mundial para la defensa de la propiedad intellectual; V. *industrial property*)].

worth *n/a*: valor; que vale, por un valor de.

wpa *phr*: *with particular average.*

wrap *v/n*: envolver; envoltorio; V. *shrink-wrapped*. [Exp: **wrap up¹** (envolver), **wrap up²** *col* (poner fin a, acabar ◊ *Wrap up a meeting*), **wrap up³** *col* (cerrar ◊ *Wrap up a deal*), **wrap-up** *US col* (producto que se vende muy bien, producto chollo), **wrap-up meeting** *US* (reunión de conclusiones), **wraparound annuity** (anualidad cruzada o protegida; consiste en que el contrato no especifica el activo subyacente —*underlying assets*— al que se aplican los pagos, por lo que se aumentan las ventajas fiscales propias de este tipo de contrato), **wraparound mortgage** (segunda hipoteca garantizada con la propiedad objeto de la primera), **wrapper** (envoltorio; V. *packer*), **wrapping paper** (papel de envolver, de estraza o de regalo)].

wreck *n/v*: naufragio; restos de un naufragio; naufragar; *fig* fracasar,

arruinar; hundirse. [Exp: **wrecking expenses** (gastos de demolición)].

write¹ *v*: escribir. [Exp: **write²** (MERC FINAN/PROD/DINER suscribir, efectuar operaciones en mercados financieros o de productos; V. *naked writing*), **write down** (rebajar/reducir el valor en libros; amortizar parcialmente; reajustar el valor), **write-down of assets** (amortización de activos; V. *inventory write-down*), **write-down of nonperforming loans** (amortización de activos fallidos para sanear), **write-down of portfolio** (devaluación de la cartera de valores), **write off¹** (CONT anular, eliminar fallidos de los libros; amortizar totalmente, dar por perdido; dar de baja en los libros; cancelar/anular partidas contables, cancelar con cargo a beneficios ◊ *Write off a debt*; V. *charge off; redeem; nonperforming loans; bad debt-s; recoverable debts; coverage ratio*), **write-off²** (CONT saneamiento; quita; deuda o valor incobrable, pérdida total, cancelación en libros, eliminación de deudas incobrables; V. *be to the bad; bad debt write-off*), **write-off³** (SEG siniestro total), **write out** (pasar a limpio, redactar), **write out a cheque** (extender un cheque; V. *draw a cheque*), **write up¹** (poner al día, actualizar/subir el valor de un asiento de acuerdo con el de mercado; redactar, pasar asientos; V. *post*), **write-up²** (CONT aumento de valor en libros), **writer** (inversor, asegurador; vendedor [en los contratos de opciones]; V. *long investor, hedger*), **writing** (escrito, texto), **writing-down allowance** (TRIB, CONT desgravación por bienes de capital, amortización o depreciación fiscal; V. *capital allowances*), **writing off of bad debts or nonperforming loans** (amortización de fallidos), **written** (escrito), **written agreement** (acuerdo escrito), **written contract** (contrato escrito),

written evidence (prueba escrita), **written warning** (amonestación por escrito a un trabajador; V. *verbal warning*)].

wrong *a/n*: equivocado, malo, injusto torticero, injuria, abuso, ilícito civil, injusticia, agravio, error. [Exp: **wrongful dismissal** (despido improcedente; V. *unfair dismissal*), **wrongfully** (ilegalmente, de forma injustificada, contaria a derecho o torticera)].

X

x.a *n*: V. *ex all.*
x.b *n*: V. *ex bonus.*
x.c *n*: V. *ex capitalization.*
x.cp *n*: V. *ex coupon.*
xd *n*: V. *ex dividend.*

xerox *n/v*: fotocopia, xerocopia; fotocopiar;
V. *photocopy.*
xr *n*: V. *ex rights.*
xw *n*: V. *ex warrants.*

Y

yankee *a/n*: yanqui. [Exp: **yankee bond** (bonos emitidos en los Estados Unidos por entidades no residentes; obligaciones o empréstitos en dólares emitidos y colocados internacionalmente por un consorcio americano)].

yard *n*: yarda; equivale a 0,9144 metros en Gran Bretaña y a 0,9143992 metros en EE.UU; V. *inch, mile*.

year *n*: año, ejercicio; V. *accounting year, assessment year, benefit year, business year, calendar year, corporate year, financial year, fiscal year, legal year; tax year; accounting period, period; prior year*. [Exp: **yearbook** (anuario), **year-end** (fin de año), **year-end adjustments, etc.** (ajustes, etc. por cierre de ejercicio), **year-end closing** (CONT cierre de ejercicio), **year's second half** (segundo semestre; V. *second half; quarter*), **year-to-year basis** (régimen anual, régimen de renovación, cómputo, etc. anual ◊ *The lease is renewable on a year-to-year basis*), **yearly** (anual; V. *annual*), **yearly allowance** (renta anual; V. *annuity*].

yellow *a*: amarillo. [Exp: **yellow book** (FINAN libro amarillo; contiene los requisitos que las mercantiles deben cumplir para cotizar en Bolsa; V. *listing*), **yellow-dog contract** *US* (contrato laboral que prohíbe al empleado afiliarse a una central sindical), **yellow press** (prensa sensacionalista)].

yield[1] *n/v*: rendimiento, rentabilidad, producto, rédito, renta; rentar, rendir, producir intereses, dividendos, etc. ◊ *Investors are attracted by a combination of quality, yield and liquidity*; V. *dividend yield, capital yield, effective yield, low-yield bond; return*. [Exp: **yield[2]** (ceder, abandonar, admitir, consentir, entregar, restituir), **yield a profit** (dar/producir beneficio), **yield at/to maturity** (MERC PROD/FINAN/DINER rentabilidad al vencimiento, también llamado *effective rate of return*; estimación del precio anual de mercado de un valor para transacciones en el mercado secundario —*over-the-counter-market* —hecha por un agente de Bolsa en el que esté incluido el rendimiento total en su vencimiento; V. *basis price, current yield; maturity yield; accumulation*), **yield curve** (FINAN curva de rendimientos; alude al gráfico formado por bonos que tienen distintos vencimientos; V. *flat yield curve, inverted yield curve, positive yield curve*), **yield gap** (FINAN brecha de rendimiento; alude al diferencial de rendimiento entre las acciones ordinarias —*common stock*— y los títulos del Estado o *gilts*; V. *reverse yield gap*), **yield management** (GEST gestión [guiada sólo] por resultados o rendimiento), **yield method** (FINAN, CONT método de rendimientos; método de valoración de la probable rentabilidad de la inversión en un activo, tomando como base sus rendimientos anteriores; V. *net present value method; discounted cash flow method*), **yield one's right** (ceder en su derecho), **yield rate** (FINAN tasa de rendimiento o productividad; V. *rate of return, output rate*), **yield rigging** (reducción fraudulenta/mañosa de rendimientos sobre los bonos municipales antes de proceder a la refinanciación de la deuda; quema/absorción de rendimientos), **yield-risk mix** (GEST relación entre/combinación de beneficios y riesgo), **yield spread** *US* (MERC FINAN/PROD/DINER margen de rendimiento; diferencial de rendimiento entre varios valores; V. *reverse a swap*), **yield test of projects** (prueba de rendimiento de los proyectos), **yield to maturity** (V. *yield at maturity*), **yield to solicitation** (acceder/ceder a instancias o a algún ruego dirigido por la parte contraria), **yielding** (rentable, productivo)].

yuppy *col n*: joven ejecutivo ambicioso. [Exp: **yuppy style of business** *col* (cultura del pelotazo; V. *easy-money/fast buck syndrome; loadsamoney approach, greed culture, self-seeking; get-rich-quick attitude*)].

Z

ZBB *n*: V. *zero base budgeting.*

zebra-crossing *n*: paso de peatones.

zero *n*: cero. [Exp: **zero-balance accounts** (BANCA cuenta de saldo cero; son cuentas ofrecidas por bancos a clientes regulares para acelerar el envío de pagos, etc. a fin de evitar el dinero ocioso o *idle money*; V. *lock box*), **zero base budgeting, ZBB** (presupuesto de base cero, presupuesto a partir de cero), **zero coupon** (cupón cero; cupón acumulado al vencimiento de la operación), **zero-coupon bond/CD** (bono/certificado de depósito de cupón cero; bono sin cupón; bono con el cupón lavado; V. *coupon stripping; strips; stripped mortgage-backed securities*), **zero-coupon mortgage** (préstamos hipotecarios de cupón cero en las que sólo existe un plazo o *balloon payment* al vencimiento), **zero-coupon swap** (FINAN intercambio de pagos con cupón cero), **zero tick** *col US* (venta de un título a precio igual al de su cotización inmediatamente anterior), **zero plus/minus tick** (V. *minus tick, plus tick*), **zero-population growth, ZPG** (crecimiento cero de la población)].

zigzag diagram *n*: ECO dientes de sierra; V. *chart.*

zip code *US n*: código postal; V. *post code.*

zoning regulations/rules *n*: reglamentación urbanística de tipo municipal que determina el tipo de construcción de cada zona o distrito municipal.

SPANISH-ENGLISH

A

a *prep*: at, @.

abanderamiento *n*: TRANSPT registration of a vessel/ship; flagging/registry of a ship; S. *bandera, pabellón*). [Exp: **abanderar**¹ (TRANSPT register a ship/vessel), **abanderar**² (champion, lead; S. *conducir, guiar*)].

abandonado *a*: COM abandoned; derelict, disused; neglected; S. *fuera de uso*.

abandonante/abandonador *n*: abandoner; S. *cesionista; cedente; abandonatario*.

abandonar *v*: abandon, desert, leave, disclaim, waive, give up, discard; discontinue; call off, quit, renounce, surrender, drop, opt out, pull out, walk out, divest oneself of; withdraw; yield; pack up and go; *fig* jettison; S. *dejar, desatender, renunciar a, desistir, ceder, hacer las maletas*. [Exp: **abandonar el puesto de trabajo** (IND REL walk off the job; resign; quit one's job), **abandonar en señal de protesta** (IND REL walk out, down tools; S. *parar la actividad laboral*), **abandonar fletes, mercancías/géneros, etc. al asegurador** (INSCE abandon freights, goods, etc. to the insurer; S. *dejar, desatender; renunciar a mercancías, fletes, etc.*), **abandonar la prima de opción** (STK & COMMOD EXCH abandon an option), **abandonar las**

mercancías al Tesoro Público (abandon goods to the Revenue/Exchequer), **abandonar proyectos** (scrap plans; S. *desechar proyectos*), **abandonar un cargo** (leave office; resign, quit, stand/step down; S. *dimitir de un cargo*), **abandonar un proyecto** (abandon/scrap a plan), **abandonar una actividad** (give up/call off¹ an activity; stop doing/making sth; S. *desconvocar*), **abandonatario** (INSCE abandonee; beneficiary; S. *beneficiario, cesionario, derecho-habiente*)].

abandono *n*: abandonment, relinquishment; abandoning; discharge; surrender, remittal; dereliction; destitution; disclaimer; neglect; *fig* jettison; S. *cesión; renuncia; dejadez; derrelicción*. [Exp: **abandono al asegurador del objeto asegurado con cesión de derechos** (INSCE abandonment to insurers), **abandono de bienes muebles** (dereliction; S. *derrelicción*), **abandono de la prima de opción** (FIN abandonment of option), **abandono de mercancías, fletes, bienes o valores asegurados, etc.** (INSCE abandonment of cargo, freight, insured property, etc.; S. *acción de abandono*), **abandono de prima** (STK EXCH abandonment of premium), abandono de propiedad, derechos, intereses, etc. (INSCE abandonment[1]; S. *cesión, renuncia*), abandono de tierras (LAW set-aside system), abandono de un activo por recuperación/reutilización de sus piezas (ACCTS abandonment[3]; S. *achatarramiento*), abandono del buque (INSCE abandonment of the ship; S. *acto de cesión de la posesión de un buque a los aseguradores*), abandono del servicio público o de funciones públicas (dereliction of duty), abandono en señal de protesta (IND REL walk out)].

abanico *n*: COM range, choice, selection; line, series; scale, product line; S. *gama/serie/surtido de productos.*

abaratar *v*: cheapen; abate; reduce/lower prices, bring down prices, mark down; S. *reducir el precio, rebajar.* [Exp: abaratamiento (reduction; fall in price; S. *caída en los precios*)].

abarcar *v*: include, comprise, cover, embrace, extend, span, range; undertake, take in/on; cope with, deal with; corner, monopolize; S. *incluir, englobar, comprender.* [Exp: abarcador (monopolist)].

abarrotado *a*: jammed, congested, overstocked. [Exp: abarrotado de gente (overcrowded), abarrotado de mercancías (overstocked)].

abarrotar *v*: overstock, glut; pack, pack out; overfill; overcrowd; jam[2]; S. *acumular en exceso.* [Exp: abarrotar el mercado (saturate/flood the market; glut; S. *inundar/desbordar el mercado*)].

abastecer *v*: supply, provide, cater for, stock, serve, purvey, victual; S. *proveer, suministar, atender, servir a.* [Exp: abastecer de combustible (fuel), abastecedor (supplier, purveyor, victualler, caterer; S. *proveedor, distribuidor*), abastecimiento (supply, provision, stocks; S. *provisión*), abastecimiento de combustible

(TRANSPT bunkering), abasto (supplies, provisions, foodstuffs)].

abatir *v*: FIN beat down[1]; dampen; S. *vencer; desanimar.* [Exp: abatimiento de un buque (TRANSPT leeway[3]; S. *deriva lateral*)].

abejas asesinas *col n*: STK EXCH killer bees *col*; S. *«cazatiburones», inversores antiopa.*

abierto *a*: open, open-end, open-ended; unstructured; S. *variable, modificable; abrir.*

abogado *n*: lawyer; solicitor; barrister; attorney-at-law *US*; counsel; advocate; S. *defensa/asistencia letrada, asesor legal, letrado.* [Exp: abogado en ejercicio (practising lawyer; member of the bar), abogado en prácticas (trainee solicitor, articled clerk; S. *pasante*), abogado especializado en derecho fiscal/internacional/societario (tax/international/company lawyer), abogado especializado en patentes (patent lawyer *US*), abogado laboralista (lawyer specialising in labour relations; worker's representation), abogar (advocate), abogar por (advocate; argue for)].

abolir *v*: abolish, annul, revoke, abrogate; S. *anular, condonar, eliminar.* [Exp: abolición (abolition; abrogation), abolición/liberalización de las normas o reglamentos gubernamentales (deregulation; S. *desregularización*)].

abonado[1] *n*: subscriber; S. *suscriptor.* [Exp: abonado[2] (S. *pagado*), abonado a un medio de transporte (season-ticket holder, railcard holder), abonado en cuenta (ACCTS credited), abonado por anticipado (pre-paid; S. *pagado en origen*), abonamiento (credit payment; bail; S. *afianzamiento*)].

abonar[1] *v*: pay; settle; S. *satisfacer, pagar, hacer efectivo.* [Exp: abonar[2] (ACCTS credit,[3] post a credit, make a credit entry, accredit; S. *acreditar; anotar/asentar/ consignar partidas en el haber*), abonar[3] (accredit, endorse, recommend; S. *dar crédito; respaldar*), **abonar⁴** (fertilize), **abonar-se⁵** (subscribe; S. *subscribirse*), **abonar al contado** (pay cash down), **abonar de más o en exceso** (overcredit, overpay), **abonar el porcentaje por reporte** (STK & COMMOD EXCH contango; S. *contango*), **abonar en cuenta** (credit to someone's account; accredit; S. *consignar en el haber*), **abonar en ventanilla** (pay in), **abonar la reclamación correspondiente** (INSCE settle a claim; S. *solucionar una reclamación*), **abonar un cheque en cuenta** (pay a cheque into one's account; S. *cobrar*), **abonaré** (promissory note, credit note; deposit ticket/slip; S. *pagaré*), **abonaré vencido** (due bill²)].

abono¹ *n*: payment; deposit, dep; S. *pago, desembolso; ingreso en cuenta; depósito.* [Exp: **abono²** (ACCTS credit; credit entry; S. *cargo*), **abono³** (subscription; season ticket; S. *subscripción, cuota*), **abono⁴** (bond; guarantee; S. *fianza, garantía*), **abono⁵** (fertilizer), **abono en cuenta** (payment into account), **abono en efectivo** (cash entry), **abono en el/su momento debido** (payment in due course), **abono de intereses** (interest payment; interest rate rebate; S. *pago de intereses; bonificación de intereses*), **abono parcial** (partial payment), **abono semestral de los rendimientos de los fondos de inversión** (FIN income distribution²), **abonos pendientes** (unadjusted credits, credits/amounts outstanding)].

abordar¹ *v*: board a ship; S. *embarcarse, subir a un avión, barco, etc.* [Exp: **abordar²** (collide; run into; S. *chocar, entrar en colisión*), **abordar³** (deal with, tackle; S. *examinar, analizar*), **abordaje¹** (TRANSPT boarding of a ship), **abordaje²** (INSCE collision of ships; S. *seguro de abordaje*), **abordaje fortuito** (INSCE accidental collision), **abordaje impu-table a ambos buques** (INSCE both-to-blame collision clause)].

abrasión *n*: abrasion of coin; S. *merma, desgaste físico.*

abrazo *n*: hug. [Exp: **abrazo del osito** *col* (FIN, STK EXCH teddy bear hug), **abrazo del oso** *col* (FIN, STK EXCH bear hug *col*)].

abreviar *v*: abridge; condense; shorten; curtail; S. *condensar, resumir.* [Exp: **abreviación** (abridgement), **abreviatura** (abbreviation)].

abrigar-se *v*: shelter; S. *proteger-se, amparar-se.* [Exp: **abrigo** (shelter; S. *amparo, protección, refugio*)].

abrir *v*: open; S. *abierto.* [Exp: **abrir la sesión** (call the meeting to order, open the meeting), **abrir licitación** (invite tenders, call for bids; S. *sacar a concurso, convocar a licitadores*), **abrir líneas comerciales** (COM merchandise; S. *buscar salidas comerciales*), **abrir propuestas** (open bids), **abrir un crédito** (open a credit), **abrir un expediente¹** (open a file), **abrir/incoar un expediente²** (LAW start, bring proceedings, bring disciplinary proceedings), **abrir un negocio** (go into business; set up a business; start a business, set up shop *col*; S. *dedicarse a los negocios*), **abrir una carta de crédito** (issue a letter of credit), **abrir una cuenta en un banco** (open an account with a bank), **abrir y cerrar de ojos, en un** (in a split second), **abrirse un espacio en el mercado** (carve out a market niche *col*), **abrirse paso** (penetrate; push one's way in; S. *introducirse*), **abrirse paso con dificultad** (edge¹; S. *avanzar lentamente*)].

abrogación *n*: repeal, abrogation. [Exp: **abrogable** (cancellable; S. *anulable, rescindible*), **abrogar** (abrogate, annul, abolish)].

absentismo *n*: absenteeism; S. *ausentismo*. [Exp: **absentismo laboral** (IND REL absenteeism; S. *ausentismo en el trabajo*), **absentista** (absentee; S. *ausente sin permiso*)].

absoluto *a*: absolute, final, express, complete, unconditional, outright; top; S. *irrevocable, categórico, definitivo, firme*.

absorber *v*: absorb; offset[1]; S. *compensar; incorporar, consolidar, asumir*. [Exp: **absorber pérdidas** (ACCTS offset liabilities; absorb the cost/loss), **absorber un excedente** (absorb a surplus), **absorbido** (STK EXCH absorbed; S. *título absorbido*)].

absorción *n*: absorption; takeover, merger; S. *adquisición hegemónica de una empresa por otra*. [Exp: **absorción de costes** (FIN cost absorption; absorption costing, full costing; S. *costeo de absorción, costeo total*), **absorción de sociedades** (COMP LAW corporate takeover), **absorción de fletes** (TRANSPT freight absorption), **absorción de hipotecas** (tacking *US*), **absorción de un impuesto** (TAXN absorption of a tax), **absorción escalonada de una empresa** (STK EXCH creeping takeover, creeping tender offer; S. *adquisición furtiva de una mercantil*), **absorción fiscal** (tax absorption), **absorción heterogénea** (conglomerate take-over)].

abstenerse *v*: abstain; hold back. [Exp: **abstenerse de ejercer un derecho** (forbear; S. *desistir*), **abstención** (abstention, forbearance), **abstención de opinión** (ACCTS qualified opinion; S. *dictamen de auditoría con reparos; «opinión calificada»*)].

abundancia *n*: plenty; abundance, glut. [Exp: **abundar** (be plentiful, be plenty of, be more than enough of), **abundante** (abundant, plentiful, enough and to spare; generous)].

abusar *v*: abuse. [Exp: **abusar de** (exceed; S. *exceder-se*), **abusivo** (abusive, predatory), **abuso** (abuse; misuse, imposition; S. *extralimitación; imposición*), **abuso de autoridad/poder** (abuse/misuse of authority/power), **abuso de confianza** (breach of trust, misuse of power; S. *desviación de poder*), **abuso de dominio de mercado** (abuse of market power), **abuso de poder** (undue influence; S. *tráfico de influencias*), **abuso de posición dominante** (COM abuse of a position of dominance, misuse of authority)].

AC *n*: S. *anotación en cuenta*.

acabado *a/n*: finished, mature, ready; finish; finishing touches; S. *estudiado; maduro*. [Exp: **acabado a máquina** (machine finish)].

acabar *v*: finish,[1] end, conclude[1]; S. *finalizar, concluir, terminar*. [Exp: **acabar con** (finish off, put an end/ a stop to; kill off; S. *rematar*), **acabar con algo** (knock the bottom out of something; S. *echar algo por tierra*), **acabar dentro del plazo** (meet a deadline; S. *cumplir los plazos de vencimiento*), **acabársele a alguien algo** (run out of; S. *quedarse sin*)].

acaparar *v*: hoard, engross, buy up, monopolize, corner, capture; S. *monopolizar; captar*. [Exp: **acaparador** (hoarder, monopolist, monopolizer, profiteer), **acaparamiento** (hoarding, monopolizing, cornering, engrossing, engrossment; S. *monopolio; atesoramiento*), **acaparamiento de medios de producción** (pre-emption of facilities), **acaparamiento de toda la oferta** (coemption)].

acarrear[1] *v*: entail, involve; S. *ocasionar, traer consigo*. [Exp: **acarrear**[2] (TRANSPT convey,[1] carry, haul, transport; S. *transportar*), **acarreador** (haulier, carrier), **acarreo** (carriage, haulage, back haul, cartage, transport, transportation, carrying, trucking; S. *transporte*),

acarreo por cuenta del vendedor (TRANSPT outward freight; S. *flete de ida*), **acarreos** (TRANSPT back haul)].

acatar *v*: accept, respect, abide by, comply with; fall in line with; S. *respetar, cumplir, observar*. [Exp: **acatamiento** (observance, compliance; S. *observancia, cumplimiento*)].

acaudalado *a*: wealthy, affluent; S. *rico, opulento*.

acceder *v*: consent; agree to act/do/perform. [Exp: **acceder a lo solicitado** (grant a request or an application), **accesibilidad financiera** (affordability), **accesible** (accessible), **acceso** (access; accession; entry; S. *advenimiento*), **acceso restringido** (IND REL restricted access; closed shop *US*)].

accesorio *a/n*: accessory, auxiliary, ancillary; subordinate, secondary, incidental; complement[1]; S. *incidental, subsidiario; complemento*. [Exp: **accesorio fijo** (fixture[1]), **accesorios** (INDUS accessory equipment, fittings; S. *instalaciones fijas y accesorios; mobiliario*), **accesorios de fábrica** (factory supplies; factory-made accessories or extras), **accesorios de prima** (INSCE charges additional to premium)].

accidente *n*: INSCE accident; crash, collision, casualty; mishap; S. *urgencia, crisis, emergencia, siniestro, contingencia; seguro de accidentes*. [Exp: **accidental** (accidental, fortuitous, contingent; S. *aleatorio, fortuito, casual, contingente*), **accidente de circulación** (INSCE traffic accident), **accidente de navegación o del comercio marítimo** (TRANS/SEG MAR accident of navigation, marine accident; S. *siniestro naval o marítimo*), **accidente de trabajo** (S. *accidente laboral*), **accidente «in itinere»** (INSCE accident on the way to and from work; S. *accidente laboral*), **accidente inevitable** (pure accident),

accidente laboral (INSCE, IND REL occupational accident; occupational injury, accident/injury at work, industrial accident; accident on the way to and from home; S. *accidente «in itinere»*), **accidente mortal** (INSCE fatal accident), **accidente no laboral** (INSCE non-occupational accident), **accidentes del mar** (TRANSPT accidents at sea, perils of the sea; S. *riesgos o eventualidades del mar*)].

acción[1] *n*: act[1]; action[1], deed, agency; S. *acto, hecho; gestión; operación, intervención, labor, actuación*. [Exp: **acción**[2] (LAW action, proceedings, lawsuit, act-at-law; S. *demanda; acciones legales*), **acción,**[3] **acciones** (STK EXCH share-s; stock; equities, equity securities; S. *participación; título; valores*), **acción**[4] (course; S. *conducta, marcha*), **acción a la par** (STK EXCH par value share/stock; share issued at par; full stock), **acción acumulativa** (STK EXCH cumulative stock, cumulative capital stock), **acción adicional de bonificación** (STK EXCH bonus share; stock dividend, boot share *US*), **acción administrativa** (LAW administrative act, action or decision), **acción admitida a cotización** (STK EXCH listed share/stock; S. *acción cotizable/cotizada en Bolsa*), **acción al portador** (bearer share/stock/security), **acción amigable** (LAW friendly suit), **acción amortizable o redimible** (redeemable/callable share), **acción amortizada** (redeemed share, amortized stock, Treasury stock; S. *acciones recuperadas*), **acción anotada** (STK EXCH registered share), **acción beneficiaria** (STK EXCH jouissance share), **acción cambiaria** (LAW legal proceedings for collection of a bill of exchange), **acción caducada** (STK EXCH forfeited share), **acción completamente liberada** (fully paid-up share; S. *acción cubierta, acción parcialmente liberada*),

acción con derecho a compra de otra-s de nueva emisión (STK EXCH cum rights share), **acción con derecho a dividendo** (STK EXCH cum dividend share), **acción con derecho a dividendo residual o especial** (STK EXCH deferred share; S. *acción de dividendo diferido o especial*), **acción con derecho a voto** (IND REL voting share/stock; S. *acción sin derecho a voto*), **acción con derecho de prioridad** (senior security/share), **acción con derechos aplazados** (STK EXCH restricted stock/share), **acción con dividendo acumulativo** (cumulative share), **acción con dividendo garantizado** (guaranteed share), **acción con dividendo prioritario** (prior dividend share), **acción con participación** (COMP LAW participating capital share/stock *US*), **acción con prima o primada** (STK EXCH premium stock, option stock; share issued at a premium), **acción con restricción transmisiva** (share with transfer limitations), **acción con valor a la par** (STK EXCH par value share, full stock), **acción con voto plural** (multiple voting share), **acción concertada** (ECO, IND industrial expansion and modernisation policy, state-assisted project, officially backed/approved project or initiative; initiative with official backing/approval or support; S. *reconversión industrial; política industrial de expansión y modernización*), **acción convertible** (STK EXCH convertible stock/debenture stock), **acción cotizable/cotizada en Bolsa** (STK EXCH listed share/stock; S. *acción admitida a cotización*), **acción cotizada en los mercados internacionales** (international share), **acción coyuntural** (ECO short-term economic policy; *ad hoc* measures; emergency procedure; step/decision/policy designed to meet immediate needs/requirements; S. *política económica a corto plazo*), **acción cubierta** (paid-up share/stock; S. *acción completamente liberada*), **acción de abandono** (INSCE, LAW action of abandonment), **acción de avería** (LAW average action; S. *demanda de avería*), **acción de cámara de compensación** (FIN clearing stock), **acción de capital vigente** (STK EXCH capital stock outstanding), **acción de capital** (COMP LAW capital stock, preference share/stock; S. *acción privilegiada o preferente*), **acción de control** (control stock *US*), **acción de cotización cualificada** (active stock), **acción de crecimiento** (STK EXCH growth stock), **acción de dividendo diferido** (STK EXCH deferred share; S. *acción con derecho a dividendo diferido o especial*), **acción de fundador/promotor** (COMP LAW founder's/promoter's/management share/stock; S. *acciones de aportación*), **acción de garantía** (STK EXCH qualification share), **acción de goce** (STK EXCH dividend share), **acción de la clase «A»** (STK EXCH, COMP LAW 'A' shares; class A stock *US*; S. *acción sin derecho a voto*), **acción de la clase «B»** ('B' share), **acción de poco valor** (STK EXCH penny share), **acción de propiedad simulada** (COMP LAW dummy stock), **acción de protesta** (LAW action[2]; industrial action; S. *movilizaciones laborales*), **acción de sociedad anónima** (COMP LAW corporate stock *US*), **acción declarativa** (LAW declaratory action), **acción derivada del contrato** (LAW action ex contractu), **acción desembolsada** (STK EXCH paid-up share), **acción diferida** (deferred share/stock), **acción directa** (IND REL direct action; S. *movilizaciones*), **acción en cartera** (Treasury stock), **acción en circulación** (STK EXCH outstanding share/stock), **acción fraccionada** (STK EXCH fractional share), **acción ge-**

neradora de dividendos (STK EXCH dividend-paying/carrying share; S. *acciones productivas*), **acción gratuita o liberada** (COMP LAW bonus share/stock, scrip issue, capitalization issue, stock dividend *US*; S. *acción cubierta*), **acción integrada de desarrollo** (ECO integrated development action), **acción irredimible o privilegiada** (STK EXCH debenture stock,[1] DS; perpetual debenture; S. *obligaciones perpetuas*), **acción judicial o legal** (LAW suit, lawsuit, litigation, action[3]; S. *medidas judiciales*), **acción multidivisa** (STK EXCH multicurrency stock), **acción liberada** (STK EXCH bonus share; stock dividend *US*; S. *acción parcialmente liberada*), **acción no admitida a cotización** (STK EXCH unlisted share), **acción no emitida** (COMP LAW unissued/potential share/stock), **acción no gravable** (STK EXCH non-assessable share/stock), **acción no distribuida** (STK EXCH unallocated/unallotted share), **acción no liberada** (STK EXCH non-paid share), **acción no redimible** (S. *acción irredimible*), **acción nominal** (STK EXCH nominal share), **acción nominativa/ registrada** (registered share; inscribed security; S. *títulos-valores nominativos*), **acción nueva** (STK EXCH new share), **acción/acciones ordinaria-s** (ordinary shares/stock, common stock, common stock capital, equities, securities/shares; S. *renta variable, títulos, capital suscrito*), **acción ordinaria garantizada** (COMP LAW authorized common stock), **acción para rendir cuentas** (LAW action for accounting/action for an account), **acción parcialmente liberada** (part-paid stock; S. *acción liberada*), **acción pignoraticia** (LAW action of pledge), **acción por infracción** (action for infringement), **acción por vía de embargo** (LAW debt enforcement),

acción posesoria (LAW repossession, ejectment), **acción preferente o privilegiada** (STK EXCH preferred stock; preference share/stock, prior preferred stock; participating preference shares/preferred stock), **acción preferente acumulativa** (STK EXCH cumulative preferred stock), **acción preferente acumulativa rescatable** (STK EXCH preferred equity cumulative redemption stock, PERCS), **acción preferente amortizable** (STK EXCH callable/redeemable preferred stock), **acción preferente con derechos especiales** (STK EXCH prior stock), **acción preferente con participación adicional en beneficios** (participating preferred stock), **acción preferente con porcentaje variable** (FIN adjustable rate preferred share/stock), **acción con prima o primada** (premium stock), **acción preferente** (preferred stock), **acción preferente convertible** (convertible preferred stock), **acción preferente convertible en acción ordinaria** (STK EXCH common stock equivalent), **acción preferente convertible en ordinaria a opción del inversor** (STK EXCH convertible exchangeable preferred stock, CEP), **acción preferente no acumulativa** (non-cumulative preferred stock), **acción preferente perpetua y de tipo fijo** (STK EXCH fixed rate perpetual preferred stock *US*), **acción prioritaria** (senior stock, preferred stock), **acción privilegiada de dividendo acumulable** (STK EXCH cumulative preferred share), **acción privilegiada participativa** (STK EXCH participating preferred stock), **acción procesal** (LAW action; legal step, action or manoeuvre; procedural step or stage; S. *acciones legales*), **acción registrada** (STK EXCH S. *acción nominativa*), **acción reivindicatoria** (LAW replevin), **acción retornable** (STK EXCH puttable stock),

acción serie A (class A stock *US*), **acción sin cupones** (STK EXCH bare shell[2]), **acción sin derecho a voto** (COMP LAW non-voting share/stock, 'A' shares; class A stock *US*; S. *acción con derecho a voto; acción de la clase "A"*), **acción sin derecho al cobro del próximo dividendo** (STK EXCH ex-dividend share; S. *sin dividendo*), **acción sin derechos de suscripción** (ex rights share), **acción sin el cupón correspondiente al próximo pago** (ex-coupon share; S. *ex cupón*), **acción sin movimiento** (inactive stock bond *US*), **acción sin valor nominal** (non-par stock/non-par value stock), **acción soporte** (underlying stock), **acción triple A** (COMP LAW blue chip stock *US*; gilt, gilt-edged share; S. *acciones favoritas*), **acción vinculada/sindicada** (STK EXCH tied share)].

accionamiento *n*: STK EXCH gearing, leverage; S. *apalancamiento*.

accionar *v*: operate, run. [Exp: **accionado a mano** (hand-operated)].

accionariado *n*: COMP LAW stockholders/shareholders, capital ownership, shareholders collectively; S. *acciones de la sociedad.* [Exp: **accionariado obrero** (employees' shares)].

acciones *n*: shares, stock, S. *acción*[3]. [Exp: **acciones beneficiarias** (equity securities; S. *renta variable, valores de especulación*), **acciones colocadas entre el público** (publicly-held stock), **acciones comunes** (COMP LAW common equity, stock, ordinary shares), **acciones con derechos especiales** (golden shares), **acciones con garantía** (STK EXCH qualifying shares), **acciones con valor nominal** (STK EXCH par value capital stock), **acciones cotizables** (STK EXCH listed shares/securities/stock; S. *títulos admitidos a cotización en Bolsa*), **acciones cubiertas** (COMP LAW paid-up shares/stock; S. *acciones liberadas,*

acciones enteramente pagadas), **acciones de aportación** (COMP LAW promoter's/founder's/management shares/stock; S. *acción de fundador/promotor*), **acciones de compañías ferroviarias** (STK EXCH railroads, rails), **acciones de fundador/promotor, de la gerencia o de la administración** (COMP LAW management/promoter's/founder's shares), **acciones de índice alfa** (STK EXCH alpha securities stock/shares; S. *valores seguros*), **acciones de la clase 'A' y 'B'** (STK EXCH classified common stock *US*), **acciones de moda** (STK EXCH fashion shares), **acciones desembolsadas** (paid-up/-in shares), **acciones de un sector en alza o crecimiento** (STK EXCH growth stocks; S. *valores/títulos de crecimiento*), **acciones del personal** (employees' shares), **acciones emitidas** (issued shares/stock), **acciones en cartera** (stockholding, shareholding; equity portfolio; S. *autocartera*), **acciones en manos del público** (COMP LAW outstanding securities/shares/stock; S. *títulos/acciones en circulación, capital suscrito*), **acciones enteramente pagadas** (COMP LAW paid-up shares/stock; S. *acciones cubiertas, acciones liberadas*), **acciones excedentes o sin cubrir** (STK EXCH excess shares), **acciones favoritas** (STK EXCH leading shares, gilts, blue chips), **acciones legales** (LAW legal action, action[3]; S. *trámites jurídicos*), **acciones liberadas** (COMP LAW paid-up shares/stock; S. *acciones enteramente pagadas, acciones cubiertas*), **acciones muy solicitadas** (STK EXCH high fliers/flyers[2]), **acciones no cotizadas** (non-quoted securities/shares), **acciones no gravables** (TAXN non-assessable stocks), **acciones no libradas o por emitir** (unissued stock), **acciones no negociables o suspendidas por extravío** (COMP LAW blocked units), **acciones**

nominativas (personal/registered stock), **acciones nuevas** (COMP LAW new shares), **acciones ordinarias** (COMP LAW ordinary shares; common stock; equity[3]; equity securities/shares; S. *renta variable*), **acciones ordinarias con valor a la par** (STK EXCH par value common stock), **acciones parcialmente desembolsadas** (STK EXCH partly paid shares; S. *acciones totalmente desembolsadas*), **acciones participantes preferentes** (participating preference stock US; S. *acciones preferidas con participación*), **acciones preferentes** (preferred capital stock), **acciones preferentes acumulativas** (cumulative preferred stock; S. *acciones privilegiadas o preferentes de dividendo acumulativo*), **acciones preferentes amortizables** (STK EXCH redeemable/ callable preferred stock), **acciones preferentes con derechos especiales** (prior preferred stock), **acciones preferentes con participación de beneficios** (participating preference shares, participating preferred stock), **acciones preferentes de subasta** (STK EXCH auction market preferred stock, AMPS), **acciones mancomunadas** (COMP LAW pooled shares), **acciones preferidas con participación** (participating preferred stock US; S. *acciones participantes preferentes*), **acciones privilegiadas o preferentes de dividendo acumulativo** (cumulative preferred stock; S. *acciones preferentes acumulativas*), **acciones productivas** (STK EXCH carrying shares, dividend-carrying shares; S. *acción generadora de dividendos*), **acciones prometedoras** (growth stock US), **acciones puestas en circulación** (outstanding stock, issued shares, share capital), **acciones recuperadas** (bought back stock, reacquired stock; treasury stock US; S. *acciones amortizadas*), **acciones**

rescatables (STK EXCH redeemable stock), **acciones seguras y poco sensibles a la coyuntura** (STK EXCH defensive shares/stock US; S. *valores defensivos*), **acciones sensibles a baches financieros** (STK EXCH air-pocket stock *col*), **acciones sin valor nominal** (STK EXCH non-par stock/non-par value stock), **acciones subestimadas/subvaloradas/ despreciadas por los inversores** (STK EXCH neglected securities), **acciones sujetas a derramas o desembolsos futuros** (COMP LAW callable capital stock US; S. *capital social parcialmente desembolsado*), **acciones suscritas** (STK EXCH subscribed stock/capital), **acciones totalmente desembolsadas** (STK EXCH fully-paid shares, fully paid-up stock; S. *acciones parcialmente desembolsadas*), **acciones únicas** (COMP LAW one-class stock)].

accionista *n*: shareholder, stockholder; S. *bonista, obligacionista*. [Exp: **accionista conformista** (COMP LAW assenting shareholder; S. *accionista disidente*), **accionista constituyente o fundador** (COMP LAW founding stockholder), **accionista disidente** (COMP LAW non assenting shareholder/stockholder), **accionista fantasma** (dummy stock-holder; S. *testaferro*), **accionista inscrito** (S. *accionista registrado*), **accionista mayoritario** (controlling/majority/ principal shareholder/stockholder US), **accionista minoritario** (minority/ minor/small shareholder/stockholder; S. *pequeño accionista*), **accionista moroso** (shareholder debtor in arrear), **accionista preferente** US (COMP LAW preferred stockholder), **accionista principal o más importante** (COMP LAW major shareholder), **accionista registrado** (COMP LAW shareholder/stockholder of record US)].

aceite *n*: oil; S. *queroseno, gasoil, petróleo*.

aceleración *v*: acceleration, speed-up *US*; S. *anticipación; teoría del acelerador de la inversión empresarial.* [Exp: **aceleración de las ganancias** (profits acceleration), **acelerado** (accelerated, fast, quick; intensive), **acelerador** (accelerator), **acelerar** (accelerate, speed up, move into a higher gear, spurt; S. *pisar el acelerador*), **acelerar con suavidad** (ECO accelerate smoothly)].

aceptabilidad *n*: acceptability; admissibility; reasonableness; adequacy; S. *idoneidad, pertinencia.* [Exp: **aceptable** (acceptable, admissible; reasonable; S. *admisible, de calidad suficiente*)].

aceptación[1] *n*: acceptation, acceptance, adoption, endorsement, honouring; S. *adopción, acogida, respaldo*), **aceptación**[2] (BKG acceptance,[2] acceptance bill, bill of acceptance; S. *letra aceptada*), **aceptación a descubierto o en blanco** (blank acceptance), **aceptación a posteriori** (after-acceptation), **aceptación absoluta o expresa** (express acceptance, express admission), **aceptación bancaria** (BKG bank acceptance; banker's acceptance, BA; S. *giro aceptado por un banco*), **aceptación comercial** (commercial/trade acceptance), **aceptación condicionada, condicional, limitada o restringida** (FIN conditional acceptance, partial acceptance, qualified acceptance), **aceptación contra documentos** (COM acceptance against documents, documents against acceptance), **aceptación de complacencia/favor o por acomodamiento** (accommodation acceptance), **aceptación de efectos del comercio** (trade acceptance, commercial acceptance), **aceptación de garantía** (BKG collateral acceptance), **aceptación de la letra de cambio** (BKG draft acceptance), **aceptación de mercancías** (TRANS acceptance of goods), **aceptación de**

pasivo (acceptance of liability; S. *pasivo aceptado, obligaciones por letras aceptadas*), **aceptación de riesgos** (risk-taking; assumption of risks; S. *asunción de riesgos*), **aceptación de un envío por el consignado** (TRANS acceptance[3] S. *reconocimiento de recepción de un envío por el consignado*), **aceptación de una oferta** (acknowledgment), **aceptación de una letra contra entrega de documentos** (document/s against acceptance, D/A), **aceptación de una letra para pago en lugar concreto** (special acceptance), **aceptación deducida o tácita** (constructive/tacit acceptance), **aceptación definitiva** (final acceptance), **aceptación del almacén** (warehouse acceptance), **aceptación del pedido** (order acceptance), **aceptación del plan de los acreedores** (COM confirmation[2] *US*), **aceptación del riesgo** (acceptance/assumption of risk), **aceptación en blanco** (S. *aceptación a descubierto*), **aceptación en firme** (good acceptance), **aceptación expresa y absoluta** (absolute acceptance; S. *conforme absoluto o sin condiciones*), **aceptación falsa** (misacceptance), **aceptación incondicional, libre, general o sin reservas** (FIN clean/general acceptance), **aceptación libre o general** (clean acceptance), **aceptación limitada, especificada o condicional** (qualified acceptance), **aceptación o preferencia por una marca** (COMER brand acceptance), **aceptación/pago haciendo honor a la firma** (act of honour; S. *acto de intervención*), **aceptación libre** (S. *aceptación incondicional*), **aceptación limitada de una letra por una cantidad inferior a la del efecto** (BKG limited acceptance), **aceptación, no** (dishonour, refusal of acceptance; S. *falta de pago*), **aceptación por honor** (FIN acceptance for honour), **aceptación por inter-**

vención (BKG acceptance by intervention, acceptance by special endorser, acceptance supra-protest), **aceptación por menor cuantía** (acceptance for less amount), **aceptación restringida** (S. *aceptación condicional*), **aceptación sin reservas** (S. *aceptación incondicional*), **aceptaciones pendientes de pago** (acceptances outstanding/ payable), **aceptaciones por cobrar** (acceptances receivable)].

aceptador *n*: acceptor; S. *aceptante de una letra de cambio*. [Exp: **aceptante¹** (BKG acceptor, drawee of a bill of exchange), **aceptante²** (INSCE accepting office; S. *compañía aceptante/cesionaria; compañía cedente*), **aceptante de una letra de cambio** (acceptor of a bill of exchange; S. *aceptador*), **aceptante por intervención** (BKG acceptor for honour/supra protest)].

aceptar *v*: accept, agree, adopt, endorse; assume; fall in with; honour; come to terms with; fall in line with, take on board; S. *reconocer, admitir, autorizar, aprobar, asumir*. [Exp: **aceptar el precio del comprador** (STK & COMMOD EXCH meet the price), **aceptar la entrega de las mercancías** (take delivery of goods), **aceptar una letra de cambio** (BKG accept/take up a bill of exchange or a draft; S. *avalar/descontar/endosar/ protestar una letra*), **aceptar una propuesta/oferta** (accept a bid)].

acería *n*: steelworks. [Exp: **acero** (steel), **acero en bruto** (crude steel), **acero inoxidable** (stainless steel), **acero laminado** (rolled steel)].

acervo *n*: heritage, common property/stock. [Exp: **acervo comunitario** (Community assets)].

aclarar *v*: clear¹; make clear, clarify, clear up²; S. *poner en orden, desembrollar*. [Exp: **aclaración** (explanation)].

acolchar *v*: pad, cushion. [Exp: **acol-**chamiento en embalajes** (TRANSPT cushioning, padding)].

acomodar¹ *v*: accommodate; S. *alojar*. [Exp: **acomodar²** (adjust, accord, arrange, adapt, bring into line, reconcile; S. *adaptar, adecuar, ajustar*), **acomodado** (of independent means, well-off; S. *de posición acomodada*), **acomodamiento** (composition,² agreement, settlement, accord; S. *conformidad, transacción, acuerdo, convenio*), **acomodo¹** (accommodation²; S. *convenio, acuerdo, conciliación*), **acomodo²** (accommodation⁵; S. *alojamiento*), **acomodo³** (adjustment of the difference; settlement; S. *liquidación*), **acomodo⁴** (job, niche, berth³ *col*; S. *puesto de trabajo*)].

acompañar¹ *v*: accompany. [Exp: **acompañar²** (enclose, attach,¹ include; S. *adjuntar, incluir*), **acompañando a** (accompanying; S. *adjunto, junto a*)].

acondicionar *v*: condition, equip, fit/kit out; appoint³; S. *habilitar, equipar*.

aconsejar *v*: advise; S. *asesorar*. [Exp: **aconsejable** (advisable; S. *recomendable, oportuno*)].

acontecimiento *v*: event; development, occasion; S. *suceso, evento*.

acopiar *v*: stock, stockpile, store, corner; S. *hacer acopio de*. [Exp: **acopio de víveres** (hoarding, laying-in of stocks/provisions; victualling; S. *avituallamiento*)].

acoplamiento *n*: connection; fit; coupling. [Exp: **acoplar-se** (fit, adapt, settle, adjust; settle in, find one's feet; S. *ajustar-se*)].

acordar *v*: agree, resolve; S. *adoptar, fijar*. [Exp: **acordar/adoptar/tomar un acuerdo o resolución** (pass/adopt a resolution), **acordar/fijar un dividendo** (COMP LAW declare a dividend), **acordar/conceder una prórroga o dilación** (grant a delay), **acordar una moratoria** (grant a respite)].

acorde con *phr*: in accordance/agreement/keeping with.

acordeón accionarial *n*: FIN accordion.

acorralar *v*: corner. [Exp: **acorralar/arrinconar a alguien** (drive sb into a corner)].

acortar *v*: shorten, cut, cut short, reduce.

acotar *v*: set limits to, mark boundaries in/on, mark off, fence in/off. [Exp: **acotado** (fenced, bounded, fenced-off), **acotación** (limit, boundary; S. *límite*)].

acre *n*: acre.

acrecentar *v*: increase; S. *aumentar, incrementar-se, acumular-se*. [Exp: **acrecencia** (ACCTS accretion[1]; S. *acrecentamiento, acrecimiento, plusvalía, acumulación contable*), **acrecentamiento** (ACCTS accretion,[1] growth, increase; S. *acrecimiento, aumento, plusvalía, acumulación contable, acrecencia*), **acrecer** (accrue), **acrecimiento** (ACCTS accretion[1]; S. *acrecentamiento*)].

acreditar[1] *v*: certify, establish; accredit, authorize; S. *certificar, dar fe, comprobar, hacer constar*. [Exp: **acreditar**[2] (credit,[1] vouch for), **acreditar**[3] (ACCTS credit,[3] make a credit entry; S. *consignar en el haber, abonar*), **acreditar de más** (overcredit), **acreditar una cuenta** (credit an account), **acreditación** (accreditation, pass, entrance card; credentials; S. *pase, autorización*), **acreditación/identificación como medida de seguridad** (clearance[2]), **acreditado** (reputable, recognized, accredited, authorized; S. *agente acreditado*), **acreditado, no** (unacknowledged)].

acreedor *n*: creditor; debtee; debenture-holder; holder of debt; pledgee; obligee; granter; S. *acreedores, titular de deuda*. [Exp: **acreedor a favor del cual el naviero hace abandono del buque** (abandonee; S. *cesionario, aban-*

donatario), **acreedor asegurado** (secured/insured creditor; S. *asegurador pignoraticio*), **acreedor anticrético** (creditor in antichresis), **acreedor común** (S. *acreedor sin caución*), **acreedor con caución** (bond creditor; secured creditor; S. *acreedor garantizado*), **acreedor concursal** (creditor of a bankruptcy, creditor in an insolvency proceeding), **acreedor crediticio** (lender), **acreedor de bancarrota** (bankruptcy creditor), **acreedor de dos gravámenes** (double creditor; S. *doble acreedor*), **acreedor de primera/segunda instancia** (senior/junior creditor), **acreedor/tenedor de una obligación** (obligee), **acreedor ejecutante** (execution creditor), **acreedor embargante o prendario** (lien creditor, attaching creditor), **acreedor garantizado** (secured creditor), **acreedor hipotecario** (mortgagee, mortgage/mortgaging creditor, encumbrancer; S. *tenedor de gravámenes*), **acreedor judicial o por fallo judicial** (judgment creditor), **acreedor mancomunado** (joint creditor), **acreedor no privilegiado** (junior/general creditor; S. *acreedor de segunda instancia*), **acreedor pignoraticio** (secured creditor), **acreedor por fallo** (judgment creditor), **acreedor preferente/privilegiado** (preferred/preferential/senior/prior creditor), **acreedor prendario** (holder of a chattel mortgage, pawnee; S. *prestamista*), **acreedor solidario** (joint and several creditor, general creditor), **acreedor secundario** (junior creditor), **acreedor sin caución/garantías** (unsecured creditor; S. *acreedor común*), **acreedor testamentario** (legatee), **acreedor único** (single creditor), **acreedores** (ACCTS creditors; debit side of ledger account, accounts payable; liabilities[2]; amounts owing in less than one year; S. *recursos ajenos; clientes*), **acreedores a corto/largo plazo** (ACCTS short-/long-term liabilities), **acreedores comerciales** (ACCTS accounts payable, AP; S. *deudas, cuentas por/a pagar, «proveedores»*), **acreedores mancomunados** (joint creditors; S. *coacreedores*), **acreedores varios** (sundry creditors)].

acta-s *n*: act, minutes, record, document, certificate; papers; proceedings; docket; acknowledgment; report; S. *documento; instrumento; libro de actas; levantar acta, firmar el acta, hacer constar en acta*. [Exp: **acta adicional** (rider; S. *cláusula adicional, anexo*), **acta constitutiva de una sociedad mercantil** (memorandum of association, deed of incorporation; S. *escritura de constitución de una sociedad*), **acta/escritura constitutiva de una sociedad colectiva** (memorandum of association, deed of partnership; S. *contrato de asociación*), **acta de adhesión** (adherence; act of adhesion; S. *entrada, adhesión*), **acta de adjudicación** (acknowledgement of award), **acta de avería** (INSCE damage report; S. *atestado, denuncia*), **acta de cesión** (deed of conveyance; S. *escritura de traspaso o traslación de dominio*), **acta de cesión a un fideicomisario** (deed of trust; S. *escritura de garantía, escritura de fideicomiso*), **acta de complacencia** (act of accommodation), **acta de garantía** (covering deed), **acta de Hacienda** (S. *acta de inspección*), **acta de inspección** (INSCE surveyor's report; TAXN certified report by the tax authorities recording the outcome of the inspectors' investigation into a dubious tax return), **acta de la comisión** (report of the commission), **acta de la junta general** (proceedings/minutes of the general meeting), **acta de la sesión** (record of session), **acta de las deliberaciones** (record of the proceedings; S. *autos, actas del proceso o de las actuaciones*), **acta de modificación** (endorsement), **acta de nacimiento** (birth certificate; S. *partida*), **Acta de Navegación** (Navigation Act), **acta de protesta del capitán** (master's protest, captain's protest; S. *protesta del capitán*), **acta de protesto** (protest of a note, certificate of protest, act of protest of a draft or bill of exchange), **acta de reconocimiento** (acknowledgment; S. *atestación*), **acta de una junta** (minutes of the meeting), **acta de venta** (deed of sale), **acta, en el** (on the record), **acta fiduciaria** (trust deed), **acta literal** (verbatim record), **acta notarial** (notary's deed/certificate, notary's certificate; certificate of acknowledgement, affidavit; S. *testimonio notarial*), **acta notarial de protesto** (BKG notarial protest certificate), **acta pública** (official record/document; S. *documento oficial*), **acta subrogatoria** (act of subrogation/substitution), **Acta Única Europea** (Single European Act, SEA), **actas de una sociedad** (company deeds)].

actitud *n*: attitude, position; outlook; S. *punto de vista*. [Exp: **actitud conciliadora** (soothing attitude or approach; conciliatory attitude; S. *intento de aproximación*), **actitud/mentalidad bajista o pesimista** (STK EXCH bearish outlook/attitude), **actitud emprendedora** (hands-on approach; S. *agresividad, dinamismo*), **actitud optimista/pesimista** (STK EXCH bearish/bullish attitude)].

activar *v*: activate, trigger; set off; stimulate; speed up. [Exp: **activación de gastos** (ACCTS expense capitalization; S. *contabilización de gastos como partidas de activo*), **activación de una línea de crédito** (BKG drawdown[1]), **activación**

por etapas de una línea de crédito (flexible drawdown)].

actividad[1] *n*: activity; action, operation; S. *período/temporada de baja/mucha actividad*. [Exp: **actividad**[2] (job, occupation; S. *tarea, cometido, trabajo, profesión*), **actividad clandestina** (shady dealing, underhand activity; fly-by-night activity), **actividad comercial/ empresarial** (business; business activity; trading; S. *comercio*), **actividad espectáculo-recreativa** (entertainment sector, showbusiness; showbiz *col*), **actividad financiera** (financial activity), **actividad lucrativa** (gainful activity/ employment/occupation; S. *trabajo remunerado; retribuido*), **actividad mercantil complementaria** (sideline business), **actividades bonificadas o con tratamiento fiscal privilegiado** (preferential tax treatment sectors), **actividades de diagnóstico** (diagnostic activities *US*), **actividades de gestión** (MAN line activities), **actividades de resolución de tareas** (task accomplishment activities *US*), **actividades preparatorias de otras** (MAN dead work), **actividades previas a la explotación** (pre-development work)].

activista *n*: activist.

activo[1] *a*: active; S. *productivo, favorable*. [Exp: **activo**[2] (brisk; aggressive; go-ahead[1]; S. *emprendedor, dinámico, animado*), **activo**[3] (ACCTS asset-s; asset side; S. *columna del activo*), **activo aceptado como garantía de préstamo** (BKG bankable asset), **activo acumulado** (ACCTS accrued assets; S. *activo devengado*), **activo admisible/admitido** (admissible/admitted assets), **activo agotable, consumible, perecedero** (ACCTS wasting/diminishing/depletable assets), **activo amortizable** (ACCTS diminishing assets, depreciable assets), **activo aprobado o confirmado** (admitted assets; S. *activo computable*), **activo básico o subyacente** (FIN basic/underlying asset), **activo bloqueado** (frozen assets), **activo circulante** (ACCTS working/current/ circulating/floating/quick/liquid assets; S. *disponibilidades; activo corriente/ realizable/disponible*), **activo circulante realizable** (ACCTS realizable current assets), **activo computable** (ACCTS admitted assets; S. *activo aprobado o confirmado*), **activo congelado** (frozen assets), **activo consumible** (ACCTS wasting assets), **activo contingente** (contingent asset), **activo corriente** (current/floating assets/capital, working capital; S. *capital flotante/ circulante*), **activo de caja** (ACCTS bank reserves, cash assets; S. *reservas bancarias*), **activo de capital** (ACCTS capital assets, fixed/permanent assets; S. *activo fijo o inmovilizado*), **activo de explotación** (ACCTS operating/working assets), **activo de la quiebra** (bankrupt's estate, assets in bankruptcy; S. *masa de la quiebra*), **activo de realización inmediata** (liquid assets), **activo de reserva** (reserve assets), **activo de un balance** (asset side; S. *pasivo*), **activo devengado** (accrued assets; S. *activo acumulado*), **activo diferido** (ACCTS deferred assets), **activo diluido** (watered assets), **activo disponible** (ACCTS cash in bank and at hand, cash and due from banks; funds available; liquid assets; S. *tesorería, disponible*), **activo disponible a corto plazo** (ACCTS current assets; S. *activo realizable*), **activo duradero** (durable asset), **activo en circulación** (current assets), **activo en libros** (ledger assets, book value), **activo en rotación** (ACCTS current assets; S. *activo circulante*), **activo eventual** (contingent assets), **activo exigible** (receivables; S. *clientes, partidas a cobrar*), **activo exterior**

(ACCTS assets held abroad, foreign assets), **activo ficticio o nominal** (ACCTS fictitious/nominal assets), **activo fijo o inmovilizado** (ACCTS fixed/ permanent/slow assets, long-term operational assets, capital assets, fixed capital, fixed and other non-current assets; S. *activo/bienes de capital; capital fijo*), **activo fijo material** (tangible fixed assets), **activo financiero** (financial assets, securities; S. *cartera, títulos, valores*), **activo financiero con retención en origen, AFRO** (FIN discount instrument), **activo físico/ tangible** (ACCTS physical/tangible assets; S. *valores materiales o físicos*), **activo flotante** (floating assets), **activo generador de intereses** (FIN, ACCTS interest-carrying/bearing assets, active/ earning assets), **activo gravado** (pledged assets), **activo hipotecario** (mortgaged assets), **activo improductivo o sin valor** (ACCTS dead assets/stock; S. *existencias inmovilizadas*), **activo inmovilizado** (S. *activo fijo*), **activo intangible o inmaterial** (ACCTS intangible/immaterial assets; S. *intangibles*), **activo legal** (legal assets *US*), **activo lento** (slow assets *US*), **activo líquido** (liquid/quick/realizable assets; S. *activo disponible o realizable; disponibilidades*), **activo neto** (shareholders' equity; net assets/worth/wealth), **activo neto realizable** (net quick assets), **activo no aceptado/admitido** (ACCTS unadmitted assets), **activo no acumulado** (non-accrual assets), **activo no circulante** (ACCTS non-current assets), **activo no computable** (inadmissible assets; S. *activo aprobado o confirmado*), **activo no confirmado/reconocido** (non-admitted assets), **activo no disponible, realizable o convertible en efectivo a corto plazo** (ACCTS illiquid/slow assets/funds; S. *activo realizable*), **activo no renovable** (wasting assets), **activo no rentable** (non-earning/-performing assets), **activo oculto** (concealed/hidden assets), **activo/patrimonio/valor neto** (ACCTS net assets/worth, shareholders/ stockholders' equity; S. *fondos propios*), **activo perjudicado** (impaired assets), **activo pignorado** (pledged/hypothecated assets), **activo que devenga intereses** (FIN interest-carrying/bearing assets, active assets), **activo que devenga intereses** (S. *activo generador de intereses*), **activo realizable** (current/ floating assets, quick assets; S. *activo no disponible, activo circulante, activo corriente*), **activo realizable a corto plazo** (current/liquid assets), **activo rentable** (ACCTS earning asset), **activo semifijo** (working assets), **activo sin valor** (dead assets), **activo social** (corporate assets; assets of a partnership), **activo social de una sociedad colectiva** (COMP LAW partnership assets), **activo subyacente** (STK & COMMOD EXCH underlying asset), **activo tangible** (tangible/physical asset; S. *activo físico*), **activo transitorio** (ACCTS unadjusted assets; prepayments), **activo y pasivo** (assets and liabilities)].

activos *n*: assets; S. *activo*. [Exp: **activos a la vista** (sight assets), **activos a sanear** (FIN non-performing assets/loans; S. *dudosos, morosos; amortización de activos a sanear*), **activos ajustados a riesgos** (ACCTS risk-adjusted assets), **activos al descuento** (discount securities), **activos/bienes al vencimiento** (ACCTS maturity assets), **activos/bienes productivos/rentables** (FIN earning assets), **activos cedidos** (ACCTS abandoned assets; S. *bienes cedidos*), **activos comerciales** (ACCTS stock in trade), **activos corrientes** (current/floating assets), **activos de caja, disponibles, en efectivo o realizables** (ACCTS cash,[1] available/quick assets;

funds available, current assets; S. *disponibilidades, activo líquido, tesorería*), **activos de cartera** (portfolio assets), **activos de explotación** (ACCTS operating/current assets; S. *capital circulante*), **activos de larga duración/vida** (ACCTS long-lived assets *US*), **activos disponibles** (ACCTS cash assets; S. *activos en efectivo, disponibilidades*), **activos en efectivo** (ACCTS cash assets; S. *disponibilidades, activos disponibles*), **activos financieros** (financial assets), **activos físicos/tangibles** (ACCTS actuals; physical assets; plant assets; physicals), **activos generadores de rentas** (productive assets), **activos gravados con aval** (pledged assets), **activos improductivos** (nonperforming/dead assets), **activos inmobiliarios** (real assets), **activos inscritos en el balance** (on-balance-sheet assets), **activos interbancarios** (inter-bank holdings), **activos invisibles** (invisible assets; S. *activos ocultos*), **activos líquidos** (liquid assets; near-cash items), **activos líquidos de reserva** (ACCTS reserve assets), **activos líquidos en manos del público, ALP; ALPES** (ECO money supply; M4; private sector liquidity; narrow money *col*; S. *disponibilidades monetarias, masa/oferta monetaria*), **activos materiales/tangibles** (material/tangible assets), **activos monetarios** (monetary assets), **activos no aceptados como avales o garantías** (BKG dead securities), **activos no circulantes** (non-current assets), **activos no disponibles, realizables o convertibles en efectivo a corto plazo** (ACCTS illiquid/slow assets/funds; S. *activo realizable*), **activos no productivos** (ACCTS nonperforming assets, non-yielding assets), **activos no reflejados en libros** (ACCTS non-ledger assets), **activos tangibles** (STK &

COMMOD EXCH physical/s[2]; S. *mercancías, artículos de consumo, mercaderías*)].

acto[1] *n*: act[1]; deed;[2] S. *hecho, acción*. [Exp: **acto**[2] (LAW act, decision, action[3]; S. *acción legal o judicial*), **acto administrativo** (administrative act/action/decision; S. *reclamación administrativa*), **acto constitutivo** (COMP LAW incorporation; S. *constitución de una sociedad anónima*), **acto de comercio** (commercial transaction; S. *operación mercantil*), **acto de disposición** (act of disposal), **acto de insolvencia** (act of insolvency), **acto de intervención** (act of honour; S. *aceptación/pago haciendo honor a la firma*), **acto de omisión** (act of omission), **acto de otorgamiento** (execution,[1] granting, grant; delivery; award; bestowal; S. *formalización, celebración*), **acto de quiebra** (act of bankruptcy), **acto gravado** (TAXN taxable transaction), **acto jurídico** (act of law), **actos jurídicos comunitarios** (EEC legislation)].

actor *n*: LAW, IND REL plaintiff, pursuer; petitioner; claimant, rightful claimant; S. *litigante, derechohabiente, demandante*.

actuación *n*: action[1]; performance; behaviour, conduct; S. *acción, operación, intervención, labor*. [Exp: **actuaciones** (LAW proceedings), **actuación de piquetes informativos** (peaceful picketing), **actuación del ejecutivo** (managerial performance *US*), **actuación profesional** (professional conduct)].

actual *a*: present, existing, current; prevailing, fashionable; S. *presente, vigente, en vigor, moderno*. [Exp: **actualmente** (currently, at the moment, right now, at this stage/point, etc.)].

actualizar *v*: bring up to date, update. [Exp: **actualizar costes** (adjust/reappraise/restate costs, bring costs into line),

actualizable/ajustable a un índice (FIN index-linked-/tied; S. *indexado/indiciado*), **actualización** (updating, readjustment; S. *reajuste*), **actualización del neto patrimonial** (ACCTS reappraisal of assets; S. *regularización del balance*), **actualizado/vinculado/ajustado/referenciado a un precio o índice** (indexed; price-/index-linked; S. *indexado/indiciado*)].

actuar[1] *v*: act,[1] operate; S. *obrar, proceder*. [Exp: **actuar**[2] (LAW proceed, take action), **actuar colectivamente** (act in conjunction; S. *actuar por cuenta propia*), **actuar como fiador** (act as/stand surety), **actuar como revulsivo** (kick, provide a short sharp shock, wake sb up; S. *impulsar/servir de revulsivo*), **actuar con cuenta gotas** (FIN act warily, tread carefully, act gingerly; soft-pedal *col*; drip-feed), **actuar de intermediario** (act as intermediary or go-between), **actuar de testigo en la firma de** (witness the signature of), **actuar en calidad de** (act in the capacity of), **actuar por cuenta propia** (make one's own arrangements; act on one's own behalf or independently; go it alone *col*; S. *arreglárselas solo; actuar colectivamente*), **actuar en representación de alguien** (act on somebody's behalf or for sb), **actuar siguiendo instrucciones** (act under instructions)].

actuarial *a*: INSCE actuarial. [Exp: **actuario** (INSCE actuary), **actuario de seguros** (insurance actuary)].

acuerdo *n*: agreement; settlement; accord, pact, arrangement, understanding, bargain, deal,[2] accommodation[2]; S. *conciliación, arreglo, convenio, pacto, conformidad, concierto, trato*. [Exp: **acuerdo/contrato a plazo sobre tipos** (forward rate agreement, FRA), **acuerdo a tanto alzado** (fixed price agreement; lump sum settlement), **acuerdo**

aduanero (tariff agreement), **acuerdo amistoso** (amicable/friendly agreement/settlement), **acuerdo anticipado o «forward»** (STK & COMMOD EXCH forward exchange contract), **acuerdo/arreglo arbitral** (arbitral/arbitration agreement/settlement), **acuerdo bilateral** (bilateral agreement), **acuerdo comercial** (commercial agreement), **acuerdo compensatorio** (offset agreement), **acuerdo con concesiones recíprocas** (compromise; S. *compromiso, conciliación, transacción*), **acuerdo con, de** (under, on the basis of; in accordance with, pursuant to, as per, in line with; S. *según, a base de, basado en, basándose en, conforme a*), **acuerdo con la contabilidad, de** (per books, according to/as per the books/ledgers; S. *según libros*), **acuerdo con lo dispuesto, de** (in compliance with the provisions), **acuerdo con los acreedores** (accommodation/settlement/composition with creditors), **acuerdo con los registros contables, de** (ACCTS per books; S. *según libros*), **acuerdo con los usos o las costumbres, de** (in line with standard practice, according to normal trading practice), **acuerdo con una agencia** (agency agreement), **acuerdo condicional de reembolso** (qualified agreement to reimburse), **acuerdo de actualización salarial automática** (IND REL threshold agreement), **acuerdo de aprendizaje laboral en una empresa** (apprenticeship contract; S. *contrato de aprendizaje*), **acuerdo de arrendamiento financiero** (leasing arrangement), **acuerdo de clearing** (BKG clearing agreement; S. *convenio de compensaciones entre países*), **acuerdo de colocación de una emisión** (COMP LAW underwriting agreement), **acuerdo de comercialización** (marketing agreement), **acuerdo de compra** (purchasing/

buying arrangement), **acuerdo de custodia** (escrow agreement), **acuerdo de disponibilidad de crédito** (FIN standby agreement/arrangement; S. *acuerdo «standby», contrato de préstamo «standby», crédito contingente*), **acuerdo de fijación de precios entre competidores** (COM price-fixing agreement; S. *pacto de precios*), **acuerdo de garantía** (guarantee/security agreement), **acuerdo de inmovilización** (standstill agreement), **acuerdo de intercambio o «swap»** (swap, swap arrangement), **acuerdo de irrever-sibilidad** (COMP LAW lock-up agreement), **acuerdo de libre cambio** (free-trade agreement), **acuerdo de mantenimiento del precio de venta** (COMER retail price maintenance agreement; S. *fijación de precios*), **acuerdo de moratoria** (standstill agreement), **acuerdo de prórroga** (extension agreement), **acuerdo de reciprocidad** (FIN reciprocity agreement), **acuerdo de recompra** (repurchase agreement, buyback, REPO), **acuerdo de servicios** (service agreement/contract), **acuerdo de sindicación obligatoria** (IND REL closed-shop agreement; S. *monopolio gremial*), **acuerdo de suscripción** (subscription agreement), **acuerdo de suscripción voluntaria** (FIN standby agreement; S. *acuerdos «standby», acuerdos de disponibilidad inmediata*), **acuerdo de traspaso de bienes y servicios** (COM contra deal), **acuerdo de traspaso o cesión** (assignment agreement), **acuerdo entre acreedores y deudores** (composition agreement/settlement; S. *acomodamiento, transacción*), **acuerdo/ pacto entre caballeros** (gentlemen's agreement S. *convenio verbal*), **acuerdo entre fallido y acreedores** (composition in bankruptcy; S. *avenencia jurídica entre el quebrado y los acreedores*),

acuerdo expreso (express agreement), **acuerdo general** (general/omnibus agreement), **Acuerdo General sobre Aranceles y Comercio** (COM General Agreement on Tariffs and Trade, GATT), **acuerdo gravoso para una de las partes** (catching bargain; S. *contrato fraudulento*), **acuerdo laboral** (wage agreement, agreement on pay and conditions; S. *acuerdo sindical*), **acuerdo-marco** (framework/master agreement, agreed guidelines for negotiation; V. *programa-marco*), **Acuerdo Monetario Europeo, AME** (European Monetary Agreement, EMA), **acuerdo monopolista o de limitación de la competencia** (COM combination in restraint of commerce/trade, agreement infringing laws against unfair competition; S. *competencia desleal*), **acuerdo multifibras** (Multifibre Arrangement), **acuerdo multilateral** (multilateral agreement), **acuerdo multisectorial** (IND REL multiemployer bargaining), **acuerdo mutuo** (joint agreement; S. *convenio*), **acuerdo mutuo de intercambio/canje/swap de divisas** (STK & COMMOD EXCH reciprocal swap arrangement), **acuerdo no comercial/ lucrativo** (non-commercial agreement), **Acuerdo Norteamericano de Libre Comercio** (North American Free Trade Agreement, NAFTA), **acuerdo obligatorio** (binding agreement), **acuerdo provisional** (interim arrangement), **acuerdo puente** (bridging/bridge-building agreement), **acuerdo salarial** (wage/pay settlement/agreement, salary package *US*), **acuerdo sectorial** (area agreement), **acuerdo sindical** (union agreement), **acurdo sintético de tipos de cambio de divisas a plazo** (synthetic agreement for forward exchange, SAFE), **acuerdo sobre aumento de salarios según productividad** (annual improvement agreeement), **acuerdo sobre el descuento** (rebate agreement), **acuerdo sobre mercancías** (commodity agreement), **acuerdo sobre promedio de demoras** (TRANSPT average demurrage agreement), **acuerdo/ contrato verbal** (oral/parole agreement/ contract), **acuerdos fiscales internacionales** (international tax agreements), **Acuerdos Internacionales de Productos Básicos, AIPB** (COM International Commodity Agreements, ICA), **acuerdos preferenciales** (preferential agreements)].

acuicultura *n*: fish farming; S. *piscisfactoría*.

acumulable *a*: cumulative; S. *adicional, acumulativo*.

acumulación *n*: accrual, accruing[1], accumulation[1]; S. *aumento o crecimiento gradual, sistema de acumulación*. [Exp: **acumulación capitalista** (capitalist accumulation), **acumulación contable** (ACCTS accretion[1]; S. *acrecencia, acrecentamiento, acrecimiento, plusvalía*), **acumulación de capital** (accumulation of capital, capital accumulation; S. *inversión en capital productivo*), **acumulación/afluencia de divisas** (accrual of exchange), **acumulación de existencias** (stock building, stockpiling), **acumulación de mercancías** (accumulation of goods), **acumulación de operaciones bursátiles** (STK EXCH bunching), **acumulación de vencimientos** (bunching of maturities), **acumulación del principal por interés compuesto** (BKG accumulation[3]), **acumulación parcial/plena** (partial/full cumulation), **acumulaciones pendientes de pago** (ACCTS accruals payable; S. *ajustes por periodificación*), **acumulado** (accrued, accumulated; running), **acumulador** (accumulator), **acumulativo** (accumulative, cumulative; S.

cumulativo, acumulable, adicional)].

acumular-se *v*: accrue; accumulate; run up; build up[2]; S. *incrementar-se, aumentar, acrecentar*. [Exp: **acumular en exceso** (overstock; S. *exceso de existencias; abarrotar*)].

acuñación *n*: coinage, mintage; S. *derechos de acuñación*. [Exp: **acuñar moneda** (mint coins)].

acusación *n*: accusation; charge, indictment; information; S. *denuncia*. [Exp: **acusadamente** (sharply; S. *claramente, marcadamente*), **acusado** (accused, defendant), **acusador** (accuser, prosecution; S. *parte acusadora*), **acuse de recibo** (acknowledgment of receipt; S. *justificante, carta de acuse de recibo, correo certificado con acuse de recibo*), **acuse de recibo de mercancías** (notice of delivery; S. *nota de entrega*), **acuse de recibo de pago** (acknowledgment of payment)].

acusar *v*: accuse, charge. [Exp: **acusar recibo** (acknowledge receipt; S. *dar por recibido*), **acusar/arrojar una pérdida** (STK EXCH record/show a loss/losses/ a drop/ a fall; S. *registrar una ganancia*)].

ad valorem *fr*: ad valorem; S. *por/ según/sobre el valor*.

adaptabilidad *n*: adaptability. [Exp: **adaptación cultural** (acculturation), **adaptación de curvas** (curve fitting), **adaptación de un producto a las necesidades del mercado** (COM product planning)].

adaptar *v*: adapt, adjust, accommodate, bring into line, rearrange; S. *acomodar, equiparar, ajustar*. [Exp: **adaptar a las necesidades concretas** (tailor), **adaptar a las preferencias o especificaciones del cliente o consumidor** (customize; S. *personalizar*), **adaptarse a** (come to terms with; fall into line with; S. *llegar a un acuerdo con*)].

adecuar *v*: adjust; bring into line; tailor;

cope/deal with, handle, suit; S. *adaptar, acomodar, ajustar*. [Exp: **adecuación** (suitability; adaptation), **adecuado** (good, right, proper, suitable, eligible; S. *apto*)].

adelantado, por *phr*: in advance.

adelantar[1] *v*: advance,[2] pay in advance; pay towards, give an advance on. [Exp: **adelantar**[2] (speed up, overtake; S. *rebasar, superar*), **adelantar**[3] (ACCTS bring forward; S. *pasar a cuenta nueva*), **adelantar la fecha** (bring forward the date), **adelantar dinero** (FIN advance money, advance[1]; pay up-front; S. *prestar dinero, dar un anticipo*), **adelantar el pago** (anticipate payment, pay in advance), **adelantar información/una noticia** (be first with the news; give early news/warning of, disclose/release information or a news item; let the cat out of the bag *col*; spill the beans *col*), **adelantar la fecha de un documento** (date forward), **adelantarse a algún acontecimiento actuando primero** (preempt)].

adelanto *n*: FIN advance[1]; imprest; advance payment; deposit; down-payment; retaining fee, retainer; S. *anticipo; pago adelantado; cantidad a cuenta, señal*. [Exp: **adelanto a cuenta** (cash advance; S. *anticipo de tesorería, de caja o en metálico*), **adelanto de la hora** (daylight-saving), **adelanto en cuenta corriente** (overdraft; current account credit *US*; S. *descubierto en cuenta*), **adelanto/avance significativo o importante** (breakthrough, advance, step forward, progress; S. *innovación tecnológica/científica*), **adelanto sin intereses** (free advance payment, interest-free loan), **adelanto sobre póliza de seguros** (policy loan), **adelanto sobre valores** (FIN collateral loan, Lombard loan *US*; S. *préstamo pignoraticio o con garantía prendaria*), **adelantos y atrasos** (ECO, ACCTS lead-s and lag-s; S. *indicadores premonitorios y retardados*)].

además de *prep*: in addition to, as well as, further to, not counting; S. *sin contar, con exclusión de*.

ADEMO *n*: S. *Asociación de Estudios de Mercado y Opinión*.

adeudar[1] *v*: owe; S. *endeudarse*. [Exp: **adeudar**[2] (ACCTS debit, máke a debit entry, charge[2]; S. *debitar*), **adeudable** (debitable, chargeable; S. *imputable*), **adeudado** (indebted; debited; S. *endeudado, obligado*), **adeudo** (ACCTS debit; charge[2]; amount of duty; indebtedness; charge entry; S. *cargo, débito*), **adeudo a ser cargado en cuenta** (ACCTS due from account), **adeudo por domiciliación** (charged to account as per order, charges for standing orders/direct debit), **adeudo-s de** (due from, charged/debited to the account of)].

adherencia *n*: adhesion, adherence; grip; accretion; S. *acrecentamiento*. [Exp: **adherente** (adhesive, adherent), **adherir/poner el sello** (affix the seal, stamp; S. *sellar*), **adherirse a** (join; S. *sumarse a*), **adherirse a un acuerdo** (join an agreement, contract in), **adhesión** (adherence, adhesion; S. *acta de adhesión, entrada*), **adhesivo** (ADVTG sticker; S. *pegatina, etiqueta*)].

adición[1] *n*: addition; S. *agregación, suma*. [Exp: **adición**[2] (addendum; S. *coletilla, apéndice, suplemento*), **adición en alguna de las cláusulas de una póliza de seguro** (INSCE endorsement[2]; S. *coletilla*), **adicional** (additional, further, extra, collateral[1]; cumulative; incremental, fringe; S. *colateral, secundario, suplementario*), **adicionalidad** (ECO complementarity; S. *complementariedad*)].

adicto al trabajo *n*: workaholic.

adinerado *a*: wealthy, well-off, moneyed.

aditamento *n*: accessory; rider, appendix, schedule; S. *accesorio*.

aditivos alimentarios *n*: food additives.
adjudicación *n*: adjudication, allocation, award. [Exp: **adjudicación de contrato** (contract award; award of contract; acceptance of tender), **adjudicación de nuevas acciones a los que las solicitaron** (COMP LAW allotment of shares), **adjudicación del contrato al mejor postor** (adjudication/award of the contract to the highest bidder), **adjudicación/asignación en un reparto** (allotment[1]; S. *distribución, prorrateo*), **adjudicador** (adjudicator), **adjudicatario** (successful bidder; awardee)].
adjudicar *v*: adjudicate; adjudge; allocate; allot, award. [Exp: **adjudicar en pública subasta** (knock down[3]; S. *rematar*), **adjudicar un contrato** (award/place/adjudicate a contract), **adjudicar un derecho/una patente, etc. a alguien** (assign a right/patent, etc. to sb)].
adjuntar *v*: enclose, attach; S. *acompañar, remitir adjunto*. [Exp: **adjunto[1]** (enclosed; accompanying, attached; S. *junto a, acompañando a, concomitante; documento adjunto*), **adjunto[2]** (assistant; deputy; associate; S. *director/presidente adjunto; vice*), **adjunto a la presente** (enclosed herewith), **adjunto le envíamos** (please find enclosed)].
administración[1] *n*: administration; admin *col*; management; managership; custody; conduct; S. *dirección; gestión; consejo de administración*. [Exp: **Administración,[2] la** (the Administration, Government, Authority; the Civil Service; the Crown,[2] Crown Officers), **administración anticipada** (proactive management *US*), **administración central** (central government), **Administración Central de Correos** (General Post Office, GPO), **administración centralizada** (centralized administration), **administración civil del Estado** (civil service; S. *funcionariado de la*

Administración civil, función pública), **administración comercial** (business/commercial management/administration), **administración de activos y pasivos** (ACCTS, MAN asset and liability management), **administración de aduanas** (customs, CSTMS; customs administration), **administración de bienes** (administration of property, trustee work), **administración de contingencias** (contingency management), **administración/gestión de carteras** (FIN portfolio management), **administración de correos** (postal authority), **administración de empresas** (business administration/management), **administración de la deuda** (debt management), **administración de personal** (personnel management/administration), **administración de seguros** (insurance management), **administración de una quiebra, de una sucesión, de bienes, etc.** (administration of a bankrupt's estate, an estate, property, etc.), **administración de valores** (portfolio management; S. *administración/gestión de carteras de valores*), **administración del riesgo** (risk management), **administración/dirección de empresas** (business economics/administration/management), **administración fiscal** (S. *administración tributaria*), **administración interior** (domestic administration), **administración judicial** (receivership, equitable receivership; S. *suspensión de pagos, quiebra*), **administración local** (local authority, government; S. *corporación local*), **administración por objetivos** (MAN S. *dirección por objetivos*), **administración/gestión participativa/participatoria** (MAN participative management), **administración por cuenta ajena** (trustee administration/management; stewardship), **adminis-**

tración por reacciones (reactive management *US*), **administración por tareas** (task management *US*), **Administración postal** (postal authority), **administración pública** (public/civil administration, civil service; state functionaries collectively), **administración superior** (senior/upper management; senior civil servants), **Administración tributaria** (tax administration; tax authorities; fiscal administration)].

administrador, administradora *n*: administrator,[1] manager; managing director; officer; bursar; trustee; S. *gerente, gestor, director gerente*. [Exp: **administrador concursal** (receiver/trustee in bankruptcy), **administrador de aduanas** (collector of customs), **administrador de correos** (postmaster), **administrador de fincas** (estate manager, land agent; chief steward), **administrador de un fondo de pensiones** (trustee of a pension fund), **administrador fiduciario** (trustee), **administrador judicial de la quiebra** (administrator in bankruptcy; official receiver; liquidator; S. *liquidador, síndico*), **administrador judicial de una herencia o administrador testamentario** (administrator[2]; acting or officially-appointed executor; trustee; guardian; S. *albacea*), **administrador judicial de una quiebra** (COMP LAW official receiver; S. *síndico de una quiebra*), **administrador provisional** (interim receiver), **administrativo** (administrative, managerial; clerk, secretary, office-worker; S. *gerencial, directivo; auxiliar administrativo*)].

administrar *v*: administer, manage; direct; dispatch; S. *disponer, gestionar*. [Exp: **administrar una cartera de valores** (manage/administer a portfolio)].

admisibilidad *n*: admissibility; accep-

tability; eligibility; S. *elegibilidad*. [Exp: **admisible** (acceptable; admissible, eligible; allowable; S. *de calidad suficiente, aceptable, adecuado; permitido, conforme a derecho*), **admisible en trato arancelario preferencial** (eligible for GSP treatment/for prefential treatment)].

admisión[1] *n*: admission; S. *declaración, reconocimiento*. [Exp: **admisión**[2] (admittance, entry; S. *entrada, ingreso*), **admisión**[3] (inscription; S. *inscripción*), **admisión a cotización oficial** (STK EXCH listing/quotation on the Stock Exchange, inscription on the stock-exchange list, going public; S. *admitido a cotización en Bolsa*), **admisión de un valor en Bolsa** (STK EXCH listing; S. *derecho a cotizar en Bolsa*), **admisión por inversión** (admission by investment *US*), **admisión temporal** (temporary admission; admission temporaire *US*; S. *régimen de perfeccionamiento activo*), **admisión temporal, en** (TRANSPT in/under bond; S. *en aduana, en depósito, afianzado*)].

admitir *v*: admit; accept, acknowledge, allow; S. *aceptar, reconocer*. [Exp: **admitir a cotización en Bolsa** (STK EXCH list/quote on the Stock Exchange; S. *cotizar en Bolsa*), **admitir una reclamación** (allow a claim), **admitido a cotización en Bolsa** (STK EXCH listed), **admitir, no** (refuse; rule out; S. *excluir, descartar*)].

adopción *n*: adoption; approval, passing; S. *aceptación; toma de decisiones*. [Exp: **adoptar** (adopt, take; pass; approve, enact; S. *autorizar, aprobar, aceptar*), **adoptar medidas** (adopt/enact measures), **adoptar una resolución** (adopt/approve a measure/decision)].

adosados *a*: FIN back-to-back; S. *sucesivos, seguidos*.

adquirir *v*: buy, buy out, buy up, acquire, purchase; take over; S. *comprar, obtener*.

[Exp: **adquirir en firme** (acquire outright), **adquirir existencias de** (COMER buy in[1]; S. *hacer provisión de, proveerse de*), **adquirir experiencia** (gain experience), **adquirir un sociedad mercantil** (buy/purchase/take over a company), **adquirente** (acquirer; purchaser, buyer; emptor, vendee; S. *adquiridor, comprador*), **adquiridor** (acquirer; S. *comprador, adquirente*)].

adquisición *n*: acquisition; purchase; takeover; buying, buy; S. *compra; oferta pública de adquisición de una empresa, OPA*. [Exp: **adquisición apalancada de una empresa** (FIN leveraged buyout, LBO), **adquisición de una empresa para controlarla** (FIN buyout[1]), **adquisición de una empresa por los empleados de la misma** (FIN employees' buyout; labour buyout), **adquisición de una empresa por otra** (corporate acquisition; S. *fusión por absorción*), **adquisición de una empresa por ejecutivos/directivos ajenos a ella** (management buy-in), **adquisición de una empresa por sus propios directivos/ejecutivos** (MAN management buyout, MBO), **adquisición de una participación mayoritaria** (buyout), **adquisición de valores en plena caída** (STK EXCH buying on the bad news), **adquisición de valores en plena subida** (STK EXCH buying on the good news), **adquisición de valores para cobro de dividendo** (STK EXCH, TXN dividend stripping, dividend rollover plan, trading dividends, dividend capture, bond-washing), **adquisición derivativa** (derivative acquisition), **adquisición furtiva de una mercantil** (creeping takeover, creeping tender offer; S. *absorción gradual o escalonada de las acciones de una empresa*), **adquisición global** (lump sum purchase), **adquisición hegemónica de una empresa por otra**

(absorption; S. *absorción*), **adquisición hostil** (hostile takeover; S. *OPA hostil*), **adquisición paulatina de acciones** (FIN accumulation[5]), **adquisición sobre margen** (purchase on margin, margin buying), **adquisitivo** (buying/purchasing; S. *poder adquisitivo*)].

adscribir *v*: ascribe, appoint, assign; attach. [Exp: **adscribir empleados a nuevos puestos de trabajo** (IND REL redeploy personnel/workforce), **adscripción** (ascription; redeployment), **adscrito a un proyecto** (attached to a project)].

aduana *n*: customs, customs house/office. [Exp: **aduana de destino** (destination customs), **aduana de entrada** (entry customs, place of entry), **aduana de paso** (transit customs), **aduana de salida** (departure customs), **aduana de tránsito** (transit customs), **aduana, en** (TRANSPT in/under bond; held in bond; S. *en depósito, afianzado*), **aduanas** (customs house/office; S. *edificio de aduanas*), **aduanero** (S. *depósito aduanero, formalidades aduaneras, puesto aduanero*)].

aducto *n*: input; S. *entrada, insumo*.

adulteración *n*: adulteration, debasement. [Exp: **adulterar** (adulterate; debase; fake; falsify; S. *viciar, falsificar*)].

adverso *a*: adverse, unfavourable; hostile; difficult; S. *desfavorable, contrario, hostil, opuesto, desafortunado*.

advertencia *n*: advice, warning, notice; caveat; S. *anotación preventiva*. [Exp: **advertir** (warn, advise, give notice)].

AEB *n*: S. *Asociación Española de Banca privada*.

AELC *n*: S. *Asociación Europea de Libre Comercio*.

AENA *n*: S. *Aeropuertos españoles y navegación área*.

aéreo *a*: air. [Exp: **aerobús** (air bus), **aerocarga** (air freight), **aerodeslizador** (hovercraft; S. *hidrodeslizador,* *hovercraft*), **aerolínea** (airline, airway; S. *línea aérea, ruta aérea*), **aeronavegabilidad** (airworthiness; S. navegabilidad), **aeropuerto** (airport), **aeropuerto aduanero** (TRANSPT airport of entry, customs airport), **Aeropuertos Españoles y Navegación Aérea, AENA** (Spanish airports and air traffic authority), **aerotaxi** (air taxi), **aerotransportado** (airborne), **aerotransportar** (airlift; S. *transportar por un puente aéreo*)].

afán *n*: keenness, enthusiasm, desire, eagerness; need, anxiety, anxiousness, motive. [Exp: **afán/ánimo de lucro** (profit motive), **afán/ánimo de lucro, sin** (non-profit-making; charity, charitable)].

afecta a, en lo que *phr*: with reference to.

afectar¹ *v*: affect, involve, concern; fall on; S. *concernir, atañer; interesar; influir.* [Exp: **afectar²** (encumber; charge⁴; S. *gravar, hipotecar*), **afectar/asignar/destinar/apartar/reservar/consignar fondos, cuentas, impuestos, ingresos fiscales, etc. para fines concretos** (earmark funds/accounts/taxes/revenue, etc.), **afectación** (encumbrance; impairment; S. *servidumbre, gravamen, carga, hipoteca, impedimento*), **afectación de bienes** (allocation assets), **afectación de bienes a un proceso** (embargo/seizure/attachment/confiscation of goods; S. *secuestro de géneros*), **afectación de ingresos** (ACCTS allocation/apportionment/dedication of revenues), **afectado¹** (concerned; person concerned, interested party; S. *implicado*), **afectado²** (encumbered)].

afianzar¹ *v*: back, back up, support, uphold, endorse, guarantee, second, stand behind, caution; S. *garantizar, avalar, respaldar.* [Exp: **afianzar²** (reinforce, consolidate, strengthen; clinch; S. *confirmar, afirmar, fijar*), **afianzar³** (bond), **afianzado** (TRANSPT

in/under bond; bonded¹;S. *en aduana, en depósito*), **afianzador** (accommodation maker/party, bondsman; S. *fiador, garante*), **afianzamiento** (bail, guarantee, bail bond; S. *abonamiento, caución*), **afianzamiento encubierto** (BKG accommodation³; S. *préstamo a corto plazo*)].

afiliar-se *v*: affiliate; join; enroll as a member; S. *inscribirse en una asociación.* [Exp: **afiliación** (affiliation, joining; membership; S. *filiación, asociación*), **afiliado** (affiliate; affiliated; member; S. *socio, participada*), **afiliado/miembro de un sindicato** (union member)].

afirmar *v*: state, declare, affirm; certify; claim; S. *declarar, dar fe, asegurar.* [Exp: **afirmación** (statement; assertion; S. *declaración*), **afirmativo** (affirmative; assertory; S. *positivo*)].

afluencia *n*: inflow, influx; inrush; S. *entrada.* [Exp: **afluencia de capitales/divisas** (inflow of capital/foreign currency; S. *inversiones de divisas*), **afluencia de visitantes** (influx of visitors), **afluencia/acumulación de divisas** (inflow/accrual of exchange)].

aforado *a*: S. *persona aforada.*

aforar *v*: estimate, appraise, assess, gauge, evaluate, value. [Exp: **aforador** (gauger; appreciator; S. *tasador*), **aforador/tasador de aduana** (assessor, appraiser, estimator, customs appraiser; S. *vista de aduanas*), **aforo¹** (measurement, calibration; S. *arqueo, cubicación*), **aforo²** (seating capacity), **aforo aduanero** (customs valuation)].

AFRO *n*: S. *activo financiero con retención en origen.*

afrontar *v*: face, address, tackle, deal with; S. *hacer frente a.*

agasajar *v*: entertain,² treat lavishly or with lavish hospitality; S. *festejar.*

agencia¹ *n*: agency; agentship; intermediary; instrumentality; S. *agente;*

medio. [Exp: **agencia**[2] (BKG branch; S. *sucursal*), **agencia**[3] (bureau; S. *negociado, sección, oficina*), **agencia ajustadora de tipos de prima** (rating agency/bureau *US*), **agencia asesora de préstamos** (credit clinic *col*), **agencia calificadora de solvencia financiera** (credit bureau/agency, rating agency), **agencia de aduanas** (customs agents), **agencia de asistencia/servicios** (STK & COMMOD EXCH, COM facilitating agency *US*), **agencia/tienda de Bolsa** (boutique[2]), **agencia de calificación de riesgos o de solvencia financiera** (FIN credit reference agency, credit rating agency, rating agency/bureau), **agencia/casa de cambio** (exchange agency/bureau), **agencia de cobros de morosos o de deudas** (debt collection agency, collection agency), **agencia de colocación** (employment agency, job centre; mancatcher *US*), **agencia de colocación sindical** (hiring hall *US*), **agencia de comunicación** (wire house *US*), **agencia de importación** (COM import agency/handlers, indent house *US*; S. *casa importadora*), **agencia de informes comerciales** (credit-reporting agency *US*), **agencia de la propiedad inmobiliaria** (real estate agency; estate agent), **agencia de los fondos reguladores de materias/mercaderías** (STK & COMMOD EXCH buffer stock agency), **agencia de noticias/prensa** (press/news agency), **agencia de publicidad** (advertising agency), **agencia de publicidad especializada** (ADVT creative shop), **agencia de publicidad interna** (ADVT in-house advertising agency), **agencia de servicios o de asistencia** (STK & COMMOD EXCH facilitating agency), **agencia de servicios completos** (ADVTG full-service agency *US*), **agencia de trabajo temporal** (temp agency),

agencia de transportes marítimos (shipping agency), **agencia de transportes por carretera** (haulage agency; trucking company), **agencia de valores** (brokerage house, stock exchange brokers, stockbrokers, securities brokers; S. *sociedad de valores*), **agencia en exclusiva** (concession[1]; S. *concesión, privilegio*), **Agencia Espacial Europea, AEE** (European Space Agency, ESA), **agencia estatal** (authority[3]; S. *organismo/ente público*), **agencia inmobiliaria** (S. *agencia de la propiedad inmobiliaria*), **Agencia Internacional de la Energía, AIE** (International Energy Agency, IEA), **Agencia Internacional de la Energía Atómica, AIEA** (International Atomic Energy Agency, IAEA), **agencia marítima** (shipping agency), **agencia mercantil** (commercial/mercantile agency), **agencia miembro** (member corporation/firm), **Agencia Nacional de Normalización** (ECO National Bureau of Standards *US*), **Agencia para el Desarrollo Internacional** (Agency for International Development *US*), **agencia/oficina presupuestaria** (budget agency/bureau), **agencia privada de colocación** (temp agency; employment exchange, job centre; private sector employment agency; privately run job centre/jobfinder), **agencia reguladora de los mercados de futuros** (Commodity Futures Trading Commission, CFTC *US*), **Agencia Tributaria** (TAXN tax office, branch of the Inland Revenue; fiscal agency; Internal Revenue Service, IRS *US*; S. *Dirección General de Tributos, Hacienda*), **agencia única o exclusiva** (exclusive agency), **agencia urbana** (BKG city/local branch)].

agenda *n*: diary; commitments; appointment-book; agenda. [Exp: **agenda apretada** (tight or full schedule, busy day or time), **agenda profesional** (organiser, *i.e. type of diary*)].

agente *n*: agent, agt; correspondent; broker; dealer; S. *apoderado, comisionista, consignatario, corredor, corresponsal, distribuidor, factor, gestor, intermediario, mandatario, representante.* [Exp: **agente acreditado** (accredited/official/recognized agent), **agente administrador** (managing agent), **agente auxiliar de Bolsa** (authorized clerk; floor broker; representative,[3] registered representative; customers' broker *US*), **agente bursátil** (stockbroker), **agente/operador bursátil por cuenta propia** (STK EXCH dealer,[2] market-maker; S. *intermediario financiero*), **agente colocador** (STK EXCH placing agent), **agente comercial** (COM travelling salesman, commercial[3]; S. *viajante*), **agente comisionado** (factor), **agente comisionista** (STK & COMMOD EXCH broker, comission agent/merchant; S. *comisionista, intermediario*), **agente consular** (consular agent), **agente contaminante** (pollutant), **agente/corredor de bloques de títulos** (STK EXCH block positioner), **agente de aduanas** (TRANSPT customs agent/broker; clearing/clearance agent), **agente de Cambio y Bolsa** (broker), **agente de comercio** (business agent, mercantile agent, factor), **agente de compras** (purchases/purchasing agent), **agente de emisión de acciones** (issuing broker), **agente de la parte contraria** (STK EXCH contra broker), **agente/corredor de la propiedad inmobiliaria** (real estate agent/broker *US*), **agente de negocios** (COMER middleman; S. *intermediario, mediador, corredor*), **agente de averías** (TRANSPT average agent[2]), **agente/corredor de Bolsa** (stockbroker; broker-dealer; market-maker; S. *agente auxiliar de Bolsa*), **agente/corredor de Bolsa de**

mercaderías (commodity trader; S. *comerciante de materias primas*), **agente de Bolsa no oficial** (street jobber), **agente de cambio** (STK EXCH foreign exchange broker/dealer; exchanger), **agente de cambio y Bolsa** (customer's broker; jobber; registered representative *US*; S. *corredor de Bolsa, intermediario*), **agente de colocaciones** (IND REL labour agent), **agente/corredor de comercio** (exchange broker), **agente de comercio/negocios** (business agent[1]), **agente de compras** (purchasing agent; procurement agent/officer; indent agent *US*), **agente de contratación** (contract broker), **agente de créditos** (credit broker), **agente de dinero** (financial broker), **agente de exportación** (export salesman), **agente de la propiedad inmobiliaria** (estate agent; real estate agent; house agent; realtor *US*; chartered property & casualty underwriter *US*), **agente de letras** (FIN bill broker; S. *intermediario de efectos*), **agente de materias primas en el comercio internacional** (STK & COMMOD EXCH international commodities agent/broker, produce broker), **agente de necesidad** (agent of necessity), **agente de negocios** (STK & COMMOD EXCH broker, business agent; S. *corredor de comercio, comisionista*), **agente de publicidad** (ADVT advertising agent; adman *col*; media buyer; S. *agente publicitario*), **agente de reaseguros** (reinsurance broker), **agente de seguros** (INSCE insurance agent/broker; application agent; underwriter; home service agent, producer *US*; S. *corredor de seguros*), **agente de seguros libre** (INSCE cash agent *US*), **agente de transporte** (forwarding agent), **agente de valores y bolsa** (STK & COMMOD EXCH broker; S. *comisionista, intermediario, corredor de comercio*), **agente de ventas** (selling agent), **agente de viajes** (travel agente), **agente del crédere** (COM del credere/delcredere agent), **agente del Lloyd's** (Lloyd's agent), **agente directo** (agent, direct *US*), **agente económico** (economic factor), **agente emisor** (issuing agent), **agente expedidor** (forwarding agent; S. *agente transitario*), **agente exclusivo** (agent sole; exclusive agent), **agente financiero** (financial agent/broker; S. *agente de dinero*), **agente fletador** (charterer, chartering agent), **agente gestor** (management agent), **agente intermediario** (middleman), **agente intermediario de sí mismo** (broker's broker), **agente/ intermediario de aceptaciones** (acceptance dealer), **agente/corredor intermediario entre armadores y fletadores** (TRANSPT cable broker *col*), **agente libre** (STK & COMMOD EXCH discount broker; S. *corredor/agente de préstamos*), **agente libre de seguros** (insurance broker), **agente mediador** (STK EXCH agent, agt; brokr, dealer,[2] market maker; intermediary; middleman; S. *apoderado, factor, gestor, intermediario financiero*), **agente mediador de comercio** (public business agent), **agente mercantil** (BKG factor,[2] broker; corporate agent *US*), **agente pagador** (paying agent), **agente para el cobro de deudas** (MAN debt-collecting agent, debt collector/factor), **agente publicitario** (publicity agent, advertising agent, adman *col*; S. *agente de publicidad*), **agente receptor** (TRANSPT break bulk agent; S. *reexpedidor*), **agente teatral adelantado** (ADVTG advance man *US*), **agente transitario** (forwarding agent; freight forwarder *US*; S. *agente expedidor; expedidor de carga*), **agentes económicos** (economic agents), **agentes sociales** (management and union/ workers' representatives)].

agio *n*: agio, jobbery; S. agiotaje. [Exp: **agio del cambio** (extra charge/premium), **agiotador/agiotista** (jobber; speculator, gambler; S. *especulador; jugador*), **agiotaje** (agiotage; speculation; jobbing, jobbery; S. *especulación en Bolsa*)].

agitación *n*: agitation; froth, flap[2]; S. *nerviosismo; turbulencia*. [Exp: **agitación de los mercados** (market turbulence/nervousness/unrest), **agitar** (agitate; stir up; churn[1]; cause nervousness/unrest in)].

agotar *v*: exhaust, deplete, use up, run down; drain; peter out. [Exp: **agotar los fondos** (exhaust funds, run out of cash), **agotable** (diminishing, depletable; S. *gastable, decreciente*), **agotado** (out of stock, exhausted, used up; sold out; *US*; S. *sin existencias*), **agotamiento** (exhaustion, depletion), **agotamiento de existencias** (ACCTS exhaustion of stocks; sellout[1]), **agotamiento de recursos** (depletion, exhaustion of supplies/ resources), **agotamiento interno** (BKG internal drain), **agotamiento por interés compuesto** (compound interest depletion)].

agrario *a*: agricultural, rural, agrarian; S. *agrícola, rural*. [Exp: **agrarismo** (agrarianism)].

agraviar *v*: offend, insult; wrong; S. *ofender*. [Exp: **agravio** (LAW damage, injury; wrong, grievance; S. *daño, quebranto, perjuicio*), **agravio comparativo** (unequal treatment, grievance arising from unfair advantage or privilege; unequal conditions or pay, etc.)].

agregar *v*: incorporate, add, attach[1]; S. *pegar, adscribir*. [Exp: **agregación** (addition; aggregation; S. *producto agregado o añadido, suma, adición*), **agregación de capital** (stock split-down *US*), **agregado**[1] (aggregate), **agregado**[2] (attaché), **agregado comercial** (commercial attaché), **agregados monetarios** (FIN monetary aggregates), **agregados económicos** (economic aggregates)].

agresión *n*: aggresion, assault, attack; S. *incursión, ataque*. [Exp: **agresividad comercial** (hands-on approach; S. *dinamismo, actitud emprendedora*), **agresivo** (aggressive; pushy; forceful, enterprising, outgoing, dynamic; S. *emprendedor, activo, dinámico; avasallador*)].

agrícola *a*: agricultural; S. *rural, agrario*. [Exp: **agricultor** (farmer; S. *labrador, campesino*), **agricultura** (agriculture; farming; S. *labranza, cultivo*), **agricultura de grupo** (group agriculture), **agrimensor** (land surveyor), **agro** (agricultural sector), **agroindustria** (agribusiness; S. *explotación agrícola*), **agronomía** (agronomy), **agropecuario** (agricultural; farming; agricultural and livestock/stockbreeding), **agroquímica** (agrichemistry)].

agrupación *n*: association, assoc; group; pool, pooling, grouping; S. *asociación, grupo*. [Exp: **agrupación de acciones** (joined shares), **agrupación de intereses** (ACCTS pooling of interests; S. *consolidación de intereses*), **agrupación de seguros** (insurance pool/group, insurance trust *US*), **agrupación de tierras** (collective farming, sharing of farmland, plottage *US*), **agrupación de trabajos** (job pool/cluster), **agrupación documental de seguros** (insurance trust; S. *fideicomiso de seguro*), **agrupación sectorial** (trade association), **agrupación temporal** (COMP LAW temporary association, joint venture; S. *empresa en común, empresa de alto riesgo compartido*), **agrupador**[1] (TRANSPT groupage agent, transport intermediary), **agrupador**[2] (COM consolidator; S. *consolidador*), **agrupamiento**[1] (pooling; grouping *US*; S. *consolidación*),

agrupamiento[2] (TRANSPT groupage; grouping *US*; S. *grupaje*), **agrupamiento de acciones** (STK EXCH bunching), **agrupar-se** (group, batch, bracket together; pool, pool together; join forces), **agrupar mercancías** (consolidate goods)].

agua *n*: water. [Exp: **aguas abajo** (ECO downstream[2] *US*), **agua corriente** (piped/running water), **agua mineral** (bottled water), **aguas jurisdiccionales/territoriales** (home waters; territorial waters), **aguas residuales** (sewage)].

agudizar-se *v*: intensify, deepen, heighten; worsen, grow more acute/intense; become heightened; escalate; S. *intensificar-se*.

aguinaldo *n*: annual bonus, Christmas bonus; generally in the form of one month's extra salary at the basic rate.

agujero *n*: hole, shortfall, gap[1]; S. *diferencia, discontinuidad; brecha, separación; vacío, espacio, hueco*. [Exp: **agujero/hueco «común» en un gráfico de barras** (STK EXCH common gap), **agujero/hueco de «agotamiento» en un gráfico de barras** (STK EXCH exhaustion gap), **agujero de «continuación» en un gráfico de barras** (STK EXCH runaway gap), **agujero/hueco de «ruptura» en un gráfico de barras** (STK EXCH breakaway gap), **agujero patrimonial** (shortfall in funds; deficit, discrepancy, hole)].

ahogar *v*: choke, drown, stifle; overwhelm, cut out, freeze out; stymie *col*; S. *importunar, obstaculizar*. [Exp: **ahogar/eliminar a un competidor** (freeze out a competitor *col*; S. *pisar toda la clientela a un competidor*)].

ahorrar *v*: save; save up; set aside; put money aside, put by. [Exp: **ahorrativo** (canny; thrifty; stingy *col*; penny-pinching *col*; S. *módico, de bajo consumo, económico; tacaño, agarrado*, *avaro*), **ahorro-s** (economies; saving/s; S. *economía*), **ahorro bruto** (gross savings), **ahorro de capital social** (COMP LAW pyramiding; S. *piramidación*), **ahorro de energía** (energy conservation), **ahorro de impuestos sobre los dividendos** (bail out³), **ahorro familiar** (household/domestic saving), **ahorro fiscalmente opaco** (tax-sheltered savings), **ahorro forzoso** (forced saving), **ahorro gubernamental** (government saving), **ahorro interno** (domestic savings), **ahorro personal** (personal saving), **ahorro sin libreta** (BKG no-passbook savings), **ahorro y la inversión, teoría del** (savings and investment theory), **ahorros líquidos** (cash/fluid savings)].

ahuyentatiburones *n*: FIN shark repellent; S. *repelente contra tiburones*.

AIAF *n*: S. *Asociación de Intermediarios de Activos Financieros*.

AIDA *n*: ADVTG, MERC acrónimo inglés correspondiente a las palabras inglesas *action, interest, desire, action*; en mercadotecnia todo mensaje debe suscitar una acción, que mantenga el interés, despierte el deseo y, finalmente, provoque la acción, que es la compra.

AIPB *n*: S. *Acuerdos Internacionales de Productos Básicos*.

aislar *v*: isolate, cut off,³ boycott; S. *bloquear; boicotear*. [Exp: **aislado** (isolated; cut off, remote; occasional; S. *ocasional, esporádico*), **aislamiento** (isolation)].

ajeno *a*: alien, foreign; borrowed; from outside, external; other people's, belonging to someone else; for which one is not responsible, beyond one's control; having no business with sb or sth; S. *prohibido el paso a toda persona ajena a la institución*. [Exp: **ajeno a nuestra voluntad** (beyond our control, over which we have no control)].

ajustable *a*: adjustable; S. *graduable, variable, revisable, regulable*. [Exp: **ajustable/actualizable a un índice** (FIN index-linked/tied; S. *indexado/indiciado*), **ajustado** (adjusted; balanced; tight; narrow; S. *equilibrado, compensado, proporcionado*), **ajustado a derecho** (according to law, lawful, legal, good in law, in compliance/keeping with the law), **ajustado a un precio o índice** (indexed; S. *indexado/indiciado*), **ajustado al coste de la vida** (index-linked), **no ajustado** (unadjusted), **ajustado según edad** (age-adjusted), **ajustado según temporada** (seasonally adjusted), **ajustador** (INSCE adjuster, adjustor; S. *componedor, asesor*), **ajustador/liquidador de reclamaciones** (INSCE claims adjuster/assessor/representative; S. *tasador*)].

ajustar¹ *v*: adjust, accommodate; reconcile, regulate; bring into line, adapt; tailor; trim, peg; tune-up; S. *adaptar, acomodar*. [Exp: **ajustar²** (settle, agree, fix; S. *negociar, pactar*), **ajustar al precio del mercado** (ACCTS restate, revaluate; S. *ajuste a precio de mercado*), **ajustar cuentas¹** (settle, settle up, settle accounts; settle a score), **ajustar cuentas²** (IND REL pay off²; S. *pagar y despedir*), **ajustar la valoración de los títulos** (STK & COMMOD EXCH mark to the market), **ajustar las cuentas o las diferencias** (even up; even out; S. *igualar, compensar*), **ajustar por arbitraje o por vía arbitral** (settle by arbitration), **ajustarse a** (conform to, be in line/keeping with, meet, fit; S. *cuadrar con, acoplarse*)].

ajuste¹ *n*: adjustment,¹ adjustment of the difference, composition, agreement/settlement, accommodation, settling, reconcilement, reconciliation²; tuning; peg; S. *puesta a punto; acuerdo, arreglo, transacción*. [Exp: **ajuste²** (STK EXCH haircut; S. *recorte*), **ajuste a valor de mercado** (STK & COMMOD EXCH mark to the market; S. *liquidación diaria de pérdidas y ganancias*), **ajuste automático de salarios** (automatic wage adjustment; S. *escala móvil de salarios*), **ajuste bilateral** (bilateral agreement, mutual concessions; half-way house *col*), **ajuste cambiario** (exchange rate adjustment; currency adjustment), **ajuste/reajuste de cartera** (portfolio adjustment), **ajuste de conversion** (adjustment on conversion), **ajuste de flujos de caja** (STK & COMMOD EXCH cash flow matching), **ajuste de inventario** (inventory adjustment; inventory valuation adjustment *US*), **ajuste de la paridad** (FIN crawling peg), **ajuste de pérdidas** (loss adjustment; S. *tasación de pérdidas*), **ajuste de precios** (price adjustment), **ajuste de primas** (INSCE retrospective rating), **ajuste de la paridad** (crawling peg; S. *tipo de cambio deslizante*), **ajuste de la valoración catastral** (equalization of assessment), **ajuste de plantilla** (staff shake-up/reorganization; redeployment of staff; staff cuts, redundancy programme), **ajuste de valoración del inventario o de las existencias** (ACCTS inventory valuation adjustment), **ajuste empresarial** (MAN, IND REL management redeployment/reshuffle; adjustment/fine-tuning/streamlining of business methods; overhaul of management or business arrangements; S. *reajuste, reorganización*), **ajuste estacional** (seasonal adjustment), **ajuste excesivo** (over-adjustment), **ajuste financiero** (financial settlement), **ajuste fino** (fine tuning), **ajuste fiscal en frontera** (TAXN border tax adjustment), **ajuste gradual de los tipos de cambio** (STK EXCH crawling peg), **ajuste impositivo** (TAXN tax adjustment), **ajuste lineal** (linear adjustment), **ajuste parcial de la reclamación** (part-settlement of claim), **ajuste por cierre de ejercicio** (ACCTS year-end adjustment), **ajuste promocional** (promotional fit *US*), **ajuste salarial** (wage settlement/adjustment; cost of living adjustment), **ajuste salarial automático** (automatic wage adjustment), **ajustes después del período de cierre** (ACCTS off-period adjustments), **ajustes intermedios en los seguros de crédito** (ACCTS, INSCE interim adjustment), **ajustes por periodificación** (ACCTS deferred income, accruals payable; pre-paid expenses; end-of-period adjustment; S. *ingresos aplazados, acumulaciones pendientes de pago*), **ajustes referenciados a un índice** (index-linked adjustments), **ajustes para el consumo de capital** (capital consumption allowances), **ajustes por riesgos en la evaluación de la gestión de carteras de valores** (FIN risk adjustment), **ajustes sobre el período previo** (ACCTS prior period adjustments)].

alargar *v*: extend,[1] prolong; spin out *col*; expand, lengthen; S. *extender, ampliar*. [Exp: **alargar un plazo**[2] (extend a deadline/time limit, grant an extension of a deadline; S. *extender*)].

albarán *n*: delivery note/order, order note *US*; check list; S. *nota de entrega*. [Exp: **albarán al portador** (order bill of lading), **albarán de compra** (write-up *US*), **albarán de entrada** (COM receiving order), **albarán de transferencia entre almacenes** (interstore transfer form)].

alcance *n*: extent,[1] scope, reach, range; S. *amplitud, extensión*. [Exp: **alcance de alguien, estar al** (be within sb's reach/range, be afforadable, suit sb's pocket *col*, be within sb's ballpark *US col*; S. *estar dentro de posibilidades de alguien*), **alcanzar** (reach, achieve; S. *conseguir, obtener*), **alcanzar el objetivo**

(reach the goal, achieve one's aim), .
alcanzar el objetivo/blanco, no (fall
short of the mark/target; S. *quedarse
corto*), **alcanzar el punto de ebullición**
(reach boiling point, boil up/over),
alcanzar el punto más bajo (ECO hit
rock bottom; bottom out; S. *tocar fondo*),
alcanzar un acuerdo (reach/conclude/
come to an agreement/settlement, come
to a composition; S. *llegar a un acuerdo*), **alcanzar un promedio de**
(average,[3] average out at; S. *salir por
término medio en*)].

alcista *a/n*: bullish, upward; rising; bull; S.
especulador de acciones al alza; en alza.

aleatorio *a*: aleatory; random; at random; S.
al azar, fortuito. [Exp: **aleatorización**
(randomization), **aleatorizar** (randomize)].

alegar *v*: IND REL, INSCE claim, allege,
argue; S. *afirmar.* [Exp: **alegaciones**
(arguments; S. *descargos*), **alegato**
(argument[2]; S. *argumento*)].

alentar *v*: encourage, spur on, boost[1]; S.
animar, estimular, fomentar.

aletargar-se *v*: make sluggish, be
sluggish/slow. [Exp: **aletargado** (slug-
glish, slow, lethargic), **aletargamiento
del mercado** (market sluggishness/
depression/lethargy, lifelessness of the
market; S. *atonía del mercado*)].

alfa *n*: alpha. [Exp: **alfanumérico**
(alphanumeric)].

álgebra booleana *n*: Boolean algebra.

algoritmo *n*: algorithm.

alharacas *n*: ADVTG hype, ballyhoo, song
and dance *col*; fuss; S. *publicidad
exagerada o ruidosa.*

alianza *n*: league; S. *confederación, unión.*
[Exp: **aliarse** (league together, form an
alliance, ally oneself; S. *unirse,
confederarse*)].

aliciente *n*: ADVTG inducement, incitement,
incentive; S. *estímulo, incentivo.*

alijar *v*: unload, offload; smuggle ashore,
land smuggled goods. [Exp: **alijo**

(smuggled goods, contraband; cache,
consignment; S. *contrabando*)].

alimentación *n*: food; feeding, supply; S.
comida, alimento. [Exp: **alimentador**
(feeder[1]), **alimentar** (feed; nourish;
support, maintain, fuel), **alimenticio**
(nutritious, nutritive, nutritional),
alimento (food, feed)].

alinear *v*: align, line up; set in line, bring
into line, range[4]. [Exp: **alineación**
(alignment; S. *aproximación*)].

aliviar *v*: ease[1]; relieve; relax; S. *mitigar,
moderar.* [Exp: **alivio** (relief, comfort,
mitigation, reassurance; ease[1]; S.
tranquilidad), **alivio de la deuda** (FIN
debt relief; S. *quita*)].

allegar recursos/fondos *n*: raise[3] cash/
funds/money; S. *obtener/conseguir/
reunir/recoger/procurar/arbitrar recur-
sos/fondos.*

almacén *n*: store, warehouse, depot,
entrepôt; storeroom; stock; stockroom;
wholesale house; S. *depósito en puerto
franco.* [Exp: **almacén aduanero**
(bonded/customs warehouse; S. *bodega
fiscal, almacén de depósito o afianzado*),
**almacén afianzado para todos los
importadores** (public bonded warehouse), **almacén central** (main
warehouse/store, depot, dep; S. *cochera,
bodega, depósito para distribución*),
almacén convencional (conventional
warehousing *US*), **almacén de depósito
o afianzado** (TRANSPT bonded
warehouse; S. *bodega fiscal, depósito
aduanero*), **almacén de depósitos o
custodia** (BKG depository; S.
depositaría), **almacén de materias
primas** (commodity storage/warehouse/
point), **almacén de mercancías** (goods
depôt), **almacén de precios únicos**
(fixed price shop/store), **almacén de
productos a granel** (bulk warehouse/
store *US*), **almacén de saldos** (bargain
store *US*), **almacén, en** (in store, in

stock), **almacén frigorífico** (cold store), **almacén general de depósito** (TRANSPT bonded warehouse), **almacén popular** (discount store), **almacenaje, almacenamiento** (storage, warehousing, stockage, stowage,), **almacenaje dinámico** (dynamic storage), **almacenaje en bloque** (block storage), **almacenaje en estanterías** (shelf storage), **almacenaje libre** (storage), **almacenamiento de acceso secuencial** (sequential access storage), **almacenamiento de mercancías** (bonding), **almacenamiento de trabajo** (working storage *US*), **almacenamiento en horizontal** (horizontal storage; roll-on, roll-off storage; S. *buque «roll-on roll-off»*), **almacenamiento en paralelo** (parallel storage), **almacenamiento en reserva** (backup storage), **almacenamiento externo** (external storage *US*), **almacenamiento magnético** (magnetic storage *US*), **almacenamiento masivo** (mass storage), **almacenamiento vertical en paletas** (pallet/platform storage; lift on, lift off; lo-lo), **almacenamiento y entrega** (landing, storage and delivery, LSD; S. *descarga*)].

almacenar *v*: store, warehouse, stock, stow, lay in a stock, put into stocks, lay up[2]; S. *guardar, hacer acopio de*. [Exp: **almacenista** (warehouse-/store-owner; storeman, warehouseman; depositary)].

almoneda *n*: auction sale; S. *venta en pública subasta, remate*.

ALP, ALPES *n*: S. *activos líquidos del público*.

alquilar *v*: let, rent, rent out, hire; S. *tomar en arrendamiento*. [Exp: **alquiler** (rent, hire, lease; rental; leased fee interest *US*), **alquiler compra** (lease, leasing; S. *alquiler venta*), **alquiler de coches** (car leasing), **alquiler de oficinas con fines comerciales** (business tenancy, leasing of business premises), **alquiler de un**

medio de transporte (charter[2]; S. *fletar un medio de transporte, fletamento*), **alquiler de un terreno** (ground rent), **alquiler exa-gerado** (rack rent), **alquiler financiero** (FIN finance lease), **alquiler lineal** (flat lease *US*; S. *arrendamiento directo*), **alquiler neto** (net lease), **alquiler nominal** (peppercorn rent), **alquiler por un período fijo o determinado** (fixed-term lease or tenancy), **alquiler reembolsable** (redeemable rent *US*), **alquiler trimestral** (quarter's rent), **alquiler-venta** (lease-back; S. *alquiler-compra*)].

alta *n*: registration, membership enrolment; discharge; certificate of fitness for work; S. *baja; dar de/el alta; darse de alta*.

alterar *v*: alter, upset; change. [Exp: **alteración** (alteration; S. *cambio, modificación*), **alteración falaz de balance** (ACCTS falsification of accounts; window dressing, cooking the books *col*; S. *manipulación de la contabilidad*)].

alternancia *n*: alternation, rotation. [Exp: **alternancia de cultivos** (crop rotation), **alternativa** (alternative,[2] option,[1] choice; S. *opción, salida*), **alternativo** (alternative[1]; S. *sustituto*)].

alto *n/a*: stop; high, tall, top; S. *parada; superior, elevado*. [Exp: **alta calidad, [de]** (top quality; FIN AAA; premium quality), **alta categoría, de** (high-/senior-/top-ranking), **alta cotización, de** (high-priced), **alta dirección** (top management), **alta mar** (open seas), **alta mar, de** (off-shore[1]; S. *frente a la costa, marino, submarino*), **alta mar, en** (on the high seas), **alta presión** (high-pressure), **alta rentabilidad, de** (FIN aaa; AAA; S. *solidez o fiabilidad, triple «a»*), **altamente cualificado** (highly qualified; S. *de gran preparación*), **altas esferas, las** (the upper echelon; S. *la cúpula*),

altas finanzas (high finance), **altibajos** (ups and downs, fluctuation-s; S. *oscilación, fluctuación, variación*), **alto cargo** (executive, high/senior/top office/official), **alto coeficiente de capital, con** (capital-intensive), **alto directivo/ejecutivo** (top[-flight] manager, senior level staff), **alto funcionario** (senior/top official/civil servant; executive; S. *directivo, alto cargo*), **alto nivel o rango, de** (high-/top-level), **altura de, a la** (off; S. *frente a la costa*), **altura, estar a la** (be on a level with, come up to standard/scratch/the mark *col*; S. *dar la talla*)].

alza *n*: rise, increase, upswing, hike, advance,³ boom, boost, appreciation²; S. *subida, aumento, elevación; alcista*. [Exp: **alza, al** (rising), **alza artificial/ficticia de precio** (STK EXCH ballooning; price rigging; S. *manipulación*), **alza coyuntural** (boom), **alza de costes** (rise/increase in costs), **alza de cotizaciones** (price rise; S. *subida de precios*), **alza de la demanda** (upswing/boom in demand), **alza de precios** (increase/advance/rise in prices; price appreciation), **alza en los tipos de interés** (interest rate increase), **alza extraordinaria** (spurt, boom, leap), **alza/subida fuerte y repentina en los tipos de interés** (sharp hike/spike in interest rates; spurt in interest rates, pinch), **alza por efecto de trinquete** (ratcheting- up)].

alzar *v*: raise, lift; push/drive up; S. *elevar, levantar, subir*. [Exp: **alzar el mercado** (STK EXCH bully the market *US*)].

amalgamar *v*: amalgamate; S. *fusión, absorción*.

amañar *v*: fiddle; rig, fix, doctor, fudge *col*; S. *hacer chanchullos, engañar, falsificar*. [Exp: **amañar las cifras oficiales de contabilidad** (ACCTS cook the books; massage the numbers, S. *manipular/alte-rar/maquillar/falsificar los libros de contabilidad*)].

amarrar¹ *v*: tie up, fasten; secure, make sure of, sew up *col*. [Exp: **amarrar²** (TRANSPT lay up³; berth¹; moor, lash; S. *atracar*), **amarrar un contrato** *col* (secure/sew up a contract/deal), **amarradero** (berth¹; S. *puerto de atraque, atracadero*), **amarraje** (dockage; S. *derechos de atraque, gastos de muelle*)].

ambiente *n*: atmosphere; environment; climate; S. *tendencia; situación; calentamiento del ambiente*. [Exp: **ambiente alcista/bajista** (STK EXCH bullishness/bearishness; S. *optimismo; pesimismo*), **ambiente inflacionario** (inflationary climate), **ambiente enrarecido en la Bolsa** (market tension, atmosphere of strain in the Stock Market), **ambiental** (environmental; S. *medioambiental*), **ambientalista** (environmentalist; S. *ecologista, experto en medio ambiente*)].

ámbito *n*: area, field, sphere; framework; range, scope, ambit; S. *marco, sistema*. [Exp: **ámbito o alcance de aplicación de una disposición** (scope of a provision), **ámbito de influencia** (sphere of influence), **ámbito de un informe** (terms of reference² of a report), **ámbito nacional, de** (nationwide; S. *a escala nacional*)].

ambigüedad *n*: ambiguity. [Exp: **ambigüedad latente** (latent ambiguity), **ambigüedad manifiesta** (patent ambiguity)].

ambos-as inclusive *phr*: both dates included, bdi).

ambulante *a*: itinerant, mobile, travelling, walking; street; S. *itinerante, vendedor*.

AME *n*: S. *Acuerdo Monetario Europeo*.

amigo *n*: friend. [Exp: **amigable** (friendly; S. *favorable*), **amigable componedor** (arbitrator; umpire, thirdsman; S. *árbitro, compromisario, hombre bueno*), **ami-**

guismo (string-pulling, old-school tie, jobs-for-the boys, friends at court *col*; logrolling *US col*; S. *favoritismo, sistema de favores mutuos, enchufismo*), **amistoso** (amicable)].

amillaramiento *n*: tax/rates assessment; S. *valoración*. [Exp: **amillarar** (assess for taxes/rates)].

aminorar *v*: diminish; reduce, abate; S. *reducir*. [Exp: **aminorar la marcha** (ECO decelerate smoothly; change/come down a gear; S. *suavizar el ritmo*)].

amnistía fiscal *n*: amnesty for tax dodgers, tax evasion amnesty *US*. [Exp: **amnistiar** (grant amnesty)].

amonestación *n*: warning; S. *notificación, advertencia, aviso*. [Exp: **amonestación por escrito a un trabajador** (IND REL written warning), **amonestar** (warn; V. *advertir, avisar*)].

amontonar-se *v*: pile, pile up, heap, heap up; stack; accumulate; S. *apilar*.

amortiguar *v*: damp, damp down; dampen; absorb; tone down; neutralize; S. *reducir, enfriar*. [Exp: **amortiguador** (cushion; buffer; S. *parachoques, paragolpes*), **amortiguamiento** (damping; softening, cushioning effect, neutralization)].

amortización[1] *n*: ACCTS depreciation,[2] amortization, redemption, refunding, repayment, reimbursement, charge-off, write-off; S. *reembolso; desgaste, depreciación*. [Exp: **amortización**[2] (FIN redemption), **amortizable**[1] (ACCTS depreciable), **amortizable**[2] (FIN redeemable; callable; S. *redimible*), **amortización acelerada**[1] (ACCTS accelerated depreciation/amortization), **amortización acelerada**[2] (FIN call), **amortización acelerada por saldo declinante doble** (ACCTS double declining balance depreciation), **amortización acumulada** (accrued depreciation), **amortización acumulada del valor de un activo** (accumulated depreciation; S. *fondo de amortización*), **amortización antes del vencimiento** (redemption before/prior to maturity), **amortización anticipada** (early repayment/redemption/surrender; S. *penalización por amortización anticipada*), **amortización compensatoria** (ACCTS compensating depreciation), **amortización constante de empréstito** (straight-line interest repayment *US*), **amortización creciente** (depreciation of increasing values; increasing charge depreciation *US*; S. *amortización de un préstamo con términos crecientes/decrecientes*), **amortización de activos** (asset depreciation), **amortización de activos fallidos para sanear** (ACCTS write-off of bad debts or nonperforming assets; S. *activos a sanear*), **amortización de bonos/obligaciones** (redemption of bonds), **amortización de capital** (capital consumption), **amortización de deuda pendiente** (retirement of outstanding debt), **amortización de fallidos** (STK & COMMOD EXCH writing-off of bad debts or nonperforming loans), **amortización de inmovilizado** (depreciation of fixed assets), **amortización de interés efectivo** (effective-interest amortization *US*), **amortización de la deuda pública** (redemption/repayment of national debt), **amortización de principal** (repayment of principal; debt service), **amortización de puestos de trabajo** (IND REL pruning of/cutting back on jobs, running down of staff, allowing jobs to wither on the vine; natural wastage; S. *reducción de la plantilla con bajas incentivadas o por jubilación*), **amortización de un préstamo/empréstito** (amortization/repayment of a loan), **amortización de una deuda** (repayment/redemption/amortization of a debt; S. *extinción de una deuda*), **amortización de una**

hipoteca (mortgage repayment), **amortización del pasivo** (FIN debt amortization; writing-off of a debt), **amortización decreciente** (depreciation of decreasing values; decreasing charge depreciation *US*; S. *amortización de un préstamo con términos crecientes/decrecientes*), **amortización en cuotas iguales** (level-line repayment), **amortización fija** (fixed depreciation), **amortización fiscal** (TAXN capital allowances; writing-down allowance/s; S. *deducciones de capital*), **amortización libre** (ACCTS depreciation at choice, free depreciation), **amortización lineal** (straight-line depreciation), **amortización media anual** (average annual depreciation), **amortización permitida** (allowable depreciation), **amortización por anualidades** (ACCTS annual depreciation), **amortización por suma de dígitos de los años** (ACCTS sum-of-the-years digit depreciation), **amortización porcentual** (declining balance depreciation), **amortización progresiva** (FIN balloon payment)].

amortizar[1] *v*: ACCTS, BKG amortize; depreciate; charge off,[1] write off; sink[2]; S. *dar de baja en libros; recalificar como incobrable; depreciar.* [Exp: **amortizar**[2] (redeem, refund, pay off, repay), **amortizar bonos** (retire/redeem bonds; call away bonds), **amortizar parcialmente** (ACCTS write down; S. *rebajar el valor en libros*), **amortizar partidas contables** (ACCTS write down/charge off/depeciate items or balance-sheet items), **amortizar puestos de trabajo** (cut back on jobs, prune jobs, run down staff, allow jobs to wither on the vine; S. *despedir, expediente de regulación de empleo*), **amortizar totalmente** (ACCTS write off; S. *dar de baja en libros*), **amortizar un empréstito** (sink a loan), **amortizar un préstamo** (redeem/repay a loan) **amortizar una deuda** (sink/repay/pay off a debt), **amortizar una hipoteca** (redeem/pay off[1] a mortgage)].

amparar *v*: cover, shelter, protect; S. *tutelar, proteger.* [Exp: **amparo** (cover, shelter, protection; relief[3]), **amparo fiscal** (tax shield/shelter)].

ampliable *a*: open-ended; extendible; permitting development or broadening, etc.; with scope for growth, etc.

ampliación *n*: enlargement, increase, development, extension, expansion, widening; S. *crecimiento; expansión, extensión.* [Exp: **ampliación a la par** (STK EXCH increase at par), **ampliación blanca** (STK EXCH free stock increase), **ampliación de capital** (capital increase/widening; rights issue; S. *capitalización*), **ampliación de capital social** (increase of share capital), **ampliación de cobertura** (INSCE additional/extended coverage, increase in cover), **ampliación de crédito** (extended credit), **ampliación de inversiones en activos fijos** (increase in capital expenditure), **ampliación del plazo** (extension[1] of time limit/deadline; extension of repayment schedule; S. *prórroga*), **ampliación de un edificio** (extension[1])].

ampliar *v*: enlarge, increase, expand, amplify, widen, branch out, extend[1]; prolong; S. *aumentar, extender; prolongar, prorrogar.* [Exp: **ampliar el plazo** (extend the deadline/time limit; S. *dar prórroga*), **ampliar la información sobre algo** (elaborate on sth; S. *extenderse en consideraciones sobre algo*), **ampliar los poderes** (increase/extend powers), **ampliar las actividades empresariales** (branch out; diversify; S. *expandir, diversificar*)].

amplio *a*: broad, wide, wide-ranging, far-reaching, comprehensive; omnibus; S. *ancho, extenso; general.* [Exp: **amplios poderes, con** (at large)].

amplitud *n*: range,[2] spread, scope, breadth; spread; S. *extensión.* [Exp: **amplitud de miras** (breadth of vision; broadmindedness), **amplitud de la marea** (TRANSPT range of tide), **amplitud del mercado** (STK & COMMOD EXCH easiness of the market; market amplitude/breadth; S. *liquidez de un mercado, volumen negociado*), **amplitud del rango de cotización** (STK & COMMOD EXCH day's spread)].

análisis *n*: analysis; study, appraisal, examination; review; bill of particulars; S. *desglose.* [Exp: **análisis administrativo** (administrative analysis), **análisis competitivo** (ECO competitive analysis), **análisis conjunto** (MERC joint analysis), **análisis coste-beneficio** (ECO, ACCTS cost-benefit analysis, CBA), **análisis DAFO** (SWOT analysis; the acronyim DAFO is formed with the initials of «debilidades, amenazas, fortalezas, oportunidades»), **análisis de contenidos** (content analysis), **análisis de corte transversal** (cross-section analysis; S. *análisis de datos transversales*), **análisis de coste-beneficio** (cost-benefit analysis, CBA), **análisis de coste mínimo** (least cost analysis), **análisis de costes** (cost analysis), **análisis de coyuntura** (economic prospects analysis), **análisis de cuentas** (FIN accounts analysis; S. *análisis del coste y beneficio de una cuenta corrientes*), **análisis de cuentas por antigüedad** (ACCTS age analysis of accounts, aging), **análisis de datos transversales** (ECO cross-section analysis), **análisis de descomposición de los estados contables** (ACCTS decomposition analysis), **análisis de desviaciones** (variance analysis), **análisis de entradas y salidas** (input-output analysis; S. *análisis «input-output»*), **análisis de equilibrio lineal** (ECO linear breakeven analysis), **análisis de equilibrio general** (general equilibrium analysis *US*), **análisis de duración** (duration analysis), **análisis de factores** (factor analysis; S. *análisis factorial*), **análisis de flujos monetarios** (money-flow analysis), **análisis de funcionamiento** (FIN going concern analysis), **análisis de gestión** (management study), **análisis de indiferencia** (ECO indifference analysis), **análisis de inventarios** (stock analysis), **análisis de inversión-ahorro** (ECO IS-LM analysis; S. *análisis IS-LM*), **análisis de inversiones** (FIN capital budgeting, investment appraisal), **análisis de la estructura del mercado** (market structure analysis), **análisis de la capacidad limitante** (bottleneck analysis), **análisis de la política económica** (policy analysis), **análisis de la cartera de negocios** (FIN business portfolio analysis), **análisis de las «lagunas» del mercado** (gap analysis), **análisis de liquidación** (FIN liquidation analysis; S. *análisis del riesgo crediticio*), **análisis de los trabajos** (job analysis), **análisis de medios de comunicación** (media analysis *US*), **análisis de mercado** (market analysis; S. *análisis de la estructura del mercado*), **análisis de operaciones** (operational analysis *US*), **análisis de proceso** (process analysis), **análisis de puestos de trabajo** (job analysis), **análisis de ratios de una empresa** (FIN ratio analysis), **análisis de rango reescalado** (rescaled range analysis), **análisis de redes** (ECO network analysis; S. *método del camino crítico*), **análisis de regresión** (regression analysis), **análisis de regresión múltiple** (multiple regression analysis), **análisis de sección cruzada** (cross-section analysis; S. *análisis de corte transversal*), **análisis de**

series cronológicas (time series analysis/decomposition), **análisis de sensibilidad** (sensitivity analysis), **análisis de sistemas** (systems analysis), **análisis de situación** (appraisal of the situation, situational analysis), **análisis de valor** (value analysis), **análisis de varianza** (analysis of variance), **análisis de ventas** (sales analysis), **análisis del artículo** (item analysis), **análisis/método del camino crítico** (critical-path analysis), **análisis del caso** (case analysis), **análisis del coste de distribución** (distribution cost analysis), **análisis del coste de venta** (marketing cost analysis), **análisis del coste y beneficio de una cuenta corriente** (BANCA account profitability study/ analysis; account analysis; S. *análisis de cuentas*), **análisis/gestión del déficit** (ACCTS gap analysis,[2] shortfall analysis), **análisis del equilibrio general** (ECO general equilibrium analysis), **análisis del equilibrio parcial** (ECO partial equilibrium analysis), **análisis del mercado de trabajo** (labor market analysis *US*), **análisis del punto crítico o de equilibrio** (ECO break-even analysis), **análisis del riesgo crediticio** (FIN liquidation analysis; S. *análisis de liquidación*), **análisis del surtido** (product range analysis), **análisis del valor** (value analysis), **análisis en racimo o multivariante** (ECO cluster analysis), **análisis estático** (static analysis), **análisis factorial** (factorial analysis; S. *análisis de factores*), **análisis financiero** (financial analysis), **análisis financiero por funciones** (functional finance analysis), **análisis fundamental** (fundamental analysis), **análisis input-output** (input-output analysis; S. *análisis de entradas y salidas, análisis insumo-producto*), **análisis insumo-producto** (input-output analysis), **análisis de interactivos** (interaction analysis *US*), **análisis marginal** (marginal analysis *US*), **análisis/método del camino crítico** (ECO critical path analysis/method; S. *análisis de redes*), **análisis monetario** (monetary analysis), **análisis multivariable** (multivariate/multivariant analysis), **análisis normativo** (canonical analysis), **análisis por productos o por materias primas** (analysis by commodities), **análisis por ratios** (ratio analysis), **análisis reticular** (grid analysis), **análisis transversal** (cross-section analysis)].

analista *n*: analyst, chartist *US*. [Exp: **analista de Bolsa** (Stock Market analyst; S. *analista técnico de Bolsa*), **analista de inversiones bursátiles** (STK EXCH chartist; equity strategist, security analyist; S. *chartista*), **analista financiero** (financial analyst), **analista técnico de Bolsa** (chartist *US*; S. *«chartista»*), **analítico** (analytic/analytical), **analizar** (analyse, examine, investigate, look into; tackle, deal with; S. *investigar, explorar; abordar*)].

analógico/análogo *a*: analogue/analog; constructive[2].

anaquel *n*: shelf, rack; S. *estante*.

anarquismo *n*: anarchism.

anatocismo *n*: compounding of interest.

ancho *a*: broad, wide; S. *general, amplio, extenso*. [Exp: **ancho de vía** (TRANSPT gauge), **anchura** (breadth; gauge; S. *amplitud, espesor*)].

anclar *v*: anchor[2]; S. *vincular*. [Exp: **anclado** (TRANSPT at anchor; S. *fondeado*), **anclaje** (anchoring)].

andar *v*: walk. [Exp: **andar en la cuerda floja** *col* (walk the tightrope, perform a balancing act *col*; S. *hacer malabarismos*), **andar mal de fondos** *col* (run/be short of money, be low on funds), **andar metido en chanchullos** *col* (be on the fiddle *col*)].

anexar *v*: attach[1]; S. *adjuntar, acompañar*.

[Exp: **anexo** (annex, enclosure; appendix; addendum; attachment[1]; allonge; S. *documento adjunto, cláusula adicional*), **anexo de un contrato** (LAW bordereau; S. *bordero*)].

ángel caído *n*: STK EXCH fallen angel *US*.

animación *n*: STK EXCH buoyancy. [Exp: **animado** (cheerful, brisk, busy; S. *activo, favorable; mercado animado*), **animador** (promoter), **animador de ventas** (sales promoter), **animar** (encourage, boost[1]; S. *impulsar, estimular, promover; alentar; desanimar*), **animar-se** (go up, pick up[2]; perk up *col*; S. *repuntar, mejorar*), **ánimo** (encouragement; S. *afán*)].

anónimo *a*: anonymous, nameless; S. *sociedad anónima*.

anormal *a*: abnormal, unusual; irregular; S. *irregular, anómalo, excepcional*.

anotación *n*: note; entry, record, recording ; S. *apunte, registro, entrada*. [Exp: **anotación contable** (book entry, accounting entry; S. *apunte contable*), **anotación de anulación** (ACCTS cancelling entry; S. *apunte, registro*), **anotación en cuenta, AC** (ACCTS account entry; book entry trading; accounting entry[1]; S. *Central de Anotaciones del Banco de España*), **anotación en el cuaderno de bitácora** (TRANSPT logging), **anotación en el debe/haber** (debit/credit entry), **anotación preventiva** (caveat; S. *advertencia*)].

anotar *v*: note, note down, make a note of; jot down; annotate; record; book, enter[1]; post; S. *inscribir*. [Exp: **anotar/asentar/consignar en el debe** (debit, charge; S. *debitar*), **anotar/asentar/consignar en el haber** (credit; S. *acreditar, abonar*), **anotar una contrapartida** (contra an entry)].

ante *prefijo*: above-; afore-; S. *arriba, encima*.

antecedente *a*: aforegoing, foregoing; S. *precedente*. [Exp: **antecedentes** (background, personal record, track record; S. *historial*), **antecedentes crediticios** (credit information, client's previous record, record of client's creditworthiness), **antecesor** (predecessor)].

antedatar *v*: S. *antefechar*.

antedicho *a*: aforesaid, afore-mentioned, above-mentioned, before-cited; S. *susodicho*.

antefechar *v*: backdate, foredate; S. *antedatar*.

antelación *n*: notice, advance notice, warning, time. [Exp: **antelación, con** (beforehand; S. *por anticipado, de antemano*)].

antemano, de *phr*: beforehand, in advance; S. *con antelación, por anticipado*.

anteproyecto *n*: draft. [Exp: **anteproyecto de ley** (bill, draft bill)].

anterior *a*: former, previous, prior, earlier; S. *previo; posterior*. [Exp: **anterior a la apertura** (STK EXCH pre-opening; S. *de preapertura*), **anterior a la prueba** (pretest), **anterior al cierre** (pre-closing)].

antes de *prep*: before, prior to. [Exp: **antes de [deducir los] impuestos** (before tax), **antes del vencimiento** (prior to maturity)].

anti *pref*: anti. [Exp: **anticresis** (antichresis), **antieconómico** (uneconomic), **antiinflacionario/antiinflacionista** (antiinflationary), **antimonopolio** (antitrust), **antiselección** (INSCE, ECO, MAN adverse selection; selection against the insurer; S. *riesgo moral*)].

anticipación *n*: anticipation, advance warning; bringing/moving forward; S. *aceleración*. [Exp: **anticipación, con mucha** (well in advance, in good time; S. *antelación*), **anticipación del vencimiento** (pre-maturing), **anticipadamente** (in advance, ahead of time, early; prematurely)].

anticipar[1] *v*: anticipate, advance, bring forward. [Exp: **anticipar**[2] (backdate; S. *antefechar*), **anticipar una cantidad** (make an advance; S. *hacer un anticipo*), **anticipado** (early, advanced, forward[1]; S. *precoz, prematuro*), **anticipado, por** (in advance, ahead of time, beforehand, early; S. *de antemano, con antelación*)].

anticipo *n*: ACCTS advance money/payment, cash advance; float; pre-payment; retainer; S. *adelanto, avance*. [Exp: **anticipo a corto plazo** (BKG short-term advance; adjustment credit *US*), **anticipo a cuenta** (downpayment, advance on account), **anticipo de efectivo** (FIN advance[1]; S. *adelanto o préstamo en general, pago adelantado, provisión de fondos*), **anticipo de fondos** (advance, cash advance), **anticipo de sueldo** (advance on wages; retainer), **anticipo de tesorería, de caja o en metálico** (cash advance; S. *adelanto a cuenta*), **anticipo sobre conocimiento de embarque** (TRANSPT advance against bill of lading), **anticipo sobre cuentas cobrables** (advance against collection), **anticipo sobre el flete** (TRANSPT advance freight), **anticipo sobre letra de cambio** (BKG discounted bill advance), **anticipo sobre póliza** (INSCE loan on policy; policy loan), **anticipos de sueldo** (salary advances), **anticipos de tesorería** (Treasury or cash a advances), **anticipos directos** (on-calls), **anticipos para gastos de viaje o de representación** (expenses advances)].

anticuado *a*: out-of-date, obsolete, old-fashioned; S. *obsoleto, desfasado, pasado de moda*.

antidúmping *n*: COM antidumping.

antigüedad *n*: seniority, length of service; S. *duración de los servicios prestados*. [Exp: **antigüedad de las cuentas por cobrar** (ACCTS age of receivables), **antigüedad en el puesto de trabajo** (IND REL job seniority, length of service), **antiguo** (long-standing; old-established; former)].

antiselección *n*: INSCE adverse selection; S. *riesgo moral*.

anzuelo *n*: bait; S. *trampa; cebo*.

anual *a*: yearly, annual. [Exp: **anualidad** (INSCE, FIN annuity; yearly allowance, retirement allowance; annual instalment; annual patent fee; bond; S. *plan de pensiones*), **anualidad a plazo fijo** (INSCE annuity certain, terminable annuity, certain annuity; S. *renta a plazo fijo*), **anualidad a plazos** (temporary annuity), **anualidad acumulada** (accumulated annuity), **anualidad actualizable con el índice de coste de la vida** (index-linked annuity), **anualidad aplazada o diferida** (deferred annuity), **anualidad colectiva** (group annuity), **anualidad con efecto inmediato** (INSCE immediate annuity), **anualidad con participación en las ganancias** (participating annuity), **anualidad con reembolso** (refund annuity), **anualidad con reembolso en cuotas** (INSCE instalment refund life annuity; S. *seguro de renta vitalicia*), **anualidad conjunta para marido y esposa** (INSCE joint-life annuity), **anualidad contingente** (INSCE contingent annuity), **anualidad de retiro** (pension annuity *US*; S. *pensión*), **anualidad fija** (fixed annuity), **anualidad incondicional** (INSCE annuity certain), **anualidad o pensión mancomunada** (INSCE joint-and-survivor annuity, joint-and-service annuity), **anualidad ordinaria** (ordinary annuity), **anualidad extinguible a la muerte del beneficiario** (INSCE non-apportionable annuity), **anualidad para el cónyuge supérstite** (INSCE last survivor annuity), **anualidad perpetua** (perpetuity), **anualidad variable** (INSCE equity annuity), **anualidad vitalicia** (life annuity), **anualidad vitalicia con reembolso** (refund life annuity), **anualidad vitalicia diferida** (INSCE deferred life annuity), **anualización** (annualization), **anualmente** (yearly, per annum; S. *por año*)].

anuario *n*: yearbook. [Exp: **Anuario oficial de estadística** (Annual Abstract of Statistics)].

anuencia *n*: agreement, consent, knowledge; S. *conformidad, pacto*. [Exp: **anuente** (consenting, approving), **anuente conocimiento de, con el** (with the full knowledge or consent of)].

anulación *n*: cancellation, invalidation, annulment, nullification; abatement; redemption; deregistration; S. *cancelation, invalidación*. [Exp: **anulación de rebaja** (markdown cancellation US), **anulación del margen comercial** (markup cancellation), **anulación de una inscripción en un registro público** (deregistration), **anulable** (cancellable, voidable, defeasible; S. *rescindible, abrogable*)].

anular *v*: cancel, invalidate, annul, render null, void; call back; revoke, abolish; abate; overrule, overthrow, overturn, override[2]; defeat[2]; disaffirm, disallow; S. *cancelar, suspender, revocar*. [Exp: **anular un contrato** (cancel/rescind/repudiate/void a contract; S. *anular un contrato*), **anular un pedido** (cancel an order; S. *revocar una orden*), **anular-se** (ACCTS cancel each other, cancel out; S. *contrarrestar*), **anular-se impuestos** (TRIB abate taxes; S. *rebajar-se, reducir-se, deducir-se*), **anularse mutuamente** (ACCTS cancel each other; cancel out; S. *contrarrestar*)].

anunciar *v*: announce, make public; advertise, post[2]; S. *publicar*. [Exp: **anunciante** (advertiser), **anunciar a bombo y platillo** (hype up *col*; give a lot of hype *col*; sound off about *col*; make a song and dance about *col*), **anunciar la subasta** (advertise for bids), **anunciar licitación** (call for bids; invite tenders, invite to tender; S. *sacar a concurso, convocar a licitadores, llamar a licitación, abrir licitación*), **anunciar una vacante** (advertise a post/vacancy)].

anuncio[1] *n*: advertisement, advert, ad; spot; S. *publicidad*. [Exp: **anuncio**[2] (announcement; S. *declaración*), **anuncio**[3] (advice[1]; S. *notificación, aviso*), **anuncio a/de doble página** (ADVTG double-page spread; double truck US), **anuncio a media página** (half-page ad), **anuncio colectivo** (composite advertisement), **anuncio comercial** (advert, commercial US), **anuncio comercial entre dos programas** (TV ad or spot), **anuncio de cambio** (STK EXCH exchange commercial US), **anuncio/esquela/lápida de emisión sindicada cubierta** (FIN tombstone), **anuncio de licitación/concurso/subasta** (invitation to bid/tender, bid notice; competitive bid solicitation; S. *llamada a licitación*), **anuncio en página central doble** (ADVTG centre spread), **anuncio-lápida** (BKG tombstone), **anuncio luminoso** (illuminated advertisement, neon sign), **anuncio publicitario** (ADVTG display ad/advertisement, hoarding), **anuncio testimonial** (testimonial), **anuncios por palabras** (classified ads/advertisements)].

añadir *v*: add, affix, append. [Exp: **añadido** (additional; S. *adicional, suplementario*), **añadidos** (add-on[1])].

año *n*: year. [Exp: **año agrícola** (crop year), **año base** (base period), **año civil** (calendar/legal year; S. *año natural*), **año comercial natural** (natural business year; commercial year), **año contingentario/cuota/cupo** (quota year), **año en curso** (current year), **año flexible** (flexiyear), **año fiscal** (tax/fiscal year; S. *ejercicio económico*), **año laboral** (IND

REL benefit year), **año natural** (calendar year; S. *año civil*), **año, por** (per annum; S. *anualmente*), **año social/económico** (accounting year; S. *ejercicio económico/ contable*)].

apaciguar *v*: pacify, appease; calm down, ease, soothe; S. *apagar, tranquilizar.*

apagar *v*: FIN dampen; quench; S. *amortiguar, humedecer.* [Exp: **apagafuegos** (troubleshooter, fixer, problemsolver), **apagón** (power cut; S. *corte en el suministro de energía*)].

apalancamiento *n*: gearing, leverage US; S. *coeficiente/índice de apalancamiento; factor de apalancamiento.* [Exp: **apalancamiento, con mucho** (FIN highly-geared), **apalancamiento de capital** (FIN capital gearing/leverage; equity gearing, leverage), **apalancamiento de cupón** (FIN coupon leverage), **apalancamiento defensivo mediante endeudamiento empresarial** (FIN leveraged cap), **apalancamiento doble** (FIN double leverage US), **apalancamiento financiero** (capital/equity gearing, leverage[2] US; financial leverage), **apalancamiento operativo** (FIN operating leverage)].

aparato *n*: device, gadget; machinery; S. *artilugio, dispositivo.* [Exp: **aparato administrativo** (administrative machinery; S. *organización, estructura de una empresa*), **aparato estatal** (government machinery), **aparato localizador de personas** (pager; S. *busca*), **aparatos en general** (gadgetry; S. *dispositivos*)].

aparcar[1] *v*: park; *fig* put on the back burner *col*; pigeonhole[2] *col*; S. *dejar en suspensión, aplazar.* [Exp: **aparcar[2]** *col* (shelve, close the file on; S. *archivar, dar carpetazo*), **aparcar un proyecto** *col* (put a project on ice *col*), **aparcamiento** (car-park; parking lot US), **aparcamiento de valores** (FIN parking; parking deal)].

aparcería *n*: farm partnership,

sharecropping, sharefarming. [Exp: **aparcero** (IND REL sharecropper)].

aparejador *n*: quantity surveyor; S. *estimador/medidor de materiales.*

aparejo *n*: gear,[1] trade; S. *herramientas, equipo.* [Exp: **aparejos de pesca** (fishing gear or tackle; S. *artes de pesca*)].

apartado de correos *n*: post-office box; P.O. Box.

apartar *v*: separate; set aside, put/leave to one side, alienate, divert. [Exp: **apartar fondos, etc. para fines concretos** (earmark; S. *asignar/afectar/destinar/ reservar/consignar fondos, etc.*), **apartarse** (depart, deviate; S. *desviarse, partir*)].

apatía *n*: STK EXCH, ECO lack of interest, slackness, sluggishness; S. *atonía.*

apelación *n*: appeal. [Exp: **apelación al banco central** (direct borrowing from the central bank), **apelación, en** (on appeal), **apelante** (appellant), **apelar** (lodge/make an appeal; S. *interponer un recurso de apelación, recurrir*)].

apéndice *n*: appendix, schdule, rider; addendum; S. *suplemento, adición, coletilla.*

apercibimiento *n*: warning; IND REL disciplinary measure/sanction, official warning to an employee as to future conduct, official reprimand; LAW subpoena, summons, writ. [Exp: **apercibimiento de cierre** (threat of closure, official warning to owner that premises will be closed unless certain conditions are met), **apercibir** (warn, discipline, sanction, take disciplinary action against, threaten with dismissal/closure, etc.)].

apertura *n*: opening, commencement, institution, setting up; issue, issuance. [Exp: **apertura, a la** (STK EXCH on opening), **apertura aplazada** (delayed opening US), **apertura de crédito documentario** (opening of credit;

issuance of documentary credit), **apertura de cuentas** (ACCTS opening of accounts), **apertura de la quiebra** (institution of bankruptcy proceedings), **apertura de nuevos mercados** (opening/opening-up of new markets), **apertura de propuestas/ofertas** (opening bids), **apertura retardada** (BKG time-delay mechanism), **apertura retrasada de la cotización de un valor** (STK EXCH delayed opening)].

apilar *v*: pile, pile up, stack; S. *amontonar*.

aplazable *a*: postponable; S. *prorrogable*.

aplazamiento¹ *v*: adjournment, postponement, extension,¹ deferral, deferment; S. *ampliación de un plazo*. [Exp: **aplazamiento²** (STK & COMMOD EXCH contango; S. *contango, reporte, operación financiera con prórroga*), **aplazamiento de pago** (deferment/postponement of payment), **aplazamiento del pago de impuestos** (TAXN tax deferral), **aplazamiento de una sesión, junta, etc.** (adjournment of a session/meeting, etc.)].

aplazar *v*: postpone, adjourn, lay over, defer, shelve, put back, put off, put over, delay; put on the back burner *col*; pigeonhole²; S. *retardar*. [Exp: **aplazar la liquidación de mercancías o títulos** (STK & COMMOD EXCH contango; S. *abonar el porcentaje por reporte, reportar*), **aplazar el vencimiento de la hipoteca** (extend a mortgage), **aplazar un pagaré** (extend a note; S. *extender el plazo*)].

aplicabilidad directa *n*: direct applicability.

aplicable *v*: applicable, enforceable; S. *ejecutivo, ejecutorio*.

aplicación¹ *n*: application; appropriation; enforcement; use; implementation; allowance, carryback/carryforward/carryover; S. *ejecución, instrumentalización*. [Exp: **aplicación²** (STK EXCH application; third-market trading; S. *mercado de aplicaciones; contratación en el tercer mercado*), **aplicación abusiva** (misuse; S. *aplicar o explotar abusivamente, explotación abusiva*), **aplicación automática, de** (self-enforcing), **aplicación de beneficios** (profit allocation, equity transaction *US*), **aplicación de efectos** (BANCA bill collection), **aplicación de, en** (pursuant to; S. *en virtud de*), **aplicación de fondos** (ACCTS appropriation/application/allocation/earmarking of funds; S. *origen y aplicación de fondos*), **aplicación de la ley** (enforcement), **aplicación de resultados** (profit distribution), **aplicación preferencial** (preferential allocation)].

aplicado¹ *a*: applied. [Exp: **aplicado²** (hardworking, industrious; S. *laborioso*)].

aplicar *v*: apply;² implement, enforce; devote, assign, earmark, allocate; S. *instrumentar, ejecutar, cumplir*. [Exp: **aplicar impuestos** (lay a tax on something; tax; burden something with a tax; S. *gravar algo*), **aplicar una política** (pursue a policy), **aplicativo** (allocative; S. *distributivo*)].

apoderar *v*: empower, authorize; S. *autorizar, facultar*. [Exp: **apoderado** (attorney, empowered person, agent, agt; general agent; on-site agent responsible for paying wages; legal representative, proxy; factor; nominee, grantee, holder of procuration, assignee; S. *mandatario, representante, agente*), **apoderado sucesor** (assignee), **apoderamiento** (LAW procuration, empowering), **apoderamiento de venta** (stock power *US*)].

aportación *n*: contribution¹; provision, injection; S. *donativo, contribución*. [Exp: **aportación de aval** (FIN pledge of collateral), **aportación monetaria** (cash/money contribution), **aportaciones de beneficencia** (charitable contribution,

contribution to charity), **aportar** (contribute, inject, bring in[2]; provide, furnish; S. *contribuir*), **aportar capital/fondos** (bring/put in capital/cash; provide/furnish/put up capital/cash), **aportar fondos a un negocio** (put money into a business; S. *invertir*)].

apostilla *n*: marginal note; apostille; rubric, authenticating note or stamp affixed by a solicitor, notary etc.; S. *nota marginal o al margen.*

apostar *v*: bet, gamble; S. *jugar por dinero; apuesta.* [Exp: **apostar por** (back, commit oneself to; go for *col*, put one's money/ cash on *col*; go in for *col*)].

apoyar *v*: back, back up, support, uphold, endorse, second, stand behind, be on the side of, throw one's weight behind, align oneself with, aid; S. *respaldar, ponerse al lado de, tomar partido por.* [Exp: **apoyar una moción** (second a motion), **apoyo** (support, back-up, assistance, aid, backing; maintenance; S. *respaldo*), **apoyo financiero** (FIN financial support; backing), **apoyo técnico** (technical back-up)].

apreciación[1] *n*: assessment; estimate; S. *evaluación, cálculo estimativo.* [Exp: **apreciación**[2] (appreciation[2]; currency appreciation *US*; S. *revalorización; depreciación*), **aprecio** (appreciation[2])].

apremiar *v*: oblige; obligate, press,[2] urge, put pressure on; dun; S. *obligar; instar, urgir, presionar.* [Exp: **apremiar a un deudor** (press/dun a debtor), **apremiar el pago** (demand/compel payment), **apremio**[1] (constraint; S. *restricción, coacción; vía de apremio*), **apremio**[2] (compulsion, pressure, compulsory procedure, administrative/court action, final demand; enforced collection, administrative methods for enforced collection; distraint; S. *compulsión, cobro compulsivo por vía adminis-trativa*), **apremio indebido** (undue constraint)].

aprendiz *n*: IND REL apprentice, trainee. [Exp: **aprendiz de ejecutivo** (executive trainee), **aprendiz de vendedor** (sales trainee), **aprendizaje** (apprenticeship, training, traineeship; S. *período de formación, contrato de aprendizaje, contrato «basura»*)].

apretar *v*: press, tighten. [Exp: **apretarse el cinturón** (tighten one's belt), **apretón a los cortos/largos** (STK & COMMOD EXCH short/long squeeze), **apretón de manos** (handshake)].

aprobación *n*: approval, approbation, assent, confirmation[1]; S. *asentimiento, confirmación, ratificación.* [Exp: **aprobación previa** (prior approval)].

aprobar *v*: approve, adopt; assent; endorse; pass, carry[3]; fall in with; S. *sancionar, autorizar.* [Exp: **aprobar el acta** (agree as a correct record), **aprobar con carácter definitivo** (finalize), **aprobar con reservas** (ACCTS qualify[2]), **aprobar el balance de situación** (COMP LAW adopt the balance sheet), **aprobar el orden del día** (adopt the agenda), **aprobar las cuentas** (ACCTS agree the accounts), **aprobar las cuentas con reservas** (ACCTS qualify the accounts), **aprobar sin debate** (rubber-stamp, pass through, give the nod or go-ahead to *col*; S. *dar el visto bueno*), **aprobar un examen** (pass an examination), **aprobar una moción/propuesta** (carry a motion, pass a resolution/proposal), **aprobar una resolución** (adopt a resolution; S. *adoptar un acuerdo*)].

apropiado *a*: appropriate, suitable; fiting; proper; due; S. *indicado, pertinente, satisfactorio.* [Exp: **apropiarse de** (appropriate, keep to oneself; hog *col*)].

aprovechamiento *n*: use, utility, usefulness; development; exploitation; advantage; progress, improvement; S. *fomento, explotación, ventaja, rendimiento.* [Exp: **aprovechamiento de los**

recursos humanos (ECO manpower productivity; human factors engineering *US*), **aprovechar** (use, make use of; exploit; make the most of, make good/the best use of, take advantage of; avail oneself of; S. *hacer uso, ser útil*), **aprovechar el momento para comprar/vender acciones** (STK EXCH jump on/off stocks and shares *col*), **aprovechar material de desguace** (ECO cannibalize; S. *fagocitar*), **aprovecharse de** (take advantage of, exploit; capitalize on; S. *sacar ventaja*)].

aprovisionamiento *n*: supply, supplies; provisions, provisioning; catering; S. *provisión*. [Exp: **aprovisionar** (provide, provision, supply, purvey; S. *proveer, abastecer, suministrar*)].

aproximación *n*: approximation,[1] alignment, approach. [Exp: **aproximaciones de precios** (price alignment), **aproximadamente** (approximately, approx., around, about; roughly, broadly; S. *a grandes rasgos*), **aproximarse** (approach, come close/closer/nearer; approximate), **aproximar sus posiciones** (come/draw nearer or closer to one another, come within range/striking distance of one another, be closer to a settlement, etc.), **aproximado** (approximate, rough, estimated), **aproximativo** (approximate, rough)].

aptitud *n*: capacity, competence; proficiency; qualifications; fitness; S. *competencia, capacidad*. [Exp: **aptitud física para el trabajo** (fitness for work), **aptitud legal** (legal capacity; S. *capacidad*), **aptitud profesional** (professional qualifications), **aptitud vendedora** (sales aptitude), **aptitudes** (qualifications; gifts, abilities; S. *currículum, formación, capacidad*)].

apto *a*: able, suitable, skilled, capable; efficient; qualified,[1] eligible, fit; S. *idóneo, competente, capaz*. [Exp: **apto, no** (unfit, ineligible; S. *inadecuado*), **apto para el consumo** (fit/suitable for human consumption)].

apuesta *n*: gamble, bet; flutter *col*; S. *jugada arriesgada*. [Exp: **apuesta acumulativa** (parlay), **apuesta fuerte** (gamble, plunge *col*), **apuesta mixta** (each-way bet *col*), **apuestas** (odds, chances)].

apuntalar *v*: TRANSPT shore up, prop up; S. *apoyar*. [Exp: **apuntalar un balance de situación** (shore up a balance sheet)].

apuntar *v*: enter, enter up, note/write down, make a note of; point at/out/to; aim; aim at; record; S. *asentar, registrar, inscribir, anotar, insistir, señalar*. [Exp: **apuntarse** (sign up, join, enter on a list; S. *inscribirse*), **apunte** (ACCTS item,[4] entry[2]; S. *anotación, registro, entrada, nota*), **apunte contable** (accounting/book entry; S. *anotación contable*), **apunte de anulación** (ACCTS cancelling/reversing entry)].

apuro *n*: embarrassment; distress, hardship; difficulty/difficulties; jam *col*; bind[2] *col*; tight spot *col*; S. *dificultades*. [Exp: **apuros económicos, en** (short of cash, strapped for cash; in distress; hard up *col*; hard pushed/pressed, hard put to it; S. *en dificultades financieras*), **apuros financieros** (financial squeeze/straits, financial pressure, money squeeze; S. *dificultades económicas*)].

arancel[1] *n*: tariff, customs tariff, duty; S. *derechos de importación, arbitrios*. [Exp: **arancel**[2] (fee scale; schedule of charges/duties; S. *honorario profesional*), **arancel aduanero o de aduanas** (customs tariffs, customs fees; S. *derechos, tasas, derechos arancelarios*), **arancel aduanero común** (common customs tariffs), **Arancel Aduanero Comunitario** (Common Customs Tariffs, CCT; S. *tarifa exterior común, TEC*), **arancel científico** (scientific tariff *US*), **arancel combinado con cuota**

(combined tariff with quota), **arancel combinado de temporada** (seasonal combined tariff), **arancel compensatorio** (countervailing duties, compensating tariff), **arancel común** (common tariff), **arancel diferencial** (differential tariff), **arancel de corredores** (COM broker's/agent's commission[3]; S. *comisión, porcentaje*), **arancel de importación** (import tariff/duty), **arancel de salida** (export list), **arancel de temporada** (seasonal tariff), **arancel específico** (specific tariff *US*), **arancel fijo** (single schedule tariff), **arancel financiero** (revenue tariff), **arancel maestro** (master tariff), **arancel preferente, de preferencia, de favor o preferencial** (preference/preferential tariff/duty), **arancel proteccionista** (protective tariff/duty), **aranceles sancionadores, disuasorios o compensatorios** (TAXN retaliatory customs duties)].

arbitraje[1] *n*: STK & COMMOD EXCH arbitrage/arbitraging; hedging[2]. [Exp: **arbitraje**[2] (IND REL, COM arbitration; umpirage; appraisal; award; S. *estimación, tasación; tribunal de arbitraje*), **arbitraje compuesto** (STK EXCH compound arbitrage), **arbitraje comercial** (commercial arbitration), **arbitraje comercial internacional** (international trade arbitration), **arbitraje compensatorio** (countervailing tariff), **arbitraje contado-plazo** (hedging between cash and settlement), **arbitraje de cambio** (arbitration of exchange), **arbitraje de controversias** (arbitration of disputes), **arbitraje de convertibles** (convertible arbitrage), **arbitraje de divisas** (foreign exchange arbitrage), **arbitraje de fusión** (takeover arbitrage), **arbitraje de índices** (index arbitrage), **arbitraje de plaza a plaza** (space arbitrage), **arbitraje de tipos de interés** (interest rate arbitrage), **arbitraje directo** (STK & COMMOD EXCH cash-and-carry[2]; S. *arbitraje inverso*), **arbitraje en los reportes** (STK EXCH jobbing in contango), **arbitraje entre empresa y obreros** (IND REL industrial arbitration), **arbitraje inverso** (STK EXCH reverse cash-and-carry; S. *arbitraje directo*), **arbitraje laboral** (IND REL labour arbitration), **arbitraje sobre índices bursátiles** (STK EXCH index-related arbitrage), **arbitrajista** (dealer, trader, arbitrageur *US*)].

arbitrar[1] *v*: arbitrate; umpire. [Exp: **arbitrar recursos/fondos** (raise[3] supply/ furnish/provide/find cash/funds/ money; S. *obtener/conseguir/reunir/ recoger/ allegar/procurar recursos/ fondos*)].

arbitrario *a*: arbitrary; high-handed; S. *imperioso*.

arbitrio[1] *n*: discretion; arbitration. [Exp: **arbitrio**[2] (TAXN import duties, excise duty/tax; import duties; S. *impuestos especiales, derecho arancelario*), **arbitrio municipal** (TAXN municipal tax)].

árbitro *n*: arbitrator; referee; impartial chairman *US*; S. *hombre bueno*), **arbitral** (arbitral), **árbitro de seguros marítimos** (INSCE average adjuster/adjustor/stater; S. *tasador/perito de averías*), **árbitro de un conflicto laboral** (IND REL adjudicator, arbitrator of a dispute), **árbitro extrajudicial** (arbitrator/thirdsman in out-of-court settlement)].

árbol de decisión *n*: MAN decision tree *US*.

archivar *v*: file, record; file away, pigeonhole[2]; shelve; close the file on, dismiss; S. *dar carpetazo*). [Exp: **archivado** (on file; S. *en cartera*), **archivador** (file; filing cabinet, binder[1]; S. *carpeta, fichero*), **archivo** (file; register; S. *legajo, fichero*), **archivo de pedidos de clientes** (customer order file), **archivo continuo** (carry-over file), **archivo principal** (master file)].

área *n*: area, district, zone; field. [Exp: **área aduanera exenta** (free economic zone, free trade zone, duty-free port/zone, free port/zone, free customs zone; export processing zone, foreign trade zone, special economic zone; S. *zona franca, puerto franco, zona de libre cambio*), **área comercial** (trading area), **área de control** (area of influence; remit; S. *atribuciones, competencia*), **área deprimida** (depressed/distressed area), **área/polo de desarrollo** (ECO growth area/centres, development area), **área de libre cambio** (free exchange area), **área de libre comercio** (free trade area), **área de muestreo** (sample area), **área de preferente localización** (subsidized industrial area), **área de resultados clave** (key result area), **área del dólar** (dollar area), **área monetaria** (currency area), **área subdesarrollada** (underdeveloped region/area; grey area; S. *zona gris*)].

arenque ahumado *col n*: STK EXCH red herring *col*; S. *prospecto de una emisión exploratoria*].

ARF *n*: S. aseguramiento renovable en firme.

áridos *n*: dry goods; S. *mercancías secas*.

armador *n*: TRANSPT owner,[2] shipowner; S. *naviero*. [Exp: **armador de línea regular** (TRANSPT berth owner)].

armonización *n*: harmonisation; reconciliation; S. *equiparación, ajuste, conciliación, OAMI*. [Exp: **armonizar** (harmonize, reconcile, bring into line)].

arquear *v*: calculate; gauge. [Exp: **arquear la caja** (count the cash), **arqueo** (BKG, COM cashing up, balance; cash count), **arqueo de buque** (tonnage; S. *certificado de arqueo de buque*), **arqueo de caja** (cash audit/proof/count, cash gauging, count of cash, checking of cash, cashing up)].

arraigado *a*: established, long-established; S. *tradicional, establecido, institucional*. [Exp: **arraigo** (settlement, establishment; tradition)].

arrancar *v*: start, move; get moving *col*, get under way. [Exp: **arranque** (start, start-up; burst, outburst, impulse), **arranque «en frío»** (cold start *col*)].

arrastrar el total *v*: ACCTS carry over/forward, bring down/forward a subtotal, bring down, add up; S. *sumar, cuadrar, totalizar*. [Exp: **arrastre**[1] (ACCTS carry/bring forward/down, carry US), **arrastre**[2] (drift; S. *desplazamiento, deriva*), **arrastre [de las primas]** (INSCE carry-over of premium), **arrastre promedio** (TRANS average haul)].

arreglar[1] *v*: arrange, fix; repair, clear up; S. *ordenar*. [Exp: **arreglar**[2] (ADVTG lay out,[2] range[4]; S. *componer, disponer*), **arreglar diferencias/disputas** (settle differences/disputes), **arreglárselas** (manage, cope, get by *col*; sort it/things out *col*), **arreglárselas solo** (make one's own arrangements; shift for oneself; S. *actuar por cuenta propia*), **arreglo**[1] (arrangement, understanding, accord; composition, adjustment[1]; adjustment of the difference; accommodation[2]; S. *ajuste, acomodo, convenio, acuerdo, compromiso, composición*), **arreglo**[2] (layout; S. *composición*)].

arrendador *n*: landlord, lessor.

arrendamiento *n*: leasehold, lease, letting; hiring, rental; S. *arriendo*. [Exp: **arrendamiento a voluntad** (estate at will), **arrendamiento al propietario** (proprietary lease), **arrendamiento apalancado** (leveraged lease), **arrendamiento bruto** (gross lease), **arrendamiento de bienes de equipo** (equipment leasing US), **arrendamiento de espacio comercial** (leasing of business premises), **arrendamiento de finca rústica o de explotación agrícola** (farm tenancy), **arrendamiento del buque** (ship hiring), **arrendamiento directo** (straight lease; flat lease US; S. *alquiler lineal*), **arrendamiento, en** (on lease), **arrendamiento financiero** (financial leasing), **arrendamiento financiero operativo** (operating leasing), **arrendamiento neto** (FIN net leasing), **arrendamiento operativo de un activo** (FIN operating lease), **arrendamiento principal** (master lease *US*), **arrendamiento provisional** (periodic tenancy *US*), **arrendamiento secundario** (secondary lease or rental *US*), **arrendamiento sin posibilidad de compra** (closed-end lease), **arrendamiento-venta** (lease-back, sale and lease-back), **arrendar** (let, let out, lease, let on lease, rent, rent out), **arrendatario** (leaseholder, lessee, tenant; S. *locatario*), **arrendatario vitalicio** (life tenant)].

arribada forzosa *n*: TRANSPT emergency call or stopover.

arriendo *n*: lease, hire; S. *arrendamiento*. [Exp: **arriendo a plazo** (lease for years), **arriendo a corto plazo** (short lease), **arriendo a voluntad** (lease at will), **arriendo con opción de compra** (lease with option to buy, right of first refusal in case of sale), **arriendo de aeronave** (wet lease *US*), **arriendo de capital** (FIN capital lease), **arriendo de una explotación petrolera** (oil lease), **arriendo enfitéutico** (emphyteutic lease), **arriendo por tiempo indefinido** (periodic tenancy), **arriendo verbal** (lease by verbal agreement, lease on parol)].

arriesgado *a/n*: risky, harzardous, insecure; risk-taker; S. *atrevido, audaz, dinámico*. [Exp: **arriesgar** (risk, venture; jeopardize, put in jeopardize, hazard; S. *poner en peligro*), **arriesgarse** (run/take a risk, take a chance, gamble)].

arrinconar *v*: corner[1]; put in a corner; leave out, snub, exclude, freeze out *col*; dump, ditch *col*; S. *acorralar*. [Exp: **arrinconar a alguien** (drive sb into a corner)].

arrojar *v*: throw, hurl, fling, cast[1]; show, give, produce, yield; S. *lanzar, echar*. [Exp: **arrojar artículos o mercancías al mar** (jettison), **arrojar/registrar un beneficio/saldo, etc.** (show/record a profit/balance, etc.; S. *acusar una pérdida*)].

arruinar *v*: ruin, destroy, wreck, spoil; break; bankrupt; S. *llevar a la quiebra*), **arruinarse** (go broke/bust *col*; S. *quebrar*), **arruinarse especulando** (be ruined by gambling, lose the lot on the Stock Market *col*; punt one's money away *col*)].

artes de pesca *n*: fishing gear/tackle; S. *aparejos; caladeros*.

artesanía *n*: craftsmanship; handicraft, craft-s, craftwork. [Exp: **artesanal** (handcrafted, craft, handmade, home-made, made in the traditional way or with the traditional means/tools), **artesano** (craftman, artisan)].

artículo[1] *n*: LAW article, provision, section, rule, clause[1]; S. *disposición, cláusula*. [Exp: **artículo[2]** (COM product, stock, line, item[1]; S. *mercancía, producto*), **artículo[3]** (BKG item[3]; S. *efecto, valor*), **artículo[4]** (COMP LAW item[2]; S. *punto del orden del día*), **artículo acabado** (finished article), **artículo básico** (staple commodity, basic/primary commodity), **artículo de consumo** (commodity; S. *género, producto*), **artículo de difícil venta o salida** (slow-moving goods; shelf-warmer; S. *artículo de gran venta, artículo sin venta*), **artículo de gran venta** (STK & COMMOD EXCH good/big/best seller *col*; money-spinner; S. *filón, mina de oro; artículo de difícil venta*), **artículo de importación** (import,[1] imported product/item), **artículo de fondo** (ADVTG leader/leading article, feature article), **artículo de marca** (proprietary make/product), **artículo de oferta** (special offer, item on offer, loss leader), **artículo de propaganda** (ADVTG loss leader), **artículo de reclamo** (ADVTG bait; S. *cebo*), **artículo de saldo** (oddment), **artículo defectuoso** (defective/imperfect merchandise), **artículo estrella** (runner *US*; S. *artículo sin venta*), **artículo gancho** (ADVTG loss leader, bait-and-switch *US*; S. *venta con señuelo o con publicidad engañosa*), **artículo hecho en serie** (mass-produced article), **artículo líder o de gran venta en el mercado** (COM product leader, market leader,[2] top seller, star product; S. *mercancía estrella*), **artículo periodístico** (article; piece *col*), **artículo preferido** (preference item *US*), **artículo sin venta** (shelf-sleeper, poor/slow seller; S. *artículo de difícil venta o salida*), **artículos** (goods, products, stock, ware, merchandise; S. *géneros, bienes, productos*), **artículos arrojados al mar** (jetsam; S. *echazón*), **artículos de comercio o de consumo** (ECO, COM consumer goods, commodities[1]; S. *productos básicos*), **artículos de consumo diario** (day-to-day products, items/products made fresh daily), **artículos de demanda continua** (COM never-outs *US*), **artículos de importación** (import commodities/goods), **artículos de importancia** (COM major items, big ticket items *US*), **artículos de lujo** (fancy goods, de luxe items, luxury commodities/goods/items; S. *productos suntuarios*), **artículos de marca** (branded goods), **artículos de marroquinería o de piel** (leather goods), **artículos de moda** (fashion goods; S. *novedades*), **artículos de primera necesidad** (essential goods/products, essentials, primary wants/needs; basic commodities, necessities), **artículos de un convenio o tratado** (articles of agreement), **artículos de utilidad** (COM convenience goods; S. *detalles prácticos*), **artículos de venta al contado** (cash items), **artículo de difícil venta** (PUBL shelf warmer), **artículos defectuosos o de calidad inferior** (seconds), **artículos/bienes duraderos** (durable goods), **artículos llamativos/atractivos o innecesarios** (COM impulse goods/items/merchandise; S. *artículos no necesarios*), **artículos para llevar** (take-away goods/products; carryouts), **artículos perecederos** (consumer non-durables), **artículos vendidos al contado** (COM cash items[2])].

artificio *n*: trick, artifice; dodge *col*; device, contrivance; craft, cunning, slyness; S. *trampa*. [Exp: **artificio contable** (ACCTS window-dressing; fiddle *col*, doctoring/cooking the books *col*; manipulation of accounts)].

artilugio *n*: device, gadget, gismo, gizmo; S. *dispositivo, chisme, aparato*. [Exp: **artilugios que ahorran capital/tiempo** (capital/time-saving devices)].

artimaña *n*: ploy, ruse, stratagem, trick; S. *maniobra*.

asalariado *n/a*: earner; employee; salaried; S. *empleado, trabajador*. [Exp: **asalariados** (dependent labour force, wage-earning population; salaried staff; S. *población asalariada*)].

asamblea[1] *n*: assembly,[1] meeting; mass meeting; session; conference, convention; S. *junta, conferencia, congreso, reunión*. [Exp: **asamblea de accionistas** (shareholders'/stockholders' meeting), **asamblea constitutiva/constituyente** (constituent assembly), **asamblea de socios** (general meeting of members)].

ascender *v*: climb, rise; go up, raise; promote; be promoted; S. *avanzar*. [Exp: **ascender a** (add up to; amount to; come/run to; S. *sumar; equivaler a*), **ascenso** (advancement, advance, rise;

promotion[2]; S. *avance*), **ascenso por antigüedad** (promotion by seniority)].

asegurable *a*: insurable.

asegurado[1] *a*: assured, insured, bonded[1]; S. *garantizado*. [Exp: **asegurado[2]** (INSCE the named person, the insured; S. *beneficiario de una póliza de seguro*), **asegurado adicional** (additional insured), **asegurado con flejes metálicos** (TRANSPT banded; strapped; S. *flejado*), **asegurado por un valor inferior al real** (under-insured; V. *infrasegurado, sin la debida cobertura*)].

asegurador *n*: assurer/assuror, insurer, insurance underwriter; registrar *US*; S. *suscriptor*. [Exp: **asegurador a precio de coste** (captive insurer *US*), **asegurador a quien se ceden los restos de un naufragio** (INSCE abandonee; S. *cesionario, abandonatario*), **asegurador de la carga** (INSCE cargo underwriter), **aseguradores de crédito** (credit underwriters)].

aseguramiento *n*: BKG assurance, underwriting, portfolio insurance. [Exp: **aseguramiento de cartera** (FIN, INSCE portfolio insurance/protection), **aseguramiento de cartera en proporción constante** (FIN constant proportion portfolio insurance), **aseguramiento en firme** (firm underwriting), **aseguramiento renovable en firme, ARF** (revolving underwriting facility, RUF), **aseguramiento y colocación de emisiones de valores** (securities underwriting and distribution)].

asegurar[1] *v*: INSCE insure; assure; underwrite; S. *garantizar, suscribir*. [Exp: **asegurar[2]** (state, affirm, declare; make sure; ensure; S. *declarar, afirmar*), **asegurar/proteger el rendimiento de una inversión** (STK EXCH lock in a yield/profit [through hedging]), **asegurar contra riesgos marítimos** (insure against sea risks), **asegurar una deuda con una garantía prendaria** (FIN collateralize), **asegurarse** (ensure, make sure, check, check up; INSCE take out an insurance policy, take out insurance; V. *hacerse un seguro*), **asegurarse un segmento o espacio en un mercado** (carve out a market niche *col*)].

asentador *n*: wholesaler, wholesale agent, middleman; S. *agente, mayorista*.

asentar *v*: establish, place, set up; secure; post, enter,[1] enter up; S. *dar entrada, contabilizar, registrar*. [Exp: **asentar en el debe** (ACCTS debit, post a debit; S. *adeudar; cargar*), **asentar en el haber** (ACCTS credit, post a credit; S. *acreditar; abonar*), **asentar una partida** (make an entry, enter up an item; S. *efectuar un asiento, inscribir en un libro*), **asentarse** (settle, settle down/in)].

asentir *v*: assent; S. *aprobar, sancionar*. [Exp: **asentimiento** (assent; S. *aprobación*)].

asequible *a*: attainable, feasible; accessible, affordable, reasonable; approachable; available; S. *factible; barato, disponible*.

asesor *n*: adviser/advisor, consultant; adjuster, adjustor; S. *consejero; comisión asesora*. [Exp: **asesor en cambios** (change agent *US*), **asesor de compras** (purchases consultant; resident buyer), **asesor de empresas** (management consultant), **asesor de imagen** (public relations consultant/adviser, PR; PR man *col*), **asesor de inversiones** (investment advisor), **asesor financiero** (financial adviser/advisor/consultant), **asesor financiero externo a la empresa** (independent financial adviser), **asesor fiscal** (tax adviser/consultant), **asesor jurídico** (legal adviser; S. *abogado, letrado*), **asesor monetario** (currency advisor), **asesor para la organización/dirección/administración/gestión empresarial** (management consultant), **asesor técnico** (technical adviser;

engineering consultant), **asesorado por** (on the advice of; S. *con el consejo de*), **asesoramiento** (advice[2]; consulting, counselling; advisory services, consultation; guidance; S. *orientación*), **asesoramiento técnico** (expert advice), **asesoramiento en fórmulas para la liquidación de deudas** (debt counselling), **asesorar** (advise; S. *aconsejar*), **asesorarse** (take advice; consult), **asesoría** (consultancy; S. *consultoría*), **asesoría de empresas** (management consulting), **asesoría de imagen** (public relations, PR; S. *relaciones públicas*; S. *creación de imagen*), **asesoría fiscal y jurídica** (tax and legal consultancy/ department)].

asidero *n*: handle,[1] hold[1]; V. *mango, asa*. [Exp: **asidero fiscal** (TRIB tax handle)].

asiento *n*: ACCTS entry, posting; item[4]; S. *apunte, partida o capítulo*. [Exp: **asiento ciego** (blind entry), **asiento compensatorio** (offsetting entry), **asiento compuesto, combinado o de concentración** (compound/combined/concentration entry), **asiento concentrado o global** (lump entry; concentration entry), **asiento contable** (accounting item/ entry[2]; book-keeping entry, book entry; S. *apunte o anotación contable, partida*), **asiento complementario o contraasiento** (balancing entry; complementing entry; contra entry; S. *contrapartida*), **asiento de abono** (credit entry), **asiento de ajuste, regularización o actualización** (adjusting/adjustment entry; S. *partida de ajuste*), **asiento de apertura o de constitución** (opening entry), **asiento de débito o cargo** (debit/charge entry; S. *débito, cargo*), **asiento de caja** (cash entry), **asiento de cierre** (closing entry), **asiento de cobertura** (covering entry), **asiento de compensación** (offsetting/balancing entry), **asiento de diario** (journal entry,

ledger entry), **asiento de eliminación** (eliminating entry), **asiento de inscripción** (registration), **asiento de regularización** (adjusting/readjusting entry, offsetting entry, balancing entry), **asiento de retrocesión** (reversing/ reversal entry), **asiento del libro mayor** (ledger entry), **asiento/registro diferido** (deferred posting *US*), **asiento registral** (register, registration), **asiento técnico** (suspense entry; V. *entrada transitoria*), **asiento y facturación independientes** (dual billing and posting *US*)].

asignación *n*: FIN assignment,[1] allocation, allotment; appropriation; provision, allowance[2]; S. *partida, adjudicar, destinar, distribuir, prorratear, repartir*. [Exp: **asignación a insolvencias** (bankruptcy provision, provision/reserve for bad or doubtful debts; S. *morosidad*), **asignación a tanto alzado** (ACCTS lump sum appropriation), **asignación de acciones** (STK EXCH allocation of shares; share allotment; S. *carta de adjudicación de acciones*), **asignación de activos a una cartera de inversión** (FIN asset allocation), **asignación de cada gasto a su cuenta correspondiente** (ACCTS apportionment[2]; S. *consignación en cuenta*), **asignación de costes** (costing; allocation of costs), **asignación de costes por actividades** (ECO activity-based costing, ABC[2]), **asignación de cuotas** (assessed contributions), **asignación de divisas** (exchange allocation), **asignación de fondos** (earmarking/allocation of funds), **asignación de fondos a un proyecto** (allocation of funds to a project), **asignación de fondos para publicidad** (funds/amounts allocated to/set aside for/earmarked for advertising/publicity, promotional appropriation), **asignación de recursos** (ACCTS resource allocation; appropriation[1]; S. *consignación*), **asignación de respon-**

sabilidades (allocation of responsibilities), **asignación detallada** (itemized allocations/appropriation), **asignación en un reparto** (allotment[1]; S. *distribución, prorrateo*), **asignación ineficiente/ desacertada o inadecuada** (misallocation), **asignación inicial** (starting allocation, initial/primary allotment), **asignación para cubrir deficiencias** (deficiency appropriation, provision/ allocation to cover bad debts), **asignación para cuentas morosas** (allowance for doubtful accounts or accounts/credits in arrears; S. *reservas para cuentas dudosas*), **asignación para excesos de cantidades físicas** (allowance for physical contingencies), **asignación para gastos de transporte** (allowance for motor-car mileage; S. *asignación por kilometraje*), **asignación para gastos de represen-tación** (allowance,[2] expenses, expenses allowance), **asignación por agotamiento** (TAXN depletion allowance; S. *deducción sobre el activo agotable*), **asignación por kilometraje** (allowance for motor-car mileage; S. *asignación para gastos de transporte*), **asignación presupuestaria** (ACCTS budget/budgetary appropriation; S. *crédito presupuestario*), **asignación previa** (pre-allocation), **asignaciones para el consumo de capital** (TAXN capital consumption allowances)].

asignar[1] *v*: assign, allot; commit,[3] set aside; earmark; S. *comprometer recursos*. [Exp: **asignar**[2] (appoint, designate; depute), **asignable** (assignable; S. *transferible, cedible*), **asignado** (assignee, allottee, nominee), **asignante** (assigner, assignor; S. *cedente, cesionista*), **asignar fondos a un proyecto** (commit funds to a project), **asignar fondos para fines concretos** (earmark funds; commit funds; S. *afectar/destinar/reservar fondos para fines concretos*), **asignar al cuidado de** (entrust[2] to; S. *depositar con/en*), **asignar una tarea o un cometido a alguien** (assign a job/task to sb), **asignatario** (allottee, assignee, nominee)].

asimetría *n*: mismatch; S. *discordancia, desfase*.

asimilación *n*: assimilation, assumption. [Exp: **asimilación de hipoteca** (assumption of mortgage *US*), **asimilar** (assimilate, absorb; bring under, put together, bring into line)].

asistencia[1] *n*: assistance, aid; care;S. *socorro, ayuda*. [Exp: **asistencia**[2] (attendance; S. *comparecencia*), **asistencia al ajuste** (adjustment assistance), **asistencia bilateral** (bilateral assistance), **asistencia en carretera** (breakdown service), **asistencia financiera** (financial aid/assistance), **asistencia letrada** (legal aid; S. *asesor legal, abogado*), **asistencia médica** (health/medical care), **asistencia pública** (state aid/care, public welfare), **asistencia social**[1] (social work, social work assistance), **asistencia social**[2] (welfare payment; S. *prestación social*), **asistencia técnica** (know-how; technical assistance, after-sales service; V. *servicio técnico*), **asistente** (assistant; worker; participant, member of the audience), **asistente de ventas** (sales assistant; S. *vendedor*), **asistente social** (social/ community worker), **asistir**[1] (assist, aid, help), **asistir**[2] (attend), **asistir a una reunión** (attend a meeting)].

asociación[1] *n*: association, assoc; partnership; S. *cooperativa, sociedad, agrupación, peña*. [Exp: **asociación**[2] (holding, combine[1]; S. *cartel, consorcio, grupo industrial*), **asociación**[3] (merchant guild; S. *gremio*), **asociación comercial** (trade association), **asociación comercial con fines lucrativos** (joint venture), **asociación de consumidores** (consumers' association), **asociación de crédito** (credit union *US*; S. *unión crediticia,* *cooperativa de crédito*), **asociación de empresas** (group; conglomerate; S. *grupo industrial*), **Asociación de empresas navieras** (TRANSPT shipping conference), **Asociación de Estudios de Mercado y Opinión, ADEMO** (Association of Marketing and Opinion Surveys), **Asociación de Intermediarios de Activos Financieros, AIAF** (Spanish association of brokers and securities dealers; *approx* National Association of Securities Dealers, NASD *US*; S. *mercado AIAF de renta fija*), **asociación de negocios** (business association/trust; S. *consorcio de operaciones mercantiles, fideicomiso comercial*), **asociación de trabajadores** (employee association), **asociación empresarial o patronal** (employers' association/organization; S. *organización empresarial*), **Asociación de Transporte Aéreo Internacional, ATAI/IATA** (International Air Transport Association, IATA), **Asociación Española de Banca Privada, AEB** (Association of Spanish Private Banks), **Asociación Española de Contabilidad y Administración de Empresas, AECA** (Spanish association of accountancy, auditing and business management; S. *principios de contabilidad generalmente aceptados, PCGA*), **Asociación Europea de Libre Comercio, AELC** (European Free Trade Association, EFTA), **Asociación Internacional de Entidades del Mercado Primario de Bonos** (FIN International Primary Market Association, IPMA), **Asociación Internacional de Desarrollo** (International Development Agency/ Association, IDA)].

asociado *a/n*: joint; associate; member; partner; S. *socio*. [Exp: **asociarse con alguien** (go into partnership with sb)].

aspirante *a/n*: eligible; applicant, candidate; office-seeker, interviewee; S. *solicitante*.

astilla *col n*: backhander, kicker *col*; sweetener *col*; equity kicker *col*; inducement.

astillero *n*: dockyard, shipyard.

asumir *v*: assume, adopt; take on,[1] take over[1]; accept, come to terms with; take for granted; S. *aceptar, sancionar, aprobar*. [Exp: **asumir el cargo** (take control, take over), **asumir la responsabilidad** (take charge, take responsibility), **asumir un cargo** (come into office; step into/take over a post; S. *entrar en funciones*), **asumir un compromiso** (acquire an obligation, give/pledge/engage one's word), **asumir una pérdida** (stand/absorb a loss), **asumir los riesgos del crédito** (assume the del credere; S. *garantizar el pago*)].

asunción *n*: assumption. [Exp: **asunción de la deuda** (assumption of debt/ indebtedness), **asunción de riesgos** (risk-taking; assumption of risks)].

asunto *n*: subject, matter, subject-matter, issue,[3] affair, concern, business; topic[1]; re; S. *cuestión*. [Exp: **asunto colateral** (collateral business), **asunto de interés** (matter of interest), **asunto turbio** (shady/funny business; S. *enredarse en un asunto turbio*), **asuntos oficiales** (official business), **asuntos de la administración diaria** (matters of ordinary administration, day-to-day paperwork; current business), **asuntos de trámite** (any other business, AOB; S. *ruegos y preguntas*)].

atacar *v*: attack, assault. [Exp: **ataque** (attack, onslaught; raid; S. *embate*), **ataque especulativo** (STK EXCH dawn raid)].

atajar *v*: parry, stop, block; quell; check, keep within bounds/limits or under control; prevent the spread of/from spreading. [Exp: **atajar la crisis** (parry the effects of the crisis, keep the crisis within bounds), **atajar un rumor**

(keep/prevent a rumour from spreading; S. *salir al paso*)].

atención *n*: attention; care. [Exp: **atención al cliente** (customer services; S. *oficina de atención al cliente*), **llamar la atención a un empleado** (reprimand/scold an employee, give an employee a ticking —off/dressing— down/talking to)].

atender *v*: attend to; meet; honour; cater for; S. *cumplir con, cuidar, hacer frente a*. [Exp: **atender un compromiso** (meet/honour an obligation/commitment/pledge, hold to a commitment; be as good as one's word; S. *cumplir*), **atender una letra/deuda/cheque** (honour/meet a bill/debt/cheque, etc. ; S. *pagar/hacer frente a una letra, etc.*), **atender una letra, no** (dishonour a bill, let a bill lie over)].

atenerse a *v*: abide by, comply with, conform to, follow, observe; rely on; know full well, be aware of; V. *ajustarse a, respetar, cumplir*.

atesorar *v*: store up, amass; hoard; garner; S. *acaparar*. [Exp: **atesoramiento** (hoarding, garnering)].

atestación *n*: acknowledgment; attestation, certification[1]; S. *certificación, certificado*. [Exp: **atestación de conformidad** (acknowledgment, evidence of conformity; S. *acuse de recibo, visto bueno*), **atestación por notario público** (notarization, notarized statement/certificate/acknowledgement)].

atestado *n*: statement; INSCE damage report/certificate. [Exp: **atestado de un accidente** (accident report; S. *denuncia/parte de accidente*)].

atestar[1] *v*: attest; certify; witness; S. *testimoniar, dar fe*. [Exp: **atestar[2]** (pack; pile, stack, fill to the brim), **atestar de productos el mercado** (glut the market; S. *saturar el mercado*)].

atestiguar *v*: witness a document; S. *firmar como testigo*.

atípico *a*: atypical, non-recurring; deviant.

atomización *n*: fragmentation; S. *fragmentación*. [Exp: **atomizar dinero** (smurf money)].

atonía *n*: ECO, STK & COMMOD EXCH slackness, slackening, slack period; weakness; sluggishness, lethargy; S. *desánimo, decaimiento*. [Exp: **atonía de la demanda** (ECO weak demand), **atonía general** (STK EXCH general slackness), **atonía inversora** (STK EXCH sluggishness/weakness/lack of investment), **atonía del mercado** (STK & COMMOD EXCH market sluggishness; S. *aletargamiento*), **átono** (STK EXCH weak; flat[2])].

atosigar *v*: pressurize, badger *col*, hassle *col*. [Exp: **atosigar a alguien para que haga algo** (hassle sb into doing sth; railroad[3] sb into doing sth US *col*)].

atracadero *n*: berth; mooring, pier; S. *fondeadero*. [Exp: **atracado** (TRANSPT alongside, alongside ship; in berth; S. *en el muelle*), **atracar[1]** (moor; dock,[1] berth[1]; S. *amarrar, atraque*), **atracar[2]** (rob, hold up; mug *col*; rip off *col*; S. *atraco*), **atraco** (robbery, holdup; daylight robbery *col*; ripoff *col*; S. *robo*), **atraque** (berth; S. *muelle*), **atraque y amarraje** (dockage and moorage)].

atractivo[1] *a/n*: PUBL appealing, tempting; appeal[2]; S. *contagioso; simpatía, efecto de atracción*. [Exp: **atractivo[2]** (STK & COMMOD EXCH in the money, ITM; S. *en dinero; indiferente*), **atractivo, no** (STK & COMMOD EXCH out of the money, OTM; S. *fuera de dinero; indiferente*), **atraer** (attract; ADVTG appeal; draw[7]), **atraerse** (win over; lure away, poach *col*)].

atrasado[1] *a*: backward,[1] slow; S. *retrasado, subdesarrollado, regresivo*. [Exp: **atrasado[2]** (back, outstanding, overdue, unsettled, pending; behind schedule, in arrears, delinquent; S. *descubierto, en mora, pendiente, ven-*

cido), **atrasar** (defer, hold up, delay; S. *aplazar, demorar, retardar*), **atrasarse en el pago** (be/fall/get in[to] arrears), **atraso-s** (arrears, backlog, lateness), **atraso-s en el pago de sueldo, intereses, alquiler, etc.** (arrears of wages, interest, rent, etc.), **atrasos en los pagos** (arrears of payment, payment arrears; S. *morosidad, pagos en mora*), **atrasos de sueldo** (IND REL back pay)].

atribución *n*: attribution; conferring, vesting; assignment[1]; S. *asignación, cesión*. [Exp: **atribución gratuita de acciones** (free allotment), **atribuciones** (power, powers, competency; remit), **atribuible** (attributable; S. *imputable, achacable*), **atribuido** (imputed[1]; S. *imputado*), **atribuir** (impute, attribute, credit, attach; S. *imputar, achacar*)].

atributo *n*: COM attribute, quality, qlty; S. *carácter, cualidad*.

audiencia[1] *n*: ADVTG audience. [Exp: **audiencia[2]** (LAW court), **audiencia acumulable** (ADVTG cumulative audience), **audiencia cautiva** (ADVTG captive audience)].

auditar *n*: audit[1]; S. *examinar, intervenir, fiscalizar, revisar, inspeccionar*. [Exp: **auditor** (auditor; S. *censor/interventor de cuentas*), **auditor bancario** (bank auditor/examiner US; S. *inspector oficial de bancos*), **auditor externo/fiscal/interno** (external/fiscal/internal auditor), **auditor oficial o autorizado** (approved auditor)].

auditoría *n*: ACCTS audit[1]; auditing; auditor's office; auditorship; S. *revisión contable, censura de cuentas y de libros contables*. [Exp: **auditoría completa** (full/complete audit), **auditoría con reparos** (ACCTS qualified opinion; S. *abstención de opinión, dictamen de auditoría con reparos; «opinión calificada»; auditoría limpia*), **auditoría**

continua o permanente (continuous audit), **auditoría de caja** (cash audit), **auditoría de cuentas** (auditing of accounts, financial audit; S. *revisión intervención o censura de cuentas*), **auditoría de dirección** (management audit), **auditoría de personal** (time and motion study; survey of workforce attitudes), **auditoría de una tienda** (store audit), **auditoría del trabajo** (work audit US), **auditoría del trabajador** (desk audit), **auditoría domiciliaria** (site auditing), **auditoría especial** (special audit), **auditoría exhaustiva** (detailed audit), **auditoría externa** (external auditing), **auditoría final** (post audit), **auditoría independiente** (independent audit), **auditoría intermedia** (interim audit; S. *auditoría preliminar*), **auditoría interna** (internal auditing/audit, self-audit US), **auditoría limitada** (limited audit), **auditoría limpia** (unqualified/clean opinion; S. *auditoría con reparos*), **auditoría preliminar** (preliminary audit; interim audit; S. *auditoría intermedia*), **auditoría reglamentaria o de vigilancia** (BKG compliance audit), **auditoría social** (social audit US)].

auge *n*: boom, peak; growth, upturn; S. *bonanza, expansión, alza, crecimiento rápido*. [Exp: **auge cíclico** (cyclical boom), **auge coyuntural** (upswing in economic activity; S. *reactivación*), **auge económico** (economic boom), **auge, en** (on the increase/rise/upturn), **auge inflacionario** (ECO inflationary boom)].

aumentar *v*: increase, enlarge; inflate; accrue; climb; rise; raise, increase, put up; gain,[2] boost[1]; bump up *col*; hike *col*, hike up *col*; build up[2]; S. *acrecentar, acumular, incrementar, ampliar*. [Exp: **aumentar el precio** (COM mark up; S. *recargar*)].

aumento *n*: increase; rise; boost[1]; enlargement; raising; growth; gain[2]; hike *col*; pick-up[5]; S. *incremento, alza, ampliación*. [Exp: **aumento brusco** (STK EXCH jump; leap, sharp rise; S. *subida brutal o tremenda*), **aumento de capital** (increase in capital, capital increase; S. *ampliación*), **aumento de capital por incremento en el valor contable de un activo** (ACCTS appraisal capital), **aumento de costo para fijar un precio** (cumulative mark-on *US*), **aumento de la autocartera** (FIN increase in bought-back stock or treasury stock *US*; buying-in[2]), **aumento de la demanda** (pick-up in demand), **aumento de la población** (rise in population), **aumento de la producción** (production build-up), **aumento de la relación capital-trabajo** (capital deepening), **aumento empresarial en diagonal** (COM diagonal expansion), **aumento, en** (on the rise/increase), **aumento de la tensión** (buildup[1] of tension; S. *calentamiento del ambiente*), **aumento de precio** (price rise, appreciation[2]; S. *alza, apreciación*), **aumento de salario por antigüedad** (IND REL increment, periodical increment, interval reinforcement *US*), **aumento de sueldo** (pay/wage rise/raise), **aumento de valor** (increase in value), **aumento de valor de un título** (ACCTS holding gain), **aumento de valor en libros** (ACCTS write-up), **aumento del gasto público** (growth in public expenditure), **aumento del margen comercial** (markup), **aumento, en** (rising; S. *alcista, creciente*), **aumento en el número de acciones sin aumento de capital** (COMP LAW stock split-up), **aumento en la cotización de un título** (STK EXCH plus tick, uptick), **aumento exagerado en previsión de quiebra** (debt loading), **aumento gradual** (accrual; S. *acumulación; crecimiento gradual*), **aumento lineal** (REL LAB across-the-board rise/increase), **aumento propor-** **cional** (proportional increase), **aumento repentino** (BOLSA spurt; S. *tirón*), **aumento salarial** (rise in salary/wages, increment), **aumento salarial con efecto retroactivo** (IND REL back-dated pay rise or wage increase), **aumento salarial lineal** (across-the-board pay rise or increase in pay/wages), **aumento salarial para compensar el alza en el coste de la vida** (ECO cost-of-living increase), **aumentos automáticos** (automatic increment/progression *US*)].

ausencia *n*: absence; lack, want; S. *falta, carencia*. [Exp: **ausencia de, en** (in the absence of, for want of; S. *en defecto de, a falta de*), **ausencia no justificada** (IND REL unexplained/unjustified absence, absence without good reason; absence without leave), **ausencia con permiso** (IND REL absence on leave), **ausente** (absent; absentee; S. *absentista*), **ausentismo** (S. *absentismo*), **ausentismo en el trabajo** (IND REL absenteeism; S. *absentismo laboral*)].

auspiciar *v*: sponsor; S. *patrocinar*. [Exp: **auspicio** (sponsoring, patronage[2]; S. *mecenazgo, patrocinio*)].

austeridad *n*: austerity; stringency; restraint. [Exp: **austeridad financiera** (financial restraint/stringency; S. *restricción del crédito*), **austeridad económica** (economic austerity; stringency; S. *control riguroso de crédito*), **austeridad monetaria** (monetary restraint), **austero** (austere, stringent; S. *estricto, riguroso*)].

autarquía *n*: ECO autarchy; economic self-sufficiency; S. *autosuficiencia económica*.

autenticación *n*: authentication; attestation *US*; S. *legalización o validación de documentos*. [Exp: **autenticar** (authenticate; S. *validar, legalizar*), **auténtico** (authentic, genuine, real; bona fide; S. *fehaciente*)].

auto *n*: LAW writ, court order, rule, ruling, order, decision, warrant, injunction. [Exp: **autos procesales** (proceedings, record)].

auto- *pref*: self. [Exp: **auto-OPA** (self-tender; S. *autolicitación, concurso interno*), **autosuficiencia** (self-help), **autoactualización o actualización personal** (self-/actualization), **autoadaptación** (self-adapting), **autoadhesivo** (self-sticking), **autoajustable** (self-adjusting; S. *con ajuste automático*), **autoaprovisionamiento** (self-supply), **autobanco** (drive-in bank; S. *cajero automático*), **autobús gratuito desde el/al aeropuerto** (courtsey coach), **autocartera** (bought-back shares; treasury stock *US*), **autoconsumo** (farm consumption, self-consumption; S. *consumo autónomo*), **autocorrección** (self-adjustment; S. *autorregulación*), **autocorrelación** (autocorrelation), **autocrática** (autocratic), **autoedición** (desk-top publishing), **autofinanciación** (internal financing, self-financing; S. *financiación interna*), **autogestión** (self-management), **autolicitación** (self-tender; S. *auto-OPA*), **autolimitación de importaciones** (COM self-imposed export quotas), **autoliquidable** (self-liquidating), **autoliquidación** (tax return, voluntary payment of tax, self-assessment), **automación** (automation; S. *automatización*), **automático** (automatic, built-in; labour-saving; S. *incorporado*), **automatización del débito por transferencia** (BKG automatic debit transfer; S. *débito automático por transferencia*), **automatizado** (automated; S. *mecanizado*), **automatizar** (automate; S. *mecanizar*), **automontaje de muebles, etc.** (self-assembly), **autonomación** (ECO autonomation), **autonomía** (self-government; political independence; self-governing/autonomous region; region with a devolved parliament), **autónomo** (autonomous; freelance; self-employed; S. *trabajador*), **autopista** (motorway), **autopista de peaje** (toll motorway, turnpike *US*), **autorregresión** (ECO autoregressión), **autorregulación** (self-adjustment; S. *autocorrección*), **autorregulado** (self-regulating), **autoseguro** (self-insurance), **autoservicio** (self-service store), **autoservicio mayorista** (cash and carry), **autosuficiencia económica** (economic self-sufficiency; S. *autarquía*), **autovaloración** (self-appraisal)].

autoridad *n*: authority,[1] official agency/body; S. *poder, facultades*. [Exp: **autoridad aeroportuaria** (airport authority; S. *junta del aeropuerto*), **autoridad concurrente** (concurrent staff authority *US*), **autoridad de línea** (line authority *US*), **autoridad de staff** (staff authority *US*), **autoridad de supervisión y vigilancia bancaria** (BKG regulators), **autoridad fiscalizadora** (reviewing authority), **autoridad funcional** (functional authority), **autoridad monetaria** (monetary authority), **autoridad para negociar** (authority to negotiate/purchase), **autoridad portuaria** (port authority), **autoridad pública** (public authority; S. *organismo público autónomo*), **autoridad racional-legal** (rational-legal authority *US*), **Autoridad reguladora de los mercados de materias primas** (Commodity Exchange Authority, CEA *US*), **autoritario** (authoritarian; heavy-handed; S. *falto de flexibilidad*)].

autorización *n*: authorization, authority,[2] leave, licence; permit, warrant; pass, entrance/gate card; consent, consent form; permission, sanction, empowerment, go-ahead[2]; S. *licencia, permiso, autorización; acreditación, pase*. [Exp: **autorización/asignación presupuestaria** (ACCTS budget/budgetary appropriation; S. *crédito presupuestario*),

autorización/licencia de apertura de un comercio (COMP LAW business licence, licence to open business premises, certificate to commence business), **autorización de compra** (authority to purchase[1]), **autorización de descarga** (TRANSPT landing order), **autorización de firma** (COMP LAW corporate resolution), **autorización de nuevas asignaciones de crédito** (appropriation warrant), **autorización de pago de la letra negociada** (COM authority to pay, AP), **autorización de riesgos** (BKG risk approval), **autorización de urbanización** (planning permission), **autorización expresa** (express permission/authority), **autorización para abrir establecimientos dedicados a juegos de azar** (gaming licence), **autorización para contratar y despedir a empleados** (hire-and-fire power), **autorización para edificar** (building permission; S. *permiso de obra nueva*), **autorización para negociar** (COMER authority to negotiate), **autorización para solicitar créditos o empréstitos** (COMP LAW borrowing powers), **autorización presupuestaria** (ACCTS budget/budgetary appropriation; S. *crédito presupuestario*), **autorización prototipo** (prototype authorization), **autorización según precedente** (authorization according to precedent), **autorización unilateral** (naked authority), **autorizada la carga sobre cubierta** (TRANS MAR deck cargo allowed), **autorizado** (responsible, authorised; allowed; permit-holder, permittee; licensed; licensee; chartered; franchised; registered[2]; S. *responsable*), **autorizar[1]** (authorize, empower, license, permit, approve, sanction, adopt, charter,[1] entitle; warrant; S. *habilitar, facultar, dar poder/permiso*), **autorizar[2]** (certify, authenticate; S. *refrendar, legalizar*)].

auxilio *n*: help, rescue, aid, assistance; S. *ayuda, socorro*. [Exp: **auxiliar[1]** (auxiliary; ancillary; S. *secundario, subordinado, subsidiario*), **auxiliar[2]** (IND REL assistant, asst; S. *ayudante*), **auxiliar[3]** (aid, help), **auxiliar[4]** (help, assist, aid; BKG bail out[2] *col*; S. *ayudar, echar una mano o un cable a*), **auxiliar administrativo** (assistant clerk, office junior, junior accountant), **auxiliar de vuelo** (steward; stewardess; S. *azafata*)].

aval *n*: FIN backing; endorsement/indorsement; guarantee; guaranty US; collateral signature; accommodation; bill of guarantee; S. *caución; garantía*. [Exp: **aval bancario** (BKG bank guarantee, collateral banking signature), **aval comercial** (COM covering note[1]), **aval de cumplimiento** (performance bond/guarantee/security; S. *fianza de cumplimiento*), **aval de oferta** (bid bond, tender guarantee; S. *fianza de licitador*), **aval de un préstamo** (accommodation endorsement/indorsement), **aval de una letra** (surety for a bill), **aval para la solicitud de crédito** (BKG credit guarantee), **avalado** (guaranteed), **avalar** (warrant, guarantee,[1] uphold, back, back up, support, endorse, stand bail/security/surety; S. *apoyar, respaldar, responder por, salir fiador*), **avalista** (guarantor, surety, sponsor, accommodation endorser; backer, intervening party, security, collateral[2]; S. *garante, fiador*), **avalista de un efecto** (BKG acceptor for honour/supra protest), **avalista de favor** (accommodation endorser)].

avalancha *n*: avalanche, flood, inundation, torrent, barrage. [Exp: **avalancha de compras/ventas** (STK EXCH panic buying/selling)].

avalúo *n*: appraisal, valuation, evaluation; computation; tax assessment; S. *base impositiva, amillaramiento*.

avance[1] *n*: advancement; S. *anticipo*. [Exp: **avance**[2] (progress, development,[1] forging ahead, edging forward, advancement, advance[2]; S. *progreso*), **avance de compromiso** (advance commitment), **avance de la hora** (daylight-saving, bringing the clock forward), **avance/adelanto significativo o importante** (breakthrough; S. *innovación tecnológica/científica*), **avanzar** (advance[2], progress, move on/ahead; get on/ahead; S. *ascender, adelantar*), **avanzar lentamente** (edge,[1] edge forward/ahead, crawl; S. *progresar poco a poco; abrise paso con dificultad*)].

avaricia *n*: greed, avarice. [Exp: **avaricioso** (greedy, avaricious), **avaro** (miser, mean; miserly; money-grubbing *col*; stingy, penny-pinching *col*; S. *tacaño, agarrado*)].

avasallador *a*: pushy *col*; S. *prepotente, agresivo*.

ave de rapiña *n*: STK EXCH bird of prey; risk arbitrageur; shark; corporate raider; S. *tiburón*.

avenencia *n*: composition agreement/settlement, consent settlement, understanding; S. *composición, transacción*. [Exp: **avenencia jurídica entre el quebrado y los acreedores** (composition in bankruptcy; S. *acuerdo entre fallido y acreedores*), **avenidor** (mediator; S. *medianero, mediador, tercero*), **avenirse** (compound, come round, reach a settlement/compromiso/agreement, come to terms; S. *llegar a un arreglo, ponerse de acuerdo*)].

avería[1] *n*: damage, breakdown; fault; failure; malfunction; S. *daño, fallo, defecto, desperfecto*. [Exp: **avería**[2] (INSCE average; S. *siniestro*), **avería, con** (with average), **avería distinta de la avería general o gruesa** (average unless general), **avería de ruta** (TRANSPT, INSCE damage in transit; S. *daños durante el tránsito*), **avería gruesa o común** (general/gross average, G/A), **avería marítima** (sea damage), **avería simple o particular** (common/particular average), **averiar** (damage; S. *dañar, estropear*), **averiarse** (break down[1]; pack up[1] *col*; go on the blink *col*; S. *estropearse*), **averías-daños** (averages-damages), **averías-gastos** (average charges)].

averiguar *v*: ascertain; establish, check, verify, find out; inquire into, check up on[1]; S. *descubrir, determinar, aclarar*. [Exp: **averiguable** (ascertainable; S. *determinable, evaluable*)].

aversión al riesgo *n*: FIN risk aversion.

avión *n*: aeroplane, aircraft. [Exp: **avión a reacción** (jet), **avión carguero** (cargo/freight plane, freighter; S. *buque de carga*), **avión comercial** (commercial aeroplane), **avión de línea regular** (airliner), **avión estafeta** (mail plane; S. *vapor correo, tren correo*), **avión fletado o «charter»** (chartered aeroplane; S. *vuelo regular*)].

avisar[1] *v*: inform, advise, warn, notify, give notice, caution; S. *notificar, comunicar, informar*. [Exp: **avisar**[2] (BOLSA tip off; S. *dar el soplo*), **avisar por megafonía** (page; S. *llamar por el altavoz*), **avisado** (STK EXCH person in the know, tippee; S. *con información privilegiada*)].

aviso *n*: notice, advice, notification, warning, reminder, announcement, advice[1]; caveat; tip-off *col*; S. *anuncio, notificación, recordatorio*. [Exp: **aviso al público** (public notice), **aviso anticipado** (ECO fair warning), **aviso de abandono** (INSCE notice of abandonment), **aviso de abono** (credit advice/note, advice note[3]), **aviso de aceptación, de no aceptación, de no pago, de pago** (COM advice of acceptance/non acceptance/non-payment/payment), **aviso de adeudo** (debit advice/note, debit memorandum *US*),

aviso de adjudicación (notice of award; S. *notificación*), **aviso de asignación** (letter of allotment), **aviso de cargo** (S. *aviso de adeudo*), **aviso de correos de la llegada de un efecto certificado** (advice of delivery), **aviso de despido** (IND REL notice; S. *dar aviso de despido*), **aviso de embarque** (advice of shipment, shipping advice), **aviso de entrega de futuros** (STK & COMMOD EXCH delivery notice), **aviso de envío** (COM dispatch notice), **aviso de huelga** (IND REL strike notice; S. *aviso patronal*), **aviso de llegada de mercancías** (TRANSPT advice of arrival), **aviso de mora** (notice of arrears), **aviso de pago** (reminder; S. *recordatorio*), **aviso de protesto/rechazo/no aceptación de una letra** (notice of protest/dishonor of a bill), **aviso de remesa** (remittance slip), **aviso de reclamación** (claim notice), **aviso de renovación de contrato/suscripción, etc.** (renewal notice), **aviso de retirada de depósitos** (notice of withdrawal of deposits), **aviso de subasta o licitación** (bidding notice), **aviso de suerte** (BKG advice of fate), **aviso de vencimiento** (due notice, due-date notice, reminder of due date), **aviso definitivo de siniestro** (INSCE final loss advice), **aviso oportuno o de antemano** (ECO fair warning)].

avituallamiento *n*: victualling; S. *acopio de víveres*. [Exp: **avituallamiento de los aviones** (catering), **avituallar** (supply, victual, cater, do the catering; S. *proveer, abastecer*)].

ayuda *n*: aid, assistance, help; support, relief, welfare payment; S. *asistencia social, subsidio*. [Exp: **ayuda a la agricultura** (farm aid), **ayuda a la exportación** (export aid/assistance), **ayuda a la inversión** (investment grants), **ayuda al desarrollo** (development aid), **ayuda alimentaria** (food aid), **ayuda condicionada** (tied aid), **ayuda conjunta** (joint aid), **ayuda estatal** (state aid/grant; welfare; welfare payment; bounty; grant-in-aid; S. *subvención, subsidio*), **ayuda exterior** (foreign aid), **ayuda financiera** (BKG financial aid; bailout[2] *col*), **ayuda fiscal a la inversión** (tax relief/incentive to promote investment, fiscal investment incentive), **ayuda material** (relief), **ayuda monetaria** (monetary support), **ayuda no condicionada/vinculada** (untied aid), **ayuda oficial a la exportación** (bounty; S. *ayuda estatal, subvención*), **ayuda/subvención gubernamental o del estado** (government aid/grant) **ayuda para el desarrollo económico** (economic development assistance), **ayuda/asistencia para programas** (programme aid), **ayuda presupuestaria** (budgetary aid), **ayuda vinculada** (tied aid), **ayudante** (assistant, helper, aid; S. *auxiliar*), **ayudante de contabilidad** (junior accountant; S. *contador auxiliar*), **ayudante técnico sanitario, ATS** (nursing auxiliary, social health worker), **ayudar** (help, assist, aid; support; lend a hand; bail out[2] *col*; S. *auxiliar*)].

azafata *n*: hostess. [Exp: **azafata de congresos** (conference or congress hostess), **azafata de tierra** (ground hostess), **azafata de vuelo** (air hostess, stewardess)].

azar *n*: chance, hazard; coincidence. [Exp: **azar, al** (at random; S. *aleatorio*), **azaroso** (hazardous, chancy, risky, shaky; S. *arriesgado, riesgo*)].

B

bache *n*: ECO depression, recession, pothole, slack period, slump; bad patch; S. *depresión, crisis económica; bonanza económica; acciones sensibles a baches financieros*. [Exp: **bache económico** (downturn; S. *recesión, contracción económica*), **bache en el vuelo** (TRANSPT air pocket; S. *zona de turbulencia*)].

baile de cifras n: ACCTS number transposition, mix-up with the figures, accidental switching of figures.

baja[1] *n*: decline, fall, shortfall, drop, downturn, dip, slide; sag; fall-off; S. *rebaja, reducción, caída, descenso*. [Exp: **baja**[2] (STK EXCH break,[3] fall; S. *jugar a la baja*), **baja**[3] (discharge; withdrawal; S. *causar baja; dar de baja, darse de baja, dar la baja; parte de baja; alta*), **baja**[4] (IND REL layoff, lay-off; S. *despido laboral*), **baja, a la** (declining, dropping, down, downward; depressed; bearish; S. *decreciente, descendente, en declive/ descenso; deprimido*), **baja, de** col (IND REL off work, off; on the sick col; S. *dar de baja; alta*), **baja de/en los precios** (ECO fall/slide in prices, dip; break; S. *baja en el precio de las acciones*), **baja de un socio** (withdrawal of a partner/ shareholder/member; S. *darse de baja*), **baja definitiva** (IND REL severance; separation *US*), **baja del mercado** (market decline), **baja, en** (bearish; S. *a la baja*), **baja en el inventario** (ACCTS written off, taken off the inventory), **baja en el precio de las acciones** (STK EXCH break in share prices), **baja en el registro** (removal from/striking off the records), **baja en el rendimiento** (drop/slide/downturn), **baja en Hacienda** (business closure, removal from/ striking off the tax registers), **baja en las cotizaciones** (downturn in share prices), **baja en los precios** (S. *baja de los precios*), **baja en los tipos de interés** (FIN slide/drop in rates), **baja ficticia** (STK EXCH rigged drop in prices; S. *manipulación, chanchullo*), **baja incentivada** (IND REL voluntary severance, voluntary severance pay; negotiated redundancy; S. *jubilación anticipada*), **baja instantánea** (slump, bear slide; S. *baja repentina*), **baja intensidad, de** (low profile), **baja laboral** (IND REL labour layoff; off work, on the sick list; S. *despido*), **baja por enfermedad** (IND REL sick leave/line; S. *indemnización por baja por enfermedad*), **baja por maternidad** (IND REL maternity leave), **baja repentina/súbita** (STK EXCH slump; S. *desplome; baño de sangre*), **baja/ caída repentina de las cotizaciones de**

Bolsa o de los precios en general (crumbling of prices)].

bajada/bajón *n*: decrease, descent, fall, drop, downswing, downturn. [Exp: **bajada técnica** (STK EXCH technical drop)].

bajamar *n*: low tide; S. *marea baja.*

bajar *v*: fall; fall off; descend, decline; dip, drop; be below, lose value; reduce, decrease; bring down; lower; S. *descender; reducir; caer; rebajar.* [Exp: **bajar bruscamente** (slump, sink, collapse; S. *hundirse, desplomarse*), **bajar de categoría** (demote/downgrade; S. *degradar*), **bajar de valor** (fall off, depreciate, drift; S. *depreciarse*), **bajar en picado** (plummet, collapse; hit the skids *col*; hit rock bottom *col*; slide; S. *collapse*), **bajar la calidad de un producto** (go down market), **bajar lentamente/ligeramente** (edge downwards, drift; drop a notch *col*; S. *deslizarse a la baja*), **bajar los precios** (reduce/lower the price), **bajar súbitamente** (sink, slump; S. *caer en picado*)].

bajista *a/n*: bearish; bear; short[2]; S. *especulador de acciones a la baja; pesimista.* [Exp: **bajista cubierto** (STK & COMMOD EXCH covered bear)].

bajo[1] *a*: low. [Exp: **bajo[2]** (below, under, underneath, beneath; S. *según, debajo de*), **bajo consumo, de** (economical; S. *económico, ahorrativo, módico*), **bajo control de aduanas** (customs bonded), **bajo cuerda** (under the counter/table, underhand; undercover; on the sly *col*), **bajo fianza** (under bond), **bajo la custodia de** (under the care of), **bajo la égida de** (under the aegis of), **bajo mínimos** (at an all-time low, at a low ebb, at rock-bottom; S. *horas bajas, tocar fondo*), **bajo precio** (cheapness), **bajo precio, de** (cheap; S. *barato, de precio o tarifa reducida*), **bajo recinto aduanero** (TRANSPT in/under bond; S. *en admisión temporal*), **bajo sobre** (under

cover, in a sealed envelope, under seal), **bajos ingresos** (low income)].

bala[1] *n*: bale; S. *paca, fardo.* [Exp: **bala[2]** (bullet)].

balance *n*: ACCTS balance[2]; balance sheet; S. *saldo.* [Both *balance* and *balanza* may be translated as "balance"; the difference is purely functional, *balance* being used to refer to the state of the accounts of a business, while *balanza* is preferred when analyzing the credit and debit transactions between a country and its neighbours in the international community. Exp: **balance ajustado de comprobación** (S. *balance de comprobación ajustado*), **balance antes del cierre** (preliminary trial balance), **balance anual** (yearly balance, yearly settlement of accounts), **balance auditado** (audited statement; S. *estado de cuentas certificado*), **balance clasificado** (classified balance sheet *US*), **balance bancario** (bank statement), **balance comparativo** (ACCTS comparative balance sheet), **balance con la comunidad** (COMP LAW social responsibility report; S. *balance social*), **balance consolidado** (COMP LAW consolidated balance sheet; S. *balance de fusión; consolidación de balances*), **balance de apertura** (ACCTS opening balance sheet), **balance de cierre** (ACCTS closing balance sheet), **balance de compensación** (ACCTS compensating/compensatory balance), **balance de comprobación** (trial balance, post-closing trial balance; S. *balance de situación*), **balance de comprobación ajustado o regularizado** (ACCTS adjusted trial balance), **balance de comprobación anterior al cierre** (ACCTS pre-closing trial balance), **balance de comprobación de cierre** (closing trial balance), **balance de comprobación después del cierre** (ACCTS post-/after-closing trial balance),

balance de comprobación final (final trial balance), **balance de ejercicio** (ACCTS balance sheet; statement of financial position, assets and liabilities statement; S. *balance de situación, hoja de balance, balance general, estado contable, estado financiero*), **balance de estado** (income statement; profit and loss statement), **balance de fusión** (consolidated balance sheet; S. *balance consolidado*), **balance de intervención** (ACCTS intervention balance sheet), **balance de inventario** (stock balance, second trial balance), **balance de la cobertura** (INSCE coverage balance), **balance de liquidación** (winding-up/liquidation balance), **balance de recursos y necesidades** (statement of resources and needs), **balance de resultados** (profit and loss statement; earnings report; income statement; S. *estado de pérdidas y ganancias*), **balance de situación** (ACCTS balance sheet; statement of condition, statement of financial position, assets and liabilities statement; S. *hoja de balance, balance general, balance general, estado contable/financiero*), **balance de situación combinado** (ACCTS combined balance sheet), **balance de situación consolidado** (consolidated balance sheet), **balance de situación del grupo** (ACCTS group balance sheet), **balance de títulos** (balance of securities), **balance de volumen** (STK EXCH on-balance volume; S. *volumen general de operaciones de un valor bursátil*), **balance diario o de situación** (day-to-day balance, running balance), **balance dinámico** (ACCTS dynamic balance sheet), **balance económico** (economic balance sheet), **balance final o de cierre** (final balance sheet), **balance general** (ACCTS balance sheet; statement of condition, statement of financial position,

financial statement; assets and liabilities statement; S. *estado contable, estado financiero, balance de ejercicio, balance de situación, hoja de balance*), **balance general analítico** (analytical balance sheet), **balance general de liquidación** (ACCTS liquidating balance sheet), **balance general en forma de cuenta** (ACCTS account form balance sheet), **balance general en forma de informe** (report-form balance sheet), **balance general preliminar/previo** (preliminary balance sheet, general trial balance), **balance general resumido** (condensed balance sheet), **balance inicial** (ACCTS initial balance sheet), **balance migratorio** (migratory balance), **balance nacional de endeudamiento** (balance of indebtedness), **balance negativo/positivo** (balance showing a loss/profit), **balance previo de comprobación** (ACCTS first trial balance), **balance provisional** (interim balance sheet; tentative/temporary/trial balance sheet), **balance regularizado** (restated balance sheet; S. *regularización de balances*), **balance social** (IND REL labor/labour relations report; S. *balance con la comunidad*), **balance sin revisar** (unaudited balance)].

balanza[1] *n*: balance[3]; S. *balance*. [Exp: **balanza**[2] (weighing machine, scales; S. *báscula*), **balanza básica** (basic balance), **balanza comercial** (commercial/trade balance, balance of trade), **balanza comercial activa/favorable** (active/favourable/advantageous trade balance, trade surplus), **balanza comercial negativa, desfavorable, pasiva o con déficit** (adverse/passive trade balance; S. *balanza de pagos deficitaria*), **balanza de bienes y servicios** (balance of goods and services), **balanza de capital** (capital balance; balance of payments on current account), **balanza de comercio**

exterior (balance of foreign trade, foreign trade balance), **balanza de invisibles** (invisible balance), **balanza de operaciones de capital** (balance of capital account), **balanza de pagos** (ACCTS balance of payments, BOP), **balanza de pagos deficitaria** (adverse balance of payments, trade deficit), **balanza de pagos internacionales** (balance of international payments), **balanza de pagos por cuenta corriente** (ECO, ACCTS balance of payments on current account, current account balance[2]; net export of goods and services; S. *saldo de operaciones por cuenta corriente*), **balanza de pagos por cuenta de capital** (balance of payments on capital account), **balanza de saldos ajustados** (adjusted trial balance), **balanza de servicios** (balance of services), **balanza de transferencias** (balance of transfers), **balanza deficitaria** (ACCTS adverse balance; S. *saldo negativo/desfavorable*), **balanza exterior** (foreign balance), **balanza o saldo por/de cuenta corriente** (balance on current account; net export of goods and services), **balanza por cuenta corriente** (current account balance; net export of goods and services; S. *saldo de la balanza en cuenta corriente*)].

balasto *n*: TRANSPT ballast; S. *lastre*.

baldíos *n*: untilled land.

baliza *n*: beacon; marker; buoy. [Exp: **balizaje** (TRANSPT lorry's warning lights)].

balón *n*: ball. [Exp: **balón de oxígeno** (boost[1]; shot in the arm *col*; fresh impetus; fresh legs *col*; S. *estímulo*)].

banca[1] *n*: banking industry/system. [Exp: **banca**[2] *col* (kitty; S. *bote*), **banca a domicilio** (home banking), **banca al menudeo o al por menor** (retail banking), **banca al por mayor** (S. *banca mayorista*), **banca de concentración**

(TRANSPT concentration banking), **banca de inversión o de emisión de valores** (investment banking, underwriting house; S. *negociación de inversiones*), **Banca de Pagos Internacionales** (Bank for International Payments), **banca electrónica** (electronic banking), **banca estatal** (state-owned bank), **banca industrial** (merchant banking), **banca mayorista** (wholesale banking; S. *banca al menudeo*), **banca mixta** (industrial and commercial bank), **banca oficial** (state banking institutions; official banks), **banca privada** (private banking/banks), **banca telefónica** (phone banking), **bancario**[1] (bank employee; S. *empleado de banco; banquero*), **bancario**[2] (bank, in adjectival position, as in "bank account" or *cuenta bancaria*)].

bancarrota *n*: TRANSPT bankruptcy; failure; collapse; S. *quiebra, insolvencia*.

banco *n*: bank[1]; S. *caja, caja de ahorros, entidad de crédito*. [Exp: **banco aceptante** (accepting bank), **banco adscrito a la Cámara de Compensación** (clearing bank; S. *banco no adscrito a la Cámara de Compensación*), **Banco Africano de Desarrollo, BADF** (African Development Bank, AfDB), **Banco Asiático de Desarrollo, BASD** (Asian Development bank, ASDB), **banco agente** (BKG agent bank, correspondent bank; S. *banco corresponsal, corresponsal bancario*), **banco asegurador** (underwriter bank), **banco autorizado** (authorized bank), **banco avisador** (advising bank; S. *banco notificador; banco confirmador*), **banco central** (Central Bank, bankers' bank; S. *banco emisor, banco de servicio de otros bancos*), **Banco Central Europeo** (European Central Bank), **banco codirector en un préstamo sindicado** (FIN, BKG co-manager bank), **banco comercial** (commercial bank; joint-stock bank, High Street Bank; clearing bank; incorporated bank, deposit bank *US*; retail bank, full service bank *US*; discount bank/house), **banco compensador** (clearer; clearing bank/house), **banco confirmador/confirmante** (BKG confirming bank/house; S. *banco notificador*), **banco consorcial** (consortium bank), **banco corresponsal** (BKG correspondent bank; S. *corresponsal bancario*), **banco de ámbito local** (local bank; independent bank; community bank), **banco de bancos** (bankers' bank; S. *banco de servicios de otros bancos*), **banco de centralización** (BKG concentration bank, lead bank; S. *banco principal*), **banco de cobranza** (collecting bank), **banco de comercio exterior** (foreign trade bank), **banco de consorcio** (consortium bank), **banco de crédito a la construcción, BCC** (credit bank or institution supplying loans to the building trade or building societies; S. *inmobiliaria*), **banco de crédito agrícola** (Bank for Cooperatives; S. *bancos/cajas rurales*), **banco de crédito hipotecario** (mortgage loan bank), **banco de datos** (databank; database; S. *base de datos*), **banco de descuento** (discount bank/house; acceptance bank; S. *banco comercial*), **banco de emisión de valores** (issuing house, investment bank; S. *casa emisora*), **Banco de España** (Bank of Spain), **Banco de Exportación e Importación** (Eximbank), **Banco de Inglaterra** (Bank of England), **banco de inversiones/negocios** (S. *banco de negocios*), **Banco de la Reserva Federal** *US* (Federal Reserve Bank), **banco de negocios/inversiones** (investment bank *US*; merchant bank, industrial bank, accepting house; S. *banco mercantil, casa de aceptaciones*), **Banco de Pagos/Operaciones Internacionales, BPI** (Bank for International Settlements,

BIS), **banco de peces** (school of fish), **banco de servicio de otros bancos** (bankers' bank; S. *banco central, banco emisor*), **banco de servicios generales** (full-service bank *US*; deposit bank, retail bank; multiple banking *US*), **banco de tierras** (LAW set-aside system), **banco declarante del BPT** (BIS reporting bank), **banco designado** (nominated bank), **banco director** (BKG manager bank, lead bank; S. *jefe de fila*), **banco director principal** (lead manager bank), **banco domiciliatario** (domiciling bank), **banco emisor** (BKG issuing bank, note-issuing bank, opening bank, bankers' bank; bank/house of issue; central bank; S. *banco de servicio de otros bancos, banco central*), **banco en casa** (home bank), **banco en un paraíso fiscal** (offshore bank), **banco especializado en cobro de deudas** (collecting bank; collection bank *US*), **banco especializado en giros bancarios** (Girobank), **banco estatal o nacional** (government bank), **Banco Europeo de Inversiones, BEI** (European Investment Bank, EIB), **Banco Europeo para la Reconstrucción y el Desarrollo** (European Bank for Reconstruction and Development), **Banco Exterior de España, BEE** (Spanish Bank for International Trade), **banco extranjero** (foreign-owned bank), **banco extraterritorial** (offshore bank), **banco fiduciario** (bankers' trust company; trust company), **banco filial** (affiliated bank; subsidiary bank), **banco financiero o de descuento** (acceptance bank *US*), **banco hipotecario** (mortgage bank; *approx* building society; S. *immobiliaria*), **Banco Hipotecario de España, BHE** (Spanish Mortgage Bank), **banco gestor líder** (BKG lead manager bank; S. *director principal, jefe de filas, banco director*), **banco independiente** (independent bank), **banco industrial**

(industrial bank), **Banco Interamericano de Desarrollo, BID** (Inter-American Development Bank, IDB *US*), **banco intermediario** (dealer bank, intermediary bank, broker-dealer), **Banco Internacional de Reconstrucción y Fomento, BIRF** (International Bank for Reconstruction and Development, IBRD), **banco local** (local bank), **banco mercantil** (BKG merchant bank, investment bank; S. *casa de aceptaciones, banco de negocios o financiero*), **banco minorista** (retail bank), **Banco Mundial** (World Bank), **banco nacional** (BKG national bank *US*), **banco no adscrito a la Cámara de Compensación** (BKG non-member bank; S. *banco adscrito a la Cámara de Compensación*), **banco notificador** (advising/notifying bank; S. *banco avisador; banco confirmador*), **banco ordenante** (ad-vising bank), **banco pagador** (paying bank), **banco participante** (partici-pating/participant bank), **banco por acciones** (incorporated bank *US*; S. *sociedad bancaria por acciones*), **banco presentador** (presenting/remitting bank), **banco principal** (BKG concentration bank, lead bank; S. *banco de centralización, banco secundario*), **banco principal de un consorcio** (lead bank, concentration bank), **banco privado** (private bank *US*), **banco privilegiado** (privileged bank), **banco puente** (bridge bank *US*), **banco que emite o abre un crédito documentario** (INTER COM issuing bank[2]), **banco receptor** (receiving bank), **banco reembolsador** (reimbursing bank), **banco registrado legalmente** (chartered bank), **banco remitente o cedente** (remitting/constituent bank), **banco representado por otro** (downstream bank), **banco/caja rural** (land bank, country bank, agricultural credit bank), **banco secundario** (secondary bank,

finance house), **banco sindical** (labor bank *US*), **banco situado en un paraíso fiscal** (FIN off-shore bank; S. *banco transnacional*), **banco transferente** (transferring bank), **banco transnacional** (FIN off-shore bank; S. *banco extraterritorial; banco situado en un paraíso fiscal*), **bancocracia** *col* (banking power), **banconchabamiento** *col* (bankmail *col*), **banquero** (banker; S. *bancario*)].

banda[1] *n*: band; range; bracket; spread; collar; margin; S. *margen, rango, escala, abanico*. [Exp: **banda**[2] (pool[4]; gang, clique, cartel; S. *camarilla*), **banda de apertura** (STK & COMMOD EXCH opening range), **banda de fluctuación** (fluctuation range; exchange rate band; fluctuation margins; trading range, margin[6]; S. *márgenes de fluctuación*), **banda de fluctuación lateral** (sideways channel; S. *canal lateral*), **banda horaria de mayor audiencia** (ADVTG prime time; S. *horario estelar*), **banda inferior de fluctuación** (FIN floor[3]; S. *mínimo, límite inferior, suelo*), **banda superior de fluctuación** (FIN ceiling, cap; *máximo, límite superior*), **banda salarial** (wage scale, salary bracket/band/range)].

bandazo *n*: lurch; S. *sacudida, vaivén*.

bandeja *n*: tray; pallet. [Exp: **bandeja de documentos a archivar** (filing basket/tray), **bandeja de documentos de entrada, pendientes o a despachar** (in-tray), **bandeja de documentos despachados** (out-tray)].

bandera *n*: flag, banner; S. *pabellón*. [Exp: **bandera de conveniencia** (flag of convenience), **bandera de partida de un buque** (TRANSPT blue peter)].

barandillero *n*: sideline trader.

baratería *n*: INSCE barratry of master and mariners.

baratijas *n*: odds and ends, knick-knacks; S. *tienda de baratijas*.

barato *a*: cheap, inexpensive, economical;

easy; on the cheap; low-priced, give-away[2]; S. *de saldo, económico; de bajo precio*. [Exp: **baratísimo** (dirt cheap *col*; for a song *col*; S. *a precio tirado*)].

barbecho *n*: fallow land; S. *terreno baldío*.

barco *n*: boat, ship, vessel; craft[2]; S. *buque, embarcación*. [Exp: **barcaza** (barge; S. *gabarra, barcaza*), **barco/avión de carga** (cargo boat/ship/plane), **barco correo** (mail boat), **barco de cabotaje** (coaster), **barco de vapor** (steamer), **barco transbordador** (ferry; car ferry)].

baremar *v*: rate, classify on a points system; S. *calificar, evaluar, conceptuar*. [Exp: **baremo** (scale, rate, rating system, points system, table rate), **baremo «Camel» de agencias calificadoras** (CAMEL rating)].

barómetro *n*: barometer; S. *indicadores/índices macro-económicos*. [Exp: **barómetro bursátil** (Stock Exchange barometer), **barómetro/indicador de marcas** (ADVTG brand barometer)].

barrera *n*: barrier, obstacle; S. *obstáculo*. [Exp: **barreras a la movilidad** (mobility barriers), **barreras administrativas** (administrative obstacles, red tape; S. *burocracia*), **barreras aduaneras** (customs barriers), **barreras al comercio** (trade barriers), **barreras arancelarias** (tariff barriers; S. *imponer/suprimir barreras al comercio*), **barreras de comunicación** (communications barriers), **barreras de coste absoluto** (ECO absolute cost barriers), **barreras de entrada** (COM entry barriers; barriers to entry), **barrera/cordón de huelguistas** (picketline; S. *piquete de vigilancia*), **barreras de salida** (COM barriers to exit; exit barriers), **barreras no arancelarias** (non-customs-duties barriers), **barreras técnicas** (COM technical obstacles)].

barrica *n*: barrel; cask, csk; S. *barril, tonel, cuba*. [Exp: **barril** (barrel; S. *barrica*), **barriles diarios** (barrels per day, b/d)].

bártulos *n*: goods and chattels, gear[1]; S. *bienes y efectos, bienes y muebles*.

basar *v*: base,[1] ground[2]; S. *fundamentar, establecer*. [Exp: **basado/basándose en** (based on; on the basis of; relying on; S. *acuerdo con, según*)].

báscula *n*: scales, weighing machine; TRANSPT weighbridge; S. *balanza*.

base *n*: base; basis,[1] ground, grounds, groundwork; foundation; basics; assumption, starting point; ground rules, ground plan; S. *cimientos, fundamento, motivo*. [Exp: **base actuarial** (actuarial basis), **base acumulativa o de acumulación** (ACCTS accrual concept/basis), **base ajustada** (STK & COMMOD EXCH adjusted basis), **base cultural** (background; S. *educación, experiencia, historial*), **base, de** (basic; S. *básico, primario,*), **base de, a** (on the basis of; S. *basado en, basándose en, de acuerdo con, según*), **base de acumulación** (TRIB basis, base[2]; S. *base impositiva*), **base de bonos** (FIN bond basis), **base de datos** (data bank; S. *banco de datos*), **base de la pensión** (S. *base reguladora*), **base del flete** (TRANS basis of freight), **base disponible** (adjusted gross income), **base económica** (economic base), **base imponible/impositiva** (TAXN gross tax base, basis; assessment base/basis, taxable base, tax base; assessed income, assessment[2]; S. *renta gravada, renta sujeta a tributación*), **base imponible a efectos empresariales** (TRIB earnings basis), **base imponible íntegra ajustada** (TRIB adjusted gross income, AGI), **base imponible íntegra** (gross tax base), **base imponible neta ajustada** (TAXN adjusted net income), **base impositiva** (basis of assessment; tax base, base[2]), **base liquidable** (net tax base), **base liquidable neta** (TRIB final tax base), **base monetaria** (ECO monetary base), **base reguladora** (IND REL regulatory base; reward basis; scale of national insurance contributions; S. *bases de remuneración*), **base tarifada/tarifaria** (rate base,[2] rate basis), **bases** (norms, conditions, conditions of entry, rules), **bases contables** (account[s] basis), **bases de campaña** (campaign basis), **bases de licitación** (bidding conditions/specifications/form; S. *pliego de condiciones*), **bases de remuneración** (salary scale, scale of rewards/commissions; reward bases *US*), **bases del concurso** (conditions of entry; conditions of tender; information for bidders; S. *pliego de licitación*), **bases técnicas** (technical basis), **básico** (basic, primary; main; fundamental, base[1]; S. *primario, fundamental*)].

basura *n*: junk, rubbish; debris; shinplaster *US*; S. *residuos; chatarra; bonos basura*. [Exp: **basurero** (rubbish dump/tip, tip; junk heap; dump; S. *vertedero*)].

batería *n*: battery.

batir *v*: beat, defeat; break, smash; S. *superar, vencer*.

BCC *n*: S. *Banco de Crédito a la Construcción*.

BEI *n*: S. *Banco Europeo de Inversión*.

beneficiar *v*: benefit. [Exp: **beneficiario** (beneficiary, payee, assignee, recipient, receiver; S. *tenedor; portador*), **beneficiario de algo abandonado** (INSCE abandonee; S. *cesionario, abandonatario*), **beneficiario de preferencia** (preference/preferred/preferential beneficiary), **beneficiario de un poder notarial** (grantee), **beneficiario de una póliza** (INSCE person named in the/beneficiary of the policy, the named person; the insured; S. *asegurado*), **beneficiario de una transferencia** (assignee; S. *cesionario*), **beneficiario gratuito, beneficiario proindiviso** (joint beneficiary), **beneficiario vitalicio** (life beneficiary)].

beneficio *n*: benefit, profit; earnings, gains; return; avail[1]; S. *ventaja, bien, privilegio, ganancia*. [Exp: **beneficio bruto** (gross profit), **beneficio contable, de balance o según libros** (ACCTS book/accounting profit), **beneficio de ejercicio** (trading profit), **beneficio de explotación** (operating profit), **beneficio de inventario** (LAW rule allowing the beneficiary of a will to await the outcome of an inventory on the estate before deciding whether or not to accept the inheritance; *fig* with the verb *tomar* and the prep. *a*, see which way the land lies or the wind blows *col*; depending on how one is fixed or placed *col*; we'll see how we stand or how things work out; if it's worth my/our while, etc.), **beneficio de papel** (paper profit), **beneficio económico** (economic profit), **beneficio empresarial** (company/business/corporate earnings profit), **beneficio extraordinario** (excess profit), **beneficio ficticio** (S. *beneficio de papel*), **beneficio fiscal o tributario** (TAXN tax inducement/exemption/cut/reduction; S. *exoneración, franquicia, privilegio, exención, desgravación, bonificación*), **beneficio líquido** (clean/clear profit), **beneficio marginal** (IND REL marginal/fringe benefit; S. *salario indirecto*), **beneficio más amortizaciones** (profit plus depreciation), **beneficio neto** (net income/profit), **beneficio neto ajustado/consolidado** (adjusted/consolidated net profit), **beneficio neto por acción** (net earnings per share), **beneficio normal** (normal/standard profit), **beneficio por acción, BPA** (STK EXCH earnings per share, EPS), **beneficio sobre el papel** (S. *beneficio de papel*), **beneficio sobre ventas y descuentos** (ACCTS sales returns and allowances), **beneficio técnico** (technical profit)].

beneficios *n*: gains, earnings[2]; S. *rentabilidad, ganancias*. [Exp: **beneficios a**

efectos fiscales (TRIB assessable/taxable profits; S. *beneficios a efectos contables*), **beneficios acumulados** (COMP LAW accumulated profits), **beneficios acumulados o devengados por un empleado en forma de pensión** (accrued benefits), **beneficios accesorios/adicionales/suplementarios [al sueldo]** (IND REL fringe benefits; S. *salario indirecto*), **beneficios antes de deducir impuestos** (pre-tax earnings/profits, operating earnings before tax; S. *beneficios después de deducir impuestos*), **beneficios atípicos** (FIN, ACCTS income from other sources, non-operating income), **beneficios brutos, totales o de explotación** (gross/operating profit), **beneficios compensatorios o equilibradores** (offsetting gains), **beneficios complementarios** (fringe benefits; perquisites, perks *col*; S. *salario indirecto*), **beneficios de explotación** (operating results), **beneficios del capital** (capital profits), **beneficios después de deducir impuestos** (after-tax earnings/profits, operating profit after tax; S. *beneficios antes de deducir impuestos*), **beneficios disponibles** (disposable income or earnings), **beneficios efectivos** (actual profits), **beneficios empresariales** (corporate profits), **beneficios extraordinarios** (excess profits), **beneficios imputables** (attributable profits), **beneficios indirectos** (indirect/spillover profits or benefits), **beneficios limpios o netos** (clear profit), **beneficios no asignados** (unappropriated profits *US*), **beneficios no distribuidos** (retained earnings; undistributed profits), **beneficios por liquidar** (unrealized profits), **beneficios por modificación de los valores inventariables** (inventory profit), **beneficios previstos/esperados** (INSCE anticipated profit), **beneficios reinvertidos** (ploughed-back profit),

beneficios repartidos (distributed profit/earnings), **beneficios retenidos** (retained profit/earnings, retained cash; S. *reserva-s libre-s*), **beneficios sociales** (corporate benefits), **beneficioso** (economic; cost-effective; S. *provechoso, económico, viable, rentable*), **benéfico** (charitable; eleemosynary *US*; S. *sin ánimo de lucro*)].

bi- *pref*: bi-. [Exp: **bianual** (bi-yearly; twice yearly, biannual; S. *bienal*), **bimensual** (fortnightly, bi-monthly; S. *quincenal*), **bimetalism** (bimetalism; S. *patrón bimetálico/bimetal*)].

bidón *n*: can, drum^2; S. *lata, envase*.

bien^1 *adv*: well, properly, efficiently. [Exp: **bien dispuesto** (cheerful; S. *animado, favorable*), **bien organizado** (well organized, efficient; S. *competente, apto, capaz*)].

bien^2 *n*: commodity, good; benefit; advantage; S. *bienes; privilegio, beneficio*), **bien colectivo** (utility *US*), **bien colectivo puro** (pure public item *US*), **bien de capital/inversión** (capital asset), **bien de capital circulante** (circulating/current/working capital asset/item/good *US*), **bien de consumo** (consumer good/item/ article), **bien de equipo** (machinery; capital asset), **bien de inversión** (investment item/asset), **bien de uno, por el** (for one's own sake), **bien inferior** (ECO inferior good), **bien inmueble** (immovable asset; real estate), **bien intermedio** (intermediate item/ article), **bien mueble** (property), **bien normal** (ECO normal item/article)].

bienal *a*: biennial; S. *bianual; cada dos años*.

bienes *n*: assets, goods, commodities, effects, property/properties; alls, chattel; physicals^2; S. *caudal, pertenencias, propiedad, efectos, patrimonio*. [Exp: **bienes accesorios a un inmueble** (appurtenances, fixture, fittings), **bienes**

agotables (wasting assets), **bienes complementarios** (complementary goods), **bienes comunales** (community property, common/public property), **bienes de cambio** (circulating capital, working capital; S. *capital de explotación o circulante, activo circulante/corriente, capital flotante*), **bienes de capital** (ACCTS capital assets/goods, fixed/permanent assets, capital/fixed assets; S. *valores patrimoniales; bienes de equipo*), **bienes de consumo** (consumer goods), **bienes de consumo duraderos** (consumer durables), **bienes de consumo finales** (final consumer goods), **bienes de dominio público** (public property), **bienes de equipo** (capital assets/items/goods, equipment; S. *bienes de inversión/capital*), **bienes de fideicomiso** (trust property/estate), **bienes de inversión** (capital goods; S. *bienes de capital, bienes de equipo*), **bienes de uso doméstico** (household goods; S. *enseres domésticos*), **bienes económicos** (economic goods), **bienes efectivos o reales** (actual assets), **bienes en existencia** (COMER goods in stock; stock in trade; off-the-shelf goods), **bienes fungibles** (fungible goods, fungibles), **bienes gananciales** (joint property of a married couple; community estate/property; community property *US*; S. *comunidad de bienes*), **bienes hipotecarios** (mortgaged property), **bienes industriales** (industrial property/goods), **bienes inferiores** (inferior items/goods), **bienes inmateriales/intangibles/incorporales** (ACCTS immaterial/intangible assets; S. *activo intangible*), **bienes inmuebles o raíces** (real assets, real property, real estate; immovable property, immovables, registered property; fixtures; S. *bienes raíces, inmuebles, instalaciones fijas de una empresa*), **bienes intermedios** (intermediate goods), **bienes invertidos** (investments capital goods; S. *bienes de equipo*), **bienes libres** (free goods), **bienes materiales** (tangible assets, visible/physical items, corporeal property), **bienes mostrencos** (unclaimed goods; ownerless property, lands in abeyance), **bienes muebles** (chattel, personal chattels; goods and chattels; movables, moveable/movable estate/property, personalty), **bienes no duraderos** (non-durable goods, non-durables), **bienes no perecederos** (durables), **bienes perecederos** (perishable goods/items, perishables), **bienes personales** (personal chattels; S. *bienes muebles*), **bienes productivos/rentables** (FIN earning assets), **bienes públicos** (public property, items in the public domain), **bienes raíces** (land; landed estate/property; real estate; land and buildings; realty, real assets; S. *terreno, propiedad*), **bienes reales** (real chattels), **bienes reales y personales** (mixed property), **bienes recuperados o derechos de salvamento** (salvage *US*), **bienes semovientes** (livestock, cattle), **bienes sociales** (partnership property; S. *fondo social*), **bienes suaves** (soft goods), **bienes superiores** (superior goods), **bienes sustitutivos** (substitute goods), **bienes tangibles** (chattels personal; tangible property), **bienes y efectos** (goods and chattels; personal effects/property; S. *bienes y muebles, bártulos*), **bienes y muebles** (goods and chattels; S. *bártulos, bienes y efectos*), **bienes y servicios** (goods and services)].
bienestar *n*: comfort; welfare; S. *comodidad, sociedad*. [Exp: **bienestar público/social** (public/social welfare)].
bilateral *a*: bilateral, reciprocal; two-way, mutual; S. *mutuo, recíproco*. [Exp: **bilateralismo** (bilateralism)].
billete[1] *n*: ticket; fare; passage; S. *pasaje*.

[Exp: **billete**[2] (BKG note, bank note,[1] banknote; bill, bank bill[2] *US*), **billete a precio reducido** (TRANSPT concessionary fare, reduced rate/fare), **billete abierto** (TRANSPT open ticket), **billete de abono** (season ticket), **billete de avión de clase turista** (TRANSPT economy/tourist class ticket), **billete de curso legal** (legal bill/note, legal tender), **billete de ida** (TRANSPT one-way fare/ticket; S. *viaje de ida y vuelta*), **billete de ida y vuelta** (TRANSPT return ticket/fare; round trip ticket *US*), **billete de pasaje** (passage ticket), **billete de segunda clase** (second-class ticket), **billete extranjero** (foreign banknote; S. *divisa/moneda extranjera*), **billete falso** (counterfeit/forged bank-note, forgery, dud/flash note *col*), **billetes** (paper currency/money; S. *papel moneda*)].

billón *n*: billion; in standard Spanish usage a million million —10^{12}— is meant.

binario *a*: binary.

biodegradable *a*: biodegradable.

BIRF *n*: S. *Banco Internacional de Reconstrucción y Fomento*.

blanco *a/n*: white; target; S. *dar en el blanco*. [Exp: **blanca, estar sin** *col* (be broke *col*; S. *estar sin un duro*), **blanco, en** (blank; S. *espacio en blanco, papel en blanco*), **blanco legítimo** (legitimate target, fair game; S. *caza legítima*)].

blanquear *v*: bleach, whitewash, launder; S. *lavado*. [Exp: **blanquear capitales/dinero** (launder funds/money), **blanqueo de dinero** (cash/money-laundering)].

blindar *v*: reinforce, armour-plate; FIN, INSCE, LAW, BKG provide with a cast-iron or armour-plated guarantee *col*, protect/guarantee up to the hilt *col*, equip with the utmost security, provide bomb-proof or belt-and braces cover *col*. [The term *blindar* is becoming more and more widely used in the aeas of banking, insurance and contract law; sometimes the sense is of guaranteeing the maximum safety and security for the consumer, whilst at others the emphasis is on the legal stringency of the undertaking, e.g., in the terms and conditions of contracts or in the caps or limits set on share movements, etc. No single translation meets all the cases, but "bullet-/-bomb proof" or "armour-plated" seem apt for the sense of cover, whilst the notion of strictness is better conveyed by "cast-iron", "cap", etc.; S. *contrato blindado, hipoteca blindada, póliza blindada*. Exp: **blindaje** (armour plating; bullet-/bomb-proof cover; cast iron system or safeguard, fullest possible guarantee/protection/cover; utmost stringency, water-tight provisions)].

bloc *n*: pad; writing pad, note pad. [Exp: **bloc para notas/mensajes/apuntes** (desk pad, note pad, memo book, scratch pad)].

bloque *n*: block; building, block of houses, complex; section, subsection. [Exp: **bloque de salida** (output block), **bloque publicitario** (ADVTG advertising/commercial break; series of adverts; S. *cuña publicitaria*)].

bloquear *v*: block, freeze; obstruct; deadlock; cut off[3]; S. *obstruir, obstaculizar*. [Exp: **bloquear el pago de un cheque** (stop the payment of a cheque), **bloquear una cuenta, dinero, fondos, etc.** (block/freeze an account, currency, funds, etc.; S. *congelar, embargar, paralizar*), **bloqueado por el hielo** (TRANSPT icebound)].

bloqueo *n*: blockade; freeze; deadlock, standoff, standstill. [Exp: **bloqueo de discusiones, negociaciones, etc.** (IND REL breakdown of talks, negotiations, etc.; S. *punto muerto*), **bloqueo de cuenta** (blockage/freezing of an account), **bloqueo económico** (boycott, economic embargo; S. *embargo*)].

boca a boca *phr*: mouth-to-mouth, by word of mouth; though the grapevine *col*.

boceto *n*: ADVTG rough lay-out; cartoon; S. *bosquejo*.

bodega[1] *n*: warehouse, cellar; store; baggage room; S. *depósito*. [Exp: **bodega**[2] (wine cellar, wine merchant's; liquor store *US*), **bodega**[3] (TRANSPT hold, cargo hold), **bodega de proa** (TRANSPT forward hold), **bodega de un barco** (hold,[4] cargo space), **bodega, en** (in the hold), **bodega fiscal** (TRANS MAR customs warehouse; bonded warehouse; S. *depósito aduanero, almacén de depósito o afianzado*)].

bodegón *n*: ADVTG package shot.

BOE *n*: S. *Boletín Oficial del Estado*.

boicot/boicoteo *n*: boycott, blacking; S. *bloqueo económico*. [Exp: **boicot bancario** (greenlining *US*), **boicotear** (boycott; black[2]; S. *marginar, imponer restricciones*)].

boleta *n*: STK EXCH dealing slip; voucher, ticket, stub, receipt; S. *impreso de operaciones bursátiles*.

boletín *n*: bulletin, list; newsletter, news release; gazette; report; register. [Exp: **boletín de aceptación** (INSCE reinsurance slip; S. *borderó*), **boletín de cambios** (STK EXCH list of quotations, stock exchange list; S. *lista de cambios*), **boletín de cambios de moneda extranjera** (list of foreign exchange rates), **Boletín de Cotización diario de la Bolsa de Madrid** (Madrid Official Stock Exchange Bulletin), **boletín de empresa** (house organ/newsletter/ publication), **boletín de investigación contable** (accounting research bulletin), **boletín interno de una empresa** (house journal/magazine), **Boletín oficial** (official journal, gazette; S. *gaceta oficial*), **Boletín Oficial del Estado, BOE** (Official Gazette of the Spanish State, published daily; laws and official appointments come into effect as of the date of their publication in this journal)].

boleto n: ticket; coupon, slip. [Exp: **boleta** (card)].

bolsa[1] *n*: bag; S. *costal, saco, bolso*. [Exp: **Bolsa**[2] (stock exchange; exchange; market; Bourse; S. *mercado, lonja; jugar a la Bolsa; sacar a Bolsa, salir a Bolsa*), **bolsa**[3] (grant; scholarship; S. *bolsa de estudios*), **bolsa clandestina o ilegal** (STK & COMMOD EXCH bucket shop; boiler room *col*), **Bolsa de Comercio** (Stock Exchange, organized market, securities market, goods/commodities exchange; S. *Bolsa de Valores, mercado continuo*), **Bolsa de divisas** (foreign currency market), **bolsa de estudios o de viaje** (grant; S. *beca*), **Bolsa de futuros y opciones** (Futures and Options Exchange, Fox), **bolsa de la compra** (shopping basket), **Bolsa de Londres** (London Stock Exchange), **Bolsa de materias primas, mercaderías o productos básicos** (commodities exchange), **Bolsa de Nueva York** (New York Stock Exchange, NYSE *US*, Big Board *col*), **Bolsa de opciones** (options exchange), **bolsa de pobreza** (poverty pocket; blighted area *US*), **bolsa de trabajo** (employment exchange/bureau/ office/agency; labour exchange; job vacancies; list of vacancies or jobs on offer; S. *agencia de empleo; oficina de colocaciones*), **Bolsa de Valores** (Stock Exchange, Stock Market; Securities Market; S. *mercado bursátil o de valores*), **bolsa débil** (STK & COMMOD EXCH declining market; S. *mercado a la baja*), **Bolsa extraoficial** (STK EXCH unofficial market; free dealings; over the counter market), **Bolsa Internacional de Productos petroleros** (STK & COMMOD EXCH International Petroleum Exchange), **bolsa línea directa** (STK EXCH direct dealing line), **Bolsa oficial** (Official market), **Bolsa secundaria de Nueva York** (Curb, Outdoor Curb Market, Curb Exchange), **Bolsín** (local stock exchange; curb market *US*), **bolsista** (exchange man, stock-jobber, stock-broker; S. *inversor, especulador, agente, corredor, jugador de Bolsa*), **bolso** (bag; S. *bolsa, costal, saco*)].

bombardear con publicidad *v:* ADVTG blitz. [Exp: **bombardeo publicitario** (ADVTG advertising blitz; S. *campaña publicitaria intensísima*)].

bombo *n:* ADVTG hype *col*; ballyhoo *col*; boost,[2] buildup[2]; S. *publicidad exagerada o ruidosa, anunciar a bombo y platillo, dar bombo a, darse bombo*)].

bombona *n:* carboy.

bonanza *n:* period of prosperity; boom; S. *expansión, alza, crecimiento rápido, auge*. [Exp: **bonanza económica** (period/time of economic prosperity, boom, boom time; S. *crisis económica*)].

bonificación *n:* allowance,[3] bonus,[2] bounty; discount, abatement, rebate, backward action; incentive[2]; tax allowance, exemption or bounty; kicker *col*; S. *backhander col*; sweetener *col*; S. *descuento comercial, rebaja, compensación, prima, gratificación, subsidio, incentivo*. [Exp: **bonificación arancelaria** (customs duties allowance), **bonificación compensadora** (FIN balancing allowance), **bonificación de capital** (INSCE capital bonus), **bonificación de celeridad** (TRANSPT dispatch money; S. *prima por celeridad, premio por «dispatch money»*), **bonificación de intereses** (interest rate rebate, interest rebate; S. *abono de intereses*), **bonificación en efectivo** (cash bonus), **bonificación en el flete** (freight allowances; S. *descuento en el precio del flete, carga máxima sujeta a transporte gratuito*), **bonificación por no siniestralidad** (INSCE no-claims bonus; S. *bonus-malus*), **bonificación por demora en la entrega** (COMER allowance for delay), **bonificación fiscal** (S. *bonificación tributaria*), **bonificación sobre fletes** (freight allowance), **bonificación sobre precio de factura** (sales allowance/discount), **bonificación sobre ventas** (sales allowance, sales bonus), **bonificación tributaria** (tax rebate; S. *tax rebate*), **bonificaciones acumuladas** (COMER aggregated rebates)].

bonificar *v:* refund, allow, discount; give/grant/allow a bonus or discount; subsidize; rebate; S. *reembolsar*. [Exp: **bonificado** (with preferential/special fiscal treatment; entitled to tax relief or to a tax rebate)].

bonista *n:* bondholder; holder of bonds/debentures/shares; S. *obligacionista*.

bono[1] *n:* STK EXCH bond, debenture; S. *obligación, título, pagaré, cédula*. [Exp: **bono**[2] (bonus,[2] premium; S. *bonificación; premio*), **bono**[3] (voucher; S. *vale; bono de viaje*), **bono a corto plazo** (short-term bond; S. *bono de caja*), **bono a interés fijo** (fixed-interest-bearing bond), **bono a largo plazo** (long-term bond, long bond), **bono a medio plazo** (medium-term bond), **bono a perpetuidad** (perpetual bond; S. *bono sin vencimiento*), **bono a plazo fijo** (date bond), **bono a tipo fijo** (fixed-rate bond), **bono ajustable a un índice/indexado/indiciado** (indexed bond, index-linked bond), **bono al portador** (bearer bond, non-registered bond, coupon bond), **bono al portador emitido por el Banco Mundial** (daimyo bond), **bono Aladino o sustitutivo** (Alladin bond), **bono alcista** (bull bond), **bono amortiguador** (cushion bond), **bono amortizable** (redeemable bond), **bono amortizable a plazos** (instalment bond), **bono amortizable anticipadamente**

(callable bond; retractable bond; S. *obligación redimible*), **bono anticipado de caja** (bond anticipation note), **bono anual** (annuity[1]), **bono ascendente** (step-up bond; S. *bono declinante*), **bono asumido o garantizado por otra sociedad** (assumed/endorsed bond), **bono autorizado** (approved bond *US*), **bono basura** (junk bond), **bono canjeable por acciones existentes** (exchangeable bond), **bono cielo-infierno** (heaven and hell bond; S. *bono indiciado a un tipo de cambio*), **bono clásico, simple u ordinario** (straight bond), **bono colateral** (collateral trust bond; collateral bond *US*; secured bond; S. *bono con garantía prendaria*), **bono comercial** (bond backed by commercial paper), **bono con amortización parcial** (serial bond; S. *bono con vencimiento escalonado*), **bono-s con calificación financiera** (bond-s with investment-grade ratings), **bono con cláusula de opción de pago en otra moneda a tipo de cambio flotante** (floating-rate option bond), **bono con cupón de interés creciente** (balloon interest/maturity bond), **bono con/de cupón diferido** (deferred coupon bond), **bono con descuento o valor descontado** (deep-discount bond), **bono con dividendos abonables con los rendimientos de los activos titulizados** (income bond), **bono con doble garantía** (double-barrelled bond), **bono con garantía** (secured bond; S. *bono hipotecario*), **bono con garantía hipotecaria** (mortgage-backed bond; mortgage debenture; mortgage bond *US*; S. *cédula/obligación hipotecaria*), **bono con garantía hipotecaria cerrada** (closed-end mortgage), **bono con garantía hipotecaria controlada** (controlled amortization bond, CAB), **bono con garantía específica** (debenture bond, asset-backed bond), **bono con garantía prendaria o con garantía de valores** (collateral trust bond; S. *bono colateral*), **bono con interés fijo** (S. *bono de interés fijo*), **bono con interés variable** (S. *bono de interés variable*), **bono con interés variable inverso** (S. *bono de interés variable inverso*), **bono con intereses en forma de títulos** (payment-in-kind bond), **bono con opción de amortización anticipada** (accelerated note), **bono con opción de cambio de divisa** (multiple currency option bond), **bono con opción de conversión** (flip-flop note), **bono con opción de recompra** (put bond; callable bond), **bono con opción de reventa o retorno** (puttable bond), **bono con tipo a opción del emisor** (borrower's option-lenders option, BOLO), **bono con tipo de interés escalonado** (stepped-rate bond), **bono con tipo de interés renovable** (rollover certificate of deposit, roly-poly bond *col*), **bono con vencimiento aplazado** (continued bond), **bono con/de vencimiento fijo** (dated bond, term bond), **bono con vencimiento único** (bullet bond), **bono consolidado** (consolidated bond *US*), **bono convertible** (convertible bond), **bono convertible con opción de reventa a la entidad emisora** (convertible puttable bond), **bono convertible en acción** (convertible bond/debenture/security), **bono cotizado por debajo de la par** (discount bond; S. *bono descontado*), **bono cubierto** (blanket bond *US*), **bono de ahorro** (savings bond), **bono de alto/bajo rendimiento** (high-/low-yield bond), **bono de bajo valor nominal** (baby bond), **bono de caja** (cash warrant; bank commercial paper), **bono de canto dorado o de confianza** (high-grade bond; gilt-edged bond/security; S. *bono de primera clase*), **bono de capitalización** (deferred coupon bonds), **bono de**

consolidación (funding bond), **bono de conversión** (refunding bond; S. *bono de reintegro*), **bono de cupón cero** (deferred bond; zero-coupon bond), **bono de cupón diferido** (S. *bono con cupón diferido*), **bono de empresa** (corporate bond), **bono de entrega** (delivery order), **bono de fidelidad** (loyalty bonus), **bono de garantía colateral** (collateral trust bond/guarantee), **bono de ingreso** (income bond,[3] income debenture, participating bond; S. *obligación participativa*), **bono de interés diferido** (deferred bond; S. *bono de cupón cero*), **bono de interés fijo** (fixed-interest bond; straight-debt bond; active bond), **bono de interés variable** (floating-rate note/bond), **bono de interés variable/flotante convertible en fijo** (drop-lock bond), **bono de interés variable inverso** (inverse floating-rate note), **bono de prenda** (warrant[1]), **bono de primera clase** (high-grade bond; S. *bono de canto rodado*), **bono de primera hipoteca** (first-mortgage bond; S. *bono hipotecario de primera clase*), **bono de reintegro** (refunding bond), **bono de renta perpetua** (perpetual bond; annuity/irredeemable bond/stock; S. *deuda perpetua o sin vencimiento fijo, título de renta vitalicia*), **bono de reorganización** (adjustment bond; S. *bonos sobre beneficio, pagarés sustitutorios*), **bono de responsabilidad general** (general obligation bonds), **bono de tesorería** (S. *bono de caja*), **bono de vencimiento** (dated bond), **bono de vencimiento escalonado en serie** (serial bond *US*), **bono de vencimiento fijo** (S. *bono con vencimiento fijo*), **bono de viaje** (travel voucher), **bono del Estado** (gilt-edged security; Treasury bond; debenture stock[2] DS; exchequer bond, treasury bond; S. *valores de primera clase*), **bono del Estado sin retención fiscal** (exempt gilt), **bono del Tesoro** (Treasury bond), **bono del Tesoro al descuento con dos tipos de interés** (EE bonds, E bonds), **bono descontado** (discount bond), **bono en circulación** (outstanding bond), **bono en doble divisa** (dual currency bond), **ono en dos denominaciones indiciado a opciones sobre divisas** (indexed currency option note, ICON), **bono en moneda subordinada** (currency-linked bond), **bono especulativo** (junk bond; S. *bono basura*), **bono flor** (flower bond), **bono garantizado** (S. guaranteed bond; debenture bond; asset-backed bond; S. *bono asumido*), **bono garantizado con bienes personales** (bond secured on personal property), **bono garantizado con bienes raíces** (bond secured on landed property; mortgage/mortgage-backed bond), **bono garantizado con hipotecas titulizadas** (cash-flow bond; pay-through security), **bono garantizado con impuestos** (assessment bond), **bono garantizado con una cartera de hipotecas** (collateralized mortgage obligation, CMO *US*; S. *obligación con garantía hipotecaria*), **bono garantizado por un fondo** (pay-through security, cash-flow bond), **bono garantizado solidariamente** (joint and several bond; S. *fianza solidaria*), **bono hipotecario o con caución** (mortgage bond, secured bond, real bond, real estate bond; S. *bono inmobiliario, cédula hipotecaria*), **bono hipotecario cerrado** (closed-end mortgage bond), **bono hipotecario de primera clase** (first mortgage bond; S. *bonos de primera hipoteca*), **bono impagado/en mora** (defaulted bond; S. *obligación en mora*), **bono indexado/indiciado/ajustable a un índice** (indexed bond), **bono indiciado a la Bolsa** (bull-bear bond), **bono indiciado a un tipo de cambio** (heaven and hell bond; S. *bono cielo-infierno*), **bono indiciado al precio del petróleo** (oil-indexed bond), **bono indiciado a opciones sobre divisas** (S. *bono en dos denominaciones indiciado a opciones sobre divisas*), **bono inmobiliario** (real bond), **bono ligado a un índice financiero** (bear note; S. *pagaré avalado con una opción de venta*), **bono mini-max** (minimax bond), **bono negociable** (marketable bond), **bono negociable con tipo de interés variable** (floating rate bond), **bono no retirable** (non-callable bond), **bono no transferible** (non-marketable bond), **bono nocional** (notional bond), **bono nominativo** (registered bond), **bono opcional** (optional bond), **bono pagadero a la vista** (callable bond), **bono para compra de equipo** (equipment bond), **bono para ser usado en otras compras** (credit note[1]; S. *vale*), **bono participativo** (participating bond, income bond/debenture; participation certificate), **bono personal o particular** (personal bond), **bono perpetuo** (annuity bond; S. *bono sin vencimiento*), **bono perpetuo con interés variable** (perpetual floating rate note; S. *bono variable perpetuo*), **bono por tiempo extra** (overtime bond/premium), **bono redimible** (callable bond), **bono reinvertible** (bunny bond), **bono renovado** (extended bond), **bono rescatable** (redeemable/callable bond), **bono rescatado** (redeemed/called bond), **bono simple** (straight bond; S. *bono clásico*), **bono sin cupón** (zero-coupon bond/CD), **bono sin fecha de vencimiento** (undated/annuity bond), **bono sin garantía específica** (debenture bond, floating bond/debenture[2]), **bono sin intereses** (passive bond), **bono sin seguro** (unsecured/naked bond), **bono sobre beneficio** (adjustment bond; S. *bono de reorgani-*

zación), **bono valorado con los intereses acumulados** (flat bond), **bono variable asimétrico** (mismatched floating rate note), **bono variable con techo máximo** (capped floating rate note; S. *pagaré con tipo de interés flotante y sujeto a un tope máximo*), **bono variable convertible en fijo** (convertible floating rate note), **bono variable perpetuo** (perpetual floating rate note US; S. *bono perpetuo con interés variable*), **bono vinculado a una mercadería** (commodity-backed bond)].

bonus-malus *n*: INSCE scheme of bonuses and penalties, system of reduced or increased premiums depending on claims; *approx.* no-claims bonus; S. *bonificación.*

borderó [de aceptación] *n*: INSCE, LAW bordereau, acceptance slip; S. *anexo de un contrato; nota/boletín de aceptación o liquidación.*

bordo, a *phr*: on board, aboard.

borrador *n*: draft; rough/first copy; S. *pasar a limpio.* [Exp: **borrarse** (cancel one's membership; pull/drop out; S. *darse de baja*)].

borrar *v*: ACCTS erase; rub/strike out; cross off/out, obliterate; wipe out, remove, get rid of; count out *col*; take off the list, cancel; S. *cancelar, tachar.* [Exp: **borradura** (deletion; S. *tachadura, supresión*), **borrón** (blot, smudge; crossing out), **borrón y cuenta nueva** *col* (let's strike it all out and start again/over; let's make a fresh start; S. *cruz y raya*)].

bosquejar *v*: sketch, sketch in/out, outline. [Exp: **bosquejo** (outline, sketc.h; S. *esquema, líneas generales*)].

botar *v*: launch; bounce; sack *col*; fire *col*; S. *lanzar, iniciar.* [Exp: **botar a la calle** *col* (kick out, sack *col*), **botadura** (launch; bounce[1], S. *lanzamiento*)].

bote[1] *n*: bounce[1]; S. *rebote.* [Exp: **bote**[2] *col* (kitty *col*; S. *banca*)].

botón de alarma *n*: alarm/panic button.
botones *n*: page; gofer *col US*; bellboy,
bellhop *US*; office boy, tea boy *col*; S.
chico de los recados, recadero.
boya *n*: buoy.
BPI *n*: S. *Banco de Pagos/Operaciones
Internacionales.*
bracero *n*: day-labourer; S. *peón,
jornalero, temporero.* [Exp: **bracero
agrícola** (farm-labourer, farmhand, farm
operator; S. *peón agrícola*].
braza *n*: TRANSPT fathom, fth.
brecha *n*: gap[1]; breach; S. *separación,
agujero, vacío, espacio, hueco, déficit.*
[Exp: **brecha de financiación** (gap
financing), **brecha de la balanza de
pagos** (balance-of-payments gap),
brecha de la planificación (planning
gap *US*), **brecha de rendimiento** (yield
gap), **brecha deflacionista** (deflationary
gap), **brecha en el plan estratégico**
(strategic planning gap), **brecha en la
gestión** (performance gap *US*), **brecha/
espiral/déficit inflacionista** (ECO
inflationary gap/spiral)].
bricolage, bricolaje *n*: do-it-yourself, DIY;
S. *hágalo Vd. mismo.*
brik *n*: carton; S. *cartón, envase de cartón.*
broche de oro *n*: REL LAB golden
handshake *col*; S. *despido con compensación en metálico.*
bróker *n*: broker. [The native Spanish term
for "broker" is *operador, corredor* or
intermediario financiero, but the English
word is occasionally found in com-
pounds. Exp: **bróker ciego** (blind broker;
S. *intermediación ciega de valores*),
bróker de segundo mercado (street
broker *US*)].
brote *n*: outbreak. [Exp: **brotes inflacionarios** (bouts/sporadic outbreaks of
inflation].
bruto *a*: gross; crude; S. *neto.* [Exp: **bruto,
en** (in bulk; rough; uncut; untreated; S. *a
granel, sin envase, suelto, sin pulir*)].

bueno *a*: good, fair[1]; S. *justo, leal,
equitativo, razonable, imparcial.* [Exp:
buen estado, en (COM in good condition;
S. *en perfecto estado*), **buen funcionamiento** (good working order; smooth
running), **buen recaudo, a** (in safekeeping; safe; in a safe place), **buena fe,
de** (in good faith, bona fide), **buena
fuente, de** (from reliable sources or a
reliable informant), **buena inteligencia**
(accord; S. *acuerdo, convenio, concierto,
tratado, conformidad, acomodamiento,
buen entendimiento*), **buena marcha**
(smooth running; satisfactory progress;
efficiency; S. *eficacia, eficiencia*), **buena
racha** (run of good luck, series of lucky
breaks), **buena salud, de** (INSCE, ECO
healthy, in good health; S. *saludable, de
salud excelente*), **buena tajada, una** *col*
(rake-off *col*; rich pickings *col*, cut *col*;
S. *una rica comisión, pingües beneficios*), **buena situación comercial**
(MERC ideal commercial situation, nice
niche/patch *col*, corner[3]; S. *filón, parcela
de mercado*), **buenos oficios** (good
offices), **buenos resultados, con** (to
good effect; S. *con éxito*)].
bufete *n*: lawyer's office, firm of lawyers,
law firm; S. *oficina, despacho.*
buhonero *n*: pedlar/peddler; hawker;
huckster; S. *vendedor ambulante.*
bulto *n*: packet, parcel; pack, package;
bulk, lump; S. *lío, embalaje, paquete,
fardo.*
buque *n*: TRANSPT ship, boat, vessel. [Exp:
buque abandonado (derelict), **buque
apto** (good ship), **buque carbonero**
(coal freighter), **buque carguero o de
carga** (freighter, cargo steamer/vessel),
buque carguero de línea regular (cargo
liner), **buque celular** (cellular vessel
US), **buque cisterna** (tanker), **buque
correo** (packet,[3] packet boat, mail boat;
S. *buque de línea regular*), **buque de
cabotaje o costero** (coaster), **buque de**

carga (cargo boat/vessel, freighter; S. *carguero*), **buque de carga a granel** (bulk carrier; general ship; S. *carguero de graneles*), **buque de carga líquida** (bulk liquid carrier), **buque de carga mixta o diversa** (mixed-cargo carrier/vessel, composite ship), **buque de carga seca** (dry cargo carrier), **buque de gran aparejo** (heavy lift ship), **buque de gran calado** (deep-draft vessel), **buque de línea regular** (liner, packet,[3] packet boat; S. *buque correo*), **buque de pasajeros** (passenger boat/liner), **buque de propulsión mecánica** (power-driven vessel), **buque de salida** (outward/outbound vessel), **buque de salvamento** (salvage vessel), **buque de transporte de gas licuado** (liquified gas carrier, LGC), **buque de vapor** (steamer), **buque de viajeros** (S. *buque de pasajeros*), **buque, en el/sobre** (ex ship), **buque en peligro** (ship/vessel in distress), **buque frutero** (fruit carrier, fruiter), **buque insignia** (flag ship), **buque mercante** (merchant ship, trading ship), **buque mineralero** (ore carrier/ship), **buque para el transporte de mercancías** (industrial carrier), **buque pesquero** (fishing boat/vessel), **buque petrolero** (oil-ore ship), **buque portacontenedores** (full container ship, FC ships), **buque ro-ro, roll-on roll-off** (roll-on, roll-off ship, RORO), **buque sin línea regular** (tramp ship), **buque, sobre el** (ex ship)].

burbuja *n*: bubble. [Exp: **burbuja especulativa** (speculative bubble), **burbuja negativa** (FIN negative bubble)].

burocracia *n*: bureaucracy; administration, admin *col*; paperwork, red tape; S. *papeleo, trabajo administrativo; bancocracia*. [Exp: **burócrata** (bureaucrat, civil servant), **burocrático** (bureaucratic, administrative), **burocratización** (bureaucratization, pointless increase in paperwork/redtape)].

burro de carga *n*: IND REL dogsbody.

busca *n*: pager; S. *aparato localizador*. [Exp: **buscador/cazador de gangas** (bargain hunter)].

buscar *v*: search; seek; scan. [Exp: **buscar empleo o colocación** (seek employment, look/hunt/be on the lookout for a job), **buscar recomendaciones para encontrar empleo** (IND REL canvass for a job *col*), **buscar salidas comerciales** (COMER merchandise; S. *comercializar, gestionar el mercadeo la promoción y las ventas*)].

búsqueda *n*: search, hunt. [Exp: **búsqueda de clientes** (canvassing), **búsqueda de empleo** (job hunting)].

buzón de sugerencias *n*: suggestion box. [Exp: **buzoneo de propaganda** (ADVTG mailing; S. *difusión postal*)].

C

caballero *n*: gentleman; knight; S. *pacto entre caballeros*. [Exp: **caballero blanco** (FIN white knight; angel, príncipe), **caballero gris de las OPAS** (FIN grey knight *col*), **caballero negro** (STK EXCH black knight; S. *tiburón*)].

caballo *n*: horse. [Exp: **caballo, a** (astride, straddling; somewhere between the two, on the borderline between), **caballo de batalla** *col* (divisive issue, main/central point at issue; hobby horse), **caballo de vapor** (TRANSPT horse power, HP)].

cabaña *n*: livestock, cattle; S. *ganado*.

cabecera de góndola *n*: ADVTG gondola end.

cabeza *n*: head; top. [Exp: **cabeza asegurada o cubierta por un seguro de vida** (INSCE assured life), **cabeza de familia** (head of the family/household), **cabeza de turco** (scapegoat; fall guy *US*), **cabeza, por** (per capita; S. *per cápita, por habitante*), **cabecilla** (ringleader)].

cabildeo *n*: lobby; lobbying.

cabina *n*: booth, cabin; S. *puesto*. [Exp: **cabina electoral** (polling-booth), **cabina de teléfonos** (call box, telephone box/booth)].

cable *n*: cable, line, lifeline; S. *línea, cadena; echar un cable*. [Exp: **cable-grama** (cablegram; S. *telegrama*)].

cabo *n*: end; S. *fin, meta, objetivo, extremo*. [Exp: **cabo-s de amarre de un buque** (TRANSPT line-s[4]), **cabos sueltos** (loose ends; odds and ends; S. *restos, retazos*)].

cabotaje *n*: TRANSPT cabotage, coasting, coastal trade; S. *comercio de cabotaje o costero, navegación costera*.

cacao *n*: cocoa.

cada *a*: each, every. [Exp: **cada dos años** (biennial, every two years; S. *bienal*), **cada vez más** (increasingly), **cada vez mejor** (better and better, on the way up), **cada vez menos** (less and less), **cada vez peor** (worse and worse, on the way down/out, downhill; to the dogs *col*; S. *cuesta abajo*)].

cadena[1] *n*: chain; line; S. *encadenamiento; línea, cable*. [Exp: **cadena**[2] (string), **cadena**[3] (network; channel), **cadena de bancos** (banking chain), **cadena de contención** (IND REL chain picketing; S. *piquetes en cadena*), **cadena de empresas o tiendas con franquicia** (COM franchise chain; S. *cadena sucursalista*), **cadena de grandes almacenes** (chain of department stores), **cadena de hoteles** (hotel chain, chain of hotels), **cadena de mando** (MAN chain of command), **cadena/línea de montaje o de producción continua** (IND assembly-line, production line), **cadena de producción** (flow line, production line), **cadena de televisión** (television channel/network), **cadena de tiendas** (COM chain-store, corporate chain), **cadena de valor** (COM value chain), **cadena, en** (chain-linked), **cadena franquiciada** (COM franchise chain), **cadena sucursalista** (COM network of branches)].

caducar *v*: expire, lapse; go/be out of date; pass its sell-by date; end; be past the due or closing date; S. *prescribir, extinguirse, expirar, vencer un plazo*. [Exp: **caducable** (lapsable, forfeitable; S. *prescriptible*), **caducado** (expired, lapsed, stale, out of date, statute-barred, invalid; S. *prescrito, nulo, obsoleto*), **caducidad** (expiry, expiration, lapse, lapse of time; lapsing, use-by/sell-by date; forfeit, forfeiture,[1] determination; obsolescence; S. *expiración, vencimiento, prescripción, obsolescencia*), **caducidad calculada** (ECO planned obsolescence, built-in obsolescence, product obsolescence; S. *obsolescencia incorporada o programada*), **caducidad de la fianza** (bond forfeiture, forfeiture of a bond), **caducidad de tiempo** (lapse of time; S. *transcurso o lapso de tiempo*), **caducidad de una póliza de seguros por falta de pago** (INSCE lapse[2] of policy), **caduco** (stale; old-fashioned, out of date, outdated, outmoded, obsolete; S. *caducado*)].

caer *v*: fall, drop, sink, slide, go down, fall back, sag; S. *bajar, descender; recaer*. [Exp: **caer bruscamente** (STK EXCH fall sharply; fall out of bed), **caer como una bomba** (be/come as a bombshell, burst into the news; S. *reventar-se, romper-se, irrumpir*), **caer en desuso** (fall into abeyance), **caer en la trampa** *col* fall for it/a trick; rise to/swallow the bait *col*; S. *picar en/tragar el anzuelo*), **caer en**

picado (collapse; nosedive; slump; plummet, plunge; S. *colapsar, derrumbarse, desplomarse, hundirse, venirse abajo*)].

caída *n*: fall, drop; falling; decline, slide, ; collapse; shortfall, downturn, crumbling, lowering; S. *debilitamiento, descenso, bajada, baja*. [Exp: **caída brusca** (plunge[3]; S. *descenso marcado*), **caída [de/en las cifras] del empleo** (fall in employment), **caída de la demanda** (fall in demand), **caída de las inversiones** (drop in investments), **caída de/en los precios** (STK EXCH, COM fall/drop in prices; price decline; S. *abaratamiento*), **caída de los salarios** (drop in salaries/wages), **caída económica** (STK EXCH downturn; S. *recesión, contracción económica*), **caída en el volumen de negocios** (downturn), **caída en las inversiones** (drop in investments), **caída en picado** (collapse; tumble; nosedive; slump; S. *desplome, derrumbamiento*), **caída fuerte de los precios o de las cotizaciones** (collapse or heavy fall in prices), **caída repentina** (sharp downturn, collapse, crumbling), **caída/baja repentina de las cotizaciones de Bolsa o de los precios en general** (crumbling of prices)].

caja[1] *n*: case, packing case, box,[1] container; S. *casilla, envase, contenedor*. [Exp: **caja**[2] (BKG cash[1]; S. *cuenta de caja, metálico, tesorería, dinero contante y sonante*), **caja**[3] (COM desk, cash/pay desk; cash register; till; S. *mostrador, caja registradora, registro de caja; cajero de un supermercado*), **caja**[4] (take; S. *recaudación*), **caja**[5] (bank, savings banck; fund), **caja automática** (cash dispenser; S. *cajero automático*), **caja auxiliar** (S. *caja chica*), **caja b** (ACCTS black box[1]), **caja central de un establecimiento** (COM cash desk, main cash desk), **caja chica o de gastos**

menores (imprest/petty cash; S. *fondo para gastos menores, caja auxiliar*), **caja de ahorros** (savings bank; thrift institution/association *US*), **caja de alquiler** (safe deposit box), **caja de amortización** (redemption fund; S. *fondo de rescate*), **caja de caudales o caja fuerte** (safe, bank vault), **caja/cuenta de compensación** (equalization fund, Exchange Equalization Account), **caja de crédito agrícola** (farm loan bank; S. *caja rural*), **caja/banco de crédito hipotecario** (mortgage loan bank), **caja de depósitos de valores** (active box), **caja de embalaje** (packing case; S. *envase*), **caja de exposición** (ADVTG display box), **caja de jubilación o de pensiones** (pension/retirement fund), **caja/fondo de resistencia** (IND REL strike fund, defence fund, strike fund), **caja de salida** (COM, BKG check-out counter), **caja de seguridad** (BKG safe, deposit box, strong safe, safe deposit box), **caja, en** (ACCTS cash, in hand), **caja expendedora automática** (automated teller/telling machine, ATM; cash dispenser; S. *cajero automático*), **caja fuerte** (safe, strong box, vault; S. *caja de seguridad*), **caja general de depósitos** (government depositary), **caja generada** (FIN cash flow; S. *flujo de caja*), **caja generada libre** (FIN free cash flow), **caja hermética** (watertight container), **caja mutua de ahorros** (mutual savings bank), **caja negra** (TRANSPT black box[2]), **caja nocturna** (night safe/depository), **caja ociosa** (ECO idle cash; S. *capital improductivo*), **caja operativa generada** (FIN operating cash flow; S. *reserva de fondos disponibles*), **Caja Postal de Ahorros** (BKG Post Office Savings Bank), **caja registradora** (COM cash register; S. *registro de caja*), **caja registradora de grandes almacenes** (COM checkout), **caja registradora electrónica** (electronic cash register, ERC), **caja rural** (land bank, agricultural credit bank, farm loan bank; S. *caja de crédito agrícola*), **caja social** (joint cash), **caja y bancos** (ACCTS cash in hand and at bank, cash and due from banks; S. *activo disponible, tesorería, disponible*), **cajas cerradas, en** (in closed cases)].

cajero *n*: cashier; paymaster; teller. [Exp: **cajero automático/permanente** (automated teller/telling machine, ATM, cash dispenser, cash-line, cashpoint; drive-in bank; S. *autobanco, caja expendedora automática*), **cajero de pagos y cobros** (unit teller *US*), **cajero jefe/principal** (head teller, chief cashier)].

cajetilla *n*: packet[1]; box; S. *paquete*.

cajón *n*: box, crate; S. *jaula*. [Exp: **cajón acanalado** (TRANSPT corrugated box)].

caladero *n*: fishing ground; V. *pesquería*. [Exp: **calado** (depth), **calado anticipado de arribada** (TRANSPT anticipated draught of arrival), **calado de un buque** (draught/draft of a ship), **calado en cargo** (TRANSPT load draught), **calado en lastre** (TRANSPT light draught), **calado/profundidad del mercado** (STK EXCH depth of the market), **calar** (soak, soak in/through; permeate, find/make its/one's way in/down/through, filter through/ down)].

calculadora *n*: calculator, calculating machine. [Exp: **calculable** (computable), **calcular** (calculate, compute, evaluate, estimate[1]; guage/gage; work out, reckon, figure out; fix[1]; S. *tasar, contar, computar*), **calcular a ojo de buen cubero** *col* (make a rough guess/ estimate; measure up[1]; guesstimate *col*), **calcular costes** (cost; S. *presupuestar*), **calcular el bruto sabiendo el neto y el tipo** (FIN gross-up), **calcular/fijar la prima** (TAXN assess the premium)].

cálculo *n*: calculation, computation, reckoning, estimate,[1] account[7]; S. *cómputo, cuentas, estimación*. [Exp:

cálculo actuarial (actuarial calculation), **cálculo aproximado** (ballpark figure/ estimate *US col*; rough estimate; approximation[1]; guesstimate *col*; S. *estimación/cifra aproximada*), **cálculo de conjunto** (aggregate estimate), **cálculo de costes** (ACCTS costing, calculation of costs, cost finding; S. *costeo, contabilidad de costos*), **cálculo de costes por etapas de la producción multifásica** (ACCTS multiple-stage-process costing), **cálculo de depreciación sobre vida compuesta** (composite life method depreciation), **cálculo de, en un** (on the balance of; S. *poniendo en la balanza*), **cálculo de intereses basado en los saldos** (ACCTS equated calculation of interest), **cálculo de los precios** (ECO pricing), **cálculo del coste medio en pesetas/dólares/libras** (STK EXCH peseta/dollar/pound-cost averaging), **cálculo del neto sabiendo el bruto y el tipo** (COM netting-down), **cálculo del riesgo de que baje el valor de una inversión** (downside risk), **cálculo estimativo** (estimate), **cálculo presupuestario** (budget estimates; S. *previsiones presupuestarias*), **cálculo probabilístico** (statistical estimate, law of averages; S. *estadística*), **cálculos básicos** (ACCTS main estimates)].

calderilla *n*: copper coin, coppers, change, small/loose change; smash *col*; S. *moneda fraccionaria; suelto.*

calendario *n*: calendar; schedule, timetable; timing; time-frame; S. *agenda, diferencial de calendario.* [Exp: **calendario de amortizaciones** (repayment schedule), **calendario de compras** (buying calendar), **calendario de costes** (FIN cost schedule), **calendario de vencimientos** (FIN maturity structure/schedule), **calendario del contribuyente** (TAXN schedule/calendar of dates when returns are due),

calendario previsto, en el (on schedule; S. *en las fechas prevista*)].

calentamiento *n*: warming; warm-up, warming-up. [Exp: **calentamiento global** (global warming), **calentamiento de la economía** (overheating of the economy; S. *enfriamiento, recalentar*), **calentamiento del ambiente** (buildup[1]; S. *aumento de la tensión*), **calentar** (STK EXCH heat up; overheat; S. *mover al alza*), **caliente** (hot; S. *dinero caliente*)].

calibrar *v*: calibrate, size up, weigh up, gauge, grade; S. *calcular, reglar, sopesar, tasar.* [Exp: **calibración** (grauging; S. *cálculo*), **calibre** (gauge/gage; bore; calibre, kind, sort; S. *espesor, grosor*)].

calidad *n*: quality, qlty; grade; standard, class, category, S. *grado, clase, categoría.* [Exp: **calidad aceptable** (COMMOD EXCH acceptable standard; tenderable/ deliverable grade), **calidad aceptada** (COMMOD EXCH contract grade), **calidad buena** (fair quality; S. *calidad ínfima*), **calidad, de** (fine), **calidad de, en** (in the capacity of; S. *a título de, con carácter de*), **calidad de asesor, en** (in an advisory capacity; S. *a título consultivo*), **calidad de propietario** (proprietorship; S. *titularidad*), **calidad del trabajo** (workmanship; S. *factura, trabajo, oficio*), **calidad estándar o normal** (standard quality, basic grade), **calidad inferior** (poor quality), **calidad inferior, de** (ADVTG second-rate; down-market *col*; S. *poco elegante*), **calidad ínfima, de** (shoddy; S. *de primera clase*), **calidad media razonable o buena** (COM fair average quality, FAQ), **calidad normalizada** (standard grade), **calidad suficiente, de** (acceptable; S. *aceptable, admisible*), **calidad superior, de** (ADVTG high/top quality; upmarket *col*), **calidades comerciales** (commercial standards/ grades)].

calificar *v*: qualify, rate; label, brand; S.

evaluar, clasificar. [Exp: **calificación** (qualification, rating), **calificación crediticia o de solvencia crediticia** (rating,[2] credit rating; S. *calificación de la solvencia financiera de una empresa*), **calificación de una emisión de bonos o de renta fija** (bond rating), **calificación de secreto o reservado** (classification), **calificación financiera** (financial rating; S. *categoría financiera*)].

calma *a*: calm. [Exp: **calmado o en calma** (calm; S. *tranquilo*), **calmar** (STK & COMMOD EXCH calm down; dampen; cool, cool down/off; soothe, take the string out of *col*; S. *enfriar*)].

calle *n*: street, throroughfare; S. *vía pública.* [Exp: **calle, de** (S. *ganar de calle*), **calle peatonal** (pedestrian street), **calles comerciales** (shopping area, main shopping streets), **callejón sin salida** (dead end, blind alley, double bind, deadlock, standoff, standstill; no-win situation; S. *punto muerto, estancamiento, situación imposible*)].

cámara *n*: chamber, house; arbitration board/council/committee/panel; S. *tribunal, órgano o junta de arbitraje.* [Exp: **cámara acorazada/blindada de un banco** (bank vault; strong box/room, safe deposit vault), **Cámara Comercial de Compensaciones** (commerce clearing house), **Cámara de Comercio** (Chamber of Commerce), **Cámara de Comercio Internacional** (International Chamber of Commerce, ICC), **Cámara de Compensación Automatizada** (automated clearing house), **Cámara de Compensación de Eurobonos** (Euroclear), **Cámara de Compensación de Opciones** (STK & COMMOD EXCH Options Clearing Corporation), **cámara de compensación de valores bursátiles** (STK EXCH stock exchange clearing house), **cámara de compensación y liquidación** (clearing house; Association

for Payment Clearing Services), **cámara frigorífica** (cold store, cold storage vault), **cámara sindical de agentes de cambio** (Stock Exchange Committee; Stock Brokers' Association or Governing Body)].

camarilla *n*: ring, gang, cartel, pool[4].

camarote *n*: TRANSPT cabin, bunk; S. *litera.*

cambalache *col·n*: COM, FIN swindle, pig in a poke *col*, switcharoo *col*; fiddle *col*; fast one *col*; S. *darle a uno el cambalache.*

cambiar *v*: change[1]; exchange[1]; cash[1]; shift,[1] alter; S. *variar.* [Exp: **cambiable** (exchangeable; changeable), **cambiar de destino** (reassign[1]), **cambiar de dueño o de propietario** (COM change hands), **cambiar de marcha o de velocidad** (change/shift gear; S. *avivar el ritmo*), **cambiar dinero** (change money), **cambiar el envoltorio** (repackage[1]), **cambiar para mejor** (change for the better; look up; S. *mejorar*), **cambiario** (exchange; S. *mercado cambiario o de divisas*), **cambiazo** *col* (sudden change; change/switch of tack; fiddle, fast one *col*; S. *cambalache*)].

cambio[1] *n*: change[1]; alteration; shift; S. *variación; modificación.* [Exp: **cambio[2]** (permutation, exchange,[1] swap; trade off[1]; S. *canje, permuta, intercambio*), **cambio[3]** (quotation, price, exchange,[3] rate of exchange; S. *cotización, precio; tasa/tipo de cambio*), **cambio[4]** (break[1]; S. *ruptura; cambio de la tendencia económica*), **cambio[5]** (development[1]; S. *novedad*), **cambio[6]** (small/loose change, change; S. *moneda fraccionaria, calderilla, cambio, suelto*), **cambio a la par** (par price, parity price/rate, par of exchange, price rate; S. *paridad*), **cambio a la vista** (sight rate), **cambio a plazo o a término** (STK & COMMOD EXCH exchange for forward delivery, forward rate, forward currency; forward exchange, forward exchange business/ dealings; S. *cambio al contado*), **cambio actual** (BKG, STK EXCH current exchange rate, present rate of exchange), **cambio al cierre** (STK & COMMOD EXCH closing rate, price at the close or at close of trading; S. *cambio de apertura*), **cambio al contado** (STK & COMMOD EXCH spot rate; spot exchange deal; S. *cambio a plazo*), **cambio base** (fixing,[2] base rate, fixing rate; S. *fijación*), **cambio brusco** (sharp change), **cambio central** (Bank of Spain fixing), **cambio comprador** (buying rate; S. *cambio vendedor*), **cambio convenido, a** (STK EXCH price agreement), **cambio/precio/cotización de apertura** (STK & COMMOD EXCH opening price/quotation/rate; price at start of trading; S. *cambio al cierre*), **cambio de apoyo/intervención/sostén** (STK EXCH support rate), **cambio de compra** (buying rate; S. *cambio de venta*), **cambio de contrabando** (black-market exchange rate), **cambio/toma de control [de una empresa]** (MAN takeover), **cambio de divisa/moneda** (currency exchange; foreign exchange), **cambio de divisas a un precio fijo acordado** (FIN currency swap), **cambio de ficha bancaria** (BKG charter conversion), **cambio de intervención/ apoyo/sostén** (intervention rate), **cambio de la coyuntura o de la tendencia económica** (break/change in the economic trend), **cambio de marca** (brand switching), **cambio de moneda** (S. *cambio de divisa*), **cambio de pignoración de efectos, a** (INSCE against pledged securities), **cambio de posición** (COMMOD EXCH switch), **cambio de referencia** (BKG fixing), **cambio de rescate** (buying-in price; redemption rate/price; S. *precio de rescate, valor de rescate*), **cambio de ruta de un buque** (TRANSPT deviation, detour; S. *desvío,*

desviación), **cambio de sede social** (COMP LAW change of business address, dedomiciling US), **cambio de sentido, signo o de tendencia** (STK & COMMOD EXCH reversal of direction; change in the tendency; shift[1]; S. *signo*), **cambio de venta** (STK & COMMOD EXCH ask/asked/ asking price, selling rate of exchange, offer/offering price; S. *cambio de compra*), **cambio del mercado** (market price/quotation), **cambio desfavorable** (STK & COMMOD EXCH adverse change), **cambio desfavorable de la coyuntura** (ECO economic downturn, drop, falloff in activity), **cambio en el mercado negro** (exchange on the black-market), **cambio en especie** (barter, bartering; trading by barter; S. *trueque*), **cambio exterior** (foreign exchange,[2] interbank foreign exchange market), **cambio favorable de la coyuntura** (upturn, economic upturn), **cambio fijo** (fixed/pegged exchange rate; S. *cambio libre, tipos de cambio fijo*), **cambio flexible/fluctuante/variable** (flexible/fluctuating/variable exchange rate), **cambio flotante** (floating exchange rate, floating rate of exchange), **cambio inicial** (opening exchange rate), **cambio intervenido** (central-bank controlled exchange rate, officially controlled exchange rate), **cambio libre** (free exchange rate; S. *cambio fijo*), **cambio medio** (average exchange, average fixing rate), **cambio no oficial** (unofficial exchange rate, free market price), **cambio oficial** (official exchange rate), **cambio parcial de principal por renta** (INSCE commutation), **cambio tecnológico** (technological change/development), **cambio variable** (floating/variable rate of exchange), **cambio vendedor** (selling rate; offer rate), **cambios de intervención** (intervention/central bank exchange rates), **cambios/evolución en la estructura del comercio** (COM changing patterns of trade), **cambios múltiples** (FIN multiple rates of exchange)].

cambista *n*: currency trader, foreign currency/exchange dealer, money-changer; money broker; arbitrager/ arbitrageur; S. *operador de cambio*.

camino *n*: way, path, route; S. *curso, pista, trayecto, senda*. [Exp: **camino crítico** (ECO critical path; S. *método del camino crítico*)].

camión *n*: lorry; truck *US*. [Exp: **camión cisterna** (tanker, oil tanker; S. *petrolero*), **camión completo** (lorry-load, truckload), **camión de reparto** (delivery lorry/truck *US*), **camión de reparto de comestibles** (truck jobber *US*), **camionada** (lorryload, truckload), **camionero** (lorry-driver; trucker; teamster *US*), **camioneta** (van; S. *furgoneta*), **camioneta/furgoneta de reparto** (delivery van)].

campaña[1] *n*: ADVTG campaign; drive[3]; programme; S. *esfuerzo*. [Exp: **campaña**[2] (season; S. *temporada*), **campaña alcista/bajista** (bull/bear campaign), **campaña de promoción de ventas** (sales campaign/drive/ promotion), **campaña de publicidad** (advertising/publicity campaign/drive; S. *oleada*), **campaña de saturación** (ADVTG saturation campaign), **campaña de ventas** (ADVTG sales campaign), **campaña publicitaria de fomento de la exportación** (ADVTG export drive), **campaña publicitaria escalonada, de menos a más** (ADVTG gradual build-up campaign), **campaña publicitaria intensísima** (ADVTG blitz, advertising blitz; S. *bombardeo publicitario*), **campaña publicitaria masiva** (ADVTG mass advertising), **campaña publicitaria por correo** (ADVTG direct mail campaign), **campaña publicitaria «ráfaga»** (ADVTG burst advertising, burst[3])].

campo *n*: country, countryside; field; sphere; scope; area; camp; S. *materia, especialidad; ámbito, esfera*. [Exp: **campo de actividad** (sphere of activity), **campo de aplicación** (field of application; terms of reference[2]), **campo de trabajo** (work camp)].

canal *n*: channel; canal; conduit[1]; waterway; S. *conducto, vía, medio*. [Exp: **canal de comunicación** (communications channel), **canal de distribución** (trade channel, distribution outlet), **canal de ventas** (STK & COMMOD EXCH marketing outlet; S. *salida de mercado*), **canal lateral** (sideways channel; S. *banda de fluctuación lateral*), **canal navegable** (navigable canal or channel), **canales/medios de comercialización/ distribución** (distribution channels, marketing channels/facilities), **canalizar** (channel; S. *desviar*)].

cancelación *n*: cancellation, annulment, termination, rescission, voiding, redemption; deregistration; settlement, payment, satisfaction; obliteration, abatement; S. *anulación, extinción, rescisión*. [Exp: **cancelación anticipada** (INSCE flat cancellation; S. *rescisión definitiva sin prima de indemnización*), **cancelación contra superávit** (ACCTS chargeoff), **cancelación de deuda** (settlement/ payment/paying off/cancellation/redemption of a debt), **cancelación de deuda fallida** (ACCTS bad debt write-off), **cancelación/liquidación de deudas mutuas por sus saldos netos** (ACCTS netting), **cancelación de hipoteca** (mortgage redemption; clearing/final settlement of a mortgage; deed of release *US*), **cancelación de letra** (retiring a bill), **cancelación/reducción de un impuesto** (reduction/remission of a tax), **cancelación de una póliza** (INSCE cancellation of a policy), **cancelación en libros** (ACCTS write-off; S. *saneamiento*), **cancelación mediante operación inversa** (closing out), cancelación recíproca/simultánea (ACCTS cross-default), **cancelación simultánea** (cross-default), **cancelado** (paid, settled, paid-up; cancelled, off[3]; S. *saldado*)].

cancelar *v*: cancel, annul, invalidate, terminate, redeem, countermand, reverse,[3] call back/off, rescind, void, write off, offset, pay off; settle; S. *anular, rescindir, revocar*. [Exp: **cancelar con cargo a beneficios** (ACCTS, BKG charge off,[1] write off; charge bad debts off; S. *dar de baja en libros; recalificar como incobrable*), **cancelar una deuda** (wipe out/discharge/settle/pay off a debt; S. *enjugar una deuda*), **cancelar una deuda incobrable** (write off a bad debt; S. *saldar/pagar/liquidar una deuda*), **cancelar una escritura o documento** (cancel a deed/document), **cancelar una hipoteca** (redeem/pay off/clear a mortgage), **cancelar una partida contable** (ACCTS write off an item)].

candelabro *n*: candlesticks; S. *modelo de barras*.

candidato *n*: candidate, applicant, interviewee, office-seeker; S. *aspirante, solicitante*. [Exp: **candidato propuesto** (nominee[1]; S. *nominatario*), **candidatura** (nomination)].

canibalismo *n*: cannibalism, cannibalization. [Exp: **canibalizar** (cannibalise; S. *fagocitar*)].

canje *n*: exchange,[1] conversión, trade-off; swap; S. *cambio, permuta financiera, intercambio; opción de canje*. [Exp: **canje de acciones de la matriz por las de una filial** (STK EXCH split-off; S. *escisión*), **canje de deuda por capital social** (debt-equity swap), **canje de deuda por efectivo** (debt-for-cash swap), **canje de deuda vieja por deuda nueva con menor valor nominal** (debt defeasance), **canje financiero** (STK & COMMOD EXCH swap; S. *permuta financiera*), **canje parcial** (part exchange; S. *pago parcial*),

canjeable (exchangeable), **canjear** (exchange, swap, switch, trade off,[1] convert[1]), **canjear títulos, bonos etc.** (exchange,[1] swap)].

canon[1] *n*: canon,[1] rent; S. *reglas, normas*. [Exp: **canon**[2] (rent, fee, levy, royalty, charge[5]; S. *derechos*), **canon de arrendamiento** (rate of rental; S. *precio de alquiler*), **canón de explotación** (operating fee), **canon aplicable a las transacciones** (charge on transactions)].

cantidad *n*: amount, sum, quantity; quantum. [Exp: **cantidad a cuenta** (amount paid on account; deposit; down-payment; amount paid towards sth; S. *adelanto, señal, ingreso, entrada, mensualidad*), **cantidad abonada** (ACCTS credit entry; S. *abono*), **cantidad cargada** (ACCTS debit entry; S. *cargo*), **cantidad desembarcada** (TRANSPT out-turn[2]), **cantidad global** (total, total amount, lump sum; S. *tanto alzado*), **cantidad pendiente** (outstanding amount), **cantidad sobrante en una cuenta** (overage; S. *sobrante*), **cantidad total prestada a un solo país** (FIN debt risk, total lending to a single country, exposure[2]), **cantidad presupuestada para algún fin** (ACCTS appropriation[1]; S. *asignación de recursos, consignación*), **cantidades** (amounts, monies; S. *fondos*), **cantidades globales** (aggregates), **cantidades industriales/ilimitadas** *col* (any amount; any God's amount *col*)].

canto rodado, de *phr* gilt-edged, high-grade; S. *de óptima calidad, de prime-rísima clase*.

cañada *n*: cattle path, track.

cap *n*: FIN cap[2]; S. *tope máximo*.

capa *n*: TRANSPT primage.

capacidad *n*: capacity, ability, capability; competence/competency; faculty, power; qualifications; S. *aptitud, competencia, potestad, idoneidad*. [Exp: **capacidad**

competitiva (ECO competitiveness; competitive power/capacity; S. *competitividad*), **capacidad contractual** (LAW capacity to contract; contractual capacity), **capacidad contributiva, tributaria, fiscal o impositiva** (TAXN ability-to-pay basis, tax-paying ability/capacity), **capacidad crediticia** (solvency; credit standing/worthiness; S. *solvencia, reputación financiera*), **capacidad cúbica del buque para carga embalada** (TRANSPT balespace), **capacidad de acarreo o transporte** (carrying capacity[1]), **capacidad de almacenamiento** (storage capacity), **capacidad de aseguramiento** (underwriting performance or capacity; S. *suscripción de riesgos*), **capacidad de beneficio** (earning capacity; S. *capacidad de generar beneficios*), **capacidad de carga** (TRANSPT carrying capacity; dead weight tons, DWT; dead weight capacity; S. *tonelaje; toneladas de peso muerto*), **capacidad de carga de un buque** (TRANSPT cargo/freight capacity; S. *tonelaje*), **capacidad de colocación de nuevas emisiones** (COMP LAW placing power), **capacidad de crédito** (FIN credit capacity; S. *nivel de endeudamiento*), **capacidad de endeudamiento** (borrowing capacity/power), **capacidad de ejecución de proyectos** (delivery capacity), **capacidad de ganar dinero** (earning power or capacity; S. *capacidad de generar beneficios*), **capacidad de gasto** (spending capacity/limit; S. *capacidad de pago*), **capacidad de generación de recursos** (resource-generating capability, capacity to create/generate means/ resources), **capacidad de generar beneficios** (earning capacity; S. *capacidad de ganar dinero*), **capacidad de negociación** (IND REL bargaining power/position; S. *fuerza negociadora en un convenio*), **capacidad de obrar** (legal capacity), **capacidad de pago** (FIN payment capacity; credit standing/worthiness; ability-to-pay, ability to service; solvency; S. *capacidad/solvencia financiera*), **capacidad de pago a largo plazo** (long-term solvency), **capacidad de pago del servicio de la deuda** (debt service capacity), **capacidad de pago impositivo o tributario** (TAXN S. *teoría de la capacidad de pago impositivo*), **capacidad de producción flexible** (swing capacity), **capacidad de reacción** (STK EXCH resilience; clawback; reaction capability; buoyancy; bounce[2]; S. *dinamismo, recuperación*), **capacidad de suscripción de riesgos** (risk-carrying capacity), **capacidad de sustento** (carrying capacity[2]), **capacidad doble** (STK EXCH dual capacity), **capacidad económica** (economic capacity), **capacidad excedentaria** (S. *capacidad ociosa*), **capacidad financiera** (FIN ability-to-pay, ability to service; S. *capacidad de pago, solvencia económica*), **capacidad jurídica** (legal capacity; S. *capacidad de obrar*), **capacidad laboral** (IND REL ability-to-work), **capacidad mediana, de** (medium-sized; S. *de tamaño medio*), **capacidad ociosa, excedentaria o no utilizada** (idle/surplus capacity), **capacidad óptima** (peak capacity), **capacidad para atender el servicio de la deuda** (debt-servicing capacity), **capacidad para el mercado** (STK & COMMOD EXCH market potential), **capacidad para obtener beneficios** (ECO ability-to-earn), **capacidad productiva de la maquinaria, la planta industrial, etc.** (capacity/production capacity of equipment/plant; S. *rendimiento de la planta industrial, etc.*), **capacidad plena** (full capacity or authority), **capacidad real o efectiva** (effective capacity), **capacidad utilizada** (ECO capacity utilization), capacidad y tonelajes totales (TRANSPT full reach and burden)].

capacitación[1] *n*: training. [Exp: capacitación[2] (LAW empowerment; authorization; qualification; S. *autorización*), capacitación laboral (industrial training, qualification[1]; S. *preparación, habilitación*), capacitado (competent; qualified, fit; S. *idóneo, capaz, competente*), capacitar (train; empower, enable, qualify[1]; S. *facultar*)].

capataz *n*: foreman, supervisor, overseer, leadman *US*; S. *supervisor*.

capaz *a*: able, capable, competent, qualified, efficient; S. *apto, competente, capacitado*.

CAPE *n*: S. *compra apalancada por ejecutivos*.

capitación *n*: TAXN capitation, head tax, poll tax; S. *impuesto por cabeza*.

capital[1] *n*: capital, principal. [Exp: capital[2] (FIN equity), capital[3] (benefit, mileage[2] *fig*; S. *provecho, ventaja*), capital activo (FIN active capital; S. *capital improductivo/ocioso*), capital adeudado (FIN debt capital; S. *recursos ajenos a largo plazo*), capital amortizable (COMP LAW callable capital), capital aportado (invested/contributed capital, equity capital; S. *capital en acciones*), capital asegurado (INSCE capital sum, assured capital; S. *monto de capital*), capital autorizado o escriturado (COMP LAW authorized capital, authorized capital stock, authorized issue, authorized share capital, authorized stock), capital bajo riesgo (sum at risk), capital circulante o de explotación (working/trading capital; net working capital; operating/current assets/capital, floating capital; S. *activos de explotación; fondo de operaciones*), capital circulante bruto (gross working capital), capital circulante operativo (working capital), capital contable (ACCTS net worth/assets; equity[3];

shareholders'/stockholders' equity *US*; S. *patrimonio neto*), capital de adeudo (debit capital), capital de especulación (risk-bearing capital; V. *capital riesgo*), capital de explotación (S. *capital circulante*), capital de los socios o la sociedad (partnership capital), capital de riesgo (FIN risk capital; V. *capital-riesgo*), capital declarado (COMP LAW declared/stated capital; S. *capital escriturado*), capital desembolsado (COMP LAW paid-up capital; paid-in capital *US*; fully-paid capital; outstanding capital; equity capital, contributed capital; S. *capital en acciones, capital fundacional*), capital desvalorizado (watered capital), capital diferido (pure endowment), capital diluido, inflado o sobrevalorado (watered capital), capital disponible (spare capital), capital e intereses (principal and interest), capital emitido (COMP LAW issued capital, issued capital stock, subscribed capital; S. *capital en cartera*), capital [emitido] en acciones (COMP LAW share capital, capital stock; outstanding securities/shares/stock; registered capital, equity capital, contributed/invested capital, paid-up capital, paid-in capital; S. *capital suscrito, acciones en manos del público, títulos/acciones en circulación*), capital en cartera (COMP LAW issued capital, issued capital stock; S. *capital emitido*), capital en circulación (capital stock outstanding), capital en obligaciones (debenture capital), capital en préstamo (debt, loan/debt capital; S. *recursos/fondos ajenos a largo plazo*), capital en riesgo en el momento de fallecimiento (death strain), capital en uso (COMP LAW capital employed), capital errante (refugee capital, hot money; V. *capital especulativo*), capital escriturado (COMP LAW authorized capital, equity[3]; S.

capital contable de una mercantil), **capital especulativo** (flight/hot money), **capital exigible** (callable capital; S. *capital amortizable*), **capital exigido por la ley** (COMP LAW core capital), **capital extranjero** (FIN foreign-owned capital), **capital fijo** (FIN equity capital, contributed capital, fixed assets; capital appropriation, paid-in capital; S. *capital aportado o en acciones, recursos propios, reservas*), **capital fiscal** (capital and reserves, shareholders' funds or equity), **capital flotante** (floating capital; current assets; circulating capital, working capital; S. *capital de explotación o circulante*), **capital fundacional, de entrada, de establecimiento, generador o inicial** (COMP LAW opening/seed capital, original-issue capital; front money US; S. *capital semilla, capital desembolsado*), **capital humano** (human capital), **capital improductivo, inactivo o mal invertido** (dead capital/money/stock, unproductive/idle capital/cash/assets; S. *capital ocioso; capital activo; existencias inmovilizadas*), **capital inmovilizado** (locked-up/tied-up capital/fixed capital; S. *activo fijo*), **capital monetario** (money capital), **capital neto** (COMP LAW net capital, net worth), **capital no desembolsado** (COMP LAW uncalled capital, reserve capital, capital pending payment; S. *capital social parcialmente desembolsado*), **capital no emitido** (unissued capital stock), **capital no respaldado con activo equivalente** (COMP LAW impaired capital), **capital nominal** (nominal/registered/face capital), **capital ocioso, inactivo o mal invertido** (FIN idle capital/cash/funds/money/holdings/assetts; S. *fondos improductivos o excesivos en cajas y bancos*), **capital permanente** (pure total capital), **capital procedente de dividendos pasivos** (FIN call-up capital), **capital productivo/efectivo** (active/working capital), **capital-riesgo** (venture capital, risk-bearing capital; S. *capital de especulación*), **capital semilla, simiente o inicial** (FIN seed capital/money US), **capital social** (shareholders' equity, net worth; corporate capital, capital shares, capital stock US; joint stock; S. *capital shares, capital stock*), **capital social de una sociedad colectiva** (assets of a partnership, capital of a partnership), **capital social en compañías afiliadas** (capital stocks of subsidiaries), **capital social gravable** (COMP LAW assessable capital stock[2] US), **capital social parcialmente desembolsado** (COMP LAW partly paid-up/paid-in share capital), **capital social** (BANCA equity capital; V. *recursos propios*), **capital social y reservas** (COMP LAW capital plus reserves, common equity; S. *recursos propios de una entidad, acciones comunes, patrimonio común, valor líquido común*), **capital suscrito** (COMP LAW subscribed capital/stocks; outstanding securities/shares/stock; S. *acciones en manos del público*), **capital total asegurado en un siniestro** (INSCE aggregate indemnity), **capital total físico de la economía de una país** (capital stock[1]; S. *masa de capital*), **capital totalmente desembolsado** (COMP LAW fully paid-up capital), **capital y reservas** (capital and reserves; S. *pasivo no exigible*), **capitales permanentes** (total capitalization), **capitales prestados** (borrowed capital)].

capitalismo *n*: capitalism. [Exp: **capitalismo de estado** (state capitalism), **capitalista** (capitalist; entrepreneur; S. *patrono, empresario, hombre de empresa*)].

capitalizar *v*: capitalize; capitalize on, make capital out of, get mileage from. [Exp: **capitalizar una empresa por**

etapas (FIN build up a company's capital, drip-feed a company's stockholdings; S. *actuar con cuentagotas*), **capitalizable** (compoundable), **capitalización** (capitalization, capital increase; S. *ampliación de capital*), **capitalización bursátil** (STK EXCH market capitalization), **capitalización de arrendamientos** (capitalization of leases), **capitalización de una empresa por etapas o «gota a gota»** (capital build-up/drip-feeding)].

capitán *n*: captain, master, skipper *col*. [Exp: **capitán de barco** (ship's master, master[4]), **capitán de puerto** (harbour-master)].

capítulo *n*: chapter; item; area; sphere; issue, matter. [Exp: **capítulo presupuestario** (budget item; S. *partida presupuestaria*)].

captar *v*: capture; gather; catch[1]; recruit, win, gain, attract, draw; pick up; collect; S. *recoger*. [Exp: **captar la onda** (tune in, plug in[2] *col*; twig, get it, pick up the signals *col*; S. *sintonizar*), **captación** (recruitment, winning/winning over, gaining), **captación de clientes** (BKG, COM attracting/recruitment/winning over of new customers, hunting up custom *col*), **captación de fondos** (funding, fund-raising, drumming up of funds/resources *col*; S. *obtención de fondos*), **captar** (win over, gain, drum up *col*; attract), **captación/movilización de recursos** (fund-raising, funding, gathering of funds)].

captura *n*: catch.

cara *n*: face; side. [Exp: **cara a cara** (face to face), **cara de perro, a** (head-on *col*, eyeball-to-eyeball; S. *frente a frente*)].

carácter *n*: character; type, sort; quality. [Exp: **carácter de, con** (in the capacity of; S. *en calidad de, a título de*), **carácter irrevocable, con** (irrevocably), **carácter oficial, con** (in an official capacity), **carácter oficial, sin** (in one's private capacity; V. *oficiosamente, a*

título personal), **carácter vitalicio, con** (for life), **característica** (characteristic, feature[1]; S. *detalle o circunstancia habitual, rasgo*)].

carátula *n*: sleeve, jacket; label; case; S. *envase, etiqueta, tapa.*

carbón *n*: coal. [Exp: **carbonera** (bunker; S. *depósito/tanque de combustible*), **carbonero** (coal merchant)].

carburante *n*: fuel; S. *combustible.* [Exp: **carburar** (fuel; work, go *col*, be on the ball *col*, fire on all cylinders *col*)].

carecer *v*: lack, be short of; S. *faltar.* [Exp: **carecer de importancia** (not to count/matter, not to be a worry or problem; S. *no contar para nada*), **carencia**[1] (lack, shortage, want; S. *ausencia, falta*), **carencia**[2] (BKG grace period; S. *período de carencia*), **carente** (lacking), **carente de fondos** (insolvent; penniless *col*; S. *sin fondos, insolvente*), **carente de las condiciones necesarias** (lacking/without the requisite/appropriate conditions; unsuitable; S. *insuficiente*)].

carestía[1] *n*: scarcity/scarceness, shortage, dearth; high cost. [Exp: **carestía de vida** (high cost of living; S. *subsidio/prima/plus de carestía de vida*)].

carga[1] *n*: charge,[4] burden,[1] expense, encumbrance; responsibility; lien; S. *gravamen, afectación.* [Exp: **carga**[2] (tax, tax burden; S. *tributo, impuesto*), **carga**[3] (TRANSPT cargo, cgo; lading; freightage; S. *cargamento*), **carga**[4] (loading; S. *operación de carga*), **carga a granel** (bulk cargo), **carga a granel, con** (laden in bulk), **carga a granel, descarga en sacos** (bulk-in, bag-out; BIBO), **carga aérea** (air cargo; air freight; S. *flete aéreo*), **carga completa** (full load), **carga dañada** (TRANSPT defective cargo, bad-order freight), **cargas de estructura** (ACCTS overhead expenses; S. *gastos fijos*), **carga de la deuda** (debt burden), **carga de participación en beneficios**

(charge against profits), **carga de punta** (peak load; S. *demanda máxima*), **carga de retorno o de regreso** (TRANSPT return cargo), **carga de ruptura** (TRANSPT breaking load), **carga del servicio de la deuda** (debt servicing burden), **carga embalada** (bale cargo), **carga fiscal** (TAXN tax/fiscal burden; S. *redistribución de la carga fiscal*), **carga fiscal excesiva o contraproducente** (TAXN fiscal drag; S. *lastre/rémora fiscal, estructura fiscal onerosa*), **carga fraccionada** (TRANSPT break bulk cargo), **carga general** (general cargo), **carga hipotecaria** (lien, mortgage; mortgage charge; S. *gravamen*), **carga impositiva adicional** (TAXN additional charge/rate, added tax burden), **carga laboral** (workload; S. *volumen de trabajo*), **carga límite o admisible** (TRANSPT safe load), **carga máxima sujeta a transporte gratuito** (freight allowances; S. *bonificación en el flete*), **carga mixta** (general cargo), **carga parcial** (TRANSPT partial cargo), **carga por contenedor completo** (TRANSPT full container load, FCL), **carga por lotes** (package freight), **carga real** (property charge, encumbrance, real burden), **carga secundaria** (LAW second lien), **carga sobre cubierta** (deck cargo/load; S. *cubertada*), **carga tasada por cubicación o volumen** (TRANSPT cargo assessed by bult or cubic capacity, measurement cargo), **carga tributaria** (TAXN tax burden), **carga única** (TRANSPT single cargo; S. *carga a granel o voluminosa*), **carga útil** (payload, useful load), **cargas de capital** (CONT capital charges), **cargas familiares** (TAXN dependents/dependants; allowances for dependants), **cargas fijas** (fixed charges; S. *costes/gastos fijos*), **cargas financieras** (financial outlays, financial burden/charges; financing charges/expenses/costs), **cargas, sin** (unemcumbered,

clear,[1] clear of charges; S. *libre*), **cargas sociales** (TAXN social security contributions; S. *cuotas a la seguridad social*)].

cargado[1] *a*: BKG charged, charged as, debit entry; S. *cantidad cargada*. [Exp: **cargado**[2] (TRANS MAR loaded, laden), **cargado de deudas, obligaciones, etc.** (loaded/encumbered with debts, burdened with debt; S. *gravado con hipoteca*)].

cargador *n*: TRANSPT shipper. [Exp: **cargador del muelle** (docker, stevedore; S. *estibador, trabajador portuario*)].

cargamento *n*: TRANSPT cargo, cgo; lading; freight; boat-load; S. *carga*[3]. [Exp: **cargamento de ida** (outward cargo), **cargamento de un buque** (lastage), **cargamento de vuelta** (inward/return cargo; back load), **cargamento en sacas, sacos o bolsas** (TRANSPT bagged cargo), **cargamento en tránsito** (in-transit cargo), **cargamento mixto** (TRANSPT mixed cargo, general cargo)].

cargar[1] *v*: load; burden, weigh down; S. *gravar*. [Exp: **cargar**[2] (BKG debit, charge[6]; S. *debitar, adeudar*), **cargar de más** (overcharge, overdebit), **cargar de menos** (undercharge), **cargar en cuenta** (debit, deb; charge up against, charge[7]; S. *debitar, adeudar, consignar/asentar/ anotar en el debe*), **cargar un buque** (load a ship, lade), **cargarse** (take on, burden oneself with *col*; ruin, wreck, do for *col*), **cargársela** (cop it *col*; be in for it *col*; S. *sufrir un revés*)].

cargo[1] *n*: ACCTS, BKG charge; commission; debit, deb; debit entry; S. *débito, adeudo; abono, gasto, suplemento, comisión, recargo, penalización*), **cargo**[2] (post, position, office, job, commission[2]; S. *empleo, puesto, nombramiento*), **cargo por el servicio de cambio** (exchange charge), **cargo de dirección** (MAN post in senior management position, position of responsibility, line management position), **cargo de gastos a cuenta de capital** (capitalization of expenses), **cargo del comprador, a** (on buyer's account), **cargo diferido** (ACCTS debit deferred), **cargo directivo o de responsabilidad** (managerial position; senior post/officer; director; S. *cargo de dirección, cargos directivos de una mercantil*), **cargo excesivo** (overcharge; S. *recargo*), **cargo por reembolso anticipado** (FIN early withdrawal penalty), **cargo político** (political post/office; S. *función política*), **cargo por actualización de la depreciación** (ACCTS catch-up depreciation charge), **cargo por devolución de efecto** (BKG chargeback), **cargo por reparto/servicio** (charge for delivery/service), **cargo por rescate anticipado de una inversión** (FIN penalty for early redemption, back-end load), **cargo por servicios bancarios** (bank service charge; S. *comisión*), **cargo por tiempo de demora** (TRANSPT charge/penalty for delay/late delivery; detention time *US*), **cargo público** (public office, government post, senior civil service post/position), **cargo sindical** (IND REL union official), **cargos bancarios** (bank charges), **cargos directivos de una mercantil** (COMP LAW company officers), **cargos en concepto de intereses** (BKG interest charges), **cargos diferidos** (ACCTS deferred charges; S. *gastos de establecimiento*), **cargos diversos** (BKG sundry charges/expenses, sundries), **cargos fijos** (fixed charges)].

carguero *n*: TRANSPT cargo boat/vessel, freighter; S. *buque de carga; avión carguero*. [Exp: **carguero de graneles** (bulk carrier; S. *buque de carga a granel, granelero*)].

caricatura *n*: ADVTG cartoon; caricature. [Exp: **caricaturista** (ADVTG cartoonist)].

carné *n*: identity/ID card, membership card; card, permit. [Exp: **carné, con** (IND REL card-carrying), **carné de identidad** (identity card)].

caro *a*: dear, expensive; S. *carestía*.

carpeta *n*: file, folder, binder; S. *fichero, archivo*. [Exp: **carpeta de hojas sueltas o de anillas** (loose-leaf binder), **carpetazo** (S. *dar carpetazo*)].

carrera[1] *n*: race. [Exp: **carrera**[2] (career; profession; S. *trayectoria profesional*), **carrera armamentística/de armamentos** (arms race), **carrera espacial** (space race)].

carretera *n*: road. [Exp: **carretera de circunvalación** (by-pass, bypass[1]; ring road; S. *desvío, variante*), **carretera de servicio** (access road, accommodation road/way), **carretera, por** (by road/lorry)].

carretilla *n*: truck, trolley. [Exp: **carretilla de rodillos** (TRANSPT dolly), **carretilla elevadora** (fork-lift truck), **carro** (cart, float)].

carta *n*: letter; note[4]. [Exp: **carta adjunta** (cover/covering letter; S. *oficio de remisión, carta de presentación*), **carta blanca** (S. *dar carta blanca a*), **carta certificada** (registered letter), **carta-circular de crédito** (circular letter of credit), **carta comercial** (business letter), **carta comercial de solicitud de información** (COM enquiry/inquiry[2]), **carta complementaria** (accompanying letter/note; side letter), **carta con acuse de recibo** (letter with notice of delivery), **carta constitucional de una mercantil** (COMP LAW memorandum of association; S. *escritura de constitución de una sociedad mercantil*), **carta credencial** (letter of accreditation, letter of credence), **carta de acarreo** (bill of freight; S. *carta de porte*), **carta de acuse de recibo** (letter of acknowledgement), **carta de adjudicación de**

acciones (letter of allotment), **carta de apremio o de cobranza** (final demand, letter threatening legal action over non-payment; dunning letter, collection letter), **carta de asignación de acciones** (COMP LAW allotment letter; letter of acceptance), **carta de autorización** (letter of authority), **carta de aviso** (reminder; letter of advice; notice of readiness), **carta de cobertura provisional** (INSCE insurance cover letter), **carta de cobranza** (collection letter, dunning letter), **carta de compromiso** (letter of undertaking), **carta de confirmación** (TRANSPT fixing letter), **carta de crédito** (BKG letter of credit, L/C; documentary credit, bill of credit; S. *crédito documentario*), **carta de crédito comercial** (commercial letter of credit), **carta de crédito contingente o de garantía** (stand-by letter of credit), **carta de crédito documentaria** (documentary letter of credit), **carta de crédito irrevocable** (straight letter of credit, irrevocable letter of credit), **carta de crédito simple o abierta** (BKG clean letter of credit), **carta de crédito dirigida a una sola institución bancaria** (direct letter of credit), **carta de crédito impresa al margen de una letra de cambio** (marginal letter of credit), **carta de crédito confirmada por un segundo banco** (COM confirmed letter of credit), **carta de crédito renovable** (revolving letter of credit), **carta de depósito** (letter of deposit), **carta de despido** (dismissal letter/statement; S. *dar aviso de despido*), **carta de diputación** (letter of delegation; S. *poder*), **carta de entendimiento** (letter of understanding), **carta de exigencia de pago del dividendo pasivo** (COMP LAW call letter), **carta de exportador** (exporter charter), **carta de garantía o de respaldo** (letter of guarantee/comfort, letter of indemnity; back letter[3]), **carta de garantía o indemnidad con efecto retroactivo** (TRANSPT backward letter), **carta de pago de la indemnización** (letter of indemnity[1]), **carta de gracia** (letter of respite), **carta de indemnidad o de exención de responsabilidad** (letter of indemnity[2]), **carta de indemnización** (INSCE letter of indemnity; back letter[2]), **carta de insistencia** (follow-up letter; tracer; S. *carta de seguimiento o recordatoria*), **carta de intenciones** (letter of intent), **carta de mandato** (mandate letter), **carta de manifestaciones del cliente** (representation letter), **carta de pago** (receipt; V. *recibo*), **carta de pignoración o de hipoteca** (letter of hypothecation), **carta de porte** (consignment note; bill of freight; carriage, cge; waybill, railway bill; railroad bill of lading US; S. *carta de acarreo*), **carta de porte aéreo** (TRANSPT airway bill, AWB; customs air-way bill; air consignment note; S. *guía aérea*), **carta de porte por carretera** (consignment note; S. *documento/nota de consignación*), **carta de porte por ferrocarril** (railway bill; S. *documento/nota de consignación*), **carta de presentación** (letter of presentation; cover/covering letter; S. *oficio de remisión*), **carta de privilegio** (royal charter; S. *cédula real*), **carta de ratificación, reafirmación o alivio** (BKG comfort letter), **carta de reclamación** (INSCE claim letter; statement of claim; letter of complaint), **carta de recomendación** (reference, letter of recommendation/reference, character reference), **carta de recomendación entre bancos o instituciones financieras** (BKG patronage letter), **carta de recomendación para la solicitud de un préstamo** (STK EXCH, BKG comfort letter), **carta de remisión o de transmisión**

(cover/covering letter; S. *carta de presentación*), **carta de requerimiento** (final demand), **carta de solicitud** (application letter, letter of application; S. *instancia*), **carta de seguimiento** (follow-up letter; S. *carta de recordatorio/insistencia*), **carta de venta** (bill of sale), **carta denegando la solicitud de acciones** (COMP LAW letter of regret), **carta fundacional** (articles of association/incorporation; charter[1]; S. *escritura de constitución de una empresa*), **carta no reclamada** (TRANSPT dead letter[1]), **carta recordatoria** (COM follow-up letter; chasing letter; chaser *col*; S. *carta de seguimiento*), **Carta Social Europea** (European Social Charter), **carta urgente** (express letter), **carta verde** (green card)].

cartel *n*: ADVTG poster; S. *cartel de anuncios*. [Exp: **cártel** (cartel, combine[1]; entente; S. *unión de organizaciones o empresas, consorcio, monopolio, grupo industrial, asociación*), **cartel de anuncios** (bill[4]), **cártel de bonificaciones** (COM rebate cartel), **cártel de bonificaciones totalizadas** (COM aggregated rebate cartel), **cártel de exportación** (export cartel), **cártel de licitadores** (tendering ring), **cártel impuesto** (compulsory cartel), **cártel de empresas** (trust), **cartelera** (hoarding, billboard *US*; S. *Valla publicitaria*), **cartelista** (ADVTG poster designer), **cartelización** (com cartelisation), **cartelización transnacional** (cross-frontier cartelisation)].

cartera[1] *n*: wallet. [Exp: **cartera**[2] (portfolio; holdings, list of assets; S. *tenencias*), **cartera autorizada** (approved list), **cartera de acciones/títulos** (securities portfolio; security holdings; S. *valores de inversión*), **cartera de efectos** (discounted notes; portfolio, holdings), **cartera/fondo de inversión mobiliaria** (mutual fund[2]; money market fund; unit trust, unit trust investment portfolio), **cartera de inversiones** (investment portfolio), **cartera de mercado** (market portfolio), **cartera de morosos** (list of defaulting debtors or doubtful debrts, bad debt list/black list *col*; list of delinquent accounts), **cartera de pedidos** (order book), **cartera de pedidos atrasados o no despachados** (COM backlog of orders/paperwork; S. *trabajo administrativo acumulado o atrasado*), **cartera de préstamos u obligaciones** (loan portfolio), **cartera de títulos/valores de inversión** (investment securities/shares/ stock; assets portfolio; S. *valores de cartera/inversión*), **cartera de valores finalista** (FIN dedicated portfolio), **cartera eficiente** (FIN efficient portfolio), **cartera, en** (in hand; S. *en existencia, disponible*), **cartera ministerial** (office; S. *cargo, ministerio*), **cartera óptima** (STK & COMMOD EXCH optimum portfolio), **cartera teórica de mercado** (FIN market portfolio)].

cartilla *n*: BKG passbook, savings book. [Exp: **cartilla de ahorros** (savings book/passbook)].

cartón *n*: cardboard, paperboard, pasteboard; carton; S. *envase de cartón, «brik»*. [Exp: **cartón ondulado** (TRANSPT corrugated cardboard), **cartón piedra** (papier-mâché), **cartulina** (card; flash card; bristol-board)].

casa *n*: house; household; firm; establishment[1]; S. *empresa, establecimiento, institución; unidad familiar*. [Exp: **casa bancaria** (banking house, firm of bankers; S. *casa de banca*), **casa central** (head/main/central office; headquarters; flagship store *US*), **casa comercial** (establishment, firm, concern[2]; S. *empresa, negocio*), **casa consistorial** (city/town hall), **casa de**

aceptaciones (BKG acceptance house/ bank; merchant bank, investment bank; S. *financiera, banco de descuento o financiero*), **casa de arbitraje** (arbitrage firm), **casa de banca** (banking house/firm; S. *casa bancaria*), **casa de bolsa/valores** (securities firm), **casa/ agencia/de cambio** (exchange agency/ bureau/bank), **casa/agencia de confirmación** (confirming house), **casa de corretaje** (STK EXCH brokerage firm; S. *corredurría*), **casa de descuento** (discount house), **casa/banco de emisión** (issuing bank/house), **casa de empeños** (pawnshop; pawnbroker's; S. *monte de piedad*), **casa de gestión** (STK EXCH S. *oficina de asesoramiento financiero*), **casa de inversión** (finance house), **casa de labor** (farmhouse; S. *cortijo*), **Casa de la Moneda** (mint; Bureau of the Mint, Royal Mint), **casa de préstamos** (pawnbroker's shop; S. *monte de piedad*), **casa emisora** (issuing house; S. *banco de emisión de valores*), **casa exportadora** (exporting firm, firm of exporters), **casa financiera o de aceptaciones** (accepting house; S. *banco de negocios*), **casa importadora** (STK & COMMOD EXCH import house/firm, firm of importers; indent house *US*; S. *agencia de importación*), **casa matriz** (S. *casa/ sede central*), **casera** (landlady; S. *patrona*), **casero** (landlord; S. *patrón*), **caseta** (exhibition booth or stand; S. *feria*)].

casar¹ *v*: match, match up; S. *concordar, coincidir, hacer coincidir*. [Exp: **casar²** (LAW set aside, reverse, quash), **casar bien con** (match, tally with, fit with/in with, go together with; S. *ser/estar conforme con*), **casar operaciones** (STK & COMMOD EXCH match²)].

cascada *n*: cascade; S. *impuesto*.

casco *n*: helmet, hard hat; empty bottle; empties; S. *tonel, barrica, cuba*. [Exp: **casco de un buque** (hull)].

casilla *n*: box¹; cell; pidgeon-hole; S. *caja, célula*. [Exp: **casillero** (pidgeon-hole; row or set of pigeon-holes)].

caso *n*: case, event, affair, occurrence; S. *episodio, asunto, negocio, incidente*. [Exp: **caso de, en el** (in the case/event of), **caso de fuerza mayor** (INSCE, TRANSPT act of God/Providence), **caso de incumplimiento, en** (in default), **caso de necesidad** (emergency, urgent case, case of need), **caso dudoso o límite** (border-line case), **caso, en su** (when/where applicable; S. *cuando sea de aplicación*), **caso es que, el** (as a matter of fact; the fact of the matter is, as it turns out, in the event; S. *de hecho, en realidad*), **caso fortuito** (TRANSPT act of God/ Providence; S. *caso de fuerza mayor*), **caso imprevisto** (emergency), **casual** (accidental, chance; incidental, irregular, random; S. *accidental, fortuito, aleatorio*)].

catalogar *v*: catalogue/catalog *US*; pidgeon-hole; classify; list, record; describe, class; S. *clasificar, relación, lista, describir, calificar*. [Exp: **catálogo** (catalogue, catalog; checklist; list), **catálogo de cuentas** (classification of accounts), **catálogo de precios** (price list), **catálogo de muestras** (sample book), **catálogo de ventas por correo** (mail-order catalogue)].

cataláctica *n*: catallactics.

catastro *n*: cadastre, Land Registry/Office; S. *Registro de la Propiedad Inmobiliaria*. [Exp: **catastral** (cadastral; S. *valor catastral*)].

catástrofe *n*: INSCE catastrophe. [Exp: **catastrófico** (disastrous, catastrophic), **catastrofista** (pessimist/pessimistic; doomster *col*; prophet of doom *col*)].

categoría *n*: grade; rating; bracket, rank¹; S. *rango, grado, clase; tramo*. [Exp: **categoría/clase de ingresos** (TAXN income bracket), **categoría financiera**

(financial rating; S. *calificación/ clasificación*), **categoría fiscal** (TAXN tax bracket/class/group; S. *tramo de renta*), **categoría inferior, de** (low-grade), **categoría profesional** (professional level/rank), **categorías, a todas las** (across the board; across-the-board[1]; S. *de forma general/lineal*), **categorías salariales** (salary brackets/levels; S. *escalas salariales*), **categórico** (categorical, definite, unambiguous, final, outright[1]; S. *definitivo, incondicional, final*)].

caución *n*: caution, security, guarantee, pledge, collateral; bail, bail bond; S. *aval, fianza, garantía, afianzamiento*. [Exp: **caución de indemnidad** (indemnity bond; S. *contrafianza*), **caucionar** (bail; pledge)].

caudal *n*: body; effects; wealth, fortune; S. *volumen, bienes*. [Exp: **caudal de una herencia** (body of an estate, estate[3]), **caudales** (assets; valuables; funds; S. *caja de caudales*), **caudales públicos** (public funds or assets)].

causa *n*: reason, ground; account[6]; S. *razón, motivo, fundamento*. [Exp: **causa contractual** (LAW consideration[2]; S. *contrapartida de un contrato*), **causa contractual adecuada** (LAW good consideration), **causa contractual expresa** (express consideration), **causa contractual fingida** (LAW fictitious consideration), **causa contractual ilícita** (illegal consideration), **causa contractual insuficiente o no reconocida por la ley** (insufficient consideration), **causa contractual a precio nominal** (LAW nominal consideration), **causa contractual pasada** (LAW past consideration), **causa contractual razonable** (due consideration), **causa contractual recíproca** (LAW mutual consideration), **causa contractual suficiente** (LAW adequate consideration), **causa contractual valiosa** (LAW meritorious

consideration), **causa de, a** (on account of, due to, because of, owing to; S. *en consideración a, debido a*), **causa de fuerza mayor** (act of God), **causar** (cause, bring about, call forth; draw[7]; S. *motivar, provocar*), **causar baja** (withdraw from membership, cancel one's subscription; retire, leave one's job or post; drop out, pull out, withdraw), **causar una buena/mala impresión** (make a good/poor impression; give a good/poor account of oneself), **causas ajenas a nuestras voluntad** (circumstances beyond our control)].

cautela *n*: caution; care; S. *obrar con cautela*. [Exp: **cautelar** (preventive; preventative; as a precaution, precautionary), **cauteloso** (cautious, prudent, careful; canny; tentative)].

cautivo *a*: COM captive; S. *del mismo grupo/empresa*.

cauto *a*: ADVTG, COM canny, cautious, careful; S. *prudente*.

caza *n*: hunt, hunting, chase; pursuit; capture; game S. *jugar, juego*. [Exp: **caza/lavado de dividendo** *col* (STK EXCH, TAXN dividend capture/stripping, dividend rollover plan, trading dividends), **caza de talento** (headhunt *col*; headhunting *col*), **caza legítima** (fair game; S. *blanco legítimo*), **cazatalentos** (headhunter), **cazatiburones** (killer bees *col*; S. *inversores anti-opa, abejas asesinas*)].

CC OO *n*: S. *Comisiones Obreras*.

cebar[1] *v*: prime. [Exp: **cebar**[2] (bait, bait a trap; S. *anzuelo, trampa*), **cebar la bomba** (ECO pump priming policy), **cebo** (bait, ploy, gimmick; S. *truco, gancho*), **cebo publicitario** (ADVTG advertising ploy/gimmick; S. *artículo de reclamo*), **cebo y cambio** (ADVTG bait-and-switch *US*; S. *venta con publicidad engañosa*)].

CEBE *n*: S. *certificado del Banco de España*.

CD *n*: S. *certificado de depósito.*

CECA *n*: S. *Confederación Española de Cajas de Ahorro; Comunidad Europea del Carbón y del Acero.*

cedente *n*: assignor, assigner, abandoner; bailer, bailor; grantor; endorser; S. *ceder, cesionista, asignante, endosante; cliente cedente.*

ceder *v*: assign, grant, give, dispose of; give in, concede; yield; alienate, divest oneself of, transfer; make over; surrender; waive; S. *dar, traspasar, enajenar, transferir.* [Exp **ceder un derecho/una patente/los derechos de autor a alguien** (assign a right/a patent/the copyright, etc. to sb; S. *adjudicar un derecho*), **ceder un negocio** (make over a business; S. *traspasar*), **cedible** (assignable; S. *asignable, transferible*)].

cédula[1] *n*: slip, certificate, licence, schedule, scrip. [Exp **cédula**[2] (BKG debenture,[1] debenture bond, bond[2], government bond; S. *bono, obligación, título*), **cédula al portador** (bearer scrip/certificate), **cédula de habitabilidad** (certificate of fitness/fitness for habitation; first-occupancy permit; certificate of occupancy US), **cédula de invención** (S. *patente*), **cédula de suscripción** (subscription warrant; S. *resguardo provisional*), **cédula hipotecaria** (FIN mortgage debenture/certificate; mortgage bond/note, mortgage-backed bond US; S. *obligación hipotecaria, bono con garantía hipotecaria*), **cédula hipotecaria ampliable** (FIN open-end mortgage bond), **cédula real** (charter,[1] royal charter/warrant; S. *fuero, carta estatutaria*), **cedular** (schedular)].

CEE *n*: S. *Comunidad Económica Europea.*

celador *n*: watchman; nursing auxiliary; hospital orderly; S. *empleado del servicio de mantenimiento.*

celebración *n*: execution[1]; celebration; S. *otorgamiento, formalización.* [Exp **celebrar** (celebrate; hold,[3] execute; enter into, formalise; S. *formalizar, legalizar, firmar, suscribir, concertar*), **celebrar elecciones** (hold elections), **celebrar un pacto/acuerdo/convenio/contrato** (enter into/conclude/sign/formalise/make an agreement/a contract; execute an agreement; S. *firmar/suscribir/concertar/otorgar/formalizar un contrato, etc.*), **celebrar una audiencia/sesión** (hold a hearing/session), **celebrar una subasta** (hold an auction), **celebrarse** (be held, be on,[2] take place; S. *tener lugar*)].

celeridad *n*: dispatch[2]; S. *diligencia; acelerar.*

célula *n*: cell; S. *casilla.*

cementerio *n*: STK & COMMOD EXCH graveyard market. [Exp **cementerio de coches** (scrapyard; wrecker's yard US)].

censo *n*: census; ground rent, charge. [Exp **censo de contribuyentes** (tax roll), **censo de población** (population census), **censo de por vida** (INSCE life annuity; S. *renta vitalicia*), **censo electoral** (electoral list or roll, register of electors)].

censor *n*: auditor; censor, watchdog; S. *experto contable, interventor de cuentas, auditor*), **censor público/jurado de cuentas** (ACCTS chartered accountant, CA; Fellow of the Institute of Chartered Accountants, FCA; certified accountant US; S. *contador público titulado, experto contable, perito, diplomado en contabilidad*), **censura de cuentas** (examination/auditing of accounts, auditing, audit[1]; S. *auditoría de cuentas*), **censura de cuentas domiciliaria o en la sede empresarial** (site audit), **censurar**[1] (criticize, condemn), **censurar**[2] (audit[1]; review; S. *fiscalizar, revisar, inspeccionar*)].

centavo *n*: cent; S. *cien.*

centésimo de entero *n*: basis point, one hundredth.

central *a/n*: central or head office; S. *casa matriz, sede central, oficina principal.* [Exp: **Central de Anotaciones del Banco de España** (FIN approx Central Gilts Office, CGO), **Central de Balances** (Commercial Performance Information Bureau; office of the Spanish Central Bank that provides up-to-date information on the balance sheets and general financial health of the major Spanish companies), **central de energía** (plant), **Central de Información de Riesgos, CIR** (FIN Risk Information Centre; office of the Spanish Central Bank that provides information on the creditworthiness of potential clients of the banks in the system, particularly those with a record of credit risk or insolvency), **central eléctrica** (power plant/station, electricity/power station), **central lechera** (dairy; dairy centre; S. *vaquería, quesería*), **central nuclear** (nuclear power station), **central sindical** (union's main/head office or HQ), **centralismo** (centralism), **centralita** (main switchboard, switchboard), **centralización** (centralization, pooling), **centralizar** (centralize), **centrar la atención** (concentrate/focus on; attract attention; S. *enfocar, centrarse*), **centrar la cuestión** (define the issue/question/point in issue), **centrarse** (focus; S. *centrar la atención, enfocar*), **centrarse en los puntos más importantes** (concentrate on the main business/important issues; S. *ir al grano*)].

centro *n*: centre/center; core; S. *elemento o parte esencial, núcleo.* [Exp: **centro comercial** (shopping centre/complex/mall; business centre/district; mart; mall; entrepôt; emporium; S. *mercado, lonja; galería comercial*), **centro de actividad** (activity centre), **centro de atención** (focus; focus of attention; S. *foco*), **centro de beneficio** (profit centre),

Centro de Comercio Internacional (International Trade Centre), **centro de costes** (cost centre), **centro de distribución** (COM, TRANSPT dispatch centre), **centro de explotación** (MAN production centre *US*), **centro de operaciones** (headquarters; operational HQ; S. *sede principal*), **centro de procesos de datos** (data processing data), **centro de producción** (factory unit; S. *unidad de fabricación*), **centro de una ciudad** (city centre; downtown *US*), **centro deportivo** (sports/leisure centre; S. *polideportivo*), **centro distribuidor** (distribution center *US*), **centro financiero** (FIN financial/money centre), **centro financiero supra-nacional/transnacional** (FIN offshore financial centre), **Centro Nacional de Estadística del Reino Unido** (Central Statistical Office), **centro neurálgico** (key centre, heart and lungs *col*; powerhouse *col*), **centro neurálgico de una institución bancaria** (bank's operation centre; back office; S. *trastienda*)].

CEOE *n*: S. *Confederación Española de Organizaciones Empresariales.*

CEPYME *n*: S. *Confederación Española de la Pequeña y Mediana Empresa.*

cereal *n*: grain; cereal. [Exp: **cereales secundarios** (coarse cereals), **cereales panificables** (bread grains)].

cero *n*: zero; S. *cupón cero.*

cerrar *v*: close; fasten; conclude; enclose; close/shut down; S. *formalizar, concluir*), **cerrar definitivamente una empresa** (COM close a business/factory down[2]; S. *cerrar un negocio*), **cerrar filas** (close ranks), **cerrar la emisión/sesión** (STK EXCH close down[3]), **cerrar los libros** (balance the books; S. *hacer balance*), **cerrar un lado o «leg»** (STK & COMMOD EXCH lift a leg, take off a leg *US col*), **cerrar un negocio/ empresa/fábrica** (go out of business; close down; fold[2]), **cerrar un trato** (close a bargain/deal, clinch a deal; strike a bargain/deal; firm up[3]; S. *tratar, pactar*), **cerrar una cuenta bancaria** (close a bank account), **cerrar una operación** (conclude a transaction), **cerrar una posición** (STK EXCH close/close out a position[1]), **cerrar una posición abierta** (STK & COMMOD EXCH close out[1] a position)].

certeza/certidumbre *n*: certainty[1]; S. *seguridad, certidumbre*. [Exp: **certeza del impuesto** (TAXN tax certainty)].

certificación *n*: certification,[1] attestation; certificate, affidavit; S. *certificado, atestación*.

certificado[1] *a*: certified, attested; authentic; registered; S. *comprobado; legalizado; carta certificada*. [Exp: **certificado**[2] (certificate, cert; certification[1]; testimonial, affidavit; docket[2]; acknowledgement; warrant; S. *título, partida; justificante*), **certificado catastral** (certificate of valuation), **certificado con acuse de recibo** (registration with receipt requested), **certificado con garantía prendaria** (collateral trust certificate), **certificado con salvedades** (qualified certificate), **certificado de adeudo** (BKG certificate of indebtedness[1]), **certificado de adición** (patent amendment), **certificado de aduanas** (TRANSPT clearance certificate[1]), **certificado de ahorro** (savings certificate), **certificado de arqueo de un buque** (ship's measurement bill/ certificate), **certificado de auditoría** (auditor's certificate/opinion), **certificado de auditoría extendido por un censor público/jurado de cuentas** (ACCTS official certificate of audit/ accounts), **certificado de autorización de gastos** (allocatur), **certificado de averías** (INSCE certificate of damage, survey report), **certificado de balance**

(balance certificate; S. *comprobante de balance*), **certificado de buena salud** (TRANSPT clean bill of health; S. *patente de sanidad limpia*), **certificado de calidad** (COM quality certificate, grading certificate, guarantee/certificate of quality; S. *inspección/control de calidad*), **certificado de cambio** (exchange certificate), **certificado de cambio de propiedad de acciones o valores** (STK EXCH certificate of transfer of securities), **certificado de capacidad** (qualifying certificate), **certificado de conformidad** (certificate of compliance, certificate of agreement/acceptance/ settlement), **certificado de constitución de una mercantil** (COMP LAW certificate of incorporation), **certificado de copropiedad** (COMP LAW participation certificate), **certificado de cuenta de ahorro a plazo fijo** (certificate of account), **certificado de despacho de aduanas** (clearance certificate), **certificado de depósito, CD**[1] (BKG certificate of deposit, CD; bond note; S. *garantía de depósito*), **certificado de depósito**[2] (TRANSPT warehouse warrant), **certificado de depósito bancario** (bank deposit certificate), **certificado de depósito con interés variable** (floating note certificate of deposit), **certificado de depósito negociable** (BKG negotiable certificate of account/deposit), **certificado de depósito oro** (gold certificate; S. *certificado oro*), **certificado de descarga** (landing certificate), **certificado de despacho de aduanas** (TRANSPT clearance,[1] clearance certificate; S. *formalidades aduaneras, despacho de aduanas*), **certificado/conocimiento de despacho de llegada o entrada** (TRANSPT inward clearing bill; S. *despacho*), **certificado de despacho de mercancías** (clearance certification of merchandise), **certificado/conocimien-**

to de despacho de salida (TRANSPT outward clearing bill; S. *despacho*), **certificado de deuda** (indebtedness certificate), **certificado de dividendo diferido** (scrip certificate), **certificado/ conocimiento de embarque de la empresa** (TRANSPT house bill of lading), **certificado de envío por correo** (certificate of posting), **certificado de fabricación** (certificate of manufacture), **certificado de francobordo** (TRANSPT certificate of freeboard), **certificado de garantía** (guarantee certificate; certified guarantee), **certificado de garantía de cobertura** (covering warrant), **certificado de haber liquidado los impuestos** (TAXN clearance certificate[2]), **certificado de hipoteca** (mortgage certificate), **certificado de homologación** (type approval certificate), **certificado de importación** (import certificate), **certificado de incorporación** (certificate of incorporation; incorporation papers; S. *escritura social o constitutiva; certificado de constitución de una mercantil*), **certificado de inspección** (certificate of survey/inspection; inspector's warrant), **certificado de inversión** (BKG investment certificate), **certificado de opción [a adquirir] acciones** (STK EXCH [share purchase] warrant), **certificado de origen** (TRANSPT certificate of origin), **certificado de pago** (pay warrant; S. *autorización, orden de pago*), **certificado de participación en un fondo de inversión** (participation certificate, trust certificate), **certificado de pasivo** (liability certificate), **certificado de plática** (TRANSPT certificate of pratique), **certificado de propiedad** (proprietorship/ownership certificate), **certificado de recibo** (COM receipt, certified receipt, certificate of receipt), **certificado de reconocimiento** (acknowledgment), **certificado de reconocimiento de independencia** (IND REL certificate of independence), **certificado de registro** (TRANSPT certificate of registry/registration; S. *patente de navegación*), **certificado de saldo en cuenta** (certificate of credit balance), **certificado de sanidad** (bill of health, health certificate), **certificado de seguro** (INSCE certificate of insurance, insurance certificate), **certificado de sustitución** (replacement certificate), **certificado de transferencia de préstamos** (FIN pass-through certificate), **certificado de transitario** (forwarding agent receipt), **certificado de utilidad pública** (TAXN certificate of necessity *US*), **certificado del armador** (TRANSPT shipbuilder's certificate), **certificado [de depósito] del Banco de España, CEBE** (Central Bank certificate of deposit, certificate of deposit guaranteed by the Bank of Spain), **certificado del mercado monetario** (money market certificate), **certificado/recibo del pago de derechos de aduanas** (TRANSPT clearance,[1] clearance certificate; S. *certificado de despacho, formalidades aduaneras, despacho de aduanas, permiso*), **certificado fitopatológico/fitosanitario** (phytopathological/phytosanitary certificate), **certificado oro** (gold certificate; S. *certificado de depósito en oro*), **certificado provisional** (STK EXCH bearer scrip, provisional certificate, covering note or certificate), **certificado sanitario** (S. *certificado de sanidad*)].

certificar *v*: certify; attest, warrant, acknowledge; audit; back, back up, support, uphold, endorse, second, stand behind; S. *dar fe, compulsar, avalar, endosar, respaldar, apoyar*)].

cesar *v*: cease; retire, step down, abandon/leave office/one's post, etc.; be dismisssed/sacked *col*; S. *despedir, echar*. [Exp: **cesante** (jobless, unemployed; S. *sin trabajo, desempleado*), **cesantía** (IND REL layoff, lay-off; dismissal indemnity; redundancy; S. *despido laboral, indemnización por despido*), **cese**[1] (termination; resignation; dismissal[1]), **cese**[2] (IND REL compulsory retirement; staff cut-back; S. *despido, destitución, desahucio, retiro forzoso; reducción de plantilla*), **cese en el cargo** (resignation, dismissal from office; S. *dimisión*), **cese fulminante** (instant/ summary dismissal; dismissal on the spot)].

cesión *n*: cession; transfer, transmission, delivery[3]; assignment[1]; abandoning; abandonment; demise; grant; S. *traspaso, transferencia, traslación de dominio*. [Exp: **cesión con prioridades** (preferential assignment), **cesión de activos** (assets transfer), **cesión de bienes** (general assignment in favour of creditors), **cesión de bienes del insolvente a favor de los acreedores** (COMP LAW assignment for the benefit of creditors), **cesión de cartera** (portfolio transfer, cession of portfolio), **cesión de créditos** (FIN assignment of credits/debts, selldown of loans), **cesión de derechos** (assignment/transfer of rights), **cesión de permutas/swaps** (STK & COMMOD EXCH swap assignment), **cesión de póliza** (INSCE policy assignment), **cesión de riesgos** (passing of the risk), **cesión de un activo como garantía de una deuda** (FIN floating charge; charge on assets, fixed charge; pledged assets; S. *préstamo comercial garantizado con un activo*), **cesión de una patente** (assignment of a patent), **cesión del interés asegurado** (assignement of interest), **cesión en bloque** (blanket assignment), **cesión incondicional** (absolute conveyance), **cesión temporal de activos** (temporary transfer of assets), **cesión voluntaria** (voluntary assignment), **cesionario**

(cessionaire, assignee, grantee, abandonee; transferee; S. *concesionario, abandonatario, beneficiario*), **cesionario de los bienes del insolvente** (assignee in bankruptcy), **cesionario sucesor** (assignee; S. *beneficiario de una transferencia, apoderado*), **cesiones de reaseguros** (reinsurance carriers), **cesionista** (transferer; assigner, assignor; granter/grantor; abandoner; S. *abandonador*)].

cesta, cesto *n*: basket. [Exp: **cesta de la compra** (shopping basket/bag), **cesta de monedas** (currency basket; basket/pool of currencies; currency composites; S. *combinación de monedas*), **cestón** (ADVTG display basket)].

chafar un chollo *col v*: pull the plug on a scheme *col*; S. *desbaratar un chollo*.

chanchullo *col n*: STK EXCH price rigging, racket, fiddle, graft[1]; S. *corrupción, manipulación; andar metido en chanchullos*.

chantaje *n*: FIN blackmail; greenmail; racket; S. *amenaza, extorsión*. [Exp: **chantajear** (blackmail; S. *extorsionar, coaccionar*), **chantajista** (blackmailer; S. *extorsionista*].

chapuza *n*: odd job; botched job, mess, shoddy workmanship, hash *col*; S. *hacer chapuzas*. [Exp: **chapucero** (shoddy; slapdash *col*; botched)].

charlatán *col n*: hawker; conman *col*, charlatan; S. *vendedor callejero*.

chart *n*: STK EXCH chart. [Exp: **chartismo** (STK EXCH chartism), **chartista** (chartist; S. *analista de inversiones bursátiles*)].

chatarra *n*: scrap, scrap metal; junk; debris; S. *basura, residuo*. [Exp: **chatarrería** (scrapyard, junkyard; S. *desguace*), **chatarrero** (scrap dealer/ merchant)].

chelín *n*: shilling.

cheque *n*: cheque; check[4] *US*; S. *talón*. [Exp: **cheque a cargo del propio banco** (cashier's bank), **cheque a la orden**

(order cheque, cheque to [the] order; negotiable cheque), **cheque abierto** (open cheque, uncrossed cheque), **cheque aceptado, aprobado o visado** (certified/marked cheque; S. *cheque conformado*), **cheque al contado** (cheque for immediate payment, check made out to cash *US*), **cheque al/en descubierto** (uncovered cheque, cheque not covered by funds, bounced cheque *col*), **cheque al portador** (cheque to the bearer, cheque made payable to the bearer), **cheque bancario** (official cheque, treasurer's cheque, cashier's cheque, bank cheque/draft; S. *cheque de ventanilla*), **cheque barrado/cruzado** (crossed cheque), **cheque caducado** (stale cheque, out-of-date cheque), **cheque con importe limitado** (limited cheque), **cheque confirmado, conformado, aceptado o visado** (certified/ marked check, officially authorised cheque), **cheque contra la propia cuenta corriente** (counter check *US*; S. *cheque de mostrador*), **cheque cruzado** (account-only cheque; crossed cheque; S. *cheque barrado*), **cheque de caja** (cash letter; cashier's cheque), **cheque de giro** (giro,[2] giro cheque; S. *cheque postal, cheque estatal*), **cheque de mostrador** (counter check *US*; S. *cheque contra la propia cuenta corriente*), **cheque de ventanilla** (BKG cashier's cheque, official cheque, treasurer's cheque; S. *cheque bancario*), **cheques de viajero** (traveller's cheques), **cheque devuelto o rechazado** (BKG dishonoured/ returned cheque; bounced/bouncing cheque; bouncer; stumer, dud check, rubber check *US col*; S. *cheque sin fondos o provisión*), **cheque domiciliado** (addressed cheque), **cheque en blanco** (blank cheque; S. *firmar un cheque en blanco*), **cheque en descubierto** (S. *cheque el descubierto*), **cheque en-mendado** (altered cheque), **cheque estatal** (giro,[2] giro cheque; S. *cheque de giro, cheque postal*), **cheque falsificado** (BKG forged/counterfeit cheque), **cheque inservible por deterioro o alteración** (defaced cheque), **cheque librado y no cobrado por el beneficiario** (outstanding cheque), **cheque nominativo** (cheque made out to a named person, personal cheque, cheque not transferable by endorsement), **cheque para abonar en cuenta** (pay-in-only cheque; nonnegotiable cheque), **cheque para pago de dividendos** (STK EXCH dividend cheque), **cheque posfechado** (post-dated cheque), **cheque postal** (post office cheque; postal check *US*; giro,[2] giro cheque; S. *cheque estatal, cheque de giro*), **cheque rechazado** (S. *returned cheque*), **cheque sin fondos** (bad cheque; kite cheque; dishonoured cheque; bounced/bouncing cheque *col*; dud cheque *col*; S. *cheque devuelto*), **cheque vencido** (overdue cheque), **chequera** (cheque book; S. *talonario de cheques*)].

chica/chico *n*: girl/boy. [Exp: **chica para todo** *col* (girl Friday *col*), **chico de los recados** (message boy, office boy; gofer; S. *recadero, botones*)].

chicharros *col n*: STK EXCH cheap stock, cats and dogs; S. *morralla*.

chiringuito *col n*: stall, booth, kiosk, stand; makeshift/temporary bar or booth; shop *col*; place of business; S. *desmontar el chiringuito*. [Exp: **chiringuito financiero** (STK EXCH bucket shop[2] *col*; boiler room *col*; cowboy outfit; fly-by-night business; S. *sala de calderas*)].

chisme *col n*: gismo, gizmo *col*, device; S. *artilugio*.

chocar *v*: collide, come into collision, foul; S. *entrar en colisión/conflicto*. [Exp: **chocar con** (fall foul of; S. *tener un encontronazo con alguien*), **choque** (collision, crash; S. *colisión*)].

chollo *col n*: STK EXCH easy/plum/cushy number/job *col*; number[3] *col*; S. *colocación comodísima*. [Exp: **chollo garantizado** (cinch *col*; certainty[2] *col*)].

cía *n*: S. *compañía*.

cianotipo *n*: blueprint[1]; S. *copia heliográfica*.

ciclo *n*: cycle. [Exp: **ciclo comercial** (trade cycle), **ciclo de expansión económica** (ECO growth period, boom, period of economic expansión), **ciclo de operaciones contables** (accounting cycle), **ciclo de vida de un producto, CVP** (product life-cycle, PLC), **ciclo económico** (economic cycle; business cycle; S. *coyuntura*), **ciclo final de la vida de un producto** (ADVTG abandonment stage; S. *fase de abandono de un producto*), **ciclo inflación-deflación** (ECO inflation-deflation cycle), **ciclo operativo** (operating cycle), **ciclo de activo circulante** (current-asset cycle), **ciclo de alta/baja** (STK EXCH bullish/bearish trend), **ciclo para el ejercicio de la opciones americanas** (STK & COMMOD EXCH option cycle *US*), **ciclos largos** (ECO long cycles; S. *ondas largas*)].

cierre *n*: close; closing[1]; close-down[1]; closure; cut off[1]; deadline. [Exp: **cierre anual** (ACCTS annual closing), **cierre/ baja empresarial** (business closure), **cierre de la sesión bursátil** (STK EXCH close/ end/finish of trading), **cierre de libros para inventario** (ACCTS cut-off[4]), **cierre de confirmación de una operación en el mercado de fletes** (TRANSPT fixture[2]), **cierre patronal** (lockout; S. *paro provocado por la empresa*)].

CIF *n*: S. *código de identificación fiscal*.

cifra *n*: figure, digit; S. *guarismo, dígito, número*. [Exp: **cifra/estimación aproximada** (rough figure, ballpark estimate/ estimate; S. *cálculo aproximado*), **cifra de negocios** (business turnover, total sales; S. *facturación por ventas*), **cifra de negocios normal** (standard turnover),

cifra global (all-in/total figure; bulk figure; S. *cantidad global*), **cifra indicatoria** (bell-wether price), **cifra sin precedentes** (record figure), **cifras reales de un negocio** (ACCTS actuals[1])].

cifrado *n*: codification, codifying, coding, encoding; encryption; S. *codificación*. [Exp: **cifrar** (code, codify, encode, encrypt; S. *codificar*), **cifrar el valor de algo** (put a figure/price on sth; S. *estimar la cuantía de algo*)].

cima *n*: peak; S. *auge, cumbre*.

cimientos *n*: basis[1]; groundwork; S. *fundamento, base*.

cinta *n*: ribbon, tape. [Exp: **cinta transportadora** (conveyor belt), **cinturón** (belt; S. *franja*), **cinturón del algodón** (cotton belt *US*), **cinturón industrial** (industrial belt)].

CIR *n*: S. *Central de Información de Riesgos*.

circuito *n*: circuit.

circulación[1] *n*: circulation[1]; readership; S. *tirada*. [Exp: **circulación**[2] (movement; trade; traffic; S. *movimiento*), **circulación de capitales** (movements of capital), **circulación de cheques en descubierto o sin fondos** (BKG kiting *col*; check kiting *col US*), **circulación, en** (STK EXCH outstanding[4]), **circulación fiduciaria** (legal tender; money in circulation; note circulation; fiduciary circulation/money; fiat money *US*; M1; S. *dinero en circulación*), **circulación forzada** (forced circulation/currency; S. *curso forzos*), **circulación rodada** (road traffic), **circulante elástico** (elastic currency; S. *moneda o divisa elástica*)].

circulante *n/a*: ACCTS, FIN current, working; current/working assets. [Exp: **circulante neto** (ACCTS net current assets)].

circular *a/n/v*: circular, round; circular; circulate; S. *documento, informe*)].

círculo *n*: circle, ring. [Exp: **círculo de calidad** (quality circle), **círculos**

bancarios (banking circles), **círculos empresariales** (business circles/world/ community)].

circunstancia *n*: circumstance. [Exp: **circunstancias concomitantes o concurrentes** (attendant circumstances), **circunstancias condicionantes** (background; external factors; S. *antecedentes, contexto*)].

circunvalación *n*: TRANS S. *carretera de circunvalación, variante.*

cita *n*: appointment[2]; S. *previa cita.*

citación *n*: summons, subpoena; call[4]; S. *convocatoria, emplazamiento.* [Exp: **citación/llamada a licitadores** (call for bids, invitation to bidders; S. *convocatoria a licitadores, concurso*)].

citar[1] *v*: call, convene; S. *convocar.* [Exp: **citar**[2] (give notice; S. *notificar*), **citar**[3] (STK EXCH quote[1]; S. *dar/ofrecer precios*)].

ciudad *n*: town, city. [Exp: **ciudad dormitorio** (dormitory town)].

clandestino *a*: clandestine, undercover, illegal; S. *taller clandestino.*

claro *a*: clear[1]; above-board; plain, open, flat;[1] patent, blatant; S. *manifiesto, evidente.* [Exp: **claramente** (sharply; clearly, patently; obviously; S. *marcadamente*)].

clase *n*: class; type, kind; grade, denomination; batch; S. *categoría, calidad, rango, nivel.* [Exp: **clase/ categoría de ingresos** (TAXN income bracket; S. *tramo de renta*), **clase de opción** (option class), **clase de personas de la misma edad/renta** (age/income bracket), **clase de tarifa** (grade rate), **clase de títulos con amortización planificada** (FIN planned amortization class, PAC *US*), **clase dirigente** (the Establishment[3]; the ruling class/élite; S. *los poderes fácticos*), **clase media** (middle class), **clase trabajadora, la** (working class people), **clases de renta alta/baja/media-alta** (high-income/low-income/high-middle income classes), **clases mutuamente excluyentes** (mutually exclusive classes), **clases pasivas** (pensioners)].

clasificación *n*: classification; grading; sorting; assorting; ranking[1]; rating; labelling; S. *ordenación, graduación, nivelación.* [Exp: **clasificación baja, de** (low-rated; S. *poco valorado o estimado*), **clasificación contable por orden cronológico** (aging accounts receivable), **clasificación crediticia o de solvencia** (credit rating; S. *índice de solvencia crediticia*), **clasificación de/por puestos de trabajo** (job grading), **clasificación de riesgos** (INSCE rating of risks), **clasificación financiera** (financial rating; S. *categoría/calificación financiera*), **clasificación por antigüedad** (aging; ranking in order of age/seniority), **clasificación por archivos o ficheros** (index filing), **clasificación por edades** (age grading), **clasificación suprema, con** (FIN gilt-edged; S. *de canto dorado, de óptima calidad, de primerísima clase*), **clasificación tributaria por grupos de renta** (TAXN bracket indexation), **clasificación por tamaños** (grading)].

clasificar *v*: classify; sort; rank; assort; grade; marshal; rate, range[4]; pigeon-hole[1]; S. *ordenar, jerarquizar.* [Exp: **clasificar como materia secreta o reservada** (classify; S. *declarar secreto, clasificar, ordenar*)].

cláusula *n*: clause, provision, term, covenant, article[2]; S. *disposición, estipulación, término.* [Exp: **cláusula a la orden** (LAW order clause), **cláusula abrogatoria** (cancellation/cancelling clause; S. *cláusula resolutiva*), **cláusula accesoria de no-competencia** (ancillary covenant against competition), **cláusula adicional** (addendum; rider; S. *anexo*), **cláusula americana** (INSCE American clause), **cláusula antidilución** (anti-dilution clause), **cláusula antirrenuncia** (anti-waiver clause), **cláusula arbitral** (arbitration clause), **cláusula automática de reposición de capital** (INSCE automatic reinstatement clause), **cláusula choque por choque** (INSCE knock for knock agreement **cláusula compromisoria** (arbitration clause), **cláusula convencional de un contrato** (standard clause in a contract), **cláusula de abandono** (TRANSPT abandonment clause), **cláusula de abordaje** (INSCE collision clause, running-down clause), **cláusula de aceleración o anticipación** (acceleration clause), **cláusula de aceptación** (acceptation clause), **cláusula de adquisición subsecuente de nuevas propiedades** (LAW after-acquired clause), **cláusula de ajuste al valor declarado** (INSCE average clause[2]), **cláusula de ajustes** (IND REL escalator clause), **cláusula de almacén a almacén** (transit clause; S. *cláusula de seguro de la mercancía en transito*), **cláusula de amortización anticipada** (STK EXCH call feature, call provision), **cláusula de anclas y cadenas** (INSCE anchor-and-chain clause), **cláusula de anticipo al exportador** (red clause), **cláusula de anticipación o de aceleración de los contratos con pagos escalonados** (FIN acceleration clause), **cláusula de anulación** (defeasance clause; S. *cláusula resolutoria*), **cláusula de arbitraje** (arbitration clause), **cláusula de aseguramiento** (representation and warranties), **cláusula de atraque o muelle** (TRANSPT berth clause), **cláusula de autoexclusión, descuelgue o de exclusión voluntaria** (LAW opting-out clause), **cláusula de autorización de desviación a causa del hielo** (INSCE ice deviation clause), **cláusula de autorización exclusiva de ventas** (exclusive franchise clause), **cláusula de averías** (TRANS MAR breakdown clause; off-hire; suspension of hire), **cláusula de cancelación simultánea** (STK EXCH cross-default clause; S. *cláusula de insolvencia cruzada*), **cláusula de carga posterior** (TRANSPT overload clause), **cláusula de caución** (INSCE bailee clause), **cláusula de coseguro o de distribución a prorrateo** (INSCE average clause[1]; S. *cláusula promedio*), **cláusula de comoriencia o de fallecimiento simultáneo de asegurado y beneficiario** (INSCE common disaster clause; S. *cláusula de premoriencia*), **cláusula de coaseguro** (INSCE co-insurance clause), **cláusula de comercio durmiente** (dormant commerce clause), **cláusula de compensación de deudas** (BKG set-off clause), **cláusula de competencia** (competence clause), **cláusula de confiscación** (forfeit clause), **cláusula de consignación** (TRANSPT consignment clause), **cláusula de conversión** (FIN conversion privilege), **cláusula de conversión de acciones de una mercantil en acciones de otra** (COMP LAW flip-flop provision *col*), **cláusula de corrección monetaria** (escalator clause), **cláusula de desviación para repostar** (TRANSPT bunker deviation clause), **cláusula de dragas de las pólizas de fletamento** (TRANSPT grab clause), **cláusula de duración del riesgo cubierto por la póliza** (INSCE duration clause), **cláusula de empleo** (employment clause), **cláusula de entrada en vigor simultánea** (cross-effectiveness clause), **cláusula de escala móvil de salarios** (REL LAB escalator clause; S. *cláusula de revisión automática*), **cláusula de escalonamiento y ejecución** (phasing and performance clause), **cláusula de escape** (S. *cláusula de salvaguardia*), **cláusula de establecimiento de un seguro** (insuring clause), cláusula de examen (review clause), cláusula de exclusividad (competition clause), cláusula de exención (INSCE exemption or exculpatory clause), cláusula de exención de responsabilidad en un contrato (exemption clause), cláusula de exoneración de responsabilidad (TRANS MAR exception clauses), cláusula de extensión del seguro del automóvil a todos sus usuarios (INSCE omnibus clause), cláusula de franquicia (INSCE franchise clause; excess, excess clause; deductible coverage clause), cláusula de garantía de emisión futura (STK EXCH green shoe), cláusula de garantía negativa (negative pledge clause; S. cláusula hipotecaria negativa), cláusula de hielo de las pólizas de fletamento (TRANSPT general ice clause), cláusula de habilitación (enabling clause), cláusula de huelga y cierre patronal (strike and lockout clause), cláusula de incontestabilidad o indisputabilidad (INSCE indisputability/incontestability clause), cláusula de indemnización o de exoneración de responsabilidad (TRANSPT indemnity clause), cláusula de insolvencia cruzada (LAW cross-default clause; S. cláusula de cancelación simultánea), cláusula de intercambio de información (exchange of information clause), cláusula de limitación [en cesión de reaseguros] (cut-off clause), cláusula de nación más favorecida (LAW Most Favoured Nation Clause, MFN clause), cláusula de negligencia (INSCE negligence clause), cláusula de no renuncia (INSCE non-waiver agreement), cláusula de notificación (INSCE notice clause), cláusula de nulidad (avoidance clause), cláusula de opción a la moneda de pagos (FIN currency option clause), cláusula de opción al pago anticipado (acceleration clause), cláu-

sula de pagos variables (REL LAB escalator clause), cláusula de paridad (parity clause), cláusula de penalización (penalty clause), cláusula de pignoración negativa (negative pledge clause; S. cláusula de garantía negativa), cláusula de póliza extraviada (lost policy clause), cláusula de premoriencia (INSCE pre-decease clause; S. cláusula de co-moriencia), cláusula de prioridad (pre-emption clause), cláusula de proporcionalidad de la responsabilidad (INSCE contribution clause), cláusula de prorrateo del riesgo (INSCE apportionment clause), cláusula de prórroga (TRANSPT expiration clause, continuation clause), cláusula de protección (protective covenant), cláusula de protección contra reveses del mercado (STK & COMMOD EXCH disaster clause), cláusula de punto crítico (peril point clause), cláusula de reembolso (BKG payback clause), cláusula de reembolso en divisas (foreign currency clause, currency clause), cláusula de rehabilitación/reposición (reinstatement clause), cláusula de renuncia (waiver clause, disclaimer, letter of renunciation), cláusula de reparación o indemnización por daños y perjuicios (damage provision), cláusula de repartición de una póliza de seguros o testamento (INSCE distribution clause), cláusula de repuestos (replacement clause), cláusula de rescisión (cancellation clause, contractual option), cláusula de reserva o excepción (saving clause, safeguard clause), cláusula de retención (lien clause), cláusula de retrocesión (grant-back provision), claúsula de reversión/reintegro (recapture clause), cláusula de revisión (renewal option, right of review at renewal), cláusula de revisión auto-

mática de precios o salarios (IND REL automatic review clause, cost-of-living clause), **cláusula de rotura** (breakage clause), **cláusula de salvaguardia, elusión, excepción o escape** (LAW let-out clause; hedge clause; saving clause, escape clause; break/emergency/ protective clause/covenant), **cláusula de sobreseguro** (INSCE extra insurance clause), **cláusula de tasación** (INSCE appraisal clause), **cláusula de traspaso** (INSCE assignment/transfer clause), **claúsula final de un documento de compra-venta de propiedad inmobiliaria** (closing statement), **cláusula de vencimiento** (forfeiture clause), **cláusula de vencimiento anticipado** (acceleration clause), **cláusula deducible** (INSCE deductible clause), **cláusula del contable** (INSCE accountant's clause), **cláusula derogatoria** (overriding clause), **cláusula escapatoria, de salvaguardia, de rescisión, de excepción, de retirada o escapatoria** (LAW emergency/escape clause), **cláusula facultativa** (optional clause, option), **cláusula general** (blanket clause), **cláusula hipotecaria negativa** (FIN negative pledge clause), **cláusula indiscutible o en firme** (incontestable clause), **cláusula liberatoria** (escape/opt-out clause), **cláusula monetaria** (currency clause), **cláusula multidivisa** (multicurrency clause), **cláusula oro** (gold clause), **cláusula para el vencimiento anticipado** (S. *cláusula de aceleración*), **cláusula prohibida** (LAW black clause), **cláusula de promedio** (INSCE average clause[1]; S. *cláusula de co-seguro*), **cláusula de doble indemnización por muerte o lesión del viajero** (INSCE passenger clause), **cláusula resolutiva/resolutoria o de rescisión en un contrato** (cancellation/cancelling/termination clause; default/defeasance clause; S. *cláusula*

abrogatoria), **cláusula sobre primas** (bonus clause), **cláusula suprema de los conocimientos de embarque** (TRANSPT paramount clause), **cláusula verde** (green clause), **cláusulas adicionales** (LAW add-on/further/additional/optional clauses), **cláusulas corrientes o normalizazdas de cualquier contrato** (boiler plate clauses *US col*), **cláusulas de aseguramiento** (FIN underwriting clauses), **cláusulas de hielo de los contratos de fletamento** (TRANSPT ice clauses), **cláusulas del Instituto** (INSCE Institute Clauses), **cláusulas del Instituto para guerra** (INSCE Institute War Clauses), **cláusulas estatutarias** (partnership articles; S. *escritura de sociedad*), **cláusulas fijas, normalizadas o esenciales de un contrato** (LAW basic/standard clauses; trade clauses; boiler-plate clauses *US col*), **cláusulas modificadoras o restrictivas** (qualifying clauses)].

clausurar *v*: close, close down, bring to an end; S. *cerrar*. [Exp: **clausura** (closing, close-down, shutdown)].

clave *n*: key; code; S. *código*. [Exp: **clave de acceso** (password), **clave de identificación** (identification code; S. *referencia técnica*), **clavija** (peg; plug[1])].

cliente *n*: client, customer; account[4]. [Exp: **cliente antiguo o de la casa** (long-standing customer), **cliente con cuenta abierta** (charge customer), **cliente cedente** (client making the transfer), **cliente fallido** (bad debtor/payer; S. *insolvente, deudor moroso*), **cliente habitual/regular** (regular customer, patron), **cliente ordenante** (client making the order), **clientela** (clientele, customers, patron-age[1]), **clientela habitual** (custom[2]), **clientes** (customers, clients; ACCTS credit side of ledger account, debtors; assets, amounts receivable in less than one year, accounts receivable, AR), **clientes a corto plazo** (ACCTS short-term debtors; amounts due within one year)].

clima *n*: climate. [Exp: **clima bursátil o del mercado** (mood of the market; S. *disposición anímica del mercado*), **clima de crispación laboral** (IND REL industrial unrest; S. *malestar laboral*), **clima de inquietud** (sense/mood of anxiety), **clima de recuperación** (STK EXCH more buoyant mood, feeling of greater optimism), **climatizar** (air-condition)].

club *n*: club. [Exp: **club de acreedores** (creditors club), **club de interés común o de «admiradores»** (FIN fan club *col*; S. *grupo concertado*), **club de inversión** (FIN investment club), **Club de París** (Paris Club), **club de protección e indemnización** (INSCE protection and indemnity club)].

CNMV *n*: S. *Comisión Nacional del Mercado de Valores*.

CNT *n*: S. *Confederación Nacional del Trabajo*.

co- *prefijo*: co-, joint, fellow. [Exp: **coacreedores** (joint creditors; S. *acreedores mancomunados*), **coagente** (joint agent), **coarrendador** (co-lessor, joint lessor), **coarrendatario** (co-lessee; S. *mediero*), **coarriendo** (joint tenancy; S. *condominio*), **coasegurador** (co-assurer/insurer; S. *tomador copartícipe de una póliza de seguros*), **coaseguro** (co-insurance; S. *seguro de copartícipe*), **coaseguro cualitativo** (qualitative co-insurance), **coaseguro cuantitativo** (quantitative co-insurance), **coavalista** (co-guarantor; S. *cofiador*), **codeudor** (co-maker; joint debtor; S. *cofirmante, deudor mancomunado*), **codirector** (S. *jefe de filas*), **cofiador** (co-guarantor, co-surety, joint trustee; S. *coavalista*), **cofiduciario** (joint trustee), **cofirmante/ cogarante** (co-maker), **cogerente** (joint manager), **cogestión** (co-management, joint management), **cogirador** (co-drawer, co-maker; S. *cofirmante*), **cojefe de fila** (co-lead manager; S. *jefe de fila*), **cooperante** (contributor; collaborator; S. *colaborador, contribuyente*), **cooperativa** (association, assoc; cooperative, co-op; cooperative enterprise; cooperative bank; S. *sociedad, agrupación, confederación, asociación*), **cooperativa agrícola** (agricultural co-operative, farm cooperative), **cooperativa de consumo** (consumer cooperative), **cooperativa de crédito para la construcción** (building society; mutual loan association; savings and loan association, building and loan association *US*), **cooperativa de crédito** (credit union *US*; S. *asociación de crédito, unión crediticia*), **cooptar** (co-opt; S. *elegir a alguien por cooptación*), **coparticipación** (copartnership), **copartícipe** (partner; co-guarantor; joint debtor; S. *mancomunado*), **coposesión** (joint ownership; S. *condominio, propiedad mancomunada*), **copresidente** (co-chairman), **copropiedad** (DER co-ownership, joint estate; joint ownership; jointly-owned property), **copropietario** (co-owner; joint owner; S. *condueño, condómino*)].

coacción *n*: coercion, duress, undue pressure, unlawful constraint; compulsion; constraint; S. *apremio, compulsión*. [Exp: **coaccionar** (coerce, bring undue pressure on; S. *chantajear, forzar, presionar*), **coaccionar para cobrar deudas** (demand payment with menaces)].

coalición *n*: coalition, league, team, pool, association, combination; S. *concentración/asociación de empresas*)].

cobertura[1] *n*: INSCE, ADVTG cover, coverage[2]. [Exp: **cobertura [de riesgos]** (STK & COMMOD EXCH, INSCE, FIN, BKG hedge, hedging; cover[1]; S. *protección, garantía*), **cobertura**[3] (STK & COMMOD

EXCH margin, spread; initial margin; S. *margen, margen inicial*), **cobertura a futuro/término/plazo** (forward cover), **cobertura [financiera] a horcajadas** (STK & COMMOD EXCH straddle; S. *cono*), **cobertura adicional** (INSCE extended coverage), **cobertura anticipada [de un activo que se va a adquirir]** (STK & COMMOD EXCH anticipatory hedge), **cobertura complementaria** (margin call), **cobertura artificial** (STK & COMMOD EXCH artificial hedge), **cobertura completa** (full hedge), **cobertura completa para el vencimiento más lejano** (STK & COMMOD EXCH one-off hedge), **cobertura con cestas de divisas líquidas** (STK & COMMOD EXCH basket hedging), **cobertura con posición larga** (STK & COMMOD EXCH long hedge; S. *cobertura larga*), **cobertura concentrada** (stacked hedge), **cobertura contra cambios de precio** (STK & COMMOD EXCH hedging), **cobertura corta** (STK & COMMOD EXCH short hedge; S. *cobertura larga*), **cobertura cruzada contra riesgos de mercado** (STK & COMMOD EXCH cross hedging), **cobertura de cambio** (exchange cover), **cobertura de compra** (STK & COMMOD EXCH buy in), **cobertura de dividendo** (STK EXCH dividend cover; pay-out ratio *US*; S. *ratio de distribución de dividendos*), **cobertura de exceso de pérdida** (TRANSPT excess loss cover), **cobertura de financiación** (FIN interval measure), **cobertura de futuros** (STK & COMMOD EXCH hedging[1]), **cobertura de intereses** (FIN interest charges coverage), **cobertura de mercado** (market coverage), **cobertura de operaciones a plazo** (STK & COMMOD EXCH hedging[1]), **cobertura de posición faltante** (STK & COMMOD EXCH short covering; S. *compra de cobertura*), **cobertura de venta** (selling hedge, short hedge), **cobertura dedu-**cible (INSCE deductible coverage), **cobertura del dividendo** (dividend covered), **cobertura del interés** (interest coverage), **cobertura del seguro** (insurance cover), **cobertura del seguro de capital** (capital insurance coverage), **cobertura del servicio de la deuda** (FIN debt-service coverage), **cobertura dinámica** (STK & COMMOD EXCH dynamic hedge/hedging; S. *cobertura estática*), **cobertura [en] oro** (gold cover), **cobertura estática** (STK & COMMOD EXCH static hedge/hedging; S. *cobertura dinámica*), **cobertura global** (INSCE blanket coverage[2]), **cobertura informativa** (ADVTG press coverage), **cobertura inicial** (original margin), **cobertura larga** (STK & COMMOD EXCH long hedge; S. *cobertura corta*), **cobertura lateral** (STK & COMMOD EXCH diagonal spread; S. *spread/diferencial/margen diagonal*), **cobertura natural** (STK & COMMOD EXCH natural hedge), **cobertura parcial** (STK & COMMOD EXCH partial hedge), **cobertura parcial sucesiva** (FIN rolling strip hedge), **cobertura/difusión periodística** (media coverage), **cobertura ponderada** (weighted hedge), **cobertura por desempleo** (IND REL unemployment insurance, cover in the event of redundancy), **cobertura publicitaria** (ADVTG cover[4]), **cobertura real** (real collateral), **cobertura sanitaria** (health cover, insurance cover, health risks covered by insurance), **cobertura simple** (ADVTG net cover), **cobertura sucesiva en mercados de futuros** (STK & COMMOD EXCH stripped hedge), **cobertura total** (INSCE full cover; S. *cobertura global*), **coberturas cruzadas** (cross-hedging)].
cobrabilidad *n*: collectability. [Exp: **cobrable** (collectable/collectible; cashable, encashable; S. *recaudable*)].
cobrador *n*: collector; S. *recaudador*. [Exp: **cobrador de deudas** (FIN debt collector,

factor[3]; S. *factor*), **cobrador de morosos** (debt collector)].

cobranza *n*: BKG, COM collection[2], clearance, settlement; S. *cobro*. [Exp: **cobranza simple** (clean collection; S. *remesa simple*), **cobranzas sobre el extranjero** (foreign collections)].

cobrar *v*: collect[1]; charge[6]; draw; cash, cash in; encash; call[1]; pick up *col*; S. *recaudar; hacer efectivo*. [Exp: **cobrar al contado o en efectivo** (be paid in cash, accept cash payments only; be/want to be paid cash down or cash on the nail *col*), **cobrar de más** (overcharge), **cobrar el sueldo** (draw one's salary), **cobrar/hacer efectivo un cheque** (cash a cheque)].

cobro *n*: COM, BKG collection[2]; collecting; charge, charging; receipt of payment; S. *cobranza; recaudación; adquisición de valores para cobro de dividendo*. [Exp: **cobro a la par** (BKG par clearance/collection; S. *compensación bancaria sin cargo por gestión*), **cobro a la entrega** (collection/payment/cash on delivery; S. *entrega con reembolso*), **cobro, al** (for collection; now due; payable), **cobro coercitivo/compulsivo por vía administrativa** (enforced collection; administrative methods for enforced collection; S. *apremio*), **cobro contra entrega de documentos** (COM collection against documents), **cobro de fallidos** (bad debt recovery), **cobro de morosos** (debt collection), **cobro diferido** (delayed collection), **cobro documentario** (documentary collection; S. *remesa documentaria*), **cobro electrónico en el mismo establecimiento comercial** (COM draft capture), **cobro en metálico** ([receipt of] payment in cash; cash payment only; encashment), **cobro excesivo** (overcharge; S. *recargo*), **cobro por anticipado** (advance collection), **cobros por caja** (ACCTS cash receipts)].

coche *n*: car; train carriage. [Exp: **coche de la empresa** (company car; fleet car *US*), **coche gratuito** (INSCE courtesy car), **cochera** (bus depot/garage; S. *estación*)].

cociente *n*: ratio, quotient, coefficient; S. *coeficiente, índice, razón*.

codicia *n*: greed; money-grubbing *col*. [Exp: **codicioso** (greedy; money-grubbing *col*; S. *avaricioso*)].

codificación *n*: coding, encryption; S. *cifrado*. [Exp: **codificar** (code; S. *cifrar, poner en clave*), **codificar** (encode; codify; encrypt; S. *cifrar*), **código** (code; S. *clave*), **código de barras** (COM bar code), **código de cuenta del cliente, CCC** (BKG customer account code/reference number), **código/normas de ética profesional o deontológico** (COM code of professional ethics/conduct, code of conduct/ethics/practice), **código de identificación fiscal, CIF** (TAXN fiscal/tax identification code/tag/number), **código postal** (postal/post code; zip code *US*)].

coeficiente *n*: coefficient, index, rate; ratio; S. *cociente, índice, nivel, razón*. [Exp: **coeficiente alfa** (STK EXCH alpha coefficient *US*), **coeficiente bancario de caja** (bank cash ratio; S. *coeficiente de encaje bancario*), **coeficiente bancario** (banking coefficient), **coeficiente bancario obligatorio** (bank reserves ratio), **coeficiente beta** (STK EXCH beta coefficient *US*), **coeficiente bursátil** (stock exchange ratio), **coeficiente de actividad** (activity ratio), **coeficiente de afinamiento cúbico** (TRANSPT block coefficient), **coeficiente de amortización** (amortization factor), **coeficiente de apalancamiento** (gearing ratio, leverage ratio *US*), **coeficiente de asimetría de Pearson** (Pearson measure of skewness), **coeficiente de beneficio neto** (COM net profit ratio), **coeficiente de caja** (BKG cash coefficient; cash assets ratio; cash ratio[1]), **coeficiente de cobertura de fallidos** (BKG bad debts coverage ratio; S. *coeficiente de fallidos*), **coeficiente de coincidencia** (agreement coefficient), **coeficiente de cobertura de obligaciones por medio de activos** (FIN asset coverage), **coeficiente de coincidencia** (times earnings ratio, agreement coefficient), **coeficiente de conversión** (conversion ratio), **coeficiente de correlación múltiple** (multiple correlation coefficient), **coeficiente de endeudamiento** (debt-to-capital/equity ratio, gearing ratio), **coeficiente de desordenamiento** (coefficient of disarray), **coeficiente de determinación** (determination coefficient), **coeficiente de detracción** (reduction coefficient), **coeficiente de dirección** (management ratio), **coeficiente de elasticidad** (coefficient of elasticity), **coeficiente de encaje bancario** (bank cash ratio, minimum cash ratio; S. *coeficiente bancario de caja*), **coeficiente de endeudamiento, riesgo o apalancamiento** (FIN debt-to-capital/equity ratio; debt-equity ratio; gearing ratio; S. *indicador de la capacidad de endeudamiento de una empresa*), **coeficiente de endeuda-miento en obligaciones** (SOC bond ratio), **coeficiente de equivalencia** (equivalent coefficient), **coeficiente de explotación** (ACCTS operating ratio), **coeficiente de fallidos** (bad debts ratio; S. *coeficiente de cobertura de fallidos*), **coeficiente de garantía o solvencia de una institución financiera** (capital adequacy ratio), **coeficiente de gastos de fabricación** (burden rate), **coeficiente de insumo-producto** (output-input ratio), **coeficiente de inversión** (investment coefficient), **coeficiente de liquidez** (acid-test ratio; liquidity ratio), **coeficiente de liquidez general** (current

ratio; S. *índice de solvencia*), **coeficiente de paridad de ingresos** (parity income ratio, par rate), **coeficiente de pérdidas o relación entre primas y pérdidas generadas durante un ejercicio en una compañía de seguros** (loss ratio), **coeficiente de producción agrícola** (crop index), **coeficiente de recursos propios** (capital compliance ratio), **coeficiente de regresión** (regression coefficient), **coeficiente/tasa/ratio de rendimiento** (FIN rate of return, return ratio), **coeficiente de rendimiento/producción** (rate of output), **coeficiente de rentabilidad** (FIN earning power ratio), **coeficiente de rentabilidad del capital** (capital yield ratio), **coeficiente de repartición** (coefficient of apportionment), **coeficiente de reserva obligatoria** (BKG minimum reserve ratio), **coeficiente de reservas, de liquidez o encaje** (BKG reserve ratio), **coeficiente de riesgo** (risk ratio), **coeficiente de seguridad o de confianza** (FIN confidence coefficient), **coeficiente de solvencia** (solvency coefficient; S. *índice de solvencia*), **coeficiente de variación** (coefficient of variation), **coeficiente del capital contable** (FIN debt-equity ratio; S. *coeficiente de endeudamiento*), **coeficiente del servicio de la deuda** (debt-coverage ratio; debt service ratio, DSR), **coeficiente delta** (STK & COMMOD EXCH delta coefficient), **coeficiente estadístico beta** (STK EXCH beta coefficient), **coeficiente gamma** (STK & COMMOD EXCH gamma coefficient), **coeficiente insumo-producto** (ECO input-output coefficient; S. *coeficiente técnico*), **coeficiente legal de inversión** (legal discount limit), **coeficiente líquido** (ACCTS quick assets ratio), **coeficiente mínimo de reserva legal** (BKG minimum cash requirement, minimum cash ratio; S. *porcentaje de reserva obligatoria*),

coeficiente modificado de Bruno (modified Bruno ratio; S. *tipo de cambio interno*), **coeficiente o relación entre capital y producción** (capital-output ratio), **coeficiente técnico** (ECO input-output coefficient; S. *coeficiente insumo-producto*)].

cohesión económica y social *n*: economic and social cohesion ; S. *fondos estructurales.*

coincidencia[1] *n*: coincidence; agreement; meeting of minds; S. *consentimiento entre las partes.* [Exp: **coincidencia**[2] (overlapping; S. *conflicto, superposición*), **coincidir** (coincide; agree, match, match up; S. *cuadrar, estar/ponerse de acuerdo*), **coincidir parcialmente** (overlap; S. *superponerse*)].

cola *n*: queue; S. *hacer cola, esperar.* [Exp: **cola de la cartera de seguros** (runningoff), **cola del paro** (IND REL job/dole queue)].

colapsar *v*: bring to a standstill; jam, bring chaos to, cause to grind to a halt *col*; S. *paralizar; derrumbarse, desplomarse.* [Exp: **colapso** (STK & COMMOD EXCH heavy fall, collapse; chaos, standstill, crash; S. *hundimiento, desplome*), **colapso de la trastienda bancaria** (BKG back office crunch)].

colateral[1] *a*: collateral[1]; S. *secundario, subsidiario, incidental.* [Exp: **colateral**[2] (collateral, security), **colateralización** (FIN collateralization), **colateralmente** (collaterally; S. *subsidiariamente*)].

colchón *n*: mattress; *fig* cushion, soft landing, fallback, failsafe. [Exp: **colchón, de** (fallback; S. *recurso de emergencia*), **colchón de plumas** (REL LAB feather-bedding[1]; S. *exceso de trabajadores*)].

colecta *n*: COM, BKG collection[2]; S. *cobro.*

colectivamente *adv*: as a body, jointly; S. *mancomunadamente, de común acuerdo, conjuntamente.* [Exp: **colectivo**[1] (collective, joint; composite; corporate; S. *común, mancomunado, conjunto*), **colectivo**[2] (group)].

colega *n*: colleague, associate; workmate, mate[1]; S. *compañero.*

colegiado *n/a*: fellow, associate; chartered[1]; collegiate, joint.

colegio *n*: college; association, institute, professional body. [Exp: **colegio de actuarios** (Institute of Actuaries; Faculty of Actuaries, *in Scotland*), **Colegio de censores jurados de cuentas** (Chartered Association of Certified Accountants, Institute of Certified Public Accountants *US*, Institute of Chartered Accountants), **Colegio Oficial de Aseguradores** (Chartered Institute of Insurance, CII), **Colegio Profesional** (Recognized Professional Body, RPB)].

coletilla *n*: INSCE addendum; appendix, endorsement[2]; S. *adición, apéndice.*

coligación *n*: combination; S. *concentración de empresas.*

colisión *n*: INSCE collision; crash; S. *choque; entrar en colisión con.*

collarín *n*: ADVTG bottle hanger, neck label, collar.

colocación[1] *n*: employment, job; S. *trabajo, ocupación, empleo.* [Exp: **colocación**[2] (STK EXCH underwriting, placing, placement[1]; investment), **colocación a comisión** (broker's placement), **colocación asegurada** (STK EXCH assured placement), **colocación de activos financieros** (placement of financial assets), **colocación de una emisión de acciones** (placing of shares), **colocación de una emisión de bonos no garantizada** (STK EXCH best efforts underwriting), **colocación en el exterior** (investment abroad), **colocación en firme** (bought deal; S. *emisión precolocada*), **colocación garantizada** (guaranteed placement/placing), **colocación institucional de una emisión nueva de acciones** (STK EXCH placing of shares, placement[2]), **colocación privada de valores** (private placement), **colo-**

cación privada inicial (STK EXCH initial private placement *US*), **colocación pública** (public placement), **colocación restringida** (private placement), **colocación todo o nada** (STK EXCH all or nothing/none, all-or-nothing/none placement), **colocación única** (sole placement)].

colocador *n*: dealer, placer. [Exp: **colocador de emisiones** (underwriter, issue manager), **colocador de valores dudosos** (share pusher)].

colocar *v*: put[1]; place[1]; lay[2]; range[4]; fix up *col*, find a job for, see O.K. *col*; S. *poner; vender; dar salida a.* [Exp: **colocar dinero en** (place money on), **colocar un empréstito** (float a loan; S. *emitir deuda*), **colocar una emisión** (place/underwrite an issue), **colocar valores** (launch an issue; S. *efectuar una emisión de valores*), **colocarse** (rank[1]; S. *encuadrarse*)].

columna *n*: column. [Exp: **columna de información financiera de un periódico** (City column), **columna del activo** (asset column/side; S. *activo*), **columna del debe** (debit column), **columna del haber** (credit column/side), **columnas, en dos** (ACCTS in account form), **columnista** (columnist; S. *periodista*)].

colusión *n*: collusion; S. *convivencia desleal, confabulación*), **colusorio** (collusive)].

comandita *n*: limited partnership. [Exp: **comandita simple, en** (commandite, on a purely limited basis, as a limited partner; S. *sociedad comanditaria*), **comanditario** (backer; S. *promotor, impulsor, socio capitalista*)].

combinación *n*: combination[2]; blend; cartel; mix; pooling; S. *concentración de empresas, cártel*. [Exp: **combinación de monedas** (currency composites), **combinación de opciones de compra y de venta** (STK & COMMOD EXCH box spread, combination; S. *cono*), **combinación de políticas** (ECO policy mix), **combinar**

(combine, blend, merge, mix; S. *mezclar, unir, fundir*)].

combustible *n*: fuel; S. *carburante*.

comentario *n*: comment; remark; observation. [Exp: **comentario pesimista** (STK EXCH bearish remark)].

comerciabilidad *n*: STK & COMMOD EXCH marketability; S. *negociabilidad, vendibilidad*.

comerciable *a*: marketable; merchantable; S. *negociable, vendible*.

comercial *a*: commercial[1], trade; mercantile; corporate; shopping; market; S. *mercantil; empresarial*. [Exp: **comercialización** (marketing, merchandising, commercialization; S. *mercadeo, mercadotecnia, mercadología*), **comercialización a gran escala** (mass marketing), **comercialización de la imagen de un personaje, ente de ficción, mascota, etc.** (ADVTG character-merchandising)].

comercializar *v*: commercialize; merchandise; market; S. *explotar*.

comerciante *n*: trader, merchant; dealer, middleman, handler; S. *negociante, mercader*. [Exp: **comerciante al por mayor/menor** (wholesaler/retailer), **comerciante autorizado** (licensed trader), **comerciante de materias primas** (commodity trader), **comerciante importador** (importer, wholesale importer, indent merchant *US*), **comerciante mayorista** (merchant wholesaler), **comerciante mayorista de servicios incluidos** (full-service wholesaler *US*)].

comerciar *v*: market, merchandise, deal[1]; ply, handle; S. *operar, negociar*.

comercio[1] *n*: commerce, business, trade, dealing; S. *operación comercial*. [Exp: **comercio[2]** (shop, store), **comercio al por mayor** (COM wholesale business/trade; direct trade *US*), **comercio al por menor o detalle** (retail business, retailing, retail trade), **comercio compensatorio**

(countertrade), **comercio/compraventa de acciones mutuas** (TAXN incestuous share dealing *US*), **comercio de cabotaje** (coastal trade; S. *cabotaje*), **comercio de divisas** (foreign currency trade/handling/dealing), **comercio de futuros** (trade in futures), **comercio de representación** (agency trade), **comercio en régimen preferencial** (beneficiary trade), **comercio entrepôt o de reexportación** (COM entrepôt trade), **comercio exterior** (external/foreign trade), **comercio familiar** (family business/firm), **comercio interior** (national/inland/domestic commerce/trade), **comercio marítimo** (maritime trade), **comercio minoritario en exclusiva** (COM franchise store), **comercio por correo** (mail-order business), **comercio triangular en divisas** (switch trade), **comercio unilateral** (one-way trade)].

comestibles *n*: foodstuffs; S. *productos alimentarios*),

cometer *v*: commit[1]; perpetrate, carry out; S. *perpetrar*. [Exp: **cometer irregularidades** (cut corners; be liberal in one's reading of the law/rules *col*; S. *atajar, echar por el atajo*)].

cometido *n*: assignment,[2] task, mission; S. *misión, tarea*.

comida *n*: food; S. *alimento*. [Exp: **comida rápida** (fast food)].

comienzo *n*: start, beginning; outset; first stage/step; inception; S. *principio*.

comisario *n*: commissioner; deputy, dep; S. *diputado, delegado*. [Exp: **comisario de aduanas** (commissioner of customs *US*), **comisario de averías** (average surveyor), **comisario de los obligacionistas** (bondholders'/debenture-holders' trustee), **comisario de patentes** (commissioner of patents), **comisario de quiebra** (LAW receiver)].

comisión[1] *n*: COM commission[3]; fee; charge; factorage; brokerage; S.

porcentaje; tasa; corretaje), **comisión**[2] (committee; commission[4]; board; panel; S. *comité, consejo, junta*), **comisión**[3] (delegation; assignment[1]; S. *delegación, diputación*), **comisión, a** (on commission, on a commission basis), **comisión adicional** (COM extra fee/bonus/commission; perk; boot money *US col*), **comisión arbitral o de arbitraje** (board of conciliation), **comisión asesora** (advisory committee), **comisión bancaria** (bank charge/fee/commission), **Comisión Central de Arbitraje** (Central Arbitration Committee), **Comisión de Ayuda al Desarrollo de la OCDE** (Development Assistance Committee, DAC), **comisión de administración** (management fee), **comisión de adquisición** (sales commission, take-up fee), **comisión de agencia** (agency/agent fee), **comisión de ambas partes** (STK & COMMOD EXCH each-way fee/commission), **comisión de apertura** (BKG commitment fee[1]; S. *comisión de compromiso o mantenimiento*), **comisión de aseguramiento** (BKG underwriting commission; S. *comisión de colocación*), **Comisión de Bolsa y Valores** (Securities and Exchange Commission), **comisión de cobranza** (BKG collecting commision), **comisión de cobro** (collection fee; exchange[1]), **comisión de colocación** (STK EXCH underwriting fee), **comisión de compra, compromiso o mantenimiento** (BKG commitment fee[1]; S. *comisión de apertura*), **comisión de compromiso de préstamo** (BKG commitment fee[1]), **comisión de corredor de Bolsa** (broker's commission, stockbroker's commission, brokerage), **comisión de corretaje** (brokerage fee), **comisión de cotización en Bolsa** (STK EXCH listing fee; selling concession), **comisión de custodia** (depository fee), **comisión de depositario** (agent's/

assignee's fee; S.), **comisión de dirección** (management fee), **comisión de dirección y de participación** (BKG front-end fee; STK & COMMOD EXCH management fee), **comisión de disponibilidad** (BKG facility fee; S. *facilities*[2]), **comisión de disponibilidad en un crédito rotativo** (BKG commitment fee[2]), **comisión de emisión** (floating fee), **comisión de entrada** (FIN front-end fee; S. *comisión de reembolso*), **comisión de garantía** (guarantee commission; del credere commission), **comisión de garantía de compra** (backup facility fee), **comisión de gastos o de presupuestos** (finance committee; S. *comité/comisión de financiación*), **comisión de gestión** (management/arrangement fee), **comisión de ida y vuelta** (STK & COMMOD EXCH round-turn commission), **comisión de intermediación** (brokerage; S. *honorarios por gestión o agencia*), **comisión/misión/visita de inspección o de investigación** (fact-finding commission/mission/tour), **comisión de expertos** (panel of experts), **comisión de gestión/administración** (management fee[1]), **comisión de mantenimiento** (service charge, account maintenance charge), **comisión de operaciones de fachada** (INSCE fronting fee), **comisión de prórroga** (extension fee), **comisión de reembolso** (FIN back-end fees; S. *comisión de entrada*), **comisión de servicio** (service charge; facility fee), **comisión de suscripción** (front-end fees; S. *comisión de reembolso*; STK & COMMOD EXCH underwriting fee), **comisión de ·tramitación** (processing fee), **comisión de utilización** (STK & COMMOD EXCH utilization fee), **comisión de venta** (sales/selling commission), **comisión de venta en una emisión de bonos** (FIN reallowance), **comisión/oficina de ventas**

(disposal board), **comisión de vigilancia** (committee of control), **comisión del gestor de un fondo de inversión** (FIN manager's service charge), **comisión descontada** (commuted commission, discounted commission), **comisión directiva o gestora o ejecutiva** (executive committee), **comisión en una una letra aceptada por intervención** (acceptance commission), **Comisión Europea** (Commission[5], European Commission), **comisión evaluadora o supervisora de los alquileres** (rent assessment committee), **comisión excesiva** (overrider, overriding commission), **comisión fija** (flat charge/com-mission/fee; S. *tasa uniforme*), **comisión ilegal** (unlawful commission; graft[1]; sweetener col; bribe col; S. *cohecho, chanchullos, corrupción, soborno político*), **comisión inicial, de suscripción o de entrada** (front-end fee), **comisión internacional de normas contables** (ACCTS International Accounting Standards Committee, IASC), **comisión investigadora** (commission of inquiry), **comisión mixta** (joint committee), **Comisión Nacional del Mercado de Valores, CNMV** (Securities and Investments Board; Stock Exchange Commission *US*; compliance depart-ment), **comisión negociadora** (negotiat-ing committee), **Comisión para el Desarrollo Económico** (Economic Development Committee), **comisión permanente** (standing committee), **comisión por aceptación** (commission for acceptance), **comisión por cobro de cheque o por su ingreso en cuenta** (BKG lodgment fee), **comisión por flete** (freight commission), **comisión por solicitud** (TRANSPT address commission), **comisión previa** (BKG praecipium), **comisión reembolsada** (return commission), **Comisión Re-**

guladora de la Práctica Contable (Accounting Standards Committee), **comisión sobre beneficios** (profit commission, contingent commission), **comisión técnica** (advisory board; panel of experts, steering committee), **comisiones acumuladas por préstamos** (accrued loan commissions; accrued charges), **comisiones de gestión bancaria** (bank charges; S. *gastos bancarios*), **Comisiones Obreras, CC OO** (IND REL Spanish workers' union representing the broad left, united left or communist left; S. *UGT*), **comisiones por cobranza** (collection charges/expenses), **comisiones por operaciones o servicios bancarios** (BKG bank charges, service charges; activity charges *US*)].

comisionado *n*: delegate; appointee, commissionee; deputy, dep; S. *sub-, vice, diputado, delegado.*

comisionar *v*: delegate; appoint, commission[1]; S. *encargar, delegar.*

comisionista *n*: COM commission agent/merchant; broker, jobber; factor[2]; S. *corredor, intermediario.* [Exp: **comisionista de valores** (STK EXCH dealer,[2] floor broker; market-maker; S. *corredor de bolsa, intermediario financiero*), **comisionista expedidor** (forwarder merchant)].

comiso *n*: confiscation, seizure, attachment[2]; forfeit; S. *embargo, decomiso, confiscación, incautación.*

comité *n*: committee, panel ; S. *comisión, consejo, junta.* [Exp: **comité asesor/consultivo** (advisory committee), **comité de adjudicación** (awarding committee), **comité de candidaturas** (nominations committee), **comité de control y seguimiento interno** (watchdog committee, watchdog), **comité de desarrollo o comisión de fomento de una socieda anónima** (corporate development committee), **comité de empresa** (IND REL workers' committee, works committee, committee of workers' representatives, shop stewards' committee), **comité/comisión de financiación** (finance commitee; S. *comisión de presupuestos*), **comité de gerencia/gestión/dirección** (management committee), **comité de investigación** (investigating committee), **comité de personal** (staff committee), **comité de planificación** (planning committee), **comité de redacción** (ADVTG drafting committee), **comité de selección** (screening committee; selection board/committee), **comité de vigilancia** (S. *comité de control interno*), **Comité Económico y Social** (Economic and Social Committee), **Comité del Mercado Abierto de la Reserva Federal** (Federal Open Market Committee, FOMC), **comité representante de acreedores concursales** (creditors' committee)].

comodatario *n*: borrower; S. *prestatario, tomador.*

comodato *n*: accommodatum.

compañero de trabajo *n*: workmate.

compañía, cía *n*: company[1]; firm; partnership; S. *sociedad anónima, sociedad mercantil, casa, empresa.* [Exp: **compañía abridora** (INSCE opener; leading company), **compañía aceptante/cesionaria** (INSCE accepting office), **compañía acreditada** (company of good standing), **compañía afiliada/asociada** (affiliated/sister/associate company), **compañía aseguradora** (insurance company, assurer, assuror, underwriters), **compañía avalista** (bonding company), **compañía cautiva** ([pure] captive company), **compañía cedente** (INSCE ceding office), **compañía de capital ilimitado** (open-end company), **compañía de fianzas** (bond company),

compañía de inversión cerrada (closed-end company), **compañía de responsabilidad limitada** (limited liability partnership), **compañía de seguros** (V. *compañía de seguros*), **compañía de seguros y de inversiones a largo plazo** (INSCE composite company), **compañía de seguros mutuos o mutualista** (mutual insurance company; assessment insurance company; mutual life insurance company; S. *mutua de seguros*), **compañía de seguros de vida** (life insurance company, life office), **compañía de seguros cautiva o de grupo** (captive insurance company; captive insurer), **compañía de seguros contra incendios** (INSCE fire office), **compañía de transportes** (haulier's, haulage firm, carrying company), **compañía de transportes aéreos** (airline company, air carrier), **compañía de transporte no autorizada** (TRANSPT non-admitted carrier), **compañía/empresa operadora o de explotación** (operating company), **compañía exenta** (exempt company), **compañía explotadora de plataformas petrolíferas** (off-shore oil company), **compañía fantasma** (phantom company), **compañía fiadora** (bonding company), **compañía fiduciaria** (trust company), **compañía filial** (subsidiary, affiliated/daughter company), **compañía financiera de grupo** (partly/wholly owned financing subsidiary; captive finance company *US*), **compañía fusionada** (merged company), **compañía inscrita en paraísos fiscales** (off-shore company), **compañía mercantil** (firm, company, private company), **compañía mixta** (composite undertaking), **compañía naviera** (navigation/shipping company), **compañía subsidiaria** (subsidiary company, controlled company), **compañía subsidiaria controlada por interés mayoritario** (SOC majority-held subsidiary), **compañías conexas** (related companies)].

comparación *n*: comparison, collation; S. *cotejo, colación*. [Exp: **comparar** (compare; collate; balance against; S. *cotejar*)].

comparecencia *n*: LAW attendance; appearance. [Exp: **comparecer** (appear), **comparecer, no** (fail to appear, default)].

compartir *v*: share, participate; divide; S. *participar, tomar parte*.

compás de espera *n*: period of waiting, wait-and-see; time out *US col*.

compatibilidad *n*: compatibility.

compensación[1] *n*: compensation; indemnity; indemnification; relief, redress; amends; allowance; pay-off[3]; S. *indemnización*. [Exp: **compensación**[2] (counterbalance; equalization; offset[1]; trade-off, clearance, clearing; S. *nivelación, igualación; asiento de compensación*), **compensación bancaria** (bank clearing; clearance; clearing), **compensación bancaria sin cargo por gestión** (BKG par clearance/collection; S. *cobro a la par*), **compensación de flete** (freight equalization), **compensación de deudas/pérdidas entre empresas** (set-off), **compensación de deudas tributarias** (tax compensation/offset), **compensación de riesgos** (STK & COMMOD EXCH balancing of portfolio, balancing of risks; hedging[1]; S. *operaciones compensatorias, cobertura de futuros*), **compensación de saldos** (CONT settlement of balances), **compensación de un cheque** (clearance of a cheque), **compensación de títulos/valores** (securities clearing), **compensación en derecho internacional** (reparations), **compensación fiscal retroactiva** (tax loss carryback), **compensación interbancaria directa sin pasar por la Cámara de compensación** (BKG direct send; S. *envío directo*), **compensación neta/líquida**

(STK & COMMOD EXCH net settlement), **compensación/reparación económica por daños y perjuicios** (damages; compensation for damages; S. *indemnización*), **compensación por demora en la entrega** (allowance for delay), **compensación por desplazamiento en vehículo propio o por gastos de viaje** (IND REL allowance/expenses for motor-car mileage, travelling allowance), **compensación/liquidación por saldos netos** (ACCTS netting), **compensación y liquidación** (BKG clearing and settlement)].

compensado *a*: balanced; cleared; S. *proporcionado, ajustado, equilibrado.*

compensar *v*: compensate; counterbalance; equalize, even up; make up, make up for, clear, set off; offset; indemnify, outweigh; S. *indemnizar, desagraviar.* [Exp: **compensar dividendos** (equalize dividends), **compensar las apuestas u operaciones de Bolsa entre sí** (STK & COMMOD EXCH hedge[2]), **compensar un cheque** (clear a cheque; S. *abonar un cheque en cuenta*), **compensar una posición** (offset a position), **compensar una cosa con otra** (balance one thing against another; S. *sopesar una y otra cosa*), **compensatorio** (compensating, offsetting, equalizing)].

competencia[1] *n*: capacity; competence; competency; faculty; sphere, power; authority; business; S. *capacidad; potestad; área de control.* [Exp: **competencia[2]** (expertise, qualification[1]; competence; S. *aptitud; capacitación profesional, preparación, formación*), **competencia[3]** (COM competition[1]; competitiveness; S. *concurrencia*), **competencia consultiva** (advisory power/capacity), **competencia decisoria** (decision-making power), **competencia desenfrenada o a muerte** (rat race *col*; S. *lucha descarnada por triunfar al*

precio que sea), **competencia desleal** (unfair competition; V. *acuerdo monopolista*), **competencia, en** (competing; S. *rival, competitivo*), **competencia en todos los ramos** (across-the-board competition), **competencia entre marcas** (intra-band competition), **competencia imperfecta** (COM imperfect competition), **competencia intensa o reñida** (COM keen competition), **competencia leal o justa** (fair competition), **competencia perfecta** (perfect/pure competition), **competencia ruinosa, feroz, salvaje o sin escrúpulos** (cut-throat/destructive competition)].

competente *a*: competent; capable, efficient, able; trained; S. *capacitado, idóneo, capaz.*

competidor *a/n*: COM competing; competitor, rival.

competir *v*: compete, contend, rival, vie, enter into competition. [Exp: **competir en busca de clientes** (compete for custom, beat up custom), **competitividad** (ECO competitiveness; S. *capacidad competitiva*), **competitivo** (competitive)].

complejo *a/n*: complex. [Exp: **complejo industrial** (industrial complex)].

complementar *v*: complement[1]. [Exp: **complementariedad** (ECO complementarity), **complementario** (complementary, supplementary, additional, extra), **complemento** (complement[1]; supplement; S. *accesorio*), **complemento de pensión** (IND REL allowance[2]; supplement; S. *subsidio*), **complemento de sueldo** (income support; perquisite, perk, extra, amount on top; S. *plus, extra, subsidio*)].

completar *v*: complete, finish, round off; fill up, tot up; supplement. [Exp: **completo** (complete; entire; full; absolute; whole; outright[1]; all round; S. *pleno, entero*)].

complot *n*: plot,[1] conspiracy; frame-up; S. *estratagema, trampa, ardid, maniobra.*

componedor *n*: INSCE adjuster, adjustor; arbitrator, umpire, thirdsman; S. *asesor, ajustador.*

componenda *n*: jiggery-pokery *col*; dubious/shady deal/dealings, mutual backscratching *col*; wheeling and dealing *col*; S. *estratagema; chanchullo.*

componente *n*: component, part,[1] member; S. *elemento.* [Exp: **componente corto en la posición de riesgo compensado** (STK & COMMOD EXCH short leg), **componente largo en la posición de riesgo compensado** (STK & COMMOD EXCH long leg), **componentes del precio de coste** (cost factors)].

componer *v*: compose; make up. [Exp: **componer diferencias/disputas** (settle differences/disputes), **componerse** (be composed/made up of)].

comportamiento *n*: conduct, behaviour; S. *conducta.* [Exp: **comportamiento de los precios** (price behaviour)].

composición[1] *n*: composition,[1] line-up[1]; makeup,[1] structure, pattern[1]; S. *configuración, modelo.* [Exp: **composición**[2] (composition agreement, settlement; S. *avenencia, acomodamiento*), **composición de la mercadotecnia** (STK & COMMOD EXCH marketing mix *US*; S. *síntesis de los elementos del mercado*), **composición de la población por edad** (age composition of population), **composición de la producción** (output mix), **composición de los puntos en litigio** (adjustment of the difference), **composición del coste** (cost breakdown; S. *desglose*), **composición/estructura del capital social** (capital structure)].

compra *n*: purchase, acquisition, buy, buying; S. *adquisición.* [Exp: **compra a crédito** (credit purchase/buying, buying on credit), **compra a granel o en grandes cantidades** (bulk/quantity buying/purchase/procurement), **compra a la apertura** (buy on opening), **compra a la llamada** (buyer's call; S. *opción a comprar*), **compra a plazo** (forward buying; buying forward), **compra a plazo o anticipada de divisas** (forward currency purchase; S. *seguro de cambio*), **compra a plazos** (hire purchase, HP; the never-never *col*; instalment buying/purchase), **compra a precios escalonados** (scale buying), **compra a término** (forward purchase, purchase for forward delivery), **compra/adquisición apalancada** (leveraged buy-out, LBO), **compra al alza** (bull purchase), **compra al cierre** (buy on close), **compra al contado** (cash purchase; buying spot), **compra al descubierto** (short trade, credit acquisition, buying on margin, bull purchase), **compra al descuento de las deudas de empresas** (discount factoring), **compra al descuento de efectos comerciales** (debt discounting; S. *redescuento de obligaciones*), **compra al/sobre el margen** (STK EXCH buying on margin), **compra al por mayor o en grandes cantidades** (bulk buying, wholesale purchase), **compra anticipada de divisas** (forward currency purchase), **compra apalancada** (leveraged buyout, LBO), **compra apalancada con pago de acciones** (leveraged cash-out, LCO), **compra apalancada por los ejecutivos o gerencia, CAPE** (FIN leveraged management buy-out, LMBO; S. *compra por ejecutivos, CPE*), **compra compensadora** (buying hedge), **compra compensatoria de futuros** (offsetting purchase), **compra con pacto de reventa** (STK & COMMOD EXCH reverse repurchase agreement *US*), **compra con pago anticipado** (advance purchase), **compra con tarjeta de débito** (COM purchase by means of a direct-debit card, electronic funds transfer at point of sale, EFTPOS), **compra de acciones por

intermediación (STK EXCH buying-in[1]), **compra de acciones por sorpresa** (STK EXCH raid), **compra de activos autoliquidables** (self-liquidating asset purchase), **compra de alcista** (STK EXCH bull buying/purchase), **compra de capricho o por impulso** (impulse purchase/buying/buy), **compra de cobertura** (STK & COMMOD EXCH covering purchase/transaction; short covering; bear hedge; S. *cobertura de posición faltante*), **compra de divisas a plazo** (S. *compra a plazo de divisas*), **compra de las acciones propias** (STK EXCH buy-back; S. *formación de autocartera*), **compra directa** (direct or offhand buying), **compra directa al fabricante/exportador/importador** (purchasing/buying direct from the manufacturer/exporter/importer, buying round), **compra en firme** (outright purchase), **compra febril** (panic buying), **compra gradual o escalonada de la mayoría de acciones de una empresa** (STK EXCH creeping takeover, creeping tender offer), **compra global de activos por un precio único** (STK EXCH basket purchase), **compra impulsiva o por capricho** (impulse buying/purchasing), **compra marginal o sin gran valor** (marginal purchase), **compra o paga** (take or pay), **compra para cubrir ventas al descubierto** (STK & COMMOD EXCH bear hedge/closing/covering), **compra para entrega en el acto** (spot purchase; spot[3]), **compra para entrega futura** (STK & COMMOD EXCH purchase for forward delivery; term purchase; purchase on term; S. *compra a término*), **compra por ejecutivos, CPE** (management buy-out, MBO; S. *compra apalancada por ejecutivos, CAPE*), **compra rotatoria de acciones a punto de producir dividendos** (STK EXCH dividend rollover plan), **compra[-]venta** (sale, selling; dealing, sale and purchase), **compra-venta a plazos** (instalment plan; hire-purchase, HP; S. *crédito para la compra a plazos*), **compra/venta en firme** (firm purchase/sale), **compra/venta impulsiva o caprichosa** (impulse purchase/sale), **compra/venta para compensar una venta/compra** (STK EXCH round turn), **compra/venta sucesiva de valores** (STK EXCH bed-and-breakfast deal *col*), **compra y arriendo al que vendió** (purchase and lease-back), **compras de sostén o apoyo** (price-support buying, price nursing), **compras para el consumo día a día** (hand-to-mouth buying), **compraventa de acciones** (STK EXCH share dealing)].

comprador *n*: buyer; purchaser; shopper; acquirer; bargainee; emptor; vendee, indentor *US*; S. *adquirente*. [Exp: **comprador caprichoso, impulsivo o compulsivo** (impulse buyer), **comprador con límite máximo de precio** (STK EXCH marginal buyer), **comprador de futuros** (futures buyer; long hedger), **comprador de una opción** (FIN option buyer), **comprador de una posición a plazo** (long buyer), **comprador o adjudicatario de una venta judicial** (adjudicatee), **comprador último o definitivo** (final buyer, ultimate emptor), **comprador y vendedor marginales** (marginal pair)].

comprar *v*: buy; purchase; S. *adquirir*. [Exp: **comprar a crédito** (buy on credit), **comprar a plazo/término** (STK & COMMOD EXCH buy forward), **comprar a precios escalonados** (buy on a scale), **comprar al alza** (STK EXCH buy for the rise), **comprar al contado** (buy for cash), **comprar al límite** (STK EXCH buy on balance), **comprar al margen** (STK EXCH buy on margin), **comprar al mejor cambio** (buy at best), **comprar con**

antelación a un precio asegurado (STK & COMMOD EXCH buy forward; S. *comprar a plazo*), **comprar en firme** (buy outright), **comprar gato por liebre** *col* (COM buy a pig in a poke *col*), **comprar por capricho o por impulso** (buy on impulse), **comprar por los beneficios potenciales** (STK EXCH buy earnings/growth; S. *invertir en la capacidad de crecimiento*), **comprar ropa confeccionada** (COM buy off the peg), **comprar un diferencial** (FIN buy a spread), **comprar una cosa previamente apartada** (buy on the lay-away plan)].

comprender[1] *v*: understand. [Exp: **comprender**[2] (include, take in, cover; embrace, comprehend; S. *abarcar, incluir*)].

comprobación *n*: check[1]; checking; test, testing, verification; trial; S. *inspección, revisión, control, verificación*. [Exp: **comprobación contable horizontal y vertical** (ACCTS cross-footing), **comprobación de inventario** (inventory count), **comprobación de redundancia o con dígitos adicionales** (redundant check), **comprobación/inspección en el registro de la propiedad** (search[2]), **comprobación y confirmación de las operaciones hechas por teléfono** (MAN direct verification),

comprobante *n*: voucher; cheque voucher; receipt; slip. [Exp: **comprobante de abono** (credit voucher/slip), **comprobante de adeudo** (debit slip/voucher; proof/evidence/voucher of indebtedness), **comprobante de caja** (cash voucher; sales receipt), **comprobante de balance** (balance certificate; S. *certificado de balance*), **comprobante de caja** (sales receipt), **comprobante de venta** (sales receipt; V. *vendí*), **comprobantes o documentos justificativos** (supporting documents; S. *documentos justificativos*), **comprobantes del fondo de caja** (cash fund vouchers)].

comprobar *v*: check[1]; test, check out; make sure, check up, supervise; control; verify; certify; monitor; S. *verificar, revisar, compulsar*. [Exp: **comprobar la exactitud de** (check up on[1]; S. *asegurarse de*)].

comprometer[1] *v*: commit[4]; engage; oblige/obligate; tie down *col*; S. *dedicar, empeñar*. [Exp: **comprometer**[2] (compromise, jeopardise, put/place in a compromising/an embarrasing position; endanger, threaten, put at risk; S. *apuro, riesgo*), **comprometer recursos** (assign/earmark/commit[3] funds; S. *asignar*), **comprometerse** (bind oneself; undertake; agree formally; S. *vincularse, obligarse*), **comprometerse a pagar un efecto comercial o documento** (accept a bill; S. *aceptar, reconocer, admitir*), **comprometerse mediante contrato** (contract; undertake by contract; S. *contratar*), **comprometido** (committed, under obligation; S. *obligado*)].

compromisario *n*: delegate; arbitrator; S. *hombre bueno, árbitro*.

compromiso[1] *n*: commitment,[1] engagement, obligation[2]; agreement; bond; undertaking; pollicitation; S. *deber, obligación, pacto*. [Exp: **compromiso**[2] (awkward/delicate/embarrassing position; spot *col*; jam *col*; S. *pacto, conciliación, transacción*), **compromiso colateral** (collateral undertaking), **compromiso condicionado** (BKG conditional commitment), **compromiso contingente de garantía de suscripción** (STK EXCH standby underwriting commitment), **compromiso de arbitraje** (appraisement bond), **compromiso de compromiso de avería** (TRANSPT, INSCE average bond; S. *obligación de avería*), **compromiso de suscripción continuado/permanente, CAC** (STK & COMMOD EXCH revolving underwriting facility, RUF; S. *programa de financiación a medio/corto plazo; papel a corto plazo*), **compromiso**

de colocación de una emisión (STK EXCH underwriting agreement; back stop, backstop role), **compromiso de compra de valores no vendidos** (STK EXCH standby underwriting commitment; V. *compromiso contingente de garantía de suscripción*), **compromiso de crédito a largo plazo** (long-term credit commitment), **compromiso de emisión** (underwriting commitment), **compromiso de entrega** (delivery bond[2]), **compromiso de fianza** (bail bond; S. *caución*), **compromiso de financiación del exceso en coste** (overrun commitment), **compromiso/composición de los puntos en litigio** (adjustment of the difference; S. *ajuste, acomodo, arreglo, liquidación, pago*), **compromiso de préstamo** (BKG commitment[2], backing for a loan; credit undertaking), **compromiso de recompra** (repurchase agreement), **compromiso de suscripción de acciones** (equity underwriting), **compromiso de venta** (undertaking or commitment to sell), **compromiso en divisas** (exchange commitment), **compromiso en firme** (FIN firm commitment), **compromiso financiero** (financial commitment), **compromiso, sin** (without obligation; S. *obligatory*)].

compuesto *a/n*: compound, composite; S. *interés*.

compulsa *n*: attested/certified copy of a document; collation; S. *documento compulsado*. [Exp: **compulsar** (collate; attest, certify, certify as a true copy; S. *cotejar, comprobar, certificar*)].

compulsión *n*: compulsion; S. *coacción, apremio*. [Exp: **compulsivo** (enforced, compulsory; compulsive; S. *coercitivo, forzoso*)].

computar *v*: compute, estimate, calculate, tally. [Exp: **cómputo** (computation; calculation, estimate, tally; S. *cálculo, estimación*)].

común *a*: common; prevailing; ordinary; joint; S. *corriente; conjunto*. [Exp: **común acuerdo, de** (by common consent), **común, en** (in common; accumulatively; S. *proindiviso*), **comunal** (communal), **comunero** (joint owner; S. *copropietario, condómino, condueño*), **comunidad de riesgos** (identical or shared risks)].

comunicación *n*: communication; link; telephone call or line; contact; message; S. *contacto, lazo, vínculo*. [Exp: **comunicación en un congreso** (paper[1]), **comunicación escrita** (note, written message; S. *mensaje, notificación*), **comunicado** (release,[3] communication), **comunicado oficial** (official communiqué/statement), **comunicado/nota [oficial] de prensa** (press release)].

comunicar *v*: communicate, give notice of; convey,[2] inform of/about, transmit; put through [by phone]; connect, link; S. *notificar, vincular, enlazar*. [Exp: **comunicarse** (communicate), **comunicarse con** (get in touch with, contact)].

comunidad *n*: community. [Exp: **comunidad de bienes** (joint ownership, community estate/property; S. *bienes gananciales*), **comunidad de intereses** (LAW community of interests, pool[1]), **comunidad de propietarios** (condominium[2] US; neighbours' association, association of flat owners; common maintenance charges, costs of upkeep of a building shared by all the flat owners; S. *régimen en comunidad de propietarios*), **Comunidad del Caribe** (Caribbean Common Market, CARICOM), **Comunidad Económica de los Estados de África Occidental** (Economic Community of West African States, Ecowas), **Comunidad Económica del Carbón y del Acero, CECA** (European Coal and Steel Community, ECSC), **Comunidad Económica**

Europea, CEE (European Economic Community, EEC), **Comunidad Europea** (European Community, EC), **Comunidad Europea de Energía Atómica** (European Atomic Energy Community, EURATOM), **comunidades laborales** (workplace communities)].

concedente/otorgante de una licencia *n*: licenser/licensor.

conceder *v*: concede; grant; give; allow, accord, admit; S. *otorgar, ofrecer, dar*. [Exp: **conceder la reclamación solicitada** (INSCE allow a claim), **conceder plazos** (allow terms, give/grant time to pay), **conceder un crédito** (grant/extend a credit), **conceder un descuento** (grant/allow a discount; S. *hacer una rebaja*), **conceder un plazo para el pago** (grant a postponement, allow time to pay, extend the deadline), **conceder un premio, un aumento salarial, etc.** (award a prize/a salary increase, etc.), **conceder un préstamo** (grant a loan), **conceder una amnistía** (grant amnesty; S. *amnistiar*), **conceder una prórroga** (allow time, agree/grant a delay, grant an extension), **conceder una rebaja** (allow/give/grant a discount/an allowance; S. *hacer un descuento*), **conceder una subvención** (grant a subsidy)].

concejo *n*: board[1]; governing/supervisory body; S. *órgano rector*.

concentración *n*: concentration; accumulation; assembling; focus. [Exp: **concentración de compras** (group purchasing), **concentración/asociación de empresas** (COMP LAW combination, business combination or association; group; consolidation[2]; pool[1]; S. *combinación; consolidación; consorcio*), **concentración de riesgos** (INSCE accumulation[4] of risks), **concentración parcelaria** (land consolidation), **concentración vertical** (vertical amalgamation/

integration), **concentrar** (concentrate; bring together; consolidate; bracket/block together; focus)].

concentración en las ofertas *n*: bid rigging, collusive bidding.

concepto *n*: concept. [Exp: **concepto de flujo de costo** (cost-flow concept), **concepto de prudencia** (ECO prudence concept), **conceptuar** (rate[1]; regard, view, look on, consider; S. *calificar, evaluar*)].

concertar *v*: agree; fix, set; arrange, set up; adjust, concert, conclude[2]; enter into[1]; S. *acordar, fijar, entablar, tomar parte en*. [Exp: **concertar/celebrar/firmar/ suscribir un pacto/acuerdo/contrato, etc.** (enter into/conclude/sign an agreement/a contract, etc.), **concertar una cita** (arrange an appointment, set up a meeting), **concertar el precio** (agree/agree on a price, set a price), **concertarse** (get together, come together, collaborate, agree jointly, work out together; S. *concierto*)].

concesión *n*: concession[1]; privilege; dealership; grant, granting, award; franchise[1]; allowance, rebate; S. *privilegio, agencia en exclusiva*. [Exp: **concesión administrativa** (administrative concession/award/allowance), **concesión de créditos** (granting of credits), **concesión de explotación** (operating concession), **concesión de franquicia o licencia** (franchising), **concesión de licencias** (granting of licences), **concesión mancomunada** (pooled concession), **concesión tributaria** (tax concession/allowance/relief; S. *desgravación*), **concesionario** (dealer, franchisee, concessionaire/concessionnaire; concessionary; licensee, grantee, distributor; S. *distribuidor*), **concesionario de una marca de automóviles** (car dealer), **concesionario único** (sole licensee, exclusive dealer)].

conchabarse *col v*: plot, conspire; be in cahoots *col* or in league with; gang up on *col*; S. *confabularse, derribar, defenestrar.*

conciencia *n*: ADVTG awareness; S. *conocimiento, toma de conciencia.* [Exp: **conciencia de la marca** (ADVTG brand awareness), **conciencia fiscal/tributaria** (tax awareness/consciousness)].

concierto *n*: arrangement, agreement, accord, covenant; S. *acuerdo, convenio.*

conciliación *n*: conciliation, compromise, arrangement, settlement, accord, reconciliation, reconcilement, balancing, tallying; accommodation[2]; S. *arreglo, convenio, acuerdo, transacción.* [Exp: **conciliación de cuentas** (ACCTS account reconcilement/reconciliation; S. *ajuste de cuentas*), **conciliación de estados bancarios** (BKG bank reconciliation), **conciliador** (REL LAB troubleshooter; V. *apagafuegos, mediador*), **conciliar** (reconcile, accord; S. *cuadrar, ajustar*), **conciliar cuentas** (reconcile accounts; S. *cuadrar/ajustar cuentas*)].

concluir[1] *v*: conclude,[1] complete, end, terminate; formalize; clear up, dispose of, finish off, round off; close; S. *terminar, finalizar.* [Exp: **concluir[2]** (infer, deduce; S. *deducir, inferir*), **concluir la jornada** (pack up[2] *col*, finish up, knock off *col*), **concluir una acuerdo/pacto/trato, etc.** (conclude/formalise an agreement, deal, etc.), **concluyente** (conclusive; unanswerable; final, decisive; categorical; S. *definitivo, irrefutable*)].

conclusión[1] *n*: conclusion, inference; S. *deducción, inferencia.* [Exp: **conclusión[2]** (completion; end; S. *rescisión, términación, expiración*), **conclusiones** (findings, conclusions; S. *resultados de una investigación*)].

concomitante *a*: concomitant, accompanying, incidental; S. *adjunto, junto a, conexo.*

concordar *v*: agree; accord; match, match up; tally; be in keeping with, be in line with; S. *coincidir, casar.* [Exp: **concordante** (concordant, in keeping), **concordato con los acreedores** (arrangement/compounding with creditors)].

concurrencia[1] *n*: attendance; audience, public; S. *comparecencia, público.* [Exp: **concurrencia[2]** (COM competition[1]; S. *competencia*), **concurrencia[3]** (concurrence, combination, coincidence, coexistence), **concurrente[1]** (concurrent; S. *simultáneo*), **concurrente[2]** (entrant; participant; participating, taking part, running, standing; S. *participante, concursante*), **concurrir** (bid; attend; meet/come together, combine, coexist; compete, stand, run, go in for; enter; S. *ofertar*)].

concursar[1] *v*: declare insolvent/bankrupt; S. *insolvencia, quiebra.* [Exp: **concursar[2]** (enter; take part; compete, sit for a competitive examination —*concurso*—, akin to the Civil Service examinations), **concursado** (bankrupt; bankrupt nontrader; S. *quebrado, insolvente*), **concursante** (entrant; S. *concurrente, participante*), **concurso[1]** (competition,[2] contest; competitive examination; S. *oposición*), **concurso[2]** (call for bids; S. *citación/llamada a licitadores*), **concurso de acreedores** (meeting of creditors, creditors' meeting; bankruptcy/insolvency proceedings; S. *procedimiento o proceso de quiebra, ejecución concursal*), **concurso necesario** (involuntary bankruptcy; S. *quiebra forzosa o fortuita*), **concurso público** (invitation to tender for a contract, public invitation to tender), **concurso restringido** (limited invitation to tender), **concurso-subasta** (competitive tendering)].

condensar *v*: condense, shorten; abridge; S. *resumir, abreviar.* [Exp: **condensado** (in an abridged form; S. *resumido, extractado*)].

condición *n*: condition,[1] term; requirement; proviso; state; S. *estipulación, pacto.* [Exp: **condición expresa** (express condition), **condición implícita o sobreentendida** (implied term), **condición limitativa, restrictiva o negativa** (restrictive condition), **condición mutua** (mutual condition), **condición potestativa** (optional condition), **condiciones comerciales** (commercial terms), **condiciones completas** (full terms), **condiciones crediticias** (credit terms), **condiciones de entrega** (TRANSPT delivery terms), **condiciones de liquidación neta en las operaciones de permuta financiera** (STK & COMMOD EXCH net settlement terms), **condiciones de pago** (payment terms), **condiciones de pago al contado** (COMER cash terms), **condiciones de pago aplazado** (credit facilities/provisions), **condiciones de riesgo, en** (under risk), **condiciones de un préstamo** (terms of a loan), **condiciones del mercado** (market conditions), **condiciones generales de la póliza** (INSCE general policy conditions), **condiciones justas y equitativas** (fair terms/field), **condiciones óptimas, en** (INSCE in A1 condition)].

condicionar *v*: condition, make conditional, determine; restrict, limit. [Exp: **condicionado** (conditional; S. *contingente, con reservas*), **condicional** (qualified,[2] special, conditional; S. *limitado, con reparos, con salvedades, con reservas*), **condicionalmente o con reserva** (conditionally), **condicionamiento económico** (economic friction or conditioning factors), **condicionante** (determining factor)].

condominio *n*: condominium[1]; joint ownership; common ownership; joint

tenancy; S. *propiedad mancomunada.* [Exp: **condómino** (joint owner, co-owner; S. *copropietario, condueño*)].

condonación *n*: FIN condonation; write-off, cancellation; S. *anulación, cancelación.* [Exp: **condonación de deuda no satisfecha** (acceptilation; writing off of an unpaid debt; S. *finiquito gratuito*), **condonar** (FIN write off, cancel; S. *anular*)].

cóndor *n*: STK & COMMOD EXCH condor; S. *operación condor.* [Exp: **cóndor comprado** (long condor), **cóndor vendido** (short condor)].

conducir *v*: conduct, lead[1]; operate, pilot[1]; S. *llevar a efecto, guiar.* [Exp: **conducir un programa televisivo** (ADVTG present/host a TV programme; S. *conductor de un programa de televisión*), **conducta** (conduct, behaviour; course of action; S. *comportamiento*), **conducto** (pipe, pipeline; conduit[1]; channel; S. *canal*), **conducto adecuado, por el** (through the proper/official channel-s), **conducto de alguien, por** (through sb, through the agency of sb), **conductor** (driver), **conductor de un programa de televisión** (ADVTG anchorman)].

condueño *n*: joint owner, co-owner; S. *condómino, copropietario.*

conectar-se *v*: connect, connect up, link, link up, relate, reach, get through to; S. *acoplar-se.* [Exp: **conexión** (connection; link; bearing, contact; S. *vínculo, enlace*), **conexo** (related)].

confabulación *n*: conspiracy; plot; collusion; combination; S. *conjura, complot, conspiración.* [Exp: **confabulación para restringir el libre comercio** (conspiracy in restraint of trade), **confabularse** (conspire; plot; collude; S. *conspirar*)].

confección *n*: manufacturing; making, production; tailoring, the clothes industry, fashion, the fashion industry or trade; preparation; S. *elaboración, fabricación*. [Exp: **confección, de** (ready-made, off-the-peg, ready-to-wear), **confeccionar** (manufacture, make; produce; tailor; prepare)].

confederación *n*: confederation, association, assoc; league; S. *asociación, cooperativa, sociedad, agrupación*. [Exp: **Confederación Española de Cajas de Ahorro, CECA** (Association of Spanish Savings Banks), **Confederación Española de Organizaciones Empresariales, CEOE** (Spanish Confederation of Business Organizations, *approx.* Spanish equivalent to the CBI or Confederation of British Industries; S. *CEPYME*), **Confederación Española de la Pequeña y Mediana Empresa, CEPYME** (Spanish Confederation of Small and Medium-sized Companies), **confederarse** (league; form a confederation, confederate; S. *ligarse, aliarse, unirse*)].

conferencia[1] *n*: conference, congress; S. *congreso*. [Exp: **conferencia**[2] (lecture; S. *discurso*), **conferencia**[3] (long-distance phone call), **conferencia interurbana** (long-distance phone call), **conferencia/rueda de prensa** (press conference), **conferencia telefónica a cobro revertido** (reverse charge call, collect call *US*), **conferenciar**[1] (confer[2]), **conferenciar**[2] (lecture; give a lecture)].

conferir *v*: grant, confer[1]; S. *reconocer, otorgar*. [Exp: **conferir poderes** (empower; S. *dar poder, autorizar*)].

confesar *v*: confess, declare; acknowledge, own [up], admit; S. *declarar, afirmar, asegurar*. [Exp: **confesión** (confession, admission)].

confiado *a*: FIN confident, trusting, overconfident; optimistic, buoyant; S. *optimista*.

confianza *n*: confidence, faith, trust, reliance. [Exp: **confianza, de** (reliable, trustworthy, dependable), **confianza, en** (in confidence, off the record; S. *reservado*)].

confiar *v*: trust, rely, depend; entrust,[1] commit,[2]; charge[8]; S. *encomendar*. [Exp: **confiar en** (bank on; S. *dar por seguro*), **confidencial** (confidential; S. *de confianza*), **confidencialidad** (confidentiality)].

configuración *n*: shape, shaping; pattern[1]; make-up, composition, set-up, structure; S. *pauta, composición, esquema*. [Exp: **configurar** (shape, form, set/make up), **configurarse** (take shape)].

confirmación *n*: confirmation[1]; confirming; S. *ratificación*. [Exp: **confirmar** (confirm, ratify; affirm; bear out, clinch; S. *ratificar, asegurar*)].

confiscar *v*: confiscate, seize, embargo, impress; impound; S. *incautar, embargar*. [Exp: **confiscable** (forfeitable), **confiscación** (confiscation, seizure; attachment,[2] expropriation; impounding; S. *incautación, embargo*), **confiscado** (forfeit)].

conflicto *n*: conflict, dispute; S. *pugna*. [Exp: **conflictivo** (difficult, troubled; controversial; trouble-maker), **conflicto colectivo/laboral** (IND REL industrial unrest or action; S. *movilizaciones, huelga*), **conflicto intergremial** (IND REL demarcation dispute), **conflicto salarial** (pay dispute)].

conforme *a*: agreed, in agreement; satisfied; in order. [Exp: **conforme a** (in accordance with; as per, pursuant to, according to; S. *de acuerdo con, según, en el marco de*), **conforme a derecho** (lawful, according to law, allowable[1]; S. *admisible, lícito, legítimo*), **conforme a lo dispuesto/establecido en** (according to/under the provisions of, as provided in), **conforme a lo solicitado** (in compliance with the request), **conforme a la muestra** (as per sample), **conforme a/siguiendo los usos y costumbres mercantiles/bancarias** (according to business/banking practice/procedure), **conforme con** (conformable to), **conforme con, ser/estar** (be consistent with; check with; S. *casar bien con*), **conforme exige la ley** (as required by law)].

conformidad *n*: agreement, acquiescence, accord, approval, sanction; consent; compliance; reconcilement; S. *aquiescencia, consentimiento, conciliación.* [Exp: **conformidad bancaria** (BKG reconciliation statement; S. *estado de conciliación bancaria*), **conformidad con, de** (pursuant to, in accordance with; S. *de acuerdo con, a tenor de lo dispuesto, en virtud de, en aplicación de*), **conformidad con la propuesta de póliza de seguros** (INSCE acceptance of proposal; S. *resguardo provisional de una póliza de seguros*)].

confrontar *v*: collate, compare, check against; s. *cotejar, comparar.*

congelación *n*: freeze, freezing; dead-lock; S. *bloqueo.* [Exp: **congelación de precios** (price freeze), **congelación salarial** (IND REL pay/wages freeze), **congelado** (frozen; S. *bloqueado*), **congelar** (freeze, block), **congelar/bloquear una cuenta, dinero, fondos, etc.** (freeze an account, currency, funds, etc.), **congelar un proyecto** (put a project on ice or on the back burner *col*; S. *aparcar*)].

conglomerado *n*: conglomerate; cluster; S. *grupo.* [Exp: **conglomerado de empresas** (conglomerate; S. *grupo industrial, asociación de empresas*), **conglomerar-se** (conglomerate; S. *unirse, fundir-se*)].

congreso *n*: congress, convention[1]; S. *conferencia, convención, asamblea.*

conjunto *a/n*: joint, conjoint; set, outfit; S. *colectivo.* [Exp: **conjuntamente** (jointly), **conjunto de bienes, obras, servicios y elementos a licitar** (bid package), **conjunto de medidas**

económicas (ECO package,[2] financial package; deal[2]; S. *paquete o programa de medidas económicas*), **conjunto de medidas políticas** (policy package), **conjunto, en** (all told; altogether; overall[1]; S. *todo incluido*)].

conjura *n*: conspiracy, plot; S. *complot, confabulación.* [Exp: **conjurar** (avert; S. *evitar, impedir*), **conjurarse** (plot, conspire)].

connivencia *n*: connivance, collusion. [Exp: **connivencia para la licitación de obras** (collusive tendering; S. *licitación abusiva*)].

cono *n*: STK & COMMOD EXCH straddle; S. *cobertura financiera a horcajadas.* [Exp: **cono comprado** (long straddle), **cono inferior** (bottom straddle), **cono superior** (top straddle), **cono vendido** (short straddle)].

conocimiento[1] *n*: knowledge; awareness; understanding; S. *toma de conciencia.* [Exp: **conocimiento**[2] (TRANSPT S. *conocimiento de embarque*), **conocimiento a bordo** (TRANSPT on board bill of lading), **conocimiento abierto** (TRANSPT open bill of lading), **conocimiento acreditativo de recepción de mercancía para su carga** (TRANSPT received for shipment bill of lading), **conocimiento aéreo** (TRANSPT air consignment note), **conocimiento agrupado** (TRANSPT groupage bill of lading), **conocimiento de almacén** (dock warrant, DW; S. *resguardo de muelle*), **conocimiento de carga** (TRANSPT freight receipt), **conocimiento de embarque** (TRANSPT bill of lading, blading, B/L; bill of trading; waybill), **conocimiento de embarque aéreo** (TRANSPT air bill of lading; air waybill; customs air way bill, AWB; air consignment note; S. *carta de porte aéreo*), **conocimiento de embarque al portador** (TRANSPT bill of lading to bearer; negotiable bill of lading, blank bill of lading; S. *conocimiento de embarque nominativo*), **conocimiento de embarque combinado o corrido** (TRANSPT combined transport bill of lading, through bill of lading), **conocimiento de embarque con certificación consular** (TRANSPT certified bill of lading), **conocimiento de embarque con objeciones/reservas** (S. *conocimiento de embarque sucio*), **conocimiento de embarque con responsabilidad parcial de la empresa de transporte** (TRANSPT released bill of lading), **conocimiento de embarque con responsabilidad total de la empresa de transporte** (TRANSPT full bill of lading), **conocimiento de embarque de contenedores** (TRANSPT container bill of lading), **conocimiento de embarque de favor** (TRANSPT accommodation bill of lading), **conocimiento de embarque de retorno** (TRANSPT homeward bill of lading), **conocimiento de embarque directo** (TRANSPT through bill of lading), **conocimiento de embarque expedido por el armador al cargador** (TRANSPT custody bill of lading), **conocimiento de embarque expedido por un transitario** (TRANSPT forwarder's bill of lading), **conocimiento de embarque exterior** (TRANSPT outward bill of lading), **conocimiento de embarque limpio o sin reservas** (clean bill of lading), **conocimiento de embarque marítimo** (TRANSPT ocean bill of lading), **conocimiento de embarque negociable** (TRANSPT negotiable/order bill of lading), **conocimiento de embarque no negociable** (TRANSPT straight bill of lading), **conocimiento de embarque nominativo** (TRANSPT named bill of lading; bill of lading to named person; straight bill of lading), **conocimiento de embarque para transporte fluvial** (TRANSPT inland waterway consignment; barge bill of lading US), **conocimiento de embarque que atestigua que la mercancía está a bordo** (TRANSPT on board bill of lading), **conocimiento de embarque recibido para embarque** (TRANSPT receipt for shipment bill of lading, received bill of lading), **conocimiento de embarque sin reservas** (TRANSPT clean bill of lading), **conocimiento de embarque sin trasbordos** (TRANSPT direct bill of lading), **conocimiento de embarque sucio** (TRANSPT dirty/foul/unclean/ cl-aused bill of lading; S. *conocimiento de embarque limpio*), **conocimiento de los transportistas públicos** (TRANSPT common carrier bill of lading), **conocimiento de marca** (ADVTG brand awareness), **conocimientos especializados** (expertise; S. *pericia, competencia*)].

consecuencia *n*: consequence, result, effect,[1] outcome; fall-out[5] *col*; S. *incidencia, repercusión, resultado*. [Exp: **consecuencia de, a/como** (as a result of; S. *a resultas de, a raíz de*), **consecuencia, en** (in keeping with one's position, etc.; accordingly; therefore; S. *consecuentemente, teniendo en cuenta lo anterior*)].

consecuente *a*: consistent, in keeping, in line. [Exp: **consecuentemente** (accordingly; S. *teniendo en cuenta lo anterior*)].

consecutivo *a*: consecutive, running[3]; S. *seguido, acumulado*.

conseguir *v*: get, achieve, obtain, procure; gain; capture; fix up with, succeed; manage to; S. *obtener, alcanzar, lograr*. [Exp: **conseguir capital/recursos/ fondos** (raise[3] capital/cash/funds/money; S. *reunir/allegar/arbitrar recursos/ fondos, etc.*), **conseguir un crédito** (raise a loan; S. *contraer un empréstito*)].

consejero[1] *n*: adviser/advisor, counsellor, consultant; S. *asesor*. [Exp: **consejero**[2]

(COMP LAW director, company director; member of the board; S. *vocal/directivo de una empresa*), **consejero de publicidad** (advertising consultant), **consejero de salidas profesionales** (careers adviser/counsellor/officer), **consejero delegado** (managing director; counsellor delegate; chief executive Officer, CEO *US*), **consejero ejecutivo** (MAN executive director), **consejero sin cargo ejecutivo** (non-executive director), **consejero técnico** (technical adviser), **consejeros comunes de varias empresas interrelacionadas** (interlocking directorates)].

consejo[1] *n*: advice[2]; S. *asesoramiento*. [Exp: **consejo**[2] (council, counsel; board, committee; cabinet[2]; S. *junta*), **Consejo Asesor a la Exportación** (Export Advice Council), **Consejo Asesor de la Junta Rectora** (Advisory Board to the Governing Body), **consejo bancario** (bank board; S. *directiva bancaria*), **consejo de administración** (COMP LAW board,[1] board of directors; governing board; directorate; S. *cúpula directiva, dirección, junta*), **consejo de aseguradores** (board of underwriters), **consejo de, con el** (on the advice of; S. *asesorado por*), **consejo de dirección/gerencia/gestión** (board of management), **consejo de fideicomisarios** (board of trustees; S. *patronato*), **Consejo de la Reserva Federal** (Federal Reserve Board), **Consejo de Ministros** (council of ministers, cabinet[2]; S. *consejo*), **consejo de redacción** (editorial board), **consejo de síndicos** (board of trustees), **Consejo económico y social** (Economic and Social Council), **consejo ejecutivo** (executive council), **Consejo Superior Bancario** (Banking Control Council), **consejo y aprobación** (advice and consent; S. *consulta y aprobación*)].

consenso *n*: consensus, agreement; S. *acuerdo, pacto*. [Exp: **consensensuado** (allowed/agreed by consensus or common consent), **consensuar** (agree by consensus, reach a consensus on, reach a joint agreement on, reach jointly)].

consentimiento *n*: consent, permission; S. *conformidad, aquiescencia, anuencia*. [Exp: **consentimiento en la cosa y en la causa contractual** (consensus ad idem), **consentimiento entre las partes** (agreement by both parties), **consentimiento expreso** (express consent), **consentimiento implícito** (constructive assent; negative verification), **consentimiento mutuo** (mutual consent), **consentimiento tácito** (tacit/implicit consent), **consentir** (allow, consent/agree to, tolerate, permit)].

conserva *n*: canned/tinned food; S. *compota, fábrica de conservas*. [Exp: **conserva, en** (canned, tinned), **conservas alimenticias** (canned goods)].

conservación *n*: maintenance; conservation, preserving, preservation. [Exp: **conservar** (maintain,[1] preserve; S. *preservar, mantener, sustentar, almacenar*)].

consideración *n*: consideration,[1] concern; S. *examen, estudio*. [Exp: **consideración a, en** (on account of, out of consideration for; S. *por motivo de, debido a, a causa de*), **consideración, de** (serious, important), **considerar** (consider; count; examine; hold; weigh up; believe; look upon; regard; take into account; give one's consideration; S. *tomar en consideración, tener en cuenta*), **considerar una reclamación** (INSCE entertain a claim)].

consigna[1] *n*: left-luggage office; baggage room; checkroom *US*; S. *depósito, bodega o cuarto de equipaje*. [Exp: **consigna**[2] (watchword, slogan; catchphrase; order instruction)].

consignación[1] *n*: ACCTS appropriation,[1] earmarking, allotment; S. *destino, asignación de recursos*. [Exp: **consignación**[2] (TRANSPT consignment, shipment; S. *remesa, envío, partida*), **consignación**[3] (deposit[2], dep; S. *fianza, señal*), **consignación para publicidad** (ACCTS advertising appropriation), **consignación, en** (outstanding[2]), **consignación en cuenta** (ACCTS apportionment[2]), **consignación para liberar un embargo** (attachment bond; S. *fianza de embargo*), **consignación presupuestaria** (allotment of appropiations; allocation of funds, budgeting; item in a budget), **consignación presupuestaria específica o expresa** (itemized appropriation, specific item in a budget), **consignaciones despachadas** (consignments out), **consignaciones recibidas** (consignments in)].

consignado *a*: ACCTS appropriated.

consignador *n*: consignor, shipper; S. *remitente, expedidor*.

consignar *v*: consign; ship; address; appropriate, deposit,[2] entrust, pay; allocate, budget for; record, include, write in; S. *remitir, enviar*. [Exp: **consignar en el debe** (ACCTS debit, deb; S. *cargar en cuenta, debitar, adeudar*), **consignar en el haber** (ACCTS credit, post a credit; S. *acreditar; abonar*), **consignar en firme una cantidad** (allocate a specific sum), **consignar fondos presupuestarios** (allocate/apportion budget funds), **consignar para fines concretos** (allocate, earmark; S. *afectar para fines concretos*)].

consignatario *n*: TRANSPT consignee; addressee; agent; S. *destinatario*. [Exp: **consignatario de buques** (shipping agent, ship's agent, ship broker, agent, agt; S. *agente mediador*)].

consocio *n*: associate, fellow partner, fellow member; S. *socio*.

consolidación[1] *n*: ACCTS, COMP LAW consolidation; grouping, groupage; S. *concentración o fusión de sociedades*. [Exp: **consolidación**[2] (TRANSPT groupage; S. *grupaje, agrupamiento*), **consolidación de balances** (consolidation of balances; S. *balance consolidado*), **consolidación de derechos arancelarios** (tariff binding), **consolidación de bonos** (refunding of bonds), **consolidación de empresas** (merger; S. *fusión*), **consolidación de intereses/fondos** (ACCTS pooling of interests/funds), **consolidación de la deuda** (debt consolidation), **consolidación de un préstamo** (funding of a loan), **consolidador** (COM consolidator; S. *agrupador*)].

consolidado *a*: consolidated, funded; S. *deuda consolidada*.

consolidar *v*: consolidate; fund; absorb; strengthen; S. *refundir, globalizar*. [Exp: **consolidar una deuda** (fund a debt)].

consorcio *n*: syndicate, consortium, cartel; group, pool, combine,[1] trust; S. *combinación, grupo de empresas*. [Exp: **consorcio asegurador o de colocación de una emisión** (BKG underwriting syndicate[1]; S. *consorcio de suscritores*), **consorcio bancario** (bank/banking syndicate or group), **consorcio de aseguradores de automóviles** (Motor Insurers' Bureau), **consorcio de banqueros** (consortium of bankers), **consorcio de instituciones financieras** (finance syndicate), **consorcio de operaciones mercantiles** (business trust; S. *fideicomiso comercial, asociación de negocios*), **consorcio de reaseguro** (INSCE reinsurance pool), **consorcio de suscriptores** (BKG underwriting group)].

conspiración *n*: conspiracy, plot; plotting; S. *confabulación, complot*. [Exp: **conspirar** (conspire, plot[1]; S. *urdir, tramar*)].

constar[1] *v*: be a matter of record, be on the

record or in the minutes; appear/be stated in an official account, report or record; S. *hacer constar*. [Exp: **constar**[2] **de** (consist of, be made up of), **conste en acta, que** (on/for the record; let the record show)].

constante *a*: constant; even; fixed; flat; S. *regular, fijo*.

constitución *n*: constitution; establishment, founding, setting-up; make-up; S. *establecimiento, fundación*. [Exp: **constitución de sociedad** (COMP LAW incorporation; memorandum of association; S. *acta constitutiva de una sociedad mercantil*), **constitución de una nueva empresa por escisión** (COMP LAW spin-off[4])].

constituir *v*: constitute, form, establish, create, charter,[1] found, organize, raise, set up; S. *fundar, promover*. [Exp: **constituir/fundar una mercantil** (DER form a company), **constituir/registrar una provisión** (record a provision), **constituir una sociedad colectiva** (enter into partnership; S. *asociarse*), **constituir una sociedad mercantil** (incorporate/set up a company), **constituirse** (set oneself up as; become; form, form oneself into; meet formally as a body, commission or panel, etc.), **constituirse en fiador** (stand guarantor, guarantee,[1] vouch for)].

construcción *n*: construction,[1] building. [Exp: **construcción, en** (under construction), **construcción naval** (shipbuilding), **constructivo** (constructive,[1] positive; S. *positivo*), **constructor** (constructor, builder, building contractor), **constructor naval/de buques** (shipbuilder), **construir** (build, construct; S. *edificar, montar*), **constructora** (building firm; construction company; S. *inmobiliaria*)].

consulta *n*: enquiry/inquiry[1]; question, query; consultation; S. *investigación, indagación*. [Exp: **consulta vinculante** (application for a binding ruling), **con-**sulta y aprobación (advice and consent; S. *consejo y aprobación*), **consultas recíprocas** (mutual consultation), **consultar** (consult), **consultivo** (consultative, advisory), **consultoría** (consultancy, firm of consultants), **consultorio** (information office)].

consumación *n*: completion; S. *conclusión, finalización, terminación*. [Exp: **consumar** (complete; carry out; S. *ejecutar, cumplir*].

consumidor *n*: consumer, user. [Exp: **consumición mínima en un restaurante** (cover charge; S. *derecho de mesa*), **consumir** (consume, use; buy; burn, burn up; reduce, shrink; S. *gastar, utilizar*), **consumir preferentemente antes de** (best before; S. *fecha de caducidad*), **consumismo** (consumerism), **consumo** (consumption, use[2]; S. *ostentación consumista*), **consumo interior/interno** (home/domestic/internal consumption), **consumo privado** (consumer spending; private consumption), **consumo provocado por el precio y el reclamo del producto** (STK & COMMOD EXCH conspicuous consumption)].

contabilidad *n*: ACCTS accountancy; accounting; bookkeeping; S. *técnica contable, teneduría de libros*. [Exp: **contabilidad acumulativa** (accrual accounting; accrual basis accounting; S. *contabilidad diferida*), **contabilidad analítica** (cost accounting; analytical cost accounting), **contabilidad autónoma** (self-balancing accounting), **contabilidad comercial** (business accounting), **contabilidad de asociaciones y clubes no lucrativos** (club accounts), **contabilidad de caja o de fondos** (cash accounting, cash basis accounting US; revolving fund accounting), **contabilidad de camino crítico** (critical path accounting), **contabilidad de costes** (cost accounting; management accounting; costing; S. *contabilidad de gestión*), **contabilidad de costes por órdenes de trabajo** (job order cost accounting), **contabilidad de costes por pedidos** (job cost accounting), **contabilidad de deudores** (accounts receivable, AR), **contabilidad de empresas** (business accounting), **contabilidad de existencias** (stock accounting), **contabilidad de gestión/administración** (management/ cost accounting; S. *contabilidad de costes*), **contabilidad de heredades, de herencias y legados o de sucesiones** (estate accounting), **contabilidad de la distribución** (distribution accounting), **contabilidad de posición** (position booking), **contabilidad de reposición** (current cost accounting, CCA), **contabilidad diferida** (accrual accounting; S. *contabilidad acumulativa*), **contabilidad empresarial o mercantil** (company accounting or bookkeeping), **contabilidad en valores devengados** (accrual accounting), **contabilidad fiduciaria** (fiduciary accounting), **contabilidad financiera o de fondos** (financial accounting), **contabilidad fiscal** (tax accounting), **contabilidad general o financiera** (financial accounting), **contabilidad gerencial** (managerial accounting), **contabilidad industrial** (factory/manufacturing/industrial accounting), **contabilidad mecanizada** (machine accounting, machine posting), **contabilidad nacional** (national accounting), **contabilidad por partida doble** (double-entry accounting/ bookkeeping), **contabilidad por partida simple** (single entry bookkeeping), **contabilidad por responsabilidades** (responsibility accounting), **contabilidad presupuestaria** (budget/budgetary accounting), **contabilidad según el nivel general de precios** (price level accounting)].

contabilización *n*: posting. [Exp: **contabilización de gastos como partidas de activo** (ACCTS expense capitalization; S. *activación de gastos*), **contabilización de los movimientos de valores** (STK EXCH base stock method)].

contabilizar *v*: enter,[1] enter in the books; post, count; record[1]; S. *asentar, dar entrada*].

contable *a/n*: accounting; accountant, acct; accounts clerk, book-keeper; S. *contador*. [Exp: **contable de costes de producción** (production cost accountant), **contable de empresa** (private accountant), **contable financiero** (financial accountant), **contable titulado** (chartered accountant; certified public accountant *US*)].

contactar *v*: contact, get in touch with. [Exp: **contacto** (contact; S. *ponerse en contacto con*), **contacto, en** (in touch)].

contado, al *phr*: in cash, cash down, on a cash basis; S. *crédito*. [Exp: **contado contra futuros** (cash against actuals), **contado rabioso, al** *col* (in cash, cash down, cash on the nail *col*; S. *en metálico, contante y sonante, a tocateja*)].

contador[1] *n*: accountant, acct; expert accountant; paymaster; S. *contable*. [Exp: **contador[2]** (meter[1]), **contador auxiliar** (junior accountant; S. *ayudante de contabilidad*), **contador de compensaciones** (clearing teller), **contador de costes** (cost accountant), **contador público** (public accountant), **contador público titulado** (ACCTS certified accountant; chartered accountant, CA; S. *censor público/jurado de cuentas*), **contaduría** (accounting; accountant's office, accounts department; accounts; accountancy), **contaduría pública** (public accounting)].

contaminación *n*: pollution. [Exp: **contaminante** (pollutant), **contaminar** (pollute)].

contango *n*: STK & COMMOD EXCH contango, carry-over, forwardation; S. *reporte, aplazamiento.*

contante y sonante *col* ready cash; cash on the nail *col*; S. *a tocateja, al contado rabioso.*

contar[1] *v*: count, count up, tally, reckon; include, take into account; S. *sumar.* [Exp: **contar**[2] (matter; S. *tener importancia*), **contar con** (count on, rely on, have, be equipped with, bargain for, expect; factor in; S. *incluir en los cálculos, tener en cuenta*), **contar con muchas existencias** (ACCTS carry a high inventory), **contar para algo** (be a factor; S. *merecer ser tenido en cuenta*), **contar, sin** (not counting; S. *con exclusión de, además de*), **contarse entre** (figure among, appear in, be numbered among, rank[1]; S. *figurar*)].

contención *n*: containment.

contenedor *n*: TRANSPT container; skip, dumpster *US*; bin; lift-van. [Exp: **contenedor de graneles** (bulk cargo container), **contenedor/envase para carga aérea** (TRANSPT air freight container)].

contener[1] *v*: contain, hold; keep[2]; S. *retener, mantener, contener.* [Exp: **contener**[2] (curb; check, keep/hold down/back; prevent, block; restrain; S. *impedir; reprimir, refrenar*), **contener la entrada de importaciones** (keep down/check the entry of imports)].

contenido *n*: contents, content, subject-matter. [Exp: **contenido de oro** (fineness, gold content)].

conteo *n*: count, tally; S. *recuento.*

contingencia[1] *n*: contingency, eventuality; case of need, emergency; S. *caso, urgencia.*

contingentación *n*: rationing, establishing of quotas; S. *control, restricción.* [Exp: **contingentación de divisas** (rationing of foreign exchange), **contingentar** (COM establish quotas)].

contingentado *n*: COM subject to a quota. [Exp: **contingente**[1] (contingent; quota; global quota; individual quota, ceiling, fixed amount; allotment[1]; S. *cuota, contribución, cupo*), **contingente**[2] (incidental; S. *casual*), **contingente abierto** (open-end quota), **contingente arancelario** (import quota; tariff quota; S. *cupo/quota de importación*), **contingente arancelario comunitario** (Community tariff quota), **contingente arancelario cubierto** (close-ended tariff quota), **contingente arancelario preferencial** (preference tariff quota), **contingente básico de exportación** (basic export quota), **contingente comunitario** (Community quota), **contingente nulo** (zero quota)].

continuar *v*: continue, go on, carry on; keep; S. *seguir.* [Exp: **continuidad** (continuity), **continuidad en el empleo** (continuity of employment)].

continuo *a*: continuous, continual, constant, ongoing; S. *en curso, permanente; mercado continuo.*

contra *prep*: against, counter[1]; versus; S. *recíproco.* [Exp: **contra de, en** (contrary to, opposed to), **contra documentos de embarque** (against shipping documents), **contra entrega de documentos** (COM against documents), **contra las cuerdas** *col* (FIN on the rocks *col*; cornered; V. *con dificultades financieras*), **contra reembolso** (cash/collect on delivery, COD, cod; S. *pago a reembolso*), **contra todo pronóstico** (against the odds; S. *por sorpresa, con todo en contra*)].

contra- *pref*: counter, contra. [Exp: **contraasiento** (ACCTS contra entry, reversing entry, cross-entry, offsetting entry, reversing entry), **contracuenta** (ACCTS contra account), **contrabandista** (smuggler), **contrabando** (contraband, smuggling; black-market/economy; smuggled goods; S. *estraperlo, mercado negro; pasar de contrabando*),

contrabando de armas (gun-running), **contracompra** (counterpurchase), **contracrédito** (FIN, COM back-to-back credit[1]; S. *crédito respaldado o subsidiario*), **contracuenta de absorción o de aplicación** (ACCTS absorption account), **contradecir** (contradict, conflict with; rebut), **contradicción** (contradiction, inconsistency; S. *falta de coherencia*), **contradictorio** (inconsistent, conflicting, contradictory; S. *incongruente*), **contraentrega** (counterpurchase), **contraestadía** (TRANSPT counter-demurrage; S. *sobreestadía*), **contrafianza** (back bond; back-to-back guarantee; bond of indemnity, indemnity bond; S. *fianza de indemnización, fianza de fianza*), **contragarantía** (counter-guarantee), **contraoferta** (counter-offer, counter-proposal, counter-bid; S. *contrapropuesta*), **contraopa** (rival bid to a takeover), **contraorden** (counter-order, order/instruction to the contrary), **contrapartida[1]** (counterpart), **contrapartida[2]** (ACCTS readjusting/cancelling/correcting/offsetting/balancing entry/item, contra item; offset[1]; S. *partida compensatoria*), **contrapartida de efectos pignorados, como** (INSCE against pledged securities), **contrapartida de un contrato** (LAW consideration,[2] compensation; S. *prestación, causa contractual*), **contrapesar** (counterbalance, outweigh; S. *compensar*), **contrapeso** (counterweight, makeweight; counter-poise; S. *compensación*), **contraproducente** (counterproductive), **contraproposición, contrapropuesta** (counter-motion, counter-proposal; S. *contraoferta*), **contraproyecto** (alternative proposal, rival project), **contrarrestar** (counteract; cancel out; cancel each other out; offset[1]; neutralize; S. *neutralizar, anular*), **contraseguro** (assurance of return of premiums),

contratiempo (ECO setback; V. *revés, escollo*)].
contracción *n*: contraction, shrinkage, recession, decline[1]; S. *caída, baja*. [Exp: **contracción/disminución de la demanda** (COM decline in demand)].
contractual *a*: contractual; S. *contrato*.
contraer[1] *v*: contract; shorten. [Exp: **contraer[2]** (incur; S. *ocasionar*), **contraer deudas** (incur debts, run into debt, run up debts), **contraer un empréstito** (raise a loan; S. *conseguir/obtener un crédito*), **contraer una responsabilidad u obligación** (incur a liability/an obligation)].
contrario *a/n*: contrary, adverse; opposite; opponent, adversary; S. *hostil, opuesto, adverso, desfavorable*. [Exp: **contrario a** (contrary to; S. *contraviniendo*), **contrario a la ley** (illegal, unlawful), **contrario de, al** (unlike), **contrario, de lo** (otherwise; S. *de otro modo*)].
contrastar *v*: contrast, hallmark; verify, check, check out/up on. [Exp: **contrastación** (checking; S. *comprobación, verificación*), **contraste** (contrast; S. *sello/marca de contraste*), **contraste con, en** (as compared with, as distinguished from; S. *a diferencia de*)].
contrata *n*: contract. [Exp: **contratación** (COM, STK EXCH trading, dealing), **contratación/operación bursátil** (security stock deal/transaction/trade; stock exchange operation/transaction; S. *negociación de títulos*), **contratación bursátil informatizada** (computer or computerised trade or trading), **contratación bursátil por pantalla** (STK EXCH screen trading), **contratación de futuros** (futures trading), **contratación de valores después del cierre de la sesión** (after-hours dealing/deals, street dealing), **contratación de valores por pantalla** (STK EXCH screen-based system, routing), **contratación en Bolsa**

(trading; share trading/dealings), **contratación de personal** (IND REL personnel hiring, recruiting, recruitment, staffing, taking on of workers/staff), **contratación electrónica** (electronic trading), **contratación en el tercer mercado** (STK EXCH third-market trading), **contratación informatizada de valores** (STK EXCH program[me] trading), **contratación no oficial de valores** (STK EXCH street dealing/trading; V. *venta ambulante, venta en vía pública*), **contratación por corros** (STK EXCH ring trading), **contratación programada de valores bursátiles** (programme trading), **contratar** (contract, sign up[1]; trade; recruit), **contratante** (STK EXCH placer; S. *colocador de una emisión*), **contratista** (contractor), **contratista de obras** (building contractor, builder), **contratista de transporte por carretera** (TRANSPT haulage contractor)].

contrato *n*: contract, agreement, covenant. [Exp: **contrato a la gruesa** (bottomry), **contrato a plazo/término** (STK & COMMOD EXCH forward/time contract), **contrato a plazo con tipo de interés concertado** (forward rate agreement, FRA; S. *acuerdo de interés futuro, AIF*), **contrato a plazo sobre tipos de cambio** (forward exchange agreement, FXA), **contrato a plazo sobre diferenciales de tipos de interés** (forward spread agreement, FSA; S. *margen a plazo*), **contrato a precio por determinar** (price-fixing contract, price-to-be-fixed contract), **contrato al contado** (STK & COMMOD EXCH spot contract), **contrato basura** (IND REL traineeship, short-term employment; contract on low wages and with no guarantee of job stability; job creation scheme rip-off *col*; S. *flexibilidad laboral*), **contrato bilateral** (reciprocal/bilateral contract), **contrato blindado** (ECO golden parachute; cast-iron contract *col*; contract without a loophole/chink in it; belt-and-braces contract *col*; armour-plated contract *col*; S. *blindar, blindaje*), **contrato colectivo** (joint contract), **contrato con tope máximo del tipo de interés** (STK & COMMOD EXCH cap), **contrato con tope mínimo del tipo de interés** (STK & COMMOD EXCH floor), **contrato de adhesión** (standard-form contract), **contrato de alquiler de un barco o avión para un solo viaje** (voyage charter), **contrato de aprendizaje** (indenture, articles of indenture; apprenticeship contract, traineeship; S. *contrato basura*), **contrato de compraventa** (contract of sale, purchase contract, sales contract, bill of sale; S. *contrato de venta*), **contrato de compraventa de bienes muebles** (bill of sale; S. *comprobante o documento de venta, vendí*), **contrato de corretaje** (broker note), **contrato de coste total más porcentaje fijo** (COM cost plus contract), **contrato de cuota parte** (quota-share arrangement, quota share reinsurance treaty), **contrato de divisas a plazo con premio** (STK & COMMOD EXCH premium forward exchange contract/deal), **contrato de emisión** (STK EXCH issue contract), **contrato de empleo** (IND REL contract of employment), **contrato de empréstito** (loan instrument), **contrato de exclusiva de compras** (COM exclusive dealing contract), **contrato de exceso de siniestros** (excess of loss arrangement/reinsurance), **contrato de fletamento** (TRANSPT freighting, affreightment, contract of affreightment, affreightment contract), **contrato de fletamento a casco desnudo** (TRANS MAR bare-boat charter; S. *fletamento de casco*), contrato de fletamento abierto (TRANSPT open charter), contrato de fletamento de ida y vuelta (TRANSPT round-trip charter), contrato de fletamento en forma de conocimiento de embarque o en forma de póliza de fletamento (TRANSPT affreightment), contrato de fletamento sin especificaciones (open charter), contrato de franquicia (franchise contract), contrato de fusión (amalgamation agreement), contrato de futuros (STK & COMMOD EXCH futures contract), contrato de futuros con vencimiento a largo plazo (STK & COMMOD EXCH back contract, back months contract, distant contract), contrato de futuros con vencimientos muy próximo (STK & COMMOD EXCH front/nearby contract), contrato de futuros sobre divisas (STK & COMMOD EXCH currency futures contract), contrato de futuros sobre productos (STK & COMMOD EXCH commodity futures contract), contrato de futuros o a plazo sobre tipos de interés (STK & COMMOD EXCH interest rate futures contract; forward rate agreement; S. *FRA*), contrato de gestión (management contract), contrato de inversión bancaria (FIN bank investment contract), contrato de licencia (licence agreement), contrato de locación (leasehold; S. *contrato de alquiler o arrendamiento*), contrato de mutuo (mutuum; S. *mutuo*), contrato de obra (building/construction contract), contrato de opciones (STK & COMMOD EXCH option contract), contrato de participación (equity contract), contrato de permuta financiera (swap), contrato de prenda (collateral contract), contrato de préstamo (loan/credit agreement/contract), contrato de préstamo a la gruesa (bottomry bond; S. *hipoteca a la gruesa*), contrato de primer excedente

(first surplus treaty), contrato de reaseguro (reinsurance treaty), contrato de reaseguro de excedente (surplus reinsurance), contrato de representación (agency agreement), contrato de servicios (contract of service/for services, service agreement/contract), contrato de sociedad (incorporation papers, partnership contract/agreement; articles of partnership; S. *estatutos de una sociedad, escritura de constitución social*), contrato de suministro parcial (partial-requirements contract), contrato de trabajo (contract of employment), contrato de transporte (TRANSPT bill of freight, transport contract; contract of carriage by sea; S. *carta de acarreo, carta de porte*), contrato de venta (bill of sale; S. *contrato de compraventa*), contrato de venta a plazo (hire-purchase agreement), contrato diferido con tope máximo del tipo de interés (STK & COMMOD EXCH deferred cap), contrato en bloque (package contract), contrato en curso (outstanding contract), contrato entre iguales o en pie de igualdad (arm's length contract), contrato entre un banco y el titular de una tarjeta de crédito (cardholder agreement), contrato estacional con tope máximo del tipo de interés (seasonal cap; S. *tope máximo estacional*), contrato expreso o explícito (express contract), contrato formal o por escrito (formal contract), contrato incumplido (defaulted contract), contrato innominado (innominate contract), contrato laboral de menores (IND REL infant's contract), contrato laboral o de trabajo (employment contract), contrato leonino (onerous contract; catching/unconscionable bargain), contrato limpio/neto de fletamento (TRANSPT clean charter), contrato llave en mano (turnkey contract), **contrato mixto** (mixed contract), **contrato nulo** (void contract), **contrato pendiente** (open contract), **contrato perfeccionado** (executed contract), **contrato pignoraticio** (contract of pledge), **contrato prendario** (pledge contract/agreement), **contrato por meses-hombre** (man-month contract), **contrato protocolizado o documentado** (contract under seal), **contrato recíproco** (S. *contrato bilateral*), **contrato sellado** (obligation under seal), **contrato sin causa contractual** (nude contract), **contrato sobre tipos de cambio** (FINAN exchange rate agreement, ERA), **contrato unilateral** (bare contract), **contrato verbal** (oral contract), **contrato vinculante** (binding contract)].

contravalor *n*: FIN security, exchange/exchangeable value; collateral[2]; S. *valor de cambio*)].

contravención *n*: LAW breach, infringement; S. *infracción, violación*. [Exp: **contravenir** (breach, infringe, contravene; S. *incumplir, infringir*), **contravenir los usos y costumbres mercantiles, lo dispuesto en el artículo 4.º, las instrucciones recibidas, etc.** (act contrary to/in breach or infringement of business usage, section 4, instructions, etc.), **contraviniendo** (contrary to; S. *infringiendo, contrario a, al contrario de*)].

contribución[1] *n*: COMP LAW contribution; injection; call[11]; S. *aportación, inyección, derrama*. [Exp: **contribución**[2] (tax; rate, rates; dues; impost; levy; S. *tributo, impuesto, impuesto de cooperación*), **contribución**[3] (quota; S. *cupo, contingente, cuota*), **contribución/derrama a una cooperativa de seguro por sus socios** (club call), **contribución al Fondo Monetario Internacional** (International Monetary Fund quota),

contribución directa (assessed tax; S. *impuesto liquidable*), **contribución municipal/urbana** (TAXN council tax, local property tax or charge, rates[6]), **contribución rústica/territorial/predial** (TAXN land tax, property tax)].

contribuir *v*: contribute; donate; pay taxes; S. *aportar, donar*. [Exp: **contribuir a gastos comunes** (club together; V. *escotar, pagar a prorrateo*)].

contribuyente *n*: taxpayer; ratepayer; contributor; S. *cooperante, colaborador*. [Exp: **contribuyente municipal** (TAXN ratepayer), **contribuyente municipal por actividades empresariales** (TAXN business ratepayer)].

control *n*: control, check[1]; check-up; follow-up; supervision, guidance; rationing; audit[1]; S. *verificación*. [Exp: **control a ojo** (ACCTS eyeball control *US*), **control aduanero en tránsito** (customs transit control), **control compartido** (dual control; S. *mando bicéfalo*), **control crediticio o de créditos** (credit control), **control de calidad** (COM quality control), **control de cambios** (foreign exchange regulation/control; exchange control), **control de despensa** (pantry-check), **control de divisas** (exchange control), **control de existencias** (ACCTS inventory/stock control; S. *control inventarial*), **control de gestión** (MAN management/operating control; FIN portfolio performance), **control de identificación de los códigos de redes de instituciones financieras** (MAN key management), **control de operaciones en moneda extranjera** (foreign exchange control), **control de precios y salarios** (ECO wage and price control), **control de procesos industriales** (process control), **control de seguimiento** (MAN follow-up control, supervision, monitoring, double check), **control de tarifas** (rate regulation), control interno (internal check), **control inventarial** (ACCTS inventory control; S. *control de existencias*), **control mayoritario de una empresa** (COMP LAW controlling stake of a company), **control monetario** (monetary control), **control previo** (screening), **control presupuestario** (budget control), **control riguroso** (tight control), **control riguroso de crédito** (financial stringency; S. *austeridad económica*), **controlable** (checkable; amenable to control; manageable; S. *manejable, gobernable, administrable*), **controlado por el gobierno** (state-controlled), **controlador aéreo** (air traffic controller)].

controlar *v*: control; check[1]; manage; monitor; supervise; follow up; oversee; S. *fiscalizar, regular, intervenir*. [Exp: **controlar de cerca/rigurosamente** (monitor closely, keep an eye on, keep a tight hold on; S. *llevar un control férreo*), **controlar o dominar el mercado** (rule the market)].

controversia *n*: controversy, dispute; debate; issue[3]; S. *conflicto, disputa, litigio, desacuerdo*. [Exp: **controvertible** (debatable, dubious; S. *discutible, dudoso*)].

convalidación de estudios *n*: recognition or validation of qualifications. [Exp: **convalidar** (validate)].

convencer *v*: convince, persuade, bring over/round.

convención[1] *n*: convention[1]; S. *asamblea, congreso*. [Exp: **convención**[2] (covenant; S. *convenio, pacto, contrato*), **convención colateral o de materia ajena** (collateral covenant), **Convención de la Haya** (The Hague Convention), **convencional** (conventional, customary; S. *corriente, normal, usual*)].

conveniente *a*: proper, fitting, fit, right; suitable, advisable, due[2]; expedient; S. *oportuno*. [Exp: **conveniencia** (suitability, fitness, advisability, usefulness; propriety; S. *aptitud, utilidad*)].

convenio *n*: agreement; accord, arrangement, treaty, pact[1]; contract, covenant, settlement, composition[2]; S. *acuerdo, conformidad, pacto, estipulación, contrato*. [Exp: **convenio aduanero** (tariff agreement), **convenio anexo** (addendum), **convenio basado en concesiones mutuas** (agreement on the basis of mutual concessions; accommodation[2]; S. *acomodo*), **convenio bilateral** (bilateral agreement/clearing/arrangement; S. *compensación bancaria*), **convenio bilateral de pagos** (clearing), **convenio colectivo** (IND REL collective bargaining agreement, collective wage agreement, industrial bargaining; labor contract *US*, pact[2] *US*; S. *pacto laboral*), **convenio comercial** (trade agreement), **convenio con los acreedores** (composition/settlement with creditors, settlement of creditors), **convenio condicional de reembolso** (qualified agreement to reimburse), **convenio consocial** (pooling agreement), **convenio de acreedores** (FIN creditors settlement), **convenio de asunción de préstamo** (loan assumption agreement), **convenio de compensaciones entre países** (BKG clearing agreement/arrangement), **convenio de crédito de fomento** (development credit agreement), **convenio de exclusiva** (sole agency agreement; exclusive listing *US*), **convenio de fideicomiso** (trust agreement; V. *contrato de fiducia*), **convenio de pagos** (payment agreement), **convenio del estado de contabilidad** (balance sheet covenant), **convenio ejecutivo** (executive agreement), **convenio internacional sobre mercancías** (international commodities agreement), **convenio laboral** (deal/agreement between management and workforce),

convenio mercado en mano ("market-in-hand" agreement), **convenio mutuo** (mutual agreement, joint agreement; S. *acuerdo mutuo*), **convenio recíproco** (mutual understanding), **convenio salarial** (pay/wages agrement, pay deal), **convenio salarial ajustado al coste de la vida** (index-linked wage agreement), **convenio salarial colectivo** (IND REL collective wage agreement), **convenio verbal** (gentleman's/gentlemen's agreement; S. *acuerdo entre caballeros, pacto de caballeros*)].

convenir *v*: agree; negotiate; suit; be suitable/good; be important/advisable/as well; S. *concertar, pactar, suscribir.* [Exp: **convenir, a** (to be agreed by agreement, negotiable)].

convergencia *n*: convergence; grouping, alignment, approximation, coming together; tendency, general/common direction; S. *criterios de convergencia.*

conversaciones salariales *n*: IND REL pay talks/negotiations; S. *negociación.*

conversión *n*: conversion[1]; refunding; S. *canje de divisas, etc.* [Exp: **conversión a la par** (conversion at par), **conversión de la deuda pública** (debt conversion), **conversión inversa** (reverse conversion), **conversión monetaria** (currency translation), **conversión/refinanciación/renegociación de un empréstito/préstamo** (refunding/restructuring of a loan)].

convertibilidad *n*: convertibility. [Exp: **convertibilidad del dólar en oro** (FIN gold window *US*), **convertibilidad gratuita** (free convertibility), **convertible** (FINAN convertible), **convertible, no** (non-convertible), **convertir** (convert,[1] change; turn into; transform; repackage; S. *transformar, canjear*), **convertir en dinero** (cash,[1] realize assets; S. *cobrar*), **convertirse en realidad** (materialize; S. *materializarse, sustanciarse*)].

convexidad *n*: FINAN convexity.

convincente *a*: convincing, persuasive; cogent; S. *lógico, persuasivo.*

convocar *v*: convene, summon; call for; S. *citar, emplazar, llamar, pedir, requerir.* [Exp: **convocar a concurso o licitación** (call for bids; S. *sacar a licitación pública*), **convocar a licitadores** (invite tenders, invite to tender; S. *llamar a licitación, abrir licitación, sacar a concurso*), **convocar una junta, una huelga, elecciones, etc.** (call a general meeting, a strike, an election, etc.)].

convocatoria *n*: call,[4] summons; notice of meeting; convening; S. *llamamiento, emplazamiento, citación.* [Exp: **convocatoria a licitadores** (invitation to bidders; S. *llamada a licitación, citación a licitadores*), **convocatoria de propuestas** (call for bids; S. *concurso*)].

convulsión *n*: upheaval, unrest, disturbance; riot. [Exp: **convulsiones políticas** (polical upheaval/storm; S. *alborto, trastorno, tumulto*)].

coordenadas *n*: parameters, coordinates; frame of reference, données; S. *marco de referencia, parámetros.*

copia *n*: ADVTG copy, duplicate; S. *duplicado.* [Exp: **copia certificada/auténtica** (certified copy), **copia de un documento legal** (certified/authenticated copy), **copia de un documento sin valor transaccional** (copy not negotiable), **copia en limpio** (fair copy), **copia exacta** (true copy), **copia heliográfica** (blueprint[1]; S. *cianotipo*), **copia maestra** (master copy), **copia para el archivo** (file copy), **copiadora** (photocopier), **copiar** (copy, duplicate)].

corporación *n*: corporation, body,[1] guild. [Exp: **corporación de beneficencia** (charitable corporation), **Corporación Bancaria del Estado** (BKG National Savings Bank, Post Office Savings Bank), **Corporación Financiera Inter-**

nacional (International Finance Corporation, IFC), **corporación local** (local authority/government, corporation, council; S. *administración local*), **corporación pública/estatal** (COMP LAW government-owned/-run enterprise; S. *entidad de derecho público*), **corporativismo** (esprit de corps; professional favouritism; covering up for one's colleagues), **corporativo** (COMP LAW corporate; S. *societario, social*)].

corpóreo *a*: corporeal; tangible; real; physical[1]; S. *físico, material, real, tangible*.

corrección *n*: correction, adjustment[1]; alteration; amendment; reaction; S. *rectificación, modificación, reacción, reajuste*. [Exp: **corrección valorativa** (ACCTS valuation changes), **correcto** (right, correct, accurate; S. *exacto*)].

corredor *n*: STK & COMMOD EXCH middleman, dealer; jobber; broker; S. *intermediario, agente, agente de cambio y bolsa, comisionista*. [Exp: **corredor de apuestas** (bookmaker, bookie *col*), **corredor de arrendamiento financiero** (lease broker), **corredor/agente de bloques de títulos** (block positioner), **corredor de Bolsa** (broker; dealer,[2] market maker; jobber; S. *agente mediador, intermediario financiero*), **corredor de cambios** (money broker, bill broker; S. *intermediario de efectos, cambista*), **corredor de comercio** (STK & COMMOD EXCH broker; exchange broker; S. *agente; comisionista, intermediario*), **corredor de fincas** (estate agent; realtor *US*; S. *agente de la propiedad inmobiliaria*), **corredor de fletes o de carga** (TRANSPT cargo broker), **corredor de materias primas** (STK & COMMOD EXCH commodity broker), **corredor de obligaciones** (BKG bill broker; S. *corredor de cambios*), **corredor de picos** (STK EXCH odd-lot broker/dealer),

corredor/agente de préstamos (STK EXCH discount agent/broker), **corredor de seguros** (insurance broker; S. *agente de seguros*), **corredor de seguros marítimos** (marine insurance broker/underwriter), **corredor del armador** (TRANSPT owner's broker), **corredor fletador** (TRANSPT chartering broker), **correduría** (STK EXCH firm of brokers/dealers; brokerage; S. *casa de corretaje*), **correduría de Bolsa** (stockbroking)].

correlación *n*: correlation; relationship: distribution, balance. [Exp: **correlación de fuerzas** (balance of power; S. *equilibrio de fuerzas*), **correlación múltiple** (multiple correlation), **correlación por rangos** (ECO rank correlation), **correlación serial** (serial correlation)].

correo *n*: post; mail; courier[2]. [Exp: **correo aéreo** (airmail, AM), **correo certificado** (certified/registered mail), **correo certificado con acuse de recibo** (recorded delivery), **correo/guía de turismo** (courier[1]), **correo electrónico** (e-mail, electronic mail), **correo franqueado** (franked mail), **correo no solicitado** (junk mail; S. *propaganda enviada por correo*), **correo ordinario** (regular/ordinary mail, bulk mail *US*), **correo, por** (by mail), **correo prioritario** (first-class mail), **Correos** (Spanish mail service, Spanish General Post Office or GPO, post office)].

correr *v*: run, rush, hurry; flow, pass, go; elapse; count, be counted; be payable, count for sb; S. *pasar, transcurrir, vencer, contar, contabilizar*. [Exp: **correr a cargo de** (be chargeable to), **correr con** (defray; bear[5]; meet; S. *sufragar*), **correr con los gastos** (bear the expenses; foot the bill *col*), **correr el/un riesgo** (incur/run/assume the/a risk of)].

correspondencia *n*: correspondence, mail; S. *carta, correo*. [Exp: **correspondencia**

comercial (business correspondence), **correspondencia despachada** (outgoing mail), **correspondencia recibida** (incoming mail), **corresponder**[1] (agree with, correspond, match, fit, go with, accord with; S. *coincidir, estar/ponerse de acuerdo*), **corresponder**[2] (concern,[3] fall to sb's lot, be sb's business/job, be up/down to, devolve upon; S. *afectar, tocar, concernir*), **corresponder**[3] (reply, give in return; repay; return, respond, correspond), **correspondiente** (corresponding, concerned; due[2]; appropriate, respective; S. *debido, apropiado*)].

corresponsal *n*: correspondent, agent; S. *representante, agente*. [Exp: **corresponsal bancario** (BANCA correspondent bank; S. *banco agente, banco corresponsal*)].

corretaje *n*: STK EXCH brokerage; factorage; broker's commission; S. *comisión de corretaje*. [Exp: **corretaje marítimo** (shipbroking)].

corriente[1] *n*: flow, current; S. *flujo, movimiento*. [Exp: **corriente**[2] (current; ruling; common, ordinary, routine, standard; general; plain; going; S. *vigente, habitual, normal*), **corriente**[3] (instant; S. *del mes*), **corriente, al** (up-to-date; aware, informed, well up with the news *col*; au fait; S. *tener a uno al corriente*), **corriente/flujo de productos/mercancías** (commodity flow), **corriente en el pago, al** (up to date in one's payments), **corriente externa** (external flow), **corriente/flujo monetario** (monetary flow), **corriente marina** (current), **corriente, ser** (be common, usual, standard or rife; S. *ser muy frecuente, darse mucho*), **corrientes, los** (instant, inst; S. *el mes actual*)].

corro *n*: STK EXCH ring, pit.

corroborar *v*: confirm; bear out; S. *confirmar, ratificar*.

corrupción *n*: corruption, bribery, graft[1]; sleaze *col*; the rackets *col*; S. *soborno, cohecho, factor corrupción*. [Exp: **corruptela** (corrupt or illegal practice; abuse; sleaze; S. *práctica ilegal*)].

corsario empresarial *n*: corporate raider.

cortar *v*: cut, cut out, cut off[2]; axe; prune; carve; S. *suspender, interrumpir*. [Exp: **corte** (cut, cutoff, cutback), **corte de fluido eléctrico** (power cut/failure), **corte de pelo** *col* (STK EXCH haircut *col*; S. *recorte, ajuste*), **corte en los inventarios** (ACCTS inventory cutback/cutoff), **corte representativo/transversal** (cross-section; S. *sección transversal*)].

corto *a*: short; S. *vender corto*. [Exp: **corto de base** (STK & COMMOD EXCH short on the basis, short hedge), **corto plazo** (ECO short run/term), **corto plazo, a** (short-dated, short-term)].

cosecha *n*: crop; yield, harvest, harvesting, harvest time; S. *producción agrícola*. [Exp: **cosecha récord o extraordinaria, cosechón** (bumper crop), **cosechador** (cropper), **cosechar** (harvest, gather, gather in, pick, reap; cultivate, grow; S. *cultivar*), **cosechero** (planter; S. *hacendado, colono*)].

costa[1] *n*: coast. [Exp: **costa**[2] (cost, price; S. *coste, precio, gastos*), **costas** (legal costs)].

costado *n*: side. [Exp: **costado del buque** (side of a ship), **costado del barco, al** (TRANSPT alongside, alongside ship; S. *en el muelle, atracado*)].

costal *n*: sack, bag; S. *saca, saco, bolso, bolsa*.

costar *v*: cost; S. *valer*.

coste *n*: cost; charge[1]; expense; S. *precio, gastos; costes*. [Exp: **coste a pleno rendimiento o capacidad** (capacity cost), **coste absorbido/aplicado** (ACCTS absorbed/applied cost), **coste adicional** (additional cost), **coste alternativo** (ECO alternative cost/alternative use cost; S. *coste de oportunidad*), **coste amor-**

tizable (depreciable cost), **coste asignado/imputado** (allocated cost), **coste común a dos o más productos** (joint cost), **coste contable** (book cost), **coste corriente o de reposición** (ACCTS current cost), **coste de acceso** (ECO entry cost), **coste de adquisición** (acquisition cost), **coste de almacenamiento** (storage/carrying cost), **coste de capacidad no utilizada** (idle capacity cost), **coste de capital** (cost of capital), **coste de desembolso o gasto corrientes** (current-outlay cost), **coste de emisión** (STK EXCH flotation cost), **coste de endeudamiento** (FIN capital-debt ratio), **coste de estructura** (ACCTS overhead cost), **coste de fabricación** (factory/manufacturing cost), **coste de inactividad del capital** (FINAN carrying cost of capital), **coste de la inversión** (capital cost; S. *gastos de fundación o de instalación*), **coste de la prima por reembolso anticipado** (FIN call premium costs), **coste de la prima por reembolso anticipado después de impuestos** (after-tax call premium costs), **coste de la vida** (cost of living; S. *ajustado al coste de la vida*), **coste de la vida en aumento/creciente** (rising cost of living), **coste de la gestión del cobro de deudas** (factoring charges), **coste de la deuda** (cost of debt), **coste de los factores** (factor cost), **coste de los factores, al** (at factor cost), **coste de los materiales** (materials cost), **coste de los productos financieros** (financial resource costs), **coste de mano de obra o de personal** (labour cost; S. *coste laboral*), **coste de mantenimiento** (upkeep/maintenance cost), **coste de manipulación** (handling charge), **coste de oportunidad** (ECO opportunity cost, economic cost, alternative cost/alternative use cost; S. *coste alternativo*), **coste de oportunidad perdida** (lost-opportunity cost), **coste de**

producción de la oferta global (aggregate supply price), **coste de reemplazo/reposición** (replacement cost, active cash value; S. *valor real en el mercado*), **coste de reposición de un activo** (ACCTS asset replacement cost; S. *valor de reemplazo de un activo*), **coste de ruptura** (MAN, ACCTS break cost), **coste de saldos excesivos** (excess cash balance cost), **coste de sostenimiento** (standby cost), **coste de supresión o de mitigación** (abatement cost), **coste del capital común** (ACCTS cost of equity, equity capital cost), **coste del capital común después de deducir impuestos** (ACCTS after-tax cost of equity), **coste del tiempo perdido** (ACCTS idle time labour cost), **coste diferencial** (differential cost), **coste directo** (direct cost), **coste efectivo de reposición** (actual cash value), **coste en divisas** (foreign exchange cost), **coste en el lugar convenido** (laid down cost), **coste en moneda nacional** (on-shore cost, local cost), **coste estimado/estimativo** (estimated cost; S. *coste estimativo*), **coste fijo** (fixed/constant cost/overhead; period cost *US*), **coste histórico** (historical cost, flat cost), **coste identificado** (ACCTS identified cost; S. *precio neto de adquisición*), **coste imputado** (ACCTS imputed cost), **coste incremental, diferencial, marginal** (incremental cost), **coste inicial** (initial cost), **coste laboral, de personal o de mano de obra** (labour cost), **coste marginal** (ECO marginal cost; S. *coste incremental*), **coste marginal a largo plazo** (long-run/long-term marginal cost, LRMC; S. *long-term*), **coste marginal de adquisición de alguno de los factores** (ECO marginal factor cost), **coste más honorarios profesionales** (cost-plus), **coste medio** (ECO average cost), **coste medio de mano de obra** (average labour cost), **coste medio por unidad** (average cost per unit; S. *coste unitario medio*), **coste medio total por unidad producida** (average total unit cost), **coste medio unitario** (average unit cost), **coste menos amortización** (cost less depreciation), **coste neto** (ACCTS net cost), **coste neto de financiación** (cost of carry), **coste original** (historical cost), **coste por elementos o conceptos** (ACCTS object cost), **coste por pago de intereses** (interest cost), **coste por unidad de producción** (average cost per unit; S. *coste medio por unidad, coste unitario medio*), **coste/gasto producido** (consumed cost, cost incurred), **coste presupuestado** (budgeted cost), **coste primitivo/originario** (historical, original or aboriginal cost), **coste real** (actual cost), **coste, seguro y flete** (TRANSPT cost, insurance and freight, CIF), **coste total** (all-in cost; S. *precio todo incluido*), **coste unitario identificado** (ACCTS identified unit cost), **coste unitario marginal** (marginal unit cost), **coste unitario medio** (average cost per unit; S. *coste medio por unidad*), **coste y flete** (TRANSPT cost and freight, CAF), **coste y riesgo propios** (own cost and risk), **coste y seguro** (cost and insurance, c&i), **costes acumulados** (accrued costs), **costes básicos de producción** (prime costs), **costes básicos o iniciales** (baseline costs), **costes comprometidos** (committed costs/resources), **costes crecientes** (increasing costs), **costes de aceptación** (BKG acceptance costs), **costes de agencia** (COMP LAW agency costs), **costes de comercialización** (marketing costs/expenses), **costes de conservación** (holding costs), **costes de explotación/operación** (operating costs), **costes de instalación** (installation costs), **costes de morosidad** (default costs), **costes de transacción** (transaction costs), **costes**

decrecientes (decreasing costs), **costes excepcionales** (abnormal costs), **costes extraordinarios** (after costs; extraordinary items; S. *sobrecarga*), **costes fijos** (ACCTS fixed charges; on-costs), **costes implícitos** (ACCTS implicit costs), **costes indirectos/generales/de estructura** (running expenses, overhead costs, overheads), **costes iniciales de fabricación** (setting up costs, setup costs), **costes laborables unitarios** (unit labour costs), **costes no incorporables** (exceptional non-recurring costs), **costes promediados** (rolled costs), **costes prorrateados** (apportioned costs), **costes proyectados** (scheduled costs), **costes totalmente asignados** (ACCTS fully allocated costs)].

costear[1] *v*: coast; S. *costa*. [Exp: **costear**[2] (cost, finance; pay for; afford; S. *financiar*), **costeo** (ACCTS costing; S. *fijación de precios, presupuesto*), **costeo de absorción** (FIN absorption costing, full costing; S. *costeo total, absorción de costes*), **costeo funcional** (functional costing), **costeo total** (absorption costing, full costing; S. *absorción de costes, costeo de absorción*)].

costo *n*: S. *coste*. [Exp: **costoso** (expensive, costly, dear, pricey/pricy *col*)].

costumbre *n*: custom[1]; practice[1]; S. *práctica, uso*. [Exp: **costumbre/usanza de plaza** (local custom, custom of trade, trade usage), **costumbres comerciales** (commercial usage/practice; S. *usos comerciales*), **costumbres nacionales** (local customs; customs of a country; S. *práctica comercial*)].

cota *n*: benchmark; height; height above sea level; contour, mark, level, proportion. [Exp: **cota cero** (sea level, contour zero, official mark to which heights above sea level refer; S. *punto de referencia*.

cotejar *v*: collate, compare; check[1]; S.

verificar, compulsar. [Exp: **cotejar con** (check against), **cotejo** (collation, comparison; S. *comparación*), **cotejo de letra** (comparison of handwriting)].

cotidiano *a*: daily, everyday, day-to-day; S. *rutinario, diario, día a día.*

cotizado *a*: listed; S. *registrado.*

cotización[1] *n*: listing; quotation; price, exchange[3]; rate[2]; S. *precio, cambios, oferta.* [Exp: **cotización**[2] (contribution; S. *cuota*), **cotización a la seguridad social** (IND REL National Insurance contribution), **cotización al cierre de un valor** (FINAN closing price/quotation), **cotización a plazo** (forward rate), **cotización automatizada de valores en los mercados bursátiles regidos por las normas de NASD** (STK EXCH National Association of Dealers in Securities Automated Quotation, NASDAQ), **cotización de apertura** (opening price), **cotización de divisas** (rate of exchange; S. *cambio, tasa/tipo de cambio*), **cotización de las acciones** (share price, share price index, quotation of stocks), **cotización de precios** (share prices, prices, price quotation), **cotización de valores en Bolsa** (STK EXCH listing; S. *listado, admisión de un valor en Bolsa, derecho a cotizar en Bolsa*), **cotización directa** (STK & COMMOD EXCH direct quotation), **cotización en Bolsa, con** (quoted), **cotización en firme** (firm quotation), **cotización en el mercado bursátil** (Stock Market price, quotation on the Stock Market), **cotización ex-cupón** (ex-coupon quotation), **cotización indirecta** (MERC DINER indirect quotation), **cotización más baja en Bolsa** (STK EXCH lowest price, bottom[2]; S. *suelo*), **cotización media** (average rate/price/quotation), **cotización no oficial** (price on the free market), **cotización oficial en Bolsa** (STK EXCH official quotation; S. *precio oficial*),

cotización ofrecida (STK & COMMOD EXCH ask/asked/asking price), **cotizaciones máximas y mínimas** (STK EXCH highs and lows)].

cotizar *v*: STK EXCH quote, list[2]. [Exp: **cotizar en Bolsa** (STK EXCH be listed on the Stock Exchange, stand in a market; V. *sacar a Bolsa, salir a Bolsa*), **cotizar un precio** (quote/name/make a price), **cotizarse** (STK EXCH trade, be quoted, stand at, be valued at, be worth)].

coyuntura *n*: trend, juncture, situation, climate, circumstances, conditions; S. *evolución de la coyuntura, política coyuntural.* [Exp: **coyuntura económica/industrial** (business/industrial trend; economic/industrial trend/situation/movement/prospects/condition; S. *ciclo económico; encuesta de coyuntura industrial*), **coyuntural** (current, present; prevailing, temporary, interim; circumstantial; S. *eventual, temporero; estructural*)].

CPE *n*: S. *compra por ejecutivos.*

crac *n*: crash, collapse, bankruptcy, failure; S. *derrumbamiento, desplome, ruina; hacer crac.*

creación *n*: creation, establishment, setting up; s. *diseño, establecimiento.* [Exp: **creación de imagen** (image building US; S. *asesoría de imagen*), **creación/fomento del empleo** (job creation), **creador** (originator), **creador de mercado** (STK EXCH market-maker; dealer[2]; S. *agente mediador, sistema de creador de mercado*), **creador de mercado de deuda pública** (public debt market maker), **crear** (establish, set up, create, build up[1]; fashion; S. *fundar, montar, instituir, elaborar*), **crear la imagen de un producto** (STK & COMMOD EXCH package[3] a product; market a commodity), **crear mercado** (STK & COMMOD EXCH make a market), **crear un producto** (COM develop a product),

crear/fundar una sociedad o institución (set up/found a company or instituiton), **creativo** (creative; S. *innovador*)].

crecer *v*: develop, grow, expand, increase; escalate; S. *desarrollarse*. [Exp: **creciente** (growing, growth, increasing, expanding, rising), **crecimiento** (ECO growth, increase, development; S. *desarrollo, incremento*), **crecimiento acumulado** (accrued growth), **crecimieto cero** (zero growth), **crecimiento de capital** (FINAN capital growth), **crecimiento del endeudamiento** (increase in indebtedness), **crecimiento demográfico** (increase in/of population), **crecimiento económico** (economic growth; increase in economic activity, economic take-off; S. *despegue económico*), **crecimiento equilibrado** (balanced growth), **crecimiento exponencial** (exponential growth), **crecimiento gradual** (gradual growth/development; accrual; S. *aumento gradual*), **crecimiento rápido** (boom; S. *auge, alza*), **crecimiento sostenido** (steady growth), **crecimiento vegetativo** (ECO natural increase)].

credibilidad *n*: credit,[4] credibility; reliability, reputation; S. *reputación*.

crediticio *a*: credit.

crédito[1] *n*: BKG credit, accommodation, loan. [Exp: **crédito**[2] (reliability, reputation, standing; S. *confianza, credibilidad, fiabilidad, reputación; digno de crédito*), **crédito**[3] (ACCTS credit[2]; S. *abono*), **crédito, a** (on credit/trust), **crédito a corto plazo** (short credit; s. *crédito autorrenovable rotatorio o a corto plazo*), **crédito a devolver de una sola vez** (non-instalment credit), **crédito a interés fijo/variable** (fixed-rate/variable or floating rate credit), **crédito a la construcción** (building loan), **crédito a**
la exportación (export credit), **crédito a la vista** (sight letter of credit), **crédito a plazo** (term credit/loan), **crédito a plazo pendiente de pago** (outstanding instalment credit), **crédito a una sola firma** (unsecured credit; S. *crédito en blanco*), **crédito abierto** (BKG open-end credit; revolving credit, revolving line of credit, charge account credit), **crédito agrícola** (farm credit), **crédito al consumo/consumidor** (consumer credit), **crédito al descubierto** (credit overdraft, overdraft facility), **crédito al mercado** (STK & COMMOD EXCH margin buying), **crédito autorizado** (ACCTS appropriation[1]), **crédito autorrenovable, rotatorio o a corto plazo** (revolving underwriting facility, RUF; V. *emisión renovable garantizada*), **crédito bancario** (bank accommodation, bank credit/lending/loan/advances; personal loan), **crédito blando** (soft credit), **crédito bursátil flotante** (floating security investment credit), **crédito comercial** (commercial/trade credit), **crédito compensado** (fully collateralized credit), **crédito compensatorio** (offset credit or loans), **crédito con caución** (secured credit), **crédito con fianza** (secured/guaranteed credit/loan), **crédito con garantía** (standby credit; secured loan), **crédito con garantía de otro crédito** (back-to-back credit), **crédito con garantía personal** (FIN personal loan, home-equity credit line), **crédito con garantía real o prendaria** (FIN collaterallized credit, secured loan), **crédito con vencimiento a plazo** (time loan), **crédito confirmado** (confirmed credit), **crédito contingente o de emergencia** (stand-by/standby[3] credit; S. *crédito de disposición inmediata*), **crédito cruzado o recíproco** (swap; crossed loan), **crédito de aceptación** (acceptance credit), **crédito de acep-**

tación documentario (BKG documentary acceptance credit), **crédito de apoyo** (back-up credit; standby credit; V. *crédito de disposición inmediata*), **crédito de aval, caución o garantía** (guaranteed/secured credit), **crédito de caja** (cash credit; S. *descubierto bancario*), **crédito de cláusula roja** (COMER red clause credit), **crédito de contigencia** (standby credit; S. *crédito con garantía),* **crédito de cuenta abierta** (BKG open account credit), **crédito de descuento** (discount credit), **crédito de disposición inmediata** (standby credit; V. *crédito de apoyo*), **crédito de emergencia** (stop-gap loan; transitional credit; emergency credit), **crédito de explotación** (working credit), **crédito de financiación** (financial credit), **crédito de firma** (BKG off-balance-sheet exposure; S. *riesgo de firma*), **crédito de igualación** (equalization claim), **crédito de importación para fines de reconstrucción** (reconstruction import credit, RIC), **crédito de inmediata disposición** (standby credit), **crédito de mutuo respaldo** (back-to-back loan), **crédito de pago diferido** (deferred payment credit), **crédito de posfinanciación/prefinanciación a la exportación** (post-shipment/pre-shipment export financing), **crédito de reembolso** (BKG, COM documentary acceptance credit, reimbursement credit), **crédito de refinanciación** (refinance credit), **crédito de respaldo** (BKG back-up credit), **crédito descubierto** (overdraft credit), **crédito documentario** (BANCA, COMER documentary letter of credit, documentary credit; S. *carta de crédito*), **crédito documentario a plazo con pago diferido** (deferred payment documentary credit), **crédito documentario automáticamente renovable** (revolving documentary credit; V. *crédito documen-*tario rotativo), **crédito documentario de cláusula roja** (red clause credit), **crédito documentario de cláusula verde** (green clause credit), **crédito documentario garantizado** (back-to-back credit), **crédito documentario irrevocable** (irrevocable documentary credit), **crédito documentario mediante letra a plazo** (reimbursement letter of credit), **crédito documentario por aceptación/negociación** (documentary credit available by acceptance/negotiation), **crédito documentario revocable** (revocable documentary credit), **crédito documentario rotativo o automáticamente renovable** (revolving documentary credit), **crédito documentario subsidiario** (back-to-back credit), **crédito dudoso** (doubtful debt), **crédito en blanco** (blank credit, open credit, unsecured credit), **crédito en cuenta corriente** (overdraft; overdraft facility, current/running account credit *US*), **crédito en descubierto** (credit overdrawing; bank overdraft), **crédito encubierto** (BKG accommodation[3]; S. *préstamo a corto plazo*), **crédito exigible o denunciable** (callable loan), **crédito fácil** (BKG, FIN cheap money; S. *dinero barato*), **crédito garantizado** (secured loan), **crédito hipotecario** (mortgage/mortgaging credit; loan on landed property), **crédito hipotecario de interés variable** (FIN adjustable rate mortgage, ARM), **crédito ilimitado** (demand credit), **crédito incobrable** (bad debts; irrecoverable debt), **crédito inmobiliario** (real estate loan), **crédito instantáneo** (instant credit), **crédito irrevocable** (FIN irrevocable credit, fixed credit line), **crédito irrevocable confirmado** (confirmed irrevocable credit), **crédito mercantil** (goodwill; S. *fondo de comercio*), **crédito mercantil negativo** (badwill), **crédito mobiliario** (chattel mortgage), **crédito multidivisa** (multi-currency credit), **crédito negociable** (negotiable letter of credit), **crédito no confirmado** (unconfirmed credit), **crédito no documentario** (clean letter of credit), **crédito no respaldado por activo equivalente** (FIN impaired credit), **crédito a la exportación** (official export credit), **crédito para la compra a plazos** (FIN, COM instalment credit), **crédito participativo** (participating credit), **crédito personal** (personal loan, consumer loan), **crédito pignoraticio** (secured credit, asset-backed credit), **crédito provisional/puente o de empalme** (FIN bridge/bridging loan), **crédito presupuestario** (ACCTS appropriation,[1] budget/budgetary appropriation; S. *autorización/asignación presupuestaria*), **crédito provisional** (temporary loan, bridge-over credit), **crédito puente** (bridge/bridging loan), **crédito recíproco o cruzado** (swap credit), **crédito recíproco al descubierto** (swing credit), **crédito renovable** (roll-over credit; revolving credit), **crédito renovable automáticamente** (revolving credit; open-end credit; revolving line of credit), **crédito renovable/refinanciable a interés variable** (rollover credit/loan), **crédito respaldado o subsidiario** (FIN, COM secured credit; S. *contracrédito*), **crédito rotativo** (revolving credit), **crédito rotativo convertible en crédito de plazo fijo** (FIN convertible revolving credit), **crédito simple** (clean credit; clean letter of credit), **crédito sindicado** (syndicated loan), **crédito suplementario** (further/additional/supplementary credit), **crédito transferible** (endorsable credit), **créditos** (accounts receivable; S. *cuentas en cobranza, clientes*), **créditos autorizados** (appropriation; S. *asignación de recursos*), **créditos de dudoso cobro** (doubtful debts; S. *impagados,*

morosos), **créditos de inversión** (investment appropriation/credits), **créditos dobles o swap** (swap credit)].

cría *n*: breeding, livestock rearing. [Exp: **cría de ganado** (livestock rearing/raising, animal breeding/husbandry), **cría de pollos** (chicken farming)].

crisis *n*: crisis; emergency; crunch *col*; S. *urgencia, estado de necesidad*. [Exp: **crisis bancaria** (banking crisis), **crisis crediticia** (credit crunch/squeeze), **crisis/restricción de liquidez** (liquidity squeeze), **crisis/depresión económica** (slump, economic depression; S. *recesión grave, depresión*), **crisis energética** (energy crisis/crunch; S. *escasez de energía*)].

criterio *n*: standard, criterion; discretion, opinion, view, judgement, principle; canon, benchmark; S. *norma, rasero*. [Exp: **criterios contables** (accounting standards, Statements of Standard Accounting Practice; accounting principles; S. *principios de contabilidad*), **criterios de convergencia** (convergencia criteria), **criterios normalizados de auditoría** (auditing standards; S. *normas de auditoría*)].

croquis *n*: design,[1] sketch, outline; S. *dibujo, diseño, plan, boceto*.

cruce *n*: cross[1]; crossing, crossover; S. *cruz*. [Exp: **cruce/choque de piquetes de huelguistas de dos sindicatos rivales** (IND REL cross-picketing), **cruce de operaciones bursátiles** (STK EXCH cross[2]; S. *transacción cruzada*)].

crudo *a/n*: raw, crude; crude oil. [Exp: **crudo de referencia** (benchmark crude; marker crude/price; V. *índice de referencia*)].

cruz *n*: cross[1]; S. *cruce*. [Exp: **cruz y raya** *col* (full stop *col*; period *US col*; and that's the end of the matter; there's no more to be said; I'm through with it; V. *borrón y cuenta nueva*), **cruzado** (crossed, cross-), **cruzar** (cross[1])].

CSB *n*: S. *Consejo Superior Bancario.*

cuaderno *n*: notebook. [Exp: **cuaderno de bitácora** (TRANSPT log-book[2], ship's book/journal; S. *diario de navegación*), **cuaderno de inspección de vehículos** (TRANSPT log-book)].

cuadrado *n*: square, squared; S. *cubo*. [Exp: **cuadrar** (add up, balance, reconcile; tally; S. *computar, equilibrar*), **cuadrar las cuentas** (get the accounts to balance, balance, reconcile the accounts), **cuadrar una cuenta** (balance an account; S. *saldar/liquidar una cuenta*)].

cuadrícula *n*: grid; S. *red, rejilla*. [Exp: **cuadrícula de compras** (buy grid)].

cuadrilla *n*: gang; team, squad, gang of workmen. [Exp: **cuadrilla de estibadores** (team of dockers or longshoremen gang), **cuadrilla de peones/obreros** (gang/squad of labourers or workmen or navvies *col*)].

cuadro *n*: picture, schedule, chart; frame,[1] cadre, team of executives; S. *plan, lista, horario*. [Exp: **cuadro de amortización de un préstamo** (debt repayment schedule[1]), **cuadro de amortizaciones** (ACCTS, FIN redemption table; depreciation schedule), **cuadro de avería** (INSCE average statement; S. *estado de avería*), **cuadro de demanda** (ECO demand schedule), **cuadro de conciliación** (reconciliation table), **cuadro de mando de la gestión empresarial** (MAN management rule-book, fact book), **cuadro de periodificación** (ACCTS lapsing schedule; S. *programa de vencimientos*)].

cualidad *n*: quality, property, feature, virtue, attribute; S. *atributo, calidad*.

cualificado *a*: skilled, qualified[1]; S. *preparado, idóneo, capaz, apto*. [Exp: **cualificado, no** (unskilled)].

cualitativo *a*: qualitative.

cuando *conj/adv*: when, whenever. [Exp: **cuando le venga bien** (at your earliest convenience; S. *tan pronto como le sea posible, en el momento propicio*), **cuando sea de aplicación** (when/where applicable; S. *en su caso*)].

cuantía *n*: amount, full amount; level; quantum; claim, amount claimed, extent of a claim; S. *importe o monto total*. [Exp: **cuantificable** (quantifiable), **cuantificación** (assessment, quantum of damages), **cuantificar** (quantify), **cuantioso** (high, substantial, large, heavy, considerable), **cuantitativo** (quantitative)].

cuarentena *n*: quarantine; S. *poner en cuarentena*.

cuartel general *n*: headquarters, HQ; S. *sede principal*.

cuartil *n*: quartile; S. *percentil*,

cuasi *adv*: quasi-. [Exp: **cuasicontrato** (quasi-contract), **cuasientrega** (constructive delivery), **cuasicapital** (quasi-equity), **cuasidinero** (ACCTS near money)].

cuba *n*: barrel, cask, csk; S. *tonel, barrica*.

cubo *n*: cube; S. *cuadrado*.

cubertada *n*: deck cargo; S. *cubierta, carga sobre cubierta*.

cubicación *n*: measurement; S. *aforo, arqueo, medida, dimensión, volumen*.

cubierta *n*: cover[5]; S. *jacket, sleeve; deck; tapa, portada*. [Exp: **cubierta de un buque** (TRANSPT deck), **cubierta, bajo/sobre** (TRANSPT below/on deck), **cubierto** (covered, concealed, hidden; protected; hedged; S. *amparado, encubierto*)].

cubrir *v*: cover[6]; protect, hedge; fill; fill in/out; include. [Exp: **cubrir aceptaciones** (provide for acceptance), **cubrir gastos** (ECO, COM clear costs, cover the cost, break even[1]), **cubrir los contratos de futuros** (STK & COMMOD EXCH hedge[2] futures), **cubrir un déficit** (make good a deficit), **cubrir un riesgo** (cover a risk, ensure against a risk), **cubrir una gama**

(range over; cover a range; S. *abarcar*), **cubrir una necesidad** (meet a need, cover a deficiency/shortfall), **cubrir una vacante** (fill a seat/post/vacancy; S. *ocupar una vacante*), **cubrirse** (STK & COMMOD EXCH, INSCE cover[1]; hedge; S. *protegerse*), **cubrirse contra el riesgo de la inflación** (cover oneself/hedge against inflation), **cubrirse o asegurarse con una prenda** (secure/cover oneself, be covered by a guarantee or change)].

cuello *n*: neck. [Exp: **cuello de botella** (bottleneck; S. *estrangulamiento, atasco*), **cuello de una prenda** (collar[1] of a garment)].

cuenca carbonífera *n*: coalfield. [Exp: **cuenca minera** (coalfield; mining area)].

cuenta *n*: account, a/c, A/c, acct[1]; bill[1]; statement; tally; reckoning; S. *factura, nota*. [Exp: **cuenta, a** (on account), **cuenta a la vista** (BKG call deposit account), **cuenta a plazo** (instalment account), **cuenta a plazo fijo** (BKG fixed deposit account, deposit account, D/A, time deposit, account subject to notice; S. *imposición a plazo, cuenta con preaviso de retiro*), **cuenta a/por pagar** (account payable; S. *cuentas a pagar*), **cuenta a/por cobrar, cuenta a recibir** (account receivable; S. *cuentas a recibir*), **cuenta abierta** (BKG charge account, open account *US*), **cuenta abierta o de crédito entre proveedor y cliente** (credit account), **cuenta abierta por asiento contable** (ACCTS book account), **cuenta acreedora** (credit account, account payable; S. *cuenta de crédito*), **cuenta activa** (BKG active account), **cuenta administrada por terceros en nombre del titular** (custodial account; S. *cuenta fiduciaria*), **cuenta ajena, por** (for somebody else, for an employer, as sb's employee, in sb's employ; S. *por cuenta propia*), **cuenta al descubierto** (overdrawn account, account in the red;

S. *números rojos*), **cuenta auditada** (audited statement), **cuenta auxiliar** (ACCTS adjunct account), **cuenta bancaria** (BKG bank account), **cuenta bancaria de profesional** (BKG client account), **cuenta bloqueada/congelada** (blocked/frozen account; S. *cuenta intervenida judicialmente*), **cuenta bursátil discrecional** (STK EXCH discretionary account), **cuenta certificada o auditada** (audited statement), **cuenta codificada** (BKG coded account), **cuenta colectiva** (collective account; partnership account), **cuenta combinada** (ACCTS omnibus account), **cuenta comercial** (business account), **cuenta compensatoria** (closing account; S. *cuenta de cierre*), **cuenta con movimiento** (active account; S. *cuenta sin movimiento*), **cuenta con preaviso de retiro** (account subject to notice), **cuenta conforme o convenida** (stated account), **cuenta congelada** (frozen account; S. *cuenta bloqueada*), **cuenta conjunta** (joint account; S. *cuenta mancomunada*), **cuenta corriente** (BKG current account, c. a.[1]; running account, cheque account, drawing account, en el Reino Unido; checking account, demand deposit account, checkable deposit *US*; S. *cuentacorrentista*), **cuenta corriente a la vista** (BKG demand account), **cuenta corriente, en** (in account), **cuenta corriente o hipotecaria especial** (BKG negotiable order of withdrawal account, NOW account *US*), **cuenta de absorción o de aplicación** (ACCTS absorption account; S. *contracuenta de absorción o de aplicación*), **cuenta de acrecentamiento** (STK EXCH accretion account), **cuenta de activos vendidos o realizados** (assets disposal account), **cuenta de ahorro o de depósito** (BKG savings account, deposit account, D/A; thrift account *US*; S. *cuenta/depósito a plazo* *fijo*), **cuenta de ahorro-vivienda** (mortgage account; *approx* building society account; savings and loans account *US*), **cuenta de anticipos de sueldo** (imprest payroll account), **cuenta de aplicación, de dotación o de consignación** (appropriation account), **cuenta de avería gruesa** (general average account), **cuenta de balance** (balance account), **cuenta de balance de resultados** (ACCTS income statement account), **cuenta de bienes y servicios** (goods and service account), **cuenta de caja** (ACCTS cash account; cash[1]), **cuenta de caja postal de ahorro** (Girobank account), **cuenta de capital** (COMP LAW capital account; proprietors' capital account), **cuenta de capital social o de participación** (equity account), **cuenta de capital de la balanza de pagos** (ACCTS capital account; S. *cuenta de patrimonio*), **cuenta de capital de los socios** (COMP LAW partners' capital account), **cuenta de cargo/crédito** (credit/charge account), **cuenta de cierre** (closing account; S. *cuenta compensatoria*), **cuenta de cobro dudoso** (ACCTS doubtful account; S. *cuentas dudosas*), **cuenta de comisiones** (commission/charges account), **cuenta de compensación** (clearing account, equalization fund, Exchange Equalization Account), **cuenta de concentración** (BKG concentration account *US*), **cuenta de consignación** (consignment account), **cuenta de control** (ACCTS control/adjustment account), **cuenta de crédito** (credit account, charge account, loan account; derivative deposit *US*; S. *cuenta acreedora*), **cuenta de crédito entre proveedor y cliente** (charge account[2]), **cuenta de custodia de valores** (custody account), **cuenta de depósito a la vista** (demand deposit account, DDA), **cuenta de depósito a plazo** (time deposit

account, notice account *US*), **cuenta de depósito del mercado de dinero** (money market deposit account), **cuenta de deuda pública anotada** (annotated public debt account), **cuenta de devengos y gastos administrativos** (ACCTS charge and discharge statement; S. *estado de ingresos ,y gastos fiduciarios*), **cuenta de distribución de beneficios** (appropriation account; profit and loss appropriation; S. *cuenta de resultados*), **cuenta de ejercicio** (trading account), **cuenta de empresa** (corporate account), **cuenta de endeudamiento** (indebtedness account), **cuenta de entradas** (ACCTS revenue account, income account[1]; S. *estado/extracto de ingresos*), **cuenta de especulaciones a la baja** (STK EXCH bear account; S. *posición de vendedor*), **cuenta de excedentes y descubiertos líquidos** (ACCTS cash over and short account), **cuenta de explotación** (ACCTS trading/operating account, operating statement, operating-performance income statement, income summary *US*), **cuenta de faltantes/faltas y sobrantes** (ACCTS over-and-short account, cash over and short account; S. *cuenta puente*), **cuenta de fallecido** (BKG deceased/dead account), **cuenta de fletes** (TRANSPT freight/charge account), **cuenta de flujo de caja** (ACCTS cash flow statement), **cuenta de futuros** (futures account), **cuenta de futuros con rentabilidad mínima garantizada** (STK & COMMOD EXCH guaranteed futures account), **cuenta de garantía bloqueada** (escrow account *US*), **cuenta de garantía de depósito** (reserve account *US*), **cuenta de gastos** (ACCTS disbursement account/sheet, account/statement of charges/expenses), **cuenta de gastos de representación** (ACCTS expenses account), **cuenta de gestión de tesorería** (cash management account,

CMA), **cuenta de giros** (giro account), **cuenta de igualación de tipo de cambio** (exchange equalization account; S. *fondo de estabilización de cambios*), **cuenta de ingresos** (ACCTS revenue account; income account/statement *US*), **cuenta de ingresos/entradas y gastos/salidas** (ACCTS income and expenditure account; incomings and outgoings; income and expenditure/expenses/outlays account; receipts and disbursements/expenditures statement), **cuenta de inventario o de almacén** (ACCTS inventory account), **cuenta de inversiones** (investment account), **cuenta de libro mayor de ventas** (customer ledger account), **cuenta de liquidación** (ACCTS clearing account, realization account), **cuenta de liquidación de activos de una sociedad colectiva** (ACCTS realization account), **cuenta de margen** (STK & COMMOD EXCH margin account), **cuenta de operaciones en el extranjero** (external accounts; S. *cuentas de no residentes*), **cuenta de orden** (ACCTS memorandum account), **cuenta de pagos** (ACCTS disbursing account), **cuenta de participación** (participation account; S. *cuentas en participación*), **cuenta de pasivo** (ACCTS liability account), **cuenta de patrimonio** (ACCTS capital account; S. *cuenta de capital de la balanza de pagos*), **cuenta de pérdidas y ganancias** (ACCTS profit and loss account/statement; income and surplus statement *US*; statement of income *US*; income account; income statement *US*; S. *cuenta de resultados*), **cuenta de persona fallecida** (BKG dead/deceased account; S. *cuenta imaginaria, cuenta inactiva*), **cuenta de, por** (on behalf of, on account of, by; S. *por cuenta propia, por cuenta ajena*), **cuenta de préstamo/empréstitos/crédito** (loan account), **cuenta de proveedores** (accounts payable; S. *libro mayor de compras, cuentas a pagar*), **cuenta de realización y liquidación** (ACCTS realization and liquidation account), **cuenta de reconciliación/ajuste** (reconciliation account), **cuenta de recursos generales** (ACCTS general resources account), **cuenta de registro** (trust account; S. *cuenta fiduciaria*), **cuenta de regularización** (regularization account), **cuenta de remesas** (remittance account), **cuenta de resaca** (ACCTS re-account), **cuenta de reserva** (reserve, reserve account, provision account), **cuenta de reserva de participación o de patrimonio** (equity reserve account), **cuenta de resultados** (ACCTS income account/statement; operating statement; economic account; results account; profit and loss statement or appropriation; S. *cuenta de pérdidas y ganancias*), **cuenta de sobrantes y faltantes de caja** (cash over and short account), **cuenta de superávit** (ACCTS earned surplus account), **cuenta de tesorería** (ACCTS cash; cash statement), **cuenta de un menor administrada por sus padres** (BKG custody account), **cuenta deficitaria** (deficit account), **cuenta del activo** (asset account), **cuenta del balance general** (balance sheet account; S. *cuenta del estado de contabilidad*), **cuenta del comprador a largo plazo** (STK EXCH long account), **cuenta del estado de contabilidad** (balance sheet account; S. *cuenta del balance general*), **cuenta del mercado monetario** (money market account), **cuenta deudora** (ACCTS debit account; debtor account; overdrawn account; S. *cuenta en descubierto*), **cuenta embargada** (attached/frozen account *US*; S. *cuenta bloqueada/congelada*), **cuenta en descubierto** (overdrawn account; S. *cuenta deudora*), **cuenta en divisas bloqueadas por control de cambio gubernamental** (blocked currency account), **cuenta en fideicomiso** (account in trust), **cuenta en oro** (gold account), **cuenta fiduciaria** (account in trust, trust account; escrow or custodial account), **cuenta flexible** (flexible account *US*), **cuenta/fondo de anticipos de caja para gastos menores** (ACCTS imprest account/fund), **cuenta general** (ACCTS general account; S. *cuenta para comprar al margen*), **cuenta gestionada** (managed account), **cuenta girada o pasada** (account rendered; S. *cuenta rendida*), **cuenta imaginaria** (BKG, ACCTS dead account; imaginary account; S. *cuenta inactiva, cuenta de persona fallecida*), **cuenta inactiva** (BKG dormant account, broken account, dead account; S. *cuenta sin movimientos*), **cuenta individual o personal** (personal ac-count), **cuenta intervenida judicialmente** (attached account), **cuenta mancomunada** (joint account; S. *cuenta conjunta, cuenta en participación, cuenta en participación mancomunada*), **cuenta mixta** (mixed account), **cuenta nueva** (new account; after-account), **cuenta o registro de las operaciones realizadas con letras de crédito** (ACCTS acceptance account), **cuenta para comprar al margen** (ACCTS general account; S. *cuenta general*), **cuenta por cobrar descontada** (account receivable discounted), **cuenta presupuestaria** (budget account), **cuenta propia, por** (on one's own account; for oneself, freelance, independent; S. *por cuenta ajena*), **cuenta provisional o transitoria** (interim account), **cuenta puente** (ACCTS over-and-short account; S. *cuenta de faltantes y sobrantes*), **cuenta rendida** (account rendered; S. *cuenta girada o pasada*), **cuenta reservada, especial o consignada** (ACCTS earmarked account), **cuenta saldada** (account closed, closed account), **cuenta sin movimiento** (inactive/dormant/broken account), **cuenta subsidiaria** (subsidiary account; S. *subcuenta*), **cuenta transitoria** (clearing account), **cuenta vencida o por pagar** (account past due, account due or receivable), **cuenta vivienda** (S. *cuenta de ahorro-vivienda*), **cuenta y riesgo, por** (for; by; at the risk of), **cuenta y riesgo del dueño/propietario, por** (at owner's risk), **cuenta y riesgo del vendedor, por** (at the vendor's/seller's risk), **cuenta y riesgo del comprador/remitente por** (at the buyer's/sender's risk), **cuentas** (accounts; S. *contabilidad, cálculo*), **cuentas a pagar** (accounts payable; S. *cuenta de proveedores, libro mayor de compras*), **cuentas a recibir, en cobranza o por cobrar** (ACCTS accounts receivable, AR; S. *cuentas en cobranza, deudores, clientes*), **cuentas aceptadas con reservas** (ACCTS qualified accounts; qualified audit report *US*), **cuentas anuales** (final/annual accounts, annual financial statements *US*), **cuentas consolidadas** (ACCTS consolidated accounts), **cuentas de consignación** (ACCTS consignment accounts), **cuentas de gestión** (management accounts), **cuentas de no residentes** (external accounts; S. *cuenta de operaciones en el extranjero*), **cuentas del grupo consolidadas** (ACCTS group accounts), **cuentas dudosas** (ACCTS consignment accounts; doubtful debts; S. *cuentas de consignación, fallidos, deudas incobrables, impagados*), **cuentas en participación** (joint accounts; S. *cuenta conjunta*), **cuentas pendientes** (outstanding accounts, credits outstanding, accounts receivable, amounts outstanding), **cuentas vencidas y no liquidadas** (past-due accounts), **cuentacorrentista** (BKG current-account holder; S. *depositante, ahorrador*)].

cuerpo *n*: body; guild; organization, corps;

S. *organismo, órgano, institución*. [Exp: **cuerpo de inspección** (inspectorate), **cuerpo de inspectores de trabajo** (REL LAB factory inspectorate), **cuerpo técnico de tasadores** (official valuers/appraisers/adjusters)].

cuestión *n*: matter, point, subject, question, issue[3]; S. *materia, asunto, punto*. [Exp: **cuestión de hecho** (matter of fact), **cuestión de tiempo** (matter of time), **cuestión pendiente** (open question, unresolved issue, matter pending; unfinished business; S. *punto sin resolver*), **cuestionar** (question, call in question, dispute, contest, query. S. *poner en tela de juicio*), **cuestionario** (form, questionnaire; S. *formulario, encuesta*)].

culpa *n*: fault, blame; S. *echar la culpa, tener la culpa*. [Exp: **culpa de, por** (because of, through the fault of, owing to; S. *a causa de, debido a*)].

cultivar *v*: farm; grow. [Exp: **cultivo** (growing, cultivation; crop; S. *cosecha*), **cultivo con fines comerciales o para venta directa** (ECO cash crop), **cultivo en secano** (dry farming; S. *barbecho*), **cultivo intensivo** (intensive cultivation/ farming), **cultivo rotativo** (crop rotation; S. *barbecho*)].

cultura del pelotazo *col n*: easy-money/fast buck syndrome; yuppy style of business *col*, greed culture, self-seeking; get-rich-quick attitude *col*, loadsamoney approach *col*.

cumbre *n*: peak, summit, top; summit meeting; S. *cima, auge; reunión en la cumbre*.

cumplido[1] *n*: compliment, courtesy. [Exp: **cumplido[2]** (performed, mature), **cumplido, de** (out of/as a matter of courtesy, for form's sake)].

cumplimentación *n*: completion, performance, execution. [Exp: **cumplimentación de las formalidades del despacho de entrada/de salida** (clearance inwards, clearance outwards;

S. *permiso de salida, despacho de salida; declaración de salida*), **cumplimentación de los trámites de carga o salida de un buque** (entry outwards; S. *mercancías de salida, declaración de salida*), **cumplimentado** (completed, complied with, performed, filled in, duly completed), **cumplimentado, no** (in arrears, outstanding, overdue, unsettled, pending; incomplete; not complied with; S. *vencido, devengado y no pagado, pendiente, con efecto retroactivo*)].

cumplimentar *v*: execute, perform; fill in/out, etc.; carry out/perform a duty; comply with, etc. [Exp: **cumplimentar los documentos propios del trámite aduanero** (TRANSPT comply with the customs/entry for-malities), **cumplimentar o anular de inmediato** (STK & COMMOD EXCH fill or kill, FOK), **cumplimentar o ejecutar un pedido** (COM fill/execute an order)].

cumplimiento *n*: achievement; compliance, fulfilment, observance, performance,[1] implementation, satisfaction, completion, execution, carrying out; S. *observancia, ejecución, práctica, perfección; de obligado cumplimiento*. [Exp: **cumplimiento de, en** (in pursuance of, in compliance with, in the course of; S. *de conformidad con*), **cumplimiento de contrato** (fulfilment of a contract), **cumplimiento de contrato por persona interpuesta** (LAW vicarious performance), **cumplimiento de un deber, trabajo u obligación** (MAN performance/execution/discharge[4] of one's duty), **cumplimiento de un contrato** (discharge of a contract), **cumplimiento del deber, etc.** (performance/execution[3] of one's duty)].

cumplir *v*: accomplish, achieve; complete, comply with, satisfy, conform, perform, follow, observe; implement; discharge; S. *completar, observar, concluir*. [Exp:

cumplir con (conform to, fill[1]; carry out, compy with; S. *atenerse a*), **cumplir con las formalidades** (attend to,[2]/comply with the formalities; S. *atender*), **cumplir con las especificaciones** (meet specifications), **cumplir con un deber, una promesa, etc.** (fulfil/perform a duty, keep to the agreement, keep a promise, etc.), **cumplir la palabra dada a** (be as good as one's word, keep one's promise, keep good faith with), **cumplir lo pactado** (deliver the goods *col*), **cumplir los plazos de vencimiento** (meet a deadline; S. *acabar dentro del plazo*), **cumplir los requisitos, trámites o formalidades** (meet the requirements, observe all the formalities/regulations, qualify for; S. *tener derecho*), **cumplir todos los trámites** (observe all the formalities), **cumplir un contracto** (perform/discharge a contract), **cumplir un objetivo** (reach a target), **cumplir una obligación o un compromiso** (discharge an obligation, be as good as one's word), **cumplir una promesa** (redeem a promise), **cumplir uno sus obligaciones o con su responsabilidad** (FIN meet one's responsibilities, discharge one's liability), **cumplirse el plazo** (mature, fall due; [of a time limit] end, expire; S. *vencer un efecto de comercio*)].

cumulativo *a*: cumulative; S. *acumulable, adicional, acumulativo.*

cuña *n*: wedge, slot *col*; spot on TV or radio; news-in-brief. [Exp: **cuña publicitaria** (ADVTG advertising break; commercials[1]; S. *mensajes publicitarios*), **cuña tributaria** (TAXN tax wedge)].

cuño *n*: stamp, die; S. *de nuevo cuño.*

cuota[1] *n*: quota, allotment, share; participation; rate[2]; allowance; S. *cupo.* [Exp: **cuota**[2] (dues, fees, membership fees, contribution; S. *derechos*), **cuota a la exportación** (COM export quota), **cuota/cotización a la seguridad social o**

a un plan de jubilación (National Insurance contribution[2]; contribution to a pension fund; S. *cargas/cuotas sociales*), **cuota arancelaria** (tariff quota), **cuota creciente** (increasing fee; back-loading charge), **cuota de asociaciones** (membership dues), **cuota de carga mixta/general** (TRANSPT general cargo rate, GCR; S. *mercancías varias*), **cuota de entrada** (entrance fee), **cuota de entrada a un fondo de inversión** (FIN initial charge, up-front fees, front-end load *US*), **cuota de igualación** (equalization fee; S. *honorarios de estabilización*), **cuota de mercado** (market share), **cuota de reembolso sobre anticipos de efectivo** (FIN cash advance reimbursement fee), **cuota de salida de un fondo de inversión** (FIN end-loading, back loading), **cuota de suscripción** (quota subscription), **cuota decreciente** (decreasing fee; frontloading charge), **cuota diaria** (day rate; S. *tarifa diurna, jornal*), **cuota íntegra** (TAXN total tax liability, total tax liability before deduction of allowances), **cuota líquida** (TAXN net tax payable, tax liability net of all credits and allowances), **cuota mensual** (monthly instalment; S. *mensualidad*), **cuota mundial** (global quota), **cuota obrera o del trabajador a la seguridad social** (IND REL employee's National insurance contribution), **cuota patronal a la seguridad social** (employer's National Insurance contribution), **cuota por un sitio o puesto en el mercado** (STK & COMMOD EXCH market dues), **cuota sindical** (IND REL union dues; check-off[2] *US*), **cuota tributaria** (tax liability, taxable income; tax payable; S. *deuda tributaria; líquido imponible*), **cuotas sociales** (S. *cuota a la seguridad social*)].

cupo *n*: quota, allowance, share, allotment; S. *cuota, parte, contingente.* [Exp: **cupo/cuota de importación** (import quota; S. *contingente*), **cupos aran-celarios** (tariff quotas)].

cupón *n*: coupon, dividend; denomination unit; S. *dividendo*. [Exp: **cupón a largo plazo** (long coupon), **cupón al cobro** (STK EXCH current coupon, payable coupon), **cupón cero** (zero coupon), **cupón corrido** (FIN accrued interest; S. *interés devengado y no abonado, interés acumulado*), **cupón cortado** (cut-off coupon, detached coupon), **cupón de respuesta comercial** (reply coupon/slip), **cupón descontado** (discounted coupon), **cupón pendiente por falta de pago** (overdue coupon), **cupón reinvertido** (rolled-up coupon), **cupón vencido** (FIN due/matured coupon)].

cúpula directiva *n*: COMP LAW directorate; S. *dirección, junta o consejo de administración*.

curriculum *n*: curriculum vitae, CV; résumé *US*; qualifications; S. *historial*.

cursar *v*: file; lodge, put in; S. *elevar, instar, formular, presentar*. [Exp: **cursar un pedido** (place/make an order), **cursar una orden de compra** (place a purchase order; put in an indent),. **cursar una pretensión, una queja, una demanda, una petición, una protesta** (make/file a claim, a complaint, a demand, a petition or request, a protest), **cursar una solicitud** (make an application), **cursar/hacer un pedido** (make/place an order)].

curso *n*: course, path; S. *trayectoria, rumbo*. [Exp: **curso de perfeccio-namiento profesional fuera de la empresa** (IND REL block release course), **curso de perfeccionamiento profe-sional programado** (IND REL day release course), **curso de reciclaje/actualiza-ción profesional** (IND REL refresher course), **curso, en** (in operation, ongoing; in process; current; in progress; S. *corriente, actual, vigente*), **curso forzoso** (forced circulation/currency; S. *circulación forzada*)].

curva *n*: curve; S. *línea curva*. [Exp: **curva ABC** (ECO, COM ABC curve), **curva atípica** (ECO backward bending curve), **curva creciente de tipos de interés** (upward-sloping yield curve), **curva de coste a corto plazo** (short-run cost curve), **curva de coste-factor** (factor-cost curve or line), **curva de crecimiento** (ECO growth curve), **curva de exceso de la demanda/oferta** (ECO excess demand/supply curve), **curva de indife-rencia** (ECO indifference curve), **curva de la bañera** (bathtub curve), **curva de la demanda** (ECO demand curve), **curva de la demanda de inversión** (ECO investment demand curve), **curva de oferta** (ECO supply curve), **curva de regresión** (regression curve), **curva de rendimientos/ rentabilidad** (yield curve), **curva de rendimientos inver-tidos** (FIN negative yield curve), **curva de rendimientos planos de bonos** (FIN flat yield curve), **curva de rendimientos positivos** (positive yield curve), **curva de renta-compra** (income-purchase line *US*), **curva de renta consumo** (ECO income-consumption curve *US*), **curva de renta-oferta** (income-offer line *US*), **curva creciente/decreciente de tipos de interés** (ascending/descending interest rate curve), **curva del valle de la muerte** (FIN death valley curve), **curva invertida de tipos de interés** (inverted yield curve), **curva normal de errores** (ECO normal curve of error)].

custodia *n*: custody, care; safekeeping, trust, custodianship; S. *depositaría, almacén de depósitos*. [Exp: **custodia/administración de títulos/valores** (custody of securities or stocks; securities deposit account; S. *depósito de valores*), **custodia, en** (held in safekeping, in escrow; S. *en depósito fiduciario*), **custodio** (custodian, guardian; trustee; purseholder; S. *guardián*)].

D

dádiva *n*: donation; gift; charitable donation; handout *col*; S. *donativo, regalo*.

dador *n*: donor; issuer; giver; S. *dar, donar; mandante, donante; librador, emisor*.

DAFO *n*: S. *análisis DAFO*.

damnificar *v*: INSCE damage, injure, harm, cause loss to, harm/damage the interest of, affect adversely; S. *dañar, lesionar*. [Exp: **damnificados** (INSCE the injured parties, the victims, those affected)].

dañar *v*: INSCE damage, impair, injure, spoil, harm, hurt; S. *damnificar, perjudicar, deteriorar*. [Exp: **dañado** (damaged, spoiled), **dañado en transporte** (TRANSPT damaged in transit), **dañado en/por un incendio** (fire-damaged), **dañado sin posibilidades de reparación** (damaged beyond repair), **dañino** (harmful, bad, ill)].

daño *n*: damage, injury, harm, loss, detriment; S. *agravio, quebranto, perjuicio, pérdida, menoscabo, lesión*), **daño al mercado** (market injury), **daño accidental** (accidental damage), **daño máximo previsible** (maximum foreseeable loss), **daño máximo probable** (INSCE probable maximum loss, pml), **daño por exudación** (TRANSPT sweat damage), **daños** (LAW damages; toll), **daños anticipados** (INSCE prospective damages), **daños causados por agua de mar y agua dulce** (INSCE seawater and freshwater damage), **daños corporales** (injury; injuries; bodily harm; S. *lesión, herida*), **daños emergentes** (INSCE, LAW consequential loss, general damages; damage sustained, injuries incurred; in assessing the amount of compensation to be awarded in cases of industrial injuries, negligence, road accidents, etc., Spanish insurance companies and courts are guided by two basic principles, viz, actual damage or injuries sustained —*daños emergentes*— and loss of probable benefit, including time lost from gainful employment, etc., as a result —*lucro cesante*—), **daños físicos** (INSCE physical damage), **daños generales o directos** (general, direct or necessary damages), **daños indirectos** (INSCE special damages), **daños materiales** (damage to property, property damage), **daños no materiales** (consequential damages; S. *perjuicios*), **daños nominales o de poca consideración** (nominal damages), **daños personales** (INSCE physical injury, harm or ill effects; actual bodily harm; extent, toll, figure or count of people hurt/injured), **daños producidos/ sufridos durante el tránsito** (TRANSPT damage in transit; S. *avería de ruta*), **daños efectivos** (actual/general damages), **daños sobrevenidos** (losses incurred; S. *siniestros pendientes*), **daños triplicados** (INSCE treble damages), **daños y perjuicios** (damages, compensation for damages)].

dar *v*: give, grant; donate; provide, present; confer, lend; cause; come to, work out at; S. *otorgar*. [Exp: **dar a conocer** (disclose; release[4]; S. *revelar, publicar*), **dar a entender** (imply, convey[2]; S. *expresar*), **dar al traste con** (throw into disarray, throw out of gear; scuttle; buck *col*; S. *desbaratar, sembrar la confusión*), **dar aviso de despido** (give notice; S. *carta de despido*), **dar beneficios** (yield a profit), **dar bombo a** (build up[3]; crack up *col*; make a great fuss/ballyhoo/song and dance about *col*; plug *col*; S. *poner por las nubes; darse bombo*), **dar carpetazo a** (shelve, close the file on, lay aside; pigeonhole, put on the back burner *col*; table *US*; S. *aparcar, aplazar, archivar, dar largas*), **dar carta blanca o poderes ilimitados** (give carte blanche), **dar como garantía** (furnish as security; charge[4]; S. *afectar*), **dar crédito** (credit, accredit; S. *abonar; anotar en el haber*), **dar cuenta de** (account, account for; report; S. *rendir cuentas; explicar*), **dar cumplida satisfacción** (give full satisfaction or full and final settlement; compensate in full, make amends; S. *satisfacer, reparar*), **dar de/el alta** (admit, register, allow to join; discharge; certify as fit to return to work; be discharged from hospital), **dar de/la baja[1]** (ACCTS cancel; S. *invalidar, anular*), **dar de/la baja[2]** (IND REL lay off; discharge[2]; S. *despedir*), **dar de baja en libros** (ACCTS charge off,[1] write off; S. *cancelar con cargo a beneficios;*

recalificar como incobrable; amortizar*), **dar de baja un proyecto** (scrap[2] a project or scheme), **dar difusión a** (report on, give coverage to, cover), **dar efectos retroactivos** (backdate; S. *retrotraer*), **dar el derecho** (entitle; S. *autorizar*), **dar el espaldarazo a** *col* (back, back up, support, uphold, endorse, second, stand behind; S. *avalar, apoyar*), **dar el finiquito** (INSCE discharge[3]; S. *saldar, finiquitar*), **dar el soplo** (tip off *col*; S. *avisar*), **dar el visto bueno** (rubber stamp; give the go-ahead or green light to; approve; give the all-clear; S. *dar luz verde, refrendar*), **dar empleo o trabajo** (ACCTS employ, occupy; hire; take on[2]; S. *emplear*), **dar en el blanco** (hit the target; hit the spot *col*; be spot-on *col*), **dar/dejar en prenda** (pledge), **dar entrada** (enter,[1] admit; S. *registrar, inscribir*), **dar facilidades** (BKG offer terms, provide credit terms; COM offer esasy terms), **dar fe** (attest, certify; S. *testimoniar, certificar*), **dar fuerza de ley** (approve; sanction; deem lawful; S. *sancionar*), **dar gato por liebre** (sell sb a pup *col*, put one over on sb *col*; S. *colarle un gol a uno, darle a uno el cambalache*), **dar/dictar instrucciones** (instruct, direct; brief; S. *ordenar; informar*), **dar la puntilla a** (give the coup de grâce to; knock on the head *col*, kill off; S. *acabar con, rematar*), **dar la talla** (measure up[2]; come up to standard/scratch/the mark *col*; S. *estar a la altura de las circunstancias*), **dar la voltereta** (TRANSPT capsize; S. *zozobrar*), **dar largas** (put off; postpone a decision; S. *aplazar, dar carpetazo a*), **dar luz verde/el visto bueno a algo** (give sth the all-clear), **dar marcha atrás** (STK EXCH back out, pull out, withdraw; S. *echarse atrás, retirarse*), **dar mucha fama** (build up[3]; S. *poner por las nubes*), **dar muestras de** (show signs of; S. *mostra*), **dar/pagar una entrada** (pay as a deposit, make a down-payment), **dar parte** (report; S. *dar cuenta de*), **dar permiso** (licence, license; S. *permitir, autorizar, facultar*), **dar plantón a alguien** (stand sb up *col*, keep sb waiting, keep sb hanging around *col*; S. *dejar a alguien empatanado*), **dar por hecho** (take for granted; S. *asumir*), **dar preaviso** (give notice), **dar preferencia** (give preference; prioritize; S. *priorizar*), **dar poderes a alguien** (empower sb; nominate sb as proxy; S. *autorizar, facultar*), **dar por recibido** (acknowledge receipt; S. *acusar recibo*), **dar por seguro** (bank on; S. *confiar en*), **dar prórroga** (extend the time; grant an extension, put/push back the deadline; S. *ampliar el plazo*), **dar prórroga en los plazos** (extend the time of payment; give more time to pay; S. *prorrogar el plazo de vencimiento*), **dar publicidad** (advertise, expose; promote; publicize, plug; S. *sacar a la luz, revelar, anunciar*), **dar publicidad a un nuevo producto** (ADVTG plug a new product), **dar razón de** (account for; S. *explicar, justificar, dar cuenta de*), **dar recibo de** (make out a receipt for), **dar salida a** (COM sell, distribute, manage to place, find an outlet for, find a buyer/taker for; put in the out tray; process, hand or send on, deal with[1]; S. *despachar, tramitar*), **dar salida a un producto** (find an outlet for a product, place/sell a product), **dar/tener la palabra** (give/have the floor), **dar trabajo o empleo** (employ; S. *emplear*), **dar traslado a un documento/actuación, etc.** (refer a document/matter etc. to sb, send a document or a copy of a document, etc. on to sb, notify sb of a matter, etc.; S. *enviar, elevar, referir, notificar*), **dar un anticipo** (FIN advance,[1] give an advance; S. *adelantar dinero, prestar dinero*), **dar/sufrir un traspié** (STK EXCH, COM, FIN suffer a setback, burn one's fingers *col*; come a cropper *col*), **dar un vuelco a una decisión** (overturn; S. *revocar, anular*), **dar una entrada o anticipo** (pay on account; put money down), **dar un recado** (deliver a message), **dar una garantía** (provide collateral or a guarantee), **dar una inyección de moral** (boost morale; S. *levantar los ánimos*), **dar una opción sobre** (give an option on), **dar una señal** (pay a nominal deposit, make an initial down-payment as a sign of good faith), **darle a la máquina de hacer billetes** *col* (print money, pump more money into circulation *col*; flood the markets with cash), **darle a uno el cambalache** *col* (diddle, take sb in *col*; pull a fast one on sb *col*; pass a fake or dummy off on sb *col*; sell sb a pig in a poke *col*; pass off a dud on sb *col*), **darle a uno el cambiazo** *col* (pull the wool over sb's eyes *col*, take sb in *col*, pass off a fake on sb *col*), **darle publicidad a un producto en la radio** (give a product a boost on the radio), **darse bombo o ínfulas** (talk big *col*; S. *fanfarronear*), **darse de alta** (register; sign up[2]; join, take out membership, enrol; S. *darse de baja*), **darse de alta en Hacienda** (register as a taxpayer), **darse de baja** (withdraw from membership; S. *dar la baja*), **darse un porrazo** (come a cropper *col*; S. *sufrir un revés*)].

dársena *n*: bay, quay, dock. [Exp: **dársena de una estación de autobuses** (TRANSPT bay, quay, bus-stance)].

datar *v*: date; S. *fechar*.

dato *n*: information, piece of information; fact; specific detail; S. *información, noticias*. [Exp: **datos** (data, material; information; figures, facts and figures; particulars; track record; S. *información, notas, antecedentes*), **datos básicos** (basic/key data), **datos brutos/primarios**

o no procesados (raw data; S. *datos no analizados/examinados/procesados*), **datos completos** (full particulars), **datos contables** (accounting data), **datos contenidos en una letra de cambio** (clausing), **datos de corte transversal** (ECO cross-section data), **datos de entrada/salida** (input/output data), **datos de la población activa** (figures for the working population, statistics on people in work), **datos de series temporales** (ECO time series data), **datos de tiempos normalizados** (standard time data), **datos elaborados** (processed data), **datos operativos** (working data), **datos personales** (personal particulars, particulars, personal details), **datos sin analizar/elaborar** (raw data; S. *datos brutos/primarios*)].

debajo de *prep*: under, below, beneath, less than. [Exp: **debajo de la línea, por** (below the line), **debajo de los tipos del mercado, por** (BKG below market rates), **debajo del cambio, por** (below the exchange rate), **debajo del valor nominal, por** (STK EXCH below par; S. *bajo par*)].

debate *n*: debate, discussion, argument, exchange of views, panel discussion; S. *mesa redonda*. [Exp: **debatir** (debate, discuss, argue; S. *intercambio de impresiones; discutir*)].

debe *n*: ACCTS debit side, debtor side; S. *débito, debitar*. [Exp: **debe y haber** (ACCTS debit and credit)].

deber[1] *n*: duty, requirement, obligation[2]; business, job; S. *incumbencia, obligación, compromiso, responsabilidad, cometido, trabajo*. [Exp: **deber**[2] (owe; S. *adeudar*), **deber**[3] (have to; must), **deber de fidelidad a la empresa** (IND REL loyalty to the firm, duty of fidelity/good faith owed to the firm), **debidamente** (duly, in due course, in the proper manner; properly; correctly), **debido**[1]

(owing, due[1]; payable; S. *exigible, vencido*), **debido**[2] (proper, right and proper, in honour bound; S. *adecuado*), **debido a** (on account of, due to; owing to; S. *a causa de, como consecuencia de, por motivo de*), **debido a fallo** (through an error or oversight; due to a failure/breakdown, etc.; S. *error*), **debido tiempo, a su** (in due course, at the proper time; S. *en su momento*)].

débil *a*: weak, frail, slack; lame, soft, feeble; soft; S. *flojo*. [Exp: **debilidad** (weakness, slackness; failing[1]; S. *punto flaco o débil*), **debilidad de una moneda** (weakness of a currency; S. *fortaleza de una moneda*), **debilitamiento/debilitación** (weakening, debilitation; declining; decline; enfeeblement; S. *reducción*), **debilitar** (weaken, debilitate, slacken, enfeeble; S. *minar*), **debilitarse** (fade[1]; weaken, grow weak; slacken, slacken off; S. *perder intensidad, decaer*)].

debitar *v*: ACCTS debit, deb; charge[2]; S. *adeudar, anotar en el debe*. [Exp: **débito** (charge; debit, deb; debit entry; debt; S. *cargo; nota de débito*), **débito a cargo de beneficios** (charge off[2] against profits; S. *préstamos incobrables*), **débito automático por transferencia** (BKG automatic debit transfer; S. *automatización del débito por transferencia*), **débito con el exterior** (external debit), **débito directo** (direct debit, DD; S. *pagos por medio de domiciliación bancaria*), **débito pendiente** (unadjusted debit)].

decaer *v*: fall off/away; fade,[1] slacken off, be/become/grow sluggish. [Exp: **decaído** (slack, sluggish, low; down; S. *bajón*), **decaimiento** (slackness; decline, drop; S. *atonía, desánimo*)].

decidir *v*: decide; resolve, adjudicate; rule[1]; S. *resolver*. [Exp: **decidir no participar** (opt out, stay away/out; S. *excluirse* *voluntariamente*), **decidirse** (make up one's mind, decide, plump for *col*, opt; S. *elegir, optar*), **decisión** (decision, finding, issue[4]; S. *resolución, fallo*), **decisión arbitral** (LAW arbitration award), **decisión de producir o de comprar** (STK EXCH make-or-buy decision), **decisión de menor coste** (MAN least-cost decision), **decisión judicial** (judgment/judgement; ruling; S. *fallo, sentencia*), **decisión tácita por vencimiento de un plazo** (lapse-of-time decision)].

declaración *n*: declaration,[1] statement, announcement; report; affirmation; admission, disclosure; representation, account[3]; S. *anuncio, reconocimiento, admisión, aserto*. [Exp: **declaración a Hacienda** (tax return), **declaración aduanera o de aduana** (customs declaration, bill of entry), **declaración conjunta o en régimen ganancial** (TAXN S. *declaración de la renta conjunta*), **declaración de aduanas** (customs declaration/entry,[3] bill of entry; S. *lista de declaración de productos importados*), **declaración de aduanas hecha por el capitán** (TRANSPT captain's entry), **declaración de avería común** (general average statement), **declaración de avería** (INSCE average statement; S. *estado/cuadro de avería*), **declaración de bienes** (net worth statement), **declaración de conocimiento de riesgos** (INSCE risk disclosure/statement), **declaración de dividendo** (STK EXCH dividend announcement), **declaración de entrada** (TRANSPT entry inwards; S. *formalidades aduaneras de descarga*), **declaración de entradas o ingresos** (ACCTS income account[1]; S. *estado/extracto de ingresos*), **declaración de exportación** (export declaration), **declaración de importación** (import declaration), **declaración de ingresos** (statement of income), **declaración de insolvencia** (decree of insolvency), **declaración de interés histórico-artístico de un edificio** (building preservation notice), **declaración de la renta** (TAXN declaration of income; income tax return), **declaración de la renta abreviada** (abridged tax return), **declaración de la renta conjunta** (TAXN joint return, joint income tax return), **declaración de la renta individual o por separado** (TAXN individual income tax return, separate filing *US*), **declaración de mercancías de acuerdo con el régimen aduanero** (TRANSPT goods declaration), **declaración de mercancías importadas o exportadas** (TRANSPT manifest[2]; S. *manifiesto de aduanas*), **declaración de movimientos monetarios** (currency transaction report, CTR), **declaración de objetivos y miras de una empresa** (FIN mission statement), **declaración de pérdidas** (loss statement), **declaración de primas** (FIN declaration of options), **declaración de quiebra o de concurso** (adjudication order, adjudication of bankruptcy, declaration of bankruptcy, receivership order, winding-up order), **declaración de rentas o ingresos** (ACCTS income statement *US*; S. *estado/extracto de ingresos*), **declaración de salida** (TRANSPT entry outwards; S. *cumplimentación de los trámites de carga o salida de un buque*), **declaración de siniestro** (INSCE accident report; statement of loss), **declaración de solvencia** (declaration of solvency), **declaración del asegurado** (representations, disclosure, warranties), **declaración del contenido del equipaje** (TRANSPT baggage declaration), **declaración del impuesto de sociedades** (TRANSPT corporation tax returns), **declaración inaugural** (opening statement), **declaración judicial de insolvencia** (S. *declaración de insolvencia*), **declaración jurada** (affidavit), **declaración jurada de inexistencia de cargas** (LAW no-lien affidavit *US*), **declaración marítima de sanidad** (maritime declaration of health), **declaración oficial** (official return), **declaración tributaria** (tax return))].

declarado *a*: declared. [Exp: **declarado en quiebra por los tribunales, ser** (be declared/adjudged bankrupt), **declarante** (deponent, person making or signing a statement))].

declarar *v*: declare, state, affirm, report, disclose, find, declare; adjudicate, record; enter[1]; S. *afirmar, aseverar*. [Exp: **declarar en quiebra** (declare someone bankrupt), **declarar formalmente** (affirm; state; swear; depone; S. *prometer*), **declarar insolvente en Bolsa** (STK EXCH hammer[2]), **declarar/determinar judicialmente** (adjudge a claim, etc.; S. *fallar*), **declarar mercancías** (enter goods), **declarar secreto** (classify; S. *clasificar*), **declarar un dividend** (declare a dividend; S. *acordar/decretar/fijar un dividendo*), **declararse a favor/en contra** (come out for/against; S. *favorecer/oponerse*), **declararse en huelga** (IND REL come out/go on strike; down tools; S. *parar la actividad laboral*), **declararse en quiebra** (go into liquidation or receivership; go/become/be made/be adjudicated bankrupt; file a bill/petition in/of bankruptcy; S. *ir a la quiebra, presentar/instar una declaración judicial de quiebra*))].

declinar *v*: decline[2]; refuse, reject, turn down; S. *renunciar, negarse a*. [Exp: **declinar la responsabilidad** (deny/refuse to accept responsibility))].

declive/descenso, en *phr:* declining; ailing, in decline; S. *a la baja, decreciente, descendente*.

decomisar *v*: seize; confiscate; S. *confiscar*. [Exp: **decomiso** (forfeit; forfeiture; confiscation, seizure, attachment[2]; S. *confiscación, comiso, embargo*))].

decrecer *v*: decrease, decline, wane; S. *disminuir*. [Exp: **decreciente** (declining, decreasing, diminishing, waning, reducing, falling; S. *descendente, en declive/descenso, a la baja*))].

decretar *v*: decree, order. [Exp: **decreto** (decree, order), **decreto legislativo** (legislative decree), **decreto-ley** (decree law))].

dedicación *n*: dedication; devotion; commitment[1]; S. *compromiso*. [Exp: **dedicar** (commit[4]; dedicate, devote; S. *empeñar, comprometer*), **dedicarse a** (be occupied/involved in, be in a line/trade; devote oneself to), **dedicarse a la usura o al estraperlo** (profiteer, be engaged/involved in usury/the black market; S. *explotar*), **dedicarse a la venta ambulante** (peddle; S. *vender por la calle o de puerta en puerta*), **dedicarse a los negocios** (go into business/trade; S. *abrir un negocio*), **dedicarse al comercio** (be in business, deal in; S. *tener un negocio*))].

deducción[1] *n*: TAXN deduction, allowance[3]; S. *descuento, desgravación, rebaja, reducción, disminución, gasto deducible*. [Exp: **deducción**[2] (inference, deduction, construction[2]; S. *inferencia, conclusión*), **deducción admisible/autorizada** (TAXN allowable deduction), **deducción de deudas, impuestos, renta, etc. entre acreedores** (abatement of debts, tax, declared income, etc. amongst creditors), **deducción de impuestos a cuenta** (tax offset), **deducción en origen** (TAXN deduction at source), **deducción especial por edad** (age allowance), **deducción fiscal** (tax credit/deduction), **deducción/desgravación fiscal por gastos**

personales (TAXN personal allowance,[2] income allowance), **deducción por amortización** (allowance for depreciation; depreciation allowance; S. *provisión para amortización*), **deducción por edad** (TAXN age allowance), **deducción por hijos o por carga familiar** (TAXN allowance for children or dependent relatives), **deducción por impuestos pagados** (TAXN allowance/ deduction for pre-paid taxes; tax credit; imputaton system/allowance/deduction), **deducción por reinversión de beneficios** (reinvestment allowance), **deducción razonable o lógica** (necessary or reasonable inference; S. *deducción*[1]), **deducción sobre el activo agotable** (TAXN depletion allowance *US*; S. *reserva por agotamiento*), **deducción vinculada al índice de precios al consumo** (ECO indexation allowance), **deducciones de capital** (TAXN capital allowances; S. *amortización fiscal, desgravaciones por bienes de capital*), **deducciones de la cuota** (tax deductions or allowances), **deducciones del impuesto sobre la renta** (income tax allowance), **deducciones en nómina** (IND REL deductions at source, payroll deductions), **deducciones por renta de trabajo** (TAXN earned income allowance), **deducciones por uso, desgaste y obsolescencia de plantas y equipos industriales durante un ejercicio tributario** (TAXN capital consumption allowances; S. *ajustes/ reservas/asignaciones para el consumo de capital*), **deducible** (tax-deductible, deductible, allowable[2]; S. *descontable, desgravable*), **deducidos todos los gastos** (all charges deducted)].

deducir[1] *v*: TAXN abate, deduct, take away; allow[2]; charge; S. *descontar, debitar, rebajar, sustraer*. [Exp: **deducir**[2] (infer, deduce, conclude[3]; S. *inferir, concluir*),

deducir las pérdidas con los impuestos (ACCTS offset losses against taxes), **deducir-se impuestos** (TAXN abate taxes, deduct allowances; S. *descontar-se/ reducir-se impuestos*), **deductivo** (inferential)].

defecto *n*: defect, imperfection, flaw; fault; failure, failing[1]; default; bug *col*; bungling *col*; muck-up *col*; default; S. *imperfección, vicio, chapuza*. [Exp: **defecto admisible** (allowable defect), **defecto de, en** (failing, in the absence of; for want/lack of), **defecto de fábrica** (inbuilt/manufacturing fault or defect, faulty manufacture/construction), **defecto de forma** (formal/procedural defect; improper/incorrect procedure; faulty wording), **defecto legal** (legal defect), **defecto manifiesto** (TRANSPT apparent defect), **defecto manifiesto** (TRANSPT apparent defect), **defecto/vicio oculto** (hidden defect), **defecto, por** (by default), **defecto propio o de partida** (inherent vice; S. *defecto/vicio de partida*), **defectuoso** (faulty, flawed, defective, bad, imperfect, foul; lame; S. *imperfecto, tarado, deficiente*)].

defender *v*: defend; advocate, maintain[2]; S. *sostener, mantener*. [Exp: **defender a alguien** (stand by sb), **defender la necesidad de** (argue for; S. *abogar por*), **defenderse de** (fend off; S. *resguardarse de*), **defensa** (defence, defense; argument[2]; S. *argumento, alegato*), **defensa de las joyas de la corona** *col* (STK EXCH crown jewels defence *col*), **defensa letrada** (counsel; S. *asistencia letrada*), **defensa nacional** (national security), **defensor** (defender, counsel for the defence, defence lawyer), **defensor del pueblo** (ombudsman)].

defenestrar *v*: defenestrate, oust, topple; boot out *col*; see off *col*; stitch up *col*; get rid of, chuck out *col*; give the push *col*; give the heave *col*; S. *desbancar, poner de patitas en la calle*. [Exp: **defe-**

nestración (defenestration; ousting, downfall; overthrow, toppling)].

deficiencia *n*: deficiency, fault, defect, shortfall, shortcoming; S. *defecto, falta.* [Exp: **deficiente** (bad; deficient; faulty, short[1]; inadequate, poor, lacking; S. *escaso, insuficiente*)].

déficit *n*: deficit, shortfall, shortage, deficiency, gap; S. *agujero, brecha.* [Exp: **déficit comercial** (trade gap/deficit; S. *déficit de la balanza comercial*), **déficit de caja** (ACCTS cash shortage[1]), **déficit de dólares** (dollar gap/shortage), **déficit [de dotación] de recursos propios** (resource gap), **déficit de explotación** (operating deficit), **déficit de fondos** (deficit of funds, shortfall in funds), **déficit de la balanza comercial** (trade deficit), **déficit de la balanza de pagos** (balance of payments deficit), **déficit de recursos** (resource gap), **déficit exterior** (external deficit), **déficit financiero** (financing gap, hole in the accounts *col*, shortfall), **déficit de reserva acumulativo** (cumulative reserve deficit), **déficit en la recaudación fiscal** (fiscal deficit, shortfall in tax revenue), **déficit exterior** (external deficit; S. *déficit de la balanza de pagos*), **déficit por cuenta corriente** (current-account deficit), **déficit presupuestario** (budget deficit; budgetary gap), **déficit público desbocado** (huge treasury shortfall, enormous gap in public funds), **déficits y excedentes de caja** (cash shorts-and-overs, overages and shortages), **deficitario** (loss-making, negative, showing a loss or shortfall; under-manned; underfinanced; S. *generador de pérdidas*)].

definir *v*: define. [Exp: **definitivo** (definitive, conclusive, complete, absolute; final, firm,[1] flat,[1] permanent; S. *firme, irrefutable, completo, terminante*)].

deflación *n*: deflation; S. *estanflación.* [Exp: **deflacionario/deflacionista** (deflationary), **deflactación** (deflation), **deflactar/deshinchar la economía** (deflate/let some air out of/take the steam out of/cool down the economy; S. *rebajar, reducir, deshinchar, desinflar*), **deflactor** (deflator), **deflactor del producto interior bruto** (ECO gross domestic product deflator)].

deformar las palabras/los hechos *phr*: misrepresent words/facts; S. *tergiversar.*

defraudar *v*: defraud, deceive, cheat, bilk *col*; disappoint, let down; S. *estafar, engañar, decepcionar.* [Exp: **defraudación** (fraud, defrauding, misappropriation, defalcation; S. *desfalco, malversación*), **defraudar a Hacienda** (cheat the taxman *col*), **defraudación fiscal** (TAXN tax evasion; failure to pay taxes)].

DEG *n*: S. *derechos especiales de giro.*

degradar[1] *v*: debase. [Exp: **degradar[2]** (demote, downgrade; S. *bajar de categoría*), **degradación[1]** (debasement; S. *adulteración, falsificación*), **degradación[2]** (IND REL demotion, downgrading; S. *pérdida de la categoría profesional*)].

dejar *v*: leave; abandon; produce, yield; let; allow; fail, omit; stop, leave off, quit; S. *desatender, renunciar a, desistir, abandonar.* [Exp: **dejar a alguien sin empleo** (make sb idle, lay sb off; S. *despedir a alguien*), **dejar algo/a alguien por inútil o imposible** (give sth/sb up as a bad job), **dejar algo en prenda** (put sth in pawn; S. *rescatar/liberar una prenda, etc.*) **dejar atrás** (leave behind), **dejar caer[1]** (drop; S. *abandonar*), **dejar caer[2]** (hint; S. *insinuar*), **dejar cesante** (dismiss[1]; S. *despedir, cesar*), **dejar constancia** (place on record), **dejar de** (fail[1]), **dejar de cumplir** (fail to complete or comply; S. *incumplir*), **dejar de funcionar** (break down; go on the blink *col*; pack up[1] *col*), **dejar de hacer algo** (fail to do something), **dejar en prenda** (pawn, pledge), **dejar en suspenso** (postpone, allow to stand over; put on the back burner *col*; S. *aplazar, aparcar*), **dejar el puesto de trabajo** (give up one's job), **dejar/hacer flotar una divisa** (float a currency), **dejar inactivo/incapacitado** (lay up[1]), **dejar margen para** (leave room for, allow of/for; S. *permitir, tener en cuenta*), **dejar participar a alguien** (STK EXCH, FIN allow/let sb in, cut sb in *col*), **dejar pasar** (ignore, pretend not to notice, overlook[2]; S. *hacer la vista gorda*), **dejar sin blanca** (take to the cleaners *col*, clean out *col*, bust[1] *col*; S. *llevar a la quiebra; limpiar*), **dejar una cuenta en descubierto** (overdraw an account), **dejarlo todo atado y bien atado** (tie up the loose ends; S. *atar los cabos sueltos*), **dejarse corromper** (accept bribes, take sweeteners *col*, be on the take *col*), **dejarse engañar** (fall for it/a trick; S. *picar, picar en/tragar el anzuelo*)].

delegación[1] *n*: delegation, committee; S. *diputación, comisión*. [Exp: **delegación**[2] (COM branch/local office; S. *sucursal*), **delegación**[3] (proxy, delegation; S. *procuración*), **delegación comercial** (branch), **delegación de atribuciones/competencias/poderes** (delegation of authority/powers), **delegación de Hacienda** (TAXN local tax office), **delegación económica** (economic delegation), **delegado** (delegate, representative, appointee; deputy, dep; S. *representante oficial*), **delegado laboral** (IND REL personnel representative), **delegado sindical** (union representative, shop steward, walking delegate), **delegar** (delegate, depute; S. *comisionar*)].

delineante *n*: ADVTG draughtsman, draughtswoman, designer; S. *proyectista*.

[Exp: **delinear** (outline, draft, delineate, rough out *col*, draw up)].

delito *n*: crime, offence. [Exp: **delito de iniciado** (STK EXCH insider dealings/trading; S. *tráfico de información privilegiada*), **delito fiscal** (TAXN tax offence, tax evasion)].

demanda[1] *n*: COM, ECO demand. [Exp: **demanda**[2] (LAW action,[3] lawsuit, claim; petition, request; S. *pleito, querella, reclamación, acción*[2]), **demanda activa/intensa** (active buying; buoyant demand), **demanda agregada** (aggregate demand), **demanda agregada de recursos** (aggregate resource demand), **demanda comercial** (call/demand for a product), **demanda competitiva** (ECO competitive demand), **demanda compuesta** (ECO composite demand), **demanda conjunta o complementaria** (ECO complementary demand), **demanda contenida/reprimida** (ECO pent-up demand), **demanda de bienes sustitutivos o intercambiables** (alternate demand), **demanda de acciones** (STK EXCH demand for stock), **demanda de cobertura suplementaria** (STK & COMMOD EXCH margin call; S. *demanda de depósito*), **demanda de consumo** (ECO consumer demand), **demanda de menor cuantía** (LAW small claim), **demanda de depósito** (STK & COMMOD EXCH margin call; S. *demanda de cobertura suplementaria*), **demanda de dinero** (ECO money demand, demand for money), **demanda de indemnización** (LAW claim for compensation), **demanda de mano de obra** (IND REL demand for labour), **demanda de pago** (request for payment), **demanda del mercado** (market demand), **demanda derivada** (derived demand), **demanda económica** (ECO economic demand), **demanda efectiva** (effective demand), **demanda elástica** (ECO elastic demand), **demanda escasa o**

reducida (narrow demand), **demanda exterior** (demand from abroad), **demanda final** (final demand), **demanda floja** (sluggish demand), **demanda indirecta** (derived demand), **demanda inelástica** (ECO inelastic demand), **demanda insatisfecha** (ECO pent-up demand), **demanda intensa** (buoyant demand), **demanda inversa** (ECO inverse demand pattern), **demanda máxima** (peak demand, peak load; S. *carga de punta*), **demanda monetaria** (demand for money; S. *búsqueda de liquidez*), **demanda nacional** (national demand), **demanda por daños y perjuicios** (LAW action for damages), **demanda original** (original bill), **demanda por difamación** (libel action), **demanda por incumplimiento de contrato** (LAW action for breach of contract), **demanda sustitutiva** (ECO substitute demand), **demanda y oferta** (demand and supply, bid and offer), **demandado** (LAW defendant), **demandante** (LAW plaintiff, claimant, rightful claimant; applicant,[2] petitioner; S. *recurrente; actor, litigante, derecho-habiente*), **demandar**[1] (demand, require, request, ask for), **demandar**[2] (LAW sue, bring an action, file suit or a claim), **demandar por daños y perjuicios** (sue for damages)].

demografía *n*: demography. [Exp: **demográfico** (demographic), **demógrafo** (demographer)].

demoler *v*: S. *derribar*. [Exp: **demolición** (S. *derribo*)].

demora *n*: delay; demurrage. [Exp: **demorar** (delay, defer; S. *atrasar, diferir*), **demorarse** (fall behind with; S. *moroso, retrasarse en*)].

demostración *n*: demonstration; exhibition; show, display; S. *exposición, feria, desfile*. [Exp: **demostrar** (demonstrate, exhibit, show, display; prove; S. *desfile,*

mostrar, probar), **demostrativo** (demonstrative)].

denegación *n*: refusal, denial. [Exp: **denegación concertada** (COM concerted refusal), **denegación de concesiones** (withholding of concessions), **denegación de pago** (refusal of payment), **denegación de participación** (denial of access), **denegar** (refuse, turn down; deny, reject, dismiss[2]; overrule; S. *desestimar, negarse, rechazar*), **denegar la conformidad** (reject/turn down/refuse a request, refuse permission, throw out a claim *col*)].

denominación *n*: denomination, title; S. *clase*. [Exp: **denominación comercial** (firm name; S. *razón social*), **denominación de origen** (COM official certificate or guarantee of origin; official label authorised by a statutory body guaranteeing that a product originates in a specific protected region, exhibits the characteristics associated with it and meets the approved standards; *approx* "appellation contrôlée"), **denominación del puesto de trabajo** (job title/description; S. *puesto de trabajo*), **denominación social** (company name), **denominaciones compuestas** (composite name), **denominar** (name, denominate; tag; S. *identificar, etiquetar*)].

dentro *adv/prep*: in, inside, indoors; S. *interno*. [Exp: **dentro de la empresa** (in-house; S. *interno*), **dentro de lo que marca la ley** (subject to legal regulations), **dentro de los límites** (within the boundaries or limits)].

denuncia *n*: LAW complaint, information, report; S. *acusación*. [Exp: **denuncia administrativa** (administrative complaint), **denuncia de accidente** (INSCE accident report; damage report; S. *parte/atestado de un accidente*), **denunciable** (FIN callable), **denunciar**[1] (LAW complain, report; S. *presentar una* *reclamación*), **denunciar**[2] (expose; S. *poner al descubierto*), **denunciar un acuerdo** (repudiate an agreement), **denunciar un préstamo** (BKG call in[1] a loan; S. *redimir un préstamo*)].

deontología *n*: deontology, code of ethics, conduct or practice; S. *deber*. [Exp: **deontología empresarial** (code of business/practice, business ethics; S. *normas de convivencia, reglamento interno*), **deontológico** (deontological, concerning rules or standards of ethics, conduct or practices)].

departamento *n*: department, dept., bureau, office, desk, division, section; ministry; S. *ministerio, negociado, sección*. [Exp: **departamento de administración de bienes** (BKG trust department), **departamento de arbitrajes o de cambios y arbitrajes** (foreign exchange department), **departamento de cobranzas** (ACCTS cash collecting department), **departamento de comercialización** (marketing department), **departamento de compras** (purchasing department), **departamento de contabilidad** (accounts, accounts department/section), **departamento de crédito** (BKG loans department), **departamento de ejecución o de operaciones** (line department), **departamento de embalaje** (packing department), **departamento de emisión** (issue department), **departamento de expedición** (dispatch department), **departamento de exportación** (export department), **departamento de facturación** (invoicing department), **departamento de fonda o de restauración** (catering department), **departamento de impuestos de aduanas y del consumo** (TAXN Customs and Excise Department; S. *servicio de vigilancia aduanera*), **departamento de nóminas** (payroll department), **departamento de operaciones** (operations division, operational headquarters), **departamento de reclamaciones** (COM complaints department), **departamento de relaciones externas** (department of foreign affairs; foreign department; liaison office; department of extra-mural activities), **departamento de relaciones públicas** (public relations department/section/office), **departamento de valores** (securities department), **Departamento del Tesoro** (Treasury, Department of the Treasury; S. *Hacienda Pública, tesorería, Tesoro público, erario*), **departamento fiduciario de un banco** (BKG bank trust department), **departamento jurídico** (legal department), **departamento presupuestario** (budget department[1])].

dependencia[1] *n*: dependence; reliance; dependency; S. *vinculación*. [Exp: **dependencia**[2] (building, outbuilding, annexe, premises, room; branch, section; S. *rama, sector, sucursal*)].

depender de *v*: depend on, be contingent upon. [Exp: **depender de alguien** (be under sb, report to sb; S. *rendir cuentas a alguien*), **depender de nadie, no** (be one's own boss, answer to no-one but oneself), **dependiendo de** (depending on/contingent upon; S. *según, a expensas de*)].

dependiente *a*: dependent, derivative; S. *secundario, derivado, indirecto*. [Exp: **dependiente de comercio** (shop assistant, employee, salesman; sales girl/lady; sales clerk US, clerk[2] US; S. *vendedor*), **dependientes** (COM counter staff; S. *personal de mostrador*)].

depositante *n*: BKG depositor; bailer, bailor, lienor.

depositar[1] *v*: BKG deposit[1]; place, bank[1]; S. *ingresar en cuenta*. [Exp: **depositar**[2] (impound; entrust[1]; S. *consignar, confiar*), **depositar**[3] (file, lodge; S. *presentar, entregar*), **depositar con/en**

(entrust[2]; S. *asignar al cuidado de*), **depositar su confianza en** (put one's faith/trust in), **depositar un cheque** (pay a cheque into one's account), **depositar el voto** (COMP LAW cast one's vote)].

depositaría *n*: depository, store; repository; trust, safekeeping; S. *almacén de depósitos o custodia.*

depositario *n*: depository, repository, pledgee, bailee, trustee, receiver, purse-holder, deposit-holder; S. *almacén de depósitos o custodia.* [Exp: **depositario de bienes o de fianza** (bailee; S. *locatario*), **depositario de plica** (escrow agent), **depositario de, ser el** (be entrusted with; S. *ser el encargado de*)].

depósito[1] *n*: COM deposit, dep; down-payment; lodgment; S. *imposición, abono, ingreso en cuenta.* [Exp: **depósito**[2] (baggage room; storeroom, depot, warehouse; storage; tank; S. *cuarto de equipaje, consigna, almacén*), **depósito**[3] (LAW payment of surety/bond/guarantee/collateral; bailment[1]; S. *fianza*), **depósito a la vista** (BKG demand/sight/checking deposit; S. *depósito disponible o en cuenta corriente*), **depósito a plazo** (time/term deposit, TD), **depósito a plazo fijo** (BKG fixed deposit, fixed period deposit), **depósito a un día** (overnight deposit), **depósito a un mes/año** (BKG one-month/-year deposit or money), **depósito abierto** (open safekeeping account), **depósito aduanero o de aduanas** (TRANSPT bonded warehouse, customs deposit store, bond[3]; S. *almacén de depósito o afianzado, bodega fiscal*), **depósito aduanero, en** (TRANSPT bonded[2]), **depósito bancario** (bank deposit), **depósito bloqueado** (blocked/frozen deposit), **depósito caucional** (bailment[1]; S. *fianza*), **depósito cerrado** (BKG sealed safekeeping account), **depósito con preaviso** (deposit subject to notice), **depósito con tasa/tipo fluctuante** (variable/fluctuating rate deposit), **depósito de administración de bienes** (management securities safe custody account), **depósito de combustible** (TRANSPT bunker; S. *tanque de combustible*), **depósito de fianza/garantía** (guaranty deposit; STK EXCH margin; S. *depósito garantizado*), **depósito de garantía en las ventas a plazo** (STK & COMMOD EXCH forward margin, security deposit), **depósito de mantenimiento** (STK & COMMOD EXCH maintenance margin; S. *margen de mantenimiento*), **depósito de mercancías** (goods depot), **depósito de plica** (escrow deposit), **depósito de/por avería** (average deposit), **depósito de valores** (deposit of securities; securities deposit account; S. *custodia de valores*), **depósito disponible** (demand deposit; S. *depósito a la vista*), **depósito, en**[1] (TRANSPT in/under bond, in escrow; in storage; S. *afianzado, en aduana*), **depósito, en**[2] (COM sale or return, sale on approval; S. *venta a prueba*), **depósito en almacén de aduanas** (bonding), **depósito en caja fuerte** (BKG safe deposit), **depósito en cuenta corriente** (BKG demand deposit US; S. *depósito a la vista*), **depósito en efectivo** (cash deposit), **depósito en garantía** (guarantee, deposit as guarantee, guaranty deposit, conduct money), **depósito en moneda extranjera** (foreign currency deposit), **depósito en puerto franco** (entrepôt; S. *almacén*), **depósito especial** (trust deposit), **depósito fiduciario, en** (in escrow; S. *en custodia*), **depósito franco** (bonded warehouse, free depot), **depósito franco de un puerto/aeropuerto** (TRANSPT free warehouse), **depósito fuera de hora de oficina** (BKG night safe/depository; S. *caja nocturna, depósito nocturno*), **depósito garan-**

tizado (guaranty deposit; S. *depósito de garantía*), **depósito inicial** (STK & COMMOD EXCH initial margin), **depósito interbancario** (interbank deposit), **depósito interbancario transferible** (FIN transferable interbank deposit), **depósito irregular** (irregular deposit), **depósito legal** (legal deposit, bond), **depósito mercantil** (payment of surety/collateral), **depósito mínimo exigido en las compras al «margen»** (STK & COMMOD EXCH margin requirements), **depósito nocturno** (BKG night safe/ depository; S. *depósito fuera de hora de oficina, caja nocturna*), **depósito obligatorio** (compulsory deposit), **depósito para distribución** (depot, dep; S. *almacén central*), **depósito para suscripción de acciones** (STK & COMMOD EXCH application money), **depósito/préstamo a un día** (BKG overnight deposit/money/loan), **depósito previo** (advance deposit), **depósito previo en un contrato de futuros o de productos** (STK & COMMOD EXCH premium,[3] margin[4]; S. *prima*), **depósitos básicos** (core deposits), **depósitos estables** (BANCA core deposits), **depósitos de acciones extranjeras** (foreign stock deposits; authorized depository receipts, ADR US)].

depreciable *a*: ACCTS depreciable; S. *amortizable*.

depreciación[1] *n*: FIN depreciation[1]; S. *amortización; apreciación, método de depreciación*. [Exp: **depreciación**[2] (downgrading; S. *degradación*), **depreciación acelerada** (ACCTS accelerated amortization/depreciation), **depreciación acumulada** (accumulated depreciation, accrued depreciation), **depreciación calculada a porcentaje fijo** (fixed rate depreciation method), **depreciación compensatoria** (compensating depreciation), **depreciación combinada** (ACCTS composite depreciation), **depreciación contable**

(ACCTS book depreciation), **depreciación contable a efectos tributarios/depreciación fiscal** (tax write-off/write-down; capital allowance write-down; S. *amortización fiscal*), **depreciación creciente/progresiva** (ACCTS progressive depreciation), **depreciación de acumulaciones** (backlog depreciation), **depreciación de la moneda por rebaja del contenido metálico** (debasement of coinage/currency), **depreciación de saldos decrecientes en porcentajes constantes** (ACCTS constant percentage of decreasing balance method of depreciation), **depreciación de una moneda** (decline in price/depreciation of a currency), **depreciación del activo** (devaluation of assets), **depreciación del mercado** (market depreciation), **depreciación lineal** (straight-line method of depreciation; S. *método de depreciación uniforme*), **depreciación por agotamiento** (depletion), **depreciación por cálculo de creciente sobre saldos** (ACCTS diminishing value of depreciation method), **depreciación por cargos decrecientes** (ACCTS decreasing charge method of depreciation), **depreciación por desuso** (obsolescence; S. *obsolescencia*), **depreciación uniforme** (straight-line depreciation; S. *depreciación lineal*), **depreciar-se** (depreciate; devaluate, mark down; S. *amortizar, bajar de valor*)].

depredador *n*: predator; shark *col*; S. *abusivo*.

depresión *n*: depression, slump; trough; crisis; dampening; S. *crisis económica, recesión grave*. [Exp: **depresión de una ola o de un gráfico** (ECO trough; S. *punto más bajo en el ciclo económico, seno*), **depresión del mercado** (STK EXCH market depression/gloom, heaviness of the market), **depresión económica** (recession, slump, trough, economic crisis),

depresión económica profunda (deep recession, heavy slump)].

deprimido *a*: depressed; S. *a la baja*.

deprimir *v*: depress; dampen; S. *desanimar, abatir*.

depuración *n*: cleansing, purifying, purification; treatment; eliminating, debugging *col*; screening; selection; S. *selección*. [Exp: **depurar** (cleanse, purify; purge; screen, sift), **depurar responsabilidades** (get to the bottom of a matter, weed out the culprits, sift an affair to the very bottom, carry out an exhaustive enquiry; S. *exigir responsabilidades*)].

derecho¹ *n*: law; S. *ley, jurisprudencia*. [Exp: **derecho²** (right; entitlement, title, claim; S. *tener derecho a; dar el derecho a*), **derecho³** (right, straight; directly), **derecho⁴** (duty, fee, tariff; S. *tasa; derechos*), **derecho a, con** (eligible for, with a right/title to), **derecho a cotizar en Bolsa** (STK EXCH listing; S. *admisión de un valor en Bolsa*), **derecho a devolución, con** (TAXN entitled to a tax rebate; said of a negative tax return), **derecho a disponer de los fondos de una cuenta** (BKG drawing rights), **derecho a disponer de divisas extranjeras del Fondo Monetario Internacional** (BKG drawing rights), **derecho a sorteo, con** (cum drawing), **derecho a vacaciones retribuidas** (IND REL paid holiday entitlement), **derecho a vender** (right to sell, merchantable title; S. *título válido o seguro*), **derecho a voto** (voting right), **derecho administrativo** (administrative law), **derecho aduanero** (tariff; S. *arancel, tarifa, precio*), **derecho aduanero «ad valorem»** (ad valorem duty), **derecho aparente o pretendido** (ostensible right), **derecho arancelario** (duty,³ excise duty/tax; S. *derecho de aduana, tasa*), **derecho comunitario** (community law), **derecho,** **con** (eligible; S. *adecuado, elegible, admisible*), **derecho, de** (in law: S. *de hecho*), **derecho de adjudicación** (prior claim), **derecho de admisión** (right of admission; S. *reservado el derecho de admisión*), **derecho de aduana** (TAXN excise duty/tax), **derecho de arrendamiento** (leasehold), **derecho de autor** (copyright, royalty; S. *regalía*), **derecho de crédito** (FIN credit right), **derecho de disponibilidad** (drawing right), **derecho de elección** (option¹; S. *derecho prioritario*), **derecho de huelga** (right to strike), **derecho de mesa** (cover charge; S. *consumición mínima en un restaurante*), **derecho de paso** (right of way), **derecho de patente** (patent law; royalty), **derecho de preferencia o prioridad, derecho preferente** (STK & COMMOD EXCH preferential/priority right; pre-emption, pre-emption/pre-emptive right; option,¹ first right; S. *opción de compra prioritaria, prioridad*), **derecho de prenda inmobiliario** (real estate lien), **derecho de propiedad** (title; title to property; propietorship; S. *título de propiedad*), **derecho de rescate** (LAW, INSCE equity of redemption), **derecho de retención** (lien; right of retention; possessory lien; S. *derecho prendario*), **derecho de retención de un objeto o bien concreto** (particular lien; S. *gravamen específico*), **derecho de retención de lo salvado** (salvage lien), **derecho de retención del transportista** (carrier's lien), **derecho de retención del agente de ventas** (factor's lien; S. *gravamen de factor*), **derecho de retención por sobreestadías/salvamento** (TRANSPT lien for demurrage/salvage), **derecho de retención por falso flete** (lien for dead freight; express lien), **derecho de retracto** (right of redemption or first refusal; prior purchase right), **derecho de reversión**

(reversionary interest), **derecho de sociedades** (company/corporation law), **derecho de suscripción** (subscription right, stock right), **derecho de suscripción de acciones a precio convenido** (warrant), **derecho de suscripción de acciones nuevas, con** (cum new), **derecho de tonelaje** (tonnage; S. *arqueo, tonelaje*), **derecho de usufructo** (beneficial interest), **derecho de voto** (voting right), **derecho del trabajo** (labour law; S. *reglamentos sociales*), **derecho a efectuar una permuta financiera** (payer swaption), **derecho, en** (legally, in/by law; S. *de acuerdo con la ley*), **derecho equitativo del socio en la distribución de los bienes sociales** (lien of partners), **derecho especial de sucripción/ adquisición** (STK EXCH warrant[3]), **derecho existente** (existing right), **derecho financiero** (public finance law), **derecho fiscal** (tax law; S. *disposición tributaria*), **derecho hipotecario** (mortgage law), **derecho inmobiliario** (real estate law), **derecho marítimo** (maritime law), **derecho mercantil** (business/commercial/mercantile law), **derecho no escrito** (unwritten/unenacted law), **derecho preferente** (S. *derecho de preferencia*), **derecho prendario** (LAW lien, right of lien, general lien; lien; S. *embargo preventivo*), **derecho prioritario** (S. *derecho de preferencia*), **derecho regulador variable** (variable levy), **derechos** (dues, fees; customs duties, charges; S. *tasas, canon*), **derechos a cargo de/abonables por el comprador** (duties on buyer's account), **derechos adquiridos** (acquired rights), **derechos arancelarios** (customs duties; S. *aranceles de aduanas*), **derechos compensatorios o contingentes** (TAXN countervailing duties; contingent duties/fees), **derechos consulares** (TRANSPT consular fees/charges), **derechos convencionales** (TRANSPT standard charges, treaty duties), **derechos de acuñación** (mintage; S. *acuñación*), **derechos de aduana** (TAXN customs duties; impost; S. *impuesto*), **derechos de aduanas sobre exportaciones** (export duties; S. *derechos de exportación*), **derechos de amarre** (TRANSPT moorage, moorage fees or charges), **derechos de anclaje** (anchorage, keelage; S. *derechos de dársena*), **derechos de antigüedad** (seniority rights), **derechos de atraque** (dockage; dock dues; berthage; berth charge; S. *gastos de muelle*), **derechos de autor** (royalties; S. *regalía del autor*), **derechos de consumo** (TAXN excise; S. *arbitrio*), **derechos de custodia** (BKG safekeeping fee, safe deposit charge), **derechos de dársena** (dock charges/ dues/tariffs; S. *tarifas portuarias*), **derechos de depósito** (storage charges), **derechos de ejecución o intepretación** (performing rights), **derechos de entrada** (customs inwards), **derechos de exportación** (export duties), **derechos de fabricación** (patent royalties; S. *derechos de patente*), **derechos de flete o embarco** (lastage), **derechos de grúa** (TRANSPT cranage), **derechos de importación** (import duties; S. *arbitrios, aranceles*), **derechos de ingreso en un consorcio bancario** (syndication fee), **derechos de la propiedad** (property rights), **derechos de muelle** (pierage, pier dues, wharfage, quayage), **derechos de negociación colectiva** (IND REL bargaining rights), **derechos de participación** (participating rights), **derechos de patente** (patent royalties/rights), **derechos de permanencia en un puerto** (anchorage charges/dues), **derechos de practicaje** (pilotage; S. *pilotaje*), **derechos de puerto** (harbour dues/fees, keelage),

derechos de salvamento (salvage rights), **derechos de suscripción** (STK EXCH rights, subscription rights, pre-emptive rights), **derechos de suscripción preferente de la ampliación** (STK EXCH subscription right/preferential rights over new issue, privilege of subscription of rights issue), **derechos de tonelaje** (tonnage dues), **derechos de tránsito** (transit duties), **derechos de traspaso** (transfer fees), **derechos de una clase concreta de accionistas** (class rights), **derechos de venta en el extranjero** (foreign rights), **derechos de venta exclusivos** (sole selling rights), **derechos de vuelo** (air rights), **derechos en exclusiva** (exclusive rights, exclusivity; S. *exclusiva*), **derechos especiales de giro, DEG** (BKG special drawing rights, SDR), **derechos especiales de giro de mercado, DEG de mercado** (ECO market special drawing rights, market SDR), **derechos exclusivos** (exclusive rights), **derechos humanos** (human rights), **derechos/impuestos sobre el alcohol, el petróleo, etc.** (duty on alcohol/oil, etc.), **derechos limitados o condicionales** (qualified rights), **derechos móviles** (sliding scale or tariff), **derechos políticos** (STK EXCH voting rights; S. *participación económica*), **derechos portuarios** (dock/harbour charges/dues/duties; S. *derechos de dársena*), **derechos preferentes** (prior rights), **derechos reales de garantía** (pledge), **derechos ribereños** (riparian rights), **derechos secundarios** (secondary rights), **derechos singulares** (STK EXCH absolute rights)].

derechohabiente *n*: assign,[2] lawful heir/successor, rightful owner/claimant/claimer,[2] successor in title; S. *demandante, actor, litigante*)].

derelicto *n*: flotsam and jetsam; S. *restos de un naufragio.*

deriva *n*: drift; S. *corriente.* [Exp: **deriva, a la** (adrift), **deriva lateral** (TRANSPT leeway[3]; S. *abatimiento de un buque*)].

derivación *n*: by-pass, bypass[1]; S. *desvío.*

derivado[1] *a/n*: derivative; secondary; S. *dependiente, secundario.* [Exp: **derivado**[2] (FIN derivative, derivative instrument; S. *producto derivado*), **derivado-s**[3] (by-product; S. *subproducto, producto secundario*), **derivados de titulizaciones** (STK & COMMOD EXCH pass-through derivatives)].

derivar[1] *v*: derive; S. *proceder.* [Exp: **derivar**[2] (recover[2]; accrue; S. *recuperar, sacar*), **derivativo** (derivative; S. *indirecto, secundario*)].

derogación *n*: derogation, repeal. [Exp: **derogar** (repeal)].

derrama *n*: INSCE, TAXN contribution[1]; levy, special levy; apportionment[1]; charge or levy for repairs to building borne proportionally by all flat-owners; call[11]; S. *reparto de la carga de gastos, prorrateo.*

derramar *v*: leak. [Exp: **derrame** (TRANSPT, INSCE leakage; S. *merma*), **derrame de petróleo en el mar** (oil spill)].

derrelicto *a/n*: derelict; flotsam; S. *abandonar.*

derribar *v*: overthrow, bring down[2]; demolish, knock down, pull down; S. *provocar la caída de, derrocar.* [Exp: **derribo** (overthrow, toppling; demolition)].

derrrochador *n*: free-spending; big spender *col*, spendthrift. [Exp: **derrochar** (squander, topple, waste; S. *gastar*), **derrochar dinero** (spend money lavishly or hand over fist, go on a spending spree *col*; break out *col*), **derroche** (extravagance, lavish expenditure, squandering, waste)].

derrota[1] *n*: course; S. *trayectoria, rumbo.* [Exp: **derrota**[2] (defeat[1]; S. *derrotar*), **derrotar** (beat, defeat[1]; S. *batir*), **derrotado** (defeated; losing; loser;

shabby, down-at-heel *col*; down-and-out;
S. *perdedor*), **derrotar una moción**
(defeat a motion), **derrotero** (course;
course or plan of action)].

derrumbamiento, derrumbe *n*: collapse;
breakdown,[1] heavy fall, failure, crash; S.
avería; desplome, colapso, hundimiento.
[Exp: **derrumbarse** (collapse, fall
sharply, break down[1]; cave in; S.
desplomarse, hundirse)].

des- *pref*: dis-; mis-; S. *in-, dis-.*

desabastecer *v*: cut off supplies, deprive of
goods or supplies; S. *abastecer, proveer.*
[Exp: **desabastecido** (out of supplies
short of supplies; in short supply),
desabastecimiento (lack, shortage of
supplies, scarcity; S. *escasez*)].

desaceleración *n*: deceleration, slowdown;
downturn; soft-pedalling *col*. [Exp:
desacelerar (decelerate, slow down,
decline; soft-pedal *col*; S. *frenar,
ralentizar, reducir la velocidad*)].

desacomodación horaria *n*: jet lag.

desaconsejar *v*: advise against, dissuade;
make/render inadvisable. [Exp: **desacon-
sejable** (inadvisable), **desaconsejado**
(ill-advised, imprudent)].

desacreditar *v*: discredit; S. *desautorizar.*

desacuerdo *n*: disagreement, dispute, fall-
out[2]/falling out; S. *disputa.*

desafianzar *v*: release the bond.

desafiar *v*: challenge, defy; dare; S. *retar.*
[Exp: **desafiador** (challenger; chal-
lenging, defiant), **desafiante** (defiant,
threatening), **desafío** (challenge)].

desagraviar *v*: compensate, indemnify; make
amends to/for, set/put right, set to rights; S.
compensar, indemnizar. [Exp: **desagravio**
(IND REL, INSCE compensation, satisfaction;
indemnity, amends; S. *indemnización,
compensación*)].

desahuciar *v*: evict, eject; kill off the
hopes of, knock on the head *col*.
[Exp: **desahucio** (eviction, dismissal[1]; S.
cese)].

desajuste *n*: maladjustment, imbalance;
disorder, irregularity; kink *col*, bug *col*,
blip *col*. [Exp: **desajustes cambiarios**
(ups and downs or imbalances or blips in
the exchange rates *col*; S. *fluctuaciones*),
desajustar (disturb, knock off balance,
throw out of gear *col*)].

desalentar *v*: discourage, deter; knock the
heart out of; S. *disuadir, desanimar.*

desalojar *v*: evict, clear out, eject, remove,
oust, force out. [Exp: **desalojo** (eviction)].

desamarrar *v*: TRANSPT cast off.

desanimar *v*: FIN discourage; S. *desalentar.*
[Exp: **desanimarse** (become dis-
couraged, lose heart), **desánimo** (STK
EXCH slackness, despondency, lifelessness; S. *atonía*)].

desapalancamiento financiero *n*: FIN
degearing.

desaparecer *v*: disappear. [Exp: **desaparecer paulatinamente** (peter out),
desaparecido (missing, disappeared)].

desaprobación *n*: disapproval, rejection; S.
rechazo, prohibición.

desaprobar *v*: disapprove; reject, object to;
S. *objetar, formular reparos.*

desarmar *v*: dismantle, remove, take
down/away; strip down, take apart/to
pieces. [Exp: **desarme** (removal; S.
rearme), **desarme arancelario** (elimination of customs duties; tariff
dismantling), **desarme comercial**
(removal of trade restraints or tariffs,
lifting of trade barriers, suppression of
protectionist barriers)].

desarreglar *v*: upset, disturb, interfere
with; knock out of gear *col*, mess up *col*,
upset the smooth running of; S.
desordenar, desbaratar, desajustar.
[Exp: **desarreglado** (out of order;
irregular, out of true; skew-whiff *col*; S.
desordenado)].

desarrollar *v*: develop[1]; build up[1]; expand,
grow, extend[1]; S. *extender, ampliar.*
[Exp: **desarrollar actividades** (operate),

desarrollismo (ECO unchecked growth, policy of allowing economic growth to take its own course, policy of non-interference in economic development), **desarrollismo desenfrenado/descontrolado/salvaje** (ECO unchecked or rabid economic liberalism, radical policy of economic non-interference), **desarrollo** (development,[1] advancement, growth, progress, expansion; S. *avance, promoción, crecimiento, progreso*), **desarrollo demográfico** (population growth), **desarrollo económico** (economic development/growth), **desarrollo, en** (developing, expanding; S. *en expansión, en vías de desarrollo*), **desarrollo escalonado o programado** (phased development, planned growth; S. *evolución gradual o por etapas*), **desarrollo industrial** (industrial development), **desarrollo sostenible** (ECO sustainable development), **desarrollo urbanístico** (urban development,[2] town planning; S. *urbanización, urbanismo*)].

desastre *n*: disaster, catastrophe; S. *siniestro*. [Exp: **desastre económico** (crash, economic disaster)].

desatascar *v*: unblock, unfreeze, clear; break a deadlock; S. *desbloquear, descongelar, descongestionar*. [Exp: **desatascamiento del mercado** (market clearing)].

desatender *v*: abandon; leave unattended; ignore, disregard; default; S. *renunciar a, abandonar*. [Exp: **desatender el pago** (default on a payment, fail to pay, dishonour a bill; S. *no pagar*)].

desautorizar *v*: undermine the authority of, issue a denial of, disavow; show up, expose to ridicule, embarrass publicly; S. *desacreditar*. [Exp: **desautorización** (denial, public denial or disavowal; public embarrassment; contradiction of an official version or statement)].

desbancar *v*: oust, topple, dislodge; displace; kick/boot out *col*, get rid of; cause or bring about the downfall of; S. *defenestrar, cesar, echar*.

desbarajustar *v*: throw out of gear, mess up/about *col*, cause turmoil/an upheaval in/to; S. *desarreglar, desbaratar*. [Exp: **desbarajuste** (chaos, confusion, pandemonium *col*, mess *col*)].

desbaratar *v*: disrupt, throw out of joint/gear *col*, thwart, foil, make nonsense/a mess of; knock on the head *col*; cause to fall apart at the seams *col*; S. *desbarajustar*. [Exp: **desbaratar las previsiones** (frustrate expectations, make nonsense of the forecasts, upset the odds *col*; scupper a plan or scheme; S. *torpedear*)].

desbloquear *v*: unblock, unfreeze, clear, free, release; break the deadlock/blockade; S. *desatascar*. [Exp: **desbloquear unas negociaciones** (break the deadlock), **desbloqueo de fondos** (release/unfreezing/unblocking of funds)].

desbocado *a*: runaway, unbridled, rampant; S. *galopante; inflación; déficit público desbocado*. [Exp: **desbocarse** (gallop; run riot; be/get out of control; S. *desmandarse*)].

desbordar *v*: flood, overflow; surpass, go beyond; outstrip; S. *inundar*. [Exp: **desbordar/saturar el mercado** (flood the market), **desbordamiento** (flooding, overflowing; upsurge), **desbordamiento de la demanda** (uncontrollable upsurge in demand, outstripping of demand)].

descalificación *n*: disqualification; condemnation; disparaging remark, insult; S. *tacha, inhabilitación*. [Exp: **descalificado** (disqualified; S. *inhabilitado, incapacitado, impedido*), **descalificar** (disqualify; discredit, dismiss the views of; condemn; insult; speak disparagingly of)].

descansar *v*: have/take a break/rest; rest;

take/have a day off; S. *hacer una pausa.*
[Exp: **descanso** (rest, inaction, break,[2]
day off; holiday; S. *pausa*), **descanso, sin**
(tirelessly, without a break))].

descapitalización *n*: fin decapitalization,
capital depletion, erosion of net worth,
reduction in net worth. [Exp: **descapitalizado** (undercapitalized), **descapitalizar** (decapitalize), **descapitalizarse**
(run down the capital, become undercapitalized, run into problems with
capital; S. *desinversión*), **descapitalizado**
(undercapitalized; S. *infracapitalizado*)].

descarga *n*: discharge of cargo, unloading.
[Exp: **descarga en sacos** (BIBO; S.
carga a granel), **descargar**[1] (discharge[1];
land; unload; S. *descarga*), **descargar**[2]
(acquit; relieve; S. *pagar*), **descargar a
alguien de parte de su trabajo** (relieve
sb of part of his/her task/workload)].

descargo[1] *n*: quittance, discharge[5]. [Exp:
descargo[2] (LAW plea or pleading,
evidence for the defence, answer to
charges; S. *alegaciones*), **descargo de,
en** (in defence of, in sb's defence; to sb's
credit; to be fair to sb), **descargo de una
deuda** (settlement/discharge of a debt,
full and final settlement; termination
statement; S. *finiquito*)].

descartar *v*: discard; rule out; reject,
dismiss; S. *abandonar, desechar.* [Exp:
descarte (discard, discarding, dismissal,
ruling out, elimination; S. *eliminación,
rechazo, desecho*), **descartado, dar por**
(reject out out hand, rule out entirely,
view as a non-starter)].

descendente *a*: STK EXCH downward,
declining, diminishing, decreasing; S. *a
la baja, en declive.*

descender *v*: fall; fall away/off/back; drop;
drop off, diminish; decline; S. *caer,
bajar.*

descenso *n*: fall, decline,[1] decrease;
downturn; comedown; S. *descenso, baja,
caída; revés, retroceso.* [Exp: **descenso,**

en (declining; S. *a la baja*), **descenso
económico** (economic downturn/
decline), **descenso en el índice de
popularidad** (fall in popularity),
**descenso en el valor de un activo tras
su revaloración** (disappreciation),
descenso en el volumen de negocios
(STK EXCH falling-off/downturn in
transactions/trading; S. *recesión, caída o
contracción económica*), **descenso en la
natalidad/índice de población** (fall/drop
in birth rate/population figures),
descenso marcado (steep decline, sharp
drop, plunge[3]; S. *desplome, caída
brusca*), **descenso económico cíclico**
(ECO cyclical downturn)].

descentralización *n*: decentralization.
[Exp: **descentralización administrativa**
(management decentralization)].

descifrar/descodificar *v*: decode. [Exp:
descifrador/descodificador (decoder)].

descomponer *v*: break down/up, split up,
analyze; knock off balance, disturb,
upset; S. *fragmentar, desglosar.* [Exp:
descomposición (ECO decomposition,
breakdown), **descomposición analítica**
(analytical breakdown), **descompuesto**
(out of order; S. *roto, desordenado*)].

descongestionar *v*: clear, decongest; ease
the pressure on, improve the flow of;
ease/relieve the pressure of population,
deal with the problem of overcrowding; S.
desatascar), **descongestión** (clearing,
clearance; relief; rehousing/resettlement
policy, reallocation programme, easing of
the pressure of population), **descongestión rural** (resettlement of farmsteads)].

descontable *a*: discountable, deductible,
allowable[2]; eligible; S. *deducible;
negociable.* [Exp: **descontado** (discounted; excluding), **descontar** (discount, take
off, allow, abate, deduct; assume, absorb,
adjust for, take for granted; check off *col*;
knock off *col*; S. *deducir*), **descontar del
sueldo** (deduct from wages, dock[2] from

wages *col*; S. *rebajar/reducir el sueldo*), **descontar la noticia** (STK EXCH discount the news), **descontar el recorte de tipos** (STK EXCH discount/absorb/adjust for the drop in rates), **descontar-se impuestos** (TAXN deduct from taxable income, apply an allowance; S. *deducir-se impuestos*), **descontar parte del valor al hacer un intercambio** (trade-off[2]), **descontar una letra de cambio** (discount a bill)].

descontrolado *a*: out of control; rampant.

desconvocar *v*: call off,[1] cancel; S. *suprimir, cancelar.*

descrédito *n*: discredit; injury to credit.

descripción *n*: description, version, account[2]; S. *relación, informe.* [Exp: **descripción de hechos/acontecimientos** (account of facts/events), **descripción de un informe** (particulars of a report), **descriptivo** (descriptive)].

descubierto *a/n*: open, exposed, bare; overdraft, deficit; shortage, shortfall. [Exp: **descubierto bancario** (bank overdraft; current account credit *US*; S. *saldo deudor en cuenta; girar en descubierto*), **descubierto bancario especial** (BKG evergreen loan *US*), **descubierto bancario permitido** (credit line *US*; S. *línea de crédito*), **descubierto, en/al** (overdrawn; unbacked, short; S. *corto*), **descubierto en cuenta** (overdraft; current account credit *US*; S. *descubierto bancario*), **descubierto obligatorio** (INSCE compulsory self-insurance; S. *franquicia obligatoria*), **descubierto recíproco** (BKG swing credit), **descubiertos provisionales por compensación interbancaria** (BKG daylight overdraft/exposure)].

descubrir *v*: discover, find, find out, detect, unearth, uncover, expose, learn; disclose; reveal; S. *detectar, hallar.* [Exp: **descubrimiento** (discovery, detection, exposure, revelation; S. *revelación*)].

descuento *n*: discount, rebate, deduction, allowance[4]; price allowance, reduction in price; S. *rebaja, reducción.* [Exp: **descuento a clientes** (allowance to customers, sales discount; S. *descuento por pronto pago*), **descuento a la reinversión** (reinvestment discount), **descuento a plazo** (STK & COMMOD EXCH forward discount), **descuento, al** (at a discount), **descuento al minorista** (trade discount/allowance), **descuento al por mayor** (discount on bulk purchases; S. *descuento por facturación global*), **descuento bancario** (bank/banker's discount; base rate[1], bank rate; minimum lending rate; S. *tasa bancaria*), **descuento básico** (basic discount), **descuento caducado** (lapsed discount), **descuento cambiario** (exchange discount), **descuento comercial o al minorista** (trade allowance/discount, commercial discount), **descuento de cantidad** (order discount), **descuento de efecto** (bill discount), **descuento de efectos** (discount of drafts; discounting of bills), **descuento de facturas** (invoice discounting; factoring), **descuento de prima** (premium discount), **descuento de promoción** (promotional allowance), **descuento de volumen** (volume discount; S. *descuento por consumo*), **descuento elevado** (deep discount), **descuento en el precio del flete** (freight allowances; S. *bonificación en el flete*), **descuento en la compra** (purchase/trade discount), **descuento en préstamos** (debt discount), **descuento excesivo** (over-deduction), **descuento funcional** (functional discount), **descuento graduado** (graduate rebate), **descuento hecho por adelantado** (advance discount, pre-paid interest; S. *interés cobrado por adelantado*), **descuento por cantidad** (COM quantity discount/rebate), **descuento para comerciantes del ramo** (trade terms), **descuento por cantidades**

acumuladas (deferred quantity discount), **descuento por carga completa** (bulk discount; S. *descuento por facturación global*), **descuento por derrame** (INSCE leakage), **descuento por deterioro/daño causado a la mercancía** (discount for damaged goods, breakage[1]), **descuento por facturación global** (bulk discount; quantity discount; S. *descuento por carga completa*), **descuento por no tener siniestros** (INSCE no-claims bonus), **descuento por pagar al contado o por pronto pago** (cash discount; short discount; discount for cash; anticipation rate), **descuento por volumen** (volume discount, bulk purchase discount), **descuento sin derecho a recurso** (discount without recourse), **descuento sobre bonos** (bond discount), **descuento sobre el precio marcado** (trade discount; percentage off the price), **descuentos y rebajas sobre ventas** (sales rebates and allowances)].

descuidar *v*: be careless with/over, neglect, overlook, fail to look after properly or take dure care of, be slack about, be sloppy in/about *col*, slip up with/over *col*; S. *imprudencia, negligencia*. [Exp: **descuidado** (careless, negligent, neglect-ful, neglected), **descuido** (oversight, carelessness, negligence; mistake, error, slip; S. *inadvertencia*)].

desdoblar *v*: split, split in two, divide; double up. [Exp: **desdoblamiento** (split, split in two, divide; splitting; double up), **desdoblamiento de precios** (split pricing), **desdoblamiento del nominal de las acciones** (split), **desdoble** (STK & COMMOD EXCH stripp-ing, clipping off), **desdoble de acciones** (STK & COMMOD EXCH stock split)].

deseconomías de escala *n*: diseconomies of scale; S. *economías de escala*.

desechable *a*: disposable[1]; non-returnable; S. *de usar y tirar*. [Exp: **desecho** (waste,

scrap; S. *residuos*), **desechos arrojados al mar** (flotsam and jetsam; S. *restos flotantes de un naufragio*), **desechar** (throw out, ditch *col*; dump *col*; junk *col*; get rid of, get shut of *col*; discard; drop; rule out, reject, dismiss; S. *descartar*)].

desembarazarse de *v*: dispose of,[2] get rid of; S. *deshacerse de, tirar, desechar*.

desembarcadero *n*: landing stage, jetty, discharging berth. [Exp: **desembarcar** (disembark, land; unload; S. *descargar*), **desembarco** (landing; S. *aterrizaje*)].

desembolsar *v*: pay; pay up, pay off, pay out, disburse; S. *pagar, abonar, satisfacer*. [Exp: **desembolso** (disbursement/disbursing; payment, expenditure; outlay; cash outlay; pay-out; S. *gasto, salida*), **desembolso demorado** (delayed disbursement), **desembolso en efectivo** (disbursement of cash), **desembolso inicial de capital** (initial capital outlay/outflow), **desembolsos pendientes sobre acciones no exigidos** (shareholders' debt)].

desempeñar *v*: perform; carry out; S. *efectuar, ejecutar, cumplir, ejercer, practicar*. [Exp: **desempeñar un cargo** (hold/fill a post), **desempeñar una función**[1] (perform a task/a function, discharge a function/duty; S. *llevar a cabo una tarea*), **desempeñar una función**[2] (be in office; S. *ocupar un cargo*), **desempeño** (performance[1]; discharge; S. *ejercicio, ejecución, cumplimiento, actuación*), **desempeño de su cargo, en el** (in the performance/discharge/course of one's duties)].

desempleado *a*: jobless, unemployed; out of a job, out of work; spare lapour; S. *cesante, sin trabajo*. [Exp: **desempleo** (unemployment; S. *paro*), **desempleo encubierto** (disguised unemployment), **desempleo estacional** (IND REL seasonal unemployment), **desempleo estructural** (ECO structural unemployment), **desem-**

pleo friccional (IND REL frictional unemployment *US*)].

desencadenar *v*: unleash, set off, give rise to, cause, trigger, trigger off; S. *disparar, causar, provocar*. [Exp: **desencadenante** (contributory factor; cause; trigger)].

desenfrenado *a*: rampant, uncontrolled, galloping; S. *descontrolado, galopante*.

desentenderse *v*: have/take nothing to do with, wash one's hands of *col*; ignore, withdraw from; remain aloof from; S. *ignorar*.

desequilibrar *v*: unbalance, throw off balance, upset the balance of; throw out of gear *col*; S. *debaratar, desbarajustar*. [Exp: **desequilibrio** (disequilibrium, imbalance), **desequiliblio de los pagos internacionales** (imbalance in international payments), **desequilibrio de la balanza de pagos** (external imbalance, disequilibrium in the balance of payments), **desequilibrio estructural de la balanza de pagos** (ECO fundamental disequilibrium)].

desertar *v*: defect, abandon, desert; S. *huir, abandonar*.

desesperada, a la *phr*: as a last resort, last-ditch; S. *como último recurso*. [Exp: **desesperado** (desperate; hopeless; frantic; last-ditch)].

desestimar *v*: dismiss,[2] disallow, reject; throw out; turn down; overrule; S. *rechazar, anular, invalidar*.

desfalcar *v*: embezzle; S. *sustraer, desviar*. [Exp: **desfalcador** (embezzler), **desfalco** (embezzlement, defalcation, misappropriation, peculation; S. *malversación, defraudación, distracción de fondos*), **desfalco mediante ingeniería contable** (ACCTS embezzlement by fraudulent accounting or fraudulent misrepresentation; lapping, cooking the books *col*; fiddling the accounts *col*; S. *encubrimiento fraudulento de asientos contables*)].

desfasar *v*: throw out of phase, upset the timing. [Exp: **desfasado** (out of phase, out of date, out of step; S. *anticuado, caducado, obsoleto*), **desfase** (lag; time lag; gap; imbalance; mismatch; S. *retraso*), **desfase cronológico** (time-lag, mistiming; S. *efecto diferido*), **desfase patrimonial** (FIN shortfall in the funds, hole in the balance sheet), **desfase renta-gasto** (income-spending lag)].

desfavorable *a*: unfavourable, adverse; S. *contrario, hostil, opuesto, adverso*.

desfilar *v*: parade, march or file past; S. *manifestarse*. [Exp: **desfile** (parade, march, review; S. *exposición, feria*), **desfile de modas/modelos** (fashion parade or show; S. *pasarela*)].

desgastar-se *v*: erode; wear out/away/down, fray; become/get worn out; S. *erosionar-se, mermar-se*. [Exp: **desgastado** (worn out), **desgaste** (wear, wear and tear, wastage; drain; attrition, decline, weakening; S. *debilitamiento*), **desgaste físico de una moneda producido por su uso** (abrasion of coin; S. *abrasión, merma*), **desgaste normal/natural** (fair/normal wear and tear)].

desglosar *v*: itemize, break down[2]; S. *detallar*. [Exp: **desglose** (analysis; breakdown; S. *análisis*), **desglose analítico** (analytical breakdown), **desglose de gastos** (breakdown of expenditure), **desglose de gastos deducibles de impuestos** (TAXN itemized allowances/deductions), **desglose del coste** (cost breakdown), **desglose por conceptos** (BKG, COM itemized breakdown)].

desgravable *a*: TAXN tax-deductible, allowable against tax; S. *deducible*. [Exp: **desgravación** (relief,[2] tax allowance/concession/relief/refund, personal relief, concession,[2] deduction, exemption, allowance[3]; S. *deducción, bonificación, reducción*), **desgravación en los**

impuestos municipales por tener rentas bajas (rate rebate/relief; S. *rebaja impositiva*), **desgravación fiscal** (tax allowance; tax relief; tax benefit/rebate; S. *bonificación/exención/deducción/ rebaja tributaria*), **desgravación fiscal a la exportación** (COM export rebate, tax relief to export), **desgravación fiscal de los intereses de una hipoteca** (mortgage interest relief), **desgravación fiscal mediante reinversión de rendimientos** (rollover relief from capital gains), **desgravación por cada hijo** (allowance for dependent child), **desgravación por gastos de iniciación de un negocio** (setting-up or installation allowance), **desgravación por pérdidas** (allowance for losses), **desgravación por reinversión** (reinvestment relief), **desgravación por rentas de trabajo** (earnings allowances), **desgravaciones anuales por amortización** (annual depreciation allowances), **desgravaciones en el impuesto de la renta** (income tax relief/allowance/ deduction/rebate), **desgravaciones por bienes de capital** (capital allowances; S. *deducciones de capital, amortización fiscal*), **desgravarse** (deduct against tax, claim tax relief; be tax-deductible, qualify for tax relief; S. *reducir-se, deducir-se, descontar-se, disminuir-se impuestos*)].

desguace[1] *n*: scrapping, breaking up; S. *valor de desguace*. [Exp: **desguace**[2] (scrapyard, junkyard; breaker's yard; wrecker's yard *US*; S. *chatarrería*), **desguazar** (scrap, break up)].

deshacer *v*: undo; take apart; break; cancel, go back on, reverse; S. *anular*. [Exp: **deshacerse de** (dispose of,[2] get rid of; part with, jettison; S. *desembarazarse de, librarse de*), **deshacerse de basura o de objetos inservibles** (dump,[2] get rid of/shut of unwanted stock/junk *col*)].

deshinchar *v*: ECO deflate; S. *desinflar,*

rebajar. [Exp: **deshincharse** (go flat; lose momentum, run out of steam *col*; lose heart)].

deshipotecar *v*: pay off a mortgage; S. *redimir una hipoteca.*

deshora, a *phr*: too late; at the wrong time; at all hours; S. *tarde, retraso, inoportuno.*

designación *n*: designation, appointment[1]; S. *nombramiento*. [Exp: **designado** (appointee; S. *nominado, seleccionado*), **designar** (appoint, name, designate; engage, select; decide on; S. *nombrar, destinar*), **designar a alguien para un cargo o puesto no electivo** (nominate somebody to a post)].

desigual *a*: unequal, one-sided, unfair; varying, irregular; S. *sesgado, parcial; irregular.*

desindustrialización *n*: ECO deindustrialization.

desinflar *v*: ECO deflate; take the wind out of the sails of *col*; knock the stuffing out of *col*; S. *rebajar, reducir, deshinchar*. [Exp: **desinflación** (disinflation)].

desintegrarse *v*: disintegrate, fall apart, come/fall to pieces, split up; S. *disgregarse, desmoronarse.*

desinversión *n*: disinvestment, divestment, divestiture, negative investment. [Exp: **desinvertir** (disinvest, divest, divest oneself of)].

desistir *v*: give up, desist, abandon, drop, waive, forbear; S. *abandonar, dejar, renunciar a*. [Exp: **desistir de** (stop, give up; call off[1]; S. *abandonar una actividad*)].

deslastrar *v*: TRANSPT unballast.

deslizamiento *n*: STK & COMMOD EXCH slippage.[2] [Exp: **deslizante** (creeping; S. *reptante*), **deslizar-se** (slide, slip; slip in), **deslizarse a la baja** (edge downwards; S. *bajar lentamente*)].

deslocalización industrial *n*: re-siting of industries; drift of industries away from their traditional heartlands; industrial delocation.

desmandarse *v*: be/get out of control or hand; disobey, become unruly or disobedient; S. *desbocarse*.

desmantelar *v*: dismantle, take apart/down, strip down; S. *desmontar*. [Exp: **desmantelamiento** (dismantling, stripping down), **desmantelamiento de medidas proteccionistas** (COM roll-back)].

desmarcarse *v*: keep clear, stay away, keep one's distance, keep/remain aloof, dissociate oneself; open up a gap; S. *distanciarse*), **desmarcarse de los rivales** (COM outstrip the competition, open up a gap between oneself and one's competitors)].

desmedido *a*: undue.

desmejorar *v*: ECO spoil, damage, impair, make worse; get/grow worse, lose ground; S. *perder terreno*. [Exp: **desmejora/desmejoramiento** (worsening, decline, deterioration; S. *empeoramiento, deterioro*)].

desmonetización *n*: FIN demonetization. [Exp: **desmonetizar** (demonetize)].

desmembramiento [empresarial] *n*: ECO bust-up; S. *segregación, escisión*.

desmentir *v*: deny, contradict; refute; scotch; S. *negar, desautorizar*.

desmontar *v*: dismantle, knock down,[1] take apart or to pieces, demolish, strip, strip down, clear, level, flatten; S. *desarmar*. [Exp: **desmontar el chiringuito** *col* (shut shop *col*; pull out *col*, do a runner *col*, do a midnight flit *col*)].

desmoronarse *v*: collapse, fall apart; S. *venirse abajo, derrumbarse, desplomarse, hundirse*.

desnacionalización *n*: denationalization. [Exp: **desnacionalizar** (denationalize; S. *privatizar*)].

desnaturalizar *v*: LAW misrepresent, falsify; S. *tergiversar;* denaturalize; denature, render unfit for human consumption. [Exp: **desna-turalización** (LAW misrepresentation, fake[2]; S. *falsificar, tergiversación*)].

desnudo *a*: bare, naked; plain, unvarnished; S. *descubierto, nudo*.

desocupación *n*: idleness; unemployment. [Exp: **desocupación de vivienda** (vacancy), **desocupado** (out of a job, jobless; idle; S. *en paro; ocioso*)].

desorbitado *a*: ludicrous, mad, absurd, excessive, sky-high *col*; astronomical *col*, exorbitant; S. *disparatado, exorbitante*.

desorden *n*: disorder. [Exp: **desorden, en** (in disorder, in disarray; in a mess *col*; S. *desarreglado, descompuesto*), **desordenado** (untidy, messy, out of order; at sixes and sevens *col*),; **desordenar** (disorder, mess up *col*, make untidy, make a mess of *col*; S. *desarreglar*)].

desorganizar *v*: disorganize, mess up *col*, disrupt, throw out of gear *col*; S. *desordenar, desarreglar*. [Exp: **desorganización** (disorganization, disruption; mess *col*, mix-up *col*; S. *lío, desbarajuste*), **desorganización acumulativa del mercado** (acumulative market disruption)].

desorientar *v*: disorient, disorientate, confuse, mislead, muddle *col*, throw off the scent *col*; S. *confundir; lío[2]*)].

despachaderas *col n*: business acumen/ sense; resourcefulness; good eye for business; quick-wittedness, practical know-how.

despachado *a*: TRANSPT released, duty-paid; S. *pagado*), **despachado de aduanas** (customs cleared), **despachado sin previa inspección** (cleared without examination), **despachador** (dispatcher), **despachador directo** (desk jobber *US*)].

despachar *v*: dispatch, deal with, ship; clear up, dispose of,[4] finish off/up; pack off *col*; S. *liquidar, concluir*. [Exp: **despachar en aduanas un barco para**

la salida (clear out), **despachar en una tienda** (COM serve, see to, attend to a customer), **despachar la correspondencia** (attend to correspondence), **despachar mercancías en la aduana** (clear goods through customs), **despachar pedidos pendientes** (clear back orders), **despachar/cumplimentar/ ejecutar un pedido** (fill/fulfil an order, deal with an order; S. *cursar un pedido*), **despachar un buque en el servicio de aduanas** (clear a ship)].

despacho[1] *n*: office, desk[1]; S. *bufete, oficina, gabinete*. [Exp: **despacho[2]** (commission[1]; S. *mandato, encargo*), **despacho[3]** (dispatch; handover; S. *comunicación*), **despacho[4]** (TRANSPT dispatching, handling; S. *distribución, expedición*), **despacho aduanero** (customs clearance; clearance certificate; clearance by customs; entry inwards; inward clearing bill; S. *trámites de aduana*), **despacho de abogados** (law firm), **despacho de billetes** (ticket office; S. *taquilla*), **despacho de entrada** (clearance inwards), **despacho de equipajes** (luggage/baggage handling, handling[2]; S. *servicio de asistencia en tierra a aeronaves*), **despacho de mercancías en la aduana** (clearing of goods through the customs), **despacho de pedidos** (COMER handling of/dealing with orders), **despacho de salida de un buque** (outward clearance, clearance outwards)].

desparejado *a*: COM odd, unmatched; S. *suelto, sobrante, pico*.

despedir *v*: IND REL dismiss[1], give notice, discharge[2]; axe, lay off; make redundant, give the sack *col*; fire[2] *col*; pack off *col*; S. *echar, cesar*. [Exp: **despedir a alguien** (discharge an employee, make sb idle; axe jobs *col*; give sb his cards *col*; S. *dejar a alguien sin empleo, amortizar puestos de trabajo*), **despedir a alguien por exceso de mano de obra** (make sb redundant), **despedir a un empleado liquidándole los haberes** (IND REL pay off[2] a worker; S. *ajustar cuentas*), **despedirse voluntariamente de un puesto de trabajo** (hand in one's notice, give notice, give up one's job)].

despegar *v*: take off, lift off, blast off. [Exp: **despegue** (take-off, lift-off, blast-off; S. *impulso*), **despegue económico** (economic take-off, new lease of economic life, economic thrust or zest, new-found prosperity; S. *crecimiento económico*)].

desperdiciar *v*: waste, throw away, squander; S. *derrochar, gastar, desgastar*. [Exp: **desperdiciar una ocasión de oro** (waste/throw away a golden opportunity or a splendid chance), **desperdicio** (waste, waste product, detritus; scrap,[1] leftover; rubbish, refuse, garbage; S. *residuo, chatarra, basura; no tener desperdicio*)].

desperfecto *n*: damage, blemish, flaw; spoilage; S. *deterioro, daño*. [Exp: **desperfectos anómalos** (IND abnormal spoilage)].

despido[1] *n*: IND REL, LAW dismissal, discharge from employment; layoff; sacking, firing *col*; S. *cese, destitución, [dar] aviso de despido*. [Exp: **despido[2]** (severance pay), **despido analógico o sobreentendido** (constructive dismissal), **despido colectivo/masivo** (large-scale/wholesale redundancies), **despido con compensación en metálico** (redundancy with severance pay, golden handshake *col*; S. *broche de oro*), **despido forzoso** (compulsory redundancy), **despido improcedente** (unfair/wrongful dismissal), **despido inmediato** (summary dismissal), **despido incentivado/pactado** (voluntary redundancy, negotiated redundancy; S. *baja incentivada*), **despido libre** (arbitrary dismissal, unchecked hire-and-fire power *col*; employer's untrammelled right to dismiss, dismissal at the employer's say-so *col*)].

despignorar *v*: release a pledge.

despilfarrar *v*: ECO squander, waste; S. *derrochar*. [Exp: **despilfarro** (squandering, extravagance, spending for spending's sake)].

desplazamiento[1] *n*: shift, shifting, transfer, drift. [Exp: **desplazamiento**[2] (travelling; S. *gastos de desplazamiento*), **desplazamiento de la demanda** (demand shift), **desplazamiento de la curva de oferta** (ECO shift of supply curve), **desplazamiento de la curva de demanda** (ECO shift of demand curve), **desplazamiento de los salarios** (wage drift), **desplazamiento de población** (population displacement), **desplazamiento del riesgo** (shift of risk), **desplazamiento en carga máxima** (IND REL load/gross displacement), **desplazamiento en lastre** (light displacement), **desplazamientos y tiempos** (IND REL time and motion; S. *ergonomía*), **desplazar** (displace; move; transport; push aside, supplant), **desplazarse** (travel; move, go, shift, swing)].

desplegable *a*: ADVTG two-page spread, centrefold, gatefold; S. *página desplegable*. [Exp: **desplegar** (display, unfold, spread, open out; deploy; display; S. *extender, mostrar*), **despliegue** (unfolding, opening out; deployment; exhibition, display)].

desplomarse *v*: collapse, crash, tumble, plunge[2]; S. *hundirse, venirse abajo, derrumbarse, caer en picado*. [Exp: **desplome** (collapse; crash; plunge[3]; S. *derrumbamiento, caída en picado, hundimiento*), **desplome de la Bolsa** (STK EXCH crash in share prices), **desplome de los precios** (COM plummeting prices)].

despoblación *n*: ECO depopulation.

desprovisto de *phr*: devoid of; short of, void of; S. *sin*.

después de *prep*: after, following. [Exp: **después del horario normal** (after-hours[2]), **después de la hora oficial de cierre** (STK EXCH after-hours[2]), **después de las horas de oficina** (after-hours[2]; S. *fuera del horario normal*), **después de [deducir] impuestos** (TAXN after tax; after-tax, bottom line, take-home; S. *con impuestos deducidos*)].

despuntar *v*: ECO, FIN, COM stand out; start to be noticed, emerge from the crowd *col*; burst out of the pack *col*; S. *emerger, sobresalir*.

desreglamentación/desregulación *n*: ECO deregulation, removal of controls/restraints/restrictions; S. *liberalización de las normas o reglamentos gubernamentales*. [Exp: **desregular** (deregulate; remove controls/restraints/restrictions; S. *liberalizar, suprimir regulación legislativa*)].

destacable/destacado *a*: outstanding[1]. [Exp: **destacar** (highlight, emphasize, point up, stress, detail, feature, lead[2] with), **destacarse** (stand out, excel, perform outstandingly)].

destajista *n*: piece-worker. [Exp: **destajo** (piecework, task-work, piece rate), **destajo, a** (by the job, at piece rates; job-and-knock *col*; effort bargain *US*)].

destinar *v*: destine; designate, devote; appoint; dedicate, post[5]; earmark, assign; S. *designar, nombrar, asignar*. [Exp: **destinar a fines distintos de los previstos** (divert, put to a different/irregular use, channel off/away; S. *desviar, desviar, distraer fondos*), **destinar fondos** (appropriate/earmark funds; S. *asignar*)].

destinatario *n*: beneficiary; recipient; addressee; consignee; transferee; S. *cesionario, consignatario; beneficiario*.

[Exp: **destinatario de una remesa** (remittee)].

destino[1] *n*: destination, use; S. *fin, uso, utilidad; cambiar de destino*. [Exp: **destino**[2] (ACCTS appropriation[1]; S. *consignación*), **destino**[3] (IND REL post, position, appointment, job, placement; S. *cargo, puesto, plaza*), **destino a, con** (TRANSPT bound for), **destino, en** (when it reaches its destination/the recipient, etc.)].

destitución *n*: REL LAB removal, dismissal[1]; S. *cese, despido*. [Exp: **destituir [a alguien]** (dismiss, remove; relieve sb of his/her duties; S. *despedir, cesar*)].

destreza *n*: skill. [Exp: **destreza manual** (craft[1]; craftsmanship; S. *trabajo manual*)].

destrucción *n*: destruction. [Exp: **destrucción de empleo** (IND REL redundancies, job losses; S. *empleos destruidos*), **destructivo** (destructive; S. *ruinoso*), **destruir** (destroy), **destruir empleo o puestos de trabajo** (IND REL cause redundancies, axe jobs *col*; S. *despedir*)].

desvalorizar *v*: devalue; S. *devaluar*. [Exp: **desvalorizarse** (be devalued, go down in value, depreciate), **desvalorización** (devaluation), **desvalorizado a perpetuidad** (incurably depreciated)].

desventaja *n*: disadvantage, drawback, inconveniente; S. *menoscabo, detrimento*. [Exp: **desventaja competitiva** (COM competitive disadvantage)].

desviación[1] *n*: TRANSPT departure, dep; detour; diversion; by-pass, bypass[1]; S. *desvío, rodeo*. [Exp: **desviación**[2] (deviation, variance), **desviación del tráfico comercial** (COM deflection of trade, diversion of trade), **desviación ilícita de beneficios** (LAW, FIN unlawful/irregular diversion of profits; underhand channelling-off/siphoning-off of profits), **desviación media** (mean/average deviation), **desviación presupuestaria** (budgetary deviation/variance), **desviación típica** (standard deviation)].

desviado *a*: deviant, oblique; S. *extraño, atípico*. [Exp: **desviar-se** (deviate; divert, channel off, siphon off *col*), **desvío** (deviation, detour, by-pass, bypass[1]; S. *rodeo, [carretera de] circunvalación, variante, desviación*)].

desvincular *v*: sever, dissociate, detach, untie, unpeg; hive off *col*; split, split off; S. *cortar, dividir*. [Exp: **desvincularse** (sever one's connections, distance oneself, break away, break one's links/ties, split, split up, dissociate oneself; S. *disociarse, romper*), **desvincular el tipo de cambio** (FIN unpeg the rate)].

detallar *v*: itemize, specify, detail; S. *desglosar, especificar*. [Exp: **detallado** (detailed, itemized, broken down; S. *exhaustivo, desglosado, pormenorizado*), **detalle**[1] (detail, feature; S. *rasgo, característica*), **detalle**[2] (COM retail; S. *detallista*), **detalle, al** (retail; S. *comercio*), **detalle técnico** (technicality, formal/technical issue/question), **detalles** (particulars; S. *pormenores, datos*), **detalles prácticos** (practical issues, mechanics), **detallista** (retailer; retail trader; S. *minorista, comerciante*)].

deteriorar *v*: TRANSPT, COM damage, spoil, shopsoil; S. *dañar, damnificar, estropear*. [Exp: **deteriorarse** (suffer damage, go off, go bad; perish; S. *perecer, estropearse*), **deterioro** (deterioration, damage, spoiling, spoilage; impairment; S. *daño, menoscabo*), **deterioro de la garantía prendaria** (impairment of collateral), **deterioro del mercado de capitales** (easing of the capital market), **deterioro de tesorería** (FIN liquidity problems, shortage of ready cash, cash leakage), **deterioro lógico, normal o natural** (wear and tear; S. *uso*), **deterioro patrimonial** (shortfall in funds, hole in the balance sheet *col*)].

determinable *a*: ascertainable; S. *evaluable*,

averiguable. [Exp: **determinacion** (assessment, determination; S. *peritación, cálculo*), **determinación/cálculo de costes** (costing), **determinación/cálculo de costes por lotes** (batch costing), **determinación de daños** (INSCE assessment/ascertainment of damage), **determinación de los precios** (COM pricing, price fixing or setting), **determinación del interés** (setting/fixing of interest), **determinación explícita de los precios** (explicit pricing)].

determinado *a*: certain, specific, particular; fixed; S. *especial, particular*.

determinar *v*: determine, fix,[1] establish, settle; decide, evaluate; S. *fijar*. [Exp: **determinar judicialmente** (adjudicate; leave for the court to decide; S. *fallar, resolver*), **determinismo económico** (economic determinism)].

detrimento *n*: loss, detriment, disadvantage; prejudice; S. *daño, pérdida, desventaja, menoscabo*. [Exp: **detrimento de, en** (to the detriment/prejudice of)].

deuda *n*: debt; borrowings, liabilities; S. *préstamo, empréstito, pasivo, débito*. [Exp: **deuda a corto plazo** (short-term debt; S. *exigible*), **deuda a corto plazo emitida por un banco** (BKG banker's acceptance *US*; S. *aceptación bancaria*), **deuda a largo plazo** (long-term debt), **deuda a pagar** (debt due), **deuda a tipo de interés flotante/variable** (floating-interest debt), **deuda activa o productiva** (FIN productive debt; S. *deuda para gastos de inversiones*), **deuda actual a largo plazo de fabricación** (COM, ECO current manufacturing long-term debt), **deuda amortizable** (redeemable debt), **deuda anotada** (annotated/registered debt), **deuda cancelada** (cancelled debt), **deuda con garantía pública** (publicly guaranteed debt), **deuda con tasa o tipo opcional** (option-rate debt), **deuda consolidada** (FIN consolidated debt, funded debt, permanent debt; bonded debt; fixed liabilities; fixed debt *US*; S. *deuda perpetua*), **deuda de arriendo de capital** (FIN obligation under capital lease), **deuda de bonos** (bonded debt), **deuda del Estado a corto plazo** (STK EXCH short-term Treasury notes/bonds), **deuda del Tesoro** (FIN the Funds), **deuda efectiva** (effective debt, active debt), **deuda en moneda extranjera** (foreign currency debt), **deuda escriturada** (specialty debt), **deuda exigible** (ACCTS amounts due in less than one year), **deuda exterior** (FIN external debt, foreign debt), **deuda externa pendiente** (external debt outstanding), **deuda fija** (fixed liabilities; S. *deuda consolidada*), **deuda flotante** (ACCTS floating debt; current liabilities; floating rate loan, unfunded debt; S. *pasivo exigible, corriente o circulante*), **deuda garantizada** (secured debt; S. *deuda no garantizada*), **deuda ilíquida** (unliquidated debt), **deuda incobrable** (bad debt), **deuda interior** (FIN internal debt), **deuda líquida** (liquidated debt), **deuda muerta o improductiva** (FIN deadweight debt; S. *deuda para gastos corrientes*), **deuda no amortizable** (unsinkable debt), **deuda no convertible** (straight debt), **deuda no garantizada** (unsecured or floating debt), **deuda notificada** (reported debt), **deuda para gastos corrientes** (FIN deadweight debt; S. *deuda muerta o improductiva*), **deuda pendiente** (outstanding amount), **deuda perpetua** (annuity bond, irredeemable/perpetual bond/stock; funded debt, permanent debt, fixed debt, perpetual debt; S. *pasivo consolidado*), **deuda prescrita** (barred debt, unclaimable debt), **deuda principal/prioritaria/preferencial** (senior debt), **deuda privada** (FIN private debt), **deuda**

privilegiada (preferential/preferred debt, privileged debt, priority debt; S. *prioridad de la deuda*), **deuda pública** (national debt, government borrowing, public debt *US*; S. *deuda perpetua, empréstito estatal*), **deuda pública anotada** (annotated public debt, book-entry system goverment debt securities), **deuda pública en poder de particulares** (publicly-held government debt *US*), **deuda pública exterior** (external national debt), **deuda pública interna** (domestic public debt), **deuda que no genera intereses** (FIN passive debt), **deuda recíproca** (mutual debt; S. *débito recíproco*), **deuda reembolsable** (reimbursable debt), **deuda simple** (straight debt), **deuda subordinada** (subordinated debt, junior debt), **deuda tributaria** (tax debt, tax payable, tax due; S. *cuota tributaria*), **deudas** (ACCTS liabilities, accounts payable, AP; indebtedness; S. *proveedores*), **deudas con empresa del grupo y asociadas** (intercompany long-term debt, amounts owing to subsidiary companies), **deudas documentarias** (legal/documentary debts), **deudas hipotecarias** (mortgage debt), **deudas incobrables, dudosas o de cobro dudoso** (bad/doubtful debt; S. *créditos incobrables; impagados, morosos*), **deudas no comerciales** (non-trade payables), **deudas pendientes o existentes** (outstanding debts), **deudas por efectos descontados** (discounted bills; S. *letras descontadas*), **deudas vencidas y no pagadas** (arrears)].
deudor *n*: debtor; obligor; S. *prestatario; saldo deudor*. [Exp: **deudor en mora o moroso** (debtor in default, defaulting debtor; S. *deudor moroso*), **deudor hipotecario** (mortgage debtor, mortgager/mortgagor), **deudor insolvente** (insolvent debtor), **deudor mancomunado** (joint debtor; S. *codeudor*), **deudor judicial**

(judgement debtor), **deudor privilegiado** (privileged debtor, chargee), **deudores** (ACCTS trade debtors, accounts receivable, AR; accounts receivable within one year; S. *créditos, clientes*), **deudores comerciales** (trade debtors/receivables; S. *clientes*)].
devaluación *n*: ECO devaluation, depreciation, fall in the value of currency. [Exp: **devaluación de la cartera de valores** (ACCTS, FIN write-down of portfolio), **devaluar** (devalue, devaluate; S. *desvalorizar*)].
devengado y no pagado *phr*: in arrears, outstanding, overdue, unsettled, pending; S. *vencido, pendiente*.
devengar *v*: accrue; earn, yield, carry, bear[3]. [Exp: **devengar intereses** (carry/bear/earn interests), **devengar dividendos** (yield dividends), **devengo** (accrual; S. *principio del devengo*), **devengo de intereses** (accrual of interest), **devengo del impuesto** (tax due; S. *deuda tributaria o a pagar*)].
devolución[1] *n*: repayment; payback; refund, return, rebate; restitution; S. *reembolso*. [Exp: **devolución**[2] (FIN default of acceptance; S. *rechazo*), **devolución**[3] (STK EXCH drawdown), **devolución anticipada de una deuda, de pagarés del Tesoro, etc.** (FIN advance refunding of debt, Treasury bills, etc.; S. *reembolso anticipado*), **devolución de derechos de aduanas** (refunding of duties), **devolución de impuestos** (TAXN tax rebate/refund; S. *desgravar*), **devolución de impuestos de importación** (TAXN drawback, DBK; S. *tráfico de perfeccionamiento*), **devolución de la garantía** (return of guarantee), **devolución de un artículo vendido** (ACCTS sales return), **devolución de una letra de cambio antes de su vencimiento** (BKG circuity of action), **devolución fiscal** (tax refund), **devolución garantizada** (COMER guaranteed

refund; your satisfaction guaranteed or your money refunded), **devoluciones de compras** (purchase returns)].

devolver *v*: pay back, repay; return; refund; give/take back; S. *reembolsar, restituir, pagar una deuda*. [Exp: **devolver a origen o al remitente** (send back, return to sender), **devolver el equilibrio a algo** (put sth back on an even keel; S. *restablecer la estabilidad*), **devuelto/ devuélvase al librador** (BKG refer to the drawer)].

día *n*: day; date; S. *poner al día, mantener al día*. [Exp: **día a día** (day-to-day; S. *cotidiano*), **día a día, el** (practicalities; everyday matters; bread and butter stuff *col*; S. *los aspectos prácticos*), **día bancable** (S. *día hábil*), **día clave de comienzo de una nueva tendencia financiera** (STK & COMMOD EXCH key reversal day), **día de asueto o descanso** (IND REL day off; S. *día libre*), **día de aviso** (STK & COMMOD EXCH notice day), **día de bolsa** (market day), **día de cierre** (closing day), **día de cierre de una posición abierta** (STK & COMMOD EXCH close-out date), **día de emisión** (STK EXCH issuance day), **día de entrega en el mercado de futuros** (STK & COMMOD EXCH first notice day; S. *primer día de aviso*), **día de impacto** (STK EXCH impact day), **día de intercambio de nombres** (STK EXCH Name Day), **día de la declaración** (STK EXCH declaration day), **día de liquidación** (STK EXCH Settlement Day), **día de liquidación de valores de la Bolsa** (STK EXCH Account Day, Settling/Settlement Day), **día de pago** (payment date; pay-day), **día de reversión** (STK EXCH reversal day), **día de trabajo** (working day), **día, del** (current; S. *en curso*), **día del reporte** (contango day), **Día del Trabajo** (Labor/Labour Day), **día del vencimiento** (date of maturity, accounting date), **día, en su** (in due course; at the appropriate time/stage; then, at that time/stage/point; when the matter first arose/came up/was being dealt with; S. *en su momento*), **día fecha, a uno o más** (days' date), **día hábil** (business/lawful day; clear day[1]; S. *día laborable*), **día inhábil** (legal or administrative holiday), **día laborable** (business day; working day, weekday, banking day; S. *día hábil; días laborables*), **día libre** (IND REL day off; S. *permiso de 24 horas*), **día, por** (per diem, per day; S. *dieta*), **día punta** (peak day), **día sí, día no** (on alternate days), **día último de negociación** (STK & COMMOD EXCH last trading day), **días completos excepto domingos y festivos** (TRANSPT clear working days), **días convencionales** (TRANSPT conventional days, standard working days), **días de atraso** (days past due), **días de gracia** (days of grace), **días feriados** (bank holidays; S. *fiestas oficiales*), **días ganados** (TRANSPT dispatch days), **días inmediatos** (run-up; S. *período previo*), **días laborables** (weekdays), **días naturales** (calendar days; S. *días seguidos*), **días seguidos** (calendar days, running days; S. *días naturales*), **días vista, a** (after-sight, a/s)].

diagonal *n*: diagonal.

diagrama *n*: diagram; graph, chart; S. *gráfico*. [Exp: **diagrama de aceleraciones y tiempos** (ECO distance-time graph), **diagrama de barras** (bar chart), **diagrama de flujo** (flow diagram; S. *organigrama funcional*), **diagrama de flujo de operaciones** (operation flow chart), **diagrama de flujo de trabajo** (work flow chart), **diagrama de movimiento** (ECO motion pattern), **diagrama de proceso del equipo** (TAXN gang process chart), **diagrama de símbolos funcionales y de su conexiones** (logical diagram; S.

diagrama lógico), **diagrama/gráfico de situación o de rendimiento de la gestión** (MAN [management] performance chart, working table), **diagrama lógico** (logical/functional diagram))].

diario[1] *a*: daily, everyday, day-to-day. [Exp: **diario**[2] (ACCTS journal, daybook; blotter; S. *libro diario*), **diario**[3] (daily newspaper), **diario de caja** (ACCTS cash journal), **diario de entradas y salidas** (ACCTS daybook, DB), **diario de navegación** (official log-book), **diario oficial** (official gazette), **diario/registro de caja** (cash book))].

dibujar *v*: design[1]; draw[5]; S. *diseñar, trazar*. [Exp: **dibujante** (draughtsman, designer), **dibujante publicitario** (ADVTG designer; S. *proyectista, diseñador*), **dibujo** (drawing,[1] draft[4]; S. *diseño*), **dibujos animados** (ADVTG cartoons))].

dictáfono *n*: dictating machine, dictaphone.

dictamen *n*: judgement, ruling; opinion; report; S. *informe; laudo*. [Exp: **dictamen consultivo** (advisory opinion), **dictamen contable** (accountant's opinion), **dictamen de auditoría** (auditor's report/opinion), **dictamen de auditoría con reparos o restrictivo** (ACCTS qualified opinion; S. *abstención de opinión, «opinión calificada»*), **dictamen desfavorable** (adverse opinion/report), **dictamen jurídico** (legal opinion; S. *opinión jurídica*), **dictamen pericial** (expert opinion, expert's report; S. *peritaje*))].

dictaminar *v*: give/deliver an opinion, write/deliver/present a report; rule[1]; S. *decidir, resolver*.

dictar *v*: dictate; lay down; s. *establecer*. [Exp: **dictado** (dictation; dictate; S. *escribir al dictado*))].

dientes de sierra *n*: ECO zigzag diagram.

dieta *n*: daily or per diem allowance; S. *viático*. [Exp: **dietas** (expenses), **dietas para gastos de viaje** (travel/travelling allowance), **dietas por asistencia** (COMP LAW attendance fees, appearance money), **dietas y viáticos** (subsistence allowance/expenses; S. *gastos de manutención*))].

diferencia *n*: difference,[1] gap, discrepancy; S. *saldo; brecha*. [Exp: **diferencia de, a** (as distinguished from; S. *en contraste con*), **diferencia/brecha deflacionaria** (FIN deflationary gap), **diferencia de opinión** (disagreement; S. *discrepancia*), **diferencia de prima** (margin), **diferencia de valor entre precios** (STK & COMMOD EXCH back spread/backspread), **diferencia entre los márgenes** (STK & COMMOD EXCH spread of spreads), **diferencia entre los tipos de interés** (FIN gap between the interest rates; interest differential/margin; interest spread *US*; S. *margen*), **diferencia entre rendimiento y coste de financiación** (cost of carry), **diferencia horizontal bajista/alcista** (horizontal bear/bull spread))].

diferenciación *n*: ECO differentiation; differencing. [Exp: **diferenciación de productos** (product differentiation))].

diferencial *a/n*: differential, distinctive, distinguishing; FIN differential,[1] spread; S. *margen*. [Exp: **diferencial a ratio** (STK & COMMOD EXCH ratio spread), **diferencial a ratio comprador** (call ratio spread), **diferencial a ratio comprador inverso** (call ratio backspread), **diferencial ajustado por opciones** (STK & COMMOD EXCH option-adjusted spread), **diferencial alcista** (FIN bull spread), **diferencial bajista o decreciente** (STK & COMMOD EXCH bear spread), **diferencial bruto de bonos en el euromercado** (gross spread), **diferencial comprador-vendedor** (FIN bid-asked spread), **diferencial de calendario** (S. *diferencial horizontal*), **diferencial de inflación** (ECO price differential/spread, inflation differential), **diferencial de precios**

(price spread/differential, pricing spread), **diferencial de rendimiento entre varios valores** (STK & COMMOD EXCH yield spread), **diferencial de salarios** (wage drift), **diferencial de tipos de interés** (interest-rate differential), **diferencial de variables financieras** (FIN financial variables spread), **diferencial diagonal** (STK & COMMOD EXCH diagonal spread; S. *cobertura lateral*), **diferencial entre activos** (intercommodity spread), **diferencial entre el precio de oferta y el de puja según pantalla** (STK EXCH bid-offer spread), **diferencial entre los valores proporcionales de las opciones de venta** (STK & COMMOD EXCH put ratio spread), **diferencial horizontal o de calendario** (FINAN time spread, calendar/horizontal spread), **diferencial intramercado** (STK & COMMOD EXCH intramarket spread), **diferencial mariposa** (STK & COMMOD EXCH butterfly spread), **diferencial retroactivo o inverso entre los valores proporcionales de las opciones de venta** (put ratio backspread), **diferencial temporal** (FIN time spread, calendar/horizontal spread; S. *diferencial horizontal*), **diferencial vertical** (FIN vertical spread), **diferencial vertical alcista** (vertical bull spread)].

diferidos *n*: ACCTS deferral, deferred items.

diferir[1] *v*: defer, adjourn, delay, postpone, extend[1]; put over *US*; S. *aplazar, ampliar, demorar, prorrogar*. [Exp: **diferir**[2] (differ, disagree, be at odds with; S. *distinguirse, diferenciarse, disentir*), **diferir el plazo** (grant an extension, put back the deadline, extend the limit for payment; S. *dar prórroga en los plazos*), **diferimiento** (referral, postponement; carryover; STK & COMMOD EXCH contango), **diferimiento del impuesto** (TAXN tax deferral)].

dificultad *n*: difficulty, problem, snag; setback; trouble. [Exp: **dificultades** (distress[2]; S. *apuros*), **dificultades de liquidez** (liquidity squeeze), **dificultades, en** (distressed), **dificultades económicas** (financial squeeze/straits/trouble; S. *apuros financieros*), **dificultades financieras** (financial embarrassment), **dificultades financieras, en** (embarrassed; in distress; in a jam/hole/tight spot *col*, strapped for cash *col*; S. *en apuros, en peligro*), **dificultar** (hamper; S. *obstaculizar*)].

difundir *v*: publicise, spread, broadcast, report, give coverage to; issue, diffuse, put about *col*; S. *informar*. [Exp: **difundido, muy** (widespread), **difundir un comunicado** (issue a statement or communiqué), **difundir un rumor** (spread/put about a rumour), **difusión** (diffusion, circulation, spread, spreading, coverage; S. *divulgación, circulación, medios de difusión; dar difusión a*), **difusión postal** (mailing; S. *buzoneo*)].

dígito *n*: digit, figure; S. *número, cifra, guarismo*. [Exp: **dígito de comprobación/control** (ACCTS check digit)].

digno *a*: deserving, worthy; decent, honourable. [Exp: **digno de confianza** (trustworthy; safe[1]), **digno de crédito** (reliable), **digno de elogio** (praiseworthy)].

dilación *n*: delay; S. *tardanza, demora, retraso*. [Exp: **dilatado** (long, lengthy, extensive), **dilatar** (extend, prolong, postpone, put off; S. *aplazar, posponer*), **dilatorio** (dilatory)].

diligencia[1] *n*: diligence, efficiency, conscientiousness; speed; dispatch[2]; S. *celeridad*. [Exp: **diligencia-s**[2] (LAW measure-s, step-s; formalities; proceedings; action; S. *gestión, trámite*), **diligencia, con** (diligently, conscientiously; speedily; efficiently; S. *eficientemente*), **diligencia debida** (due diligence)].

dilución *n*: dilution; S. *disminución, reducción*. [Exp: **dilución del capital en acciones** (STK EXCH stock dilution/

watering, watering of share capital, equity dilution; S. *disminución del valor de las acciones ordinarias*), **diluir-se** (dilute; thin, thin down; water down; S. *disminuir, rebajar*), **diluir un riesgo** (FIN spread a risk)].

dimensión *n*: dimension, magnitude, size, measurement; S. *volumen, magnitud; sobredimensionado, redimensionar.* [Exp: **dimensión del mercado** (STK & COMMOD EXCH market size; S. *volumen de ventas*)].

dimisión *n*: resignation. [Exp: **dimisionario** (recently resigned, outgoing; S. *saliente*), **dimitir** (resign, step/stand down), **dimitir de un cargo** (leave office, stand/step down, resign; S. *abandonar un cargo*)].

dinámica *n*: dynamics. [Exp: **dinámico** (dynamic, aggressive, go-ahead; S. *emprendedor*), **dinamismo** (dynamism, buoyancy, hands-on ap-proach, energy, zip *col*; bounce[1]; S. *vitalidad*), **dinamizar** (instil some life or vigour into, stir up, stir into action, put some zip into *col*; get things moving/ done, etc.; S. *impulsar*)].

dineral *col n*: fortune, small fortune, mint *col*; funny money,[1] a bomb *col*; a stack *col*; S. *disparate, ojo de la cara.*

dinero *n*: money,[1] currency; bucks *col*; S. *divisa, moneda; tela, pasta.* [Exp: **dinero, a** (STK & COMMOD EXCH at the money, ATM; S. *indiferente, muy en dinero, muy fuera de dinero*), **dinero a la vista o a la orden** (BKG money at/on call; day-to-day money, call money[1]; S. *dinero exigible con preaviso de un día*), **dinero a plazo, a** (STK & COMMOD EXCH at the money forward), **dinero al contado, a** (STK & COMMOD EXCH at the money spot), **dinero B** (black money; slush money; S. *fondo de reptiles*), **dinero bancario** (FIN credit money), **dinero bancario en cuenta** (deposit money), **dinero bancario o en cuentas** (interbank funds), **dinero barato** (BKG cheap money; S. *mercado fácil de dinero*), **dinero caliente** (hot money, flight money/capital *col*; S. *dinero/ capital especulativo, dinero negro*), **dinero caro** (dear/tight money), **dinero circulante** (cash[1]; cash on hand), **dinero con preaviso de un día** (BKG money at/on call; S. *dinero exigible*), **dinero contante y sonante** (cash,[1] cash down or on the nail *col*; S. *dinero efectivo*), **dinero de bolsillo** (pocket money), **dinero de circulación forzosa** (fiat money *US*), **dinero de curso legal** (legal tender), **dinero de procedencia dudosa** (dirty money, slush fund, under-the-counter money), **dinero disponible** (money on hand, floating money[2]), **dinero efectivo** (cash[1]; S. *dinero contante y sonante*), **dinero efectivo o en metálico** (active circulation; hard cash/money; S. *moneda contante y sonante*), **dinero, en** (STK & COMMOD EXCH in the money, ITM; S. *atractivo*), **dinero en caja** (float, floating cash; S. *efectivo flotante*), **dinero en circulación** (BKG notes/currency in circulation, money in circulation; S. *circulación fiduciaria*), **dinero en efectivo** (cash, ready money), **dinero en manos del público** (ECO M; broad money *col*; S. *oferta monetaria*), **dinero, muy en** (STK & COMMOD EXCH deep in the money), **dinero escaso o caro** (tight money), **dinero especulativo** (flight capital/money; hot money; S. *capital de evasión*), **dinero exigible** (BKG money at/on call; S. *dinero con preaviso de un día*), **dinero exigible con preaviso de un día** (BKG day-to-day money, overnight deposit/money, call money[1]; S. *dinero a la vista*), **dinero fácil** (easy money, quick buck *col*), **dinero falso** (bogus money, bad/counterfeit money), **dinero fresco** (fresh cash, new money; S. *nueva* *inyección de fondos*), **dinero, muy fuera de** (STK & COMMOD EXCH deep out of the money), **dinero líquido** (cash, liquid assets, ready money), **dinero mercancía** (commodity money), **dinero negro** (hot money; slush funds; money on which no tax has been paid), **dinero no real** (ECO non-physical money), **dinero para gastos** (spending money), **dinero prestado sin interés** (barren money), **dinero procedente del narcotráfico** (drug money)].

diploma *n*: diploma. [Exp: **diplomado en contabilidad** (ACCTS chartered accountant, CA; S)].

diputación *n*: delegation; council, *approx* County Council; S. *comisión, delegación*. [Exp: **diputado** (deputy, dep; S. *comisionado*), **diputar** (depute, delegate, empower, commission[1]; S. *encargar, comisionar*)].

dique *n*: dock,[1] jetty; S. *espigón, embarcadero, muelle*. [Exp: **dique flotante** (floating dock; wet dock), **dique seco** (dry dock)].

dirección[1] *n*: address; S. *señas, domicilio*. [Exp: **dirección**[2] (management, direction; directorate; managership; guidance, leadership; S. *administración, jefatura, mando, cúpula directiva*), **dirección**[3] (direction, way, tack, tendency; route, course; S. *rumbo, tendencia*), **dirección a, con** (en route to; S. *en ruta, en tránsito*), **dirección comercial** (business address), **dirección con libre iniciativa** (MAN free-rein leadership *US*), **dirección de empresas** (business management), **dirección de producto** (product management), **dirección de reenvío para hacer seguir el correo** (forwarding address), **dirección del remitente** (return address), **dirección empresarial** (MAN management[1]; S. *gestión, gerencia*), **dirección en línea** (line management), **Dirección General de Tributos** (Board of Inland Revenue, Internal Revenue Service, IRS *US*; S.

Agencia Tributaria), **Dirección General del Servicio de Aduanas o de Aranceles** (Board of Customs and Excise), **dirección para el envío del correo** (accommodation address), **dirección participativa por objetivos, DPPO** (participative management by objectives, PMBO), **dirección particular** (home/private address; S. *domicilio particular*), **dirección por objetivos, DPO** (MAN management by objectives, MBO), **dirección por paseo o por contacto** (management by walking/wandering-around, MBWA), **dirección profesional** (business address; S. *domicilio social de una empresa*), **dirección regional** (regional headquarters), **dirección telegráfica** (COM cable/telegraphic address)].

directiva[1] *n*: board [of directors], management; S. *junta directiva*. [Exp: **directiva**[2] (directive; S. *directriz*), **directiva bancaria** (bank board; S. *consejo bancario*)].

directivo[1] *a*: managerial; S. *administrativo, gerencial*. [Exp: **directivo**[2] (executive; director; board member, member of the board; with a seat on the board; S. *alto cargo/funcionario, ejecutivo*), **directivo de una empresa** (COMP LAW company director; S. *consejero, vocal del Consejo*), **directivo ficticio** (dummy director)].

directo *a*: direct, straight; immediate, linear; S. *en línea directa*. [Exp: **directo, en** (on-line; live; S. *conectado a la central, en línea*)].

director *n*: director, manager, chief; chief officer; S. *principal, jefe*. [Exp: **director accidental** (acting director), **director adjunto** (associate/deputy director), **director asegurador** (STK EXCH managing underwriter), **director comercial** (MAN sales/marketing manager; S. *jefe/gerente de ventas*), **director de agencia/sucursal** (BKG branch manager), **director de campaña** (ADVTG campaign manager), **director de cuentas** (ADVTG, COM, STK EXCH account executive), **director de departamento/ sección** (MAN section head, head of the department), **diector de finanzas** (head of the finance section or financial affairs, chief finance officer), **director de la emisión** (lead manager), **director de planta de unos grandes almacenes** (floor manager), **director de producción** (production manager), **director de una emisión** (lead manager; S. *director principal*), **director de ventas** (sales manager), **director del departamento de moneda extranjera de un banco o empresa** (BKG head/manager of the foreign section or desk), **director ejecutivo** (managing director, executive officer), **director externo** (outside director), **director general** (COMP LAW general manager, director general, chief executive officer, CEO), **director general adjunto** (deputy managing director, assistant general manager), **Director General de Correos** (Postmaster General), **Director General de la Competencia** (Director-General of Fair Trading), **director general de tributos** (TAXN head of the tax office, principal Treasury officer; commissioner of internal revenue *US*), **director general del Tesoro** (Comptroller of the Treasury), **director gerente** (COMP LAW managing director; S. *consejero delegado*), **director regional** (area manager; S. *jefe de zona*), **director interno** (inside director), **director no ejecutivo** (non-executive director), **director principal** (BKG Chief Operating Officer, COO; principal/chief officer; FIN lead manager bank, lead director; S. *director general; jefe de fila*)].

directorio *n*: directory; directive, instructions. [Exp: **directorio ejecutivo** (board of directors, board, diectorate, executive board; S. *junta de gobierno*)].

directriz *n*: directive, instructions, guideline; policy; S. *normas de actuación, directiva*. [Exp: **directrices ministeriales** (government circulars)].

dirigente *n*: leader[1]; ruler; officer; S. *jefe*. [Exp: **dirigente sindical** (union/labour leader), **dirigente de una organización obrera** (labour leader)].

dirigir[1] *v*: direct, lead,[1] guide, steer, manage, run, head[1]; oversee, pilot, supervise; S. *orientar, controlar*. [Exp: **dirigir**[2] (direct, address, send, make, level, aim, point; S. *enviar, apuntar*), **dirigir una recomendación** (make a recommendation), **dirigir una reunión/ junta** (chair a meeting), **dirigirse a** (head for; address, approach, apply), **dirigirse a los asistentes a una reunión o junta** (address a meeting), **dirigismo** (dirigisme; managed economy, interventionism; state control), **dirigista** (proponent of managed economies, interventionist), **diríjase a** (report to, refer to)].

dirimir[1] *v*: settle, decide, resolve; S. *resolver*. [Exp: **dirimir**[2] (set aside, void, declare void, cancel; S. *anular, cancelar*), **dirimente** (decisive, final, casting, binding; S. *voto dirimente*)].

dis- *pref*: dis-; mis-; S. *des-, in-*.

disagio *n*: disagio, over spot discount.

discapacitado físico *n/a*: IND REL physically handicapped [person]; S. *disminuido*.

disciplina *n*: discipline. [Exp: **disciplina de partido/voto** (party discipline or whip, the whip), **disciplinar** (discipline, train, school), **disciplinario** (disciplinary)].

disconformidad *n*: disagreement, dissent; unhappiness, dissatisfaction; S. *discordia, desacuerdo*.

discontinuidad *n*: discontinuity, want/lack of continuity; gap[1]; S. *brecha, agujero*.

discordancia *n*: mismatch; S. *asimetría,*

desfase. [Exp: **discordancia entre los vencimientos** (FIN maturity mismatch)].

discordia *n*: discord, disagreement, clash, conflict, clash of opinions; S. *desacuerdo*.

discreción *n*: discretion. [Exp: **discreción del comprador/vendedor, a** (at the buyer's/seller's discretion), **discrecional**[1] (discretionary, optional; S. *opcional, optativo*), **discrecional**[2] (private hire; chartered[1]; S. *fletado*), **discrecionalidad limitada en la toma de decisiones empresariales** (MAN bounded discretion), **discreto** (discreet, cautious; S. *prudente*),].

discrepancia *n*: discrepancy, disagreement; S. *desacuerdo*. [Exp: **discrepar** (disagree)].

discriminación *n*: discrimination. [Exp: **discriminación de precios** (price discrimination), **discriminación por razón del sexo** (sex discrimination), **discriminación positiva** (IND REL affirmative action, positive discrimination), **discriminación tarifaria** (rate discrimination), **discriminar** (discriminate against), **discriminatorio** (discriminatory)].

disculpa *n*: apology, excuse. [Exp: **disculpar** (excuse, exculpate; S. *justificar*), **disculparse** (apologize), **disculpan su inasistencia a la junta** (apologies for absence from a meeting)].

discurso *n*: speech, address; discourse, line of argument, rhetoric, talk *col*. [Exp: **discurso de apertura/clausura** (opening/closing speech)].

discusión *n*: dispute, argument; debate, discussion. [Exp: **discutible** (debatable, arguable; moot; S. *controvertible*), **discutir** (dispute; argue; haggle, fall out[1]; discuss, debate; S. *razonar, debatir*)].

diseñar *v*: design[1]; draw[5]; lay out[2]; S. *proyectar, dibujar*. [Exp: **diseñador** (ADVTG designer; S. *dibujante publi-* *citario, proyectista*), **diseño** (design[1]; draft[4]; S. *proyecto, plan, dibujo*), **diseño asistido por ordenador** (computer assisted design, CAD), **diseño de envoltura** (ADVTG package design), **diseños y modelos** (LAW designs; S. *OAMI*)].

disentir *v*: dissent, disagree; object; S. *desacuerdo; formular objeciones/ reparos*.

disfrutar *v*: enjoy, possess; S. *poseer, gozar de*. [Exp: **disfrutar de franquicia aduanera** (enjoy exemption from duty), **disfrutar un derecho, privilegio o monopolio** (enjoy a right/privilege/ monopoly), **disfrute** (possession, enjoyment; term of office; S. *posesión, tenencia, goce*)].

disgregarse *v*: disintegrate, come to pieces/apart/undone, break up, fall apart; S. *desmoronarse, desintegrarse*.

disipar[1] *v*: dissipate; dispel, remove, clear away, clear up; S. *aclarar*. [Exp: **disipar**[2] (squander, waste, fritter away; S. *derrochar*), **disiparse** (be cleared away/up, be dispelled; disappear, vanish; S. *despejarse, desaparecer*)].

disminución *n*: decrease, decline, reduction, fall, fall-off, dilution, drop, shortage, shrinkage, shortfall, abatement; S. *caída, rebaja, baja*. [Exp: **disminución/contracción de la demanda** (COM fall-off/decline in demand), **disminución de valor** (decrease/fall in value; S. *descenso, reducción*), **disminución/ deducción/rebaja/reducción de deudas, impuestos, renta, etc. entre acreedores** (abatement of debts, tax, declared income, etc. amongst creditors, etc.), **disminución del valor de las acciones ordinarias** (equity dilution; S. *dilución de capital*), **disminución en el volumen de negocios** (STK EXCH downturn, drop/fall-off in trading or transactions; S. *recesión, caída o contracción econó-*

mica), **disminución en la producción** (fall, drop or cut-back in production), **disminución patrimonial** (TAXN net worth decrease)].

disminuir *v*: diminish, decrease, fall, fall away, fall off; shrink; thin; sag; S. *decrecer, descender, reducir.* [Exp: **disminuido físico** (IND REL physically handicapped; S. *discapacitado*)].

disolución *v*: dissolution; liquidation, winding-up; S. *liquidación, quiebra.* [Exp: **disolución de un monopolio** (trustbusting *col*), **disolución voluntaria de una mercantil** (COMP LAW members' voluntary winding-up), **disolver** (dissolve; liquidate, wind up, disincorporate; S. *liquidar*)].

disparar *v*: shoot, fire; trigger, trigger off, set off; S. *desencadenar, provocar.* [Exp: **disparar los precios** (ECO send prices rocketing/spiralling/soaring, blow prices sky-high *col*), **dispararse** (STK EXCH, ECO, COM shoot up, soar, jump, go through the ceiling/roof *col*; S. *desbocarse*)].

disparatado *a*: ludicrous, mad, absurd, excessive, sky-high *col*; astronomical *col*, exorbitant; S. *desorbitado, exorbitante.* [Exp: **disparate** *col* (astronomical amount *col*; crazy figure *col*, exorbitant amount or price; S. *dineral, ojo de la cara*)].

disparidad *n*: difference,[2] gap.

dispensa *n*: TAXN exemption, privilege; S. *privilegio, exención.* [Exp: **dispensar** (exempt, waive; S. *exceptuar, eximir, franquear*)].

disponer[1] *n*: LAW provide; decide, rule; S. *estipular.* [Exp: **disponer**[2] (ADVTG arrange, lay out[2]; S. *arreglar, diseñar*), **disponer de** (dispose of,[1] have at one's disposal, have available, command[2]; draw on/upon, have drawing rights over; S. *tener, tener a su disposición*), **disponer la mercancía en contenedores** (containerize goods/articles), **disponerse**

a (prepare to, get ready to; make one's mind up to)].

disponibilidad *n*: availability; liquidity, ready cash. [Exp: **disponibilidad de crédito** (credit availability), **disponibilidad de fondos de un banco** (BKG capital adequacy; S. *suficiencia/adecuación de capital*), **disponibilidad de mano de obra** (labour availability), **disponibilidad en dinero** (liquidity; S. *liquidez*), **disponibilidades** (available/circulating/liquid assets, quick/realizable assets, cash assets; S. *activo líquido, disponible o realizable*), **disponibilidades de fondo** (STK & COMMOD EXCH actuals[2]; S. *mercaderías*), **disponibilidades en efectivo** (cash holdings; ready cash; S. *efectivo disponible*), **disponibilidades existentes** (ACCTS material available), **disponibilidades líquidas** (disposable income; M3, monetary base), **disponibilidades monetarias** (ECO money supply; volume of money; S. *masa monetaria, activos líquidos en manos del público*), **disponible**[1] (available; on tap; unused; spare, vacant, spendable; S. *utilizable, en funcionamiento*), **disponible**[2] (ACCTS cash and banks, cash in hand and at bank, cash and due from banks, in hand, liquid; expendable, quick/realizable assets; unappropriated; uncommitted; unencumbered; S. disposable[2]; S. *tesorería; gastable*), **disponible sólo por encargo** (COM available to order, on order only)].

disposición[1] *n*: disposal[1]. [Exp: **disposición**[2] (provision, regulation, clause[1]; S. *cláusula, artículo*), **disposición**[3] (layout; disposition; S. *arreglo, distribución*), **disposición**[4] (readiness), **disposición, a** (available; S. *utilizable, en venta, disponible*), **disposición a la inversión inmediata** (FIN readiness to invest), **disposición anímica del mercado** (ECO mood of the market; S. *clima bursátil o del mercado*), **disposición de crédito** (loan drawdown), **disposición en contra/contraria** (provision or stipulation to the contrary), **disposición sobre retrocesión** (COM grant-back provision), **disposiciones** (LAW rules, in-house rules or code, by-laws/bye-laws/byelaws; S. *estatutos sociales, normativa, reglamento*), **disposiciones de control de cambios** (exchange control regulations), **disposición en efectivo** (BKG S. *reintegro*), **disposiciones transitorias** (temporary provisions; interim arrange-ments; sunset clauses/provisions *US col*)].

dispositivo *n*: device, gadget; S. *chisme, aparato, artilugio*. [Exp: **dispositivo de utilización de datos** (data handling device), **dispositivos** (gadgetry), **dispositivos de desplazamiento** (offsetting devices)].

disputa *n*: dispute; argument,[1]; fall-out[2]/falling out; stand-off *col*; S. *litigio, conflicto, enfrentamiento, pulso*. [Exp: **disputa, en** (at/in issue), **disputa salarial** (IND REL wage dispute), **disputar** (dispute, challenge, question, argue over/about, contest; S. *impugnar*)].

distancia *n*: distance. [Exp: **distancia máxima de divergencia** (STK & COMMOD EXCH maximum divergence distance), **distanciarse** (draw back, back away; play it cool *col*; allow things/matters to cool down; be less than enthusiastic; S. *desmarcarse, volverse atrás, enfriarse*)].

distinguido *a*: COM select, upmarket; S. *exclusivo, selecto*.

distorsión *n*: distorsion, skew. [Exp: **distorsionar** (distort; twist; skew), **distorsionador** (distorting, misleading; S. *engañoso*)].

distracción de fondos *n*: embezzlement; peculation; misappropriation; S. *malversación, desfalco; apropiación indebida*. [Exp: **distraer fondos** (embezzle/misappropriate, divert funds; S. *malversar*)].

distribución[1] *n*: COM distribution,[2] delivery[1]; S. *servicio a domicilio, entrega, reparto*. [Exp: **distribución**[2] (apportionment,[1] allotment), **distribución**[3] (layout; S. *disposición, arreglo*), **distribución**[4] (TRANSPT dispatching; S. *expedición, despacho*), **distribución comercial** (commercial distribution), **distribución de beneficios** (ACCTS shareout, profit breakdown), **distribución de frecuencia** (ECO frequency distribution), **distribución de la renta** (FIN income distribution[1]), **distribución de probabilidad** (probability distribution), **distribución de riesgos** (FIN spreading of risks, asset allocation), **distribución del impuesto de la renta** (TAXN income tax allocation), **distribución del presupuesto** (ECO, FIN budget allotment), **distribución en exclusiva** (COM exclusive distribution), **distribución estadística** (statistical distribution), **distribución física** (physical distribution), **distribución intensiva** (intensive distribution), **distribución normal** (normal distribution), **distribución numérica** (numerical distribution), **distribución ponderada** (weighted distribution), **distribución porcentual** (percentage distribution), **distribución reservada** (restricted distribution), **distribución selectiva** (selective distribution)].

distribuidor[1] *n*: dealer[1]; distributor; stockist, supplier; manufacturer's agent; S. *comerciante, concesionario*. [Exp: **distribuidor**[2] (TRANSPT break bulk agent; S. *reexpedidor*), **distribuidor**[3] (dispenser; vending-machine; S. *máquina automática o expendedora*), **distribuidor/agente autorizado** (authorized/licensed dealer/agent), **distribuidor único** (sole dealer/distributor)].

distribuir *v*: distribute, share out, portion out, dispatch[1]; S. *repartir*. [Exp: **distribuir con parquedad o espíritu ahorrativo** (dole out), **distribuir de forma equitativa** (share out evenly, ration out; S. *repartir por partes iguales*)].

disuadir *v*: dissuade, deter, discourage; talk out of *col*; S. *desalentar*.

disyuntiva *n*: choice, alternative,[2] dilemma, tricky decision *col*; poser *col*; S. *salida, alternativa*. [Exp: **disyuntiva entre bienes y servicios** (ECO trade-off of goods and service)].

divergencia *n*: disagreement, difference of opinion; S. *desacuerdo*.

diversificación *n*: diversification[2]; S. *ramificación, concentración*. [Exp: **diversificación a conglomerado** (conglomerate diversification), **diversificación concéntrica** (STK & COMMOD EXCH concentric diversification), **diversificación de la liquidez** (liquidity diversification), **diversificación de riesgos** (spread of risk), **diversificación horizontal** (STK EXCH horizontal diversification), **diversificación vertical** (vertical diversification), **diversificar** (STK EXCH diversify), **diversificar el riesgo** (spread the risk), **diversificar las actividades** (ECO, COM diversify/vary one's activities, branch out, put oneself about a bit *col*; S. *expandir, ampliar*)].

diversión *n*: entertainment; S. *entretenimiento, espectáculo*.

dividendo *n*: dividend; coupon; S. *cupón*. [Exp: **dividendo a cuenta** (FIN, ACCTS interim dividend; dividend paid on account/in advance), **dividendo abonado con pagaré** (scrip dividend), **dividendo activo** (dividend; S. *dividendo pasivo*), **dividendo activo a cuenta** (interim dividend; S. *dividendo provisional*), **dividendo acumulativo** (cumulative dividend), **dividendo cargado contra el capital** (STK EXCH capital dividend; S. *dividendo de capital*), **dividendo complementario, compensatorio, definitivo, final o de liquidación** (STK EXCH final dividend, equalization/equalizing dividend, extra dividend), **dividendo con participación** (participating dividend), **dividendo de capital** (STK EXCH capital dividend; S. *dividendo cargado contra el capital*), **dividendo de liquidación** (liquidating dividend), **dividendo decretado** (declared dividend), **dividendo diferido** (deferred dividend), **dividendo en acciones** (STK EXCH bonus share, scrip issue, capitalization issue, stock dividend *US*; S. *acción liberada, acción gratuita*), **dividendo en efectivo** (cash dividend), **dividendo extraordinario** (extra dividend; bonus[3]), **dividendo ficticio** (sham dividend), **dividendo neto** (net dividend), **dividendo neto por acción** (net dividend per share), **dividendo no cobrado/reclamado** (unclaimed dividend), **dividendo no cumulativo** (non-cumulative dividend), **dividendo ocasional** (irregular dividend), **dividendo omitido o no distribuido/repartido** (passed dividend), **dividendo optativo** (optional dividend), **dividendo ordinario** (common/ordinary dividend), **dividendo pasivo** (COMP LAW capital call, call,[6] call money, instalment, instalment payment,[2] call for subscribed capital; S. *requerimiento de pago de las acciones suscritas*), **dividendo por acción** (STK EXCH dividend per share), **dividendo por pagar/cobrar** (account dividend), **dividendo preferencial, preferente o de prioridad** (preferred/preference dividend), **dividendo prescrito** (prescribed dividend), **dividendo provisional** (interim dividend; S. *dividendo activo a cuenta*), **dividendo vencido y no abonado a los accionistas**

(outstanding dividend), **dividendos acumulados o no decretados** (accrued dividends)].

dividir *v*: divide, parcel out, share out; partition, split, split up, carve out/up *col*; S. *parcelar*. [Exp: **dividir las acciones** (split shares)].

divisa *n*: foreign currency, foreign exchange[1]; S. *moneda extranjera*. [Exp: **divisa al contado** (spot exchange), **divisa base o de referencia** (base currency), **divisa convertible** (convertible foreign currency, hard currency), **divisa cotizada o variable** (quoted currency), **divisa de reserva** (reserve currency), **divisa débil** (soft currency), **divisa fuerte/estable** (hard currency; reserve currency; S. *divisa convertible*), **divisa sobrevalorada** (overvalued currency), **divisas a la vista** (demand exchange), **divisas a plazo** (foreign exchange futures), **divisas de libre convertibilidad** (freely convertible currencies), **divisas extranjeras** (foreign currencies/exchange[1])].

división *n*: division; partition, splitting; S. *sección, rama, negocio, departamento*. [Exp: **división de acciones** (splitting of shares), **división de los cargamentos** (splitting of loads; V. *fraccionamiento de la carga*), **división de una sociedad mercantil en dos o más** (COMP LAW spin-off split), **división del mercado** (market division/splitting/segmentation), **división del trabajo** (division of labour), **división internacional del trabajo** (international division of labour)].

divulgación *n*: disclosure, discovery; revelation, publication; S. *publicación*. [Exp: **divulgar** (disclose, reveal, release, publicise; S. *revelar, difundir, dar a conocer*)].

DNI *n*: S. *documento nacional de identidad*.

doblar *v*: double; fold[1]; S. *doble, duplicar*.

doble *a*: double; dual; two-tier. [Exp: **doble acreedor** (double creditor; S. *acreedor de dos gravámenes*), **doble capital [en caso de muerte por accidente]** (INSCE double indemnity), **doble congruencia** (INSCE double congruency), **doble contabilidad** (ACCTS double set of books), **doble control** (dual control), **doble cotización** (STK EXCH dual listing), **doble imposición** (TAXN double taxation), **doble mercado de cambio** (two-tier foreign exchange market), **doble nacionalidad** (dual nationality), **doble opción** (put and call option, double option), **doble página** (double page spread, DPS), **doble pico** (STK EXCH double top), **doble precio en etiqueta** (ADVTG double pricing), **doble uso, de** (dual purpose), **doble valle** (double bottom; S. *suelo doble*), **doblez** (double-dealing, cheating, deceit, deceitfulness, duplicity; S. *simulación; duplicidad*)].

documentar *v*: document; provide/furnish documentary proof/evidence for/of; enclose the appropriate documents with; S. *atestar, probar*. [Exp: **documentarse** (check in/search the archives; look up/turn up the supporting information, glean the relevant facts, do the research, do one's homework *col*)].

documentación *n*: documentation, documents, papers, material; records; S. *documentos*. [Exp: **documentación del buque** (ship's papers), **documentalista** (information officer), **documentario** (TRANSPT documentary;[2] dirty, qualified), **documentado** (documented; carrying/supplied with/accompanied by the proper/appropriate documents; well informed)].

documento *n*: document, paper, means/proof of identity, identity card, ID card; instrument, memorandum; voucher; S. *escritura, título*), **documento acreditativo de cobertura de seguro** (INSCE cover-note; binder[2] *US*; S. *póliza de seguros provisional, resguardo* *provisional*), **documento acreditativo del siniestro** (INSCE proof of loss; S. *declaración de siniestro*), **documento adjunto** (enclosure, enc.; annex, appendix), **documento avalado o de garantía** (accommodation note/paper; S. *efecto de favor o de cortesía*), **documento de venta** (bill of sale; S. *vendí*), **documento compulsado** (attested copy of a document; S'. *compulsa*), **documento de aceptación de un contrato** (acknowledgment of contract, provisional contract), **documento de consignación** (consignment note; S. *nota de consignación*), **documento de garantía especial** (COM special warranty deed), **documento de garantía general** (COM general warranty deed), **documento de protesto** (COM, FIN certificate of protest), **documento de satisfacción o de cancelación** (memorandum of satisfaction, satisfaction piece; S. *escritura de cancelación*), **documento de trabajo** (working paper), **documento justificativo** (supporting document; S. *justificante*), **documento incompleto o no registrado** (FIN inchoate instrument), **documento nacional de identidad, DNI** (identification card; S. *NIF*), **documento no endosable** (non-endorsable/non transferable/bill or note, one-name paper), **documento oficial** (official document; S. *acta pública*), **documento original** (original; S. *original*), **documento privado** (private document), **documento público** (public record/document), **documento sellado o solemne** (sealed document/deed), **documento solemne** (covenant, deed of covenant; S. *promesa*), **documentos** (papers; S. *documentación*), **documentos de aduanas autorizando la entrada de mercancías** (clearance papers; S. *trámites de despacho*), **documentos de embarque** (shipping documents),

documentos de licitación (bidding documents), **documentos en gestión de cobro** (documents on collection basis), **documentos secretos** (classified material), **documentos vencidos o por pagar** (bills due, notes or bills outstanding or past due)].

dólar *n*: dollar; buck *col*; greenback *US col*; S. *dinero*.

doméstico *a*: domestic, national, internal; inland; S. *nacional*.

domiciliación *n*: BKG standing order, banker's order; payment by banker's or standing order; direct billing. [Exp: **domiciliación bancaria** (standing order at a bank, bank mandate, banker's order, direct debiting, domiciliation of bills; S. *pago por medio de domiciliación bancaria*), **domiciliar las cuentas en un banco** (pay one's bills by banker's standing order or direct debiting), **domiciliar una letra** *US* (domicile a bill/draft), **domicilio** (address, domicile, residence, domicile; S. *dirección, señas*), **domicilio convencional o convenido** (elected domicile), **domicilio de origen** (natural domicile), **domicilio fiscal** (address for tax purpose, fiscal/tax residence/domicile), **domicilio para notificaciones oficiales** (LAW address for service), **domicilio particular** (home/private address; S. *dirección particular*), **domicilio social** (registered office of a company, business address; company domicile, domicile of corporation, place of business; S. *local de un negocio*)].

dominante *a*: prevailing; dominant, predominant, leading, ruling; S. *predominante, imperante*.

dominar *v*: control, rule over; bring under control; have/keep under control; have a good grasp of, be an expert in; S. *gobernar, controlar*. [Exp: **dominio**[1] (domain, territory), **dominio**[2] (LAW ownership; title), **dominio compartido**

(COM shared dominance), **dominio del mercado** (market control), **dominio fiduciario** (possession in trust), **dominio perfecto** (full legal ownership), **dominio pleno** (freehold, freehold estate/property; S. *propiedad absoluta libre de cargas*), **dominio público** (public domain; public property, property owned by the nation; S. *patrimonio*), **dominio público, del** (out of copyright; widely/generally known; common knowledge), **dominio vitalicio** (life estate; beneficial ownership; S. *usufructo*)].

donación *n*: donation; gift, grant, endowment[2]; bequest; S. *regalo*. [Exp: **donación de capital** (capital grant), **donante** (donor, grantor; S. *dador, mandante*), **donar** (donate; S. *contribuir*), **donatario o receptor de una donación** (donee, grantee), **donativo** (donation; S. *dádiva*)].

dorado *a*: golden; S. *de oro, áureo, de gran valor*.

dorso de un documento *n*: back of a document; S. *endosar*. [Exp: **dorso, al** (on the back or the other side; S. *véase al dorso*)].

dos *n*: two. [Exp: **dos cifras, de** (double figures; S. *superior al 10 por cien*), **dos direcciones, de** (two-way; S. *bilateral*), **dos fases/niveles, de/en** (two-tier; two-tiered; S. *doble*), **dos vías, de** (two-way; S. *bilateral*)].

dosier, dossier *n*: dossier; file; report; S. *expediente, archivo, informe*.

dosificar *v*: ration, supply/do/perform/produce in small doses or *col* in dribs and drabs; S. *racionar*. [Exp: **dosis** (ration, dose; S. *ración, suministro, porción*)].

dotación[1] *n*: ECO endowment[1]; allowance, complement; S. *dote*. [Exp: **dotación**[2] (IND REL personnel, staff; crew; squad; S. *plantilla, personal, tripulación*), **dotación de divisas** (foreign currency allowance), **dotación de personal/plantilla** (manning, staffing), **dotación**

inicial (ECO endowment[1]; S. *dotación, dote, dotal*), **dotaciones y medios** (means, ways and means, equipment, facilities[2]; S. *instalaciones, equipo*), **dotado**[1] (gifted), **dotado**[2] (equipped), **dotar** (fund, endow, equip; gift; S. *equipar, proveer*), **dotar de exceso de personal** (IND REL overman; S. *dotar de personal*), **dotar de los medios necesarios** (provide with the necessary means or implements; S. *pertrechar*), **dotar de personal** (staff), **dote**[1] (LAW dowry, marriage portion), **dote**[2] (gift, quality, talent; S. *talento*), **dotes de mando** (MAN leadership qualities)].

duda *n*: doubt, uncertainty, hesitancy; misgiving; S. *incertidumbre*. [Exp: **dudar** (doubt, question, hesitate), **dudoso** (doubtful; dubious, debatable; arguable; hesitant), **dudosos** (ACCTS, BKG non-performing loans; doubtful receivables; S. *morosos, activos a sanear*)].

dueño *n*: owner, landlord; proprietor, prop; employer; S. *propietario, titular*. [Exp: **dueño de la patente** (patent-owner/holder; patentor), **dueño de una finca** (landowner; S. *terrateniente*)].

duopolio *n*: ECO duopoly. [Exp: **duopolista** (duopolist), **duopsonio** (duopsony)].

duplicación *n*: duplication, overlapping. [Exp: **duplicación de las reservas** (double booking), **duplicado** (duplicate, copy), **duplicado de cheque** (duplicate cheque), **duplicado, por** (in duplicate), **duplicar** (duplicate, double; S. *doblar*)].

duplicidad *n*: duplicity; S. *doblez, engaño*.

duración *n*: duration; length[1]; life; term; period; S. *extensión, vida*. [Exp: **duración corregida** (FIN modified duration; S. *vencimiento corregido de un bono*), **duración de la entrega** (STK & COMMOD EXCH life of delivery), **duración de la patente** (LAW term of a patent), **duración de la prestación de un**

servicio (length or period of service; S. *antigüedad*), **duración de la vida** (SEG life span), **duración de las funciones** (period of appointment), **duración de un contrato de futuros o de opciones** (STK & COMMOD EXCH life of delivery, life of the future), **duración de un préstamo** (term of a loan), **duración media** (average duration/life), **duración óptima** (ACCTS optimum life), **duradero** (permanent, lasting, durable; S. *permanente*), **durar** (last)].

durmiente *a*: dormant; S. *latente, inactivo.*
duro[1] *a*: hard; tough; tight; S. *fuerte, resistente, riguroso.* [Exp: **duro**[2] (5-peseta piece or coin; in the business world, and among older people, it is relatively common to express amounts and prices in *duros* rather than pesetas; thus *dos mil duros* is ten thousand pesetas, *veinte mil duros* is a hundred thousand pesetas, etc.), **duro, estar sin un** *col* (be broke *col*, not to have a penny to one's name *col*; S. *estar sin blanca*)].

E

E *n*: buque de segunda clase en el *Lloyd's Register of Shipping*.

echar[1] *v*: throw, throw out, cast,[1] fling; S. *arrojar, lanzar*. [Exp: **echar**[2] *col* (IND REL give the sack *col*, fire[2] *col*, throw out *col*, kick out *col*, chuck out *col*, boot out *col*; S. *despedir, cesar*), **echar al correo** (post,[1] mail), **echar a perder** (waste,[1] spoil; S. *estropear, deteriorar*), **echar amarras** (TRANSPT moor; S. *atracar, fondear, amarrar*), **echar el freno a** (put the brakes on *col*; put a damper on *col*; S. *echar un jarro de agua fría en*), **echar la cuenta** (count the cost, work out the bill, do one's sums *col*; tot up; reckon; S. *sumar*), **echar la culpa** (blame, put/lay the blame on; S. *culpa, tener la culpa*), **echar leña al fuego** (fuel, add fuel to the fire; S. *exacerbar*), **echar mano de** (fall back on/upon, have recourse to; S. *recurrir/acudir a*), **echar por el atajo** (take short cuts *col*; cut corners *col*; S. *cometer irregularidades*), **echar por la borda** (throw overboard/away, jettison; S. *arrojar al mar*), **echar por tierra** (scuttle; knock the bottom out of *col*; S. *torpedear, sabotear, dar al traste con*), **echar suertes** (draw lots), **echar un jarro de agua fría en** (put a damper on; S. *echar el freno a*), **echar un órdago** (meet threat with threat or bluff with bluff), **echar una mano o un cable a** *col* (BKG give a helping hand, throw sb a lifeline, lend a hand, bail out[2] *col*; S. *ayudar, auxiliar*), **echarse a perder** (be spoiled/ruined, go to waste, go off/bad; S. *deteriorarse*), **echársele a uno el tiempo encima** (be tight for time, be getting close to the deadline; S. *andar justo/escaso de tiempo*), **echarse atrás** (COM, FIN change one's mind, withdraw, pull out *col*, back out *col*; V. *dar marcha atrás*), **echazón** (jetsam; S. *mercancías arrojadas al mar*)].

ecología *n*: ecology. [Exp: **ecológico** (ecological, environment-friendly, green), **ecologista** (ecological; ecologist, environmentalist; green; S. *ambientalista*)].

economato *n*: consumer's cooperative, company store, cooperative store.

econometra *n*: econometrist. [Exp: **econometría** (econometrics)].

economía[1] *n*: economics; political economy; S. *economía política*. [Exp: **economía**[2] (economy, economies; savings; thrift; S. *ahorro*), **economía abierta** (open economy; S. *economía autoritaria*), **economía agraria** (agrarian economy, farm management), **economía**

aplicada (applied economics), **economía autoritaria/dirigida/planificada** (command economy; planned/controlled economy, state-controlled economy; S. *economía abierta*), **economía cerrada** (closed economy, self-sufficient economy; S. *economía abierta*), **economía clásica** (classical economics), **economía competitiva** (competitive economy, free enterprise economy), **economía concertada** (negotiated economic policy), **economía de abundancia/escasez** (economy of abundance/scarcity), **economía de consumo** (consumer economy), **economía de crecimiento cero** (no-growth/zero-growth economy), **economía de control y dirección** (command economy), **economía de desarrollo ecológico** (environmental development economics), **economía de empresas** (business economics), **economía de la oferta** (supply-side economics), **economía de libre empresa** (free enterprise economy; S. *economía de mercado*), **economía de medios, con** (efficiently; S. *eficiencia*), **economía de mercado** (market-oriented economy; free market economy), **economía de monocultivo** (one-crop economy), **economía de movimientos** (ergonomics; time-and-motion studies; elimination of inefficient stages or movements; S. *ergonomía*), **economía de plantación** (plantation economy, export cropping), **economía de trueque o permuta** (barter economy), **economía del bienestar** (welfare economics/economy), **economía del trabajo** (the economics of labour, labor economics *US*), **economía dirigida/intervenida** (managed/controlled economy; S. *economía autoritaria*), **economía doméstica** (home economics, domestic science), **economía dual** (dual economy), **economía encubierta** (hidden

economy; S. *economía sumergida*), **economía equilibrada** (balanced economy), **economía familiar** (home economics), **economía flaqueante/vacilante** (flagging economy), **economía gremial** (guild economy), **economía informal** (informal economy), **economía intervenida** (S. *economía intervenida*), **economía libre de mercado** (free-market economy; free-enterprise/market economy, competitive profit system), **economía mixta** (mixed economy), **economía monetaria o monetarista** (monetary/monetarist economy), **economía mundial** (world economy), **economía nacional** (domestic/national economy), **economía negra** (black economy; S. *economía sumergida*), **economía no intervenida** (market economy; S. *economía de libre mercado*), **economía normativa** (normative economics), **economía oculta** (hidden/black economy; S. *economía sumergida*), **economía paralela/negra/sumergida/subterránea** (parallel/black/submerged/underground economy), **economía planificada** (S. *economía autoritaria*), **economía política** (ECO political economy; catallactics), **economía positiva** (positive economics), **economía recalentada** (overheated economy), **economía social de mercado** (socially-oriented free market economy), **economía sumergida/subterránea** (hidden economy, informal economy, underground economy; black economy; S. *estraperlo, mercado negro, contrabando*), **economías** (economies, savings; S. *ahorros*), **economías de aglomeración** (economies of agglomeration), **economías de alcance o gama** (economies of scope), **economías de escala** (ECO economies of scale), **economicismo** (economicism), **económico** (economic; economical; thrifty; cheap, inexpensive; sparing, frugal; no-frills; S. *barato, sin lujo; ahorrativo, módico*), **economista** (economist), **economizar** (economize, cut down, save[1]; S. *ahorrar*)].

ecotasa *n*: ecotax.

ecosistema *n*: ecosystem.

ecu, ECU *n*: ECU, ecu; acronym corresponding to European currency unit.

ecuación *n*: equation. [Exp: **ecuación cuantitativa** (Cambridge equation), **ecuación de balance** (balance sheet equation), **ecuación de cambio** (equation of exchange, quantity equation of exchange, Cambridge equation), **ecuación de Cambridge** (Cambridge equation), **ecuación de contabilidad** (ACCTS accounting equation), **ecuación de demanda internacional** (equation of international demand), **ecuación de identidad** (ECO identity equation), **ecuación de la renta** (ECO income equation), **ecuación de renta y gasto** (ECO income and expenditure equation)].

edad *n*: age. [Exp: **edad aceptada como exacta** (INSCE age admitted), **edad actuarial** (INSCE actuarial age), **edad de entrada o de ingreso en el trabajo** (IND REL age at entry into labour force), **edad de jubilación/retiro** (IND REL retirement age; age of retirement; ACCTS age at withdrawal), **edad máxima** (age limit; S. *límite de edad*), **edad media** (average age; age mean; S. *promedio de edad*), **edades, por** (by age, order of age, age-specific)].

edición *n*: publication; edition, issue. [Exp: **editar** (publish; edit), **editor** (publisher; editor), **editorial**[1] (ADVTG leader/leading article; editorial; S. *artículo de fondo*), **editorial**[2] (COM publishing house/company)].

edificación *n*: construction, building. S. *construction*. [Exp: **edificabilidad** (nature and extent of building permitted on a given piece of land; scope of planning permission or regulations; S. *terreno edificable, volumen de edificabilidad*), **edificar** (build, put up; S. *construir*), **edificio** (building, premises; property; S. *local*), **edificio comercial o de oficinas** (office building; office block), **edificio de aduanas** (customs house/office; S. *aduanas*), **edificio declarado de interés histórico** (listed building), **edificio inteligente** (smart building)].

educación *n*: education; background; training; S. *experiencia, antecedentes*. [Exp: **educar** (educate, train; S. *formar*)].

educto *n*: output; S. *producción; inducto*.

efectividad *n*: effectiveness, efficiency; LAW effect, force, validity; S. *vigencia, vigor*.

efectivo[1] *a*: effective; efficient; S. *eficaz, práctico*. [Exp: **efectivo**[2] (actual,[1] real; S. *real, físico*), **efectivo**[3] (cash; funds; S. *numerario, billete, moneda; pagar en efectivo*), **efectivo disponible** (BKG cash in hand, cash holding, ready cash, hard cash; disposable income), **efectivo, en** (cash, cash down; S. *primera entrega*), **efectivo en bancos** (cash in banks), **efectivo en caja** (cash/money in/on hand; float,[2] cash float; petty cash; till money), **efectivo en caja y bancos** (ACCTS cash in hand and at bank; cash and due from banks), **efectivo en fideicomiso** (BKG cash held in trust), **efectivo flotante** (floating cash; S. *efectivo/dinero en caja*), **efectivo y bancos** (ACCTS cash and deposits), **efectivos** (IND REL staff, hands, workers manning a position, manpower; S. *plantilla*)].

efecto[1] *n*: effect,[1] result, impact; S. *resultado*. [Exp: **efecto**[2] (BKG, FIN bill, draft,[1] commercial draft; instrument, item; negotiable document/instrument; paper[1]; S. *título, papel, instrumentos/valor-es negociable-s, letra de cambio*.

[Exp: **efecto a cobrar** (bill/note receivable, bill for collection, collection item), **efecto a corto/largo plazo** (short-/long-term bill/draft), **efecto a la orden** (demand draft or bill of exchange), **efecto a la vista** (sight bill/draft), **efecto a pagar** (bill/note payable; S. *efecto pendiente de cobro, efecto por cobrar*), **efecto a partir de, con** (with effect from), **efecto al cobro** (draft to be collected, uncollected item), **efecto al descuento** (bill of exchange presented for collection or discount; discounted bill; S. *letra descontada*), **efecto al portador** (bearer paper/bill), **efecto acelerador** (ECO accelerator effect), **efecto aceptado** (accepted bill/draft; S. *letra aceptada*), **efecto anticipado** (FIN advance bill), **efecto ascendente o de capilaridad** (ECO bubble up effect), **efecto asignación** (ECO allocation effect), **efecto bancario o negociable** (bank item; bank commercial paper, bank draft, bankable paper/bill/item), **efecto cambio de mes** (STK EXCH change of month effect), **efecto cascada** (ECO cascade effect; pyramiding), **efecto comercial** (commercial paper; commercial/negotiable instrument, trade note/bill; tradeable instrument; draft, bill, merchantile/commercial/business paper; S. *letra de cambio*), **efecto comercial de disponibilidad diferida** (deferred availability items *US*), **efecto comercial de primera clase** (FIN prime bill, prime trade bill, fine bill/paper, fine trade bill, first-class paper, respectable bill; S. *letra de cambio sin riesgo o de la máxima garantía*), **efecto comercial respaldado por productos o mercaderías, o utilizado para financiar la importación de materias primas** (FIN commodity paper[1]), **efecto con gastos** (draft with charges), **efecto cupón** (STK EXCH coupon effect), **efecto de absorción** (backwash effect), **efecto de apalancamiento** (gearing/leverage effect), **efecto de arrastre** (ECO backward link), **efecto de atracción** (ECO crowding-in effect; S. *efecto de exclusión*), **efecto de atracción de un producto sobre el consumidor** (ADVTG consumer appeal), **efecto de bola de nieve** (STK EXCH snowball effect), **efecto de comercio** (S. *efecto comercial*), **efecto de compensación** (FIN clearing draft), **efecto de creación de comercio** (trade creation effect), **efecto de desbordamiento/derramamiento** (ECO spillover effect; S. *efecto externo*), **efecto de difusión** (spread effect), **efecto de escala** (ECO scale effect), **efecto de exclusión o expulsión** (ECO crowding-out effect; S. *efecto de atracción*), **efecto de expansión del comercio** (trade-expansion effect), **efecto de favor/cortesía/deferencia/complacencia** (BKG accommodation acceptance; accommodation note/paper, bill of favour; S. *letra de pelota, línea de favor*), **efecto de filtración** (trickle down effect), **efecto de palanca** (FIN gearing, effect; S. *apalancamiento*), **efecto de propagación** (ADVTG spread effect), **efecto de propulsión** (forward link-age effect), **efecto de raqueta** (ratchet effect), **efecto de reacción** (backwash effect), **efecto de recuperación** (ECO, COM rebound effect), **efecto de remesa o salida** (outward bill/draft), **efecto de saldos reales o efectivos** (ACCTS real balances effect), **efecto de transferencia de ingresos fiscales** (revenue-transfer effect), **efecto de trinquete** (ECO ratchet effect), **efecto de vencimiento a corto plazo** (FIN short-term/overnight bill or draft), **efecto del mercado de dinero** (money-market paper; S. *papel monetario*), **efecto demostración** (ECO demonstration effect), **efecto descontado** (BKG discounted note), **efecto descontable o negociable** (FIN discountable bill), **efecto devuelto** (BKG returned draft), **efecto día de la semana** (STK EXCH day's effect), **efecto día prefestivo** (STK EXCH pre-holiday effect), **efecto diferido** (time-lag; S. *desfase cronológico*), **efecto documentario** (documentary bill/draft), **efecto en gestión de cobro** (TAXN bill in collection), **efecto en los precios** (ECO effect on prices, price effect; S. *efecto precio*), **efecto enviado a la cámara para su correspondiente compensación** (BKG out-clearing item; outgoing clearings; S. *efectos liquidados remitidos por la cámara de compensación*), **efecto equivalente** (TAXN equivalent effect), **efecto externo** (external effect; spillover effect), **efecto financiero** (BKG banker's bill, working capital acceptance, finance/financial bill US; S. *letra financiera*), **efecto generalizado** (blanket effect), **efecto impagado** (BKG dishonoured/unpaid bill; overdue bill, uncollected trade bill), **efecto impositivo** (TAXN tax impact), **efecto impulso** (S. *efecto palanca*), **efecto indirecto** (indirect effect; spinoff; spillover effect; S. *resultado indirecto*), **efecto influencia** (S. *efecto palanca*), **efecto inmediato** (ECO impact effect), **efecto interbancario** (BKG bank draft), **efecto mercantil** (BKG, FIN trade bill), **efecto multiplicador** (multiplier effect), **efecto negociable** (BKG negotiable/eligible/bankable paper/bill), **efecto no documentario** (clean draft), **efecto palanca** (gearing/leverage effect), **efecto piramidación** (S. *efecto cascada, piramidación del impuesto*), **efecto pendiente de cobro o por cobrar** (uncleared draft or receivable; S. *efecto a pagar*), **efecto pobreza** (poverty effect), **efecto polarizador o de absorción** (backwash effect; S. *efecto de propa-*

gación), **efecto precio** (ECO price effect), **efecto protestado** (FIN noted bill, dishonoured or protested draft, bill referred to drawer), **efecto rápido, de** (quick-acting), **efecto renta** (TAXN, ECO income effect), **efecto residual** (ripple effect), **efecto retroactivo** (retroactive effect), **efecto retroactivo, con** (LAW, IND REL backdated; S. *dar efectos retroactivos*), **efecto riqueza** (wealth effect), **efecto secundario** (knock-on effect, secondary/side effect), **efecto selección** (FIN selection effect), **efecto, sin** (null and void; S. *nulo*), **efecto sin endoso** (unendorsed draft, single name draft), **efecto sobre el exterior/interior** (foreign/domestic bill), **efecto sobrerreacción** (STK EXCH overreaction effect), **efecto suspensivo** (LAW suspensive/suspensory effect), **efecto sustitución** (ECO substitution effect), **efecto tamaño** (ECO size effect), **efecto timbrado** (stamped paper/document), **efecto titulizado** (FIN repackaged security, asset-backed security; securitized asset), **efecto vencedor** (ECO bandwagon effect), **efectos**[2] (belongings; S. *efectos personales*), **efectos cotizables** (listed securities), **efectos de contagio** (bandwagon effects), **efectos de escritorio** (stationery), **efectos desde, con** (with effect from; S. *vigente a partir de*), **efectos económicos del impuesto** (TAXN tax consequences), **efectos en cartera** (bills/notes on hand, securities in hand), **efectos fiscales, a** (TAXN for fiscal purposes), **efectos indirectos** (ECO fallout[5]; S. *repercusiones*), **efectos liquidados remitidos por la cámara de compensación** (BKG incoming clearings, in-clearing items), **efectos negociables** (negotiable instruments, bankable bills), **efectos personales** (personal belongings/effects/property), **efectos privados** (FIN private-sector money market instruments), **efectos públicos** (FIN government/public securities; government bonds/paper; S. *títulos o valores del Estado*), **efectos redescontables** (FIN eligible bills/paper), **efectos y materiales** (material and supplies)].

efectuar *v*: effect,[3] perform, make, carry out, conduct; S. *realizar, llevar a cabo*. [Exp: **efectuar operaciones** (STK & COMMOD EXCH trade, transact, write[2]; S. *suscribir*), **efectuar un asiento** (ACCTS make an entry; S. *asentar una partida*), **efectuar un pago** (pay, effect/make a payment), **efectuar un pedido** (make/place an order), **efectuar una auditoría** (carry out/perform an audit; S. *auditar*), **efectuar/lanzar una emisión de valores** (launch/place/float an issue; S. *remitir/colocar valores*), **efectuar una encuesta** (conduct a poll)].

eficacia *n*: efficiency, effectiveness; efficacy; performance[2]; S. *eficiencia, rendimiento, productividad*. [Exp: **eficacia económica** (economic efficiency), **eficaz** (effective, effectual; operative,[1] efficient, instrumental; S. *práctico, efectivo, útil*), **eficazmente** (efficiently; S. *eficiente*)].

eficiencia *n*: efficiency; effectiveness; S. *rendimiento, productividad, eficacia*. [Exp: **eficiencia alocativa** (S. *eficiencia en la asignación*), **eficiencia de producción** (production efficiency), **eficiencia distributiva** (ECO allocative efficiency), **eficiencia económica** (economic efficiency), **eficiencia en la asignación/aplicación/distribución, etc.** (ECO allocative efficiency), **eficiencia marginal** (ECO marginal efficiency), **eficiencia marginal del capital** (ECO marginal efficiency of capital), **eficiencia productiva** (productivity efficiency), **eficiencia técnica** (technical efficiency; S. *rendimiento*), **eficiente** (efficient; streamlined; workmanlike; S. *de elevado rendimiento; racionalizado*), **eficiente en relación con su coste** (MAN cost-effective; S. *rentable*), **eficientemente** (efficiently; S. *con rapidez y economía*)].

EFTA *n*: S. *Asociación Europea de Libre Comercio, AELC*.

égida *n*: aegis, protection, umbrella *col*; S. *pantalla, parachoques, amparo*; S. *bajo la égida de*.

eje *n*: axis; axle, hinge; core, main drift, focal point, core idea, main thrust, central idea; S. *meollo, motor*. [Exp: **eje de coordenadas** (ECO axis of coordinates), **eje publicitario** (ADVTG advertising axis, main thrust, central theme of an advert; S. *lema/tema publicitario*)].

ejecución[1] *n*: execution; enforcement; fulfilment, implementation; performance; S. *aplicación, cumplimiento, puesta en práctica*. [Exp: **ejecución**[2] (LAW distraint, attachment; S. *embargo*), **ejecución, a la** (STK EXCH order at sight; S. *ejecución inmediata*), **ejecución automática, de** (automatically enforceable), **ejecución coactiva** (LAW foreclosure; S. *ejecución de hipoteca*), **ejecución concursal** (LAW bankruptcy proceedings; S. *concurso de acreedores*), **ejecución de la garantía** (LAW calling-in/taking-up of the collateral; seizure of lien or charged assets; realization of charged assets; enclosure sale *US*), **ejecución de hipoteca** (LAW foreclosure of a mortgage; repossession; S. *juicio hipotecario*), **ejecución de los derechos del acreedor** (execution[2]; seizure of debtor's property to satisfy the creditor; S. *vía ejecutiva*), **ejecución de un contrato** (perfomance of a contract), **ejecución de un pedido** (COM filling of an order), **ejecución de una orden de compra/venta** (STK & COMMOD EXCH execution of a trade or order), **ejecución forzosa** (LAW any of the remedies available for enforcing compliance with judgements, contractual obligations, etc.; these include charging order, writ of *fieri facias*, writ of sequestration, appointment of receiver, order of committal, distraint, attachment, seizure of debtor's assets, etc.), **ejecución forzosa inmediata** (LAW immediate specific performance, etc.), **ejecución inmediata** (STK EXCH order at sight), **ejecución parcial** (LAW part-performance; S. *satisfacción parcial*)].

ejecutar *v*: execute, enforce, implement, carry out, work out; put into effect; act[1], fill[2]; S. *cumplir, aplicar*. [Exp: **ejecutar, a** (executory), **ejecutar bienes** (COM attach/seize property), **ejecutar un contrato** (execute or perform a contract), **ejecutar una orden de compra o de venta** (STK EXCH execute an order to buy or sell), **ejecutar el embargo de bienes** (distrain upon/seize property of a debtor; S. *embargar*), **ejecutar el presupuesto** (implement the budget), **ejecutar un acuerdo** (carry out an agreement), **ejecutar una hipoteca** (LAW foreclose a mortgage)].

ejecutivo *a/n*: enforceable; executive, manager, officer; S. *directivo, alto cargo/funcionario*. [Exp: **ejecutivo auxiliar** (junior executive/manager, assistant manager), **ejecutivo de cuenta** (account executive), **ejecutivo de ventas** (sales executive), **ejecutivo, el** (the executive), **ejecutivo en formación** (management trainee, trainee manager), **ejecutivo principal** (senior/chief executive; manager), **ejecutorio** (enforceable)].

ejemplar *n*: sample, copy, issue. [Exp: **ejemplar de muestra** (sample copy), **ejemplar gratuito** (free copy, complimentary copy), **ejemplo** (example, instance)].

ejercer *v*: exercise,[1] practise, perform; S. *proceder, desempeñar*. [Exp: **ejercer de** (practise as), **ejercer el derecho de**

opción (STK & COMMOD EXCH exercise an option), **ejercer influencia sobre uno** (exert influence over sb, have a hold over sb), **ejercer un derecho** (exercise a right), **ejercer un negocio** (run/manage/conduct a business), **ejercer una opción** (STK & COMMOD EXCH exercise[2] an option), **ejercer una profesión** (practise a profession, ply one's trade; S. *llevar un negocio*)].

ejercicio[1] *n*: accounting period, trading year; exercise; year; S. *período contable*. [Exp: **ejercicio**[2] (STK & COMMOD EXCH exercise, strike[3]), **ejercicio anterior** (prior period/year), **ejercicio anticipado de una opción** (STK & COMMOD EXCH early exercise), **ejercicio de su cargo, en el** (in the course/performance of one's duties), **ejercicio de una profesión** (practice of a profession), **ejercicio económico/financiero/fiscal/presupuestario/contable** (ACCTS financial/fiscal/accounting/trading/business/budgetary period/year; S. *año social/económico, período contable*), **ejercicio, en** (acting; S. *suplente*), **ejercicio social** (business/corporate year; S. *ejercicio económico*), **ejercitar** (exercise)].

elaboración *n*: manufacturing; processing; making; preparation; S. *fabricación, manufactura*. [In many cases the choice of word in English will depend on the particular process and the end product, e.g., baking, brewing, distilling, smelting, tailoring, etc.; the same remark holds good for the place of manufacture or production, which in Spanish is usually *fábrica de*. Exp: **elaboración de programas** (programming), **elaboración del presupuesto** (budgeting; S. *presupuestación*), **elaboración/montaje de material fabricado en otro país** (off-shore assembly/processing), **elaborar** (elaborate, make, manufacture; develop, process, produce, work out; draw up;

fashion; S. *fabricar, manufacturar, confeccionar*)].

elasticidad *n*: ECO elasticity; flexibility; resilience; S. *flexibilidad*. [Exp: **elasticidad absoluta de la oferta** (ECO overall elasticity of supply), **elasticidad-arco de la demanda** (ECO arc elasticity of demand), **elasticidad con respecto al propio precio** (ECO own-price elasticity), **elasticidad cruzada** (crossed elasticity), **elaboración cruzada de la demanda** (cross-elasticity of demand; cross-border exposure), **elasticidad de la demanda** (ECO elasticity of demand), **elasticidad de la oferta** (elasticity of supply), **elasticidad de los precios de bienes sustitutivos** (ECO cross-elasticity), **elasticidad de una opción** (option elasticity), **elasticidad de sustitución** (ECO elasticity of substitution), **elasticidad del margen financiero** (elasticity of the financial margin), **elasticidad negativa** (ECO negative elasticity), **elasticidad-precio cruzada de la demanda** (ECO cross price elasticity of demand), **elasticidad punto** (point elasticity), **elasticidad [respecto de la] renta** (ECO income elasticity), **elasticidad-renta de la demanda** (ECO income elasticity of demand), **elasticidad tributaria global** (TAXN tax buoyancy), **elasticidad unitaria** (ECO unitary elasticity), **elasticidad unitaria de la demanda** (ECO unitary elasticity of demand), **elástico** (elastic; flexible; resilient; S. *flexible*)].

elección *n*: election, nomination; choice, pick[1]; S. *selección*. [Exp: **elección al azar** (random choice/selection/sampling), **elección escalonada de administradores** ([appointment of a] staggered board of directors), **elecciones** (election-s), **elegir** (choose, pick, select; elect; nominate)].

electrodomésticos *n*: appliances; domestic/ household appliances; white line; hard goods *US*.

elemento *n*: element, component, factor, ingredient, item[1]; S. *componente, factor, artículo*. [Exp: **elementos de la producción** (ECO factors of production)].

elevación *n*: increase; lift; rise, raising; S. *alza, aumento*. [Exp: **elevación de costos** (ACCTS cost increase), **elevación del tipo bancario** (BKG rise in the discount rate), **elevación inflacionaria de la demanda** (ECO demand-pull inflation; S. *inflación de demanda*)].

elevado *a*: high; S. *alto, superior*. [Exp: **elevado rendimiento, de** (highly profitable or efficient; S. *eficiente, eficaz*)].

elevar[1] *v*: increase; raise, lift[1]; push/put up; S. *alzar, aumentar*. [Exp: **elevar**[2] (file; refer; present, submit, forward[3]; S. *instar, formular, proponer*), **elevar al máximo** (maximize; S. *optimizar, maximizar*), **elevar un asunto a una instancia superior** (LAW refer a matter to a higher court or administrative department), **elevar un informe a alguien** (present/ submit a report to sb, report to sb), **elevar una queja/reclamación** (file a complaint/claim), **elevar-se** (soar)].

eliminación *n*: elimination, removal; pushing/squeezing *col*. [Exp: **eliminación de deudas incobrables** (ACCTS write-off[2] of bad or irrecoverable debts; S. *saneamiento, quita*), **eliminación de un activo fijo en servicio** (ACCTS write-down/write-off/depreciation of fixed assets), **eliminación gradual** (phasing-out), **eliminar** (eliminate, remove, drop; push out/squeeze out *col*; S. *deshacerse de, abolir, extinguir*), **eliminar/ahogar a un competidor** (freeze out/push out/ squeeze out a competitor *col*; S. *pisar toda la clientela a un competidor*), **eliminar un producto de un catálogo** (COM drop a product from a catalogue, abandon a product), **eliminar fallidos de**

los **libros** (ACCTS write off[1] bad debts; S.
cancelar con cargo a beneficios, anular),
eliminar por medio de la investigación
(screen out), **eliminar/reducir/suspen-
der por etapas o progresivamente**
(phase out)].

eludir *v*: evade; avoid, escape; dodge, get
round *col*; S. *evitar*. [Exp: **eludir
impuestos** (evade taxes), **eludir
pronunciarse** (fudge/dodge the issue
col; beat about the bush *col*; S. *esquivar
el problema*)].

embalado *a*: COM packed; packaged,
wrapped; S. *empaquetado*. [Exp:
**embalado al vacío o con papel de
plástico transparente** (shrink-wrapped;
vacuum-packed), **embalado herméticamente** (vacuum-sealed, packed in
airtight containers), **embalador** (packer;
S. *empaquetador*)].

embalaje *n*: TRANSPT package; packaging;
packing; packing case; pack; S. *envase*.
[Exp: **embalaje de plástico de tipo
burbuja** (bubble card/pack), **embalaje
defectuoso** (defective/faulty package/
packaging), **embalaje en jaulas** (packing
in crates), **embalaje expositor** (floor-
stand), **embalaje impermeable** (waterproof packing), **embalaje marítimo**
(packing for shipment, export packing),
embalaje para la exportación (export
packing), **embalaje resistente al agua**
(floating bag; S. *saco flotante*), **embalaje
reutilizable** (reusable packaging),
embalaje y marcado (packing and
marking), **embalar** (pack[1]; package;
wrap; crate; S. *envasar, enlatar,
empacar, empaquetar*), **embalar en
cajas o jaulas** (crate)].

embarcación *n*: TRANSPT ship, boat; craft[2];
S. *buque, nave*. [Exp: **embarcación de
vela** (sailing boat), **embarcación del
práctico del puerto** (pilot boat),
embarcadero (pier; wharf, charging
berth; jetty; S. *muelle, pantalán,*

espigón), **embarcador** (shipper),
embarcar (embark, ship, board;
load/stow on board), **embarcarse**
(embark, take ship, board[5]; embark on,
get involved in; S. *cargar; meterse*)].

embargable *a*: LAW attachable, subject to
seizure, distraint or confiscation. [Exp:
embargado (lienee, garnishee, attached),
embargador (lienor, sequestrator),
embargante (lienor, impounder,
attacher), **embargar** (seize; sequester;
attach,[2] embargo; garnish; impound;
distrain, levy a distress[1]; S. *decomisar,
secuestrar, confiscar, incautar*), **embargar/
bloquear/congelar una cuenta, dinero,
fondos, etc.** (block/seize/freeze an
account, currency, funds, etc.), **embargar los bienes hipotecados por
impago** (foreclose a mortgage, repossess
mortgaged property), **embargo** (seizure,
attachment[2]; seizure of goods, embargo;
distraint, distress; S. *decomiso,
confiscación*), **embargo contra deudor
residente** (domestic attachment),
embargo de bienes (seizure, garnishment), **embargo de bienes hipotecados**
(LAW foreclosure), **embargo de fondos**
(seizing/blocking of funds), **embargo de
mercancías en tránsito** (seizure/
stoppage of goods in transit), **embargo
de obra** (mechanic's lien), **embargo o
intervención de salarios** (attachment of
earnings, garnishment), **embargo fiscal**
(tax lien), **embargo preventivo** (lien
attachment), **embargo por impago de
alquiler** (distress for rent)].

embarque *n*: shipment; lading;
embarkation; boarding; S. *flete, carga,
cargamento; conocimiento de embarque*.
[Exp: **embarque aéreo** (air shipment; S.
tarjeta de embarque), **embarque en
furgón** (van shipment), **embarques
fraccionados** (COM, TRANSPT shipment
by instalments), **embarques parciales**
(TRANSPT, COM partial shipments)].

embarrancado *a*: TRANSPT aground; S. *varado, encallado*. [Exp: **embarrancar** (ground, run aground)].

embate *n*: STK EXCH, COM beating, hammering, hiding *col*; pounding; onslaught; dawn raid. [Exp: **embates de la competencia** (COM the attack or onslaught launched by one's competitors)].

embaucar *v*: deceive, trick, fleece *col*, fiddle *col*; diddle *col*; con *col*; swindle; S. *amañar, defraudar, engañar, hacer chanchullos, timar*.

embolsar-se *v*: pocket, collect, pick up[3] *col*; S. *cobrar, ganar*. [Exp: **embolsarse los beneficios** (pocket a profit)].

emergencia *n*: emergency, contingency; S. *plan de emergencia*. **emergente** (emergent; consequential, resultant; S. *daños emergentes*), **emerger** (emerge, surface; S. *salir, surgir*)].

emigración *n*: emigration. [Exp: **emigrado** (emigrant/emigré; S. *emigrante*), **emigrar** (emigrate)].

emisión[1] *n*: FIN issue, issuance; flotation,[2] flotation of an issue; floating; S. *flotación*. [Exp: **emisión[2]** (broadcast, broadcasting; programme; S. *emisión publicitaria*), **emisión a goteo** (S. *emisión constante*), **emisión a la par** (issue at par), **emisión abierta** (STK EXCH public flotation of an issue), **emisión al descuento** (discount issue), **emisión asegurada en firme** (COMP LAW firm underwriting), **emisión colocada** (presold/presubscribed issue), **emisión combinada de acciones** (COMP LAW piggyback registration), **emisión competitiva** (competitive bid), **emisión comprada** (bought[-up] issue), **emisión constante/continua** (STK EXCH tap issue; S. *emisión a goteo o gota a gota*), **emisión cubierta** (underwritten issue; fully subscribed issue), **emisión de acciones** (share/stock issue), **emisión de**

acciones gratuitas a los accionistas (STK EXCH scrip issue, capitalization issue, bonus issue; stock dividend *US*), **emisión de acciones nuevas con derechos preferentes de los accionistas** (STK EXCH rights issue; S. *ampliación de capital*), **emisión de acciones excesiva** (STK EXCH overissue), **emisión de acciones liberadas** (scrip issue), **emisión de acciones nuevas** (new issue), **emisión de billetes/moneda** (issue of notes/currency), **emisión de bonos/obligaciones** (bond issuance/issue), **emisión de bonos con certificado de opción** (warrant issue), **emisión de bonos para la financiación del déficit público** (deficit bonds issue), **emisión de conversión** (conversion issue), **emisión de derechos de suscripción** (STK EXCH rights issue), **emisión de deuda** (FIN debt financing; debt offering; S. *financiación mediante endeudamiento*), **emisión de empréstitos** (issue of liabilities), **emisión de moneda/títulos/valores, etc** (issue[1]), **emisión de obligaciones** (issue of debentures/bonds, debenture/bond issue), **emisión de obligaciones despojadas de cupón** (STK EXCH coupon stripping; zero-coupon issue), **emisión de opciones sobre índices** (STK & COMMOD EXCH index option writing), **emisión de pagarés** (issue of debt securities, note issue), **emisión de papel moneda** (currency issue), **emisión de títulos a través de la gestión de un intermediario financiero** (agency marketing), **emisión de valores/acciones** (STK EXCH issue of securities/shares, security issuance), **emisión diferida** (ADVTG deferred broadcast), **emisión en dos tramos** (dual tranche issue), **emisión exploratoria** (STK EXCH red herring issue; path-finder *col*), **emisión exterior** (foreign issue; S. *papel/efectos emitidos en el exterior*), **emisión gota a gota** (STK

EXCH tap issue; S. *emisión constante*), **emisión gratuita** (bonus issue; scrip issue, capitalization issue; stock dividend), **emisión liberada** (bonus issue), **emisión limitada** (restricted issue), **emisión no cubierta/suscrita** (undersubscribed issue), **emisión parcial** (tranche; S. *tramo*), **emisión precolocada** (STK EXCH bought deal, presold/pre-subscribed issue), **emisión prioritaria** (senior issue), **emisión renovable garantizada** (FIN revolving underwriting facility, RUF; S. *crédito/ programa autorrenovable rotatorio a corto plazo*), **emisión publicitaria** (ADVTG advert, ad, TV spot, commercial), **emisión sin reducción anticipada** (bullet issue), **emisiones a la medida** (STK EXCH custom-made issues), **emisiones bonificadas fiscalmente** (tax-deferred issue; tax-exempt securities; issues carrying tax relief or incentives), **emisor** (issuer; writer, underwriter, grantor; issuing)].

emitir *v*: emit; float, issue,[1] deliver; broadcast; S. *expedir, librar, extender, colocar*. [Exp: **emitir acciones** (STK EXCH issue shares), **emitir acciones a la par** (issue shares at par), **emitir acciones con descuento o bajo par** (issue shares at a discount), **emitir acciones con prima o sobre par** (issue shares at a premium), **emitir acciones en el mercado** (float shares on the market), **emitir deuda** (issue/float a loan; S. *emitir/colocar un empréstito*), **emitir obligaciones** (issue bonds, put out bonds), **emitir un dictamen** (deliver/ issue an opinion), **emitir/colocar un empréstito** (issue/float a loan; S. *emitir deuda*), **emitir una garantía** (issue/ provide a guarantee), **emitir una letra** (draw a bill; draft[1]; S. *girar una letra de cambio*), **emitir/colocar valores** (launch an issue of securities; float securities; S.

efectuar una emisión de valores)].

emolumento *n*: emolument, fee; perk; perquisite; S. *retribución, plus, extra*.

empacador *n*: packer; S. *embalar*. [Exp: **empacar** (pack, package; press bales, wrap up; S. *embalar*)].

empantanarse *v*: ECO, COM get bogged down, founder, stall, run into snags *col*; S. *punto muerto, estancamiento, paralización*. [Exp: **se han empantanado las negociaciones** (the talks/negotiations are deadlocked/have broken down/have foundered)].

empaquetado *a/n*: packed; packaging, packing; S. *embalado*. [Exp: **empaquetado al vacío o con papel de plástico transparente** (shrink-wrapped; vacuum-packed), **empaquetado combado** (TRANSPT bulge packaging), **empaquetado para la venta** (pre-packed/-packaged), **empaquetado vesicular** (TRANSPT blister pack; S. *envase burbuja*), **empaquetador** (packer; S. *embalador*), **empaquetamiento** (STK EXCH block trade, block selling of securities, bunching of buy orders; exchange distribution *US*), **empaquetar** (pack[1]; package; parcel,[1] parcel up, bunch, block; S. *embalar, envasar, enlatar, agrupar*)].

empeñado[1] *a*: pawned, in pawn, in hock *col*; indebted. [Exp: **empeñado**[2] (determined, committed; S. *empeñarse*), **empeñado hasta las cejas** (deep in debt, up to one's ears in debt *col*; in up to the hilt/one's neck *col*), **empeñar** (pawn, impawn, pledge, hock *col*; pop *col*; oblige, obligate; S. *pignorar, dejar/dar en prenda*), **empeñar la palabra** (commit oneself), **empeñarse** (insist, persist, be determined), **empeño**[1] (pawn; pawning, S. *pignoración; casa de empeño*), **empeño**[2] (determination, undertaking, commitment)].

empeorar *v*: make worse, worsen, get

worse, deteriorate, go downhill *col*; fall off, impair; S. *decaer, bajar*), **empeoramiento** (worsening, deterioration)].

emplazamiento[1] *n*: LAW notice, call[4]; subpoena, summons; S. *citación, convocatoria*. [Exp: **emplazamiento**[2] (site; position[2]; S. *situación, posición*), **emplazamiento de un anuncio** (ADVTG ad position), **emplazar**[1] (give notice, subpoena; S. *citar, notificar*), **emplazar**[2] (set up, place), **emplazar a alguien** (call on sb to do sth, challenge sb to do sth; warn/order/instruct sb to do sth; S. *ordenar, citar*)].

empleado *a/n*: employed, in a job; employee; clerk, servant, worker, S. *trabajador, asalariado*. [Exp: **empleado a prueba** (probationer; trainee, apprentice, learner, trialist; S. *aprendiz, formación*), **empleado a tiempo completo/tiempo parcial** (full-time employee; part-time employee; full-timer/part-timer), **empleado de banco** (bank clerk/employee; S. *bancario*), **empleado de oficina** (office-worker, clerk, white-collar worker), **empleado de plantilla o fijo** (member of the staff; staffer *US*), **empleado de ventanilla o de atención al público** (counter clerk), **empleado del nivel de entrada** (IND REL entry-level employee), **empleado del servicio de mantenimiento** (maintenance man/worker/personnel; S. *celador*), **empleado en período de formación o prácticas** (trainee), **empleado público** (public servant, office holder, civil servant; S. *funcionario*), **empleado sin experiencia** (raw/inexperienced/untrained employee; novice, rookie *col*, greenhorn *col*), **empleador** (employer; S. *empresario, patrono, dueño*), **empleados** (personnel, office staff; S. *personal administrativo o de oficinas*)].

emplear[1] *v*: employ; engage, hire; occupy; take on[2]; S. *dar trabajo o empleo*. [Exp: **emplear**[2] (use; spend; S. *usar*)].

empleo[1] *n*: job, work, employment, occupation; position; post, placement[1]; S. *colocación, trabajo, ocupación*. [Exp: **empleo**[2] (use, utilization, application; S. *uso*), **empleo comunitario** (relief work; community service), **empleo de jornada reducida** (part-time employment), **empleo estacional** (IND REL seasonal employment), **empleo eventual/temporal/precario** (temporary employment), **empleo fijo** (permanent/regular job), **empleo ininterrumpido** (continuous employment), **empleo juvenil** (youth employment), **empleo, sin** (jobless, unemployed, out of work), **empleo sin futuro** (IND REL dead-end job *col*), **empleos destruidos** (IND REL redundancies; job losses; S. *destrucción de empleo*)].

empobrecer *v*: impoverish, make poor/poorer; S. *pobreza*. [Exp: **empobrecerse** (grow/become poor or poorer, become impoverished), **empobrecido** (impoverished, down-at-heel *col*; seedy-looking *col*)].

empotrado *a*: built-in; S. *incorporado*.

emprender *v*: undertake, embark on, enter on/upon; launch into, throw oneself into; S. *lanzarse a*. [Exp: **emprendedor** (enterprising, go-ahead,[1] aggressive; resourceful; full of drive; with bags of energy *col*; with plenty of zip *col*; S. *activo, audaz, dinámico, arriesgado, enérgico; empuje*)].

empresa *n*: COM business, establishment, firm, outfit *col*, concern,[2] company[1]; management. [Exp: **empresa afiliada** (affiliated company, sudsidiary company, subsidiary), **empresa agroindustrial** (agribusiness company), **empresa arriesgada** (venture), **empresa artesanal** (handicraft firm), **empresa asediada** (target/offeree company), **empresa asociada** (COMP LAW associate/associated company), **empresa colectiva/común/conjunta** (joint enterprise/partnership; S.

empresa en participación), **empresa comercial** (business/trading concern), **empresa concentrada** (MAN focused firm; S. *empresa diversificada*), **empresa concesionaria** (public utility; S. *empresas del servicio, empresas del sector del servicio público*), **empresa conjunta** (joint venture), **empresa constructora** (building firm), **empresa cooperativa** (COMP LAW industrial partnership; S. *empresa laboral*), **empresa cotizada en Bolsa** (quoted company, listed company), **empresa de alto riesgo compartido** (COMP LAW joint venture, capital venture enterprise), **empresa de hostelería** (catering firm), **empresa de importación-exportación** (import-export firm), **empresa de mudanzas** (TRANSPT removal company), **empresa de porte/transporte aéreo** (air carrier), **empresa de restauración social y de colectividades** (catering company), **empresa de servicio público** (utility, public service firm/corporation), **empresa de servicios** (service firm, utility company), **empresa de trabajo temporal** (job-finder, temporary/temp agency), **empresa de transporte** (carrier; S. *transportista*), **empresa de transporte marítimo** (sea carrier, shipping company, sea transport firm), **empresa de transporte por carretera** (road transport firm, haulage firm/contractor; trucking company *US*), **empresa de transporte público** (TRANSPT common carrier; S. *porteador común*), **empresa de ventas por correo** (mail-order firm), **empresa descentralizada** (decentralized firm), **empresa diversificadaa** (MAN diversified firm; S. *empresa concentrada*), **empresa en apuros o perjudicada** (stricken company), **empresa en común** (STK EXCH joint venture), **empresa en expansión** (growth company/industry, rising firm, firm on the way up *col*), **empresa en participación** (joint enterprise; S. *empresa colectiva, común o conjunta*), **empresa en pleno funcionamiento o actividad** (going concern), **empresa estatal/nacional/pública** (ECO publicly-owned company, government-owned/run company; S. *corporación pública/estatal, entidad de derecho público; nacionalizar*), **empresa fabril** (manufacturing concern), **empresa falsa, inexistente o sin identidad real** (fictitious company; front *col*; blind *col*), **empresa familiar** (family business/concern), **empresa fantasma** (bogus firm), **empresa fantasma o simulada** (dummy corporation), **empresa filial** (affiliate; subsidiary company; sister company; S. *sociedad filial, sociedad afiliada*), **empresa incipiente o naciente** (start-up firm), **empresa individual** (COM one-man business), **empresa libre** (private enterprise), **empresa líder** (ECO, COM leading firm, market leader[1]; corporate leader; dominant firm; S. *empresa bandera*), **empresa mancomunada** (joint venture), **empresa matriz** (parent company), **empresa mediana** (medium-sized firm), **empresa mercantil** (commercial/trading company/enterprise), **empresa mixta** (mixed company; joint venture), **empresa multinacional** (multinational/transnational company), **empresa objetivo** (FIN target company; S. *OPA*), **empresa por acciones** (joint-stock firm), **empresa privada** (private firm, company or corporation), **empresa pública** (government corporation, state-owned company, public enterprise[2]), **empresa pujante** (growing/booming/prosperous firm), **empresa puntera** (leading company, star firm *col*; market leader[1]), **empresa sin actividad alguna** (dummy company), **empresas aglomeradas** (clustered enterprises), **empresas conexas** (related enterprises), **empresas en crisis** (lame-duck enterprises), **empresas vinculadas** (interrelated enterprises, related companies)].

empresariado *n*: employers; S. *patronal*. [Exp: **empresario-a** (businessman, businesswoman; entrepreneur, employer; operator, manager; S. *hombre/mujer de negocios*), **empresario individual** (sole trader/proprietor), **empresarial** (COMP LAW corporate, business, enterprising; entrepreneurial; S. *comercial; sector empresarial*)].

empréstito *n*: loan, borrowing; bond issuance/issue, debenture[1]; debenture bond; government borrowing; debt securities; S. *endeudamiento, préstamo*. [*Empréstito* and *préstamo* may be translated as "loan". However there are one or two differences, though there is also a certain amount of hesitation in usage. *Empréstito*, which is much more formal, and so less frequent, is "loan" considered chiefly from the point of view of the borrower — generally the government, large banks and major firms—. *Préstamo* is much more like English "loan" in that it means virtually the same to both sides in the transaction — *tomar/pedir un préstamo* or *conceder un préstamo* ("take/request a loan" and "grant a loan"). As a result, *empréstito* can have the variety of meanings we suggest, and is often close to the financial sense of the word "debt", i.e. bills, bonds, debentures and the other means found by businesses to finance their operations partly through borrowings which are a permanent part of their liabilities. There is perhaps a tendency recently in Spanish financial circles to use the word *deuda* (debt) in preference to the term *empréstito*. Exp: **empréstito a la gruesa** (TRANSPT bottomry loan; S. *hipoteca naval*),

empréstito con garantía (FIN collateral loan; Lombard loan *US*; S. *pignoración, préstamo pignoraticio*), **empréstito con garantía oro** (gold loan), **empréstito convertible en acciones** (convertible loan stock), **empréstito de amortización** (bond loan, sinking fund loan), **empréstito de capital** (capital loan), **empréstito de consolidación** (funding loan), **empréstito de estabilización** (stabililization loan), **empréstito de renta perpetua** (perpetual loan), **empréstito en el exterior** (foreign borrowing), **empréstito en moneda extranjera** (foreign currency loan, external bond), **empréstito estatal** (government borrowing; Treasury stock, government bond; S. *pagaré/bono del Tesoro, deuda pública*), **empréstito forzoso** (forced loan), **empréstito indexado/indizado** (indexed loan), **empréstito no consolidado** (unfunded borrowing), **empréstito reembolsable de una sola vez a su vencimiento** (BKG bullet issue/loan), **empréstito sin intereses** (interest-free loan), **empréstito sobrevencido** (bond issue in default)].

empujar *v*: push, push up, boost,[1] spur on; pressurize; force; encourage; S. *reactivar, estimular*. [Exp: **empuje/empujón** (drive[1]; energy, zip *col*; force, strength; thrust; S. *impulso, dinamismo*)].

enajenable *a*: LAW disposable, transferable; saleable; alienable; S. *vendible*.

enajenación *n*: LAW transfer, disposal; BKG divestiture; S. *desposesión*. [Exp: **enajenación de activos fijos** (ACCTS disposal of fixed assets), **enajenación forzosa** (expropriation; S. *confiscación, expropiación*), **enajenante** (transferor; S. *cesionista*), **enajenar** (alienate; transfer, assign, dispose of[3]; S. *traspasar, ceder, vender*)].

encabezamiento *n*: heading, head, rubric, preamble; letterhead; S. *cabeza, título,* *titulares*. [Exp: **encabezar** (lead, head, be at the head/top of; entitle; S. *poner título*)].

encadenamiento *n*: chaining, linking, link-up, connection; S. *cadena, vínculo*. [Exp: **encadenar** (chain; shackle, fetter, tie; link, connect; S. *atar; vincular, conectar, unir*)].

encajar *v*: encase; fit together, piece together, push/fit in; match, tie in, square, correspond; S. *ajustar, acoplar, emparejar, cuadrar*. [Exp: **encajar bien el golpe** (take it on the chin *col*, take a punch, put sth down to experience), **encaje** (BKG, COM cash, ready cash; cash on hand; float), **encaje bancario** (minimum reserve requirement; till money, float; S. *efectivo en caja, tesorería*), **encaje circulante/flotante** (floating cash reserve), **encaje legal** (BKG legal reserve, minimum reserve requirements; minimum cash ratio/requirement; S. *reserva obligatoria, reserva legal*), **encaje legal adicional** (marginal reserve requirement)].

encallar *v*: TRANSPT run aground/ashore; be/get stranded; get bogged down; S. *empantanarse, embarrancar; varado*. [Exp: **encalladura** (TRANSPT stranding; S. *varadura*)].

encarar *v*: face; face up to; stare in the face, confront, address; S. *afrontar, hacer frente a*. [Exp: **encararse a** (confront, face up to)].

encarecer un producto *v*: raise/put up/force up the price of a product, make a product dearer. [Exp: **encarecimiento** (ECO, COM rise/increase in costs or prices, rising prices, increasing cost or expense, price rise; S. *subida, dispararse*), **encarecimiento de la vida por motivos fiscales** (tax push)].

encargado *a/n*: commissioned; charge-hand, chargehand, foreman; person responsible, agent, representative; officer, etc. in charge; manager/manageress, floorwalker *US*; S. *supervisor, jefe*.

[Exp: **encargado de las relaciones públicas** (public relations officer, PRO), **encargado de, ser el** (be entrusted with, be in charge of or responsible for), **encargado de obra** (IND REL site foreman or manager; master builder; S. *maestro de obra; obra*), **encargado del seguimiento** (MAN in charge of overseeing/keeping an eye on progress/developments, responsible for monitoring; progress chaser), **encargar** (charge,[8] commission[1]; detail, commit; entrust, put in charge of; order, request; S. *comisionar, pedir*), **encargar el trabajo a una agencia especializada** (put work out to a specialized agency/bureau), **encargarse** (take charge of, take delivery of, make oneself responsible for; attend to[2]; S. *ocuparse de, hacerse cargo de*)].

encargo *n*: commission,[1] order,[2] mandate; assignment; task; job; S. *hacer un pedido, pedido; comisión, tarea*. [Exp: **encargo, por** (to order)].

encerrarse *v*: IND REL stage a sit-in, lock oneself in, take over, occupy. [Exp: **encierro** (IND REL sit-in), **encierro por emisión de acciones** (STK EXCH stock lock-up), **encierro por venta de activos** (STK EXCH asset lock-up)].

encima, encima de *ad/prep*: above, on, over; beyond. [Exp: **encima de la línea, por** (ACCTS above-the-line[2]), **encima de la paridad, por** (STK EXCH above par), **encima del cambio, por** (above the exchange rate)].

encogerse *v*: shrink, shrivel up; S. *quedar reducido*. [Exp: **encogimiento** (shrinkage)].

encontrar *v*: find, meet; encounter, run into; S. *topar, reunir*. [Exp: **encontronazo** (IND REL confrontation, clash; S. *enfrentamiento, conflicto*), **encuentro** (meeting, encounter; clash; skirmish; conference, symposium)].

encubrir *v*: LAW, ACCTS cover up, hide; conceal, disguise, whitewash; S. *ocultar*.

[Exp: **encubierto** (hidden; S. *invisible, subyacente, oculto*), **encubrimiento** (cover-up, hiding, concealment; whitewash; S. *ocultación*)].

encuesta *n*: poll, questionnaire, survey, enquiry/inquiry[1]; S. *cuestionario*. [Exp: **encuesta amplia/de alcance amplio** (omnibus survey), **encuesta de coyuntura industrial** (survey of industrial trends; survey of the state of industry/the industry), **encuesta de la población activa, EPA** (labour force sample survey), **encuesta de opinion** (opinion poll), **encuesta en campaña o encuesta mediante entrevistas** (field survey), **encuesta por muestra o muestreo** (sample/sampling survey), **encuesta por observación** (survey by observation), **encuesta por suscripción** (survey by subscription), **encuestado** (interviewee; respondent; person polled; S. *entrevistado*), **encuestador** (interviewer, pollster, survey-taker, designer of the survey; S. *entrevistador*), **encuestar** (take a survey, conduct an opinion poll; poll)].

enchufar *v*: IND REL wangle a job or favour for sb *col*, pull string/wires to help sb *col*, fix sb up with a job *col*, use one's influence to set sb up or get sb in with the right people *col*. [Exp: **enchufe** (friends at court/in high places *col*, useful contact[s]/connection[s]; string/wire-pulling *col*), **enchufismo** (old school tie system *col*; old boy network *col*; string/wire pulling *col*; jobs-for-the-boys *col*; logrolling US; S. *amiguismo, favoritismo, influencia, tráfico de influencias*)].

enderezar *v*: COM, ECO straighten up/out, set/put right, sort out, put back on course; S. *corregir, arreglar*. [Exp: **enderezar un negocio que ha tenido pérdidas** (MAN, COM nurse a stricken firm back to health, put a lossmaker back on course or on its feet; S. *rumbo*)].

endeudado *a*: indebted; in debt; S. *deuda,* obligado, adeudado. [Exp: **endeudamiento** (borrowing; indebtedness; S. *préstamo, empréstito*), **endeudamiento excesivo** (excess indebtedness, over-indebtedness), **endeudamiento extranjero** (foreign lending), **endeudamiento neto** (net borrowing), **endeudarse** (run/fall/get into debt, pile up debts)].

endosable *a*: BKG, FIN, ACCTS endorsable. [Exp: **endosado** (endorsed; endorsee, payee), **endosador/endosante** (endorser, indorser; S. *girador*), **endosante anterior** (prior endorser/indorser), **endosar** (back, back up, support, uphold, endorse, second, stand behind; S. *prestar fianza, garantizar, avalar, afianzar*), **endosar una letra de cambio** (endorse a bill), **endosatario** (endorsee), **endoso** (endorsement[1]; S. *aval, garantía, respaldo*), **endoso absoluto** (FIN absolute endorsement), **endoso bancario** (bank endorsement), **endoso completo** (endorsement without recourse, full endorsement, endorsement in full), **endoso con reservas sobre responsabilidad** (qualified endorsement), **endoso condicional** (conditional endorsement/indorsement), **endoso de favor** (accommodation endorsement/indorsement; S. *endoso por aval o por acomodamiento, aval*), **endoso en blanco** (endorsement in blank, blank endorsement), **endoso irregular** (irregular endorsement), **endoso limitado o condicional** (qualified/conditional endorsement), **endoso por aval o por acomodamiento** (accommodation endorsement/indorsement; S. *aval, endoso de favor*), **endoso restrictivo con prohibición de negociación** (FIN restrictive endorsement), **endoso total o sin reservas** (FIN unqualified/absolute endorsement)].

endurecer *v*: harden, tighten, tighten up, toughen; S. *duro*. [Exp: **endurecer la**

postura (take a tighter/harder/tougher line), **endurecer las restricciones** (tighten up conditions/restrictions)].

energía *n*: energy, power, drive,[1] bounce[1] *col*; S. *dinamismo, vitalidad*. [Exp: **energía renovable** (renewable energy), **enérgico** (vigorous, energetic, with plenty/bags of go/zip *col*)].

enfermedad *n*: illness, sickness; disease; S. *baja por enfermedad; subsidio de enfermedad*. [Exp: **enfermedad profesional** (IND REL occupational/professional disease), **enfermedad social** (social disease), **enfermo** (sick)].

enfrentarse a *v*: IND REL, MAN oppose, confront, challenge, stand up to; take on, clash with. S. *afrontar, hacer frente a*. [Exp: **enfrentamiento** (confrontation, clash; s. *conflicto*)].

enfriamiento *n*: cooling, cooling off/down, chill. [Exp: **enfriar** (ECO cool down; damp, dampen; cast a chill over; S. *calmar, templar*), **enfríar la economía** (cool down the economy), **enfriarse** (cool, cool off; cool down; S. *calmarse*)].

engañar *v*: deceive, take in, cheat, fleece *col*, con *col*, fiddle *col*, mislead, misrepresent; double-cross; trick; S. *engañar, jugar a dos barajas*. [Exp: **engaño** (con *col*; deceit, sham, fiddle *col*; misrepresentation, deception, trick, double cross; twisting; S. *estafa, timo*), **engaño, por medio de** (by deception or trickery), **engaño, sin** (bona fide; S. *de buena fe, auténtico, sin mala intención*), **engañoso** (misleading, deceptive, deceitful, false, fallacious, fraudulent; S. *falaz, fraudulento*)].

englobar *v*: include, comprise, embody, enclose, include; S. *comprender, abarcar*.

engomado *a*: S. *etiqueta engomada*.

engranaje *n*: gears, gearing; machinery, mechanism, apparatus; cogs, wheels; S. *aparato, maquinaria, mecanismo*.

enjugar *v*: wipe out/off/away; recoup; S. *recuperar, cubrir*. [Exp: **enjugar el déficit** (wipe out/cover a deficit), **enjugar una deuda** (wipe out a debt; S. *cancelar una deuda*), **enjugar pérdidas** (recoup or wipe out losses)].

enlace *n*: tie-in, tie-up, link; rendezvous; S. *relación, conexión*. [Exp: **enlace sindical** (IND REL shop steward, bargaining agent, business agent[2] US; S. *delegado sindical*), **enlazar** (link, link up, connect; S. *vincular*)].

enlatado *n*: canning; S. *envasado*. [Exp: **enlatados** (tinned/canned goods), **enlatar** (ECO can, tin; S. *envasar*)].

enmascarar *v*: mask, disguise, conceal; S. *cubrir, disfrazar, encubrir, ocultar*. [Exp: **enmascaramiento** (masking, concealment)].

enmendar *v*: amend, emend, rectify, correct; S. *corregir*. [Exp: **enmienda** (emendation, amendment; S. *modificación*), **enmienda presupuestaria** (budget amendment)].

ENMP *n*: S. *euronotas a medio plazo*.

enredar *v*: entangle, confuse, complicate; implicate, involve, mix up, embroil; intrigue, stir things up *col*, cause mischief; S. *complicar, intrigar*. [Exp: **enredarse** (get mixed up/involved/ entangled; S. *empatanar-se*), **enredarse en un asunto turbio** (get involved in some shady or funny business *col*), **enredado** (ACCTS entangled, confused, complicated, involved; S. *confuso, mischief; shady/funny business*)].

ensacar *v*: TRANSPT bag; sack up, put in bags/sacks; S. *envasar; a granel*.

ensayar *v*: try; try out; test; S. *probar*. [Exp: **ensayo** (test; trial; test-run, trial-run, dry run; essay; S. *prueba, escrito*), **ensayo y error** (trial and error; S. *tanteo*)].

enseñanza *n*: teaching, instruction, training; S. *aprendizaje, formación, preparación*.

[Exp: **enseñanza con trabajos de campo** (field training), **enseñar** (teach, instruct, train, show, display; S. *educar, formar, mostrar*)].

enseres *n*: LAW chattels, goods and chattels; fixtures; implements, gear, equipment. [Exp: **enseres domésticos** (household goods)].

entablar *v*: institute, begin, start, open; enter into[1]; LAW institute, bring, file; S. *tomar parte en, concertar*. [Exp: **entablar conversaciones/negociaciones** (open negotiations), **entablar juicio** (institute proceedings, file suit, sue, bring a suit; S. *interponer recurso*), **entablar relaciones** (COM establish relations)].

ente *n*: entity; body, authority, organism, organization; S. *entidad*. [Exp: **ente con personalidad jurídica** (LAW legal entity), **ente público** (public/state authority[3]; agency; body S. *agencia estatal, junta, organismo público o autónomo, entidad*)].

entendido *n*: expert; S. *técnico, especialista, experto, perito*.

enterado *n*: STK EXCH tipster *col*; insider; person in the know; S. *iniciado, información privilegiada*.

entero[1] *a*: entire; whole, complete, full; holistic; S. *total, completo, global*. [Exp: **entero**[1] (clear of encumbrances; S. *libre de cargas*), **entero**[2] (STK EXCH point, basis point, full/whole point, percentage point; S. *punto*)].

entidad *n*: entity, authority[3]; agency, body, organization; company, firm, corporation, concern; BKG bank; S. *empresa, sociedad, ente, organismo público o autónomo*. [Exp: **entidad aseguradora** (insurance company or carrier), **entidad comercial** (firm, business concern/ enterprise), **entidad crediticia** (credit company), **entidad de ahorros** (savings bank; building society; thrift institution), **entidad de beneficencia o filantrópica** (charitable organization, public trust, charity; S. *institución/obra benéfica*), **entidad de beneficencia legalmente reconocida** (registered charity), **entidad de control interno** (S. *entidad de vigilancia*), **entidad de crédito** (credit/financial institution; lending agency; bank), **entidad de derecho público** (STK EXCH public corporation; state-/government-owned/ run enterprise; S. *corporación pública o municipal*), **entidad de vigilancia o control interno** (watchdog), **entidad depositaria de fondos de pensiones** (pension fund management company or agency), **entidad domiciliataria** (S. *banco domiciliatario*), **entidad fantasma** (dummy company, front *col*; blind *col*; S. *hombre de paja*), **entidad fiduciaria pública** (public trust; S. *fundación estatal o pública*), **entidad financiera** (finance company/corporation/house, industrial/secondary bank; S. *sociedad de crédito comercial*), **entidad gestora de fondos** (fund-managing company), **entidad gestora del mercado de deuda pública** (authorized debt management agency/dealers), **entidad gubernamental** (public body/authority; S. *organismo público*), **entidad habilitada** (authorized institutions)].

entorno *n*: environment, surroundings, milieu; setting; context; S. *medio ambiente, contexto*. [Exp: **entorno comercial** (business environment), **entorno económico** (economic framework or context; S. *estructura de la economía*), **entorno operativo** (trading environment)].

entrada[1] *n*: gate,[1] entrance; entry; threshold; admittance; S. *admisión; asiento*. [Exp: **entrada**[2] (COM downpayment, deposit; bargain money; S. *pago inicial, señal, cantidad a cuenta*), **entrada**[3] (income, incoming amounts or cash; receipts, revenue, takings, inflow/influx; S. *afluencia, ingreso*), **entrada⁴** (input; S. *insumo, aducto*), **entrada⁵** (pass; ticket¹; S. *pase, autorización, tarjeta*), **entrada de capital** (influx/afflux of capital, capital influx), **entrada de divisas** (inflow of currency), **entrada de efectivo** (cash inflow), **entrada en franquicia** (duty-free entry/treatment), **entrada en funciones** (assumption of/taking up of/coming to office), **entrada en vigor** ([date of] coming into effect, entry into force), **entrada inicial** (COM good faith deposit; S. *señal, entrega a cuenta*), **entrada no monetaria** (non-cash input; S. *insumo no monetario*), **entradas** (income; earnings, takings, receipts; revenue; S. *ingresos*), **entradas brutas** (gross takings/revenue/receipts), **entradas por ventas** (sales revenue), **entradas y salidas** (ACCTS receipts and disbursements, incomings and outgoings, receipts and payments, revenue and expenditure; S. *debe haber*), **entrante** (incoming)].

entrar¹ *v*: go/come in, enter into/on/upon. [Exp: **entrar²** (ACCTS enter,¹ enter up, book, debit, credit; S. *registrar, inscribir, anotar, asentar*), **entrar en Bolsa** (STK EXCH go public, take public, be quoted on the Stock Exchange, become a listed company), **entrar en colisión** (collide; come into collision; clash, conflict; crash; come up against; meet head-on *col*; S. *abordar, chocar*), **entrar en conflicto con** (conflict with; overlap; S. *contradecir, estar reñido con*), **entrar en el mundo del comercio** (go into trade; S. *dedicarse a los negocios*), **entrar en funciones** (assume office, come into office, take office; S. *llegar al poder, asumir un cargo*), **entrar en licitación** (put in a bid, bid; S. *pujar, licitar*), **entrar en más detalles respecto de algo**

(elaborate on sth; S. *ampliar la información sobre algo*), **entrar en números rojos** (ACCTS, BKG go into the red; S. *quedar al descubierto*), **entrar en posesión** (take possession; S. *tomar posesión*), **entrar en punto muerto** (become deadlocked/stalemated; S. *bloquear/se, paralizar/se*), **entrar en suspensión de pagos** (go into temporary receivership), **entrar en una empresa** (join a firm), **entrar en vigor** (come into effect/force/operation, take effect, be effective, operate²; S. *actuar*)].

entrega¹ *n*: COM, BKG, FIN delivery¹; handing over, issue, issuance; consignment; S. *reparto; entregado*. [Exp: **entrega²** (instalment,¹ allocation, allotment; S. *plazo, pago parcial, cuota*), **entrega/pago a cuenta** (COM downpayment, earnest money; deposit; S. *señal, prenda, pago inicial, entrada*), **entrega a domicilio** (TRANSPT door-to-door delivery, home delivery), **entrega a plazo o a término** (STK & COMMOD EXCH forward delivery; S. *entrega futura*), **entrega al consignatario** (TRANSPT delivery to consignee), **entrega aplazada** (delayed delivery), **entrega contra aceptación** (delivery against acceptance, D/A; S. *cobro a la entrega*), **entrega contra pago/reembolso** (TRANSPT cash on delivery, COD; delivery against payment, D/P; delivery against cash/payment, cash on delivery, collect on delivery), **entrega corta, incompleta, insuficiente o deficiente** (TRANSPT short delivery), **entrega/emisión de acciones gratuitas** (STK EXCH scrip issue; stock dividend *US*), **entrega de equipaje** (TRANSPT baggage delivery), **entrega de flete** (TRANSPT freight release, FR; S. *justificante de pago de fletes*), **entrega en depósito** (payment of deposit, bailment¹), **entrega defectuosa** (COM bad delivery¹), **entrega efectiva** (actual delivery), **entrega en el puerto de embarque, para** (TRANSPT for delivery to docks), **entrega en fábrica** (delivery at trade premises; delivery ex-works or ex-factory), **entrega en frontera** (delivered at frontier, DAF), **entrega futura** (forward delivery; S. *entrega a plazo*), **entrega gratuita a domicilio** (free door-to-door delivery, delivery free), **entrega implícita** (COM constructive/symbolic delivery; S. *simbólico*), **entrega inmediata** (STK & COMMOD EXCH, TRANSPT, COM immediate/spot delivery, delivery on call), **entrega parcial** (TRANSPT partial/part delivery), **entrega real** (TRANSPT, COM actual/physical delivery), **entrega simbólica** (symbolic/constructive delivery; S. *entrega implícita*), **entrega sobre el costado** (TRANSPT overside delivery), **entrega/entregado sobre muelle con los derechos pagados** (TRANSPT delivered ex quay duty paid, DEQ), **entrega urgente** (special delivery), **entregas programadas** (scheduled deliveries)].

entregado *a*: TRANSPT delivered, laid down. [Exp: **entregado con derechos pagados** (COM delivered duty paid; S. *portes pagado*), **entregado con derechos no pagados** (COM delivered duty unpaid, DDP), **entregado en frontera** (TRANSPT delivered at frontier), **entregado separadamente** (supplied as loose part or under separate cover), **entregado/entrega sobre muelle con los derechos pagados** (TRANSPT delivered ex quay duty paid, DEQ), **entregado/entrega sobre buque** (ex ship), **entregar** (deliver,[1] hand over; hand in; lodge; S. *traspasar, enviar, presentar, repartir, servir a domicilio*), **entregar, a** (for delivery; to be delivered), **entregar esta carta, se ruega** (care of, c/o), **entregar valor franco** (deliver free of payment)].

entresijos *n*: behind-the-scenes details, hidden complexities, secret workings, ins-and-outs *col*, wheels-within-wheels *col*; S. *intríngulis*.

entretenimiento[1] *n*: amusement, entertainment; S. *diversión, espectáculo*. [Exp: **entretenimiento**[2] (maintenance, upkeep, servicing; S. *mantenimiento, conservación*)].

entrevista *n*: interview. [Exp: **entrevista con cuestionario previo o prefijado** (patterned interview), **entrevista en profundidad** (in-depth interview), **entrevista para acceder a un empleo o colocación** (employment interview; S. *preseleccionado*), **entrevistado** (interviewee; S. *solicitante, candidato*), **entrevistador** (interviewer; S. *encuestador*), **entrevistar** (interview; hold an interview)].

entropía *n*: ECO entropy.

envasar *v*: COM pack,[1] package; can, box, crate, bag; sack, sk[1]; S. *enlatar, ensacar; a granel*. [Exp: **envasar al vacío** (shrink-wrap, vacuum-pack), **envasado para la venta** (pre-packed/-packaged), **envase** (packaging, can, tin, packet, packing, packing case, pack, package, case[2]; container; S. *bidón, lata*), **envase burbuja** (TRANS blister pack; S. *empaquetado vesicular*), **envase de cartón** (carton; S. *brik, cartón*), **envase de materiales a granel** (bulk packaging), **envase de muestra** (dummy pack; S. *envase vacío o sin uso*), **envase de seis unidades** (COM six-pack), **envase desechable/no retornable/no recuperable** (non-returnable empty/bottle/container), **envase hermético** (TRANSPT watertight case/package/packaging), **envase premio** (container premium), **envase, sin** (in bulk; S. *suelto, a granel*), **envase vacío o sin uso** (dummy pack; S. *envase de muestra*), **envases devueltos** (returned empties), **envases vacíos** (empties)].

enviar *v*: TRANSPT send, dispatch, ship, consign, forward; send on, pack off; post,[5] transmit, remit; S. *expedir, remitir, consignar, despachar.* [Exp: **enviar con rapidez** (send by special delivery, rush out), **enviar en comisión de servicio** (IND REL second[3]; S. *trasladar*), **enviar por correo** (post, mail), **enviar por correo urgente** (send by express post/delivery), **enviar por fax** (fax), **enviar por giro telegráfico** (cable), **enviar una circular** (circularize)].

envío *n*: TRANSPT shipment, dispatch, consignment, transmission; remittance; mailshot; S. *expedición, partida, consignación, remesa.* [Exp: **envío a granel** (bulk shipment), **envío agrupado de mercancías** (consolidated shipment), **envío de fondos** (remittance of funds, money transfer; S. *transferencia*), **envío directo**[1] (BKG direct send), **envío directo**[2] (TRANSPT drop shipment), **envío empaletado/embandejado/paletizado** (TRANSPT palletized shipment, shipment on pallets), **envío parcial** (part shipment), **envío publicitario** (mailing, postal advertising; junk mail, unsolicited advertising; S. *buzoneo, difusión postal*), **envíos de publicidad a domicilio** (ADVTG mailing piece, mail shot), **envíos fraccionados** (TRANSPT shipment by instalments)].

envite *n*: stake, ante; greenmail *col.*

envoltorio *n*: wrapper, wrapping, packaging. [Exp: **envoltorio publicitario** (ADVTG package advertising on wrappers), **envoltura** (covering, wrapper), **envolver** (wrap, wrap up,[1] package), **envolver con papel de regalo** (gift-wrap)].

EPC *n*: S. *europapel comercial.*

epígrafe *n*: heading/head[2]; rubric; TAXN schedule[5]; S. *título, partida.*

equilibrado *a*: balanced; S. *compensado, proporcionado, ajustado.* [Exp: **equilibrador** (balancing; S. *compensador*), **equilibrar** (balance,[4] equalize, even up,

offset[1]; S. *nivelar, equiparar, igualar, compensar*), **equilibrar el presupuesto** (balance the budget)].

equilibrio *n*: equilibrium, balance[4]; trade-off. [Exp: **equilibrio de fuerzas** (balance of power; S. *correlación de fuerzas*), **equilibrio de la balanza de pagos** (balance of payments equilibrium), **equilibrio de la empresa a corto plazo** (ECO equilibrium of firm, short-run equilibrium), **equilibrio del mercado** (market equilibrium), **equilibrio parcial** (S. *análisis del equilibrio parcial*), **equilibrio presupuestario** (budget balance, balanced budget)].

equipaje *n*: luggage, baggage; S. *servicio de equipajes.* [Exp: **equipamiento** (fitting, equipping), **equipar** (equip, fit out/up; appoint[3]; S. *proveer; acondicionar*)].

equiparación *n*: ECO, TAXN harmonisation; S. *armonización.* [Exp: **equiparación, de** (equalizing; S. *compensatorio*), **equiparación fiscal** (tax equalization), **equiparación fiscal para evitar la doble imposición** (tax shadowing), **equiparar** (equate, equalize, bring into line; S. *adecuar, adaptar, acomodar*)].

equipo[1] *n*: team; unit, panel, pool[3]. [Exp: **equipo**[2] (equipment, machinery, hardware, gear,[1] kit, fittings, installations, facilities; S. *instalaciones, material, medios*), **equipo automatizado** (labour-saving devices/equipment), **equipo auxiliar** (auxiliary/accessory equipment), **equipo de capital bruto** (gross capital stock), **equipo de movimiento de materiales** (material handling equipment), **equipo de oficina** (office equipment), **equipo de reserva** (standby equipment), **equipo de socorro** (rescue party/team), **equipo de trabajo** (working party/group; task force), **equipo de vendedores** (sales force/staff), **equipo directivo** (MAN management team),

equipo físico (hardware; S. *maquinaria*), **equipo operativo de recursos humanos** (task force for human resources or manpower services), **equipo permanente** (non-expendable equipment)].

equitativo *a*: fair, just, impartial; equal, reasonable, even, equitable[1]; S. *imparcial, razonable, justo.*

equivalencia *n*: equivalence; offset; par; counterpart; S. *contrapartida.* [Exp: **equivalente** (equivalent; counterpart; S. *efecto equivalente*), **equivalente cierto o de certeza** (ECO certain/certainty equivalent), **equivaler** (be equivalent or tantamount to, amount to; S. *venir a ser, reducirse a*)].

equivocación *n*: error, mistake; slip; S. *error, yerro.* [Exp: **equivocarse** (make a mistake, get it wrong, be wrong, miscount, miscalculate, slip up *col*)].

erario *n*: public funds; the Exchequer, Public Treasury, Department of the Treasury; S. *Departamento del Tesoro, Hacienda Pública, Tesoro público.* [Exp: **erario público del Reino Unido** (the Exchequer)].

ergonometría *n*: ergonometrics; efficiency studies, time and motion. [Exp: **ergonomía** (ergonomics; S. *economía de movimientos*), **ergonomista** (ergonomist)].

erosión *n*: erosion, depletion; S. *agotamiento.* [Exp: **erosión de existencias** (ACCTS stock depletion), **erosión de reservas** (depletion/erosion of reserves), **erosionar-se** (erode, wear down, eat into, deplete; S. *desgastar-se*)].

errar *v*: make a mistake, err, be wrong, miscalculate; S. *equivocarse.*

error *n*: mistake, error; flaw; slip[3]; S. *yerro, equivocación; salvo error u omisión.* [Exp: **error acumulativo** (accumulative error), **error al sumar cifras** (casting error, mistake in addition), **error aleatorio** (random error), **error compensatorio** (ACCTS suspense, counter-error), **error contable** (book-keeping/posting error, billing error *US*), **error de buena fe** (bona fide error), **error de cálculo** (miscalculation, computational error), **error de escritura, de anotación o de copia** (clerical error), **error del muestreo aleatorio** (random sampling error), **error esencial o de raíz** (fundamental error), **error normal de muestreo** (normal sampling error), **error técnico** (technical error), **error típico** (standard error)].

esbozo *n*: outline, sketch; s. *dibujo.* [Exp: **esbozar** (outline, sketch, rough out)].

escala[1] *n*: scale, range, grade; ladder; level; ranking; S. *grado, clase, categoría.* [Exp: **escala**[2] (TRANSPT stopover, call[10]; S. *escala en un puerto o aeropuerto, etapa para repostar*), **escala de categorías en el mundo agrícola** (agricultural ladder), **escala de cobertura** (range of coverage), **escala de descarga** (TRANSPT discharge scale), **escala de derechos** (TRANSPT, COM scale of charges), **escala de dirección** (MAN leadership continuum), **escala de esfuerzo** (effort scale), **escala de precios** (COM price range or scale), **escala de promoción** (IND REL promotion/career ladder; S. *escalafón*), **escala de rendimiento** (earning power/capacity), **escala de salarios/sueldos** (IND REL salary/wage scale), **escala de sueldos comparables** (IND REL pay comparability, comparative salary scale), **escala de sueldos según productividad** (incentive wage system, salary scale dependent on output/productivity), **escala de tarifas** (rate scale, schedule[4] of duties/fees/charges; S. *arancel*), **escala de tiempo** (time scale), **escala de tipos/tarifas** (FIN rate pattern), **escala de tipos de gravamen** (TAXN tax rate schedule; S. *escala impositiva*), **escala de valores** (range of values),

escala del impuesto (tax scale/schedule), **escala en un puerto/aeropuerto** (call, stopover), **escala fija** (fixed or set scale), **escala impositiva** (TAXN tax rate schedule/scale), **escala móvil** (IND REL escalator clause; sliding peg; flexible/ sliding scale; job evaluation scale; S. *cláusula de revisión automática de precios o salarios*), **escala móvil de salarios** (automatic wage adjustment; incremental scale; sliding wage scale; S. *ajuste automático de salarios*), **escala nacional, a** (nationwide; S. *de ámbito nacional*), **escala progresiva/regresiva** (TAXN progressive/regressive scale), **escala retributiva** (salary scale/grade; S. *banda salarial*), **escala salarial** (salary bracket/level; scale of wages; pay/wage scale; S. *escalas salariales*), **escala, sin** (non-stop; S. *vuelo sin escala*)].

escalada *n*: ECO, COM escalation; boom; steep rise, hike in prices *col*; S. *subida rápida*.

escalafón *n*: IND REL promotion/career ladder; grade; roster; salary scale; ECO chart, table; S. *escala de promoción*.

escalar *v*: climb, rise, escalate; move up, progress; S. *progresar, avanzar, subir*. [Exp: **escalar puestos** (COM move up, get on, get ahead, climb, climb up the table *col*; S. *subir*)].

escalón *n*: step; bracket; tier; S. *categoría, tramo, nivel*. [Exp: **escalón de renta** (TAXN income bracket; S. *tramo de renta*), **escalón de renta alta** (TAXN high/top income bracket), **escalón impositivo** (TAXN tax bracket; S. *tramo de renta*), **escalón impositivo más alto** (TAXN top/highest tax bracket) **escalonado** (gradual, progressive; stepped; staggered; S. *paulatino, gradual*), **escalonar** (stagger, phase, space out), **escalonar los pagos** (spread/space out payments)].

escapar-se *v*: escape, run away, get away.

[Exp: **escaparse de las manos** (slip through one's fingers), **escapatoria** (ACCTS, LAW loophole; S. *vía de escape*), **escape**[1] (escape; S. *fuga, huida*; S. *cláusula de escape o salvaguardia*), **escape**[2] (leak, leakage; drain; S. *vía de agua, merma, derrame*)].

escaparate *n*: shop window, display window; glass case, showcase, display case; *fig* showcase, chance to show off or display one's skills; S. *vitrina*. [Exp: **escaparate isla** (ADVTG island display), **escaparatismo** (window dressing[1])].

escasear *v*: COM, COM be scarce, be thin on the ground; be at a premium; S. *carestía*. [Exp: **escasez** (ECO lack, want, shortage, scarcity, dearth; narrowness; S. *estrechez, desabastecimiento; economía de abundancia*), **escasez de dinero/fondos/ efectivo** (money scarcity/squeeze, tightness of money; S. *apuros pecuniarios*), **escasez de dólares/libras, etc.** (dollar/pound gap), **escasez de energía** (energy crunch; S. *crisis energética*), **escasez de liquidez** (shortage of liquidity, liquidity squeeze), **escasez de mano de obra** (labour shortage), **escasez de operaciones bursátiles** (STK EXCH stock market slackness, low trading level; S. *atonía; volumen de negocios*), **escasez de trabajo** (shortage of work, job scarcity), **escaso** (scarce, bare; narrow; short[1]; tight[1]; S. *insuficiente*), **escaso de fondos** (hard up *col*, strapped for cash *col*, short of funds or ready money), **escaso de personal** (short-staffed)].

escindir-se *v*: split[1]. [Exp: **escisión/ segregación** (COMP LAW spin-off[4]; split,[1] break-up; demerger; S. *desmembramiento, fusión*)].

escoger *v*: select, choose, take one's pick, pick[1]; S. *elegir, seleccionar*. [Exp: **escogido** (select, choice; S. *de primera calidad, selecto*)].

escollo *n*: ECO setback; S. *dificultad, revés.*

escombrera *n*: dump, rubbish tip or heap; slagheap; S. *vertedero, basurero.* [Exp: **escombros** (rubble, debris, slag; S. *desecho, residuo*)].

escotar, ir a escote *v*: club together, share expenses; chip in *col*; go Dutch *col*; S. *pagar a prorrateo.*

escribir *v*: write. [Exp: **escribir al dictado** (take dictation; take/write a text as it is dictated; do audiotyping), **escrito** (text, document; written statement/account/ report/request; LAW brief), **escrito de pretensiones** (LAW statement of claim), **escrito, por** (in writing, written), **escrito u oficio de remisión** (letter of transmittal)].

escritura[1] *n*: LAW indenture, deed, memorandum, instrument; S. *instrumento o título legal.* [Exp: **escritura**[2] (handwriting), **escritura constitutiva de una sociedad** (COMP LAW memorandum of association; deed of incorporation; S. *estatutos sociales; acta constitutiva de una sociedad mercantil*), **escritura de arrendamiento o locación** (lease), **escritura de cancelación** (deed of release/settlement, release document; satisfaction piece; S. *finiquito*), **escritura de cesión o traspaso de bienes** (assignment[1]; deed of assignment/ conveyance, title deed, deed of transfer; S. *traslación de dominio, traspaso, transferencia*), **escritura de compraventa** (deed of sale; bought contract/note US; S. *comprobante o documento de venta, vendí*), **escritura de concordato/ moratoria/espera** (deed of arrangement, letter of licence), **escritura de constitución de una sociedad colectiva** (deed of partnership; partnership deed; S. *contrato de asociación*), **escritura de constitución de un banco** (bank charter; S. *ficha bancaria*), **escritura de donación** (deed of gift), **escritura de**

emisión de bonos/obligaciones (FIN bond/debenture indenture, indenture,[2] deed of trust), **escritura de fianza** (deposit guarantee, surety, bail bond; S. *compromiso de fianza/garantía, caución*), **escritura de fideicomiso** (deed of trust, trust indenture US; S. *contrato fiduciario*), **escritura de hipoteca** (mortage, mortage deed), **escritura de garantía** (surety, guarantee, guaranty; deed of trust US; S. *escritura de fideicomiso, acta de cesión a un fideicomisario*), **escritura de pleno dominio** (title deed, deed in fee), **escritura de préstamo e hipoteca** (bond and mortgage deed), **escritura de propiedad** (deed in fee; title deed; land certificate), **escritura de propiedad con garantía de título** (warranty deed), **escritura de reconocimiento** (acknowledgment), **escritura de titulación de bonos hipotecarios** (STK EXCH mortgage bond certificate, certificate of warranty/ guarantee), **escritura de traspaso, traslaticia o de traslación de dominio** (deed of conveyance; instrument/deed of transfer S. *acta de cesión*), **escritura de venta** (deed of sale), **escritura fiduciaria** (trustdeed/indenture/instrument; S. *contrato de fideicomiso*), **escritura fundacional** (memorandum of association, deed of foundation), **escritura hipotecaria** (mortgage deed), **escritura privada** (private deed), **escritura pública** (public deed, public instrument/document, notarial instrument), **escritura sellada** (sealed instrument), **escritura social o constitutiva** (COMP LAW memordanum or articles of association, incorporation papers; S. *contrato de sociedad*), **escritura unilateral** (indenture deed, deed poll), **escriturado** (by deed, under articles; under seal; S. *protocolizado*), **escriturar** (register; execute by deed; indenture;

formalize; S. *otorgar ante notario, autorizar, habilitar*)].

escrutar *v*: examine, scrutinize; count; S. *considerar, reconocer, examinar*. [Exp: **escrutinio** (scrutiny; poll)].

escudero blanco *n*: STK EXCH white squire.

esfera *n*: sphere, field, range,[2] area, scope; S. *radio de acción*. [Exp: **esfera de influencia** (sphere of influence)].

esfuerzo *n*: ECO effort; endeavour, exertion, burst; struggle; drive[3]; spurt, sprint *col*. [Exp: **esfuerzo fiscal** (tax effort/burden; S. *carga*), **esfuerzo alguno, sin** (effortlessly; S. *fácil*), **esfuerzo o campaña para reducir gastos** (ADVTG, COM economy drive)].

eslabón *n*: link. [Exp: **eslabonamiento hacia adelante/atrás** (forward/backward linkage)].

eslogan *n*: advertising slogan; S. *lema publicitario*.

eslora de un buque *n*: TRANSPT length, overall length.

espaciar *v*: space [out], spread [out]; stagger. [Exp: **espacio** (space, area; slot,[2] gap[1]; period, room; S. *espacio publicitario*), **espacio aéreo** (TRANSPT airspace), **espacio de carga** (freight space), **espacio de tiempo** (space of time, period), **espacio disponible para almacenamiento** (loading space; storage/store space), **espacio en blanco** (blank, blank space; S. *en blanco*), **espacio de muestreo** (sample space), **Espacio Económico Europeo** (European Economic Space), **espacio informativo** (news programme), **espacio publicitario [en la radio o la televisión]** (ADVTG advertising space, programme, spot, slot, commercial, advert; S. *anuncio*), **espacio publicitario de máxima audiencia** (ADVTG peak advertising slot)].

espalda *n*: back. [Exp: **espalda mojada** *col* (wetback *US*; S. *bracero ilegal*), **espaldarazo** (S. *dar el espaldarazo a*)].

especial *a*: special, especial. [Exp: **especialidad** (speciality; specialty, specialist field; COM line[3]; S. *ramo, negocio*), **especialista** (expert; specialist; S. *experto, perito, entendido, técnico, pericial*), **especialista en dar pronósticos o consejos** (STK EXCH tipster; S. *enterado*), **especialista en comprar sociedades infravaloradas** (FIN shark, corporate raider *US*; S. *tiburón, ave de rapiña*), **especialista en el análisis de las solicitudes de crédito** (BKG credit analyst), **especializado** (specialised, trained, skilled; S. *mano de obra*), **especializar-se** (specialize)].

especie *n*: species, kind. [Exp: **especie, en** (in kind; S. *pago en especie*)].

especificación *n*: specification. [Exp: **especificación de las mercancías** (goods specifications), **especificaciones de embalaje** (packing list/slip; S. *lista de bultos*), **especificaciones de patente** (patent specifications), **especificar** (specify; stipulate; itemize, detail), **específico** (ACCTS specific, appropriated; S. *consignado*)].

espécimen *n*: specimen; sample; S. *muestra modelo*.

especulación *n*: FIN speculation, gamble, punt *col*; agiotage; flyer/flier; graft *col*; *riesgo, juego, jugar*. [Exp: **especulación a la baja/al alza** (STK EXCH bear/bull transaction), **especulación en Bolsa** (stock market gamble; jobbing; S. *cambalache, agiotaje*), **especulación mixta de compra y venta de valores** (STK EXCH cross-book), **especulación rápida en Bolsa** (in-and-out *col*; quickie *col*), **especulación sobre terrenos** (property speculation; graft; land jobbing), **especulación sobre valores** (speculation in securities/stock), **especulador** (speculator, jobber; gambler, grafter *col*, raider, punter *col*, stag), **especulador de acciones a la baja** (bear), **especulador**

de acciones al alza (bull; S. *alcista*), **especulador de futuros cubierto** (STK & COMMOD EXCH covered bear), **especulador de órdagos** (STK EXCH greenmailer; S. *revendedor con plusvalías*), **especulador en bolsa** (jobber, dabber; rigger), **especulador rápido** (STK EXCH stag), **especular** (speculate, bet, gamble, take a chance; punt[2]; S. *arriesgarse, jugar*), **especular a la baja** (bear the market, sell/speculate for a fall, go a bear, sell short), **especular al alza** (bull the market, be bullish, play for a rise, go a bull), **especular en Bolsa** (play the stock market, gamble in securities), **especulativo** (speculative, gambling; chancer *col*; notional)].

espera *n*: wait; expectation; period of grace, days of grace; grace interval; interval; S. *período de carencia, moratoria*. [Exp: **espera de, a la** (awaiting, pending[1]), **esperado** (expected, anticipated, normal; S. *previsible, probable*), **esperar** (wait, await, expect; hope; hope for; bide one's time, hang on, hang out *col*)].

esperanza *n*: hope; expectation-s; expectancy; S. *previsión, expectativa, perspectiva*. [Exp: **esperanza de vida normal o media** (INSCE normal life expectancy)].

espeso *a*: thick, dense; S. *grueso, denso*. [Exp: **espesor** (thickness, gauge/gage; S. *grosor, anchura*)].

espigón *n*: TRANSPORT dock[1]; pier, jetty; S. *muelle, dique, atracadero*.

espionaje industrial *n*: industrial espionage.

espiral *n*: spiral. [Exp: **espiral inflacionaria** (inflationary/inflation spiral), **espiral de costes y precios** (cost-price spiral), **espiral de precios y salarios** (ECO wage-price spiral)].

espurio *a*: spurious, counterfeit; front, bogus; S. *falso, falsificado*.

esquela/lápida/anuncio de emisión sindicada cubierta *n*: FIN, BKG tombstone.

esquema *n*: outline, sketch; diagram, scheme[1]; pattern[1]; thinking, thought, concept, conception, preconception, plan; S. *configuración, tendencia, pauta, composición, estructura, modelo, filosofía*. [Exp: **esquema abierto** (open-ended scheme), **esquema de preferencias generalizadas** (scheme of generalized preferences)].

esquirol *n*: IND REL blackleg *col*; scab *col*; strike-breaker.

esquivar *v*: evade, dodge, sidestep; shun, avoid; S. *evitar, eludir*. [Exp: **esquivar el problema** (fudge/dodge the issue *col*; S. *salirse por la tangente*)].

estabilidad *n*: stability; firmness; S. *solidez, firmeza*. [Exp: **estabilidad de los precios** (stability/firmness/steadiness of prices), **estabilización** (stabilization, equalization; seasoning; S. *nivelación, igualación*), **estabilización artificial de precios mediante intervención** (price-fixing, pegging of prices), **estabilización de precios** (price-fixing[1]; S. *fijación de precios*), **estabilización económica** (economic stabilization), **estabilización salarial** (stabilization of salaries, wage-freeze; S. *congelación*), **estabilizador automático** (automatic/built-in stabilizer), **estabilizar** (stabilize, peg, season; S. *moderar, aclimatar*)].

estable *a*: stable, steady; S. *equilibrado, firme, uniforme*.

establecer *v*: establish, set up, install, found; ground, base,[1] assign, build; S. *fundar, instituir, montar, fijar*. [Exp: **establecer comunicación** (contact; S. *ponerse en contacto con*), **establecer el reglamento o la normativa** (adopt/lay down rules), **establecer la cuota** (assign/set/fix a rate; S. *fijar la tarifa*), **establecer una prelación** (determine an order of precedence, establish priorities; S.

ordenar, clasificar, graduar), **establecerse** (COM set up in business), **establecerse uno por su cuenta** (COM branch out on one's own), **establecido** (established[1]; S. *institucionalizado, arraigado)*].

establecimiento *n*: establishment[1]; foundation; shop, house; installation; premises; outlet; entry [into a market]; S. *institución, casa, empresa, local.* [Exp: **establecimiento autorizado para vender bebidas alcohólicas** (licensed premises), **establecimiento financiero** (BKG finance company/corporation/house, industrial/secondary bank; S. *sociedad de crédito comercial, financiera)*, **establecimiento comercial** (shop, store, emporium; commercial premises; trading post; S. *mercado/centro comercial, tienda)*].

estación¹ *n*: station, post. [Exp: **estación²** (depot, dep; S. *bodega, almacén, depósito para distribución, almacén central, cochera)*, **estación³** (season; S. *temporada, campaña)*, **estación aduanera** (customs station), **estación, de** (seasonable; S. *estacional)*, **estación central o término** (railhead), **estación de contenedores** (container freight station), **estación de despacho interior** (inland clearance spot), **estación de mercancías** (freight depot), **estación de servicio** (petrol/filling station), **estación marítima** (harbour station), **estacional** (seasonal; S. *de temporada, de campaña)*].

estacionar *v*: station, place; park; S. *emplazar.* [Exp: **estacionar piquetes de huelguistas** (picket; S. *piquete)*].

estadía *n*: TRANSPT laytime, lay days; S. *tiempo de plancha.*

estadio *n*: stage, phase; S. *etapa, fase.*

estadística *n*: statistics; law of averages; S. *cálculo probabilístico.* [Exp: **estadística actuarial** (actuarial statistics), **estadística de la muestra** (sample statistics), **estadístico** (statistician; statistical)].

estado¹ *n*: state; status; order,[1] position,[2] condition,[2] table; S. *situación; en buen/perfecto estado.* [Exp: **estado²** (ACCTS statement, report, account[3]; S. *extracto)*, **Estado, el** (the state, the government; S. *administración del Estado)*, **estado actual** (ACCTS current position/situation), **estado bancario** (BKG bank statement), **estado consolidado** (ACCTS consolidated statement), **estado contable** (ACCTS balance sheet; statement of financial position, assets and liabilities statement; post-closing trial balance; accounting statement/summary; funds statement *US*; S. *estado financiero, balance general)*, **estado de activos y pasivos** (ACCTS statement of assets and liabilities), **estado de análisis de activos fijos** (ACCTS lapsing schedule; S. *cuadro de periodificación)*, **estado de ánimo** (ECO mood; S. *humor, disposición anímica)*, **estado de aplicación de fondos** (ACCTS statement of source and application of funds), **estado de avería** (INSCE average statement; S. *declaración de avería; cuadro de avería)*, **estado de compensaciones** (BKG clearing sheet), **estado de conciliación de capital** (ACCTS capital reconciliation statement), **estado de conciliación bancaria** (BKG reconciliation statement; S. *conformidad)*, **estado de contabilidad** (accounting statement, statement of account), **estado de cuenta** (ACCTS, BKG account statement; balance at bank; bank balance; bank statement; S. *estado de posición, saldo bancario)*, **estado de cuenta certificado** (audited statement; S. *balance auditado)*, **estado de cuenta mensual** (BKG month-end statement), **estado de emergencia** (state of emergency), **estado de flujos de caja** (ACCTS cash flow statement), **estado de flujo de fondos** (ACCTS funds flow statement; funds statement *US*; S. *estado* *de origen y aplicación de fondos*), **estado de gastos por conceptos** (ACCTS itemized breakdown of expenses), **estado de ingresos y gastos** (ACCTS statement of income and expenditure; ledger account, charge and discharge statement; S. *cuenta de devengos y gastos administrativos*), **estado de la cuestión** (the present position, the current state of affairs; state of the art[1]), **estado de la balanza de pagos** (ACCTS balance of payments statement/position), **estado de liquidez** (ACCTS liquidity statement), **estado de los pagos de un país** (payments position), **estado de navegar, en** (TRANSPT seaworthy; S. *apto para navegar, a son de mar*), **estado de origen y aplicación de cuentas** (ACCTS statement of source and application of funds; source and application of funds statement, [funds] flow statement; statement of changes in financial position; S. *estado de flujo de fondos*), **estado de pérdidas y ganancias** (ACCTS profit and loss statement, operating statement; S. *cuenta de explotación*), **estado de posición** (ACCTS, BKG account statement; bank statement; S. *estado de cuenta, estado/extracto de cuenta bancario*), **estado de resultados de la operación** (FIN profit and loss account; income statement; S. *cuenta de explotación o resultados*), **estado de situación comparativo** (FIN comparative balance sheet), **estado de una cuenta** (position/state of an account, statement of an account), **estado del bienestar o benefactor** (COM welfare state; S. *estado benefactor*), **estado diario de caja** (daily cash position), **estado en que se encuentra, en el** (as is; S. *tal cual, tal como se ve*), **estado de ingresos** (ACCTS income account[1]; income statement; S. *cuenta de resultados*), **estado financiero** (ACCTS balance sheet; statement of financial position, assets and liabilities statement; financial statement; S. *balance de ejercicio, balance de situación, hoja de balance, balance general*), **estado financiero agrupado/conglomerado/consolidad** (ACCTS group balance sheet; combined financial statement), **estado financiero provisional** (ACCTS interim financial statement), **estado financiero resumido** (ACCTS abridged financial statement), **estado recapitulativo/resumen** (summary statement)].

estafa *n*: fraud, scam *col*, trick; swindle *col*; racket *col*; embezzelement, false pretences; cheating; S. *fraude, timo; negocio sucio*. [Exp: **estafa contable** (accounting fraud), **estafador** (confidence man/con man; crook, swindler, trickster; racketeer, dodger, cheat; grafter[1]; twister *col*; S. *timador, tramposo, fulero*), **estafar** (cheat; trick; swindle, defraud, embezzle, con; bilk *col*; S. *hacer trampas, timar*)].

estagflación *n*: stagflation; S. *stagflation*.

estampilla *n*: stamp, rubber stamp, seal; S. *sello*. [Exp: **estampillado** (stamping), **estampillar** (rubber-stamp, stamp), **stampillar cupones** (stamp coupons)].

estancado *a*: stagnant; slack; at a standstill; deadlocked; S. *paralizado*. [Exp: **estancamiento** (STK EXCH dullness, stagnation, deadlock; S. *inactividad, paralización*), **estancamiento económico** (stagnation, economic slow-down/ economic stagnation), **estancar** (block, check, hold up; deadlock; bring to a standstill), **estancarse** (stagnate), **estanflación** (stagflation; simultaneous inflation and recession)].

estándar *a*: standard, normal; S. *normal*. [Exp: **estandarizar** (normalize; standardize; S. *tipificar, normalizar*)].

estante *n*: shelf; rack; stand; S. *anaquel*. [Exp: **estante de exposicion** (ADVTG display rack)].

estatal *a*: state, national, state-owned; S. *público, nacional*. [Exp: **estatalización** (nationalization), **estatalizar** (nationalize; S. *nacionalizar*)].

estático *a*: ECO, STK & COMMOD EXCH static.

estatuir *v*: establish, enact, lay down, provide,[1] ordain; S. *fijar, señalar, disponer, estipular*.

estatuto *n*: statute, by[e]-law, rule; S. *norma, reglamento*. [Exp: **estatutos** (COMP LAW articles of association/incorporation), **estatutos de una sociedad colectiva** (articles of partnership; S. *escritura de constitución social, contrato de sociedad*), **estatutos de una sociedad mercantil** (memorandum of association, articles of association; articles of incorporation *US*; S. *estatutos sociales, escritura de constitución*), **estatutos sociales** (charter; articles of incorporation; articles of association; statutes, by-laws; bye-laws; S. *normativa, reglamento*)].

éste o mejor, a *phr*: STK & COMMOD EXCH at or better *US*.

estéril *a*: idle, barren, unproductive; futile, vain, fruitless; S. *improductivo, infructuoso*.

estiba *n*: stowage, loading; S. *cargamento*. [Exp: **estiba en cubierta** (deck stowage), **estibador** (TRANSPT stevedore, docker; longshoreman *US*), **estibar** (load, stow)].

estilo de una opción *n*: STK & COMMOD EXCH option style.

estimación *n*: estimate,[1] appraisal, assessment, valuation; reckoning; guess; S. *cálculo, evaluación, previsión, tasación*. [Exp: **estimación analítica** (ACCTS analytical estimate), **estimación aproximada** (rough estimate; guess; ballpark figure *col US*; S. *cálculo aproximado*), **estimación cuantitativa** (bill of quantities), **estimación de gastos** (spending estimate; estimated expenses or expenditure), **estimación de la base**

impositiva (tax assessment), **estimación de parámetros** (parameter estimation), **estimación del monto o base imponible** (LAW estimated assessment), **estimación directa** (direct evaluation), **estimación objetiva** (objective assessment/evaluation), **estimación para desperdicios** (ACCTS waste allowances), **estimación de ventas** (estimate of sales, sales estimate, estimated sales; sales forecast)].

estimar *v*: estimate,[1] appraise, evaluate, calculate, gauge; reckon; price; regard, hold[2]; expect; S. *evaluar, computar, calcular*. [Exp: **estimar la cuantía de algo** (put a figure on sth; S. *cifrar el valor de algo*), **estimativo** (estimated, approximate; rough)].

estimular *v*: stimulate, promote; boost,[1] encourage; S. *favorecer, animar, impulsar*), **estimular la producción/ventas** (boost production/sales), **estimulador de tendencias** (trend-setter; S. *lanzador de modas*)].

estímulo *n*: stimulus, incentive,[1] boost[1]; encouragement, inducement; S. *incentivo*. [Exp: **estímulo a la inversión** (encouragement of/to investment, investment incentive), **estímulo financiero** (financial incentive)].

estipulación *n*: stipulation, provision, proviso, condition; requirement[2]; article; S. *exigencia, pacto, requisito, disposición*. [Exp: **estipular** (stipulate, state, provide, require; S. *prever*)].

estirar *v*: stretch, eke out, make the most of; S. *ahorrar, economizar*. [Exp: **estirar fondos/medios/recursos, etc.** (stretch funds/means/resources, etc.; make funds/means/resources last or go further or go as far as possible; eke out funds/means/resources, etc.), **estirón** (ECO spurt, sharp increase, stride forward; S. *avance, progreso*; S. *pegar un estirón*)].

estocástico *a*: stochastic.

estorbar *v*: encumber, hinder, obstruct; S.

obstruir. [Exp: **estorbo** (encumbrance; S. *impedimento*), **estorbo/rémora/traba fiscal** (fiscal drag, taxflation *US*)].

estrangulamiento *n*: ECO, STK & COMMOD EXCH squeeze, bottleneck, strangling; S. *atasco, cuello de botella*. [Exp: **estrangular** (strangle, throttle; squeeze, choke; S. *ahogar, tapar, asfixiar, reducir*)].

estraperlo *n*: black-market; S. *mercado negro, contrabando, dedicarse al estraperlo*. [Exp: **estraperlista** (black market dealer, black marketeer)].

estrategia *n*: strategy. [Exp: **estrategia-s de cobertura** (STK & COMMOD EXCH hedging), **estrategia de cobertura dinámica** (STK & COMMOD EXCH dynamic hedge), **estrategia de defensa y mantenimiento** (STK & COMMOD EXCH defend-and-hold strategy *US*), **estrategia de cobertura estática** (STK & COMMOD EXCH static hedge), **estrategia del empujón/tirón** (push/pull strategy), **estrategia empresarial** (MAN corporate strategy), **estrategias de indexación/indiciación** (STK EXCH indexation strategies), **estratégico** (strategic)].

estrechamiento de los márgenes de explotación *n*: narrowing of profit margins or trading profit; S. *margen*.

estrechar *v*: narrow, tighten, constrain, squeeze; reduce, cut back on, limit, stint; S. *limitar, reducir*. [Exp: **estrechar filas** (close ranks), **estrechar relaciones** (improve/strengthen relations, establish closer links), **estrecheces** (financial difficulties/straits, shortage of funds or cash; hard times; S. *apuros*), **estrechez** (ECO narrowness; tightness; shortage; S. *escasez*), **estrecho** (narrow, close, tight[1]; limited; S. *severo, duro, riguroso, escaso, restringido*)].

estrenar *v*: première, release; present in public; open to the public/open its/one's, etc. doors. S. *presentar*. [Exp: **estrenar,**

a (brand new; S. *flamante, recién salido de fábrica*), **estreno absoluto** (a first; S. *exclusiva, primicia*),

estropear *v*: damage; break, harm, spoil, waste; ruin, foul up; wreck; S. *deteriorar, dañar, damnificar*. [Exp: **estropearse** (go off/bad, perish, break down[1]; S. *averiarse*)].

estructura *n*: structure, scheme, framework; pattern[1]; make-up; organization; S. *modelo, esquema, configuración, composición*. [Exp: **estructura comercial de una empresa** (MAN management structure of a firm, firm's internal organization; S. *organización*), **estructura de la economía** (economic structure/framework; S. *entorno económico*), **estructura de control** (control structure), **estructura de control multiestratificada o mayor-menor** (FIN major-minor holding company structure), **estructura de dirección** (MAN management structure), **estructura de los gastos** (expenditure pattern), **estructura del capital social** (COMP LAW capital structure), **estructura del consumo** (pattern of consumption), **estructura fiscal** (tax structure/system), **estructura fiscal onerosa** (TAXN fiscal drag; S. *carga fiscal excesiva o contraproducente*), **estructura jerárquica** (MAN chain of command), **estructura macroeconómica/microeconómica** (ECO macroeconomic/microeconomic structure), **estructura temporal de los tipos de interés** (FIN term structure of interest rate), **estructura salarial** (salary structure), **estructural** (structural; S. *coyuntural*), **estructurar** (structure)].

estudiar *v*: study, analyze, review, explore, consider, discuss; S. *indagar, examinar, considerar*. [Exp: **estudio[1]** (study, examination, survey, review, investigation, enquiry/inquiry[1]; consideration[1]; S. *encuesta, investigación, análisis*),

estudio[2] (studio), **estudio de medios** (medio research), **estudio de mercados** (market research/survey; consumer research; S. *prospección de mercados*), **estudio, en** (under consideration), **estudio en profundidad** (in-depth study), **estudio preliminar** (preliminary examination, reconnaissance survey; S. *tanteo, exploración del terreno*), **estudio general de medios** (ADVTG general mass media survey), **Estudio General de Medios para la radio o la televisión** (ADVTG Audit Bureau of Circulation, ABC; S. *Oficina de Justificación de la Difusión, OJD*), **estudio piloto** (pilot study), **estudio segmentado** (cross-section study), **estudio sectorial** (sector study), **estudios empresariales** (course in business administration; S. *administración/gestión de empresas*)].

etapa *n*: stage, leg[1]; phase; S. *fase*. [Exp: **etapa de declive** (ECO decline stage), **etapas de crecimiento** (ECO stages of growth), **etapas del proceso de toma de decisiones** (MAN decision process stages), **etapas para repostar** (TRANSPT bunkering stages; S. *escala*), **etapas, por** (in/by stages or phases)].

etiqueta *n*: label; tag; docket[1]. [Exp: **etiqueta con el precio** (price label/tag), **etiqueta de las de colgar** (tie-on label), **etiqueta engomada** (sticker, gummed label), **etiqueta roja/verde** (red/green label; S. *mercancías peligrosas*), **etiquetado/etiquetaje** (labelling), **etiquetar** (label; brand, tag; S. *calificar*)].

euro- *a*: Euro-. [Exp: **euroacción** (FIN Euroequity, Euroshare), **eurobono** (Eurobond; S. *euroobligación*), **eurobono denominado en dólares australianos** (Aussie bond), **eurocheque** (Eurocheque), **eurócrata** (Eurocrat), **eurocrédito** (Eurocredit), **eurocheque** (Eurocheque), **eurodivisa** (Eurocurrency; S. *euromoneda*), **eurodólar** (Eurodollar), **euroemisión** (Euro-issue), **euroescéptico** (Eurosceptic), **eurófilo** (Europhile), **eurófobo** (Europhobe), **euromercado de capitales o de euroemisiones** (Eurocapital market), **euromercados** (Euromarkets), **euromoneda** (Eurocurrency; S. *eurodivisa*), **euronotas** (note issuance facilities, NIF), **euronotas a medio plazo, ENMP** (STK & COMMOD EXCH Euromedium-term notes), **euroobligación** (Eurobond; S. *eurobono*), **europagaré** (Euronote, Euronote facility), **europagarés de empresa** (Euro-commercial paper; S. *instrumentos de comercio emitidos en euromoneda, europapel comercial*), **europapel comercial, EPC** (Euro-commercial paper; S. *europagarés de empresa, instrumentos de comercio emitidos en euromoneda*), **europeo** (European), **europréstamos** (Euroloan)].

evadir *v*: evade, avoid, dodge; S. *evasión*.

evaluación *n*: evaluation, assessment, appraisal; rating, computation, measure, audit[2]. [Exp: **evaluación administrativa** (MAN management audit; S. *evaluación de la labor de gestión*), **evaluación de la labor de gestión** (MAN management audit; S. *evaluación administrativa*), **evaluación de la plantilla o personal de una empresa** (MAN personnel rating, staff assessment), **evaluación de los daños** (adjustment of loss, loss assessment), **evaluación de proyectos** (project appraisal), **evaluación de puestos de trabajo** (IND REL job evaluation/analysis), **evaluación de resultados** (performance audit/evaluation), **evaluación de tareas** (task analysis), **evaluación del riesgo de impago** (FIN credit risk assessment), **evaluación del impacto ambiental** (ECO environmental impact assessment/evaluation), **evaluación económica**

(economic appraisal), **evaluación global** (overall/all-round assessment; holistic evaluation; S. *evaluación por elementos*), **evaluación por elementos** (atomistic evaluation; S. *evaluación global*), **evaluación y exacción de impuestos por vía preventiva** (TAXN jeopardy assessment), **evaluador** (valuator, valuer US; V. *tasador*)].

evaluar *v*: evaluate; value, assess, appraise, rate,[1] measure up[1], estimate[1]; size up *col*; gauge/gage; S. *tasar, valuar, tasar*. [Exp: **evaluable** (appraisable, ascertainable; S. *tasable*), **evaluar daños y perjuicios** (INSCE assess damages)].

evasión *n*: evasion; escape; S. *fraude*. [Exp: **evasión de impuestos o fiscal** (tax evasion; fiscal evasion; tax dodging *col*; S. *fraude fiscal*), **evasión de capitales o divisas** (capital flight), **evasiva** (excuse; loophole; dodging of the issue *col*; hedging *col*; S. *vía de escape, trampa*), **evasivo** (evasive, non-committal; S. *equívoco*)].

eventual *a*: possible, contingent, that may occur or arise; IND REL temporary, casual; interin, caretaker, stop-gap *col*; S. *temporero, interino, en funciones*. [Exp: **eventualidad** (eventuality, contingency; S. *imprevisto, contingencia*)].

evolución *n*: evolution, development, shift[1]. [Exp: **evolución de la coyuntura** (ECO current economic development, trends/shifts in the current economic climate, ongoing developments in the economy; S. *política coyuntural*), **evolución de la economía** (developments in the economy; business trend; S. *tendencia económica, marcha de los negocios*), **evolución de los recursos propios** (ACCTS reconciliation of capital funds), **evolución del ahorro** (BKG, ECO behaviour of savings), **evolución del balance** (ACCTS changes in the balance sheet; ongoing developments in the firm's overall situation), **evolución desfavorable** (deterioration; S. *deterioro*), **evolución en la estructura del comercio** (COM changing patterns of trade), **evolución gradual o por etapas** (phased development; S. *desarrollo escalonado o programado*), **evolucionar** (evolve, develop, progress; shift[1]; perform)].

ex *pref*: ex-; S. *fuera de, franco, sin*. [Exp: **ex cupón** (ex-coupon; S. *título sin el cupón correspondiente al próximo pago*), **ex dividendo** (STK EXCH ex-dividend; S. *sin dividendo*),

exacción *n*: TAXN exaction, levy, levying; charge[4]; S. *gravamen*. [Exp: **exacción de impuestos** (levy/levying of taxes or rates; S. *gravamen, impuesto, contribución*), **exacción ilegal** (TAXN illegal exaction), **exacción reguladora** (levy), **exacción de efecto equivalente** (TAXN equivalent effect exaction), **exacciones variables** (variable levy)].

exactitud *n*: accuracy, precision, exactness, exactitude; S. *precisión*. [Exp: **exactitud, con** (exactly, precisely, accurately), **exacto** (exact, precise, accurate; S. *preciso, fiel*), **exactamente** (exactly, accurately)].

examen *n*: examination, inspection, review, study, survey; audit; consideration; S. *estudio, indagación*), **examen de aptitud** (aptitude test), **examen de cuentas/libros** (audit of accounts/books), **examen de ingreso** (entrance examination), **examen minucioso** (close examination), **examen previo** (screening), **examinador** (examiner; S. *inspector*), **examinar** (examine, test; review; study, inspect; screen; survey, look into, analyse/analyze, investigate; audit,[1] tackle, deal with; S. *investigar, analizar, explorar, inspeccionar, revisar*)].

excedencia *n*: IND REL extended leave of absence; S. *licencia sin sueldo; comisión de servicio*.

excedente *a/n*: IND REL, COM, ACCTS excess,[1] redundant, surplus; overage; carry over; leftover, surplus to requirements; IND REL on extended leave of absence; S. *sobrante, redundante, innecesario, superfluo; exceso*. [Exp: **excedente agrícola** (farm surplus), **excedente consignado o aplicado** (ACCTS appropriated surplus), **excedente consignado a fondos de reserva** (ACCTS surplus reserve), **excedente de capital** (COMP LAW capital surplus, paid-in surplus[2]), **excedente de explotación** (operating surplus; S. *beneficios acumulados*), **excedente de pasivo** (excess of liabilities over assets; S. *exceso de deudas*), **excedente de plantilla** (redundancy; S. *exceso de personal*), **excedente del comprador** (buyer's surplus), **excedente de dólares** (dollar glut/overhang), **excedente de capital** (ACCTS capital surplus), **excedente de explotación** (operating surplus), **excedente empresarial** (corporate surplus), **excedente del valor en libros del capital social** (ACCTS capital surplus), **excedente laboral** (IND REL over-manning, surplus labour, manpower surplus, labour surplus to requirements), **excedente residual** (residual surplus), **excedentes alimentarios** (food surpluses), **excedentes o sobrantes de cosechas** (crop surpluses)].

exceder *v*: exceed; be in excess of; overrun, surpass; be higher/greater than, be superior to, be/go above/beyond; S. *sobrepasar, superar*. [Exp: **exceder un crédito** (exceed a credit), **excederse de lo convenido** (exceed arrangements)].

excelente *a*: excellent; extrafine; S. *superior, de calidad, selecto*. [Exp: **excelente salud, de** (INSCE A1; S. *en plena forma*)].

excepción de auditoría *n*: qualification.

excepcional *a*: exceptional, special; extraordinary, abnormal, unusual; record, bumper *col*; one-off *col*; S. *anormal, extraordinario, especial, irrepetible*.

exceptuar *v*: except, exempt, exclude, leave out, leave out of account; S. *excluir; exención*.

exceso *n*: surplus, excess[1]; glut, overage, overrun; S. *excedente, sobrante, rebosamiento*. [Exp: **exceso de ahorro** (BKG, ECO oversaving), **exceso de capacidad** (excess capacity), **exceso de carga** (overload, excess weight), **exceso de cobertura de gastos** (ACCTS over-estimate of costs), **exceso de contratación de plazas hoteleras/de transportes, etc.** (TRANSPT overbooking; S. *sobrecontratación hotelera, superocupación*), **exceso de demanda** (ECO excess demand), **exceso de demanda, con** (STK EXCH, COMP LAW oversubscribed; S. *supercubierta, suscrito en exceso*), **exceso de deudas** (FIN excess of liabilities over assets; S. *excedente de pasivo*), **exceso de disposición** (BKG overdraft; current account credit *US*; S. *descubierto en cuenta*), **exceso de equipaje** (TRANSPT excess baggage/weight), **exceso de existencias** (overstocking; S. *abarrotar, acumular en exceso*), **exceso de gastos devengados** (ACCTS overaccruals; S. *gastos contables excesivos*), **exceso de liquidez** (ECO, FIN excess liquidity), **exceso de oferta/excedente** (ECO excess supply), **exceso de personal/plantilla/mano de obra** (IND REL overstaffing; over-manning; labour/manpower surplus, redundant staff, redundancy), **exceso de población** (overpopulation), **exceso de poder adquisitivo** (excessive purchasing power), **exceso de reservas** (BKG excess reserves), **exceso de seguro** (overinsurance), **exceso de siniestralidad** (SEG excess loss), **exceso de valor** (excess value), **exceso, por** (in excess)].

excluir *v*: exclude; rule out; cut out; count out[1]. [Exp: **excluirse voluntariamente** (opt out; S. *abandonar*), **exclusión** (exclusion), **exclusión de, con** (excluding, not counting; S. *además de, sin contar*)].

exclusiva[1] *n*: exclusive, first, scoop[1]; S. *primicia, noticia en exclusiva*. [Exp: **exclusiva**[2] (sole agency/rights), **exclusividad** (exclusivity, exclusiveness), **exclusividad de distribución** (sole agency), **exclusividad de ventas** (exclusive/sole right of sale; sole market agreement), **exclusivista** (sole agent/ representative), **exclusivo** (exclusive; sole; S. *selecto, distinguido*)].

exención *n*: TAXN exemption; allowance; franchise[1]; S. *desgravación, bonificación; exceptuar; exoneración; eximir*. [Exp: **exención arancelaria** (COM remission of tariff, tariff exemption, exemption from customs duties), **exención de derechos** (exemption from duty or fees), **exención fiscal o tributaria** (tax exemption, exemption from taxes), **exención fiscal para proyectos industriales** (tax shelter; S. *amparo/protección fiscal*), **exención por categorías** (block exemption), **exención recíproca** (reciprocal exemption), **exención tributaria** (S. *exención fiscal*), **exención tributaria por personas a su cargo** (TAXN allowance for dependants, dependent persons allowance), **exenciones/ventajas fiscales para la inversión empresarial** (ECO, TAXN special tax allowances to encourage or promote investment, investment-boosting allowances/exemption; Business Expansion Scheme, BES; S. *vacaciones fiscales por inversión empresarial*)].

exento *a*: exempt; free; immune, privileged. [Exp: **exento de** (free of/from; S. *franco de, libre de*), **exento de alquiler** (rent-free), **exento de derechos** (duty-free, non-dutiable, liberalized; S. *liberalizado*), **exento de derechos de aduanas** (customs-exempt, duty-free, free of duty), **exento de impuestos** (tax-free, tax-exempt, exempt from tax, non-taxable), **exento de responsabilidad** (exempt from liability/responsibility, not answerable; free from blame; scot-free *col*), **exento de timbre** (free of stamp)].

exhaustivo *a*: exhaustive, thorough; detailed, itemized, broken down; S. *detallado, pormenorizado*.

exhibición *n*: exhibition, display, show; S. *exposición, feria, muestra, despliegue*. [Exp: **exhibición de productos amontonados** (ADVTG dump display), **exhibición para minoristas** (trade fair or display of wares for retailers only; dealer display *US*), **exhibir** (exhibit, show, display; S. *exponer*)].

exigencia *n*: demand; need; requirement; S. *requerimiento, demanda*. [Exp: **exigencia de autosuficiencia financiera** (BKG annual clean-up; clean-up requirement), **exigencia de información pública** (BKG disclosure requirement), **exigente** (demanding, exacting, strict, fussy *col*, particular; discriminating, discerning), **exigibilidad** (callability), **exigible**[1] (redeemable, enforceable, leviable, due[1], at call; S. *vencido, debido, rescatable*), **exigible**[2] (ACCTS current liabilities[1]; short-term liabilities/debt, amounts due in less than one year; S. *pasivo, deudas, obligaciones*), **exigible a la vista** (payable on demand; S. *pagadero a su presentación*), **exigible en cualquier momento** (BKG at call), **exigido, al ser** (on demand; S. *a petición del interesado, a la vista*)].

exigir *v*: demand, require, exact; call for; claim; seek; S. *demandar, reclamar*. [Exp: **exigir el pago** (claim payment, enforce payment, call on sb to pay, call in), **exigir el pago de una deuda mediante secuestro o embargo** (levy a distress), **exigir el reembolso anticipado de un préstamo** (call in a loan; accelerate a loan), **exigir indemnización por daños y perjuicios** (INSCE, LAW claim damages), **exigir la devolución del dinero** (demand a refund, claim one's money back), **exigir responsabilidades** (demand that those responsible be brought to book, insist on getting to the bottom of the matter/affair; hold sb responsible/accountable, make sb answerable; S. *depurar responsabilidades*)].

eximir *v*: exempt; release,[1] discharge[6]; S. *franquear, dispensar; exención*. [Exp: **eximir de derechos/impuestos** (exempt from duties/taxes), **eximir/exonerar del cumplimiento de un contrato** (LAW release from a contract; S. *liberar de un contrato*), **eximir de una responsabilidad** (discharge from a liability; exempt from a responsibility)].

existencias *n*: ACCTS stock; inventory; goods in stock; stock in trade, stock on hand; holding; S. *inventario*. [Exp: **existencias al cierre de un período contable** (closing stock; S. *inventario al final de ejercicio*), **existencias aptas para entrega** (deliverable stocks), **existencias certificadas** (certificated stocks), **existencias comerciales** (business stocks), **existencias de caja** (cash in hand, cash in hand and at banks), **existencias de divisas** (foreign exchange balance/holdings), **existencias de físicos** (physical stocks), **existencias de seguridad** (safety or fallback stock; buffer stock/inventory; S. *nivel mínimo de existencias, fondo de regulación*), **existencias disponibles** (stock on hand), **existencias, en** (in hand; S. *disponible, en cartera*), **existencias en almacén** (stock in hand, stock held in storage, in-store stock), **existencias en bancos** (ACCTS cash at bank), **existencias en caja y bancos** (cash and due from banks), **existencias en oro** (gold stocks/holdings), **existencias iniciales** (beginning inventory; opening stock), **existencias inmovilizadas** (inactive stock; dead stock; S. *activo/capital improductivo*), **existencias no renovables** (closed stock), **existencias oro** (gold coin and bullion), **existencias, sin** (out of stock; S. *agotado*), **existencias sobrantes** (surplus stock)].

exoneración *n*: TAXN exemption; exoneration; discharge[6]; S. *exención, desgravación*. [Exp: **exoneración de impuestos** (tax exemption; S. *exención tributaria*), **exoneración parcial o temporal de impuestos** (tax holiday; S. *franquicia tributaria, vacaciones fiscales*), **exoneración preferencial** (preferential relief), **exonerar** (exempt; release, relieve; exonerate, free; S. *eximir*)].

exorbitante *a*: COM exorbitant, astronomical, fancy *col*, sky-high *col*; S. *desorbitado*.

expandir *v*: expand; branch out; S. *desarrollar, ampliar*. [Exp: **expansión** (COM, ECO expansion, growth; boom; upsurge; S. *crecimiento, ampliación*), **expansión de las inversiones** (investment expansion), **expansión económica** (economic expansion), **expansión, en** (COM expanding; booming; S. *próspero; en desarrollo*), **expansión gradual** (phasing-in), **expansión monetaria** (monetary expansion), **expansionismo económico** (ECO economic expansionism; pump priming; growth policy; S. *reactivación*), **expansionista** (expansionist, committed to economic growth)].

expectativas *n*: expectations, expectancy; outlook, prospects; S. *posibilidades, perspectivas, esperanzas*.

expedición[1] *n*: LAW issue, issuing; issuance[1]; delivery; dispatching; S. *emisión, libramiento.* [Exp: **expedición**[2] (TRANSPT shipping, forwarding,[1] consignment, shipment; dispatch; S. *consignación, remesa, envío*), **expedición comercial** (commercial consignment), **expedición en tránsito** (transit consignment), **expedición indirecta** (indirect consignment), **expedidor** (forwarder, forwarding agent, shipper, consigner; S. *consignador, remitente*), **expedidor de carga** (freight/cargo forwarder; S. *agente transitario*)].

expedientar *v*: report[3]; open a file or dossier on; take/bring/institute disciplinary proceedings or action against. [Exp: **expediente**[1] (file, dossier; record[1]; S. *archivo, fichero; historial*), **expediente**[2] (LAW proceedings, action[3]; S. *incoar un expediente*), **expediente administrativo** (administrative enquiry), **expediente de crisis** (COMP LAW detailed statement of a troubled firm's financial position required under administrative and company law to justify projected redundancies; *approx* application for administrative permission to lay off staff; S. *expediente de regulación de crisis*), **expediente de despido** (IND REL notice of dismissal or discharge, dismissal proceedings), **expediente de modificación presupuestaria** (ACCTS, LAW official record of alterations to the national [official] budget as approved by Parliament [an official institution], *approx* ad hoc budget adjustment), **expediente de regulación de empleo** (IND REL labour force adjustment plan, redundancy plan; S. *regulación de empleo*), **expediente del solicitante de un préstamo** (FIN credit file/history)].

expedir[1] *v*: LAW issue,[1] deliver; S. *emitir.* [Exp: **expedir**[2] (COM ship, forward, send, consign, dispatch; S. *enviar*)].

expendedor *n*: BKG cash dispenser; COM vending machine; officially appointed seller or purveyor, e.g. of tobacco products, government or fiscal paper, tickets for the state-run lottery, etc.; S. *cajero.* [Exp: **expendedora automática** (automatic vending machine), **expendeduría** (monopoly sales office), **expender** (sell goods protected by state monopoly at a fixed price)].

experiencia *n*: experience, background, practical knowledge or know-how, skill. [Exp: **experiencia laboral** (placement[1]; work/job/professional experience; S. *período de prácticas*), **experimentado** (experienced), **experimental** (experimental; trial), **experimentar** (experience, undergo, suffer; experiment, try out; show), **experimentar cambios/variaciones** (alter, change, shift; show a change or changes) **experimentar/registrar subidas** (STK EXCH put on gains, go up, rise), **experimentar un descenso/bajón** (fall, drop, decline)].

expediente *n*: file, dossier; record; enquiry, investigation; report; record of disciplinary proceedings; disciplinary proceedings/actions; S. *número de expediente; abrir* un expediente a alguien.

experto *a/n*: expert, proficient; qualified[1]; professional; hot[3] *col*; S. *idóneo, capaz, apto, profesional, preparado.* [Exp: **experto contable** (ACCTS chartered accountant, CA; qualified accountant; auditor; S. *contador público titulado*), **experto en conciliaciones laborales** (IND REL conciliation officer, troubleshooter *col*; bargaining agent, gobetween), **experto en medio ambiente** (environmentalist; S. *ambientalista, ecologista*), **experto en racionalización o ergonomía** (efficiency expert, time-and-motion expert)].

expiración *n*: expiration; expiry; lapse,

lapsing, conclusion; termination; S. *vencimiento, término*. [Exp: **expiración de una patente** (lapse of a patent), **expirar** (expire; lapse, go out of date, fall in; S. *caducar, prescribir, vencer*)].

exploración *n*: exploración; examination; S. *examen, análisis, indagación*. [Exp: **explorar** (explore, look into, investigate, examine; explore, probe, sound out; S. *analizar, investigar, tantear, sondear*)].

explosión *n*: explosion. [Exp: **explosión de precios** (price explosion), **explosión demográfica** (population explosion)].

explotación[1] *n*: COM, FIN exploitation; operation, running, working, trading; S. *operación, funcionamiento, actividad, beneficios*. [Exp: **explotación**[2] (installation, facilities; plant; factory, farm; mine; S. *instalación*), **explotación abusiva** (misuse; S. *aplicación abusiva, aplicar o explotar abusivamente*), **explotación agrícola** (agribusiness; farm enterprise; farm; S. *agroindustria*), **explotación agrícola de carácter industrial** (commercial farm), **explotación agrícola familiar** (family-sized farm), **explotación agrícola media** (medium-sized farm), **explotación agropecuaria** (mixed farm; farm; S. *cultivar, granja, finca*), **explotación, de** (operating; S. *funcionamiento, operativo, de operación*), **explotación de servicios públicos por contrata** (contracting out of public services), **explotación forestal** (forestry, the timber trade, lumbering; logging *US*; S. *extracción de madera*), **explotación industrial** (ECO industrial plant), **explotación láctea** (IND dairy farm; S. *granja lechera*), **explotación mutua de derechos de patente** (LAW cross licensing), **explotación/utilización de la tierra** (land use), **explotador** (exploitative; exploiter; holder of the concession, etc.; slave-driver *col*, sweater *col*), **explotar** (exploit, operate, run, work, trade on; profiteer, draw on/upon; tap[1]; S. *dirigir, organizar*), **explotar a alguien vilmente** (IND REL bleed sb white *col*), **explotar comercialmente** (turn to commercial advantage, make a living out of, deal/trade in; S. *lanzar al mercado, dedicarse*)].

exponencial *a*: exponential. [Exp: **exponente** (exponent)].

exponer *v*: expose; expound; set/lay out; display, show, exhibit[1]; put forward; jeopardise, put/place in jeopardy; S. *revelar, dar publicidad, poner en evidencia; exposición*), **exponer con otros términos** (restate[1]; S. *redactar de nuevo*), **exponer una pretensión, una queja, una demanda, una petición, una protesta** (put forward/bring/file/make a claim, a complaint, a demand, a petition, a protest; S. *cursar/elevar/formular una pretensión, etc.*)].

exportación *n*: export, exportation. [Exp: **exportación directa/indirecta** (direct/indirect export), **exportación en consignación** (consignment export), **exportaciones/importaciones invisibles** (invisible exports/imports), **exportador** (exporter), **exportar** (export)].

exposición *n*: exhibition, show, display, fair[2]; exhibit[1]; exposure; S. *feria, desfile, muestra, salón*. [Exp: **exposición al riesgo** (INSCE risk exposure), **exposición ambulante** (travelling/itinerant fair or show), **exposición completa** (ADVTG full showing; S. *presentación*), **exposición, en** (ADVTG on display; S. *expuesto*), **exposición operativa** (operating exposure), **expositor** (ADVTG exhibitor; display stand, showcase; floor stand; visual display unit; S. *vitrina*)].

expropiación *n*: LAW expropriation; S. *confiscación*. [Exp: **expropiación forzosa** (compulsory purchase order), **expropiador/expropiante** (expropriator; S. *expropiante*), **expropiar** (expropriate)].

expuesto *a*: ADVTG on display/show, displayed; dangerous, risky; S. *en exposición; arriesgado*. [Exp: **expuesto a** (exposed/open/liable[2]/vulnerable to)].

extender[1] *v*: extend[1]; enlarge, prolong; stretch; spread, spread out, lay out; renew; S. *ampliar, prorrogar, dilatar, propagar, prolongar, renovar*. [Exp: **extender**[2] (issue[1]; make out: draw: grant; S. *emitir, expedir, extendido a la orden*), **extender el plazo** (extend the deadline, grant an extension: allow more time to pay), **extender el riesgo** (FIN spread the risk: S. *diversificar*), **extender un cheque** (BKG issue/make out/write/write out/draw a cheque), **extender un recibo** (make out a receipt; S. *dar recibo*), **extender una letra** (draw/issue a bill), **extender una póliza** (INSCE issue a policy), **extenderse** (range outside/ beyond, range[5]; branch out; S. *salirse, aventurarse*), **extenderse en consideraciones sobre algo** (elaborate on sth)].

extendido *a*: prevailing, widespread, prevalent; rampant, rife; S. *preponderante, dominante, predominante, común*. [Exp: **extendido a la orden de** (BKG made out to the order of)].

extensión *n*: extension,[1] length[1]; extent,[1] enlargement; range, growth; scope[1]; extending, granting; S. *ampliación, amplitud, cobertura*. [Exp: **extensión de la línea** (COM line-stretching, expansion of the product line), **extensión de la verificación contable** (audit scope), **extensión de póliza de seguros** (coverage area), **extensión del crédito documentario** (COM extension of documentary credit), **extensivo** (extensive; widespread; applicable to; S. *hacer extensivo a; amplio, extenso*), **extenso** (broad, widespread; extensive; S. *extensivo, amplio*) **extenso, por** (at length; S. *pormenorizadamente, de forma prolija*)].

exterior *a/n*: outward, outside, foreign, external; outdoor; overseas, abroad; S. *interior, extranjero, externo*.

externo *a*: external: outdoor, outside; S. *exterior*. [Exp: **externalidades** (externalities), **externalización empresarial** (outsourcing; sub-contracting; contracting out)].

extinción *n*: LAW, FIN termination; redemption; wiping out, settlement, satisfaction; forfeiture; abatement; S. *rescisión, revocación, terminación, cese; plazo extintivo*. [Exp: **extinción de un contrato** (IND REL discharge[2] or termination of a contract), **extinción de una deuda** (settlement or wiping out of a debt; S. *finiquito*)].

extinguir *v*: LAW extinguish; eliminate; cancel, pay off, satisfy, discharge[2]; S. *eliminar; extinción*. [Exp: **extinguir una deuda** (wipe out/settle/ pay off a debt), **extinguir una hipoteca** (pay off a mortgage), **extinguirse** (be extinguished; lapse, cease; S. *apagar-se*), **extintor** (fire extinguisher)].

extorno/reembolso de prima *n*: return of premium.

extorsión *n*: LAW extorsion, blackmail; racket *col*; S. *chantaje*. [Exp: **extorsionar** (extort, blackmail; S. *chantajear*), **extorsionista** (extortioner, blackmailer; S. *chantajista*)].

extra[1] *a*: extra; high/top quality. [Exp: **extras**[2] (IND REL extras, perquisites; perks; fringe benefits; makeup; S. *emolumento, plus*), **extra-**[3] *pref*: extra-, over-; beyond. [Exp: **extrabursátil** (STK EXCH over-the-counter), **extracontable** (ACCTS off-balance sheet, not based on books), **extracontractual** (noncontractual), **extralimitación** (abuse; S. *abuso*), **extralimitarse** (exceed one's authority, go too far, overstep the mark, overdo it), **extraoficial** (informal, unofficial; S. *oficioso*), **extraoficialmente** (off-the-record; S. *sin que conste, reservado, en* *confianza*), **extraordinario** (extra-ordinary, non-recurring; S. *excepcional, insólito; horas extraordinrias*), **extrapolación** (extrapolation; S. *corolario*), **extrapolar** (extrapolate), **extrarradio de la ciudad** (outskirts, outlying areas or districts; commuter belt; S. *ciudad dormitorio*), **extraterritorial** (extraterritorial), **extraterritorialidad** (extraterritoriality)].

extracción *n*: extraction; removal; mining; exploiting of resources; drawing; S. *extraer*. [Exp: **extracción de madera** (tree-felling, the timber trade, lumbering, logging *US*; S. *explotación forestal*)].

extractar *v*: summarise, abridge; S. *resumir*. [Exp: **extractado** (in an abridged form; S. *condensado, de forma resumida, resumido*), **extracto** (extract; abstract; abridgement; S. *resumen, compendio*), **extracto de cuenta** (BKG statement/extract of account, summary account; S. *últimos movimientos de la cuenta*), **extracto de cuenta descriptivo** (BKG descriptive statement, combined statement, combined statement of income and retained earnings), **extracto de cuenta en la fecha solicitada o hasta el corte de las operaciones** (BKG cut-off bank statement), **extracto de ingresos** (BKG extract of deposits, summary record of deposits; ACCTS income account[1]), **extracto del título** (LAW abstract of title)].

extraer *v*: extract; withdraw, draw,[1] take out; mine; remove; S. *sacar, obtener; extracción*. [Exp: **extraer muestras** (extract samples)].

extranjero *a/n*: foreign; foreigner, alien; abroad; exterior. [Exp: **extranjero con permiso de residencia** (LAW resident alien), **extranjero, en el** (FIN abroad, overseas, off-shore[2]; S. *internacional, transnacional*), **extranjeros** (foreign nationals)].

extraño *a*: strange, odd; extraneous; deviant; fishy *col*; S. *sospechoso*.

extremadamente *adv*: extremely, fiercely. [Exp: **extremadamente competitivo** (fiercely competitive; S. *de rivalidad encarnizada*)].

extremar *v*: step up, maximise. [Exp: **extremar las garantías** (provide the maximum guarantees, back [up] with the strictest guarantees), **extremar las precauciones** (proceed with the utmost caution, tread warily, take every precaution; S. *pies de plomo, andar[se] con*), **extremar la vigilancia/las medidas de seguridad** (step up security, place the security guard/police on maximum alert)].

extremo[1] *n*: end; S. *cabo, fin*. [Exp: **extremo**[2] (extreme), **extremo**[3] (issue, matter, print, question, subject; allegation), **extremo de, al** (to the point/extent of; S. *hasta el punto de*)].

F

fábrica[1] *n*: factory, plant, works; fab, mill[1]; shop *col*, shop floor; S. *taller, factoría, planta industrial; elaboración*. [Exp: **fábrica**[2] (structure, fabric, building), **fábrica de acero** (steel works), **fábrica de automóviles** (car factory), **fábrica de cerveza** (brewery), **fábrica de conservas** (canning factory, cannery), **fábrica de gas** (gasworks), **fábrica/casa de la moneda** (mint), **fábrica de papel** (paper mill), **fábrica de tejidos** (textile mill), **fábrica parada** (idle factory), **fábrica siderúrgica** (steelworks; S. *acería*)].

fabricación *n*: manufacture, manufacturing, production, making; make; fabrication[1]; S. *manufactura, elaboración*. [Exp: **fabricación artesanal, de** (handcrafted, home-made; handicrafts, crafts), **fabricación bajo/según pedido** (manufacturing to order, customizing of production), **fabricación de imagen** (ADVTG image building), **fabricación defectuosa** (faulty workmanship), **fabricación para almacén** (manufacturing for stock)].

fabricado *a*: manufactured, produced, made. [Exp: **fabricado en España** (made in Spain), **fabricación en serie** (mass production), **fabricado por orden o pedido expreso** (custom-built, made-to-order; S. *hecho a la medida*), **fabricante** (maker,[1] manufacturer, producer; S. *industrial*), **fabricante al consumidor, del** (from manufacturer direct to consumer), **fabricante detallista/mayorista** (manufacturer-retailer/ wholesaler)].

fabricar *v*: manufacture, make, produce, develop; fabricate[1]; S. *edificar, construir; elaborar, producir*. [Exp: **fabricar a gran escala o en serie** (mass-produce), **fabril** (manufacturing)].

fácil *a*: easy, effortless, simple, plain; S. *sencillo, simple*. [Exp: **fácil de entender y de usar** (user-friendly)].

facilidad *n*: ease, simplicity; facility; S. *facilidades; programa*; rvicio, instalación *sencillo, simple*. [Exp: **facilidad de movimiento de un valor bursátil** (STK EXCH ease of movement), **facilidad para, con** (prone, inclined, bent on, liable; V. *propenso, proclive*), **facilidades de crédito** (credit facilities), **facilidades de entrada** (entry facilities), **facilidades de liquidez** (cash boost, injection of cash, help with liquidity/cash difficulties), **facilidades de pago** (easy/convenient terms; easy terms of payment; easy payments, easy payment terms), **facilitar** (ease,[1] facilitate; furnish, provide, extend,[2] enable; S. *hacer fácil; proporcionar, ofrecer*), **facilitar información**

(provide/furnish/hand out information))].

facsímil *n*: facsimile; S. *fax*. [Exp: **facsímil de la firma** (specimen signature), **facsímil del sello** (specimen impression of the stamp and seal))].

factibilidad *n*: feasibility; S. *viabilidad, posibilidad*. [Exp: **factible** (feasible, practical, practicable, workable; S. *practicable, viable*)].

factor[1] *n*: factor[1]; S. *elemento básico*. [Exp: **factor**[2] (FIN factor, agent, commissioner; S. *agente; cobrador de deudas*), **factor crítico de recursos** (critical resource factor), **factor cualitativo** (qualitative factor), **factor de agotamiento** (depletion), **factor de apalancamiento** (FIN gearing/leverage factor), **factor de ajuste por combustible** (TRANSPT bunker adjustment factor, BAF), **factor de calibración** (calibrating factor), **factor/medida de capacidad** (ECO capacity factor/measure), **factor de capitalización vitalicia** (INSCE accumulation factor with benefit of survival), **factor de carga anual** (annual load factor), **factor de comparabilidad** (comparability factor), **factor de compensación** (balancing factor, offsetting factor), **factor de conversión** (STK & COMMOD EXCH delivery factor), **factor/comisionista de descuento** (FIN discount factor), **factor de estiba** (stowage factor), **factor de productividad** (IND REL productivity factor), **factor de riesgo** (downside/risk factor), **factor de seguridad** (safety factor), **factor leonino** (COM unconscionable conduct), **factor de trabajo** (job factor; S. *factor trabajo*), **factor desocupación de un inmueble** (vacancy factor), **factor disuasorio** (deterrent; S. *freno, medida disuasoria*), **factor experiencia** (MAN experience factor/ effect; S. *resultado de la experiencia*), **factor inflación/inflacionista** (ECO inflation/inflationary factor), **factor**

trabajo (ECO labour input), **factores autónomos** (autonomous factors), **factores de producción** (input), **factores del precio de coste** (cost factors), **factores de la producción** (ECO factors of production), **factores imponderables** (imponderables), **factorial** (factorial))].

factorización/factoraje *n*: factoring[1]; S. *venta de deudas a un factor*. [Exp: **factorización de exportaciones** (export factoring))].

factoría[1] *n*: factory, plant; S. *fábrica, planta industrial*. [Exp: **factoría**[2] (agentship; office or position of a factor; S. *factor*[2])].

factura[1] *n*: COM invoice, bill,[1] bill of sale, receipt; slip; S. *recibo; vendí*. [Exp: **factura**[2] (workmanship; S. *calidad del trabajo*), **factura a cobrar/pagar** (receivable/ payable invoice), **factura abonada/atendida** (paid/honoured bill), **factura comercial** (commercial invoice), **factura con copia** (two-part invoice), **factura conforme** (receipt in due form), **factura consular** (TRANSPT consular invoice), **factura de artículos importados** (customs invoice), **factura de consignación** (consignment invoice), **factura de embarque** (memorandum invoice; S. *nota de envío*), **factura de flete** (freight note), **factura de indemnización** (invoice for damage), **factura/importe/ coste de las importaciones** (import bill), **factura de pago contra entrega de documentos** (TRANSPT documents against acceptance bill), **factura de venta** (bill of sale, sales invoice), **factura detallada o pormenorizada** (itemized invoice), **factura no atendida o impagada** (dishonoured bill), **factura pendiente** (outstanding bill), **factura por cobrar** (uncollected bill, bill for collection), **factura pendiente** (outstanding bill), **factura por duplicado** (duplicate invoice), **factura proforma** (pro forma invoice), **factura provisional** (memo-randum invoice; dummy invoice *US*; S. *factura de embarque*), **factura, según** (as per invoice), **facturas despachadas, enviadas o al cobro** (outgoing invoices, bills for collection)].

facturación[1] *n*: ACCTS invoicing, billing. [Exp: **facturación**[2] (COM, ACCTS turn-over, sales, sales revenues, total sales revenue; S. *volumen/cifra de negocios/ ventas, ingresos por ventas*), **factu-ración**[3] (TRANSPT registration, check-in; S. *mostrador de facturación*), **factu-ración**[4] (factoring[1]; S. *descuento de facturas, factorización*), **facturación de comisiones** (commission billing), **factu-ración de pedidos** (order invoicing), **facturación en un aeropuerto** (check-in), **facturación por ventas** (business turnover; S. *cifra de negocios*)].

facturar[1] *v*: ACCTS invoice, bill[1]; turn over, transact, have/show sales of. [Exp: **facturar**[2] (TRANSPT register), **facturar a un cliente** (invoice a customer), **facturar el equipaje en la estación** (register luggage/check luggage through by rail), **facturar en el aeropuerto** (check in)].

facultad[1] *n*: faculty, school. [Exp: **facultad**[2] (power, faculty, ability; S. *capacidad*), **facultad o competencia de asesoramiento** (IND REL advisory capacity), **facultad para conceder préstamos** (lending authority or authorization; S. *conformidad*), **facultad para contraer compromisos** (commit-ment authority or authorisation), **facultades** (authority[1]; S. *autoridad, competencia*), **facultar** (empower, authorize; licence/license; S. *capacitar, autorizar*), **facultativo** (facultative, optional; S. *potestativo, optativo*)].

faena[1] *n*: IND REL job, task; S. *actividad, tarea*. [Exp: **faena**[2] *col* (pain *col*; pain in the neck *col*; drag *col*; dirty trick *col*;

mean thing to do *col*), **faena, en plena** (on the job), **faenar** (fish)].

fagocitar *v*: ECO cannibalize; S. *aprovechar material de desguace*. [Exp: **fagocitosis de beneficios** (profit cannibalism)].

falseamiento *n*: LAW misrepresentation; S. *falsedad; tergivesación, desnaturali-zación*. [Exp: **falsear** (falsify, forge, misrepresent, fake[2]; S. *falsificar, tergiversar, desnaturalizar*), **falsedad** (LAW forgery, falsehood, misrepresent-ation, untruth; S. *falseamiento, falsifica-ción, engaño*), **falsedad en la declaración de la renta** (TAXN false return), **falsedad fraudulenta** (frau-dulent misrepresentation; S. *fraude*), **falsificación** (falsification, forging, forgery; fake[2]; S. *adulteración*), **falsificaciones de productos de marca** (COM counterfeits of genuine products, pass-offs, knock-offs)].

falsificado *a*: false, counterfeit; S. *espurio*. [Exp: **falsificador** (forger; counterfeiter), **falsificar** (forge, falsify, adulterate, counterfeit; debase; trump up; fake[2]; fudge *col*; S. *adulterar, manipular, amañar*), **falsificar los libros de contabilidad** (ACCTS falsify/forge the accounts/ledgers, cook the books *col*; massage the numbers *col*; doctor the accounts; S. *maquillar los libros de contabilidad*)].

falso *a*: false; untrue, deceitful; spurious; counterfeit; bad; sham *col*, fake *col*, dud *col*, bogus *col*; S. *falsificado, falseado, engañoso*. [Exp: **falsa declaración** (misrepresentation), **falsa entrada/falsa salida** (ACCTS garbage in/garbage out, GIGO), **falso flete** (TRANSPT dead weight, phantom freight)].

falta[1] *n*: absence; S. *inasistencia, ausencia, incomparecencia*. [Exp: **falta**[2] (failure; default; S. *defecto, omisión*), **falta**[3] (lack, deficiency, shortage, want; S. *escasez, carencia*), **falta de** (want of, lack of),

falta de, a (in the absence of, failing[2]), **falta de aceptación de un instrumento comercial, etc** (BKG non-acceptance of a negotiable instrument, etc.), **falta de apoyo** (lack of support), **falta de apoyo financiero** (lack of financial support/ backing), **falta de asistencia al trabajo** (IND REL absence from work), **falta de causa contractual** (LAW failure of consideration), **falta de coherencia** (inconsistency; S. *contradicción*), **falta de conformidad** (disagreement, absence of authorisation/approval; S. *discrepancia*), **falta de cumplimiento** (default; non-compliance; non-performance; failure to comply; S. *incumplimiento*), **falta de ética profesional** (IND REL professional misconduct, breach of professional ethics; professional neglect; S. *mala conducta profesional; deontología*), **falta de existencias** (COM shortage of stock, stock-out; short supply; S. *agotado*), **falta de liquidez** (FIN money/cash squeeze; lack of liquidity, illiquidity, liquidity shortage; S. *iliquidez*), **falta de masa** (LAW insufficiency in bankruptcy), **falta de medios** (BKG, COM, FIN lack of means or resources; inability to pay; S. *impago*), **falta de otro, a** (by default), **falta de pago** (BKG, COM, FIN failure in payment, failure to pay, non-payment; default; dishonour; S. *impago, impagado*), **falta de personal** (staff shortage, undermanning), **falta de piezas** (COM shortage of spares/spare parts/replacements), **falta de razón o fundamento** (groundlessness; S. *inconsistencia*), **falta de recursos** (lack of resources), **falta, sin** (without fail)].

faltante *n*: ACCTS shortage, missing sum; S. *déficit*. [Exp: **faltante/déficit de caja** (ACCTS cash shortage[1])].

faltar[1] *v*: be short [of], be lacking; need; S. *necesitar*. [Exp: **faltar**[2] (be absent or missing; S. *ausencia, falta*), **faltar a un acuerdo, compromiso etc.** (go back on an agreement, one's word, etc.; fail to honour an agreement/keep one's word, etc.; S. *retractarse, echarse atrás*), **falto** (short of, lacking in), **falto de flexibilidad** (heavy-handed, tactless, lacking in flexibility), **falto de mano de obra** (undermanned)].

fallar[1] *v*: fail, malfunction. [Exp: **fallar**[2] (LAW adjudicate; adjudge a claim, etc; find; decide; rule[1]; hand down a decision; S. *decidir*), **fallar a favor de/en contra de** (find for/against)].

fallido[1] *a/n*: insolvent, failed; defaulting/ insolvent debtor; bankrupt; default; insolvent, S. *insolvente, quebrado, concursado*. [Exp: **fallido**[2] (S. *fallidos*), **fallido rehabilitado** (discharged bankrupt), **fallidos** (nonperforming loans, bad debts; S. *amortización de fallidos*), **fallidos amortizados o dados de baja en libros** (ACCTS bad debt write-offs/charge-offs, bad debt-s written off/charged off)].

fallo[1] *n*: fault, error, mistake; breakdown, failure, defect; S. *avería, defecto*. [Exp: **fallo**[2] (judgment, judgement, decision; finding, ruling; S. *decisión judicial*), **fallo de funcionamiento** (malfunction), **fallo humano** (human error)].

familia *n*: family. [Exp: **familia de productos** (ADVTG product family; S. *gama de productos*)].

fase *n*: phase, stage; leg[1]; S. *aspecto*. [Exp: **fase ascendente** (ECO upswing in activity; boost), **fase coyuntural** (ECO economic phase, phase of the business cycle), **fase de abandono de un producto** (ADVTG abandonment stage; S. *ciclo final de la vida de un producto*), **fase de finalización, en** (mature; in the final stage or stages, nearing completion; S. *completo, acabado, vencido*), **fase de lanzamiento/introducción** (ADVTG pioneering stage, launching stage), **fase descendente** (ECO downswing; bust), **fase inicial** (early stage or stages), **fases en la compra de un producto** (COM buy phases)].

favor *n*: favour[1]; accommodation; S. *servicio, atención, letra de pelota*. [Exp: **favor, a nuestro/su** (BKG in our/your favour), **favor, de** (complimentary; concessionary), **favor de, a** (in favour of, for, pro; S. *por*), **favor de, en** (in support/aid of, in the interests of; S. *en pro de, en apoyo de*), **favorable** (favourable; S. *bien dispuesto, amigable*), **favorecedor** (accommodation maker/party; S. *afianzador*), **favorecer** (favour, benefit, promote; be to the advantage of, boost, help; S. *proteger, patrocinar, estimular*), **favoritismo** (favouritism; logrolling US *col*; S. *enchufismo, amiguismo*), **favorito** (favourite)].

fax *n*: fax; facsimile; S. *facsímil*.

fe *n*: faith; certificate; S. *fehaciente*. [Exp: **fe de vida** (INSCE official document certifying that a person is alive and is who he says he is)].

fecha *n*: date; S. *plazo*. [Exp: **fecha 31 de diciembre, a** (as at 31 December), **fecha base** (base date), **fecha con efectos retroactivos** (backdating date), **fecha contable** (accounting date), **fecha de aceptación** (FIN acceptance date), **fecha de acumulación** (accrual day/date), **fecha de amortización/rescate/reembolso** (FIN redemption date), **fecha de anuncio de dividendos** (STK EXCH declaration date), **fecha de apertura** (opening date), **fecha de arranque** (FIN cut-off date), **fecha de caducidad de un producto** (COM date of expiry, expiration date, pull date US; S. *fecha de consumo preferente*), **fecha de cierre** (closing date), **fecha de cierre de la contabilidad** (accounting date), **fecha de cierre de**

libros (ACCTS cut-off date; S. *fecha tope o límite*), **fecha de, con** (as of; under date of; S. *a partir de*), **fecha de consumo preferente** (COM best before date, best before, sell-by date, use-by), **fecha de corte de operaciones** (cut-off date), **fecha de cumplimiento/vencimiento de un plazo, de un contrato, etc** (LAW, FIN expiry date[1]), **fecha de desembolso** (STK EXCH closing date for payment or subscription), **fecha de efecto** (date of inception; with effect as of), **fecha de ejercicio de una opción de compra** (STK EXCH exercise date; expiration day), **fecha de emisión** (date of issue), **fecha de entrada en vigor de una ley** (date of commencement), **fecha de entrada en vigor de la cláusula de rescisión** (cancelling date), **fecha de entrada en vigor de una patente** (patent priority date), **fecha de entrega** (TRANSPT delivery date), **fecha de entrega de un anuncio a los medios publicitarios** (PUBL copy date), **fecha de liquidación** (ACCTS settlement date), **fecha de pago de intereses** (BKG, FIN interest payment date), **fecha de pago improrrogable** (BKG, COM final date for payment; S. *fecha de vencimiento del pago*), **fecha de presentación de un documento** (date of filing), **fecha de registro** (date of record[1]), **fecha de renovación** (renewal date), **fecha de reparto de dividendos** (STK EXCH date of record[2]), **fecha de rescate** (INSCE, FIN redemption date), **fecha de valor o de vigencia** (effective date; S. *fecha efectiva o de entrada en vigor*), **fecha de valoración** (BKG date of estimate or assessment), **fecha de vencimiento** (FIN maturity date, due date, date due, deadline; S. *cierre, plazo*), **fecha de vencimiento de una opción** (STK & COMMOD EXCH expiration/expiry date[2]), **fecha de vencimiento del pago** (BKG, COM final date for payment; S.

fecha de pago improrrogable), **fecha de vencimiento de una letra** (date of bill), **fecha fija, a** (by a set/certain/fixed date; within a stipulated period), **fecha indicada, en la** (by/at/on the date specified), **fecha lejana** (for date), **fecha límite** (deadline, closing date, latest date; FIN cut-off date), S. *fecha tope*), **fecha límite de embarque** (latest date for loading on board), **fecha media de vencimiento** (ACCTS average due date, average maturity; S. *vencimiento medio*), **fecha límite** (deadline, cut off[1]; qualifying date; S. *fecha tope*), **fecha opcional de tasación del patrimonio** (TAXN optional valuation date *US*), **fecha prevista** (scheduled date), **fecha-s prevista-s** (on schedule; S. *en el calendario previsto*), **fecha próxima** (near date), **fecha real de extinción de un contrato** (effective date of termination of contract), **fecha según registro** (record date,[1] date/day of record), **fecha, sin** (undated), **fecha tope/límite** (deadline, last date, cut-off date; S. *fecha límite*), **fecha tope de los giros** (FIN drawing or closing date), **fecha valor** (value date; maturity date; S. *día de valor*), **fechado** (dated), **fechador** (date/dating stamp), **fechar** (date; S. *datar*)].

FECOM *n*: S. *Fondo Europeo de Cooperación Monetaria.*

FED *n*: S. *Fondo Europeo de Desarrollo.*

FEDR *n*: S. *Fondo Europeo de Desarrollo Regional.*

fedatario público *n*: LAW commissioner for oaths; S. *notario.*

federación *n*: federation. [Exp: **Federación de Sindicatos** (Trade Union Federation), **Federación de Trabajadores de la Tierra, FTT** (IND REL organización sindical de agricultores vinculada a la UGT y al PSOE), **federal** (federal), **federalismo económico** (economic federalism)].

fehaciente *a*: LAW authentic; reliable, certifying, evidencing; S. *auténtico.*

FEOGA *n*: S. *Fondo Europeo de Orientación y Garantía Agrícola.*

feria *n*: fair,[2] market, show; S. *salón, exposición; recinto de la feria.* [Exp: **feria comercial** (trade fair/show; S. *feria de muestras*), **feria de la piel** (leather goods fair), **feria de muestras** (samples fair, trade fair/show; S. *feria comercial*), **feria de productos agrícolas** (agricultural fair or show), **feria del calzado** (footwear fair/show), **feria del campo** (agricultural show), **feria del mueble** (furniture show or fair), **feriado** (holiday, public holiday, day off; *approx* bank holiday), **ferial** (fair, show, fairground; S. *recinto*)].

ferretería *n*: hardware; hardware shop.

ferrocarril *n*: railway; rail, railroad *US*; S. *vía férrea.*

FGD *n*: S. *Fondo de Garantía de Depósitos.*

fiabilidad *n*: reliability; S. *veracidad, crédito.* [Exp: **fiable** (reliable; responsible; S. *fidedigno, de confianza, solvente*)].

fiador[1] *n*: bailer/bailor; surety, guarantor, bondsman; co-maker, warranter/warrantor; S. *avalista, garante, depositante.* [Exp: **fiador[2]** (pawnbroker, moneylender; S. *prestamista sobre prenda*), **fiador en bancarrota** (surety/guarantor in bankruptcy), **fiador judicial** (bail; S. *afianzamiento, abonamiento*), **fiador mancomunado** (joint surety; S. *cofiador*)].

FIAMM *n*: S. *fondo de inversión en activos del mercado monetario.*

fianza *n*: BKG, FIN, LAW guarantee,[1] guarantee bond; bond[4]; payment bond; surety; deposit[2]; personal guaranty; simple guaranty; payment bond; STK & COMMOD EXCH margin[5]; S. *garantía, caución, aval.* [Exp: **fianza aduanera**

(customs bond), **fianza comercial** (guaranty bond), **fianza, con** (secured by a personal guaranty), **fianza de almacén** (warehouse bond), **fianza de apelación** (appeal/judgement bond), **fianza de avería** (average bond), **fianza de buena ejecución de mandato, fianza de fidelidad** (fiduciary bond), **fianza de buque a término** (vessel term bond), **fianza de contratista o de cumplimiento de contrato** (contract bond, performance bond/guarantee/security, completion bond; S. *aval de cumplimiento*), **fianza de declaración única** (single entry bond), **fianza de desembarque** (landing/land bond), **fianza de ejecución** (perfomance bond; S. *fianza de incumplimiento*), **fianza de embargo** (attachment bond; S. *consignación para evitar/liberar un embargo*), **fianza de entrada** (entry bond), **fianza de entrada para almacén afianzado** (warehouse entry bond), **fianza de exportación** (export bond), **fianza de fianza** (back-to-back guarantee; S. *contrafianza, garantía de fianza*), **fianza de fidelidad/lealtad** (INSCE fidelity bond *US*; S. *seguro por actos de deslealtad de empleados*), **fianza de incumplimiento** (performance bond), **fianza de indemnización** (bond of indemnity; indemnity bond; S. *contrafianza*), **fianza de levantamiento de embargo** (discharge-of-attachment bond), **fianza de licitación o de participación en un concurso o puja** (COM tender guarantee, bid bond; S. *garantía de licitación*), **fianza de pago** (payment bond; S. *fianza*), **fianza de reclamante** (claim bond), **fianza de responsabilidad civil** (liability bond), **fianza de tenedor de licencia** (permit bond), **fianza de título o de propiedad** (title bond), **fianza del cesionario** (bond of assignee), **fianza del transportista** (carrier's bond), **fianza emitida por un grupo de sociedades** (joint bond[2]), **fianza ficticia** (straw bond), **fianza general o colectiva** (blanket bond), **fianza hipotecaria** (mortgage guarantee; S. *hipoteca*), **fianza legal** (statutory bond), **fianza mancomunada** (joint bond[1]), **fianza notarial** (notary's/ notarized bond), **fianza para recuperación de bienes embargados** (LAW delivery bond[3]), **fianza personal o particular** (personal bond[2] or guarantee), **fianza solidaria** (joint and several bond)].

fiar[1] *v*: trust, entrust, confide; guarantee, stand security/go bail for, vouch for; S. *fianza*. [Exp: **fiar[2]** (sell on credit, give tick *col*), **fiar, de** (trustworthy, reliable, dependable; S. *confianza*), **fiarse de** (trust, rely on; S. *confiar en, contar con*)].

ficción *n*: fiction. [Exp: **ficticio** (fictitious; sham *col*; dummy *col*; S. *simulado, fingido; falso*)].

ficha[1] *n*: index card, filing card; docket,[1] record, file, dossier; catalogue card. [Exp: **ficha[2]** (token,[1] chip), **ficha[3]** (IND REL contract, wages or signing-on fee agreed with a footballer, etc.; *loosely or col* terms of contract, personal terms; S. *fichaje, fichar*), **ficha bancaria** (bank identification number, BIN; bank charter; S. *número de identificación bancaria; cambio de ficha bancaria*), **ficha de almacén** (ACCTS stock control card), **ficha de control de asistencia al trabajo** (clock card; S. *fichar*), **ficha de registro** (filing card), **ficha técnica** (credits, acknowledgement; technical information/details/specifications)].

fichaje *n*: IND REL signing, signing up; signing-on fee; star/big-name signing *col*; star acquisition *col*; star/big-name appointment *col*; golden hello; S. *ficha,[3] fichar,[2] nombramiento*.

fichar[1] *v*: file, index; put on file, open a dossier on; keep a wary eye on *col*; S. *dossier, expediente; tener a uno fichado*.

[Exp: **fichar²** (IND REL sign, sign on, sign up; S. *ficha, fichaje*), **fichar³** (IND REL clock in, report for work), **fichar a la entrada del trabajo** (IND REL clock in; check in *US*), **fichar a la salida del trabajo** (clock out; check out *US*)].

fichero *n*: file, card file, card-index file; filing cabinet; S. *archivador, carpeta*. [Exp: **fichero de movimientos** (live file), **fichero de proveedores** (COM resource file, suppliers file), **fichero de tarjetas** (card index)].

fidedigno *a*: reliable; S. *veraz, fiable*.

fideicomisario *a/n*: BKG, FIN, LAW trust; trustee; S. *administrador fiduciario*. [Exp: **fideicomiso** (trust³; S. *fiducia, fundación*), **fideicomiso activo** (active/ living trust), **fideicomiso benéfico** (charitable trust; S. *fundación benéfica*), **fideicomiso comercial** (business trust), **fideicomiso con depósito de fondos** (funded trust), **fideicomiso, de** (fiduciary; S. *fiduciario*), **fideicomiso de seguro** (insurance trust; S. *agrupación documental de seguros*), **fideicomiso, en** (in trust; S. *en custodia*), **fideicomiso flexible** (FIN flexible trust), **fideicomiso formalizado o perfecto** (executed trust), **fideicomiso imperfecto** (imperfect trust), **fideicomiso no solemne o de viva voz** (oral trust), **fideicomiso nominal** (nominal trust), **fideicomiso particular o privado** (private trust), **fideicomiso pasivo** (passive/naked/dry trust), **fideicomiso perpetuo** (perpetual trust), **fideicomiso secreto** (secret trust), **fideicomitente** (trustor, settlor, founder of a trust)].

fidelidad¹ *n*: fidelity, loyalty; S. *lealtad, fiel*. [Exp: **fidelidad²** (accuracy; S. *exactitud, precisión*), **fidelidad/lealtad del consumidor a una marca/casa comercial determinada** (ADVTG brand loyalty)].

fiducia *n*: COM, LAW, FIN trust³; S.

fundación, fideicomiso. [Exp: **fiduciario¹** (trustee, beneficial owner), **fiduciario²** (fiduciary; S. *hombre de paja, testaferro*), **fiduciario pasivo o nominal** (bare trustee, nominee)].

fiel¹ *a*: faithful, loyal; S. *fidelidad¹*. [Exp: **fiel²** (accurate; S. *exacto, preciso*), **fiel copia del original** (true copy; S. *copia exacta*), **fiel cumplimiento** (faithful observance/performance, strict performance), **fielmente** (faithfully)].

fiebre/locura compradora *n*: shopping/ spending spree *col*.

fiesta *n*: festival, festivity, fête; holiday, day off; S. *día feriado*. [Exp: **fiesta nacional** (national holiday, bank holiday), **fiesta oficial** (public/bank holiday)].

figurar¹ *v*: figure, appear, be included; S. *contarse entre, encuadrarse*. [Exp: **figurar en el orden del día** (be on the agenda, be included on the agenda)].

FII *n*: S. *fondos de inversión inmobiliaria*.

fijación *n*: COM, ACCTS, ECO fixing,¹ setting; ascertainment; peg; S. *determinación*. [Exp: **fijación abusiva de precios** (predatory pricing), **fijación artificial de precios** (FIN pegging; S. *fijación de los precios*), **fijación común de precios** (common pricing), **fijación de impuestos** (scheduling/apportionment of taxes, taxation), **fijación de [los] precios** (ECO, COM pricing, price fixing, fixing of prices, imposition of prices; costing), **fijación de los precios según costes totales** (full cost pricing), **fijación de los precios de acuerdo con el coste marginal** (FIN marginal cost pricing, marginal costing), **fijación de los precios de los servicios bancarios** (bank service pricing), **fijación de los precios con el mínimo beneficio** (target pricing), **fijación de los precios en función de la demanda** (demand-oriented pricing), **fijación de los cambios** (exchange rate fixing, pegging of exchange rates),

fijación de precios (price fixing), **fijación de precios de reventa** (resale price maintenance), **fijación de tarifas** (tariff control, fixing/pegging of tariffs), **fijación de un máximo** (fixing/setting a ceiling), **fijación del coste de venta** (sales costing), **fijación del precio por la Administración** (administrative pricing), **fijación del precio según el coste marginal** (marginal pricing), **fijación del precio según el coste total** (full cost pricing), **fijación del valor en aduana** (assessment of duty)].

fijar *v*: fix,[1] set,[1] set up, set out, establish; assign; state; clinch *col*, nail down *col*; S. *concretar, determinar*. [Exp: **fijar daños y perjuicios** (INSCE, LAW assess damages), **fijar fecha** (appoint the date; S. *señalar la fecha*), **fijar el precio** (COM price), **fijar la tarifa** (assign a rate), **fijar un impuesto** (impose/levy/schedule a tax), **fijar un límite a** (set a limit/an upper limit to/on, put a ceiling on), **fijar una indemnización por daños y perjuicios** (LAW award damages)].

fijo¹ *a*: fixed, constant, definite, firm,[1] regular; closed-end; S. *definitivo, firme*. [Exp: **fijo²** (IND REL established[4]; S. *de plantilla; empleo fijo*)].

filiación *n*: filiation, affiliation; parentage; personal particulars; S. *asociación, afiliación, datos personales*.

filial *n*: COMP LAW affiliated company; daughter company; subsidiary; S. *sociedad participada, matriz*. [Exp: **filial controlada por capital extranjero** (foreign-controlled subsidiary), **filial de participación mayoritaria** (majority-owned subsidiary), **filial de propiedad total** (wholly-owned subsidiary)].

filón *col n*: COM, ADVTG money-spinner *col*; gold-mine, klondyke *col*; S. *artículo que se vende bien*.

filtración *n*: leak, leakage; leaking. [Exp: **filtrar-se** (leak), **filtrar información** (leak information; S. *pasar información al adversario*)].

FIM *n*: S. *fondos de inversión mobiliaria*.

fin¹ *n*: end, ending, close; termination; S. *conclusión, término, cierre*. [Exp: **fin²** (object, target, aim, goal; scope; S. *meta, objetivo*), **fin, al** (in the end), **fin de año** (year-end), **fin/límite del plazo fijado** (deadline, closing date, latest date), **fin-fin** (STK & COMMOD EXCH end-end), **fin, por** (finally, at last), **fines comerciales, con** (commercially, for commercial purposes, for purposes of trade), **fines especulativos, con** (as a speculation, in speculation/speculating, as a gamble *col*; at a venture; S. *jugar, especular*), **fines de lucro, con** (from a profit motive, for venal purposes; lucratively; spurred on by a desire for gain; S. *afán de lucro, ánimo de lucro*)].

final *a/n*: final; ultimate; end. [Exp: **final de ejercicio contable** (ACCTS end of accounting period, year-end), **final de un período de crédito** (end of credit period, account end), **finalismo** (ACCTS, TAXN earmarking; S. *afectación*), **finalización** (completion; S. *terminación, conclusión*), **finalizar** (end, come to an end, finish, complete, terminate, break up[2]; S. *terminar*)].

financiación *n*: financing, funding. [Exp: **financiación a corto plazo con cuentas en cobranza** (FIN accounts receivable financing), **financiación ajena** (external financing), **financiación anticipada** (pre-financing; S. *prefinanciación*), **financiación combinada** (mixed financing), **financiación complementaria** (follow-up financing), **financiación con déficit** (ACCTS deficit spending/ financing), **financiación con garantía de un activo** (FIN asset financing), **financiación con tipo de interés fijo** (fixed-rate financing), **financiación concatenada o superpuesta** (FIN piggyback financing), **financiación de bienes de equipo** (equipment financing), **financiación de empresas** (financing of companies or enterprises), **financiación de la deuda** (FIN debt financing; S. *empréstito a largo plazo*), **financiación de partidos** (party funding), **financiación de una empresa de riesgo** (FIN corporate venturing), **financiación directa** (FIN direct financing), **financiación empresarial** (corporate/business financing), **financiación extracontable o fuera del balance de situación** (FIN, ACCTS off-balance-sheet financing), **financiación extrapresupuestaria** (off-budget financing; back-door financing *US*), **financiación intermedia o de entresuelo** (FIN mezzanine financing), **financiación interna/propia** (internal financing; self-financing; S. *autofinanciación*), **financiación mediante emisión de acciones o ampliación de capital** (equity financing), **financiación mediante endeudamiento** (FIN financial gearing/leverage; trading on the equity; debt financing; S. *apalancamiento*), **financiación mediante la consolidación de todas las deudas en una** (ACCTS funding), **financiación mixta** (associated financing), **financiación paralela** (parallel financing), **financiación de proyectos** (project financing), **financiación previa a la salida en Bolsa** (bridge financing), **financiación puente** (bridging finance), **financiación retroactiva** (retroactive financing)].

financiar *v*: finance; fund; bankroll *col*.

financiera *n*: finance company/corporation/house, industrial/secondary bank *US*, commercial credit company *US*; acceptance house/bank.

financiero *a/n*: financial; financier.

finanzas *n*: finance; S. *fondos, recursos.*

finca *n*: property, piece of land or real estate; building, tenement; farm, farmholding, estate[2]; country house; plantation; S. *hacienda, explotación agropecuaria.* [Exp: **finca de explotación** (investment property), **finca ganadera** (ranch; S. *hacienda*), **finca rústica** (house, farm, estate or property in a country district; *approx* smallholding; plot of land standing outside officially designated urban boundaries; S. *granja, hacienda, parcela; finca urbana*), **finca urbana** (house, estate or property in an urban district; building, tenement, apartment building, block of flats, dwelling house; plot of land standing within officially designated urban boundaries, town property or estate; S. *casa, vivienda, suelo urbano, finca rústica*)].

finiquitar *v*: BKG, FIN, INSCE, IND REL settle[1]; discharge; pay in full; satisfy; balance up; S. *saldar, liquidar, dar el finiquito.* [Exp: **finiquito** (satisfaction, settlement, acquittance, quittance; discharge,[3] final discharge; final receipt; receipt in full; full and final settlement, quitclaim; termination statement; release,[1] release document; S. *dar el finiquito; descargo*), **finiquito gratuito** (acceptilation; S. *condonación de deuda no satisfecha*)].

fino *a*: COM fine,[1] excellent; select, quality, choice; refined, pure; S. *selecto, excelente, de calidad, refinado, puro.*

firma[1] *n*: signature. [Exp: **firma**[2] (company, firm), **firma autorizada** (authorized signature), **firma colateral** (collateral signature; S. *aval*), **firma colectiva o mancomunada** (joint signature), **firma de aval o de garantía** (endorsement[1]; S. *aval, endoso*), **firma de un contrato** (signing/completion of a contract), **firmado de mi puño y letra y con mi sello** (under my hand and seal), **firmante** (signer, signatory, maker[2]; S. *otorgante*), **firmante por acomodación**

(accommodation maker/party; S. *favorecedor*), **firmar** (sign, sign on; subscribe; conclude[2]; S. *suscribir*), **firmar el acta** (sign the minutes), **firmar un documento/convenio, etc. como testigo** (LAW witness a document/an agreement/etc.; S. *atestiguar*), **firmar en blanco** (sign a blank cheque; S. *cheque en blanco*), **firmar la cesión o traspaso de algo o alguien** (sign something over to somebody), **firmar la entrada** (sign in), **firmar la salida** (sign out), **firmar por poder** (sign by procuration/proxy), **firmar/suscribir/concertar/celebrar un pacto/acuerdo/contrato** (enter into/conclude/sign/an agreement, a contract), **firmar y rubricar** (sign and seal), **firmas mancomunadas** (COMP LAW dual/joint signatures)].

firme *a*: firm,[1] secure; sound; steady; final; absolute, complete; S. *fijo, definitivo*. [Exp: **firme, en** (firm,[1] definite; S. *fijo, seguro*), **firmeza** (STK EXCH firmness; stability, steadiness, strength, buoyancy; S. *optimismo, animación; fondo de firmeza del mercado*), **firmeza de los precios** (STK EXCH firmness/steadiness/strength of prices)].

fiscal[1] *a*: TAXN fiscal, tax; S. *tributario, financiero; año fiscal; paraíso fiscal*. [Exp: **fiscal**[2] (LAW public prosecutor/attorney), **fiscalía** (LAW *approx* the CPS o Crown Prosecution Service, the office of the DPP or Director of Public Prosecutions; office of the public prosecutor or district attorney *US*), **fiscalidad** (tax regulations; system of taxation; tax treatment), **fiscalidad de rentas irregulares** (tax treatment of irregular income, way in which irregular income is dealt with from a tax point of view), **fiscalización** (control, audit[1]; S. *control, auditoría, revisión*), **fiscalizar** (control, inspect, review, supervise, check, audit[1]; S. *revisar, ins-*

peccionar, auditar), **fiscalmente** (from a fiscal standpoint, as regards tax, so far as tax/taxation is concerned), **fiscalmente neutral** (TAXN revenue-neutral)].

fisco *n*: TAXN tax authorities, tax office, Inland Revenue, Internal Revenue Service *US*; taxman *col*, tax people *col*; S. *autoridades/agentes fiscales*.

físico *a*: physical,[1] material; actual[1]; S. *real, tangible*.

fitogenética *n*: plant breeding.

fleco *n*: fringe, frayed edge. [Exp: **flecos [de una negociación colectiva]** (LAW, IND REL minor details still to be straightened out *col*; non-essential issues or points of difference; minor matters of wording, etc., to be haggled over or worked out *col*; loose ends *col*, trifling/secondary matters or bits and pieces *col*)].

flejado *a*: TRANSPT banded, hooped, secured by metal hoops or by iron or plastic bands or strips; S. *asegurado con flejes metálicos*. [Exp: **fleje** (strap, hoop, metal/plastic strip or band)].

fletador/fletante *n*: TRANSPT freighter, affreighter, shipper, freight forwarder.

fletamento *n*: TRANSPT freightment, affreightment, freight, freight contracting, charter[2]. [Exp: **fletamento a tanto alzado** (lump sum charter), **fletamiento a tiempo** (time charter), **fletamiento de casco o con los mismos derechos que el armador** (bare-boat charter), **fletamento de un avión/buque** (charterage), **fletamento de parte del espacio de carga** (partial charter), **fletamento de todo el espacio de carga** (full charter), **fletamento por plazo o por tiempo y precio determinado** (time charter), **fletamento por viaje** (voyage charter)].

fletar *v*: TRANSPT freight, affreight, take on freight, load; charter,[2] hire.

flete *n*: TRANSPT freight; freightage; freight

rate/cost/price, shipping cost/freight; charter; rate. [Exp: **flete a cobrar** (collect freight; S. *flete contra entrega, flete efectivo a la entrega de las mercancías*), **flete a la baja** (distress freight/rates; S. *tarifas de flete bajas*), **flete a pagar en destino** (freight forward/collect; forward freight; freight at destination; freight at risk, freight forward; S. *flete debido*), **flete a pagar por anticipado** (freight to be prepaid), **flete a tanto alzado** (lump sum freight), **flete adicional** (additional freight), **flete aéreo** (air cargo/freight; S. *carga aérea*), **flete anticipado** (pre-paid freight, freight in advance), **flete contra entrega** (collect freight; S. *flete efectivo a la entrega de las mercancías, flete a cobrar*), **flete de acuerdo con la distancia recorrida** (distance freight), **flete de entrada** (freight inwards), **flete de ida y vuelta** (round chartering, outward and home freight, return freight), **flete de ida y vuelta** (outward and home freight), **flete de línea regular** (berth freight), **flete de retorno** (back/home freight), **flete de salida** (freight outwards), **flete debido** (freight forward, frt; S. *flete en destino*), **flete efectivo a la entrega de las mercancías** (collect freight; S. *flete a cobrar, flete contra entrega*), **flete en destino** (S. *flete a pagar en destino*), **flete falso** (dead freight, DF; S. *flete sobre el vacío*), **flete marítimo** (ocean/sea/maritime freight), **flete más demoras** (freight and demurrage, F&D), **flete pagado en origen** (freight prepaid), **flete por adelantado/anticipado** (freight in advance; advance freight), **flete por jornada** (daily freight), **flete por tonelaje** (tonnage freight), **flete/tarifa por vagón completo** (carload rate), **flete según volumen** (measurement freight/rate), **flete sobre el vacío** (dead freight,

DF; S. *flete falso*), **flete sobre el valor** (ad valorem freight), **flete terrestre** (land/inland freight), **flete y seguro pagados hasta** (freight and insurance paid up to), **fletes debidos, a** (carriage forward, CF, carr fwd; S. *a portes debidos, contra reembolso de flete*), **fletes y acarreos** (freight and cargo)].

flexibilidad *n*: flexibility, resilience; S. *elasticidad*. [Exp: **flexibilidad laboral/de plantillas** (IND REL workforce/manpower flexibility; flexibility of staffing arrangements, principles of staff/workforce expendability, freedom to hire and fire or to redeploy workers at will; S. *contrato basura*), **flexibilizar** (make flexible or more flexible, adapt, relax, loosen up; take a less stringent or more open attitude to, allow greater freedom), **flexible** (flexible, elastic; S. *elástico; horario flexible*)].

flojedad *n*: weakness; slackness, slowness, sluggishness; S. *inactividad, atonía, debilidad*. [Exp: **flojo** (slack, slow, loose, weak, soft, feeble; sluggish; S. *débil, inestable*)].

florecer[1] *v*: flourish, thrive; S. *medrar, crecer, prosperar*. [Exp: **floreciente** (flourishing, thriving; S. *próspero*)].

flota *n*: fleet. [Exp: **flota de reparto** (delivery fleet), **flota mercante** (merchant fleet)].

flotación[1] *n*: STK EXCH flotation,[2] float,[1] going public; S. *emisión abierta*. [Exp: **flotación**[2] (COMP LAW float[5] US; shares/capital stock issued and outstanding; S. *acciones desembolsadas*), **flotación dirigida o sucia** (ECO managed float, dirty float), **flotante** (FIN floating, current; afloat[2]; S. *circulante*)].

flotar *v*: FIN float; issue; S. *emitir, hacer/dejar flotar*. [Exp: **flotar un empréstito** (FIN float a loan), **flotar una divisa** (ECO float[1] a currency; S. *dejar/hacer flotar una divisa*)].

fluctuación *n*: ECO, COM, STK EXCH fluctuation-s; ups and downs; oscillation; movement; swing; S. *altibajos, oscilación; desajustes cambiarios*. [Exp: **fluctuación/oscilación de precios** (ECO price swing), **fluctuación del mercado** (swing of trade), **fluctuación estacional** (seasonal fluctuation), **fluctuación técnica a la baja** (technical decline), **fluctuación técnica al alza** (technical rally), **fluctuaciones cíclicas** (cyclical fluctuations), **fluctuaciones endógenas al ciclo económico** (endogenous fluctuations), **fluctuaciones de los tipos de cambio** (exchange fluctuations), **fluctuante** (fluctuating), **fluctuar** (fluctuate; oscillate; swing; S. *oscilar*)].

flujo *n*: ACCTS, ECO flow; efflux, stream; S. *movimiento, corriente*. [Exp: **flujo circular de la renta** (circular flow of income), **flujo de caja o de tesorería** (cash flow; S. *caja generada*), **flujo de caja negativo** (negative cash flow), **flujo de efectivo** (cash capital flow), **flujo de efectivo por acción** (cash flow per share), **flujo de entrada** (inflow, influx), **flujo de fondos** (flow/stream of funds), **flujo de liquidación** (STK & COMMOD EXCH settlement flow), **flujo de retorno** (flowback), **flujo de salida** (outflow), **flujo incremental de circulante** (incremental cash flow), **flujos compensatorios** (offsetting flows), **flujos de capital** (capital flows, streams or movements), **flujos de capital ascendentes/descendentes/horizontales** (upstream/downstream/mainstream flows), **flujos de costes y beneficios** (streams of costs and benefits), **flujos de entrada de caja** (ACCTS cash inflows), **flujos de fondos ascendentes o desde la filial a la central** (FIN upstream flows *US*), **flujos de fondos descendente o desde la central a la filial** (FIN downstream flows *US*), **flujos de salida de caja** (ACCTS cash outflow), **flujos monetarios** (money flow)].

FMI *n*: S. *Fondo Monetario Internacional*.

foco *n*: focus; focal point, centre; spotlight.

Focoex *n*: Spanish public sector company for the promotion of foreign trade.

FOGASA *n*: S. *Fondo de Garantía Salarial*.

folleto *n*: leaflet, brochure, booklet. [Exp: **folleto de emisión** (STK EXCH prospectus, placement memorandum), **folleto desplegable** (ADVTG folder; S. *carpeta*), **folleto publicitario** (ADVTG brochure, flyer/flier,[1] broadside *US*), **folleto reducido** (STK EXCH abridged prospectus)].

fomentar *v*: promote; develop; boost,[1] build up[1]; further, encourage; S. *promover, impulsar, promocionar*. [Exp: **fomento** (promotion,[2] improvement, development[1]; S. *promoción, progreso, avance, desarrollo*), **fomento de la exportación** (export promotion), **fomento del empleo** (job creation)].

fondeadero *n*: TRANSPT mooring; anchorage; S. *atracadero, caladero*. [Exp: **fondeado** (at anchor; S. *anclado*), **fondeado, estar** (lie/ride at anchor), **fondear** (moor; lie at anchor; S. *amarrar, echar amarras, atracar*)].

fondo[1] *n*: FIN, ACCTS, BKG fund, pool[2]; S. *reserva, fuente; fondos*. [Exp: **fondo**[2] (bottom, rock-bottom; background, backdrop; S. *telón de fondo; contexto; tocar fondo*), **fondo, a** (in depth; S. *profundizar en*), **fondo acumulativo** (sinking fund; S. *fondo/caja de amortización de deudas*), **fondo amortiguador** (STK & COMMOD EXCH buffer pool), **fondo circulante/rotatorio/rotativo/operativo de capital destinado a un fin concreto** (revolving fund), **fondo común de inversiones** (FIN money market fund; mutual fund; S. *fondo* *mutuo, fondo de dinero a corto plazo*), **fondo común de monedas** (currency pool), **fondo con dos clases de acciones** (FIN dual purpose fund), **fondo consolidado** (consolidated fund), **fondo de acumulación** (cumulative trust; S. *fondo de atesoramiento*), **fondo de amortización** (ECO, TAXN, FIN amortization fund, accumulated depreciation fund, sinking fund, redemption fund, depreciation reserve, depreciation fund, capital consumption allowances; S. *reserva para depreciación*), **fondo de amortización de acciones preferentes** (preferred stock sinking fund), **fondo de amortización no acumulativo** (non-accumulative sinking fund), **fondo de anticipos para gastos menores** (ACCTS imprest account), **fondo de anualidad** (annuity fund), **fondo de apoyo financiero** (financial support fund), **fondo de aseguradores para efectuar reaseguros** (INSCE broker pool), **fondo de asignación** (FIN appropriation fund; S. *fondo de inversión*), **fondo de atesoramiento** (cumulative trust; S. *fondo de acumulación*), **fondo de autoseguro** (self-insurance reserve/fund), **fondo de ayuda** (relief fund, endowment[2]; S. *fundación, donación*), **fondo de beneficencia** (TAXN endowment fund; community chest *US*; S. *fondo destinado a obras sociales*), **fondo de caja** (ACCTS cash float/fund), **fondo de certificados oro** (gold settlement fund), **fondo de caja chica** (ACCTS petty cash; S. *caja para gastos menores*), **fondo de capital circulante** (working capital fund), **fondo de comercio** (ACCTS going-concern value, goodwill), **fondo de compensación** (equalization fund, revolving fund), **fondo de compensación de cambios** (exchange equalization fund), **fondo de compensación tributaria** (tax equalization fund), **fondo de**

contingencia (contingency fund), **fondo de crecimiento** (FIN growth fund), **fondo de crédito para empréstitos** (loan fund), **fondo de crédito al desarrollo** (development loan fund), **fondo de depreciación** (depreciation fund), **fondo de dinero** (money/cash fund), **fondo de dinero a corto plazo** (FIN money market fund), **fondo de estabilización de cambios** (exchange equalization account; S. *cuenta de igualación de tipo de cambio*), **fondo de estabilización** (stabilization and compensation fund), **fondo de estabilización cambiaria** (exchange stabilization fund), **fondo de fideicomiso o de custodia** (trust fund), **fondo de firmeza del mercado** (basic/underlying market stability), **fondo de fluctuación** (ACCTS reserve for fluctuations), **fondo de fluctuación de valores** (security price fluctuation allowance/fund/reserve), **fondo de garantía de depósito, FGD** (BKG Deposit Protection Fund; *approx* Federal Deposit Insurance Corporation *US*; Deposit Guarantee Fund), **Fondo de garantía de depósitos en establecimientos bancarios, FGD** (Deposit Protection/Guarantee Fund, Bank Insurance Fund, BIF *US*), **Fondo de Garantía Salarial, FOGASA** (IND REL Wages Guarantee Fund), **fondo de huelga** (IND REL strike/defence fund; S. *fondo de resistencia*), **fondo de igualación** (equalization fund), **fondo de índice** (index fund), **fondo de inversión [colectiva]** (FIN appropriation fund, unit trust, investment fund; mutual fund; load fund *US*; feeder[2]; S. *fondo de asignación*), **fondo de inversión abierto** (open-end investment trust), **fondo de inversión cerrado** (FIN closed-end fund, closed-end investment fund; S. *fondo de inversión de capital fijo*), **fondo de inversión colectiva** (collective investment fund, master trust account), **fondo de inversión de capital fijo** (FIN closed-end fund, closed end-investment fund; investment trust; S. *fondo de inversión cerrado*), **fondo de inversión de capital variable o ampliable** (open-end fund *US*, mutual fund), **fondo de inversión en activos del mercado monetario, FIAMM** (FIN money market investment/mutual fund; S. *fondos de dinero a corto plazo*), **fondo de inversión especializado en un sector concreto** (specialized mutual fund), **fondo de inversión garantizado** (guaranteed investment fund), **fondo de inversión inmobiliaria** (real estate investment trust), **fondo de inversión mobiliaria, FIM** (stock investment fund, mutual fund[2]; money market fund; unit trust), **fondo de inversión principal** (master[6] fund *US*), **fondo de inversión de renta variable** (equity mutual fund, unit trust), **fondo de inversión orientador** (index fund), **fondo de inversión formado por valores de bajo riesgo y alto rendimiento** (balanced mutual fund), **fondo de inversión sin comisiones ni intermediarios** (no-load fund, NL *US*), **fondo de liquidación** (BKG clearing fund, clean-up fund *US*), **fondo de maniobra** (working capital; management fund; S. *capital de explotación*), **fondo de mercancías** (commodity fund), **Fondo de Ordenación y Regulación de los Precios y Productos Agrarios FORPPA** (Fund for the Supervision and Regulation of Agricultural Prices and Produce; Spanish body charged with overseeing and coordinating agricultural policy; this organization liaises with the EAGGF, or European Agricultural Guidance and Guarantee Fund), **fondo de habilitación** (working fund), **fondo de maniobra** (working capital), **fondo de oro** (gold pool), **fondo/caja de**

pensiones o de jubilación (pension fund/trust, superannuation fund), **fondo de previsión** (provident fund, welfare fund), **fondo de recuperación** (recovery fund), **fondo de regulación/estabilización** (STK & COMMOD EXCH buffer fund), **fondo de renta** (FIN income fund; S. *fondo de crecimiento*), **fondo de renta variable** (common stock fund), **fondo de reposición** (ACCTS renewal fund, replacement reserve), **fondo de reptiles** *col* (slush fund; S. *dinero B*), **fondo de rescate** (redemption fund; S. *caja de amortización*), **fondo de reserva/garantía** (reserve, reserve fund, guarantee fund), **fondo de reserva del gobierno** (government reserves), **fondo/caja de resistencia** (IND REL S. *caja de resistencia*), **fondo de seguro al desempleo** (unemployment fund), **fondo de subvenciones públicas** (utility fund), **fondo de titulización de activos** (asset-backed securities, ABS; S. *títulos-valores respaldados por activos*), **fondo de titulación hipotecaria** (mortgage-backed securities fund), **Fondo del Tesoro o Fontesoro** (Treasury fund), **fondo destinado a obras sociales** (TAXN welfare fund; charity fund; community chest *US*; S. *fondo de beneficencia*), **fondo destinado a la amortización de bonos** (COMP LAW bond sinking fund), **Fondo Europeo de Cooperación Monetaria, FECOM** (European Fund for Monetary Cooperation, EFMC), **Fondo Europeo de Cooperación Monetaria** (European Monetary Cooperation Fund), **Fondo Europeo de Desarrollo, FED** (European Development Fund, EDF), **Fondo Europeo de Desarrollo Regional, FEDER** (European Regional Development Fund, ERDF), **Fondo Europeo de Orientación y Garantía Agrícola, FEOGA** (European Agricultural Guidance and Guarantee Fund,

EAGGF; S. *FORPA*), **fondo fiduciario o de fideicomiso** (trust fund), **fondo fiduciario irrevocable** (irrevocable trust fund), **fondo fijo de caja o para gastos menores** (ACCTS float, cash, cash float, petty cash, imprest cash fund, imprest fund *US*), **fondo general de la deuda consolidada** (general bonded-debt fund), **fondo inicial de caja** (ACCTS float,[2] cash float), **Fondo Monetario Internacional, FMI** (International Monetary Fund, IMF), **fondo mutualista no limitado** (FIN open-end mutual fund), **fondo mutuo** (FIN mutual fund; S. *fondo común de inversiones*), **fondo para el fomento de la exportación** (export development fund, EDF), **fondo para imprevistos** (contingency fund; S. *fondo de previsión/ contingencias*), **fondo perdido, a** (non-repayable, à fonds perdu, non-refundable, non-recoverable), **fondo permanente de garantías sucesivas** (STK & COMMOD EXCH revolving underwriting facility, RUF; S. *pagarés de una empresa a medio plazo*), **fondo referenciado a un índice** (index-linked fund), **fondo rotativo permanente** (permanent revolving fund *US*), **fondo social** (equity, share-holders' fund, joint stock), **Fondo Social Europeo** (European Social Fund, ESF)].

fondos *n*: funds, provisions, reserves, allowances; monies; cash; finance; S. *recursos; agotar los fondos*. [Exp: **fondos afectados a un fin concreto** (ACCTS earmarked funds, obligated funds *US*), **fondos ajenos** (borrowed funds; liabilities, loan or debenture stock; debt capital; external funds; S. *obligaciones; fondos propios*), **fondos bloqueados/ congelados** (blocked/frozen funds), **fondos comerciales** (business assets), **fondos colocados en paraísos fiscales** (offshore funds), **fondos consolidados** (consols, consolidated funds), **fondos consumibles** (expendable funds, usable reserves), **fondos de ahorro** (savings capital/funds), **fondos de ayuda social a empleados** (IND REL employees' welfare funds, reserve relief fund), **fondos de capital** (capital funds), **fondos de clientes** (in-house funds), **fondos de cobertura** (STK & COMMOD EXCH hedge funds; S. *fondos de productos derivados, fondos especulativos*), **fondos de colocación discrecional** (FIN discretionary funds), **fondos de colocación no discrecional** (FIN advisory funds), **fondos de dotación** (endowment funds), **fondos de explotación** (working capital), **fondos de financiación** (capital development fund; S. *fondos para equipos de producción*), **fondos de fondos** (FIN master feeder funds *US*; S. *fondos paraguas*), **fondos de garantía** (guarantee funds), **fondos de inversión inmobiliaria, FII** (property/real-estate investment funds; S. *fondo de inversión*), **fondos de pensión** (pension funds), **fondos de inversión mobiliaria, FIM** (stock investment funds), **fondos de productos derivados** (FIN hedge funds; S. *fondos especulativos, fondos de cobertura*), **fondos de reinversión o inversiones reinvertidos en otra nueva** (roll-up/rollover funds), **fondos de reserva** (reserve funds; special provisions; coverage[1]; S. *reserva de garantía, cobertura/protección de un seguro*), **fondos de un crédito** (proceeds of a credit), **fondos depositados** (money on deposit), **fondos disponibles** (available funds from reserves, funds available), **fondos en efectivo** (cash funds), **fondos en plica** (escrow funds), **fondos en títulos** (investments, investment funds, securities holdings or portfolio), **fondos en tránsito** (FIN float[7]), **fondos especulativos** (FIN hedge funds, high-risk investment funds; S. *fondos de cobertura*), **fondos estatales**

(state resources; S.: *state-owned bank*), **fondos estructurales** (structural funds; S. *cohesión económica y social*), **fondos federales** (federal/fed funds *US*), **fondos generados** (cash flow, funds generated by activities), **fondos improductivos o excesivos en cajas y bancos** (FIN idle capital/cash/funds/money/holdings; dead capital/money; S. *capital ocioso, inactivo o mal invertido*), **fondos indexados** (indexed funds), **fondos líquidos inactivos** (idle liquidities), **fondos inmovilizados** (S. *fondos bloqueados*), **fondos mixtos/mezclados** (FIN mixed funds, commingled funds[1]), **fondos no realizables** (illiquid funds), **fondos pagaderos a otros bancos** (ACCTS due to account), **fondos para equipos de producción** (capital development fund, funds for the acquisition of capital assets; S. *fondos de financiación*), **fondos paraguas** (umbrella investment funds), **fondos procedentes de pequeños ahorradores** (holdings from small savers, retail money), **fondos procedentes del mercado interbancario** (wholesale funds), **fondos propios** (shareholders'/stockholders' equity, equity, net worth[2]; S. *patrimonio neto, neto patrimonial; fondos ajenos*), **fondos públicos** (public funds, gilt-edged securities; government paper; S. *valores del Estado*), **fondos sobrantes o excedentes** (surplus cash/funds)].

fontesoro *n*: Treasury fund.

forestación *n*: afforestation. [Exp: **forestal** (forestal, forestry)].

forfetización *n*: FIN forfaiting.

forma *n*: form; way, manner, mode; shape; basis; S. *modo*. [Exp: **forma aleatoria, de** (at random; S. *aleatorio, al azar*), **forma/medios de pago** (COM method/means/form of payment), **forma debida, en** (duly, in due form, properly), **forma equitativa, de** (on an equitable basis),

forma exhaustiva, de (thoroughly, exhaustively, at length, in detail; S. *con todo lujo de detalles*), **forma general/lineal, de** (across the board, across-the-board[1]; S. *en todos los ramos*), **forma gráfica, en** (graphically, in diagram form; using graphics/diagrams), **forma real o efectiva, de** (actually), **forma resumida, de** (in an abridged form; S. *resumido, extractado, condensado*)].

formación *n*: formation, training; background, qualifications. [Exp: **formación bruta de capitales** (ECO, FIN gross capital formation), **formación bruta de capital fijo** (gross fixed capital formation), **formación de autocartera** (ACCTS, FIN buy-back; building up of bought-back or reacquired stock or treasury stock *US*; S. *compra de las acciones propias*), **formación de capital-es** (ACCTS, FIN capital formation), **formación de mandos de gestión** (MAN management training), **formación de piquetes de huelga** (IND REL picketing), **formación de reversión** (reversion formation), **formación del inventario** (ACCTS inventory taking, stocktaking), **formación en el mismo puesto de trabajo** (IND REL in-house training, on-the-job training), **formación interior bruta de capital fijo** (gross domestic fixed capital formation), **formación neta de capital** (FIN net capital formation), **formación práctica** (practical training, on-site training, real-life work experience), **formación profesional** (occupational/career training, vocational training), **formación profesional en un centro especializado** (off-the job training, *approx* day-release course), **formación y adiestramiento fuera del puesto de trabajo** (off-the-job training), **formación y adiestramiento en el puesto de trabajo** (IND REL on-the-job training, in-house training)].

formal *a*: formal; responsible; businesslike; serious; S. *serio, fiable, profesional.* [Exp: **formalidad** (formality; technicality; reliability; S. *trámite*), **formalidades aduaneras** (customs formalities, clearance,[1] clearance certificate; S. *despacho de aduanas; certificado de despacho*), **formalidades aduaneras de descarga** (TRANSPT entry inwards; S. *declaración de entrada*), **formalismo** (formalism, officialism, convention, stiffness, ceremony)].

formalización *n*: formalization; execution[1]; completion, signing; S. *otorgamiento.* [Exp: **formalizar** (formalise, regularise; complete the formalities; sign, execute, close, enter[2]; S. *celebrar*), **formalizar los trámites de una hipoteca** (complete the formalities to obtain a mortgage/mortgage loan), **formalizar un contrato** (sign/close/conclude a contract)].

formar *v*: train; form[1]; S. *capacitar.* [Exp: **formar una sociedad** (form/set up/establish a company)].

formato *n*: format. [Exp: **formato en columnas, con** (ACCTS in account form), **formato normalizado** (standard/standardised format/schedule)].

fórmula *n*: formula; way, means, solution, recipe; S. *solución, vía.* [Exp: **fórmula de conciliación** (LAW, IND REL compromise solution), **fórmula de revisión de precios** (price escalation clause)].

formulación *n*: formulation; statement; wording, framing; lodging, filing. [Exp: **formulación de una protesta** (TRANSPT noting of protest)].

formular *v*: file, submit, lodge; formulate; word, frame, put; S. *cursar, elevar, presentar.* [Exp: **formular una pretensión, una queja, una demanda, una petición, una protesta** (make/file/lodge/put in/bring a claim, a complaint, a demand, a petition, a protest), **formular reparos/objeciones** (object, raise objections; S. *oponerse a, objetar, impugnar*)].

formulario *n*: form[2]; S. *impreso, modelo.* [Exp: **formulario para hacer un pedido** (order blank/form; S. *hoja de pedido en blanco*)].

forrado o forrándose, estar *col phr*: be in the money *col*, be rolling in it/money *col*.

forrar *v*: line, pad. [Exp: **forrado** *col* (loaded *col*; rolling in money/it *col*, worth a bomb/stack/pile *col*), **forrarse** *col* (make one's pile *col*, make a mint *col*, line one's pockets *col*, feather one's nest *col*; coin/rake it in *col*)].

fortalecer-se *v*: firm up[2]; toughen; S. *afianzar-se, recuperarse.*

fortaleza *n*: strength, solidity; S. *fuerza, vigor.* [Exp: **fortaleza de una moneda** (strength of a currency; S. *debilidad de una moneda*)].

fortuito *a*: fortuitous; accidental; chance; random; S. *accidental, casual, aleatorio.*

forzar *v*: force, push, drive. [Exp: **forzar a la baja** (STK EXCH force down), **forzar a salir** (force out), **forzar al alza** (STK EXCH force up), **forzar la aprobación de** (force through; railroad[2] US *col*; S. *tramitar por la vía rápida*), **forzar una bajada en las cotizaciones** (bear/drive down prices), **forzoso** (forced; compulsory; mandatory[2]; S. *obligatorio, preceptivo*)].

foto *n*: photo/photograph. [Exp: **fotocopia** (photocopy, xerox, xerox copy), **fotocopiadora** (photocopier), **fotocopiar** (photocopy, xerox), **fotograma** (ADVTG shot, still, frame[2])].

FRA (fra) *n*: FRA, forward rate agreement.

fracasar *v*: fail,[1] collapse, fall through, backfire, flop *col*, fall flat *col*; S. *fallar.* [Exp: **fracaso** (failure, flop, collapse, damp squib; downfall)].

fracción *n*: fraction; S. *parte.* [Exp: **fracción de acciones** (fraction of shares), **fracción de día real** (INSC, TRANSPT notional day), **fracción de un punto** (STK EXCH trading difference, fraction of a point, decimal point), **fraccional** (fractional; S. *fraccionado*), **fraccionamiento** (split, splitting), **fraccionamiento de acciones** (STK EXCH share split[2], share split-up/splitting), **fraccionamiento de adquisiciones** (splitting up or packaging of takeover target), **fraccionamiento de las cargas** (splitting of loads; V. *división de los cargamentos*), **fraccionamiento del valor nominal de las acciones** (STK EXCH stock split, split up[2] US), **fraccionamiento de carga, fraccionamiento en lotes** (TRANSPT break bulk)].

fraccionar-se *v*: divide, split, split up; S. *dividir-se*. [Exp: **fraccionado** (in/by instalments; S. *pago fraccionado*), **fraccionar los pagos** (pay up, pay by instalments; arrange a repayment schedule), **fraccionario** (fractional; S. *moneda fraccionaria*)].

frágil *a*: fragile, brittle, breakable.

fragmentación *n*: fragmentation; S. *atomización*. [Exp: **fragmentación de los activos de una empresa** (ECO, ACCTS break-up or hiving off of a company's assets), **fragmentar** (ECO fragment, split, break up[1]; S. *descomponer*), **fragmentarse** (fragment, fall apart, split up; S. *fragmento*)].

franco[1] *a*: TRANSPT free[1]; non-dutiable; franco, ex-; S. *gratuito, libre de cargas*. [Exp: **franco**[2] (frank; clear, outright, above-board; S. *claro, leal; franqueza*), **franco**[3] (frank; French currency), **franco a bordo** (TRANSPT free on board, FOB), **franco a domicilio** (TRANSPT carriage paid home), **franco [al] costado del buque** (free alongside ship, FAS), **franco almacén** (ex warehouse), **franco camión** (free on truck, FOT), **franco de** (free of/from; S. *libre de, exento de*), **franco de avería particular** (TRANSPT free of particular average), **franco de derechos** (free of duty), **franco de portes** (TRANSPT carriage free), **franco en barcaza** (TRANSPT free into barge, FIB), **franco en estación** (free on rail, FOR; S. *libre sobre vagón*), **franco en muelle** (TRANSPT ex dock, ex quay; S. *sobre el muelle*), **franco entrega** (franco delivery), **franco fábrica** (ex works), **franco gabarra** (TRANSPT free on lighter), **franco muelle** (franco quay), **franco sobre vagón** (free on rail), **franco transportista** (free carrier)].

franja *n*: belt, strip; S. *cinturón*.

franquear[1] *v*: exempt, free, allow or grant free entry to; clear; S. *dispensar*. [Exp: **franquear**[2] (frank, pay the postage on, stamp; S. *máquina de franqueo o franqueadora, sobre franqueado*), **franqueado en destino/origen** (pre-paid, post-paid), **franqueo** (postage; S. *gastos de franqueo*), **franqueo concertado/pagado** (post-paid; S. *portes pagados*), **franqueo pagado, con** (postage paid; S. *porte pagado*), **franqueo pagado en destino** (freepost)].

franquicia[1] *n*: TAXN exemption, allowance; S. *privilegio, inmunidad, exención*. [Exp: **franquicia**[2] (INSCE franchise[1]; franchising, franchise tax; deductible[2]; S. *concesionario*), **franquicia**[3] (INSCE excess[2]), **franquicia arancelaria** (exemption from customs duty), **franquicia, con** (TAXN duty-free; S. *libre/exento de impuestos*), **franquicia de equipaje** (TRANSPT free baggage allowance; excess[2]), **franquicia de marca** (ADVTG brand franchise), **franquicia fiscal/tributaria** (TAXN exemption; tax holiday; S. *exención, bonificación, exoneración*), **franquicia obligatoria** (INSCE compulsory self-insurance; S. *descubierto obligatorio*), **franquicia postal** (franking), **franquiciado** (franchisee), **franquiciador** (franchiser/franchisor)].

fraude *n*: fraud; fraudulent misrepresentation; deception, deceit; swindle, scam *col*; racket *col*; S. *estafa, timo*. [Exp: **fraude de divisas** (currency fraud/swindle/scam *col*), **fraude fiscal** (tax fraud/evasion), **fraude implícito** (constructive fraud), **fraude importante/grave** (serious fraud), **fraudulencia** (fraudulence, fraudulency), **fraudulento** (fraudulent, fallacious; false; bogus *col*; rigged *col*; S. *falaz, engañoso; medios fraudulentos*)].

frecuencia *n*: frequency, rate[7]; S. *velocidad, ritmo*. [Exp: **frecuencia por edades** (INSCE age incidence), **frecuente** (frequent, common; prevalent)].

frenar *v*: brake, decelerate; check, curb, restrain, stop; plug *col*; S. *ralentizar, desacelerar*. [Exp: **frenar a los especuladores** (curb speculators), **frenar el goteo/ la sangría de recursos/reservas** (FIN plug the drain on resources/reserves; S. *taponar la salida*), **freno** (brake, curb, restraint, check,[3] deterrent; S. *obstáculo*), **frenos y equilibrios** (checks and balances)].

frente *n/prep*: front; opposite. [Exp: **frente a** (opposite, against; S. *opuesto, en frente*), **frente a frente** (face to face, eyeball-to-eyeball *col*; S. *a cara de perro*), **frente a la costa** (off the coast of, off; off-shore[1]), **frente de, estar al** (head,[1] be at the head of; look after, attend to[1]; S. *encargarse de, ocuparse de, atender*)].

frontera *n*: border, boundary; S. *límite*.

fructífero *a*: fruitful, productive, profitable; S. *provechoso, ventajoso, rentable, lucrativo*.

frugal *a*: frugal, thrifty; S. *económico, ahorrativo*. [Exp: **frugalidad** (frugality, thrift[1]; thriftiness; S. *economía*)].

frustración *n*: frustration. [Exp: **frustrado** (LAW attempted), **frustrar** (frustrate, baulk, thwart), **frustrarse** (be frustrated; fail, come to nothing, miscarry, fail to come off, break down)].

fruto *n*: fruit. [Exp: **frutos** (result, outcome, consequence; benefits, profit; S. *resultado, beneficio*)].

fuente *n*: source, origin, supply; S. *origen; de buena fuente*. [Exp: **fuente de abastecimiento** (source of supply), **fuente de beneficios** (source of profits), **fuente de financiación** (source of finance), **fuente de ingresos** (source of income/revenue), **fuente de renta** (income source), **fuente del apoyo** (power base; S. *zona de influencia*), **fuentes de toda solvencia** (reliable sources)].

fuera *adv/prep* away, out[1]; outside; out of; off. [Exp: **fuera, de** (incoming; S. *entrante*), **fuera de dinero** (STK & COMMOD EXCH out of the money, OTM; S. *no atractivo, no interesa*), **fuera de línea** (off-line), **fuera de los límites** (out of bounds), **fuera de peligro** (out of danger, not at risk; safe[1]; in the clear; S. *sin riesgo*), **fuera de plazo** (after the deadline, after the expiry of the time limit), **fuera de servicio** (off duty; S. *libre*), **fuera de temporada** (COM off-season; S. *temporada baja*), **fuera del horario normal** (after-hours[2]; S. *a deshora*)].

fuero *n*: LAW privilege, charter[1]; S. *persona aforada*. [Exp: **fuero regional** (special jurisdiction, local statute or charter of rights or privileges), **fuero parlamentario** (parliamentary privilege or immunity; S. *inmunidad*)].

fuerte *a*: strong, sharp, heavy, powerful; tough; steep; S. *importante, pesado, grave*. [Exp: **fuerte aumento/subida** (steep increase), **fuerte caída** (STK EXCH heavy fall; S. *colapso, hundimiento, derrumbamiento*), **fuerte demanda** (strong demand), **fuerte impresión** (shock wave; S. *onda expansiva, conmoción profunda*), **fuertemente gravado** (TAXN heavily taxed, subject to heavy taxes; FIN,

BKG heavily mortgaged; S. *carga*), **fuertes protestas o manifestaciones** (strong representations))].

fuerza *n*: force; power, buoyancy, strength; impact, leverage[2]; S. *vigor, vigencia, poder, capacidad*. [Exp: **fuerza económica** (economic strength), **fuerza de choque** (task force; S. *destacamento, equipo de trabajo*), **fuerza de ley** (force of law), **fuerza estabilizadora** (stabilising capacity, power or impact), **fuerza jurídica, con** (LAW lawful, legally enforceable, binding; S. *obligatorio, preceptivo*), **fuerza laboral** (labour force; S. *mano de obra*), **fuerza mayor** (TAXN act of God, force majeure), **fuerza negociadora en un convenio** (IND REL bargaining power or capacity; S. *capacidad de negociación*), **fuerzas del mercado** (ECO market forces), **fuerzas y restricciones compensatorias** (ECO countervailing forces and restraints))].

fuga *n*: escape; shrinkage, decline, dwindling; S. *huida, salida; merma, pérdida, escape*. [Exp: **fuga de agua** (INSCE, TRANSPT leak), **fuga de capitales** (flight of capital/funds), **fuga de divisas** (dwindling currency reserves), **fuga de cerebros** (IND REL brain drain *col*)].

fulero *col n/a*: swindler, twister *col*, cheat, crook; phoney *col*, bogus *col*, sham *col*; S. *estafador, timador, tramposo*.

función *n*: function, purpose; task; S. *ocupación, atribución; entrar en funciones*. [Exp: **función de, en** (depending/dependent on, according to, commensuate with; S. *de acuerdo con, según*), **función de consumo** (consumption function), **función de demanda** (demand function), **función de frecuencia** (frequency function), **función de inversión** (ECO investment schedule), **función de la demanda global** (aggregate demand function), **función de liquidez** (liquidity function), **función de utilidad** (FIN utility function), **función demanda** (ECO demand function), **función pública** (civil service; S. *administración civil del Estado, funcionariado de la Administración civil*), **función total de la oferta** (aggregate supply function), **funciones** (IND REL, MAN powers, authority; duties; S. *autoridad, atribuciones, excederse, extralimitarse*), **funciones, en** (acting, serving, interim, caretaker, stand-in, deputy; S. *interino*), **funciones públicas** (official duties))].

funcional *a*: functional, operative, working.

funcionamiento *n*: operation; operating; working; mechanics; S. *actividad, operación, transacción; ponerse en funcionamiento*. [Exp: **funcionamiento, en** (in use, in operation, on tap; S. *en pleno rendimiento, buen funcionamiento*)].

funcionar *v*: operate, function, work, run,[4] be in operation; operate; S. *operar*. [Exp: **funcionar mal** (malfunction, not work properly; S. *fallar*), **funcionar, no** (be out of order)].

funcionariado *n*: civil servants, government employees; S. *servicio público*. [Exp: **funcionariado de la Administración civil** (civil service; S. *función pública, administración civil del Estado*), **funcionario** (civil servant; officer, official; functionary), **funcionario administrativo** (clerk[1]; S. *empleado, oficinista, escribano*), **funcionario autorizado** (certifying officer), **funcionario en período de prácticas** (trainee civil servant), **funcionario subalterno** (minor/junior official), **funcionarios superiores** (senior/upper civil servants, senior level staff; S. *altos ejecutivos*))].

funda *n*: COM case, cover; holder, jacket, dust-jacket, sleeve. [Exp: **funda protectora** (protective cover)].

fundación *n*: COM foundation[1], establishment, endowment[2]; trust[3]. [Exp:

fundación benéfica (charitable foundation or trust; S. *fideicomiso benéfico*), **fundación estatal o pública** (public trust; S. *entidad de beneficencia*), **fundador** (founder), **fundar** (found, establish; build; set up, institute; start up; S. *instituir, montar, fijar, establecer, crear*), **fundar una mercantil** (LAW institute/form/establish a company, float/set up a company)].

fundamentación *n*: LAW grounds, basis, legal basis or grounds; S. *base, razón, motivo*.

fundamental *a*: fundamental, basic, main, major, principal, essential, prime; ultimate; S. *básico, esencial, primario*.

fundamentar *v*: found, base,[1] ground[2]; support, back up; S. *establecer, basar, apoyar, fundar*. [Exp: **fundamentarse** (LAW found, rely; S. *basarse*)].

fundamento *n*: base,[1] basis[1]; foundation,[2] footing,[2] ground; groundwork; merit; rationale, elementary principle; S. *base, cimientos*. [Exp: **fundamento, sin** (baseless; groundless, without foundation; S. *infundado*), **fundamentos de contabilidad** (accounting principles), **fundamentos de derecho** (LAW precedents, relevant case-law; legal grounds/arguments)].

fundición *n*: COM foundry, iron foundry; smelting; S. *fábrica*. [Exp: **fundir** (COMP LAW merge; S. *fusión; fusionar unir*), **fundirse** (merge, become merged, effect a merger; S. *conglomerar-se, unir-se*)].

fungible *a*: ACCTS fungible, expendable[2]; S. *disponible, gastable*.

furgón *n*: TRANSPT truck, van; goods van; waggon. [Exp: **furgón de equipajes** (luggage van, baggage car *US*), **furgón postal** (mail-van), **furgoneta** (van), **furgoneta de reparto** (delivery van, pickup truck)].

fusión *n*: merger; amalgamation; union; S. *incorporación, unión, consolidación de empresas*. [Exp: **fusión de dos hipotecas** (FIN tacking), **fusión de intereses** (pooling of interests; S. *comunidad de intereses*), **fusión de una sociedad matriz con una subsidiaria** (FINAN, SOC downstairs merger *US*), **fusión empresarial defensiva** (defensive merger), **fusión en conglomerado** (COMP LAW conglomerate merger; S. *amalgación en conglomerado*), **fusión orientada a ampliar la cobertura del mercado** (COMP LAW market-extension merger), **fusión parcial de sociedades** (COMP LAW partial merger), **fusión por absorción** (COMP LAW take-over merger), **fusión vertical** (vertical merger), **fusiones y adquisiones** (mergers and acquisitions), **fusionar** (merge; S. *combinar, unir, fundir, incorporar, intercalarse*), **fusionarse** (combine[1], merge, be merged; S. *fundirse, unirse*)].

futuro *n/a*: future; prospective; forthcoming, upcoming. [Exp: **futuro, a/en el** (forward[1]; S. *a plazo, a término, anticipado*), **futuros** (STK & COMMOD EXCH futures), **futuros de tipos de interés** (interest rate futures), **futuros de seguros** (STK & COMMOD EXCH insurance future contracts), **futuros financieros** (STK & COMMOD EXCH financial futures), **futuros sobre deuda** (public debt futures), **futuros sobre divisas** (STK & COMMOD EXCH foreign currencies futures), **futuros sobre índices bursátiles** (STK & COMMOD EXCH stock index futures), **futuros sobre mercaderías/materias primas** (commodity futures), **futuros sobre tipos de interés** (interest rate futures)].

G

gabarra *n*: TRANSPT lighter, barge.

gabinete *n*: office; group/team/pool of advisers; professional office; cabinet; S. *despacho; bufete*. [Exp: **gabinete de estrategia** (MAN think tank; advisory committee; S. *laboratorio de ideas, grupo de expertos*)].

gaceta oficial *n*: official journal; S. *boletín oficial*.

gajes *n*: IND REL perquisites, perks *col*; extras, trimmings *col*; bonuses, rewards, emoluments, freebies *col*; S. *regalos, plus*. [Exp: **gajes del oficio** (occupational hazards, the unpleasant side of a job, drawbacks that go along with/are part and parcel of a job)].

galería comercial *n*: shopping centre/mall/precinct/arcade; S. *centro comercial*.

galopante *a*: galloping, rampant, runaway; S. *desenfrenado, descontrolado*.

gama *n*: COM range[1]; spectrum; S. *selección, surtido, abanico*. [Exp: **gama de artículos** (ADVTG, COM range of products, product range, product line), **gama de precios** (price range), **gama total** (product/marketing mix; S. *composición o combinación de productos de una empresa*)].

gamma *n*: gamma.

ganadería *n*: stockfarming, stockbreeding; cattle ranch, stock farm; [Exp: **ganadero** (stockbreeder, livestock/cattle dealer), **ganado** (cattle, livestock; S. *cabaña*)].

ganancia *n*: earnings, gain; profits; revenue; margin[2]; turn[2]; return[3]; S. *beneficio, entradas*. [Exp: **ganancia de puntos** (STK & COMMOD EXCH earning the points), **ganancia inesperada** (windfall gain), **ganancias** (earnings, proceeds; gains; income; S. *beneficios*), **ganancias acumuladas o no distribuidas** (ACCTS retained/undivided earnings/profits, bunched gains), **ganancias brutas** (ACCTS gross earnings/profits), **ganancias de capital** (capital gains/earnings; S. *plusvalías de capital*), **ganancias de capital realizadas** (ACCTS locked-in capital gains), **ganancias empresariales** (business/corporate gains, earnings or proceeds), **ganancias en fondo común** (pooled earnings), **ganancias inesperadas** (windfall gains), **ganancias netas** (ACCTS net earnings/profits; back value), **ganancias sobre el papel** (paper profit)].

ganar *v*: earn; win; gain[1]; carry[2]; pick up[3] *col*; pocket *col*; rake in *col*; scoop[2]; S. *conseguir, devengar, obtener*. [Exp: **ganar contra todo pronóstico** (beat the system; beat the book *col*; upset the odds *col*, come from behind *col*; S. *poder con el sistema*), **ganar de calle** *col* (win by the length of the street *col*; score a runaway victory/win *col*), **ganar dinero** (earn/make money), **ganar en limpio** (clear[2]; S. *sacar-se*), **ganar por un margen aplastante** (win by a landslide; S. *conseguir una victoria arrolladora o abrumadora*), **ganar por un margen escasísimo** (pip/shade one's rivals *col*, get the nod *col*, win by a whisker/short head/neck *col*), **ganar terreno** (forge ahead; S. *tomar la delantera, empezar a distanciarse*), **ganar una votación** (carry a motion/vote), **ganarle al rival** (COM beat the competition; see off one's rivals *col*; S. *vencer a la competencia*), **ganarse la vida con** (make a living out of/from), **ganarse una pasta gansa** (rake it in *col*; make a buck or two *col*; S. *forrarse*)].

gancho[1] *n*: hook. [Exp: **gancho[2]** *col* (COM, ADVTG drawing power, pull *col*; bite *col*; crowd-puller; bait *col*; product or deal used to entice buyers or attract custom; S. *cebo, producto de reclamo*)].

ganga *n*: COM bargain,[3] good buy; cinch/gift/giveaway *col*; S. *oferta, oportunidad; a precio de ganga.*

GAP *n*: S. *gestión de activos y pasivos.*

garante *n*: FIN guarantor, bond guarantor, guarantee,[1] warrantor, security, surety; backer, bondsman, collateral,[2] referee[2]; S. *avalista, fiador.* [Exp: **garante mancomunado** (joint surety; S. *cofiador*)].

garantía[1] *n*: guarantee,[1] guaranty, warranty; security, suretyship, safeguard, backing, covenant, bond[4]; endorsement; indemnity[3]; pawn; pledge; warrant[1]; warranty; reassurance; S. *aval, afianzamiento, caución, fianza; extremar las garantías.* [Exp: **garantía[2]** (STK & COMMOD EXCH, BKG, INSCE cover[1]; hedge; S. *protección*), **garantía accesoria,**

secundaria, subsidiaria o indirecta (FIN collateral security), **garantía, bajo/en** (under guarantee), **garantía bancaria** (bank guarantee, banker's guarantee/indemnity), **garantía bancaria de ejecución de contrato** (COM, BKG bid bond), **garantía bancaria para responder del cumplimiento de la ejecución** (COM tender guarantee, bid bond), **garantía bloqueada** (FIN escrow; S. *plica*), **garantía cambiaria recíproca** (reciprocal exchange guarantee), **garantía colateral** (collateral warranty/covenant, endorsement guarantee), **garantía, como** (in pledge), **garantía completa, total o incondicionada** (COM absolute warranty), **garantía condicional** (qualified guarantee), **garantía de aptitud** (warranty of fitness), **garantía de calidad** (quality guarantee), **garantía de cambio** (hedging; forward exchange covering), **garantía de [su casa], con la** (against the security of [his house]), **garantía de depósito** (bond note; S. *certificado de depósito*), **garantía de fianza** (back-to back guarantee; S. *contrafianza*), **garantía de hielos del Báltico** (INSCE Baltic ice warranty), **garantía de licitación** (COM tender guarantee, bid bond), **garantía de pago** (performance bond/guarantee/security; S. *aval de cumplimiento, fianza de cumplimiento de un contrato*), **garantía de pago a cuenta** (COM advance payment guarantee), **garantía de reembolso** (repayment guarantee), **garantía de seguro** (insurance cover), **garantía de seriedad de la licitación** (bid security), **garantía de solvencia y conformidad de talones** (BKG cheque guarantee), **grantía de tesorería** (INSCE cash flow under-writing), **garantía de título** (LAW warranty of title, full covenants), **garantía de una deuda** (charge on assets, charge[4]), **garantía del endoso**

(endorser's liability), **garantía, en** (as a guarantee), **garantía en oro** (gold guarantee), **garantía escrita o expresa** (express/affirmative warranty), **garantía hipotecaria** (mortgage security, security on mortgage), **garantía hipotecaria en registro** (LAW registered lien charge), **garantía implícita** (implied warranty), **garantía incondicional** (COM absolute guarantee), **garantía mancomunada** (joint security), **garantía negociable** (marketable collateral), **garantía neta** (netback value), **garantía para demoras o sobrestadías** (TRANSPT bond for demurrage, demurrage bond), **garantía personal** (personal security/guaranty), **garantía prendaria** (FIN security, collateral security, collateral[2]), **garantía promisoria** (promissory warranty), **garantía real** (tangible security), **garantía secundaria** (FIN security, collateral[2]), **garantía sin documentos** (personal security; S. *garantía personal*), **garantía sin restricciones** (general warranty), **garantía subsidiaria** (collateral security), **garantía tangible** (corporeal security, fixed charge), **garantía total** (INSCE full cover), **garantías cruzadas, recíprocas, mutuas o entrecruzadas** (cross-collateral, reciprocal covenants; Dragnet clause, Mother Hubbard clause), **garantías del Instituto** (INSCE, TRANSPT Institute warranties), **garantías habituales** (usual covenants)].

garantizar *v*: guarantee, warrant, ensure, secure, back, back up, support, uphold, endorse, second, provide security, stand behind; vouch for; underwrite; S. *prestar fianza, avalar, endosar, afianzar*. [Exp: **garantizar el pago** (FIN underwrite payment, assume the del credere; S. *asumir los riesgos del crédito*), **garantizar la colocación de una emisión** (STK EXCH underwrite an issue;

guarantee the placement of an issue), **garantizar por obligación escrita** (provide a written guarantee or undertaking, warrant by bond), **garantizar un préstamo** (secure a loan).

gasolina *n*: petrol; gasoline/gas *US*. [Exp: **gasolina normal** (low-grade/low-octane/two-star petrol), **gasolina super** (top-grade/high-octane/four-star petrol)].

gastable *a*: spendable, expendable[2], disposable; S. *fundible, disponible*. [Exp: **gastado** (worn, worn out; S. *desgastado*)].

gastar[1] *v*: spend, disburse, expend; lay out[2]; S. *desembolsar, pagar*. [Exp: **gastar**[2] (use, consume; burn, burn up; waste[1]; S. *utilizar, consumir, derrochar*), **gastar a lo grande o a espuertas** *col* (spend big *col*, splash out, splash/spread one's money around; S. *derrochar*), **gastar dinero alegremente/a espuertas** (go on a spending spree; S. *derrochar dinero, tirar la casa por la ventana*), **gastar el dinero de alguien** (spend/waste sb's money, clean sb out *col*; S. *«limpiar a alguien»*)].

gasto *n*: spending, expense, expenditure; use; disbursement/disbursing; S. *salida, desembolso, pago; consumo*. [Exp: **gasto accesorio/adicional** (additional expense), **gasto amortizable** (capitalized expense; deferred charge), **gasto deducible** (TAXN allowance[3]; allowable expense; deductible expense; S. *deducción*), **gasto publicitario** (advertising expense), **gasto público** (public/government spending/expenditure), **gasto público superior a lo normal** (ACCTS above-the-line expenditure), **gastos de peritación** (survey fees), **gastos de tasación** (assessor's fees)].

gastos *n*: spending, charges, expenditure; cost, overheads; dues; outgoings; outs; S. *costas, precio; cubrir gastos*. [Exp: **gastos a cargo del comprador** (all charges to be met by purchaser), **gastos**

abonables a la entrega (TRANSPT charges forward), **gastos accesorios** (incidental expenses), **gastos acumulados** (accrued expenses/charges), **gastos anticipados** (prepaid expenses), **gastos aplicados** (allocated expenses), **gastos atípicos, ocasionales o extraordinarios** (non-recurring costs/charges), **gastos bancarios** (bank charges, carrying charges; activity charges *US*; S. *gastos/ comisiones de gestión bancaria*), **gastos compensatorios** (ECO compensatory spending, compensating expenditures/ payments/tariffs), **gastos contables excesivos** (overaccruals; S. *exceso de gastos devengados*), **gastos contraídos/ ocasionados** (expenses incurred), **gastos corrientes** (current/running costs/ expenditure; out-of-pocket expenses), **gastos corrientes de explotación** (current operating expenses, revenue expenditure), **gastos de administración** (administration expenses), **gastos de administración/custodia de valores** (custodian fee; S. *honorarios del fiduciario*), **gastos de agencia** (agency, agcy, agy²; agency fees), **gastos/costos/ desembolso de capital** (FIN capital expenditures/investment/outlays; S. *inversiones en gastos de capital, inversión en activos fijos*), **gastos de carga/embarque** (loading charges), **gastos de cobranza** (collection charges/expenses), **gastos de comercialización** (marketing expenses), **gastos de conservación** (maintenance charges), **gastos de constitución de una mercantil** (LAW formation expenses, promotion expenses/money²), **gastos de corretaje** (brokerage charges), **gastos de demolición** (wrecking expenses), **gastos de demora** (delay charges; charge/ surcharge for late payment; demurrage), **gastos de demora en las faenas de carga y de descarga en el puerto** (TRANSPT demurrage; S. *penalización por sobrestadía*), **gastos de depósito en aduana** (warehousing charges), **gastos de descarga** (TRANSPT landing charges), **gastos de descarga, sin** (TRANSPT free discharge), **gastos de despacho de aduana** (customs clearance), **gastos de desplazamiento** (travelling expenses), **gastos de embalaje** (packing/packaging cost, packing charges), **gastos de embarque/envío** (shipping expenses, loading charges), **gastos de embalaje, carga y embarque** (crating, loading and shipping expenses), **gastos de emisión** (issuing expenses, flotation cost), **gastos/comisión de entrada** (initial expenses, credit-opening expenses; up-front fees/expenses *col*), **gastos de entrega** (delivery costs/charges), **gastos de envío** (handling and shipping), **gastos de escala** (TRANSPT call costs), **gastos de establecimiento** (ACCTS start-up expenses, deferred charges; S. *cargos/ gastos diferidos*), **gastos de estiba** (stowage expenses/charges), **gastos de explotación** (operating expenditure/ charges, working/running costs/expenses, business expenses, out-of-pocket costs), **gastos de fábrica** (overheads; S. *sobrecarga, gastos generales, gastos indirectos*), **gastos de fabricación/ elaboración o de fábrica** (manufacturing expenses/costs, factory expenses; S. *gastos generales de producción*), **gastos de fabricación absorbidos en exceso** (ACCTS overabsorbed production expenses), **gastos de fabricación en proceso** (ACCTS work-in-progress expenses), **gastos de financiación** (financing expenses), **gastos de formalización de préstamos** (loan arrangement expenses), **gastos de franqueo** (postage, posting/ mailing expenses), **gastos de franqueo, embalaje y seguro** (postage and packing; posting, packing and insurance),

gastos de franqueo, sin (post free), **gastos de funcionamiento, gastos de explotación/funcionamiento o de operación** (ACCTS operating expenses), **gastos de fundación o de instalación** (capital cost; initial expenses; installation expenses; S. *costo de la inversión*), **gastos de gabarra** (TRANSPT lighterage), **gastos de gestión** (management fee), **gastos de instalación** (start-up expenses), **gastos de mantenimiento** (BKG chargeable expenses, carrying charges[1]; COM maintenance expenses, cost of upkeep; S. *gastos bancarios*), **gastos de manutención** (living expenses, subsistence allowance; S. *dietas y viáticos*), **gastos de muelle** (dockage; S. *amarraje, derechos de atraque*), **gastos de operación** (operating expenses; outlays), **gastos de participación** (participation charges), **gastos de personal** (ACCTS wages, payroll expenses, labour expenses, personnel expenses), **gastos de promoción** (ADVTG development expenses, promotion expenses/money[1]), **gastos de protesto** (BKG, FIN protest charges; referral costs/charges), **gastos de protesto, sin** (no protest; S. *sin protesto*), **gastos de publicidad** (ADVTG advertising or publicity costs/expenses/charges; S. *gastos de promoción*), **gastos de registro de una escritura** (LAW recording fees), **gastos de representación** (IND REL entertainment allowance/expenses), **gastos de tramitación** (handling charges), **gastos de transporte** (freight charges, portage, porterage; carrying charges[3]; S. *porte*), **gastos de traslado** (costs of removal), **gastos de ventas** (sales expenses), **gastos de viaje** (travelling expenses, travelling allowance), **gastos de viaje y representación** (expenses, travel and entertainment expenses), **gastos del hogar** (household expenses), **gastos deducibles** (deductible expenses/expenditures), **gastos desgravables** (tax-deductible expenses), **gastos devengados** (accrued expenses), **gastos diferidos** (ACCTS deferred charges; S. *gastos de establecimiento*), **gastos diferidos a largo plazo** (FIN long-term deferred charges), **gastos directos** (through charges or rate), **gastos diversos** (miscellaneous/sundry charges/costs/expenses), **gastos en bienes de capital** (FIN capital expenditures/investment/outlays), **gastos excepcionales no incluidos en las cuentas generales de una mercantil** (below-the-line expenditure), **gastos excesivos** (overspending), **gastos extrapresupuestarios** (non-budgetary expenditure), **gastos fijos** (ACCTS fixed charges, overhead expenses; expense constant *US*; S. *cargas de estructura*), **gastos financieros** (financing charges/expenses/costs; S. *cargas financieras*), **gastos financieros de un préstamo o línea de crédito** (BKG finance charges/expenses), **gastos generales** (general/running expenses, overheads; disbursement/disbursing; burden; S. *gastos indirectos, gastos de fábrica, sobrecarga*), **gastos generales de fabricación** (BKG burden expense, factory overheads, actual burden expense), **gastos generales de explotación** (general running expenses), **gastos generales o indirectos** (overhead charges/expenses), **gastos generales de producción** (factory expenses; S. *gastos de fabricación*), **gastos imprevistos** (contingent expenses; contingencies; incidentals), **gastos imputables** (chargeable expenses), **gastos indirectos** (overheads; S. *gastos de fábrica, sobrecarga, gastos generales*), **gastos menores** (petty expenditure, incidental expenses), **gastos ocasionados y no vencidos** (accrued liabilities; S. *pasivo acumulado*), **gastos ordinarios/perió-**

dicos (recurrent costs/expenditure), **gastos pagados** (charges prepaid), **gastos por amortización o rescate anticipado** (FIN redemption charge, exit fee, deferred sales charge; trail commission *US*), **gastos por consulta en el registro de la propiedad** (title-examination fees), **gastos por gestión/tramitación** (handling charges), **gastos por servicio de depósitos** (BKG deposit service charges), **gastos repercutibles** (chargeable expenses), **sin gastos** (free), **gastos y franco aduana, sin** (TRANSPT free and clear, f&c), **gastos variables directos** (particular operating expenses), **gastos varios** (miscellaneous/sundry expenses, out-of-pocket expenses; S. *gastos diversos*), **gastos vinculados a las rentas obtenidas** (income expenditure), **gastos y comisiones** (BKG charges and commissions)].

gato por liebre *phr*: S. *dar gato por liebre.*

generador *n/a*: generator; generating. [Exp: **generador de pérdidas** (loss-making; loss-maker; S. *deficitario, poco rentable*), **generar** (generate, produce), **generar empleo** (create jobs)].

general *a*: general, comprehensive; current; broad; all-round; across-the-board, omnibus; sweeping; full-scale; overall[1]; global; universal; unappropriated; S. *amplio*. [Exp: **general, en** (in general, at large; all round; all told; S. *de forma exhaustiva*), **generalizado** (prevailing; S. *preponderante, predominante, común*)].

género-s *n*: ECO, COM commodity, produce, product, merchandise; commodities[1]; articles, goods; stuff; stock; S. *artículos, materias primas, productos básicos, mercaderías*. [Exp: **géneros diversos** (sundry items, sundries)].

gerencia *n*: MAN management[1]; S. *dirección, dirección empresarial, administración*. [Exp: **gerencia de operaciones** (operating management), **gerencia empresarial** (business management),

gerencia lineal (line management), **gerencial** (managerial; S. *directivo, administrativo*), **gerente** (general manager, manager, administrator[1]; paymaster; S. *administrador*), **gerente-propietario** (owner-manager)].

gerifalte *col n*: big cheese/gun/shot/wig *col*; S. *peso pesado, pez gordo.*

gestión *n*: MAN management,[1] managership; dealing, handling[1]; business, transaction, piece of business; move; measure, formality, step; S. *administración, gerencia, dirección; medida, trámite, diligencia*. [Exp: **gestión activa de una cartera de valores** (FIN, MAN active portfolio management), **gestión combinada de órganos de asesoramiento y de ejecución** (MAN staff and line organization), **gestión/administración de activos y pasivos** (assets and liabilities management), **gestión/administración de cartera de valores** (portfolio management, management of portfolio), **gestión/administración de empresas o empresarial** (management,[1] business administration; S. *estudios empresariales*), **gestión/administración/dirección por objetivos, DPO** (MAN management by objectives, MBO), **gestión de activos y de pasivos, GAP** (BKG asset-liability management, ALM), **gestión de caja** (cash management), **gestión de cobro** (BKG, COM collection management/negotiation; collection[2]; S. *cobranza; cobro*), **gestión de existencias** (stock/inventory management), **gestión de inversiones** (MAN investment management, fund management), **gestión de la demanda** (demand management), **gestión de la liquidez** (cash/liquidity management; S. *gestión de tesorería*), **gestión de liquidación de deudas** (debt adjusting), **gestión de personal** (personnel; S. *personal, empleados, plantilla de una empresa*), **gestión de**

riesgos/siniestros (risk management, claims handling), **gestión de sistemas de costes y control por actividades** (ACCTS, ECO activity-based costing and management), **gestión de tesorería** (cash management), **gestión de ventas** (sales management), **gestión del capital** (money management), **gestión económica** (economic management), **gestión, en** (in process), **gestión financiera** (financial management; S. *administración/dirección financiera*), **gestión minorista** (retailing), **gestión pasiva de una cartera** (passive portfolio management), **gestión personal** (MAN personal management), **gestión por objetivos** (management by objectives, MBO), **gestión portuaria de la carga** (TRANSPT cargo handling at port), **gestión presupuestaria** (budget management), **gestión y almacenaje de los materiales** (materials handling)].

gestionar *v*: manage; negotiate; arrange, fix, fix up, sort out; S. *llevar, administrar, controlar, planificar, intervenir*. [Exp: **gestionar el mercadeo, la promoción y las ventas** (COM merchandise; S. *abrir líneas comerciales, buscar salidas*), **gestionar un empréstito** (FIN arrange/negotiate/contract a loan; S. *negociar/colocar un empréstito*)].

gestor *a/n*: managing, administrative, supervisory; manager, middleman, manager, managing director; agent; business agent; fixer *col*; negotiator, promoter; S. *gerente, administrador*. [Exp: **gestor de carteras** (portfolio manager), **gestor de cuentas** (account manager), **gestor de emisión** (FIN underwriter's agent or manager), **gestor de fondos de inversión** (FIN fund manager), **gestor de riesgos** (risk manager), **gestor/administrador de trust ciego** (blind trust manager), **gestoría** (agency; handler's office which processes

official applications and looks after the paperwork its clients require for administrative, government, legal and financial purposes; S. *agencia*)].

girador *n*: drawer, maker,[2] endorser; S. *librador, cedente, endosador*.

gira *n*: tour. [Exp: **girar** (FIN, BKG draw,[3] draw on[1]; issue, send, transfer; S. *expedir, librar, emitir, extender*), **girar a cargo de** (draw on/against), **girar dinero** (draw cash), **girar en descubierto** (overdraw, be overdrawn), **girar un cheque** (draw a cheque), **girar un letra a cargo de alguien** (draw/draft a bill on somebody, draft[1]), **girar una cantidad** (BKG transfer a sum of money)].

giro[1] *n*: turn, twist, spin, swing; S. *vuelta*. [Exp: **giro**[2] (BKG, FIN draft[1]; bill; giro; remittance; S. *letra de cambio, efecto, libramiento, libranza; transferencia*), **giro**[3] (S. *giro de negocios*), **giro a la vista** (BKG demand bill, sight draft), **giro a plazo** (time draft), **giro aceptado por un banco** (bank acceptance, BA; S. *aceptación bancaria*), **giro bancario** (bank draft; bank giro, bank bill[1]; giro[1]; S. *letra, cheque bancario, orden de pago*), **giro cablegráfico** (cable draft), **giro comercial** (commercial draft; S. *efecto, letra*), **giro de negocios** (business turnover; S. *volumen de negocios*), **giro de favor** (accommodation draft), **giro del capital** (ACCTS capital turnover; S. *rotación de capital*), **giro endosado** (two-party draft), **giro postal** (post-office giro, money order, postal order, transfer, national giro service, postal order), **giro postal internacional** (foreign/overseas/international money order), **giro sorprendente o inesperado** (twist; odd/unexpected turn; S. *vuelta*), **giro telegráfico** (bank giro, wire/telegraphic transfer *US*; S. *transferencia electrónica*)].

global *a*: global; general, holistic; all-round; across-the-board, all-in, overall[1]; S. *mundial, general, en conjunto*. [Exp: **globalizar** (consolidate; S. *consolidar, refundir*), **globalmente** (globally, overall, across the board, across-the-board[1]; S. *de forma general/lineal*)].

gobernante *a/n*: governing, ruling; leader, ruler; S. *dirigente*. [Exp: **gobernar** (govern; manage; rule over; S. *regir*), **gobierno** (government; steering), **gobierno de la mayoría** (majority rule)].

goce *n*: possession, enjoyment; S. *disfrute, posesión, tenencia, gozar*.

golpe *n*: blow, knock. [Exp: **golpear** (knock, hit,[1] strike[1])].

goma *n*: rubber; glue, gum; S. *caucho*. [Exp: **goma de borrar** (rubber, eraser), **goma de pegar** (glue, gum), **goma elástica** (elastic band)].

gota *n*: drop, drip, trickle; S. *goteo*. [Exp: **gota a gota** (FIN drip-feed; S. *capitalización de una empresa por etapas*), **gotear** (drip, leak, trickle down), **goteo** (trickle, trickling away, gradual shrinkage; S. *frenar el goteo de reservas*)].

gozar *v*: enjoy, possess, hold[1]; S. *tener, poseer*. [Exp: **gozar/disfrutar de un derecho, privilegio o monopolio** (enjoy a right/privilege/monopoly)].

grado *n*: degree, grade; stage, step; level, rank,[1] rate,[1] ratio; S. *índice, título, razón*. [Exp: **grado de compatibilidad** (ECO, COM trade-off), **grado de concentración** (concentration ratio), **grado de contacto** (gross rating point, GRP), **grado de dependencia** (degree of dependency, dependency, intensiveness), **grado de desviación máxima permisible en el control de calidad** (IND acceptable quality level, AQL), **grado de intensidad de uso, necesidad o dependencia de capital** (FIN capital intensity), **grado de productividad laboral** (IND REL employee activity rate), **grado de proximidad de la causa del perjuicio**

(LAW remoteness of damage), **graduable** (adjustable; S. *regulable, ajustable*), **graduación** (grading, rank[1]; S. *nivelación*), **graduado** (graded; graduated; graduate; S. *clasificado, homologado*), **gradual** (gradual; incremental; S. *escalonado, paulatino*), **gradualismo** (gradualism, step-by-step approach; incrementalism), **graduar** (grade; graduate; classify, marshal; S. *calibrar, clasificar, ordenar*)].

gráfica *n*: graph; table, chart, diagram. [Exp: **gráfica con la forma de una cabeza y hombros** (head and shoulder formation), **gráfica de amplitud** (range chart), **gráfica de control** (control chart), **gráfica/diagrama de dispersión o de puntos diversos** (scatter chart/diagram, scattergram), **gráfica de la marcha del trabajo/estudio/proyecto, etc.** (progress chart), **gráfico** (graphic; graph, diagram; S. *diagrama, gráfica, cuadrícula*), **gráfico circular, sectorial o por sectores** (pie chart), **gráfico/cuadrícula de compras** (buy grid; S. *representación gráfica de precios de adquisición comparados*), **gráfico de punto y figura** (point and figure chart), **gráfico de representación del punto de equilibrio** (break-even chart)].

grande, gran *a*: great, big, large, grand. [Exp: **gran cantidad** (a great deal of; a lot, many), **gran demanda** (great/keen demand), **gran escala, a** (large-scale), **gran ganancia** (cleanup), **gran impulso** (big push), **gran jugada/negocio** (STK EXCH killing *col*), **gran surtido de mercancías** (COM wide range of stock/products, deep stock *US*), **gran volumen** (high volume), **grande, a lo** *col* (in a big way *col*; with a bang *col*; S. *por la puerta grande*), **grandes almacenes** (chain store, corporate chain; department store; S. *cadena de tiendas*), **grandes cantidades, en** (in bulk, in large quantities; S. *en bruto*), **grandes**

rasgos, a (broadly [speaking], in broad outline), **grandes superficies de venta** (COM major retail outlets)].

granel, a *phr*: TRANSPT in bulk, in large quantities; loose, in sacks or casks, by the barrel; COM by the ton/kilo/litre/pint, etc.; S. *sin envase; envasar.* [Exp: **granelero** (bulk carrier; S. *carguero de graneles.*

granja *n*: farm, farmstead; S. *finca, explotación agropecuaria.* [Exp: **granja colectiva** (collective farm), **granja familiar** (family-sized farm, small holding), **granja lechera** (IND dairy farm), **granjero** (farmer)].

grano *n*: grain; S. *cereal.* [Exp: **grano pesado** (heavy grain)].

grapa *n*: staple. [Exp: **grapadora** (stapler), **grapar** (staple)].

gratificación *n*: IND REL, COM bonus[1]; gratuity; reward; tip; S. *sobresueldo, paga extra/extraordinaria.* [Exp: **gratificar** (reward; pay a bonus), **gratis** (free, free of charge, complimentary; franco; S. *franco, libre de cargo*), **gratuito** (gratuitous; free; free of charge/commission; toll-free; S. *sin cargo, libre de cargo*)].

gravable *a*: taxable; subject to tax; liable to duty/tax; liable for tax; dutiable, leviable, assessable; S. *imponible, tributable.* [Exp: **gravable, no** (non-dutiable; S. *no sujeto al pago de derechos*)].

gravado *a*: charged, encumbered; taxed, burdened; S. *hipotecado.* [Exp: **gravado con hipoteca** (mortgaged, encumbered; S. *cargado de deudas, obligaciones, etc.*), **gravado con impuestos** (taxed, liable/subject to tax; burdened with taxes)].

gravamen[1] *n*: tax; levy; assessment[2]; S. *tipo de gravamen.* [Exp: **gravamen**[2] (charge,[4] burden,[1] encumbrance; S. *carga*), **gravamen**[3] (lien; general lien; S. *derecho de retención*), **gravamen bancario en prevención** (banker's lien,

bank lien), **gravamen cancelado o liquidado** (satisfied lien), **gravamen continuado o flotante** (floating charge/lien), **gravamen de factor** (factor's lien; S. *derecho de retención del agente de ventas*), **gravamen específico** (particular/special lien, fixed charge), **gravamen fijo o sobre un activo concreto** (fixed charge), **gravamen hipotecario** (mortgage, mortgage charge; S. *carga hipotecaria*), **gravamen marítimo** (maritime/ Admiralty lien), **gravamen preferente** (preferred lien), **gravamen sobre el capital o el patrimonio** (floating charge, charge on the assets)].

gravar[1] *v*: tax; assess for tax; levy; impose; impose taxes, put a tax on; S. *imponer, exigir.* [Exp: **gravar**[2] (charge,[4] burden,[1] encumber, place/impose a lien on, mortgage; S. *afectar, hipotecar*), **gravar algo** (lay a tax on something; burden something with a tax, assess sth for tax; S. *aplicar impuestos*), **gravar artículos de consumo** (TAXN excise), **gravar con un impuesto** (tax, put a tax on), **gravar con una sobretasa o un impuesto adicional** (TAXN impose a surcharge/surtax on; S. *recargar*), **gravar en exceso** (overtax)].

grave *a*: serious; severe, bad; heavy; gross[2]; S. *importante, serio.*

GRC *n*: S. *grado de contacto.*

gremio *n*: guild; trade; trade association/ guild; union; S. *corporación, cuerpo.* [Exp: **gremial** (trade, trade-union, guild)].

grúa *n*: crane.

grueso *a*: fat, thick, bulky, gross[1]; S. *espeso.* [Exp: **gruesa** (S. *contrato a la gruesa*)].

grupaje *n*: TRANSPT groupage; S. *agrupamiento, consolidación.*

grupo *n*: group, pool, combine; batch; bracket; S. *agrupación, tramo.* [Exp:

grupo abeliano o commutativo (ECO Abelian group), grupo beneficiario (beneficiary/target group), grupo de colocadores (selling group), grupo concertado (concert party; S. *club de interés común*), grupo de dirección (management/managing group; S. *sindicato de garantía*), grupo de empresas (group; consortium; corporate group; S. *agrupación*), grupo de encuentro (encounter group), grupo de expertos (pool of experts, panel of advisers/experts, think tank; S. *laboratorio de ideas*), grupo de gestión (management group), grupo de ingresos/rentas (TAXN income bracket/ class/ group; S. *tramo de renta*), grupo de la misma edad (age group/bracket), grupo de presión (lobby, pressure group, lobby), grupo de renta o impositivo (TAXN income bracket/class/ group; S. *tramo impositivo*), grupo de renta más alta (TAXN higher income bracket/class/ group), grupo de trabajo (working party), grupo directivo (steering committee/group; S. *junta rectora*), grupo escogido como meta (target group), grupo gerencial (managerial group), grupo impositivo (tax bracket; S. *tramo impositivo*), grupo industrial (combine[2], industrial combine, conglomerate, holding, combine group, trust[2]), grupo previsto (target group; S. *grupo beneficiario*), Grupo del Banco Mundial (World Bank Group), grupos competitivos (competing groups), grupos dominantes (interest groups), grupos no competitivos (non-competing groups)].

guarda jurado *n*: COM security guard; bouncer *col*.

guardar *v*: keep, hold[1]; lay up,[2] store away; save[1]; S. *tener, poseer*. [Exp: guardar en depósito (hold in trust)].

guardia, de *phr*: at/on call or duty; all-night, round-the-clock.

guardián *n*: custodian; depository; S. *custodio*.

gubernamental *a*: governmental; government; S. *estatal, público*. [Exp: gubernativo (government[al], administrative; S. *administrativo*)].

guerra *n*: war. [Exp: guerra arancelaria (tariff war), guerra comercial o sectorial (trade war; price war, price-cutting war; S. *guerra de precios en un sector*), guerra de tipos/tarifas (tariff/rate war), guerra del atún (tuna wars), guerra pesquera (fish war)].

guía[1] *n*: guidance; S. *orientación*. [Exp: guía[2] (guide, pilot; S. *piloto*), guía[3] (directory, handbook; S. *listín*), guía[4] (TRANSPT waybill, bill of lading, consignment note; S. *conocimiento*), guía aérea (TRANSPT airway bill, AWB; S. *carta de porte aéreo*), guía alfabética (classified directory), guía comercial/sectorial (trade directory; S. *guía de empresas*), guía de carga (TRANSPT consignment note; S. *carta de porte por carretera ferrocarril o avión*), guía de carga aérea (TRANSPT air consignment note; S. *conocimiento aéreo*), guía de empresas (trade directory; S. *guía comercial/sectorial*), guía de negocios (business census), guía telefónica (telephone book/directory), guiar (guide, orient, orientate, lead[1]; pilot; steer; S. *dirigir, orientar*)].

gusto del consumidor, al *phr*: tailor-made, custom-built, made to measure; to suit the customer's preference/whim/fancy *col*; S. *hecho a la medida, personalizado*.

gurú *n*: guru; S. *lumbrera*. [Exp: gurú, gurú de la teoría de la gestión (management guru)].

H

haber *n*: ACCTS credit,[3] credit side; S. *debe*. [Exp: **haberes** (salary; income, earnings, wages, pay; income; S. *sueldo, salario, paga*)].

hábil *a*: clever, skilful, adroit, capable; S. *inhábil, día hábil*. [Exp: **habilidad** (skill, talent, capacity; ability; craft[1]; know-how; S. *capacidad, facultad*), **habilidad, con** (skilfully, cleverly, adroitly; smartly, cunningly)].

habilitación *n*: qualification[1]; eligibility; S. *competencia, capacitación*. [Exp: **habilitado**[1] (paymaster; S. *pagador, interventor, contador, tesorero, gerente*), **habilitado**[2] (qualified[1]; eligible; S. *autorizado, cualificado*), **habilitar** (authorise, enable, empower, qualify[1]; appoint; S. *autorizar, capacitar*)].

habitante *n*: inhabitant, resident. [Exp: **habitante, por** (per capita; S. *por cabeza, per cápita*)].

hacendista *n*: financial expert, economist specialising in public finance; S. *economista, rentista, financiero*.

hacer *v*: do, make; act[1]; carry out; produce, manufacture; build, construct; fashion; render; S. *realizar, fabricar*. [Exp: **hacer a la medida** (tailor; customize; S. *confeccionar, adaptar a las necesidades concretas*), **hacer acopio de** (lay in, lay up[2], stockpile, hoard; S. *almacenar, guardar*), **hacer agiotaje** (gamble in stock), **hacer agua** (leak; S. *derramar*), **hacer arqueo de caja** (ACCTS, COM cash up), **hacer bajar los precios** (force/drive prices down, bring prices tumbling down), **hacer balance** (ACCTS draw up the balance sheet; balance the books; S. *cerrar los libros*), **hacer cesión de** (LAW assign, make over, transfer, surrender), **hacer chanchullos** *col* (fiddle *col*; S. *amañar*), **hacer chapuzas** (IND REL do odd jobs, work casually or as a casual labourer; botch things up *col*, make a botch/mess of things *col*; S. *temporero*), **hacer coincidir** (match up; S. *casar*), **hacer cola** (queue; S. *esperar*), **hacer concesiones** (make concessions; make allowances for; S. *tener en cuenta*), **hacer constar** (state, establish; declare, put it on record; S. *acreditar*), **hacer constar en acta** (place on the record, put/include in the minutes, be minuted; S. *levantar acta de*), **hacer crac** *col* (crash, collapse, nosedive *col*, go belly up *col*; S. *picado, quebrar, derrumbarse*), **hacer cumplir** (enforce; S. *aplicar, ejecutar*), **hacer descuento** (discount; allow a discount; S. *descontar*), **hacer efectivo** (cash; cash in;

pay; encash *formal*; S. *cobrar*), **hacer efectivo un talón** (cash a cheque), **hacer el acta de una sesión** (COMP LAW take the minutes), **hacer el servicio entre** (TRANSPT ply between), **hacer escala** (TRANSPT call,[10] call at a port), **hacer extensivo a** (extend to, apply to, include), **hacer fácil** (facilitate; S. *facilitar*), **hacer flotar una divisa** (float a currency), **hacer frente a**[1] (face; counter[3]; S. *contestar, replicar*), **hacer frente a**[2] (meet, honour, honor; defray; S. *atender, pagar una deuda/letra/cheque*), **hacer frente a los compromisos contraídos** (meet one's liabilities), **hacer frente a los intereses de la deuda** (serve a debt/loan), **hacer funcionar** (operate[2]; make sth work), **hacer gestiones** (take steps; mediate; S. *tomar medidas, gestión*), **hacer horas extraordinarias** (IND REL work overtime), **hacer imposible** (rule out; S. *descartar*), **hacer inventario** (take stock, take an inventory, draw up the inventory), **hacer juego** (match[1]; S. *emparejar*), **hacer la compra** (shop; go shopping; S. *ir de compras*), **hacer la declaración de la renta** (fill in or file one's tax return), **hacer la declaración de la renta de forma conjunta** (TAXN file a joint return), **hacer la vista gorda** *col* (overlook[2]; turn a blind eye *col*; S. *dejar pasar*), **hacer las cosas a medias** (do things by halves; S. *no rematar/redondear la faena*), **hacer las maletas** (pack up and go; S. *liar el petate, abandonar*), **hacer las veces de alguien** (perform the office of; S. *suplir a alguien en un cargo*), **hacer malabarismos** (perform a balancing act *col*; juggle, do a juggling act *col*; S. *andar en la cuerda floja*), **hacer negocios** (do/transact business; make/reach a deal; S. *negociar*), **hacer números** (do one's sums *col*; work out the arithmetic *col*), **hacer peligrar** (place/put in jeopardy; S. *poner en peligro*), **hacer permanente** (perpetuate; S. *perpetuar*), **hacer preparativos** (prepare, gear up[2] *col*; S. *prepararse, disponerse*), **hacer propaganda** (advertise; S. *dar publicidad a*), **hacer provisión de** (COM buy in[1]; S. *proveerse de*), **hacer provisión de capital** (furnish/provide capital; S. *aportar capital*), **hacer proyectos ambiciosos** (think big *col*; S. *planear a lo grande, tener ideas grandiosas*), **hacer público** (issue[1]; release; S. *publicar*), **hacer que conste en acta** (put on record; S. *dejar constancia*), **hacer que cuadre un balance** (ACCTS make up a balance, get the books/figures to balance or tally), **hacer remesas** (remit[1]; S. *remesar, remitir, enviar*), **hacer rentable** (COM, FIN turn round, put back on the rails *col*, put back in the black *col*, make profitable), **hacer resumen de** (summarize; S. *resumir*), **hacer retrocesión de** (reassign[2]), **hacer salvedades** (reserve, qualify), **hacer subir los precios** (force prices up), **hacer trampas** (cheat, dodge *col*; fiddle *col*; cut corners *col*; S. *timar, estafar, cometer irregularidades*), **hacer un adelanto/anticipo** (advance money, make an advance; S. *anticipar*), **hacer un asiento** (post an entry), **hacer un buen negocio** (pick up a bargain), **hacer un favor** (do a favour, oblige), **hacer un fondo común** (pool[1]; S. *unir esfuerzos o recursos*), **hacer un gran negocio o una gran jugada** (COM make a killing), **hacer un inventario** (take stock), **hacer un llamamiento** (call for; S. *requerir*), **hacer un muestreo** (sample), **hacer un paro laboral** (IND REL down tools; S. *parar la actividad laboral*), **hacer/cursar un pedido** (COM place/put in an order, order[2]; indent for; S. *despachar un pedido*), **hacer un presupuesto** (make a budget, make an estimate[1]; S. *presupuestar*), **hacer un recuento** (count out,[2] count, count up; do/perform a recount; make an inventory or survey), **hacer un resumen** (summarise, round up[3]; S. *resumir*), **hacer un trato con alguien** (make a deal with sb, do business with sb; S. *hacer negocios con alguien*), **hacer/dejar flotar una divisa** (float a currency), **hacer una lista de** (list[1]; draw up a list of; S. *enumerar*), **hacer una oferta** (make an offer, make a bid, offer; tender[1]; S. *licitar, ofrecer*), **hacer una pausa** (have/take a break; S. *descansar*), **hacer una piña** (rally round; S. *solidarizarse con*), **hacer una rebaja** (make an allowance; S. *conceder un descuento*), **hacer una transferencia** (transfer; S. *traspasar, transferir*), **hacer uso de** (avail oneself of, draw on/upon; S. *recurrir a, utilizar*), **hacer valer la superioridad jerárquica** (pull rank *col*), **hacer valer un criterio o punto de vista** (carry a point; S. *imponer un criterio*), **hacerse a la mar** (TRANSPT sail; S. *vela, navegar*), **hacerse cargo de**[1] (realise/realize[1]; S. *darse cuenta*), **hacerse cargo de**[2] (take over[1]; take charge of; S. *tomar el mando de*), **hacerse con** (procure; S. *lograr, conseguir, obtener*), **hacerse con el control de una empresa** (take over a business, take/get control of a company), **hacerse de oro** *col* (strike it rich *col*, hit the big time *col*, coin it in *col*; S. *forrarse*), **hacerse efectivo** (become effective), **hacerse pasar por** (pretend to be), **hacerse responsable del riesgo de** (assume/incur the risk of; S. *correr el riesgo de*), **hacerse socio de un club** (join a club), **hacerse un seguro** (take out an insurance policy, take out insurance; S. *asegurarse*)].

hacienda[1] *n*: property, estate[2]; plantation, farm, land, ranch; S. *finca*. [Exp:

Hacienda[2] (tax authorities, tax people *col*, taxman *col*; Inland Revenue; Internal Revenue Service, IRS *US*; Treasury, Department of the Treasury; Public Finance; S. *Agencia tributaria, Departamento del Tesoro*), **Hacienda**[3] (ECO public Finance)].

hágalo Vd. mismo *phr*: COM do-it-yourself; S. *bricolage/bricolaje*.

halagüeño *a*: promising.

hecho *a/n*: made, done, finished; act,[1] deed; fact; matter; S. *fabricado; acción, acto, dato*. [Exp: **hecho a la medida** (tailor-made, made-to-order, customized; custom-built/made; S. *personalizado, al gusto del consumidor; normalizado*), **hecho a mano** (hand-made), **hecho a máquina** (machine-made/produced), **hecho, de** (indeed, in fact, actually; as a matter of fact; S. *en realidad*), **hecho imponible** (TAXN tax event, taxable transaction; S. *objeto del impuesto*)].

hermético *a*: airtight.

herramienta *n*: tool, implement, gear[1]; S. *utensilio, instrumento*.

hilera *n*: range[3]; queue; S. *serie, fila*.

hinchar *v*: swell, inflate, blow up; pad out *col*. [Exp: **hinchar las cifras** (inflate the figures), **hinchar una noticia** (blow up a story)].

hiper- *pref*: hyper-. [Exp: **hipermercado** (hypermarket, megastore, superstore)].

hipoteca *n*: LAW, FIN, BKG mortgage; encumbrance; lien; S. *gravamen, carga*. [Exp: **hipoteca a la gruesa** (bottomry bond; S. *garantía/fianza del préstamo o contrato a la gruesa*), **hipoteca abierta** (open mortgage), **hipoteca ampliable** (open-end mortgage), **hipoteca colectiva** (general/blanket mortgage, blanket trust deed), **hipoteca con tipo de interés variable** (adjustable rate mortgage, ARM), **hipoteca con tipos de interés variable y topes prefijados** (cap and collar mortgage), **hipoteca conjunta o**

de participación (participating mortgage), **hipoteca consolidada** (consolidated/unified mortgage), **hipoteca convencional no garantizada** (conventional mortgage), **hipoteca de reintegración** (refunding mortgage), **hipoteca de segundo grado** (second mortgage; S. *segunda hipoteca*), **hipoteca directa, limpia o clásica** (straight mortgage), **hipoteca fiduciaria** (trust mortgage), **hipoteca general o abierta** (blanket/general mortgage, blanket trust deed), **hipoteca globo** (balloon mortgage), **hipoteca inmobiliaria** (real estate mortgage, home mortgage), **hipoteca limitada** (closed-end mortgage), **hipoteca marítima o naval** (ship mortgage), **hipoteca naval** (INSCE bottomry loan; S. *empréstito/préstamo a la gruesa*), **hipoteca pagada a su vencimiento** (BKG dead pledge *US*), **hipoteca prendaria** (chattel mortgage), **hipoteca prioritaria** (senior mortgage; S. *hipoteca secundaria*), **hipoteca secundaria o posterior** (junior mortgage; S. *hipoteca prioritaria; segunda hipoteca*), **hipoteca subyacente u original** (underlying mortgage), **hipoteca titulizada** (FIN securitized mortgage), **hipotecable** (mortgageable), **hipotecado** (mortgaged, burdened with a mortgage or lien; S. *gravado*), **hipotecante** (mortgagor), **hipotecar** (mortgage), **hipotecario** (mortgage, hypothecary; S. *juicio hipotecario*)].

hipótesis *n*: hypothesis, assumption. [Exp: **hipótesis de que, en la** (assuming that), **hipótesis de trabajo** (working hypothesis), **hipótesis nula** (null hypothesis), **hipotético** (hypothetical, notional)].

historial *n*: curriculum vitae, CV; background; personal record; record,[1] track record; S. *curriculum*.

hogar *n*: home; household. [Exp: **hogar, sin** (homeless)].

hoja *n*: leaf, sheet; page; form; S. *papel, impreso*. [Exp: **hoja de análisis de ventas por productos** (MAN sales analysis sheet by products), **hoja de asistencia** (time sheet), **hoja de balance** (ACCTS balance sheet; statement of condition, statement of financial position, assets and liabilities statement; S. *balance general, estado contable, estado financiero, balance de ejercicio, balance de situación*), **hoja de cálculo** (spreadsheet, worksheet), **hoja de control** (backing sheet; S. *hoja matriz*), **hoja de costes** (ACCTS cost sheet), **hoja de cuentas** (tally sheet), **hoja de cupones** (coupon sheet), **hoja de datos técnicos** (data sheet), **hoja de dietas** (statement of expenses; S. *resumen/declaración de gastos*), **hoja de gastos** (expenses sheet/statement, disbursement account/sheet; S. *cuenta de gastos*), **hoja de pago** (paysheet, payslip; statement/receipt of fees), **hoja de papel** (sheet of paper), **hoja de pedido en blanco** (order blank/form; S. *impreso/formulario para hacer un pedido*), **hoja de salarios** (pay slip; earnings report), **hoja de servicio** (service record), **hoja de verificación** (check sheet), **hoja detallada de haberes** (pay statement; S. *nómina*), **hoja matriz** (backing sheet; S. *hoja de control*), **hoja resumen** (lead off *US*)].

holístico *a*: holistic; S. *entero, completo, global*.

hombre *n*: man. [Exp: **hombre-anuncio** (ADVTG sandwich man), **hombre bueno** (arbitrator; referee[1]; S. *amigable componedor*), **hombre clave** (anchorman; key man; S. *pieza fundamental*), **hombre de confianza** (right-hand man), **hombre de empresa o de negocios** (businessman, man of affairs; entrepreneur S. *empresario*), **hombre de la calle** (the man in the street), **hombre de paja** (FIN man of straw, front man[1]

col, dummy; S. *fiduciario, testaferro*)].
homologar *v*: standardize; bring into line; authorise, approve; recognise, ratify; S. *normalizar, ratificar*. [Exp: **homologación** (official sanction or approval; recognition, ratification; S. *certificado de homologación*), **homólogo** (equivalente, counterpart; opposite number; S. *equivalente*)].
honorarios *n*: fee, fees; retainer; charge, charges; S. *minuta, derecho; tarifa*. [Exp: **honorarios anticipados** (retainer/retaining fee), **honorarios** (honorarium, fees; professional fees/charges; rate[4]; S. *minuta, derechos; tarifa*), **honorarios de agencia** (agency fees), **honorarios de estabilización** (equalization fee; S. *cuota de igualación*), **honorarios de gestión** (STK EXCH brokerage; S. *corretaje, comisión*), **honorarios de intermediación de materias primas** (STK & COMMOD EXCH clearing fee), **honorarios del fiduciario** (custodian fee; S. *gastos de custodia/administración de valores*), **honorarios del letrado** (LAW counsel's fee/costs)].
hora *n*: hour; time. [Exp: **hora de apertura/cierre** (opening/closing time), **hora de la verdad** (moment of truth; crunch *col*; S. *crisis*), **hora de máxima audiencia** (prime time; S. *horario estelar*), **hora de salida** (time of departure), **hora estimada de llegada** (estimated time of arrival, ETA), **hora estimada de inicio de las operaciones de carga** (TRANSPT expect/expected ready to load), **hora exacta, a la** (bang on time *col*; S. *puntualísimo*), **hora-hombre** (man-hour), **hora, por** (per hour), **hora punta o de máxima actividad/afluencia** (rush hour, peak period; S. *horario estelar*), **horas de Bolsa o de contratación bursátil** (STK EXCH market hours), **horas de oficina** (office hours; S. *horario de atención al*

público), **horas de trabajo** (IND REL jobtime hours), **horas de trabajo perdidas** (lost working hours), **horas de trabajo regulares** (IND REL regular/standard/normal scheduled working hours), **horas extraordinarias o extras** (overtime, after-hours[1], balancing time *US*), **horas extraordinarias no programadas** (unscheduled overtime, overtime), **horas hábiles** (working hours), **horas punta o de mayor consumo** (peak period; S. *horas de mayor afluencia/actividad*), **horas seguidas** (running hours)].
horario *n*: timetable, schedule[1]; S. *calendario, plan; jornada*. [Exp: **horario comercial** (business hours; S. *horario de atención al público*), **horario comercial extraordinario** (COM late opening), **horario de atención al público** (office/business hours; S. *horas de oficina*), **horario de apertura de la Bolsa** (trading hours), **horario de facturación/presentación en el aeropuerto** (check-in time), **horario de trabajo** (working hours; S. *jornada laboral*), **horario flexible** (flexitime; S. *jornada continua*), **horario de verano** (ECO daylight-saving time), **horario estelar** (ADVTG prime time; S. *hora o banda horaria de mayor audiencia*)].
horcajadas *n*: S. *posición de cobertura a horcajadas*.
horquilla *n*: IND REL floating voters; S. *votantes indecisos*.
hostelería *n*: hotel industry, the catering sector, catering business/trade.
hostil *a*: hostile, adverse; S. *OPA hostil, opuesto, adverso, contrario*.
hucha *n*: piggy bank *col*; money-box; savings, nest-egg, money salted away *col*; money put by for a rainy day; S. *ahorrillos*.
hueco *a/n*: hollow; gap[1]; S. *agujero; brecha; vacío, espacio*. [Exp: **hueco de mercado** (ECO, COM market niche; S.

nicho de mercado), **hueco común** (STK EXCH common gap), **hueco de agotamiento** (STK EXCH exhaustion gap), **hueco de ruptura** (STK EXCH breakaway gap)].

huelga *n*: IND REL strike, walk-out; stoppage; S. *plante*. [Exp: **huelga autorizada** (legal/official strike), **huelga contra un solo patrono** (direct strike), **huelga de brazos caídos** (sit-down strike; S. *sentada*), **huelga de celo** (work-to-rule strike, slow-down strike, go-slow), **huelga de presión** (doomsday strike), **huelga de solidaridad o de apoyo** (sympathetic/sympathy strike), **huelga, en** (on strike), **huelga estratégica o selectiva** (selective strike), **huelga general** (general strike), **huelga no autorizada/oficial** (illegal/unofficial strike; wildcat strike; S. *huelga salvaje*), **huelga para reconocimiento del gremio** (recognition strike), **huelga patronal** (lockout), **huelga·salvaje** (wildcat strike; S. *huelga no oficial*), **huelga simbólica** (token strike), **huelga sin previo aviso** (walkout lightning strike), **huelga total** (all-out strike), **huelguista** (striker; striking)].

huida *n*: escape; S. *fuga*. [Exp: **huida de capitales** (flight of capital), **huida hacia la calidad** (STK & COMMOD EXCH flight to quality), **huir** (escape, run away; defect, abandon, desert; S. *abandonar, desertar*)].

humedecer *v*: FIN damp, dampen; S. *amortiguar*. [Exp: **humedecimiento** (damping; S. *amortiguamiento*), **húmedo** (damp, wet)].

hundimiento *n*: FIN, ECO collapse, heavy fall; S. *derrumbamiento, fuerte caída, colapso*. [Exp: **hundimiento bancario** (bank crash)].

hundir *v*: sink, bring down, wreck, ruin, destroy, drive under; S. *arruinar, destruir*. [Exp: **hundir la competencia** (beat the competition), **hundir las previsiones** (STK EXCH, FIN, ECO make nonsense of the forecasts/predictions), **hundirse** (collapse, sink, go under; slump; S. *desmoronarse, irse a pique*)].

I

I+D *n*: S. *Investigación y Desarrollo.*

ICAC *n*: S. *Instituto de Contabilidad y Auditoría de Cuentas.*

ICAC *n*: Accounting and Audit Institute; S. *Instituto de Contabilidad y Auditoría de Cuentas.*

ICEX *n*: S. *Instituto de Comercio Exterior.*

ICO *n*: S. *Instituto de Crédito Oficial.*

ICONA *n*: S. *Instituto para la conservación de la naturaleza.*

ida *n*: departure; S. *ir, billete/viaje de ida, billete/viaje de ida y vuelta.* [Exp: **ida, de** (outward; single, one-way; S. *de salida, exterior*)].

idea *n*: idea; proposal, scheme; S. *imagen.* [Exp: **ideal** (ideal; S. *perfecto*), **idear** (conceive, think up; design, devise[1]; S. *concebir, elaborar*)].

identidad *n*: identity. [Exp: **identificación** (identification; tag; S. *número de identificación fiscal, NIF; etiqueta*), **identificación como medida de seguridad** (clearance[2]; S. *acreditación*), **identificador** (identifier, tag), **identificar** (identify), **identificarse con** (identify with, hold a brief for; S. *apoyar a*)].

idoneidad *n*: aptness, fitness, suitability; S. *conveniencia, aptitud; méritos.* [Exp: **idóneo** (suitable, qualified, fit; ideally suited, right, perfect; S. *capaz, competente, ápto*)].

IEME *n*: S. *Instituto Español de Moneda Extranjera.*

ignífugo *a*: fire-proof; S. *ininflamable, incombustible.*

igual *a*: equal, even; the same; S. *regular, uniforme.* [Exp: **igual a, ser** (equal, be equal to), **igual cobertura** (INSCE equal coverage), **igual función, igual retribución, a** (equal pay for equal work), **igual que, al** (in line with[2]; S. *de acuerdo con*), **igual retribución** (equal pay), **igual, sin** (matchless, peerless, unequalled, unique), **igualación** (equalization; S. *estabilización, nivelación*), **igualación de cargas** (burden equalization), **igualado** (equal, even, evenly matched, even-steven *col*; S. *equitativo*), **igualar** (equal, equalize, equate; level, match[1]; even, even out, even up; level off; S. *equilibrar; equiparar*)].

iguala *n*: IND REL retainer/retaining fee; S. *honorario anticipado, anticipo sobre los honorarios.*

igualdad *n*: equality; parity; S. *paridad, equivalencia*), **igualdad de condiones, en** (on equal terms, on an equality, other things being equal), **igualdad de oportunidades** (equality of opportunities), **igualdad de oportunidades para el trabajo** (IND REL equal employment opportunity), **igualita-**

rianismo (egalitarianism), **igualitario** (egalitarian; equitable[1]; S. *equitativo*)].

ilegal *a*: unlawful, illegal, illicit; S. *ilícito*. [Exp: **ilegalidad** (illegality, unlawfulness), **ilegalizar** (make illegal, outlaw), **ilegalmente** (unlawfully, illegally, wrongfully; under the table *col*; S. *bajo cuerda*), **ilegitimo** (illegitimate; illegal, unlawful)].

ileso *a*: safe,[1] unhurt, undamaged; S. *indemne, salvo*.

ilícito *a/n*: unlawful, illicit; *approx* tort, wrong, illicit/unlawful act, civil wrong, nuisance; S. *ilegítimo*. [Exp: **ilícito civil** (wrong; tort; S. *agravio, abuso*), **ilícito penal** (crime, offence)].

ilimitado *a*: unlimited, unrestricted.

ilíquido *n*: FIN non-liquid, illiquid; unadjusted; S. *irrealizable; pendiente*. [Exp: **iliquidez** (illiquidity; liquidity shortage/squeeze; S. *falta de liquidez*)].

imagen *n*: image; public image; S. *idea; reputación; fabricación de imagen*. [Exp: **imagen de la empresa** (COM corporate image/identity, company's image; S. *identidad corporativa*), **imagen de marca** (ADVTG brand image), **imagen nueva** (new look), **imágenes** (ADVTG illustrations), **imaginario** (imaginary; S. *simulado*), **imaginativo** (imaginative, resourceful; S. *emprendedor, ingenioso*)].

imitación *n*: imitation, copy; fake[2]; S. *falsificación*. [Exp: **imitación fraudulenta** (fraudulent copy, counterfeit of genuine products), **imitado** (fake, bogus; S. *falso, espurio*), **imitar** (imitate, copy)].

impacto *n*: impact; hit[1]; incidence; S. *repercusión; incidencia*. [Exp: **impacto del impuesto o recaudatorio** (TAXN tax impact), **impacto secundario** (kick)].

impagado *a/n*: unpaid, dishonoured, unsettled; non-payment; S. *pendiente, en descubierto, vencido*. [Exp: **impagados** (bad debts; S. *créditos/deudas incobrables, morosos*), **impago** (default, delinquency; failure to pay, non-payment; S. *falta/incumplimiento de pago*), **impago de talón/efecto** (dishonour of a cheque/instrument)].

impar *a*: odd, uneven; S. *desparejado, suelto*.

imparcial *n*: impartial, fair, equitable[1]; unprejudiced; equal; S. *justo, equitativo*. [Exp: **imparcialidad** (impartiality, neutrality; S. *neutralidad*)].

impedimento[1] *n*: impediment, hindrance, deterrent; snag *col*; S. *freno, medida disuasoria, traba*. [Exp: **impedimento**[2] (encumbrance; disadvantage; S. *afectación, carga*), **impedimento, sin** (free, without let or hindrance), **impedir** (impede, prevent; obstruct, block, deter; restrain, check[3]; S. *obstaculizar, contener*), **impedir el crecimiento o desarrollo de** (stunt[1] the growth or development of; S. *asfixiar, atrofiar*)].

imperante *a*: prevailing; S. *reinante, actual, corriente, extendido, preponderante, dominante, predominante, generalizado*.

imperativo legal *n*: LAW binding obligation. [Exp: **imperativo legal, por** (as in duty bound; *approx* under protest)].

imperfección *n*: imperfection, defect, fault; S. *defecto*. [Exp: **imperfección del título** (FIN cloud on title; irregularity in the title deeds; S. *título insuficiente*), **imperfecto** (imperfect, defective, faulty, foul, flawed; S. *incompleto, defectuoso*)].

impermeable *a*: waterproof.

ímpetu *n*: impetus, momentum,[1] impulse, boost[1]; S. *impulso; estímulo*.

implicación *n*: implication, involvement; S. *participación*. [Exp: **implicar** (imply; implicate; involve, entail; S. *significar, presuponer; acarrear*)].

implícito *a*: implicit, implied, tacit,

indirect, constructive, imputed²; S. *tácito, sobreentendido.*

imponderable *a/n*: imponderable; incalculable, inestimable; S. *tácito, sobreentendido.*

imponer¹ *v*: TAXN, ECO, LAW impose, exact, levy; enforce, make compulsory; S. *exigir; gravar.* [Exp: **imponer²** (BKG deposit; S. *ingresar*), **imponer barreras arancelarias/comerciales** (impose trade barriers; S. *suprimir barreras arancelarias*), **imponer cargas u obligaciones** (place/lay charges on, lay under an obligation), **imponer restricciones** (impose restrictions, restrict; S. *boicotear*), **imponer sanciones económicas** (impose economic sanctions), **imponer tributos/impuestos** (tax, levy taxes; S. *gravar con impuestos*), **imponer un criterio o punto de vista** (carry a point, impose a point of view; S. *hacer valer un criterio*), **imponer una prohibición** (impose a ban), **imponible** (TAXN imposable; taxable, excisable, dutiable, assessable, leviable, liable/subject to duty/tax; S. *gravable, tributable*)].

importación *n*: COM, TRANSPT import¹; importation. [Exp: **importación con franquicia arancelaria** (COMER duty-free importation), **importación, de** (imported; inward/inwards), **importación por cuenta del Estado/de un particular** (import on government/private account), **importación temporal** (COM temporary import, temporary imports; S. *régimen de perfeccionamiento*), **importaciones globales** (ECO aggregate imports; S. *total de importaciones*), **importaciones no contingentadas** (ECO non-quota imports), **importaciones y exportaciones invisibles** (ECO invisibles), **importador** (importer), **importar¹** (COM import¹), **importar²** (matter; S. *contar*), **importar³** (ACCTS

amount to; come to; cost; S. *costar; importe, monto*)].

importancia *n*: importance, significance. [Exp: **importancia secundaria, de** (of secondary importance, second-tier; S. *de nivel intermedio*), **importancia, sin** (immaterial; S. *irrelevante*), **importante** (important, significant, major, leading; serious, material; heavy; sizable; S. *principal, fundamental, sustantivo*), **importantes de una empresa, los** (MAN above-the-line people *col*; the firm's bigwigs *col*; the top brass *col*; the high heid yins *col*; S. *«los de las alturas», los jefes*)].

importe *n*: amount, total, cost, price, value; S. *coste, precio, importe; monto.* [Exp: **importe a pagar** (amount due), **importe de la factura** (amount of bill; invoiced amount/price), **importe de la tasación** (ACCTS appraisal/appraised value; S. *valor estimado*), **importe fijo** (flat amount), **importe medio** (average amount), **importe neto de los créditos concedidos** (FIN net lending), **importe nominal** (face/nominal amount/value), **importe total** (ACCTS full amount; grand total; aggregate amount)].

imposibilitado *a*: IND REL disabled, unfit for work, handicapped; S. *incapacidad, disminuido, inútil.*

imposición¹ *n*: TAXN taxation, imposition; S. *impuesto, tributo.* [Exp: **imposición²** (BKG deposit; savings deposit; S. *ingreso en cuenta, abono*), **imposición³** (pressure, imposition), **imposición a plazo** (BKG time deposit), **imposición a plazo fijo** (fixed-term deposit), **imposición de contribuciones** (imposition of taxes, levy/raising of taxes), **imposición de precios** (imposition of prices; S. *fijación de precios*), **imposición directa/indirecta** (direct/indirect taxation; S. *tributación directa*), **imposición discriminatoria** (TAXN discriminatory taxation), **imposición en cascada**

(cascade tax, multi-stage tax/taxation; S. *imposición multifásica*), **imposición en régimen de evaluación global** (presumptive assessment/taxation; S. *impuesto por signos externos*), **imposición funcional** (TAXN classified taxation), **imposición en origen** (TAXN taxation at source), **imposición multifásica** (cascade tax, multi-stage tax/taxation; S. *imposición en cascada*), **imposición progresiva/regresiva** (progressive/regressive taxation), **impositivo** (tax, taxation, fiscal), **impositor** (contributor; depositor; S. *depositante*)].

impostor *n*: impostor; S. *engañador, tramposo*. [Exp: **impostura** (imposture; fraud, deceit, sham; S. *fraude, engaño*)].

imprescindible *a*: indispensable, essential; S. *indispensable*.

impresión¹ *n*: printing. [Exp: **impresión²** (impression), **impreso¹** (printed; S. *impresos*), **impreso²** (form; application form; S. *formulario; hoja*), **impreso de declaración de aduanas** (customs declaration form), **impreso de declaración de la renta** (income tax form, tax return form), **impreso de ingreso/ imposición** (BKG pay-in slip), **impreso de operaciones bursátiles** (STK EXCH dealing slip; S. *boleta*), **impreso de representación** (COMP LAW proxy form), **impreso de solicitud** (application form; S. *formulario de solicitud*), **impreso oficial** (official form), **impreso para domiciliación bancaria** (BKG standing order form), **impreso para hacer un pedido** (order blank/form; S. *hoja de pedido*), **impresos** (printed matter)].

imprevisión *n*: lack of foresight, improvidence. [Exp: **imprevisto** (ACCTS unexpected, unforeseen; non-recurring), **imprevistos** (contingencies; incidental expenses, incidentals; S. *fondo para imprevistos; contingencia*), **imprevistos en el movimiento de los precios** (price

contingencies), **imprevistos financieros** (financial contigencies)].

imprimir *v*: print¹.

improcedente *a*: LAW, IND REL wrong, inappropriate, inapplicable; unfair, unfounded, inadmissible, not on *col*; S. *inadmisible, inaplicable*.

improductivo *n*: unproductive, bearing no interest; idle; dead; barren; S. *infructuoso, estéril*.

improrrogable *a*: non-renewable; final; S. *firme, no renovable*.

improvisado *a*: improvised; impromptu, makeshift; S. *provisional, temporal*. [Exp: **improvisar** (improvise)].

imprudencia *n*: imprudence, negligence, recklessness; S. *negligencia*. [Exp: **imprudente** (imprudent, ill-advised, unwise; rash, reckless, hasty)].

impuesto *n*: TAXN tax, internal revenue tax, impost, imposition, assessment, duty, levy; S. *tributo, impuesto, contribución*. [Exp: **impuesto a cuenta** (pay-as-you-earn, PAYE, pay-as-you go; prepayment of taxes; withholding tax; S. *retención de impuestos en la fuente*), **impuesto a pagar** (tax liability; S. *cuota líquida*), **impuesto acumulado** (tax accrual), **impuesto adelantado** (prepaid tax, forward tax), **impuesto adicional/ complementario** (surtax; supplementary tax; S. *sobretasa, recargo tributario*), **impueso afectado** (earmarked taxed), **impuesto anticipado** (tax advance), **impuesto atrasado** (back tax), **impuesto compensatorio** (compensatory tax), **impuesto con desgravación diferencial** (selective employment tax), **impuesto de circulación** (road tax; S. *impuesto de vehículos rodados*), **impuesto de compensación** (equalization tax), **impuesto de donaciones o sobre transferencias a título gratuito** (gift tax), **impuesto de equiparación de intereses** (interest equalization tax), impuesto de estabilización económica (economic stabilization tax), impuesto de explotación (royalty tax), impuesto de la renta progresivo (progressive/graduated income tax), impuesto de lujo (luxury tax), impuesto de plusvalías (capital gains tax, property increment tax, increment tax *US*), impuesto de sociedades (company/corporate/corporation/business tax), impuesto de/sobre sucesiones (death duties/tax; estate duty, legacy duty, inheritance tax), impuesto de vehículos rodados (road tax; S. *impuesto de circulación*), impuesto degresivo (degressive tax), impuesto diferido con saldo acreedor/deudor (deferred income tax credit/debit), impuesto directo (direct taxation), impuesto en cascada (cumulative sales tax, multiple stage tax, cascade tax; S. *impuesto multifásico*), impuesto encubierto (hidden tax), impuesto general sobre el patrimonio (general property tax), impuesto indirecto (indirect tax; excise duty/tax; S. *impuesto sobre consumos específicos*), impuesto intangible (intangible tax; S. *impuesto sobre activos bancarios*), impuesto integrado/global de renta y patrimonio (comprehensive income tax), impuesto inverso (negative income tax, NIT), impuesto liquidable (assessed tax; S. *contribución directa*), impuesto monofásico (single stage tax), impuesto multifásico (multiple stage tax, cascade tax; S. *impuesto en cascada*), impuesto oculto (hidden tax), impuesto pagado en la fuente o en origen (tax deducted at source), impuesto penalizador a morosos (deterrent tax), impuesto pendiente de liquidación (unpaid tax, delinquent tax), impuesto por cabeza (poll tax, capitation tax; S. *capitación*), impuesto predial o sobre bienes raíces (real estate tax; S. *contribución terri-*

torial), impuesto por signos externos (presumptive tax), impuesto progresivo (graded tax, progressive tax), impuesto proporcional (proportional tax/taxation), impuesto prorrateado entre varios (apportioned tax), impuesto regresivo (regressive tax), impuesto repercutido (rebound tax), impuesto retenido (retained/withheld tax; S. *retención fiscal*), impuesto retenido en origen (tax deducted at source), impuesto sobre actividades de tiempo libre (leisure tax), impuesto sobre actividades económicas (business tax/taxation), impuesto sobre activos bancarios (intangible tax; S. *impuesto intangible*), impuesto sobre aumento de patrimonio (capital gains tax; S. *impuesto sobre incrementos de patrimonio*), impuesto sobre beneficios extraordinarios (excess-profit tax), impuesto sobre bienes inmuebles (property tax; S. *contribución territorial, impuesto predial*), impuesto sobre consumos específicos (excise duty/tax; S. *arbitrios*), impuesto/gravamen/exacción sobre el capital o el patrimonio (capital levy), impuesto sobre el consumo (consumption tax, tax on consumption), impuesto sobre el tráfico de empresas (sales tax; turnover tax; S. *impuesto sobre el volumen de contratación*), impuesto sobre el valor añadido, IVA (value added tax, VAT), impuesto sobre el valor añadido de bienes y servicios empresariales (input tax *US*), impuesto sobre el consumo (excise, consumption tax; S. *impuestos especiales*), impuesto sobre el patrimonio (capital tax, personal wealth tax, wealth tax), impuesto sobre el volumen de negocios (turnover tax), impuesto sobre espectáculos (entertainment tax),), impuesto sobre géneros de consumo (commodity tax; S. *impuesto sobre productos*), **impuesto sobre herencias** (inheritance tax; S. *impuesto sobre sucesiones*), **impuesto sobre incrementos de patrimonio** (capital gains tax; S. *impuesto sobre plusvalías*), **impuesto sobre las transferencias de capital** (capital transfer tax), **impuesto sobre los ingresos brutos** (turnover tax; S. *impuesto sobre el tráfico de empresas*), **impuesto sobre ingresos extraordinarios** (windfall tax), **impuesto sobre la renta de las personas físicas, IRPF** (income tax; personal income tax), **impuesto sobre las entradas a espectáculos** (admissions tax), **impuesto sobre las ventas** (sales tax, purchase tax), **impuesto sobre plusvalías** (capital gains tax; tax on increment value; S. *impuesto sobre incrementos de patrimonio*), **impuesto sobre productos** (commodity tax; S. *impuesto sobre géneros de consumo*), **impuesto sobre rentas de trabajo** (payroll tax), **impuesto sobre ventas al por menor** (retail sales tax), **impuesto sobre transmisiones, donaciones** (capital-transfer tax, estate duty; gift tax), **impuesto societario** (company/corporate tax; business tax), **impuesto societario global** (mainstream corporation tax), **impuestos acumulados, causados o vencidos** (accrued taxes, tax accruals; S. *impuestos por pagar*), **impuestos afectados** (earmarked taxes; S. *impuestos finalistas*), **impuestos deducidos, con** (after-tax; S. *después de impuestos*), **impuestos especiales** (special taxes, excise; S. *arbitrio*), **impuestos finalistas** (earmarked taxes; S. *impuestos afectados*), **impuestos fronterizos** (border taxes), **impuestos locales** (municipal/local taxes), **impuestos municipales** (rates,[6] local rates,[1] local taxation), **impuestos netos adeudados** (net tax liability *US*; S. *cuota líquida, cuota a*

ingresar), **impuestos sobre dividendos** (accumulated profits tax), **impuestos sobre el alcohol, el petróleo, etc.** (duty on alcohol/oil, etc.), **impuestos sobre ganancias de capital** (capital gains tax; S. *impuesto de aumento de patrimonio*), **impuestos sobre el capital** (capital duties), **impuestos sobre el juego** (betting and gaming tax, gaming duties), **impuestos varios** (sundry taxes), **impuestos vencidos/atrasados** (tax arrears), **impuestos ya deducidos, con los** (after-tax; S. *después de impuestos*)].

impugnación *n*: challenge, objection, contesting; dispute; S. *recusación, objeción*. [Exp: **impugnar** (contest, object to, lodge an objection, dispute; S. *disputar, recusar*), **impugnar/protestar una letra, efecto, etc.** (note[5] a bill, refer a bill to drawer; S. *levantar acta*)].

impulsar *v*: boost[1]; propel; promote, move, drive[2]; kick; S. *estimular, fomentar, dinamizar*. [Exp: **impulsado por las exportaciones** (export-led), **impulsor** (backer; developer; S. *socio capitalista, comanditario, promotor*), **impulsor de una OPA hostil** (corporate raider), **impulso** (impulse, boost, momentum[1]; urge; drive; take-off; development[1]; kick; leverage; S. *fomento*), **impulsivo** (impulsive; S. *compra impulsiva*)].

imputar *v*: impute, attribute; allocate; charge, accuse; S. *atribuir*. [Exp: **imputable** (imputable, chargeable, attributable; S. *atribuible*), **imputación** (imputation, allocation; accusation), **imputación de costes** (cost allocation), **imputación de impuestos** (imputation of taxes), **imputado** (imputed[1]; accused; S. *atribuido*)].

in- *pref*: un-, in-, im-, dis-, mis-; S. *dis-, des-*.

inacabado *a*: unfinished, incomplete; in progress; S. *inconcluso, no concluido, sin terminar*.

inacción *n*: inaction; inactivity; S. *descanso*. [Exp: **inacción, por** (by default)].

inactividad *n*: STK EXCH dullness; inactivity; sluggishness; S. *lentitud, estancamiento.* [Exp: **inactividad del mercado** (STK EXCH, ECO market sluggishness), **inactivo** (inactive; idle, dead, passive; dull; sleeping; dormant; sluggish; S. *inmovilizado, sin movimiento, muerto*)].

inadecuado *a*: inappropriate, unsuitable, improper, ineligible, bad; S. *inapropiado, inoportuno.*

inadmisible *n*: inadmissible, unacceptable, out of order; S. *improcedente.*

inamovible *n*: immovable; S. *inmóvil.* [Exp: **inamovilidad en el puesto de trabajo** (IND REL security of tenure)].

inapropiado *a*: inappropriate.

inasistencia *a*: non-attendance; absence; S. *ausencia, falta, incomparecencia.*

inauguración *n*: opening, inauguration. [Exp: **inaugurar** (inaugurate, open, declare open, unveil), **inaugural** (inaugural, opening)].

incalculable *a*: incalculable; inestimable, priceless.

incapacidad *n*: incapacity, inability, disability; inadequacy; unfitness, incompetence; S. *ineptitud, invalidez.* [Exp: **incapacidad absoluta/parcial/ permanente** (permanent/partial/total disability), **incapacidad absoluta temporal** (temporary total disability), **incapacidad laboral** (incapacity for work; disablement, inability), **incapacidad laboral transitoria** (temporary incapacity for work, sick leave), **incapacitado** (disqualified; disabled; S. *impedido, inhabilitado, incompetente*), **incapaz** (unable, unfit, incompetent; inadequate; S. *inepto*)].

incapacitar *v*: disqualify; S. *descalificar, inhabilitar.*

incautar-se *v*: seize, confiscate, impound; S. *embargar, confiscar.* [Exp: **incautación**

(attachment,[2] confiscation, seizure; S. *embargo, decomiso, confiscación*)].

incentivación *n*: IND REL motivation, incentive scheme, productivity bonus, bonus scheme; S. *prima, plus, extra*; S. *participación en los beneficios*. [Exp: **incentivado** (S. *baja incentivada, jubilación incentivada o anticipada*), **incentivar** (offer incentives, provide inducements, motivate, stimulate, encourage; S. *motivar, primar*), **incentivo** (incentive; inducement; incentive payment/wage US; kicker *col*; kickback *col US*; S. *estímulo; astilla*), **incentivo a la exportación** (export incentive/bonus; S. *plus por exportación*), **incentivo a la inversión** (investment incentive; inducement to invest), **incentivo de permanencia en una empresa para altos ejecutivos** (COMP LAW golden handcuffs; S. *bufanda*), **incentivo fiscal** (fiscal/tax incentive/ boost), **incentivo por fichaje/incorporación a una empresa** (COMP LAW golden hello; S. *prima por fichaje o incorporación*), **incentivo progresivo** (accelerated incentive), **incentivo salarial** (wage incentive, bonus scheme), **incentivo tributario** (TAXN tax incentive; S. *beneficio fiscal*), **incentivos no salariales** (benefits, other extras or perks; labor allowances and make-up US)].

incertidumbre *n*: uncertainty. [Exp: **incertidumbre política** (political uncertainty/instability; S. *inestabilidad económica/política*)].

incidencia *n*: impact; incidence; implication; S. *impacto, repercusión*. [Exp: **incidencia fiscal, tributaria o de la imposición** (TAXN incidence of a tax or taxation, tax incidence), **incidental** (incidental, accessory)].

incidente *n*: incident; affair; occurrence; S. *episodio, asunto.*

incidir en *v*: hit,[1] fall on, affect, have an

effect on, influence, contribute to; S. *afectar a.*

incitar *v*: encourage, induce; move; drive[2]; S. *impulsar, promover.*

incluido *a*: including, inclusive. [Exp: **incluidos todos los gastos** (inclusive of all charges; S. *todo incluido*)].

incluir *v*: include; enclose; insert; compromise, contain; throw in *col*; cover,[6]; S. *cubrir, encerrar.* [Exp: **incluir en el orden del día** (put down on the agenda), **inclusión** (ADVTG insertion; S. *inserción*), **inclusive/inclusivo** (inclusive; S. *todo incluido*)].

incoar *v*: start, institute, initiate, enter[2]; S. *formalizar, celebrar.* [Exp: **incoar un expediente** (open a file; LAW initiate/institute an enquiry or disciplinary proceedings/action; S. *expediente*)].

incobrable *a*: non-collectable, uncollectible, irrecoverable.

incoherencia *n*: incoherence; inconsistency; nonsense, absurdity. [Exp: **incoherente** (incoherent; absurd, illogical; unconnected, inconsistent; rambling; S. *inconsistente*)].

incolocable *a*: unmarketable, unsellable; S. *invendible.*

incombustible *a/n*: fire-proof; fire-resistant; *fig* irrepressible, indestructible; a born survivor *col*; S. *ignífugo, a prueba de fuego, ininflamable.*

incomparecencia *n*: LAW absence; default, non-attendance; failure to appear; S. *falta, inasistencia, ausencia.* [Exp: **incompareciente** (defaulting; defaulter)].

incompetencia *n*: incompetence, inefficiency, fecklessness; S. *ineficacia, incapacidad, inutilidad.* [Exp: **incompetente** (incompetent; ineffective; unfit, not qualified, ineffective, feckless; S. *inepto, incapaz*)].

incompleto *a*: incomplete; partial; unfinished, unaccomplished; S. *insuficiente.*

inconcluso *a*: unfinished; unexpired; S. *no concluido, sin terminar, inacabado.*

incondicional *a*: unconditional; absolute; final; S. *absoluto.*

incongruencia *n*: incongruity, inconsistency; senselessness, absurdity, contradiction; S. *absurdo, contradicción.* [Exp: **incongruente** (incongruous, inconsistent, meaningless, senseless, absurd, that doesn't make sense; S. *contradictorio*)].

inconsistencia *n*: weakness, flimsiness, incoherence, want of cogency; weak point; S. *debilidad, punto flaco, incoherencia.* [Exp: **inconsistente** (weak, flimsy; contradictory, lacking cogency, that won't stand up *col* or bear examination; S. *débil, poco convincente, contradictorio*)].

incontestable *a*: unanswerable, undisputed, incontestable, unimpeachable; S. *incontrovertible, irrefutable.*

incontrolado *a*: runaway, out of control, running wild or rampant; S. *desbocado, galopante.*

incontrovertible *a*: ECO incontrovertible, indisputable, unanswerable; S. *irrefutable, incontestable.*

inconvertibilidad *n*: ECO, FIN inconvertibility, non-convertibility. [Exp: **inconvertible** (inconvertible; non-convertible; irredeemable; S. *no convertible*)].

incorporación[1] (COMP LAW incorporation; establishment, founding; S. *acto constitutivo.* [Exp: **incorporación**[2] (merger; S. *unión de empresas, fusión*), **incorporación**[3] (IND REL admission, hiring; joining; start; S. *contratar*), **incorporación inmediata** (IND REL to start immediately; on-the-spot hiring), **incorporación de reservas** (capitalization of reserves), **incorporado**[1] (built-in; S. *empotrado*), **incorporado**[2] (COMP LAW corporate; S. *corporativo*), **incorporar**[1] (absorb; S. *consolidar, asumir, absorber*), **incorporar**[2] (build in;

include, add; fit with; S. *incluir, programar*), **incorporar³** (IND REL sign up, hire, take on, employ; S. *contratar, emplear, fichar*), **incorporar⁴** (COM, LAW incorporate; merge), **incorporarse a** (join; S. *inscribirse en una asociación*)].

incorpóreo *a*: intangible; S. *inmaterial, intangible.*

incorrecto *a*: wrong, incorrect; S. *erróneo.*

incremental *a*: ECO incremental; marginal; S. *incremental, marginal.*

incrementar-se *v*: grow, increase, accrue; S. *aumentar, acrecentar, acumular-se.* [Exp: **incremento** (increment, boost,¹ increase; rise; S. *crecimiento*), **incremento de capital** (ACCTS capital growth), **incremento de sueldo** (rise, raise¹ US; S. *aumento de sueldo*), **incremento del patrimonio/patrimonial** (ACCTS, TAXN, FIN capital gain/gains; net worth increase; S. *plusvalía*), **incremento patrimonial sujeto a contribución** (chargeable gain; S. *plusvalía imputable*), **incrementos por evaluación** (appraisal increments)].

incumbencia *n*: responsibility, concern; obligation²; S. *obligación, compromiso, responsabilidad, deber.* [Exp: **incumbir a** (be incumbent on, fall to sb's lot; be the responsibility of; S. *corresponder o tocar a alguien, ser de la incumbencia de*)].

incumplido *a*: unfulfilled; defaulted; S. *no ejecutado.*

incumplimiento *n*: breach, infringement; default; delinquency; failure to complete/comply; non-fulfillment, non-compliance; non-performance, non-observance; default; S. *vulneración, violación.* [Exp: **incumplimiento de contrato** (breach of contract), **incumplimiento de la entrega prometida** (COM non-delivery), **incumplimiento de pago** (non-payment, default of payment, dishonour), **incumplimiento de un trámite o formalidad** (non-observance of a formality; S. *omisión*), **incumplimiento del**

ordenante (BKG, FIN default by the principal)].

incumplir *v*: default; breach, infringe; fail to fulfil/perform/carry out/complete/comply with; S. *dejar de cumplir.* [Exp: **incumplir el pago** (BKG, COM fail to pay, default on payment, dishonour a cheque/bill of exchange, etc; S. *no atender un compromiso contraído*), **incumplir la palabra** (break a promise, fail to keep one's word), **incumplir o retrasarse en los pagos acordados contractualmente** (default on obligations/payments; S. *no hacer frente a*), **incumplir un contrato/derecho/norma, etc.** (breach/infringe/default on a contract/right/rule, etc.)].

incurrir en *v*: incur; LAW commit, be guilty of; fall into; S. *ocasionar.* [Exp: **incurrir en gastos** (incur costs)].

incursión *n*: STK EXCH raid; S. *toma de posiciones por sorpresa.* [Exp: **incursión al amanecer** (STK EXCH dawn raid)].

indagación *n*: investigation, examination, enquiry/inquiry¹; S. *pesquisa, investigación.* [Exp: **indagar** (explore, investigate; enquire into, make enquiries; S. *examinar, explorar*), **indagatorio** (exploratory)].

indebido *a*: undue, improper; incorrect, unlawful. [Exp: **indebidamente** (unduly; improperly, wrongfully; S. *ilícitamente*)].

indecisión *n*: indecision, wavering, hesitation; S. *duda.* [Exp: **indeciso** (hesitant, uncertain; indecisive; undecided; S. *vacilante, dudoso*)].

indemne *a*: undamaged, unscathed, unharmed; S. *intacto, ileso.* [Exp: **indemnidad** (INSCE, IND REL immunity, indemnity¹; S. *indemnización*), **indemnizable** (recoverable; S. *recuperable*)].

indemnización *n*: INSCE, IND REL indemnity,¹ compensation, award, indemnification; damages; S. *reparación, compensación.* [Exp: **indemnización a**

tanto alzado (lump sum settlement), **indemnización de/por daños y perjuicios por incumplimiento de contrato** (LAW, IND REL damages in contract/ damages for breach of contract), **indemnización doble** (double damages), **indemnización doble en caso de muerte por accidente** (INSCE double indemnity in the event of accidental death), **indemnización global por despido** (IND REL lump-sum award or compensation for dismissal, compensation package), **indemnización graciable por servicios a la empresa** (ex gratia payment), **indemnización por accidente** (accident award), **indemnización por baja por enfermedad** (REL LAB statutory sick pay, SSP), **indemnización por cese en el cargo** (compensation for loss of office; dismissal compensation; golden handshake), **indemnización por daños y perjuicios** (damages indemnification, award of damages, damages compensation), **indemnización por desempleo** (unemployment compensation), **indemnización por despido** (compensation award/indemnity for dismissal, layoff dismisal pay, dismissal indemnity, severance pay), **indemnización por despido producido por expediente de regulación de empleo** (redundancy payment), **indemnización por fallecimiento del asegurado** (death benefit), **indemnización por jubilación anticipada** (compensation for early retirement; S. *despido pactado*), **indemnización por muerte en acto de servicio** (award/compensation for death in the course/line of duty), **indemnización por rescisión del contrato o nombramiento** (termination indemnity), **indemnización por terreno expropiado o por daños producidos a terreno colindante** (land damages), **indemnización suplementaria por accidente** (additional accident award or compensation; S. *seguro de doble indemnización*), **indemnización sustitutoria** (damages in lieu), **indemnizaciones por traslado** (resettlement allowances), **indemnizaciones y gratificaciones al personal** (staff indemnities and bonuses)].

indemnizar *v*: indemnify; compensate; make amends; make good the damage; recompense; recoup; S. *compensar, reparar.*

independencia de, con *phr*: irrespective of; S. *independientemente de, no obstante lo anterior.*

independiente *a*: independent, separate; S. *separado.*

independientemente de *phr*: irrespective of; S. *con independencia de, no obstante lo anterior.*

independizarse *v*: COM strike out on one's own, gain one's independence, become independent; S. *poner un negocio propio.*

indexación *n*: indexation, indexing; index-linking; S. *indiciación.* [Exp: **indexado/indiciado** (FIN indexed, index-linked; S. *actualizable/ajustable a un índice*), **indexar** (index; S. *indiciar*)].

indicación *n*: sign; hint, suggestion; instruction; S. *pista, señal, instrucción.*

indicador *n*: ECO indicator, pointer, gauge/gage; signboard; barometer. [Exp: **indicador de confianza de los consumidores** (consumer confidence indicator), **indicador de la capacidad de endeudamiento de una empresa** (FIN debt-to-capital/equity ratio), **indicador de la coyuntura** (short-term indicator, warning signal), **indicador de sobrecomprado/sobrevendido** (overbought/ oversold indicator), **indicador económico** (economic indicator), **indicadores adelantados/anticipados/premonitorios** (leading indicators; S. *lag/lagging indicators*), **indicadores atrasados/**

retardados (lag/lagging indicators; S. *leading indicators*), **indicadores de la coyuntura** (current economic indicators), **indicadores de tendencia** (leading indicators), **indicadores del desarrollo mundial** (world development indicators), **indicadores de rendimiento o rentabilidad** (performance indicators), **indicadores premonitorios y retardados** (lead-s and lag-s; S. *adelantos y atrasos*)].

indicar *v*: indicate, point[1]; state; show; S. *apuntar, señalar*. [Exp: **indicativo** (indicative, guiding; S. *orientador*)].

índice *n*: index; index number; average; rate, ratio; table; S. *coeficiente, razón, tipo, tasa, baremo*. [Exp: **índice bajo de apalancamiento de capital, con un** (FIN low-geared), **índice bursátil** (share index, stock market index), **índice compuesto** (BKG, ECO composite index), **índice de ahorro** (savings ratio), **índice de apalancamiento financiero** (FIN debt-to-capital/equity ratio; S. *coeficiente de endeudamiento*), **índice de audiencia de un programa de radio/televisión** (ADVTG rating[4]/audience figures of a TV or radio programme), **índice de aumento de población** (population growth rate), **índice de base fija** (ECO fixed base index), **índice de canal de mercaderías** (STK & COMMOD EXCH commodity channel index), **índice de cobros** (ratio of collection), **índice de competitividad** (ECO competitiveness index), **índice de costos compuestos de construcción** (ECO composite construction cost index), **índice de cotización** (FIN exchange rate; S. *cotización, tipo/tasa de cambio*), **índice de cotización de acciones** (STK EXCH share index), **índice de crecimiento** (growth index), **índice de credibilidad** (credibility rating), **índice de difusión** (ECO diffusion index), **índice de disparidad** (index of disparity),

índice de eficiencia (ECO efficiency ratio), **índice de faltas al trabajo** (IND REL absence rate), **índice de fluctuación** (fluctuation rate, swing index), **índice de frecuencia** (INSCE claim frequency ratio), **índice de inflación** (rate of inflation), **índice de ingreso marginal** (marginal-income ratio), **índice de la adecuación de capital de un banco** (BKG capital ratio), **índice de la calidad material de vida** (physical quality of life index, PQLI), **índice de la Bolsa de Madrid** (Madrid Stock Exchange index), **índice de liquidez o de reservas en efectivo** (BKG index of liquidity; cash ratio[1]; S. *coeficiente de caja*), **índice de los precios al contado** (cash index), **índice de materias** (table of contents), **índice de morosidad** (ACCTS, BKG index of delinquent accounts/defaulting debors/accounts in arrears/non-performing loans), **índice de natalidad** (birth rate), **índice de ocupación** (hotel occupancy/occupancy rate/index), **índice de pedidos en cartera** (backlog of orders, index of orders booked), **índice de precios** (price index; composite), **índice de precios al consumo, ipc** (index of retail prices, retail price index, consumer price index, cpi; S. *coste de la vida*), **índice de precios al por mayor** (ECO producer/commodity/wholesale price index), **índice de precios al por mayor** (commodity price index), **índice de precios industriales** (manufacturing price/index, industrial wholesale price index), **índice de préstamos bancarios** (BKG loan index, index of lending, advances ratio), **índice de producción** (production index), **índice de producción industrial** (industrial production index), **índice de recorrido aleatorio** (random walk index), **índice de recuperación de la renta económica** (rent recovery index), **índice de**

referencia (STK EXCH benchmark index/average; call number), **índice de rentabilidad** (profitability index), **índice de rotación** (rate of turnover; S. *velocidad de circulación*), **índice de siniestralidad** (INSCE accident rate/toll; loss ratio), **índice de solvencia** (ratio of solvency, current ratio; S. *índice de liquidez general*), **índice de solvencia crediticia** (FIN credit rating; S. *clasificación crediticia*), **índice de sueldos y salarios** (IND REL index of earnings), **índice de vencimiento** (ACCTS, BKG maturity schedule/index; aging schedule), **índice de ventaja comparativa manifiesta** (revealed comparative advantage index), **índice de ventas** (sales ratio), **índice de volumen** (quantum index), **índice del coste de la vida** (ECO cost of living index), **índice del interbancario** (interbank index; interbank rate), **índice del mercado** (STK EXCH market index), **índice Dow Jones** (Dow Jones Average or Index), **índice del ritmo de venta o colocación de productos** (vendor performance/ placing), **índice [medio] Dow Jones de Valores Industriales** (Dow Jones Industrial Average index), **índice general de la Bolsa de Madrid, IBEX** (Madrid Stock Exchange general index), **índice medio** (average rate), **índice Nikkei 225** (Nikkei 225 Index), **índice o tasa de mortalidad** (death rate/ratio), **índice ordinario de la Bolsa de Nueva York** (STK EXCH New York common stock index), **índice ponderado de la tendencia de las cotizaciones** (STK EXCH hi-lo index *US*), **índices/barómetros empresariales** (business barometers, economic indicators, leading indicators), **índices en cadena** (FIN chain-based/linked indices), **índices/ barómetros macroeconómicos** (macro-economic indicators or barometers), **índices ponderados** (weighted/base-weighted

indices), **índices principales** (balance sheet ratios; capital ratio; liquidity ratio)].

indiciación *n*: indexation; S. *indexación*. [Exp: **indiciar** (index; S. *indexar*)].

indicio *n*: ECO sign[1]; symptom; S. *señal, seña*. [Exp: **indicios** (LAW evidence; S. *pruebas*)].

indiferencia *n*: indifference; S. *curve*. [Exp: **indiferente** (indifferent; STK & COMMOD EXCH at the money, ATM; S. *a dinero*)].

indirecto *a*: indirect; derivative; S. *implícito*.

indiscutible *a*: undisputed; absolute; paramount; S. *incontestable*.

indispensable *a*: indispensable; essential; S. *imprescindible*.

indisputable *a*: indisputable, unquestionable, incontestable; S. *incontestable*.

indivisibilidad *n*: indivisibility. [Exp: **indivisibilidad del contrato** (LAW entirety of contract), **indivisible** (indivisible, entire; S. *entero, total, completo*), **indiviso** (LAW undivided; entire, whole; S. *entero*)].

indizar *v*: index; index-link. [Exp: **indización** (indexation, indexing, index-linking; S. *indiciación, indexación*), **indización de riesgos** (indexing of risks)].

inducir *v*: induce; prompt; S. *incentivar*.

industria *n*: industry, trade. [Exp: **industria aeronáutica** (aircraft industry), **industria alimentaria** (food industry), **industrias anticuadas** (obsolete/outmoded/old-fashioned/laggard industries), **industria artesanal o casera** (craft, cottage industry), **industria automovilística** (motor industry), **industria basada en recursos naturales** (resource-based industries), **industria conservera** (canning industry), **industria de costes crecientes** (increasing-cost industry), **industria de electrodomésticos** (domestic appliances industry, white line *col*), **industria de la confección** (clothes industry, fashion trade or industry, prêt-à-porter industry, ready-to-wear industry, off-the-peg industry; S. *ramo de la confección*), **industria de la construcción** (building trade, construction industry), **industria de la piel** (leather industry), **industria de medios de producción o de bienes de capital** (capital goods industry), **industria de plástico** (plastics industry), **industria de producción continua** (continuous process industry), **industria de productos básicos** (staple industry), **industria de servicios** (service/servicing/tertiary industry), **industria de transformación** (manufacturing industry), **industria de vanguardia** (pioneer industry), **industria del automóvil** (car industry), **industria del calzado** (footware industry), **industria del carbón** (oil-mining industry), **industria del ocio/de los espectáculos** (leisure/entertainments industry), **industria del transporte** (transport industry, haulage, carrying trade), **industria en declive** (ailing/declining industry), **industria en expansión** (growth industry), **industria estancada** (ex-growth industry), **industria estatal o nacionalizada** (nationalized industry), **industria lechera** (dairy farming), **industria ligera** (light industry), **industria manufacturera** (manufacturing industry), **industria naciente o incipiente** (infant industry), **industria naval** (shipbuilding industry), **industria pesada** (heavy industry), **industria petroquímica** (petrochemical industry), **industria siderúgica** (iron and steel industry), **industrial** (industrial, manufacturing; manufacturer; S. *fabricante*), **industrialismo** (industrialism), **industrialización** (industrialization), **industrializar** (industrialize)].

inédito *a*: unpublished; new, previously/hitherto unknown/untried/unused, etc.; innovative, brand-new; unprecedented; S. *innovador, estreno*.

ineficacia *n*: inefficiency; S. *ineficiencia*.

ineficaz *a*: ineffective; ineffectual; S. *incompetente, incapaz*.

ineficiencia *a*: inefficiency; S. *ineficacia*.

INEM *n*: S. *Instituto Nacional de Empleo*.

ineptitud *n*: ineptitude, incompetence, inadequacy; S. *incapacidad*. [Exp: **inepto** (inept, incompetent, inadequate; S. *incompetente*)].

inequívoco *a*: unequivocal; firm[1]; S. *claro*.

inestabilidad *n*: ECO instability, volality. [Exp: **inestabilidad cíclica** (cyclical instability), **inestabilidad económica/política** (economic/political instability or restlessness; S. *incertidumbre política*), **inestable** (volatile, unstable, unsettled; S. *volátil, voluble, flojo*)].

inevitable *a*: inevitable, unavoidable.

inexacto *a*: inexact, inaccurate, incorrect, wrong, false, untrue; S. *falso, engañoso*.

infalsificable *a*: forgery-proof.

infecundo *a*: barren, sterile, unproductive; idle; S. *improductivo, estéril*.

inferior *a*: inferior, lower, lesser, smaller, minor, substandard, below-average.

infidelidad *n*: IND REL, LAW disloyalty, infidelity, breach; S. *incumplimiento, violación*. [Exp: **infidelidad en la custodia de documentos** (LAW breach of trust), **infiel** (unfaithful; S. *pérfido, desleal, traidor*)].

inflación *n*: ECO inflation. [Exp: **inflación contenida** (pent-up inflation), **inflación de costes** (cost-push inflation), **inflación de costes subyacentes** (underlying cost inflation), **inflación de demanda** (demand inflation, excess demand inflation; demand-pull inflation; bottleneck inflation; S. *elevación inflacionaria de la demanda*), **inflación de dos cifras** (two-digit/double-digit inflation), **inflación de un solo dígito o por debajo del 10 %** (single-figure inflation), **inflación encubierta/larvada/latente/subyacente** (hidden inflation), **inflación furtiva** (creeping inflation; S. *inflación reptante*), **inflación galopante, desbocada, desmedida o desenfrenada** (galloping/runaway/snowballing inflation, headlong inflation, rampant inflation, hyper/runaway inflation), **inflación larvada** (hidden inflation), **inflación moderada** (moderate inflation), **inflación motivada por aumentos salariales** (wage-pull/push inflation), **inflación oculta** (masked inflation), **inflación por alza de salarios** (wage-pull inflation), **inflación por costes** (cost inflation, cost-push inflation), **inflación por tirón de la demanda** (demand-pull inflation), **inflación reptante/ascendente/lenta** (creeping inflation; S. *serpiente inflacionaria*), **inflación subyacente** (S. *inflación encubierta*), **inflacionario** (inflationary), **inflacionista** (inflacionist), **inflar** (inflate; blow up; puff/puff up; S. *hinchar, aumentar*)].

inflexible *a*: inflexible, stiff, rigid, tough[2]; S. *severo, rígido*.

influencia *n*: influence, patronage,[2] effect,[1] leverage[1]; IND REL string-pulling, old-school tie, jobs-for-the boys; S. *repercusión; favoritismo, enchufismo*. [Exp: **influencia incremental** (incremental influence), **influencia desmedida/indebida** (undue influence; S. *abuso de poder, tráfico de influencias, intimidación*), **influir** (influence, affect; S. *afectar*)].

información *n*: information; data, facts; information desk; S. *datos; mostrador de información*. [Exp: **información bursátil** (STK EXCH share price information; financial pages or section), **información bursátil confidencial** (STK EXCH insider information, tip[2] col, stock market tip), **información bursátil integrada** (consolidated quotation service, consolidated tape, CQS *US*), **información comercial** (marketing report, information or intelligence), **información confidencial/privilegiada** (privileged information, insider information), **información detallada/exhaustiva/desglosada/pormenorizada** (detailed/itemized information), **información escueta** (bare facts), **información financiera mixta** (composite financial data)].

informal[1] *a*: informal, casual; S. *oficioso, extraoficial*. [Exp: **informal**[2] (IND REL, COM unreliable, unbusinesslike, haphazard)].

informante *n*: reporter, informant.

informar *v*: inform, report,[1] advise, notify, brief; state; S. *notificar, comunicar*. [Exp: **informarse** (find out, enquire, make enquiries), **informativo** (informative)].

informática *n*: informatics, information science, computing, computer science. [Exp: **informática de la gestión** (data processing for business or management), **informatizar** (computerize)].

informe *n*: report[1]; memorandum, account,[2] record, information, statement, return[5]; S. *memoria, nota, memorial, certificado*. [Exp: **informe anual del consejo de administración** (directors' report; company's annual report; S. *memoria anual de la sociedad*), **informe comercial** (business report), **informe de arribada** (TRANSPT report[4]), **informe de auditoría** (ACCTS auditors' report/certificate, audit report), **informe/certificado de auditoría con reparos/reservas/salvedades** (ACCTS qualified certificate/opinion), **informe/certificado de auditoría limpio o sin reservas** (clean certificate), **informe de capacidad financiera** (BKG credit report), **informe de coyuntura** (interim report, update; S. *actualización, puesta al día*),

informe de descarga (TRANSPT out-turn report), **informe de existencias** (inventory report), **informe de gestión** (management report), **informe de la visita hecha al cliente** (COM customer call report, stock report/update), **informe de las ventas** (sales report), **informe de resultados** (ECO earnings report[2]), **informe/estudio de viabilidad** (MAN, FIN feasibility report/study), **informe del consignatario** (TRANSPT broker's return), **informe del presidente del consejo de administración** (chairman's report, company report; S. *memoria anual de la sociedad*), **informe detallado/pormenorizado** (detailed report; particulars, rundown[1]), **informe detallado de situación** (position paper), **informe económico** (economic survey), **informe financiero** (balance sheet, statement of financial position, assets and liabilities statement, statement/report of condition *US*), **informe financiero anual** (annual report), **informe financiero de una institución bancaria** (BKG Comptroller's Call, call report[1] *US*), **informe inicial** (inception report), **informe para solicitud de trabajo** (reference; S. *referencia*), **informe pericial** (surveyor's report), **informe provisional** (interim report), **informe resumido de ventas diarias** (daily sales update/summary, flash sales report *US*), **informe sobre el balance con la comunidad** (LAW, ECO social responsibility report), **informe sobre la solvencia de un cliente** (banker's reference), **informe sobre la economía mundial** (world economic outlook), **informe sobre riesgos en préstamos internacionales** (FIN country exposure lending survey *US*), **informe sobre situación financiera** (call, report, Comptroller's Call), **informe trimestral** (quarterly report), **informes de cierre** (ACCTS interlocking reports), **informes en** el intervalo de ejercicios (interim reporting)].

infra- *pref*: infra-, under-. [Exp: **infra-asegurado** (under-insured; S. *sin la debida cobertura*), **infracapitalizado** (undercapitalized; S. *descapitalizado*), **infraestructura** (infrastructure, framework), **infraestructura física/social** (physical/social infrastructure), **infraocupación** (underemployment; under-occupancy, under-use; S. *subempleo*), **infraseguro** (underinsurance), **infrautilizado** (underused), **infravaloración** (undervaluation, underestimate; S. *subestimar*), **infravalorar** (ACCTS undervalue, underestimate, understate[2])].

infracción *n*: LAW infringement, contravention, breach; offence, violation; S. *incumplimiento, vulneración, violación*. [Exp: **infracción/quebrantamiento de garantía** (INSCE breach of warranty), **infracción del código profesional o deontológico** (IND REL malpractice, unethical conduct), **infracción fiscal** (tax offence), **infractor** (infringer)].

infringiendo *v*: contrary to; S. *contrario a, contraviniendo*.

infringir *v*: infringe, contravene, break, breach; S. *contravenir, violar*.

infructuoso *a*: fruitless, barren; S. *estéril, improductivo*.

infundado *a*: groundless, unfounded, baseless, ungrounded, unsubstantiated; false; S. *gratuito, sin fundamento*.

ingeniería *n*: engineering. [Exp: **ingeniería contable** (accounting fraud), **ingeniería financiera** (financial engineering, doctoring the books or figures *col*, tinkering with the figures *col*), **ingeniero** (engineer[1]; S. *técnico, perito*), **ingeniero** (engineer), **ingeniero de diseño** (design engineer), **ingeniero de obra** (site engineer), **ingeniero de producto** (product engineer)].

ingenio[1] *n*: ingenuity, creativeness, resourcefulness, inventiveness. [Exp: **ingenio**[2] (device), **ingenioso** (inventive, ingenious, creative, talented; resourceful; S. *imaginativo, emprendedor*)].

ingresar[1] *v*: IND REL enter, join, be admitted. [Exp: **ingresar**[2] (BKG credit; deposit,[1] pay in; take in, receive; earn; S. *depositar, consignar, cargar, ganar*), **ingresar en cuenta** (bank[1]), **ingresar un talón en el banco** (bank a cheque)].

ingreso[1] *n*: IND REL entrance, admission; S. *entrada, admisión*. [Exp: **ingreso-s**[2] (TAXN, ACCTS earnings, income, revenue; take, takings; S. *sueldo, renta-s, recursos, recaudación*), **ingreso**[3] (TAXN, ACCTS, BKG payment[1], deposit, payin; amount/sum received; S. *pago, abono*. [Exp: **ingreso a/en cuenta** (deposit, dep; direct deposit; S. *depósito, abono*), **ingreso a cuenta del impuestos de sociedades** (advance corporation tax, ACT), **ingreso neto neto** (net-net income *US*), **ingresos adicionales** (additional/supplementary income), **ingresos anticipados** (advance income), **ingresos aplazados** (deferred income; S. *ajustes por periodificación*), **ingresos atípicos, ocasionales, o extraordinarios** (non-recurring receipts), **ingresos brutos** (gross receipts), **ingresos cobrados por adelantado** (revenue received in advance), **ingresos de explotación o por operaciones ordinarias** (revenue from ordinary activities, ordinary income, operating income), **ingresos de la sociedad** (corporate income), **ingresos derivados de inversiones o bienes muebles** (investment income), **ingresos devengados** (accrued income; earned revenue; wage income), **ingresos efectivos** (real income, spendable earnings), **ingresos fijos** (fixed income), **ingresos financieros** (financial income/revenues), **ingresos fiscales** (government/fiscal/ public revenues; inland revenue; revenue receipts; S. *rendimiento impositivo*), **ingresos globales** (aggregate income; S. *renta global o total*), **ingresos industriales o comerciales** (business income), **ingresos íntegros** (gross income; S. *renta íntegra*), **ingresos internos** (internal revenue), **ingresos marginales** (marginal revenue), **ingresos medios unitarios** (average revenue), **ingresos monetarios** (cash income), **ingresos netos** (net revenue/income; S. *renta neta*), **ingresos netos de explotación** (net operating income), **ingresos no salariales** (unearned income, indirect earnings), **ingresos ordinarios** (current revenue), **ingresos por exportaciones** (export earnings), **ingresos por impuestos** (tax revenue; S. *recaudación tributaria*), **ingresos por intereses** (interest income), **ingresos por taquilla en un espectáculo** (gate,[2] gate money; takings, cash receipts, proceeds; S. *taquilla*), **ingresos por trabajo** (earned income; wage income), **ingresos por transferencias** (transfer income), **ingresos por venta de una opción** (premium income), **ingresos por ventas** (sales revenues; S. *cifra de negocios, facturación*), **ingresos retenidos** (FIN earned surplus, retained earnings, undistributed earnings; S. *beneficios acumulados o no distribuidos*), **ingresos teóricos** (TAXN notional income; S. *renta nocional*), **ingresos totales** (gross proceeds; S. *producto bruto*), **ingresos totales obtenidos** (revenue earned, total revenue/earnings, gross proceeds), **ingresos varios** (miscellaneous income/revenues; S. *otros ingresos*), **ingresos y gastos** (revenue and expenditure)].

inhábil[1] *a*: unfit, disqualified, incompetent; clumsy, unskilful; S. *hábil*. [Exp: **inhábil**[2] (IND REL non-working; S. *día hábil*), **inhábil**[3] (LAW unfit, barred, disqualified)].

inhabilitación *n*: disqualification, ban; S. *prohibición, proscripción*. [Exp: **inhabilitado** (disqualified, banned, barred; inelegible; S. *incompetente, descalificado*), **inhabilitar** (disqualify, ban, bar, render unfit; S. *incapacitar, descalificar*), **inhabilitar para el ejercicio de una profesión** (ban, disqualify/bar from holding public office; strike off the list or roll), **inhabilitar una tarjeta de crédito** (cancel a credit card; S. *anular, cancelar*)].

inherente *a*: inherent; S. *propio*. [Exp: **inherente a** (attached to, inherent in)].

inhibición *n*: inhibition. [Exp: **inhibir** (inhibit; S. *prohibir*), **inhibirse** (LAW refrain; stand down, decline; declare oneself incompetent or ineligible; rule that a matter is outside one's scope/remit/jurisdiction), **inhibitorio** (LAW inhibitory)].

INI *n*: S. *Instituto Nacional de Industria*.

iniciación *n*: initiation, start, beginning. [Exp: **iniciado**[1] (initiated), **iniciado**[2] (STK EXCH insider; S. *persona con información privilegiada, enterado*), **iniciar** (initiate, open, start, begin, set up), **iniciar una investigación** (open/set up an enquiry)].

inicial *a/n*: initial, opening; original; front end; early, first; beginning, starting; initial, initial letter; S. *original, primero*. [Exp: **iniciales** (initials; S. *siglas*), **inicializar** (initialize; S. *iniciar*), **iniciar** (initiate, launch; set up, originate, set on foot; pioneer; file; S. *emprender*), **iniciar acciones judiciales** (LAW bring/file suit, institute proceedings)].

iniciativa *n*: initiative, move, motion; enterprise, leadership qualities, get-up-and-go *col*; S. *gestión; empuje*. [Exp: **iniciativa privada** (private iniciative)].

ininflamable *a*: fire-proof, fire-resistant; S. *incombustible*.

injerencia *n*: interference. [Exp: **injerencia en los mercados ajenos** (market interference)].

injusticia *n*: LAW injustice, failure of justice, miscarriage of justice, wrong, tort, unfairness; S. *agravio*. [Exp: **injustificado** (unjustified; unwarranted; S. *sin justificación, no garantizado*), **injusto** (unjust; wrong; unfair)].

inmaterial *a/n*: immaterial, intangible; ACCTS intangible assets; S. *irrelevante, intangible*.

inmediato *a*: immediate, instant, proximate.

inmobiliario *a/n*: real estate, property. [Exp: **inmobiliaria** (estate agent's, real estate agency *US*; property/building/real-estate developer; S. *constructora, banco hipotecario*)].

inmóvil *a*: immovable, fixed; S. *inamovible*. [Exp: **inmovilidad** (immobility), **inmovilización** (immobilization), **inmovilización de capital** (lock-up/locking-up of capital), **inmovilizaciones materiales/intangibles/incorporales** (ACCTS immaterial/intangible assets; S. *activo inmovilizado*)].

inmovilizado *a/n*: inactive, fixed, dead; ACCTS fixed assets; capital/permanent assets, fixed and other noncurrent assets. [Exp: **inmovilizado financiero** (ACCTS [permanent] financial investments, long-term investments; S. *inversiones financieras*), **inmovilizado inmaterial** (ACCTS intangible fixed assets, immaterial assets), **inmovilizado material** (tangible fixed assets), **inmovilizado material, planta, inmuebles y equipo** (ACCTS plant, property and equipment), **inmovilizado neto** (net fixed assets), **inmovilizado por el hielo** (TRANSPT iced-in, ice-bound), **inmovilizar** (immobilize; lock up; tie up; S. *paralizar*)].

inmueble *a/n*: immovable; property, building, real property, landed property. [Exp: **inmuebles** (immovable property, immovables, real estate; S. *bienes inmuebles o raíces*)].

inmune *a*: immune; S. *exento*. [Exp: **inmunidad** (immunity; indemnity,[2] exemption; privilege; franchise[1]; S. *dispensa, exención*), **inmunidad** (TAXN tax immunity, immunity from taxation), **inmunización** (FIN immunization), **inmunización activa** (FIN active immunization), **inmunización contingente** (FIN contingent immunization), **inmunización múltiple** (FIN multiple immunization), **inmunización pasiva** (FIN passive immunization), **inmunizar** (immunize)].

innecesario *a*: unnecessary, needless, redundant, superfluous to requirements; S. *superfluo, ocioso*.

innegociable *a*: BKG, FIN ineligible, non-transferable, not negotiable; S. *intransferible*.

innovación *n*: innovation, novelty; breakthrough; S. *novedad*. [Exp: **innovación científica/tecnológica punta** (scientific/technological breakthrough), **innovador** (innovative; creative; S. *creativo*), **innovar** (LAW innovate)].

inobservancia *n*: non-observance, breach, infringement, violation, disregard; S. *incumplimiento*. [Exp: **inobservancia de las normas profesionales** (disregard for standard practice, breach of professional standards/rules; malpractice)].

inquietud *n*: anxiety, disquiet, concern, worry, uneasiness; S. *malestar*. [Exp: **inquietudes** (interests, lively or healthy interest in things, range of interests or concerns)].

inquilinato *n*: tenancy; leasehold; S. *arrendamiento*. [Exp: **inquilinato de protección oficial** (regulated tenancy), **inquilino** (lessee, tenant, residential occupier, occupier, occupant; S. *arrendatario, locatario*)].

insatisfacción *n*: dissatisfaction. [Exp: **insatisfacción laboral** (employee dissatisfaction), **insatisfecho** (unsatis-fied, outstanding, past due, overdue, pending; dissatisfied; S. *no liquidado*)].

inscribir *v*: inscribe, note, register, record, book, enter[1]; S. *anotar, dar entrada, registrar*. [Exp: **inscribir en un libro** (ACCTS enter up, record/enter in the ledger; S. *asentar una partida*), **inscribir una hipoteca** (register/record a mortgage), **inscribir-se** (register; enter on a list; join; sign up[2]; S. *registrar-se, matricular-se, apuntarse, darse de alta*), **inscribirse como expositor en una feria** (COM apply for space at a fair or show), **inscribirse en una asociación** (join an association; take out membership in/become a member of an association; S. *afiliarse, incorporarse*), **inscripción** (inscription; booking; record,[1] recording, entry[2]; registration, register; registry; S. *anotación, registro*), **inscripción de la propiedad inmobiliaria** (land registration), **inscripción de una hipoteca** (registration of a mortgage), **inscripción en el Registro Mercantil** (registration, entry in the Register of Companies), **inscrito** (registered[1]; S. *registrado*)].

inserción *n*: ADVTG placing; insertion; S. *inclusión*. [Exp: **insertar** (place, insert; S. *encartar, incluir*)].

inservible *a*: useless.

insistencia *n*: insistence; persistence, follow-up; S. *seguimiento, empeño*. [Exp: **insist** (insist, persist, be adamant, press, press for), **insistir en el pago o cumplimiento** (press for payment or compliance, insist upon/demand payment or compliance, hold out for/take nothing short of payment or compliance; S. *exigir*)].

insolvencia *n*: insolvency; bankruptcy; S. *quiebra*. [Exp: **insolvencia en Bolsa** (hammering[2]), **insolvencia sin bienes embargables** (open insolvency), **insolvente** (insolvent, bad debtor/payer, bankrupt, impecunious; S. *deudor moroso, cliente fallido*)].

inspección *n*: inspection, supervision, control, survey; check[1]; S. *investigación, control, verificación.* [Exp: **inspección [general] bancaria** (BKG Board of Banking Institutions, Federal Banking Regulator *US*; bank call *US*; call[9] *US*, regulators; S. *inspector del banco de España*), **inspección fiscal** (tax inspection/check/audit/review), **inspección fiscal exhaustiva** (audit from hell *col US*), **inspección por muestreo** (sampling inspection), **inspección reglamentaria o de vigilancia** (BKG compliance audit/examination/tests), **inspección sanitaria** (health inspection or control), **inspección sorpresa** (spot check), **inspeccionar** (inspect; examine, check[1]; audit[1]; S. *fiscalizar, revisar, controlar*), **inspector** (inspector, examiner, surveyor, reviewer; regulator; S. *examinador*), **inspector administrativo** (management auditor), **inspector de Hacienda** (tax inspector), **inspector de trabajo** (IND REL factory inspector; S. *cuerpo de inspectores de trabajo*), **inspector de tributos** (tax examiner/ assessor[3] *US*, tax assessor *US*), **Inspector de la Moneda** (Comptroller of the Currency[2], *Chief Regulator*; S. *interventor general*), **inspector del Banco de España** (regulator, bank examiner: *approx* commissioner of banking *US*; S. *inspección general bancaria*)].

instalación *n*: COM installation: plant, equipment; set-up; setting-up; facility *US*; S. *establecimiento.* [Exp: **instalación accesoria a un bien inmueble** (fixture[1]), **instalación industrial** (plant; S. *planta, fábrica*), **instalaciones** (installations, facilities; equipment, fittings), **instalaciones de almacenamiento** (storage facilities), **instalaciones desocupados** (idle facilities), **instalaciones fijas** (permanent fixtures), **instalaciones fijas y accesorios de una empresa** (fixtures and fittings, f & f; S. *mobiliario de instalación*), **instalaciones para la carga** (loading facilities), **instalaciones portuarias** (harbour facilities), **instalaciones y bienes de equipo** (plant and equipment)].

instalar-se *v*: instal, set up, establish, place; settle; S. *montar.*

instancia[1] *n*: LAW application, request, petition, formal request or letter of application; suit; S. *súplica, solicitud.* [Exp: **instancia**[2] (LAW jurisdiction, instance; rank, echelon, tier, authority), **instancias de, a** (on/upon application of; at the request/suit/instance of; S. *a requerimiento de*), **instar** (urge, drive[2]; press[2]; file; seek; S. *exhortar, apremiar*)].

instantáneo *a*: instant. [Exp: **instantánea** (flash; S. *destello*), **instante** (instant)].

institución *n*: institution, establishment,[1] body; S. *ente, organismo, órgano.* [Exp: **institución bancaria** (banking institution), **institución benéfica** (charity; charitable institution: S. *obra benéfica, entidad o sociedad de beneficencia*), **institution de ahorro** (BKG savings institution), **institución de crédito** (lending institution), **institución fiduciaria** (trust company; S. *banco fiduciario*), **institución no lucrativa** (non-profit institution), **institución principal** (apex institution), **institucionalismo** (ECO institutionalism), **institucionalizado** (institutionalised; S. *arraigado, establecido*), **institucionalizar** (institutionalise)].

instituir *n*: institute, found, establish, set up; S. *crear, fundar.*

instituto *n*: institute. [Exp: **instituto de Comercio Exterior, ICEX** (Spanish Institute for Foreign Trade), **Instituto de Contabilidad y Auditoría de Cuentas, ICAC** (Accounting and Audit Institut), **Instituto de Crédito Oficial, ICO** (Spanish Official Credit Institute),

Instituto de Mediación, Arbitraje y Conciliación (IND REL Advisory, Conciliation and Arbitration Service, ACAS), **Instituto de Reforma y Desarrollo Agrario, IRYDA** (Spanish Institute for Agricultural Reform and Development), **Instituto Español de Moneda Extranjera, IEME** (Foreign Currency Institute of Spain), **Instituto Nacional de Empleo, INEM** (ECO Spanish Office of Employment), **Instituto Nacional de Industria, INI** (ECO Spanish Institute or Office for Industry, *approx* National Enterprise Board), **Instituto Nacional de Investigación Económica y Social** (ECO National Institute of Economic and Social Research, NIESR)].

instrucción[1] *n*: training, coaching; S. *formación*. [Exp: **instrucción**[2] (instruction, order), **instrucción**[3] (LAW judge's preliminary investigation; initial stages of prosecution or criminal proceedings, committal proceedings), **instrucciones** (instructions, directions; S. *dirección*), **instrucciones de envío** (forwarding instructions, shipping instructions), **instrucciones de expedición** (forwarding instructions), **instructor** (monitor, instructor; examining magistrate, judge charged with preliminary investigation of a criminal case; S. *monitor*), **instruir**[1] (instruct, train), **instruir**[2] (LAW conduct a preliminary enquiry or investigation, launch criminal proceedings, draw up/institute/commence a prosecution; S. *instrucción, incoar*)].

instrumental *a/n*: instrumental; instruments; S. *eficaz*. [Exp: **instrumenta[liza]ción** (implementation; orchestration; exploitation, capitalising, manipulation; S. *cumplimiento, aplicación, ejecución, manipulación*)].

instrumento *n*: LAW, FIN instrument, document; deed; implement; indenture; medium; tool; device; S. *acta, documento, mecanismo, dispositivo, medio*. [Exp: **instrumento al portador** (bearer instrument), **instrumento de aceptación** (instrument of acceptance), **instrumento de análisis** (analytical tool), **instrumento de cobertura financiera** (FIN hedging device), **instrumento de crédito** (credit instrument, paper[1]), **instrumento de crédito a plazo fijo** (BKG time deposit, certificate of deposit; FIN fixed term credit/debt instrument; dated credit/debt instrument), **instrumento/línea de crédito multiopcional** (FIN multiple component credit line or credit/debt instrument), **instrumento de pago** (means of payment), **instrumento del mercado de dinero** (money market instrument/bond/security/commercial paper/bill), **instrumento financiero** (financial instrument/bill/security/commercial paper), **instrumento financiero multiopcional del euromercado** (FIN multi-option financing facility), **instrumento negociable** (negotiable instrument), **instrumento nominativo** (registered instrument), **instrumento protegido del mercado de dinero** (STK & COMMOD EXCH hedged money market instrument), **instrumento público** (public deed; S. *escritura pública*), **instrumentos de comercio emitidos en euromoneda** (Euro-commercial paper; S. *europapel comercial, europagarés de empresa*), **instrumentos derivados** (FIN derivative instruments), **instrumentos financieros de contado** (FIN actuals[2]), **instrumentos monetarios realizables** (FIN readily marketable money instruments, marketable money instruments), **instrumentos o efectos negociables a corto plazo** (FIN short-term instruments or commercial paper; S. *pagarés de empresa a corto* *plazo, papel comercial*), **instrumentos/valores negociables** (FIN negotiable securities/instruments; paper; S. *efectos, títulos*)].

insuficiencia *n*: ECO, COM insufficiency, shortage, shortfall; lack, inadequacy; S. *escasez, falta*. [Exp: **insuficiencia de liquidez** (FIN liquidity squeeze, cash shortage[2]), **insuficiencia de reservas** (inadequacy of reserves), **insuficiencia en el embalaje** (TRANSPT insufficiency of packing), **insuficiente** (insufficient, inadequate, short,[1] bare; S. *escaso, corto*)].

insumo *n*: input; S. *aducto*. [Exp: **insumo no monetario** (non-cash input; S. *entrada no monetaria*), **insumos agrícolas** (agricultural inputs)].

intacto *a*: intact, undamaged; unimpaired; S. *ileso, indemne*.

intangible *a*: intangible; immaterial, incorporeal; S. *incorpóreo, inmaterial*.

integración *n*: integration. [Exp: **integración diagonal** (diagonal integration), **integración progresiva** (COMP LAW forward integration), **integración regresiva** (ECO backward integration/linkage), **integración/vinculación vertical** (backward-forward integration/linkage), **íntegramente** (in full, in its entirety; S. *en su totalidad*), **integrante** (member; S. *socio, miembro, vocal*), **integrar** (make up, compose; form part of; comprise, incorporate; S. *formar, incluir*), **integridad** (ECO integrity; completeness; S. *totalidad, plenitud*), **íntegro** (integral, complete, whole, gross[1]; S. *bruto*)].

intensidad *n*: intensity, strength, force; S. *de baja intensidad*. [Exp: **intensidad de capital** (ECO, COM, ACCTS capital intensiveness), **intensidad de mano de obra** (labour-intensiveness; S. *grado de dependencia*), **intensivo/intenso** (intensive; keen, buoyant; fierce)].

intensificación *n*: intensifying, intensi-fication, deepening; S. *profundización*. [Exp: **intensificación de capital** (FIN deepening of capital), **intensificación/aumento del uso del capital con respecto al trabajo** (ECO capital deepening), **intensificación industrial** (industrial deepening), **intensificar-se** (intensify, increase, step up; escalate; S. *aumentar, agudizarse*)].

interbancario *a/n*: interbank/inter-bank; interbank market, base lending rate.

intercambiar *v*: exchange,[1] interchange, swap, trade off[1]; S. *canjear*. [Exp: **intercambiar contratos** (exchange contracts), **intercambiable** (tradeable, exchangeable, interchangeable; S. *comerciable, vendible, negociable*)].

intercambio *n*: FIN, STK & COMMOD EXCH exchange,[1] trade-off[1]; swap; S. *cambio, canje*. [Exp: **intercambio comercial** (trading; S. *operaciones*), **intercambio de acciones** (exchange of shares, share-swapping), **intercambio de contratos** (exchange of contracts), **intercambio de impresiones** (exchange of views; discussion, chat; S. *charla, discusión*), **intercambio de notas** (exchange of notes), **intercambio financiero** (STK & COMMOD EXCH swap), **intercambio financiero de activos sintéticos** (synthetic-assets-based swap), **intercambio financiero de base** (floating-to-floating swap, basis swap; S. *intercambio/«swap» variable-variable*), **inercambio financiero de deuda por deuda** (debt for debt swap), **intercambio financiero de divisas a tipos fijos** (fixed rate currency swap), **intercambio financiero de divisas** (forex swap), **intercambio financiero de intereses fijo-fijo** (fixed-to-fixed cash flow swap), **intercambio financiero de montaña rusa** (roller-coaster swap), **intercambio financiero de pagos con cupón cero** (FIN zero-coupon swap), **intercambio**

financiero de pagos en distintas divisas y distintos tipos de interés (STK & COMMOD EXCH cross-currency interest rate swap; cocktail swap), **intercambio financiero fijo-variable** (FIN fixed-to-floating swap, puttable swap), **intercambio financiero reversible** (STK & COMMOD EXCH reversible swap), **intercambio financiero variable-variable** (floating-to-floating swap, basis swap; S. *intercambio de base*), **intercambio inicial del principal** (STK & COMMOD EXCH initial exchange of principal), **intercambios comerciales** (trade; trade/commercial relations)].

interceptación *n*: interception, intercept *col*; blocking, stoppage; tapping *col*; bugging *col*. [Exp: **interceptar** (intercept; stop, block; bug *col*; tap *col*; S. *pinchar, intervenir*)].

intercesión *n*: mediation; S. *mediación, interposición*.

interconvertibilidad *n*: interconvertibility.

intercorporativo *a*: intercorporate.

interés¹ *n*: BKG, FIN, ECO interest¹; S. *renta*. [Exp: **interés²** (interest; concern; goal), **interés a corto/largo plazo** (short-/long-term interest), **interés abierto** (STK & COMMOD EXCH open interest), **interés acreedor** (credit interest, interest receivable), **interés acumulado [por pagar]** (FIN [payable] accrued/accumulated interest; S. *cupón corrido*), **interés [intereses] acumulable-s/adicional-es** (add-on interest-s), **interés asegurable** (INSCE insurable interest), **interés cobrado por adelantado** (prepaid interest; unearned discount; S. *descuento hecho por adelantado*), **interés compuesto** (compound interest), **interés compuesto anual** (annual compound interest), **interés común/colectivo** (joint/common interest), **interés [intereses] creado-s** (vested interest-s), **interés de aplazamiento de valores en Bolsa** (STK & COMMOD EXCH contango; S. *contango, reporte*), **interés de mora, intereses de demora** (interest in arrears, default interest, interest for delay, penalty interest, late interest charges, interest for payment in arrears/for late payment; S. *intereses atrasados*), **interés del comprador** (INSCE buyer's interest), **interés deudor** (debit interest, interest on a debt, interest payable), **interés devengado** (accrued interest, earned interest), **interés económico directo** (working interest; S. *participación del concesionario*), **interés efectivo** (effective interest rate), **interés fijado o establecido** (fixed rate of interest), **interés fijo, de** (fixed-interest, fixed-interest bearing; S. *de renta fija*), **interés fraccional** (broken period interest), **interés hipotecario** (mortgage interest), **interés interbancario** (interbank deposit rate), **interés mayoritario** (majority/controlling interest/stake/shareholding), **interés mediato** (mediate interest), **interés minoritario** (COMP LAW minority interest/stake/shareholding; S. *participación minoritaria*), **interés moratorio** (S. *interés de mora*), **interés pendiente** (STK & COMMOD EXCH open interest/contract), **interés preferencial** (FIN prime rate), **interés público o general** (LAW public policy or interest), **interés puro** (pure interest), **interés simple** (simple interest), **interés, sin** (interest-free), **interés vencido** (interest due, accrued interest), **interesar** (interest¹; concern³; S. *afectar, referirse a*), **interesarse por algo** (concern oneself with sth; take or show an interest in sth; ask or enquire about sth; S. *ocuparse de algo*), **intereses anticipados** (prepaid interest), **intereses atrasados** (backdated interests, arrears of interest), **intereses, con** (FIN interest-bearing/yielding; S. *con rendimiento de intere-*

ses), **intereses concurrentes** (concurrent interests), **intereses de las reservas inertidas** (SEG investment income), **intereses deudores** (debit interest, debtors' interests, interest payable), **intereses diferidos** (deferred interest), **intereses intercalarios** (capitalized interest on construction), **intereses futuros** (future interest), **intereses superpuestos** (overlapping interests), **intereses vencidos** (interest due)].

interino *a*: temporary, provisional, interim; acting; S. *en funciones, provisional.*

interior *a/n*: interior, internal, inside, domestic; in-house; inland; on-shore; interior; S. *interno, nacional.*

intermediación *n*: intermediation; brokering. [Exp: **intermediación ciega/ anónima de valores** (STK EXCH blind brokering)].

intermediario *n*: FIN intermediary; jobber, broker, dealer, middleman, go-between; finder *col*; fixer *col*; S. *agente mediador, corredor, comisionista.* [Exp: **intermediario de aceptaciones** (acceptance dealer), **intermediario de sí mismo** (broker's broker), **intermediario de efectos** (discount broker), **intermediario de efectos de descuento** (running broker), **intermediario de préstamos a corto plazo** (funds broker *US*), **intermediario del parqué** (floor trader; S. *operador de Bolsa*), **intermediario financiero** (STK EXCH dealer,[2] market-maker; S. *comisionista de valores*)].

intermedio *a*: intermediate, medium; middle-of-the-road, middle-of-the-range; medium-sized/-priced, etc.; S. *mediano, medio.*

internacional *a*: international, overseas, off-shore[2].

interno *a*: internal, domestic, inside, resident, in-house; s. *reglamento interno.*

interponer *v*: interpose; S. *interpuesto.* [Exp: **interponer una demanda/una querella** (institute proceedings; sue; bring/file suit for damages/criminal damages; file a claim; S. *entablar juicio*), **interponer recurso de apelación** (lodge an appeal; S. *recurrir, apelar*), **interposición** (LAW filing/lodging/bringing of suit/claim, etc.; S. *intercesión, mediación, tercería*)].

interpretación *n*: interpretation, construction, reading, understading; translation; s. *lectura.* [Exp: **interpretación errónea o falsa** (misconstruction; misinterpretation), **interpretación judicial o por analogía** (construction[2]), **interpretación restrictiva** (limited interpretation)].

interpretar *v*: interpret, construe, understand, read; take *col.* [Exp: **interpretar erróneamente o mal** (misunderstand, misconstrue, misinterpret)].

interpuesto *a*: interposed; intervening; acting on sb else's behalf; S. *interponer; por personas interpuestas.*

interrelacionar *v*: interrelate, interlink; S. *entrelazar.*

interrumpir *v*: interrupt, cut in, break off, stop, discontinue, cut off[2]; S. *cortar, suspender.* [Exp: **interrumpir el trabajo** (IND REL down tools; knock off[2] *col*), **interrupción** (interruption, stoppage, stop[1]; S. *suspensión, parada, detención*)].

intervalo *n*: interval, time-lag; S. *desfase.* [Exp: **intervalo de agrupamiento** (grouping interval), **intervalo de confianza** (confidence interval)].

intervención[1] *n*: MAN, COM, FIN mediation, supervision; regulation, system of checks; comptrollership; S. *control, inspección.* [Exp: **intervención**[2] (ACCTS auditing, audit[1]; inspection of accounts; intervention; S. *fiscalización, control, auditoría, revisión contable*), **intervención**[3] (intervention; act of intervening or stepping in; placing under the care of administrators), **intervención**[4] (partici-pation, contribution), **intervención de precios** (STK & COMMOD EXCH support level, price control; S. *nivel de apoyo*, **intervención del banco central** (central bank intervention), **intervención general** (FIN office of the comptroller), **intervención por falta de aceptación** (intervention for non-acceptance)].

intervencionismo *n*: ECO interventionism. [Exp: **intervencionista** (interventionist)].

intervenir *v*: FIN intervene; place under the care of administrators, take over the management or running of; control, supervise; audit,[1] oversee, inspect; mediate; participate, contribute; S. *controlar, inspeccionar, tomar cartas en un asunto*. [Exp: **intervenir cuentas** (audit[1] or inspect accounts; S. *auditar*), **intervenir en honor de una firma** (intervene for the honour of a signature), **intervenir una letra** (refer a draft to the drawer)].

interventor *n*: inspector, receiver; comptroller, auditor; S. *inspector*. [Exp: **interventor concursal nombrado por el juez** (LAW receiver), **interventor concursal nombrado por los acreedores** (referee[1] in bankruptcy), **interventor de cuentas** (auditor, inspector; S. *auditor, censor de cuentas*), **interventor en la aceptación** (BKG acceptor for honour/supra protest; S. *avalista de un efecto*), **interventor general** (comptroller general; comp-troller of the currency[2]; S. *inspector de la Moneda*), **interventor judicial** (official receiver), **interventores de Hacienda o del Banco de España** (regulators)].

intimidación *n*: intimidation; threat, threatening behaviour, bullying *col*; undue influence; S. *abuso de poder, tráfico de influencias*. [Exp: **intimidar** (intimidate, threaten, bully *col*)].

intransferible *a*: FIN, COM untransferable,

unassignable, not transferable, non-transferable, non-negotiable, non-assignable.

intransigente *a*: uncompromising.

intraspread *n*: STK & COMMOD EXCH time spread; S. *spread temporal, interspread*.

intriga *n*: intrigue-s, plot, plotting, scheme, scheming; S. *maquinación, tejemaneje*. [Exp: **intrigante** (schemer, mover *col*, wheeler-dealer *col*; S. *maniobrero, manipulador*), **intrigar** (scheme, plot[1]; S. *maquinar, tramar*), **intrigar para derrocar a alguien** (plot sb's downfall; S. *tramar la caída de alguien, defenestrar*)].

intríngulis *col n*: catch, hidden complication or snag; wheels-within-wheels *col*; trickery, skulduggery *col*; jiggery-pokery *col*; S. *entresijos; pega, trampa*.

introducción *n*: introduction; COM bringing on to the market, ushering in; smuggling; ADVTG pioneering; S. *promoción*.

introducir *v*: introduce, insert; S. *insertar, presentar*. [Exp: **introducir de contra-bando o fraudulentamente** (smuggle in), **introducir de forma escalonada** (phase in), **introducir en el mercado** (market, bring on to the market, usher in), **introducirse** (penetrate; S. *abrirse paso, penetrar*)].

intruso *n*: COM intruder, interloper; infiltrator; outsider; pirate; S. *pirata*. [Exp: **intrusismo** (IND REL unfair competition; illegal plying of trade or conduct of business by unqualified outsiders)].

intuición empresarial *n*: business acumen/sense; S. *sentido comercial*.

inundación *n*: flood; S. *riada*. [Exp: **inundar el mercado** (flood the market; S. *desbordar/saturar el mercado*.

inútil *a*: useless. [Exp: **inutilidad física total** (IND REL total disability; S. *incapacidad o invalidez absoluta*), **inutilizar** (render useless; break; spoil; put out of action, disable; S. *estropear*)].

invalidación *n*: invalidation; cancellation; S. *anulación*. [Exp: **invalidar** (invalidate, annul, terminate, cancel, call back, call off, rescind, disaffirm, disallow, void, override[2]; S. *revocar, derogar, anular, cancelar*), **invalidez** (disability; invalidity; S. *incapacidad*), **invalidez parcial** (IND REL partial disability), **invalidez total** (total disability), **inválido**[1] (invalid; void; incorrect; S. *nulo, caducado, írrito*), **inválido**[2] (IND REL disabled)].

invendible *a*: unsellable; unmarketable; S. *incolocable*.

inventario *n*: ACCTS inventory; stock, stock list, stock in trade; trading stock, stocktaking; S. *existencias*. [Exp: **inventario abierto** (open stock), **inventario al valor de mercado** (stock at market value or replacement value), **inventario como garantía colateral** (inventory pledging), **inventario constante o permanentemente actualizado** (perpetual inventory), **inventario contable** (book inventory), **inventario de apertura** (opening stock), **inventario de bienes semi-manufacturados** (work in progress inventory), **inventario de cesión** (selling inventory), **inventario de cierre** (closing stock), **inventario de existencias básicas a precio fijo** (CONT base stock method of inventory), **inventario de productos acabados** (finished stock, finished products inventory), **inventario de productos semiacabados** (work-in-progress inventory), **inventario final de ejercicio o de salida** (closing inventory/stock; S. *existencias al cierre de un período contable*), **inventario final o de salida** (closing stock), **inventario inicial** (opening stock), **inventario permanente** (running inventory), **inventario real o físico** (physical stock)].

inversión *n*: FIN investment; S. *colocación*.

[Exp: **inversión a corto/largo plazo** (short-/long-term investment), **inversión bruta en capital fijo** (gross fixed investment), **inversión colectiva** (collective investment), **inversión de capital** (capital investment), **inversión de gama ancha** (STK EXCH wider-range investment), **inversión de gama estrecha** (STK EXCH narrower-range investment, trustee investment, legal investment; S. *valores de inversión obligatoria*), **inversión de renta fija** (fixed income investment), **inversión defensiva** (defensive investment), **inversión directa** (direct investment), **inversión en activos fijos o inmovilizados** (investment in fixed assets; capital expenditure or outlay), **inversión en bienes de equipo** (investment in capital goods, investment in material assets), **inversión en Bolsa** (investment in stock, equity investment), **inversión en bonos** (investment in bonds), **inversión en bonos del Estado** (investment in government securities/bonds or in Treasury bills), **inversión en capital productivo** (capital accumulation; S. *acumulación de capital*), **inversión en cartera de valores** (portfolio investment), **inversión en dólares constantes** (FIN constant-dollar plan), **inversión en inventarios** (inventory investment), **inversión en valores mobiliarios** (investment in securities or stock), **inversión en valores seguros** (blue-chip investment), **inversión especulativa** (speculation, gamble, long shot *col*; punt[2] *col*), **inversión excesiva** (overinvestment; S. *sobreinversión*), **inversión extranjera** (foreign-owned investment), **inversión extranjera a corto plazo** (short-term foreign investment), **inversión insuficiente** (underinvestment), **inversión negativa** (negative carry; S. *financiación negativa*), **inver-**

sión para racionalización (rationalization investment), **inversión segura o con garantía** (safe/sound investment), **inversión siembra** (seed financing), **inversión total** (aggregate investment), **inversiones amortizables en menos de cinco años** (shorts), **inversiones corrientes o de fácil realización** (current investments), **inversiones en gastos de capital** (capital outlays; S. *inversión en activos fijos*), **inversiones en paraísos fiscales** (off-shore funds), **inversiones entre empresas** (incorporate investments), **inversiones financieras** (financial investments), **inversiones temporales o transitorias** (temporary investments)].

inversionista, inversor *n*: FIN investor; writer. [Exp: **inversor asegurado** (hedger, long investor), **inversor institucional** (institutional investor), **inversores antiopa** (killer bees *col*; white knights *col*; S. *abejas asesinas, cazatiburones*), **inversionista no-residente** (non-resident investor, foreign investor)].

inverso *a*: inverse, reverse. [Exp: **inversa, a la** (vice versa, inversely, the other way round)].

invertir[1] *v*: FIN invest[1], place; lay out[1]; pump *col*. [Exp: **invertir**[2] (reverse), **invertir a corto plazo** (STK EXCH buy short), **invertir a largo plazo** (STK EXCH buy long), **invertir el orden** (reverse[3] the order), **invertir en el negocio** (COM put money into a business), **invertir en la capacidad de crecimiento** (STK EXCH buy earnings/growth), **invertir los beneficios en la propia empresa** (plough back funds/profits; S. *reinvertir*)].

investigación *n*: research; investigation; enquiry/inquiry[1]; survey; S. *indagación, estudio*. [Exp: **investigación y desarrollo, I+D** (research and development, R & D), **investigación**

inicial (early/initial research; pioneering research), **investigador** (researcher), **investigar** (investigate, do research, search; enquire into, look into; study, examine; explore; screen; S. *explorar, estudiar, analizar*)].

invisible *a*: invisible, hidden; S. *oculto, cubierto*.

invitación *n*: invitation; S. *oferta*. [Exp: **invitación a licitar** (invitation to tender), **invitación para la presentación de ofertas** (invitation to make a competing bid), **invitaciones selectivas a licitar** (selective tendering), **invitar** (invite; S. *ofrecer, anunciar*), **invitar a la suscripción de un emprés-tito** (invite subscriptions for a loan)].

inyección *n*: injection; boost; shot in the arm *col*; S. *empujón, ayuda*. [Exp: **inyección de fondos** (injection of funds), **inyectar** (inject, pump in, boost; S. *aportar, invertir*), **inyectar capital en un negocio** (inject capital into a business)].

ipc *n*: S. *índice de precios al consumo*.

ir *v*: go; move. [Exp: **ir a la deriva** (drift, be adrift, cut adrift; S. *perder el rumbo*), **ir a la huelga** (go on strike), **ir a la quiebra** (go into bankruptcy; fail; go into receivership; go/become/be made/be adjudicated bankrupt; be wound up; go bust *col*, go down the tubes *col*; S. *quiebra, suspensión de pagos*), **ir a medias con alguien** (go halves with sb), **ir a mirar escaparates** (go window-shopping), **ir a remolque** (jump on the bandwagon, let oneself be carried along; act reluctantly, show no initiative; keep up with the Joneses *col*), **ir al grano** (get down to business; get down to brass tacks *col*; get/come to the point; S. *centrarse en los puntos más importantes*), **ir contra corriente** (STK EXCH go against the drift/tide/flow; buck the trend *col*), **ir de compras** (go shopping, shop), **ir hacia arriba** (COM move up, be upwardly mobile, climb, climb towards the top; get on, get ahead; boom; rise; S. *prosperar, escalar puestos, progresar, subir, ascender*), **ir hacia abajo** (COM move down, fall, drop, decline; fall behind, drop back/off, be/get left behind, be tailed off *col*; S. *bajar*), **ir sobre seguro** (play safe), **ir tirando** (struggle along, tick over; S. *llevar un ritmo lento*), **ir viento en popa** (boom; go full steam ahead *col*; be running very smoothly, be well in front, be going or doing or performing exceptionally well; S. *prosperar*), **irse al garete/traste** (go down the tubes or plughole *col*; go for a burton *col*, go bust *col*), **irse a pique** (sink,[1] be wrecked; S. *hundirse*)].

IRYDA *n*: S. *Instituto de Reforma y Desarrollo Agrario.*

IRPF *n*: S. *impuesto sobre la renta de las personas físicas.*

irrealizable *a*: ACCTS, FIN unrealizable, not convertible into cash; unattainable; S. *inalcanzable.*

irrecuperable *a*: irrecoverable, not recoverable.

irrefutable *a*: conclusive, unanswerable, unassailable; S. *concluyente, definitivo.*

irregular *a*: irregular; incidental, abnormal, occasional; dubious, questionable, dodgy *col*; S. *anormal, anómalo, ocasional, casual.* [Exp: **irregularidad** (irregularity; S. *anomalía*)].

irrelevante *a*: unimportant, immaterial, insignificant; S. *sin importancia.*

irrepetible *a*: exceptional, one-off *col*.

irrescatable *a*: irredeemable.

irresponsable *a*: LAW incompetent, not responsible [for one's acts]; irresponsible.

irrevocable *a*: irrevocable, irreversible; permanent, perpetual, not removable; S. *perpetuo.*

írrito *a*: LAW void, null and void, invalid; S. *caducado.*

irrumpir *v*: burst in, break through/in, come storming in *col*; S. *caer como una bomba.* [Exp: **irrumpir en el mercado/ la escena** (burst upon the market/scene), **irrupción** (bursting in, storming, invasion)].

iso- *pref*: iso-. [Exp: **isocoste** (iso-cost line), **isocuanta** (isoquant), **isolíneas** (isoquant curves), **isomorfismo** (isomorphism)].

itinerante *a*: COM itinerant, travelling; S. *ambulante.* [Exp: **itinerario** (itinerary, travel plan, route)].

IVA *n*: S. *impuesto sobre el valor añadido.*

J

jaula *n*: TRANSPT crate; S. *cajón*.

jefatura *n*: MAN position as head or manager, command, headship; manager's post/job; head's/manager's/boss's office; S. *dirección, mando*; S. *dirección, mando*.

jefe-a *n*: MAN head,[1] boss, chief; manager; managing director; senior executive/ officer; comptroller; principal; leader; S. *director, principal; encargado*. [Exp: **jefe de agencia** (agency manager), **jefe de almacén** (stock controller), **jefe de comercialización de productos** (head of marketing/merchandising, marketing/ sales manager), **jefe de compras** (MAN head buyer), **jefe de compras de materias primas** (materials buyer), **jefe de contabilidad** (chief accountant, accountant general, accounting executive, general accountant), **jefe de cuadrilla** (foreman, ganger), **jefe de departamento** (head of department), **jefe de equipo** (team leader, group leader, head of a pool; chargehand; S. *encargado*), **jefe de fila** (BKG lead manager bank; S. *banco director, banco gestor líder, director principal*), **jefe de máquinas** (chief engineer), **jefe de negociado** (section head, head of department), **jefe de nóminas** (head wages clerk; S. *pagador de nóminas*), **jefe de oficina** (office manager, chief/head/senior clerk), **jefe de personal** (MAN personnel manager/ officer), **jefe de planta** (plant manager), **jefe de programación de productos** (product planning manager), **jefe de sección/ planta de unos grandes almacenes** (floor manager, senior sales assistant; floorwalker *US*; plant manager; S. *vigilante, encargado, supervisor*), **jefe de ventas** (sales manager; S. *director comercial*), **jefe de zona** (area manager; S. *director regional*), **jefe del departamento de publicidad** (advertising manager, head of publicity), **jefe ejecutivo** (chief executive officer, CEO), **jefes, los** *col* (senior staff, the bosses, the top brass, the bigwigs *col*)].

jerarquía *n*: hierarchy; pecking order *col*. [Exp: **jerárquico** (hierarchical), **jerarquizar** (structure in a hierarchy; arrange/ range in order of merit, seniority or importance; S. *ordenar, clasificar*)].

jerga *n*: jargon; parlance; cant; patter *col*; buzz-words. [Exp: **jerga de los juristas** (legalese *col*), **jerga empresarial** (business/management parlance or jargon; the cant of business people; the buzz-words used by people in business or management), **jerga periodística** (journalese *col*), **jerga propagandística** (ADVTG advertising patter *col*; S. *rollo publicitario*)].

jornada *n*: IND REL day's work, working day. [Exp: **jornada completa** (full-time work), **jornada continua/intensiva** (compressed working day or shift, straight-through shift with no break for lunch, seven-hour day with no lunch break, non stop 8 till 3 working day), **jornada laboral** (working hours; S. *horas hábiles, horario de trabajo*), **jornada limitada** (short-time working), **jornada partida** (split shift), **jornada parcial/reducida** (part-time work; S. *a tiempo parcial*), **jornadas** (conference, symposium; group get-together; course; referesher course; in-service course, special course, training course; S. *congreso, reciclaje*)].

jornal *n*: IND REL wage-s; day's wages/pay, day rate, daily wage; S. *salario, paga*. [Exp: **jornalero** (labourer; day labourer; S. *obrero, bracero, trabajador, operario, peón*)].

jubilación *n*: IND REL retirement; pension; retirement pension; superannuation, superannuation scheme; S. *pensión, retiro*. [Exp: **jubilación anticipada o incentivada** (IND REL early retirement, early retirement benefits; S. *prejubilación*), **jubilación de vejez** (old-age pension), **jubilación especial para directivos** (REL LAB top-hat pension), **jubilado** (retired; pensioner; old age pensioner, OAP; S. *pensionista*), **jubilar** (retire, pension off), **jubilarse anticipadamente** (take early retirement; S. *jubilación anticipada*)].

judicial *a*: judicial, legal.

juego[1] *n*: game; gaming, play; gambling, betting, betting and gaming; S. *especulación*. [Exp: **juego[2]** (set[1]), **juego, a** (matching), **juego completo de conoci-**

mientos de embarque (TRANSPT full set of bills of lading, commercial set), **juego-s de azar** (gambling; game of chance), **juego de gestión** (MAN management game), **juego de suma negativa** (ECO negative sum game), **juego de suma cero** (zero-sum game), **juego, en** (at stake, in play), **juego limpio/sucio** (fair/foul play)].

juez *n*: LAW judge. [Exp: **juez árbitro** (IND REL, LAW arbitrator, referee), **juez auxiliar** (*approx* registrar), **juez de la quiebra** (referee[1], referee in bankruptcy), **juez instructor** (LAW examining magistrate; judge in charge of preliminary proceedings or investigation in criminal cases; S. *instruction*)].

jugada *n*: play, piece of play, move. [Exp: **jugada arriesgada** (STK EXCH, COM, FIN gamble, risky speculatioń, risky/chancy move; S. *especulación, órdago*)].

jugador *n*: player, gambler, punter *col*; scalper US *col*; S. *especulador, agiotista*. [Exp: **jugador de Bolsa** (stock market speculator, person who plays the Stock Market, punter on the Stock Market *col*; S. *bolsista*)].

jugar *v*: play; gamble, speculate, punt[2] *col*. [Exp: **jugar a la baja** (STK EXCH speculate on a fall; play the market; try to bear the market *col*), **jugar a la Bolsa** (play the Stock Market, dabble in stock or on the stock), **jugar al alza** (STK EXCH speculate on a rise; buy for the rise; try to bull the market *col*), **jugar al alza y baja en la Bolsa** (STK EXCH job in stocks), **jugar por dinero** (gamble; have a flutter *col*; punt *col*; S. *apostar*)].

juicio[1] *n*: LAW trial, action[3]; S. *proceso, vista*. [Exp: **juicio[2]** (judgement, opinion; prudence; discretion, common sense), **juicio hipotecario** (action for repossession, foreclosure action), **juicio oral** (trial, public hearing; S. *apertura de juicio oral*)].

junta *n*: meeting, assembly[1]; board; board

of directors; directorate; committee; authority;[3] S. *asamblea; dirección.* [Exp: **junta/consejo de gerencia o gestión** (board of trustees; S. *patronato*), **junta consultiva** (advisory/consulting board), **junta de accionistas** (meeting of creditors/shareholders, etc), **junta de acreedores** (meeting of creditors), **junta de aseguradores** (board of underwriters), **junta de cambio** (exchange board; S. *oficina de conversión monetaria*), **junta de control de cambios** (exchange control board), **junta de dirección/gobierno** (executive board; steering committee; S. *directorio ejecutivo*), **junta/comisión de planificación** (planning board/committee), **junta de revisión de avalúos** (board of equalization), **junta o consejo de síndicos** (board of trustees; S. *consejo de gerencia/gestión/fideicomisarios, patronato*), **junta de urbanismo/planificación** (ECO planning agency/authority/board), **junta del aeropuerto** (airport authority; S. *autoridad aeroportuaria*), **junta del consejo** (board meeting), **junta directiva** (board,[1] management/managing board, board of directors; S. *consejo de administración*), **junta general** (general assembly/meeting, annual general meeting, AGM; S. *asamblea, sesión, reunión*), **junta general de accionistas** (COMP LAW general meeting of shareholders/stockholders), **junta general extraordinaria** (COMP LAW extraordinary general meeting), **junta ordinaria** (ordinary/regular meeting)].

juntar *v*: join, assemble; put together, amass, raise, collect, gather; S. *reunir, captar, recoger.* [Exp: **juntar fondos** (raise/gather/collect cash), **junto a** (accompanying, together with, along with; besides; S. *al lado de*), **junto al barco** (TRANSPT alongside, alongside ship; S. *en el muelle, atracado*), **junto con** (together with; S. *acompañado de*)].

jurídico *a*: legal.

jurista *n*: jurist, lawyer; S. *abogado.*

justificación *n*: justification; explanation; S. *motivo.*

justificante *n*: acknowledgment of receipt; supporting document; documentary proof/evidence; receipt; slip, voucher, warrant[1]; S. *recibo, vale, duplicado.* [Exp: **justificante de abono de impuestos** (tax receipt, documentary proof of payment of taxes), **justificante de pago de fletes** (TRANSPT freight release, FR; S. *entrega de flete*), **justificante de caja** (BKG, COM cash voucher, pay-in/pay-out slip), **justificar** (justify, account for; explain; support; maintain; warrant[1]; S. *explicar*), **justificativo** (supporting)].

justipreciador *n*: INSCE, FIN assessor, valuer, adjuster, estimator, appraiser; S. *perito, valuador, tasador.* [Exp: **justiprecio** (COM assessment, evaluation, appraisal; adjustment; fair value; fair price; fair market value; S. *valor justo*)].

justo *a*: fair,[1] equitable, allowable, proper, due[2]; square *col*; fair and square *col*; above-board *col*; S. *equitativo, razonable, imparcial.* [Exp: **justo a tiempo** (just in time; S. *sistemas de entrega justo a tiempo*), **justo precio** (ACCTS appraisal/appraised value; S. *valor de tasación*), **justo y equitativo** (fair and square), **justo y factible** (fair and feasible)].

juzgado *n*: court; tribunal; court of first instance; S. *audiencia, tribunal, órgano jurisdiccional, sala.* [Exp: **juzgado de lo social** (LAW industrial tribunal; S. *magistratura de trabajo*)].

juzgar *v*: judge; try; adjudicate; adjudge; decide; umpire, arbitrate; evaluate; S. *enjuiciar.*

K

kilo *n*: kilo, kilogramme. [Exp: **kilogramo** (kilogramme), **kilometraje** (motorcar mileage, mileage[1]; S. *millaje*), **kilométrica** (rail runabout ticket, rail travel pass on a mileage basis), **kilómetro** (kilometre)].

L

labia *col n*: ADVTG patter *col*; gift of the gab *col*; glibness, smooth/slick talk *col*; blarney *col*; line of patter *col*; S. *pico de oro, palabrería propagandística*.

labor *n*: labour, work, job, task; action[1]; S. *trabajo, actuación, intervención*. [Exp: **laborable** (working; S. *día laborable*), **laboral** (IND REL labour, occupational, industrial; S. *profesional, ocupacional*), **laborioso** (hard-working, industrious, diligent; S. *trabajador*), **laborismo** (Labour movement), **laborista** (Labour; supporter/member of the British Labour Party; Labour MP)].

laboratory *n*: laboratory. [Exp: **laboratorio de ideas** (MAN think tank; S. *gabinete de estrategia*)].

labrar *v*: plough; farm; work, shape, fashion; elaborate; devise; S. *trabajar*. [Exp: **labrador** (ploughman, peasant, farmer), **labranza** (farming), **labrarse un porvenir** (carve out a career or future for oneself), **labriego** (farm labourer; farmhand)].

lacrar *v*: seal, seal with wax; S. *precintar, en sobre lacrado*. [Exp: **lacre** (sealing wax)].

lácteo *a*: dairy; S. *lechero*.

lado *n*: side; face. [Exp: **lado de, al** (beside; TRANSPT alongside, alongside ship; S. *junto a, en el muelle, atracado*)].

laguna *n*: LAW loophole, gap; S. *escapatoria, vía de escape, vacío legal*. [Exp: **laguna fiscal** (tax loophole)].

lanzado *a*: COM, MAN impulsive, impetuous, rash; bold, outgoing; enterprising, go-ahead *col*; S. *enérgico, emprendedor, impulsivo*.

lanzador de modas *n*: trend-setter; S. *estimulador de tendencias*.

lanzamiento[1] *n*: COM, ADVTG launch, launching; initial campaign, promotion, release; S. *campaña, promoción; novedad*. [Exp: **lanzamiento[2]** (FIN float, flotation; S. *lanzamiento de una sociedad mercantil*), **lanzamiento comercial** (commercial launch, promotion), **lanzamiento de mercancías al mar** (TRANSPT jettisoning of cargo), **lanzamiento de una emisión de títulos** (FIN flotation of an issue), **lanzamiento de una empresa o de una sociedad mercantil** (COMP LAW flotation,[2] going public; S. *flotación*), **lanzamiento combinado de acciones** (COMP LAW piggyback registration), **lanzamiento publicitario** (ADVTG launching of a campaign/product)].

lanzar *v*: FIN, COM, ADVTG launch; promote; bring out; release; throw; issue, float; start up; S. *iniciar, emitir, emprender,* *fundar*. [Exp: **lanzar al mercado** (market, put/bring onto the market; S. *poner en venta*), **lanzar nuevas emisiones** (STK EXCH float/bring out new issues), **lanzar propaganda en favor de** (promote, launch), **lanzar un nuevo producto o marca** (COM, ADVTG launch/introduce/bring out a new product/brand), **lanzar una emisión de bonos** (float a loan; S. *emitir deuda*), **lanzar una OPA u oferta pública de adquisición de una empresa** (FIN launch a takeover bid, make a tender offer), **lanzarse a** (enter on/upon, throw oneself into, rush into; embark on; S. *emprender*), **lanzarse de cabeza** (plunge[1]; S. *meterse a fondo*)].

lápida de emisión sindicada cubierta *col* *n*: FIN tombstone; S. *esquela/anuncio de emisión sindicada cubierta*.

lapso *n*: lapse, lapse of time, period/interval/space of time; S. *plazo*. [Exp: **lapso de información a dirección** (MAN management access time)].

larga *n*: S. *dar largas*. [Exp: **larga, a la** (in the long run), **largarse** *col* (clear off *col*, split[3] *col*, beat it *col*; make tracks *col*, pull/get out *col*; S. *marcharse, pirárselas*. [Exp: **largarse sin pagar** *col* (making off without payment *col*)].

largo *n*: long[1]. [Exp: **largo alcance, de** (long-range; S. *a largo plazo*), **largo de, a lo** (along, during, over, throughout), **largo de base** (STK & COMMOD EXCH long on the basis), **largo, estar** (STK & COMMOD EXCH be long), **largo plazo** (ECO long term/run/notice), **largo plazo, a** (ACCTS, FIN, COM long-range; long-dated; long-term), **largo recorrido** (S. *tren de largo recorrido*), **largo y ancho del país, a lo** (nationwide), **largo y tendido** (at great length; S. *pormenorizadamente*)].

lastre[1] *n*: TRANSPT ballast; dead cargo; lastage; S. *balasto*. [Exp: **lastre**[2] (COM lame duck[1] *col*; burden, dead wood *col*;

S. *empresa fracasada*), **lastre, en** (TRANSPT in ballast; light[2]; S. *sin carga*), **lastre/rémora fiscal** (TAXN fiscal drag; S. *estructura fiscal excesiva*)].

lata *n*: ECO can, tin; S. *envase, conserva*.

latifundio *n*: large estate or landholding; system of land tenure whereby large or very large holdings are in the hands of individual owners, as distinct from *minifundio*, in which holdings are much smaller. [Exp: **latifundista** (large estate owner)].

latigazo *n*: STK EXCH whiplash; S. *pérdidas en posición compradora y vendedora*. [Exp: **látigo** (whip)].

laudo *n*: LAW award, finding; arbitration award; decision; S. *fallo*. [Exp: **laudo arbitral** (award[2]; umpirage, arbitral award; S. *sentencia arbitral*), **laudo de indemnización por despido improcedente** (IND REL compensatory award for unfair dismissal)].

lavado *n*: FIN washing, laundering; S. *blanqueo, blanquear*. [Exp: **lavado de cerebro** (brainwashing; S. *adoctrinamiento*), **lavado de cupón** *col* (STK EXCH bond washing *col*), **lavado de dinero** (money market), **lavado/caza de dividendo** *col* (STK EXCH dividend capture/stripping, dividend rollover plan, trading dividends), **lavar** (wash; launder *col*), **lavar dinero** *col* (launder money *col*)].

lazo *n*: link, bond[5]; S. *vínculo, unión, enlace*.

leal *a*: loyal; fair; above-board; on the level *col*; S. *competencia, justo, equitativo; desleal*. [Exp: **lealtad** (loyalty), **lealtad de marca** (ADVTG brand loyalty), **lealtad en las actividades comerciales** (business fairness),].

lector *n*: reader, optical scanner. [Exp: **lector de código de barras** (COM bar-code reader/scanner/sensor), **lectura** (reading, interpretation; S. *interpretación*), **lectura automática de etiquetas**

o códigos de barras (COM bar-code scanning or reading, mark sensing *US*)].

lechero *a/n*: dairy; dairyman; milkman; S. *vaquería, lácteo*. [Exp: **lechería** (dairy, creamery)].

legal *a*: legal; lawful; statutory; S. *jurídico, lícito, legítimo*. [Exp: **legalidad** (legality, lawfulness), **legalización de documentos** (authentication of documents; S. *autenticación, validación*), **legalizar** (attest, authenticate; validate; S. *autenticar, certificar, compulsar*), **legalmente** (lawfully, legally), **legalmente reconocido/constituido/fundado** (chartered[2])].

legislación n: legislation; laws, acts, statutes; S. *ley*. [Exp: **legislación anti-OPA** (anti-takeover law or legislation), **legislación antidumping** (anti-dumping legislation), **legislación antimonopolística** (anti-trust laws), **legislación de amparo a los accionistas minoritarios** (minority protection), **legislación de represalia** (retaliatory laws), **legislación dirigida a evitar las prácticas laborales injustas o discriminatorias** (IND REL fair employment practices/legislation), **legislación laboral** (labour laws or legislation), **legislación retroactiva** (retrospective law/legislation)].

legitimar *v*: legalize, legitimize. [Exp: **legitimado, estar** (be entitled; S. *tener derecho o título*), **legítimo** (legitimate, lawful, just; rightful, reasonable; allowable; due[2]; S. *legal, lícito*)].

lema *n*: slogan; motto, watchword. [Exp: **lema publicitario** (ADVTG advertising slogna; theme of an advert; S. *tema*)].

lento *n*: slow, sluggish. [Exp: **lentitud** (slowness, sluggishness)].

leonino *a*: LAW harsh, severe, one-sided, tough; S. *oneroso, severo*. one-sided.

lesión *n*: LAW injury, detriment; S. *agravio, daño*. [Exp: **lesionar** (injure, impair; infringe, be detrimental/injurious; S. *dañar, perjudicar*)].

letra[1] *n*: writing, handwriting; letter; s. *puño*. [Exp: **letra**[1] (FIN draft, banker's cheque/draft, commercial draft; S. *efecto, giro comercial; aceptar/avalar/descontar/endosar/protestar una letra*), **letra a cargo propio** (FIN note of hand, promissory note; S. *pagaré*), **letra a cobrar** (draft to be collected, bill to collect, bill receivable), **letra a corto plazo** (short[-dated] bill), **letra a la vista** (demand draft; sight draft, sight bill of exchange, draft at sight *US*), **letra a la vista con nota de embarque negociable adjunta** (sight draft with negotiable bill of lading attached), **letra a largo plazo** (long bill, long-dated bill), **letra-s a pagar** (bill-s payable; S. *obligaciones a corto plazo*), **letra a plazo/plazo fijo** (time bill/draft), **letra a plazo vista** (term bill), **letra a sesenta días vista** (sixty-day bill or draft), **letra aceptada** (acceptance bill, accepted bill; due bill[1]; S. *aceptación, letra de aceptación*), **letra aceptada de forma condicional o con restricciones** (BKG qualified acceptance; S. *aceptación limitada o condicional*), **letra aceptada de forma incondicional** (general acceptance), **letra-s al cobro** (BKG bill/draft for collection, bill-s receivable), **letra avalada** (guaranteed bill), **letra bancaria** (BKG bank acceptance, bank bill, bank draft, banker's acceptance/bill, trade acceptance; S. *giro bancario*), **letra con gastos** (protested bill, bill plus charges), **letra cruzada** (kite), **letra de aceptación** (acceptance bill; S. *letra aceptada*), **letra de cambio** (bill of exchange; draft; remittance; bill[2]), **letra de cambio aceptada** (acceptance; accepted draft), **letra de cambio aceptada por un banco** (BKG acceptance[2]; S. *aceptación*), **letra de cambio comercial** (commercial paper, commercial bill, trade bill; S. *efecto/papel comercial/mercantil*), **letra**

de cambio de la máxima garantía (BKG first-class paper, fine bill/paper, fine trade bill, prime bill, prime trade bill, respectable bill; S. *efectos comerciales de primera clase*), **letra de cambio domiciliada** (BKG domiciled bill of exchange, direct debit draft *US*), **letra de cambio en blanco** (blank bill), **letra de cambio girada** (draft), **letra de cambio interior** (inland bill of exchange; agency bill), **letra de cambio limpia, sin documentos o no documentaria** (clean bill of exchange), **letra de cambio negociable** (STK EXCH negotiable bill), **letra de cambio pagadera en otra nación** (external bill), **letra de cambio protestada o devuelta** (returned/dishonoured bill of exchange, bill/draft referred to the drawer), **letra de cambio sin garantía** (unsecured bill/draft, uncovered acceptance), **letra de cambio sin riesgo** (FIN prime bill, prime trade bill, first-class paper), **letra de crédito** (BKG letter of credit, L/C; S. *carta de crédito*), **letra de crédito financiera** (FIN credit bill), **letra de crédito renovable** (FIN revolving letter of credit), **letra de favor/cortesía/deferencia/complacencia** (accommodation bill/draft; S. *letra de pelota*), **letra de la ley** (letter of the law), **letra de pelota** (kite; accommodation bill/draft; false draft; S. *letra de favor; papel pelota*), **letra de remesa o salida** (outward bill/draft), **letra de resaca** (redraft), **Letra del Tesoro** (Treasury Bill, exchequer bill), **Letra del Tesoro a corto plazo** (short-dated Treasury bill), **letra descontada** (discounted bill; S. *efecto al descuento*), **letra documentaria** (documentary draft/bill, bill with documents attached), **letra domiciliada** (BKG direct debit draft, standing or banker's order), **letra en divisas extranjeras** (currency bill), **letra financiera** (BKG banker's bill, working

capital acceptance, finance bill *US*; S. *efecto financiero*), **letra girada** (draft[1]; S. *giro*), **letra girada y pagadera en el interior** (domestic/land bill/draft), **letra impagada por falta de aceptación** (dishonoured bill/draft, bill/draft referred or returned to drawer), **letra mayúscula** (capital letter), **letra minúscula** (lower case letter), **letra no documentaria** (clean draft; S. *libranza simple*), **letra o efecto protestado** (protested bill), **letra o giro a la vista** (demand bill/draft), **letra para compraventa de productos** (commodity draft), **letra pequeña, la** (LAW the small print), **letra perjudicada** (inchoate bill), **letra presentada al cobro** (payment bill), **letra simple** (straight bill), **letra sin endoso** (single name draft), **letra/efecto sobre el exterior** (foreign bill), **letra sobre la plaza** (local draft), **letras firmadas en las compras a plazo** (instalment note *US*), **letras a/por cobrar** (bills receivable, incoming bills), **letras por pagar o impagados** (outstanding bills or drafts)].

letrado *n*: lawyer; counsel, barrister, attorney *US*, legal representative; S. *abogado*.

letrero *n*: sign,[2] notice, poster; S. *señal, indicador, rótulo, placa, valla*.

levantamiento *n*: LAW lifting, rasing, removal. [Exp: **levantamiento de restricciones** (raising/lifting/removal of restrictions), **levantamiento de hipoteca** (BKG, FIN paying off/clearing of a mortgage)].

levantar *v*: lift, raise[1]; S. *elevar, alzar*. [Exp: **levantar acta** (LAW copy verbatim, take verbatim note; report, prepare/file/write up a report; prepare a certificate; conclude an administrative matter by submitting a report), **levantar acta de la sesión** (take the minutes of a meeting; S. *hacer constar en acta, firmar el acta*), **levantar el embargo**

(lift/remove the embargo), **levantar el secreto** (LAW declassify, remove reporting restrictions, lift the ban on reporting), **levantar la prohibición** (COM raise the ban on), **levantar la sesión** (adjourn a meeting; declare the meeting/session adjourned; S. *clausurar, suspender*), **levantar los ánimos** (boost morale; S. *dar una inyección de moral*), **levantar un embargo** (lift an embargo), **levantar un protesto** (pay off a dishonoured/returned bill/draft plus charges), **levantar una hipoteca** (pay off/clear a mortgage)].

ley *n*: law, statute, act[3]; rule; S. *legislación, derecho*. [Exp: **ley antimonopolio** (antitrust law/act), **ley de aplicación a los contratos internacionales** (proper law of a contract), **ley de costes decrecientes/crecientes** (ECO law of decreasing/increasing costs), **Ley de Crédito al Consumidor** (Consumer Credit Act), **ley de la demanda** (law of demand), **ley de la productividad marginal decreciente** (law of diminishing marginal productivity), **ley de la oferta y la demanda** (ECO law of supply and demand), **ley de los rendimientos decrecientes** (ECO law of diminishing returns), **ley de los grandes números** (ECO law of large numbers), **ley de responsabilidad económica** (financial responsibility law *US*), **ley de seguridad e higiene en el trabajo** (Health and Safety at Work Act), **ley de sociedades anónimas** (corporations law, companies act), **ley del mercado** (law of the market), **ley del precio único** (STK & COMMOD EXCH one-price law), **ley presupuestaria** (Budget/Finance Act), **Ley reguladora de los juegos de azar** (Betting, Gaming and Lotteries Act), **ley reguladora de la concesión equitativa de créditos** (BKG equal credit act *US*), **ley reguladora de las prácticas comer-**

ciales justas y equitativas** (fair trading act), **ley/legislación retroactiva** (retroactive law/legislation), **ley vigente** (governing/existing law, law/existing in force), **leyes fiscales** (revenue laws)].

liberación *n*: liberation, release. [Exp: **liberación de derechos** (release of rights), **liberación del tipo de cambio** (floating of the exchange rate)].

liberado *v*: STK EXCH paid-up; S. *acción, desembolsado, pagado*.

liberalización *n*: liberalization, deregulation; S. *desregularización*. [Exp: **liberalizar** (liberalize; deregulate; remove controls or restrictions from; S. *suprimir controles, eximir, liberar*), **liberalizar el tipo de cambio** (allow the exchange rate to float or find its own level)].

liberar *v*: LAW free, release; discharge[6]; FIN pay up/in, pay in full. [Exp: **liberar de un contrato** (release from a contract; S. *eximir/exonerar del cumplimiento de un contrato*), **liberar de una deuda/promesa/obligación** (release from a debt/promise/obligation), **liberar recursos** (free up resources), **liberar una acción del dividendo pasivo correspondiente** (STK EXCH pay a call on a share), **liberar una acción totalmente** (STK EXCH pay up a share)].

libertad *n*: freedom, liberty. [Exp: **libertad comercial o de comercio** (free trade; S. *librecambio*), **libertad de acción** (room to move/manoeuvre, a free hand, leeway[1]; S. *margen de maniobra*), **libertad de circulación de capitales** (free movement of capital), **libertad de empresa** (free enterprise), **libertad de establecimiento** (freedom of establishment), **libertad, en** (free; at large)].

libra *n*: pound[2]; lb. [Exp: **libra esterlina** (pound sterling), **libra irlandesa** (punt[1]), **libra verde** (green pound)].

librado *n*: BKG, FIN drawee; S. *girado, aceptante*.

librador *n*: BKG, FIN drawer, maker,[2] issuer; S. *firmante, girador*.

libramiento[1] *n*: FIN issue, issuance, delivery,[2] drawing[2]; order for payment; bank mandate; draft, bill, money order; S. *letra, expedir*. [Exp: **libramiento de cheques** (issue of cheques), **libramiento de letras cruzadas** (kite flying, kiting)].

libranza *n*: FIN issue, issuance, delivery,[2] drawing[2]; draft, bill, money order, giro, postal order; S. *libramiento*. [Exp: **libranza de letras de cortesía** (kite flying[1]), **libranza simple** (clean draft; S. *letra no documentaria*)].

librar[1] *v*: free, relieve, release,[1] exempt; S. *relevar, aliviar*. [Exp: **librar**[2] (deliver, draw,[3] issue; write, make out; S. *girar, expedir, extender*), **librar a cargo de** (draw on[1]; S. *girar*), **librar de carga, responsabilidad, impuestos etc.** (free[1] from a burden, a responsibility; exempt from a responsibility, taxes, etc.), **librar fondos** (release/transfer funds), **librar un cheque** (make out/draw/write a cheque), **librar una letra** (issue a draft, draw a bill of exchange), **librarse de** (get rid of; dispose of; dump *col*; S. *deshacerse de, desembarazarse*)].

libre[1] *a*: free[1]; clear; open; S. *despejar*. [Exp: **libre**[2] (free, off duty; S. *fuera de servicio*), **libre a bordo** (free on board, FOB), **libre cambio** (free exchange), **libre circulación** (LAW, COM free circulation; freedom of movement), **libre circulación de capitales y mano de obra** (free movement of capital and workers/labour), **libre comercio** (free trade), **libre concurrencia** (free competition), **libre convertibilidad** (free convertibility), **libre de** (exempt from, free of/from; S. *exento de, franco de*), **libre de avería simple** (free from particular average), **libre de cargas** (free of charges, free of all charges; free from/clear of encumbrance), **libre de cargo** (free of charge/commission; S. *gratuito, sin cargo*), **libre de derechos** (duty-free), **libre de deudas** (, free/clear of debts, in the clear), **libre de dudas, sospechas, imputaciones, etc.** (LAW in the clear, cleared, above suspicion), **libre de espera** (TRANSPT free stem), **libre de gravámenes** (unencumbered; encumbrance free; free of encumbrances; S. *sin cargas o hipotecas, disponible*), **libre/ exento de impuestos** (COM tax-free, duty-free; S. *con franquicia*), **libre de riesgo** (without risk, with no risk attached), **libre de toda avería** (INSCE free of all average), **libre empresa** (free enterprise), **libre plática** (TRANSPT free pratique), **libre, por** (on a freelance basis), **libre sobre vagón** (free on rail, FOR; S. *franco en estación*), **librecambio** (free trade; S. *libertad comercial*), **librecambista** (free trader)].

libreta *n*: ACCTS notebook; S. *cartilla*. [Exp: **libreta bancaria** BKG (bank-book, deposit pass book), **libreta de ahorro** (BKG savings passbook, paying-in book), **libreta de cuentas de gastos menores** (ACCTS petty cash book)].

libro *n*: ACCTS book, ledger. [Exp: **libro auxiliar de caja** (auxiliary cashbook), **libro auxiliar de acreedores o cuentas por pagar** (accounts payable ledger), **libro auxiliar de clientes o cuentas por cobrar** (accounts receivable ledger), **libro auxiliar de cuentas** (subsidiary ledger), **libro azul del barco** (ship's blue book), **libro borrador** (ACCTS blotter[2], waste book), **libro de actas** (book of minutes/proceedings, minute book), **libro de almacén** (COM store ledger, daybook), **libro de caja** (cashbook), **libro de contabilidad** (ledger book of accounts), **libro de cuentas** (account book), **libro de devoluciones** (returns book), **libro de**

diario (daybook; S. *libro de entradas y salidas*), **libro de efectos descontados** (discount ledger), **libro de entradas** (receiving book), **libro de entradas y salidas** (daybook; S. *libro de diario*), **libro de existencias** (stock ledger, inventory record), **libro de letras aceptadas** (acceptance ledger), **libro de registro** (register), **libro de registro de acciones** (share register, stock ledger), **libro de salidas** (sales book; S. *libro de ventas*), **libro de salidas de caja** (cash disbursements book), **libro de tarifas** (rate book), **libro de ventas** (sales book; S. *libro de salidas*), **libro diario** (journal; prime entry book; blotter; S. *diario*), **libro mayor** (ACCTS ledger, general ledger), **libro mayor de acreedores** (creditors' ledger), **libro mayor de activos fijos** (fixed assets ledger), **libro mayor de compras** (bought ledger, purchases ledger), **libro mayor de cuentas personales** (personal ledger), **libro mayor de deudores** (accounts receivable ledger, customers' ledger, sales ledger), **libro mayor de proveedores** (accounts payable ledger, creditors' ledger, purchases ledger), **libros oficiales de contabilidad** (ACCTS statutory books), **libro registro de depósitos** (BKG deposit ledger, register of deposit), **libros, según** (ACCTS in/per books; S. *de acuerdo con la contabilidad*)].

licencia *n*: LAW, COM, IND REL licence, license; permission; permit; leave[1]; franchise[1]; S. *permiso, autorización; franquicia; vacaciones*. [Exp: **licencia comercial** (trading certificate/licence; business licence; S. *licencia de apertura de establecimiento*), **licencia, con¹** (on leave), **licencia, con²** (under licence, franchised), **licencia con sueldo** (IND REL paid leave), **licencia de apertura de establecimiento** (opening licence,

certificate to commence business, trading certificate/licence), **licencia de divisas** (foreign exchange licence), **licencia de exportación** (export licence), **licencia de fabricación** (manufacturing licence), **licencia de importación** (import licence), **licencia de obras** (planning permission, building permission/permit), **licencia de patente** (patent licence), **licencia de transporte** (transport license), **licencia fiscal** (LAW, TAXN licence to trade or practise required by all self-employed persons; also the annual fee charged for this permit by the tax authorities), **licencia por enfermedad** (sick leave), **licencia por estudios** (study leave), **licencia por maternidad** (IND REL maternity leave; S. *permiso o baja por maternidad*), **licencia sin sueldo** (unpaid leave), **licencias conjuntas** (packaging licensing)].

licenciado *a/n*: licensed, authorised; graduate; S. *titulado*. [Exp: **licenciado en Administración de Empresas** (graduate in Business Administration/Management), **licenciado en Ciencias Empresariales** (graduate in Business Studies), **licenciado en Ciencias Económicas** (graduate in Economics)].

licenciar *v*: license; discharge, pay off; S. *autorizar, facultar*. [Exp: **licenciar a la tripulación** (IND REL discharge the crew of a ship)].

licencioso *a*: lawless; S. *desordenado, desaforado*.

licitación *n*: bid, bidding[1]; bid-letting; competitive bidding; tender; tendering; S. *puja, oferta*. [Exp: **licitación abusiva** (collusive tendering; S. *connivencia para la licitación de obras*), **licitación conjunta** (joint tender-ing), **licitación en la subasta** (auction bid; S. *puja*), **licitación en pliego cerrado** (sealed bid), **licitación pública o abierta** (public tender, open tender, open bid, competitive bid/bidding; S. *oferta pública*), **licitación sobre varios valores a la vez** (STK EXCH basket bidding), **licitador/ licitante** (tenderer, bidder; S. *postor, licitante*), **licitador principal** (primary/ prime tenderes), **licitadores confabulados** (collusive bidders), **licitante ficticio** (by-bidder), **licitar** (bid, make a bid; put in a bid, tender; S. *pujar, presentar una oferta*), **licitar para un contrato** (tender for a contract)].

lícito *a*: LAW lawful, allowable[1]; S. *conforme a derecho*.

líder *a/n*: leading, top; leader. [Exp: **líder de opinión** (COM opinion leader; trend-setter), **liderato, liderazgo** (leadership; S. *jefatura*), **liderazgo salarial** (wage leadership)].

lignito *n*: brown coal.

limitación *n*: limitation; constraint; restraint, restriction; S. *restricción, prescripción, congelación*. [Exp: **limitación al libre comercio** (restraint on free trade or freedom of trade; S. *restricción de comercio*), **limitación de cupo** (quota restriction), **limitación en la facultad de fijar impuestos** (TAXN rate capping), **limitaciones por razones de prudencia** (prudential constraints), **limitado** (limited; restricted; closed-end; qualified; special, conditional; S. *parcial, restringido, con salvedades*), **limitar** (limit, put limits to, narrow; ration, restrain, qualify, squeeze, tie down; S. *reducir, estrechar, restringir*), **limitar fondos/ hipotecas** (limit/restrict/ration funds/ mortgages, etc.), **limitativo** (limiting)].

límite *a/n*: extreme, maximum; limit, boundary, bound,[1] borderline, ceiling; landmark; time limit, deadline; S. *frontera, tope, techo; plazo*. [Exp: **límite a la baja/al alza** (STK & COMMOD EXCH limit down/up), **límite/banda inferior** (floor[3]; S. *mínimo*), **límite de crédito** (credit/lending limit, credit ceiling, loan ceiling), **límite de edad** (age limit), **límite de endeudamiento** (debt limit), **límite de fluctuación** (STK & COMMOD EXCH limit move), **límite de fluctuación del precio** (STK & COMMOD EXCH price movement limit, maximum price fluctuation), **límite de validez** (expiration date[1]; S. *fecha de caducidad*), **límite de crédito** (lending limit), **límite de crédito por país** (BKG country limit/ceiling), **límite de descuento** (BKG discount limit), **límite de edad** (age limit; S. *edad máxima*), **límite de plazo** (deadline), **límite de redescuento** (rediscount ceiling), **límite de riesgo** (risk limit), **límite inferior de fluctuación** (FIN floor,[3] lower fluctuation limit or band; fluctuation; S. *mínimo, banda inferior de fluctuación, suelo*), **límite máximo** (ceiling), **límite máximo arancelario** (tariff ceiling), **límite máximo comunitario** (community ceiling), **límite máximo cubierto** (close-ended ceiling), **límite máximo de adquisición** (maximum purchase permitted, maximum outside buying limit), **límite, sin** (unlimited, open-end/-ended; S. *susceptible de modificaciones, abierto, variable, modificable*), **límite superior** (FIN ceiling, cap; top; *máximo, techo, tope, banda superior de fluctuación*), **límite variable** (elastic/flexible/variable limit)].

limpiar *v*: clean, clean up, clean out *col*; wipe; S. *sanear*. [Exp: **limpiar a alquien** *col* (clean sb out), **limpieza** (clean up[1]; S. *saneamiento, limpiar, sanear, reestructurar, reorganizar*), **limpio** (clean, stainless; clear[1]; unqualified; S. *pasar a limpio; sin tacha/mancha/cargas/salvedades*), **limpio y sin tapujos** *col* (open and aboveboard; S. *sin trampa ni cartón*)].

línea *n*: line[1]; route. [Exp: **línea a seguir** (course of action; S. *línea de conducta, proceder*), **línea aérea** (airline, airway, air route; S. *ruta aérea, aerolínea*), **línea aérea no regular o independiente** (non-scheduled airline), **línea caliente** (hot line), **línea característica** (FIN characteristic line), **línea comercial** (branch/line of business), **línea comercial de mayor venta** (best-selling line), **línea curva** (curve; S. *curva*), **línea/serie de artículos/productos** (product line, line of goods, line of products; S. *abanico*), **línea de cercanías** (TRANSPT local/suburban line; belt line *US*), **línea de conducta** (course of action, policy[1]; S. *política, línea a seguir*), **línea de crédito** (BKG credit line, line of credit, bank line *US*; facility, accommodation line; S. *descubierto bancario*), **línea de crédito a muy corto plazo** (swing line; S. *préstamo/crédito puente o de empalme*), **línea de crédito soporte/apoyo/respaldo** (STK EXCH, BKG back-up line of credit), **línea de descubierto** (BKG overdraft line), **línea de flotación** (flotation line), **línea de favor o de crédito** (accommodation line[2]; S. *riesgo comercial aceptado*), **línea de mercado de capitales** (capital market line), **línea de muestreo** (sample line), **línea de montaje** (IND assembly line; S. *cadena de montaje o de producción continua*), **línea de rentabilidad** (ACCTS bottom line[2]), **línea de tendencia** (STK EXCH trend line), **línea del mercado de capitales** (STK & COMMOD EXCH capital market line, CML), **línea del mercado de títulos** (STK EXCH securities market line, SML), **línea, en** (on-line; S. *en directo, conectado a la central*), **línea ferroviaria** (railway; shipping line), **línea financiera de un agente** (agency line), **línea marítima** (shipping line), **línea renovable de financiación por subasta mediante aceptaciones** (FIN revolving acceptance facility by tender, RAFT), **líneas de máxima carga** (load lines), **línea jerárquica** (line of command), **líneas directrices/maestras** (broad outlines; S. *trazado general*), **líneas generales** (outline; S. *delinear, bosquejo, esquema*), **líneas generales, en** (broadly; S. *a grandes rasgos, aproximadamente*)].

lineal *a*: linear; straight-line; across-the-board; S. *aumento lineal*.

lingote *n*: bullion, ingot. [Exp: **lingote de oro** (gold ingot; S. *oro en lingotes*)].

liquidación[1] *n*: FIN, COM settlement, liquidation; satisfaction; clearing; adjustment; pay-off[1]; payment; sale; realisation; disposal[3]; S. *pago, cancelación, disolución*. [Exp: **liquidación**[2] (winding-up, dissolution; S. *quiebra*), **liquidación**[3] (COM stock clearance, clearance sale; S. *saldo, rebajas*), **liquidación**[4] (INSCE adjustment), **liquidación a prorrata** (proportional settlement; S. *liquidación proporcional*), **liquidación al vencimiento** (settlement at maturity), **liquidación completa** (satisfaction, full and final settlement, full settlement; S. *finiquito*), **liquidación de activos** (FIN realizationof assets; asset stripping), **liquidación de avería** (INSCE adjustment of average), **liquidación de avería común** (INSCE general average adjustment), **liquidación de bienes** (sale/selling off/liquidation of assets), **liquidación de deudas** (clearing of debts), **liquidación de deudas recíprocas de dos empresas por el saldo neto de las mismas** (FIN netting; S. *liquidación por saldos netos*), **liquidación de deudas tributarias** (tax clearing, payment of back tax or arrears of tax), **liquidación de existencias** (clearance,[3] stock clearance, clearance sale; S. *venta de liquidación*), **liquidación de facturas** (payment/settlement of accounts/invoices), **liquidación de las pérdidas o daños tasados** (INSCE adjustment of claims), **liquidación de impuestos** (S. *liquidación de deudas tributarias*), **liquidación de impuestos consolidados** (consolidated tax return), **liquidación de transacciones bursátiles regulares** (STK EXCH regular-way delivery *US*), **liquidación de una deuda** (clearing of a debt; final discharge), **liquidación de una reclamación** (adjustment of a claim), **liquidación forzosa/obligatoria** (COMP LAW compulsory winding up by the court, compulsory liquidation, forced liquidation *US*; S. *liquidación voluntaria*), **liquidación judicial** (winding up under the supervison of the court), **liquidación por cierre** (COM closing-down sale), **liquidación por diferencias** (STK & COMMOD EXCH cash settlement), **liquidación por fin de temporada** (COM en-of-season sale), **liquidación/compensación por saldos netos** (ACCTS netting), **liquidación proporcional** (proportional assessment; S. *derrama*), **liquidación rodada** (rolling settlement), **liquidación total[1]** (COM clearance sale; S. *saldos*), **liquidación total2[1]** (FIN full settlement; S. *finiquito*), **liquidación totalpor cierre** (closing-down sale), **liquidación voluntaria** (COMP LAW voluntary winding-up, members' voluntary liquidation)].

liquidado *a*: paid, paid in full, settled, liquidated; S. *saldado, pagado, cancelado*.

liquidador *n*: STK & COMMOD EXCH clearing member; LAW liquidator; administrator in bankruptcy; official receiver; receiver[2]; adjuster; S. *síndico, administrador judicial*. [Exp: **liquidador/ajustador de reclamaciones** (SEG claims adjuster/assessor/representative; S. *tasador*)].

liquidar[1] *v*: pay; settle,[1] satisfy, liquidate, realize, clear[1]; clear up[3], clear off; S. *saldar, cancelar, satisfacer, abonar, pagar*. [Exp: **liquidar[2]** (wind up, dissolve; S. *disolver, terminar*), **liquidar cuentas/deudas** (settle accounts/debts),

liquidar el valor de los efectos inscritos en una cuenta de crédito (STK & COMMOD EXCH close out[3] *US*), **liquidar existencias** (clear the stock), **liquidar judicialmente** (liquidate by order of the Court), **liquidar un producto** (sell off/up a product), **liquidar una cuenta** (balance an account; S. *saldar una cuenta*), **liquidar una deuda** (clear/discharge/wipe out a debt; S. *pagar/satisfacer una deuda*), **liquidar una deuda de forma anticipada** (retire a debt), **liquidar una mercantil** (put a company into liquidation, wind up a company, disincorporate a company; S. *disolver una sociedad mercantil*), **liquidar una posición** (STK & COMMOD EXCH offset a position), **liquidar una posición deficitaria** (close out a losing position)].

liquidez *n*: FIN, BKG, COM, ECO liquidity; cash[1]; S. *activo disponible, cuenta de caja, tesorería, disponibilidad en dinero*. [Exp: **liquidez cuasimonetaria** (money equivalents), **liquidez de un mercado** (STK & COMMOD EXCH market breadth; S. *volumen de contratación de un mercado*), **liquidez en manos del público** (FIN private sector liquidity, PSL; S. *activos financieros en manos del público*), **liquidez secundaria** (secondary liquidity/reserves)].

líquido *a/n*: liquid, net; cash; liquidated; clear; cash, total, net amount; S. *disponible, realizable*. [Exp: **líquido a recibir** (COM, ACCTS, BKG net amount recivable/payable/chargeable), **líquido imponible** (taxable income; S. *valor gravable, cuota imponible*)].

lista *n*: list[1]; listing; bill; register; schedule; S. *listado, relación, registro*. [Exp: **lista abierta** (open list/listing *US*), **lista-control** (checklist), **lista de aduana** (customs parcel list), **lista de carga** (cargo list, tally), **lista de contribu-**

yentes (taxpayer roll, register of taxpayers; S. *padrón*), **lista de control o vigilancia** (watch list), **lista de correos** (poste restante, general delivery *US*), **lista de declaración de productos importados** (customs entry; S. *declaración de aduanas hecha por el importador*), **lista de direcciones o de destinatarios** (mailing list), **lista de espera** (waiting list), **lista de existencias** (stocklist), **lista de garantía** (accredited list), **lista de paridades** (schedule of par values; S. *tabla de valores a la par*), **lista de pasajeros** (passenger list/manifest), **lista de precios** (price list), **lista de preseleccionados** (IND REL short-list/shortlist), **lista de puestos de trabajo libres** (situations/appointments vacant), **lista de tripulantes** (crew list), **lista de riesgos prohibidos** (INSCE decline list), **lista de siniestros** (loss list), **lista negra** (COM blacklist; S. *poner en la lista negra*), **lista oficial de valores contratados en Bolsa** (STK EXCH official list), **lista oficial de cambios** (official exchange rate list), **lista única** (single list), **listado** (listing, list,[1] table), **listero** (tally clerk, wages clerk; time-keeper; S. *persona que comprueba la lista de carga*), **listín** (directory; S. *plano callejero, guía*)].

litro *n*: litre, liter *US*.

listo *n*: ready; S. *dispuesto, preparado*.

litigante *n*: LAW claimant/claimer,[2] rightful claimant; party to a suit; S. *demandante, actor*. [Exp: **litigio** (lawsuit, suit; dispute, action[3]; S. *proceso, pleito, demanda*), **litigio, en** (in dispute; issuable[2])].

litro *n*: litre, liter.

llamada *n*: call[1]. [Exp: **llamada a cobro revertido** (reverse charge call, transferred charge call, collect call *US*), **llamada a concurso/licitación** (invitation to bidders, invitation to bid, call for bids; S. *citación a licitadores*),

llamada de comprador (buyer's call), **llamada internacional** (international call), **llamada internacional directa** (international direct dialling), **llamada interurbana** (trunk call; long-distance call, toll-call *US*), **llamada telefónica** (phone call[2])].

llamar *v*: call[1]. [Exp: **llamar a capítulo** (call to account), **llamar a la huelga** (call out,[1] call out on strike), **llamar a licitación** (invite tenders, call for bids; S. *abrir licitación, sacar a concurso, convocar a licitadores*), **llamar al orden** (call to order), **llamar por el altavoz** (page; S. *avisar por megafonía*), **llamar por teléfono** (phone; S. *telefonear*)].

llave *n*: key. [Exp: **llave en mano** (COM turnkey; LAW with vacant possession for immediate occupation)].

llegada *n*: arrival. [Exp: **llegar** (arrive, reach, get to), **llegar a un acuerdo** (come to/reach/conclude an agreement; come to terms; do business; strike a bargain; S. *alcanzar un acuerdo*), **llegar a un acuerdo de cooperación** (agree to cooperate, pool resources; S. *unir/reunir recursos/esfuerzos*), **llegar a una conclusión** (reach a conclusion, conclude[3]), **llegar al máximo** (STK EXCH peak; S. *alcanzar el nivel más alto*), **llegar al mínimo** (STK EXCH touch bottom), **llegar al poder** (come into office; S. *asumir un cargo*), **llegar, por** (incoming; S. *de fuera*)].

llenar *v*: fill,[1] fill up, top up; pack. [Exp: **llenar de bote en bote/hasta la bandera** (pack out), **llenar un vacío** (bridge a gap), **llenar un vacío en el mercado** (fill a gap in the market), **lleno[1]** (full, full up; complete; S. *pleno, completo*), **lleno[2]** (sellout[2]; full house; S. *éxito de taquilla*)].

llevar[1] *v*: take, carry,[1] bear, transport; S. *transportar, portar*. [Exp: **llevar[2]** (COM manage, operate, run; S. *administrar,* *gestionar*), **llevar a cabo, llevar a la práctica** (effect,[3] carry out, perform, implement, conduct, run[2]; S. *realizar, efectuar*), **llevar a cabo negociaciones** (conduct negociations), **llevar a cabo transacciones comerciales** (trade), **llevar a cabo una tarea** (perform a task/a function; S. *desempeñar una función*), **llevar a cuenta nueva** (ACCTS carry forward), **llevar a la quiebra** (bankrupt, bring to bankruptcy, ruin, be the ruin of; put out of business, wreck the business of; S. *arruinar*), **llevar a remate** (put up for auction; S. *rematar*), **llevar aparejado, llevar consigo** (entail, carry with it, carry[2]; S. *entrañar, comportar*), **llevar la contabilidad** (keep the books/accounts, do the accounting or book-keeping), **llevar la contraria** (take the contrary view; perversely oppose or contradict; but the trend *col*; S. *oponerse a la tendencia*), **llevar la cuenta** (keep a count/tally/check; keep an eye on, keep records; S. *puntear*), **llevar las de ganar frente a uno** (have the jump on/over sb *col*; S. *llevarle ventaja a uno*), **llevar libros de comercio, una cuenta, un registro, etc** (ACCTS keep books, an account, a register, a tally, etc.), **llevar, para** (takeaway), **llevar mucho ojo** (be on the ball *col*; keep one's eyes open or skinned *col*; S. *andar con ojo avizor*), **llevar un control férreo** (keep/take a tight hold; S. *estar muy encima, controlar de cerca*), **llevar un negocio** (carry on a business, ply one's trade; be in trade; S. *tener un comercio*), **llevar un ritmo lento** (tick over; S. *estar en compás de espera, marchar al ralentí, ir tirandillo*), **llevar uno personalmente todos sus asuntos** (be one's own boss; S. *no depender de nadie*), **llevar ventaja al/sobre** (have the edge over sb, have the jump on/over sb *col*; S. *llevar las de ganar frente a uno*), **llevarse**

(take away, scoop up, make away with), **llevarse un chasco** *col* (be disappointed, feel let down, suffer a letdown, come a cropper *col*; S. *sufrir un revés*), **llevarse una buena tajada** *col* (make a killing/packet *col*; clean up[2] *col*; S. *ponerse las botas*)].

lluvia *n*: rain. [Exp: **lluvia ácida** (acid rain), **lluvia radioactiva** (ECO fall-out[5]; S. *consecuencias*)].

local *a/n*: local, on-shore; premises, shop, establishment; S. *municipal, nacional; edificio, establecimiento*. [Exp: **local comercial** (business premises, place of business; shop), **local de exposición** (COM booth, stand), **localización** (ECO location), **localizar** (locate, find, trace; get hold of *col*, track down *col*)].

longitud *n*: length[1]; S. *duración, extensión*. [Exp: **longitud de la carga** (TRANSPT length of load)].

lonja[1] *n*: exchange[2]; market, mart; S. *bolsa, mercado*. [Exp: **lonja de contratación de productos físicos y de futuros y opciones** (STK & COMMOD EXCH commodities market/exchange), **lonja de productos perecederos** (produce exchange/market)].

lote *n*: STK EXCH, COM lot, batch; class; portion, pack[1]; warrant; S. *partida, serie, unidad comercial*. [Exp: **lote completo o redondo** (STK EXCH round lot), **lote completo de acciones** (STK EXCH even lot; full lot, board lot), **lote de acciones** (class of shares), **lote de mercancías** (lot of goods), **lote de artículos** (pack/ batch/lot of items), **lote de artículos variados** (odd lot[1]), **lote irregular** (job lot; S. *partida de saldo*), **lote suelto de acciones** (STK EXCH broken lot)].

lucrativo *a*: lucrative; profit-oriented, profit-making, profitable, gainful; S. *retribuido, remunerado*. [Exp: **lucrativo, no** (non-profit), **lucro** (profit, gain ; S.

beneficio, ganancia), **lucro cesante** (consequential damages, loss of probable profit; shortfall in receipts; S. *menores ingresos, daños emergentes*)].

lucha *n*: fight, struggle. [Exp: **lucha de clases** (ECO class struggle), **lucha interna** (internal conflict-s, inflighting, internal squabbling/bickering *col*), **lucha por la delegación del voto** (COMP LAW proxy contest/fight), **luchador** (fighter), **luchar** (fight, struggle)].

lugar *n*: place, site, spot, point[3]; S. *punto; solar*. [Exp: **lugar de, en** (instead of, in lieu of), **lugar de destino/entrega** (TRANSPT destination, point of delivery), **lugar de reunión o encuentro** (meeting point), **lugar de trabajo** (workplace), **lugar de venta** (COM point of sale, sales outlet), **lugar y fecha de la emisión** (place and date of issue)].

lujo *n*: luxury. [Exp: **lujo, de** (fancy; S. *de campanillas*), **lujo de detalles, con todo** (elaborate,[3] at large, with a profusion/ wealth of details; S. *de forma exhaustiva*), **lujoso** (luxurious; exclusive; S. *distinguido*)].

lumbrera *n*: pundit; whizz-kid; S. *gurú*.

M

macro- *pref*: macro-[1]; S. *grande, a gran escala*. [Exp: **macroeconomía** (macroeconomics), **macroeconómico** (macroeconomics)].

machacar *v*: COM crush, smash, pulverize, beat hollow *col*; give a pounding/battering/hammering *col*; ADVTG plug,[2] plug away [at]. [Exp: **machacar los precios** *col* (COM slash prices), **machacar/recalcar un punto o una idea** (hammer a point home)].

madre *n*: mother. [Exp: **madre lactante** (IND REL nursing mother)].

maduración *n*: maturity[1]. [Exp: **madurar** (mature; season; develop[1]), **madurez** (maturity[2]; S. *vencimiento o plazo de un efecto*), **madurez del mercado** (COM market maturity), **maduro** (ripe; mature; seasoned; S. *consolidado, avezado*)].

maestro *a/n*: trained, skilled, expert, masterly; principal, master, main, principal; master; teacher; master craftsman. [The term *maestro* followed by the name of a trade or profession indicates that the worker concerned, besides being fully trained, qualified and time-served, has reached the highest rank of "master" of his craft. This is the recommended translation of terms like *maestro sastre* —master tailor—,

maestro panadero —master baker—, *maestro albañil* —master brickelayer—, etc.; S. *aprendiz, especializar, oficial*[2]. Exp: **maestro de obras** (master builder, clerk of works, site foreman/manager; S. *obra, encargado de obra*)].

magistrado *n*: senior judge. [Exp: **magistratura de trabajo** (IND REL industrial tribunal; labor court *US* S. *juzgado de lo social*)].

magnate *n*: tycoon, magnate, mogul. [Exp: **magnate de la prensa** (press lord/baron *col*), **magnate del petróleo** (oil tycoon, big oilman)].

magnitud *n*: ECO magnitude, scale, size, dimension; S. *dimensión, escala, cuantía*. [Exp: **magnitudes monetarias** (monetary aggregates)].

mal *adv/n*: badly; wrongly, mistakenly; poorly; evil, wrong, ill; harm. [Exp: **mal funcionamiento** (malfunction; S. *avería*), **mal pagado/retribuido** (underpaid), **mala administración** (MAN mismanagement), **mala calidad, de** (poor quality, third rate *col*; shoddy; S. *de calidad ínfima*), **mala conducta profesional** (professional misconduct; malpractice; S. *falta de ética profesional*), **mala fe, de** (in bad faith; unfair; S. *de/con dolo*), **mala intención, sin** (bona fide), **mala interpretación** (misinterpretation, misconstruction; S. *interpretación errónea*), **mala racha** (run of bad luck, series of unlucky breaks), **malas artes** (sharp practice; V. *chanchullos*), **malo** (bad, wrong, pour; S. *erróneo, injusto*)].

malabarismos *n*: S. *hacer malabarismos*.

maldición del ganador *n*: ECO winner's curse.

malecón *n*: pier, jetty; S. *muelle, espigón, embarcadero*.

malentendido *n*: misunderstanding.

malestar *n*: unrest; S. *inquietud, desorden, disturbios*. [Exp: **malestar laboral** (IND REL industrial unrest; S. *clima de crispación laboral*)].

malgastar *v*: squande, waste, burn *col*; S. *derrochar, despilfarrar, quemar*.

malversación *n*: LAW misappropriation, embezzlement; misapplication; S. *defraudación, apropiación indebida, distracción de fondos*. [Exp: **malversación de fondos públicos** (misappropriation of public funds), **malversador** (embezzler; S. *desfalcador*), **malversar** (embezzle, misappropriate; S. *sustraer dinero, desfalcar, distraer fondos*)].

mampara *n*: TRANSPT bulkhead, shift separator; S. *separador*.

mancha *n*: stain, spot. [Exp: **mancha de petróleo** (oil slick; S. *marea negra*), **mancha, sin** (clear[1]; S. *sin cargas, limpio*)].

mancheta *n*: heading/head[2]; S. *epígrafe, título*.

mancomunadamente *adv*: LAW jointly, together; S. *conjuntamente*. [Exp: **mancomunado** (joint; united; jointly owned; S. *en participación, empresa mancomunada*), **mancomunar** (unite, combine; pool; bring together; club together), **mancomunar firmas** (sign jointly), **mancomunar intereses** (pool), **mancomunar riesgos** (INSCE pool risks), **man-**

comunidad (community of interests; joint responsibility; S. *fondo*), **Mancomunidad de Naciones** (Commonwealth)].

mandamiento *n*: order, mandate; writ, warrant. [Exp: **mandamiento judicial** (injunction, execution[2])].

mandar *v*: IND REL, COM, MAN order, command[1]; direct; instruct; send; be in charge, be responsible; S. *ordenar*. [Exp: **mandante** (MAN mandator, principal[2]; donor; S. *representado, principal, jefe*), **mandante encubierto u oculto** (undisclosed principal; S. *comitente encubierto o no revelado*), **mandante y mandatario** (principal and agent; S. *principal y agente, poderdante y apoderado*), **mandatario** (agent, agt; attorney; chief officer; proxy; leader, senior representative; S. *poderhabiente, apoderado*), **mandatario, como** (as agent; S. *en representación*), **mandatario general** (general agent)].

mandato[1] *n*: mandate; commission, appointment[1]; proxy, warrant of attorney; S. *autorización, poder, nombramiento, encargo*. [Exp: **mandato**[2] (order, task; S. *misión, tarea*), **mandato**[3] (term, term of office, tenure; S. *tenencia, posesión, ocupación*), **mandato de transacción comercial** (consent order), **mandato ejecutorio** (enforcement order), **mandato judicial** (LAW injunction; S. *auto*)].

mando *n*: MAN command,[1] control, leadership; S. *jefatura, dirección; control*. [Exp: **mando bicéfalo** (joint command/control/leadership), **mando de, al** (in charge of, under, under the control of), **mandos/cuadros intermedios** (MAN middle management, first line management *US*)].

manejar *v*: COM, MAN handle, manage, run, control. [Exp: **manejable** (manageable; easy to use, user friendly; S. *controlable*), **manejo** (handling, conduct;

management; S. *gestión*), **manejo de la carga** (TRANSPT cargo handling)].

manera *n*: way, manner, mode; S. *vía, camino, forma, modo*.

manga de un barco *n*: TRANSPT beam; breadth, across the beams, width; S. *anchura, amplitud*.

manifestación[1] *n*: statement, declaration, representation. [Exp: **manifestación**[2] (IND REL demonstration), **manifestación de apoyo/adhesión** (rally[3]; S. *mitin*), **manifestaciones** (LAW representations), **manifestar** (communicate, state, declare; S. *comunicar, notificar*)].

manifiesto *a/n*: manifest, clear, obvious, blatant, patent; glaring; manifesto; S. *evidente; lista, guía*. [Exp: **manifiesto de aduanas** (TRANSPT customs manifest, manifest[2]; S. *declaración de mercancías*), **manifiesto de carga** (cargo manifest, way bill)].

maniobra *n*: manoeuvre, exercise,[1] move; ploy, ruse, estratagem, trick, cover-up, frame-up; S. *ejercicio, estrategia, artimaña*. [Exp: **maniobra bursátil para hacerse con el control de una mercantil** (STK EXCH raid), **maniobra de distracción** (diversionary tactic; stalking-horse; S. *pretexto, cortina de humo*), **maniobrar** (manoeuvre, handle, scheme; manipulate), **maniobrero** (schemer, wheelerdealer *col*; S. *manipulador, chanchullero*)].

manipulación *n*: COM manipulation, handling; S. *maniobra*. [Exp: **manipulación a la baja** (STK EXCH bear raid *col*), **manipulación bursátil o de precios** (STK EXCH stock market manipulation; market/price rigging; S. *alta/baja ficticia*), **manipulación bursátil concertada** (pool operations), **manipulación contable** (ACCTS window-dressing[2]; S. *maquillaje de balance*), **manipulación de las licitaciones** (collusive tendering, bid rigging *US*),

manipulación del mercado (STK & COMMOD EXCH market manipulation), **manipulador** (manipulator, wheeler-dealer *col*; S. *maniobrero*), **manipular**[1] (manipulate, handle), **manipular**[2] (ACCTS massage, cook the books *col*; fudge *col*; S. *amañar, maquillar*), **manipular el mercado** (STK & COMMOD EXCH rig the market, paint the tape *US col*), **manipular las cuentas** (manipulate/doctor *col* the accounts), **manipular los libros oficiales de contabilidad** (ACCTS cook the books *col*; massage the numbers *col*; doctor/fiddle *col* the books)].

maniquí *n*: fashion model; tailor's dummy; S. *modelo*.

mano *n*: hand[1]; S. *segunda mano*. [Exp: **mano, a** (to hand; by hand), **mano alzada, a** (by show of hands), **mano de obra** (IND REL labour/work force, manpower; S. *fuerza laboral*), **mano de obra barata** (cheap labour, sweated labour), **mano de obra cualificada/especializada** (skilled workers/labour; crafsmen), **mano de obra desocupada** (unemployed labourers/workers, idle labour), **mano de obra disponible** (available cargo/labour), **mano de obra no cualificada/especializada** (unskilled labour/manpower), **mano de obra indirecta** (indirect labour), **mano de obra mal pagada** (low-paid workers/workforce), **mano de obra no especializada o sin cualificar** (unskilled labour/manpower), **mano de obra ocasional/temporal/eventual** (temporal/eventual/casual workers; S. *temporeros*), **mano dura, de** (tough[2]; S. *inflexible, severo*)].

mantener *v*: maintain[2]; preserve, keep[2]; keep up, hold[3]; stand by[2]; support, sustain; uphold; S. *sostener, defender, argumentar, justificar*. [Exp: **mantener a alguien al día** (keep sb informed or posted *col*; S. *poner al día*), **mantener el equilibrio** (remain steady, keep one's balance; S. *nivelar*), **mantener la ventaja** (keep/stay one jump ahead; S. *mantenerse a la cabeza*), **mantener los precios del mercado** (keep prices up/steady, support the market), **mantener una entrevista** (MAN, IND REL hold an interview), **mantenerse** (keep up; hold firm; hold/stand one's ground, remain firm/steady/unaltered; S. *no ceder terreno*), **mantenerse a la cabeza** (hold the lead, stay/remain at the top, keep/stay one jump ahead *col*; S. *mantener la ventaja*), **mantenerse a tono o a la par con** (keep up with), **mantenerse al día** (keep up with the times), **mantenerse al tanto/corriente** (keep up with the news), **mantenerse por debajo/encima del cambio** (keep below/above the exchange rate)].

mantenido *a*: STK & COMMOD EXCH firm, steady.

mantenimiento *n*: COM maintenance, upkeep, keeping up; running costs/expenses; S. *entretenimiento; sostenimiento; servicio de mantenimiento.* [Exp: **mantenimiento de los precios** (pegging of prices, price support), **mantenimiento/fijación del precio de venta** (retail price maintenance, RPM), **mantenimiento ordinario** (routine maintenance)].

manual *a/n*: manual, handy; handbook, manual.

manufactura *n*: manufacture, manufacturing; make; S. *elaboración, fabricación.* [Exp: **manufacturar** (produce, manufacture), **manufacturas** (COM manufactured articles/goods/products; S. *productos manufacturados o elaborados*)].

manutención *n*: maintenance; support; upkeep; keep; S. *mantenimiento.*

maña *n*: skill, knack; cunning, guile, craft; S. *aptitud.* [Exp: **maña o habilidad del vendedor** (salesmanship)].

maqueta *n*: mock-up, model. [Exp: **maqueta publicitaria** (ADVTG advertisement layout or page plan/design), **maquetación** (ADVTG design, layout; S. *diseño*), **maquetar** (ADVTG lay out[2]; S. *componer, diseñar*)].

maquillaje *n*: make-up, colouring. [Exp: **maquillaje de balance** (ACCTS window-dressing[2]; S. *manipulación contable*), **maquillar los libros** (ACCTS cook the books *col*, doctor/massage/fiddle the accounts/ books *col*; massage the numbers; S. *manipular, amañar*)].

máquina *n*: machine; engine; motor; S. *maquinaria, motor.* [Exp: **máquina calculadora** (calculating machine), **máquina de escribir** (typewriter), **máquina de franqueo o franqueadora** (franking machine), **máquina de hacer billetes** (S. *darle a la máquina de hace billetes*), **máquina de imprimir direcciones** (addressing machine), **máquina de sumar** (adding machine), **máquina etiquetadora** (labelling machine), **máquina expendedora** (dispenser, vending machine, slot machine; S. *máquina tragaperras*), **máquina expendedora de billetes** (cash dispenser; ticket machine; S. *cajero automático*), **máquina expendedora de cambio** (moneychanger), **máquina facturadora** (invoicing machine), **máquina herramienta** (machine tools), **máquina, a toda** (flat-out, all-out, at full speed), **máquina tragaperras** (slot machine; S. *máquina expendedora*)].

maquinar *v*: plot, scheme; collude; S. *intrigar.* [Exp: **maquinación** (scheme, plot, machination; scheming; S. *intriga*)].

maquinaria *n*: machinery, machines, plant, hardware; S. *equipo, mecanismo.* [Exp: **maquinaria automática** (labour-saving machinery/equipment/devices; S. *equipo automatizado*), **maquinaria del Estado** (state machinery), **maquinaria parada** (idle machinery), **maquinaria política**

(political machine), **maquinaria y equipo** (machinery and equipment), **maquinaria y herramientas** (machinery and tools), **maquinista** (engine-driver; engineer[1]; machine operator engineer; S. *mecánico, operador*)].

mar *n*: sea. [Exp: **mar territorial** (LAW marginal sea, territorial waters; S. *aguas jurisdiccionales*)].

marbete *n*: label, ticket, tag, docket[1]; S. *rótulo, etiqueta.*

marca[1] *n*: COM brand, make, trademark; S. *modelo, tipo.* [Exp: **marca**[1] (mark, tick; check[2]; S. *señal, punteo*), **marca**[3] (record[2]; S. *excepcional, sin precedente*), **marca blanca** (white brand, house brand), **marca colectiva** (collective label), **marca comercial** (trade brand/name, trademark; proprietary brand/name; S. *nombre comercial*), **marca comercial de mayorista** (store name; S. *marca de la casa*), **marca de contraste en joyería** (hallmark; S. *sello de contraste*), **marca de distribuidor** (COM private brand, dealer's brand, distributor's mark), **marca de fábrica** (manufacturer's brand; trade mark, trademark, TM; S. *marca industrial, marca registrada*), **marca de gran consumo** (ADVTG, COM consumer brand), **marca de identificación** (earmark), **marca de la casa** (house brand, family brand, umbrella brand, private brand, dealer's brand; store name; S. *marca comercial de mayorista*), **marca de servicios** (service mark), **marca del fabricante** (maker's name), **marca industrial** (trade mark, trademark, TM; S. *marca registrada, marca de fábrica*), **marca líder en el mercado** (ADVTG brand leader), **marca registrada** (registered trademark, trade mark, trademark, TM; S. *marca de fábrica, marca industrial*), **marcas de calado** (TRANSPT draught marks), **marcas,**

diseños y modelos (trade marks and designs), **marcas patrocinadas por vendedores** (COM dealers' brands, private brands)].

marcación náutica *n*: TRANSPT bearing[2].

marcadamente *adv*: markedly, steeply, sharply; S. *claramente, acusadamente.*

marcar[1] *v*: mark[1]; mark out; earmark; S. *señalar, marca, señal.* [Exp: **marcar** (tick, check[2]; S. *puntear*), **marcar con una señal** (tick, put a tick on/beside), **marcar precios** (price), **marcar/vigilar una cuenta** (ACCTS flag an account, keep a cheek/an eye on an account), **marcarse una meta** (set a target)].

marcha *n*: march; progress, development, course; trend; S. *rumbo; desarrollo, avance.* [Exp: **marcha**[2] (gear[2]; speed; S. *ritmo, velocidad*), **marcha adelante** (forward), **marcha atrás** (backward, reverse[2]; S. *revés*), **marcha atrás en un cambio de posición** (STK EXCH reswitching), **marcha de los negocios** (business trend, course of business), **marcha de protesta** (protest march), **marcha, en** (going, working, running, up and running, under way, in progress; in operation; S. *en plena actividad*)].

marchante *n*: art dealer; S. *comerciante, representante, concesionario.*

marchar *v*: go, work; run[4]; march; S. *andar, funcionar.* [Exp: **marchar al ralentí** (tick over; S. *llevar un ritmo lento*)].

marco[1] *n*: frame[1]; framework; scenario; setting, context, frame of reference, scope[1]; S. *cuadro, ámbito, sistema; acuerdo-marco, ley-marco, programa-marco.* [Exp: **marco**[2] (mark,[2] German mark), **marco de, en el** (within the frame of, in the context of), **marco de referencia** (frame of reference), **marco estatutario/legal** (legal/statutory/regulatory scheme[1]), **marco institucional** (institutional framework)].

marea *n*: tide, flow. [Exp: **marea alta**

(high tide; S. *pleamar*), **marea baja** (low/ebb tide; S. *bajamar*), **marea muerta** (neap tide), **marea negra** (oil slick; S. *mancha de petróleo*)].

margen[1] *n*: BKG margin, spread[4]; slack; S. *diferencial, cobertura*. [Exp: **margen**[2] (COM mark-up, mark-on; S. *recargo*), **margen**[3] (brink, border, fringe, edge[1]; S. *borde, filo*), **margen a plazo** (STK & COMMOD EXCH forward margin, security deposit), **margen adicional** (STK & COMMOD EXCH margin[5]; additional margin, additional margin reguirement), **margen adicional entre coste y precio de venta** (additional mark-on/mark-up), **margen añadido a un tipo de interés de referencia** (margin; S. *diferencia de prima*), **margen bruto [de beneficios]** (spread, gross margin), **margen bruto de la operación** (gross operating spread), **margen comercial** (COM profit margin, trade profit margin, trading margin, margin of income, mark-up; S. *margen de utilidad*), **margen comercial acumulativo** (cumulative mark-up), **margen comercial bruto** (gross margin; S. *tasa de beneficio bruto*), **margen comercial efectivo o retenido** (COM maintained mark-up), **margen competitivo** (competitive profit margin; competitive edge), **margen complementario** (margin call), **margen de beneficios/ganancias** (COM margin of profit, profit margin, mark-up[2]), **margen de beneficios empresariales** (business profit margin), **margen de beneficios netos** (net margin), **margen de beneficios por intereses** (interest margin), **margen de cobertura** (backwardation), **margen de credibilidad** (credibility gap), **margen de error** (margin of error), **margen de explotación** (operating margin, net interest income), **margen de fabricación** (manufacturing margin), **margen de fluctuación** (band; fluctuation band or margin; S. *banda*), **margen de fluctuación de los tipos de cambio** (flexibility/ fluctuation margin between exchange rates), **margen de interés** (interest margin/differential), **margen de intereses deudores y acreedores** (interest margin), **margen de intermediación** (FIN, BKG intermediary's margin, broker's or dealer's margin), **margen de la operación** (operating spread), **margen de liquidez** (liquidity margin, margin of liquid funds), **margen de maniobra** (room for manoeuvre, discretion; scope for action, leeway[1]), **margen de maniobra limitado** (limited room/scope for manoeuvre; bounded discretion), **margen de mantenimiento** (STK & COMMOD EXCH maintenance margin *US*; S. *depósito de mantenimiento*), **margen de preferencia** (margin of preference, preference margin; S. *preferencia*), **margen de rendimiento** (yield spread), **margen de seguridad** (STK EXCH margin of safety, safety margin), **margen de solvencia** (solvency margin), **margen de tiempo** (ADVTG fringe time *US*), **margen de utilidad** (mark-up; S. *recargo de precio*), **margen de ventaja** (COM competitive edge/advantage, economic edge; S. *superioridad competitiva*), **margen del comerciante** (COM dealer margin), **margen del intermediario o agente** (STK & COMMOD EXCH spread), **margen diagonal** (STK & COMMOD EXCH diagonal spread; S. *cobertura lateral*), **margen diferencial** (spread), **margen entre el tipo comprador y el vendedor** (bid-offer spread), **margen entre las cotizaciones al contado y a término** (STK & COMMOD EXCH spread between spot and forward quotations), **margen escaso** (narrow/tight margin; S. *diferencia pequeña*), **margen estacional** (STK & COMMOD EXCH time call spread), **margen fijado por el emisor** (BKG, FIN issuer set margin, ISM), **margen financiero** (financial margin), **margen industrial** (production margin), **margen inicial** (STK & COMMOD EXCH, COM initial/original margin; initial mark-on), **margen fijo** (STK & COMMOD EXCH capped rate), **margen medio** (COM average mark-on/mark-up), **margen neto** (net margin), **margen operativo** (operating margin; S. *margen de explotación*), **margen ordinario** (ordinary margin), **margen real** (COM maintained/actual mark-up; S. *margen comercial efectivo*), **márgenes/bandas de fluctuación** (FIN fluctuation margins/bands, range of fluctuation)].

marginal *n*: marginal[1]; S. *mínimo*. [Exp: **marginalismo** (ECO marginalism), **marginar** (IND REL ostracize, shun; COM, MAN push aside; exclude; squeeze out; S. *desplazar, boicotear*)].

marina *n*: navy. [Exp: **marina mercante** (merchant navy, merchant marine *US*), **marinero** (seaman, sailor, deck hand), **marinero preferente o capacitado** (TRANS MAR able-bodied seaman, able seaman, AB)].

marino *a/n*: marine, off-shore; sailor, seaman.

mariposa *n*: STK EXCH butterfly. [Exp: **mariposa comprada** (STK & COMMOD EXCH long butterfly), **mariposa vendida** (STK & COMMOD EXCH short butterfly)].

marítimo *a*: maritime, naval.

marketing *n*: S. *mercadotecnia*.

martingala *n*: STK & COMMOD EXCH martingale.

masa *n*: mass; bulk; body; crowd of people. [Exp: **masa crítica** (critical mass), **masa de acreedores** (creditors, body of creditors), **masa de capital** (capital stock[1]), **masa de cheques pendientes de cobro** (time schedule float *US*), **masa de la quiebra** (LAW assets of a bankruptcy, bankrupt's assets/estate, estate of

bankrupt), **masa hereditaria íntegra ajustada** (LAW adjusted gross estate), **masa monetaria** (ECO money supply, volume of money, monetary stock; S. *activos líquidos en manos del público*), **masa salarial** (COM total wages bill, payroll, total earnings), **masas permanentes de desempleados** (ECO industrial reserve army; S. *ejército industrial de reserva*), **masivo** (massive, enormous, hughe; mass; large-scale)].

Master/Magister en Administración de Empresas *n*: Master in Business Administration.

matador *n*: FINAN matador bond.

matasellos *n*: postmark. [Exp: **matasellado** (postmark, franking, cancellation), **matasellar** (postmark, frank, cancel, date-stamp)].

materia *n*: matter, material; commodity, stuff; subject,[2] object; field, area, topic; S. *asunto, producto; material, campo*. [Exp: **materia bruta** (raw material, staple), **materia de, en** (in respect of, with regard to, in terms of, so far as ... is/are concerned; S. *en lo que afecta*), **materias primas** (basic goods/materials, commodities, staples, raw materials; S. *productos básicos, mercado de contratación o compraventa de materias primas*), **materias primas agrícolas** (soft commodities)].

material *a/n*: material, corporeal, physical, tangible; real; stuff, supplies, hardware, plant, material, matter; S. *tangible, corpóreo; mercancías, género*. [Exp: **material auxiliar de ventas** (ADVTG dealer aids/helps), **material complementario** (supplementary/additional materials/equipment), **material de apoyo** (back-up, back-up materials/supplies/equipment), **material de construcción** (building materials), **material de derecho** (scrap material), **material de embalaje** (packing materials), **material**

de exposición (display material), **material de oficina** (office equipment; office supplies, stationery; S. *suplidos*), **material defectuoso** (faulty material), **material disponible en punto de venta** (ADVTG point-of-sale material), **material fungible** (expendable equipment, non-durables, consumable office supplies), **material móvil o rodante** (rolling stock), **material punto de venta, MPV** (point of sale material), **materiales** (material), **materiales de consumo** (operating supplies), **materiales de desecho** (waste products/materials), **materiales en curso de fabricación** (in-process materials, work-in-progress), **materiales estratégicos** (strategic materials)].

matización *n*: qualification[2]; clarification; refinement; S. *precisión, salvedad, excepción*. [Exp: **matizar** (qualify, clarify, refine on, tone down, be/make more precise)].

matrícula *n*: register, registration; registration number, licence plate, number plate; S. *registro*), **matriculación** (registration), **matricular** (register, license; S. *darse de alta*)].

matriz[1] *n/a*: matrix; stub, counterfoil; parent, principla, main, chief, master; S. *principal, filial*. [Exp: **matriz**[1] (parent/holding company), **matriz de decisión** (decision matrix; S. *teoría de decisión*), **matriz de un cheque** (cheque stub)].

maximización *n*: maximization; S. *optimización*. [Exp: **maximizar** (maximize, boost; S. *optimizar*)].

máximo *a/n*: maximum, top; biggest, highest, greatest, fullest; ceiling, cap; top; S. *límite superior, techo, tope, banda superior de fluctuación; sacar el máximo partido/rendimiento de*. [Exp: **máxima categoría, de la** (top grade, highest-grade), **máximo celo profesional, con el** (STK & COMMOD EXCH best efforts; S.

mejores esfuerzos), **máxima confianza, de la** (absolutely trustworthy or reliable; FIN AAA; LAW uberrimae fidei; S. *de total buena fe*), **máxima escala tributaria** (TRIB highest scale of taxation; S. *máxima presión fiscal*), **máxima presión fiscal** (TRIB highest scale of taxation; S. *máxima escala tributaria*), **máximo celo profesional, con el** (STK EXCH best efforts), **máximo estacional** (seasonal peak; S. *punto máximo estacional*), **máximo responsable empresarial** (MAN, COM, chief executive officer, CEO; highest-ranking or most senior officer/official, head; S. *director general, presidente*)].

mayor[1] *n*: senior, main; major; older, elder; greater; bigger; greatest, biggest, largest. [Exp: **mayor**[2] (ACCTS ledger; S. *libro mayor*), **mayor, al por** (wholesale; S. *al por menor*), **mayor antigüedad, de** (senior), **mayor de edad** (of age, of full legal age), **mayor rango en la jerarquía** (IND REL seniority; S. *antigüedad*), **mayor venta, el de** (best-seller)].

mayoría *n*: majority; superiority; S. *mayoritario, mayoría de edad*. [Exp: **mayoría absoluta** (absolute majority), **mayoría cualificada** (qualified/special majority), **mayoría de edad** (full age, majority; S. *alcanzar la mayoría de edad*), **mayoría de votos** (majority of votes), **mayoría del capital** (FIN major share of the capital, largest stake), **mayoría escasa** (bare majority), **mayoría relativa** (relative/simple majority), **mayoría simple** (simple majority)].

mayorista *n*: wholesale dealer, wholesaler; S. *minorista*.

mayoritario *a*: controlling, majority; S. *dominante*.

ME *n*: S. *mercado electrónico o continuo*.

mecánica *n*: mechanics; S. *funcionamiento*. [Exp: **mecánico**[1] (mechanic; technician; engineer; fitter; repairman, maintenance man; S. *maquinista, perito,ingeniero,* *personal de servicios/mantenimiento*), **mecánico²** (mechanical; S. *automático*), **mecanismo** (mechanism, mechanics *US*, machinery, device; S. *recurso, dispositivo*), **mecanismo de apoyo** (STK EXCH backstopping), **mecanismo de cambio/paridades del SME** (exchange rate mechanism, ERM of the European Monetary System/EMS), **mecanismo de compensación de pagos** (clearing arrangement), **mecanismo de formación del precio** (price discovery mechanism), **mecanismo de intervención bilateral** (bilateral intervention mechanism), **mecanismo de suscripción de reserva** (backup facility), **mecanismo de financiamiento transitorio** (FIN bridging facility), **mecanismo de tipos de cambio** (exchange rate mechanism), **mecanización** (mechanization), **mecanizado** (mechanized, automated; S. *automatizado*), **mecanizar** (mechanize; automate; S. *automatizar*)].

mecanografiar *v*: type. [Exp: **mecanografía** (typing), **mecanógrafo** (typist), **mecanógrafo eventual o interino** (temporary secretary or office-worker, temp)].

mecenazgo *n*: patronage²; sponsorship; S. *patrocinio, auspicio*.

MEDA *n*: S. *mediador de la deuda*.

media *n*: average, mean; S. *medio, promedio*. [Exp: **media aritmética** (ECO arithmetic mean), **media, como** (on average; S. *de promedio, por término medio*), **media cuadrática** (quadratic mean), **media de antigüedad/edad de las existencias inventariadas** (ACCTS average age of inventory), **media geométrica** (geometric average/mean), **media móvil** (moving average), **media móvil convergencia-divergencia** (FIN moving average convergence-divergence, MACD), **media ponderada** (weighted average), **media/promedio móvil** (running/moving average), **media su-**

puesta (assumed mean), **media trimestral** (quarterly average), **medias, a** (fifty-fifty, half-and-half; on a fifty-fifty basis; S. *a partes iguales*)].

mediación *n*: mediation, conciliation, troubleshooting; S. *conciliación*. [Exp: **mediación de, por** (through the offices of; S. *por el conducto de*), **mediador** (COM mediator, go-between; troubleshooter), **mediador ciego** (STK & COMMOD EXCH blind dealer), **mediador de la deuda, MEDA** (interdealer broker, public debt dealer), **mediador de disputas laborales** (IND REL professional troubleshooter; S. *apagafuegos, solucionador de problemas*), **mediar** (mediate, intervene, intercede, act as mediator/go-between/troubleshooter; S. *servir de intermediario*)].

mediano *a*: average,[1] medium; medium-sized; middle-of-the road *col*; S. *PYME*.

medicina *n*: medicine. [Exp: **medicina industrial** (industrial health/hygiene/medicine; S. *salud e higiene en el trabajo*)].

medición *n*: measurement, survey; S. *medida*.

medida¹ *n*: measurement, size, gauge, extent²; S. *medición, dimensión*. [Exp: **medida²** (MAN, ECO, LAW measure, policy, step; provision, order; move; S. *gestión, trámite*), **medida³** (standard; S. *norma, patrón, modelo*), **medida, a la** (tailor-made, customized; to measure; S. *hacer a la medida*), **medida antidescarga** (COM anti-dumping measure), **medida cautelar** (LAW, MAN precaution, precautionary measure or step, interim measure; interim injunction), **medida de áridos o productos secos** (dry measure), **medida de capacidad o volumen** (cubic measure), **medida de control** (safeguard, check; S. *protección, salvaguardia*), **medida de emergencia/urgencia** (emergency measure), **medida disua-**

soria (deterrent; S. *impedimento, factor disuasorio, freno*), **medida o evaluación de los daños/indemnización** (INSCE measure of damages/indemnity), **medida técnica** (technical move), **medida provisional/inmediata/interina** (temporary/stopgap measure), **medidas** (action, measurs, measurements), **medidas antiblanqueo de dinero** (anti-laundering measures, measures to prevent or forestall money-laundering), **medidas anticipatorias** (anticipatory steps or measures; steps taken to nip a problem in the bud or stop it before it starts), **medidas antiinflacionistas** (ECO anti-inflation measures/policy), **medidas antitiburón** (STK EXCH shark-repellent measures, porcupine provisions), **medidas de alivio de la deuda** (debt relief measures), **medidas de conflicto colectivo o de fuerza** (IND REL industrial action; S. *movilizaciones, huelga*), **medidas de control de cambio** (exchange control regulations), **medidas de estabilización** (stabilization measures), **medidas de estímulo a la economía** (economic pump priming, masures to revise the economy), **medidas de protección** (protective measures; S. *medidas de salvaguardia o protectoras*), **medidas de recuperación económica** (ECO recovery package; S. *paquete de medidas de reactivación económica*), **medidas de represalia** (retaliatory measures), **medidas de salvaguardia** (protective/defensive measures; S. *medidas protectoras, medidas de protección*), **medidas de seguridad** (safety measures), **medidas deflacionistas** (deflationary measures), **medidas económicas** (package deal; S. *conjunto de medidas económicas*), **medidas económicas o financieras agresivas** (beggar-my-neighbour policy *col*), **medidas expansionistas** (ECO measures to expand the economy), **medidas fiscales** (tax/fiscal measures), **medidas judiciales** (LAW legal/judicial steps or measures, action[3]; S. *actuación judicial, trámites jurídicos*), **medidas preferenciales** (preferential treatment; S. *términos preferentes, trato preferencial*), **medidas preventivas** (preventive measures), **medidas protectoras** (protective measures; S. *medidas de protección, medidas de salvaguardia*), **medidas reflacionarias** (reflationary measures), **medidas reivindicativas** (IND REL industrial action; S. *movilizaciones, huelga*), **medidas restrictivas** (restrictive measures)].

medio[1] *a*: average, medium, mean ; S. *normal, regular; promedio, media*. [Exp: **medio**[2] (half; S. *mitad*), **medio**[3] (middle; S. *centre, heart*), **medio**[4] (tool, means, instrument, medium, device, vehicle, device; S. *instrumento*), **medio de cambio** (currency; S. *divisa, moneda, dinero*), **medio plazo, a** (medium-term; in the medium term)].

medios *n*: means; resources, vehicles; S. *recursos, fuentes, ingresos*. [Exp: **medios de comunicación/difusión** (media), **medios de comunicación social o de masas** (mass media), **medios de comunicación especializados en publicidad** (advertising media), **medios de equipo de producción** (production facilities), **medios de investigación** (research facilities), **medios/forma de pago** (means/method/form of payment), **medios de transporte** (means of transport, transport/transportation facilities), **medios fraudulentos** (fraudulent means, false pretences, sharp practice *col*), **medios informativos, publicitarios, de comunicación, etc** (ADVTG media), **medios publicitarios secundarios** (ADVTG lesser media)].

medio ambiente *n*: environment; S.

entorno. [Exp: **medioambiental** (environmental)].

medir *v*: measure, gauge/gage *US*, survey; S. *evaluar, calibrar, calcular*.

medrar *v*: ECO grow, increase, prosper. [Exp: **medra/medro** (thrift, growth, prosperity)].

MEFF, MEFFSA *n*: S. *mercado español de futuros financieros*.

mega- *pref*: mega-. [Exp: **megatón** (megaton)].

mejor *a*: better; best. [Exp: **mejor cambio/precio etc. posible, al** (STK EXCH at best; S. *orden ilimitada*), **mejor de lo esperado** (better-than-expected), **mejor, lo** (STK EXCH best), **mejor, por lo** (STK EXCH at or better, to the highest biider, at the market *US*, unlimited[2]), **mejor postor** (best offer, highest bidder), **mejor precio, a éste o al** (STK EXCH at or better), **mejores esfuerzos, en base a los** (STK & COMMOD EXCH best efforts; S. *con el máximo celo profesional*)].

mejora *n*: COM, ECO improvement; upturn; S. *mejoría, repunte*. [Exp: **mejora de tierras** (land development), **mejora del riesgo** (FIN credit enhancement), **mejora en calidad** (COM upgrading), **mejora en los precios** (COM, ECO, FIN rally in prices), **mejora patrimonial** (FIN improvement in overall financial position, revaluation of net worth), **mejorar** (improve; better; refine; upgrade; pick up *col*, look up *col*, ameliorate, perk up *col*; S. *revalorizar, optimizar*), **mejoría** (improvement, enhancement)].

membrete *n*: letterhead.

memoria *n*: memorandum, statement; report[1]; S. *informe*. [Exp: **memoria anual** (COM, FIN annual report, annual financial report, company report), **memoria anual de la sociedad** (COMP LAW chairman's report, directors' report; S. *informe del presidente del consejo de administración*), **memoria económico-financiera** (COMP LAW financial statement; S. *estado financiero*), **memorial** (address, record[1]; S. *discurso*)].

menaje *n*: COM home appliances; S. *household equipment/items; household department, kitchenware section*.

menor *n/a*: LAW minor, juvenile, child, young person, person below the legal age; junior; smaller, younger. [Exp: **menor, al por** (retailing; S. *al por mayor; menudeo*), **menor de edad** (minor, under-age), **menor importe, por** (for less amount), **menores ingresos** (ACCTS shortfall in receipts; S. *lucro cesante*)].

menoscabo *n*: impairment, damage, harm, deriment; loss; S. *deterioro, daño, pérdida*. [Exp: **menoscabo de, con/en** (to the detriment; loss), **menoscabo del capital de la sociedad** (FIN impairment of the company's capital), **menoscabo material o moral** (LAW damage; S. *daño, agravio*), **menoscabo, sin** (without detriment/impairment)].

mensaje *n*: message, errand; communication; S. *recado, notificación*. [Exp: **mensajero** (messenger, page, courier, messenger service; S. *recadero*)].

mensual *a*: monthly. [Exp: **mensual, mensualmente** (monthly; S. *semanal, semestral*), **mensualidad** (monthly allowance/instalment/payment/fee; S. *sueldo mensual*)].

menudeo *n*: retail, retail trade/business; S. *al por menor*.

mercadeo *n*: STK & COMMOD EXCH marketing; merchandising; S. *mercadotecnia, mercadología, comercialización*.

mercader *n*: merchant, trader; S. *tratante, comerciante, negociante*.

mercadería-s *n*: STK & COMMOD EXCH, COM commodity, commodities,[1] goods; merchandise; physicals[2]; S. *géneros, activos tangibles, materias primas, productos básicos*. [Exp: **mercaderías agrícolas**

(soft commodities), **mercaderías cartelizadas** (STK & COMMOD EXCH cartelized commodities), **mercaderías disponibles** (COM, ACCTS stock in trade; S. *existencias, inventario*), **mercaderías duras** (hard commodities; S. *metales*)].

mercadillo *n*: street market, flea market; S. *rastrillo, mercado de segunda mano.*

mercado *n*: ECO, COM, STK & COMMOD EXCH market, mart; marketplace; outlet, exchange; S. *bolsa, plaza, lonja.* [Exp: **mercado a crédito** (brokerage market; credit-buying facility, margin buying), **mercado a la baja, deprimido o replegado** (bear/declining/depressed market; S. *bolsa débil*), **mercado a plazo [fijo]/término** (forward market, cash forward market, future trading; trading in futures; S. *mercado de entrega diferida; mercado de contado*), **mercado al contado** (cash market), **mercado abierto** (open market, market overt), **mercado activo** (active/buoyant/broad/liquid market; S. *mercado animado/amplio*), **mercado actual** (real market), **mercado agotado** (buyers over; S. *mercado fuerte*), **mercado agrícola o de productos del campo** (agricultural commodities market), **mercado AIAF de renta fija** (fixed rate market of AIAF; S. *Asociación de Intermediarios de Activos Financieros, AIAF*), **mercado al aire libre** (open-air market), **mercado al contado** (spot market, cash market/outlet; S. *mercado a plazo/término*), **mercado al descuento** (discount market), **mercado al por mayor/menor** (wholesale/retail market), **mercado alcista o al alza** (bull market), **mercado amplio** (broad market; S. *mercado abierto*), **mercado animado** (brisk market; S. *mercado abierto, mercado átono*), **mercado atípico, informal o extrabursátil** (over-the-counter market, OTC market; S. *mercado de aplacio-nes, mercado secundario, segundo mercado*), **mercado átono, plano, apático o sin movimiento** (flat/slow/sluggish market), **mercado bajista, a la baja o replegado a la baja** (bear market), **mercado bajo** (buyer's market; S. *mercado comprador*), **Mercado Báltico, Mercado de Contratación del Báltico** (Baltic Mercantile and Shipping Exchange, Baltic International Freight and Futures Market, BIFFEX), **mercado bien dispuesto** (cheerful market), **mercado boyante** (buoyant market), **mercado bursátil** (securities/stock market; S. *mercado extrabursátil*), **mercado cambiario o de divisas** ([foreign] exchange market; S. *mercado de divisas*), **mercado cautivo** (captive market), **mercado central de abastos** (central market, food market/mart), **mercado cerrado o controllado** (closed/controlled market), **mercado comercial** (emporium, mart), **mercado comprador** (buyer's market; S. *mercado bajo*), **Mercado Común Europeo** (European Common Market), **mercado con escasez de oferta** (seller's market; S. *mercado de vendedores*), **mercado con escaso volumen de contratación** (narrow/thin/limited market), **mercado consumidor de materias primas** (downstream market), **mercado continuo [asistido por ordenador]** (STK EXCH electronic stockmarket; official stock market, organized stock market, continuous/permanent market; automated dealing system, computer-assisted trading system, CATS; Market and Trading Information System, MANTIS; S. *sistema de información automática de la Bolsa de Londres*), **mercado de acciones** (equity market), **mercado de acciones nuevas** (new issue market), **mercado de aplicaciones** (over-the-counter market, OTC market; S. *mercado* *secundario, segundo mercado, mercado atípico informal o extrabursátil)*, **mercado de bonos de sociedades anónimas** (corporate bond market), **mercado de cambios** (foreign exchange market, FOREX; S. *mercado de divisas*), **mercado de capitales** (capital/investment market), **mercado de comisionistas** (brokers' market, market regulated by broker-dealers), **mercado de compensación de efectos comerciales extranjeros** (interbank foreign exchange market), **mercado de compradores** (buyer's market; S. *mercado de vendedores*), **mercado de contado** (spot market; S. *mercado a término; mercado de entrega inmediata*), **mercado de contración de fletes** (charter/chartering market), **mercado de contratación o compraventa de materías primas** (commodities market; S. *mercado en origen, mercado de productos*), **mercado de créditos sindicados** (syndicated loans market), **mercado de deuda pública** (government/public bond/debt market), **mercado de deuda pública anotada** (registered public debt market), **mercado de derivados** (derivative market), **mercado de descuento** (discount market), **mercado de dinero** (money market), **mercado de divisas** (foreign exchange market; S. *mercado de cambios o cambiario*), **mercado de divisas a plazo/término** (foreign forward exchange market), **mercado de divisas al contado** (foreign exchange spot market), **mercado de efectos al descuento** (discount market), **mercado de entrega** (delivery market), **mercado de entrega diferida o a plazo fijo** (STK & COMMOD EXCH cash forward market), **mercado de entrega inmediata** (spot market; S. *mercado de contado*), **mercado de eurobonos** (Eurobond market), **mercado de eurodivisas** (Eurocurrency market),

mercado de fletes (TRANSPT fright market), **mercado de futuros** (futures market; trading in futures; S. *agencia reguladora de los mercados de futuros, mercado a plazo*), **Mercado de Futuros de Londres** (London International Financial Futures and Options Exchange, LIFFE), **mercado de ganado** (cattle/livestock market), **mercado de gastos de mantenimiento** (contango), **mercado de granos** (corn market), **mercado de la deuda reestructurada** (Brady bonds market *US*), **mercado de lingotes** (bullion market), **mercado de mano de obra** (IND REL labour market), **mercado de materias primas** (commodities market), **mercado de materias primas no perecederas** (carrying market), **mercado de materias primas y de productos agropecuarios de Londres** (London Fox, Futures and Options Exchange), **Mercado de Metales de Londres** (London Metal Exchange, LME), **mercado de opciones** (options market), **mercado de opciones europeo** (European Options Exchange, EOE), **Mercado de Oro de Londres** (London Gold Market), **mercado de pagarés de empresa a corto plazo** (FIN commercial paper market *US*), **mercado de pagarés del Tesoro** (Treasury bills market), **mercado de petróleo** (oil exchange), **mercado de productos** (commodities market, produce exchange; S. *mercado en origen*), **mercado de productos agrícolas** (agricultural commodities market), **mercado de productos disponibles** (actuals market), **mercado de prueba** (test market), **mercado de segunda mano** (second-hand goods mart, flea market), **mercado de subastas** (auction market/mart), **mercado de trabajo/laboral** (labour market), **mercado de valores** (securities market; S. *plaza bursátil*), **mercado de valores**

de renta fija (bond market), **mercado de valores después del cierre de la sesión, mercado no oficial** (after-hours market, street dealing), **mercado de vendedores** (BOLSA seller's market; S. *mercado con escasez de oferta; mercado de compradores*), **mercado débil, deprimido, a la baja, lento o sin variación** (heavy/depressed/weak/slow/sluggish market), **mercado después del cierre** (after-hours market), **mercado discontinuo** (discontinuous/irregular market *US*), **mercado duro/fuerte/competitivo** (stiff market), **mercado eficiente** (efficient market), **mercado electrónico** (S. *mercado continuo*), **mercado emergente** (new/emerging market, recently established market), **mercado en calma** (calm market), **mercado, en el** (in the market; S. *de venta*), **mercado en origen** (commodities market; agricultural market), **mercado equilibrado** (two-sided/balanced/efficient market), **mercado escaso o de poco consumo** (thin market), **mercado español de futuros financieros, MEFF** (Spanish financial futures market), **mercado estable** (stable/steady market), **mercado estrecho** (narrow/tight market), **Mercado Europeo** (Euromarket; S. *Mercado Común Europeo*), **Mercado Europeo de Capitales** (European Capital Market), **mercado exterior** (overseas/offshore market), **mercado extrabursátil** (over-the-counter market; curb market; S. *mercado bursátil*), **mercado emergente** (emerging market), **mercado en expansión** (growth market), **mercado fácil de dinero** (cheap money; S. *crédito fácil, dinero barato*), **mercado favorable** (buoyant/brisk/cheerful market), **mercado financiero** (finance/financial market), **mercado firme** (strong market), **mercado flojo, inactivo o débil** (dull/sagging/sluggish/quiet market),

mercado global de acciones (global equity market), **mercado gris** (gray/grey market[2]), **mercado indeciso** (hesitant market), **mercado inmobiliario** (property market), **mercado inmovilizado o restringido** (restricted/locked market), **mercado interbancario** (interbank money market), **mercado interior/interno/nacional** (domestic/home market), **mercado intervenido** (controlled market), **mercado invertido** (backwardation/backwardization,[1] inverted market, crossed market), **mercado libre** (free/open market), **mercado libre de capitales** (free capital market), **mercado libre de divisas** (unofficial exchange market; S. *mercado paralelo*), **mercado monetario** (money market), **Mercado Monetario Internacional** (International Monetary Market, IMM), **mercado monopolizado** (cornered market), **mercado negro** (black market), **mercado no organizado/oficial** (over-the-counter market), **mercado no regulado** (unofficial/unregulated/offshore market), **mercado normal** *US* (STK & COMMOD EXCH carrying charge market), **mercado organizado de opciones y futuros de Londres** (London Traded Options Market, LTOM), **mercado paralelo** (parallel market, unofficial exchange market), **mercado potencial** (potential market), **mercado primario** (primary market, kerb market), **mercado reducido o en declive** (shrinking market), **mercado regulado** (administered market), **mercado replegado** (S. *mercado a la baja*), **mercado restringido** (restricted market), **mercado secundario** (secondary market; over-the-counter market, OTC market, underlying market), **mercado supraracional/transnacional** (offshore market), **mercado telefónico** (over-the-telephone market), **mercado teórico** (theoretical market), **mercado único** (single market), **mercado vendido** (sold-out market), **mercado volátil** (jumpy market, nervy market, unstable/unsettled market)].

mercadología/mercadotecnia *n*: marketing; s. *mercadeo, comercialización.*

mercancía *n*: STK & COMMOD EXCH merchandise, commodity, freight, item; S. *artículo, mercaderías, géneros.* [Exp: **mercancía a la vista** (in sight), **mercancía al contado** (spot commodity), **mercancía almacenada** (actual stock, stock in hand; S. *existencia real*), **mercancía apta para el comercio o consumo** (goods fit for trade or consumption, merchantable goods), **mercancía de contado** (cash commodity), **mercancía estrella** (COM, ADVTG leading item; star item, market leader; S. *artículo líder*), **mercancía exenta** (TAXN exempt/tax-exempt commodity), **mercancía física** (cash commodity), **mercancía genérica** (commodity; S. *mercadería*), **mercancía patrón** (standard commodity), **mercancía pendiente de despacho** (INSCE goods awaiting clearance), **mercancías** (goods; physical-s; stuff; S. *artículos, productos, bienes*), **mercancías a granel** (bulk goods), **mercancías arrojadas al mar** (jetsam; S. *echazón*), **mercancías consignadas** (goods being shipped or for shipment), **mercancías de entrada** (TRANSPT entry inwards), **mercancías de salida** (TRANSPT entry outwards), **mercancías de salida lenta o difícil** (COM slow-moving goods), **mercancías disponibles inmediatamente** (STK & COMMOD EXCH spots), **mercancías en consignación** (goods being shipped/for shipment, goods on consignment), **mercancías en depósito arancelario** (TRANSPT bonded goods), **mercancías en tránsito** (goods in transit, transit goods), **mercancias expuestas** (exhibition goods), **mercancías ligeras** (light goods), **mercancías o artículos de contrabando** (smuggled goods), **mercancías peligrosas** (TRANSPT dangerous cargo, red-label goods; S. *etiqueta roja*), **mercancías perecederas** (perishable items, non-durables, non-durable goods), **mercancías secas** (dry goods; S. *áridos*), **mercancías varias** (TRANSPT general cargo rate, GCR; S. *cuota de carga mixta/general*), **mercancías vendidas en el acto o para entrega inmediata** (spot goods), **mercancías vendidas por debajo de su valor** (distress merchandise *US*), **mercancías voluminosas o de gran volumen** (bulky goods)].

mercantil[1] *a/n*: mercantile, commercial[1]; company, corporation; S. *comercial, empresa.* [Exp: **mercantil afiliada** (associated/affiliated company, controlled company), **mercantil cuyas acciones cotizan en Bolsa** (STK EXCH quoted company), **mercantil dedicada al descuento de letras** (FIN discounter[1]), **mercantil domiciliada en el extranjero** (foreign-registered company, company registered abroad), **mercantil que es objeto de una OPA** (STK EXCH target company; S. *empresa objetivo*), **mercantil sin oficinas** (STK EXCH letter-box company), **mercantilismo** (mercantilism), **mercantilización** (corporatization; S. *privatización*)].

merma *n*: TRANSPT, INSCE leakage, shrinkage, loss, short delivery; waste; wastage; S. *derrame, pérdida, envío incompleto.* [Exp: **merma del granel** (TRANSPT wastage in bulk), **merma natural** (COM natural wastage), **merma de tesorería** (ACCTS, FIN cash leakage), **merma o agotamiento de capital** (FIN capital depletion, capital impairment), **merma o pérdida de mercancía** (TRANSPT, COM item shortage/shrinkage), **mermar** (shrink, deplete, waste, wear away)].

mes *n*: month; S. *mensual*. [Exp: **mes de entrega [efectiva de los futuros]** (STK & COMMOD EXCH delivery month, spot month, current delivery month, contract month), **mes de liquidación** (settlement month), **mes de vencimiento** (futures month), **mes en curso** (current month, instant; S. *corriente*), **mes inmediato** (STK & COMMOD EXCH immediate month, spot month), **mes más alejado** (STK & COMMOD EXCH furthest month), **mes más próximo** (STK & COMMOD EXCH nearest month), **meses completos** (BKG, FIN flat dates)].

mesa *n*: table. [Exp: **mesa de negociaciones** (IND REL bargaining table), **mesa de trabajo** (desk[1]), **mesa electoral** (polling-place/polling station; S. *colegio electoral*), **mesa presidencial** (presiding committee; S. *presidencia*), **mesa redonda** (round-table meeting/conference, panel discussion)].

meta *n*: goal, objetive, target, end, target; S. *objetivo*.

metales *n*: STK & COMMOD EXCH metals, hard commodities; S. *mercaderías duras*. [Exp: **metálico** (metallic; cash[1]; S. *dinero efectivo*), **metálico, en** (in cash, in hard cash, cash down, cash on the nail *col*; S. *a tocateja*)].

metesaca financiero *col n*: STK EXCH churning *col*; S. *tejemaneje de fondos*.

método *n*: method; approach; means; process; S. *modalidad, procedimiento*. [Exp: **método ABC de gestión y clasificación de inventarios** (ACCTS ABC analysis), **método contable basado en el efectivo** (ACCTS cash basis accounting), **método contable basado en el poder adquisitivo actual** (ACCTS current purchasing power accounting, CPP), **método contable del coste actual** (ACCTS current cost accounting, CCA; inflation accounting), **método contable de valoración de las partidas de los** activos por el coste de sustitución (ACCTS replacement cost accounting), **método de abajo arriba** (bottom-up approach), **método de acumulación de lo devengado** (accrual method), **método de acumulación neta** (net accruals method), **método de amortización** (depreciation methjod or approach), **método de amortización de porcentaje constante** (ACCTS constant percentage depreciation method), **método de amortización/depreciación uniforme, lineal, constante o de cuotas fijas en cada ejercicio** (straight-line method of depreciation), **método de amortización porcentual o de saldos decrecientes** (ACCTS declining balance depreciation method), **método de análisis de carteras de Boston** (FIN Boston matrix), **método de anualidad** (annuity method), **método de categorías en la evaluación de puestos** (IND REL ranking method), **método de clasificación tributaria por tramos** (TAXN bracket system), **método de composición** (ECO build-up method), **método de comprobación de la validez matemática de un número índice** (factor reversal test), **método de coste medio en valoración de existencias** (ACCTS cost method average of inventory evaluation, average cost method of inventory evaluation), **cost price** (precio de coste), **método de coste inverso** (ACCTS reverse cost method), **método de depreciación basado en el fondo de amortización** (ACCTS sinking fund method of depreciation), **método de depreciación de saldos decrecientes en porcentajes constantes** (ACCTS constant percentage of decreasing balance method of depreciation), **método de depreciación por cargos decrecientes** (ACCTS decreasing charge method of depreciation), **método de entropía máxima** (maximum entropy method),

método de evaluación de inventarios (inventory evaluation method), **método de evaluación e inversiones** (investment evaluation method), **método de máxima verosimilitud** (maximum likelihood method), **método de mínimos cuadrados** (ECO least squares method), **método de muestreo** (sampling method), **método de precio de menudeo** (retail price method), **método de provisión decreciente** (diminishing provision method), **método de rendimientos** (ACCTS, ECO yield method), **método de saldos decrecientes** (declining balance method), **método de tanteo** (trial and error method), **método de valoración de la rentabilidad de la inversión en un activo** (ACCTS discounted cash flow method), **método de ventas «ABC»** (ADVTG ABC method), **método de verosimilitud o probabilidad máxima** (maximum likelihood method), **método del camino crítico** (ECO critical path method; S. *análisis de redes*), **método del coste unitario promedio** (ACCTS average unit cost method), **método del factor comparativo** (ECO factor comparison method), **método del precio de mercado** (ECO market price method), **método del rendimiento estándar** (ACCTS standard-yield method), **método del valor neto presente** (FIN net present value method), **método directo de depreciación** (ACCTS direct method of depreciation), **método directo de determinación de ganancias** (TAXN enterprise splitting), **método directo o práctico** (hands-on approach *col*; S. *actitud emprendedora, agresividad, dinamismo*), **método global** (INSCE lump-sum method), **método inverso de cambios** (ACCTS add-back method), **método paramétrico** (parametric method), **método uniforme de reparto de cargas** (level charge plan)].

metraje *n*: footage. [Exp: **métrico** (metric),
metro *n*: metre; meter *US*. [Exp: **metro cuadrado** (square metre/meter), **metro cúbico** (cubic metre/meter)].
mezcla *n*: blend, mix, mixing, mixture, blend; S. *combinación*. [Exp: **mezclar** (blend, mix, commingle; S. *combinar*)].
micro- *pref*: micro-. [Exp: **microeconomía** (microeconomics), **microeconómico** (microeconomic)].
miembro *n*: member; associate; S. *vocal, socio*. [Exp: **miembro de/afiliado a un sindicato** (union member), **miembro del consejo de administración de una fundación** (trustee; S. *fideicomisario*), **miembro liquidador de un mercado de futuros** (STK & COMMOD EXCH clearing member)].
migración *n*: migration. [Exp: **migración estacional** (seasonal migration), **migratorio** (migratory)].
milla *n*: mile. [Exp: **milla náutica/marina** (sea mile), **millaje** (mileage[1]; S. *kilometraje*)].
millón *n*: million. [Exp: **millonésimo** (millionth)].
mina *n*: mine, pit[1]. [Exp: **mina de carbón** (coalmine), **mina de oro** (gold mine; FIN, COM, STK & COMMOD EXCH money-spinner *col*; klondyke; S. *filón*), **minar** (undermine; sap, weaken, enfeeble; S. *socavar*), **minero** (coalminer; mining)].
mineral *n*: mineral, ore; S. *mena*. [Exp: **minerales no combustibles** (non-fuel minerals)].
mini *pref*: mini. [Exp: **minimizar** (minimize; S. *reducir al mínimo, subestimar*)].
minifundio *n*: LAW, ECO small landholding, individual plot or small farm; system of landholding in which ownership is concentrated in the hands of small independent farmers, etc., rather than the major landowners found in the *latifundio* system; S. *latifundio*. [Exp: **minifundista** (independent farmer, samllholder)].

minimizar *v*: minimize; underestimate; S. *mínimo, reducir, subestimar; maximizar.*

mínimo[1] *a*: minimal, minimu, smallest, least, lowest, marginal[1]; trough; S. *nimio, insignificante, marginal.* [Exp: **mínimo**[2] (STK & COMMOD EXCH floor[3]; S. *banda inferior de fluctuación*), **mínimo aceptable** (lowest offer/price/standard, etc. acceptable, least one can accept), **mínimo exento** (TAXN tax exemption cut-off)].

ministerio *n*: ministry, office; department, government department; S. *cartera ministerial.* [Exp: **Ministerio de Asuntos Exteriores** (Foreign Office, Secretary of State for the Foreign Office), **Ministerio de Comercio** (Department of Trade, Board of Trade[2]), **Ministerio de Hacienda** (Ministry of the Treasury or of Finance; The Exchequer), **Ministerio de Marina** (Admiralty), **Ministerio del Medio Ambiente** (Department of the Environment)].

ministro *n*: minister. [Exp: **ministro sin cartera** (minister without portfolio), **Ministro de Finanzas** (Minister of Finance), **Ministro de Hacienda del Reino Unido** (Chancellor of the Exchequer)].

minoría *n*: minority; S. *minoritario.* [Exp: **minorista** (retailer, retail merchant/trader; S. *comerciante al por menor, detallista*), **minoritario** (minority; S. *minoría*), **minucioso** (minute; close, detailed, through; S. *pormenorizado*)].

minusvalía *n*: TAXN, FIN capital loss; depreciation, fall/drop in value; holding losses; S. *pérdidas de capital; plusvalía.*

minusválido *n*: IND REL disabled, handicapped; S. *discapacitado.* [Exp: **minusválido físico** (physically handicapped [person]), **minusválido psíquico** (mentally handicapped [person])].

minuta *n*: professional fees/charges; bill; first/rough draft; S. *derechos, honorarios; borrador.*

miseria *n*: ECO poverty, destitution; IND REL col pittance, ridiculously low wage, peanuts col, next to nothing col; S. *pobreza, riqueza.*

misión *n*: mission, assignment[2]; task; team, delegation; S. *tarea, cometido.* [Exp: **misión comercial** (trade mission), **misión comercial a un país extranjero** (COM outward mission/delegation), **misión comercial extranjera** (inward mission), **misión de examen** (review mission), **misión investigadora** (fact-finding mission)].

mitad *n*: half; S. *medio.* [Exp: **mitades** (halves)].

mitigar *v*: mitigate, relax, ease,[1] dampen; S. *paliar, suavizar, relajar tensiones.*

mitin *n*: rally, mass meeting[3]; S. *manifestación de apoyo/adhesión.*

mixto *a*: mixed, mingled.

mobiliario *a/n*: FIN negotiable, transferable; furniture, fittings; appointments; S. *valores mobiliarios.* [Exp: **mobiliario de instalación** (fixtures and fittings, f & f; S. *instalaciones fijas y accesorios de una empresa*), **mobiliario y enseres** (furniture and fixtures)].

moda *n*: fashion, mode, trend; S. *tendencia, tónica.* [Exp: **moda, estar de** (be fashionable/in/up to date/the latest fashion or trend/big col; S. *ser popular, venderse bien*), **moda pasajera** (COM fad col;; S. *manía, novedad*)].

modalidad *n*: means, way, method, mode, form[1]; basis; kind, sort; S. *procedimiento, método.* [Exp: **modalidad de cobertura de riesgo completa en contratos de futuros** (STK & COMMOD EXCH one-off hedge), **modalidad de cobro** (means/method of collection), **modalidad de pago** (means/method of payment; S. *medios/forma de pago*), **modalidades de cotización** (methods of quotation)].

modelo[1] *n*: model, pattern[1]; make, brand,

form,[2] specimen; style; S. *pauta, composición*. [Exp: **modelo**[2] (outfit; style; S. *ropa, conjunto*), **modelo a escala** (scale model), **modelo autorregresivo** (ECO autoregressive model), **modelo autorregresivo de predicción de medias móviles** (ECO autoregressive moving average model, ARMA), **modelo autorregresivo integrado de medias móviles** (ECO autoregressive integrated moving average model, ARIMA), **modelo científico o de caja negra en la formación de carteras** (FIN black box concept/model), **modelo de capitalización de beneficios** (profit capitalization model), **modelo de fijación de pedidos** (COM fixed-order quantity model), **modelo de formación de los precios de los productos financieros** (capital assets pricing model), **modelo de gestión de inventarios** (FIN economic order quantity model, EOQ; S. *modelo de aprovisionamiento*), **modelo de inventarios de tesorería** (FIN inventory cash management models), **modelo de mercado** (FIN market model), **modelo de simulación** (simulation model), **modelo de retrasos escalonados o distribuidos** (ECO distributed lag model), **modelo de valoración de opciones** (STK & COMMOD EXCH option pricing model), **modelo de valoración de precios de activos** (FIN capital asset pricing model, CAPM), **modelo del cambio de marca** (ADVTG brand-switching model), **modelo del equilibrio competitivo** (ECO competitive equilibrium model), **modelo del multiplicador-acelerador** (ECO accelerator-multiplier model), **modelo del precio de los activos de capital** (FIN capital asset pricing model, CAPM), **modelo del punto muerto** (ACCTS break-even model), **modelo económico** (economic model), **modelo mixto** (mixed model), **modelo multilateral de tipos de cambio, MMTC** (ECO Multilateral Exchange Rate Model, MERM), **modelo multisectorial de equilibrio general** (ECO multisectoral general equilibrium model), **modelo publicitario de control adaptable** (ADVTG adaptive control model), **modelos** (designs; S. *diseños y modelos; OAMI*), **modelos de fijación de precios** (STK & COMMOD EXCH pricing models), **modelos productivos** (production models)].

moderación *n*: moderation, restraint; S. *estabilización*. [Exp: **moderación salarial** (wage/pay restraint), **moderado** (moderate, reasonable; middle-of-the road; S. *razonable*), **moderador** (chairperson, chairman, chairwoman), **moderar**[1] (moderate, restrain, ease[1]; curb, reduce, bring down, cut down; S. *aliviar, suavizar*), **moderar**[2] (chair, moderate; S. *presidir*)].

modernización *n*: modernization, updating; rehabilitation, refurbishing; S. *rehabilitación, reorganización*. [Exp: **modernizar** (modernize, update; S. *actualizar, poner al día*), **moderno** (modern)].

módico *a*: reasonable, modest, moderate; S. *económico, barato*.

modificable *a*: modifiable, open, open-ended; S. *abierto, variable*. [Exp: **modificación** (modification, amendment, rectification, change, alteration; variation; S. *corrección, enmienda*), **modificación en el capital social** (FIN alteration of share capital), **modificación presupuestaria** (S. *expediente de modificación presupuestaria*), **modificar** (modify, alter, change, vary; rectify; S. *cambiar, variar, rectificar*)].

modo *n*: mode, way, manner; S. *modalidad, manera, forma*. [Exp: **modo de prestación preferido** (preferred mode of delivery), **módulo** (module), **modular** (modular)].

molde *n*: pattern[2]; S. *prototipo*. [Exp: **moldes y planos** (patterns and drawings)].

momento *n*: moment. [Exp: **momento actual, en el** (currently), **momento bajo** (sluggish period; S. *período de atonía, flojo o de poca actividad*), **momento, en su** (in due course; S. *en su día*), **momento oportuno, estar en el** (be in at the kill *col*), **momento propicio, en el** (COM at your earliest/early convenience; S. *cuando le venga bien*)].

moneda *n*: coin, currency; change[2]; denomination; S. *divisa; suelto, cambio; casa de la moneda*. [Exp: **moneda admisible** (eligible currency), **moneda blanda** (soft currency), **moneda controlada** (managed currency), **moneda corriente** (current money; S. *moneda en circulación*), **moneda de cobertura** (STK & COMMOD EXCH hedge currency), **moneda de curso legal** (legal tender, coin of the realm), **moneda/divisa de reserva** (reserve currency; S. *divisas fuertes*), **moneda de una cuenta** (money of account), **moneda de valor constante** (constant currency), **moneda deteriorada** (defaced coin), **moneda débil/blanda/floja/inestable** (weak/soft currency), **moneda dirigida/intervenida/controlada** (ECO managed economy), **moneda/divisa elástica** (elastic currency), **moneda en circulación** (outstanding money, current money; S. *moneda corriente*), **moneda extranjera** (foreign currency; S. *divisas extranjeras*), **moneda falsa** (base coin/money, counterfeit), **moneda fiduciaria** (fiduciary money, token coin/coinage/currency/money), **moneda flotante** (floating money[1]), **moneda fraccionaria** (subsidiaria coin, divisional or fractional money/coin, minor coin, small/loose change, change; S. *calderilla, cambio,*[6] *suelto*), **moneda fuerte** (strong currency), **moneda importante o principal** (major currency), **moneda inflacionista** (inflated/inflationary currency), **moneda infravalorada** (undervalued currency), **moneda intervenida, controlada o dirigida** (managed currency), **moneda nacional** (local/home currency), **moneda sana** (sound/stable currency), **moneda sobrevalorada** (overvalued currency), **moneda verde** (green currency), **moneda vinculada al oro** (gold-pegged currency), **monedas de oro** (gold coin)].

monedero *n*: purse. S. *bolso, cartera*. [Exp: **monedero electrónico** (smart card; S. *tarjeta inteligente*)].

monetario *a*: monetary, financial; S. *financiero*. [Exp: **monetarismo** (monetarism), **monetarista** (monetarist), **monetización** (monetization), **monetización de la deuda** (debt monetization), **monetizar** (monetize)].

monitor *n*: monitor; S. *instructor*.

monograma *n*: monogram.

monopolio *n*: monopoly; cartel; engrossment. [Exp: **monopolio absoluto** (absolute/perfect/pure monopoly), **monopolio de demanda** (buyer's monopoly), **monopolio de estrangulamiento** (bottleneck monopoly), **monopolio fiscal** (fiscal monopoly), **monopolio gremial** (IND REL closed shop agreement, pre-entry closed shop, post-entry closed shop; S. *plantilla de sindicación obligada*), **monopolio natural** (natural monopoly), **monopolista** (monopolist), **monopolización** (monopolization), **monopolizador** (monopolist; S. *acaparador*), **monopolizar** (COM monopolize; corner; engross,[1] buy up; S. *acaparar*)].

monopsonio *n*: monopsony.

montaje[1] *n*: assembly[2]; installation; editing, paste-up; set-up. [Exp: **montaje**[2] (ADVTG editing), **montaje**[3] *col* (set-up *col*; swindle, fidle *col*; put up job *col*, show *col*, con *col*, S. *organizar*), **montaje en cadena** (progressive assembly)].

montante *n*: amount, total sum; S. *monto*. [Exp: **montante principal** (principal amount; S. *principal*)].

montar[1] *v*: build, build up[1]; establish; set up; install, rig; S. *organizar, crear*. [Exp: **montar**[2] (ADVTG edit), **montar**[3] (get up, stage, put on; S. *organizar*), **montar un negocio** (set up or found a business)].

monte de piedad *n*: pawnshop, pawnbroker's shop; S. *casa de préstamos; empeño*.

monto *n*: sum, total amount; S. *montante, suma total*. [Exp: **monto de capital** (INSCE capital sum), **monto de, por el** (for a total of, to the tune of *col*), **monto global** (overall/total amount, final sum/total; S. *cifra global*), **monto neto** (net amount), **monto de la quiebra** (estate of a bankrupt; S. *masa de la quiebra*), **monto total** (total/aggregate amount), **monto total de salarios reales** (aggregate real wage)].

montón *n*: heap, pile; stack; S. *pila*. [Exp: **montón de facturas** (batch of invoices)].

mora *n*: delay, default; S. *morosidad*. [Exp: **mora, en** (in default, defaulted, in arrears; unsettled, overdue, outstanding[2]; S. *moroso*)].

morrallas *col n*: STK EXCH cheap stock, cats and dogs; S. *chicharros*.

moratoria *n*: moratorium, period of grace, days of grace; S. *período de gracia*. [Exp: **moratoria fiscal** (tax deferral, tax moratorium/holiday; S. *aplazamiento en el pago de impuesto*)].

mordida *col n*: bribe; rake-off *col*; sweetner *col*; kickback *US*; S. *tajada, soborno, incentivo*.

morosidad *n*: FIN, BKG slowness in paying, arrears of payment; level of default or bad/doubtful debt; sluggishness; S. *demora*. [Exp: **moroso** (slow/tardy payer, bad/doubtful debtor, delinquent in payment; debtor in arrear), **morosos** (non-performing loans; defaulting, in default; defaulting debtors, defaulters; bad debts; doubtful debts; S. *impagados; cartera de morosos, dudosos*)].

mortalidad *n*: mortality, toll of victims; loss of life; S. *mortandad*. [Exp: **mortalidad infantil** (infant death rate), **mortalidad tabular o esperada** (statistics fro loss of life, statisfica death rate)].

mortandad *n*: loss of life, toll of victims; death rate; S. *mortalidad*.

mostrador *n*: desk,[1] counter[2]; S. *contador, ventanilla*. [Exp: **mostrador de información** (information desk), **mostrador de facturación/recepción/inscripción** (check-in counter)].

mostrar *v*: show, exhibirt, display; S. *demostrar, exhibir*.

motivación *n*: motivation. [Exp: **motivación empresarial** (achievement motive), **motivaciones de compra** (emotional buying motives), **motivar** (motivate; cause; call forth; S. *provocar*)].

motivo *n*: motive, reason, grounds; S. *fundamentación, razón*. [Exp: **motivo de, por** (on account of; on the grounds of; because of; S. *debido a*), **motivo de reflexión** (foor for thought), **motivo indirecto** (remote cause; S. *causa indirecta o remota*), **motivo suficiente** (good cause)].

motonave *n*: motorship, M/S, m/s, M.

motor *n*: engine, motor; S. *máquina*.

mover[1] *v*: move, shift; drive, power, work; cause, stir up, provoke, make; S. *operar, causar*. [Exp: **mover**[2] (FIN, COM handle, produce, turn over; S. *facturar, volumen de negocios*), **mover al alza** (STK EXCH heat up; S. *calentar*), **moverse** (bestir oneself, stir one's stumps *col*; get a move on, be on the move, change; hustle *col*)].

móvil[1] *a*: moving, creeping, movable, moving, running; S. *progresivo, deslizante, reptante*. [Exp: **móvil**[2]

(ADVTG motive, incentive,[1] inducement; S. *estímulo, incentivo*), **movilidad** (mobility), **movilidad de empleo** (IND REL economic mobility), **movilidad horizontal del trabajo** (horizontal labour mobility), **movilidad laboral** (IND REL labour mobility), **movilidad profesional o interprofesional** (IND REL occupational mobility), **movilidad social ascendente** (upward mobility), **movilidad social ascendente, con** (upwardly mobile), **movilidad vertical de los trabajadores** (IND REL vertical labour mobility)].

movilización *n*: mobilization; IND REL industrial action. [Exp: **movilización de capital** (raising of capital), **movilización de recursos** (funding, gathering of funds, mobilization of resources; S. *captación de recursos*), **movilizaciones laborales** (IND REL action[2]; S. *acciones de protesta*), **movilizar** (mobilize)].

movimiento[1] *n*: COM, FIN, ECO movement, motion; move, flow, inflow, outflow, drift; change; S. *circulación, tendencia, flujo; poner en movimiento*. [Exp: **movimiento**[2] (ECO turnover; S. *rotación*), **movimiento**[3] (BKG transaction; item, entry), **movimiento a lo largo de la curva de demanda** (ECO movement along demand curve), **movimiento ascendente** (upswing; S. *alza, período de recuperación*), **movimiento bursátil** (stock exchange turnover; S. *volumen de transacciones en Bolsa*), **movimiento de alza** (STK EXCH bull movement, activity; market upswing/upturn), **movimiento de baja** (STK EXCH bear/downward movement), **movimiento/rotación de cuentas** (account turnover), **movimiento/rotación de fondos** (capital turnover), **movimiento/rotación de existencias/inventario** (inventory turnover), **movimiento de los precios** (price alterations, changes in prices, run of

prices), **movimiento de mercancías** (COM, ACCTS turnover, total sales revenue, volume of business; S. *rotación, facturación, cifra/volumen de negocios/contratación o ventas*), **movimiento de obreros** (IND REL labour turnover; S. *rotación de personal*), **movimiento descendente** (downswing, downturn; S. *bajón*), **movimiento descendente de los precios** (downswing in prices), **movimiento, en** (moving, on the move, on the go *col*), **movimiento, sin** (BKG inactive, dormant, dead; S. *inmovilizado, inactivo*), **movimientos comunitarios o de base** (grassroots movements), **movimientos/flujos/circulación de capital** (capital movement), **movimientos de pagos** (payment transactions), **movimientos especulativos sobre una moneda** (run on a currency; S. *presión contra una moneda*)].

muebles *n*: furniture, fittings, appointments[3]; S. *mobiliario*. [Exp: **muebles adheridos a un bien inmueble** (fixture[1]), **muebles de oficina** (office furniture/furnishing), **muebles y enseres** (furniture and fixtures; S. *mobiliario y equipo*)].

muellaje *n*: TRANSPT berthage; S. *tarifa/derechos de atraque*.

muelle *n*: TRANSPT dock,[1] berth,[1] jetty, pier, wharf, platform; S. *atracadero, amarradero; franco en muelle*. [Exp: **muelle de atraque** (quay), **muelle de carga** (loading berth), **muelle, en el** (alongside, alongside ship; S. *atracado*), **muelle especial/reservado** (appropriated berth, accommodation berth)].

muerte *n*: death; S. *fallecimiento*. [Exp: **muerte por accidente** (INSCE accidental death), **muerto** (INSCE, COM dead, lifeless, dull, slack[1]; S. *inactivo, débil*)].

muestra[1] *n*: display; exhibition; S. *exposición, exhibición*. [Exp: **muestra**[2] (sample, echelon, specimen; S. *modelo*),

muestra aleatoria o al azar (random sample), **muestra de obsequio/regalo** (complimentary copy), **muestra en grupo** (cluster sample), **muestra equilibrada** (balanced sample), **muestra gratuita** (free sample), **muestra significativa** (adequate sample), **muestras apareadas** (matched samples)].

muestrario *n*: pattern book, sample book, line of samples.

muestreo *n*: sampling. [Exp: **muestreo aleatorio o al azar** (random sampling), **muestreo aleatorio simple** (simple random sampling), **muestreo compensado** (disproportionate stratified sampling), **muestreo con reposición** (sampling with replacement), **muestreo de aceptación** (acceptance sampling; S. *aceptación por muestreo*), **muestreo de aceptación de lotes** (lot-acceptance sampling), **muestreo de atributos** (attribute sampling), **muestreo de o por variables** (variables sampling), **muestreo en racimo** (cluster sampling), **muestreo estratificado** (stratified sampling), **muestreo fijo** (fixed sampling), **muestreo no probabilístico** (nonprobability sampling; S. *muestreo probabilístico*), **muestreo por cuotas** (quota sampling), **muestreo por itinerarios aleatorios** (random route sampling), **muestreo por selección** (judgement sampling), **muestreo por universos o grupos seleccionados** (cluster sampling), **muestreo probabilístico** (probability sampling; S. *muestreo no probabilístico*), **muestreo sistemático** (systematic sampling)].

mujer *n*: woman. [Exp: **mujer de negocios** (businesswoman; S. *empresaria*)].

multa *n*: fine, penalty. [Exp: **multa administrative** (civil penalty), **multar** (fine,[2] penalize)].

multi- *pref*: multi-. [Exp: **multicopista** (duplicator, copying machine), **multidi-**

visa (multicurrency), **multifásico** (multistage), **multilateral** (multilateral), **multilateralismo** (multilateralism), **multimillonario** (multimillionaire; running [in]to millions), **multinacional** (multinational; S. *transnacional*), **multipropiedad** (LAW time sharing, multiple ownership), **multisecuencial** (multisequential), **multiuso** (general purpose)].

múltiple *a*: multiple; numerous, a great many/variety. [Exp: **multiplicación** (multiplication), **multidimensional** (multidimensional), **multifuncional** (multifunctional, adaptable), **multigrado** (multigrade), **multiplicador** (FIN multiplier), **multiplicador de la inversión** (investment multiplier), **multiplicador de la renta** (income multiplier), **multiplicador presupuestario** (balanced budget multiplier), **multiplicar** (multiply), **multiplicidad** (multiplicity; S. *pluralidad*), **múltiplo** (multiple)].

mundial *a*: world, global, worldwide; S. *global*. [Exp: **mundo** (world), **mundo de los negocios** (business world), **mundo del espectáculo** (entertainment business/game, showbiz *col*)].

municipal *n*: municipal, local; S. *nacional, local*.

muralla china *n*: BKG Chinese wall *US*.

mutilación de un documento/escritura, etc. *n*: mutilation/defacement of a document/deed, etc.; S. *destrucción maliciosa*. [Exp: **mutilar** (deface; S. *desfigurar*)].

mutua *n*: INSCE, BKG, COM, FIN mutual company, provident society, mutual savings bank, friendly society; S. *mutualidad, sociedad de seguros mutuos*. [Exp: **mutua constructora** (FIN building society,[1] building/savings and loan association *US*; S. *sociedad de cooperativa de viviendas*), **mutua de seguros** (mutual insurance company; assessment insurance companies; reciprocal/

participating insurance *US*; S. *seguros mutuos*; S. *compañía de seguros mutuos*), **mutua de seguros de armadores** (INSCE protection and indemnity club), **mutua internacional** (international mutual fund; S. *sociedad de inversión immobiliaria internacional*)].

mutualidad *n*: mutuality, mutual fund,[1] provident society; friendly society, benefit club/society; S. *sociedad de seguros mutuos, mutua*. [Exp: **mutualidad de prestación de servicios** (industrial and provident society; S. *sociedad de beneficencia*), **mutualismo** (mutualism), **mutuamente** (mutually; S. *recíprocamente*), **mutuo** (mutual, reciprocal, two-way[2]; mutuum; S. *recíproco*), **mutuo acuerdo** (mutual assent)].

N

nación *n*: nation, country, land; S. *país*. [Exp: **nación acreedora** (creditor country/nation, lending country), **nación deudora o endeudada** (debtor nation, borrowing country), **nación exportadora/importadora de capital** (capital exporting/importing nation), **nación más favorecida** (most favoured nation), **nación signataria** (signatory country), **nacional** (national, domestic, home; inland; on-shore; local; home-produced; S. *interior*), **nacionalidad** (nationality), **nacionalizar** (nationalize; S. *estatalizar*), **Naciones Unidas, NN UU** (United Nations)].

natalidad *n*: birth, birth rate; S. *mortalidad*.

natural *a*: natural; physical[1]; S. *real, nativo*. [Exp: **naturaleza** (nature, type; nationality, citizenship)].

naufragar *v*: TRANSPT sink, be wrecked; COM fail, collpase, founder; collapse, failure; S. *zozobrar, irse a pique*. [Exp: **naufragio** (shipwreck; disaster; S. *siniestro, desastre*)].

naval *a*: naval; S. *marítimo*. [Exp: **nave**[1] (ship, vessel, craft[2]; S. *barco*), **nave**[2] (factory, plant, shed, mill; S. *nave industrial*), **nave de carga** (loading bay), **nave industrial** (industrial premises), **navegabilidad** (seaworthiness; S. *aptitud para navegar*), **navegable** (TRANSPT navigable), **navegación** (navigation), **navegación aérea** (air navigation), **navegación costera** (cabotage; coasting/ coating trade; S. *comercio costero, cabotaje*), **navegación de estima** (TRANSPT dead reckoning), **navegación fluvial** (inland navigation), **navagación marítima** (maritime navigation), **navegar** (navigate, sail), **naviera** (shipping company), **naviero** (owner,[2] shipowner; shipping; S. *armador*)].

necesario *a*: necessary; S. *indispensable*. [Exp: **necesidad** (necessity, need, want; requirement), **necesidad de capital/ financiación** (capital/borrowing requirement), **necesidades netas de efectivo** (net cash requirements), **necesitado** (needy, poor, in need of; S. *pobre*), **necesitar** (need; necessitate, call for, require; S. *exigir, requerir*)].

negar *v*: refuse, turn dow; dismiss; deny; S. *rechazar, descartar, desechar, desestimar*. [Exp: **negarse** (refuse, decline)].

negativa *n*: refusal; negative; S. *repulsa, denegación*. [Exp: **negativa a pagar** (refusal to pay/of payment), **negativa a suministrar** (refusal to supply), **negativa concertada** (concerted refusal), **negativa**

general (blanket/general refusal), negativo (negative, showing a loss; poor; down; S. *positivo*)].

negligencia *n*: negligence, neglect; S. *imprudencia*.

negociabilidad *n*: STK & COMMOD EXCH marketability, negotiability. [Exp: negociable (negotiable; discountable; eligible; marketable; tradeable, merchantable; S. *comerciable, transferible; valores*)].

negociación *n*: IND REL, COM negotiation; bargain; bargaining, deal, transaction; trading; S. *pacto, acuerdo, trato*. [Exp: negociación a viva voz (STK & COMMOD EXCH ring trading), negociación colectiva (collective bargaining), negociación de bloques/cestas de acciones (STK EXCH block/basket trading), negociación de efectos (draft discounting), negociación salarial (wage bargaining/negotiation), negociación sectorial (IND REL talks/negotiations/bargaining with an individual sector or specific industry), negociación sindical (IND REL union bargaining; talks/negotiations with the trade unions), negociaciones (talks), negociaciones arancelarias (tariff round/negotiations), negociaciones comerciales multilaterales (multilateral trade negotiations), negociaciones de títulos (security or stock deals/transactions; exchange business; S. *contrataciones/operaciones bursátiles*)].

negociado *n*: bureau, section, department; S. *sección, departamento, ministerio*. [Exp: negociado de asuntos generales (service department), negociado de prensa (press office/bureau), negociado de títulos (BKG securities trading department; S. *sección de valores*), negociado en Bolsa (exchange-traded), negociado en un mercado secundario (traded over-the counter)].

negociador *a/n*: negotiating; negotiator; S. *gestor*. [Exp: negociador duro, ser (IND REL drive a hard bargain), negociante (businessman, trader, handler; S. *tratante, comerciante*), negociante de valores (STK EXCH dealer, broker, broker-dealer), negociante de bloques de títulos-valores (STK EXCH block positioner; S. *corredor de bloques de títulos*)].

negociar *v*: negotiate; operate; trade; deal, bargain, transact, treat; S. *comerciar, gestionar, agenciar*. [Exp: negociar a descuento (discount, discount for cash, cash[1]; S. *descontar*), negociar en Bolsa (trade on the Stock Exchange), negociar un efecto (negotiate a bill), negociar un empréstito (negotiate a loan)].

negocio *n*: business, business deal, deal, dealing, transaction; trade, line, line of business; outfit *col*; S. *transacción*. [Exp: negocio abierto (COM open trade; S. *transacción no concluida*), negocio complementario (sideline, secondary business; S. *actividad mercantil complementaria*), negocio conjunto (partnership; jointly-owned business; joint venture), negocio de buena fe (bona fide transaction), negocio de campaña (seasonal business), negocio de divisas a plazo/término (forward exchange deal/market), negocio de ropa confeccionada o de la confección (ready-to-wear trade, off-the-peg/prêt-à-porter line), negocio en marcha (going concern), negocio ficticio (dummy transaction), negocio ilícito (illicit trade; traffic[2]; S. *traficar, tráfico*), negocio limpio (plain dealing), negocio lucrativo (profitable business; nice line *col*; nice little earner *col*; roaring trade *col*), negocio por cuenta propia (net retained business), negocio redondo *col* (brilliant deal *col*; sure-fire winner *col*; licence to print money *col*; S. *robo descarado*),

negocio sucio o fraudulento (racket; racketeering; S. *tinglado, prácticas comerciales ilegales*), **negocios de reaseguro activo** (INSCE inward treaty bussiness), **negocios supranacionales/ transaccionales** (offshore business), **negocios, sin** (no business/trading; which does not trade; S. *sin actividad empresarial*)].

neto *a*: net; clean, clear,[1] flat[1]; S. *sencillo, simple*. [Exp: **neto disponible** (ACCTS net income, disposable income; bottom line *col*; net avails *US*), **neto patrimonial** (ACCTS equity, net worth; net assets; shareholders' interest; S. *patrimonio/ activo neto, fondos propios*)].

neutral, neutro *a*: neutral. [Exp: **neutralidad** (neutrality; S. *imparcialidad*), **neutralidad en la distribución** (ECO allocative neutrality), **neutralidad fiscal** (fiscal/tax neutrality), **neutralización** (neutralization; S. *anulación, amortiguamiento*), **neutralizar** (neutralize, cancel out, counteract; S. *contrarrestar*), **neutralizarse** (cancel out, cancel one another out)].

nexo *n*: nexus,[1] tie, link, connection, bond, relation; S. *relación, red*. [Exp: **nexo impositivo** (TAXN nexus[2])].

nicho *n*: niche; S. *acomodo, colocación conveniente*. [Exp: **nicho de mercado** (market niche)].

NIF *n*: S. *número de identificación fiscal*.

nivel *n*: level, bracket, tier, standard, index, rate[1]; S. *grado, escala, índice*. [Exp: **nivel de apalancamiento financiero** (financial gearing/leverage level), **nivel de apoyo** (STK & COMMOD EXCH support level; S. *intervención de precios*), **nivel de audiencia** (ADVTG ratings), **nivel de calidad aceptable** (acceptable quality level), **nivel de capital con relación al activo** (BKG capital-to-assets ratio/level), **nivel de cobertura o de margen** (STK & COMMOD EXCH margin level), **nivel de desempleo** (level of unemployment), **nivel de edades** (age bracket), **nivel de ejecución/rendimiento** (performance[2] index/standard), **nivel de empleo u ocupación** (level of employment, occupational level), **nivel de endeudamiento** (FIN credit capacity; S. *capacidad de crédito*), **nivel de endeudamiento con relación al capital** (FIN gearing/leverage ratio), **nivel de errores** (error rate), **nivel de reemplazo/ renovación de la población** (ECO replacement level of population), **nivel de existencias** (ACCTS stock level; S. *reservas*), **nivel de existencias estratégico** (strategic stock level), **nivel/ índice de solvencia** (credit rating), **nivel de vida** (standard of living), **nivel general de precios** (ECO, COM general price level), **nivel de recursos propios** (BKG capital adequacy), **nivel impositivo** (TAXN tax bracket), **nivel intermedio, de** (second-tier; S. *de importancia secundaria*), **nivel máximo** (top level, peak; first tier), **nivel medio de calidad** (medium quality; average outgoing quality level, AOQL), **nivel mínimo** (lowest/minimum level/standard, bottom, floor, lowest tier, floor), **nivel mínimo de existencias** (ACCTS minimum sotck level, safety stock or stock level; S. *existencias de seguridad*), **nivel mínimo de rentas** (poverty income threshold; S. *umbral de pobreza*), **nivel de resistencia** (STK EXCH resistance level), **nivelación** (leveling, evening up), **nivelar-se** (level, level out, equalize, even up/out, balance[4]; S. *equilibrar, compensar*), **nivelar el presupuesto** (balance the budget)].

NN UU *n*: S. *Naciones Unidas*.

no *adv/pref*: no, not; non-; dis-, un-, etc. [Exp: **no obstante** (nevertheless), **no obstante lo anterior** (LAW notwithstanding which, this notwithstanding; S. *a pesar de, sin embargo*)].

nocional *a*: notional, theoretical; S. *implícito, teórico*.

nombramiento *n*: IND REL, MAN appointment, designation, nomination, commission[2]; S. *designación*. [Exp: **nombramiento de administrador judicial** (FIN, LAW appointment of a judicial administrator, appointment of a receiver by the courts), **nombramiento interino** (temporary appointment)].

nombrar *v*: name, nominate, designate; mention; S. *designar*), **nombrar representante** (appoint an agent/ attorney, nominate someone as proxy; S. *designar abogado*)].

nombre *n*: name. [Exp: **nombre comercial** (COM, COMP LAW business/corporate name; trade name; S. *razón social*), **nombre de, con el** (under the name of), **nombre de, en** (in the name of, on behalf of; S. *por cuenta de, de parte de*), **nombre de fábrica/marca** (COM brand name, trade name)].

nomenclatura arancelaria de Bruselas *n*: (Brussels Tariff Nomenclature).

nómina *n*: payroll, paysheet, pay statement, pay slip; roll; list[1]; S. *lista*. [Exp: **nómina de salarios o sueldos** (payroll, paysheet; pay slip; S. *hoja de salarios, monto de la nómina*), **nómina/hoja de salarios detalladas [con desglose de ingresos y descuentos]** (IND REL earnings report[1]), **nómina devengada** (accrued payroll), **nómina fantasma** (payroll padding *US*)].

nominación *a*: nomination; S. *propuesta, designación*. [Exp: **nominado** (nominee, appointee; S. *seleccionado, designado*)].

nominal *a*: nominal, denominational; face; S. *valor nominal*. [Exp: **nominatario** (nominee[1]; S. *candidato propuesto*), **nominativo** (nominative; payable/made out to a named individual; S. *cheque*)].

norma[1] *n*: rule,[1] regulation; policy, byelaw, norm, instruction; S. *práctica habitual, disposición, regla*. [Exp:

norma[2] (standard; S. *medida, rasero, criterio*), **norma de cobro** (collection policy; S. *política recaudadora*), **norma común aplicable a las mezclas** (common rule on mixing), **norma de expedición regional** (regional consignment rule), **norma de obligado cumplimiento** (mandatory regulation), **norma de prioridad absoluta** (COMP LAW absolute priority rule), **norma fundamental** (first or basic principle, Rule 1 *col*; principle; S. *criterio, principio, axioma*), **norma habitual** (common policy, standard practice), **norma industrial aceptable** (IND REL acceptable industry standard), **norma limitativa de la acumulación de ingresos en fideicomiso** (rule against unreasonable accumulations), **norma del coste prudente de inversión** (prudent investment cost standard), **norma para la fijación de la base de la pensión** (TAXN, IND REL earnings rule), **norma, por** (as a rule), **norma sindical de trabajo lento** (IND REL feather-bed rule), **norma, tenemos por** (our policy is), **normas** (rules, code; S. *reglas*), **normas contables** (accounting standards, Statements of Standard Accounting Practice), **normas de acceso** (rules governing admission), **normas de actuación** (policy[1]; S. *líneas de conducta, política, programa, directrices*), **normas de adecuación de capital** (BKG capital adequacy standards), **normas de auditoría** (auditing standards; S. *criterios normalizados de auditoría*), **normas de auditoría generalmente aceptadas** (ACCTS generally accepted auditing standards, GAAS), **normas de calidad de productos** (product quality rules or standards), **normas de codificación de datos bancarios** (BKG data encryption standards), **normas de conducta profesional** (LAW code of conduct/ethics/practice, code of professional ethics; S. *código deontológico*), **normas de diversificación de riesgos** (rules on risk spreading), **normas de origen** (rules of origin), **normas de seguridad** (IND REL safety rules/standards), **normas deontológicas sobre OPAS y fusiones** (Code on Takeovers and Mergers), **normas en caso de incendio** (fire regulations), **normas laborales** (IND REL labour policy), **normas legales** (legal rules, statutory requirements, legal rules), **normas reguladoras de la competencia/concurrencia leal** (COMER code of fair competition/trading), **normas re-lativas a la elaboración** (process rules), **normas técnicas** (technical standards), **normas urbanísticas** (urban planning standards)].

normal *a*: normal; usual, ordinary; standard, regular; average[1]; natural, logical; S. *usual, habitual, corriente*.

normalización *n*: ECO standardization; normalization; stabilization; S. *stabilization*; S. *estabilizar*. [Exp: **normalización del ciclo económico** (ECO stabilization policy, dampening/easing of the amplitude of the trade cycle), **normalizado** (standard; standardised; S. *estandarizado; hecho a la medida*)].

normalizar *n*: normalize, stabilize, standardize; dampen; ease[1]; S. *estandarizar, tipificar*.

normativa *n*: rules and regulations, by-law/bye-law/byelaw; S. *reglamento, disposiciones*. [Exp: **normativa contable** (accounting standards, Statements of Standard Accounting Practice), **normativa fiscal** (tax regulations)].

nota *n*: note[1]; notice; report[1]; slip; voucher; memo, chit *col*; S. *apunte, comprobante, resguardo, volante*. [Exp: **nota al margen o marginal** (marginal note; annotation; S. *apostilla*), **nota contable** (accounting note, note to the account), **nota de abono o crédito** (BKG credit note,[2] credit memorandum *US*, call credit *US*; S. *aviso de abono*), **nota de aceptación o liquidación** (BKG accceptance slip; S. *borderó*), **nota de adeudo, débito o cargo** (debit note, debit memorandum, debit memo, charge slip), **nota de cobertura** (INSCE cover note; binder *US*; S. *póliza provisional*), **nota de consignación/expedición** (TRANSPT advice note,[1] consignment note; advice of despatch; S. *guía de carga*), **nota de crédito** (COM, FIN credit voucher/slip, credit memo/memorandum), **nota de depósito** (BKG deposit ticket/slip; pay-in slip), **nota de despacho o envío** (advice note, dispatch note; memorandum invoice; S. *factura de embarque, factura provisional*), **nota de despacho y abastecimiento** (TRANSPT clearance outwards and victualling bill), **nota de distribución** (distribution slip), **nota de empeño** (warrant[1]), **nota de entrega** (delivery note/order; advice note[2]; S. *albarán*), **nota de envío/expedición** (shipping note, advice note, dispatch note; S. *nota de consignación*), **nota de expedición, según** (as per advice), **nota de favor** (accommodation note/paper; S. *documento de garantía, efectos de favor o de cortesía, documento avalado*), **nota de gastos** (expense/sheet voucher), **nota de liquidación** (receipt), **nota de muelle** (TRANSPT berth note, booking note), **nota de negociación** (bill of transaction), **nota de pago** (credit slip, pay-in slip; promissory note, PN; S. *reconocimiento de deuda, papel comercial, pagaré, vale, abonaré*), **nota de peso** (bill of weight), **nota de prensa** (press release), **nota de venta** (bill of sale), **nota/resguardo de pago o ingreso** (pay-in slip)].

notaría *n*: notary's office. [Exp: **notarial** (notarial), **notario** (notary/notary public, public notary; commissioner for oaths; S. *fedatario público*)].

noticia *n*: news, news item, piece/item of news. [Exp: **noticia de primera plana** (front page news), **noticia de última hora** (news flash), **noticia en exclusiva** (exclusive, scoop[1]; S. *exclusiva*), **noticia principal** (ADVTG leader, leading article; S. *editorial, artículo de fondo*), **noticiario** (newscast)].

notificación *n*: advice,[1] notification; service; advising; warning; communication; law service; S. *citación, aviso; servicio, entrega*. [Exp: **notificación analógica o sobreentendida** (constructive notice; S. *notificación efectiva*), **notificación de accidente, siniestro o reclamación** (INSCE notice of claim), **notificación de adjudicación** (notice of award), **notificación de despido** (IND REL notice of termination of employment), **notificación de ejercicio** (STK EXCH exercise notice), **notificación de falta de pago** (notice of failure to pay, default notice; protest jacket *US*), **notificación de inspección/comprobación tributaria** (TAXN notice of assessment; S. *acta de liquidación de impuestos*), **notificación de la rescisión del contrato** (termination notice), **notificación de los resultados de gestión** (BKG advice of fate), **notificación de no aceptación de una letra** (FIN notice of dishonour; S. *aviso de protesto*), **notificación de nombra-miento** (letter of appointment to a post), **notificación de protesto** (note of protest; S. *protesta del mar/averías*), **notificación efectiva** (actual notice), **notificación oficial** (formal notice/service; S. *advertencia/aviso formal*)].

notificar *v*: notify, report, advise; communicate; give notice; serve; S. *informar, participar, avisar, dar traslado*. [Exp: **notificar la extinción del contrato por voluntad del trabajador** (IND REL give notice), **notificar un**

comunicado oficial (serve[3]; V. *dar traslado a*)].

novedad *n*: novelty, innovation; release,[5] new development[1]; S. *innovación*. [Exp: **novedades** (fashion goods)].

nubes, por las *phr*: at sky-high *col*; S. *a niveles muy altos*.

núcleo *n*: nucleus, heart, centre/center, core; S. *corazón, centro, meollo, esencia*. [Exp: **núcleo de recursos propios** (core capital), **núcleo duro de accionistas** (hard core of shareholders)].

nudo[1] *a*: naked, bare. [Exp: **nudo**[2] (TRANSPT knot), **nudo ferroviario** (railway junction), **nudo pacto** (nude/bare contract; S. *contrato sin causa*)].

nuestro *a*: our; nostro. [Exp: **nostro cuenta** (nostro account), **nuestro descubierto** (BKG nostro overdraft)].

nuevo *a*: new; incoming; re-. [Exp: **nueva emisión de acciones** (STK EXCH new issue, reissue), **nueva exposición** (restatement; S. *puesta a punto, regularización*), **nueva inspección de un buque en el embarque** (re-rummage), **nueva inyección de fondos** (fresh injection of funds, new money; S. *dinero fresco*), **nueva ola, la** (the new wave, the latest fashion/trend/fad *col*; the new/young generation, the in crowd *col*), **nueva producción discográfica** (new release), **nueva solicitud** (reapplication), **nueva tasación** (reappraisal), **nuevo cuño, de** (; S.), **nuevo director/presidente** (new/newly-appointed/incoming manager/president), **nuevo embargo** (reattachment; S. *reembargo*), **nuevo nombramiento** (reappointment), **nuevos países industrializados** (new ly-industrialized countries)].

nulidad *n*: nullity; LAW invalidity; dismissal of action, discontinuance, non-suit; S. *incapacidad, invalidez*. [Exp: **nulo** (invalid, bad; empty; null; void; null and void; S. *anular, invalidar*)].

numerar *v*: number. [Exp: **numerario** (numerary; permanent, holding tenure, tenured; money, cash, coin)].

número *n*: number[1]; figure; digit; S. *cifra, cantidad; hacer números.* [Exp: **número aleatorio** (random number), **número de afiliación a la seguridad social** (National Insurance Number), **número de cuenta** (account number), **número de expediente** (file number; reference number, case number), **número de identificación personal** (personal identification number, PIN), **número de identificación fiscal, NIF** (fiscal identity number), **número de identificación bancaria** (bank identification number, BIN; S. *ficha bancaria*), **número de la muestra** (sample number), **número de matrícula de un coche** (registration number), **número de referencia** (reference number), **número de serie** (batch/serial number), **número de teléfono** (telephone number), **número de una publicación** (issue[2]; S. *tirada, distribución*), **número impar** (odd number), **número índice** (ECO index numbers), **número par** (even number), **número redondo** (round figures), **números redondos, en** (in round figures), **números rojos, en** *col* (ACCTS in the red *col*; S. *descubierto, saldo*)].

O

OAMI *n*: S. *Oficina de Armonización del Mercado Interior.*

objetivo *a/n*: objective; goal, aim, objective, design, end, target; S. *meta, fin, propósito; empresa objetivo.* [Exp: **objetivo a corto/largo plazo** (short-/long-term objective), **objetivo concreto, sin** (aimless; S. *sin rumbo fijo*), **objetivo de crecimiento** (ECO, COM growth target), **objetivo de la organización** (MAN organizational goal), **objetivo de producción** (production target), **objetivo de rentabilidad** (profit objective *US*)].

objeto[1] *n*: object; thing; matter, subject matter; S. *cosa, asunto.* [Exp: **object**[2] (object, purpose, target, goal; design; S. *fin, propósito*), **objeto abandonado** (ownerless property, derelict), **objeto depositado** (property/article held in escrow; S. *fianza, depósito*), **objeto de una OPA** (takeover target), **objeto del impuesto** (object/aim of a tax; excisable article; taxable matter; S. *hecho imponible*), **objeto del gasto** (purpose of the expenditure), **objeto social** (COMP LAW corporate purpose, objects of the company), **objetos a declarar** (goods to declare), **objetos de valor** (valuables; S. *valores*), **objetos salvados** (salvage,[2] salvage items)].

obligación[1] *n*: obligation, commitment, duty, engagement, undertaking, responsibility; S. *compromiso, deber.* [Exp: **obligación**[2] (FIN, STK EXCH bond, debenture,[1] debenture bond, note, debt, instrument, certificate of indebtedness; S. *bono, vale, título de crédito, cédula, orden de pago, valor de renta fija a largo plazo*), **obligación/obligaciones a corto plazo**[1] (ACCTS current/short-term liability/liabilities, bills payable), **obligación a corto plazo**[2] (FIN short bond), **obligación a largo plazo** (long-term debenture), **obligación a largo plazo de cupón cero con garantía hipotecaria** (accrual bond), **obligación abierta** (open-end bond *US*), **obligación abonable con ingresos fiscales** (FIN revenue bond), **obligación al descuento** (deep-discount bond), **obligación Aladino** (Aladdin bond), **obligación amortizable/exigible** (S. *amortización rescatable*), **obligación bancaria** (bank bond), **obligación bonificada** (tax-exempt bond), **obligación con desembolso aplazado** (partly-paid bond), **obligación/bono con garantía de activos** (FIN asset-backed security, fixed-charge bond, secured debenture, debenture bond; S. *cédula hipotecaria*),

obligación con garantía hipotecaria (FIN general mortgage bond, real estate mortage bond, collateralized mortgage security *US*; S. *bono garantizado con una cartera de hipotecas*), **obligación con garantía multilateral** (collateralized bond obligation, CBO *US*), **obligación con [tipo de] interés variable** (floating rate note, FRN), **obligación con vencimiento escalonado** (serial bond), **obligación con vencimiento final** (bullet bond), **obligación conjunta o mancomunada** (joint obligation/responsibility), **obligación contractual** (contractual obligation, commitment[1]; S. *compromiso, deber*), **obligación contraída/ pendiente** (obligation incurred/out-standing), **obligación de avería** (INSCE average bond; S. *compromiso/fianza/ garantía de avería*), **obligación de cupón cero** (zero coupon bond), **obligación de dar/rendir cuentas** (accountability, duty to account), **obligación de declarar** (duty to disclose), **obligación de fideicomiso** (trust bond), **obligación de garantía** (bail bond; S. *caución, fianza*), **obligación de indemnización en favor de alguno** (suretyship; S. *fianza, garantía, seguridad, afianzamiento*), **obligación de préstamo/empréstito** (loan bond), **obligación del Estado/Tesoro** (public bond), **obligación emitida en euro-pesetas** (matador bond; S. *bono matador*), **obligación en doble moneda o con denominación doble** (dual currency bond), **obligación en mora** (defaulted bond; S. *bono impagado*), **obligación en circulación** (outstanding bond), **obligación expresa o convencional** (LAW express obligation), **obligación flotante** (FIN floating charge), **obligación flotante o no consolidada** (floating debenture *US*; floating-charge debenture), **obligación garantizada**

(guaranteed/secured debenture, mortage debenture), **obligación hipotecaria** (mortgage debenture; mortgage bonds *US*; S. *título garantizado por hipoteca, cédula hipotecaria*), **obligación hipotecaria colateralizada o garantizada con un fondo de titulación** (collateralized mortgage obligation, CMO, REMIC *US*, pass-through security, cash flow bond), **obligación impuesta** (imposition; S. *carga, tributo, impuesto*), **obligación indexada/ indiciada** (indexed bond, index-linked [savings] bond), **obligación mini-max** (minimax bond), **obligación no hipotecaria** (non-mortgage bond, plain bond), **obligación nominativa** (registered bond, personal bond, named-person bond/bill), **obligación normal** (straight bond), **obligación participativa o con participación de beneficios** (FIN income bond,[3] income debenture, profit-sharing debenture, participating bond; S. *bono de ingreso*), **obligación perpetua** (perpetual debenture; S. *acciones irredimibles o privilegiadas*), **obligación personal, particular o nominativa** (personal bond[1]), **obligación, por** (as a duty, as matter of duty, obligatorily), **obligación preferente/privilegiada** (preferential/preference bond/debenture, prior lien), **obligación prioritaria** (senior bond; S. *obligación subordinada*), **obligación real** (real obligation), **obligación recíproca** (mutual obligation), **obligación redimible/resca-table/amortizable/exigible** (redeemable bond or debenture, fixed-term bond or security, redeemable bond), **boligación respaldada por activos** (FIN asset-backed bond; S. *fondo de titulación de activos*), **obligación simple o sin garantía específica o prendaria** (simple/ordinary debenture; unsecured/ naked debenture/bond; floating-charge security; debenture[2] *US*), **obligación sin vencimiento** (irredeemable bond), **obligación solidaria** (solidary liability or obligation, joint and several liability, joint obligation), **obligación subordinada [a otras emisiones]** (junior/subordinated bond; S. *obligación prioritaria*)].

obligaciones[1] *n*: ACCTS, FIN liabilities,[1] indebtedness, loan stock; S. *pasivo, deudas*. [Exp: **obligaciones**[2] (loan stock, debentures, bonds), **obligaciones a la vista** (FIN demand/sight bonds), **obligaciones actuales** (ACCTS current liabilities), **obligaciones al portador** (bearer bonds), **obligaciones acumuladas por beneficio** (accumulated benefit obligations, ABO), **obligaciones con cupón** (FIN coupon stock/bonds/issue), **obligaciones/bonos convertibles en acciones** (convertible bonds/debentures/securities, stock warrants), **obligaciones de capital** (capital liabilities; S. *pasivo patrimonial, fijo o no exigible*), **obligaciones de interés fijo** (debentures, loan stock), **obligaciones del Estado con prima** (premium bonds), **obligaciones derivadas** (STK EXCH derivative mortgage-backed securities), **obligaciones emitidas con la garantía de los activos de la empresa** (COMP LAW debenture issue), **obligaciones/bonos emitidos mediante oferta pública** (publicly issued bonds), **obligaciones exigibles a la vista** (sight drafts/bonds), **obligaciones garantizadas mediante prenda** (collateral bonds), **obligaciones indexadas** (index-linked savings bonds/certificates), **obligaciones no hipotecarias de capital** (capital debentures), **obligaciones no imponibles o sin retención fiscal** (tax-exempt bonds/issue, non-taxable bonds), **obligaciones pagaderas en libras esterlinas** (sterling bonds), **obligaciones pen-** **dientes** (outstanding bonds, outstanding liabilities), **obligaciones perpetuas** (debenture stock,[1] DS; S. *acciones irredimibles o privilegiadas*), **obligaciones por letras aceptadas** (acceptance liability; S. *pasivo aceptado*), **obligaciones relacionadas con el servicio de la deuda o amortización de principal** (debt-service requirements), **obligaciones solo capital/intereses** (principal only [PO]/interest only [IO] securities), **obligaciones vencidas** (FIN, ECO matured bonds, M2)].

obligacionista *n*: bondholder, debentureholder, holder of bonds/debentures; S. *bonista*.

obligado *a/n*: indebted, liable,[1] under obligation, bound; obligor; S. *comprometido; deudor*. [Exp: **obligado a, estar** (be bound/obliged to, be under a duty), **obligado cambiario** (trade bill obligor), **obligado cumplimiento, de** (binding, obligatory, compulsory, mandatory[2]; S. *preceptivo, obligatorio*), **obligado solidario** (joint/joint and several obligor), **obligante** (S. *obligatario*)].

obligar *v*: oblige, obligate *US*, force, press,[2] tie down, bind; S. *presionar, instar, vincular*. [Exp: **obligar a bajar/subir** (force down/up), **obligar a cumplir** (exact; S. *imponer, exigir*), **obligarse** (bind oneself[1]; S. *comprometerse, vincularse*), **obligarse recíprocamente** (enter into a mutual engagement)].

obligatario *n*: obligee; S. *obligante, acreedor*.

obligatorio *a*: binding, compulsory, obligatory, mandatory, enforceable, forcible; S. *preceptivo, vinculante*.

obra *n*: work, piece of work; building/construction site or project. [Exp: **obra benéfica** (charity; S. *institución benéfica*), **obra ejecutada** (completion[2]), **obra en curso de ejecución** (work/

construction in progress/process *US*), **obra gruesa** (structural work, shell[1]; S. *armazón*), **obras** (works, road works), **obras, en** (under construction or repair), **obras para aliviar el desempleo** (relief works), **obras públicas** (public works)].

obrar *v*: do, work, act,[1] operate; have the effect of; S. *actuar, operar.* [Exp: **obrar con cautela** (proceed cautiously, act with caution, be canny/careful), **obrar de común acuerdo** (FIN act in concert), **obrar en poder de** (LAW, COM be in the possession/hands of, be to hand, be under the control or jurisdiction of)].

obrero *n*: worker, workman, labourer, wage-earner; S. *empleado, trabajador.* [Exp: **obrero cualificado/especializado** (tradesman, skilled worker), **obrero industrial** (factory/industrial worker), **obrero interino/eventual** (casual worker/labourer, part-timer worker), **obrero manual** (IND REL blue-collar worker), **obrero no cualificado** (unskilled worker, labourer), **obreros sindicados** (IND REL organized labour, workers with union membership, workers who are card-carrying members of a union)].

obsequio *n*: COM gift, free gift; complimentary or presentation sample/copy, etc.; S. *vale, regalo.* [Exp: **obsequiar** (give, present; honour, treat; give away free, present as a gift or free gift)].

observación *n*: observation; remark; S. *comentario.*

observancia *n*: observance, performance; S. *ejecución, aplicación, cumplimiento.* [Exp: **observar** (observe,[1] note[1]; remark; perform, comply with; S. *cumplir; apuntar, advertir*)].

obsolescencia *n*: obsolescence; S. *caducidad, envejecimiento.* [Exp: **obsolescencia del producto** (product obsolescence), **obsolescencia incorporada o programada** (ECO planned obsolescence, built-in obsolescence, product obsolescence; ephemeralization; S. *caducidad calculada*), **obsoleto** (obsolete, out of date; S. *desfasado, anticuado*)].

obstaculizar *v*: interfere with, hinder, hamper, check,[3] block; set back; S. *dificultar, importunar.* [Exp: **obstáculo** (obstacle, barrier, hindrance, check,[3] handicap; S. *barrera*), **obstáculos comerciales** (COM barriers to trade)].

obstrucción *n*: obstruction, bblocage, bottleneck. [Exp: **obstruir** (obstruct, encumber; S. *estorbar*)].

obtención *n*: obtainment, obtaining, securing, attainment, raising. [Exp: **obtención de capital/fondos** (procurement of capital, raising of funds, fund-raising, funding; S. *captación de fondos*), **obtener** (obtain, earn, extract, gain, get, acquire; secure, procure; S. *adquirir, conseguir, sacar*), **obtener beneficios** (make/realize a profit; S. *tener ganancias*), **obtener cifras netas** (net out; S. *calcular el valor neto*), **obtener fondos/recursos** (raise[3] cash/funds/money; S. *arbitrar recursos/fondos*), **obtener un crédito/préstamo** (secure a credit/loan), **obtener una buena/mala puntuación** (score high or well/poorly)].

obviar *v*: obviate, avoid, get round, by-pass/bypass[1]; S. *evitar, omitir.* [Exp: **obvio** (obvious, clear, evident, manifest[1]; S. *manifiesto*)].

ocasión *n*: occasion, opportunity, chance; look-in *col*; S. *oportunidad, posibilidad.* [Exp: **ocasional**[1] (chance, accidental; incidental; S. *casual, irregular, aislado*), **ocasional**[2] (IND REL casual, part-time; S. *eventual, a tiempo parcial, temporero*)].

ocasionar *v*: entail, incur, cause, bring about; S. *acarrear.*

OCDE *n*: S. *Organización de Cooperación y Desarrollo Económico.*

ocio *n*: leisure; idleness; spare/free time; S. *tiempo libre*. [Exp: **ocioso** (idle; unproductive; redundant; S. *estéril, improductivo*)].

octavilla *n*: leaflet, pamphlet; handbin flier *col*; S. *prospecto, folleto*.

ocultación *n*: hiding, concealment; withholding; S. *encubrimiento*. [Exp: **ocultar** (hide, conceal, mask, screen, shelter; withhold; S. *encubrir*), **oculto** (hidden, concealed, latent, dormant; secret; S. *secreto, latente*)].

ocupación[1] *n*: job, employment, situation, position, business, function, trade, occupation[2]; S. *profesión, oficio*. [Exp: **ocupación**[2] (LAW tenure, occupancy, occupation[1]; S. *tenencia*), **ocupación global** (aggregate employment), **ocupación principal** (IND REL main taks or function, major duty), **ocupación real** (IND REL, ECO active/actual employment; figure for those temporarily or seasonally employed), **ocupación temporal** (IND REL temporary occupation or taks; part-time/casual job; seasonal employment; S. *paro, desempleo, eventual*), **ocupacional** (IND REL occupational; S. *laboral, profesional*), **ocupado** (busy, engaged)].

ocupante *n*: occupier, occupant. [Exp: **ocupante legal de una vivienda** (residential occupier; S. *inquilino*), **ocupante ilegal de una vivienda** (squatter, illegal occupant; S. *okupa*)].

ocupar *v*: occupy; emply, engage, provide work for; fill,[1] hold; S. *emplear, tomar posesión de*. [Exp: **ocupar un cargo/puesto** (assume office, hold an office, fill a post, be in office, perform the office of, take over/up a position), **ocuparse de** (attend to[1]; deal with, handle; concern oneself with S. *atender, cuidarse de*)].

OECE *n*: *Organización Europea de Cooperación Económica*.

oferta *n*: ECO, COM, FIN offer, supply; offering; proposal; quotation; invitation; tender, invitation to a treat; tendering, bid, bidding; bargain[3]; S. *licitación, puja; hacer una oferta*. [Exp: **oferta a los accionistas a comprar acciones nuevas** (rights offering), **oferta a suscribir nuevas acciones** (invitation to subscribe a new issue), **oferta abierta** (open bid), **oferta aceptada** (successful bid or tender), **oferta agregada** *US* (aggregate supply), **oferta cerrada** (sealed tender, competitive bid/bidding; S. *subasta, licitación pública*), **oferta complementaria** (complementary/additional/follow-up supply), **oferta compuesta** (composite supply; S. *oferta de bienes sustitutivos*), **oferta conjunta** (COM joint suppl; joint bid/offer), **oferta de aceptación bancaria** (banker's acceptance tender/facility), **oferta de adquisición** (bid; offer; offer to buy, tender; S. *puja, licitación, propuesta*), **oferta de adquisición de una empresa pagando con títulos bursátiles** (FIN exchange tender offer), **oferta de bienes sustitutivos** (ECO composite supply; S. *oferta compuesta*), **oferta de capital** (capital supply), **oferta de compensación económica** (tender of payment; S. *oferta de pago*), **oferta de compra de acciones con pago en efectivo** (STK EXCH cash-for-shares offer, cash tender offer), **oferta de compra de acciones [de una empresa] pagando con títulos** (FIN exchange tender offer), **oferta de concurso-subasta** (tender[1]; S. *concurso público*), **oferta de dinero** (money supply), **oferta de lanzamiento** (COM promotional/introductory offer), **oferta de mano de obra barata** (ECO cheap labour supply, social dumping; S. *dumping social*), **oferta de ocasión** (bargain offer), **oferta de pago** (tender of payment, offer to pay; S. *oferta de compensación económica*), **oferta de reembolso** (money refund offer), **oferta**

de suscripción (offering, offering for subscription, tender[1]), **oferta de trabajo** (job offer, job vacancy; labour supply), **oferta de venta** (offer for sale), **oferta de venta directa de acciones** (offer by prospectus), **oferta del mercado** (ECO market supply), **oferta elástica** (ECO elastic supply), **oferta, en** (on offer, up for sale), **oferta en firme** (firm offer), **oferta en metálico** (cash bid), **oferta especial** (bargain offer, premium offer, special offer), **oferta especial con obsequio** (special offer, gift offer), **oferta especial con reducción de precio** (COM special offer, premium offer, cut-price offer; S. *rebaja*), **oferta excedentaria/excesiva** (oversupply, excess supply), **oferta global de acciones** (global equity offering), **oferta global de bienes y servicios** (aggregate/total supply of goods and services), **oferta inelástica** (ECO inelastic supply), **oferta lacrada** (sealed big/tender), **oferta monetaria** (ECO money supply, volume of money; M; S. *activos líquidos en manos del público*), **oferta privada** (private offering), **oferta pública** (open bid; public offering; S. *licitación pública o abierta*), **oferta pública de acciones nuevas** (public offering of new issue, floating of new issue or stock), **oferta pública de adquisición, OPA** (takeover bid, tender offer, public bid), **oferta pública de adquisición hostil, OPAH** (hostile takeover bid, hostile tender offer takeover; S. *órdago*), **oferta pública de venta, OPV** (initial public offering, offer for sale), **oferta pública inicial, OPI** (flotation; initial offer for sale, initial public offering, IPO *US*), **oferta regresiva** (regressive supply), **oferta seria** (bona fide or genuine offer), **oferta superior a la demanda** (offered market), **oferta total de mano de obra** (aggregate supply of labour), **oferta turística con**

hotel y viaje incluidos (package holiday/deal; S. *viaje organizado, vacaciones organizadas*), **oferta ventajosa** (favourable/advantageous offer), **oferta y aceptación** (offer and acceptance), **oferta y demanda** (FIN bid and asked, supply and demand), **ofertar** (offer, bid; supply; propose, submit; S. *ofrecer*)].

oficial[1] *a/n*: official, formal, chartered; officer, official; S. *público; funcionario público*. [Exp: **oficial**[2] (IND REL clerk; skilled/qualified worker, tradesman, craftsman, journeyman; the term *oficial* followed by the name of a particular trade or profession indicates that the worker concerned is fully trained, qualified, experienced and time-served but has not yet reached the rank of *maestro* or "master"; these adjectives are recommendes in translating such terms as *oficial tubero*), **oficial de aduanas** (revenue officer *US*; S. *recaudador de impuestos*), **oficial de custodia o de plica** (escrow officer), **oficial de puente de un barco mercante** (TRANSPT mate[2]; S. *piloto*), **oficial mayor** (chief-clerk), **oficialmente** (officially, formally)].

oficina *n*: office; bureau; agency; S. *despacho, negociado, bufete, agencia*. [Exp: **oficina bancaria** (banking office/branch, branch office), **oficina central o principal** (headquarters, main/home office; front office *US*; S. *casa matriz, sede social o central*), **Oficina de Armonización del Mercado Interior [marcas, diseños y modelos], OAMI** (Office for Harmonization in the Internal Market [trade marks and designs], OHIM), **oficina de asesoramiento financiero** (FIN financial consultancy, brokerage firm, boutique[2] *US*), **oficina de atención al cliente** (accommodation area), **oficina de cambio** (bureau de change, exchange bureau or booth; foreign exchange bureau/shop), **oficina de colocaciones** (job centre, employment agency/broker/ bureau/office/service; employment exchange, placement office, labour exchange, hiring hall; S. *bolsa de trabajo*), **oficina de compras** (buying/ purchasing department or office), **oficina de conversión monetaria** (exchange board; S. *junta de cambio*), **oficina/ estafeta de correos** (post office/branch), **oficina de distribución** (distribution agency), **oficina de empleo** (job centre), **oficina de estudios y proyectos** (engineering office), **oficina de información** (enquiry office, information centre or bureau), **Oficina de Justificación de la Difusión, OJD** (PUBL Office of the Spanish Committee of Broadcasting Standards, *approx* Audit Bureau of Circulation, ABC *US*; advertising standard watchdog; S. *Estudio General de Medios para la radio o la televisión*), **oficina de marcas y patentes** (patents and trademarks office), **Oficina de Normalización** (Standard Institution), **oficina de patentes** (patent bureau/ office), **oficina de planificación económica** (economic planning agency), **oficina de proyectos** (design office), **oficina de recepción** (receiving office), **oficina de reservas** (booking office), **oficina de reventa** (bucket shop[1] *col*; S. *agencia paralela, chiringuito financiero*), **oficina del catastro** (land office/ register), **Oficina del Registro Civil** (Registry Office), **oficina encargada de la planificación urbanística** (ECO planning agency/authority/board), **Oficina General de Contabilidad** (General Accounting Office, GAO *US*), **Oficina Internacional de Pesas y Medias** (International Bureau of Weights and Measures), **oficina presupuestaria** (budget agency/bureau),

oficina técnica (technical department)].

oficinista *n*: office worker, employee; clerk[1]; clerical worker; white-collar worker; S. *empleado administrativo, oficial*. [Exp: **oficinista eventual o interino** (IND REL, MAN temp, temporary typist or office worker)].

oficio[1] *n*: job, profession, business; trade, craft, occupation, vocation; S. *trabajo, ocupación*. [Exp: **oficio**[2] (workmanship, craftsmanship; S. *calidad del trabajo, factura*), **oficio**[3] (official note/letter), **oficio de remisión** (cover/covering letter), **oficiosamente** (in one's private capacity; unofficially, semi-officially, informally; off the record; S. *a título personal, sin carácter oficial*), **oficioso** (informal, unofficial; off-the-record; S. *extraoficial*)].

ofimática *n*: office automation; computerization of office resources.

ofrecer *v*: offer, provide,[2] supply; invite, bid, tender[1]; lay on; S. *proponer, oferta, postura*. [Exp: **ofrecer compensación o reparación** (offer compensation, offer to; make amends; S. *reparar*), **ofrecer demasiado o por encima del valor** (overbid), **ofrecer en venta** (offer for sale), **ofrecer facilidades de pago** (offer easy terms), **ofrecer servicio de alquiler** (ply for hire), **ofrecer un precio** (make/name/quote a price), **ofrecer un servicio** (provide/offer a service; ply one's trade), **ofrecerse a** (offer/volunteer to), **ofrecimiento** (offering; tender; promise; S. *oferta*)].

OIT *n*: S. *Organización Internacional del Trabajo*.

ojo *n*: eye. [Exp: **ojo de la cara** *col* (astronomical amount *col*; crazy figure *col*, exorbitant amount or price; S. *dineral, disparate*)].

okupa *col n*: squatter, illegal occupant; S. *ocupante ilegal de una vivienda*.

ola *n*: wave; S. *la nueva olda*. [Exp: **ola inflacionista** (wave of inflation), **oleada** (burst, wave, flood; S. *sacudida, ráfaga*), **oleadas de visitantes** (floods of visitors)].

oleoducto *n*: oil pipeline.

oligopolístico *a*: ECO oligopolistic. [Exp: **oligopolio** (oligopoly)].

oligopsonio *n*: ECO oligopsony.

omisión *n*: omission, oversight, failure to provide, deliberate suppresion or withholding, non-disclosure; S. *ocultación, supresión*. [Exp: **omisión sin mala fé de algún dato** (INSCE, LAW innocent non-disclosure), **omisión o retención de un dividendo** (STK EXCH passing of a dividend), **omisión u ocultación de datos importantes** (ACCTS, LAW non-disclosure), **omitir** (omit, leave out; jump over *col*, skip *col*, by-pass, bypass[1]; fail to; S. *obviar, evitar*), **omitir el pago de un dividendo** (pass a dividend; S. *no declarar/pagar un dividendo en un ejercicio*), **omitir por error** (overlook[1]; S. *pasar por alto*)].

onda *n*: wave, ripple. [Exp: **onda expansiva** (shock wave; S. *conmoción profunda, sacudida*), **ondas largas** (ECO long cycles; S. *ciclos largos*)].

oneroso *n*: onerous, burdensome, heavy; expensive.

ONG *n*: S. *Organización no gubernamental*.

onza *n*: ounce. [Exp: **onza líquida** (fluid ounce, fl oz), **onza troy** (troy ounce)].

ONU *n*: S. *Organización de las Naciones Unidas*.

OPAH *n*: S. *oferta pública de adquisición hostil*.

OPA *n*: FIN take-over bid[1]; S. *oferta pública de adquisición de acciones*. [Exp: **OPA hostil** (hostile takeover bid), **OPA de dos niveles** (two-tier bid), **OPA de exclusión presentada por la gerencia** (management buy-out; S. *transacciones de exclusión*)].

opacidad *n*: opacity, opaqueness. [Exp: **opacidad fiscal** (TAXN fiscal opacity; pre-imputation-system of taxation; difficulty of determining shareholders' and investors's tax liability on profits earned by companies; factors encouragin tax avoidance or hampering fair assessment of individual tax liability in corporate activities; S. *transparencia fiscal*), **opaco** (S. *ahorro fiscalmente opaco*)].

opción[1] *n*: choice, option, alternative,[2] privilege, right; S. *alternativa, posibilidad*. [Exp: **opción**[2] (STK & COMMOD EXCH option[2]; S. *operaciones de opción*), **opción a comprar** (buyer's call; S. *opción de compra/venta*), **opción a comprar el doble de las acciones estipuladas** (STK EXCH option to double; call-of-more options), **opción a vender el doble de las acciones estipuladas** (STK EXCH option to double; put-of-more options), **opción a vender y a comprar** (STK EXCH put and call option; S. *operación de doble opción*), **opción admitida a cotización** (listed option), **opción al descubierto o sin respaldo** (naked option), **opción americana** (STK & COMMOD EXCH American option), **opción asiática** (STK & COMMOD EXCH Asiatic option), **opción [de] barrera** (barrier option), **opción-bono** (stock option, employee share option), **opción caducada** (lapsed option), **opción cotizada** (listed option), **opción cubierta** (covered option), **opción de canje** (conversion option), **opción de carga** (TRANSPT cargo option), **opción de compra** (call; call option, option to purchase), **opción de compra al descubierto** (STK & COMMOD EXCH naked call option), **opción de compra con tope mínimo en el valor del activo subyacente** (STK & COMMOD EXCH down-and-out-call), **opción de compra de**

bonos (suscription warrant, debt warrant), **opción de compra o venta de una divisa** (currency option), **opción de compra prioritaria** (pre-emption; S. *prioridad*), **opción de compra y venta** (call-and-put-option), **opción de compra o venta de acciones** (stock/share option), **opción de compra de productos o materia primas a precio diferido** (call purchase), **opción de compra al descubierto o sin respaldo** (naked call option), **opción de compra a precio prefijado** (net option), **opción de compra de acciones para empleados** (emplyee share option or subscription warrant, restricted stock option *US*), **opción de devolución de la prima si no se ejerce** (STK & COMMOD EXCH money back option), **opción de preferencia** (preference option), **opción de rango** (range forward), **opción de reventa, con** (puttable), **opción de venta** (put, option to sell), **opción de venta casada o emparejada** (married put), **opción de venta con tope mínimo** (up-and-in put), **opción de venta con tope mínimo en el valor del activo subyacente** (STK & COMMOD EXCH down-and-out-put), **opción diferencial** (spread option), **opción doble** (double option), **opción ejercible/ejercitabla en unos límites fijados** (inside-trading-range option), **opción ejercible/ejercitable fuera de unos límites fijados** (outside-trading-range option), **opción europea** (European option), **opción extinguible de acuerdo con las fluctuaciones máximas o mínimas del precio del activo subyacente** (extinguishable option), **opción perpetua** (perpetual option), **opción retrospectiva** (lookback option), **opción retrospectiva con ejercicio** (lookback option with strike), **opción sobre acciones** (stock option), **opción sobre bonos** (bond option), **opción**

sobre diferencia (difference option), **opción sobre divisas** (foreign currency option), **opción sobre el diferencial de la permuta financiera** (option on swap spread), **opción sobre futuros** (futures option), **opción sobre IBEX 35** (Ibex 35 option), **opción sobre índices** (index option), **opción sobre permuta financiera** (option on swap), **opción sobre precios medios** (average price option, APO), **opción sobre tipos de interés** (interest rate option), **opción vencida o no ejercible/ejercitable** (lapsed option; S. *opción caducada*), **opciones negociadas en mercados financieros** (STK & COMMOD EXCH traded options), **opciones con/sin venta del capital opciones tradicionales** (STK & COMMOD EXCH traditional options), **opciones y futuros sobre el IBEX 35** (STK & COMMOD EXCH options and futures on IBEX 35; options and futures traded in the Madrid Bourse or Stock Exchange)].

opcional *a*: optional; S. *discrecional*.

OPEP *n*: S. *Organización de Países Exportadores de Petróleo*.

operación *n*: STK EXCH, FIN, BKG operation, dealing, deal, transaction; action; S. *transacción, actividad, explotación*. [Exp: **operación a crédito** (STK EXCH margin transaction), **operación a plazo o a término** (STK & COMMOD EXCH forward transaction/dealing, future time bargain), **operación a prima** (STK & COMMOD EXCH option trade/bargain/dealing; S. *operación de opciones*), **operación a la primera operación** (market on openning), **operación acordeón accionarial** (COMP LAW accordion, burnout turnaround; capital reduction and increase; alteration of share capital), **operación al contado** (cash transaction, spot trading/transaction, dealing for cash), **operación al descuento** (discount transaction), **operación apalancada** (leveraged buy-out), **operación aplazada** (STK & COMMOD EXCH carry-over transaction; S. *operación de reporte*), **operación bursátil** (trade; trading; stockmarket operation; bargain,[2] cross, crossing, wash sale *US*), **operación bursátil al contado** (STK EXCH cash trade or deal), **operación cambiaria o con divisas** (exchange dealing), **operación comercial** (business transaction, deal[1]; S. *transacción*), **operación con riesgo** (venture), **operación cóndor** (STK & COMMOD EXCH condor), **operación cruzada de compras y ventas compensatorias** (crossed trade), **operación cubierta con fines de compensación fiscal** (FIN tax straddle), **operación compensatoria** (eveming up), **operación de aparcamiento** (STK EXCH parking deal), **operación de arbitraje** (arbitrage deal or transaction), **operación de cambio** (foreign exchange transaction), **operación de cambio a término** (forward foreign exchange transaction), **operación de carga** (loading[1]; S. *carga, alimentación*), **operación de cobertura** (hedging), **operación de cobertura por venta a plazo** (STK & COMMOD EXCH short hedge; S. *cobertura corta*), **operación de compra afianzada** (bought deal; S. *emisión precolocada*), **operación de compromiso de compra** (underwriter's guarantee or undertaking; standby commitment), **operación de contado** (STK & COMMOD EXCH spot transaction), **operación de crédito** (BKG lending/credit operation), **operación de divisas** (FIN exchange deal), **operación de doble** (repurchase agreement, repo), **operación de doble opción** (STK EXCH put and call option; S. *opción a vender y a comprar*), **operación de fachada** (frnting), **operación de montaje** (assembling process), **operación de**

opciones (STK & COMMOD EXCH option trade/trading/dealing; S. *operación a prima*), **operación de pacto de recompra** (repurchase agreement, repo; S. *pacto de recompra, repo*), **operación de protección cambiaria** (exchange hedge), **operación de redescuento por la puerta de atrás** (BKG back-door operation), **operación de reporte** (STK & COMMOD EXCH carry-over transaction; swap; contango dealing; S. *operación aplazada*), **operación en divisas múltiples** (multicurrency operation), **operación extrabursátil** (over-the-counter transaction), **operación ficticia** (fictitious/wash transaction, dummy trade or transaction), **operación financiera con prórroga** (STK & COMMOD EXCH contango), **operación lineal** (line operation), **operación liquidada al contado** (BKG, COM cash transaction/settlement), **operación llave en mano** (COM turnkey operation), **operación mercantil** (commercial transaction; S. *acto de comercio*), **operación multidivisa** (multicurrency transaction), **operación rápida de compra y venta inmediata** (STK EXCH quick in-and-out *US*), **operación sin desembolso en efectivo** (non-cash transaction), **operación tapadera** col (smoke screen, cover-up), **operación triangular** (trilateral deal, three-cornered deal), **operación vinculada** (FIN swap; S. *crédito recíproco o cruzado*), **operaciones bursátiles** (stock exchange transactions; securities trading), **operaciones bursátiles a crédito** (STK EXCH margin transactions), **operaciones compensatorias** (STK & COMMOD EXCH hedging[1]), **operaciones con divisas** (exchange dealings; S. *operaciones cambiarias*), **operaciones con el exterior** (foreign business/dealings, external transactions), **operaciones con**

prima (premium deal), **operaciones con valores** (securities trading/transactions), **operaciones con valores de renta fija** (fixed-interest securities trading/dealing; debt transactions, debt market), **operaciones con valores de renta variable** (equity trading), **operaciones de activo** (BKG asset side transactions), **operaciones de cambio de divisas** (foreign exchange dealing, currency transactions), **operaciones de cobertura** (hedging, hedged transactions), **operaciones de compensación** (offset transactions), **operaciones de crédito** (lending operations, credit transactions), **operaciones de depósito** (BKG deposit transactions, acceptance of deposits), **operaciones de dobles/repo** (repurchase agreement, repo; S. *pacto de recompra*), **operaciones de mercado abierto** (BKG open market operations *US*), **operaciones de opción** (option dealing, option trading), **operaciones en Bolsa** (stock exchange trading/dealing), **operaciones en divisas** (foreign exchange dealings), **operaciones extrabursátiles** (trading, over-the-counter transactins; dealings in unlisted securities; off-board), **operaciones fuera de balance** (off-balance sheet transactions), **operaciones invisibles** (invisible transactions, invisible transactions/trading), **operaciones marginales** (STK EXCH marginal trading), **operaciones no incluidas en el estado de posición** (off-balance-sheet activities/business)].

operador *n*: operator; STK EXCH trader, dealer, broker-dealer, specialist; S. *corredor, intermediario, sociedad de contrapartida*. [Exp: **operador de Bolsa** (STK & COMMOD EXCH trader, dealer, floor trader *US*), **operador de cambios** (exchange dealer; S. *cambista*), **operador de cobertura** (STK & COMMOD EXCH hedger (MERC FINAN/PROD/DINER operador de cobertura), **operador de cobertura corto/largo** (STK & COMMOD EXCH short/long hedger), **operador de futuros** (trader in futures), **operador de mercados de materias primas** (STK & COMMOD EXCH commodity exchange trader or dealer, pit trader *US*), **operador de posición** (STK & COMMOD EXCH position trader), **operador del parqué/patio** (floor trader), **operador de productos físicos** (trader in actuals), **operador en busca de cobertura** (hedger; S. *inversors asegurado*), **operador independiente en un mercado de valores** (own-account trader/dealer, non-member broker), **operador turístico** (tour operator; S. *agencia de viajes organizados*)].

operar *v*: operate; work, go, function; bring about, produce; trade, deal, do business; S. *obrar, proceder, negociar*. [Exp: **operar abusivamente el corredor en Bolsa** (churn[2] *col*)].

operario *n*: worker, labourer, hand[2]; *peón, jornalero, obrero, bracero, trabajador*.

operativo *a*: operational, operating, operative,[1] working, effective; up and running *col*; on stream *col*; S. *funcional, efectivo*.

OPI *n*: S. *oferta pública inicial*.

opinion *n*: opinion, view; S. *dictamen*. [Exp: **opinión calificada con reparos o con salvedades** (ACCTS qualified opinion[1]; S. *dictamen de auditoría restrictivo o con reparos*), **opinión jurídica** (legal opinion; S. *dictamen jurídico*), **opinión meditada o madura** (considered opinion), **opinión personal o extraoficial** (private view), **opinión pública** (public opinion)].

oponerse a *v*: oppose, object to, argue against, come out against, raise an objection to; S. *hablar en contra*. [Exp: **oponerse a la tendencia** (buck the trend *col*; S. *llevar la contraria*)].

oportunidad *n*: opportunity, opportuneness, suitability, appropriateness, chance, seasonableness, bargain,[3]; S. *ocasión, coste, posibilidad*. [Exp: **oportunidades de ascenso** (promotion prospects), **oportunidades de empleo/ trabajo** (job opportunities), **oportunidades de inversión** (investment opportunities), **oportuno** (advisable, opportune, appropriate, fit, fitting, seasonable, expedient; S. *recomendable, prudente, conveniente*)].

oposición[1] *n*: objection; variance; S. *impugnación, discrepancia*. [Exp: **oposición**[2] (IND REL competitive examination for entry into or promotion within the civil service, *approx* civil service exam; S. *concurso, examen de acceso a un puesto público o privado*)].

optar *v*: opt, decide, choose, go for; S. *decidirse, elegir, opción*.

optimación/optimización *n*: optimization. [Exp: **optimización** (optimization, maximization; S. *maximización*), **optimización del proceso** (process optimization), **optimización progresiva** (progressive optimization, walking-forward optimization), **optimar/ optimizar** (optimize, maximize; S. *maximizar*)].

óptimo *a*: optimal, optimum. [Exp: **óptima calidad, de** (FIN gilt-edged; COM top/best/prime quality; S. *de primerísima clase, con clasificación suprema, de canto dorado*), **optimación de parámetros** (parameter optimization), **óptimo secundario** (second best)].

optimismo *n*: STK EXCH optimism, buoyancy; bullishness; S. *ambiente alcista*. [Exp: **optimismo del mercado** (market optimism), **optimista** (FIN bull, bullish; optimistic, buoyant; S. *intenso, boyante, confiado*)].

opuesto *a*: opposed, opposite; contrary, conflicting; S. *contradictorio, contrario*.

opulento *a*: wealthy, affluent; S. *acaudalado, rico*.

OPV *n*: S. *oferta pública de venta*.

oral *a*: oral, verbal, by word of mouth, spoken, unwritten; S. *no solemne; acuerdo, contrato*.

órdago *n*: STK & COMMOD EXCH greenmail; bluff, all or nothing gamble, intimidatory challenge/counterbluff; S. *amenaza, táctica del tiburón*. [Exp: **órdago, de** *col* (smashing *col*, brilliant, superb, first-class; S. *echar un órdago*)].

orden[1] *n*: COM, BKG, MAN, LAW order,[1] command, mandate; instruction; writ, warrant; S. *mandato; pedido*. [Exp: **orden**[2] (order, ranking; S. *clasificación*), **orden, a la** (BKG made out to order), **orden a la apertura/al cierre** (opening oprder, at the close order), **orden a precio de mercado** (STK & COMMOD EXCH market order; S. *orden con límite, orden stop, orden stop con límite*), **orden abierta** (STK EXCH good till cancelled order, GTC; S. *válido hasta nueva orden*), **orden al mercado** (market order), **orden aplicada** (completed share transfer), **orden ascendente** (ascending/ increasing order), **orden con límite** (STK & COMMOD EXCH limit order; S *orden a precio de mercado, orden stop, orden stop con límite*), **orden condicional de ejecución inmediata** (BOLSA fill or kill order, FOK), **orden de, a la** (to the order of), **orden de antigüedad, por** (in order of seniority or rank; on a seniority basis), **orden de compra** (purchase order), **orden de compra o venta sin límite de precio** (STK EXCH no-limit order *US*), **orden de compra o venta dirigida al agente de Bolsa** (STK EXCH order to broker), **orden de compra o venta de título al mejor precio posible** (STK EXCH not held order, or better order), **orden de compra o venta de acciones al precio de apertura del mercado** (STK EXCH at the open order), **orden de compra y venta del mismo valor** (matched order, cross order), **orden de compra cerrada** (COM closed indent, specific indent), **orden de compra/venta si se llega al precio socilitado** (STK & COMMOD EXCH limit order, market if touched order), **orden de compra o venta de acciones al precio de cierre del mercado** (STK EXCH at the close order), **orden de compra o venta en mercados financieros válida para un solo día** (STK & COMMOD EXCH day order), **orden de compra o venta de ejecución inmediata** (STK EXCH immediate order), **orden de configuración del balance** (ACCTS balance sheet order), **orden de desalojo y derribo de un edificio** (clearance order), **orden de domiciliación bancaria** (BKG standing order[2]; banker's order; S. *domiciliación*), **orden de efectuar una transacción válida para un mes/una semana** (STK & COMMOD EXCH month/week order), **orden de embargo** (LAW attachment order, distraint order, order for seizure or confiscation), **orden de entrega** (delivery order, release order), **orden de pago** (payment order, banker's cheque/draft, warrant,[2] warrant for payment, bank payment order, pay warrant; S. *libramiento, libranza*), **orden de pago de dividendos** (dividend mandate), **orden de pago documentada** (documentary payment order), **orden de pérdida limitada** (STK & COMMOD EXCH stop-loss order), **orden de pico, suelto o incompleto** (STK EXCH odd lot[2] *US*), **orden de, por** (by order of, under instructions from), **orden de retención por impago de flete** (TRANSPT stop for freight), **orden de transferencia** (BKG bank transfer, order, drawdown order), **orden de venta** (selling order, instruction to sell), **orden de venta de acciones por lotes y a precios dife-** rentes (STK EXCH split order), **orden del día** (order of the day, agenda, current business, order of business, docket[1]), **orden del día definitivo** (approved agenda), **orden del día para junta extraordinaria** (agenda for extraordinary meeting, special business), **orden descendente** (descending/decreasing order), **orden escalonada** (STK EXCH scale order), **orden ilimitada** (STK EXCH at best; S. *al mejor cambio/precio etc*), **orden jerárquico** (MAN hierarchy chain of command), **orden limitada a la sesión actual** (STK & COMMOD EXCH today order, valid for one day), **orden límite** (STK EXCH stop order *US*), **orden ministerial** (governement/ministerial command order; S. *decreto*), **orden para el mes/semana** (STK EXCH good this month/week order), **orden, por** (in order/sequence), **orden público** (public order), **orden stop** (STK & COMMOD EXCH stop order; S. *orden a precio de mercado, orden con límite, orden stop con límite*), **orden stop con límite** (STK & COMMOD EXCH stop limit order; S. *orden a precio de mercado, orden con límite*), **orden válida para un día** (STK EXCH valid for one day order, today order, day/one-day/same day order), **orden y por cuenta de, de** (by order and on account of), **órdenes casadas o emparejadas** (STK EXCH matched orders), **órdenes de pico** (STK EXCH odd-lot orders; S. *picos*)].

ordenación *n*: grading, ranking, classification; planning, regulation, organization; S. *graduación, clasificación, organización*. [Exp: **ordenación cronológica de las cuentas** (ACCTS, BKG aging of accounts/aging schedule; aging accounts receivable), **ordenación por importancia o méritos** (ranking; in order of importance or merit; S. *escala, clasificación, orden de importancia*),

ordenación rural (rural planning), **ordenación territorial** (ECO regional planning)].

ordenado *a*: in order, orderly, ordered; tidy, methodical; S. *sistemático, metódico.*

ordenador[1] *n*: computer. [Exp: **ordenador**[2] (S. *ordenador general de pagos*), **ordenador general de pagos** (paymaster general; S. *habilitado general*), **ordenador personal** (personal computer)].

ordenante[1] *n*: MAN, FIN principal[2]; S. *mandante, principal.* [Exp: **ordenante**[2] (BKG, COM person issuing or giving an order; client, customer, account-holder)].

ordenanza[1] *n*: LAW regulation, bye-law, statute, ordinance; S. *reglamentación.* [Exp: **ordenanza**[2] (IND REL porter, messenger), **ordenanzas laborales** (IND REL local/in-house labour rules, factory or office regulations), **ordenanzas municipales** (by-law/bye-law/byelaw), **ordenanzas municipales reguladoras de la construcción** (building code)].

ordenar[1] *v*: order,[1] direct, command, instruct; S. *disponer, mandar.* [Exp: **ordenar**[2] (order, put in order, arrange, sort, classify, grade, range, rank, organise/organize, clear up,[3] marshal; S. *clasificar*)].

ordinario *a*: ordinary, usual, general, common, regular; S. *común, corriente, habitual.*

organigrama *n*: MAN hierarchy, hierarchical structure; organization; organization/planning chart, table of organisation; flow chart. [Exp: **organigrama de mandos intermedios** (middle-management structure, line and staff), **organigrama del proceso de toma de decisiones** (decision tree), **organigrama funcional** (flow chart; S. *diagrama de flujos*), **organigrama muy jerarquizado/poco jerarquizado** (deep/ flat organization)].

organismo *n*: body, agency, organism; S. *órgano, institución.* [Exp: **organismo autónomo** (autonomous authority[3]; S. *ente público*), **organismo de control** (regulatory agency, watchdog), **organismo/entidad/institución de crédito** (credit/lending agency/institution), **organismo de derecho público** (statutory body), **organismo de ejecución** (executing agency), **organismo del proyecto** (project agency), **organismo director o principal** (lead agency), **organismo encargado de la fijación de precios** (price-fixing authority), **organismo encargado de la vigilancia y el control de la publicidad** (Advertising Standards Authority, ASA, advertising standard watchdog), **Organismo Multilateral de Garantía de Inversiones** (Multilateral Investment Guarantee Agency, MIGA), **organismo notificador** (reporting agency), **organismo oficial regulador de los mercados de materias primas** (Commodity Exchange Authority, CEA *US*), **organismo para-estatal** (quango), **organismo público** (authority,[3] government body/agency, public body; S. *ente público, agencia estatal*), **organismo público** (public authority; S. *autoridad pública, entidad gubernamental*), **Organismo Regulador de la Gestión de Inversiones** (Investment Management Regulatory Organization, IMRO), **organismo solicitante** (requesting organization)].

organización *n*: IND REL, MAN organization/organisation, setup, set-up,[1] outfit[2] *col*; planning; timing; disposition; concern, body, S. *planificación, calendario.* [Exp: **Organización Consultiva Marítima Intergubernamental** (Intergovernmental Maritime Consultative Organization, IMCO), **organización de consumidores y**

usuarios (consumer association), **Organización de Cooperación y Desarrollo Económico, OCDE** (Organization for Economic Cooperation and Development, OECD), **Organización de las Naciones Unidas, ONU, NN UU** (United Nations Organizations, UNO), **Organización de las Naciones Unidas para la Agricultura y la Alimentación** (Food and Agriculture Organization, FAO), **Organización de Países Exportadores de Petróleo, OPEP** (Organisation of Petroleum Exporting Countries, OPEC), **organización de tipo lineal y funcional** (line-and-staff type of organization), **organización empresarial** (business organization), **Organización Europea de Cooperación Económica, OECE** (Organization of European Economic Cooperation, OEEC), **Organización Internacional del Trabajo, OIT** (International Labour Organization, ILO), **organización lineal** (line organization), **Organización Mundial para la Defensa de la Propiedad Intellectual** (World Intellectual Property Organization, WIPO), **organización no gubernamental, ONG** (non-governmental organization, NGO), **Organización para la Cooperación y el Desarrollo Económico, OCDE** (Organisation for Economic Cooperation and Development, OECD), **organización patronal** (employers' association/ organization; S. *asociación empresarial*), **organización plana** (MAN flat organization), **Organización Pesquera del Atlántico Norte** (North Atlantic Fishing Organization, NAFO), **organización privada de asistencia médica** (private medical care organization, health maintenance organisation, HMO US), **organización sin ánimo de lucro** (non-trading/non-profit organization)].

organizar *v*: organise/organize, arrange, stage, set up, run, build up[1]; S. *constituirse, ordenar*. [Exp: **organizativo** (organizational)].

órgano *n*: organ, unit, body; organism, governing body, agency; arm, authority; S. *institución, organismo*. [Exp: **órgano administrativo** (administrative authority), **órgano de control interno** (watchdog), **órgano jurisdiccional** (LAW court; S. *sala, juzgado, audiencia, tribunal de justicia*), **órgano rector** (board,[1] steering committee; S. *junta directiva*), **órganos de gestión** (administrative departments, managerial posts, managerial/administrative arms)].

orientación *n*: MAN guidance, advice, instruction, training, orientation; diection, course, drift; S. *dirección, control*. [Exp: **orientación profesional** (vocational guidance), **orientador** (guiding; S. *indicativo*)].

orientar *v*: orient, orientate, direct, direct the course, advise, point the way, steer, provide guidance or training, train, guide; S. *guiar, dirigir*.

origen *n*: origin, source; S. *fuente*. [Exp: **origen, en** (at source; S. *retención en origen*), **origen y aplicación de fondos** (funds flow statement; S. *aplicación de fondos*)].

original *a/n*: original; original, master,[2] top copy; S. *matriz*. [Exp: **originar** (originate; cause, give rise to, start, stir up *col*; S. *ocasionar*), **originario** (originating), **originario, no** (non-originating)].

oro *n*: gold. [Exp: **oro acuñado o amonedado** (gold coin; S. *monedas de oro*), **oro, de** (golden; S. *de gran valor, dorado*), **oro depositado en otro país, en custodia o en consignación** (earmarked gold), **oro en lingotes** (gold bullion; S. *lingotes de oro*), **oro fino o de ley** (standard/fine gold)].

oscilación *n*: oscillation, swing, fluctuation,

flux; S. *fluctuación, variación, altibajos; desajustes cambiarios*. [Exp: **oscilación de las cotizaciones** (swing of quotations), **oscilación de los precios** (price fluctuation), **oscilaciones** (fluctuations, up and downs; S. *altibajos, vaivén*), **oscilaciones del mercado** (market fluctuations), **oscilante** (oscillating, swinging, rocking, fluctuating, unsteady, in flux; S. *giratorio*), **oscilar** (oscillate, fluctuate, swing, vary, range[5]; S. *fluctuar*)].

ostentación *n*: ostentation. [Exp: **ostentación consumista** (conspicuous consumption), **ostentar** (show, display; carry, hold, possess, have), **ostentar un cargo** (hold office)].

otorgamiento[1] *n*: grant, granting, furnishing, conferring, according, delivery[3]; assignment; S. *concesión*. [Exp: **otorgamiento**[2] (agreement; consent; S. *consentimiento*), **otorgamiento**[3] (LAW execution; deed; document, instrument; S. *formalización, celebración*), **otorgamiento de una escritura** (execution of a deed/a will/an instrument; S. *testamento, documento*), **otorgante** (granter/grantor, maker, assigner; S. *cesionista*), **otorgante de licencia** (licenser)].

otorgar[1] *v*: LAW grant, give, furnish, provide, confer,[1] accord, assign, make over, deliver[3]; S. *conceder*. [Exp: **otorgar**[2] (agree; consent; S. *aceptar, consentir*), **otorgar**[3] (LAW execute), **otorgar ante notario** (authorize, sign before a notary; assign/grant by public deed; S. *autorizar, escriturar*), **otorgar una garantía** (furnish a guaranty), **otorgar un convenio, un acuerdo, una escritura, etc.** (execute an agreement, a deed, etc.; S. *firmar, celebrar*), **otorgar una fianza** (furnish a bond), **otorgar una licencia o concesión** (grant a licence/franchise[1]), **otorgar una patente** (grant a patent)].

otro *a/n*: other; another. [Exp: **otras cuestiones** (COMP LAW other matters/busines, sundry questions), **otro modo, de** (otherwise; S. *si no, de lo contrario*), **otros acreedores** (ACCTS other amounts owing in more than one year, other long-term debt), **otros gastos diversos** (ACCTS sundries), **otros ingresos** (ACCTS miscellaneous income/revenues; S. *ingresos varios*)].

P

pabellón[1] *n*: flag, national flag; S. *bandera.*
[Exp: **pabellón [de una feria]** (pavillion, building), **pabellón de complacencia o de conveniencia** (flag of convenience)].

PAC *n*: S. *política agrícola común.*

pactar *v*: bargain, deal[2], article, stipulate, agree, covenant; contract; S. *convenir, cerrar un trato, tratar, negociar.* [Exp: **pactar en perjuicio de tercero** (LAW collude against/to the detriment of a thrid party; S. *confabularse contra alguien*), **pactar un convenio con los acreedores** (LAW, FIN reach/come to a composition with creditors)].

pacto *n*: pact, agreement; treaty, contract; covenant; bargain; bond[6]; S. *convenio, acuerdo, compromiso; estipulación.* [Exp: **pacto colateral o de materia ajena** (collateral covenant), **pacto condicionado** (conditional covenant), **pacto condicionado de traspaso** (bond for title), **pacto de caballeros** (gentlemen's agreement; S. *convenio verbal, acuerdo entre caballeros*), **pacto de compraventa** (purchase agreement/contract), **Pacto de Estabilidad y Crecimiento** (Stability and Growth Pact), **pacto de garantía** (security agreement), **pacto de imposición de precios** (COM price-fixing[2]/price main-tenance agreement/deal), **pacto de indemnización** (INSCE indemnity agreement/contract), **pacto de precios** (COM price fixing agreement; S. *acuerdo de fijación de precios entre competidores*), **pacto de recompra/retroventa** (STK EXCH repurchase agreement, repo; buy-back agreement; S. *operaciones de dobles/repo*), **pacto laboral** (IND REL deal or agreement with workers or the unions, pact[2] US; S. *convenio colectivo*), **pacto mancomunado** (joint covenant), **pacto restrictivo o limitativo** (LAW restrictive covenant), **pacto social** (IND REL social contract, labour-management accord/relations; S. *relaciones entre patronal/directivos/empleadores y obreros/empleados*), **pacto solidario** (joint agreement, mutually binding agreement), **pactos o cláusulas contractuales** (covenants/terms/stipulations of a contract)].

padrón *n*: poll, roll, taxpayer roll, tax list, census, return[5].

paga *n*: IND REL pay; salary, wages; pay-packet; S. *sueldo; jornal, salario; sobre.* [Exp: **paga de beneficios** (IND REL bonus pay, extra pay), **paga extra/extra-ordinaria** (bonus[1]; S. *gratificación, sobresueldo*), **paga por asistencia al**

trabajo (appearance money, reporting pay), **paga por horas extraordinarias** (call-back pay), **paga por trabajos esporádicos** (call pay *US*)].

pagable/pagadero *a*: payable; due, receivable, outstanding; mature[2]; to be paid; S. *a/por pagar, debido, exigible, pendiente de pago.* [Exp: **pagadero a la entrega** (payable on delivery), **pagadero a la orden** (payable to order), **pagadero a la vista** (payable at sight, payable on demand/request/presentation; due on demand), **pagadero a plazos** (to be paid in insalments), **pagadero al portador** (payable to bearer), **pagadero a su presentación** (payable on demand/presentation; S. *exigible a la vista*), **pagadero al portador** (payable to bearer; made out to bearer), **pagadero en destino** (payable at destination), **pagadero por anticipado** (pre-payable)].

pagado *a*: paid; paid for, paid-off, paid-upsettled; repaid; S. *abonado, liquidado.* [Exp: **pagado en origen o por anticipado** (pre-paid), **pagado parcialmente** (part-paid)].

pagador *n*: payer, disbursing officer, paymaster, paying agent/office, payroll assistant; payroll clerk, wages clerk; S. *jefe de la sección de nóminas.*

pagar *v*: pay; pay out; pay up/off/for/back; repay; honour; disburse; defray; discharge,[3] clear off, settle; satisfy; S. *satisfacer, abonar, liquidar, hacer efectivo, desembolsar.* [Exp: **pagar, a/por** (payable, due; S. *debido, pendiente de pago*), **pagar a cuenta** (pay on account; S. *dar una entrada o anticipo*), **pagar a la mejor conveniencia del comprador** (pay at the customr's leisure/convenience, pay on open account), **pagar a plazos** (pay in instalments), **pagar a prorrateo** (club together; pay each his or her own share;

S. *contribuir a gastos comunes, escotar*), **pagar a su presentación** (pay on demand, pay at sight), **pagar al contado** (pay down; pay cash; cash down; S. *pagar como depósito*), **pagar como consignación** (LAW pay into court as security; S. *prestar fianza ante el juzgado*), **pagar como depósito o desembolso inicial** (deposit; pay down; S. *pagar al contado*), **pago compartido** (INSCE co-payment), **pagar daños y perjuicios** (pay damages), **pagar de más** (overpay), **pagar en efectivo** (pay cash down), **pagar íntegramente** (pay/settle in full; S. *pagar por completo*), **pagar intereses por demora en la entrega de valores** (STK EXCH give on), **pagar la fianza** (put up bail; post bail; bail out[1]), **pagar los intereses de un empréstito** (FIN serve/service a debt/loan), **pagar por adelantado/anticipado** (pay in advance, pre-pay), **pagar por completo** (pay up; S. *liquidar*), **pagar, sin** (unsettled; S. *impagado*), **pagar una deuda** (honour/pay off a debt; pay back/discharge a debt; take up a bill for sb; S. *pagar/atender/hacer frente a una deuda*), **pagar una entrada** (pay a deposit, make a down-payment; S. *dar una entrada*), **pagar una hipoteca** (clear/pay off a mortgage; S. *levantar una hipoteca*), **pagar una letra** (discharge/honour a bill; take up a bill), **pagar una reclamación o demanda** (INSCE settle a claim), **pagar y despedir** (IND REL pay off[2]; S. *ajustar cuentas*)].

pagaré *n*: BKG, FIN note, note of hand, promissory note/bill; I.O.U. [I owe you]; note payable; commercial paper; debenture, bond[2]; S. *valé, abonaré, nota de cargo.* [Exp: **pagaré a corto plazo** (short-term note, short-dated bill or security; revolving underwriting facility, RUF), **pagaré a interés flotante** (floating-rate note), **pagaré a la medida**

(customized/tailor-made commercial paper), **pagaré a la vista** (demand note, sight bill/draft), **pagaré a largo plazo** (long-term note, long-dated bill/security), **pagaré al portador** (bearer note), **pagaré avalado con una opción de venta** (bear note; S. *bono ligado a un índice financiero*), **pagaré avalado con una opción de compra** (bull note), **pagaré bancario** (bank commercial paper, bank/deposit note[2] *US*), **pagaré bursátil** (debenture stock), **pagaré con derecho de ejecución** (judgment note *US*), **pagaré con opción de pago anticipado** (acceleration note), **pagaré con interés flotante** (floating rate note, FRN), **pagaré con interés flotante y techo máximo** (capped floating-rate note; S. *bono/pagaré variable con techo*), **pagaré con interés flotante máximo y mínimo** (collared floating-rate note), **pagaré convertible** (capital note; convertible note), **pagaré de empresa** (commercial paper, cp[1]; promissory note), **pagaré de empresa a corto plazo** (prime commercial paper *US*; revolving underwriting facility, RUF; S. *papel a corto plazo*), **pagaré de favor, cortesía, deferencia, complacencia** (accommodation note/paper), **pagaré de participación en las entradas de divisas** (exchange participation note), **pagaré del Tesoro** (Treasury bill), **pagaré del Tesoro a medio plazo** (Treasur bill, Treasury note,[2] *US*; S. *vales de tesorería*), **pagaré en serie** (serial commercial paper), **pagaré garantizado por acciones** (stock note), **pagaré hipotecario** (mortgage note), **pagaré mancomunado** (joint note), **pagaré negociable** (negotiable note), **pagaré negociable a corto plazo** (collateral trust note), **pagaré no negociable** (non-negotiable note), **pagaré nominativo** (registered note), **pagaré pendiente de rescate** (outstanding note), **pagaré prendario** (collateral note), **pagaré sin intereses** (non-interest bearing note), **pagaré sustitutorio** (adjustment bond; S. *bonos de reorganización, bonos sobre beneficio*), **pagaré vencido** (mature note)].

página *n*: page. [Exp: **página central de una publicación** (ADVTG centrefold, centre spread/pull-out), **página completa** (full page), **página desplegable** (ADVTG gatefold; S. *desplegable*)].

pago *n*: payment[1]; disbursement/disbursing; consideration; settlement, satisfaction; liquidation; honouring; act of honour; S. *abono, desembolso*. [Exp: **pago a cuenta** (cash advance; down-payment; payment on account; interim payment; partial payment; S. *señal, pago inicial*), **pago a plazo vencido** (payment in arrear), **pago a plazos o escalonado** (instalment payment,[1] instalment,[1] partial payment, progress payment; S. *pago parcial*), **pago a reembolso** (cash on delivery, collect on delivery *US*, COD; S. *contrareembolso*), **pago adelantado** (FIN anticipated payment, advance[1]; S. *adelanto, provisión de fondos*), **pago al contado** (cash payment; spot cash; prompt cash, cash with order), **pago al efectuar el pedido** (cash with order), **pago al recibo de las mercancías** (cash on receipt of goods), **pago antes de la entrega** (cash before delivery, CBD), **pago antes del vencimiento** (prepayment, payment before maturity), **pago anticipado** (advance payment, prepayment, payment in advance; advancement), **pago anticipado de los impuestos** (advance tax, prepayment of tax; S. *pago del impuesto a cuenta*), **pago aplazado/diferido** (deferred payment), **pago atrasado** (late/back payment, overdue payment), **pago autorizado de antemano** (BKG pre-authorized payment), **pago contra**

conocimiento de embarque (cash against bill of lading), **pago contra [entrega/presentación de] documentos** (documents against cash/payment; cash/payment against documents, CAD), **pago de acarreo o de transporte** (haulage/transport payment), **pago de contrapartida** (matching payment), **pago de cuenta de capital** (capital payment), **pago de dividendos** (dividend payment, payment/disbursement of dividends), **pago de entrada** (down-payment), **pago de intereses** (interest payment; debt service; S. *servicio de intereses*), **pago de intermediación comercial/financiera** (COM payment made to broker/middleman/intermediary, finder's fee *US*), **pago de la deuda contraída** (debt service; S. *servicio de la deuda*), **pago de las pérdidas o daños tasados** (INSCE adjustment of claims), **pago de portes a repercutir** (freight forward, freight allowed *US*; S. *porte*), **pago de rescate o de redención** (redemption payment/premium), **pago de una deuda** (settlement of a debt), **pago de un plazo** (loan/instalment payment), **pago del impuesto a cuenta** (pre-payment of tax), **pago diferencial o de ajuste de sueldo** (salary differential), **pago en efectivo** (money/cash[1] payment/settlement, cash transaction; settlement in cash), **pago en especie** (payment in kind), **pago escalonado** (part-payment, instalment,[1] progress pay), **pago excesivo** (overpayment), **pago final** (pay-off,[1] final and final settlement; S. *liquidación, pago total*), **pago inicial** (down-payment, deposit; first payment; earnest money; S. *entrada, entrega/pago a cuenta*), **pago intracomunitario** (intracommunity payment), **pago parcial, escalonado o a plazo** (partial/part payment, instalment,[1] progress payment; S. *pago a plazo; plazo total*),

pago parcial, como (in part-payment, as a trade-in), **pago por adelantado** (prepayment), **pago por el servicio de la deuda** (debt service payment), **pago por intervención** (honor supra protest), **pago por medio de domiciliación bancaria** (payment by standing order/banker's order; direct debit, DD; S. *débito directo*), **pago por servicio de la deuda** (debt service payment, service payment), **pago simbólico** (token payment/charge), **pago reescalonado** (rescheduled payment), **pago total** (payment in full, full payment; S. *pago parcial*), **pago total de una deuda** (full payment/settlement/discharge of a debt), **pago vencido** (overdue payment), **pago vencido y no efectuado** (outstanding payment), **pago y entrega inmediata** (spot cash; S. *dinero contante, pago al contado*)].

páguese al portador *phr*: pay to the bearer.
país *n*: country, nation; S. *nación*. [Exp: **país acreedor** (lending country), **país con régimen arancelario especial** (special tariff regime country), **país de adopción** (domicile of choice), **país de destino** (country of destination), **país de monocultivo** (single crop country), **país de nacimiento, origen o procedencia** (country/domicile of origin; source country), **país de tránsito** (transit country), **país declarante o informante** (BKG reporting country), **país deficitario** (deficit country), **país desarrollado** (developed country), **país deudor** (debtor country), **país firmante, responsable o patrocinador** (sponsoring country), **países en dificultades** (troubled countries), **país en vías de desarrollo** (developing country), **país endeudado** (debtor nation), **país inversor** (FIN investing nation), **país menos desarrollado** (less developed country, LDCs), **país receptor o**

beneficiario (recipient country), **país receptor de preferencias** (preference receiving country), **país subdesarrollado** (underdeveloped country), **países con acceso al mercado financiero** (market-eligible countries), **países de moneda básica** (core-currency country), **países exportadores/importadores de petróleo** (oil-exporting/importing countries), **países industrializados** (industrialized countries), **países menos avanzados** (less advanced countries, LACs), **países menos desarrollados, los** (the least developed countries), **países miembros** (member countries/nations/states), **países participantes** (participating nations/countries), **países productores de armamento** (arms-supplying nations), **países productores de petróleo** (oil-producing countries)].

palanca *n*: lever, leverage[1]; S. *influencia, fuerza.* [Exp: **palanqueo** (FIN gearing; leverage; S. *apalancamiento*)].

palet/paleta *n*: TRANSPT pallet; S. *bandeja, plataforma; envío paletizado.* [Exp: **paletizar** (palletize)].

paliar *v*: mitigate, relax, ease,[1] dampen; S. *mitigar, suavizar, relajar tensiones.*

pancarta *n*: banner, placard.

panel *n*: panel; board; S. *comisión, comité.* [Exp: **panel de control** (control panel, controls), **panel de licitación** (STK EXCH bidding panel), **panel de oferta** (tender panel), **panel publicitario doble** (ADVTG double decker)].

pánico *n*: scare, panic. [Exp: **pánico bancario** (panic in the banking system; run on a bank), **pánico empresarial** (scare/panic in the business community), **pánico en la Bolsa** (scare on the stock exchange), **pánico entre los compradores/vendedores** (STK EXCH bull/bear panic)].

pantalán *n*: jetty; S. *espigón, embarcadero, muelle.*

pantalla *n*: screen; shield; umbrella; blind *col*; cover; S. *paraguas, sombrilla.* [Exp: **pantalla de cotizaciones** (STK EXCH quotation screen, board; tape *US*; S. *contratación de valores por pantalla*), **pantalla fiscal abusiva** (TAXN abusive tax shelter, tax umbrella)].

pap *n*: S. *plan de ahorro popular.*

papel[1] *n*: paper[1]; sheet/piece of paper; S. *papeles; documento; efectos, valores.* [Exp: **papel**[2] (role, part[1]), **papel**[3] *col* (1000 pesetas note), **papel blanco** (blank sheet of paper), **papel bursátil a corto plazo** (STK EXCH short paper), **papel comercial** (trade bill; business paper, commercial paper, cp[1] *US*; promissory note, PN; S. *pagaré*), **papel de calco** (carbon paper), **papel de envolver, de estraza o de regalo** (brown/wrapping paper), **papel de envolver regalos** (COM gift-wrapping; S. *servicio de paquetería para regalos*), **papel de pagos** (stamp paper), **papel de pagos al Estado** (stamped paper, official form of certificate or warrant used for paying fees and charges to government offices or agencies), **papel del Estado** (government paper, Treasury bills, government bonds), **papel directo** (discountable instrument by the drawer), **papel financiero** (bills, draft, negotiable instruments/securities; trade bills, promissory notes, etc.; S. *efectos, valores*), **papel mojado** (LAW dead letter[2]; document, etc. not worth the paper it's written on *col*), **papel moneda** (paper currency/money; flat money; soft money; representative moneys *US*; S. *billetes*), **papel monetario** (money-market paper; S. *efectos del mercado de dinero*), **papel negociable** (negotiable paper/securities; marketable papers; S. *valores cotizables*), **papel pelota** (FIN kite; S. *letra de pelota*), **papel redescontable** (eligible paper), **papel secante**

(blotter[1]), **papel, sobre el** (on paper; S. *en teoría*), **papel timbrado** (stamped paper; official note-paper; official court form; official form for deeds/notarised instruments, etc.), **papel vencido** (dishonoured bill), **papeles** (documents, official documents, papers; identificación papers or documents), **papeles, los** (the papers/newspapers; S. *perder los papeles*)].

papeleo *col n*: red tape *col*; paperwork; bureaucracy; S. *trabajo administrativo, burocracia*. [Exp: **papeleo administrativo/burocrático** (red tape *col*; S. *rutina administrativa, burocracia*), **papelera** (waste paper basket/bin)].

papeleta *n*: slip, docket[1]. [Exp: **papeleta de voto** (voting-slip, ballot paper)].

paquete *n*: packet, pack[1]; package[2]; parcel; S. *bulto, lote*. [Exp: **paquete accionarial o de acciones** (STK EXCH block of shares, parcel of shares; security/stock holding, batch of shares), **paquete de beneficios laborales** (IND REL industrial package, pay deal, wages deal), **paquete de medidas [de reactivación económica]** (package[2]; financial package, recovery package), **paquete de medidas de reactivación económica** (recovery package), **paquete de medidas salariales** (IND REL wages deal, salary package *US*; S. *acuerdo salarial*), **paquete de negociaciones** (negotiation package), **paquete hermético** (TRANSPT airtight package), **paquete postal** (parcel for mailing; parcel post), **paquete retributivo** (compensation package), **paquete ventilado** (TRANSPT breathing package)].

par *n*: pair; par. [Exp: **par, a la** (at par *US*), **par de, a la** (in line with[1]; S. *en proporción con*), **par que, a la** (as well as, in step with), **par, estar a la** (be even[2]; be/stand at par)].

paracaídas *n*: parachute. [Exp: **paracaídas dorado** (S. *contrato blindado*)].

parachoques *n*: buffer; umbrella; S. *amortiguador*.

parada *n*: COM, ECO, IND REL stop, stoppage, standstill; shutdown; S. *cierre, huelga, paralización*.

parado *a/n*: IND REL unemployed, out of work, jobless, idle; S. *desocupado, desempleado; paro*. [Exp: **parados, los** (IND REL the unemployed, the jobless)].

parafiscal *a*: TAXN quasi-fiscal.

paraíso *n*: paradise. [Exp: **paraíso fiscal** (tax oasis, tax haven), **paraíso fiscal transnacional** (offshore tax haven)].

paralizar *v*: paralyze, bring to a standstill/halt block, immobilize, close down, deadlock; S. *inmovilizar, bloquear*. [Exp: **paralización** (stoppage, complete standstill/halt; deadlock; close down[1]; stagnation; S. *punto muerto, estancamiento; empantanarse*), **paralización del proceso** (stay of proceedings), **paralizado por la huelga** (strikebound)].

parar *v*: stop, halt, check[3]; come to a halt; IND REL strike, call a stoppage, down tools; S. *impedir, obstaculizar*. [Exp: **pararse** (come to a standstill, halt)].

parásito *n*: ECO free rider; S. *beneficiario gratuito, problema de los recursos comunes*.

parcela [de tierra] *n*: building ground/land/plot, piece of land, plot of land; S. *solar*. [Exp: **parcelar** (parcel out, divide up, split up[1]; divide/split into individual lots/plots, carve out/up *col*; S. *dividir*)].

parcial *a*: partial; part; limited; qualified; prejudiced; biased, one-sided; S. *limitado, sesgado, incompleto*.

paridad *n*: FIN parity, equivalence; par, par value; S. *valor nominal o a la par*. [Exp: **paridad agrícola** (agricultural parity), **paridad cambiaria o de cambio** (par of exchange, monetary parity, equivalence of exchange, exchange parity), **paridad central** (central parity), **paridad de conversión** (conversion price), **paridad**

de cotizaciones (parity of currency quotations), **paridad del poder adquisitivo, PPA** (ECO purchasing power parity, PPP), **paridad entre el precio al contado y el precio a plazo** (STK & COMMOD EXCH covered interest parity), **paridad entre el tipo de cambio y el valor metálico de las monedas** (mint par; S. *paridad intrínseca*), **paridad entre opciones de venta y de compra** (STK & COMMOD EXCH put-call parity), **paridad intrínseca** (mint par), **paridad monetaria fija** (fixed par value), **paridad móvil** (crawling peg, sliding parity/peg), **paridad oro** (gold parity), **paridad real de cambios** (real par of exchange)].

paro¹ *n*: IND REL unemployment; S. *desempleo*. [Exp: **paro²** (stoppage, walkout, shutdown, strike; shutdown; S. *huelga*), **paro³** (stoppage), **paro cíclico** (cyclical unemployment), **paro de larga duración** (IND REL long-term employment), **paro, en [el]** (out of a job; S. *desocupado*), **paro encubierto** (hidden/concealed unemployment), **paro endémico** (permanent unemployment), **paro estacional** (seasonal unemployment), **paro, estar en el** (be on the dole *col*, be idle), **paro estructural** (structural unemployment), **paro forzoso** (forced/involuntary/unemployment), **paro friccional** (frictional unemployment), **paro laboral** (labour stoppage), **paro masivo** (mass unemployment/stoppage/shutdown), **paro registrado** (registered unemployment), **paro tecnológico** (technological unemployment)].

parón *n*: ECO, COM slow-down, slowdown; S. *desaceleración*.

parque *n*: park. [Exp: **parque de automóviles/vehículos** (fleet of cars; automobile base *US*), **parque industrial/tecnológico** (industrial/science/technology park), **parque móvil** (fleet of [official] vehicles), **parque nacional** (national park), **parque temático** (theme park)].

parqué del patio de operaciones de la Bolsa *n*: STK EXCH trading floor, pit; S. *patio de operaciones*.

parrilla de paridades *n*: BKG parity grid; S. *red de relaciones de paridad*.

parte¹ *n*: part¹; section; fraction, portion; lot¹; allotment¹; S. *cuota, porción*. [Exp: **parte²** (party¹), **parte³** (report; S. *dar parte*), **parte acomodada** (FIN accommodated party), **parte actora** (LAW plaintiff; S. *demandante, parte acusadora*), **parte acusadora** (LAW the prosecution, counsel for the prosecution, the prosecutor's team; *approx* The Crown; *loosely* the plaintiff, the party raising/bringing the action; S. *parte actora, demandante*), **parte adicional o complementaria** (add-on¹), **parte baja o inferior** (bottom¹), **parte contraria** (LAW opposing party, other side, opponent), **parte contratante** (LAW contracting party; S. *pactante*), **parte de baja** (medical certificate, sick line *col*), **parte de, de/por** (on behalf of; on the part of; S. *en nombre de, por, por cuenta de*), **parte de accidente/siniestro** (INSCE notice of accident, report/reporting of an accident), **parte de reserva** (reserve quota), **parte integrante** (integral part), **parte interesada** (interested party), **parte por acomodación** (accommodation maker/party), **parte proporcional** (portion, proportion, fair share), **partes de la demanda** (parties to the suit; S. *litigantes*), **partes iguales, a** (fifty-fifty; S. *a medias*), **partes indispensables** (necessary parties), **partes personadas en un proceso** (parties to the suit; parties represented in an action; S. *litigantes*)].

parternariado *n*: partnership.

partición *n*: partition; S. *división*. [Exp: **partición de la renta a efectos tributarios** (TAXN income splitting)].

participación[1] *n*: participation; involvement, economic participation, equity holding, capital share, interest; S. *cuota*. [Exp: **participación**[2] (COMP LAW stake, share, holding, equity holding, interest, investment; S. *inversión, cuota*), **participación cruzada** (FIN crossholding), **participación de control** (COMP LAW controlling stake/interest; S. *interés mayoritario/dominante*), **participación de los empleados en la gestión empresarial** (workers' participation), **participación de los empleados en los beneficios empresariales** (profit-sharing), **participación de los socios en una sociedad limitada** (COMP LAW partners' stake, capital contribution *US*), **participación de una sociedad en otra** (stake held by one company in another, trade investment), **participación del concesionario** (dealer's stake or working interest), **participación económica** (COMP LAW equity holding, economic participation, equity holding; S. *derechos políticos*), **participación, en** (jointly; S. *colectivo, mancomunado, copartícipe*), **participación en las cargas** (burden sharing), **participación en el capital social** (stake holdings), **participación en el gasto de un bien** (ECO expenditure share of a good, contribution to costs/expenses of a product), **participación en el mercado** (STK & COMMOD EXCH market quota/share; S. *cuota*), **participación en inversiones inmobiliarias** (real estate equity, property bond holdings), **participación en la renta nacional** (share of national income or net national product, income share), **participación en las cargas** (burden sharing), **participación en los beneficios** (IND REL profit sharing; share in profits; S. *incentivación*), **participación en los ingresos fiscales** (tax contribution, revenue sharing), **participación en otras empresas** (investment in other companies), **participación en un fondo de inversión** (FIN mutual fund participation), **participación hipotecaria** (mortgage bond holdings), **participación mayoritaria en una mercantil** (COMP LAW majority interest/shareholding; S. *participación de control*), **participación minoritaria en una mercantil** (minority shareholding; S. *interés minoritario*), **participación neta** (net participation/stake/share), **participación obrera en los beneficios** (COMP LAW workers' share of profits, industrial partnership), **participación política** (STK EXCH voting right; S. *derecho a voto*), **participación presupuestaria de un bien** (ECO expenditure budget share of a good), **participación sindicada en un empréstito** (FIN loan participation), **participación social** (COMP LAW shareholding stake), **participación societaria cruzada o recíproca** (COMP LAW cross-holding), **participación subsidiaria** (minority interest, stake/holdings of subsidiaries, intercompany participation), **participaciones reembolsables adquiridas en un fondo de inversión** (FIN redeemable investment trust securities, redeemable trust certificates *US*), **participante** (holding; shareholder; participant; entrant; S. *partícipe, concursante*)].

participado *a*: affiliated, associated; controlled or parthy controlled from outside; not wholly owned.

participar[1] *v*: participate, take part; S. *tomar parte, compartir*. [Exp: **participar**[2] (advise, notify, inform, give notice; S. *notificar, avisar*), **participar**[3] (FIN invest, take/acquire a stake, hold stock/shares), **participar en los beneficios** (COMP LAW share in profits), **participativo** (participative), **partícipe** (participant; partner, stakeholder; S. *participante*), **partícipe de un fondo de inversión** (unit holder), **partícipe en un reparto** (allotee; S. *suscriptor, asignado*)].

partida[1] *n*: TRANSPT departure, dep; S. *salida*. [Exp: **partida**[2] (ACCTS entry item[4]; S. *asiento, apunte*), **partida**[3] (LAW certificate, cert; entry; register; S. *certificado, título*), **partida**[4] (consignment, shipment, lot; batch; S. *envío, consignación, remesa*), **partida arancelaria** (tariff item/heading), **partida compensatoria** (balancing item; S. *contrapartida*), **partida contable** (ACCTS accounting entry/item; S. *asiento/ anotación contable*), **partida contra pasivo** (contra equity), **partida de caja** (ACCTS cash item[1]; S. *asiento en tesorería*), **partida de gastos presupuestarios** (budget expense/item/ expenditures), **partida de reconciliación** (reconciliation item), **partida de saldo** (job lot; S. *lote irregular*), **partida de transacción no monetaria** (ACCTS non-cash item), **partida de un balance** (ACCTS balance sheet item), **partida deudora** (ACCTS debit entry; S. *débito, cargo, asiento de cargo*), **partida disponible** (item on hand), **partida doble** (ACCTS double-entry system; S. *partida simple*), **partida en consignación** (item on consignment), **partida en tránsito** (item in transit), **partida extraordinaria** (ACCTS extraordinary item, below the line item), **partida no monetaria** (ACCTS non-monetary item), **partida presupuestaria** (budget item; S. *capítulo presupuestario*), **partida simple** (ACCTS single entry; S. *partida doble*), **partidas** (amounts allotted), **partidas acumuladas** (accrued items), **partidas**

compensadas recíprocamente (ACCTS mutually offsetting entries), **partidas contables sin movimiento de efectivo** (ACCTS non-cash items), **partidas de ajuste** (ACCTS adjusting entries; S. *asientos de corrección, regularización o actualización*), **partidas de ajuste de valor para riesgos de créditos pendientes** (emergency/contingency reserves), **partidas de conciliación** (ACCTS reconcilement/reconciling entries/ items), **partidas [de] invisibles** (ACCTS invisible items, invisibles), **partidas pendientes** (ACCTS outstanding items), **partidas presupuestarias ordinarias** (ACCTS standard/ordinary items, above-the-line items)].

partir[1] *v*: depart; S. *salir*. [Exp: **partir**[2] (divide, divide out/up, split, split up; share, share out; distribute; S. *dividir, seccionar, separar*), **partir de, a** (as of, as from; S. *con fecha de*), **partir de la fecha, a** (after date, a/d, as from the date/such-and-such a date), **partir la diferencia** (split the difference; S. *ceder mutuamente*)].

pasaje *n*: TRANSPT passage; crossing, voyage; passengers; fare, airfare; S. *travesía*. [Exp: **pasajero** (passenger; S. *viajero*)].

pasante *n*: trainee solicitor, articled clerk.

pasar *v*: pass. [Exp: **pasar a administración judicial** (go into receivership), **pasar a cuenta nueva o al ejercicio siguiente** (ACCTS carry over,[1] carry forward, bring forward), **pasar a limpio** (write up/out, prepare/write the fair copy; S. *borrador*), **pasar a pérdidas y ganancias** (ACCTS write of to the profit and loss account; S. *amortizar*), **pasar al cobro** (BKG, FIN send for collection), **pasar apuros/privaciones** (suffer hardship, have a rough/hard time *col*; go through a rough period; S. *apretarse el cinturón*), **pasar asientos al**

Libro Mayor (ACCTS enter up items in the ledger, post[6] items; S. *anotar*), **pasar contrabando** (smuggle), **pasar de contrabando** (smuggle, smuggle in), **pasar el despacho de Aduanas** (clear customs), **pasar factura** (present/send in/send on a bill; render an account; S. *rendir cuenta*), **pasar información** (leak information; S. *filtrar información*), **pasar por alto** (ignore, overlook, waive; S. *dispensar*)].

pasarela *n*: walkway; footbridge; TRANSPT gangway, gangplank; COM catwalk at a fashion parade; S. *plancha, vía*. [Exp: **pasarela telescópica** (TRANSPT finger[2] *col*; walkway from a plane to the airport terminal; S. *manguera*)].

pase[1] *n*: permit, pass, gate pass, entrance card; S. *acreditación, autorización, entrada de favor*. [Exp: **pase**[2] *col* (STK EXCH quick in-and-out, jobbing in-and-out; purchase and immediate resale), **pase al libro de caja y bancos** (ACCTS cash book posting), **pase al libro Mayor** (ACCTS posting, entering up in the ledger), **pase de modelos/modas** (ADVTG fashion show), **pase publicitario** (ADVTG advertising slot)].

pasillo *n*: corridor. [Exp: **pasillo aéreo** (TRANSPT air corridor)].

pasivo *a/n*: passive, inactive; ACCTS, FIN liabilities,[1] debt, indebtedness, debt/loan capital; S. *deudas, exigible; activo*. [Exp: **pasivo a corto/largo plazo** (short-/long-term liabilities), **pasivo aceptado** (acceptance liability), **pasivo al tipo de mercado** (ACCTS market rate liabilities), **pasivo acumulado** (accrued liabilities), **pasivo bruto global** (aggregate gross liabilities), **pasivo circulante** (current liabilities, outstanding debt), **pasivo comercial** (current liabilities, trade liabilities/debt; S. *pasivo circulante, pasivo corriente*), **pasivo con apoyo económico** (leveraged debt), **pasivo consolidado o a largo plazo** (long-term debt, fixed debt, funded debt), **pasivo consolidado** (funded debt), **pasivo contable** (debt equity), **pasivo corriente** (current/floating liabilities), **pasivo de apertura** (opening liabilities), **pasivo de un balance** (debit side, liabilities, downside), **pasivo eventual** (off-balance-sheet liabilities, contingent liabilities), **pasivo, en el** (on the debit side), **pasivo exigible a corto plazo** (ACCTS current liabilities, amounts owing in less than one year), **pasivo exigible a la vista** (sight liabilities), **pasivo exigible a plazo** (non-current liabilities; time deposit), **pasivo fijo** (fixed liabilities, capital liabilities), **pasivo garantizado** (secured liabilities; S. *deuda garantizada*), **pasivo indirecto o contingente** (indirect liabilities), **pasivo inmediato** (current liabilities; S. *pasivo circulante*), **pasivo mancomunado** (joint liabilities), **pasivo no exigible** (ACCTS capital and reserves, non-current liabilities), **pasivo no garantizado** (unsecured liabilities), **pasivo patrimonial** (capital liabilities), **pasivo permanente** (non-redeemable debenture stock, perpetual debt/loan; S. *empréstito de renta perpetua*), **pasivo por ajustar** (unadjusted liabilities; S. *pasivo transitorio*), **pasivo real** (actual/net liabilities), **pasivo representado por bonos** (debenture stock, bonded debt; S. *deuda consolidada/afianzada*), **pasivo transitorio** (unadjusted liabilities, deferred liabilities; S. *pasivo por ajustar*), **pasivos computables** (affected liabilities), **pasivos no circulantes** (ACCTS non-current liabilities)].

paso *n*: passage, passing; stage, step; transition, transit; entry, right of entry; S. *transición, medida; entrada, autorización*. [Exp: **paso a paso** (step by step), **paso, de** (en route; in passing, by the way; S. *en ruta, en tránsito*)].

pasta[1] *n*: paste. [Exp: **pasta**[2] *col* (lucre *col*; dough *col*, cash, money; buck *col*; S. *pela, dinero*), **pasta gansa/seria** *col* (big money *col*; big bucks *col*; megabucks *col*; S. *pasta seria*)].

patentar *v*: patent,[2] take out a patent for; protect by patent; S. *sacar una patente.* [Exp: **patente** (patent, franchise,[1] permit, letters patent; S. *franquicia, privilegio, cédula de invención*), **patente de navegación** (TRANSPT certificate of registry; S. *certificado de registro*), **patente de sanidad** (TRANSPT Maritime Declaration of Health, bill of health, b/h.; S. *certificado sanitario*), **patente de sanidad limpia** (clean bill of health; S. *certificado de buena salud*), **patente en tramitación o solicitada** (patent pending), **patente expresa** (express license), **patente original** (basic/home patent), **patente primitiva** (basic/ original patent), **patentes mancumunadas** (patent pool)].

patio de operaciones *n*: STK EXCH trading floor, pit; S. *parqué del patio de operaciones de la Bolsa.*

patrimonio *n*: estate, wealth, net wealth, assets, fortune; heritage; FIN shareholders' equity, net worth; corporate assets; S. *impuesto sobre el patrimonio.* [Exp: **patrimonio bruto** (FIN gross/total assets; TAXN gross assets/estate), **patrimonio común** (COMP LAW common equity; global commons), **patrimonio de bienes raíces** (estate[1]; assets in land and buildings; S. *propiedades*), **patrimonio inmueble** (immovable property, immovables), **patrimonio nacional** (national heritage/treasures/wealth), **patrimonio neto o social** (ACCTS equity, net worth, shareholders' equity; S. *neto patrimonial, fondos propios*), **patrimonio personal** (personal assets/wealth)].

patrocinador *n*: sponsor; S. *padrino.* [Exp: **patrocinar** (sponsor, favour,[1] support,

back, back up[1]; S. *apoyar, avalar, respaldar, sostener*), **patrocinar un proyecto** (back/sponsor a project), **patrocinio** (sponsorship, backing, support, patronage[2]; S. *auspicio, mecenazgo, influencia*)].

patrón[1] *n*: LAW landlord; IND REL employer, boss; S. *jefe; casero.* [Exp: **patrón**[2] (standard, pattern, model), **patrón bimetal/bimetálico** (bimetallic standard, bimetalism; two-metal standard, double standard; S. *bimetalism*), **patrón de cambio oro** (gold exchange standard), **patrón de numerario oro** (full gold standard, gold specie standard; S. *patrón oro*), **patrón dólar** (commodity dollar), **patrón lingote oro** (gold bullion standard), **patrón metálico** (metallic standard), **patrón monetario** (monetary standard), **patrón monetario automático** (automatic standard), **patrón oro** (gold standard, gold specie standard), **patrón oro convertible** (gold currency system), **patrona** (landlady; S. *patrón*[1])].

patronal *n*: IND REL employer's/employers' management; employers' association/ organization; management[2].

patronato *n*: board of trustees; S. *consejo de gerencia.*

patrono *n*: IND REL employer, owner, entrepreneur; S. *dueño, empresario.*

PAU *n*: S. *programa de actuación urbanística.*

paulatino *n*: gradual; S. *gradual, escalonado.* [Exp: **paulatinamente** (gradually; S. *gradualmente*)].

pausa *n*: pause, break[2]; S. *descanso.* [Exp: **pausa para desayunar** (IND REL coffee break)].

pauta *n*: pattern[1]; guideline, standard, model; norm; S. *modelo, tendencia, norma.*

paz *n*: peace. [Exp: **paz, estar en** (be even[1]; be all square *col*; S. *no deber nada*)].

peaje *n*: TRANSPT toll, toll gate; S. *tasa.*

PB *n*: S. *precio/beneficio*.

pecuniario *a*: pecuniary, financial; money, monetary; S. *financiero, monetario*.

pedido *a/n*: COM ordered, on order; order, purchase order; S. *hacer/cursar/ despachar un pedido*. [Exp: **pedido abierto** (open indent; blanket order), **pedido al contado** (cash order), **pedido cerrado** (closed order), **pedido en blanco** (blank-check buying), **pedido en firme** (firm order), **pedido general para la temporada** (blanket order *US*), **pedido pendiente** (open order,[1] back order), **pedido regular o permanente** (regular or standing order[3]), **pedido suplementario** (repeat/extra/further/ additional order), **pedido urgente** (rush order), **pedidos atrasados** (back orders, backlog of orders), **pedidos no despachados** (unfilled orders, backlog), **pedidos recibidos** (incoming orders)].

pedir *v*: ask, ask for, request, require, seek; MAN claim, demand; S. *solicitar, exigir, recabar*. [Exp: **pedir cuentas** (take an account), **pedir cuentas a alguien** (call sb to account), **pedir el asesoramiento de** (call in[2]), **pedir el desembolso de capital** (INSCE call up capital, send out a call for capital), **pedir en juicio** (INSCE sue, claim; S. *demandar, reivindicar*), **pedir información** (request information, make enquiries; enquire/inquire; S. *informarse*), **pedir informes** (IND REL take up references; request references; inquire into; S. *investigar, averiguar*), **pedir informes de alguien** (check up on sb), **pedir la baja de una empresa** (IND REL give notice, put in one's notice, ask for one's cards *col*), **pedir la devolución de dinero** (BKG call in a loan; ask for/demand a refund; S. *retirar fondos*), **pedir prestado o a préstamo** (borrow; S. *tomar prestado o a préstamo*), **pedir presupuesto** (ask for an estimate), **pedir un préstamo** (apply for a loan)].

PEE *n*: S. *programa de emisión de pagarés*.

pega *col n*: snag, problem, catch[2] *col*; S. *trampa*.

pegamento *n*: glue, gum.

pegar *v*: paste, attach,[1] tack on, tag on; fix, affix, fasten; S. *agregar, añadir*. [Exp: **pegar carteles** (paste up/put up posters), **pegar un sablazo** *col* (tap[2] *col*; touch *col*; scrounge *col*; S. *sablear*), **pegar un estirón** (ECO put on a spurt *col*, take a stride forward), **pegar una subida brutal a los precios** *col* (beef up prices *col*), **pegarle una sacudida al mercado** *col* (STK & COMMOD EXCH buck the market; S. *ir contra corriente*)].

pegatina *n*: sticker; S. *etiqueta*.

pela *col n*: peseta, money, cash, dough *col*; S. *dinero, pasta*.

peligro *n*: danger, peril, distress, hazard, jeopardy; S. *dificultades, apuros*. [Exp: **peligro, en** (in danger, endangered, imperilled, in distress, in jeopardy, at risk), **peligro, sin** (without danger/risk; safely; S. *con seguridad*), **peligros de la navegación** (TRANSPT perils of navigation; S. *riesgos*), **peligros del mar** (TRANSPT perils of the sea), **peligroso** (dangerous, hazardous, risky; S. *arriesgado*)].

pelota[1] *n*: ball; S. *bola, balón*. [Exp: **pelota**[2] *col* (kite; round-tripping; S. *papel pelota*), **pelotazo** (S. *cultura del pelotazo*), **peloteo** (FIN to -ing and fro-ing *col*; exchange of notes, sending messages backwards and forwards; FIN dabbling in stocks, round-tripping *col*, series of minor in-and-outs, tame speculation), **penalización** (penalty), **penalización por amortización anticipada** (early surrender penalty; pre-payment penalty), **penalización por demora** (BKG, TRANSPT penalty for late payment; demurrage; S. *sobrestadía*), **penalizar** (penalise; S. *sancionar*)].

pendiente *a*: pending, outstanding, back, arrears, overdue, unsettled, unadjusted; unfinished, unresolved; live; S. *no cumplimentado*. [Exp: **pendiente de aprobación** (subject to approval; on approval, on appro *col*), **pendiente de cumplimentación** (on order; waiting to be filled), **pendiente de despacho** (TRANSPT awaiting dispatch/clearance, in the process of clearance), **pendiente de pago** (outstanding[2]; payable, un-liquidated), **pendiente de respuesta** (pending a reply)].

penetration *n*: penetración; entry-. [Exp: **penetración en el mercado** (STK & COMMOD EXCH market penetration), **penetración publicitaria** (advertising penetration), **penetrar** (penetrate; S. *introducirse, abrirse paso*), **penetrar en el mercado** (break into the market)].

pensión[1] *n*: IND REL, INSCE pension, annuity, allowance,[2] retirement allowance/annuity; S. *anualidad, retiro*. [Exp: **pensión**[2] (LAW maintenance, alimony), **pensión**[3] (board-ing house; S. *pensión completa*), **pensión actualizada al coste de la vida** (indexed pension), **pensión alimenticia** (allowance for necessaries, maintenance, allowance or grant), **pensión calculada en función de los ingresos** (IND REL earnings-related pension), **pensión completa** (full board; S. *pensión*[2]), **pensión contributiva** (contributory pension, taxing pension), **pensión de invalidez** (disability pension), **pensión de jubilación/retiro** (retirement pension, old-age pension; superannua-tion), **pensión de viudedad** (widow's pension), **pensión del Estado** (governe-ment pension, state pension), **pensión no contributiva** (IND REL non-contributory pension), **pensión transferible** (portable pension), **pensión vitalicia en efectivo** (INSCE cash refund annuity), **pensionar** (pension, pension off, superannuate; S. *jubilar*), **pensionista** (retired, retired

person, old-age pensioner, OAP; annuitant; S. *jubilado; clases pasivas*)].

peña *n*: club; S. *asociación*.

peón *n*: IND REL labourer; day-labourer; unskilled worker; S. *jornalero, obrero, bracero*. [Exp: **peón caminero** (navvy, roadmender), **peón de albañil** (brickmaker's labourer, brickie's mate *col*, building worker or labourer)].

PEPS *phr*: S. *primero en entrar primero en salir*.

pequeño *a*: small, little, minor; minor, small-time *col*. [Exp: **pequeña escala, a** (small scale; S. *de dimensiones redu-cidas*), **pequeña explotación agrícola** (smallholding), **pequeña y mediana empresa, PYME** (small and medium-sized enterprise/business, SME), **pequeño accionista** (COMP LAW small shareholder), **pequeño agricultor** (smallholder), **pequeño comerciante** (small/local shopkeeper), **pequeño especulador en Bolsa** (samll-time speculator, punter *col*, scalper *US col*; S. *jugador*), **pequeños ahorradores** (small savers), **pequeños inversores** (small investors)].

per cápita *n*: per capita; S. *por habitante, por cabeza*.

PER *n*: S. *plan de empleo rural*.

percentil *a/n*: percentile; S. *quartile*.

percepción *n*: BKG, COM receipt, col-lection[2]; S. *cobro*. [Exp: **perceptor** (payee; recipient, beneficiary; S. *beneficiario*), **perceptor de renta** (income earner/recipient), **percibir** (collect, receive, earn, draw, get, pick up *col*; S. *devengar, ganar, obtener*)].

perder *v*: lose; miss; S. *echar, llevar*. [Exp: **perder dinero en una inversión** (FIN lose on an investment, come a cropper *col*, catch a cold *col*), **perder el derecho a algo** (forfeit sth), **perder el avión/tren, etc.** (miss the plane/train; miss the boat *col*), **perder el rumbo** (TRANSPT drift off course; lose one's way, go off the rails *col*), **perder los nervios** (blow/lose one's cool; crack up *col*; have/throw a fit *col*; S. *ponerse histérico*), **perder los papeles** (lose the place *col*; lose touch, lose the head *col*; blow one's cool *col*, blow it *col*, get into a flurry/fluster *col*), **perder terreno** (fall behind; fall back; S. *quedar rezagado, desmejorar*), **perder valor** (drop/go down in value; lose value; S. *bajar*)].

pérdida *n*: loss, detriment; damage; forfeiture; waste[1]; wastage; leakage; S. *quebranto, detrimento, daño, perjuicio*. [Exp: **pérdida al cambio** (discount at a loss), **pérdida bruta** (gross loss), **pérdida consecuente** (INSCE consequential loss; S. *daños emergentes*), **pérdida contable** (ACCTS book loss), **pérdida de beneficios** (loss of profit; S. *lucro cesante*), **pérdida de capital** (capital losses; S. *minusvalía*), **pérdida de derechos** (LAW forfeiture), **pérdida de ejercicio/explotación** (trading loss; S. *quebranto*), **pérdida de ingreso** (loss of earnings), **pérdida de la categoría profesional** (IND REL demotion; S. *degradación*), **pérdida de peso de una moneda producido por su uso** (abrasion of coin; S. *abrasión*), **pérdida de puntos** (FIN losing the points), **pérdida de recaudación** (TAXN loss of revenue), **pérdida de valor por el paso del tiempo** (STK & COMMOD EXCH time decay), **pérdida del puesto** (IND REL, MAN loss of office; S. *cese en el cargo*), **pérdida del puesto de trabajo** (redundancy, loss of one's job; S. *despido, expediente de regulación de empleo*), **pérdida efectiva** (actual/direct loss), **pérdida en los índices** (STK EXCH drop/fall in the indexes), **pérdida indirecta** (indirect/consequential loss), **pérdida neta** (ACCTS net loss), **pérdida parcial** (INSCE partial loss, P/L), **pérdida por avería** (INSCE average loss), **pérdida por avería simple** (INSCE particular average), **pérdida por capacidad desperdiciada** (ACCTS idle capacity loss), **pérdida por confiscación** (forfeiture), **pérdida por siniestro, pérdida fortuita** (casualty loss), **pérdida total** (ACCTS, INSCE total loss, dead loss; INSCE absolute total loss; ACCTS write-off[2]), **pérdida total analógica, "constructiva", implícita o virtual** (INSCE constructive total loss), **pérdida total convenida** (INSCE arranged total loss, compromise total loss), **pérdida total real** (INSCE actual total loss), **pérdida trasladada al ejercicio anterior** (ACCTS carry-back; S. *retroaplicación*), **pérdida trasladada al ejercicio siguiente** (ACCTS carry-over[1]), **pérdidas, con** (at a sacrifice, at a loss; out of pocket; S. *trabajar con pérdidas*), **pérdidas** (losses; leakage, wastage; S. *números rojos, merma*), **pérdidas de explotación** (COM trading/operating losses), **pérdidas en posición compradora y vendedora** (STK EXCH whiplash; S. *latigazo*), **pérdidas extraordinarias** (INSCE above-normal loss, ANL), **pérdidas por cuentas dudosas** (bad debt loss), **pérdidas por cuentas incobrables** (credit losses), **pérdidas por fallidos** (bad-debt loss, loss from non-performing loans), **pérdidas recuperables o reversibles** (recoverable loss/waste), **pérdidas sufridas/experimentadas** (INSCE losses incurred; S. *siniestros ocurridos*), **pérdidas y ganancias** (profit and loss; S. *estado, cuenta*)].

perdón de deudas *n*: debt forgiveness.

perecedero *a*: perishable, non-durable; S. *deterioro; estropearse*.

perfección *n*: perfection; LAW completion, completeness. [Exp: **perfeccionamiento** (improvement, refinement, polishing [up]), **perfeccionamiento activo** (active improvement, inward processing), **perfeccionamiento de recursos humanos** (manpower development), **perfeccionamiento profesional superior** (advanced vocational training), **perfeccionar** (complete, perfect, execute; perfect, refine, polish, polish up, improve; S. *cumplir*), **perfecto** (perfect; complete, ideal), **perfecto estado, en** (in perfect condition; in full working order; S. *en buen estado*)].

perfil *n*: profile, contour; specification. [Exp: **perfil de ventas** (sales contour), **perfil del cliente/consumidor** (COM customer/consumer profile), **perfil del puesto de trabajo** (IND REL job specification), **perfilar** (shape, outline; streamline, round off; S. *rematar*), **perfilarse** (take shape, grow/become more distinct; shape up, start to emerge clearly, start to look like)].

perforación *n*: perforation; drilling; boring; drilling operations. [Exp: **perforar** (perforate; drill; bore; punch, punch holes)].

pericia *n*: expertise, proficiency, know-how. [Exp: **pericial** (expert, skilled)].

periodicidad *n*: periodicity. [Exp: **periodicidad de facturación** (billing cycle), **periodificación** (timing, schedule[1]; accruing; time period adjustment; S. *programa*), **periodificación de intereses** (accrued interest payments; scheduling of interest accruals)].

periódico *a/n*: periodic, recurrent, recurring, regular; journal, newspaper, paper; S. *recurrente, permanente*. [Exp: **periódico de gran circulación** (ADVTG mass publication), **periódicos serios, los** (ADVTG the qualities; S. *prensa seria o de calidad*), **periodismo amarillo** (the gutter press, yellow press), **periodista** (journalist, reporter, newspaperman, columnist; S. *columnista*), **periodístico** (journalistic)].

período *n*: period, term; lapse of time; basis[1]; life; S. *plazo, duración*. [Exp: **período a revisar** (period to be covered), **período base** (base period), **período «blindado» contra rescate anticipado** (BKG lock-in period; non-call period; S. *protección contra rescate anticipado*), **período contable** (business/budgetary/financial year, accounting period; S. *ejercicio/año económico o financiero*), **período de atonía** (sluggish/flat period; S. *período flojo, momento bajo*), **período de adaptación a nuevas tecnologías** (IND REL acculturation period), **período de alza** (STK EXCH period of rising prices), **período de arrendamiento** (term of a lease), **período de baja o de disminución** (ECO period of falling prices; S. *caída de los precios*), **período de carencia** (grace period, days of grace, period of grace, qualifying period; claims waiting period; S. *período de gracia o de espera, espera*), **período de cobro** (BKG collection period), **período de espera** (waiting period), **período de estancamiento económico** (ECO period of stagnation), **período de formación** (training period, apprenticeship, period of qualification), **período de garantía** (guarantee period, life of guarantee), **período de gestación de un proyecto** (lead time of a project), **período de gracia o de espera** (grace period, days of grace; period of grace; S. *período de carencia, moratoria*), **período de indemnización** (INSCE indemnity period), **período de liquidación de transacciones bursátiles** (account period, The Account), **período de maduración** (maturity/maturation period), **período de mayor demanda** (STK EXCH peak demand period, top out *US*; S. *cotización más alta*), **período de prácticas** (IND REL training period, work placement; apprenticeship; S. *empleo, colocación,* *experiencia laboral*), **período de precaución** (insce apprehensive period), **período de prueba** (IND REL probationary period, trial period, qualifying period, probation[1]), **período de recuperación económica** (STK & COMMOD EXCH, ECO upswing; recovery period; S. *movimiento ascendente, alza*), **período de reembolso** (BKG payback period), **período de reflexión** (cooling-off period), **período de tenencia de un cargo** (holding period, term of office), **período de veda** (close season; S. *veda*), **período de ventas** (selling period, sales period or campaign), **período del crédito** (rollover period), **período impositivo** (basis year/period, assessable period, period being taxed/assessed, chargeable period), **período flojo o de poca actividad** (sluggish period; S. *momento bajo, período de atonía*), **período medio de existencias/período de maduración, PME** (ACCTS average maturation period, average stock life or shelf life), **período ordinario de sesiones** (regular term), **período previo** (run-up; S. *días inmediatos*), **período previsto de reembolso** (scheduled repayment period), **períodos de contratación bursátil** (STK EXCH trading periods), **períodos de contratación bursátil a cuenta o a crédito** (STK EXCH account periods, margin trading periods), **períodos de liquidación de transacciones bursátiles** (STK EXCH account periods)].

peritación *n*: INSCE apprasing, appraisal, assessment, ascertainment of the damage, etc.; S. *valoración, fijación, determinación, averiguación del daño, etc.* [Exp: **peritaje** (expert's appraisal/award/assessment/report; expert's/specialist's fee or charge; training, industrial or professional training), **peritaje de comprobación** (resurvey), **perito** (IND REL technician, engineer, specialist, trained or skilled worker; LAW expert witness; appraiser; expert; valuer; S. *valuador, tasador*), **perito contable** (ACCTS chartered accountant, CA; S. *experto contable*), **perito mercantil** (accountant, acct; S. *contador*), **perito tasador o valuador** (INSCE adjustor, adjuster, expert appraiser)].

perjudicar *v*: injure, damage, impair, have an adverse/detrimental effect on; prejudice; S. *dañar*. [Exp: **perjudicial** (prejudicial, detrimental, damaging)].

perjuicio *n*: LAW damage, injury, harm, prejudice, detriment; harmful/negative/detrimental effect, disadvantage; S. *daño, agravio, quebranto*. [Exp: **perjuicio de derechos** (infringement/violation/breach of sb's rights, interference with sb's rights; S. *injusticia*), **perjuicio de, en** (to the prejudice of, o the detriment of; S. *en detrimento de*), **perjuicio/detrimento de, en** (to the detriment of), **perjuicio de, sin** (without prejudice/detriment to, without affecting/imparing/harming/damaging; subject to), **perjuicio por división** (severance damage), **perjuicios** (INSCE, LAW consequential damage, proximate damage; S. *daños no materiales, daños consecuentes*)].

permanencia *n*: continuance; permanence; stay; INO REL desk hours, extra office hours, hours during which a civil sewant must be available to the public; tutorial hours/periods; S. *estancia*. [Exp: **permanente** (permanent; perpetual; constant; COM round-the-clock, 24-hour; S. *duradero, estable*)].

permiso *n*: permission, permit, authority,[2] authorization, leave; pass; clearance[1]; S. *autorización, licencia, pase, baja*. [Exp: **permiso aduanero para la descarga en determinados puertos** (TRANSPT bill of sufferance), **permiso aduanero para retirar mercancías** (transire), **permiso de 24 horas** (IND REL one-day leave; S.

día libre), **permiso de caza** (game/ hunting licence), **permiso de conducción** (driving/driver's licence/license), **permiso de descarga [dado por aduanas** (landing order), **permiso de entrada** (clearance inwards; S. *despacho de entrada*), **permiso de exportación/ importación** (export/import licence/ permit), **permiso de obra nueva** (building permit, planning permission; S. *autorización para edificar*), **permiso de residencia** (residence permit), **permiso de salida** (clearance outwards; S. *despacho de salida*), **permiso de salida del muelle** (dock pass), **permiso de trabajo** (IND REL work permit), **permiso laboral para asuntos propios** (IND REL leave; compasionate leave), **permiso por maternidad** (IND REL maternity leave; S. *licencia*), **permiso para ausentarse** (leave of absence), **permiso para perfeccionamiento profesional** (IND REL release,[2] day release), **permiso retribuido** (paid leave), **permitido** (allowed, allowable[1]; S. *admisible*), **permitir** (permit, allow, licence/license, let, authorise; S. *autorizar*)].

permuta *n*: exchange[1]; swap, permutation; barter, trade-in; S. *canje, intercambio, cambio, trueque*. [Exp: **permuta financiera** (STK & COMMOD EXCH swap), **permuta financiera colateralizada o con garantía prendaria** (collateralized swap), **permuta financiera de acciones** (equity swap), **permuta financiera de activos** (asset swaps), **permuta financiera de bases** (basis swap, floating-to-floating swap), **permuta financiera de cupón aplazado** (deferred coupon swap), **permuta financiera de deuda por capital social** (debt for equity swap[2]), **permuta financiera de deuda por deuda** (debt-for-debt swap), **permuta financiera de deuda por materias primas** (debt for commodity swap[1]),

permuta financiera de divisas (currency swap), **permuta financiera de divisas a tipos fijos** (fixed rate currency swap), **permuta financiera de divisas directa** (straight currency swap), **permuta financiera de divisas a un precio fijo** (fixed-price currency swap), **permuta financiera de divisas fijo-fijo** (cross-currency fixed-to-fixed swap), **permuta financiera de divisas fijo-variable** (cross-currency fixed-to-floating swap), **permuta financiera de divisas variable-variable** (cross-currency swap, CCS), **permuta financiera de flujos de caja** (cash flow swap), **permuta financiera de flujos de caja diferidos** (deferred cash-flow swap), **permuta financiera de inicio aplazado** (deferred start swap), **permuta financiera de intereses fijo-fijo** (fixed-to-fixed interest rate swap), **permuta financiera de la deuda contraída en un banco a otro** (debt-debt swap, debt swap; S. *permuta financiera de deuda por deuda*), **permuta financiera de la deuda del país deudor por bonos emitidos por un banco de dicho país** (debt-for-bond swap), **permuta financiera de montaña rusa** (roller-coaster swap), **permuta financiera de pagos en distintas divisas y con tipos de interés diferentes** (cocktail swap, cross currency interest rate swap), **permuta financiera invertida** (reverse swap), **permuta financiera de tipos de interés** (interest rate swap; S. *crédito recíproco*), **permuta financiera de tipos de interés anticipados a los primeros estadios de la transacción** (accelerated cash flow swap), **permuta financiera fijo-variable** (fixed-to-floating swap), **permuta financiera fijo-variable cancelable** (callable swap), **permuta financiera reversible** (reversible swap), **permuta financiera simétrica** (mirror swap),

permuta financiera variable-variable (basis swap, floating-to-floating swap), **permutar** (exchange; swap; trade by barter)].

perpetuidad *n*: perpetuity; S. *anualidad perpetua*. [Exp: **perpetuo** (perpetual)].

perra chica *col n*: old 5-céntimo coin; peanuts *col*; next to nothing *col*, a bent penny.

persona *n*: person, individual; party[1]. [Exp: **persona aforada** (LAW person/individual protected by parliamentary privilege or other special immunity; person exempt form prosecution; S. *fuero*), **persona autorizada** (authorised persons, person in autority/charge, licensee; S. *concesionario, beneficiario o titular de una licencia*), **persona con información privilegiada** (LAW insider; S. *enterado, iniciado*), **personas con mala reputación crediticia** (BKG non-creditworthy clients, black-listed customers, known insolvents, deadbeats *col US*), **persona con nombramiento oficial** (appointee; S. *representante oficial*), **persona, en** (in person), **persona física** (LAW natural person, individual), **persona inamovible** (fixture[3] *col*; S. *fixtures*), **persona influyente de una mercantil** (COMP LAW control person; affiliated person; S. *controller/comptroller*), **persona interpuesta** (STK EXCH nominee; street name, US; S. *sociedad interpuesta*), **persona-s interpuesta-s, por** (by proxy, through the agency of third parties), **persona jurídica** (artificial/corporate person, legal/corporate entity), **persona jurídica unipersonal** (LAW corporation sole), **persona natural** (S. *persona física*), **persona nombrada** (designee; S. *representante elegido*), **persona pudiente o con posibles** (man of means, wealthy person, well-off/well-to-do person; powerful person, person with lots

of clout *col*), **persona que busca empleo** (job-seeker)].

personal *a/n*: personal, private; staff, personnel, workforce, manpower; S. *plantilla*. [Exp: **personal administrativo** (clerical staff, office/secretarial staff, admin/staff/people *col*), **personal asalariado** (labour force; S. *trabajadores, obreros*), **personal auxiliar** (junior staff; cabin attendants, stewards and hostesses), **personal con cargos de responsabilidad** (senior level staff, upper management), **personal de cabina** (cabin crew; S. *tripulación, tripulante*), **personal de fábrica** (plant/factory personnel), **personal de gerencia o de dirección** (management/managerial staff, operational staff), **personal de operaciones** (line staff), **personal de plantilla** (regular staff, permanent staff, established personnel; S. *personal fijo*), **personal de reemplazo** (IND REL replacement staff; stand-in personnel, temporary staff/workers), **personal de ventas** (sales staff, salesforce), **personal en activo** (workers/staff on a firm's books/payroll), **personal en formación** (trainees; junior staff; S. *personal auxiliar*), **personal en general** (all members of staff, the entire workforce, the staff generally), **personal especializado** (technicians, skilled personnel), **personal eventual** (temporary staff), **personal fijo** (regular staff; S. *personal de plantilla*), **personal reducido** (skeleton staff; V. *servicios mínimos*), **personal subalterno** (auxiliry personnel, subordinates)].

personalidad *n*: personality. [Exp: **personalidad jurídica** (legal/corporate/artificial personality)].

personalizar *v*: customize. [Exp: **personalizado** (custom-built; S. *hecho a la medida*)].

personarse *v*: appear in person, arrive at/reach the scene; turn up, put in an appearance, report to a place/scene; LAW be a party to proceedings, place oneself on the court record, be officially/legally represented; S. *querella, demanda.*

perspectiva *n*: perspective, outlook, prospect-s. [Exp: **perspectiva-s económica-s** (economic outlook/prospects), **perspectivas de expansión o crecimiento** (growth prospects), **perspectivas de rentabilidad** (FIN earning expectations), **perspectivas del mercado** (market forecast/prospects), **perspectivas profesionales** (career prospects)].

pertenecer *v*: belong, be the property of; be held by. [Exp: **pertenencia** (ownership, membership; S. *posesión*), **pertenencias** (LAW belongings, possessions, appurtenances; estate; property, effects; S. *efectos, bienes*)].

perturbación *n*: disturbance, disruption, upset; S. *trastorno.* [Exp: **perturbaciones económicas** (upsets in the economy, disruptions of the economy, economic dislocations), **perturbar** (disturb, disrupt, perturb, disturb, upset, shake; S. *agitar, desconcertar*)].

pesado *a*: heavy; bulky; dull; S. *oneroso, voluminoso.*

pesar *v*: weigh; weigh up, balance[6]; be heavy; carry weight, be a factor; S. *ponderar, sopesar, importar.*

peseta, pta *n*: peseta. [Exp: **pesetas convertibles** (convertible pesetas), **pesetas interiores** (domestic pesetas), **pesetero** *col* (money-grubbing *col*, mercenary, greedy, with dollar-signs for eyes *col*; money-grubber; S. *regateo, regateador*)].

pesimismo *n*: pessimism. [Exp: **pesimismo bursátil** (bearishness; S. *ambiente bajista*), **pesimista** (bearish, bear[1]; S. *bajista, con tendencia a la baja; optimismo*)].

peso *n*: weight, burden[1]; S. *gravamen, carga.* [Exp: **peso bruto** (gross weight),

peso cargado (TRANSPT laden weight), **peso de descarga** (landed weight), **peso facturado** (TRANSPT billed weight), **peso insuficiente, de/con** (underweight), **peso muerto** (TRANSPT dead weight,[1] dead weight capacity; dead weight/tonnage; S. *tara*), **peso neto** (net weight), **peso neto neto** (TRANSPT net-net weight), **peso real** (actual weight)].

pesquería *n*: fishery, fishing; S. *caladero.* [Exp: **pesquero** (fishing; fishing boat), **pesquero de arrastre** (trawler)].

pesquisa *n*: enquiry/inquiry,[1] investigation; S. *consulta, encuesta, indagación, investigación.*

petición *n*: petition, inquiry, request; motion, application, invitation, call; S. *solicitud, ruego.* [Exp: **petición, a** (on request, at call; S. *a la vista*), **petición de amortización de títulos** (BKG call[7]), **petición de compra** (purchase requisition), **petición de declaración de quiebra** (LAW bankruptcy petition), **petición/requerimiento/exigencia de devolución del préstamo** (BKG call[5]), **petición de fondos** (call for funds), **petición de parte interesada, a** (ex parte; S. *a instancia de parte*), **petición de patente** (patent application), **petición de quiebra** (petition in bankruptcy), **petición de reposición del margen de mantenimiento** (STK & COMMOD EXCH margin call *US*), **petición del interesado, a** (by request, on demand), **petición pública de ofertas** (call for tenders or bids by a state —or publicly— owned institution; S. *convocatoria*)].

petrobono *n*: petrobond. [Exp: **petrodivisa** (petrocurrency), **petrodólares** (petrodollars), **petróleo** (petroleum, crude, oil, crude oil; S. *hidrocarburos, crudo*), **petróleo procedente de las plataformas de perforación marítima** (off-shore oil), **petrolero** (tanker; S. *buque cisterna*), **petroquímica** (petrochemical)].

PFF *n*: S. *precio franco fábrica.*

PIB *n*: S. *producto interior bruto.*

picar *col v*: fall for it/a trick *col*; S. *caer en la trampa, dejarse engañar.*

picado, en *a*: plummeting; S. *precio en picado.*

pico[1] *n*: peak; odd/extra amount; a bomb *col*; a mint *col*; a good few quid *col*; S. *punta, cima.* [Exp: **pico**[2] (STK EXCH top[2]; S. *triple pico*), **picos de títulos** (STK EXCH small blocks of securities)].

pie *n*: foot. [Exp: **pie de foto** (ADVTG photo caption), **pies de plomo, andar[se] con** (tread warily, keep one's wits abont one, take every precaution, pick one's way carefully)].

pieza *n*: piece, part[1]; S. *trozo, porción; recambio, repuesto.* [Exp: **pieza de recambio/repuesto** (spare part, replacement[3]; S. *repuesto*), **pieza fundamental de una empresa** (anchor-man of a firm), **pieza, por** (each piece, the piece), **piezas normalizadas** (standard parts)].

pignorable *a*: pledgeable. [Exp: **pignoración** (FIN pledge, pledging, hypothecation, pawn, pawning; security, collateral,[2] collateral loan, Lombard loan US; S. *préstamo sobre valores*), **pignoración sin valor** (BKG dead pledge US; S. *hipoteca pagada a su vencimiento*), **pignorador/pignorante** (pledger; S. *prendador*), **pignorar** (pledge, pawn, affect, hypothecate, hock; S. *empeñar, afectar; hipotecar*), **pignorar acciones** (pledge share certificates)].

píldora envenenada *col n*: STK & COMMOD EXCH poison pill *col.*

pilotaje *n*: TRANSPT pilotage; S. *derechos de practicaje.* [Exp: **pilotar** (pilot[1]; S. *dirigir, guiar*), **piloto** (TRANSPT pilot; mate[2]), **piloto/práctico de puerto** (harbour pilot)].

pillar *col v*: catch, catch out *col*; nail[2] *col*; find out *col*; S. *coger.* [Exp: **pillar a**

alguien con el pie cambiado *col* (catch sb off balance, catch sb off stride/off balance *col*/on the hop *col*), **pillar una ganga** *col* (pick up a bargain *col*/ a snip *col*), **pillarse los dedos** (COM burn one's fingers)].

pingües beneficios *n*: STK EXCH, COM, FIN fat profits *col*; killing *col*; rake-off, rich pickings *col*; cut *col*; S. *una gran jugada, gran negocio.*

pipo *n*: STK EXCH pip[1].

piquete *n*: picket. [Exp: **piquete de huelga** (IND REL picket), **piquete de vigilancia** (IND REL picketline; S. *barrera/cordón de huelguistas*), **piquetes en cadena** (IND REL chain picketing; S. *cadena de contención*), **piquetes informativos** (IND REL peaceful picketing), **piquetes secundarios** (IND REL secondary picketing)].

piramidación *n*: COMP LAW pyramiding; S. *efecto cascada.* [Exp: **piramidación del impuesto** (tax pyramiding)].

pirámide *n*: pyramid. [Exp: **pirámide de edades** (age pyramid)].

pirata *n*: pirate, shark *col*, sharper *col*, cowboy *col.* [Exp: **piratear** (pirate), **pirateo/piratería** (piracy, pirating)].

pisar el acelerador *col n*: ECO move into a higher gear *col*; S. *acelerar.*

piscicultura *n*: pisciculture. [Exp: **piscifactoría** (fish farm; fish farming; S. *acuicultura*)].

pista de aterrizaje *n*: TRANSPT runway, air strip, landing strip.

plagiar *v*: LAW plagiarize, appropriate, pirate. [Exp: **plagiario** (plagiarist), **plagio** (plagiarism)].

plan *n*: plan, project, scheme[1]; schedule[1]; programme, blueprint[2]; chart; S. *proyecto, programa, cuadro.* [Exp: **plan basado en la antigüedad** (ACCTS aging schedule; S. *programa por vencimientos*), **plan combinado de fondos de jubilación** (INSCE combination pension plan), **plan contable** (chart of accounts), **plan de actuación** (plan, strategy, arrangements; S. *medidas*), **plan de acumulación** (INSCE accumulation schedule), **plan de adquisición o de inversiones con gasto fijo** (FIN fixed-cost investment plan, constant-dollar plan, dollar cost averaging, *US*), **plan de ahorro** (savings plan/scheme, layaway plan *US*), **plan de ahorro popular, pap** (BKG, INSCE low-bidget/easy savings plan), **plan de ahorros del personal de una empresa** (employee savings plan), **plan de ahorros mediante descuentos en el sueldo** (save-as-you-earn scheme, SAYES), **plan de ajuste** (IND REL, MAN adjustment/readjustment plan; wage-adjustment plan; redeployment scheme, staff reduction/strategic layoff plan), **plan/cuadro/programa de amortización de un préstamo** (BKG repayment schedule; ACCTS depreciation method/basis/schedule), **plan de bonificación** (bonus scheme), **plan de compra de acciones de la empresa por los ejecutivos de la misma** (executive share options), **plan de compra de acciones de la empresa por los empleados de la misma** (qualified stock option plan), **plan de contingencia** (standby arrangement[2]), **plan de control de calidad** (quality control plan), **plan de creación de empleo** (job creation scheme), **plan de crédito renovable o rotatorio** (revolving credit plan/scheme), **plan de choque** (shock tactics, drastic steps/measures), **plan de desarrollo** (development plan), **plan de distribución** (layout plan), **plan de emergencia** (contingency plan; S. *medidas de prevención*), **plan de empleo** (employment/job creation schemes), **plan de empleo rural, PER** (plan to boost jobs in country districts, agriculture developments plan), **plan de existencias reguladoras o de fondos**

reguladores de materias primas (STK & COMMOD EXCH buffer stock scheme; S. *plan de fondos reguladores de materias/mercaderías*), **plan de explotación** (operating plan), **plan de financiación** (repayment schedule; financing plan), **plan de inversión de capital** (ACCTS capital budget), **plan de inversiones** (investment scheme/plan), **plan de jubilación** (superannuation scheme, retirement fund), **plan de jubilación para trabajadores autónomos** (pension/retirement scheme for the self-employed), **plan de jubilación individual** (personal retirement scheme, individual retirement account, IRA *US*), **plan de jubilación de empresa** (company PAYE scheme, firm's pension or superannuation scheme, firm's pension or superannuation scheme), **plan de jubilación de reserva actuarial** (actuarial reserve retirement system), **plan de juego** (game plan), **plan de negocio** (business plan), **pan de ordenación urbana** (urban planning), **plan de pagos** (repayment schedule), **plan de participación de los trabajadores en el capital social de la empresa** (employe stock ownership programme), **plan de participación en los beneficios empresariales** (IND REL profit-sharing scheme), **plan de pensiones** (retirement plan, pension scheme/plan), **plan de pensiones contributivas** (IND REL contributory pension plan), **plan de pensiones de empresa o de empleo** (IND REL occupational-pension scheme, company-pension scheme), **plan de pensiones personales** (INSCE personal pension scheme), **plan de producción** (production schedule), **plan de publicidad** (advertising plan), **plan de reforestación** (reafforestation/reforestation plan), **plan de reorganización** (redevelopment plan), **plan de saneamiento** (FIN rescue plan, strategy for salvaging/turning round/refloating a stricken company, turnaround plan/strategy), **plan de sucesión en los cargos de dirección** (GEST management succession planning), **plan de urbanización** (town planning), **plan de viabilidad** (feasibility scheme), **plan director de infraestructuras** (infrastructure master plan or guidelines, strategy for framework development), **plan estratégico** (strategic plan), **plan general contable, PGC** (accounting system, general chart of accounts *US*), **plan para el fomento del empleo** (job creation scheme), **plan quinquenal** (five-year plan), **plan renovable o periódicamente actualizado** (FIN rolling plan), **planes de despido** (redundancy scheme)].

plana *n*: ADVTG page. [Exp: **plana mayor** *col* (top brass *col*, big bosses *col*, bigwig *col*, big shots *col*)].

plancha *n*: TRANSPT laytime, lay days; S. *tiempo de plancha, estadía.*

planear/planificar *v*: plan, design; S. *prever, programar.* [Exp: **planeación, planeamiento, planificación** (MAN planning; S. *programación*), **planeación y toma de deciones** (planning and decision making), **planeamiento económico** (economic planning), **planificación a corto/largo plazo** (short-range/long-range forecast/planning), **planificación centralizada** (centralised planning), **planificación de medios** (media planning), **planificación de recursos humanos** (manpower planning), **planificación del espacio físico** (site/physical planning), **planificación económica** (economic planning), **planificación empresarial** (corporate planning), **planificación global** (comprehensive/aggregate planning), **planificación presupuestaria** (budget planning), **planificador** (planner;

planning; S. *proyectista*), **planificador de obras** (draughtsman)].

plano *a/n*: flat, level, plain; plan; S. *llano.* [Exp: **plano callejero** (street/town plan; directory)].

planta *n*: plant; site of a factory; S. *fábrica.* [Exp: **planta baja** (ground floor), **planta conservera** (canning plant), **planta depuradora** (purifying plant), **planta industrial** (factory plant), **planta de montaje** (assembly plant), **planta de productos enlatados** (canning plant), **planta piloto** (pilot plant), **plantación** (plantation), **plantar** (plant; set up)].

plante *n*: IND REL stance, stand; protest, set of demands; walk-out, stoppage; S. *huelga, movilizaciones.*

plantear *v*: bring up, put forward, raise[2]; S. *exponer, proponer, presentar.* [Exp: **plantear una cuestión** (raise a point/question)].

plantel *n*: IND REL staff, establishment, team, group of professionals; S. *plantilla.*

plantilla *n*: personnel, staff; full-time staff; payroll; S. *dotación,*[2] *empleados, recursos humanos; ajuste de plantilla.* [Exp: **plantilla, de** (IND REL on the staff, established[4]; S. *fijo*), **plantilla de la administración civil/local, etc.** (public service staff; local government staff), **plantilla de personal** (regular staff, workforce)].

plástico *a*: plastic.

plata *n*: silver.

plataforma *n*: IND REL platform; proposals, demands; TRANSPT platform[1]; pallet. [Exp: **plataforma de carga** (loading bay/platform), **plataforma petrolífera** (oil platform/rig, drilling rig), **plataforma petrolífera en alta mar** (off-shore oilplatform), **plataforma reivindicativa** (IND REL platform, demands, set ofproposals or claims)].

plática modificada *n*: TRANSPT modified pratique.

plaza[1] *n*: place,[1] seat; IND REL post, job, civil service position. [Exp: **plaza**[2] (square, market; marketplace; S. *mercado*. [Exp: **plaza bursátil** (securities market; S. *mercado de valores*), **plaza vacante** (vacant post, opening)].

plazo[1] *n*: ACCTS term, time, period, period of time, life. [Exp: **plazo**[2] (deadline, time limit, final date; S. *fecha de vencimiento*), **plazo**[3] (instalment, payment, repayment; S. *pago parcial, entrega*), **plazo**[4] (respite, time, time to pay; S. *prórroga, respiro, aplazamiento*), **plazo, a** (forward[1]; S. *a término*), **plazo de aceptación** (period for acceptance), **plazo de amortización** (term of a loan, sinking instalment), **plazo de arrendamiento** (term of a lease), **plazo/período de carencia** (waiting period, qualifying period; S. *período*), **plazo de cobertura provisional** (INSCE time on risk), **plazo de devolución** (due date, repayment deadline), **plazo de entrega** (delivery period, term of delivery, delivery time), **plazo de espera para la entrega de un pedido** (lead time), **plazo de fabricación** (manufacturing lead time), **plazo de pago** (due date, repayment deadline), **plazo de prescripción** (LAW expiry date, date on which a right lapses; final date for presenting a claim, date after which a claim or prosecution is statute-barred), **plazo de presentación** (FIN final date for presenting a bill for payment; LAW filing period), **plazo de reembolso** (repayment period/terms), **plazo de suspensión o de espera obligatorio** (blocked period), **plazo de validez** (validity, validity period), **plazo de validez de un crédito** (validity of a credit, date when debt falls due), **plazo de vencimiento** (deadline, expiry date, period of maturity, maturity[3]), **plazo**

extintivo (statute of limitations period), **plazo fijo** (fixed term), **plazo fijo, a** (for a fixed period; S. *préstamo a plazo fijo*), **plazo indicado, en el** (within the specified time), **plazo límite/tope** (deadline; S. *cierre, plazo, fecha del vencimiento*), **plazo para el pago** (time/limit allowed for payment; final date for payment; S. *día de pago*), **plazo para pago con derecho a descuento** (discount period), **plazo razonable** (day/days of grace; S. *prórroga especial*), **plazo vista, a** (aftersight, a/s), **plazos** (terms of payment; dates for payment/at which payment falls due; S. *condiciones/modalidades de pago*), **plazos, a** (on hire-purchase, on the installment plan *US*), **plazos de pago** (credit terms), **plazos pendientes** (outstanding instalments), **plazos y condiciones** (terms and conditions)].

pleamar *n*: high tide; S. *marea alta; bajamar*.

plegable *a*: collapsable/collapsible. [Exp: **plegar** (fold,[1] collapse; give way, accede; S. *doblar*), **plegarse** (give in; S. *ceder, rendirse*)].

pleito *n*: lawsuit, suit, action[3]; S. *litigio, proceso/demanda judicial*.

pleno[1] *a/n*: full, complete, round[1]; unlimited; plenary meeting, meeting of the full board/committee, etc.; S. *completo, lleno*. [Exp: **pleno**[2] (plenary meeting), **pleno**[3] (insce line, limit), **plena actividad, producción o rendimiento, en** (going, in full swing; on stream; S. *en funcionamiento*), **pleno de aceptación** (INSCE gross limit/line), **pleno de conservación/retención** (INSCE net limit/line, retention), **pleno de suscripción** (INSCE underwriting limit), **pleno derecho, de** (full, complete, with all the rights conferred by law; in the fullest legal sense), **pleno empleo** (full employment), **pleno, en** (as a body, en masse),

pleno rendimiento, a (at full capacity), **plenos derechos, con** (fully empowered; fully vested *US*), **plenos poderes** (full power-s)].

plica *n*: escrow; S. *garantía bloqueada*.

pliego *n*: LAW office document; sealed document, list of specifications. [Exp: **pliego de cargos** (LAW list of charges, *approx* indictment), **pliego de condiciones** (bidding specifications, articles and conditions, specifications; S. *especificaciones*), **pliego de costas** (bill of costs), **pliego de descargo** (answer to charges, rebuttals, point-for-point rebuttal of accusations), **pliego de excepciones** (bill of exceptions), **pliego de licitación** (information for bidders; S. *bases del concurso*)].

pluriempleado *n*: IND REL moonlighter *col*. [Exp: **pluriempleo** (IND REL moonlighting *col*)].

plus *n*: IND REL, FIN bonus,[1] perquisite; perk *col*; kicker *col*; makeup *US col*; S. *extra, bonificación, prima*. [Exp: **plus/prima de carestía de vida** (cost-of-living allowance/bonus/plus), **plus de peligrosidad** (IND REL danger money, hazard bonus; S. *prima de riesgo*)].

plusvalía[1] *n*: acquired surplus, capital gains, surplus value, added value, value added, capital gain, increment value, accretion,[1] unearned increment; S. *variaciones patrimoniales; minusavalía*. [Exp: **plusvalía**[2] **[municipal]** (TAXN land tax, [local] property tax), **plusvalía imputable** (TAXN chargeable gain; S. *incremento patrimonial sujeto a contribución*), **plusvalía laboral** (employer's surplus, producer's surplus), **plusvalía latente** (latent goodwill), **plusvalía negativa** (COM negative goodwill), **plusvalías de capital** (capital gains) **plusvalía-s teórica-s** (unrealized/ theoretical/nominal capital gains)].

PNB *n*: S. *producto nacional bruto*.

PNN *n*: S. *producto nacional neto*.

población *n*: population. [Exp: **población activa u ocupada** (working population, total labour force; S. *fuerza laboral, mano de obra*), **población en edad de trabajar** (working age population), **población flotante** (floating population), **población inactiva** (inactive population)].

pobre *a*: poor, needy, underprivileged; S. *necesitado*. [Exp: **pobreza** (poverty, indigence; poverty pockets; S. *indigencia*)].

poco *a/adv*: little, few; not much, un-. [Exp: **poca monta, de** *col* (slight, minor; second-rate, insignificant; of small account, of little note or standing), **poco de dinero, por un** (for a small consideration), **poco, por** (narrowly; S. *por escaso margen*), **poco razonable** (unreasonable; S. *desmedido, arbitrario*), **poco rentable** (uneconomic; unprofitable, unproductive; loss-making; S. *improductivo, deficitario*), **poco seguro** (unsafe, risky; insecure; S. *arriesgado*), **poco valorado o estimado** (low-rated; S. *de clasificación baja*)].

podar *v*: prune, trim, retrench; cut back, reduce; S. *cortar, reducir, recortar*.

poder[1] *n*: power, faculty; authority;[1] leverage; S. *potencia, energía, capacidad, potestad, facultad*. [Exp: **poder**[2] (power of attorney, proxy, procuration; S. *poder notarial*), **poder adquisitivo** (buying/purchasing/spending power), **poder colateral** (collateral power), **poder compensatorio** (countervailing power), **poder de representación** (power of attorney, PA; S. *poder notarial*), **poder/derecho de retención del agente de comercio** (agent's lien), **poder de suscripción** (binding cover), **poder económico** (economic power), **poder ejecutivo** (executive power; S. *ejecutivo*), **poder, el** (the establishment[3]; those in power, the powers that be, the great and the good *col*; S. *los poderes fácticos*), **poder, en el** (ruling[2]; S. *vigente, corriente*), **poder ejecutivo** (executive power), **poder incidental o necesario** (mediate powers), **poder judicial** (the judiciary; S. *judicatura*), **poder legislativo** (the legislature, parliament), **poder negociador** (bargaining power), **poder notarial** (power of attorney, PA, warrant of attorney, letter of delegation), **poder notarial autorizando la venta de valores** (stock power *US*), **poder nudo** (bare power), **poder-es, por, pp** (per pro, per procurationem, pp; by power of attorney, by authority), **poder salarial** (IND REL earning power[2]), **poderes excepcionales** (exceptional powers), **poderes fácticos** (the powers that be, state institutions wielding effective control; S. *el poder, el sistema, la clase dirigente*), **poderes ilimitados** (S. *dar carta blanca o poderes ilimitados*), **poderes primarios o principales** (primary powers), **poderes públicos** (the government)].

poderhabiente *n*: attorney, proxy; duly appointed/authorized agent; S. *apoderado, procurador, mandatario*.

poderdante y apoderado *n*: principal and agent; S. *mandante y mandatario, principal y agente*.

policía de aduana *n*: customs police.

policultivo *n*: mixed farm, mixed farming [project]; S. *proyecto de cultivos múltiples*.

polideportivo *n*: sports and leisure centre/complex; S. *centro deportivo*.

polígono *n*: polygon. [Exp: **polígono de frecuencia** (frequency polygon), **polígono industrial** (industrial estate, industrial area/park *US*; S. *zona comercial o industrial*)].

política[1] *n*: politics. [Exp: **política**[2] (policy; S. *programa*), **política agrícola común, PAC** (Common Agricultural Policy,

CAP), **política arancelaria** (tariff policy), **política cambiaria** (foeign currency policy, exchange rate policy), **política contractiva** (contractionary policy), **política de compra y mantenimiento** (STK EXCH buy and hold policy), **política común pesquera** (common fisheries policy), **política coyuntural** (current economic policy, business cycle policy), **política crediticia** (loan policy, policy on credit; S. *política de préstamos*), **política de apoyo a la inversión** (investment support policy), **política de austeridad** (policy of economic restraint/austerity, belt-tightening policy), **política de avances intermitentes** (S. *política de tirones*), **política de bienestar** (welfare policy), **política de conservación de bonos sin especular** (STK EXCH buy and hold policy), **política de empleo** (labour policy), **política de empresa** (firm's policy, company's business policy or way of doing business), **política de estímulo de la oferta** (supply-side policy), **política de frenazos y acelerones** (stop and go policy), **política de precios** (prices/pricing policy), **política de precios únicos** (single-price policy), **política de préstamos** (loan policy; S. *política crediticia*), **política de prima con descuento a pólizas de alto valor nominal** (INSCE premium discount plan), **política de puertas abiertas** (open-door policy), **política de recortes o ahorros** (economy drive, economy kick *col*), **política de reducción de plantillas** (IND REL redundancy policy, job-cutting policy, policy of staff or workforce streamlining), **política de rentas** (incomes policy), **política de rentas de base tributaria** (tax-based incomes policy), **política de restricción de crédito** (credit squeeze, tight credit/ money policy), **política de tierra**

quemada (ECO scorched earth policy), **política de tirones o de avances intermitentes** (ECO stop-and-go policy), **política deflaccionaria** (deflactionary policy), **política del lado de la demanda/oferta** (demand/supply side policy), **política demográfica** (population policy), **política discrecional** (discretionary policy), **política económica** (economic policy; political economy), **política económica expansionista** (ECO policy of economic expansion, pump priming policy *col US*; S. *cebar la bomba*), **política equilibradora de la reserva de oro del país** (gold sterilization), **política expansionista/expansiva** (expansionary policy), **política expansiva** (expansive policy; S. *política restrictiva*), **política fiscal** (fiscal policy, taxable policy/system), **poliza flotante** (floating policy), **política industrial de expansión y modernización** (ECO industrial expansion and modernisation policy; S. *acción concertada*), **política monetaria** (monetary policy), **política monetaria expansiva** (easy money policy), **política monetaria restrictiva** (tight monetary policy), **política permisiva o complaciente** (accommodating policy), **política presupuestaria** (budgetary policy), **política recaudadora** (collection policy; revenue policy; S. *norma de cobro*), **política restrictiva** (restrictive policy), **política tarifaria o de precios** (pricing policy, tariff policy)].

político *a/n*: political; politician. [Exp: **político/empresario quemado/tocado/acabado** (burned-out politician/businessman *col*, has-been *col*; lame duck[1] *col*)].

póliza *n*: INSCE policy,[2] insurance policy/certificate, scrip; charter; contract; notarized agreement. [Exp: **póliza a prima fija** (fixed-premium policy; block policy[1]), **póliza abierta** (floating policy,

open policy, open cover, declaration policy; permanent cover; S. *póliza general o flotante*), **póliza abierta o general** (blanket policy[1]), **póliza adicional** (extra policy or cover), **póliza al portador** (bearer policy), **póliza aplazada a favor de un menor** (child's deferred policy), **póliza base** (SEG master policy), **póliza blindada** (INSCE bullet-/bomb-proof policy *col*; armour plated policy, policy providing every conceivable safeguard), **póliza caducada** (lapsed policy), **póliza combinada** (SEG combined policy), **póliza conjunta** (joint policy), **póliza contra la responsabilidad civil del depositario** (bailee policy), **póliza contra pérdida de equipaje** (baggage insurance policy), **póliza de cobertura retroactiva** (back coverage policy), **póliza de compra** (stock certificate), **póliza de crédito** (loan agreement), **póliza de crédito personal** (personal loan policy), **póliza de doble** (TRANSPT, INSCE mixed policy; S. *póliza mixta*), **póliza de doble protección** (double protection policy), **póliza de favor** (accommodation line[1]; S. *seguro por acomodación*), **póliza de fidelidad** (fidelity guarantee policy), **póliza de fletamento** (TRANSPT charter party, C/P), **póliza de fletamento para viajes consecutivos** (TRANSPT consecutive voyage charterparty), **póliza de fletamento de azúcar a granel** (bulk sugar charter), **póliza de fletamento con indicación del muelle** (dock charter), **póliza de fletamento con mención expresa del puerto de arribada** (port charter), **póliza de garantía de la solvencia del contratista** (contract guarantee insurance), **póliza de indemnización** (indemnity policy[1]), **póliza de mercancías transportadas** (shipping/transport insurance/policy), **póliza de muelle** (berth charter), **póliza de prima**

única (single premium assurance/policy, income bond,[1], guaranteed income bond), **póliza de renta anual o vitalicia** (annuity insurance, life income insurance/policy), **póliza de responsabilidad por incomparecencia** (abandonment policy), **póliza de seguro de vida** (life assurance/insurance policy; endowment policy), **póliza de seguro de transporte marítimo** (cargo policy), **póliza de seguro de vida vinculada a un fondo de valores** (unit-linked policy), **póliza de seguro por lucro cesante** (business interruption policy, consequential loss policy, loss-of-profits policy), **póliza de seguro con primas escalonadas o variables** (stepped-rate premium insurance), **póliza de seguro contra pérdidas personales** (personal property floater), **póliza de seguro contra la deslealtad de los empleados** (banker's blanket bond; S. *póliza de fidelidad*), **póliza de seguro de vida con participación en los beneficios** (participating life insurance policy), **póliza de seguros varios** (schedule policy), **póliza de seguros provisional** (cover note, binder[2]; S. *documento acreditativo de cobertura de seguro*), **póliza de seguros mixta** (endowment policy; S. *seguro de pensión, seguro de vida y/o de capitalización, seguro mixto*), **póliza de seguros combinada** (combination policy), **póliza de vida entera** (whole life policy), **póliza del constructor de buques** (shipbuilder's policy), **póliza general o flotante** (floating policy, open policy, declaration policy, floater policy, master policy; S. *póliza abierta*), **póliza general** (master policy), **póliza general de fletamento para minerales** (TRANSPT general ore charter party, genorecon), **póliza liberada** (paid-up policy), **póliza mixta** (TRANSPT, INSCE mixed policy; S. *«póliza de doble»*), **póliza para imprevistos** (contingency policy), **póliza para riesgos múltiples** (multiple coverage policy), **póliza provisional** (INSCE, TRANSPT cover note; S. *nota de cobertura; resguardo de seguro*)].

polo *n*: ECO pole. [Exp: **polo de desarrollo** (development area, assisted area, special development area, depressed/distressed/derelict area, enterprise zone), **polo de promoción industrial** (subsidized industrial area/pole, enterprise zone)].

ponderar *v*: weight; weigh, weigh up; consider; evaluate; S. *tasar*. [Exp: **ponderación** (weighting, trade-off[2]), **ponderado** (weighted), **ponderado día a día** (dayweighted), **ponderado temporalmente** (time-weighted)].

ponencia *n*: MAN, LAW panel, board, committee; report; motion, proposal; judgement, opinion; paper; S. *informe, propuesta, dictamen, conferencia*. [Exp: **ponente** (panel member; speaker; judge, member of a bench, reporter, referee[1]; S. *juez, vocal*)].

poner *v*: put, place[1]; lay[2]; set; fix; S. *situar, colocar*. [Exp: **poner a alguien al corriente de o en antecedentes** (fill sb in on), **poner a disposición de** (make available to), **poner a la venta** (offer for sale, public offering), **poner a punto** (tune up; S. *ajustar, afinar*), **poner a tono con** (bring into line with), **poner al día** (bring up to date, update; write up[1]), **poner al mal tiempo buena cara** (make the best of a bad job), **poner algo en venta** (put sth up for sale; S. *sacar algo a la venta*), **poner coto a** (put an end/a stop to), **poner de patitas en la calle** *col* (sack; boot out *col*; throw out; see off *col*; get rid of, chuck out *col*; give the push *col*; give the heave *col*; S. *echar*), **poner el dedo en el problema/la llaga** (put one's finger on the problem; S. *localizar/identificar/concretar el pro-*

blema), **poner el matasellos** (postmark; S. *matasellos*), **poner el sello** (affix the seal; S. *sellar*), **poner el visto bueno a** (approve, give one's approval to, give the stamp of approval to, okay *col*; give the green light or go-ahead to *col*; S. *aprobar*), **poner en Bolsa** (STK EXCH go public), **poner en circulación** (issue[1]; S. *emitir*), **poner en claro** (clear up[1]; S. *aclarar, esclarecer*), **poner en clave** (code; S. *codificar, cifrar*), **poner en cuarentena** (quarantine; S. *cuarentena*), **poner en duda** (question, query, call in question, cast doubt on, question; S. *cuestionar*), **poner en ejecución** (give effect to, carry into effect, carry out, put into effect/execution; effect[3]; S. *ejecutar*), **poner en la lista negra** (COM blacklist), **poner en libertad bajo fianza** (LAW release on bail, grant bail to; S. *puesta en libertad con fianza*), **poner en movimiento** (set in motion, launch, get going, get off the ground *col*), **poner en orden** (set in order, order; tidy up, clear up[2]; S. *desembrollar, aclarar*), **poner en peligro** (jeopardise, jeopardize; place/put in jeopardy; S. *exponer, arriesgar*), **poner en práctica** (implement; S. *ejecutar, cumplir, aplicar, llevar a cabo*), **poner en tela de juicio** (question, query, challenge; S. *cuestionar, recusar*), **poner en una lista** (list[1]; S. *enumerar*), **poner en venta** (put up for sale; release[5]), **poner en vía de ejecución** (set in effect, put in place), **poner en vigor** (bring into force/effect; enforce; S. *aplicar, ejecutar, hacer cumplir*), **poner fin a** (bring to an end, terminate, wrap up[2] *col*; S. *terminar, finalizar*), **poner la última piedra** (complete, conclude, put the finishing touches, top out; S. *culminar un proceso*), **poner las cosas en marcha/movimiento** (set/start the ball rolling *col*), **poner las iniciales** (initial; S. *rubricar*), **poner por las nubes** (sing the praises of, hype up *col*; build up[3]; S. *dar bombo a*), **poner remedio a** (remedy, make amends; fix; sort out; S. *solucionar, rectificar*), **poner sobre la mesa/tapete** (bring up; S. *plantear, sacar a colación o a relucir*), **poner término a un acuerdo** (terminate an agreement), **poner título/epígrafe** (rubricate; S. *marcar, señalar*), **poner trabas** (raise difficulties; S. *suscitar problemas, suscitar dificultades*), **poner un anuncio** (advertise; place an advert/ad; S. *dar publicidad a*), **poner un cable** (cable; S. *telegrafiar*), **poner un negocio propio** (set up one's own business, strike out on one's own; S. *independizarse*), **poner un precio** (name/make/quote a price), **poner un tope a** (cap, fix a ceiling or an upper limit for/on), **poner una fecha anterior** (backdate; S. *dar efectos retroactivos*), **ponerse a cubierto** (hedge[1]), **ponerse a la cabeza** (take the lead, head; S. *llevar la delantera*), **ponerse a trabajar en serio** (get down to business; S. *ir al grano*), **ponerse al lado de** (side with, back, support; throw in one's lot with; align oneself with; S. *tomar partido por, apoyar*), **ponerse de acuerdo** (make a deal with, reach an agreement with; agree with; S. *corresponder, coincidir*), **ponerse en contacto con** (contact, get in touch with; S. *establecer comunicación con*), **ponerse en funcionamiento** (become operative, come into operation, come on stream), **ponerse en venta** (come on[to] the market; come up for sale; S. *salir a la venta*), **ponerse histérico** *col* (blow/lose one's cool *col*; S. *perder los nervios*), **ponerse las botas** *col* (clean up[2] *col*; S. *llevarse una buena tajada*), **ponerse por las nubes** (soar, go sky-high *col*; go through the roof *col*; S. *dispararse*)].

porcentaje[1] *n*: percentage, ratio; S. *grado, índice, razón, relación, coeficiente, ratio, proporción, cociente.* [Exp: **porcentaje**[2]

(COM commission[3]; S. *comisión*), **porcentaje de amortización** (ACCTS rate of depreciation, amortization percentage), **porcentaje de autofinanciación** (self-financing ratio), **porcentaje de obra ejecutada** (percentage of completion), **porcentaje de participación** (concentration ratio; S. *grado/coeficiente de concentración*), **porcentaje de rebaja** (COM mark-down; S. *reducción/rebaja en el precio de un producto, saldo*), **porcentaje de recuperación** (FIN recoup percentage), **porcentaje de reserva obligatoria** (BKG minimum cash requirement/reserve; S. *coeficiente mínimo de reserva legal*), **porcentaje fijo** (fixed/flat rate), **porcentaje mensual de cambio** (FIN rate of change, ROC)].

porción *n*: portion; share, ration, part; allotment, dose, lot[1]; S. *lote, parte, cupo, dosis.*

pormenores *n*: particulars, details; S. *datos, datos personales, detalles.* [Exp: **pormenorizadamente** (in detail, at length; item by item; S. *de forma prolija*), **pormenorizado** (itemized, detailed, itemized, broken down; S. *desglosado, detallado*)].

portacontenedor *n*: TRANSPT container ship.

portada *n*: ADVTG front cover/page, cover[5]; S. *cubierta, tapa.*

portar *v*: carry, bear[2]; S. *transportar, llevar.* [Exp: **portador** (bearer; holder, payee; S. *tenedor, titular*), **portador, al** (to the bearer; bearer, made out/payable to the bearer; S. *cheque, letra*)].

portavoz *n*: spokesman, spokeswoman, spokesperson.

porte *n*: TRANSPT carriage, cge; portage, porterage, haulage; S. *transporte.* [Exp: **porte-s debido-s** (carriage forward, CF, carr fwd, freight forward, freight collect *US*), **porte-s pagado-s** (freight/carriage paid/prepaid, carriage paid, postage paid; S. *franqueo concertado/pagado, con franqueo pagado*), **porte por cobrar** (carriage/freight collect), **portes** (carriage/freight charge; S. *gastos de transporte*)].

porteador *n*: carrier. [Exp: **porteador común** (common carrier), **porteador real** (actual carrier), **porteadores sucesivos** (successive carriers)].

portuario *a*: port, harbour, dock; S. *puerto.*

pos[t]- *prefix*: post-; S. *post-.* [Exp: **pos[t]data, P.D.** (poscript, P.S.), **posdatar/posfechar** (post-date)].

poseedor *n*: possessor, holder; S. *titular, portador, tenedor.* [Exp: **poseedor de título** (LAW holder of record/title, lawful owner, legal beneficiary; S. *tenedor inscrito*), **poseedor o concesionario de una patente** (patentee; S. *titular, tenedor*), **poseer** (possess, own, hold[1]; S. *tener*)].

posesión[1] *n*: possession; hold,[1] holding, tenure; S. *tenencia, goce, disfrute.* [Exp: **posesión[2]** (property; proprietorship, ownership; S. *bienes, pertenencias, propiedad*), **posesión exclusiva** (exclusive possession), **posesión material** (physical possession), **posesorio** (possessory; affecting possession/ownership/ title)].

posibilidad *n*: possibility, chance; feasibility, contingency; eventuality; prospect; S. *perspectiva, eventualidad.* [Exp: **posibilidades/ofertas de empleo** (employment opportunities/prospect), **posibilidades de éxito/triunfo profesional** (career prospects; S. *perspectivas profesionales*)].

posición *n*: position; standing,[3] status; S. *emplazamiento, situación, reputación, estatus.* [Exp: **posición a la baja o bajista** (STK EXCH bear position), **posición a horcajadas** (STK & COMMOD EXCH posición a horcajadas), **posición**

abierta (STK & COMMOD EXCH open position), **posición acomodada, de** (well-off, comfortably off; S. *acomodado*), **posición acreedora** (creditor position), **posición al alza** (STK EXCH bull position, long position), **posición arancelaria** (tariff position), **posición cerrada** (STK & COMMOD EXCH closed position), **posición compensada** (STK & COMMOD EXCH flat posición), **posición compradora o larga** (STK & COMMOD EXCH long position), **posición corta o vendedora** (STK & COMMOD EXCH short position), **posición cubierta** (STK & COMMOD EXCH covered position), **posición de cobertura a horcajadas** (STK & COMMOD EXCH straddle; S. *cobertura*), **posición de contado** (cash position), **posición de dinero, con** (STK EXCH buyers over; S. *mercado fuerte, mercado agotado*), **posición de liquidez** (STK EXCH liquidity or cash position; S. *situación de efectivo*), **posición de reservas** (reserve position; S. *situación de las reservas*), **posición de vendedor** (STK EXCH bear account, short account; S. *cuenta de especulaciones a la baja*), **posición del cambista** (dealer position), **posición descubierta** (STK & COMMOD EXCH naked position), **posición deudora** (debtor position), **posición dinero** (STK EXCH money position, surplus of money, money[2]), **posición distante** (distant position), **posición dominante en el mercado** (dominant position of market power), **posición en el tramo de oro** (gold tranche position), **posición en moneda extranjera** (foreign exchange position), **posición larga o compradora** (STK & COMMOD EXCH long position), **posición larga de mariposa** (STK EXCH butterfly; S. *mariposa*), **posición límite** (trading limit), **posición negociadora o no conflictiva** (IND REL bargaining position), **posición papel** (STK EXCH paper, surplus of paper), **posición sintética** (STK & COMMOD EXCH synthetic position), **posición técnica** (STK EXCH technical position), **posición vendedora** (STK & COMMOD EXCH short position)].

posicionar *v*: position, place; S. *poner*. [Exp: **posicionamiento** (position, positioning; stand, stance; S. *postura, actitud*), **posicionarse** (position oneself; take up a position or stance; make one's position clear)].

positivo *a*: positive, affirmative; constructive[1]; favourable; showing a profit; S. *afirmativo, constructivo*.

posponer *v*: postpone, put off; S. *diferir, aplazar*.

postal *a/n*: postal; postcard.

postergar *v*: postpone; S. *aplazar, posponer*. [Exp: **postergar la posición** (extend one's position)].

posterior *a*: later, subsequent; S. *anterior*. [Exp: **posterior al cierre** (post-closing), **posterioridad, con** (later, at a later/subsequent time/date)].

postor *n*: bidder, tenderer, competitor; S. *pujador, licitante/licitador*.

postura[1] *n*: position, stance, attitude; S. *posición, actitud*. [Exp: **postura**[2] (bid; bidding; stake, bet; S. *puja, licitación, apuesta*)].

potencia *n*: power, strength. [Exp: **potencia económica** (economic power), **potencia, en** (potential, in the making), **potencial** (potential), **potencial de absorción de riesgos** (SEG risk-bearing potential), **potencial de ingresos** (FIN earnings potential), **potencial de rentabilidad** (earning/earnings potential), **potencial económico** (economic potential), **potencial para el mercado** (STK & COMMOD EXCH market potential)].

potentado *n*: fat cat *col*, tycoon; S. *magnate*.

potestad *n*: authority,[1] power; S. *competencia, jurisdicción*. [Exp: **potestad normativa** (regulatory power)].

pozo *n*: well. [Exp: **pozo sin fondo** *col* (bottomless pit *col*), **pozo petrolífero/de petróleo** (oil well)].

pp *n*: S. *por poder.*

PPA *n*: S. *paridad del poder adquisitivo.*

práctica *n*: practice,[1] experience; S. *uso, costumbre.* [Exp: **práctica bancaria normal** (standard banking practice), **práctica comercial** (business practice, normal trading practice), **práctica comercial desleal** (unfair trade practice), **práctica contable** (accounting practice/convention), **práctica de desdoblamiento de precios** (dual pricing, two-tien pricing), **práctica de fijación vertical de precios** (vertical price restraint), **práctica desleal** (unfair practice, malpractice), **práctica, en la** (in practice), **práctica habitual** (norm, standard practice), **práctica ilegal** (illegal practice, irregularities), **práctica poco ética** (unethical practice/conduct, malpractice; S. *engaño*), **practicar** (practise; perform, carry out; S. *desempeñar, efectuar*), **prácticas colusorias** (collusive practices), **prácticas comerciales engañosas o fraudulentas** (deceptive marketing practices), **prácticas concertadas** (concerted practices), **prácticas profesionales poco claras u honestas** (sharp practice)].

práctico[1] *a*: practical; useful, convenient, handy; S. *útil.* [Exp: **práctico**[2] (TRANSPT harbor pilot), **práctico de barra** (TRANSPT bar pilot), **práctico de puerto** (dock pilot, pilot[2])].

pragmático *a/n*: pragmatic; pragmatist; practically-minded person; S. *viable, factible, práctico.* [Exp: **pragmatismo** (pragmatism; common-sense approach)].

pre *pref*: pre-. [Exp: **preapertura** (STK EXCH stage/situation prior to opening), **preaviso** (notice, advance notice; S. *notificación con la antelación debida*), **preaviso, con** (with notice, subject to notice), **preaviso, sin** (without previous/prior notice; S. *sin previo aviso*), **precontrato** (letter of intent), **predecir** (forecast, predict), **predicción** (prediction, forecast), **predominar** (predominate, prevail, be rampant; S. *prevalecer, estar extendido*), **predominante** (predominant, prevailing, prevalent, major, ruling; S. *común, reinante, extendido, preponderante, dominante*), **predominio** (prevalence, predominancy), **preestreno** (preview; sneak preview *col*), **predeterminar** (predetermine, decide beforehand), **prefinanciación** (pre-financing; S. *financiación anticipada*), **prejuicio, con** (prejudiced; S. *parcial*), **prejuzgar** (pre-judge), **premoriencia** (INSCE pre-decease), **premorir** (pre-decease; S. *premoriencia*), **prepago** (prepayment), **preselección** (shortlist; S. *lista de preseleccionados; terna*), **preselección de ofertas** (call for biddes), **preseleccionar** (place on a short-list, shortlist), **prepotente** (pushy *col*; high-handed, overweening, overbearing arrogant; authoritarian; too big for one's boots *col*; S. *agresivo, avasallador*), **presuponer** (presuppose; require), **presuposición** (presupposition), **presupuesto** (presupposition; S. *presuposición*), **prever** (forecast, foresee, plan; schedule,[2] project, provide for; anticipate, assume; S. *programar, planear, estipular*), **prever con tiempo la demanda** (anticipate demand), **previsible** (probable, foreseeable; predictable; S. *probable*), **previsión**[1] (forecast, estimate,[1] planning; S. *pronóstico*), **previsión**[2] (social welfare; S. *fondo de previsión*), **previsión**[3] (precaution), **previsión a corto plazo** (short-range forecast/planning), **previsión de, en** (as a precaution against), **previsión de ventas** (sales forecast), **previsión económica a corto/medio/largo plazo** (short-term/

medium term/long term economic forecast), **previsión social** (social security), **previsiones actuales** (current expectations), **previsiones presupuestarias** (budget estimates; S. *cálculo/ proyecto de presupuesto*), **previsor** (provident; prudent, far-sighted; S. *providente*), **previsto** (scheduled; S. *proyectado, programado*)].

precariedad *n*: precariousness, precious/ difficult/tricky situation; insecurity; instability; scarcity; S. *escasez*. [Exp: **precariedad de trabajo** (shortage of work), **precariedad en el empleo** (lack of job security; job scarcity; threat of redundancy; instability/unsteadiness of the labour market; poor long-term employment prospects, prevalence of short-term or temporary job/contracts), **precario** (precarious; unstable, shaky, insecure, at risk; uncertain, doubtful, up in the air *col*; precarious circumstances, tricky/difficult situation; S. *incierto, apuros*), **precario, en** (shaky, insecure, at risk; with uncertain means; on shaky ground *col*; up in the air *col*)].

precaución *n*: precaution, caution, care; S. *cuidado*. [Exp: **precautorio** (precautionary; preventive; S. *cautelar, preventivo*)].

precedencia *n*: precedence; priority; S. *prioridad*. [Exp: **precedente** (previous, preceding, aforegoing, foregoing; S. *antecedente*), **precedente vinculante** (LAW binding precedent)].

preceptivo *n*: binding; compulsory; mandatory[2]; S. *de obligado cumplimiento*.

precepto *n*: rule,[1] provision[1]; S. *artículo, disposición, estipulación*.

precintar *v*: seal; LAW close down, order the closure of; S. *sellar, lacrar*. [Exp: **precinto** (seal, tax seal), **precinto de aduanas** (customs seal)].

precio *n*: price, cost, charge,[1] quotation; rate, consideration; tariff; S. *valor, coste, cargo, cotización*. [Exp: **precio a discutir/convenir** (price to be agreed, price negotiable; S. *precio negociable*), **precio a plazo** (forward price; S. *precio al contado*), **precio abusivo, desleal o predatorio** (predatory price), **precio ajustado** (COM near-cost price, lowest available price), **precio al cierre** (STK & COMMOD EXCH price at the close, closing price), **precio al contado** (cash price,[1] spot price; S. *precio de entrega inmediata*), **precio al detall o al por menor** (retail price), **precio al por mayor** (wholesale price, trade price), **precio al vencimiento** (value at maturity; maturity basis; S. *razón de intereses al vencimiento*), **precio alzado** (lump sum price), **precio base** (STK & COMMOD EXCH basis price, basis[3]), **precio/beneficio, PB** (PER, price-earnings ratio), **precio cif** (cif price), **precio cif desembarcado** (cif landed price), **precio competitivo** (competitive price), **precio comprador** (buying/bid price; S. *precio de compra*), **precio con rebaja** (discount price), **precio concertado** (agreed price, all-in price), **precio controlado** (controlled price), **precio corriente** (current value, standard price; S. *valor actual*), **precio corriente/normal/actual del mercado** (market/going/current/usual/standard price; ruling price), **precio de adquisición** (price, purchase price), **precio de ajuste** (settlement price), **precio de almacenaje** (inventory holding cost), **precio de alquiler** (cost of rent/lease, rate of rental), **precio de amortización** (call price, redemption price), **precio de apertura** (STK & COMMOD EXCH opening price/quotation/rate), **precio de catálogo** (catalogue price), **precio de cesión** (transfer price), **precio de cierre** (STK & COMMOD EXCH closing price/quotation), **precio de compra** (purchase price, bid price), **precio de compra ofertado** (STK EXCH bid price[1]; S. *precio de puja*), **precio de compra y de venta** (FIN two-way[3]), **precio de contado** (cash price), **precio de conversión** (conversion price), **precio de coste** (ACCTS cost price; S. *valor de adquisición*), **precio de coste, a** (at cost), **precio de coste marginal** (marginal cost price), **precio de coste medio** (average cost price), **precio de demanda** (ask/asked price, demand price), **precio de ejecución de una orden de compra/venta** (STK & COMMOD EXCH fill price), **precio de ejercicio** (STK & COMMOD EXCH exercise/strike price), **precio de emisión** (issue price), **precio de entrada** (entrance charge/free; threshold price, cost/amount of deposit), **precio de entrega** (deliverable/delivered price), **precio de entrega inmediata o «spot»** (STK & COMMOD EXCH spot price), **precio de fábrica** (price ex factory), **precio de gancho** *col* (loss leader price), **precio de ganga, a** (on the cheap *col*; for a song *col*; at a bargain/knockdown price; S. *barato, saldo, rebaja*), **precio de garantía** (support price), **precio de intervención** (intervention price), **precio de inventario** (price as per inventory, book price), **precio de la demanda global** (aggregate demand price), **precio de lanzamiento** (ADVTG launch price), **precio de la prolongación/prórroga** (contango price), **precio de liquidación** (knockdown price, price to clear, knock-out price), **precio de mayorista** (wholesale price, trade price), **precio de mercado** (market price), **precio de minorista/menudeo** (retail price), **precio de mercado al contado** (cash market price, price at destination), **precio de mercancía puesto en destino** (landed cost/price, price at destination), **precio de ocasión/saldo** (ADVTG, COM bargain price; bargain basement price), **precio de**

oferta (ask/asked/asking price; offer/offering price; sale price; S. *precio de tanteo, precio pedido*), **precio de paridad** (parity price/rate; S. *cambio a la par*), **precio de puja** (STK EXCH bid price[1]; S. *precio de compra o de demanda*), **precio de punto muerto** (break-even price), **precio de realización** (selling price, selling-up price), **precio de reclamo** (ADVTG loss leader price), **precio de reposición** (replacement cost), **precio de rescate, redención o reembolso** (FIN call price, redemption price, reimbursement price, retirement rate), **precio de referencia** (FIN benchmark price), **precio de rescate** (BKG call price, redemption price, buying-in price; STK EXCH bid price[2]), **precio de rescate al vencimiento del bono** (redemption price/buying-in price of bond at maturity), **precio de ruptura** (walk-away price), **precio de saldo** (bargain price; S. *precio de ocasión*), **precio de saldo, a** (at the knockdown/giveaway prices *col*; on the cheap *col*; S. *barato*), **precio de salida de una acción** (STK EXCH coming-out price, issued price), **precio de salida de una subasta** (reserve price, reserve; S. *precio mínimo solicitado*), **precio de subvención** (support price), **precio de tanteo** (ask/asked/asking price; S. *precio pedido, precio de oferta*), **precio de tarifa** (list price, catalogue price), **precio de temporada** (seasonal rate), **precio de una opción** (STK & COMMOD EXCH option premium), **precio de venta** (selling price), **precio de venta actual** (current selling price), **precio de venta ajustado** (ACCTS adjusted selling price), **precio de venta al público, PVP** ([recommended] retail price, final/market price), **precio de venta americano** (TAXN American selling price, ASP *US*), **precio del cubierto** (cover charge; S. *derecho de* *mesa, consumición mínima en un restaurante*), **precio del dinero** (rate of interest, cost of borrowing; S. *rédito, tipo/tasa de interés*), **precio del mayorista al minorista** (trade price, wholesale price), **precio del seguro de cambio** (exchange-rate hedge price), **precio del vendedor** (FIN ask/asked/asking price), **precio detallado** (itemized price), **precio en fábrica** (ex-factory price, ex-works position), **precio en firme** (firm price), **precio en picado** (plummeting price), **precio engañoso** (bait price), **precio especial** (special price, special offer, discount price, price concession; S. *rebajado*), **precio estimado** (valuation price), **precio ficticio** (fictitious price), **precio fijo** (fixed price), **precio fob** (free on board price, fob price), **precio franco en almacén** (price ex-warehouse), **precio franco en frontera** (free-frontier price), **precio franco fábrica, PFF** (ex-factory price, free of tax), **precio global** (COM all round price, lump-sum price, blanket price), **precio global de ejercicio** (STK & COMMOD EXCH all-in price, aggregate exercise price), **precio incluidos el transporte y la carga** (price at warehouse, price inclusive of loading and transport), **precio incluido el transporte hasta el almacén** (ex-store), **precio indicativo** (guide/guiding price, target price), **precio inicial de subasta** (upset price[2] *US*), **precio intervenido** (controlled price), **precio introductorio o de lanzamiento** (launch price), **precio justo** (fair price; S. *justiprecio*), **precio límite** (stop price), **precio marcado** (marked price), **precio máximo autorizado** (ECO ceiling price), **precio medio** (average price/rate, medium price), **precio medio de adquisición** (average purchase price), **precio medio de mercado** (STK EXCH average market price), **precio mínimo**

autorizado (COM minimum authorised price, price floor), **precio mínimo de venta aceptado por el vendedor** (reservation price *US*), **precio mínimo fijado, con/sin** (with/without reserve), **precio mínimo o más bajo** (COM upset price[1]), **precio mínimo solicitado** (reserve price, reserve; S. *precio de salida de una subasta*), **precio módico/moderado/mediano** (reasonable/moderate price), **precio muy rebajado o de ruina** *col* (knock-out price, giveaway price), **precio negociable** (price negotiable, price to be agreed, nearest offer *US*; S. *precio a discutir*), **precio neto de adquisición** (ACCTS identified cost; S. *coste identificado*), **precio no oficial** (STK EXCH street price), **precio no oficial después del cierre** (STK EXCH after-hours price), **precio nominal, a su** (STK EXCH at par; S. *a la par*), **precio normal** (regular/standard price), **precio orientativo** (approximate price; recommended price, guide price, manufacturer's recommended price), **precio para entrega inmediata, PEI** (spot price), **precio paritario de exportación** (export parity price), **precio pedido** (ask/asked/asking price; S. *precio de oferta, precio de tanteo*), **precio por unidad** (unit price), **precio puesto en destino** (COM landed price), **precio puesto en fábrica** (price to factory), **precio real** (STK EXCH actual price, real price), **precio real de un valor bursátil** (actual[3], actual price of a security), **precio rebajado** (reduced price; knockdown price), **precio recomendado para la venta al público** (manufacturer's recommended/suggested price, MRP; recommended retail price, RRP; S. *precio de venta al público*), **precio redondo o global** (COM all-round/all-in price), **precio reducida, a/de/con** (cut-price, cheap; S. *de bajo precio, barato*),

precio regulador (standard price), **precio retrospectivo de un activo financiero** (STK & COMMOD EXCH lookback price), **precio reventado** *col* (knockdown price; rock-bottom price *col*; S. *precio supermínimo*), **precio según catálogo** (list price), **precio según coeficiente de carga** (load-factor pricing), **precio simbólico** (token charge), **precio solicitado** (STK & COMMOD EXCH ask/asked/asking price), **precio sombra** (shadow price), **precio soporte** (support price), **precio todo incluido** (all-in price/rate/cost; S. *coste total*), **precio tope** (ECO ceiling price; S. *precio mínimo*), **precio último o supermínimo** (COM rock-bottom price, bottom price), **precio umbral** (threshold price), **precio único** (uniform/flat price/rate), **precio unitario o por pieza** (unit price, piece rate; S. *destajo*), **precio y seguro** (cost and insurance), **precios con rebaja** (reduced/marked-down prices), **precios contables o fantasmas** (book prices/values, accounting prices), **precios controlados por el gobierno o fijados por un monopolio** (administered prices), **precios de apoyo a la agricultura** (agricultural support prices), **precios de choque** (cut-throat prices *col*), **precios de saldo** (giveaway prices, bargains, bargain/bargain-basement prices), **precios disparados** (rocketing prices), **precios elevados o exagerados** (over-the-top prices *col*, inflated prices), **precios en aumento** (rising prices), **precios moderados** (reasonable prices), **precios oficiales** (scheduled prices/charges), **precios protegidos** (maintained prices, interventionist prices, artificially bolstered prices), **precios que devuelven el equilibrio al mercado** (market-clearing prices), **precios subvencionados o políticos** (subsidized prices)].
precisar *v*: specify, determine/evaluate

precisely; pinpoint, pin down *col*; put one's finger on *col*; need, require; S. *determinar*. [Exp: **precisión** (precision, accuracy; S. *exactitud*), **precisión milimétrica en el ritmo** (split-second timing; S. *cálculo exacto del momento más propicio*), **preciso** (precise, accurate, exact, faithful; S. *fiel, exacto*)].
precoz *n*: early; S. *temprano*.
predador *n*: predator; S. *depredador*.
predio *n*: LAW landed property, estate; S. *finca rústica*. [Exp: **predio mejorado** (improved real estate)].
preferencia *n*: preference, choice. [Exp: **preferencias aduaneras** (customs preferences), **preferencias arancelarias [generalizadas]** (generalized tariff preferences), **preferente** (preferential, preference; S. *prioritario, privilegiado; área de preferente localización*)].
prefijo *n*: prefix. [Exp: **prefijo de teléfono** (area code, dialling code)].
prelación de créditos *n*: preference, priority; establishing of order of precedence or priority. [Exp: **prelación de créditos** (assignment or granting of credit/loans on a priority basis)].
prematuro *a*: premature, too early, ahead of time; S. *anticipado*.
premiar *v*: reward, remunerate; award[1]; S. *recompensar*. [Exp: **premio** (prize, reward, remuneration, premium, pay-off, award[1]; S. *recompensa*), **premio contenido en la tapadera del envase** (COM box top offer *US*), **premio o indemnización por el servicio de salvamento** (TRANSPT, INSCE salvage agreement/charges/reward, etc.; S. *derechos de salvamento*)].
prenda *n*: pawn; pledge; forfeit; security, deposit, collateral,[2] chattel-s; S. *empeño, señal*. [Exp: **prenda de vestir** (garment), **prenda, en** (in pledge/pawn), **prenda hipotecaria** (security on mortgage; real securities; S. *garantía hipotecaria/real*),

prendador (pledger; S. *pignorador/ pignorante*), **prendario** (collateral; pledgee; S. *colateral; tenedor de una prenda*)].

prensa *n*: press; S. *comunicado de prensa*. [Exp: **prensa de calidad o seria** (ADVTG quality press; S. *periodismo serio*), **prensa sensacionalista** (ADVTG sensationalist/yellow press, gutter press *col*)].

preparación *n*: preparation, qualification; training; S. *formación*. [Exp: **preparado**[1] (ready, fit; S. *listo, dispuesto*), **preparado**[2] (trained, qualified; S. *titulado, competente, formado*), **preparado para intervenir** (on standby; S. *de guardia, como reserva o suplente*), **preparar** (prepare, train, process, gear up[2]), **preparar el presupuesto** (draw up budget; prepare/draw up an estimate; S. *presupuestar*), **prepararse/capacitarse/ habilitarse para ejercer de** (qualify as; S. *efectuar estudios de*)].

preponderante *a*: prevailing, predominant, dominant; S. *dominante, predominante, común, generalizado, imperante, reinante, actual, corriente, extendido*.

prerrogativa *n*: LAW privilege; S. *privilegio, gracia*.

presagio *n*: omen, forewarning; premonition; forecast.

prescribir *v*: prescribe; lapse, expire; LAW lapse, become statute-barred. [Exp: **prescripción** (limitation; lapse, lapsing; forfeit, non-user), **prescriptible** (lapsable), **prescrito** (lapsed, statute-barred; S. *caducado*)].

presentación *n*: presentation; full showing; submission; filing; production; [Exp: **presentación, a la; al ser presentado** (on production, on/upon presentation), **presentación conjunta de la declaración de la renta** (joint filing of tax return), **presentación de candidaturas** (nomination), **presentación de la**

declaración de la renta (filing of tax return), **presentación de licitaciones** (submission of bids), **presentación de una demanda o una reclamación** (LAW submission of a claim), **presentación de una letra** (presentation/production of a bill for payment), **presentación fuera de plazo** (late filing/submission)].

presentador *n*: ADVTG announcer, presenter. [Exp: **presentador de televisión** (TV presenter, front man[2] *col*), **presentador principal de un espacio televisivo** (anchor-man on a TV programme; S. *conductor*)].

presentar *v*: present, introduce; put in, put forward, tender, propose; hand, lodge, raise, submit; introduce; enter[2]; show, display; S. *plantear, exponer, proponer*. [Exp: **presentar a debate** (submit for discussion), **presentar a la firma** (present for signature), **presentar a un amigo** (introduce a friend), **presentar, al** (on/upon presentation; S. *al ser presentado, contra entrega*), **presentar al cobro/pago** (present for collection/ payment), **presentar al descuento** (present for discount), **presentar en el mercado** (launch on the market), **presentar la declaración de Hacienda** (TAXN file the annual tax return), **presentar la dimisión** (send in/tender one's resignation), **presentar un producto** (STK & COMMOD EXCH launch a financial product, issue repacked securities), **presentar un proyecto de ley** (bring in a bill), **presentar una demanda** (LAW raise an action, bring suit; S. *demandar*), **presentar una factura** (send in/present a bill; S. *rendir cuenta, pasar factura*), **presentar una letra** (present a bill for payment, sight a bill), **presentar una letra a la aceptación** (present a bill for acceptance), **presentar una moción** (table a motion[1]), **presentar una oferta** (put in/make a bid; S. *pujar, licitar*), **presentar una oferta para un contrato** (tender for a contract; S. *licitar para un contrato*), **presentar una propuesta** (put forward a proposal), **presentar una reclamación** (complain; put in/file/raise a claim; S. *denunciar*)].

presente *a/n*: current, present; present; S. *actual; regalo*.

preservar *v*: preserve, protect, keep; maintain[1]; S. *proteger; conservar*.

presidencia *n*: chairmanship, presidency, chair; general committee; S. *mesa presidencial*. [Exp: **presidencia conjunta** (joint chairmanship), **presidencia rotativa** (rotating presidency)].

presidente *n*: COMP LAW president, chairman, chairperson, chairwoman, chief officer; Chief Executive Officer, CEO; S. *mandatario*. [Exp: **presidente adjunto** (deputy chairman), **presidente de la empresa** (chairman/head/president of the company), **presidente de una mesa electoral** (returning officer), **presidente saliente** (COMP LAW retiring/outgoing president), **presidir** (preside over, chair, chair, head[1]), **presidir una reunión** (chair a meeting)].

presión *n*: pressure; S. *apremio, urgencia*. [Exp: **presión alcista/bajista** (upward/downward pressure), **presión contra una moneda** (run on a currency; S. *movimientos especulativos sobre una moneda*), **presión fiscal** (tax burden/pressure), **presionar** (pressure, pressurize, put pressure on, press,[2] lobby; S. *apremiar, instar*)].

prestación[1] *n*: benefit, welfare payment, financial/state assistance. [Exp: **prestación[2]** (LAW consideration[2]; S. *pago, precio, causa contractual*), **prestación de servicios** (rendering of services, sale of services), **prestación en especie** (benefits in kind), **prestación graciable** (ex-gration payment), **prestación social** (welfare payment; S. *ayuda, asistencia social*), **prestaciones[1]** (benefits, welfare allowances; S. *alimentos*), **prestaciones[2]** (providing/provision of services; facilities[3]; S. *servicio-s, recursos*), **prestaciones abonadas y pendientes** (SEG claims paid and outstanding), **prestaciones de la seguridad social** (social security benefits), **prestaciones por desempleo** (unemployment benefit; dole *col*)].

prestamista *n*: lender, money-lender, loaner, pawnee; S. *prestataria; financiero*. [Exp: **prestamista de última instancia** (BKG, FIN lender of last resort, last resort lender; second window), **prestamista marginal** (FIN marginal lender), **prestamista sobre prenda** (pawnbroker; S. *fiador*), **prestamista subordinado** (subordinate lender), **prestamista último** (S. *prestamista de última instancia*)].

préstamo *n*: BKG, FIN loan, borrowing, accommodation, advance[1]; imprest; debenture, debenture bond; S. *empréstito, endeudamiento*. [Exp: **préstamo a clientes sin intermediarios financieros** (direct loan), **préstamo a corto plazo** (short-term loan, accommodation[3]; S. *crédito encubierto*), **préstamo a la gruesa** (loan on bottomry; bottomry loan; respondentia; S. *hipoteca naval; préstamo a riesgo marítimo*), **préstamo a la vista** (call loan, demand loan, lending at sight), **préstamo a la vista exigible en cualquier momento** (sharp call), **préstamo a largo plazo** (long-term loan; S. *crédito a plazo*), **préstamo a persona solvente** (character loan; S. *préstamo sin garantía colateral*), **préstamo a plazo fijo** (time/term loan), **préstamo a plazos** (instalment loan), **préstamo a riesgo marítimo** (loan on bottomry; S. *préstamo a la gruesa*), préstamo agrario (farm loan), préstamo amortizado (chargeoff loan), préstamo avalado con los activos adquiridos (asset-based lending), préstamo avalado con un depósito (deposit loan²), préstamo avalado por la prima que devenga una póliza (premium loan), préstamo bancario (bank loan), préstamo blando (soft [window] loan), préstamo cedido en descuento (rediscounted loan), préstamo colateralizado (collateralized loan; S. *crédito hipotecario titulizado*), préstamo colectivo (group lending), préstamo comercial garantizado (secured business loan), préstamo comercial garantizado con un activo (charge on assets, fixed charge; loan against; pledged assets), préstamo comercial y empresarial (commercial and industrial loan), préstamo complementario (bridging loan; repeater loan), préstamo con amortización con los rendimientos empresariales del mismo (borrowing on a pass-through basis), préstamo con caución (secured loan/lending), préstamo con cláusula de índice de precios (index-linked bond issue), préstamo con garantía hipotecaria (mortgage loan), préstamo con garantía prendaria (collateral loan; Lombard loan), préstamo con reembolso total al vencimiento (bullet issue/loan), préstamo con reembolso único (balloon, balloon note, balloon loan, balloon maturity loan; S. *préstamo globo*), préstamo con tipo de interés vinculado a un índice económico establecido (index-tied loan), préstamo con vencimiento anticipado (pre-matured loan), préstamo condicionado (conditional loan, tied loan), préstamo consolidado (consolidation loan), préstamo contingente (standby loan), préstamo cruzado en divisas (back-to-back loan), préstamo contro-

lado (managed loan), préstamo de cobro dudoso (doubtful/debt loan), préstamo de corredor (STK EXCH broker's loan), préstamo de empalme (bridge/bridging loan; swing line; S. *línea de crédito a muy corto plazo*), préstamo de rápido desembolso (quick disbursing loan), préstamo de reorganización de la deuda (debt reorganization lending), préstamo de títulos/valores por un período de tiempo (securities lending, margin lending, short sale loan), préstamo/descubierto bancario especial (BKG evergreen loan), préstamo día a día o a corto plazo (FIN short-term loan, overnight loan; day-to-day accommodation/loan), préstamo diario (accommodation loan), préstamo diario a intermediarios bursátiles (STK EXCH day loan), préstamo diario o a la vista (STK EXCH demand loan, call loan, broker's call loan, day-to-day money), préstamo/empréstito a la gruesa (COMP LAW bottomry loan; S. *hipoteca naval*), préstamo-s en condiciones favorables (concessional loans), préstamo en efectivo (cash loan), préstamo en tramitación (pipeline loan/credit), préstamo exterior (external loan), préstamo fiduciario (loan without security, uncovered loan, unsecured loan), préstamo garantizado (secured loan), préstamo garantizado con los bienes inmuebles construidos (construction loan/mortgage), préstamo globo (balloon, balloon note, balloon loan, balloon maturity loan; S. *préstamo con reembolso único*), préstamo hipotecario (mortgage loan), préstamo hipotecario a largo plazo (long-mortgage loan, take-out loan *US*), préstamo hipotecario de cupón cero (zero-coupon mortgage), préstamo hipotecario sobre la carga de un navío (respondentia; S. *préstamo a la gruesa*), **préstamo impagado** (loan in default), **préstamo incobrable** (ACCTS irrecoverable loan, bad debt, charge-off[2]), **préstamo ingresado en cuenta** (deposit loan[1] *US*), **préstamo inmobiliario** (mortgage, real estate loan), **préstamo interbancario** (interbank loan), **préstamo interno** (internal borrowing), **préstamo lombardo** (Lombard loan; S. *préstamo con garantía prendaria*), **préstamo moroso** (distressed loan), **préstamo multidivisas** (multicurrency loan), **préstamo para estudios** (education loan), **préstamo para la construcción** (construction loan/mortgage), **préstamo pendiente/ vigente** (loan outstanding; S. *préstamo vencido y no pagado*), **préstamo personal** (small loan, personal loan/ credit, consumption loan), **préstamo pignoraticio** (collateral loan, pledge loan; Lombard loan *US*), **préstamo prendario, garantizado o con aval** (secured loan), **préstamo privilegiado** (call privilege), **préstamo provisional/ puente o de empalme** (bridge/bridging loan, gap financing, swingline), **préstamo represtado** (on-lent loan), **préstamo respaldado por efectos en garantía** (FIN collateral loan, Lombard loan *US*), **préstamo respaldado por otra empresa** (endorsed loan), **préstamo sin caución** (unsecured loan), **préstamo sin fecha de vencimiento** (dead loan; S. *préstamo no pagado en la fecha de vencimiento*), **préstamo sin garantía collateral** (BKG unsecured loan, character loan, accommodation[3]; S. *préstamo a persona solvente*), **préstamo sindicado** (syndicated loan), **préstamo sobre póliza** (policy loan), **préstamo sobre valores** (FIN collateral loan, Lombard loan *US*), **préstamo subsidiario** (subsidiary loan), **préstamo urgente para cubrir un déficit** (stop-gap loan),

préstamo vencido y no pagado (BKG loan outstanding; S. *préstamo pendiente/ vigente*), **préstamo-vivienda** (mortgage, mortgage loan), **préstamo y arriendo** (lend-lease), **préstamos y descuentos comerciales** (ACCTS trade loans and discounts; S. *crédito comercial*)].

prestar[1] *v*: lend, loan, advance; S. *anticipar dinero*. [Exp: **prestar[2]** (provide, give, furnish, render; S. *hacer, rendir*), **prestar apoyo** (aid; provide help, lend a hand; S. *apoyar*), **prestar auxilio** (render assistance), **prestar caución** (furnish security), **prestar con interest** (lend at interest), **prestar con seguridad colateral** (lend on collateral, accommodate), **prestar dinero** (FIN lend/ advance[1] money; S. *dar un anticipo*), **prestar dinero a la gruesa** (lend on bottomry/collateral/pawn, etc.), **prestar fianza** (stand guarantor, back, back up, support, uphold, endorse, second, stand behind; give bail; provide collateral; furnish bail; S. *avalar, afianzar*), **prestar fianza ante el juzgado** (pay into court as security; S. *pagar como consignación*), **prestar servicios en** (IND REL work in, serve in, be attached/assigned to), **prestar sin garantía o con garantía provisional** (accommodate), **prestar un servicio** (provide a service), **prestatario** (borrower, debtor; S. *tomador, deudor*), **prestatario de alta solvencia** (prime borrower), **prestatario de poca solvencia** (low-grade borrower)].

presupuestación *n*: budgeting; estimating, costing; S. *elaboración del presupuesto*. [Exp: **presupuestación incremental** (incremental budgeting), **presupuestar** (budget; estimate[1]; cost, cost out; S. *preparar el presupuesto*), **presupuestario** (budgetary, budget)].

presupuesto[1] *n*: ACCTS budget, estimate; S. *presupuestar; pedir presupuesto*. [Exp: **presupuesto[2]** (assumption, premise; S.

premisa, presuposición), **presupuesto aproximado** (rough estimate), **presupuesto base cero** (zero-base/-based budgeting, ZBB), **presupuesto de caja/tesorería** (cash budget), **presupuesto de capital** (ACCTS capital budget/budgeting[1]), **presupuesto de compras** (purchases budget, procurement budget), **presupuesto consolidado** (consolidated budget), **presupuesto de construcción** (quantity survey), **presupuesto de gastos** (expense budget), **presupuesto de gastos generales** (overhead budget), **presupuesto de materiales** (quantity survey), **presupuesto de mano de obra** (labour budget/estimate), **presupuesto de publicidad** (advertising/publicity budget), **presupuesto deficitario** (deficit budget), **presupuesto del flujo de fondos** (ACCTS cash-flow budget; cash-flow projection), **presupuesto desequilibrado/desnivelado** (unbalanced budget; S. *presupuesto sin ajustar/equilibrar*), **presupuesto equilibrado [anualmente]** ([annually] balanced budget), **presupuesto excedentario** (surplus budget), **presupuesto financiero** (financial budget; S. *plan/programa de financiación*), **presupuesto global** (overall budget, consolidated budget), **presupuesto nacional** (national/state budget), **presupuesto por funciones** (MAN performance budget), **presupuesto provisional** (pre-production costing), **presupuesto restrictivo** (tight budget), **presupuesto sin ajustar/equilibrar** (unbalanced budget; S. *presupuesto desequilibrado/desnivelado*), **presupuestos generales del Estado** (national budget; national accounts budget US)].

pretender *v*: claim, lay claim to; seek to; purport to; S. *reclamar*. [Exp: **pretensión** (TAXN, IND REL, LAW claim; S. *reclamación; escrito de pretensiones*)].

prevalecer *v*: prevail; S. *estar vigente, predominar*.

prevaricación *n*: LAW breach of official duty, breach of trust.

prevención[1] *n*: foresight, forethought; readiness, preparedness; S. *preparación*. [Exp: **prevención**[2] (prejudice, aversion, dislike; S. *prejuicio*), **prevención**[3] (prevention), **prevención**[4] (precaution, precautionary measure/step), **prevención de riesgos/siniestros** (prevention of risks/loss), **prevenir**[1] (anticipate, guard against, foresee, provide for), **prevenir**[2] (warn; forewarn, five advance warning; S. *avisar, alertar, advertir*), **prevenir**[3] (prevent, avoid, forestall, take anticipatory measures against), **prevenir una OPA** (pre-empt a takeover bid), **preventivo** (precautionary, cautionary, preventive, pre-emptive, preventive; S. *precautorio, cautelar*)].

previo *a/prep*: previous, prior, former, pre-; after, upon, following; S. *antiguo, anterior, tras*. [Exp: **previa cita** (by appointment), **previa condición de** (subject to, on condition that), **previa deliberación** (after consideration), **previa entrega** (after/on/upon delivery), **previo a** (before, previous to, prior to), **previo aviso, sin** (without advice/warning), **previo contrato** (subject to contract; S. *sujeto a contrato*), **previo pago** (against/on/upon payment)].

prima *n*: premium,[1] bonus,[1] bounty; S. *plus; abandono de prima*. [Exp: **prima a cuenta en un contrato de futuros o de productos** (COM premium,[3] margin[4]), **prima a devolver** (INSCE return premium), **prima a la baja o la venta** (put premium; S. *prima de opción a vender*), **prima a la exportación** (export subsidy/bounty), **prima a plazo** (forward premium), **prima base** (basic premium), **prima cambiaria** (exchange premium, premium on foreign exchange), **prima**

comercial (office premium), **prima, con** (STK EXCH above par; S. *por encima del valor nominal*), **prima de aplazamiento** (backwardation), **prima de/por calidad** (quality premium), **prima/subsidio/plus de carestía de vida** (cost-of-living bonus/allowance/plus, threshold payment, weighting allowance), **prima de cartera** (INSCE portfolio consideration/premium), **prima de conversión** (conversion premium), **prima de emisión** (issue premium, stock premium), **prima de conversión** (conversion premium), **prima de emisión** (STK EXCH issue premium), **prima de enganche o incorporación a una empresa** (COMP LAW golden hello; S. *incentivo o prima por fichaje o incorporación*), **prima de incentivo** (incentive bonus), **prima de liquidez** (liquidity premium), **prima de opción a vender** (put premium; S. *prima a la baja o la venta*), **prima de permanencia en una empresa para altos ejecutivos** (golden handcuffs; S. *bufanda*), **prima de productividad** (IND REL productivity bonus, acceleration premium), **prima de reaseguro** (reinsurance premium), **prima de reembolso** (reimbursement premium), **prima de rendimiento** (IND REL efficiency bonus, productivity bonus, incentive payment, performance related bonus), **prima de renovación** (renewal premium), **prima de rescate o de amortización anticipada** (FIN call premium, redemption/maturity premium), **prima de riesgo o por trabajo peligroso** (IND REL danger money; INSCE risk premium, premium for risk; S. *plus de peligrosidad*), **prima de riesgo por invertir en un país** (investment premium for high-risk areas), **prima de salvamento** (salvage money), **prima de seguro** (insurance premium), **prima de seguros no vencida** (unexpired insurance premium), **prima devengada** (INSCE earned premium), **prima escalonada** (stepped bonus), **prima fraccionada** (instalment premium), **prima inicial** (INSCE initial premium), **prima periódica** (INSCE regular premium), **prima por productividad** (IND REL productivity/above-standard bonus), **prima por reembolso anticipado** (premium on prepayment), **prima por trabajo desagradable o insalubre** (IND REL sink money *col*, dirty money *col*), **prima por turno** (IND REL shift premium/allowance), **prima provisional** (INSCE deposit premium), **prima pura/neta** (INSCE pure premium), **prima reembolsada** (insce return premium), **prima sobre el valor de obligación** (STK EXCH premium over bond value), **prima sobre valor de conversión** (STK EXCH premium over conversion value), **prima total** (INSCE gross premium), **prima única** (single premium)].

primario *a*: basic, principal, primary; raw; S. *básico, primordial*.

primero, primer *a*: first; front; early; leading, principal, fundamental, basic, raw, leading, top; s. *fundamental, primo*. [Exp: **primer beneficiario** (immediate/present/primary beneficiary), **primer derecho de retención** (LAW first lien; S. *primer gravamen*), **primer día de aviso** (STK & COMMOD EXCH first notice day; S. *día de entrega en el mercado de futuros*), **primer gravamen** (first lien; S. *primer derecho de retención*), **primer plano** (ADVTG close-up), **primer tramo de un crédito** (first tranche of a credit), **primera** (first class, first gear), **primera calidad, de** (top-/best-quality; first-class, select, choice, prime; top-flight; S. *selecto, escogido*), **primera categoría** (first class, top-ranking; top-flight; high/senior ranking), **primera, de** (first-class, prime, first-rate, top quality),

primera de cambio (first of exchange), **primera hipoteca** (first mortgage), **primera importancia, de** (major, relevant), **primera necesidad, de** (essential, basic; staple), **primera plana** (ADVTG front page), **primero en entrar, primero en salir, PEPS** (ACCTS first in, first out), **primeras materias** (STK & COMMOD EXCH merchandise, commodities; S. *mercaderías, géneros, efectos*)].

primicia *n*: a first, a scoop; S. *estreno absoluto, exclusiva.*

primo *a*: raw; S. *materia.*

primordial *a*: primary, prime, chief, principal, main, paramount; S. *principal.*

principal *a/n*: principal, main; major, prime, leading,[1] key, senior; head,[1] principal amount; BKG, FIN principal, principal amount, capital; S. *fundamental, básico; jefe superior; montante principal.* [Exp: **principal de la factura** (billed principal *US*), **principal nocional** (STK & COMMOD EXCH notional principal), **principal y agente** (principal and agent; S. *poderdante y apoderado, mandante y mandatario*)].

príncipe *col n*: STK EXCH white knight *col*; S. *caballero blanco.*

principio¹ *n*: beginning, start, inception; S. *comienzo.* [Exp: **principio²** (principle; rationale, rule¹; S. *norma fundamental, criterio*), **principio de aceleración** (acceleration principle *US*), **principio de autosuficiencia o de independencia económica** (ECO self-help/self-sufficiency principle), **principio de concentración industrial** (ECO pooling principle), **principio de economía liberal** (ECO laissez faire, principle of economic liberalism or non-intervention), **principio de eficiencia** (ECO efficiency principle), **principio de gravamen en el país de destino** (TAXN destination principle), **principio de la excepción** (ECO exception principle²), **principio de la imposición basada en los beneficios recibidos** (TAXN benefit principle of taxation *US*), **principio de los puentes de comunicación jerárquica** (MAN gangplank principle *US*), **principio de no compensación** (FIN principle/method of gross presentation), **principio de proporcionalidad** (pro rata rules), **principio de racionalidad limitada** (GEST bounded discretion *US*), **principio de tributación compensatoria** (TAXN compensatory principle of taxation), **principio del devengo** (ACCTS accrual concept/basis), **principio impositivo** (principle of taxation), **principios contables** (ACCTS generally accepted accounting principles, GAAP), **principios de contabilidad generalmente aceptados PCGA** (ACCTS generally accepted accounting principles, GAAP; S. *principios contables*), **principios fundamentales** (basic principles), **principios tributarios o de política impositiva** (TAXN principles/bases of tax policy; canons of taxation)].

prioridad *n*: priority; seniority; preemption; S. *derecho de prioridad o preferente.* [Exp: **prioridad absoluta** (COMP LAW absolute priority, top priority), **prioridad, con** (as a priority, in the first place, before anything else; S. *privilegiado, preferente, prioritario*), **prioridad de la deuda** (priority of debt; S. *deuda privilegiada*), **prioritario** (senior, priority, top-priority, main prime; S. *privilegiado, preferente*), **priorizar** (prioritize, give priority to; S. *dar preferencia*)].

privado *a*: private; S. *particular.* [Exp: **privatización** (privatization; corporatization; S. *mercantilización*), **privatizar** (privatize, denationalize), **privatizar los sectores rentables** (hive off)].

privar *v*: deprive, dispossess.

privilegiado *a*: privileged; preferential, preferential; S. *preferente, prioritario*. [Exp: **privilegiar** (grant a privilege to, favour; set above; give priority to), **privilegio** (privilege, grant, concession,[1] franchise[1]; benefit; S. *prerrogativa, inmunidad, concesión*), **privilegio de invención** (patent[2]; S. *patentar, patente*), **privilegio de redención** (BKG call privilege), **privilegio impositivo** (tax privilege/benefit), **privilegio real** (LAW charter[1]; royal charter; S. *cédula real, fuero*), **privilegios e inmunidades** (privileges and immunities)].

pro *pref*: pro-. [Exp: **pro de, en** (in support of; for the benefit of, on behalf of; S. *en apoyo de, en favor de*), **proindiviso** (accumulatively; S. *en común*), **prorrata** (share, proportional amount, quota; S. *cuota, proporción*), **prorrata, a** (on a prorrata basis, pro rata, proportionately, in proportion), **prorrateable** (apportionable), **prorrateado** (apportioned), **prorratear** (apportion the expenses; S. *repartir*), **prorratear las peticiones de acciones nuevas** (STK EXCH scale down the applications for new shares), **prorrateo** (INSCE allotment,[1] apportionment[1]; S. *derrama, reparto*), **prorrateos del costo** (cost apportionments)].

probar *v*: try; verify, prove, test, sample; S. *juzgar, ensayar*. [Exp: **probar suerte, para** (to see what happens *col*; on the off-chance *col*; on spec *col*), **probar un producto** (sample a product)].

problema *n*: problem, question, matter, trouble; S. *dificultad*. [Exp: **problema de asignación de tareas** (ECO assignment problem), **problema del juego final** (ECO end-game problem), **problemas de tesorería/liquidez** (cash flow problems), **problema de los recursos comunes, de los bienes públicos, del individualista/ insolidario/«listo»** (ECO the common resource problem; the public goods problem, the free-rider problem; S. *tragedia de los bienes comunes, parásito*), **problemas laborales** (industrial unrest, threat of industrial action, rumblings in the workforce *col*), **problemas sociales** (social unrest/ disquiet/discontent)].

proceder *a/v*: action; proceed, act,[1] do, exercise; S. *acción, actuación; actuar, ejecutar, operar, obrar*. [Exp: **proceder a la liquidación** (go into liquidation; proceed to liquidation; S. *quebrar*), **proceder contra alguien** (bring/take legal action against sb; sue sb; prosecute sb), **proceder leal** (fair play; S. *juego limpio*)].

procedimiento[1] *n*: LAW proceeding-s[1]; S. *trámites, actuaciones*. [Exp: **procedimiento**[2] (process; S. *elaboración*), **procedimiento**[3] (procedure, method; S. *método*), **procedimiento arbitral** (arbitration proceedings), **procedimiento de apremio** (LAW administrative methods for enforced collection; enforced collection), **procedimiento ejecutivo hipotecario** (LAW foreclosure), **procedimiento jurídico** (legal proceedings), **procedimiento o proceso de quiebra** (bankruptcy proceedings/procedure; S. *ejecución concursal, concurso de acreedores*), **procesable** (indictable)].

procesar[1] *v*: process; S. *elaborar*. [Exp: **procesar**[2] (LAW prosecute; indict, send up for trial; S. *enjuiciar*. [Exp: **proceso**[1] (process; S. *elaboración*), **proceso**[2] (LAW trial, suit, action[3]; S. *demanda, juicio, litigio, pleito*), **proceso coercitivo** (enforcement procedure), **proceso de ajuste** (process of adjustment or adapting), **proceso de fabricación** (manufacturing process), **proceso de impulso aleatorio** (random impulse process), **proceso de mejora continua** (continuous improvement), **proceso de**

planificación de la producción (MAN, COM production-planning process), **proceso en cascada** (ECO cascade process), **proceso estocástico** (stochastic process), **proceso indirecto** (roundabout process)].

proclive *a*: S. *propenso*.

procuración *n*: proxy, mandate, warrant of attorney; S. *delegación*. [Exp: **procurador** (attorney, lawyer; S. *apoderado*), **procurar** (seek [to], try, attempt, endeavour), **procurar recursos/fondos** (raise[3] cash/funds/money; seek funding or finance; S. *obtener/conseguir/reunir/ recoger/allegar/arbitrar recursos/fondos*)].

producción *n*: production,[1] output; release. [Exp: **producción a gran escala** (large-scale production), **producción agrícola** (agricultural/farm production; crop; S. *cosecha*), **producción conjunta** (joint production), **producción continua** (straight-line production), **producción de prueba de un número corto de unidades** (bench scale production), **producción de utilidad máxima** (best profit output), **producción deficitaria** (underproduction), **producción destinada a reemplazar la importación** (ECO import-replacing production), **producción efectiva** (actual production or output, production actually attained), **producción en masa** (mass production), **producción en serie** (line production), **producción excedentaria** (surplus production), **producción industrial** (industrial output), **producción limitada** (limited output/production), **producción primaria** (primary production)].

producir *v*: produce,[1] yield, pay, return; earn; S. *fabricar, elaborar; devengar*. [Exp: **producir beneficios** (yield a profit), **producir buenos resultados o ganancias** (produce results, pay), **producir intereses/dividendos** (yield[1] interest/dividends; S. *rentar, rendir*), **producir un efecto disuasorio** (deter, act as a deterrent; S. *disuadir, desalentar*),

productividad *n*: ECO, COM productivity; output, efficiency; S. *eficacia, eficiencia, rendimiento*. [Exp: **productividad del capital** (capital efficiency), **productividad decreciente** (diminishing productivity), **productividad del trabajo** (labour productivity), **productividad inferior a la normal** (impaired productivity), **productividad marginal** (ECO marginal productivity), **productividad marginal decreciente** (diminishing marginal productivity/utility), **productividad marginal del trabajo** (marginal productivity of labour)].

productivo *a*: productive, profitable, worthwhile, showing a return, lucrative, mature; S. *rentable, lucrativo*.

producto[1] *n*: ECO, COM, FIN product; produce; commodity; consumer good; line; S. *mercadería, artículo de consumo, género, mercancía*. [Exp: **producto**[2] (income, yield, return; proceeds; S. *renta, ingreso*), **producto acabado/terminado/ final** (end/final/finished product), **producto agrícola** (farm produce), **producto básico o de primera necesidad** (staple), **producto bruto** (FIN gross national product, gross product), **producto contingentado** (commodity subject to a quota), **producto cholo** (big seller, good thing *col*; wrap-up *US col*; S. *producto que se vende muy bien*), **producto de buena venta** (COM steady seller), **producto de desecho** (waste product), **producto de difícil salida** (slow/poor seller; item/product that is hard to shift *col*; product with a limited market or outlet, drug on the market *col*), **producto de fácil salida** (wrap-up *US col*; S. *producto cholo*), **producto de la venta** (sales proceeds), **producto de**

reclamo (COM call bird *US*, loss leader), **producto derivado** (COM by-product; FIN repackaged security, derivative instrument, secondary product; S. *derivado; producto secundario*), **producto diferencial o diferenciado** (LAW distinct or original product, item or article; product that is distinct or distinguished from others of its kind; product that meets the intellectual property test or requirement of novelty), **producto estrella** (star product), **producto final** (end-product; S. *producto acabado/terminado*), **producto imitamonos** *col* (COM, ADVTG copycat product *col*; me-too product *col*; S. *producto plagio*), **producto industrial** (industrial product), **producto interior bruto, PIB** (ECO gross domestic product, GDP), **producto nacional** (home/national produce/product), **producto nacional bruto, PNB** (ECO gross national product, GNP), **producto nacional neto, PNN** (ECO net national product), **producto neto o líquido** (net proceeds; S. *ganancias, beneficios, frutos, productos, rédito*), **producto perro** (dog; S. *producto vaca*), **producto plagio** (ADVTG, COM me-too product; S. *producto imitamonos*), **producto secundario o derivado** (spin-off[1]; by-product; S. *subproducto*), **producto semielaborado** (semi-manufactured item), **producto transformado** (processed product), **producto vaca** (cash cow; S. *producto perro/estrella*), **productos** (goods; commodities; produce; S. *bienes, mercancías, artículos, géneros, especies, mercaderías*), **productos a granel** (bulk commodities), **productos acabados** (finished products), **productos agrícolas** (agricultural/farm commodities/produce), **productos alimentarios** (foodstuff), **productos básicos** (commodities; staple goods; S. *materias primas*), **productos de ínfima calidad** *US* (low quality products, thirds; S. *baratijas*), **productos de primera necesidad** (staples, staple commodities, basic items or products; S. *productos primarios*), **productos de plástico** (plastic products), **productos de temporada** (seasonal goods), **productos derivados**[1] (by-products; S. *Raw materials*), **productos derivados**[2] (STK & COMMOD EXCH derivatives; S. *Hedging*), **productos derivados del petróleo** (petroleum products), **productos en curso/proceso de elaboración** (IND goods in process/progress *US*), **productos exentos** (liberalized goods), **productos financieros** (financial products; repackaged securities; S. *titulizar*), **productos físicos o tangibles** (STK & COMMOD EXCH physical/s[2]; actuals), **productos lácteos** (dairy produce/products), **productos manufacturados o elaborados** (COM manufactured articles/goods/products; S. *manufacturas*), **productos no energéticos** (non-fuel products), **productos perecederos** (perishable goods), **productos primarios/básicos** (primary commodities/products, staples, staple commodities, basic items or products; S. *productos de primera necesidad*), **productos semiacabados o en curso de fabricación** (half-finished products, semi-manufactured products, unfinished products; work in progress, wip), **productos suntuarios** (luxury commodities/goods/items; S. *artículos de lujo*), **productor** (producing; producer; S. *fabricante*)].

profesión *n*: profession, occupation, line of work, trade, business; S. *oficio, trabajo, ocupación*. [Exp: **profesión, de** (by profession), **profesional**[1] (professional, qualified; businesslike; workmanlike; S. *formal, serio, idóneo*), **profesional**[2] (professional; practitioner, career person/man/woman, expert)].

profundidad *n*: depth. [Exp: **profundidad/
calado/liquidez de un mercado** (ECO, STK
& COMMOD EXCH depth of the market),
profundidad, en (in-depth), **profundización** (deepening; in depth study; S.
intensificación), **profundizar en** (go deply
into, analyze/study/examine in depth;
fathom; S. *a fondo*), **profundo** (deep)].
programa *n*: programme, program *US*;
schedule,[1] scheme, plan, policy; S.
campaña. [Exp: **programa común** (joint
scheme/programme), **programa de
actuación** (performance/development
programme), **programa de actuación
urbanística, PAU** (area development
programme), **programa de ahorro de
energía** (energy-saving programme),
programa de actividades (schedule of
events), **programa de actualización**
(carry-forward schedule), **programa de
aplazamiento de prima de seguro**
(INSCE cash flow programme), **programa
de apoyo/subvenciones a la economía
nacional** (scheme to provide support for
the country's economy, domestic support
program *US*), **programa de asignación
de personal de ventas** (sales force
allocation scheme/program), **programa
de auditoría** (audit scheme/programme),
programa de austeridad económica
(economic austeriry policy, programme/
schedule of spending cuts; S. *recorte*),
programa de capacitación profesional
(job/professional training scheme/
programme), **programa de emisión de
europagarés de empresa** (FIN Euro-
commercial paper facility), **programa de
emisión de pagarés** (note issuance
facility, NIF), **programa de emisión de
pagarés a corto plazo** (FIN short-term
note issuance facility, SNIF; S. *papel a
corto plazo, facilidad de emisión de
pagarés*), **programa de estabilización
económica** (ECO economic stabilization
scheme or programme), **programa de
euronotas** (Euronote [issuance] facility),
programa de financiamiento (lending
program *US*; S. *programa de operaciones crediticias*), **programa de
financiamiento de reserva** (standby
lending program), **programa de
financiación a medio/corto plazo** (STK
& COMMOD EXCH loan schedule, credit
scheme, note issuance facilitiy, NIF;
revolving underwriting facility, RUF; S.
papel a corto plazo), **programa de
fomento de[l] empleo** (job creation
scheme), **programa de formación o
enseñanza** (training sprogramme),
programa de formación de capital
(split funding), **programa de
inversiones** (investment programme),
programa de operaciones crediticias
(credit scheme, lending program *US*; S.
programa de financiamiento), **programa
de reactivación económica** (pump-
priming programme, economic recovery
scheme or programme), **programa de
rescate/salvamento** (ECO rescue
package/plan), **programa de subsidio
familiar** (family allowance scheme,
income support [scheme]), **programa de
vencimientos** (ACCTS lapsing schedule;
S. *cuadro de periodificación*), **programa
de emisión de pagarés, PEE** (note
issuance facility, NIF), **programa de
emisión de pagarés a corto plazo**
(short-term note issuance facility, SNIF),
programa de investigación (research
programme), **programa-marco** (project
guidelines, framework of a scheme/
programme; S. *ley marco*), **programa
ordinario de financiamiento** (regular
loan schedule, standard credit scheme,
regular lending program *US*), **programa
por vencimientos** (ACCTS aging schedule;
S. *plan basado en la antigüedad*)].
programación *n*: planning, scheduling; S.
planeamiento, planificación. [Exp:
programación de actividades (MAN

activity scheduling), **programación y presupuestación** (MAN planning, programming and budgeting system, PPBS)].

programar[1] *v*: programme, schedule, plan; S. *planear*. [Exp: **programar**[2] (build in; S. *incorporar, incluir*), **programar de nuevo** (rethink, re-plan, plan anew, reorganize, arrange; S. *reorganizar, retocar, adaptar*)].

progresar *v*: progress; make progress; forge ahead; get on; S. *avanzar, subir*. [Exp: **progresar poco a poco** (edge forward/ahead; S. *avanzar lentamente*), **progresión** (progression), **progresión aritmética** (arithmetical progression), **progresión escalonada de impuestos** (TAXN stepping of tax-brackets; progressive taxation, progressive/stepped system of taxation), **progresión geométrica** (geometrical progression), **progresivo** (progressive, gradual, graduated, creeping; S. *proporcional, escalonado, móvil*), **progreso** (progress, advancement; growth, development; S. *avance, promoción*)].

prohibición *n*: prohibition, ban, embargo; LAW injunction; S. *proscripción, inhabilitación*. [Exp: **prohibido** (banned, forbidden; prohibited, banned), **prohibido el paso a toda persona ajena a la empresa/insitutición** (authorized personnel only beyond this point; staff only), **prohibir** (prohibit, ban, put a ban on; S. *proscribir*), **prohibir el comercio** (ban trade, put an embargo on trade), **prohibir el comercio con mercancías, etc.** (lay/place/put a ban or an embargo on goods, etc.; S. *secuestrar mercancías*), **prohibitivo** (prohibitive)].

prolongar *v*: prolong, spin out; extend; S. *alargar, ampliar, extender*. [Exp: **prolongación** (prolongation, prolonging, spinning-out; extension), **prolongado** (prolonged, lengthy, long-drawn-out; S. *larguísimo, exhaustivo*)].

promediación *n*: averaging. [Exp: **promediación de pérdidas** (STK EXCH loss averaging, averaging of losses), **promediación en las carteras de valores** (FIN protfolio averaging)].

promedio *n*: average, average rate, mean; S. *media*. [Exp: **promedio anual/mensual/semanal** (yearly/monthly/weekly average), **promedio aritmético** (arithmetical average), **promedio, como/de** (on average; S. *por término medio*), **promedio compensado** (weighted average), **promedio de cobranza en el período** (ACCTS average collection over period), **promedio de edad** (average age, age mean; S. *edad media*), **promedio de remuneración por hora** (average hourly earnings)].

promesa *n*: promise; word; pledge; covenant; S. *prenda, garantía*. [Exp: **prometer** (promise, pledge, give or pladege one's word; undertake; S. *afirmar, asegurar*), **promisorio** (promissory)].

promoción *n*: COM, IND REL promotion,[1] advancement; S. *ascenso, avance*. [Exp: **promoción, de/en** (promotional), **promoción de ventas** (ADVTG sales drive/promotion/campaign), **promocionar** (promote; S. *impulsar, estimular*)].

promotor *n*: promoter, backer, developer; S. *impulsor*. [Exp: **promotor de desarrollo urbanístico** (property developer, land developer *US*), **promotor de una mercantil o de una entidad/promotar** (promoter; developer, property-developing firm; S. *fundador, animador, gestor*), **promotor de ventas** (sales promoter), **promotor de viviendas o inmobiliario** (property developerreal estate developer; S. *urbanizador*), **promotor poco escrupuloso** (tout[2]; S. *revendedor, gancho*)].

promover *v*: promote, encourage, move,

pioneer, further; S. *animar, estimular, promocionar.* [Exp: **promover a alguien en el cargo empleo etc.** (promote a person; S. *ascender*), **promover recursos/fondos** (raise[5] funds)].

pronosticar *v*: forecast, predict; tip *col*; S. *previsión, prever.* [Exp: **pronóstico** (forecast, prediction; tip *col*; S. *previsión*), **pronósticos, los** (the betting)].

pronto *a/adv*: prompt, quick, early; soon. [Exp: **pronto pago** (COM early/prompt payment; S. *pago al contado*)].

prontuario *n*: checklist; S. *catálogo*.

propaganda *n*: propaganda; advertisement; advertising; S. *anuncio-s, publicidad.* [Exp: **propaganda previa** (ADVTG buildup[2]), **propaganda publicitaria** (ADVTG boost[2]; plug *col*; S. *publicidad*), **propagandístico** (advertising, publicity)].

propensión *n*: propensity, tendency; S. *tendencia.* [Exp: **propensión a la importación** (propensity to import), **propensión a la inversión** (propensity to invest), **propensión a sufrir accidentes** (INSCE accident proneness), **propensión al riesgo** (propensity to risk, willingness to accept risk), **propensión del inversor al riesgo** (STK EXCH propensity to risk; S. *actitud ante el riesgo*), **propensión marginal al ahorro** (marginal propensity to save), **propensión marginal al consumo** (marginal propensity to consume), **propensión media a la importación** (average propensity to import), **propensión media al consumo** (average propensity to consume), **propenso** (prone, inclined, prone, liable; S. *proclive, con facilidad para*), **propenso a sufrir accidentes** (INSCE accident-prone)].

propiedad *n*: property, premises; ownership, proprietorship; S. *bienes, pertenencias, locales; dominio.* [Exp: **propiedad absoluta y plena** (LAW full legal ownership, fee simple), **propiedad arrendada** (leasehold property), **propiedad de explotación** (income property), **propiedad de un solo dueño** (single ownership/proprietorship; S. *dominio a título individual*), **propiedad del 51 % del accionariado** (COMP LAW majority stake, golden share), **propiedad indivisa** (jointly-held property; joint ownership; tenancy in common), **propiedad industrial** (industrial property), **propiedad inmobiliaria o inmueble** (immovable property, immovables, real estate US; realty, real assets; S. *bienes raíces*), **propiedad intelectual** (intellectual property, copyright), **propiedad neta o valor de una propiedad o sociedad** (equity,[1] shareholdrs' equity, net worth; S. *patrimonio*), **propiedad particular** (private property), **propiedad poseída en común** (co-owned property), **propiedad pública** (public property, public ownership, state property), **propiedad rural** (country estate/property; land ownership, ownership of farmland; S. *finca*), **propiedades** (holdings; estate[1]), **propiedades inmuebles** (land and buildings)].

propietario *a/n*: proprietary, concerning/involving ownership; proprietor, owner, landlord/landlady; S. *patrimonial.* [Exp: **propietario legítimo** (rightful owner), **propietario único de dominio pleno** (sole and unconditional owner)].

propina *n*: tip[1]; gratuity, backhander *col*; S. *astilla, gratificación.* [Exp: **propinar un duro golpe a la competencia** (COM put one over one's competitors *col*, give the competition one in the eye *col*; knock the competition)].

propio *a*: appropriate, suitable, proper; owner, one's own; typical, special characteristic; very, very same; S. *apropiado; personal, típico, mismo.*

proponer *v*: propose, put forward, suggest, come up with; move; seek; submit; S. *recomendar, presentar*. [Exp: **proponer una candidatura** (nominate/propose/put porward a candidate; S. *designar, nombrar*)].

proporción *n*: proportion, ratio, rate,[1] scale; S. *cociente, índice, razón, relación, ratio*. [Exp: **proporción con, en** (in line with; S. *al mismo ritmo que*), **proporción, en** (proportional; S. *proporcional*), **proporción entre el oro y las monedas en circulación** (gold ratio), **proporcionado** (balanced; S. *equilibrado, compensado*), **proporcional** (proportional; graduated; S. *graduado, escalonado, progresivo*), **proporcionar** (furnish, provide,[2] lay on, fix up with; S. *suministrar*), **proporcionar capital** (furnish/provide capital/funds/funding)].

proposición *n*: proposal; S. *propuesta*.

propuesta[1] *n*: proposal; submission; motion; S. *presentación, idea, sugerencia*. [Exp: **propuesta**[2] (bid, tender[1]; S. *licitación*), **propuesta de dividendo** ([announcement of] proposed dividend), **propuesta del seguro** (insurance proposal), **propuesta informal** (informal bid), **propuestas selladas** (closed/sealed bids)].

prórroga *n*: extension, deferment, prolongation, respite; renewal; S. *aplazamiento*. [Exp: **prórroga adicional** (additional/further extension), **prórroga del crédito** (credit extension), **prórroga del pago** (extension of deadline or time limit), **prórroga del presupuesto** (budget continuation), **prórroga especial** (day/days of grace; S. *período de gracia o de cortesía, plazo razonable*), **prorrogable** (deferrable, extendible; renewable; S. *aplazable*), **prorrogar** (extend, defer, prolong, put over *US*; renew; S. *diferir, aplazar, reanudar, renovar*), **prorrogar la posición** (extend one's position)].

proscribir *v*: ban, put a ban on; S. *prohibir*.

prospección *n*: research, prospecting, exploration; S. *exploración*. [Exp: **exploración de mercados** (market research)].

prospecto *n*: prospectus, leaflet, handbill *US*. [Exp: **prospecto de emisión** (issue prospectus, subscription prospectus, underwriting prospectus; red herring *col*), **prospecto de publicidad** (ADVTG advertisement, leaflet; trade brochure)].

prosperar *v*: prosper, thrive, prosper, flourish; boom; S. *florecer*. [Exp: **próspero** (prosperous, flourishing, booming, thriving; S. *floreciente*)].

protección *n*: protection; support, safeguard; safety net; cover[1]; hedge, hedging; shelter; S. *amparo, salvaguardia*. [Exp: **protección arancelaria** (tariff protection), **protección contra las oscilaciones de precio del mercado** (STK & COMMOD EXCH hedging[1]; S. *cobertura de operaciones a plazo*), **protección contra rescate anticipado** (BKG call protection; S. *período blindado contra rescate anticipado*), **protección de marcas** (trade mark protection), **protección del consumidor** (consumer protection), **protección del empleo** (job/employment support/protection), **protección e indemnización** (INSCE protection and indemnity; S. *club o asociación de protección e indemnidad*), **protección fiscal abusiva** (TAXN abusive tax shelter), **protección legal al quebrado** (administration order; chapter 11, *US*), **protección temporal contra el repago** (FIN callable protection), **proteccionismo** (protectionism; S. *protección, amparo*), **proteccionismo encubierto** (concealed/hidden protectionism), **protector** (supporter; protective)].

proteger *v*: protect, safeguard, shelter, cover,[1] defend, hield, save[1]; hedge[2]; S.

amparar, tutelar. [Exp: **proteger/ asegurar el rendimiento de una inversión** (STK EXCH lock in a yield/profit [through hedging]), **protegerse a largo plazo contra altibajos de una inversión** (lock in), **protegido contra la inflación** (inflation-proof/-proofed), **protegido por patente** (patented, protected, covered by patent)].

protesta *n*: protest. [Exp: **protesta del capitán** (TRANSPT captain's protest, protest in common form, note of protest), **protesta por escrito** (protest in writing), **protestable** (protestable; S. *con gastos*), **protestado** (protested, protestee), **protestar** (FIN note, dishonour, refer), **protestar una letra** (have a bill noted; protest/note a bill; refer a bill to drawer; S. *aceptar/avalar/descontar/endosar una letra*), **protesto de una letra** (noting/ dishonour of a bill; referral/return of bill to drawer; S. *devolver*), **protesto por falta de aceptación** (protest for non-acceptance), **protesto por falta de pago** (protest for non-payment), **protesto, sin** (no protest; S. *sin gastos de protesto*)].

protocolo[1] *n*: protocol. [Exp: **protocolo[2]** (LAW notary's protocol, attested original draft or record; notarised/attested deed/document/instrument; registered original of an agreement, etc.), **protocolizado** (attested, notarised, drawn up formally before witnesses; S. *escriturado*), **protocolizar** (draft/draw up a deed, etc. for attestation and registration, draw up a notarised instrument; S. *escriturar*)].

prototipo *n*: prototype, pattern[2]; S. *molde.*

provecho *n*: benefit, advantage, gain; profit; S. *bien, ventaja.* [Exp: **provechoso** (profitable; beneficial, useful, worthwhile; S. *ventajoso, rentable, lucrativo, aprovechar*)].

proveedor *n*: supplier, tradesman; purveyor, victualler; S. *repartidor.* [Exp:

proveedores (ACCTS creditors, trade creditors; accounts payable, AP; S. *clientes*), **proveer** (provide,[2] furnish, purvey, supply, serve,[1] equip; S. *proporcionar, surtir, facilitar, aportar*), **proveerse** (lay in a stock; buy in[1]; S. *almacenar*)].

providencia *n*: LAW order, instruction, decision; ruling on a matter of proceedings; S. *auto, sentencia, decisión, resolución judicial.*

provisión *n*: BKG, ACCTS provision, reserve, allowance,[5] cover[1]. [Exp: **provisión/ reserva/fondo de amortización** (depreciation reserve), **provisión de clientes dudosos o cuentas morosas** (allowance for doubtful accounts), **provisión de fondos** (FIN remittance, provision of capital/fund, advance,[1] deposit; S. *anticipo de efectivo, pago adelantado*), **provisión para amortización** (allowance for depreciation; S. *deducción por amortización*), **provisión/reserva para deudores morosos** (provision/reserve for doubtful debts, bad debt reserve), **provisión para impuesto sobre la renta** (reserve for estimated income taxes), **provisión para impuestos** (reserve for taxes), **provisión para incobrables/ insolvencias** (allowance for un-collectibles, bad debt provisions, provision for doubtful accounts), **provisión para revaluación** (revaluation reserve), **provisiones** (victuals; S. *víveres*), **provisiones contables disponibles** (ACCTS revenue reserves), **provisiones en depósito** (bonded stores)].

provisional/provisorio *a*: provisional, interim, temporary; tentative; makeshift; acting, tentative; pro tem/tempore; S. *en ejercicio, suplente, interino.* [Exp: **provisionalmente** (provisionally, provisionally, temporarily, tentatively, for the time being; S. *con cautela*)].

provocado/inducido por la demanda/ exportación *phr*: demand-led, export-led.

provocar *v*: provoke, cause, saprk off, prompt; bring about/on; call forth; S. *causar*. [Exp: **provocar el pánico** (cause panic/ a panic; spread panic; throw into disarray; S. *sembrar la confusión, dar al traste con*), **provocar la caída de** (bring down[2]; cause the downfall of; FIN, STK EXCH cause to drop/fall/crash; S. *derrocar, derribar*)].

próximo *a*: proximate; near; next; S. *cerca, cercano*. [Exp: **próximo vencimiento, de** (FIN close to maturity)].

proyección¹ *n*: projection, planning; S. *planeamiento, planificación, programación*. [Exp: **proyección²** (scope, influence, sway; standing; reputation; repercussion[s]), **proyección del flujo de fondos** (cash flow projection, projected/ forecast cash flow), **proyección internacional, con/de** (of international standing, internationally know; with an interantional presence, with connections abroad)].

proyectar *v*: plan, project, design[1]; schedule[2]; S. *prever, dibujar, catalogar*. [Exp: **proyectista** (planner; S. *planificador*)].

proyecto *n*: project, plan, proposal; scheme,[1] design,[1] blueprint[2] *col*; S. *proyecto, programa*. [Exp: **proyecto arriesgado** (risky project, wildcat scheme *col*), **proyecto/cálculo de presupuesto** (budget estimates; S. *previsiones presupuestarias*), **proyecto complementario** (repeater project), **proyecto de ley** (bill), **proyecto de construcción** (building project), **proyecto de nuevo ordenamiento** (regulatory scheme; S. *normativa, marco legal*), **proyecto de presupuesto** (budget proposal), **proyecto de rehabilitación de las exportaciones** (export rehabilitation project/scheme), **proyecto en trami-**tación (project submitted for aproval or under consideration), **proyecto, estar en** (be at the planning stage), **proyecto pergeñado** (skeleton/project plan; S. *esquema, trazado*), **proyecto presupuestario** (budget estimates)].

prueba¹ *n*: test, trial, trial run, dry run; S. *experiencia, juicio, pleito, vista, comprobación, ensayo*. [Exp: **prueba²** (LAW evidence, piece of evidence; proof; trial of an action; S. *vista, juicio*), **prueba, a** (IND REL on trial, on approval, on probation, for a trial period), **prueba ácida** (FIN acid-test, quick ratio; S. *prueba de liquidez inmediata, ratio de tesorería*), **prueba admisible** (proper evidence), **prueba ciega** (COM blind test), **prueba de aptitud** (aptitude/proficiency test), **prueba/concurso de ascenso** (IND REL examination for promotion within the civil service), **prueba/comprobación/conciliación de caja** (cashing up), **prueba/comprobación de exactitud de los asientos de los libros** (ACCTS proof of posting accuracy), **prueba de, a** (proof against), **prueba de fuego, a** (INSCE fire-proof; S. *ininflamable, incombustible, ignífugo*), **prueba/comprobación de la exactitud de las sumas horizontales y verticales** (ACCTS proof of footing accuracy), **prueba de liquidez inmediata** (FIN acid-test; S. *prueba ácida*), **prueba de memorización o recuerdo** (ADVTG recall test), **prueba de mercado** (market test), **prueba de referencia** (FIN benchmark test), **prueba de rendimiento de los proyectos** (yield test of projects), **prueba escrita** (LAW written evidence), **prueba fehaciente** (convincing evidence, reasonable proof/evidence; reliable check; acceptable/reliable documentary proof), **pruebas documentales** (documentary evidence)].

pta. *n*: peseta.

publicación *n*: publication, paper[1]; S. *edición, divulgación.*

publicar *v*: publish, issue, release[5]; disclose; S. *dar a conocer, divulgar, hacer público.*

publicidad *n*: ADVTG advertisement, advertising, publicity, plug[2] *col*, boost; S. *propaganda publicitaria.* [Exp: **publicidad agresiva** (aggressive advertising), **publicidad de intriga** (teaser advertising), **publicidad de un producto** (product advertising), **publicidad directa** (direct advertising, direct mail advertising), **publicidad dirigida al público en general** (blanket coverage advertising), **publicidad en la prensa** (press advertising/publicity), **publicidad en página doble de un periódico** (double-page/two-page spread), **publicidad en punto de venta** (point-of-sale advertising), **publicidad en revistas especializadas** (trade paper advertising), **publicidad en revistas selectas** (prestige advertising), **publicidad engañosa** (bait advertising, deceptive advertising), **publicidad enigmática, lúdica o de intriga** (teaser advertising), **publicidad enviada por correo** (mail-shot advertising), **publicidad exagerada o ruidosa** (hype, ballyhoo *col*), **publicidad institucional** (public relations advertising), **publicidad masiva** (heavy advertising), **publicidad presupuestada** (above-the-line advertising; S. *gastos de promoción*), **publicidad selectiva** (selective advertising), **publicista** (publicist, advertising agent/executive), **publicitaria descalificadora** (knocking copy *col*), **publicitario**[1] (publicist), **publicitario**[2] (advertising, publicity), **publicitar** *col* (advertise; publicize)].

público *a/n*: public, common, governmental; public, audience. [Exp: **pública subasta** (public auction/sale; S. *venta en almoneda*)].

puente *n*: bridge[1]; S. *tender un puente.* [Exp: **puente aéreo** (TRANSPT shuttle, shuttle service)].

puerta *n*: door, gate[1]; S. *entrada.* [Exp: **puerta de servicio** (tradesmen's entrance), **puerta en puerta, de** (door-to-door, house-to-house), **puerta fría** (cold call)].

puerto *n*: TRANSPT port, harbour/harbor; haven. [Exp: **puerto aduanero** (customs port), **puerto comercial** (trading/commercial port), **puerto de alijo** (craft port), **puerto de amparo/refugio/arribada forzosa** (port of refuge/distress), **puerto de carga** (lading port), **puerto de contenedores** (container port), **puerto de descarga** (discharge port), **puerto de embarque** (shipping port, port of shipment), **puerto de entrada** (port of entry; S. *fiscal, aduanero o habilitado*), **puerto de matrícula** (home port, port of registry), **puerto de origen** (home port, port of origin), **puerto de salida** (port of departure), **puerto de tránsito** (port of transit), **puerto deportivo** (marina, yachting harbour), **puerto distribuidor** (entrepot port), **puerto final o terminal** (port of delivery), **puerto fluvial** (inland port, river port), **puerto franco** (free port, free economic zone, free trade zone, duty-free port/zone, free port, export processing zone, foreign trade zone, special economic zone, entrepôt; S. *zona franca, zona de libre cambio, área aduanera exenta, zona franca industrial*), **puerto para repostar** (bunker port), **puerto pesquero** (fishing port), **puerto seguro** (FIN safe harbour; S. *ahuyenta tiburones*)].

puesta *n*: putting, placing; S. *poner.* [Exp: **puesta a punto** (servicing, tuning up, tune-up, adjustment; overhaul; final touches; S. *ajuste*), **puesta al día** (updating), **puesta en común** (pooling of information or resources; ironing out of differences; initial basis of agreement; S. *agrupamiento, combinación, acuerdo*), **puesta en común con efectos retroactivos** (backing), **puesta en común de los beneficios** (profits pool), **puesta en marcha** (start-up, launch; coming on stream), **puesta en práctica** (implementation, putting into practice/effect), **puesta en servicio** (putting/bringing into service, launching of the service), **puesta en venta** (putting up for sale, offering for sale), **puesta en vigor** (coming into force/effect; S. *vigor; aplicar*)].

puesto[1] *n*: position, post,[2] job; S. *empleo, cargo; poner*. [Exp: **puesto**[2] (place; S. *lugar, sitio*), **puesto**[3] (COM stall[1]; booth; S. *quiosco, tenderete, cabina*), **puesto aduanero** (customs [entry] point), **puesto al día** (updated, brought up to date), **puesto de caja** (COM cash desk, checkout; checkout point/counter; S. *cajero de un supermercado*), **puesto de confianza** (position of trust), **puesto de la Administración civil del Estado** (civil service job), **puesto de trabajo** (job, position; workplace; niche, berth[3] *col*), **puesto de transacciones de una lonja** (STK & COMMOD EXCH trading ring), **puesto directivo** (senior position, managerial post), **puesto en almacén** (ex-warehouse), **puesto en el mercado** (market stall), **puesto en el muelle de descarga** (TRANSPT on wharf, alongside ship), **puesto de venta al por menor** (retail outlet), **puesto retribuido** (salaried post), **puesto vacante** (IND REL vacant post; S. *vacante*)].

pugna *n*: fight, struggle, battle, conflict, clash; S. *conflicto, lucha*. [Exp: **pugna, en** (conflicting), **pugna con, en** (against; vying with; up against, at variance/odds with)].

puja *n*: bid, bidding; S. *licitación, oferta de adquisición*. [Exp: **puja cerrada** (sealed bid), **puja hostil** (hostile bid; S. *OPA hostil*), **pujador** (bidder; S. *licitante/licitador, postor*), **pujante** (growing, booming, prosperous; S. *empresa pujante*), **pujar** (bid, make a bid, put in a bid; S. *licitar*)].

pujante *a*: strong, forceful, vigorous, full of drive/push *col*; booming; coming *col*; S. *fuerte, potente, enérgico*. [Exp: **pujanza** (force, pòwer, strength; drive, push *col*; pull; S. *fuerza, empuje, tirón*)].

pulgada *n*: inch.

punta *n/a*: end, tip, peak; S. *cumbre, cima; hora-punta, tecnología*.

puntear *v*: tick, tick off, check[1]; tally; S. *comprobar, compulsar, cotejar*. [Exp: **puntear una cuenta** (check an account, item by item), **punteo** (tick,[1] ticking/checking off), **punteo de movimientos** (BKG item-by-item check on transactions)].

puntero *a*: COM leading, top; state-of-the art, trendsetting, latest, right up-to-date; sophisticated; S. *punta, tecnología, primero*.

punto[1] *n*: point,[1] issue, question, item, dot; S. *cuestión, asunto*. [Exp: **punto**[2] (point[2]; unit; S. *entero, unidad*), **punto**[3] (point[3]; spot[4]; S. *lugar*), **punto básico** (STK & COMMOD EXCH basis point, tick[2]), **punto caliente** (hot spot), **punto cero** (COM basing point), **punto de absorción** (STK & COMMOD EXCH absorption point), **punto de control o vigilancia** (checkpoint), **punto de distribución** (distributive outlet), **punto de división de carga** (TRANSPT break bulk point), **punto de entrega** (COM delivery point), **punto de equilibrio crítico o muerto** (ACCTS break-even point; S. *umbral de rentabilidad*), **punto de equilibrio de las ventas** (sales break-even point), **punto de equilibrio financiero** (ECO financial break-even point), **punto de equilibrio monetario** (ECO cash break-even point), **punto de flexión o cambio de tendencia**

(STK & COMMOD EXCH turning point), **punto de inflexión** (TRANSPT breaking point; top/start of the downswing; turning point; S. *punto límite*), **punto de muestreo** (sample point), **punto de nivelación** (equalization point), **punto de recogida** (pickup point), **punto de referencia** (benchmark; S. *cota, criterio*), **punto de reposo** (resting point), **punto de reunión/encuentro** (IND REL assembly point), **punto de ruptura** (breakpoint), **punto de saturación** (saturation point), **punto de utilidad máxima** (best profit point), **punto de venta** (outlet, point of sale; selling floor), **punto de vista** (viewpoint), **punto del orden del día** (item on the agenda), **punto fundamental** (main point, chief issue; bottom line[4]), **punto límite** (TRANSPT breaking point; S. *punto de inflexión*), **punto más bajo en el ciclo económico** (ECO trough; S. *seno*), **punto máximo** (peak; S. *cumbre, cima, pico*), **punto máximo estacional** (seasonal peak; S. *máxima estacional*), **punto muerto** (breakdown of talks, negotiations, etc.; dead-end; deadlock; stalemate, standstill; standoff; breakeven point, no-go situation *col*; S. *bloqueo en discusiones/negociaciones*), **punto oro** (gold point, bullion point, specie point), **punto porcentual** (percentage point; S. *entero*), **puntos concretos de una investigación** (terms of reference[2] of a survey; S. *campo de aplicación*), **puntos de intercambio del oro** (gold points of exchange), **puntos de venta electrónicos** (electronic points of sales, EPOS), **puntos de venta exclusivos** (COM exclusive outlets, points of sale), **puntos flacos** (shortcomings; weak points; S. *defectos*), **puntuar** (rate[1]; S. *baremar, calificar*)].

puntuación *n*: rating,[1] scoring, points score; S. *valoración, tasación*. [Exp: **puntuar** (rate,[1] score; mark; S. *baremar, calificar*)].

puntual *a*: punctual, correct; precise, accurate, reliable; due proper; specific, particular. [Exp: **puntualidad** (IND REL punctuality, good timekeeping), **puntua-lidad en el pago** (BKG promptness of payment, regularity inmaking one's payments/keeping to one's repayment schedule), **puntual-mente** (punctually, on time; in detail in technocratic and journalistic parlance it may have many meanings; for example, the sentence *El ministro fue informado puntualmente* could mean "The minister was informed *in due course*" or "The minister was kept informed *at all times*" or "The minister was kept *fully* informed".

PVP *n*: S. *precio de venta al público*.

PYME *n*: S. *pequeña y mediana empresa*.

Q

quántum *n*: quantum; S. *cuánto, cuántico.*

quebrado¹ *a*: broken; S. *roto.* [Exp: **quebrado²** (bankrupt; insolvent; S. *quiebra, concursado, fallido*), **quebrado no rehabilidato** (undischarged bankrupt), **quebrado rehabilitado** (LAW discharged/certificated bankrupt)].

quebrantamiento *n*: LAW breach, violation; S. *transgresión, violación.*

quebranto *n*: ACCTS, FIN losses caused by defaulting debtors; heavy loss; damage; S. *daño, perjuicio, pérdida.* [Exp: **quebrantar** (cause a loss), **quebranto por morosos** (bad debt losses)].

quebrar *v*: go bankrupt, collapse, fail²; go bust *col*; go into liquidation; go belly up *col*; go broke *col*; S. *ir a la/declararse en quiebra.* [Exp: **quebrar la confianza legítima** (breach a trust, commit a breach of trust)].

quedar *v*: stay, remain; be. [Exp: **quedar al descubierto** (be in the red; go into the red; show anoverdraft; S. *números rojos*), **quedar despedido** (IND REL be dismissed, get the sack *col*), **quedar disuelto** (go into liquidation; S. *proceder a la liquidación, quebrar*), **quedar en agua de borrajas** (fall through; S. *venirse abajo, no resultar, fracasar*), **quedar en nada** (peter out; S. *agotarse,*

desaparecer paulatinamente), **quedar inactivo** (lie dormant), **quedar maltrecho** (take a beating/hammering; S. *ser vapuleado*), **quedar por debajo de** (fall short of; fail to meet o r come up to; S. *ser insuficiente, pecar por defecto, quedarse corto*), **quedar reducido** (shrink; S. *mermar*), **quedar rezagado** (fall behind; S. *perder terreno*), **quedar saneado** (FIN recover¹; be rescued/turned round; S. *recuperarse, restablecerse*), **quedarse corto** (fall short; S. *quedar por debajo de*), **quedarse en el camino** (fall by the wayside; S. *ir quedando por el camino*), **quedarse rezagado/atrás** (lag behind), **quedarse sin** (run out of; S. *acabársele/agotársele a alguien algo*)].

querella *n*: LAW suit, lawsuit, complaint; charge, accusation, for of private prosecutuion; S. *denuncia, demanda.* [Exp: **querellarse** (sue, file a complaint; bring/institute a private prosecution; go to law; take to court; S. *demandar*)].

quesería *n*: dairy, cheese factory, cheesemaking plant; dairy products/produce.

quiebra *n*: BKG bankruptcy; failure, collapse; S. *bancarrota.* [Exp: **quiebra bancaria** (bank failure, bank crash), **quiebra comercial** (bankruptcy/filaure of a firm/business), **quiebra, estar en** (be/go banrupt, go into liquidation; be/go bust *col*), **quiebra forzosa o fortuita** (involuntary bankruptcy; S. *concurso necesario*), **quiebra fraudulenta** (fraudulent bankruptcy; conspiracy to deceive creditors), **quiebra judicial** (LAW receivership; compulsory winding-up by the courts; adjudication of bankruptcy), **quiebra voluntaria** (voluntary bankruptcy; S. *concurso voluntario*)].

quien corresponda, a *phr*: to whom it may concern.

quilate *n*: carat, karat.

quincalla *n*: ironmongery, hardware; junk. [Exp: **quincallería** (ironmonger's hardware shop)].

quincenal *a*: bi-monthly, fortnightly; S. *bimensual*.

quiosco *n*: COM kiosk, booth, stand, stall[1]; S. *tenderete, puesto*.

quita *n*: ACCTS acquittance, release; discharge; debt relief, debit relief; write-off[2].

quitar *v*: remove; take away; take off; strip, strip out/off, lift[1]; S. *sustraer, deducir, llevarse*.

quórum *n*: quorum.

R

racha *n*: run[6]; spell, break; run/stroke of luck; S. *serie; buena/mala racha.*

racimo *n*: cluster; bunch; S. *grupo, conglomerado.*

ración *n*: ECO ration, portion; S. *suministro, porción.* [Exp: **racionamiento** (rationing; S. *contingentación*), **racionar** (ration; S. *dosificar*)].

racional *a*: rational, reasonable; S. *justo, prudente, lógico.* [Exp: **racionalización** (rationalization, ECO streamlining; restructuring; S. *agilización, simplificación*), **racionalizado** (streamlined; S. *saneado, eficiente*), **racionalizar** (rationalize, slim down, streamline; S. *reestructurar, reconvertir, sanear*)].

radicación *n*: location, establishing, setting up. [Exp: **radicado en** (based in; S. *con sede en*)].

radical *a*: radical, thoroughgoing; sweeping; striking at/going to the roots/roots; S. *completo, a fondo.*

radio *n*: radio. [Exp: **radio de acción** (sphere, area, range[2]; S. *amplitud*)].

ráfaga *n*: burst; S. *oleada.* [Exp: **ráfagas, a** (in bursts, in fits and starts, stop-go)].

raigambre, de *phr*: established[2]; S. *conocido.*

raíz *n*: root. [Exp: **raíz de, a** (following, as a result of; S. *a/como consecuencia de, a resultas de*)].

rajarse *col v*: pull out, back out, withdraw, cop out *col*, quit *US*; S. *acobardarse; echarse atrás.*

ralentizar-se *v*: ECO decelerate, slow down; S. *desacelerar.*

rama *n*: branch, division, department; S. *sector, dependencia, división.* [Exp: **rama comercial** (commercial/sales division), **ramal[1]** (section[1]; S. *tramo, división*), **ramal[2]** (TRANSPT branch line; S. *vía secundaria*), **ramificarse** (branch out)].

ramo *n*: COM sector, line,[3] trade, business, line of business; S. *especialidad, negocio.* [Exp: **ramo de la confección** (ready-made/off-the-peg/prêt-à-porter line or sector; fashion industry/line, rag trade *col*; S. *industria de la confección o de «trapos»*), **ramo de negocio** (line of business; S. *género de actividad comercial*), **ramos, en todos los** (in all sectors, across the board, across-the-board[1]; S. *globalmente, de forma general/lineal, a todas las categorías*)].

rancia tradición, de *n*: long-standing; S. *histórico, antiguo, en pie hace tiempo.*

rango *n*: IND REL, MAN status, rank[1]; rating[1]; grade; S. *categoría, grado, clasificación, condición.* [Exp: **range[2]** (range), **rango de apertura** (STK & COMMOD EXCH opening range)].

rapidez *n*: speed, rapidity, velocity; S. *velocidad*. [Exp: **rapidez, con** (quickly, fast, speedily, swiftly, promptly), **rapidez y economía, con** (efficiently; S. *con economía de medios*), **rápido** (fast, prompt, quick; express[2]; sharp *col*; snappy *col*; S. *urgente, urgente*)].

rappel *n*: S. *rebaja*[2]. [Exp: **rappel de comisión** (supplementary/extra commission)].

raro *a*: rare; strange, odd, unusual, uncommon, deviant; S. *extraño, atípico*.

rasero *n*: standard; S. *patrón, estándar, norma*.

rasgo *n*: feature,[1] trait, characteristic; S. *característica, detalle, a grandes rasgos*.

rastrillo *n*: COM flea market, street market; S. *mercadillo*.

rastro[1] *n*: S. *rastrillo*[1]. [Exp: **rastro**[2] (trace, track, trail)].

ratería de tiendas *col n*: shoplifting. [Exp: **ratero** *col* (pickpocket, shoplifter; thief; S. *ladrón*)].

ratificación *n*: ratification, confirmation, endorsement, sanction; S. *aprobación, confirmación*. [Exp: **ratificar** (ratify, confirm; endorse; sanction; S. *asegurar, confirmar, afirmar*)].

ratio *n*: ECO, FIN ratio; S. *coeficiente, cociente*. [Exp: **ratio actual o corriente** (current ratio; S. *índice de solvencia*), **ratio bursátil** (stock ratio), **ratio capital/trabajo** (capital to labour ratio), **ratio coste/beneficios** (cost-benefit ratio), **ratio de capitalización** (capitalization ratio), **ratio de acciones ordinarias/preferentes** (common to preferred stock ratio), **ratio de activo disponible a pasivo corriente** (acid test ratio, quick asset ratio), **ratio de activo fijo sobre pasivo permanente** (ratio of fixed assets to fixed liabilities), **ratio de activo/valor neto** (assets to net worth ratio), **ratio de apalancamiento** (FIN leverage/gearing ratio; S. *ratio entre endeudamiento y capital propio*), **ratio de autosuficiencia financiera** (ratio of owned capital to borrowed capital), **ratio de capital sobre activo fijo** (ratio of capital to fixed assets), **ratio de cobertura** (STK & COMMOD EXCH hedge/hedging ratio), **ratio de cobertura de intereses** (times-interest-earned ratio, interest coverage ratio), **ratio de concentración** (concentration ratio), **ratio de consumo de materias primas por coste de producción** (ratio of raw materials inventory to cost of manufacture), **ratio de conversión** (conversion ratio), **ratio de cuentas a pagar sobre compras** (ratio of accounts payable to purchases), **ratio de dependencia** (dependency ratio), **ratio de depósitos a capital** (BKG capital-deposit ratio, deposit-capital ratio), **ratio de distribución de dividendos** (pay-out ratio *US*; S. *cobertura de dividendo*), **ratio de endeudamiento** (debt-to-equity ratio, debt/debit ratio; leverage/gearing coefficient), **ratio de enriquecimiento** (wealth ratio), **ratio de exigibilidad de capital** (debt-to-net worth ratio), **ratio de explotación** (operating ratio), **ratio de giro sobre el capital neto** (return on net worth), **ratio de autosuficiente financiera** (ratio of owned capital to borrowed capital), **ratio de las posiciones cortas** (short interest ratio), **ratio de liquidez** (liquidy ratio, current ratio), **ratio de liquidez inmediata** (FIN acid-test ratio; quick ratio; S. *ratio de tesorería*), **ratio de inmunización** (STK & COMMOD EXCH hedge/hedging ratio), **ratio de partidas de ingresos a gastos** (revenue to expenses ratio, operating ratio), **ratio de rendimiento líquido** (ratio of net income to sales), **ratio de rentabilidad** (profit-to-equity ratio, payoff/profitability ratio), **ratio de reserva** (reserve ratio), **ratio de riesgo** (risk ratio), **ratio de rotación**

(turnover ratio), **ratio de rotación de los activos de una cartera de valores** (FIN asset turnover ratio of a portfolio), **ratio de rotación de existencias** (ACCTS stock turnover ratio), **ratio de solvencia** (solvency ratio), **ratio de sustitución** (replacement ratio), **ratio de tesorería** (FIN acid-test ratio; cash ratio; quick ratio; S. *prueba ácida o de liquidez inmediata*), **ratio de valor neto** (net worth ratio), **ratio del margen bruto o de rentabilidad en ventas** (gross margin ratio), **ratio deuda-capital** (debt-to-equity ratio), **ratio entre dividendo y precio de la acción** (price-dividend ratio), **ratio entre endeudamiento y capital propio** (leverage/gearing ratio), **ratio entre existencias y ventas** (invengory-sales ratio, stock-sales ratio), **ratio entre pasivo y activo neto** (debt-to-net worth ratio; S. *ratio de exigibilidad de capital*), **ratio entre valor en libros y valor en Bolsa** (ACCTS, STK EXCH market-to-book ratio), **ratio precio-beneficio** (price-earning ratio, PER), **ratio precio-flujo de capital** (FIN price-cash flow ratio), **ratio precio-ganancias** (price-earnings ratio), **ratio precio-valor contable** (STK EXCH, ACCTS market-to-book ratio), **ratio reservas/depósitos** (reserves ratio, reserves to deposits ratio)].

razón[1] *n*: reason, ground-s[2]; S. *motivo, base, argumento, fundamento, causa*. [Exp: **razón**[2] (ratio, rate[1]; S. *relación, grado, ratio, proporción*), **razón comercial** (firm/business name), **razón de, a** (at the rate of, in the ratio/ proportion of), **razón de intereses al vencimiento** (STK & COMMOD EXCH maturity basis; S. *precio al vencimiento*), **razón del costo de ventas al inventario promedio o rotación de inventarios** (ACCTS ratio of cost of goods sold to average inventory), **razón de pasivo a**

capital contable o neto patrimonial (ACCTS ratio of debt to equity, debt to worth), **razón del volumen de ventas al capital circulante** (ACCTS sales to working capital ratio), **razón entre ventas y créditos al cobro** (ACCTS sales to receivables ratio), **razón fundamental** (rationale; S. *fundamento lógico*), **razón social** (COM trade name; business/ company/firm/corporate name; name of the company; S. *nombre comercial*), **razonable** (reasonable, sound, fair,[1] just, proper; fair-minded, open-minded; S. *racional, moderado, prudente, lógico*), **razonamiento** (reasoning), **razonar** (reason, debate, reason out, argue; account for, explain, justify; S. *dar cuenta*)].

re- *pref*: re-; S. *de nuevo, volver a*.

reacción *n*: reaction, response; feedback; backlash; S. *respuesta*. [Exp: **reacción airada** (angry response, furious reaction), **reacción en cadena** (chain reaction, knock-on effect; S. *repercusión, efecto secundario*), **reacción violenta** (backlash, violent reaction/response), **reaccionar** (react, respond), **reaccionario** (reactionary)].

reacio *a*: reluctant, unwilling.

reactivación *n*: ECO recovery,[1] revival; upturn; pump priming; S. *recuperación*. [Exp: **reactivación cíclica** (cyclical upward movement), **reactivación de la actividad económica** (upswing/growth in economic activity), **reactivación del comercio/mercado** (revival of trade/in the trade/market), **reactivar** (boost,[1] reactivate, encourage, foster; stimulate, drive up/on, put some zip/muscle into *col*; S. *aumentar, alentar, animar, impulsar, estimular, fomentar, empujar*), **reactivar la economía** (boost the economy)].

readmisión *n*: IND REL readmission, reinstatement[1]; S. *reposición, restable-*

cimiento, restitución. [Exp: **readmitir** (IND REL readmit; reinstante; S. *volver a contratar*)].

readquisición *n*: repurchase, buying back, buy-back; S. *recompra.* [Exp: **readquisición de la posición abandonada** (STK EXCH reswitching; S. *marcha atrás en un cambio de posición*)].

reafirmar *v*: reaffirm, stand by[2]; reassert; S. *afianzar, garantizar.*

reagrupar *v*: repackage[1]; S. *transformar, titulizar.*

reajustar *v*: ACCTS, ECO renegotiate, adjust, readjust; raise, increase, S. *acomodar, adecuar, ajustar.* [Exp: **reajustar el valor** (write down; S. *rebajar/reducir el valor en libros, amortizar parcialmente*), **reajustar precios** (adjust prices), **reajuste** (adjustment[1]; increase, rise; S. *corrección, actualización*), **reajuste a la baja** (dilution; write-down; S. *dilución, disminución*), **reajuste de las paridades monetarias** (currency realignment), **reajuste de los tipos de cambio** (readjustment in the exchange rates), **reajuste de paridades** (parity adjustment), **reajuste financiero** (financial readjustment), **reajuste flexible/oscilante** (rolling readjustment), **reajuste monetario** (readjustment of currencies), **reajuste monetario al alza** (FIN revaluation[1]; S. *revaluación*), **reajuste monetario a la baja** (devaluation; S. *devaluación*), **reajuste oscilante** (rolling readjustment), **reajuste por sectores** (ECO rolling readjustment), **reajuste del tipo de cambio de las divisas** (FIN dynamic peg)].

real *a*: real, actual[1]; physical[1]; S. *verdadero, visible, físico, efectivo, tangible.* [Exp: **realidad** (reality, fact), **realidad, en** (as a matter of fact, in practice, in fact; S. *en la práctica*)].

realineamiento/reajuste/reordenación de paridades *n*: realignment/readjustment of par values.

realizabilidad *n*: realisability. [Exp: **realizable** (realizable, attainable, liquid; merchantable; saleable, sellable; S. *líquido, disponible, comerciable*), **realización** (realization, implementation; sale, selling-off/-up; S. *liquidación*), **realización/recogida de beneficios** (STK EXCH profit-taking; S. *sesión bursátil de realización de beneficios*), **realización en dinero efectivo** (selling-off, realizing of assets, conversion[2])].

realizar[1] *v*: carry out, perform, do; make; achieve, realize; S. *llevar a cabo, efectuar.* [Exp: **realizar**[2] (FIN, ACCTS realize, sell off; sell up; sell out; S. *vender.* [Exp: **realizar beneficios** (take profits), **realizar bienes** (sell off/up property; convert into cash), **realizar operaciones** (carry out transactions, transact, trade, do business), **realizar un pago** (make a payment), **realizar una encuesta** (conduct a poll/survey; S. *sondear*)].

realojar *v*: rehouse; S. *acomodar en nuevas viviendas.*

reanimación *n*: upturn; revival; S. *reactivación, recuperación.* [Exp: **reanimar** (revivem stimulate; put new life into, give a new lease of life, boost, encourage)].

reanudación *n*: resumption, restart, reopening; S. *reapertura.*

reanudar *v*: resume, renew; start again; S. *renovar.*

reaparición *n*: recurrence, reappearance.

reapertura *n*: reopening; S. *reanudación.*

reaseguradora *n*: INSCE firm of underwriters; S. *compañía de seguros.* [Exp: **reasegurar** (underwrite, lay off risks; reinsure), **reaseguro** (underwriting, reinsurance), **reaseguro con prorrateo entre diversas aseguradoras** (INSCE participating reinsurance), **reaseguro contractual** (treaty reinsurance), **reaseguro de exceso de pérdida** (excess of loss reinsurance), **reaseguro de exceso de siniestralidad** (stop loss reinsurance), **reaseguro pasivo** (outgoing business), **reaseguro [no] proporcional** ([non] proportional cover)].

reasentamiento *n*: resettlement, relocation; S. *reubicación*. [Exp: **reasentar** (resettle, relocate)].

reasignación *n*: re-allocation.

rebaja[1] *n*: reduction, cut[1]; reduction, discount, allowance,[4] rebate; drawback; allowance[4]; S. *reducción, compensación, bonificación, recorte*. [Exp: **rebaja**[2] (COM rebate,[3] volume discount), **rebaja al entregar un artículo usado** (trade-in allowance), **rebaja arancelaria** (COM duty drawback; S. *régimen de perfeccionamiento activo*), **rebaja de deudas, impuestos, renta, etc. entre acreedores** (abatement of debts/tax/declared income/ etc. amongst creditors), **rebaja por demora en la entrega** (allowance for late delivery), **rebaja de impuestos** (tax rebate; S. *desgravación fiscal*), **rebaja de precios** (price cutting/discount; S. *rebajas*), **rebaja del flete** (freight rebate), **rebaja del tipo de descuento** (bank rate cut, cut/reduction in the discount rate; S. *reducción del tipo bancario*), **rebaja en el valor del inventario** (stock inventory write-down), **rebaja en los derechos de aduana** (customs rebate), **rebaja fiscal mediante recursos legales** (tax avoidance; S. *elusión legal de impuestos*), **rebaja ficticia** (nominal rebate), **rebaja impositiva** (rate rebate/relief), **rebaja/ reducción por merma** (tret), **rebaja sobre precio de factura** (trade. discount, sales allowance), **rebaja total** (gross mark-down), **rebajas** (sales[2]; mark-down sale, price cutting; S. *saldos*), **rebajas en las compras** (COM purchase allowances/ discounts)].

rebajar *v*: reduce/cut[1]; take off, mark down, bring down; knock off[1] *col*; allow, deduct; dilute; water down; S. *recortar, reducir*. [Exp: **rebajar el 25 %** (take 25 % off the price), **rebajar el precio** (lower/cut/reduce the price; mark down), **rebajar el precio** (COM mark down; S. *abaratar*), **rebajar el sueldo** (reduce wages, lower pay; dock sb's wages or salary *col*), **rebajar/reducir el valor en libros** (ACCTS write down; S. *amortizar parcialmente, reajustar el valor*), **rebajar impuestos** (TAXN lower/reduce taxes), **rebajar la calificación de solvencia [una agencia de calificación]** (FIN drop/bring down/lower the rating), **rebajar la carga fiscal** (ease/reduce the tax burden), **rebajar la categoría** (downgrade, demote), **rebajar la paridad** (reduce the par value)].

rebasar *v*: overtake, surpass, exceed, overflow; go beyond; S. *sobrepasar*. [Exp: **rebasar un crédito** (overdraw a credit, exceed a credit)].

rebrote *n*: upsurge, sharp rise, unexpected rise. [Exp: **rebrote de inflación** (uprsurge of inflation, sharp or sudden rise in inflation)].

recabar *v*: seek; claim; gather, collect, raise; S. *solicitar, instar*. [Exp: **recabar fondos** (raise funds)].

recadero *n*: messenger, deliveryman, gofer US *col*; S. *mensajero*. [Exp: **recado** (message; errand; S. *mensaje*)].

recaer[1] *v*: relapse; S. *reincidir*. [Exp: **recaer**[2] (LAW fall to/on, go to, pass to, devolve upon; vest in; V. *corresponder*), **recaída** (relapse; S. *reiteración, reincidencia*)].

recalada *n*: landfall.

recalentamiento *n*: ECO overheating. [Exp: **recalentamiento cíclico** (cyclical overheating), **recalentar** (overheat)].

recalificar[1] *v*: FIN reclassify, upgrade, downgrade, change the rating of; S.

clasificar, reclasificar. [Exp: **recalificar**[2] (ACCTS restate, alter the book value of, write up, write down, write off, charge off; S. *rebajar, amortizar, aumentar*), **recalificar**[3] (LAW reclass, reclassify, change the use class of), **recalificar como incobrable** (ACCTS, BKG charge off,[1] write off), **recalificar terrenos** (LAW reclass/reclassify land, change the use class of land/property)].

recambio *n*: spare, spare part; S. *repuesto, pieza de repuesto/recambio.* [Exp: **recambios** (spares, spare parts)].

recapitalización *n*: recapitalization.

recapitulación *n*: recapitulation, recap, summing up; S. *resumen.* [Exp: **recapitular** (recapitulate, recap; sum up; S. *resumir*)].

recargar *v*: COM increase, put up/put up the price, surcharge, charge extra, put an extra charge on, overcharge, overdebit, mark up; S. *sobrecargar.* [Exp: **recargo** (surcharge, mark-on, extra/additional charge, overcharge, loading, expense loading, carrying charge; S. *penalización, sobretasa*), **recargo a la importación** (import surcharge), **recargo de intereses por pago atrasado** (late interest), **recargo de precio** (mark-up), **recargo de seguridad** (SEG loading for contingencies, safety loading), **recargo en la prima** (INSCE increase in premium, additional premium; S. *sobreprima*), **recargo impositivo** (tax surchage, surtax), **recargo por exceso de siniestralidad** (penalty for bad loss experience, loading for adverse claims), **recargo por participación en beneficios** (SEG bonus loading, loading for participation in profits), **recargo por presentación fuera de plazo** (late filing penalty), **recargo por rescate anticipado de una inversión** (FIN back-end load), **recargo tributario** (surtax; S. *impuesto complementario*)].

recaudable *a*: collectable/collectible, leviable; S. *cobrable.*

recaudación *n*: revenue; collection, levy; take, takings; S. *ingresos; gestión de cobro, cobranza.* [Exp: **recaudación de fondos** (fund-raising; S. *mobilización de fondos o de capitales*), **recaudación de impuestos** (collection of taxes, tax collection[2]; levy; levying; S. *cobro; gestión de cobro; cobranza, percepción*), **recaudación fiscal** (tax collection), **recaudación por asistencia social** (welfare charges), **recaudación tributaria** (tax collection/revenue; S. *ingresos por impuestos*), **recaudador** (tax collector, collection agent; receiver), **recaudador de impuestos o tributos** (tax collector, receiver of taxes, collector of taxes/internal revenues, revenue officer *US*), **recaudador de impuestos sobre el consumo** (exciseman), **recaudar** (gather, levy, collect; raise, take in), **recaudar impuestos, derechos o tasas** (levy/collect taxes/duties), **recaudar/recoger/movilizar fondos** (raise cash/funds/money; S. *arbitrar recursos*)].

recaudo *n*: surety; S. *caución; collection; safekeeping*; S. *a buen recaudo, salvaguardia.*

recepción *n*: reception; receipt, receiving; acceptance. [Exp: **recepción de la mercancía** (receipt of goods), **recepción de un hotel/oficina, etc.** (reception desk), **recepcionista** (receiving clerk, reception clerk, receptionist), **receptor** (recipient, addressee; S. *beneficiario, destinatario*), **receptor de órdenes de venta** (sales order clerk), **receptoría** (receivership)].

recesión *n*: STK EXCH recession, downturn, slump. [Exp: **recesión con inflación** (ECO slumpflation; S. *slumpflación*), **recesión económica** (slump, declining economic activity, economic recession/

downturn; S. *depresión*), **recesión grave** (deep recession, depression; S. *depresión, crisis económica*)].

rechazar *v*: refuse, reject, overrule, disallow, turn down, decline,[2] dishonour, refuse to accept; knock back *col*; S. *negar, denegar, rehusar, desestimar, descartar, desatender.* [Exp: **rechazar por mayoría de votos** (vote down) **rechazar una petición de quiebra por falta de masa** (dismiss a petition in bankruptcy for insufficiency), **rechazar una propuesta** (reject a motion), **rechazar una propuesta de plano o sin contemplaciones** (refuse to entertain a proposal)].

rechazo *n*: refusal, rejection, non-admission, disallowance; S. *negativa, denegación, inadmisión.* [Exp: **rechazo, de** (on the rebound), **rechazo de mercancías** (refusal of goods), **rechazo de ofertas** (disqualification of offers)].

recibí *n/phr*: paid; received with thanks; S. *recibo, abono.*

recibir *n*: receive; admit; S. *admitir, dar entrada.* [Exp: **recibido para embarque** (TRANSPT received for shipment), **recibir entrega** (TRANSPT take delivery, receive)].

recibo *n*: receipt, acknowledgment of receipt, satisfaction of mortgage, termination statement; voucher, slip, warrant; ship's receipt; reception; S. *justificante, acuse de recibo.* [Exp: **recibo de acciones extranjeras** (FIN Internation/American Depository Receipt), **recibo de aduana** (customs receipt), **recibo de, al** (on receipt of), **recibo de almacén** (warehouse/depository receipt), **recibo de almacén negociable** (negotiable/elegible warehouse receipt), **recibo de alquiler** (rent receipt), **recibo de carga** (TRANSPT freight receipt), **recibo de depósito**

(TRANSPT deposit/warehouse receipt; BKG paying-in slip, deposit slip), **recibo de depósito al portador** (bearer depositary receipt, BDR), **recibo de depósito americano** (FIN American Depository Receipt, ADR), **recibo de depósito europeo** (FIN European Depository Receipt, EDR), **recibo de depósito internacional** (FIN, BKG International Depository Receipt, IDR), **recibo de embarque de las mercancías** (TRANSPT mate's receipt, M/R; S. *recibo del piloto*), **recibo de embarque limpio** (clean receipt), **recibo de entrada o admisión** (TRANSPT entry receipt), **recibo de entrega** (TRANSPT delivery receipt/note, S. *albarán*), **recibo de expedición** (forwarder's receipt, receipt of shipment, way-bill; S. *guía*), **recibo de fideicomiso** (trust receipt), **recibo de muelle** (TRANSPT dock receipt, wharfinger), **recibo del piloto** (TRANSPT mate's receipt, M/R; S. *recibo de embarque de las mercancías*), **recibo del transportista** (forwarder's receipt), **recibo de carga** (cargo receipt), **recibo por saldo de cuenta** (receipt in full; S. *finiquito*), **recibo del pago de derechos de aduanas** (TRANSPT clearance,[1] clearance certificate; S. *certificado de despacho, formalidades aduaneras, despacho de aduanas, permiso*), **recibo fiduciario** (trust receipt), **recibo y entrega de carga** (pick-up/collection and delivery)].

reciclaje *n*: recycling; IND REL refresher course, retraining, in-service training. [Exp: **reciclaje de capital** (recycling of capital), **reciclaje de préstamo** (relending), **reciclar** (recycle; retrain)].

recién *a*: recently. [Exp: **recién llegado** (newcomer), **recién salido de fábrica** (brand new; straight/fresh from the factory; S. *a estrenar, flamante*), **reciente** (recent), **reciente industrialización, de** (newly industrialised)].

recinto *n*: enclosure, site, ground[1]; S. *terreno*. [Exp: **recinto ferial** (fairground, showground, exhibition ground/space, fairfield)].

reciprocar *v*: reciprocate. [Exp: **reciprocidad** (reciprocity), **reciprocidad basada en la coacción** (coercive reciprocity), **reciprocidad basada en el consenso** (consensual reciprocity), **reciprocidad de ventajas** (mutuality of advantages), **recíproco** (reciprocal, mutual; S. *bilateral, mutuo*)].

reclamación[1] *n*: INSCE, LAW claim; complaint; claiming; objection; S. *pretensión, demanda, reivindicación laboral*. [Exp: **reclamación[2]** (IND REL grievance), **reclamación administrativa** (LAW action for administrative negligence/incompetence; claim/complaint raised/filed against the administration; S. *acto administrativo*), **reclamación de pago** (COM reminder, final reminder), **reclamación de seguro** (insurance claim), **reclamación en cantidad prefijada** (LAW liquidated damages claim), **reclamación por los daños sufridos** (INSCE damage claim), **reclamaciones no satisfechas o resueltas** (unsettled/outstanding claims)].

reclamar *v*: demand, lay claim to, claim, reclaim; S. *exigir*. [Exp: **reclamar daños y perjuicios** (seek/claim/claim for damages), **reclamar un derecho** (claim a right; stake a claim), **reclamar una deuda** (demand payment/settlement of a debt)].

reclamo *n*: ADVTG call, slogan, catch phrase/line; S. *eslogan publicitario*. [Exp: **reclamo publicitario** (ad, prominently displayed advert, hoarding, eye-catching advert; advertising)].

reclasificar *v*: reclassify, reclass, regrade; upgrade, downgrade; change the status of; S. *recalificar, calificar*. [Exp: **reclasificación** (reclassification, regrading; upgrading, downgrading), **reclasificación de personal** (IND REL regrading of personnel/staff)].

reclutamiento *n*: IND REL recruitment, recruiting, hiring; S. *contratación*. [Exp: **reclutar** (recruit, take on hire; S. *contratar, seleccionar*)].

recobrable *n*: recoverable; S. *recuperable*. [Exp: **recobrar** (recover, recoup; salvage; S. *recuperar, resarcirse*)].

recoger *v*: gather, pick, pick up[1]; take down; harvest; collect; scoop up; take out/withdraw/remove from/of circulation; take away; capture; include, bring together; show; S. *juntar, reunir, captar*. [Exp: **recoger datos** (assemble/ gather information/details; S. *take down details*), **recogida** (collection; gathering, pick-up[4]), **recogida/realización de beneficios** (STK EXCH profit taking [session]), **recogida de datos** (data collection/capture/gathering; taking down of details; S. *toma*), **recogida de equipaje** (TRANSPT baggage claim)].

recolección[1] *n*: harvest, picking, gathering, in of crops; S. *cosecha*.

recolocar *v*: rehouse, recolocate; IND REL move, switch, transfer, redeploy; S. *trasladar*. [Exp: **recolocación** (IND REL outplacement, transfer, redeployment)].

recomendación *n*: recommendation. [Exp: **recomendar** (recommend, propose, suggest, advise; S. *aconsejar*), **recomendar encarecidamente** (urge; plug[2]; *exhortar, apremiar*)].

recompensa *n*: recompense; award[1]; reward; pay-off *col*; S. *retribución, remuneración*. [Exp: **recompensar** (recompense, reward; award[1]; S. *premiar*].

recompra *n*: repurchase, buy-back; S. *readquisición; pacto de recompra*. [Exp: **recompra/rescate de los valores emitidos en el mercado secundario** (STK EXCH bond buy-back; repurchase of securities)].

reconducción *n*: LAW renewal/extension of a lease in accordance with the original terms; restoring/restoration of original rights; MAN rethinking, refocussing; setting to rights, doubling back, straightening out, correcting the course; S. *golpe de timón*. [Exp: **reconducción de capital** (capital reswitching), **reconducir** (renew, extend, retore; rethink, refocus; set/put to rights, double back, switch back, straighten out, correct the course of; S. *corregir*), **reconducir un proceso** (MAN double back/backback on a process/procedure, rethink a process), **reconducir una situación** (rethink a situation, put things back on an even keel *col*; straighten/sort out an issue, get back on rails *col*)].

reconocer[1] *v*: recognize, identify, distinguish; S. *distinguir*. [Exp: **reconocer**[2] (examine, inspect, survey; search, check; S. *inspeccionar*), **reconocer**[3] (acknowledge; recognize; accept; credit; confer; S. *agradecer, admitir*), **reconocer un derecho** (acknowledge/recognize/confer a right), **reconocer una obligación** (recognize/admit/acknowledge an obligation), **reconocer una firma** (acknowledge/witness a signature)].

reconocimiento[1] *n*: recognition, distinction; S. *distinción*. [Exp: **reconocimiento**[2] (examination, inspection, survey, check[1]; S. *exploración, examen*), **reconocimiento**[3] (acknowledgment, recognition, acceptance; S. *gratitud, agradecimiento*), **reconocimiento de firma** (authentication of signature), **reconocimiento de derechos adquiridos en la empresa antigua al cambiar a una nueva** (IND REL instant vesting), **reconocimiento de deuda** (acknowledgement of a debt), **reconocimiento de una marca** (ADVTG brand recognition), **reconocimiento formal de una deuda** (cognovit note *US*)].

reconsiderar *v*: reconsider, revise, review.

reconstitución del capital *n*: return to capital. [Exp: **reconstituir la reserva** (rebuild/replenish the reserve)].

reconstrucción *n*: reconstruction, rebuilding; modernisation, reorganization, reshuffle; S. *reorganización, modernización, actualización*. [Exp: **reconstrucción industrial** (redevelopment of industry, industrial streamlining/rebuilding; revamping of industry *col*), **reconstruir** (reconstruct, rebuild; reorganize, reshuffle, streamline; revamp *col*; S. *actualizar, racionalizar*)].

reconvención *n*: counter-claim.

reconversión *n*: reconversion, modernisation, revamping *col*; S. *reconstrucción, modernización*. [Exp: **reconversión de la deuda** (debt funding), **reconversión de una empresa** (restructuring/modernisation/streamlining of a company, rescue operation on an ailing firm; S. *saneamineto*), **reconversión empresarial** (corporate restructuring), **reconversión industrial** (industrial rationalization/streamlining/restructuring; S. *acción concertada*), **reconversión profesional** (vocational/industrial retraining), **reconvertir** (slim down, streamline; restructure; S. *restructurar, sanear*)].

recopilación *n*: compilation, gathering; LAW digest; S. *sumario, resumen, repertorio*. [Exp: **recopilación de datos** (data compiling), **recopilar** (compile, gather, collect)].

recordar *v*: remind; recall[1]; remember; recollect. [Exp: **recordatorio** (reminder; S. *aviso, aviso de pago*)].

recorrer *v*: go over/through; cross, cover, travel through, take in; S. *abarcar*. [Exp: **recorrido** (route, path; course, journey; distance, distance covered; run; round), **recorrido de una variable** (range[2]), **recorrido medio** (mean range), **recorrido del precio de un valor o producto** (STK & COMMOD EXCH run[8] *US*)].

recortar *v*: cut back; cut down, cut out; reduce, prune, axe, trim; S. *reducir, disminuir, podar*. [Exp: **recortar el presupuesto** (trim the budget), **recortar gastos** (cut/cut down on/reduce expenditure), **recortar el tipo de interés** (trim interest rates)].

recorte *n*: cut,[1] cutback, reduction; drop, rundown[2]; STK EXCH haircut; S. *rebaja, reducción, ajuste*. [Exp: **recorte de dividendo** (cut/drop in dividend), **recorte de gastos** (reduction of expenditure; S. *reducir gastos*), **recorte de la demanda de punta** (cutback on peak demand, peak shaving *col*), **recorte de plantilla** (labour retrenchment), **recorte de prensa** (newspaper/press clipping/cutting; S. *rueda de prensa*), **recorte de tipos** (STK EXCH drop in rates), **recorte del gasto público** (fiscal retrenchment), **recorte del presupuesto** (budget cut, spending cuts; S. *reducción de gastos*), **recorte salarial** (salary cut)].

recta final *n*: home straight/stretch; final/closing stages.

rectificación *n*: rectification; amendment; correction; adjustment; S. *enmienda, modificación*. [Exp: **rectificar** (rectify, amend, correct; remedy; S. *ajustar las cuentas, compensar*), **rectificar la fecha** (correct the date, redate)].

rector *n*: leadign, guiding, governing; S. *órgano rector*.

recuento *n*: ACCTS count, tally; check; survey, stocktaking, inventory; S. *conteo*. [Exp: **recuento de caja** (ACCTS cash count/ proof/gauging, cashing-up), **recuento de existencias** (stocktaking; physical count; S. *formación del inventario*)].

recuerdo *n*: recall[1]. [Exp: **recuerdo-24 horas** (ADVTG day-after recall, 24-hour recall), **recuerdo ayudado** (ADVTG aided recall), **recuerdo espontáneo** (ADVTG spontaneous recall), **recuerdo sugerido** (ADVTG suggested recall)].

recuperable *a*: recoverable, reversionary; S. *recobrable, reversible*. [Exp: **recuperación**[1] (recovery, rally, revival; clawback, upturn, rebound, makeup[2]; S. *reacción, reactivación*), **recuperación**[2] (recovery, return, recapture, recoupment, salvage; repossession; retrieval; V. *rescate, reparación*), **recuperación de datos** (data retrieval), **recuperación de fallidos** (FIN bad debt, recovery[1]; S. *resarcimiento de fallidos*), **recuperación económica** (economic recovery/upswing; S. *repunte*), **recuperación económica lenta** (slow recovery), **recuperación en los precios** (rally in/of prices), **recuperación momentánea del mercado** (STK EXCH technical rally), **recuperación repentina de la Bolsa** (STK EXCH sharp rally/upswing/upturn), **recuperación temporal del mercado** (STK & COMMOD EXCH brief rally[2])].

recuperar[1] *v*: recover, rally, pick up,[2] revival; S. *repuntar*. [Exp: **recuperar**[2] (recover, get back, regain, repossess, recapture, recoup, salvage; retrieve; V. *rescatar*), **recuperar el pulso** (breathe again/move freely, get one's breath back; get back on a steady keel *col*; steady up *col*; recover one's breath/nerve, get back to normal), **recuperar la rentabilidad** (COM, FIN get back into profit), **recuperar las pérdidas** (COM recoup losses, break even[1]), **recuperar los atrasos** (catch up on arrears or on the backlog), **recuperarse** (bounce back, recover, pick up[2]; rally; revive; firm up[2]; stage a rally; S. *repuntar, fortalecerse*)].

recurrente[1] *a*: appellant, applicant[2]; S. *demandante*. [Exp: **recurrente** (recurrent; S. *permanente, periódico, repetitivo*)].

recurrir[1] *v*: LAW appeal, lodge/put in/make an appeal; S. *apelar, interponer un recurso de apelación*. [Exp: **recurrir**[2] (recur; S. *repetirse*), **recurrir a** (resort to, have recourse to, fall back on/upon, avail oneself of; S. *aprovechar, hacer uso, servirse de*)].

recurso[1] *n*: LAW appeal; recourse, resort; S. *recurso judicial*. [Exp: **recurso**[2] (device, trick, dodge *col*; gimmick; recourse, remedy; S. *dispositivo, mecanismo, truco, invento*), **recurso-s**[3] (means, resources; facilities; finance; V. *medios, fuentes; prestaciones; bienes*), **recurso al/de arbitraje** (LAW recourse/resort to arbitration), **recurso de emergencia/ reserva** (ECO, FIN fallback; standby facility; standby lending program), **recursos ajenos** (ACCTS liabilities[2]; S. *acreedores, pasivo*), **recursos ajenos a largo plazo** (loan/debt capital), **recursos asignados** (ACCTS appropriation[1]; S. *asignación de recursos, consignación*), **recursos escasos** (ECO scarce resources/ goods), **recursos debidos a terceros** (INSCE borrowed resources), **recursos disponibles** (available funds), **recursos comprometidos** (committed resources), **recursos en tramitación** (resources in the commitment pipelines), **recursos energéticos** (energy resources), **recursos financieros** (financial resources), **recursos generados** (cash flow), **recursos generados descontados** (discounted cash flow, DCF), **recursos humanos** (manpower services; S. *personal, servicio de personal*), **recursos inactivos** (idle resources), **recursos naturales** (ECO natural resources), **recursos naturales no renovables** (non-renewable natural resources), **recursos propios** (FIN assets, equity, common equity, equity capital, net worth, contributed capital, paid-in capital; S. *activo, capital fijo, capital en acciones*), **recursos propios contables** (book assets, book equity), **recursos provenientes de operaciones** (ACCTS resources arising from/generated by ordinary

activities), **recursos/trucos publicitarios para entrar en una casa** (ADVTG door openers), **recursos realizables o líquidos** (liquid resources)].

red[1] *n*: net,[3] network, nexus; S. *nexo, relación*. [Exp: **red**[2] (grid; S. *reja, cuadrícula*), **red arterial** (TRANSPT road network), **red/cadena de distribución/ ventas** (sales network/distribution network), **red de concesionarios** (dealership network, network of dealers), **red de relaciones de paridad** (BKG parity grid; S. *parrilla de paridades*), **red/medida de seguridad** (safety net; S. *protección*), **red ferroviaria** (railway network), **red nacional de suministro de electricidad** (national grid), **red principal de electricidad** (main power grid), **red vial/viaria** (road network)].

redacción[1] *n*: writing, drafting, wording. [Exp: **redacción**[2] (editorial office/staff), **redacción de un documento** (ADVTG drafting of a document), **redactar** (draft, draw up, write out/up[1]; S. *pasar a limpio*), **redactar de nuevo** (rewrite, redraft, restate[1]), **redactar el borrador de un contrato** (draw up/draft a contract), **redactar en forma legal** (engross[2]), **redactar un contrato, programa, acuerdo, etc.** (draw up a contract, programme, agreement, etc.), **redactor** (editor), **redactor publicitario** (ADVTG copywriter)].

redención *n*: FIN redemption, recovery, retirement; S. *reembolso, rescate*. [Exp: **redención de la deuda** (retirement of debt)].

redescontar *v*: rediscount. [Exp: **redescontable** (rediscountable), **redescuento** (rediscount), **redescuento bancario** (BKG minimum lending rate, MLR, base rate, bank rate), **redescuento de efectos** (rediscount of drafts), **redescuento de obligaciones** (debt discounting; S. *compra al descuento de efectos* *comerciales*), **redescuento por la puerta de atrás** (second window; back-door operation)].

redhibición *n*: LAW redhibition, avoidance of sale.

redimensionar *v*: streamline, downsize, slim down, cut down, cut down to size *col*; rationalise; S. *reducir, racionalizar; sobredimensionado*.

redimible *a*: FIN redeemable, callable; S. *amortizable*. [Exp: **redimir** (redeem, call, call in, pay off, retire, release; S. *rescatar, amortizar, cancelar*), **redimir un préstamo** (BKG call in[1] a loan; S. *denunciar un préstamo*), **redimir/ levantar una hipoteca** (pay off/release a mortgage)].

rediseño de los procesos de negocios *n*: MAN business process re-engineering, BPR.

redistribuir *v*: redistribute, reapportion, reshuffle. [Exp: **redistribución de la carga fiscal** (redistributing/sharing out of the tax burden), **redistribución de la renta** (redistribution/spreading of wealth/revenue)].

rédito *n*: yield, profit, proceeds; rate,[3] rate of interest; S. *beneficio, renta; tipo de interés*. [Exp: **rédito actual** (FIN current yield/earnings, flat/running yield; S. *rendimiento corriente*)].

redondear *v*: round up(down/off. [Exp: **redondear a la baja o por defecto** (round down), **redondear al alza o por exceso** (round up[1]), **redondear las cifras** (state in round numbers), **redondeo** (ACCTS reounding-up/-off-down, breakage[2]), **redondo**[1] (circular, round[1]; S. *circular*), **redondo**[2] *col* (flat, straight, blunt; complete, completely, satisfactory; highly profitable), **redondo, en** (flatly, in no uncertain terms *col*)].

reducción *n*: reduction, discount, diminution, cut,[1] cut-back; curtailment; rundown[2]; abatement; rolling back; fall; shrinkage, impairment; S. *recorte, restricción, bajada*. [Exp: **reducción arancelaria** (tariff cut), **reducción de costes** (cost cutting), **reducción de deudas, impuestos, renta, etc. entre acreedores** (abatement of debts, tax, declared income, etc. amongst creditors, etc.), **reducción de gastos/planes de expansión, etc.** (ECO retrenchment), **reducción de capital** (capital reduction/ decrease, diminution of capital), **reducción de gastos** (cost-cutting, spending cuts; S. *recortes presupuestarios*), **reducción de jornada** (IND REL shortening of the working day, reduction in working in hours), **reducción de la demanda** (reduction in demand), **reducción de la plantilla** (IND REL scaling-down of labour, cutback/ reduction in personnel/the workforce; S. *amortización de puestos de trabajo*, **reducción de los márgenes de beneficio** (profit squeeze), **reducción de los rendimientos por acción** (STK EXCH dilution of earnings per share), **reducción de personal** (cut-back, labour layoff; job cuts; redundancy; S. *expediente de regulación de empleo*), **reducción de precios** (price cutting; lowering of prices; markdown; S. *rebajas*), **reducción de precios por medio de medidas gubernamentales** (COM rollback *US*), **reducción de puestos de trabajo** (job reductions/cuts; S. *reducción de personal*), **reducción de un impuesto o del tipo impositivo** (tax cuts, lowering of reduction/reduction in taxes), **reducción del capital de una mercantil** (COMP LAW reduction of capital, split down, reverse stock split *US*), **reducción del capital por devoluciones, dividendos o pérdidas** (capital impairment), **reducción del tipo bancario** (bank rate cut, drop/reduction in the discount rate; S. *rebaja del tipo de* *descuento*), **reducción del tipo impositivo** (cut/drop in tax rates), **reducción de la actividad económica** (slowing-down of economic activity), **reducción en la morosidad** (drop/decrease in the figures for defaulting debtors), **reducción impositiva** (tax relief/cuts; S. *desgravación*), **reducción porcentual constante del coste de un activo** (ACCTS diminishing-balance depreciation), **reducción en el precio de un producto** (COM mark-down; S. *saldo, porcentaje de rebaja*), **reducción salarial** (drop in pay, pay cut[s]), **reducción tarifaria** (tariff rate cutting)].

reducido *a*: small, short[1]; confined, narrow, reduced, limited; S. *insuficiente, deficiente, corto*.

reducir *v*: reduce, shorten, lower, decrease, downsize, slim down, cut,[1] cut back; cut down; bring down; narrow down; decrease; restrict; retrench; curtail; squeeze, prune, axe, trim; abate, rebate; drop, damp down; S. *recortar, acortar, podar*. [Exp: **reducir al mínimo** (reduce to a minimum, cut right back, cut back to the bone *col*; S. *subestimar, minimizar*), **reducir algo a cifras** (put a figure on sth; S. *estimar la cuantía de algo, cifrar el valor de algo*), **reducir costes** (cut costs), **reducir el capital social** (reduce capital stock/share capital), **reducir el margen comercial** (reduce/cut down the profit margin, drop the mark-up), **reducir el precio** (reduce/cut/lower the price), **reducir gastos** (cut down on expenditure, pare down/cut down expenditure), **reducir el valor contable de una deuda** (ACCTS write down the value of a debt), **reducir gradualmente** (run down, phase out; S. *descapitalizarse*), **reducir el exceso de plantilla** (reduce overmanning), **reducir el presupuesto** (trim the budget), **reducir el tipo de interés** (trim interest rates),

reducir la inflación (bring//wind down/push inflation), **reducir la jornada laboral** (cut working hours), **reducir la plantilla** (IND REL make job reductions), **reducir la velocidad** (slow down; S. *ralentizar-se, desacelerar*), **reducir las diferencias** (narrow the gap; S. *cerrar la brecha, acercarse*), **reducir impuestos** (TAXN cut/reduce taxes), **reducir proporcionalmente** (scale down), **reducir un riesgo** (STK & COMMOD EXCH reduce/limit/narrow down a risk, hedge)].

reembolsar *v*: pay back, repay, reimburse; return, refund; redeem; S. *devolver, pagar, reintegrar, amortizar*. [Exp: **reembolsable** (redeemable, refundable, repayable; S. *amortizable, rescatable*), **reembolsar acciones** (redeem shares), **reembolsar un préstamo** (repay/pay off a loan), **reembolsarse** (take back, claw back)].

reembolso *n*: refund, refunding, redemption; reimbursement, repayment, payback; return[2]; drawback, DBK; S. *devolución; comisión de reembolso*. [Exp: **reembolso anticipado** (advance redemption/repayment, advance refunding; pre-payment; prior payment; repayment before the due date; S. *devolución anticipada de la deuda*), **reembolso anticipado de la deuda** (retirement of outstanding debt), **reembolso de fletes, contra** (TRANSPT carriage forward, CF, carr fwd; S. *a portes/fletes debidos*), **reembolso de gastos** (reimbursement of expenses, refund of charges), **reembolso de la prima** (return of premium), **reembolso de obligaciones por intercambio con otras de la misma clase** (STK & COMMOD EXCH rollover; S. *renovación, reinversión*), **reembolso de prima** (return of premium), **reembolso en efectivo** (cash refund), **reembolso total** (full refund, full cash refund)].

reemisión *n*: reissue, second/subsequent issue. [Exp: **reemitir** (reissue, refloat, put an issue out or on the market again)].

reemplazar *v*: replace, stand in for, deputize for, take the place of, substitute for; put in the place of; take over from, supersede; use instead of; S. *sustituir, cambiar, reponer*. [Exp: **reemplazo** (substitution, replacement[1]; S. *sustitución, reposición, renovación*), **reemplazo de personal extranjero por personal nacional** (ECO indigenization; S. *indigenización*)].

reequilibrar *v*: rectify; put back upright, set on its feet again, put back on an even keel *col*; S. *rectificar, modificar*.

reescalonamiento de la deuda *n*: rescheduling of debt.

reestreno *n*: re-run, revival, reissue, rerelease. [Exp: **reestrenar** (rerun, put back upright, set on its feet again)].

reestructuración *n*: FIN restructuring; shakeout *col*; rescue operation, turnaround; S. *reorganización, saneamiento, renegociación*. [Exp: **reestructuración de la deuda** (FIN debt restructuring, rescheduling of the debt), **reestructurar** (slim down, clean up[1]; S. *reorganizar, sanear*), **reestructurar una deuda** (roll over[2])].

reevaluar *v*: revaluate; S. *revalorizar*.

reexpedir *v*: TRANSPT reship, forward; reexport; S. *remitir, enviar*. [Exp: **reexpedidor** (TRANSPT break bulk agent; re-exporter, shipping/forwarding agent; S. *distribuidor*)].

referencia *n*: reference, ref; referral. [Exp: **referencia a, con** (as per; re; S. *según, conforme a*), **referencia a un índice económico** (ECO indexation; S. *indexación/indiciación*), **referencia de proveedor** (trade reference), **referencia técnica** (identification code; S. *clave de identificación*), **referencias bancarias/comerciales** (bank/trade references),

referenciado/actualizado/vinculado/ajustado a un precio o índice (index-linked; indexed; S. *indexado/indiciado*), **referir** (refer, relate, index; tell, report, recount; S. *indiciar, informar*), **referirse a** (refer to, concern[3]; S. *interesar, afectar*)].

refinanciación, refinanciamiento *n*: refinancing; rollover. [Exp: **refinanciación continua** (rollover), **refinanciación de adeudos vencidos** (refinancing of maturing loans), **refinanciación de la deuda** (FIN debt refinancing/restructuring/rescheduling), **refinanciar** (refinance; restructure, reschedule)].

reflación *n*: reflation. [Exp: **reflacionar la economía** (reflate the economy)].

refletamento *n*: TRANSPT rechartering, subletting[2].

reflotar *v*: refloat.

reflujo *n*: ebb. [Exp: **reflujo de capitales** (capital flowback)].

reforestación *n*: reafforestation; S. *repoblación forestal*.

reforma *n*: reform, reforming, overhaul, improvement; refit, refitting; S. *modificación, cambio, rectificación*. [Exp: **reforma agraria** (land/agricultural reform), **reformar** (reform, improve; overhaul; refit; S. *mejorar*)].

reforzar *v*: reinforce, strengthen, tighten; bolster up, buttress, shore up; S. *apuntalar, consolidar*. [Exp: **reforzamiento** (reinforcement, strengthening enhancement), **reforzamiento automático del crédito** (FIN self-enhancement), **reforzamiento de las garantías o avales de un crédito** (FIN credit enhancement)].

refrenar *v*: restrain, check, curb; keep/hold in check; S. *contener, reprimir*.

refrendar *v*: rubber stamp, approve, endorse; give the stamp to approval to; countersign, authenticate; S. *visar, autorizar*. [Exp: **refrendado por, estar** (have the approval of), **refrendo**

(aproval, endorsement, authentication, countersignature; S. *visto bueno*)].

refuerzo *n*: reinforcement, strengthening, support, backing; S. *reforzar*. [Exp: **refuerzo de garantía** (second/further/additional guarantee; S. *aval, cogarante*)].

refugio *n*: refuge, shelter, haven; S. *amparo, abrigo*. [Exp: **refugio tributario** (tax shield/shelter; S. *amparo fiscal*)].

refundir *v*: recast; redraft, rewrite, revise, reword; amalgamante, combine; S. *globalizar, consolidar*.

regadío *n*: irrigated land, irrigation. [Exp: **regar** (irrigate)].

regalar *v*: give, give away, make a gift of, present. [Exp: **regalía del autor** (author's royalties; S. *derechos de autor*), **regalo** (present, gift; COM free gift; S. *dádiva, donación*)].

regatear *v*: bargain,[4] haggle, try to, beat down *US*. [Exp: **regateo** (bargaining, haggle, higgling)].

regentar *v*: COM run, manage, be in charge of; S. *gestionar, dirigir, llevar*.

régimen *n*: system; pattern; regime, set of rules, basis[1]; scheme[1]; S. *plan, marco legal; normativa; modalidad*. [Exp: **régimen aduanero** (customs procedure; customs), **régimen anual** (year-to-year basis), **régimen cambiario** (exchange system), **régimen de administración fiduciaria** (trusteeship system), **régimen de, en** (on a grants basis; S. *a título de donación*), **régimen de financiación** (financial arrangement), **régimen de impuestos indirectos** (indirect taxation), **régimen de libertad comercial** (free-trade basis/system), **régimen de no contabilización de intereses impagados** (ACCTS non-accrual status), **régimen de licencias** (licence), **régimen de pagos con cargo a los ingresos corrientes** (pay-as-you-go system), **régimen de**

perfeccionamiento (temporary imports; S. *importación temporal*), **régimen de perfeccionamiento activo** (COM duty drawback; S. *rebaja arancelaria*), **régimen de transparencia fiscal** (imputation system), **régimen del doble precio para el oro** (two-tier price system for gold), **régimen en comunidad de propietarios** (system of sharing serive charges among residents/flat owners; condominium[2] *US*; S. *comunidad de propietarios*), **régimen fiscal/tributario** (system of taxation; tax system/regime)].

región *n*: region, area, district, territory; S. *área, barrio, distrito, zona*. [Exp: **región de subvención prioritaria** (ECO assisted area), **región industrial en declive** (declining industrial area, region where industry is in decline), **región subdesarrollada** (backward/underdeveloped area, less developed region), **regional** (regional, local)].

regir *v*: govern, control, determine; rule, run, manage; LAW apply, be in force/effect/operation; obtain; prevail; S. *tener vigencia*.

registrador *n*: registrar. [Exp: **registrador de la propiedad** (registrar of deeds), **registraduría** (registrarship; S. *registro*)].

registrar[1] *v*: enter,[1] register, record,[1] file, list, post; S. *inscribir, dar entrada*. [Exp: **registrar**[2] (search, examine, inspect, screen; S. *buscar, examinar, revisar*), **registrar una hipoteca** (LAW register a mortgage, record a mortgage in the Land register), **registrar un asiento** (ACCTS post an entry), **registrar/arrojar una ganancia/pérdida, etc.** (show/record a profit/loss, etc.; S. *acusar una pérdida*), **registrar una marca comercial o de fábrica** (register a trademark), **registrarse** (register; S. *matricular-se, darse de alta*), **registrarse en un hotel** (check in), **regístrese y comuníquese a quien**

corresponda (LAW order for a document, etc., to be entered on the record and processed; registration and transmittal)].

registro[1] *n*: register, registry, registrarship; roll, roster, tally; records office; S. *registraduría*. [Exp: **registro**[2] (entry,[2] registry; roll, roster; record-s, tally; S. *inscripción, documentación*), **registro**[3] (search, examination, survey; S. *indagación, examen*), **registro auxiliar de cuentas** (subsidiary ledger), **registro civil** (registry, records office; registry office; register of births, marriages and deaths), **registro comercial** (trade register), **registro de accionistas** (shareholder register, register of stockholders), **registro de asistencia** (attendance board), **Registro de Buques de Lloyd's** (Lloyd's Register of Shipping), **registro de caja** (COM cash register/book; S. *caja, caja registradora*), **registro de cargas sobre los bienes raíces** (registration of encumbrances), **registro de cargas sobre los activos** (register of charges on assets, charges register), **registro de compras y de ventas** (purchase-and-sales register), **registro de contribuyentes** (tax list/ roll/roster), **registro mercantil** (trade register), **registro de cuentas bloqueadas** (record of blocked/frozen accounts; attachment ledger *US*), **registro de efectos librados** (draft register), **registro de entrada** (check-in), **registro de la propiedad** (Land register; Land Registry; S. *Catastro*), **registro de letras** (ACCTS bill book/diary, discount register), **registro de letras aceptadas** (acceptance register), **registro de patentes** (patent office), **registro de sociedades** (registry of companies; S. *secretario/encargado del Registro Mercantil*), **registro diario de jornales** (daily time sheet), **registro general** (records office), **Registro Mercantil** (registry of companies, Companies House/Companies Registration Office), **Oficial de Auditores de Cuentas, ROAC** (official list of registered auditors), **registro oficial de transacciones** (STK & COMMOD EXCH record of times and sales), **registro público** (public record; records office; S. *archivo público, documento público*), **registro tributario o fiscal** (tax roll; S. *censo de contribuyentes*), **registros y documentos de caja** (cash records)].

regla *n*: rule,[1] regulation; S. *norma*. [Exp: [Exp: **regla de equiparación** (matching rule), **regla, en** (in order; S. *ordenado*), **regla rígida** (hard and fast rule), **reglas internacionales para la interpretación de los términos del comercio internacional** (incoterms; S. *términos de comercio internacional*), **Reglas de la Haya** (TRANSPT The Hague Rules), **Reglas de York y de Amberes** (TRANSPT York and Antwerp rules)].

reglamentación *n*: regulation; regulations, rules; legal framework; S. *normativa*. [Exp: **reglamentación bancaria** (banking regulation), **reglamentación de trabajo** (labour code), **reglamentación urbanística municipal** (zoning regulations/rules), **reglamentar** (make rules for, establish the regulations for, regulate), **reglamentario** (regulation, standard, statutory; set; due; regulatory; S. *legal*)].

reglamento *n*: regulation, rules, by-law/bye-law/byelaw; S. *disposiciones, reglas*. [Exp: **reglamento sindical** (union rules), **reglamento de aduana** (customs regulations), **reglamento de una sociedad mercantil** (COMP LAW articles of association, memorandum of association, articles of incorporation *US*)].

reglar *v*: regulate, make/establish rules/ regulation for; S. *regularizar, regular, reglamentar*. [Exp: **reglarse por** (be guided by, follow, abide by)].

regresar *v*: return, go back, come back; S. *volver*. [Exp: **regresión** (regression; S. *retroceso*), **regresión lineal/múltiple** (linear/multiple regression), **regresivo** (regressive, backward[1]), **regreso** (return; S. *retorno*), **regreso/retorno en lastre** (TRANSPT deadheading[2])].

regulación *n*: regulation; adjustment, control, supervision; S. *intervención; ordenanza, ajuste control*. [Exp: **regulación de balances** (ACCTS adjustment of balances; S. *balance regularizado*), **regulación de cambios/precios** (exchange/price regulations), **regulación de empleo** (IND REL staff/workforce reduction, layoff/redundancy plan; redundancies; S. *expediente de regulación de empleo*), **regulación de la oferta** (supply management), **regulación/ control gradual** (step control)].

regular *a/v*: regular, constant, even, average[1]; middling, fair, so-so *col*; regulate, adjust, control; S. *mediano, medio; ajustar*. [Exp: **regulable** (adjustable; S. *ajustable, graduable, variable, revisable*)].

regularidad *n*: regularity, steadiness[1]; S. *firmeza, estabilidad, constancia*.

regularización *n*: regularization, restatement; S. *nueva exposición, puesta a punto*. [Exp: **regularización contable** (ACCTS account restatement, restatement), **regularización del balance** (ACCTS reappraisal of assets), **regularización financiera** (financial stabilization), **regularización y actualización de balances** (balance sheet regulation/ adjustment), **regularizar** (adjust, regulate, restate, regularize; standardize; restate; S. *regular, tasar*)].

rehabilitación *n*: rehabilitation, IND REL restoration, discharge[5]; S. *modernización*. [Exp: **rehabilitación de las condiciones de la póliza de seguro** (INSCE reinstatement[2] *US*), **reha-**

bilitación del quebrado (LAW discharge of a bankrupt), **rehabilitar** (rehabilitate; reinstate; restore; discharge[5])].

rehusar *v*: refuse, reject, disclaim, decline[2]; S. *renunciar, negarse a, declinar, rechazar*. [Exp: **rehusar toda responsabilidad** (disclaim all liability; S. *declinar la responsabilidad*),

reinante *a*: prevailing; S. *actual, corriente, extendido, dominante, predominante, común, generalizado, imperante*.

reintegrable *a*: refundable; S. *reembolsable*.

reintegración *a*: BKG, COM reimbursement, return, repayment, refund; IND REL reinstatement; restitution; S. *reembolso*. [Exp: **reintegración al trabajo después de una huelga** (IND REL back-to-work movement)].

reintegrar *v*: repay, refund, reimburse; BKG withdraw, reinstate; S. *reembolsar, devolver*. [Exp: **reintegro** (refund, refunding; BKG withdrawal; S. *reembolso*), **reintegro al Tesoro del superávit de las empresas públicas** (recapture of earnings), **reintegro de préstamos** (loan repayment, reversal of loans)].

reinversión *n*: FIN reinvestment; ploughback; rollover. [Exp: **reinversión de capital** (capital renewal), **reinvertir** (FIN reinvest, plough/plow back)].

reivindicación *n*: IND REL claim, demand; LAW assertion of right; restoration/ recovery of right; claim, wage demand, reivindication; S. *aserto, declaración, reclamación*. [Exp: **reivindicación laboral** (IND REL claim; S. *pretensión, demanda*), **reivindicación salarial** (pay claim), **reivindicar** (IND REL claim; demand; S. *exigir, reclamar*)].

relación[1] *n*: list[1]; roster; bill; account; return[5]; schedule, statement, table; *catálogo, lista, partida, informe*. [Exp: **relación**[2] (relation, relationship;

connection, tie-in; bearing[1]; nexus[1]; S. *red, nexo, conexión*), **relación**[3] (ratio, rate[1]; S. *índice*), **relación a, con** (regarding; concerning; as compared with, relative to; S. *en contraste con, con respecto a*), **relación bancaria** (banking relationship), **relación beneficio neto-inversión** (net profit-investment ratio), **relación calidad-precio** (value for money; S. *dinero bien empleado*), **relación capital-trabajo/mano de obra** (capital-labour ratio), **relación con, en** (concerning, regarding; S. *respecto de*), **relación contable entre adelantos y retrasos** (ACCTS lead-lag relationship), **relación de contenidos** (check-list, list of contents, docket[1]), **relación de cuenta** (ACCTS accounting ratio), **relación de endeudamiento a largo plazo** (long-term debt ratio), **relación de equivalencia** (equivalence relation), **relación de existencias** (inventory sheet), **relación de ganancias a pérdidas** (ACCTS profit and loss ratio), **relación de gastos** (statement of expenses), **relación de la deuda neta al valor fiscal** (ratio of net debt to assessed value), **relación de la utilidad neta al activo total** (ratio of net income to total assets), **relación de liquidez** (liquidity ratio), **relación de operaciones** (STK EXCH broker's ticket), **relación de valores que cotizan en más de un país** (STK EXCH cross-border listing), **relación del coste de producción a la inversión de la planta** (ratio of cost of goods manufactured to plant investment), **relación del personal en plantilla** (staff list/sheet, personnel roster), **relación entre beneficio y gastos fijos** (capital to fixed costs ratio, capital leverage US; S. *apalancamiento de capital*), **relación entre débitos y depósitos bancarios** (BKG deposit turnover), **relación entre devoluciones y ventas** (ratio of returns to sales), **relación entre el dividendo y el precio de la acción** (STK EXCH dividend to price ratio), **relación entre el precio contable y el de mercado** (ACCTS market-to-book ratio), **relación entre endeudamiento y capital propio** (FIN gearing/leverage US coefficient), **relación entre la utilidad neta y el capital contable o neto patrimonial** (ACCTS ratio of net income to net worth), **relación entre los activos líquidos y el pasivo de una empresa** (ACCTS cash ratio[2]), **relación entre los débitos de un banco y su volumen de depósitos** (BKG deposit turnover), **relación entre los depósitos y el capital** (BKG deposit ratio), **relación entre los préstamos desembolsados y pendientes, y el capital y las reservas** (FIN capital gearing ratio), **relación entre precio y dividendo** (STK EXCH price-dividend ratio, PDR), **relación incremental capital-producto** (incremental capital-output ratio, ICOR), **relación lineal** (linear relation), **relación particular de las partes contratantes** (LAW privity of contract), **relación precio/beneficio P/B** (STK EXCH price-earnings ratio, PER, P/E ratio; earnings yield), **relación trabajo-producto** (labour-output ratio), **relaciones entre empleados y empleadores** (IND REL industrial relations; labour-management accord/relations; S. *pacto social*), **relaciones comerciales** (business/trade relations/connections/dealings), **relaciones humanas** (human relations), **relaciones laborales** (labour/industrial relations), **relaciones mutuas** (mutual dealings), **relaciones·públicas** (public relations; public relations officer, PR col), **relacionar** (relate, connect; list), **relacionarse** (make contacts, establish relations; get/be in touch/contact)].

relajación *n*: relaxation. [Exp: **relajación del crédito** (FIN relaxation of credit, monetary ease), **relajar** (relax, ease, slacken; go easy on *col*; S. *mitigar, suavizar, aliviar*), **relajar la política monetaria** (ease/relax monetary policy), **relajar las restricciones crediticias** (ease credit restrictions), **relajar tensiones** (ease[1] tensions)].

relanzamiento *n*: relaunching, relaunch. [Exp: **relanzar** (relaunch)].

relatar *v*: relate, tell, narrate, state, report[1]; S. *comunicar, informar*. [Exp: **relato** (account, report, story, report), **relator** (reporter; S. *compilador, informante*)].

relativo *a*: relative, relational, comparative; S. *relación*. [Exp: **relativo a** (relating/relative to, regarding, concerning about)].

relevar *v*: IND REL relieve; replace, take over from; S. *aliviar, librar*. [Exp: **relevar a alguien de su puesto** (relieve sb of his/her duties; remove sb from his/her post; S. *cesar a alguien*), **relevar de una carga/promesa** (release from an obligation/promise), **relevo** (relief,[4] taking over)].

rellenar *v*: fill,[1] fill in, fill up, fill out; top up, replenish, pad out *col*, plug[1]; stuff; S. *completar*. [Exp: **rellenar un impreso/formulario** (fill in/out a form), **relleno** (refill; padding)].

relocalización *n*: relocation; S. *reubicación*.

remanente *a/n*: residual/residuary; residue, remainder; carryover; S. *residual*. [Exp: **remanente a cuenta nueva** (ACCTS balance carried/brought forward or carried over), **remanentes** (ACCTS retained earnings/profits; S. *beneficios retenidos*)].

rematador *n*: auctioneer. [Exp: **rematar**[1] (finish,[1] finish off/up, kill off, round off; crown, cap *col*; S. *despachar, acabar con*), **rematar**[2] (auction; put up for auction; sell at auction; take bids, knock down[3]; S. *subastar*), **remate**[1] (finish,[2] termination, culmination, climax, close; S. *acabado*), **remate**[2] (auction sale, sale by auction, distress sale; S. *subasta*)].

remedio *n*: remedy; cure, help, relief; recourse, alternative; S. *recurso, solución*. [Exp: **remediar** (remedy, cure, fix, correct; put an end/a stop to, help)].

remesa *n*: remittance; batch; delivery, shipment, consignement; S. *envío, partida, lote, transferencia*. [Exp: **remesa de cobro** (remittance for collection), **remesa documentaria** (documentary remittance/collection, bill batch; S. *cobro documentario*), **remesa simple** (clean collection/remittance; S. *cobranza simple*), **remesar** (ship, remit,[1] send; S. *remitir, hacer remesas*)].

remisión[1] *n*: remission, sending; shipment, consignment; referral; S. *remesa comercial*. [Exp: **remisión**[2] (reference; cross-reference; S. *referencia*), **remisión a nueva dirección** (forwarding[3])].

remite *n*: sender, sender's name or name and address.

remitir[1] *v*: send, consign, forward,[2] dispatch, refer; S. *enviar, expedir*. [Exp: **remitir**[2] (refer, transfer, remit; s. *trasladar, cursar*), **remitir adjunto** (enclose; S. *incluir, adjuntar, acompañar*), **remitente** (sender, addresser, shipper, consignor, remitter; S. *expedidor, consignador*), **remitido** (ADVTG editorial publicity, paid announcement, statement/advert/announcement placed in a newspaper), **remitido por correo** (mailed)].

remoción *n*: IND REL removal[1]; removal from one's post, dismissal; S. *supresión, deposición, cese*.

remodelar *v*: remodel, reshuffle, restructure; S. *reorganizar*. [Exp: **remodelación** (remodelling, reshuffle, restructuring; S. *reorganización*), **remodelación de arriba abajo** (shakeup *col*; V. *reorganización total*), **remodelado** (new-look)].

remolcador *n*: TRANSPT tug. [Exp: **remolcar** (tug, tow)].

remuneración *n*: IND REL remuneration, payment, pay, salary; LAW recompense; reward; consideration; S. *indemnización*. [Exp: **remuneración, con** (gainful; S. *retribuido*), **remuneración mínima** (IND REL minimum wage), **remuneración por acción con dilución** (STK EXCH fully diluted earnings per share), **remunerador/remunerativo** (productive, money-making, rewarding, gainful, profitable; S. *fructífero, rentable*), **remunerar** (remunerate; pay, recompense, pay, reward; S. *producir ganancia*)].

rendimiento *n*: return, earnings, yield,[1] revenue, total sales revenue, output, rate of return, efficiency, performance; S. *resultado, producto, rédito, renta*. [Exp: **rendimiento actuarial** (INSCE actuarial yield), **rendimiento al vencimiento** (STK & COMMOD EXCH yield at/to maturity, effective rate of return), **rendimiento anormal** (FIN abnormal returns), **rendimiento anual** (annual return), **rendimiento anual de acciones** (FIN annual return on equities, yearly shares yield), **rendimiento anual de una inversión o depósito bancario** (compound annual return, CAR), **rendimiento bancario** (deposit return), **rendimiento de capital mobiliario** (TAXN investment yield/return, income from capital), **rendimiento base/básico** (basic yield), **rendimiento bruto** (gross yield, gross efficiency), **rendimiento corriente** (FIN current/flat/running yield/earnings; S. *rédito actual*), **rendimiento de cuenta** (account stated, statement of account/position), **rendimiento de intereses, con** (FIN interest-bearing/yielding), **rendimiento de la cosecha** (crop yield), **rendimiento de la maquinaria, la planta industrial, etc.** (capacity of equipment/plant, equipment/plant turnover), **rendimiento de la inversión** (capital turnover, return on investment, ROI; return on capital employed/invested, ROCE; S. *rotación de capital*), **rendimiento de las acciones** (STK EXCH yield on shares or equities, performance of shares), **rendimiento de las materias primas** (raw materials yield), **rendimiento de los activos** (return on assets, ROA), **rendimiento de ventas** (sales performance; S. *cifras de ventas conseguidas*), **rendimiento decreciente** (decreasing/diminishing returns), **rendimiento del capital invertido** (return on investment, ROI; return on capital employed/invested, ROCE), **rendimiento del capital** (return on capital, capital yield), **rendimiento del trabajo [personal]** (earned income), **rendimiento efectivo** (effective rate of return; effective yield, yield to maturity, effective annual yield), **rendimiento en dividendos** (dividend yield), **rendimiento en efectivo** (cash yield), **rendimiento explícito** (explicit yield), **rendimiento fiscal** (fiscal/tax yield, tax revenues), **rendimiento global** (FIN compound yield, overall return/yield), **rendimiento implícito** (implicit yield), **rendimiento impositivo** (inland revenue, tax receipts/revenue; S. *ingresos fiscales*), **rendimiento marginal** (marginal return/yield), **rendimiento mixto** (mixed interest rate), **rendimiento neto** (net return), **rendimiento nominal** (FIN current yield, nominal yield), **rendimiento por acción** (earnings per share, EPS; stock yield), **rendimiento por costo actual** (ACCTS current cost income), **rendimiento según escala** (ECO return of/to scale), **rendimiento sobre vida media** (yield to average life)].

rendir[1] *v*: render, submit; S. *presentar, prestar, dar*. [Exp: **rendir**[2] (yield,[1] return, produce, be profitable; S. *rentar, producir rendimiento*), **rendir cuenta**

(render an account; account; S. *pasar factura, presentar una factura*), **rendir cuentas a alguien** (report to sb; be answerable to sb, give an account of one's stewardship *col*; S. *depender de alguien*), **rendir interés** (yield/carry interest), **rendirse** (give in surrender; S. *renunciar, ceder, abandonar*)].

renegociación *n*: renegotiation. [Exp: **renegociación de la deuda** (debt rescheduling), **renegociación informal de la deuda** (debt workout *US*), **renegociar** (renegotiate), **renegociar la deuda** (restructure debt)].

renglón *n*: line. [Exp: **renglón arancelario** (tariff line), **renglón arancelario parcialmente cubierto** (partially-covered tariff line), **renglones invisibles** (invisibles)].

renovable *a*: renewable; FIN revolving.

renovación *n*: renovation, renewal; replacement; rollover; rolling; S. *prórroga, sustitución*. [Exp: **renovación a la baja/al alza [de opciones]** (STK & COMMOD EXCH rolling down/up), **renovación de existencias** (stock renewal/replacement, restocking), **renovación de la deuda** (extension of debt, debt rollover), **renovación de la deuda a corto plazo** (rolling over of short-term debt), **renovación de plantilla/personal** (IND REL labour turnover, job rotation; S. *rotación de plantilla*), **renovación de una letra** (extension of bill/draft, bill renewal)].

renovar *v*: renew, extend; roll over; S. *prorrogar, extender*), **renovar a la baja/al alza una opción** (STK & COMMOD EXCH roll down/up an option), **renovar existencias** (renew/replace stock; restock; S. *reponer existencias*), **renovar una letra/póliza** (renew/extend a bill/policy), **renovar una opción con otra de vencimiento posterior** (STK & COMMOD EXCH roll forward an option)].

renta *n*: income, earnings, rent, revenue, yield,[1] return, interest[1]; S. *salario, producto, devengo, rédito, entradas*. [Exp: **renta a plazo fijo** (INSCE annuity certain, terminable annuity, certain annuity; FIN income from/return on fixed-term investment, income from fixed-interest/-yield securities; S. *anualidad a plazo fijo*), **renta acumulada** (accrued income), **renta anual** (INSCE annuity,[2] yearly/annual allowance; S. *anualidad, pensión*), **renta anual prorrateable** (apportionable annuity), **renta bruta** (gross income), **renta cierta/fija** (annuity certain), **renta de capital** (interest on capital, capital yield), **renta de jubilación** (retirement allowance/annuity; S. *pensión, anualidad*), **renta de los factores** (factor income), **renta del trabajo** (S. *renta salarial*), **renta diferencial** (economic rent), **renta disponible** (FIN disposable income), **renta en especie** (income in kind), **renta fija** (STK EXCH fixed-income securities, fixed-interest securities; fixed yield), **renta fija, de** (fixed-interest, fixed-yield; S. *de interés fijo*), **renta global o total** (aggregate income; S. *ingresos globales*), **renta gravable/imponible** (TAXN taxable income, income liable to tax; income basis *US*), **renta gravada** (TAXN assessed income; S. *renta sujeta a tributación, base imponible*), **renta íntegra** (TAXN gross income; S. *ingresos íntegros*), **renta nacional** (FIN national income, NI), **renta nacional bruta** (Gross National Income, GNI), **renta neta** (net revenue/income; S. *ingresos netos*), **renta nocional** (TAXN notional income; S. *ingresos teóricos*), **renta per cápita** (per capita income), **renta permanente o perpetua** (permanent income), **renta personal** (personal income), **renta personal disponible** (disposable personal income), **renta real/efectiva** (real income; S. *ingresos efectivos*), **renta salarial o del trabajo** (COM earned revenue, wage income), **renta sujeta a tributación** (TAXN taxable income, assessed income; S. *base imponible, renta gravada*), **renta variable** (STK EXCH equities, equity securities; share income; S. *acciones ordinarias*), **renta vitalicia** (INSCE life annuity, perpetual annuity, life interest; S. *censo de por vida*), **rentas** (private income/means, revenue), **rentas de bienes muebles** (unearned income; S. *rentas no salariales*), **rentas de intereses y dividendos** (unearned income; S. *rentas no salariales*), **rentas de inversión libres de impuesto** (FIN franked investment income), **rentas del petróleo o por hidrocarburos** (petroleum revenues), **rentas devengadas** (accrued revenue), **rentas no salariales** (unearned income), **rentas por trabajo personal** (TAXN earned income, income from employment), **rentas públicas/fiscales** (revenue, tax revenues/yield), **rentas salariales o del trabajo** (earned income), **rentas sujetas a gravamen** (taxable income)].

rentabilidad *n*: profitability, earning power, earnings, earning capacity, cost-effectiveness; performance, rate of profit; S. *tasa de beneficios*. [Exp: **rentabilidad al/hasta vencimiento** (yield to maturity), **rentabilidad anualizada** (yearly earning power, income/return/yield for the year), **rentabilidad de la inversión** (return on investment, ROI), **rentabilidad de los recursos propios** (FIN return on equity, ROE), **rentabilidad de los fondos invertidos** (return on invested funds, ROIF; return on investments), **rentabilidad de mercado** (market yield, market-clearing returns), **rentabilidad de un efecto a su vencimiento** (FIN maturity yield), **rentabilidad de un efecto en la fecha de rescate** (redemption yield, yield redemption), **rentabilidad del apalancamiento financiero** (FIN return on financial leverage, ROFL), **rentabilidad del dividendo** (dividend yield), **rentabilidad diaria ponderada** (day-weighted method), **rentabilidad del excedente residual** (return on the residual surplus), **rentabilidad esperada** (expected yield; S. *rentabilidad total estimada*), **rentabilidad interna** (internal return), **rentabilidad media** (average/mean rate of return), **rentabilidad neta final** (net income return), **rentabilidad nominal de un activo** (FIN nominal return on an asset), **rentabilidad ponderada por tiempo** (time-weighted return), **rentabilidad por dividendo** (dividend yield), **rentabilidad real** (real return/yield), **rentabilidad referenciada al IBEX 35** (yield/return indexed to the IBEX or top-performing stock in the Madrid Bourse), **rentabilidad sobre activos, RSA** (return on assets, ROA), **rentabilidad sobre recursos propios, RRP** (return on equity, ROE), **rentabilidad total estimada** (estimated total return, ETR), **rentabilización** (production/achievement of a return, income-producing), **rentabilizar** (turn to profit/account, get/achieve a return on/from; cash in on *col*; make the most out of, turn a profit on)].

rentable *a*: productive, profitable, gainful, income-yielding, money-making, rewarding, cost-effective; economic, financially viable; S. *productivo, remunerativo*. [Exp: **rentable, no/poco** (unprofitable, not profitable, uneconomic)].

rentar *v*: yield,[1] pay; produce, earn; S. *rendir, producir intereses*.

rentista *n*: person deriving his/her income from investment, person who lives on investment income, person of private means; annuitant, life annuitant, rentier, financier, fund-holder; S. *pensionista*.

renuncia *n*: renunciation, relinquishment, abandonment,[1] abandoning; surrender; waiver, disclaimer; resignation; S. *abandono, cesión; cláusula de renuncia*. [Exp: **renuncia de herencia** (renunciation of an inheritance), **renuncia voluntaria o expresa** (express waiver)].

renunciar *v*: renounce, waive, relinquish; give up, stand down, step down, surrender, waive, decline[2]; S. *abandonar, dimitir*. [Exp: **renunciar a** (abandon, disclaim, dispense with, divest oneself of, waive, surrender; S. *desistir, abandonar, dejar*), **renunciar a mercancías/fletes etc.** (TRANSPT abandon cargo/goods, freights, etc.), **renunciar a un cargo** (stand down/step down/resign from a post, decline to accept a post), **renunciar a un derecho** (abandon/renounce/releave/waive/pass up a claim), **renunciar a una patente** (abandon a patent)].

reorganization *n*: reorganización, restructuring; reshuffle; shakeout[1] *col*; S. *remodelación*. [Exp: **reorganización de la deuda** (debt restructuring/rescheduling), **reorganización empresarial** (FIN reorganization/reconstruction of a company; MAN management reshuffle; S. *saneamiento de una empresa*), **reorganización financiera** (financial reorganization, rescue package, turnaround *col*; S. *saneamiento financiero*), **reorganización total** (shakeup *col*; V. *remodelación de arriba abajo*), **reorganizar** (reorganize, rearrange; MAN reshuffle; clean up[1]; MAN rescuem, turn around, put back on the rails *col*; or on its feet *col*; S. *reconstituir, sanear*)].

reparación *n*: INSCE, IND REL compensation; indemnity, indemnification; reparation, overhaul, remedy, relief, redress; amends; retrieval; repair, overhaul, refit; S. *compensación, satisfacción, desagravio, indemnización*. [Exp: **reparación de baches** (road patching/mending, spot improvement; S. *bacheo*), **reparación por daños y perjuicios** (LAW damages; S. *indemnización*), **reparación y mantenimiento/conservación** (repairs and maintenance/upkeep), **reparar** (repair, overhaul, restore; redress; reinstate; indemnify; retrieve, make amends; S. *arreglar, recuperar*)].

reparo *n*: objection; reservation; doubt, qualm, scruple; S. *objeción, excepción*. [Exp: **reparos, con** (qualified,[2] special, conditional; S. *con salvedades*)].

repartición *n*: sharing, sharing-out, distribution, allotment, apportionment. [Exp: **repartición de gastos generales** (ACCTS burden adjustment/distribution/apportionment of running costs/overheads)].

repartidor *n* TRANSPT deliveryman, distributor.

repartir[1] *v*: share,[1] portion out, divide, divide up, parcel out, split,[1] distribute, apportion; S. *dividir, prorratear*. [Exp: **repartir**[2] (deliver,[1] dispatch; S. *servir a domicilio, entregar*), **repartir acciones** (allot shares), **repartir de forma racionada** (ration out), **repartir dividendos** (distribute/pay out dividends), **repartir folletos/octavillas o propaganda** (leaflet; S. *prospecto, folleto, octavilla*), **repartir por partes iguales** (divide/share out/split evenly, share and share alike *col*; even out; S. *distribuir de forma equitativa*), **repartir un dividendo** (distribute a dividend), **repartirse** (share out), **repartirse las ganancias/el botín** (split the takings)].

reparto[1] *n*: division, sharing-out, distribution,[1] apportionment, allotment[1]; shareout, sharing, split[1]; S. *prorrateo, derrama*. [Exp: **reparto**[2] (COM delivery,[1] distribution[1]; S. *distribución*), **reparto a domicilio directamente desde el almacén** (store-to-door delivery), **reparto de beneficios** (ACCTS shareout, profit-sharing), **reparto de costes** (distribution of costs), **reparto de mercado** (market sharing/share), **reparto equitativo de impuestos** (TAXN sharing of tax burden, equalization of taxes)].

repeler *n*: reject, repel; S. *repulsar, rechazar*. [Exp: **repelente contra tiburones** (S. *ahuyentatiburones*)].

repentino *a*: sudden, unexpected, sharp; S. *brusco, imprevisto, inesperadoar.*

repercusión *n*: repercussion, effect,[1] after-effect, incidence, impact; knock-on effect; implication; shifting; fall-out[5]; S. *incidencia, impacto.* [Exp: **repercusión en los ejercicios anteriores** (ACCTS backward shifting), **repercusiones de las alzas de precios** (knock-on effect of price hikes/rises, ripple price effects), **repercusión o traslado de pérdidas a ejercicios anteriores a efectos fiscales** (ACCTS loss carry-back; S. *pérdidas con efecto retroactivo*), **repercutir** (affect, influence, have an effect on, have repercursions on), **repercutir costes/gastos** (deflect costs/expenses, offload costs/expenses, pass on costs/expenses)].

repo *n*: FIN repo. [Exp: **repos de deuda** (bond repos; S. *venta con pacto de recompra o de retrocesión*)].

repoblación *n*: repopulation; restocking. [Exp: **repoblación forestal** (reafforestation; reforestation; S. *reforestación*), **repoblar** (repopulate; restock)].

reponer *v*: replace, replenish, refill, top up; put back; reinvest, plough back; IND REL reinstate; S. *reemplazar, sustituir, readmitir.* [Exp: **reponer existencias** (restock, replace/refill stock; S. *renovar existencias*), **reponer/reconstituir una cuenta** (replenish an account), **reponerse** (recover[1]; S. *recupersarse*)].

reportar *v*: STK & COMMOD EXCH contango; S. *aplazar la liquidación de mercancías o títulos.* [Exp: **reporte** (STK & COMMOD EXCH contango,[1] carry-over, forwardation)].

reposición *n*: ACCTS replacement[1]; FIN reinvestment, ploughing back; replenishment; IND REL reinstatement; S. *renovación, sustitución.* [Exp: **reposición de existencias** (restocking, restoration/replacement of stock; S. *coste de reposición*), **reposición de los recursos** (replenishment of resources), **reposición en la cuenta de depósito** (STK & COMMOD EXCH remargining *US*), **reposición parcial** (partial replacement)].

represalia *n*: reprisal, retaliation; S. *desquite.* [Exp: **represaliar** (take reprisals against, retaliate against; victimize)].

representation *n*: representation; agency; display. [Exp: **representación de, en** (as the representative of, acting for, representing, on behalf of; S. *agente, mandatario*), **representación gráfica** (illustratiom, visual backup), **representación gráfica de precios de adquisición comparados** (buy grid; S. *gráfico/cuadrícula de compras*), **representación social en el consejo de administración** (COMP LAW employee participation)].

representado *n*: principal, donor, mandator; S. *mandante.* [Exp: **representante** (representive, salesman, agent, correspondent, sole agent; S. *agente, mandatario, apoderado*), **representante comercial** (trade representative), **representante del ordenante de un cobro** (BKG banker's/creditor's agent/representative/proxy; factor; debt collector; S. *cobrador*), **representante exclusivo** (sole agent/representative), **representante o delegado en una junta** (appointee, nominee, proxy; S. *mandatario, poderhabiente*), **representante oficial** (appointee, nominee), **representante patronal** (management representative), **representante por acumulación** (representative at large), **representante sindical** (union representative, shop steward)].

representar *v*: represent, act[1]; S. *actuar, operar, funcionar*. [Exp: **representar con plenos poderes** (act with full powers), **representativo** (representative[1])].

reprogramación *n*: BKG, FIN rescheduling; rearrangement, reprogramming; fresh plans; S. *reorganización*. [Exp: **reprogramación de los vencimientos de la deuda** (rescheduling/rephasing of debt, debt rescheduling; S. *reorganización de los plazos de la deuda*), **reprogramar** (reschdeule; reprogramme, rearrange; make fresh plans for)].

reptante *a*: creeping; S. *móvil, progresivo, deslizante*.

repuestos *n*: COM parts, spares, spare parts; ACCTS refill, replacement stock, supplies, fresh supplies, store, stock, replacements; S. *pieza de repuesto, recambio; reponer*.

repuntar *v*: ECO recover, show signs of recovery, pick up[2]; perk up *col*; S. *recuperarse*. [Exp: **repunte** (recovery, upturn), **repunte de la actividad económica** (economic recovery, upturn in the economy)].

reputación *n*: reputation; repute; credit, image, character,[2] standing; S. *fama, imagen, crédito, posición*. [Exp: **reputación comercial** (goodwill; S. *fondo de comercio*), **reputación financiera o crediticia** (credit standing/credit-worthiness; S. *capacidad de pago, solvencia*), **reputación profesional** (professional standing)].

requerimiento *n*: request, demand, call[1]; LAW order, summons, service of notice or write; S. *ruego, demanda*. [Exp: **requerimiento de pago** (demand for payment; S. *intimación de pago*), **requerimiento de pago de las acciones suscritas** (call[6]; call for payment outstanding on shares; S. *dividendo pasivo*), **requerimiento/mandamiento judicial** (LAW court order, injunction)].

requerir *v*: require, call for; claim; demand; LAW order, issue/serve a writ or summons; S. *exigir*. [Exp: **requisito** (requirement, requisite, qualification[1]; prerequisite; S. *exigencia*), **requisito formal** (formal requirement[1]), **requisitos del puesto** (job specification, requirements/qualifications required for a post/job), **requisitos marcados por la ley** (statutory requirements; S. *normas legales*), **requisitos para ejercer una profesión** (qualifications for a career), **requisitos para ser socio** (membership qualifications)].

resarcimiento *n*: INSCE, IND REL indemnification, compensation, indemnity[1]; repayment, recovery; recoupment; S. *indemnización, compensación*. [Exp: **resarcimiento de daños** (INSCE damage recovery; S. *reparación de los daños*), **resarcimiento de fallidos** (FIN recovery[1] of bad or doubtful debt; S. *recuperación de fallidos*), **resarcimiento económico** (financial compensation, cash idemnity), **resarcimiento pecuniario** (financial compensation; damages; S. *indemnización por daños y perjuicios*)].

resarcir *v*: reimburse, compensate, indemnify, repay; S. *compensar, indemnizar*. [Exp: **resarcir a alguien por la pérdida sufrida o el esfuerzo realizado** (make it up to sb; S. *compensar a alguien*), **resarcir un daño** (pay compensation for damages; S. *indemnizar, recompensar*), **resarcirse** (recoup one's losses, indemnify oneself, be compensated for, retrieve, recover[1]; S. *recobrar*), **resarcirse de las pérdidas** (recoup one's losses)].

rescatabilidad *n*: redeemability; S. *amortizabilidad, reembolsabilidad*. [Exp:

rescatable (callable, redeemable; S. *reembolsable, exigible, amortizable*), **rescatar** (STK EXCH buy back, recapture, redeem; FIN bail out; rescue[1]; retrieve; turn around; S. *volver a comprar*), **rescatar antes del vencimiento** (redeem prior to/before maturity), **rescatar una póliza** (INSCE surrender a policy, retire early), **rescatar/liberar una prenda, etc.** (redeem a pledge, etc.; S. *dejar algo en prenda*)].

rescate *n*: INSCE, FIN buy-back, recapture, redemption, retrieval; salvage; ransom; rescue; S. *reembolso*. [Exp: **rescate parcial** (partial redemption)].

rescindible *a*: cancellable, rescindible; S. *abrogable, anulable*. [Exp: **rescindir** (cancel, rescind, withdraw, annul, terminate, call back, call off, void; S. *derogar, anular, cancelar, revocar*), **rescindir un contrato** (cancel a contract, go back on a contract; S. *echarse atrás*), **rescisión** (cancellation, rescission, termination, voiding, avoidance[2]; S. *invalidación, anulación*), **rescisión de un contrato** (LAW withdrawal/release from a contract), **rescisión definitiva sin prima de indemnización** (INSCE flat cancellation of policy; S. *cancelación anticipada*), **rescisorio** (rescissory)].

reserva[1] *n*: reserve, stock, booking, provision, pool[2]; allowance; S. *reservas, provisión, fuente, fondo*. [Exp: **reserva**[2] (reserve, secrecy; confidence; reservation; confidence; reservation; S. *salvedad, secreto*), **reserva**[3] (booking; S. *inscripción*), **reserva actuarial** (actuarial reserve), **reserva anticipada** (advance booking), **reserva-s bancaria-s** (legal bank reserve-s, bank reserves; elegible reserves US; S. *activo de caja*), **reservas básica-s** (primary reserves), **reserva, con** (claused, conditional; conditionally; S. *condicionalmente*), **reserva consolidada** (funded reserve), **reserva, de** (backup; spare; for emergencies; stanby; S. *de seguridad*), **reserva de, a** (subject to; unless, except for, except if; V. *sin perjuicio de*), **reserva-s de caja** (cash reserves), **reserva de cambio** (STK & COMMOD EXCH allowance for exchange losses), **reserva-s de capital** (capital reserves), **reserva de contingencias o eventualidades** (FIN contingency reserves), **reserva de derecho** (LAW conditional/interim relief or order; orderor judgement granting relief or remedy provided that prior or subsisting rights are not interefered with), **reservas de/en divisas** (BKG currency on hand, foreign currency reserves; foreign exchange reserves; S. *reservas internacionales*), **reserva-s de/en efectivo** (cash reserves), **reserva de espacios** (ADVTG space booking), **reserva de fondos disponibles** (free cash flow; S. *caja operativa generada*), **reserva de garantía** (COM, ACCTS, FIN guarantee, coverage[1]; S. *fondos de reserva*), **reserva de inventario** (inventory reserve), **reserva de mano de obra desocupada** (IND REL pool of unemployed labour), **reserva de nivelación** (equalization reserve), **reserva de operación** (ACCTS operating reserve), **reserva-s de oro** (gold reserves/holdings), **reserva-s de oro y divisas** (gold and convertible currency reserves), **reserva de oro y plata** (bullion reserve), **reserva de pasivo o para obligaciones** (liability reserve), **reserva de reposición** (renewal fund; replacement reserve; S. *fondo de reposición o de reemplazo*), **reserva de revalorización** (revaluation reserve), **reserva de seguros** (insurance reserve), **reserva del credere** (del credere reserve/provision, emergency/contingency reserves; S. *reserva de contingencia o eventualidad*), **reserva el derecho de admisión, se** (admission at the owner's/

manager's discretion), **reserva en bloque** (block booking), **reserva especial para la regularización del balance** (ACCTS reappraisal of assets special reserve), **reserva estabilizadora de dividendos** (ACCTS dividend-equalization reserve), **reserva estatutaria** (statutory reserve, reserve required by company's rules), **reserva de contingencia o eventualidad** (emergency/contigency reserves), **reserva estratégica** (stockpile, strategic stockpile operation), **reserva extracontable o fuera del balance de situación** (BKG off-balance-sheet reserve), **Reserva Federal** (Federal Reserve System, Fed *US*), **reserva general** (general reserve), **reserva general de explotación** (working reserve), **reserva legal** (BKG reserve requirement, legal reserve, minimum reserve requirements; S. *encaje legal, reserva obligatoria*), **reserva legal obligatoria marginal** (marginal reserve requirement), **reserva-s libre-s** (retained cash; S. *beneficios retenidos*), **reserva monetaria de respaldo** (currency backing), **reserva obligatoria** (S. *reserva legal*), **reserva para aumentar el capital circulante** (reserve for working capital), **reserva para agotamiento de recursos** (TAXN, ACCTS depletion/reserve allowance *US*; S. *asignación/factor por agotamiento*), **reserva/provisión para créditos dudosos, fallidos, deudas incobrables o deudores morosos** (provision/reserve for doubtful debts/accounts or bad debts, bad debt reserve, allowance for uncollectibles), **reserva para depreciación** (ECO, TAXN, FIN capital consumption allowances reserve; allowance for depreciation; S. *fondo de amortización*), **reserva para fondo de amortización** (reserve for sinking fund), **reserva para gastos imprevistos** (contingent reserve),

reserva para imprevistos (reserve/allowance for contingencies), **reserva para impuestos de la renta** (TAXN income tax reserve), **reserva para la compensación fiscal/tributaria de impuestos** (tax equalization account; S. *cuenta de compensación tributaria*), **reserva para pérdidas** (loss provision/reserve, reserve against/for losses), **reserva para renovaciones y sustituciones** (reserve for renewals and replacements), **reserva realizable** (liquid reserves), **reserva voluntaria** (voluntary reserve), **reserva y disposición de caja** (ACCTS cash and appropriations reserve, appropriations reserve), **reservas[1]** (ACCTS provisions, accumulated retained earnings, capital appropriation, retained earnings/profits), **reservas[2]** (stock reserves, supplies, stocks, stockpiles, reserves; S. *niveles de existencias, almacén*), **reservas, con** (qualified, with reservations), **reservas de divisas** ([foreign] currency reserves), **reservas de efectivo** (cash reserves), **reservas líquidas disponibles** (cash reserve balance), **reservas para acciones** (treasury stock reserve), **reservas para el consumo de capital** (TAXN, FIN capital consumption allowances), **reservas, sin** (unreserved)].

reservado[1] *a*: private, reserved, confidential, secret, off-the-record; close; S. *en confianza, extraoficialmente, sin que conste*. [Exp: **reservado[2]** (booked, reserved), **reservado el derecho de admisión** (right of admission reserved), **reservado para la administración** (for official use only; S. *para uso oficial*), **reservados todos los derechos** (all rights reserved)].

reservar *v*: book, make a reeservation, reserve; retain, set aside; S. *apartar*. [Exp: **reservar para fines concretos** (earmark), **reservar la misma plaza a**

dos personas (double book), **reservarse** (keep to oneself), **reservarse el derecho o derechos** (reserve the right or rights)].

resguardarse de *v*: INSCE fend off; hedge[2]; S. *defenderse de.*

resguardo[1] *n*: STK & COMMOD EXCH, FIN security, collateral[2]; hedge[2]; S. *prenda.* [Exp: **resguardo**[2] (safeguard; voucher, warrant,[1] receipt, slip, pay-in slip, ticket, stub; S. *matriz, recibo, justificante, volante*), **resguardo de aduana** (customs warrant, docket[2]; S. *factura, certificado*), **resguardo de almacén** (warrant[1]), **resguardo de almacén limpio o sin especificaciones** (TRANSPT clean warrant), **resguardo de almacén negociable** (warehouse receipt), **resguardo de correo aéreo** (air mail receipt), **resguardo de depósito** (deposit slip/receipt), **resguardo de envío aéreo** (air waybill), **resguardo de muelle** (deposit warrant, dock warrant, DW; S. *conocimiento de almacén*), **resguardo de pago** (credit slip/note), **resguardo de seguro** (INSCE cover note; S. *póliza provisional*), **resguardo de transporte por tren** (TRANSPT railway bill, waybill), **resguardo provisional**[1] **[de acciones]** (STK EXCH scrip certificate, interim certificate, subscription certificate/warrant; S. *certificado provisional de título*), **resguardo provisional**[2] **[de seguro]** (INSCE cover note, agreement for insurance; acceptance of proposal; S. *documento de cobertura provisional*)].

residencia *n*: residence; S. *morada, domicilio.* [Exp: **residencia habitual** (LAW usual place of abode), **residencial** (residential), **residenciar**[1] (LAW open an inquiry into a judge's handling), **residenciar**[2] (COM situate, locate, place in context; S. *situar, colocar*), **residente** (resident; S. *vecino*), **residir** (reside, be resident)].

residuo *n*: residue, remainder, leftovers, remains, scrap,[1] debris; S. *restos, chatarra, basura.* [Exp: **residuos** (waste[1]), **residuos/vertidos industriales** (industrial waste), **residuos recuperables** (recoverable/recyclable waste)].

resistencia *n*: resistance, stand; staying power, stamina; reluctance, unwillingness, hostility, opposition; S. *fuerza, oposición.* [Exp: **resistente** (hard, tough; S. *duro, difícil*), **resistir** (resist, stand up to)].

resolución[1] *n*: resolution, decision, ruling, order[3]. [Exp: **resolución**[2] (resolve, determination), **resolución administrativa** (administrative decision), **resolución judicial** (court order; judgement, decision ruling; S. *providencia, auto o sentencia, decisión*), **resolutorio** (resolutory; S. *cláusula resolutoria*)].

resolver *v*: solve, manage; adjudicate, decide, order, settle, rule,[1] clear up[1]; S. *solucionar, acordar, decidir.* [Exp: **resolver, sin** (pending[1]; S. *a la espera de, pendiente, en trámite*)].

respaldar *v*: back, back up,[1] support, uphold, endorse, second, stand behind; backstop; S. *prestar fianza, avalar.* [Exp: **respaldar una moción, etc.** (second[2] a motion), **respaldo** (backing, support, endorsement[1]; S. *endoso, aval, garantía*), **respaldo económico** (financial backing)].

respecto de, con respecto a *phr*: with respect to, regarding, concerning; so far as ... is concerned; S. *con relación.*

respetar *v*: respect, observe; S. *cumplir, guardar, atenerse a.*

respiro *n*: respite; COM breathing space; extension, time to pay; S. *aplazamiento, prórroga.*

responder *v*: answer, reply; respond; be answearable/ responsible for; be liable for; S. *replicar, contestar.* [Exp: **responder con evasivas** (hedge[1]; S. *ponerse a cubierto*), **responder de alguien** (vouch for somebody; S. *garante, fiador*), **responder por** (warrant[1])].

responsabilidad *n*: responsibility, liability; accountability, duty,[1] obligation[2]; S. *deber, incumbencia, obligación, compromiso.* [Exp: **responsabilidad absoluta** (absoluteness of responsibility), **responsabilidad ante terceros** (public liability, third-party liability), **responsabilidad civil** (liability, public liability), **responsabilidad civil subsidiaria** (vicarious liability/responsibility; liability in negligence), **responsabilidad conjunta o mancomunada** (joint liability), **responsabilidad conjunta y solidaria** (joint and several liability), **responsabilidad contractual** (contractual liability), **responsabilidad delegada** (delegated responsibility), **responsabilidad determinada** (fixed liability; S. *pasivo fijo*), **responsabilidad directa** (direct/primary liability or responsibility), **responsabilidad en la dirección** (accountability in management), **responsabilidad patronal** (employer's liability), **responsabilidad pecuniaria o económica** (financial liability), **responsabilidad por endoso o aval** (liability for endorsement), **responsabilidad suplementaria** (INSCE double liabilities), **responsabilidades** (liabilities; responsibilities), **responsabilidades financieras no incluidas en el estado de posición** (FIN off-balance-sheet liabilities)].

responsable *a/n*: liable,[1] responsible, accountable; concerned; person responsible, person incharge, head, representative, managing director, superintendent, officer; S. *afectado; ejecutivo.* [Exp: **responsable de las existencias o almacén** (head/chief storekeeper/storeman, stock controller; S.: *stock dilution/watering*), **responsable de, ser** (be liable/reponsible for), **responsable del pago** (disbursing officer; chief accountant, senior pay-out clerk; S. *pagador*), **responsable mancomunado** (person jointly liable), **responsable, no** (not liable; S. *irresponsable*), **responsable solidario** (jointly and severally liable)].

respuesta *n*: answer, response, reaction; reply, response; feedback; S. *reacción, responder.*

restablecer *v*: re-establish, restore, reestablish; S. *restituir, restaurar.* [Exp: **restablecer el equilibrio o la estabilidad** (redress the balance, put sth back on an even keel, keep sth on an keel), **restablecerse** (recover[1])].

restablecimiento *n*: re-establishment, restoration, resettlement, revival; reinstatement[1]; S. *restitución, readmisión, reposición.*

restar *v*: subtract; S. *sustraer.*

restauración[1] *n*: catering. [Exp: **restauración**[2] (restoration; S. *restablecimiento, rehabilitación*), **restauración a bordo** (in-flight catering), **restauración de colectividades** (S. *empresas de restauración social*), **restaurador** (caterer; restaurant owner; S. *comerciante del ramo de la restauración*), **restaurar** (restore; S. *restablecer, restituir*)].

restitución *n*: restitution, return,[1] reinstatement,[1] refund; S. *readmisión, reposición, restablecimiento.* [Exp: **restitución de derechos** (TAXN drawback, DBK), **restituible** (restorable), **restituir** (pay/give back, restore, refund, return)].

resto *n*: ACCTS rest,[2] balance[1]; remainder, residue; S *saldo.* [Exp: **resto de pedido** (COM back order; S. *pedido pendiente/atrasado o no cumplimentado/despachado*), **restos** (odds and ends; S. *retazos, cosas varias, cabos sueltos*), **restos de serie** (remainder, remainder items; left-overs; S. *venta de restos de* *serie*), **restos de un naufragio** (TRANSPT wreck, wreckage; S. *derelicto*)].

restricción *n*: constraint, restraint, restriction, curtailment, cut-back, clampdown, limitation, tightening, check,[3] rationing, corset; S. *limitación, reducción*. [Exp: **restricción de comercio** (restraint of commerce/trade; S. *limitación al libre comercio*), **restricción de crédito** (BKG tightening of credit, financial restraint/stringency, credit restrictions/squeeze; S. *austeridad financiera*), **restricción del efectivo disponible** (MAN restrictions on ready cash, cash clampdown, cash available constraint), **restricción o recorte en el dinero en circulación** (money squeeze; S. *falta de liquidez*), **restricciones a la importación** (restrictions on import, import restrictions), **restricciones comerciales** (trade restriction), **restricciones monetarias** (monetary stringency; S. *rigor monetario*), **restricciones no selectivas a la importación** (non-discriminatory or non-selective import restrictions), **restricciones selectivas a la importación** (selective/discriminatory import restrictions), **restrictivo** (restrictive, limiting, narrow, tight[1]; S. *restringido, reducido*)].

restringido *a*: limited; restricted; qualified, narrow, tight; S. *limitado, parcial*.

restringir *v*: restrict, squeeze, restrain; narrow down; curtail; qualify, S. *limitar, reducir, recortar*. [Exp: **restringir créditos** (squeeze credits), **restringir fondos/hipotecas** (restrict/ration funds/mortgages, etc.)].

resuelto *a*: resolute, set, determined; resolved, decided, settled; S. *rsolver*.

resuelveapuros *col n*: troubleshooter, fixer *col*; S. *intermediario, gestor*.

resultado *n*: result, effect; return, performance, outcome, issue[4]; score; S. *producto, rendimiento, consecuencia*. [Exp: **resultado de la experiencia** (MAN outcome of experience, experience effect; S. *factor experiencia*), **resultado de la gestión** (performance[2]), **resultado del ejercicio anual** (ACCTS year's results), **resultado final** (final result/outcome, end-up *col*, wind-up *col*; bottom line[4]; S. *conclusión, punto fundamental*), **resultado indirecto** (indirect effect or outcome; spin-off[2]; S. *consecuencia*), **resultado neto contable** (ACCTS net profit), **resultados de ejercicios anteriores** (ACCTS retained earnings/profits; S. *remanentes*), **resultados** (FIN results, performance[2]), **resultados de una investigación** (findings; S. *conclusiones*), **resultados en la gestión de un cobro** (fate of collection)].

resultar *v*: result in; fall out[3]; stem/spring from; turn out to be, prove to be; ensue; come/amount to work out at, emerge; S. *ocurrir, salir*. [Exp: **resultar nefasto** (backfire *col*; S. *fracasar, salir fatal*), **resultas de, a** (as a result of, following; S. *a raíz de, a/como consecuencia de*)].

resumen *n*: summary, abstract, abridgement, digest; report; round-up, recapitulation, recap; résumé; S. *síntesis, sumario, extracto*. [Exp: **resumen anual/mensual/trimestral** (yearly/monthly/quarterly report), **resumen de cuenta** (BKG extract of account; S. *extract*), **resumen de gastos** (statement of expenses; S. *hoja de dietas*), **resumen de título** (abstract of title), **resumen, en** (in a word, to sum up, to recap, to recapitulate; S. *resumiendo, para resumir*), **resumidas cuentas, en** (the bottom lines is; S. *en una palabra*), **resumido** (in an abridged form; S. *extractado, condensado, de forma resumida*), **resumiendo** (to recapitulate; S. *para resumir, en resumen*), **resumir** (abridge, condense,

round up,[3] sum up, summarize; recapitulate, recap; S. *condensar,
abreviar*), **resumir, para** (to recapitulate; S. *en resumen, resumiendo*)].
retal *n*: remnant, oddment; S. *gangas,
saldos, artículos de saldo.*
retardar *v*: delay, slow down, hold up; S.
atrasar, diferir, aplazar, demorar. [Exp:
retardo (delay, lag, lagging; S. *desfase,
retraso*)].
retazos *n*: odds and ends; odds and sods
col; S. *cosas varias, cabos sueltos,
restos.*
retención *n*: retention, stoppage; TAXN
deduction; LAW attachment, seizure, lien,
withholding, holding back, hold; S.
*detención, demora, interrupción,
suspensión, paro, parada.* [Exp:
retención a cuenta (TAXN deduction at
source), **retención de atrasos** (TAXN
backup withholding *US*), **retención de
dividendo** (COMP LAW retaining/
withholding of dividend, non-distribution
of dividend non-distribution), **retención
de impuestos en origen** (TAXN deduction
at source; S. *retención a cuenta*),
retención de mercancías transportadas
(stoppage in transit), **retención de
reservas** (withholding of reserves),
retención del impuesto en origen
(withholding tax), **retención fiscal** (tax
retained; S. *impuesto retenido*), **retención fiscal, con/sin** (not subject to
deduction; withholding tax exempt; S.
bonificado), **retención prendaria**
(bailee's lien), **retenedor** (withholder)].
retener *v*: retain, withold, hold back/up,
keep[2]; keep/hold back, deduct; S.
mantener, contener. [Exp: **retener en
origen o en la fuente** (TAXN deduct at
source), **retener mediante orden
judicial** (attach[2]; S. *atribuir, embargar,
secuestrar*)].
retirada *n*: withdrawal[2]; collection, pick-
up; S. *retiro, recogida.* [Exp: **retirada

[masiva] de fondos** (BKG deposit
rundown, bank run, run on a bank),
**retirada de la demanda por acuerdo
entre las partes** (out-of-court settlement,
settlement of action), **retirada de
mercancías** (collection of goods),
retirada programada/escalonada
(phased withdrawal)].
retirar *v*: remove, take away, set aside; BKG
withdraw, draw[2]; LAW cancel, confiscate.
[Exp: **retirar de la circulación**
(withdraw from circulation), **retirar
dinero** (draw money), **retirar fondos**
(BKG call in/withdraw funds, call in[1]; S.
*solicitar o exigir la devolución de fondos
o dinero*), **retirar monedas de la
circulación** (BKG withdraw coins from
circulation), **retirar una letra o efecto**
(retire a bill), **retirar una oferta o
propuesta** (withdraw a bid), **retirarse**
(withdraw, pull out *col*; stand down, back
out *col*; S. *darse de baja, eludir un
compromiso, echarse atrás*), **retirarse de
una sociedad** (withdraw from a
partnership), **retirarse de un proyecto
empresarial** (back out of a coprorate
project)].
retiro[1] *n*: IND REL retirement; retirement
pension; S. *jubilación.* [Exp: **retiro**[2]
(withdrawal[2]; S. *retirada*), **retiro forzoso**
(compulsory retirement; S. *cese*), **retiro
voluntario** (early retirement)].
retitulizar *v*: FIN repackage[2] securities; S.
titulizar.
retornar *v*: return[1]; V. *regresar, volver.*
[Exp: **retorno**[1] (return on investment; S.
rentabilidad), **retorno**[2] (COM, TAXN
rebate,[3] volume discount, also called
rebaja[2] or *rappel*), **retornable** (returnable)].
retraerse *v*: stay away, keep/hang back,
fight shy *col*, show reluctance. [Exp:
retraimiento (shyness *col*; cold feet *col*;
timidity; reluctance, unwillingness),
retraimiento del inversor (investor

reluctance, wait-and-see attitude among investors, investor's withdrawal from the market), **retraído** (shy)].

retrasado *a*: late, behindhand, tardy, behind schedule; backward; S. *atrasado*. [Exp: **retrasar** (ECO set back/setback; delay; S. *obstaculizar*), **retrasar los pagos para la última etapa de un proceso** (FIN backload), **retrasarse** (lag, lang behind, fall/be behind; S. *rezagarse, demorarse*), **retrasarse con respecto al calendario previsto** (fall behind schedule), **retrasarse en el pago de** (be in arrears in/with the payment of), **retraso** (delay, lag, hold-up, lagging, backwardness; leeway[2]; slippage; S. *dilación, demora, desfase, tardanza*), **retraso en el pago** (delay in payment)].

retribución *n*: pay, payment, earnings, salary, emoluments, remuneration; fee; recompense; consideration[2]. [Exp: **retribución justa** (fair wage/consideration), **retribución por el trabajo** (salary, wages, emolument)].

retribuido *a*: gainful; paid; salaried; S. *remunerado*. [Exp: **retribuir** (pay; S. *abonar*)].

retro- *pref*: retro-, back-. [Exp: **retroactividad** (retroactivity), **retroactivo** (retroactive, backdated, backward[2]; S. *regresivo*), **retroalimentación y arrastre** (carryback-carryforward), **retroceder** (move/fall/step back, retreat, turn back, recoil; back down, withdraw; pull out *col*; S. *echarse atrás*), **retrocesión** (retrocession; retrocessionary cover; reassignment), **retrocesión de asientos** (ACCTS reversal of entries), **retroceso** (ECO setback; decrease, drop, fall, decline, recession, slump, regression; S. *revés, escollo*), **retroceso de la actividad económica** (ECO recession; S. *bache, regresión económica*), **retroceso en los mercados financieros** (FIN drop/fall/decline/ slump/falloff in financial/money markets), **retrospectiva** (retrospect), **retrospectivo** (retrospective), **retrotraer** (take/carry/lead back; backtrack; S. *antedatar, antefechar*), **retrovender** (resell back)].

reubicación *n*: relocation; S. *reasentamiento; traslado*. [Exp: **reubicar** (relocate; re-site, change the site/ placement of, move to a new site/ area/location; resettle; S. *trasladar*)].

reunión *n*: meeting, assembly, sitting; conference; S. *asamblea, conferencia, congreso*. [Exp: **reunión de acreedores** (meeting of creditors), **reunión de delegados/representantes** (encounter group; S. *grupo de encuentro*), **reunión de evaluación** (appraisal interview), **reunión en la cumbre** (summit meeting), **reunión extraordinaria** (special/extraordinary meeting), **reunión informativa con la prensa** (press briefing/conference; S. *rueda de prensa*), **reunión plenaria** (plenary meeting, plenary; S. *pleno*)].

reunir *v*: bring/put together, gather, assemble, collect, round up; pool; raise, save; combine; save up money; S. *unir, captar, juntar*. [Exp: **reunir dinero/ recursos/fondos** (raise[3] cash/funds/ money; club together; pool resources; come up with the money; S. *arbitrar recursos, contribuir a gastos comunes*), **reunir dinero con dificultad** (scratch/ scrape money together *col*), **reunir los requisitos básicos** (come up to scratch *col*)].

reutilización *n*: re-use, recycling; S. *reciclaje*. [Exp: **reutilización de las ganancias** (rollover of gains), **reutilizable** (reusable, recyclable), **reutilizar** (re-use, recycle; S. *reciclar*)].

revalorización *n*: revaluation, reassessment, appreciation[2]; increase/rise in value; S. *apreciación, aumento de* *precio*. [Exp: **revalorización estimada** (ACCTS appraisal/appraised value), **revalorización ficticia de activos** (ACCTS window-dressing *col*, fraudulent overvaluing of assets, doctoring of asset values *col*), **revalorizar** (reappraise, revalue; improve; S. *revaluar, mejorar*), **revalorizarse** (FIN appreciate, go up/increase in value; FIN, ECO gain, rise, strengthen; S. *subir*)].

revaluación *n*: FIN revaluation[1]; reappraisal; reassessment. [Exp: **revaluar** (revalue, reassess, reappraise; S. *revalorizar*)].

revelación *n*: revelation, disclosure; S. *descubrimiento*. [Exp: **revelar** (reveal, disclose, expose; unveil, release[4]; S. *dar a conocer, divulgar*)].

revendedor *n*: COM retailer, middleman, tout *col*; seller; S. *intermediario, mediador, comerciante, corredor, agente de negocios*. [Exp: **revendedor con plusvalías** (STK EXCH, FIN greenmailer; tout[2] *col*; S. *especulador de órdagos*), **revender** (resell; tout *col*), **reventa** (resale)].

reversión *n*: reversion. [Exp: **reversible** (revertible, reversionary; S. *recuperable, revertible*), **revertir** (revert)].

revés[1] *n*: ECO set back/setback, reverse,[2] comedown, reversal, check[3]; S. *escollo, dificultad*. [Exp: **revés[2]** (back, other side; S. *dorso, anverso*), **revés, al** (the wrong way round, upside down, inside out, backside foremost; vice versa; wrong, contrary, contrariwise)].

revisable *n*: adjustable, reviewable; S. *regulable, ajustable, graduable, variable*. [Exp: **revisado** (as amended; S. *enmendado*), **revisar[1]** (revise, review, examine, inspect, check,[1] audit; S. *comprobar, inspeccionar*), **revisar[2]** (overhaul; adjust; S. *reparar*), **revisar a la baja** (adjust downwards, round down), **revisar al alza** (adjust upwards, round

up), **revisar la declaración de la renta** (examine tax returns), **revisar los salarios** (review the salaries)].

revisión[1] *n*: revision, review, inspection, check[1]; service; audit; S. *control, verificación, inspección*. [Exp: **revisión[2]** (adjustment, overhaul; S. *reparación, revisar, reparar*), **revisión contable** (auditing of accounts, audit[1]; S. *censura de cuentas y de libros contables, auditoría de cuentas*), **revisión de sueldos y salarios** (pay review), **revisión médica** (medical examination), **revisor** (inspector; ticket collector; S. *inspector*)].

revista[1] *n*: periodical, journal, magazine; review; S. *publicación periódica*. [Exp: **revista[2]** (review, examination; S. *examen, consideración*), **revistas de modas** (fashion magazines, glossies *col*)].

revocable *a*: revokable, reversible; IND REL, MAN removable without notice; S. *anulable*. [Exp: **revocación** (revocation, revoking, reversal,[1] repeal, recall, overturning; cancellation, voiding, termination), **revocación del estado de quiebra** (discharge of a bankruptcy; S. *rehabilitación del quebrado*), **revocar** (revoke, annul, terminate, call back, call off, recall,[2] rescind, countermand, overturn, repeal, reverse, take back; S. *anular, derogar, cancelar, invalidar, deshacer*), **revocar un acuerdo o contrato** (void/defeat[2] a contract; cancel an agreement/contract; S. *anular*), **revocar una orden** (cancel an order; countermand an order)].

revolución *n*: revolution. [Exp: **Revolución Industrial** (ECO Industrial Revolution.

rezagado *a/n*: behindhand, left/lagging behind; straggler, slowcoach *col*; laggard. [Exp: **rezagarse** (get/be left behind, lag/fall behind; S. *retrasarse*)].

riada *n*: flood; S. *inundación*. [Exp:

riada/cantidad desbordante de pedidos (flood of orders)].

rico *a*: rich, affluent, wealthy; S. *opulento*.

riesgo *n*: FIN, INSCE risk; danger, peril, jeopardy, exposure,[1] hazard; gamble; plunge[3] *col*, punt *col*; S. *peligro, azar, apuesta*. [Exp: **riesgo agravado** (substandard debt), **riesgo asegurable** (insurable risk), **riesgo asignado por razones legales** (INSCE assigned risk *US*), **riesgo bancario** (credit exposure), **riesgo cambiario** (exchange risk), **riesgo colectivo** (FIN joint venture; S. *sociedad de capital riesgo*), **riesgo comercial aceptado** (BKG, COM accommodation line[2]; S. *línea de favor o de crédito*), **riesgo comercial compartido** (joint venture; S. *agrupación temporal*), **riesgo compartido** (INSCE risk sharing; shared risk), **riesgo común** (common peril/venture), **riesgo, con** (at a risk), **riesgo contable** (ACCTS accounting risk), **riesgo crediticio** (credit risk), **riesgo de, a** (risk of, at the; V. *con peligro de*), **riesgo de base** (FIN basic/basis risk), **riesgo de cambio** (foreign exchange risk), **riesgo de cartera** (FIN portfolio/inventory risk), **riesgo de cobertura** (hedging risk), **riesgo de cobertura cruzada** (STK & COMMOD EXCH cross hedge risk), **riesgo de cobro** (default risk), **riesgo de contrapartida** (S. *riesgo de incumplimiento de los compromisos adquiridos*), **riesgo de desfase en la permuta financiera** (mismatch risk), **riesgo de evento** (FIN, INSCE event risk), **riesgo de falta de liquidez** (BKG liquidity risk), **riesgo de firma** (BKG off-balance-sheet exposure; S. *crédito de firma*), **riesgo de flete** (TRANSPT freight risk), **riesgo de impago** (default risk), **riesgo de incendio** (INSCE fire risk), **riesgo de incumplimiento** (default risk), **riesgo de incumplimiento de los compromisos adquiridos** (counter-party risk), **riesgo de incumplimiento de contrato** (FIN delivery risk; S. *riesgo de entrega*), **riesgo de insolvencia** (bad debt risk), **riesgo de la inversión** (investment risk), **riesgo de los tipos de interés** (FIN interest rate risk), **riesgo de mercado** (STK EXCH market risk), **riesgo de posiciones de cambio** (foreign exchange position risk), **riesgo de tipos de interés** (interest risk), **riesgo del actor, a** (caveat actor), **riesgo del comprador, a** (caveat emptor, let the buyer beware, buyer's risk; with all faults), **riesgo del vendedor, a** (caveat subscriptor/venditor), **riesgo especulativo** (gamble), **riesgo dinámico** (INSCE dynamic risk), **riesgo excesivo, grave o inaceptable** (INSCE bad risk), **riesgo financiero** (financial risk), **riesgo laboral** (IND REL occupational hazard), **riesgo material** (physical hazard), **riesgo moral** (INSCE moral hazard; S. *antiselección*), **riesgo no asegurable** (INSCE non-insurable risk), **riesgo normal o aceptable** (INSCE good risk), **riesgo, sin** (risk-free, riskless, without risk; S. *libre de riesgos*), **riesgo-país** (FIN, BKG-country-risk), **riesgo punta** (peak risk), **riesgo sistemático [de una cartera o título]** (systematic risk), **riesgo vivo** (BKG total exposure/risk, exposure[2]), **riesgos del mar** (perils of the sea, sea risks), **riesgos exceptuados o no cubiertos** (TRANSPT exceptions; S. *excepciones*), **riesgos marítimos** (marine risks), **riesgos no cubiertos en el seguro de transporte** (INSCE excepted perils), **riesgos excluidos o no cubiertos en una póliza de seguros** (INSCE risks not covered by a policy, exclusions)].

rigidez *n*: rigidity; inflexibility, tightness; S. *restricción*. [Exp: **rigidez de los precios** (price stickness), **rigideces del mercado laboral** (inflexibility/lack of flexibility in the labour market), **rigidez**

en el mercado monetario (tightening of the money market), **rígido** (rigid, inflexible, tight; inelastic; stiff[1]; S. *inelástico, inflexible*),

rigor *n*: toughness, strictness, stringency; ECO accuracy, thoroughness; S. *austeridad, severidad, estrechez*. [Exp: **rigor monetario** (monetary stringency; S. *restricciones monetarias, control monetario severo o estricto*), **riguroso orden de llegada/solicitud, por** (COM on a strictly first come, first served basis)].

riqueza *n*: wealth, affluence; plenty; S. *pobreza*.

ritmo *n*: rhythm, rate[7]; pace, speed; S. *frecuencia, velocidad*. [Exp: **ritmo, con buen** (in full swing; at a good/fair rate/pace; S. *en plena actividad/marcha*), **ritmo de aceleración** (momentum[1]; S. *ímpetu, impulso*), **ritmo de actuaciones** (time-frame; S. *calendario*), **ritmo de amortización** (ACCTS rate of depreciation), **ritmo/tasa de aumento** (rate of increase), **ritmo de consumo del capital inicial** (burn rate), **ritmo de crecimiento** (growth rate), **ritmo de crecimiento del endeudamiento** (rate of increase of debt, rate at which debt is increasing), **ritmo de producción** (rate/pace of production), **ritmo de ventas** (COMER rate of sales), **ritmo lento, a** (slowly, at a snail's pace *col*; S. *trabajar a ritmo lento, huelga de celo*), **ritmo que, al mismo** (keeping pace with; in line with[1]; S. *a la par de, en proporción con*)].

rival *n*: rival, competitor; S. *competitivo, en competencia*. [Exp: **rivalidad encarnizada, de** (fiercely competitive; S. *extremadamente competitivo*)].

robar *v*: steal, rob. [Exp: **robo** (theft, robbery), **robo descarado** *col* (daylight robbery, licence to print money *col*; sheer rip-off *col*; S. *negocio redondo*), **robo en tiendas** (shoplifting; making off without payment)].

ROAC *n*: S. *Registro Oficial de Auditores de Cuentas*.

robot *n*: robot. [Exp: **robotización** (robotization, automation), **robótica** (robotics), **robotizar** (automate)].

rodar *v*: roll, wheel; spin, turn round; go, turn out, work out; run in; S. *girar, hacer girar*. [Exp: **rodar bien** (go/run smoothly, work out well/nicely), **rodar mal** (go/run/work out/turn out badly), **rodaje** (running-in, period of adjustment, early stages, stage of finding one's feet *col*)].

rollo *n*: roll; bore, drag *col*, pain *col*, lecture *col*, patter *col*, line of patter. [Exp: **rollo publicitario** *col* (ADVTG sales pitch; patter)].

romper *v*: break,[1] break off, sever. [Exp: **romper las negociaciones** (break off negotiations), **romperse** (break down[1]; S. *derrumbarse*)].

ronda *n*: round[2]; S. *visita; serie*. [Exp: **Ronda de Uruguay** (Uruguay Round)].

roñoso *col a*: tight *col*, mean, miserly, miserable *col*; tight-fisted; S. *agarrado, tacaño*.

rotación[1] *n*: rotation, rota, turn; switching[2]; S. *alternancia*. [Exp: **rotación[2]** (ACCTS, COM turnover, total sales revenue; S. *facturación, cifra de negocios*), **rotación de acreedores** (accounts payable turnover), **rotación de activos** (asset turnover), **rotación de capital** (capital turnover; S. *movimiento o rotación de fondos*), **rotación de contratos de opciones y de futuros** (STK & COMMOD EXCH switching[1]), **rotación de cultivos** (crop rotation), **rotación de deudores** (accounts receivable turnover), **rotación de existencias** (ACCTS merchandise turnover, stock turnover/turnaround), **rotación de plantilla/personal** (IND REL staff turnover; S. *renovación de plantilla*), **rotación de títulos en la gestión de una cartera de valores** (FIN switching[2] of securities in a porftfolio), **rotación en el cargo** (rotation in office, taking turns in a post, filling a position on a rota system), **rotación, por** (on a rota syste, in shifts, in turn; S. *por turnos*), **rotar** (rotate, revolve), **rotativo** (rotating, revolving; S. *por rotación*)].

roto *a*: broken, out of order; S. *desarreglado, descompuesto*.

rotulador *n*: marker, felt pen, marker pen, felt-tipped pen. [Exp: **rotulista** (signwriter), **rótulo** (sign,[2] shop sign; title, showcard, flash-card, docket[1]; S. *letrero, cartel*), **rótulo de establecimiento** (shop sign), **rótulo publicitario** (showcard)].

RRP *n*: S. *rentabilidad sobre recursos propios*.

RSA *n*: S. *rentabilidad sobre activos*.

rúbrica *n*: flourish, signature, paraph; rubric, heading, title; S. *firma, encabezamiento*. [Exp: **rubricar** (sign with a flourish or with one's paraph, put one's signature; sign and seal; S. *firmar, suscribir*)].

rueda *n*: round. [Exp: **rueda de prensa** (press conference), **rueda de talones** (dudcheque scam *col*; deliberate collusion in the passing on of dud cheques)].

ruego *n*: request, petition; formal invitation; S. *petición*. [Exp: **ruegos y preguntas** (any other business, AOB; S. *asuntos de trámite*)].

ruina *n*: ruin, collapse, downfall, decline; departure; bust *col*; breakdown; S. *hundimiento*. [Exp: **ruinoso** (ruinous, loss-making; disastrous, crippling; S. *destructivo*)].

rumbo *n*: route, course; S. *ruta, trayecto*. [Exp: **rumbo fijo, sin** (aimless; S. *sin objetivo concreto*)].

ruptura *n*: rupture; breaking-off, breach; break,[1] severance; split, breakout; S. *cortar; incumplimiento, rescisión*. [Exp: **ruptura de contrato** (LAW breach of contract; S. *incumplimiento de contrato*), **ruptura de existencias** (ACCTS inventory break; lack of inventory; stock-out: S. *falta de existencias*), **ruptura de las negociaciones** (breakdown), **ruptura del precio de las acciones** (break in share prices), **ruptura en una tendencia bursátil** (STK EXCH breakout, breakaway, new departure, bucking of the trend *col*)].

rural *a*: rural, agricultural; S. *agrario, agrícola*.

ruta *n*: route; course; S. *trayecto, rumbo*. [Exp: **ruta aérea** (airway; air route; S. *aerolínea, línea aérea*), **ruta, en** (en route; S. *en tránsito*), **ruta fija** (fixed routing), **ruta marítima o de navegación** (shipping lane)].

rutina *n*: routine. [Exp: **rutina administrativa** (bureaucratic routine, red tape *col*; S. *burocracia, papeleo administrativo*), **rutina, de** (routine; S. *rutinario*), **rutina, por** (as a matter of course), **rutinario** (routine, ordinary, every day, day-to-day; S. *diario, día a día, cotidiano*)].

S

S.A. *n*: S. *sociedad anónima*.

sablear *col v*: scrounge *col*; sponge *col*; touch *col*; cadge *col*, tap² *col*; S. *pegar un sablazo*. [Exp: **sablazo** (scrounging *col*, sponging *col*; S. *pegar*), **sablista** *col* (sponger *col*; cadger *col*; S. *gorrón*)].

sabotaje *n*: sabotage. [Exp: **sabotaje industrial** (industrial sabotage), **sabotear** (sabotage; torpedo; shoot down in flames *col*; scuttle; S. *torpedear*), **sabotear o torpedear un proyecto/propuesta** (scuttle a project/proposal, shoot a project down in flames)].

saca *n*: bag, sack, sk¹; S. *saco*.

sacar¹ *v*: take out, remove; draw,¹ withdraw, recover; bring out, release; S. *retirar, lanzar*. [Exp: **sacar²** (earn, get, make, obtain, raise; S. *ganar*), **sacar a Bolsa una empresa** (STK EXCH float a company; announce a company is going public; S. *salir a Bolsa*), **sacar a colación o a relucir** (bring up; S. *plantear*), **sacar a concurso/licitación un proyecto** (invite tenders for a project), **sacar a flote una empresa** (FIN, MAN put a company back on its feet/the rails, turn a company round, rescue a company), **sacar a pública subasta** (put sth up for auction; S. *subastar, rematar*), **sacar algo a la venta** (put sth up for sale; S. *poner algo en venta*), **sacar conclusiones** (draw conclusions), **sacar de apuros a alguien** (BKG bail sb out² *col*; help sb out of a jam *col*; S. *echar una mano o un cable a*), **sacar dinero¹ [del banco]** (BKG withdraw cash/money from the bank; S. *retirar dinero*), **sacar dinero²** (FIN raise cash/funds/money; S. *recoger fondos*), **sacar el máximo partido** (COM, MAN turn to one's best advantage, make/get the most out of, exploit to the full), **sacar el máximo rendimiento** (COM, MAN get/obtain the highest yield/return on/from, reap the highest reward/benefit from), **sacar en limpio¹** (clear, make a clear profit of, earn an after-tax salary of; S. *ganar*), **sacar en limpio²** (make sense of, get clear, understand clearly, form a clear idea), **sacar partido de** (take advantage of, trade on, cash in on, draw on/upon, profit by; S. *explotar*), **sacar un beneficio** (turn a profit), **sacar una patente** (take out a patent; S. *patentar*)].

saco *n*: bag, sack, sk¹; S. *bolso, bolsa, saca*. [Exp: **saco flotante** (TRANSPT floating bag; S. *embalaje resistente al agua*)].

sacrificar *v*: sacrifice. [Exp: **sacrificio** (sacrifice), **sacrificio de igual proporción** (ECO equal proportional sacrifice), **sacrificio igual absoluto** (ECO equal absolute sacrifice)].

sacudida *n*: burst, shake; lurch; shakeout *col*; S. *bandazo, conmoción, reestructuración*. [Exp: **sacudida del mercado** (market upheaval), **sacudir**[1] (shake, rock[2]; jerk, jolt; S. *coger por sorpresa*), **sacudir**[2] *col* (touch for *col*; scrounge from *col*; get/wangle/screw out of *col*; S. *sablear*)].

SAE *n*: S. *Servicio de Ajuste Estructural*.

SAF *n*: S. *Servicio Ampliado del Fondo*.

sala[1] *n*: room, lounge, hall; S. *salón*. [Exp: **sala**[2] (LAW court; courtroom; house, chamber; section, division; S. *audiencia, tribunal de justicia, órgano jurisdiccional*), **sala de cambios de un banco** (BKG dealing room, foreign exchange section of a bank, FX department *col*), **sala de conferencias** (lecture room), **sala de contratación** (dealing room), **sala de embarque** (TRANSPT departure lounge), **sala de equipajes** (left-luggage office; S. *consigna*), **sala de exposiciones** (exhibition hall, showroom), **sala de juntas** (boardroom, assembly room), **sala/parqué de la Bolsa** (exchange floor), **sala de máquinas** (engine room), **sala de personalidades** (VIP lounge), **sala de subastas** (saleroom), **sala de tránsitos** (TRANSPT transit lounge), **sala VIP** (VIP lounge)].

salario *n*: IND REL pay, salary, wage-s; earnings; S. *paga, jornal, sueldo*. [Exp: **salario a destajo** (piece-work pay/wage, effort bargain, task/job wage), **salario acorde con el rendimiento** (payment by results, efficiency pay/wage), **salario acumulado o pendiente de pago** (accrued wage; S. *salario diferido*), **salario base** (basic wage/salary; wage floor), **salario/sueldo de entrada o inicial** (starting salary), **salario diferido** (differed/accrued wage), **salario garantizado** (guaranteed wage), **salario indirecto** (IND REL fringe benefits; S. *beneficios accesorios/complementarios*), **salario inicial** (starting salary), **salario líquido/neto** (net salary/wage, bottom line *col*; take-home pay), **salario mínimo** (living/minimum wage, wage floor; S. *base salarial*), **salario mínimo legal** (statutory minimum wage), **salario sombra** (shadow wages), **salario por horas** (hourly wage, wage per hour), **salarios atrasados** (IND REL back pay), **salarios con efecto retroactivo** (backdated salaries/wages/pay), **salarios por horas** (wages paid at hourly rates), **salarios reales** (real/effective salaries, actual wages)].

saldar[1] *v*: BKG, COM liquidate, pay up, pay in full, settle[1]; clear,[1] close, balance up; S. *liquidar, cancelar*. [Exp: **saldar**[2] (sell off), **saldar/pasar a cuenta nueva** (ACCTS bring forward), **saldar una cuenta** (settle an account, balance an account, settle a score, settle up), **saldar/liquidar una deuda** (pay off/settle/liquidate a debt; S. *desembolsar, amortizar o redimir una hipoteca*), **saldar los libros** (balance/close the books)].

saldo[1] *n*: ACCTS balance,[1] balance of account; difference,[1] residual amount, remainder; S. *resto; artículo de saldo*. [Exp: **saldo-s**[2] (sales[2]; S. *rebajas*), **saldo a cuenta nueva** (ACCTS balance brought/carried forward; S. *suma y sigue*), **saldo a pagar** (balance due), **saldo a nuestro/su favor** (debit/credit balance due to us/you), **saldo acreedor/favorable** (credit/active balance; S. *superávit*), **saldo activo** (working balance, surplus balance), **saldo anterior** (balance brought down/carried over, carry-over), **saldo bancario** (balance at bank, bank balance; S. *estado de cuenta*), **saldo bancario oficial** (official certificate of balance), **saldo comercial** (trade balance), **saldo compensatorio**

(compensating balance), **saldo contable** (account balance), **saldo corriente de la balanza de pagos** (current balance), **saldo, de** (COM giveaway²; rock-bottom *col*; unbeatable *col*; S. *barato; ganga*), **saldo de apertura** (opening balance), **saldo de caja** (cash balance), **saldo de caja promedio** (average cash balance; S. *saldo promedio de efectivo*), **saldo de cierre o final** (closing balance), **saldo de compensación** (compensatory balance), **saldo de efectivo en términos reales** (real cash balance), **saldo de existencias** (stock balance, balance of stocks), **saldo de la balanza en cuenta corriente** (current account balance; S. *balanza por cuenta corriente*), **saldo de la cuenta** (balance of account), **saldo de la cuenta de regulación** (regularization account balance), **saldo de operaciones por cuenta corriente** (current account balance; S. *balanza de pagos por cuenta corriente*), **saldo decreciente** (diminishing balance), **saldo del ejercicio** (current year balance), **saldo deudor** (debit balance, debit, deb), **saldo deudor de la nueva situación** (INSCE new business strain), **saldo deudor en cuenta** (bank overdraft; S. *descubierto bancario*), **saldo disponible** (disposable/available balance/funds, balance on hand), **saldo disponible en cuenta corriente** (current account credit balance), **saldo en efectivo/caja** (cash balance), **saldo final** (final/closing balance, bottom line; S. *saldo inicial*), **saldo global de las transferencias y de los movimientos de capitales** (general balance of transfers and capital movements), **saldo inactivo** (dormant/idle balance), **saldo inicial** (opening balance), **saldo insuficiente** (insufficient funds), **saldo líquido o neto** (net balance), **saldo medio** (average balance), **saldo negativo/desfavorable** (adverse/negative balance), **saldo no comprometido** (uncommitted balance), **saldo no utilizado o retirado** (undrawn/unspent balance), **saldo pendiente** (outstanding balance, unpaid balance), **saldo positivo** (in credit, positive balance; S. *saldo acreedor*), **saldo promedio de efectivo** (average cash balance), **saldo remanente** (balance remaining), **saldo según balance de comprobación** (balance as per trial balance), **saldo total o final** (total/closing balance), **saldo vencido** (balance due), **saldos** (COM sales, bargain sale; S. *venta de rebajas, liquidación*), **saldos de cuentas de clientes** (customer account balances)].

salida¹ *n*: departure, dep; start; exit; way out, outlet, outflow, escape; efflux; S. *partida*. [Exp: **salida²** (solution, way out; opening, opportunity; S. *posibilidad, solución*), **salida³** (outlet; sales outlet, chance to sell, sales opening; ACCTS expenditure, outgoings; BKG debt item/entry), **salida a Bolsa** (STK EXCH flotation, public offering *US*), **salida anticipada** (TRANSPT early departure), **salida, de** (outward), **salida de capitales** (capital outflow/flight), **salida de divisas** (outflow of currency), **salida de efectivo** (cash outflow), **salida de incendios** (fire exit), **salida de mercado** (COM marketing outlet; S. *canal de ventas*), **salida en orden inverso al de entrada/adquisición** (ACCTS, IND REL last in, first out, lifo *col*), **salida fácil o rápida de un producto** (ready market; ready sales opening; S. *mercado favorable/fácil*), **salidas de caja** (cash outgoings), **salidas de recursos financieros** (outward financial flows), **salidas profesionales** (IND REL career openings/opportunities)].

saliente *a*: IND REL retiring, outgoing; S. *dimisionario, presidente saliente*.

salir *v*: come out, get out, go out, leave, depart; appear, be released, emerge, fall out³; work out, prove to be; be elected; S. *resultar, ocurrir*. [Exp: **salir a Bolsa** (STK EXCH go public, be quoted/floated on the Stock Exchange; S. *salir de Bolsa*), **salir a la venta** (come up for sale; S. *ponerse en venta*), **salir adelante** (COM keep going; survive, come through, stay afloat, move on/ahead, get on, prosper), **salir al mercado** (come on to the market; S. estar en venta), **salir bien** (do well, come/go off well; work out well, prove profitable; S. *salir mal*), **salir de Bolsa** (take private), **salir del túnel** (turn the corner), **salir el tiro por la culata** (rebound, backfire; S. *fracasar*), **salir fiador de alguien** (act as security for somebody), **salir ganando** (gain on a deal, come out ahead/on top/in front), **salir mal** (do badly, fail, perform badly, fall flat *col*; misfire *col*; S. *fracasar*), **salir perdiendo** (lose on a deal, take a beating *col*; come off second-best; S. *salir ganando*), **salirse por la tangente** *col* (go off a tangent *col*; dodge the issue; S. *eludir pronunciarse, esquivar el problema*), **salir trasquilado** (get fleeced, lose the lot/one's all, be ripped off *col*), **salir por término medio en** (average out at; S. *alcanzar un promedio de*), **salirse** (withdraw, pull out; S. *retirarse, darse de baja*), **salirse con la suya** (come off best, have/get/one's way or one's own way)].

salón *n*: hall, exhibition hall; assembly-room/-hall; show, fair, trade fair; salon, saloon, lounge, hall, fair²; S. *sala; exposición, feria*. [Exp: **salón de exposiciones** (exhibition hall), **salón de recreativos** (amusement arcade), **salón del automóvil** (Motor Show), **salón náutico** (Boat Show)].

saltar *a*: STK EXCH jump, leap, skip; S. *dispararse*. [Exp: **saltarse la cola** (jump the queue), **salto** (STK & COMMOD EXCH jump, leap; STK EXCH budge, sharp rise in

prices), **salto hacia adelante** (COM, ECO leap forward; S. *progreso*), **salto en el vacío** (MAN, COM leap in the dark)].

salud *n*: health; welfare; S. *higiene, sanidad*. [Exp: **salud excelente, de** (in good health; A¹), **salud pública** (public health, public health service), **saludable** (INSCE, ECO healthy)].

saluda *n*: compliments slip; S. *oficio*.

salvaguardia *n*: LAW safeguard, safe-keeping; safe-conduct; guardianship, protection, defence; S. *protección; tutela, recaudo*. [Exp: **salvaguardar** (safeguard, keep safe; protect, defend; S. *cláusula de salvaguardia*)].

salvamento *n*: TRANSPT salvage¹; S. *servicio de salvamento*. [Exp: **salvamento de mercancías en un naufragio** (saving of goods)].

salvar *v*: save, rescue, salvage¹; turn around; retrieve; S. *rescatar, recuperar, recobrar*. [Exp: **salvar la distancia** (bridge the gap; S. *llenar el vacío*), **salvarse por los pelos** *col* (have a narrow escape/squeak *col*/shave *col*; escape by the skin of one's teeth *col*)].

salvedad *n*: reservation, proviso, qualification²; S. *excepción, matización, reserva*. [Exp: **salvedades, con** (qualified,² special, conditional; S. *condicional, limitado, con reparos*; S. *certificado con salvedades*)].

salvo¹ *prep*: except [for], barring, save, saving; S. *excepto, menos*. [Exp: **salvo²** (safe), **salvo, a** (safe, in a safe place, unharmed, intact, unsullied), **salvo de, a** (safe from), **salvo acuerdo/estipulación/indicación en contra** (unless otherwise agreed/stated), **salvo buen fin, SBF** (BKG, FIN conditionally credited to accounted pending clearance or acceptance of the cheque or draft; *approx* provided it be paid, provided the cheque/draft be honoured, under the usual reserves), **salvo error u omisión,**

s.e.u.o. (errors and omissions excepted, e.& o. e., barring errors and omissions), **salvo órdenes en contra** (failing instructions to the contrary), **salvo pronto pago** (failing prompt payment), **salvo que/si** (unless)].

sanción *n*: sanction; penalty, punishment; S. *aprobación; castigo*. [Exp: **sanción administrativa** (disciplinary penalty), **sanción de demora** (penalty for delay/late penalty), **sanción fiscal** (tax penalty), **sancionar** (sanction, assent, confirm, ratify; penalise, punish; S. *aprobar; castigar*)].

saneado *a*: rescued, turned around; revamped *col*, debt-free; streamlined, reorganized; S. *eficiente, racionalizado*.

saneamiento[1] *n*: ACCTS, FIN restructuring, reorganization; overhauling, streamlining; freeing/unloading of debt; write-off[2], disencumbrance; S. *plan de saneamiento*. [Exp: **saneamiento**[2] (sanitation; S. *salud pública*), **saneamiento contable** (write-off), **saneamiento de activos** (write-down of assets), **saneamiento de título** (LAW clearing of bars to title, removal of registered charges or encumbrances), **saneamiento de una empresa** (reorganization/ reconstruction of a company; S. *reorganización*), **saneamiento financiero** (rehabilitation of the finances)].

sanear *v*: streamline, overhaul, free from debt, reorganize, restructure, rescue,[2] turn round; S. *racionalizar*. [Exp: **sanear una empresa** (turn a company round, put a company back on its feet or on the rails *col*; refloat, rescue a company)].

sanidad/salud pública *n*: public health; public service/authorities; S. *salud*. [Exp: **sano** (healthy, sound)].

satisfacción *n*: satisfaction, settlement, full and final settlement; remedy, relief[3]; amends, reparation; S. *desagravio, pago, finiquito, liquidación, cumplimiento*.

[Exp: **satisfacción laboral/profesional** (job satisfaction), **satisfacción laboral/ profesional decreciente** (IND REL declining job satisfaction), **satisfacción parcial** (part-performance; S. *ejecución parcial*)].

satisfacer *v*: pay, pay off, pay in full, settle, satisfy; complete, meet, comply with; S. *pagar*. [Exp: **satisfacer las condiciones/ exigencias** (meet the requirements/ conditions, come up to standard/scratch/ the mark *col*; S. *cumplir los requisitos, dar la talla, estar a la altura*), **satisfacer una deuda** (pay off/settle/liquidate a debt, repay a loan in full; S. *pagar/ liquidar una deuda*), **satisfacer una reclamación** (discharge a claim, settle a claim), **satisfactorio** (satisfactory/ satisfying, adequate)].

saturación *n*: saturation, glut; S. *superabundancia*. [Exp: **saturar** (saturate)].

SBF *phr*: S. *salvo buen fin*.

SCLV *n*: S. *Servicio de Compensación y Liquidación de Valores*.

secano *n*: dry farming. [Exp: **secano, de** (rainfed, unirrigated)].

sección[1] *n*: section, bureau, department; desk,[1]; division; S. *oficina, agencia, negociado*. [Exp: **sección**[2] (section, part, piece, schedule[5]; S. *pieza, trozo, apartado, epígrafe*), **sección comercial** (COM sales or marketing division), **sección de anuncios** (small ads section, advertisement page/column), **sección de anuncios pequeños** (ADVTG agony column), **sección de atención al cliente** (BKG customer enquiries section/ division), **sección de cambio de moneda** (foreign exchange department), **sección de cobros** (collection section), **sección de créditos** (credit department), **sección de empaquetado de regalos** (COM gift-wrapping section), **sección de envíos** (MAN dispatch department), **sección de mecanografía de una empresa** (typing pool), **sección de ofertas, saldos u oportunidades** (COM bargain basement/counter), **sección de finanzas de un periódico** (financial pages, city desk), **sección de valores** (securities trading department; S. *negociado de títulos*), **sección de ventas al por menor** (retail division), **sección longitudinal/transversal** (cross-section), **seccionar** (partition, split, section[1]; divide up, section off; S. *cortar, dividir*)].

secretario *n*: secretary. [Exp: **secretaría** (secretary's office; secretaryship), **secretaria eventual** (temp *col*, temporary secretary), **secretariado** (secretariat), **secretario adjunto** (assistant secretary), **Secretario de Estado** (Secretary of State), **secretario del Consejo de Administración** (COMP LAW company secretary), **secretario general** (secretary-general, registrar), **secretario particular** (personal assistant, PA; private secretary)].

secreto *a/n*: secret, hidden, dormant, classified; secret, secrecy; S. *confidencial*. [Exp: **secreto a voces** (open secret), **secreto bancario** (bank's guarantee of privacy/confidentiality in its dealings with its customers), **secreto industrial** (trade secret), **secreto profesional** (professional/trade secret), **secreto vergonzoso** (skeleton in the cupboard *col*; S. *asunto tapado*)].

sector *n*: sector, section; branch, trade, line, sphere, trade, industry; S. *sucursal, ramo, negocio*. [Exp: **sector agrario** (agricultural/farm sector), **sector alimentario** (foodstuff sector, food line), **sector bancario** (banking, banking sector), **sector clave o estratégico** (strategic sector), **sector de la madera** (timber industry/trade), **sector del abanico salarial** (TAXN salary bracket), **sector económico** (branch of economic activity), **sector empresarial** (business/

corporate sector), **sector en alza** (ECO booming sector), **sector expulsor de mano de obra** (labour-displacing area), **sector industrial** (industry, industrial sector), **sector primario/secundario/terciario** (primary/secondary/tertiary sector), **sector privado/público** (private/public sector), **sector secundario** (secondary production), **sector servicios** (service sector/industries, tertiary sector), **sectorial** (sectorial)].

secuela *n*: ECO consequence, effect, after-effect, negative implication/result, fallout[5]; S. *efectos indirectos*.

secuencia *n*: sequence, series, run[6]; S. *serie, racha*. [Exp: **secuencial** (sequential; S. *consecutivo, ordenado*)].

secuestrar *v*: LAW seize, sequester, sequestrate, confiscate; kidnap; hijack; S. *incautar, embargar, decomisar, confiscar, aprehender*. [Exp: **secuestrar mercancías** (seize/confiscate goods), **secuestro**[1] (embargo, seizure, sequestration, confiscation, attachment, distress[1]; S. *detención, confiscación*), **secuestro**[2] (kidnapping, abduction, hijack, hijacking; S. *rapto*), **secuestro aéreo** (skyjacking), **secuestro legal** (attachment of goods, sequestration)].

secundario *a*: secondary, derivative, collateral,[1] minor; junior; supplementary; S. *subsidiario, colateral*.

securitización *n*: FIN securitization; repackaging of securities; S. *titulización*. [Exp: **securitizar** (FIN securitize; prepackage; S. *titulizar*)].

sede *n*: head/central office; headquarters, HQ; main office; base; S. *oficina principal*. [Exp: **sede en, con** (based in; S. *radicado en*), **sede social o central** (main office, headquarters; S. *oficina central, casa matriz*)].

segmentación *n*: segmentation. [Exp: **segmentar** (segment), **segmento** (segment)].

segregación[1] *n*: segregation, separation. [Exp: **segregación**[2] **[empresarial]** (COMP LAW spin off; S. *desmembramiento; escisión*), **segregación de los flujos de un bono** (FIN strips, coupon-stripping, stripping out of bond coupons), **segregación racial** (IND REL racial segregation), **segregar** (segregate; S. *separar*)].

seguido *a*: continuous, consecutive, successive; running,[3] on end, back-to back; S. *consecutivo, sucesivo*.

seguimiento *n*: follow-up, tracking, monitoring; S. *vigilancia, control*. [Exp: **seguimiento de cobros** (collection follow-up)].

seguir *v*: pursue, track, follow; continue, keep on, go on, carry on; follow on, follow up; S. *continuar*. [Exp: **seguir secretamente** (shadow), **seguir la pista de, seguir de cerca** (follow up, monitor, track, trail; S. *controlar*), **seguir los trámites** (proceed; S. follow the procedure or procedural steps; *proceder, actuar*)].

según *prep*: in accordance with, according to, in compliance with, under, on the basis of, subject to; S. *en el marco de, conforme a, de acuerdo con*. [Exp: **según anexo** (as per exhibit or attached document), **según aviso** (as per advice), **según disponibilidades** (subject to availability), **según factura** (as per invoice), **según los términos del contrato** (under [the terms of] the contract, in accordance with the terms of the contract), **según se convenga** (as may be agreed upon, as the parties/signatories may agree)].

segundo *a*: second. [Exp: **segunda comprobación** (cross check/checking; S. *verificación cruzada*), **segundo mercado** (secondary market; over-the-counter market), **segunda de cambio** (FIN second of exchange), **segunda hipoteca** (second mortgage; S. *hipoteca de segundo grado*), **segunda línea de piquete de apoyo** (IND REL second-hand of reserves), **segunda línea de reservas** (BKG secondary reserves), **segunda mano, de** (second hand), **segunda ventanilla** (BKG, FIN second window, lender of last resort lender, back door), **segundo mercado** (STK & COMMOD EXCH second market, over-the-counter market, OTC market, unlisted securities market, USM; S. *bolsa secundaria*), **segundo semestre** (second half-year), **segundo trimestre** (second quarter)].

seguridad *n*: safety, security,[1] reassurance; suretyship; warranty; certainty; S. *garantía, caución, prenda*. [Exp: **seguridad, con** (safely; certainly; definitely; S. *sin peligro*), **seguridad, de** (backup; S. *de seguimiento*), **seguridad [de permanencia] en el puesto de trabajo** (IND REL job security, security of tenure; S. *permanencia*), **seguridad en el trabajo** (IND REL safety at work, industrial safety; S. *peligro, riesgo*), **seguridad social** (social security, National Insurance)].

seguro[1] *a*: safe,[1] secure, firm, protected, assured; S. *protegido*. [Exp: **seguro**[2] (certain, sure; confident, convinced; S. *cierto, convencido*), **seguro**[3] (reliable, trustworthy, credible; S. *fidedigno, veraz, de confianza*), **seguro**[4] (INSCE insurance), **seguro a primer riesgo** (first loss insurance), **seguro a todo riesgo** ([fully] comprehensive insurance, package insurance *US*, all-in policy, all-loss insurance, all risks insurance, total coverage insurance), **seguro abierto** (open/blanket insurance), **seguro acumulativo** (accumulation insurance, accumulation[4]; S. *concentración de riesgos*), **seguro agrícola** (crop insurance; S. *seguro contra el pedrisco/las heladas*), **seguro colectivo** (joint/group insurance), **seguro con garantía prendaria** (collateral insurance), **seguro contra accidentes laborales** (industrial injuries insurance/industrial insurance, workers' compensation insurance *US*), **seguro contra alteración del importe del cheque** (cheque alteration insurance), **seguro contra falsificación** (forgery insurance), **seguro contra falta/deficiencia de capital** (capital deficiency insurance), **seguro contra el pedrisco/ las heladas** (crop hail insurance, frost damage insurance), **seguro contra incendios** (insurance against fire, boiler insurance), **seguro contra las pérdidas de cosechas** (crop insurance), **seguro contra quiebras bancarias** (deposit insurance; deposit protection scheme, guarantee fund, credit guarantee), **seguro contra riesgos profesionales** (malpractice insurance), **seguro contra robo** (theft/burglary/robbery insurance), **seguro contra robo de empleados** (fidelity bond insurance), **seguro contra robo en el traslado de fondos de una institución a otra** (cash-in-transit policy), **seguro contra siniestros** (accident insurance/coverage), **seguro contra terceros** (third-party insurance/ policy, act liability insurance), **seguro de abordaje** (TRANSPT collision insurance), **seguro de accidentes** (accident insurance), **seguro de accidentes laborales** (workmen's compensation insurance *US*, industrial injuries insurance), **seguro de ahorro** (endowment policy; pure endowment; S. *capital diferido, seguro mixto*), **seguro de ahorro inmobiliario** (mortgage repayment insurance, home savings insurance), **seguro de amortización** (capital redemption insurance, leasehold assurance), **seguro de automóviles** (car/motor insurance), **seguro de averías** (breakdown insurance), **seguro de cambio** (exchange insurance; ex- change risk insurance, exchange rate hedge, forward currency purchase), **seguro de capital diferido** (deferred capital insurance, endowment policy), **seguro de carga** (cargo insurance), **seguro de cartera** (portfolio insurance), **seguro de casco de buque** (hull insurance), **seguro de caución y fidelidad** (surety and fidelity bond insurance), **seguro de compensación** (compensation insurance), **seguro de copartícipe** (co-insurance; S. *coaseguro*), **seguro de crédito al comprador** (export credit insurance), **seguro de daños contra terceros** (third-party insurance, liability insurance; S. *seguro de responsabilidad civil*), **seguro de desempleo** (unemployment insurance), **seguro de doble indemnización por accidente** (double indemnity policy, accidental death benefits; S. *indemnización suplementaria por accidente*), **seguro de enfermedad** (health insurance), **seguro de hipoteca** (mortgage insurance), **seguro de garantía para el pago de la deuda en caso de muerte del asegurado** (credit life insurance), **seguro de garantía o protección de los depósitos bancarios en caso de quiebra** (deposit protection scheme), **seguro de grupo contra accidentes** (group accident insurance), **seguro de invalidez o incapacidad** (disability insurance), **seguro de la carga o de la mercancía** (cargo insurance, goods in transit insurance), **seguro de la vivienda** (home insurance), **seguro de paro o desempleo** (unemployment insurance), **seguro de pedrisco** (hail insurance), **seguro de pensión** (endowment insurance), **seguro de prima única** (single premium assurance/policy), **seguro de primas variables** (step-rate premium insurance), **seguro de rentas** (annuity, annuity insurance), **seguro de rentas diferidas** (deferred annuity insurance), **seguro de responsabilidad civil** (third-party insurance; liability insurance, property and casualty insurance), **seguro de responsabilidad civil por productos defectuosos** (product liability insurance), **seguro de responsabilidad civil** (third-party insurance, public liability insurance, liability insurance), **seguro de responsabilidad patronal** (employer's liability insurance), **seguro de transporte aéreo** (air insurance), **seguro [de transporte] de mercancías** (goods-in-transit policy), **seguro de vejez** (old-age insurance), **seguro de vida** (assurance, life insurance; whole-life insurance), **seguro de vida entera** (whole-life insurance; S. *seguro de vida a plazo*), **seguro de vida mixto** (endowment assurance), **seguro de vida mixto a término fijo** (certain annuity, annuity certain, terminable annuity), **seguro de vida mixto de doble protección** (double endowment assurance), **seguro de vida temporal** (term assurance/insurance; S. *seguro de vida entera*), **seguro de vida renovable periódicamente** (renewable term life insurance), **seguro de vida e incapacidad** (death and disability insurance), **seguro a capital doblado** (double endowment assurance), **seguro declarado** (declaration insurance, stock declaration policy), **seguro deducible** (deductible insurance), **seguro del casco o del buque entero** (hull insurance), **seguro del hogar** (household insurance), **seguro del préstamo a la gruesa** (insurance of bottomry loan), **seguro doble** (double insurance), **seguro en trámite** (insurance in transit), **seguro general** (package insurance *US*), **seguro industrial** (engineering insurance), **seguro marítimo** (sea insurance), **seguro marítimo a todo riesgo** (against all risks/AAR policy or insurance), **seguro**

médico (medical insurance), **seguro mixto** (endowment policy; S. *póliza de seguros mixta o de vida y capitalización*), **seguro mutuo** (reciprocal/participating insurance *US*; S. *mutua de seguros*), **seguro para aguas fluviales o marítimas interiores** (inland marine/transit insurance), **seguro por acomodación** (accommodation line[1]; S. *póliza de favor*), **seguro por actos de deslealtad de empleados** (fidelity bond *US*, S. *fianza de fidelidad*), **seguro por muerte en accidente** (mutual insurance/assurance; accidental death benefits; S. *seguro de doble indemnización por accidente*), **seguro temporal** (temporary/term insurance), **seguros y fianzas** (insurance and bonds)].

selección *n*: selection, choice, pick[1]; screening. [Exp: **selección adversa** (INSCE, ECO, MAN adverse selection; S. *antiselección*), **selección aleatoria o al azar** (random selection/sampling), **selección de candidatos** (screening of candidates), **selección y formación del personal** (MAN staff selection and training), **seleccionado** (IND REL appointee; S. *designado*), **seleccionado al azar** (randomly selected), **seleccionar** (select, choose, pick,[1] recruit, screen, S. *escoger, elegir*), **seleccionar/escoger con sumo cuidado** (handpick), **selectivo** (selective; S. *seleccionado*), **selecto** (choice, fine,[1] select, exclusive; S. *de primera calidad*)].

sellar *v*: seal; stamp, rubber-stamp, S. *lacrar, precintar*. [Exp: **sellado y firmado por mí** (under my hand and seal; S. *de mi puño y letra y con mi sello*), **sellado y timbrado** (sealed and stamped)].

sello *n*: seal; stamp, postage stamp. [Exp: **sello de caucho** (rubber stamp), **sello de contraste** (hallmark, assay mark), **sello de correos** (postage stamp), **sello de la**

fecha (date-stamp), **sello de lacrar** (wax seal), **sello de marca o garantía** (brand mark; hallmark)].

semana *n*: week. [Exp: **semanal** (weekly; S. *mensual, semestral, trimestral*)].

semestre *n*: ACCTS half-year. [Exp: **semestral** (biannual, half-yearly, half-year, semi-annual; S. *trimestral, mensual*)].

semi- *pref*: semi-, half-. [Exp: **semiacabado/semielaborado/semimontado** (ACCTS half-finished, in progress), **semimontado** (COM semifinished, semiknocked-down, SKD, half-/part-assembled; in kit form)].

sencillo *a*: simple, plain; clean; single; S. *simple*.

senda *n*: path; lane; S. *camino, trayectoria*.

seno *n*: ECO trough.

sensible *a*: sensitive. [Exp: **sensible al mercado** (STK EXCH market sensitive), **sensible a los precios** (price-sensitive), **sensibilidad** (sensitivity, awareness, timing, judgement; S. *oportunismo*), **sensibilidad** (STK EXCH, FIN market timing/judgement/flair, timing of investments)].

sentada *col n*: IND REL sit-in, sit-down strike; S. *huelga de brazos caídos o cruzados*.

sentencia *n*: LAW finding, judgement; ruling, decision; award; sentence; Spanish "sentencia" applies both to a court's findings, decision or ruling concerning any matter that comes before it, and to the sentence passed following a verdict of guilty in a criminal case; S. *decisión, fallo, laudo*. [Exp: **sentencia arbitral** (award[2]; S. *laudo arbitral*), **sentenciar** (adjudicate, adjudge a claim, decide, find, rule, give judgment, deliver an opinion; S. *fallar*)].

sentido *n*: sense; reason. [Exp: **sentido de la oportunidad comercial** (business acumen, sharp eye/good nose for business *col*; flair for a business opening;

S. *sensibilidad inversora*), **sentido de que, en el** (to the effect that, taking the view that), **sentido, en este** (to this effect, in this regard/context), **sentido práctico** (common sense, practical approach)].

seña *n*: signal, sign,[1] [Exp: **señas** (address; S. *domicilio, dirección*)].

señal[1] *n*: sign,[1] signal, signboard, tick, mark,[1] landmark; S. *marca, seña*. [Exp: **señal**[2] (pledge; token, token payment, down-payment, good faith deposit, deposit; S. *garantía, prenda*)].

señalar *v*: mark,[1] tick; point,[1] point out; signpost; fix, set, settle, appoint, arrange, set aside; S. *marcar, indicar, fijar*. [Exp: **señalar la fecha** (arrange/settle/appoint the date)].

separación *n*: separation; division; IND REL dismissal, removal, space, gap[1]; S. *agujero, espacio, brecha*. [Exp: **separación de bono y cupón** (STK EXCH stripping; S. *segregación de los flujos de un bono*), **separación del servicio/ removal** (dismissal/removal from civil service), **separado** (separate; S. *independiente, separadamente*), **separador** (TRANSPT bulkhead; S. *mamparo*)].

separar *v*: separate, segregate, detach, partition, divide, split, sever, part[1]; keep/take away; IND REL dismiss, discharge, remove; COM lay aside, reserve; FIN strip, strip out; S. *dividir*. [Exp: **separable** (severable; S. *divisible*), **separación** (severance; S. *cese, ruptura*), **separadamente, por separado** (separately, individually, severally), **separarse** (separate; split off, split up, leave, part company)].

seriado *a*: serial; S. *en serie*.

serie *n*: series, range, round, batch; s. *sucesión*. [Exp: **serie aleatoria** (random series), **serie aleatoria acumulada** (accumulated random series), **serie aritmética** (arithmetical series), **serie**

cronológica (chronological series), **serie, de** (COM standard, fitted etc. on all models), **serie de preguntas disparadas una tras otra** (battery of questions), **serie temporal** (ECO time series)].

seriedad *n*: seriousness, responsibility, trustworthiness, reliability, steadiness[2]; S. *fiabilidad, formalidad.* [Exp: **serio** (reliable, serious, responsible, business-like, steady; S. *seguro, formal*), **serio, en** (seriously)].

serpiente *n*: snake. [Exp: **serpiente inflacionaria** (creeping inflation; S. *inflación reptante/ascendente*), **serpiente monetaria europea, la** (The European currency snake; S. *sistema monetario europeo*)].

servicio[1] *n*: service, service department, facility/facilities; S. *recursos, prestaciones.* [Exp: **servicio**[2] (service, maintenance), **servicio/entrega/reparto a domicilio** (door-to-door delivery service, home delivery service), **Servicio Ampliado del Fondo** (Extended Fund Facility), **servicio, de** (on duty, acting; S. *en ejercicio*), **Servicio de Ajuste Estructural** (Structural Adjustment Facility, S.A.F.), **servicio de asistencia telefónica** (hot line), ˙**servicio de asistencia en tierra a aeronaves** (handling; S. *despacho de equipajes*), **servicio de atención al cliente** (COM after-sales service; customer enquiry or complaints service; S. *servicio post-venta*), **servicio de cambios y arbitrajes** (foreign exchange department), **servicio de carga aérea** (TRANSPT cargo lift), **Servicio de Compensación y Liquidación de Valores, SCLV** (Share Clearing and Settlement Facility/Service), **servicio de consigna** (left-luggage office; cloakroom; S. *guardarropa*), **servicio de correos** (postal service), **servicio de distribución o envío** (MAN distribution department),

servicio de equipajes (handling), **servicio de giro posta** (postal giro), **servicio de intereses** (interest service/repayment; S. *pago de intereses*), **servicio de la deuda** (FIN debt service; S. *amortización de principal*), **servicio de mantenimiento** (maintenance section/department/service), **servicio de mensajeros** (TRANSPT courier service; S. *servicio expreso*), **servicio de paquetes postales** (parcel post), **servicio de personal** (manpower services; S. *recursos humanos, personal*), **servicio de recepción** (receiving/reception department/office, receiving service), **servicio de recogida de paquetes** (parcel collection service), **servicio de reparto** (TRANSPT pickup and delivery service), **servicio de salvamento** (salvage[1]), **servicio de un empréstito** (service of a loan), **servicio de ventas a domicilio** (door-to-door selling), **servicio electrónico de facturación** (electronic data interchange, EDI), **servicio, estar de** (be on duty/call, be on *col*), **servicio expreso** (TRANSPT express courier service; S. *servicio de mensajeros*), **servicio gratuito** (complimentary/free service, service free of charge), **servicio médico** (health service), **Servicio Oficial de Inspección, Vigilancia y Regulación de las Exportaciones, SOIVRE** (Spanish office for the inspection, control and regulation of exports), **servicio pos[t]-venta** (COM after-sales service; S. *servicio de atención al cliente*), **servicio público** (public service,[2] [public] utility), **servicio social** (social service; welfare service/work; S. *prestación social*), **servicio social sustitutorio** (IND REL community or welfare work or voluntary social work done by conscientious objectors in lieu of military service), **servicio técnico** (technical assistance; S. *asistencia técnica*), **servicio telefónico**

(phone service), **servicio telefónico del mercado de dinero** (BKG interbank market clearing system), **servicios de giro** (BKG drawing facilities), **servicios mínimos** (skeleton staff; S. *personal reducido*), **servicios sanitarios** (public health services), **servicios varios** (sundry services)].

servidumbre *n*: LAW right, easement, grant; S. *derecho, afectación*. [Exp: **servidumbre de luz** (easement of light), **servidumbre de paso** (right of way)].

servir *v*: serve, be useful/good at/good for, act as. [Exp: **servir a** (cater for; S. *abastecer a, atender*), **servir/repartir/entregar a domicilio** (do/provide a door-to-door home delivery service), **servir de intermediario** (mediate; act as intermediary/go-between; S. *mediar, intervenir*), **servir un pedido** (attend to/fill an order)].

sesgado *a*: partial, biased; slanted *col*; S. *parcial*. [Exp: **sesgo** (bias, skew; slant, angle; warp, twist; S. *tendencia*)].

sesión¹ *n*: session, meeting, sitting; S. *reunión, junta, asamblea*. [Exp: **sesión** (LAW [public] hearing, court proceedings), **sesión a puerta cerrada** (closed/secret session, session held behind closed doors), **sesión aplazada, suspendida o levantada** (adjourned session), **sesión bursátil** (stock exchange session), **sesión bursátil de realización de beneficios** (profit-taking session), **sesión de apertura** (opening session), **sesión de Bolsa** (trading day/session), **sesión de clausura** (closing session), **sesión de trabajo** (working session), **sesión informativa o de preparación** (briefing), **sesión ordinaria** (regular session, ordinary meeting; S. *junta extraordinaria*), **sesión plenaria** (plenary meeting)].

s.e.u.o. *phr*: S. *salvo error u omisión*.

severidad *n*: severity, strictness; stringency; S. *estrechez, rigor, austeridad*.

[Exp: **severo** (severe, strict, hard, harsh, stringent, tight,[1] tough[2]; S. *estricto, riguroso, austero*)].

SICAV *n*: S. *Sociedad de Inversión de Capital Variable*.

signatario *n*: signatory, party, contracting party, party to an agreement; S. *firmante, parte*.

signo *n*: sign, mark, token[1]; S. *señal*. [Exp: **signos de reanimación** (ECO signs of recovery, signs that the economy is reviving or looking up *col*)].

silencio *n*: silence. [Exp: **silencio administrativo** (LAW administrative silence; failure of the administration or a public official to respond within the legal time limit to a complaint, claim or counter-claim filed by a member of the public. This silence can have varying legal consequences which fall to be determined by the courts; it does not, as is often erroneously believed, mean that the matter is merely shelved, nor can it be automatically constructed as an admission of liability or error by the public body concerned)].

símbolo *n*: symbol, token. [Exp: **simbólico** (token)].

simple *a*: simple, plain, clean, bare; single; S. *sencillo*.

simulación *n*: simulation, mock-up *col*, practice; pretence, blind, sham; double-dealing; S. *ejercicio; doblez*. [Exp: **simular** (simulate; practise, mock up pretend, sham, feign), **simulacro** (simulacrum; mock-up, practice, imitation; S. *imitación*)].

sindicar¹ *v*: BKG, FIN syndicate[1]. [Exp: **sindicar²** (unionize, unionize, form into unions or union), **sindicación¹** (BKG syndication), **sindicación²** (IND REL unionization), **sindicación de acciones** (BKG, FIN stock syndication), **sindicación de deuda** (debt syndication), **sindicación obligatoria** (closed shop/agreement/

system), **sindicado**[1] (syndicated, union member), **sindicado**[2] (unionized), **sindical** (syndical), **sindicalismo** (trade unionism), **sindicalista** (trade unionist), **sindicarse** (IND REL join a union, form a union)].
sindicato[1] *n*: BKG, FIN syndicate,[1] pool[4]; S. *consorcio asegurador*. [Exp: **sindicato**[2] (IND REL trade union, labor union *US*), **sindicato abierto** (open union), **sindicato asegurador** (underwriting syndicate), **sindicato bancario** (banking syndicate, syndicate of bankers), **sindicato de accionistas/obligacionistas** (syndicate of stockholders/bondholders), **sindicato de afiliación restringida o cerrada** (IND REL closed union; S. *sindicato gremial*), **sindicato de arbitraje** (arbitrage syndicate), **sindicato de aseguradores/garantía** (STK EXCH, INSCE syndicate of underwriters, underwriting syndicate), **sindicato de colocación** (selling group), **sindicato de emisión** (underwriting group), **sindicato gremial o profesional** (craft union, closed union, union open only to workers in a given sector), **sindicato industrial** (IND REL industrial union), **sindicato obrero** (trade/labour union, labour union), **sindicato vertical** (IND REL state-controlled trade union organization in place during Franco's dictatorship and characterized by the rigidity of its hierarchical structure and by its authoritarian or paternalistic attitude — hence the term vertical), **sindicatos y la patronal, los** (unions and management)].
sindicatura *n*: LAW, FIN receivership, trusteeship, office of the syndic or the trustee. [Exp: **sindicatura de quiebra amigable** (friendly receivership), **síndico/síndico de la quiebra** (official receiver,[2] receiver/trustee in bankruptcy, bankruptcy commissioner, referee, bank auditor, liquidator, administrator in bankruptcy; S.

administrador judicial, liquidador), **síndico presidente de la Bolsa** (Chairman of the Stock Exchange Council)].
sinergia *n*: synergy. [Exp: **sinergia de costos/costes** (cost synergy), **sinergia financiera** (finance synergy)].
siniestralidad *n*: INSCE accident rate; claims rate; total number of accidents, toll[2]; S. *mortalidad, número de bajas o víctimas, estragos, daños*. [Exp: **siniestrado** (damaged, wrecked, involved in an accident; accident victim, claimant), **siniestro** (damage, loss, accident; casualty, disaster; S. *desastre, pérdida*), **siniestro marítimo/naval** (shipping/marine accident, accident of navigation; disaster at sea), **siniestro/pérdida total** (INSCE total/dead loss, insurance write-off, write-off,[3] written off as a total loss)].
síntesis *n*: synthesis, abstract; round-up; S. *extracto, resumen*. [Exp: **síntesis de los elementos del mercado** (marketing mix; S. *composición de la mercadotecnia*), **sintético** (synthetic)].
síntoma *n*: symptom, sign, indication; S. *indicación, signo*. [Exp: **síntomas de recuperación** (ECO signs of recovery; S. *signo*)].
sinvergüenza *n*: grafter; S. *tramposo*.
sistema *n*: system, régime, framework, arrangement, structure, set-up, scheme[1]; S. *proyecto, programa*. [Exp: **sistema acelerado de recuperación de costes** (ACCTS accelerated cost recovery system, A.C.R.S), **sistema arancelario** (tariff system), **sistema bancario** (banking system), **sistema bancario formado por bancos independientes** (unit banking), **sistema cerrado o autosuficiente** (ECO closed system), **sistema columnar o tabular** (tabular system, arrangement in columns), **sistema con saldo de caja positivo** (ACCTS imprest system; S. *sistema de fondo fijo*), **sistema contable**

(accounting system; S. *plan general contable PGC*), **sistema crediticio** (credit system), **sistema de amortización de saldo decreciente** (ACCTS reducing balance/charge method of depreciation), **sistema de beneficios o incentivos fiscales o tributarios** (tax benefit system, tax break system *US*), **sistema de capacidad simple** (STK EXCH single capacity system), **sistema de categorización laboral** (job ranking system), **sistema de clasificación** (filing system), **sistema de compensación** (balancing system), **sistema de compras a plazos** (hire purchase system, HP; the never-never *col*), **sistema de continuidad** (ADVTG follow-up system), **sistema de contratación asistida por ordenador** (STK EXCH computer-assisted trading system), **sistema de contratación por pantalla** (STK EXCH screen-based trading system), **sistema de costes ABC, sistema de costes por [basado en las] actividades** (MAN activity-based costing, ABC²), **sistema de cupos o cuotas** (quota system), **sistema de costes y gestión por actividades** (MAN activity-based costing and management, ABM), **sistema de creadores de mercado** (STK EXCH market-maker system), **sistema de dos velocidades** (two-tier/track system), **sistema de entrega justo atiempo** (just in time delivery system), **sistema de equilibrio general** (ECO general equilibrium system), **sistema de exportación anticipada** (COM export drawback system/scheme), **sistema de fondo fijo** (ACCTS imprest system; S. *sistema con saldo de caja positivo*), **sistema de fondos con cuota de entrada** (front-loading funds), **sistema de franquicias** (INSCE insurance excess scheme/system, COM franchise system; ECO tariff exemption system), **sistema de imputación de liquidación de impues-** tos (TAXN imputation system of taxation), **sistema de información gerencial** (MAN management information system, MIS), **sistema de información para la dirección** (MAN executive information systems, EIS), **sistema de interconexión bursátil, SIB** (stock exchange networking or link-up), **sistema de intradía** (intraday system), **Sistema de la Reserva Federal** (Federal Reserve System, Fed), **sistema de megafonía o altavoces** (public address system), **sistema de órdenes de trabajo** (job-order system), **sistema de planificación** (MAN planning, programming and budgeting system, PPBS; S. *programación y presupuestación*), **sistema de presentación de informes** (reporting system), **sistema de presentación de datos** (data display system), **sistema de primas de incentivos** (IND REL incentive scheme, bonus scheme), **sistema de primas aceleradas** (IND REL accelerating premium pay), **sistema de reintegro** (draw-back system; S. *tráfico de perfeccionamiento activo*), **sistema de reservas proporcional al pasivo bancario** (BKG fractional banking), **sistema de tipos flotantes/flexibles/fluctuantes** (FIN floating/flexible/fluctuating exchange rate system), **sistema de tipos de interés basados en una cesta de empréstitos pendientes** (pool-based lending rate system), **sistema de transacción de valores por subasta competitiva** (STK EXCH auction system of trading), **sistema dinámico** (ECO dynamic system), **sistema, el** (The System, the Establishment, the powers that be; S. *los poderes fácticos*), **sistema escalonado de amortización de activos** (ACCTS asset depreciation range system *US*), **sistema europeo de cambio** (European exchange system), **sistema financiero** (financial system), **sistema** fiscal/impositivo/tributario (tax system, taxation), **sistema fiscal de estímulo a la inversión** (TRIB incentive taxation), **sistema intradía** (STK EXCH intradia system, day-to-day/same-day), **sistema laboral con horarios flexibles** (flexitime), **sistema monetario** (monetary system), **sistema monetario europeo, SME** (European Monetary System, EMS; S. *serpiente monetaria europea*), **sistema operativo reactivo** (STK & COMMOD EXCH reactive trading system), **sistema patrón oro** (gold currency standard), **sistema salarial doble** (IND REL dual pay system), **sistemas de entrega justo a tiempo** (just-in-time delivery systems), **sistemático** (systematic), **sistematizar** (systematize)].

sitio *n*: location, place,[1] site, spot; room, space; S. *plaza*.

situación *n*: situation, position,[2] state of affairs; positioning. [Exp: **situación al cierre del ejercicio** (ACCTS year-end position), **situación/tendencia/ambiente alcista** (STK EXCH bullishness; S. *optimismo*), **situación contable** (ACCTS financial position; book position; balance sheet and schedules), **situación contable pormenorizada** (ACCTS detailed accounts), **situación de bloqueo o sin salida** (no-go situation *col*; S. *punto muerto*), **situación de caja global** (consolidated cash position), **situación de efectivo** (FIN cash position *US*; S. *posición de contado, posición de liquidez*), **situación de endeudamiento** (debt position; state of indebtedness), **situación de las reservas** (reserve position; S. *posición de reservas*), **situación de quiebra, en** (technically bankrupt; S. *concursado, fallido, quebrado*), **situación de quiebra técnica** (receivership; S. *suspensión de pagos*), **situación financiera de una empresa** (finacial situation of a company),

situación imposible (no-win situation *col*; S. *callejón sin salida*), **situación precaria o de gran inestabilidad** (precarious position/situation, delicate position, shaky footing *col*), **situación privilegiada o prioritaria** (privileged position, position of priority)].

situar *v*: situate, place,[1] set up; S. *colocar, emplazar, poner*. [Exp: **situarse** (IND REL find a good job/position)].

SL *n*: S. *sociedad limitada*.

SME *n*: S. *sistema monetario europeo*.

sobornar *v*: bribe, buy over/off, sweeten *col*; LAW suborn; S. *cohechar*. [Exp: **soborno** (bribe, bribery, sweetener *col*; backhander *col*; LAW bribery and corruption; S. *propina, astilla*), **soborno político** (graft[1]; S. *cohecho*)].

sobrante *a/n*: redundant; spare, to spare; surplus to requirements; excess, surplus, margin,[2] S. *redundante, excedente*. [Exp: **sobrantes** (leftovers; remainder, remaindered items; S. *excedentes*)].

sobre[1] *prep*: over, above; on; about. [Exp: **sobre**[2] (envelope, mailshot; S. *envío*), **sobre comercial** (commercial envelope), **sobre con ventanilla** (window envelope), **sobre, el** (wage/pay packet; S. *paga*), **sobre el precio de emisión** (STK EXCH above issue price), **sobre franqueado** (stamped envelope), **sobre franqueado con la dirección del remitente** (stamped addressed envelope), **sobre lacrado, en** (sealed; S. *lacrado, precintado*), **sobre muelle** (TRANSPT free on quay), **sobre sin cerrar** (unsealed envelope), **sobre vagón** (TRANSPT free on truck, FOT)].

sobre- *pref*: over, super. [Exp: **sobreahorro** (oversaving), **sobreasignación** (overallocation), **sobrecapacidad** (overcapacity, redundant capacity, surplus capacity), **sobrecapitalización** (overinvestment), **sobrecapitalizado** (overcapitalized), **sobrecarga** (extra load, overload, excess weight/baggage; surcharge, after costs; S. *costes extraordinarios*), **sobrecargar** (surcharge; overload, overburden; overstretch; S. *recargar*), **sobrecargo**[1] **[de un avión o barco]** (TRANSPT purser; chief steward; **sobrecargo**[2] (FIN carrying charges[2]; S. *recargo*), capacity), **sobrecomprado** (overbought), **sobrecontratación [hotelera]** (overbooking), **sobrecontratar** (overbook; S. *contratar/reservar con exceso*), **sobrecubierta**[1] (TRANSPT upper deck), **sobrecubierta**[2] (book jacket, dust cover), **sobredimensionado** (MAN, FIN bloated, swollen, overdeveloped; oversized; outsize, inefficient; overmanned; top-heavy; S. *hinchado, ineficiente, desproporcionado*), **sobredimensionamiento** (FIN, MAN unwieldiness; overdevelopment; overmanning, topheaviness), **sobreempleo** (over-employment), **sobreendeudamiento** (debt overhang), **sobrefacturar** (overcharge), **sobregirar** (BKG overdraw; S. *descubierto*), **sobregiro** (overdraft), **sobreimpuesto empresarial aplicado por acumulación abusiva de beneficios** (TRIB accumulated earnings/profits tax), **sobrepagar** (outbid), **sobrepasar** (exceed; S. *exceder-se*), **sobreprecio** (overpaying), **sobreprima** (INSCE additional premium; extra premium; surcharge; S. *recargo en la prima*), **sobreproducción** (overproduction), **sobrepujar** (outbid, exceed), **sobrepujar para beneficiar al vendedor** (bid in), **sobresalir** (outstand), **sobresaliente** (outstanding), **sobresalto** (scare; S. *asustar, meter miedo, pánico*), **sobreseguro** (overinsurance), **sobrestadía** (TRANSPT demurrage; S. *plancha, tiempo de plancha*), **sobrestimar** (overestimate, overvalue), **sobresueldo** (bonus,[1] supplementary wage/income), **sobretasa** (surcharge, surtax; S. *sobreprima,*

sobrecarga, sobrecargar, recargar, aplicar un recargo), **sobretasa por congestionamiento** (congestion surcharge), **sobrevalorar** (overvalue, overrate), **sobrevalorar una oferta** (overbid), **sobrevencido** (unsettled, past due, outstanding; S. *sin pagar, atrasado*), **sobrevender** (oversell, overbook)].

socavar *v*: undermine; S. *minar.*

social *a*: social; industrial; corporate. [Exp: **socialización** (socialization, nationalization; S. *estatalizar, nacionalizar*), **socialización de fondos** (pooling; S. *agrupamiento, puesta en común*), **socializar** (socialize)].

sociedad *n*: society; association; COMP LAW firm, company; partnership, S. *agrupación, confederación, asociación, cooperativa.* [Exp: **sociedad administradora o de gestión** (management company, S. *sociedad gestora de fondos*), **sociedad afiliada** (affiliate; S. *empresa filial, sociedad participada*), **sociedad anónima, SA** (public limited company, plc; company,[1] joint-stock company; corporation, incorporated business/company, inc US; public enterprise,[1] aggregate corporation; S. *sociedad mercantil, empresa, compañía*), **sociedad anónima de pocos accionistas** (close corporation/company), **sociedad anónima formada por una sola persona** (sole corporation), **sociedad anónima laboral, SAL** (workers' cooperative), **sociedad anónima que cotiza en Bolsa** (COMP LAW public limited company, plc; incorporated business/company), **sociedad civil** (COMP LAW general partnership), **sociedad colectiva** (partnership, general partnership, trading partnership; S. *sociedad regular colectiva*), **sociedad comanditaria** (commandite; general and limited partnership; co-partnership; S. *en comandita simple*), **sociedad constituida**

mediante cédula real (corporation incorporated by royal charter, chartered society), **sociedad constituida por ley parlamentaria expresa** (statutory company/corporation), **sociedad cooperativa** (cooperative), **sociedad de ahorro y crédito** (savings and loans association), **sociedad de apoyo a la exportación** (export trading company), **sociedad de beneficencia** (charity, charitable organization), **sociedad de Bolsa** (stockbroker company), **sociedad de capital fijo** (fixed capital company), **sociedad de capital riesgo** (venture capital company), **sociedad de capital variable** (open-ended company), **sociedad de cartera** (holding company, portfolio company investment company/trust; S. *sociedad de inversión mobiliaria*), **sociedad de comercio exterior** (trading company), **sociedad de crédito hipotecario** (FIN mortgage bank, building society,[1] building/savings and loan association *US*; S. *sociedad de cooperativa de viviendas*), **sociedad de consumo** (consumer society), **sociedad de contrapartida** (STK EXCH market maker; S. *creador de mercados*), **sociedad de control** (COMP LAW holding company; S. *sociedad de cartera de inversiones, sociedad instrumental*), **sociedad de corretaje** (brokerage firm), **sociedad de crédito comercial** (finance company/corporation/house, industrial/secondary bank; S. *financiera*), **sociedad de crédito hipotecario** (mortgage bank; S. *banco hipotecario o de crédito inmobiliario*), **sociedad de créditos personales** (consumer loan company), **sociedad de fideicomiso** (trust company/corporation), **sociedad de garantía recíproca** (mutual/reciprocal guarantee company), **sociedad de gestión** (management company), **sociedad de gestión de inversiones** (investment management company), **sociedad de inversión mobiliaria** (FIN investment company/trust; S. *sociedad de cartera*), **sociedad de inversión** (investing company), **sociedad de inversión cerrada** (FIN closed-end trust), **sociedad de inversión colectiva** (FIN collective investment company), **sociedad de inversión de capital variable, SICAV** (investment company, security investment firm), **sociedad de inversión inmobiliaria** (real estate investment funds), **sociedad de inversión mobiliaria, SIM** (security investment company), **sociedad de responsabilidad limitada, SRL** (limited liability company; S. *sociedad limitada*), **sociedad de riesgo compartido** (joint venture), **sociedad de seguros mutuos** (provident society; S. *mutua, mutualidad*), **sociedad de socorros mutuos** (friendly society), **sociedad de suscripción directa** (direct writing company), **sociedad de tasación** (valuation agency, firm of valuers), **sociedad de valores** (dealers, brokering company), **sociedad emisora/prestataria** (borrowing company), **sociedad en comandita** (limited partnership, general and limited partnership), **sociedad extranjera** (foreign company), **sociedad filial** (subsidiary, daughter company, affiliated company, subsidiary; S. *sociedad participada, sociedad matriz*), **sociedad fantasma o simulada** (dummy corporation, bogus firm, shell company), **sociedad financiera** (finance company/corporation/house, credit company), **sociedad fraudulenta** (bubble company), **sociedad general de inversiones** (investment management firm or trust, investment company), **sociedad gestora** (management/acting company), **sociedad gestora de bolsas de valores** (stock exchange managing company), **sociedad**

gestora de carteras (portfolio managing company), **sociedad gestora de fondos** (fund management company), **sociedad hipotecaria** (home loans association, mortgage company), **sociedad hipotecaria agrícola** (agricultural mortgage corporation), **sociedad iceberg** (iceberg company *US*), **sociedad inmobiliaria** (property company), **sociedad inscrita en el registro mercantil** (registered company/corporation), **sociedad instrumental** (holding company; S. *sociedad de control, sociedad de cartera de inversiones*), **sociedad instrumental de agentes** (stockbroker's firm, firm of brokers, brokerage firm), **sociedad interpuesta** (nominee, nominee company; conduit company, dummy corporation; parking deal; S. *persona interpuesta*), **sociedad inversora con restricciones o sin libertad de acción** (fixed trust), **sociedad inversora sin restricción de colocaciones** (management trust), **sociedad limitada, SL** (private limited company; S. *sociedad de responsabilidad limitada*), **sociedad matriz, tenedora, controladora o principal** (parent company/corporation, holding/controlling company, S. *sociedad participada*), **sociedad mediadora en el mercado de dinero** (discount house, dealer, money market dealer), **sociedad mercantil** (corporation, company,[1] firm[2]; trading corporation; S. *empresa, compañía, sociedad anónima*), **sociedad mercantil especializada en inversión inmobiliaria** (property investment company, real estate investment trust, REIT *US*), **sociedad mercantil que no cotiza en Bolsa** (unlisted/unquoted company, private company), **sociedad multinacional** (multinational corporation), **sociedad mutua** (mutual corporation), **sociedad no inscrita en el registro oficial** (unincorporated association, non-registered company), **sociedad opulenta** (affluent society), **sociedad participada** (partly-owned subsidiary, investee company, affiliated/associate company; S. *sociedad instrumental*), **sociedad particular** (private company/corporation), **sociedad personal** (general partnership), **sociedad personal/personalista de responsabilidad limitada** (limited partnership; S. *sociedad en comandita*), **sociedad por acciones** (stock-holding company), **sociedad privada con intervención pública** (quasi-public corporation; S. *persona privada de derecho público*), **sociedad pública** (public company/corporation), **sociedad rectora de la Bolsa** (Stock Exchange Council), **sociedad regular colectiva** (general partnership), **sociedad tenedora** (holding company, proprietary company, pty), **sociedades y fondos de inversión inmobiliaria** (property investment and portfolio management companies, property and investment trusts)].

socio *n*: member; associate; partner; S. *afiliado, miembro, accionista, vocal, integrante, partícipe*. [Exp: **socio activo** (active/working partner), **socio capitalista** (sleeping/silent partner), **socio colectivo** (general partner), **socio comanditario** (limited liability partner), **socio comanditario activo** (active partner in a general and limited partnership), **socio comanditario, inactivo, secreto o capitalista** (dormant/special/secret/silent/sleeping partner), **socio comercial** (trade partner), **socio con sueldo** (salaried partner), **socio empresarial** (business associate), **socio fundador** (founding partner, founder member, charter member), **socio gestor** (managing partner), **socio industrial** (industrial partner), **socio principal** (senior partner)].

socioeconómico *a*: socioeconomic.

socorro *n*: aid; relief; S. *ayuda, subsidio.*

SOIVRE *n*: S. *Servicio Oficial de Inspección, Vigilancia y Regulación de las Exportaciones.*

solapa *n*: flap; book jacket or dust cover, shield, cover, pretext; S. *protección, pretexto.* [Exp: **solapar** (cover up, conceal, cloak, keep secret), **solaparse** (overlap; lie concealed, be covered/hidden), **solapamiento** (overlapping, cover, shield; concealment; S. *encubrimiento*), **solapamiento/encubrimiento fraudulento de asientos contables** (ACCTS lapping; window-dressing, doctoring the accounts, concealing entries; S. *desfalco mediante ingeniería contable*)].

solar *n*: site, lot,² building ground/land/plot; S. *parcela.* [Exp: **solar en construcción** (building site, site under construction)].

solicitante *n*: applicant, petitioner; S. *ordenante.* [Exp: **solicitante de crédito** (applicant for a loan or credit), **solicitante de crédito solvente** (creditworthy applicant)].

solicitar *v*: request, ask for, apply for, call for, seek, submit a request or application; canvas [for]; S. *pedir, instar.* [Exp: **solicitar el ingreso o el alta en una entidad, sociedad, etc.** (apply for membership), **solicitar el uso de la palabra** (catch the chairperson's eye), **solicitar la adhesión** (apply for admission/membership), **solicitar la participación como expositor en una feria** (COM apply for space at a show/trade fair; S. *inscribirse como expositor*), **solicitar un préstamo** (ask for a loan), **solicitar un puesto de trabajo** (apply for a post/job), **solicitar una consignación presupuestaria** (ACCTS apply for an appropriation)].

solicitud¹ *n*: request, application, call; petition, motion, invitation; S. *petición.* [Exp: **solicitud²** (solicitude, due care, diligence; proper concern), **solicitud de admisión, ingreso o alta** (application for membership), **solicitud de admisión a Bolsa** (application for quotation), **solicitud de compra** (request for a purchase), **solicitud de crédito** (credit application), **solicitud de desembolso de capital** (call for capital, calling-up/-in of capital), **solicitud de empleo** (job application, application for a post/position), **solicitud de indemnización por siniestro** (insurance claim), **solicitud de ofertas o licitaciones** (invitation to treat), **solicitud de pago** (reminder, request for payment; demand note), **solicitud de préstamo** (loan application), **solicitud formal** (INSCE formal request)].

solidaridad *n*: solidarity. [Exp: **solidario** (joint, common, shared; jointly and severally liable; mutually binding, joint and several, solidary), **solidarizarse con/mostrar su adhesión a alguien** (back sb up, support sb, share sb's views, rally round sb; S. *apoyar a alguien*)].

solidez *n*: soundness, solidity, stability; S. *firmeza, estabilidad.* [Exp: **solidez financiera** (financial soundness; S. *solvencia*), **sólido** (solid, sound, firm, strong; FIN aaa, AAA; S. *con fiabilidad, sano*)].

solo *a/adv*: only, alone, exclusively, sole; S. *individual, único, exclusivo.* [Exp: **sólo interés** (interest only, IO), **sólo para abono en cuenta o compensación** (BKG for deposit only, collection-only cheque; S. *sólo para compensación*)].

solución *n*: solution, answer, way out, remedy; S. *salida, arreglo.* [Exp: **solución de recambio** (alternative²; S. *salida*), **solución jurídica** (remedy), **solución provisional** (temporary remedy, stopgap solution)].

solucionador de problemas *n*: IND REL troubleshooter; S. *mediador, conciliador, apagafuegos.*

solucionar *v*: solve, settle,¹ remedy, sort out; find an answer or way out; S.

arreglar. [Exp: **solucionar un conflicto** (settle a matter/an issue/a squabble; S. *apaciguar ánimos*), **solucionar un problema** (solve/sort out a problem), **solucionar una reclamación** (INSCE settle a claim)].

solvencia *n*: solvency; soundness; creditworthiness, credit/financial standing[3]; reliability, trustworthiness, good character; S. *capacidad de pago, solidez*. [Exp: **solvencia económica/financiera** (FIN ability to pay, ability to service; financial soundness/standing; S. *capacidad financiera o de pago*), **solventar** (solve; resolve, settle), **solvente** (solvent, creditworthy; responsible; reliable, honest; reliable informed; S. *responsable, fiable*)].

someter *v*: subject, submit, refer; S. *trasladar, dar traslado a*. [Exp: **someter a ajuste fino** (fine-tune), **someter a arbitraje** (submit/refer to arbitration), **someter a nueva consideración** (review; apply for review/reconsideration; request a second opinion), **someter/poner a prueba** (test; S. *prueba, ensayo, análisis, examen, probar*), **someter a votación una moción** (put a motion/proposal to the vote), **someter un asunto a votación** (take a ballot on sth), **someter una propuesta al consejo de administración** (put a proposal to the board)].

son de mar, a *phr*: TRANSPT ready for sea, seaworthy.

sondear *v*: sound, sound out, take soundings; probe, survey; poll; S. *realizar una encuesta*. [Exp: **sondeo** (survey, poll, polling; probe, enquiry; S. *encuesta*), **sondeo de actitudes** (attitude research/test/survey), **sondeo de la opinión pública** (public poll/opinion survey)].

sopesar *v*: weigh, weigh up, consider, balance[6]; S. *pesar, comparar*. [Exp: **sopesar una y otra cosa** (balance/offset one thing against another; S. *compensar una cosa con otra*)].

soplo *col n*: STK EXCH tip, tip-off; S. *aviso*.

soportar *v*: bear,[4] support, stand, stand up to, withstand, endure, sustain[1]; support; S. *cargar*. [Exp: **soportar/sufrir una pérdida** (bear a loss)].

soporte *n*: support, backing. [Exp: **soporte publicitario** (advertising vehicle)].

sortear[1] *v*: ballot, draw[6]. [Exp: **sortear**[2] (avoid, get round, dodge *col*, overcome), **sortear obstáculos** (get round/overcome difficulties/snags, get over hurdles *col*), **sorteo** (lot,[3] draw[6]), **sorteo entre los suscriptores de acciones** (STK EXCH ballot for shares), **sorteo, por** (by lot, by random draw; S. *por suerte*)].

sostén *n*: support, prop; mainstay. [Exp: **sostener**[1] (back, back up,[1] support, sustain, uphold, endorse, second, stand behind; shore up; S. *apoyar, avalar, respaldar*), **sostener**[2] (claim, hold,[2] uphold, sustain, maintain; S. *considerar, defender, estimar, mantener*), **sostener los precios** (support the price), **sostener una moneda** (support a currency), **sostenible** (sustainable), **sostenido** (steady; unwavering, constant; sustained, continuous; S. *constante, estable*), **sostenimiento** (maintenance, support, sustenance; S. *mantenimiento*), **sostenimiento de los precios** (price maintenance/support)].

spread *n*: STK & COMMOD EXCH S. *diferencial*. [Exp: **spread temporal** (time spread; S. *intraspread*)].

stock *n*: stock[1]; S. *existencias*. [Exp: **stock amortiguador** (buffer stock; S. *fondo de regulación*)].

stop móvil *n*: STK & COMMOD EXCH trailing stop.

straddle *n*: S. *cobertura a horcajadas*.

suavizar *v*: relax, soften, ease[1]; water down; S. *diluir, relajar*.

sub- *pref*: sub-, under-[2]; deputy; S. *infra, vice*. [Exp: **subagente** (underagent), **subalterno** (auxiliary, subordinate; S.

dependiente), **subarrendar** (sublet, sublease, underlease), **subarrendador** (sublessor), **subarrendamiento** (underlease, sublease, subletting[1]), **subarrendatario** (sublessee, subtenant), **subarriendo** (sub-lease; underlease, subtenancy), **subcapitalizar** (undercapitalize), **subcontingente** (subquota), **subcontratación, subcontrato** (subcontractor), **subcontratación de servicios propios** (outsourcing; S. *externalización empresarial*) **subcontratar** (subcontract; put work out to contract), **subcontratista** (subcontractor), **subdesarrollado** (underdeveloped, backward[1]; less developed, developing; S. *regresivo, atrasado, retrasado*), **subdesarrollo** (underdevelopment), **subdirector** (assistant manager, deputy director; S. *director adjunto*), **subdivisión** (subdivision), **subempleado** (underemployed), **subempleo** (underemployment), **subestimación** (undervaluation), **subestimar** (underestimate, undervalue, underrate, underrate, understate[1]), **subinquilino** (subtenant), **subinversión** (underinvestment), **subocupación** (underemployment), **subordinado** (subordinate, junior, jnr, jr; secondary; S. *secundario*), **subproducto** (by-product; spin-off[1]; S. *producto secundario*), **subrogación** (BKG, FIN, INSCE, LAW subrogation, substitution; novation), **subrogar** (subrogate, substitute), **subscribir** (subscribe, sign, agree to, ratify; underwrite; take an option on), **subsecretario** (undersecretary), **subsidiariedad** (subsidiarity), **subsidiario** (subsidiary, collateral, accessory; vicarious; S. *accesorio*), **subsidio** (FIN subsidy, aid, grant, benefit, aid, relief[1]; S. *subvención, plus*), **subsidio/prima/plus de carestía de vida** (cost-of-living allowance/bonus/plus; dearness al-lowance), **subsidio de desempleo** (dole, unemployment benefit/compensation, unemployment relief), **subsidio de enfermedad** (sick pay, sick/sickness benefit/pay), **subsidio de instalación** (settling-in grant), **subsidio de la seguridad social** (social security benefit), **subsidio de paro** (unemployment benefit, the dole), **subsidio de vejez** (old-age pension), **subsidio de viudedad** (widow's benefit), **subsidio estatal** (government annuity), **subsidio familiar** (dependency allowance), **subsidio para gastos de entierro** (death grant), **subsidio por alquiler** (rent rebate), **subsidio por cada hijo** (child's benefit), **subsidio por carestía de la vida** (dearness allowance), **subsidio por incapacidad laboral** (disability income), **subsidio por reasentamiento o reinstalación** (resettlement grant), **subsidio por traslado** (relocation grant), **subsistencia** (subsistence; keep[1]; S. *manutención*), **subtítulo** (subheading), **subvaluar** (undervalue, underestatimate, underrate), **subvención** (subsidy), **subvenir** (aid, subsidize; help meet or defray, pay/provide for; S. *ayudar*), **subyacente** (underlying, hidden;. S. *oculto, cubierto; activo subyacente*), **subyacer** (underlie; S. *estar en el fondo*)].

subasta *n*: auction; competitive bidding; S. *remate*. [Exp: **subasta a la baja, holandesa o china** (Dutch/Chinese auction; S. *subasta holandesa o china*), **subasta de deuda pública** (auctioning of Treasury bonds/bills), **subasta de letras del Tesoro** (Treasury Bill Tender), **subasta de pagarés** (commercial paper auction), **subasta de préstamos de regulación monetaria** (monetary regulation loans auctions), **subasta holandesa** (Dutch auction), **subastador** (auctioneer, auction broker

US), **subastar** (auction, put sth up for auction; S. *rematar*), **subastarse** (come up for auction, fall under the hammer *col*)].

súbdito *n*: subject,[1] national; S. *ciudadano*.

subida *n*: rise,[1] raise *US*, increase, ascent, advance, raising, gain; S. *alza, aumento, elevación*. [Exp: **subida de precios** (increase in price, price rise/hike *col*), **subida de sueldo** (pay increase/rise/raise *US*), **subida de una moneda** (appreciation of a currency), **subida espectacular/rápida** (STK EXCH jump, rally[2]), **subir** (rise[1]; go up; increase, soar, climb, go up; progress, gain,[2] raise, put up, bump up *col*; put on; S. *aumentar, ascender*), **subir en espiral** (spiral), **subir gradualmente/lentamente** (edge forward/upwards/ahead; S. *avanzar lentamente, progresar poco a poco*), **subir los precios** (raise/increase/put up prices, mark up prices), **subir rápidamente, subirse por las nubes** (rocket, soar, jump; shoot up; skyrocket; S. *dispararse*), **subirse al carro** (jump on the bandwagon)].

subsidio *n*: subsidy, aid, grant, relief; benefit, dole *col*; S. *subvención, plus*. [Exp: **subsidio/prima/plus de carestía de vida** (cost-of-living allowance/bonus, weighting allowance), **subsidio de desempleo** (dole, unemployment benefit), **subsidio de instalación** (settling-in grant), **subsidio de la seguridad social** (social security benefit), **subsidio de vejez** (old-age pension), **subsidio de viudedad** (widow's benefit), **subsidio estatal** (government subsidy/grant), **subsidio familiar** (allowance for dependent relatives; family allowance), **subsidio para gastos de entierro** (death grant), **subsidio por alquiler** (rent rebate), **subsidio por cada hijo** (child's benefit, family allowance), **subsidio por incapacidad laboral** (disability allowance), **subsidio por reasentamiento o reintalación** (resettlement grant), **subsidio por traslado** (relocation gratn)].

subvención *n*: grant, grant-in-aid, subsidy, bounty, subvention, support; S. *ayuda estatal; precio de subvención*. [Exp: **subvención a fondo perdido** (outright grant), **subvención a la exportación** (export subsidy), **subvención, con** (grant-aided; S. *subvencionado*), **subvención de las tasas/tipos de interés** (interest rate relief), **subvención del gobierno central a los ayuntamientos** (rate support grant, rate-deficiency grant, grants from the central government), **subvención global** (block grant), **subvencionado** (grant-aided; S. *con subvención*), **subvencionado por el Estado** (state-subsidized), **subvencionar** (subsidize)].

sucesión[1] *n*: LAW inheritance; estate; S. *herencia*. [Exp: **sucesión**[2] (succession, chain, sequence, series; S. *serie*), **sucesión aritmética** (arithmetic sequence), **sucesivo** (successive, consecutive, following; S. *seguido, consecutivo*)].

sucursal *n*: branch, branch office/store, branch house *US*; dependency. [Exp: **sucursal de banco** (bank branch), **sucursal de una cadena** (branch of a chain store)].

sueldo *n*: IND REL pay, salary, wage, wages; allowance; S. *retribución; salario, remuneración*. [Exp: **sueldo base** (base pay, basic salary), **sueldo bruto** (gross salary), **sueldo inicial** (IND REL starting salary), **sueldo más participación en beneficios** (IND REL salary plus profit share), **sueldo mensual** (monthly pay/salary/allowance; S. *mensualidad*), **sueldo neto** (net salary), **sueldo vinculado al rendimiento** (IND REL performance-related pay), **sueldos del mercado** (IND REL market pay/wage/rate[2]; S. *tarifa del mercado*)].

suelo[1] *n*; ground, land, plot of land; soil; S. *tierra*. [Exp: **suelo**[2] (FIN floor[3]; S. *mínimo, límite/banda inferior*), **suelo doble** (double floor; S. *doble valle*), **suelo urbanizable** (building land, development land)].

suelto[1] *a*: loose; free; in bulk; broken; S. *sin atar, a granel sin envase*. [Exp: **suelto**[2] *col* (small/loose change, change; S. *cambio,*[6] *calderilla*)].

suficiencia *n*: sufficiency, adequacy; IND REL suitability, competence, aptness, fitness; S. *aceptabilidad, idoneidad*. [Exp: **suficiencia/adecuación de capitals** (BKG capital adequacy), **suficiente** (sufficient, adequate, reasonable, full; S. *satisfactorio, indicado, pertinente*)].

sufragar *v*: defray, meet, pay for, cover, provide for; S. *hacer frente a, pagar, correr con*.

sufrir *v*: suffer, undergo, stand, sustain[1]; S. *soportar, experimentar*. [Exp: **sufrir/ experimentar una pérdida** (incur/ sustain a loss), **sufrir fuertes pérdidas como consecuencia de una especulación** (FIN come a cropper *col*; take a bath *US col*, burn one's fingers *col*), **sufrir un revés** (suffer a setback, come a cropper *col*; take a bath *US*; S. *darse un porrazo*), **sufrir/dar un traspié** (STK EXCH, COM, FIN suffer a setback, burn one's fingers *col*; come a cropper *col*)].

sujetar *v*: fasten, tie up; S. *cerrar, abrochar*. [Exp: **sujetar con correas** (strap,[1] strap in, strap down), **sujetar los precios** (keep/hold down prices, keep prices pinned down)].

sujeto *a/n*: bound; subject,[1] citizen, individual; S. *atado; ciudadano*. [Exp: **sujeto a** (subject to, liable to; S. *dentro de*), **sujeto a aprobación** (subject to approval; S. *pendiente de aprobación*), **sujeto a contrato** (subject to contract; S. *previo contrato*), **sujeto a[l pago de]**

derechos/impuestos (dutiable, taxable, liable to/for duty/tax; S. *gravable, imponible*), **sujeto a, estar** (come under, be liable to/for; S. *estar comprendido en*), **sujeto a impuesto** (taxable), **sujeto a prescripción** (time-barred; LAW statute-barred), **sujeto activo [del impuesto]** (tax collector), **sujeto al pago de derechos, no** (non-dutiable; S. *no gravable*), **sujeto pasivo** (taxpayer; S. *contribuyente*), **sujetos de la acción** (parties to the suit; S. *litigantes*)].

suma *n*: sum, total; addition; adding up; S. *adición*. [Exp: **suma anterior** (ACCTS [amount] brought forward/down), **suma cruzada u horizontal** (crossfoot), **suma global** (inclusive sum, overall figure), **suma global básica** (basic aggregate), **suma horizontal** (cross add), **suma total** (ACCTS total, total sum, final total/figure; S. *cifra global*), **suma y sigue** (balance/ amount brought/carried forward, carried down/forward/over; forwarding[2]; S. *saldo a cuenta nueva*), **sumas/cuentas por cobrar** (ACCTS accounts receivable, AR; S. *clientes*), **sumar** (add up, total, tot up *col*; come to; S. *cuadrar*), **sumarse a** (join; S. *adherirse a*)].

sumario *a/n*: summary, in summary form; brief, concise; summary, digest, record; LAW process, case for the prosecution, basis of charge, indictment, examining magistrate's findings forming the basis of the prosecution; summary,[1] digest, record[1]; S. *resumen; acusación*.

suministrar *v*: supply, provide,[2] purvey; S. *abastecer, facilitar*. [Exp: **suministrador** (supplier, purveyor; S. *proveedor*), **suministro-s**[1] (ration; supplies; S. *ración, aprovisionamiento*), **suministro**[2] (delivery[1]; S. *distribución, reparto*), **suministro de repuestos** (supply of spare parts)].

supeditar *v*: subordinate, rank/place below, make conditional/dependent on. [Exp:

supeditado a (subject to; S. *dentro de, sujeto a, sometido a*)].

super- *pref*: super, ultra; S. *muy, ultra-*. [Exp: **super** (S. *gasolina super*), **superabundancia** (superabundance; glut; S. *saturación, exceso*), **super-descuento** (hard discount), **superintendencia** (supervision; S. *supervisión*), **supermercado** (supermarket), **supermoderno** (new-look, bang up to date *col*; dead mod *col*, ultra modern), **superpetrolero** (supertanker), **supervisar** (supervisar, superintend; S. *vigilar, controlar*), **supervisión** (supervision), **supervisor** (supervisor, superintendent; S. *responsable, vigilante*)].

superar *v*: surpass, outdo, excel, beat, top; surmount; S. *vencer, batir; remontar*. [Exp: **superarse** (excel oneself, surpass expectations)].

superávit *n*: ACCTS surplus, active balance, acquired surplus. [Exp: **superávit acumulado** (accumulated surplus), **superávit de la balanza de pagos por cuenta corriente** (surplus on current account), **superávit de operación** (current surplus), **superávit disponible o no comprometido** (uncommitted surplus), **superávit en libros** (book surplus), **superávit no aplicado/repartido** (unappropriated/undistributed surplus), **superávit para fondos de reservas** (surplus for reserves), **superávit por evaluación** (revaluation surplus; S. *excedente*), **superávit presupuestario** (budget surplus)].

superficie *n*: surface, space; S. *grandes superficies*. [Exp: **superficie útil** (floor space)].

superfluo *a*: superfluous, redundant, needless, surplus to requirements; S. *redundante, innecesario*.

superior *a/n*: superior, senior, upper, paramount, high, higher, better, fine,[1] top; superior, senior officer/official, person of senior or higher rank; S. *elevado, máximo; jefe*. [Exp: **superior al 10 por cien** (double figures; S. *de dos cifras*)].

supervisar *v*: supervise. [Exp: **supervision** (supervision), **supervisor** (superintendent)].

suplementar *v*: supplement; S. *suplemento, completar*. [Exp:

suplementario *a*: additional, supplementary, extra; S. *adicional, secundario*. [Exp: **suplemento** (supplement, extra charge,[1] excess fare), **suplemento de ajuste de tarifas** (bridge supplement), **suplemento de cobertura** (STK & COMMOD EXCH additional cover/margin, remargining US; S. *reposición en la cuenta de depósito*), **suplemento personal** (IND REL personal allowance[2]; individual bonus), **suplemento por el servicio** (service charge[1]), **suplemento por necesidades personales** (personal needs allowance)].

suplente *n*: substitute, deputy; reserve, stand-by/standby; acting; S. *sustituto, de repuesto*.

súplica *n*: request, entreaty; LAW petition, plea; appeal against an interlocutory order.

súplicas de, a *phr*: at the request of, on/upon application of; S. *a instancias de*.

suplir[1] *v*: provide, supply. [Exp: **suplir**[2] (substitute, stand in, replace; S. *sustituir*), **suplir a alguien en un cargo** (perform the office of; S. *hacer las veces de alguien, ocupar el cargo de*)].

supra- *pref*: supra-. [Exp: **supranacional** (supranational), **supraseguro** (over-insurance)].

supresión *n*: removal,[1] deletion; abolition, termination; abatement; withdrawal[2]; S. *borradura, tachadura*. [Exp: **supresión de puestos de trabajo** (labour retrenchment; S. *recorte de plantilla*), **supresión del subsidio o de las**

prestaciones sociales (withdrawal of benefits)].

suprimir *v*: suppress; delete; cancel, withdraw, cut out; lift, abolish; S. *quitar*. [Exp: **suprimir barreras arancelarias** (lift trade barriers; S. *imponer barreras arancelarias*), **suprimir controles** (remove controls, deregulate; S. *liberalizar*), **suprimir de la lista oficial de valores de la Bolsa** (STK EXCH delist), **suprimir la regulación legislativa** (deregulate; S. *desregular, liberalizar*)].

surtido *n*: assortment, range,[1] supply, stock, selection; choice; S. *abanico, gama, selección*. [Exp: **surtido básico** (basic range/stock/assortment)].

surtir *v*: furnish, supply; provide; stock[1]; S. *proveer, proporcionar*. [Exp: **surtir efecto** (take effect; have/produce an effect or the desired effect, work; S. *entrar en vigor, producir efectos*)].

susceptible a *a*: sensitive to. [Exp: **susceptible a los cambios de precio** (price-sensitive), **susceptible de** (capable of; liable to)].

suscitar *v*: raise,[2] cause, arouse, stir up; ; S. *presentar, plantear*. [Exp: **suscitar dificultades/conflictos** (raise difficulties, stir up troubles)].

suscribir[1] *v*: subscribe, subscribe to/for, sign,[1] endorse, affix a signature, undersign. [Exp: **subscribir**[2] (STK EXCH underwrite; take out; S. *asegurar*), **suscribir acciones** (FIN take up/subscribe shares; underwrite a share issue), **suscribir obligaciones** (underwrite bonds), **suscribir operaciones en mercados** (STK & COMMOD EXCH make a market, deal on the Stock Exchange, write/write out trades *US*), **suscribir/ concertar/celebrar/firmar un acuerdo/ pacto/contrato** (enter into/conclude/ sign/an agreement/a contract), **suscribir un empréstitito, capital, acciones, etc.** (subscribe a loan, capital, shares, etc), **suscribir un tratado** (ratify a treaty),

suscribir una emisión (underwrite an issue), **suscripción**[1] (subscription; S. *abono; comisión de suscripción*), **suscripción**[2] (FIN, INSCE underwriting; S. *colocación de una emisión*), **suscripción de acciones** (application for/taking up of shares), **suscripción de riesgos** (underwriting perfomance; S. *capacidad de aseguramiento*), **suscriptor**[1] (subscriber; S. *abonado*), **subscriptor**[2] (underwriter, allottee; S. *partícipe en un reparto*), **suscrito** (undersigned; S. *abajo firmante, infrascrito*)].

susodicho *n*: LAW above-mentioned.

suspender *v*: suspend, adjourn, postpone, defer, cancel, discontinue; ban; S. *diferir, dejar en suspenso*. [Exp: **suspender los negocios** (suspend business), **suspender pagos** (LAW, FIN go into temporary receivership), **suspender temporalmente la actividad de una cuenta** (BKG block/freeze an account; flag an account *US*; S. *marcar/vigilar una cuenta*), **suspender una garantía** (release a guaranty *US*), **suspender una reunión** (cancel/postpone a meeting)].

suspensión *n*: suspension, stopping, stoppage, adjournment, postponement, deferral; ban, stay, respite; S. *aplazamiento*. [Exp: **suspensión de empleo y sueldo** (IND REL disciplinary layoff), **suspensión de exportaciones/importaciones** (discontinuance of exports/ imports), **suspensión de pagos** (LAW, FIN temporary receivership; voluntary reorganization of bankruptcy *US*; administration/control under Chapter 11 *US*; S. *administración judicial; entrar en suspensión de pagos*)].

sustentar *v*: sustain,[2] hold, uphold, maintain; S. *sostener, mantener*. [Exp: **sustento** (sustenance; support, maintenance; livelihood)].

sustitución *n*: substitution, surrogacy, replacement[1]; S. *reposición, renovación,* *reemplazo*. [Exp: **sustitución de, en** (as proxy for), **sustituir** (substitute, replace, stand in for, take over from; deputize for; S. *cambiar, reponer, reemplazar*), **sustitutivo** (ECO substitute), **sustituto** (substitute, replacement; deputy, dep; S. *suplente*), **sustitutorio** (substitute, vicarious, surrogate)].

sustracción *n*: subtraction, deduction; removal; theft, embezzlement. [Exp: **sustracción de fondos bancarios** (abstraction of bank funds), **sustraer** (subtract; deduct, take away, remove; S. *restar, quitar*), **sustraer dinero** (steal/ embezzle money; S. *hurtar, desfalcar, malversar*), **sustraerse a las normas** (evade/get round/dodge *col* rules), **sustraerse a sus responsabilidades** (elude/evade/dodge *col*/shirtk *col* one's duties/responsibilities/liabilities)].

sutil *a*: fine[1]; S. *refinado*.

swap *n*: S. *permuta financiera*.

T

tabla *n*: table, chart, scale, schedule; S. *escala, cuadro, plan; tasa.* [Exp: **tabla agregada o conjunta** (aggregate table), **tabla de amortización [fija]** ([fixed] amortization schedule), **tabla de comisiones y gastos en las transferencias cablegráficas** (BKG cable rates), **tabla de conmutación** (INSCE commutation colums), **tabla de contabilización** (ACCTS accounting table), **tabla de contingencia** (contingency table), **tabla de demanda** (demand schedule), **tabla de descuentos** (scale of discount), **tabla de entradas y salidas** (ECO input-output table, IOT; S. *tabla intersectorial*), **tabla de escalas** (range table), **tabla de experiencia de mortalidad** (INSCE experience table of mortality), **tabla de frecuencias** (frequency table), **tabla de funciones** (function table), **tabla de logaritmos** (log tables), **tabla de máximos o de plenos** (INSCE table of limits), **tabla/tasa de mortalidad** (mortality table/rate, actuarial tables, life rate), **tabla de mortalidad/divorcios, etc. por edades** (age-specific death/divorce, etc. rate), **tabla de natalidad** (birth table), **tabla de personal** (staffing table), **tabla de retenciones** (TAXN scale/table of deductions), **tabla intersectorial** (ECO input-output table, IOT; S. *tabla de entradas y salidas*), **tabla salarial** (wage scale), **tablas actuariales** (INSCE actuarial tables), **tablas estadísticas** (statistical tables)].

tablero *n*: panel, board. [Exp: **tablero de control o de distribución** (switchboard, control panel), **tablero de diseño o de dibujo** (ADVTG drafting board)].

tablón *n*: board[3]. [Exp: **tablón de anuncios** (notice/bulletin board)].

tabulación *n*: tabulation. [Exp: **tabulación de entradas múltiples** (ACCTS cross-tabulation), **tabular** (tabulate; set out; in tabular form)].

TAC *n*: V. *total autorizado de capturas.*

tacaño *a*: mean, miserly, stingy *col*; penny-pinching *col*; S. *agarrado.*

tacha *n*: disqualification; defect, fault; S. *inhabilitación, descalificación.* [Exp: **tacha, sin** (clean; S. *limpio*), **tachadura** (deletion, erasure, obliteration; S. *supresión, borradura*), **tachar** (cross out/off, scratch, scratch off/out), **tachar a alguien de** (label sb as, charge sb with being; S. *etiquetar a alguien*)].

taco *n*: peg; pad, wad. [Exp: **taco de billetes** (wad/roll of banknotes)].

tacógrafo *n*: TRANSPT tachograph.

táctica *n*: tactics; S. *técnica*. [Exp: **táctica de presión** (boiler room tactic), **táctica de disuasión de tiburones** (FIN shark repellent), **táctica del tiburón** (STK EXCH greenmail; S. *chantaje, amenaza*), **táctica obstruccionista o del cerrojo** (stonewalling)].

TAE *n*: S. *tasa anual equivalente, tipo anual efectivo*.

tajada *col n*: cut *col*; skin *col*; rake-off *col*; backhander *col*; kickback *US*; S. *soborno, mordida*.

tal *a/pron*: such. [Exp: **tal como se notificó/comunicó en su momento** (as per advice), **tal como se ve, tal cual** (COM as it is, as it stands; as is *US*; S. *en el estado en que se encuentra*)].

talento *n*: talent; S. *dote*.

talón *n*: BKG cheque, check⁴ *US*; counterfoil; receipt; S. *cheque, cupón*. [Exp: **talón al portador** (bearer cheque), **talón anulado** (cancelled cheque), **talón bancario** (cashier's cheque, window cheque), **talón conformado** (certified cheque), **talón cruzado** (crossed cheque/ckeck), **talón de caja o de ventanilla** (window cheque), **talón de dividendo** (dividend counterfoil/coupon), **talón de entrega** (TRANSPT delivery order), **talón de intereses** (interest warrant), **talón de renovación de la hoja de cupones** (renewal coupon), **talón del mismo banco** (BKG house cheque), **talón devuelto** (bounced cheque), **talón nominativo** (cheque made out/payable to a named individual), **talón para abono en cuenta** (BKG account-only cheque), **talón sin fondos** (bad/dud *col* cheque), **talonrio de cupones** (coupon sheet), **talonario de cheques** (cheque-book; S. *chequera*)].

talla *n*: COM size; S. *tamaño*. [Exp: **talla corriente** (normal/standard size), **talla grande/pequeña** (large/small size)].

taller *n*: workshop, factory; garage; S. *fábrica*. [Exp: **taller clandestino o de economía sumergida** (bucket shop *col*), **taller de mantenimiento** (workshop), **taller de reparación de automóviles** (garage; repair shop *US*)].

tamaño *n*: size; S. *talla*. [Exp: **tamaño crítico** (critical size), **tamaño de la muestra** (sample size), **tamaño del pedido** (size of order, lot size), **tamaño familiar/económico** (COM economy/family size), **tamaño medio, de** (average-sized, medium-sized), **tamaño medio de la muestra** (average sample size), **tamaño normal** (regular size)].

tambalearse *col n*: ECO be rocked; wobble *col*, hit a wobble *col*; S. *sacudirse*.

tampón *n*: pad, stamp pad.

tanda *n*: IND REL shift²; COM series, batch, set; V. *turno de trabajo; serie*.

tangible *a*: tangible, corporeal, physical¹; S. *corpóreo, físico, material, real*.

tanque *n*: tank, deposit; TRANSPT tanker. [Exp: **tanque de combustible** (TRANSPT bunker; petrol tank; S. *depósito de combustible*)].

tantear *v*: estimate, calculate, guess; put out feelers, get the feel of; weigh up, size up, sound out. [Exp: **tantear precios** (STK EXCH check the market), **tanteo¹** (guesswork; rough calculation, overtures; reconnaissance survey; S. *conjeturas, suposiciones*), **tanteo²** (score; S. *resultado*), **tanteo, al/por** (by trial and error; S. *método de tanteo*), **tanteos compradores/vendedores** (STK EXCH feelers put out by buyers/sellers, attempts by buyers/sellers to gauge/sound out the market)].

tanto *a/adv/n*: so much, as much; given amount, agreed sume/price/rate. [Exp: **tanto alzado** (lump sum, flat rate; S. *monto/precio global*), **tanto por ciento** (percentage, rate per cent)].

tapa *n*: cover⁵; S. *portada, cubierta*. [Exp: **tapa de una caja** (TRANSPT, COM flap¹ of

a box/crate; S. *pestaña de un embalaje*),
tapadera *col* (front *col*; cover *col*, cover-
up; S. *encubrimiento, maniobra; operación tapadera*), **tapar** (cover, cover up
[for], conceal, act as a screen/front/cover
for; plug[1]; screen), **tapar los agujeros**
(plug the gaps)].
tapón *n*: plug[1]. [Exp: **taponar** (stop up,
cap, put a cap/stopper on, plug; S. *sellar*),
taponar la salida (FIN plug the drain on
resources/reserves; S. *frenar el goteo/la
sangría de recursos/reservas*)].
taquigrafía *n*: shorthand. [Exp: **taquígrafo**
(shorthand writer/typist, stenographer;
reporter), **taquimecanógrafo** (shorthand
typist)].
taquilla[1] *n*: ticket office/window/counter,
booking office. [Exp: **taquilla[2]** (gate
money; takings; box-office receipts/
proceeds; S. *ingresos por taquilla, caja*),
taquilla de atención al público (booking
office; S. *oficina de reservas*)].
tara[1] *n*: fault, flaw; S. *vicio, defecto*. [Exp:
tara[2] (tare; dead weight,[1] dead weight
capacity; S. *peso muerto de un medio de
transporte*), **tara aduanera** (customs
tare)].
tardanza *n*: delay; S. *retraso, dilación*.
[Exp: **tardar** (take; take long, take a long
time, be late, de delayed; take a long time
over, be slow in/to; S. *retrasar*), **tardar,
a más** (at the latest), **tarde/tardío** (late;
tardy)].
tarea *n*: task, job, assignment[2]; S. *cometido,
misión*.
tarifa *n*: price list, tariff, scale, rate[4]; S.
tasa, arancel, baremo. [Exp: **tarifa a
tanto alzado** (flat rate, all-in rate,
inclusive rate), **tarifa abusiva** (COM
over-pricing, overcharhing, predatory
pricing), **tarifa ad valorem** (ad valorem
tariff), **tarifa base** (basing rate), **tarifa
base calculada desde un determinado
punto geográfico** (basing point rate),
tarifa bloque (block tariff), **tarifa**

combinada (TRANSPT combination rate),
tarifa compensatoria (compensating/
countervailing tariff), **tarifa con
descuento** (TRANSPT reduced fare), **tarifa
común/corriente/normal** (common/
standard tariff, going rate), **tarifa
constante** (straight-line rate), **tarifa de
camión completo** (rate per lorryload),
tarifa de carga (TRANSPT freight rate,
carload rate *US*), **tarifa de carga mixta**
(TRANS mixed carload rate), **tarifa de
escala móvil** (sliding scale tariff), **tarifa
de flete baja** (TRANSPT distress
freight/rate; S. *flete a la baja*), **tarifa de
horas llanura o normal** (TRANSPT
standard rate), **tarifa de horas punta**
(TRANSPT peak fare), **tarifa de horas
valle o de menor tráfico/movimiento/
consumo** (TRANSPT off-peak fare/
rate/tariff; S. *tarifa normal*), **tarifa de
ida** (single ticket), **tarifa de ida y vuelta**
(return ticket, round-trip fare *US*), **tarifa
de primas** (INSCE tariff of premium
rates), **tarifa de temporada baja** (off-
season rate), **tarifa de transporte** (fare),
tarifa del mercado (IND REL market
rate[2]; S. *sueldos del mercado*), **tarifa
diferencial** (TRANSPT differential rate),
tarifa diurna/nocturna (day/night rate),
tarifa exterior Común, TEC (Common
Customs Tariffs, CCT; S. *arancel
aduanero comunitario*), **tarifa familiar
en transporte aéreo** (TRANSPT family
reunion fare), **tarifa fiscal** (tax bill),
tarifa general (INSCE blanket rate),
tarifa general de·carga (TRANSPT all-
commodity rate, all-freight rate), **tarifa
media** (average rate), **tarifa mínima**
(minimum charge/rate), **tarifa oficial**
(official rates), **tarifa para mercancía**
(TRANSPT commodity rate[2]), **tarifa para
paquetes pequeños** (TRANS parcel rate),
tarifa por horas/tiempo (hourly rate,
rate per hour; time rate), **tarifa por
secciones** (TAXN sectional tariff),

tarifa/flete por vagón completo (TRANSPT truckload/carload rate), **tarifa postal** (postage; S. *franqueo*), **tarifa preferente, de preferencia, de favor o preferencial** (preference/preferential tariff/duty), **tarifa proteccionista** (discriminating tariff), **tarifa puente** (bridge rate), **tarifa reducida** (reduced rate/fare; cheap rate), **tarifa reducida por gran facturación** (ADVTG bulk rate), **tarifa única o uniforme** (flat rate), **tarifas portuarias** (port charges/dues/tariffs; S. *derechos de dársena*), **tarifas oficiales** (scheduled charges), **tarifas postales** (postal rates), **tarifas publicitarias** (advertising rates)].

tarifación *n*: INSCE rating[3]; S. *ajuste de primas*. [Exp: **tarifación de seguros** (TAXN insurance rating), **tarifación en bloque** (INSCE en bloc rating), **tarifación retrospectiva de la prima** (INSCE retrospective rating; S. *ajuste retrospectivo de la prima inicial*), **tarifar** (price, fix fares/rates), **tarifario** (rate[4])].

tarjeta *n*: card, pass; S. *permiso, pase, autorización*. [Exp: **tarjeta acreditativa de cuenta corriente** (cheque card), **tarjeta bancaria** (bank card; credit card, debit card), **tarjeta comercial** (business card), **tarjeta de cajero automático** (cash card), **tarjeta de control de entrada/salida** (IND REL time-clock card), **tarjeta de crédito** (BKG credit card, charge card; S. *tarjeta de débito*), **tarjeta de crédito caducada/falsificada** (expired/counterfeit card), **tarjeta de crédito oro** (gold card), **tarjeta de crédito de un comercio** (COM charge card), **tarjeta de débito** (BKG cash card/cashcard, debit card, direct debit card; S. *tarjeta de crédito*), **tarjeta [de débito] inteligente** (smart card), **tarjeta de dinero** (cash card; S. *tarjeta de dinero*), **tarjeta de embarque** (TRANSPT boarding card), **tarjeta de identificación** (identification badge/card), **tarjeta de respuesta comercial** (business reply card), **tarjeta de respuesta comercial con franqueo pagado** (pre-paid reply card, reply-paid card/envelope), **tarjeta de socio** (membership card), **tarjeta de tiempo de trabajo** (job time ticket), **tarjeta llavero** (key card), **tarjeta telefónica** (phone card), **tarjeta verde** (INSCE green card)].

tasa-s *n*: rate[4]; fee, charge, duty, levy; excise duty/tax; customs duties; S. *tarifa; coeficiente*. [Exp: **tasa adicional** (extra charge; S. *sobretasa*), **tasa aduanera diferencial** (TRANSPT discriminating duty, differential duty, preferential duty), **tasa ajustada** (adjusted rate), **tasa anual** (annual rate), **tasa anual acumulativa** (cumulative/accrued annual rate; S. *crecimiento acumulado*), **tasa anual compuesta** (compound annual rate), **tasa anual equivalente, TAE** (BKG annual percentage rate, APR; equivalent annual rate of interest, effective annual rate of interest), **tasa bancaria** (bank rate; base rate[1], minimum lending rate; S. *tipo de interés bancario básico*), **tasa bruta de ahorro interior** (gross domestic savings ratio), **tasa bruta de inversión fija** (gross fixed investment ratio), **tasa de absentismo/ausentismo** (IND REL rate of absenteeism, absence rate; S. *absentismo laboral*), **tasa de aceptación** (acceptance rate), **tasa de accidentes** (INSCE accident rate), **tasa de actividad** (IND REL activity/participation rate, participation rate, labor force participation rate, labor force penetration *US*), **tasa de actualización de equilibrio** (crossover discount rate), **tasa de ahorro** (rate of savings), **tasa de amortización** (ACCTS depreciation rate, amortization quota, rate of depreciation), **tasa de apalancamiento de los beneficios** (income-gearing ratio), **tasa de beneficio** (profit rate), **tasa de beneficio bruto** (gross profit rate, gross margin), **tasa de beneficios empresariales** (company's earning rate), **tasa/tipo de cambio** (rate of exchange; S. *cotización de divisas, cambio*), **tasa/tipo de cambio múltiple** (multiple rate of exchange), **tasa de cambio vigente, corriente o de mercado** (FIN going rate), **tasa de capitación** (TAXN capitation fee; charge per head; poll tax), **tasa de capitalización** (FIN capitalization rate), **tasa de cobertura** (COM, FIN cover rate), **tasa de compensación** (clearing rate), **tasa de conversión** (conversion rate), **tasa/ritmo de crecimiento** (rate of growth, growth rate, momentum[1]; S. *ritmo de aceleración*), **tasa de crecimiento económico** (economic growth rate), **tasa de demanda** (ECO demand rate), **tasa de depreciación [media ponderada]** (ACCTS [composite] depreciation rate; S. *tasa de amortización*), **tasa de descuento bancario** (bank discount rate, discount rate, base rate, bank rate; minimum lending rate), **tasa de despacho aduanero** (clearance charge), **tasa de descuento ajustada** (adjusted discount rate), **tasa de descuento aplicada por los Bancos Centrales europeos o la Reserva Federal** (central bank discount rate; S. *earnings[1]*), **tasa de descuento privado** (FIN market discount rate; prime rate), **tasa de descuento interbancaria** (BKG interbank rate; S. *tipo de interés interbancario*), **tasa de desempleo** (unemployment rate), **tasa de desgaste** (attrition rate), **tasa/ratio de endeudamiento** (FIN debt ratio), **tasa de equilibrio** (cut-off rate), **tasa de equivalencia** (value added equivalent tax), **tasa de expansión** (rate of expansion), **tasa de fecundidad** (fertility rate), **tasa de importación** (import rate), **tasa de incremento** (growth rate), **tasa de inflación** (inflation rate), **tasa de interés [efectiva]** ([effective] interest rate), **tasa de interés libre de riesgo** (FIN default-free interest rate), **tasa de interés preferencial** (BKG prime rate), **tasa/coeficiente de inversión** (investment rate/ratio, rate of investment), **tasa de liquidación del dividendo en efectivo** (STK EXCH cash dividends payout ratio), **tasa de los fondos comunes de inversiones** (FIN money market rate; S. *tasa del mercado monetario*), **tasa de mortalidad** (death rate), **tasa de natalidad** (birth rate), **tasa de penetración** (STK & COMMOD EXCH achieved penetration), **tasa de préstamo con garantía** (rate for advances/loans against collateral, rate for advances on securities), **tasa de prima** (INSCE premium rate), **tasa de reemplazo** (replacement coefficient), **tasa o índice de rendimiento/beneficio** (rate of return, output/yield/profit rate), **tasa de rendimiento de las inversiones** (rate of return on investments), **tasa de rendimiento financiero** (financial rate of return), **tasa de rendimiento de un bono** (FIN bond yield rate), **tasa de rendimiento económico** (economic rate of return), **tasa de rentabilidad/retorno** (rate of return), **tasa de rentabibilidad interna** (internal rate of return, IRR), **tasa de rentabilidad aceptable** (FIN cut-off rate of return), **tasa de rentabilidad esperada** (STK EXCH, FIN expected rate of return), **tasa/tipo de redescuento** (rediscount rate), **tasa de reporte** (backwardation rate), **tasa de ruptura de un contrato a plazo** (STK & COMMOD EXCH break rate), **tasa de sustitución** (rate of substitution), **tasa de transferencia** (remittance charges), **tasa de utilización de los esquemas** (rate of utilization of schemes), **tasa de variación del precio de un valor** (FIN rate of change, ROC; S. *porcentaje mensual de cambio*), **tasa decreciente** (falling rate), **tasa del mercado monetario** (FIN money market rate; S. *tipos de cambio del mercado de dinero*), **tasa del mercado interbancario de Madrid** (BKG Madrid Interbank Offered Rate, MIBOR; S. *tipo de interés ofertado del mercado interbancario de Madrid*), **tasa diferencial de rentabilidad** (incremental rate of return), **tasa impositiva** (rate of tax/taxation; S. *tipo de gravamen, tipo impositivo*), **tasa interna de rendimiento/rentabilidad, TIR** (STK EXCH, FIN internal rate of return), **tasa media** (average, average rate), **tasa media anual** (average annual rate), **tasa mixta** (INSCE combined ratio, incurred claims plus expenses/gross premiums), **tasa oficial de descuento** (bank rate; S. *tipo de redescuento, tipo/descuento bancario, tipo de interés bancario*), **tasa preferencial a largo plazo** (long-term prime rate, LTPR; S. *tipo preferencial a largo plazo*), **tasa prevista de siniestralidad** (INSCE expected claim ratio), **tasa o impuesto sobre el juego** (betting and gaming duties), **tasa uniforme** (flat charge/commission/fee; S. *comisión fija*), **tasa vigente de cambio** (current rate of exchange)].

tasable *a*: appraisable, rateable/ratable; S. *imponible, valuable.*

tasación *n*: rating,[1] assessment, valuation, appraisal; adjustment, price-fixing/setting; S. *evaluación, valoración.* [Exp: **tasación de avería** (TRANSPT adjustment of average), **tasación de costes** (adjustment of costs), **tasación de daños** (INSCE adjustment of claims), **tasación de la propiedad** (property valuation), **tasación de mercancías** (valuation of goods), **tasación de pérdidas** (loss adjustment; S. *ajuste de pérdidas*),

tasación oficial (TAXN assessed valuation/value), **tasación pericial** (expert appraisal; S. *peritaje*)].

tasador *n*: INSCE adjuster, adjustor, appraiser; assessor; surveyor; appreciator; valuer, claims adjuster/assessor/representative; S. *perito, evaluador.* [Exp: **tasador de averías** (INSCE average adjuster/adjustor/stater; S. *árbitro de seguros marítimos*), **tasador de daños** (INSCE claims adjuster), **tasador de los siniestros** (loss adjuster), **tasador de siniestros oficial** (INSCE public adjuster, rating officer), **tasador de siniestros por incendio** (INSCE fire loss adjuster)].

tasar *v*: adjust, value, evaluate, assess, rate,[4] overvalue, estimate,[1] fix[1]; S. *computar, estimar, evaluar.* [Exp: **tasar de más/menos** (overvalue/underdalue; S. *sobrevalorar, infravalorar*), **tasar el daño** (estimate the damage), **tasar una pérdida** (INSCE adjust a loss)].

techo *n*: roof; FIN ceiling, cap; top; *máximo, límite superior, tope, banda superior de fluctuación.* [Exp: **techo crediticio o de crédito** (credit ceiling, credit limit), **techo doble** (double top), **techo, con** (capped; S. *con tope máximo*), **techo de opción** (FIN cap[2] US), **techo/límite del crédito por país** (BKG country ceiling), **techo salarial** (wage ceiling)].

técnica *n*: skill, technique, know-how; method; S. *estrategia, táctica.* [Exp: **técnica contable** (accounting method or technique; S. *contabilidad*), **técnica de grupo nominal** (MAN nominal group technique US), **técnica de predicción** (lead-lag technique), **técnica de reducción de costos** (ECO method of cost-saving, economic lot technique), **técnica didáctica de simulación de situaciones empresariales** (business games), **técnica/enfoque de la distribución selectiva** (ECO selective distribution approach), **técnica/procedi-**

miento de muestreo (sampling procedure), **técnicas agresivas de venta** (ADVTG hard sell/selling), **técnicas de análisis del flujo del efectivo** (cash flow analysis techniques), **técnicas de blanqueo de dinero** (money-laundering methods), **técnicas de recogida de datos** (data collection techniques), **técnicas de sondeo/de búsqueda de votos o clientes** (canvassing techniques)].

tecnicismo burocrático *n*: burocratic red tape; S. *burocracia*.

técnico *a/n*: technical; technician, expert, engineer[1]; S. *pericial; especialista, experto*. [Exp: **técnico contable** (expert accountant; S. *contador, perito mercantil*), **técnico de encuestas** (pollster; S. *encuestador*), **técnico o experto en presupuestos** (budgeteer)].

tecnología *n*: technology. [Exp: **tecnología de duplicación** (duplicate tecnology), **tecnología patentada** (propietary technology), **tecnología punta o de vanguardia** (leading-edge technology; high-tech; advanced/frontier technology, state-of-the-art technology), **tecnologías incipientes** (emerging technologies), **tecnológico** (technological)].

tejemaneje *n*: . [Exp: **tejemaneje de fondos** (STK EXCH churning *col*; S. *metesaca financiero*), **tejemaneje/metesaca financiero** (STK & COMMOD EXCH round trip trade; S. *contratación de ida y vuelta*),

tejido *n*: material, tìssue. [Exp: **tejido empresarial/industrial** (corporate/industrial organization/sector/system)].

tele- *pref*: tele. [Exp: **telecompra** (teleshopping), **telecomunicación** (telecommunication), **telefax** (fax, telefacsimile), **telefonear** (phone; S. *llamar por teléfono*), **telefonista** (operator[2], switchboard operator), **teléfono** (telephone, phone), **telegrafíar** (cable, telegraph; S. *poner un cable*), **telegrama** (telegram, cable, wire,

cablegram), **telegrama con acuse de recibo** (telegram with notice of delivery), **telegrama con respuesta pagada** (reply paid telegram), **teletexto** (teletext), **teletipo** (teletype, teleprinter), **telemática** (telematics), **telex** (télex)].

telón de fondo *n*: background; backdrop; S. *historial, contexto, fondo*.

tema *n*: theme, question, subject,[2] topic; S. *cuestión, asunto*. [Exp: **tema publicitario** (advertising theme; S. *lema/eje publicitario*)].

tempestad de ideas *n*: ADVTG brainstorming.

temporada *n*: season. [Exp: **temporada alta** (high/peak/busy season), **temporada baja** (off-season; S. *fuera de temporada*), **temporada de sequía** (dry season)].

temporal *a*: temporary, makeshift; S. *provisional*.

temporalidad en el empleo *n*: S. *precariedad en el empleo*.

temporero *a/n*: casual, occasional, temporary; seasonal/casual/temporary worker; legal seasonal worker *US*; S. *coyuntural, eventual, interino; mano de obra ocasional*.

temprano *a*: early; S. *prematuro, anticipado*.

tendencia *n*: tendency, trend, movement, orientation, pattern[1]; drift; bias; S. *ambiente, movimiento*. [Exp: **tendencia a la baja, [con]** (STK EXCH bear,[1] bearish; bearish tendency; bearishness; falling; downward tendency/trend; S. *bajista, pesimista*), **tendencia al alza [con]** (STK EXCH bullish tendency, bullishness; upward tendency/trend, rising tendency, upturn), **tendencia/composición/estructura/situación de la inversión/del comercio** (pattern of investment/trade), **tendencia/estructura de los precios/las ventas** (pattern of prices/sales), **tendencia exponencial** (exponential trend), **tendencia del mercado** (market trend), **tendencia económica** (economic/business trend; S. *marcha de los negocios, evolución dela economía*), **tendencia predominante** (STK & COMMOD EXCH major trend), **tendencia secular o a largo plazo** (secular trend), **tendencioso** (leading[2]; S. *capcioso, sugestivo*)].

tender[1] *v*: tend, have a tendency towards. [Exp: **tender**[2] (stretch out), **tender un puente** (bridge[1]), **tender una trampa** (frame[3]; S. *preparar una encerrona*)].

tendero *n*: shopkeeper, tradesman, retailer; S. *comerciante, tienda*. [Exp: **tenderete** (COMER stall[1]; S. *puesto, quiosco*)].

tenedor[1] *n*: fork. [Exp: **tenedor**[2] (holder, bearer, lawful holder; S. *poseedor, titular, portador*), **tenedor de acciones** (shareholder; stockholder US), **tenedor de bienes** (property-holder), **tenedor de bonos** (bondholder; S. *bonista, obligacionista*), **tenedor de buena fe o legítimo** (bona fide holder, holder in due course, holder for value), **tenedor de gravámenes** (encumbrancer; S. *acreedor hipotecario*), **tenedor de licencia o de patente** (permittee; S. *autorizado*), **tenedor de obligaciones** (debenture holder), **tenedor de pagarés** (noteholder), **tenedor de tierras, terraniente** (landholder), **tenedor de una cobertura corta** (short hedger), **tenedor de una letra** (bill holder), **tenedor de una obligación** (obligee), **tenedor de una opción** (optionee), **tenedor de una patente** (patentee; S. *poseedor o concesionario de una patente*), **tenedor de una promesa** (promisee), **tenedor de una prenda** (pledgee; S. *prendario*), **tenedor de una cobertura larga** (long hedger), **tenedor de una cartera** (portfolio holder), **tenedor inscrito** (registered holder, holder of record; S. *poseedor de título*), **tenedor por**

endorso (endorsee; S. *endosado*), **teneduría de libros** (book-keeping, accountancy; S. *contabilidad*)].

tenencia *n*: possession, holding, occupancy, occupation[1]; S. *goce, ocupación*. [Exp: **tenencia de valores** (security/stock holding, share holding; S. *paquete accionarial*), **tenencia mutua** (cross-holding, cross-shareholding), **tenencia recíproca de acciones** (STK EXCH reciprocal holding), **tenencias** (holdings; S. *propiedades*)].

tener *v*: have, possess, hold[1]; command[2]; S. *poseer*. [Exp: **tener a raya** col (keep in check, hold at bay, keep off), **tenr a uno fichado** col (have/keep a file on sb; have/keep a watchful eye on sb; have sb's number col; have sb taped col), **tener a uno informado** (keep sb informed), **tener como pantalla** (operate under cover of), **tener derecho a** (be entitled to, have the right to, qualify for; merit for; S. *cumplir/satisfacer los requisitos*), **tener desperdicio, no** (be first-rate or top-class; be worth every penny; not to be missed, be a must col), **tener dinero de sobra** (have money to burn col; S. *sentirse rico*), **tener el dedo metido en todo** col (have a finger in every pie col; S. *meter su cuchara en todas partes*), **tener en almacén** (carry in stock, have on hand), **tener en cuenta/consideración** (consider, make allowances for, allow for; discount; S. *descontar, hacer concesiones*), **tener exceso de personal** (be overstaffed), **tener existencias** (carry a stock; stock[1]; S. *acopiar, almacenar, aprovisionar*), **tener ganancias** (COMER make a profit; S. *obtener/sacar beneficios*), **tener la culpa** (be to blame, be sb's fault; S. *echar la culpa*), **tener la llave/clave** (hold the key), **tener la misma categoría** (rank equally), **tener lugar** (be on[2]; S. *celebrarse*), **tener ni un real, no** col (be broke *col*; S. *estar sin blanca*), **tener pérdidas** (COM make a loss), **tener prioridad** (predominate; S. *predominar*), **tener saldo contable negativo** (be in the red *col*; S. *estar en números rojos, estar al descubierto*), **tener un negocio** (be in business; S. *dedicarse al comercio*), **tener un nivel comparable con** (level with sb *US col*), **tener una cuenta abierta** (bank²; S. *operar en algún banco*), **tener venta/salida fácil** (COMER command a ready sale), **tener vigencia** (be in effect; S. *estar vigente o en vigor, regir*)].

teniente (deputy, dep; S. *lugarteniente, sub-, vice, diputado, delegado, suplente, sustituto, comisario, comisionado*),

tenor *n*: tenor, sense, effect²; S. *sentido*. [Exp: **tenor de, a** (pursuant to, under,¹ in pursuance of S. *en cumplimiento de, de conformidad con*)].

tentativa *n*: attempt. [Exp: **tentativa de adquisición** (takeover attempt)].

tensión *n*: tension, stress. [Exp: **tensiones inflacionistas/inflacionarias** (inflactionary tension)].

teorema *n*: ECO theorem. [Exp: **teorema de la bañera** (bathtub theorem), **teorema de la igualdad del precio de los factores** (factor price equalization theorem), **teorema de la telaraña** (cobweb theorem), **teorema del presupuesto equilibrado** (balanced budget theorem)].

teoría *n*: theory. [Exp: **teoría clásica del interés** (ECO classical theory of interest), **teoría cuantitativa del dinero** (ECO quantity theory of money), **teoría de convenios salariales** (bargaining theory of wages), **teoría de la paridad de los tipos de interés** (ECO interest parity theory), **teoría de la paridad del poder adquisitivo** (ECO purchasing power parity theory), **teoría de la imposición basada en la difusión** (TAXN diffusion theory of taxation), **teoría de la agencia** (ECO agency theory), **teoría de la selección de carteras** (FIN portfolio selection theory), **teoría de la abstinencia** (ECO abstinence theory of interest; S. *teoría del interés basado en la abstinencia*), **teoría de la decisión** (decision theory), **teoría de la probabilidad** (probability theory), **teoría de la capacidad de pago impositivo o tributario** (TAXN ability-to-pay-tax theory of taxation; faculty principle of taxation; benefit principle of taxation), **teoría de la burocracia** (bureaucratic theory *US*), **teoría de la disponibilidad de créditos** (credit availability theory *US*), **teoría de la plusvalía** (surplus labour and value theory), **teoría de la segmentación** (FIN segmentation theory), **teoría de la motivación basada en la expectativa de mejora** (ECO expectancy theory of motivation), **teoría de la capacidad de pago impositivo o tributario** (TAXN ability-to-pay-tax theory of taxation; faculty principle of taxation; benefit principle of taxation), **teoría de la autopercepción** (self-concept theory *US*), **teoría de la opinión contraria** (ECO odd-lot theory), **teoría de la presión de la cobertura de riesgos** (STK & COMMOD EXCH hedging pressure theory), **teoría de la selección de carteras** (STK EXCH portfolio selection theory), **teoría de las catástrofes** (ECO catastrophe theory), **teoría de las colas** (ECO queueing theory), **teoría de las decisiones** (ECO, GEST decision theory), **teoría de las expectativas** (ECO expectations theory), **teoría de los juegos** (ECO games theory), **teoría/estrategia de segmentación de mercados** (market segmentation theory/strategy, segmented markets theory), **teoría de los mercados segmentados de tipos a largo y a corto plazo** (IND REL segmented markets theory), **teoría de los rendimientos crecientes o de escala** (ECO increasing returns theory), **teoría del acelerador** (ECO, FIN accelerator theory), **teoría del acelerador de la inversión empresarial** (accelerator theory of business investment *US*), **teoría del acelerador** (ECO, FINAN accelerator theory), **teoría del acelerador de inversión** (accelerator theory of investment), **teoría del agotamiento de recursos** (ECO depletion theory), **teoría del análisis de carteras de valores** (ECO portfolio theory), **teoría del ciclo económico basado en la innovación** (ECO innovation theory of cycle), **teoría del comercio internacional basada en el desequilibrio general** (general disequilibrium theory of international trade), **teoría del dinero mercancía** (ECO commodity theory of money), **teoría del efecto de trinquete** (ECO ratchet effect theory), **teoría del equilibrio general** (general equilibrium theory), **teoría del estancamiento secular o de madurez de la economía** (ECO secular stagnation theory), **teoría del interés basado en la abstinencia** (ECO abstinence theory of interest; S. *teoría de la abstinencia*), **teoría del interés basada en la preferencia por la liquidez** (liquidity preference theory), **teoría del interés basado en la abstinencia** (ECO abstinence theory of interest; S. *teoría de la abstinencia*), **teoría del largo de las faldas** (ECO hemline theory), **teoría del origen de autoridad** (acceptance theory of authority *US*), **teoría del subóptimo** (second best theory), **teoría, en** (in theory, on paper; S. *sobre el papel*), **teoría endógena del ciclo económico** (ECO endogenous business-cycle theory, endogenous theory of business cycle, self-generating business cycle/trend theory), **teoría explicativa del arbitraje de precios** (ECO arbitrage pricing theory, APT), **teoría general de la elección** (general choice theory), **teoría moderna de carteras** (FIN modern portfolio theory), **teoría tributaria basada en los beneficios recibidos** (TAXN benefit tax theory), **teoría tributaria basada en el sacrificio** (ECO sacrifice tax theory), **teórico** (theoretical, notional)].

tercería *n*: mediation, third party right, umpirage, intervention. [Exp: **tercería de dominio** (third-party claim to ownership), **tercería de mejor derecho** (third-party intervention with a paramount right), **tercerista** (intervener; S. *interventor*), **tercera ventanilla** (third window), **tercero** (third; mediator; thirparty, umpire; S. *mediador*), **terciar** (umpire), **tercio** (third)].

tergiversación *n*: LAW misrepresentation; S. *falseamiento, desnaturalización*. [Exp: **tergiversar** (LAW misrepresent; S. *falsear, desnaturalizar*)].

terminación *n*: completion; S. *consumación, conclusión, perfección, cumplimiento*.

terminal *n*: terminal. [Exp: **terminal activada por clientes** (customer activated terminal), **terminal aérea** (terminal building, air terminal), **terminal de contenedores** (container terminal), **terminal de entrada y salida** (input-output terminal), **terminal de venta** (point of sale)].

terminante *n*: absolute, definitive; S. *firme, indiscutible, irrevocable*.

terminar *n*: end, finish,[1] stop, cease, round off, wind up; conclude,[1] finish off/up; S. *concluir, rematar*. [Exp: **terminar de trabajar** (IND REL knock off[2]), **terminarse** (come to an end)].

término[1] *n*: term, provision, article[2]; S. *estipulación, cláusula*. [Exp: **término**[2] (conclusion, close, expiration, time limit; S. *expiración, conclusión*), **término**[3] (term, boundary, way-mark; S. *mojón, poste*), **término, a** (STK & COMMOD EXCH forward[1]; S. anticipado, en el futuro, a plazo), **término de una asociación mercantil** (expiration of a partnership), **término medio** (average; S. *media, tasa media, índice*), **término medio, como/ por** (on the mean, on an average; S. *como media o promedio, de promedio*), **término munciapl** (munciapal area), **términos a la gruesa** (TRANS MAR gross charter *US*; S. *condiciones brutas*), **términos contables, en** (ACCTS accountingwise), **términos/condiciones contractuales** (contractual provisions), **términos de comercio internacional** (incoterms; S. *reglas internacionales para la interpretación de los términos del comercio internacional*), **términos generales, en** (broadly; S. *aproximadamente, a grandes rasgos*), **términos inequívocos** (express terms), **términos preferentes** (preferential treatment; S. *trato preferencial*), **términos reales, en** (in real terms; V. *cifras reales*)].

terna *n*: shortlist; S. *preselección*.

terratenencia *n*: land tenure, holding; S. *posesión de tierras*. [Exp: **terrateniente** (landlord, landowner, landholder, landed proprietor)].

terreno *n*: land, lot[2] *US*, ground[1]; S. *solar*. [Exp: **terreno baldío** (dry farming, fallow land; S. *barbecho*), **terreno edificable/ urbanizable** (building land, development land; S. *edificabilidad*), **terreno no edificable** (non-development land, protected land, land excluded from development by statute or byelaw)].

terrestre *a*: by land; on-shore.

territorios vedados *n*: TRADEMARKS closed solicitation territories.

tesorería[1] *n*: treasurer's department. [Exp: **tesorería[2]** (ACCTS cash, cash and banks, cash and due from banks, liquid assets, cash assets; S. *disponible, liquidez*),

Tesorería del Reino Unido (Exchequer; S. *erario público del Reino Unido*), **tesorero** (paymaster, bursar, treasurer; S. *gerente, habilitado, pagador, cajero, contador*), **Tesoro público** (Treasury, Public Treasury, National Treasury, Exchequer Treasury)].

test *n*: test; S. *prueba*. [Exp: **test de rentabilidad** (FIN profitability test), **test de sondeo** (enquiry test)].

testaferro *n*: front man, man of straw, straw man, dummy stockholder; fiduciary; S. *fiduciario, hombre de paja, accionista fantasma*.

testigo *n*: witness. [Exp: **testificar** (testify), **testimoniar** (attest; evidence; S. *certificar, dar fe*), **testimonio** (evidence; S. *prueba*)].

tiburón empresarial *col n*: STK EXCH shark,[1] predator, risk arbitrageur; corporate raider; junkbonder; S. *ave de rapiña, corsario empresarial, impulsor de una OPA hostil*. [Exp: **tiburoneo con oferta de prima** (premium raid)].

tiempo *n*: time; s. *plazo, período*. [Exp: **a tiempo** (on time, on schedule; S. *en las fechas previstas*), **tiempo completo, a** (IND REL full-time), **tiempo parcial, a** (part-time), **tiempo asignado a una noticia en un medio de difusión** (ADVTG coverage[2]; S. *cobertura*), **tiempo de acceso** (access time), **tiempo de acceso a la dirección** (MAN management access time *US*), **tiempo de aceleración** (acceleration time *US*), **tiempo de ejecución de un trabajo** (execution time), **tiempo de espera** (latency time), **tiempo de inactividad** (IND REL downtime, lost time; S. *tiempo perdido*), **tiempo de máquina** (running time), **tiempo de máquina parada** (idle machine time), **tiempo de operación** (elapsed time), **tiempo de plancha** (TRANSPT laytime, lay days; S. *plancha, estadía*), **tiempo de reflexión** (COM cooling-off period), **tiempo libre** (leisure; S. *ocio*), **tiempo límite para operaciones interbancarias** (BKG cut-off time[1]), **tiempo mínimo de espera en la fabricación** (manufacturing lead time; S. *plazo de fabricación*), **tiempo muerto/ perdido/no aprovechado** (IND dead/idle time, down time, leeway[2]), **tiempo parcial, a** (part-time; S. *con jornada parcial/reducida*), **tiempo de vigencia** (period of validity; S. *vigencia*), **tiempo real** (real/actual/clock time), **tiempo y forma, en** (approved fashion/manner, in the; S. *como mandan los cánones, de la forma acostumbrada*)].

tienda *n*: shop, store,[1] general store; emporium. [Exp: **tienda al por mayor** (wholesale shop), **tienda al por menor, al detalle, o de minorista** (retail dealer/firm/shop; S. *minorista, comerciante de menudeo*), **tienda de baratijas** (corner shop *col*; sweet shop, handy local shop/store *col*), **tienda de confección** (outfitter), **tienda de línea limitada** (limited line store *US*), **tienda de precios únicos** (limited price store), **tienda de rebajas** (discount store), **tienda de ultramarinos** (grocer's), **tienda especializada** (specialty store), **tienda popular o con descuento** (discount store)].

tierra *n*: ground, land, shore; S. *terreno, propiedad*. [Exp: **tierra de pastoreo** (rangeland *US*), **tierra quemada** (FIN scorched earth), **tierras abandonadas** (derelect lands), **tierras comunales** (common land), **tierras improductivas** (idle lands)].

timar *v*: swindle, cheat, con, fleece,[2] *col*; S. *estafar, hacer trampas*. [Exp: **timador** (confidence tricker, swindler, sharper; racketeer, grafter, shark[2]; V. *estafador*), **timo** (swindle, swindling, scam, fiddle, con, confidence trick; S. *fraude, estafa*)].

timbrar *v*: stamp; seal; S. *estampillar, sellar*. [Exp: **timbre[1]** (bell), **timbre[2]**

(TAXN stamp; stamp duty/tax; revenue stamp; S. *póliza, sello*), **timbre de las letras de cambio** (bill tax)].

tinglado[1] *n*: shed[1]; S. *cobertizo*. [Exp: **tinglado[2]** (COMP LAW set-up, setup[2] *col*; racket; S. *arreglo, apaño*), **tinglado aduanero** (customs shed)].

tipificación *n*: standardization. [Exp: **tipificado** (standard; S. *unificado, estándar, normalizado*), **tipificar** (standardize; S. *homologar, estandarizar*)].

tipo[1] *n*: type, mode; brand, sort, standard, grade; rate, quotation; S. *modo, clase, índice*. [Exp: **tipo[2]** (chap; S. *tipo avispado/listo*), **tipo a efectos contables** (ACCTS, FIN accounting rate), **tipo actual** (current rate), **tipo anual efectivo** (S. *tasa anual equivalente*), **tipo arancelario básico** (COM, BKG base rate), **tipo avispado/listo** (whizz-kid/whiz-kid; S. *joven lince*), **tipo bancario** (BKG bank rate, bank rate of discount, base rate, minimum lending rate, MLR; S. *redescuento bancario*), **tipo base o de referencia** (STK & COMMOD EXCH base rate), **tipo básico** (prime lending rate; S. *tipo preferencial*), **tipo combinado** (combined/composite rate), **tipo comprador** (bid price), **tipo contable** (accounting/book rate), **tipo cruzado** (STK & COMMOD EXCH cross rate), **tipo de apertura** (STK & COMMOD EXCH opening price), **tipo de cambio** (exchange rate, rate of exchange), **tipo de cambio a plazo/término** (STK & COMMOD EXCH forward exchange rate, spot exchange rate), **tipo de cambio al contado** (STK & COMMOD EXCH spot exchange rate, rate of exchange for spot delivery), **tipo de cambio central** (STK & COMMOD EXCH par value rate of exchange), **tipo de cambio comprador/vendedor** (buying/ selling rate of exchange), **tipo de cambio contable** (book exchange rate), **tipo de**

cambio corriente/vigente o de mercado (FIN going/current rate), **tipo de cambio efectivo real** (real effective rate of exchange), **tipo de cambio de cuenta** (shadow exchange rate, shadow pricing of the exchange rate; V. *tipo de cambio sombra*), **tipo de cambio de divisas** (foreign exchange rate), **tipo de cambio de intervención** (intervention exchange rate), **tipo de cambio del mercado monetario** (STK & COMMOD EXCH money market rate), **tipo de cambio del mercado libre** (open-market rate of exchange), **tipo de cambio efectivo** (effective exchange rate), **tipo de cambio efectivo real** real effective exchange rate), **tipo de cambio efectivo ponderado** (weighted effective exchange rate), **tipo de cambio entre dos divisas con relación a otra** (cross-rate), **tipo de cambio fijo** (fixed exchange rate, flat rate), **tipo de cambio fijo intervenido** (pegged rate), **tipo de cambio flexible/ flotante/fluctuante/variable** (flexible/ floating/fluctuating/variable rate of exchange), **tipo de cambio interno** (internal exchange rate, modified Bruno ratio; S. *coeficiente modificado de Bruno*), **tipo de cambio medio ponderado** (fixing, average weighted exchange rate), **tipo de cambio móvil con límites predeterminados** (crawling/sliding/ dynamic peg), **tipo de cambio para la compensación bancaria de efectos comerciales** *US* (domestic exchange), **tipo de cambio paralelo o no oficial** (parallel rate of exchange), **tipo de cambio preferente** (preferential rate of exchange), **tipo de cambio sombra** (shadow exchange rate, shadow pricing of the exchange rate; V. *tipo de cambio de cuenta*), **tipo de cambio único** (single exchange rate), **tipo de cambio vendedor/comprador** (selling/buying rate of exchange), **tipo de cobertura medio**

(INSCE average blanket rate), **tipo de comisión** (commission rate), **tipo de compra** (buying rate; bid price; S. *cambio de compra*), **tipo de compra de divisas** (buying rate of exchange), **tipo de depreciación** (depreciation rate), **tipo de descuento** (rate of discount, discount rate), **tipo de descuento bancario** (bank discount rate), **tipo de ejercicio [para permutas financieras]** (STK & COMMOD EXCH strike rate), **tipo/precio de emisión** (rate of issue), **tipo de gravamen** (TAXN rate of tax/taxation; tax rate, rate of assessment; S. *tipo impositivo, tasa impositiva*), **tipo de interés** (interest rate, rate[3]; S. *rédito, cambio*), **tipo de interés a corto/largo plazo** (short-/long-term interest rate), **tipo de interés a un solo día** (overnight interest rate), **tipo de interés acotado** (BKG minimax rate), **tipo de interés anual según cupón** (BKG coupon rate), **tipo de interés bancario** (bank rate; S. *tipo de redescuento*), **tipo de interés bancario básico** (base rate[1], bank rate; minimum lending rate; S. *descuento bancario, tasa bancaria*), **tipo de interés bancario/oficial** (BKG minimum lending rate, MLR, base rate, bank rate; S. *redescuento bancario, tipo bancario*), **tipo de interés contable** (accounting rate of interest), **tipo de interés efectivo** (effective rate/yield), **tipo de interés base** (basic rate), **tipo de interés básico** (STK EXCH bank base rate, normal rate), **tipo de interés combinado** (FIN blended rate), **tipo de interés contable** (ACCTS accounting rate of interest, ARI), **tipo de interés de cuenta** (shadow rate of interest; V. *tipo de interés sombra*), **tipo de interés de equilibrio** (equilibrium interest rate), **tipo de interés de los empréstitos** (borrowing rate), **tipo de interés de mercado** (market rate[1]; S. *a tipo de mercado*), **tipo de interés de referencia** (commercial interest rate of reference), **tipo de interés del crédito** (loan rate of interest), **tipo de interés del dinero a la vista** (call money rate), **tipo de interés demandado** (bid rate), **tipo de interés demandado del mercado interbancario de Londres** (BKG London InterBank Bid Rate, LIBID), **tipo de interés día a día** (day-to-day rate, daily rate), **tipo de interés efectivo anual** (FIN effective annual rate of interest), **tipo de interés en préstamos** (lending rate), **tipo de interés en préstamos a corto plazo** (banker's call rate), **tipo de interés extralegales** (curb rates), **tipo de interés fijo** (fixed interest rate, fixed rate), **tipo de interés flotante** (floating interest rate, floating rate), **tipo de interés inmodificable** (locked-in interest rate), **tipo/tasa de interés interbancario** (BKG interbank rate), **tipo de interés legal** (legal rate of interest), **tipo de interés marginal** (STK & COMMOD EXCH marginal rate), **tipo de interés nominal** (FIN nominal interest rate), **tipo de interés ofertado del mercado interbancario de Madrid** (BKG Madrid Interbank Offered Rate, MIBOR; S. *tasa del mercado interbancario de Madrid*), **tipo de interés para préstamos comerciales** (commercial loan rate), **tipo de interés para préstamos diarios o a corto plazo** (call rate[2]), **tipo de interés para créditos pignoraticios** (bank rate for collateral loans), **tipo de interés pasivo** (deposit rate), **tipo de interés preferencial** (prime rate), **tipo de interés sombra** (shadow rate of interest; V. *tipo de interés de cuenta*), **tipo de interés variable basado en una cesta de empréstitos pendientes** (pool-based variable lending rate), **tipo de interés vigente** (standard rate of interest), **tipo de intervención** (intervention exchange rate), **tipo de intervención del Banco de**

España (intervention rate of the Bank of Spain), **tipo de mercado, a** (FIN market rate[1]; S. *tipo de interés de mercado*), **tipo de operaciones a corto plazo entre bancos** (BKG interbank rate), **tipo de pignoración** (bank rate for collateral loans), **tipo de prima** (premium rate), **tipo de redescuento** (rediscount rate, bank rate; S. *tipo bancario*), **tipo de referencia** (FIN reference rate), **tipo de rendimiento de las acciones ordinarias** (STK EXCH rate of earnings on common equity), **tipo de rendimiento por capital total empleado** (FIN rate of earnings on total capital employed), **tipo de salario** (IND REL grade rate; S. *clase de tarifa*), **tipo de tributación básico** (TAXN basic rate of tax), **tipo de venta** (BKG ask price; offered rate; S. *tipo ofertado*), **tipo fijo de interés** (fixed rate of interest), **tipo flotante** (floating rate), **tipo impositivo** (rate of tax/taxation; tax rate; S. *tasa impositiva, tipo de gravamen*), **tipo impositivo compuesto** (TAXN composite tax rate), **tipo impositivo marginal** (TAXN marginal income tax rate), **tipo interbancario** (interbank rate), **tipo marginal de una subasta de bonos o Letras del Tesoro** (FIN marginal rate), **tipo más alto** (peak rate), **tipo máximo de del impuesto sobre la renta** (top income tax bracket), **tipo máximo de interés acordado o permitido durante la vigencia de un crédito** (FIN rate cap[2]), **tipo media de rentabilidad/rendimiento de la inversión** (rate of return on average investment; S. *rentabilidad media*), **tipo medio** (average rate), **tipo medio de interés diario del mercado interbancario de Londres, interés libor** (BKG London Inter Bank Offered Rate, LIBOR), **tipo medio del interbancario de Madrid** (Madrid Interbank Offered Rate, MIBOR), **tipo mínimo** (minimum rate), **tipo mínimo y máximo** (bracket tariff), **tipo ofertado** (BKG offered rate; S. *tipo de venta*), **tipo oficial de cambio** (official exchange rate), **tipo preferencial** (prime lending rate; S. *tipo básico*), **tipo preferencial a largo plazo** (long-term prime rate, LTPR; S. *tasa preferencial a largo plazo*), **tipo real/efectivo de interés** (real interest rate), **tipo vendedor** (asked/ask price, offer rate), **tipo vigente en el mercado** (prevailing market rate; S. *tipo de cambio vigente*), **tipos de cambio de divisas cruzados divergentes** (FIN broken cross rates), **tipos de cambio del mercado de dinero** (FIN money market rate), **tipos de cambio fijos** (pegged exchange rates), **tipos de cambio múltiples** (split exchange rates), **tipos de interés del dinero** (money rates), **tipos de transporte** (TRANSPT modes of carriage/transport), **tipos impositivos ajustables** (TRANS MAR ajustable tax rates)].

TIR *n*: S. *tasa interna de rendimiento/rentabilidad*.

tira [de cupones] *n*: STK EXCH strip[1].

tira y afloja *phr*: .

tirada *n*: issue, print-run; S. *circulación*. [Exp: **tirada de un periódico** (ADVTG newspaper circulation)].

tirón[1] *n*: impulse; pull; spurt; S. *acelerón, atractivo*. [Exp: **tirón**[2] (snatch; S. *robo mediante tirón*), **tirón de la demanda [interna]** ([domestic] demand pull), **tirón/atractivo publicitario** (ADVTG pulling power)].

titubeos *n*: hesitations. [Exp: **titubeos iniciales del mercado** (STK & COMMOD EXCH slow start)].

titulado *a*: qualified, skilled, trained; graduate; S. *título*[2].

titular[1] *n*: holder, registered holder, holder of record; S. *portador, tenedor, poseedor*. [Exp: **titular**[2] (headline, heading[2]; entitle; S. *emcabezamiento*), **titular de acciones/bonos** (shareholder; bondholder; S. *accionista*), **titular de acciones privilegiadas** (preference shareholder), **titular de buena fe** (bona fide holder), **titular de deuda** (holder of debt; S. *acreedor*), **titular de prensa** (newspaper headline), **titular de un permiso** (permit holder; S. *autorizado*), **titular de una cuenta** (holder of an account, name of account), **titular de una opción** (option-holder), **titular de un derecho de reversión** (reversioner), **titular de buena fe** (bona fide holder; S. *titular de buena fe*), **titular de una cuenta** (holder of an account), **titular de una patente** (patent holder, patentee), **titular de una póliza de seguros** (INSCE policy-holder), **titular de una tarjeta de crédito** (holder of a credit card, cardholder)].

titularidad *n*: ownership, title; S. *propiedad, pertenencia, dominio, posesión*.

titulización *n*: FIN securitization; asset-backed securities, ABS; S. *securitización; escritura de titulación de bonos hipotecarios*. [Exp: **titulizaciones hipotecarias** (mortgage-backed securities), **titulizar** (securitize, repackage[2]; S. *retitulizar*)].

título[1] *n*: instrument, market money instrument, security, certificate, title, act[2]; S. *documento; acción, activo financiero; título de una acción; valores*. [Exp: **título**[2] (title, degree, qualification[1]; S. *formación, grado, habilitación*), **título**[3] (rubric; heading/head[2]; S. *epígrafe, partida, encabezamiento*), **título a la orden** (order instrument; S. *título-valor transferible por endoso*), **título a corto/largo plazo** (short-/long-dated security), **título a plazo fijo** (dated security), **título absorbido** (STK EXCH absorbed security), **título al descuento o al tirón** (STK EXCH discount[2]; S. *descuento, prima*), **título al portador** (bearer certificate), **título amortizable a**

plazos (FIN instalment bond), **título amortizable en moneda extranjera** (FIN currency bond), **título apreciado por su renta alta o estable** (STK EXCH income stock), **título con garantía específica** (FIN debenture loan), **título con garantía hipotecaria** (mortgage-backed security), **título con derecho a dividendo** (dividend-bearing security), **título consultivo, a** (in an advisory capacity; S. *en calidad de asesor*), **título cotizado** (quoted security), **título de, a** (in the capacity of; S. *con carácter de, en calidad de*), **título de acciones/ obligaciones** (stock/bond certificate), **título de cesión** (deed of surrender *US*), **título de crédito** (STK EXCH debenture,[1] debenture bond; financial claim), **título de deuda** (certificate of indebtedness), **título de deuda negociable** (negotiable debt instrument), **título de donación, a** (on a grants basis; S. *en régimen de*), **título de garantía** (INSCE full covenant and warranty deed *US*), **título de gran liquidez** (FIN active bond), **título de inversión** (investment paper; S. *valor/ título de colocación o de inversión*), **título de la deuda** (certificate of indebtedness), **título de obligaciones** (bond certificate), **título de primera clase al portador** (floater[1]), **título de propiedad** (right of property, title deed), **título de propiedad defectuoso o imperfecto** (bad title), **título de renta fija** (fixed interest security), **título de renta variable** (S. *valores de renta variable*), **título de una acción** (share/ stock certificate), **título de renta vitalicia** (perpetual bond, annuity/ irredeemable bond/stock), **título del mercado de dinero** (money market instrument), **título definitivo** (definitive security), **título dudoso** (paper title; S. *título límpio*), **título en circulación** (COMP LAW outstanding security/share/ stock), **título falso** (sham title), **título físico o resguardo de una acción** (STK EXCH share certificate/warrant; printed note), **título garantizado por hipoteca** (mortgage debenture; mortgage bonds *US*; S. *cédula hipotecaria, obligación hipotecaria*), **título insuficiente** (FIN cloud on title; S. *imperfección del título*), **título legal** (absolute interest,[2] deed[1]; S. *escritura*), **título limpio, seguro o inobjetable** (STK EXCH clear/marketable title; S. *título válido, seguro o inobjetable*), **título nominativo** (registered instrument), **título no cotizado** (quoted security), **título oneroso, a** (on a payment basis), **título personal, a** (individual capacity, in one's, in one's private capacity), **título real** (royal charter; S. *cédula real*), **título respaldado con activos** (asset-backed security), **título respaldado con garantía hipotecaria** (mortgage-backed security), **título seguro/válido** (good/ marketable/merchatable title; S. *título limpio*), **título sin garantía específica** (FIN debenture[2] *US*), **título sin ningún gravamen o carga** (FIN clean title), **título sintético** (STK & COMMOD EXCH synthetic security), **título sorteado** (drawn bond), **título subrogado, [con]** (pass-through *US*), **título universitario** (university degree), **título transferible por endoso** (order instrument; S. *título a la orden*), **títulos cotizados en Bolsa** (listed securities), **títulos no cotizados en Bolsa** (unlisted securities), **títulos-valores** (securities)].

tocar *v*: touch; affect, concern,[3] cover; S. *concernir, afectar*. [Exp: **tocar fondo** (STK EXCH, ECO hit/rock bottom; hit the floor; bottom out; reach rock bottom; S. *alcanzar el punto más bajo*),**tocar techo** (reach a ceiling)].

tocateja, a *col phr*: cash on the nail *col*; S. *contante y sonante*.

todo-a *a/pron*: all, every. [Exp: **toda marcha, a** (flat out; S. *a todo gas, a tope*), **toda plana, a** (ADVTG full column), **todo confort** (all modern conveniences), **todo el día** (round-the-clock), **todo el personal** (all hands), **todo gas, a** (flat out; S. *a tope, a toda marcha*), **todo incluido** (all-in; all-inclusive, all told, inclusive; S. *incluidos todos los gastos*), **todo lo más** (STK EXCH at best; S. *en el mejor de los casos*), **todo o nada** (neck or nothing), **todo riesgo** (INSCE all risks), **todos los gastos a cargo de la mercancía** (TRANS all charges to goods), **todos y cada uno** (all and sundry)].

tolerancia (tolerance, sufferance, allowance[5]; S. *provisión, reserva*. [Exp: **tolerancia del muestreo** (sampling tolerance), **tolerancia, por** (at/on sufferance)].

toma *n*: taking. [Exp: **toma de conciencia** (ADVTG awareness), **toma/cambio de control [de una empresa]** (MAN takeover), **toma de decisiones** (MAN decision-making), **toma de posición** (STK & COMMOD EXCH positioning; S. *situación*), **toma de posiciones por sorpresa** (STK EXCH raid; S. *ataque, agresión, incursión, correría*),

tomador *n*: taker, receiver, borrower; S. *comodatario, prestatario*. [Exp: **tomador copartícipe de una póliza de seguros** (co-insurer; S. *coasegurador*), **tomador de una letra** (payer of a bill), **tomador del seguro** (INSCE policy holder)].

tomar *v*: take, catch, seize. [Exp: **tomar cartas en un asunto** (intervene; S. *intervenir*), **tomar el control** (take over), **tomar en arrendamiento** (hire; S. *alquilar*), **tomar la palabra en una reunión** (address a meeting), **tomar medidas** (take steps), **tomar parte en** (participate, join, enter into[1]; S. *concertar*), **tomar partido por** (align oneself with; S. *ponerse al lado de*), **tomar posesión de** (occupy; S. *ocupar*), **tomar prestado o a préstamo** (borrow; S. *pedir prestado*), **tomar represalias** (retaliate; V. *vengarse, desquitarse*), **tomar una decisión** (take a decision)].

tonel *n*: barrel, cask, csk; S. *barrica, cuba, casco*.

tonelada *n*: TRANSPT metric ton. [Exp: **tonelada corta o americana** (short ton US, 907 kilos), **tonelada de flete** (freight ton), **tonelada en seco o secada al aire** (air dried ton), **tonelada de peso muerto** (dead weight tons, DWT; S. *capacidad de carga*), **tonelada larga o inglesa** (long ton, 1016 kilos), **toneladas de registro neto** (net register), **toneladas de registro neto** (TRANSPT dead weight capacity, register tonnage, burden; S. *tonelaje*), **tonelaje de registro bruto** (gross register tonnage, GRT), **tonelaje de registro neto** (net register tonnage, NRT), **tonelada larga** (long ton)].

tónica/tendencia del mercado *n*: market tone.

tope *n*: FIN ceiling, cap; top; *techo, máximo*. [Exp: **tope, a** (flat out; S. *a toda marcha, a todo gas*), **tope de precios** (COMER price ceiling), **tope máximo** (FIN cap[2]; S. *cap*), **tope máximo acordado** (FIN cap[2] US; S. *máximo*), **tope máximo amortizable** (FIN amortizing cap), **tope máximo, con** (capped; S. *con techo*), **tope máximo desnudo** (naked cap), **tope máximo diferido** (FIN deferred cap; S. *cap diferido*), **tope máximo estacional** (seasonal cap), **tope máximo participativo** (participating cap)].

tormenta monetaria *n*: monetary storm; storm in the money markets.

torpedear *n*: scuttle; S. *desbaratar las previsiones, echar por tierra; sabotear un proyecto*.

torre de perforación petrolera *n*: oil derrick, rig[2].

total *n*: total, entire; whole, gross[1] S. *completo*. [Exp: **total actualizado o hasta la fecha** (running total), **total autorizado de capturas, TAC** (total allowed catch), **total de importaciones** (aggregate imports; S. *importaciones globales*), **total del balance** (balance sheet total), **total general** (grand total; S. *importe/monto total*), **totalidad** (ECO totality, completeness, entirety; S. *plenitud, integridad*), **totalidad, en su** (in its entirety; outright; S. *íntegramente*), **totalizar** (add up; S. *arrastrar el total, sumar, cuadrar*), **totalizar horizontalmente el libro diario** (ACCTS crossfooting the journal), **totalmente** (fully, absolutely)].

traba *n*: impediment, deterrent, harassment, drag; S. *impedimento, freno*. [Exp: **traba** (TAXN fiscal drag; S. *rémora fiscal*), **traba-s a la exportación** (harassment of exports), **trabar**[1] (ECO set back/setback; S. *causar o suponer un revés*), **trabar**[2] (interlock; S. *entrelazar-se, engranarse*)].

trabajador *a/n*: IND REL industrious, hardworking; employee, worker, workman, labourer; hand[2]; S. *laborioso; asalariado, empleado, obrero, operario*. [Exp: **trabajador a domicilio** (outworker, home worker), **trabajador a tiempo parcial** (part-timer), **trabajador a tiempo completo, fijo o de plantilla** (full-time worker, full timer), **trabajador afectado por supresión de plantilla** (IND REL retreched worker), **trabajador autónomo o por cuenta propia** (self-employed person), **trabajador especializado** (skilled worker), **trabajdor no especializado** (unskilled worker), **trabajador eventual** (casual labour/worker), **trabajador independiente** (freelance worker, freelancer), **trabajador portuario** (dock worker, docker; maritime labour; S. *cargador del muelle, estibador*), **trabajador temporal** (itinerant worker)].

trabajar *n*: IND REL work; labour. [Exp: **trabajar a jornada reducida** (be on short time), **trabajar con pérdidas** (COM trade at a loss), **trabajar de aprendiz** (be indentured to), **trabajar de pasante** (serve articles), **trabajar en una empresa** (be in business), **trabajar por cuenta propia** (be self-employed, freelance)].

trabajo *v*: IND REL work; labour, employment, business; workmanship; S. *trabajar*. [Exp: **trabajo a contrata** (contract work), **trabajo a destajo** (piecework, work at piece rates, piece rate wage payments; S. *trabajo remunerado por unidad de obra*), **trabajo a domicilio** (outwork, homework system), **trabajo a jornal** (day labour *US*), **trabajo a tiempo completo** (full-time work), **trabajo a turnos** (shift work), **trabajo acumulado o atrasado** (backlog), **trabajo administrativo** (paperwork; admin *col*), **trabajo administrativo acumulado o atrasado** (backlog of orders/paperwork, arrears of work), **trabajo clandestino** (illicit work), **trabajo compartido** (work-sharing; job sharing), **trabajo, con** (in a job; S. *empleado*), **trabajo de campo** (field work; S. *estudios sobre el terreno*), **trabajo de desescombro** (INSCE clearing operation), **trabajo de menores** (child labour), **trabajo de oficina** (clerical work, office job, white-collar job), **trabajo en curso** (work in progress), **trabajo en equipo** (teamwork), **trabajo en tiempo ajustado** (just in time), **trabajo eventual** (casual work), **trabajo indirecto** (indirect labour), **trabajo pagado por horas** (work at time rates; S. *trabajo remunerado por unidad de tiempo*), **trabajo por cuenta propia o autónomo** (self-employment), **trabajo**

por turnos (shift work), **trabajo previo o preliminar** (groundwork; S. *cimientos, fundamento, base*), **trabajo remunerado por unidad de obra** (work at piece/time rates; S. *trabajo a destajo*), **trabajo remunerativo o bien remunerado** (remunerative job, gainful employment/occupation; S. *actividad lucrativa o remunerada*), **trabajo, sin** (jobless; unemployed), **trabajo total asignado** (workload; S. *volumen de trabajo*), **trabajo urgente** (rush work)].

tradicional *a*: traditional, long-established; S. *ancestral, arraigado*.

traficante *n*: merchant, trader, dealer, barterer. [Exp: **traficar** (trade, traffic, deal[2]; S. *tratar*)].

tráfico *n*: trade, trading, traffic, commerce; S. *negocio, comercio*. [Exp: **tráfico aéreo** (air traffic), **tráfico de estupefacientes** (drug racket), **tráfico de influencias** (influence peddling, lobbying; undue influence), **tráfico de información privilegiada** (STK EXCH insider dealings/trading), **tráfico de empresas** (turnover), **tráfico de mercancías** (COMER exchange of goods), **tráfico de perfeccionamiento activo** (TAXN, COM drawback system, DBK, inward-processing trade), **tráfico de perfeccionamiento pasivo** (outward-processing trade), **tráfico de regreso** (TRANSPT back haul, backhaul; S. *acarreos*), **tráfico fluvial internacional** (international waterway traffic)].

tragarse el anzuelo *phr*: rise to the bait *col*; S. *picar, caer en la trampa*.

tragedia de los bienes comunes o de lo que es de todos no es de nadie *n*: ECO the tragedy of the common; S. *problema de los recursos comunes*.

tramitación *n*: handling,[1] dealing, procedure, processing; S. *gestión, manejo; gastos de tramitación; recursos en tramitación*. [Exp: **tramitación de un**

préstamo (loan processing), **tramitación del despacho antes de la llegada** (prearrival processing), **tramitar** (process), **tramitar el despacho de mercancías en la aduana** (clear goods through customs; S. *despachar mercancías en la aduana*), **tramitar por la vía rápida** (railroad[2] US col; S. *forzar la aprobación de*), **tramitar una reclamación** (INSCE process a claim)].

trámite *n*: step, measure, stage; S. *diligencia, gestión*. [Exp: **trámite, en** (pending[1]; S. *pendiente*), **trámite, estar en** (be in the pipeline *col*), **trámite-s** (proceedings, formality-ies; arrangements; S. *diligencia-s, formalidad-es*), **trámites aduaneros** (customs clearance; clearance papers), **trámites burocráticos** (machinery; red tape), **trámites para el abono en cuenta de un cheque** (clearance of a cheque; S. *compensación de un cheque*), **trámites para el cobro** (collection action)].

tramo[1] *n*: TAXN bracket; section, slice; S. *grupo, nivel, categoría*. [Exp: **tramo**[2] (range,[2] flight[2]), **tramo**[3] (FIN, STK EXCH tranch), **tramo oro** (gold tranche), **tramo de renta** (TAXN income bracket/class/group), **tramo inferior/superior de la escala impositiva** (lower/upper income bracket; lowest/highest tax bracket), **tramo institucional** (institutional tranche), **tramo oro** (gold tranche), **tramo remunerado** (remunerated tranche)].

trampa *n*: trap, trick, catch[2]; bait, dig; fiddle; frame-up. [Exp: **trampa alcista** (bull trap), **trampa de liquidez** (liquidity trap), **trampa fiscal** (tax gimmick), **trampa ni cartón, sin** (above-board, open and aboveboard; S. *limpio y sin tapujos*), **trampa o círculo vicioso del desempleo** (IND REL unemployment trap; S. *estímulo al desempleo*), **trampas** (sharp practice; V.

trucos, chanchullos), **tramposo** (cheat, fake[1]; S. *estafador*)].

trampolín *n*: launching pad; S. *plataforma de lanzamiento*.

tramposo *n*: grafter; S. *estafador*.

tranquilizar *v*: calm, quiet, reassure; S. *reasegurar*.

transacción *n*: transaction, deal, dealing, business transaction, operation, composition agreement/settlement; arrangement, accord; adjustment,[1] compromise; S. *arreglo, conciliación; operación*. [Exp: **transacción a prima** (option bargain), **transacción al contado** (cash deal), **transacción amistosa** (amicable agreement/settlement), **transacción bursátil** (stock exchane transaction; bargain,[2]; S. *operación bursátil*), **transacción bursátil aislada** (STK EXCH flier[2]), **transacción comercial** (business deal; S. *negocio*), **transacción cruzada ilegal o de dudosa legalidad** (STK EXCH cross, crossing, wash sale US; S. *operación bursátil, cruce*), **transacción de cierre de una posición larga** (STK & COMMOD EXCH closing deal), **transacción de exclusión** (going-private transaction), **transacción de físicos** (STK & COMMOD EXCH physical transaction), **transacción de un mercado de futuros no compensada con otra de signo contrario** (STK & COMMOD EXCH out-trade), **transacción extrajudicial** (out-of-court setlement), **transacción hecha a la medida** (customized/tailor made transaction), **transacción no concluida** (COM open trade; S. *negocio abierto*), **transacción transnacional** (off-shore transaction), **transacción única** (COM one-off deal), **transacciones cambiarias o con divisas** (exchange transactions), **transacciones en horas no oficiales** (STK EXCH street market), **transacciones ficticias** (wash trading), **transacciones fuera del balance de situación** (STK &

COMMOD EXCH off-balance sheet transactions), **transacciones inmediatas** (aftermarket transactions), **transacciones inmobiliarias** (real estate deals), **transacciones madrugadoras** (STK EXCH early bargains)].

transatlántico *n*: liner; S. *buque de línea regular*.

transbordador *n*: TRANSPT ferry. [Exp: **transbordador de coches y trenes** (ferryboat), **transbordador de la cadena de producción** (assembly-line conveyor), **transbordar** (TRANSPT ferry; S. *transbordador*), **transbordo** (transhipment, transfer)].

transcripción *n*: transcription, record, copy. [Exp: **transcripción/acta taquigráfica** (stenographic record), **transcripción completa** (full copy)].

transcurrir *n*: elapse, lapse, pass, pass away; S. *extinguirse*. [Exp: **transcurso** (lapse/course of time; S. *caducidad*)].

transferencia *n*: money transfer, remittance, assignment[1]; S. *remesa, envío*. [Exp: **transferencia al exterior** (foreign transfer), **transferencia bancaria** (BKG bank transfer/giro[1]; S. *giro bancario*), **transferencia de capital** (capital transfer), **transferencia de derechos** (empowerment; S. *autorización*), **transferencia de fondos** (money/funds transfer), **transferencia de resultados de operación** (ACCTS operating carryback and carryforward), **transferencia electrónica de fondos** (electronic funds transfer, wire transfer US; S. *giro telegráfico*), **transferencia inversa de tecnología** (reverse transfer of technology), **transferencia por cheque** (cheque transfer), **transferencia por correo aéreo** (air mail transfer, amt), **transferencia telegráfica** (BKG cable transfer, CT)].

transferir *v*: transfer, assign, switch, set over, cede; V. *traspasar*. [Exp: **transferible** (assignable, transferable; negotiable;

S. *cedible, asignable*), **transferible por endoso** (negotiable by endorsement), **transferidor** (endorser; S. *endosante, cedente, endosador, girador*)].

transformar *v*: convert,[1] process, repackage; S. *canjear, convertir.*

transición *n*: transition, handover; S. *transmisión.*

transigir *v*: compromise, agree.

transito *n*: transit. [Exp: **transitario** (TRANSPT forwarding agent)].

transmisión *n*: transmission, assignment, handover; S. *transición.* [Exp: **transmisión de la propiedad** (assignment[1]), **transmisión de patente** (assignment of patent), **transmisión del título de propiedad** (conveyancing), **transmitente** (sender, conveyor, transferor; S. *remitente*), **transmitir** (convey,[2] send, broadcast)].

transnacional *a*: FIN multinational, off-shore[2]; S. *multinacional.*

transparencia *n*: . [Exp: **transparencia del mercado** (market transparency), **transparencia fiscal** (TAXN imputation system, flow-through taxation *US*; fiscal transparency; S. *opacidad fiscal*)].

transportabilidad *n*: portability; S. *transferibilidad.* [Exp: **transportable** (transportable)].

transportador[1] *n*: conveyor; S. *banda transportadora.* [Exp: **transportador general**[2] (TRANSPT common carrier; S. *empresa de transporte público*)].

transportar *v*: transport, carry,[1] convey, haul; S. *llevar, acarrear.* [Exp: **transportar por un puente aéreo** (airlift; S. *aerotransportar*), **transportar por vía marítima o fluvial** (ship)].

transporte *n*: transport, carrying, haul, removal,[2] shipment,[2] carriage, cge; freightage; S. *porte.* [Exp: **transporte a granel** (bulk freight), **transporte aéreo** (air transport), **transporte aéreo exclusivo para carga** (all-freight services),

transporte aéreo mixto (all-traffic services), **transporte combinado** (combined transport, intermodal transport; piggyback transport; S. *transporte multimodal/intermodal*), **transporte de pasajeros/viajeros** (passenger transport, conveyance of passengers), **transporte en contenedores normalizados** (fish back service), **transporte fluvial** (inland water transport), **transporte incluido en el precio de compra** (carriage inwards), **transporte incluido en el precio de venta** (carriage outwards), **transporte intermodal** (intermodal transport), **transporte interprocesal** (in-process handling), **transporte marítimo** (transport by sea, shipping[1]), **transporte marítimo y aéreo** (sea and air transport), **transporte multimodal** (multimodal transport), **transporte por carretera** (road transport/haulage, conveyance by road), **transporte por ferrocarril** (railway transportation, transport by rail), **transporte público** (public transport/conveyance), **transporte público o colectivo** (mass transportation), **transporte terrestre** (inland/ground transportation), **transporte urbano** (urban transport), **transporte y seguro incluidos hasta** (TRANSPT, INSCE carriage and insurance paid to, CIP)].

transportista *n*: carrier; haulier; shipper; shipping and forwarding agent; contracting carrier; S. *porteador, empresa de transporte.* [Exp: **transportista franco** (free carrier), **transportista privado** (private carrier)].

transversal *a*: transversal, cross[1]; S. *cruzado.*

trapicheos *n*: S. *argucias.*

trasfondo *n*: background; S. *telón de fondo.*

traslación *n*: shifting; assignment[1]. [Exp: **traslación de dominio** (assignment,[1] lapse), **traslación o repercusión de pérdidas a un ejercicio posterior a**

efectos fiscales (ACCTS loss carry-forward), **traslación/repercusión del impuesto** (TAXN shifting of tax)].

trasladar *v*: convey, carry, shift, remove, refer; switch; S. *dar traslado a, remitir.* [Exp: **trasladar a cuenta nueva o al ejercicio siguiente** (ACCTS carry over[1]), **trasladar en comisión de servicios** (second), **trasladarse** (move)].

traslado[1] *n*: referral, transfer, move, resettlement, carrying; S. *acarreo, transporte.* [Exp: **traslado**[2] (IND REL relocation; S. *reubicación, reasentamiento*), **traslado a un puesto de menor rango** (IND REL demotion; S. *degradación*), **traslado de mano de obra** (relocation of labour), **traslado de pérdidas** (loss carryover), **traslado de pérdidas a ejercicios anteriores a efectos fiscales** (ACCTS loss carry-back; S. *pérdidas con efecto retroactivo*)].

traspasar *v*: alienate, dispose of,[3] deliver,[1] make/set over; S. *enviar, repartir.* [Exp: **traspasar un negocio** (make over a business; S. *ceder un negocio*), **traspasar de nuevo** (reconvey; S. *transferir a un poseedor precedente*)].

traspaso *n*: assignment,[1] cession, transfer, delivery,[3] disposal; premium; S. *traslación de dominio.* [Exp: **traspaso de bienes** (assignment), **traspaso de deuda** (substitution of debt), **traspaso de hipoteca** (mortgage assignment), **traspaso fraudulento de dominio** (fraudulent conveyance)].

traspiés en la Bolsa *n*: STK EXCH; S. *cambio súbito en la tendencia del mercado de valores.*

traste *n*: S. *dar al traste con.*

trastienda *n*: bank's operation centre, back office; S. *centro neurálgico de una institución bancaria.*

trastorno *n*: disturbance, upset; S. *perturbación.* [Exp: **trastornos económicos** (economic disturbances)].

trastos viejos *n*: junk; S. *objetos usados o sin valor.*

tratado *n*: treaty, accord, agreement; S. *acuerdo, convenio, convención.* [Exp: **tratado comercial** (commercial treaty), **tratado comercial recíproco** (reciprocal trade agreement), **tratado de excedentes** (excess cover treaty)].

tratamiento *n*: treatment, handling; processing. [Exp: **tratamiento fiscal** (tax treatment), **tratamiento fiscal a las empresas consolidadas de un grupo** (TAXN group treatment)].

tratante *n*: merchant, handler; S. *comerciante, negociante, mercader, marchante.*

tratar[1] *v*: try, attempt. [Exp: **tratar**[2] (bargain, deal,[2] treat; S. *pactar, traficar*)].

trato *n*: bargain, treatment, dealings, deal[2]; S. *negociación, pacto, acuerdo; régimen.* [Exp: **trato acumulativo** (cumulative origin treatment), **trato arancelario** (tariff treatment), **trato de favor** (privilege; S. *privilegio*), **trato de nación favorecida** (favoured nation status), **trato diferencial** (differential treatment), **trato diferenciado y más favorable** (differentiated and more favourable treatment), **trato especial y diferenciado** (special and differential tratment), **trato justo** (fair deal), **trato poco limpio** (deal[3]; S. *estratagema, treta*), **trato preferencial** (preferential treatment), **trato preferencial generalizado, sin discriminación ni reciprocidad** (generalized, non-discriminatory, non-reciprocal preferential treatment)].

traumático *a*: S. *despido traumático.*

travesía *n*: TRANSPT passage, voyage, sea crossing; S. *pasaje.*

trayecto, trayectoria *n*: path, pathcourse, road, way, route; S. *senda, curso, pista.* [Exp: **trayectoria profesional** (career; S. *carrera*)].

trazado *n*: draft,[4] outline, sketch, layout, skeleton; S. *plano, dibujo, diseño.* [Exp:

trazado general (broad outlines; S. *líneas directrices/maestras*), **trazar** (ADVTG devise,[1] draw,[5] project, lay out[2]; S. *componer, diseñar*), **trazo** (line)].

tren *n*: train, reailway, raildroad *US*. [Exp: **tren correo** (mail train), **tren de cercanías** (commuter train), **tren de laminación** (rolling mill), **tren de largo recorrido** (long-distance train), **tren de mercancías** (goods train, freightliner, freight train *US*), **tren de pasajeros** (passenger train), **tren de transporte** (container train), **tren, por** (by rail)].

trepa *col n*: social climber, yes-man; young executive on the up-and-up.

treta *n*: stunt,[2] deal[3]; S. *ardid*.

tribuna *n*: platform[1]; S. *plataforma*. [Exp: **tribuna de periodistas** (press gallery, reporter's gallery)].

tribunal *n*: board,[1] arbitration board/council/committee/panel; S. *órgano o junta de arbitraje, cámara*. [Exp: **tribunal de alquileres** (rent tribunal), **Tribunal de Apelación de las Magistraturas de Trabajo** (Employment Appeal Tribunal, EAT), **Tribunal de arbitraje** (Council of Arbitration), **tribunal de cuentas** (audit office), **Tribunal de Cuentas de la Comunidad Europea** (Court of Auditors), **Tribunal de Defensa de la Competencia** (Restrictive Practices Court), **Tribunal de Justicia de las Comunidades Europeas** (Court of Justice of the European Communities), **Tribunal de Justicia Europeo** (European Court of Justice), **Tribunal de Justicia Internacional** (International Court of Justice), **Tribunal de Patentes** (Patents Court), **Tribunal Europeo de Derechos Humanos** (European Court of Human Rights), **tribunal de justicia** (court; S. *órgano jurisdiccional, sala, juzgado, audiencia*), **tribunal de prácticas restrictivas** (Restrictive Practices Court), **tribunal de quiebras** (bankruptcy court),

Tribunal del Almirantazgo o de derecho marítimo (Admiralty Court), **Tribunal Federal** (Federal Court), **Tribunal marítimo** (maritime Court), **Tribunal Superior de Justicia** (High Court of Justice; S. *Audiencia Nacional*)].

tributable *a*: taxable, subject to tax; S. *gravable, imponible*.

tributación *n*: taxation. [Exp: **tributación confiscatoria** (confiscatory taxation), **tributación de sociedades** (company taxation), **tributación diferida** (TAXN deferred taxation), **tributación directa** (direct taxation; S. *imposición directa*), **tributación progresiva/regresiva** (progressive/regressive taxation), **tributación proporcional** (proportional taxation), **tributación sobre el gasto** (TAXN expenditure tax, outlay tax), **tributario** (fiscal; tax; S. *financiero, fiscal*)].

tributo *n*: tax, imposition; S. *carga, impuesto*. [Exp: **tributo para llevar a cabo una mejora pública** (TAXN betterment tax), **tributos** (dues; S. *contribución*), **tributos territoriales** (TAXN land charges)].

trimestre *n*: quarter, qrt[1]; S. *cuarto*. [Exp: **trimestral, por trimestres, trimestralmente** (quarterly; S. *semanal, semestral, mensual*)].

tripulación *n*: crew; S. *tripulante, personal de cabina; plantilla*. [Exp: **tripulación auxiliar** (cabin attendants), **tripulación de un buque** (crew, company[2]), **tripulación del avión** (air crew), **tripulante** (crew; member of the crew; S. *personal de cabina, tripulación*)].

triquiñuelas *n*: sharp practice; V. *trucos*.

triturar las ganancias bursátiles *v*: .

trozo *n*: piece, part[1]; S. *porción, pieza*.

truco *n*: ADVTG, TAXN gimmick, stunt[2]; S. *recurso*. [Exp: **truco publicitario** (advertising stunt/gimmick), **truco/recurso/invento/treta para vender** (sales gimmick *col*), **trucos** (sharp practice; V. *chanchullos, trampas, malas artes*)].

trueque *n*: barter, bartering; exchange,[1] permutation; S. *cambio en especie*.

turbio *a*: shady; V. *sospechoso*.

turismo *n*: tourism; private car. [Exp: **turista** (tourist)].

turno *n*: turn, time, shift; sitting. [Exp: **turno de día/noche** (day/night shift), **turno de trabajo o laboral** (shift[2]; V. *tanda*), **turnos, por** (by rotation; S. *por rotación*)].

U

ubicación *n*: location, situation. [Exp: **ubicar** (set up, locate, situate; S. *situar, colocar, emplazar*)].

UCE *n*: S. *Unidad de cuenta europea*.

UE *n*: S. *Unión Europea*.

UEM *n*: S. *Unión Económica y Monetaria*.

UGT *n*: S. *Unión General de Trabajadores*.

último *a*: last; final; latest, most recent; S. *final, terminal, decisivo; reciente*. [Exp: **último día de aviso o notificación** (last noticeday), **último día de contratación** (STK & COMMOD EXCH last day of trading), **última hora** (late news item, newsflahs; update), **última hora, a** (at the eleventh hour; at the last minute; S. *en el último momento*), **última instancia** (last resort; S. *último recurso*), **última instancia, en** (ultimately; as a last resort; S. *finalmente, al final*), **última oferta** (final offer), **última operación que afecta a un título** (STK EXCH last sale), **últimas, estar en las** (be on one's last legs), **último recurso** (last resort; S. *última instancia*), **último aviso de requerimiento de pago** (COM final demand[2]), **último día de transacción antes de la entrega del activo subyacente** (STK & COMMOD EXCH last trading day), **último en entrar-primero en salir** (ACCTS, IND REL last in, first out, lifo *col*; S. *salida en orden inverso al de entrada/adquisición*), **último grito** (state-of-the art[2]; the very latest thing/model; bang up to date *col*; S. *hipermoderno*), **último momento, en el** (at the eleventh hour or last moment; last-ditch *col*; S. *a última hora*), **último plazo** (final instalment/payment), **último recurso, como** (as a last resort; S. *a la desesperada*), **último vencimiento** (balloon maturity), **últimos movimientos de la cuenta** (BKG extract of account; S. *extracto de cuenta*)].

ultimar *v*: complete, finalize; put the finishing teouches to; be in the final stages of; S. *completar*.

ultra- *pref/n*: ultra, extra; extremist; S. *super-, muy*. [Exp: **ultramar** (overseas; abroad; foreign; S. *internacional, exterior*), **ultramarinos** (S. *tienda de ultramarinos*)].

umbral *n*: threshold; S. *entrada*. [Exp: **umbral de beneficio** (profit threshold), **umbral de pobreza** (poverty income threshold; S. *nivel mínimo de rentas*), **umbral de rentabilidad** (ACCTS break-even point; S. *punto de equilibrio/crítico/muerto*), **umbral impositivo** (TAXN tax threshold)].

unánime *a*: unanimous. [Exp: **unanimidad** (unanimity), **unanimidad, por** (unanimously)].

único *a*: single, sole; odd; one; one-off *col*; S. *excepcional, irrepetible*. [Exp: **única vez, por una** (as a one-off *col*, for this once; COM a once-in-lifetime opportunity; S. *excepcional, irrepetible, único*), **único propietario** (sole owner)].

unidad *n*: unity; unit,[1] unit of value; one piece; COM each. [Exp: **unidad comercial** (lot[1]), **unidad de acumulación** (accummulation unit), **unidad de adeudo** (COM debit unit), **unidad de alojamiento familiar** (accommodation unit), **unidad de cambio/divisa europea** (European currency unit, ECU), **unidad de carga** (TRANSPT cargo unit), **unidad de costeo** (costing unit), **unidad de cuenta** (unit of account; composite unit), **unidad de cuenta europea, UCE** (European currency unit), **unidad de explotación estratégica** (MAN strategic operational unit), **unidad de fabricación** (factory unit; S. *centro de producción*), **unidad de formación o capacitación** (training unit), **unidad de gasto** (spending unit), **unidad de participación de un fondo de pensiones** (unit[2]), **unidad de producción** (production unit, unit of output), **unidad de seguridad** (backup unit), **unidad estratégica de negocio** (strategic business unit, SBU), **unidad familiar** (family unit, household), **unidad monetaria** (unit of currency), **unidad para la asignación de costos** (MAN cost centre), **unidad, por** (per unit, each), **unidades de acumulación** (FIN accumulation units; S. *títulos-valores con rendimiento implícito*)].

unificar *v*: unify, standardize.

uniforme *a*: uniform, standard, even; flat[1]; straight[1]; S. *homogéneo, regular*.

unilateral *a*: unilateral, one-sided; S. *sesgado, parcial, desigual*.

unión *n*: union; unity; pooling, merger, combination; link; S. *asociación, agrupamiento*. [Exp: **unión aduanera** (tariff/customs union), **unión crediticia** (credit union *US*; S. *cooperativa de crédito*), **unión de hipotecas** (tacking), **unión de organizaciones o empresas** (combine[1]; S. *consorcio, grupo industrial*), **Unión económica y monetaria, UEM** (Economic and Monetary Union), **Unión Europea/UE** (European Union), **Unión Europea de Pagos, UEP** (European Payments Union, EPU), **Unión General de Trabajadores, UGT** (large Spanish general workers' trade union broadly supporting the socialist programme; S. *Comisiones Obreras, CC OO*), **unión internacional de compensaciones** (international clearing union, Clearing House Inter-Bank Payment System, CHIPS; Clearing House Automated Payment System, CHAPS), **unión monetaria** (monetary union)].

unir *v*: unite, join, connect, bring together, link, merge; tack on; S. *fundir, pegar*. [Exp: **unir esfuerzos o recursos** (pool resources; S. *hacer un fondo común*), **unirse** (league, conglomerate, join, pull together, team up, combine[1]; S. *fusionarse, mancomunar*), **unirse a la suerte de alguien** (throw in one's lot with sb)].

urbanismo *n*: ECO city/town planning; S. *planeamiento*. [Exp: **urbanístico** (urban; town, city; S. *urbano*), **urbanización** (land development, residential estate; S. *barrio residencial, barrio periférírico*), **urbanización autorizada** (permitted development), **urbanizador** (property developer, real estate developer; S. *promotor inmobiliario*), **urbanizar** (develop,[2] build up[4]; S. *edificar*), **urbano** (urban, town, city; S. *urbanístico*)].

urdir *v*: plot,[1] fabricate[2]; S. *tramar*.

urgencia *n*: urgency; emergency, contingency, pressure; S. *gastos imprevistos*. [Exp: **urgente** (urgent, pressing, express[2]; S. *apremiante, rápido*), **urgir** (be urgently required, be urgent or absolutely necessary; S. *apremiar, solicitar*)].

urna electoral *n*: ballot-box.

usanza *n*: custom, fashion, practice; S. *uso*. [Exp: **usanza/costumbre de plaza** (standard or local trading practice)].

usar *v*: use[3], utilize; use up, wear, wear out, waste; S. *utilizar, gastar, desgastar*. [Exp: **usar de pantalla** (use as a cover/front/shield), **usar y tirar, de** (disposable[1]; nonreturnable empties; S. *desechable*)].

uso[1] *n*: use; usage, practice,[1] observance, custom[1]; S. *uso, disfrute; costumbre*. [Exp: **uso**[2] (waste,[1] wear and tear; S. *desgaste, deterioro*), **uso actual** (present use), **uso contable** (accounting practice), **uso general, para** (all-purpose), **uso indebido** (LAW misuse, infringement; S. *violación, contravención*), **uso indebido de valores o dinero** (misappropriation, embezzlement), **uso industrial** (industrial use), **uso normal** (ordinary use), **uso oficial, para** (for official use only; S. *reservado a la administración*), **uso y costumbre** (custom and usage), **usos/costumbres** (terms, customs), **usos comerciales** (trade customs, trading practices, commercial usage; S. *costumbres comerciales*)].

usuario *n*: user, consumer; S. *consumidor*. [Exp: **usuario final** (end/ultimate consumer/user)].

usura *n*: usury, illegal interest; profiteering. [Exp: **usurear** *col* (profiteer, run a racket, charge exorbitant interest rates), **usurero** (profiteer, racketeer *col*; loan shark)].

útil *a/n*: useful, effective, beneficial, handy, helpful, convenient, tool implement; S. *eficaz, ventajoso, provechoso; herramienta*. [Exp: **útil, ser** (be/come in useful/handy, be helpful; S. *aprovechar, hacer uso*)].

utilidad *n*: utility, usefulness, profit, gain; use,[3] convenience; S. *beneficio, aprovechamiento, ganancia*. [Exp: **utilidad marginal creciente/decreciente** (increasing/decreasing marginal utility), **utilidad marginal del dinero** (marginal utility of money), **utilidades acumuladas** (accumulated earnings/profits), **utilidades por aplicar** (ACCTS unappropriated earnings, undistributed profit)].

utilizable *a*: usable, serviceable; S. *disponible*.

utilización *n*: utilization, use, consumption, enjoyment. [Exp: **utilización de fondos** (ACCTS applications of funds), **utilizaciones** (BKG partial drawings; S. *embarques parciales*), **utilizar** (use, make use of, utilize, consume; S. *consumir, gastar*), **utilizar, sin** (idle; S. *ocioso, improductivo*)].

V

vacación, vacaciones *n*: IND REL holiday, vacation; S. *permiso, licencia*. [Exp: **vacaciones acumuladas** (IND REL accumulated leave), **vacaciones fiscales** (tax holiday; S. *franquicia tributaria*), **vacaciones fiscales por inversión empresarial** (ECO Business Expansion Scheme, BES; S. *exenciones fiscales para la inversión empresarial*), **vacaciones organizadas** (package holiday/deal; S. *oferta turística con hotel y viaje incluidos*), **vacaciones parlamentarias** (recess; S. *suspensión*), **vacaciones retribuidas** (paid holidays; S. *derecho a vacaciones retribuidas*)].

vacante *a/n*: IND REL vacant, empty, unoccupied, unfilled; vacancy, unfilled post, vacnat post; S. *libre, disponible; puesto vacante*. [Exp: **vacante de secretaria** (vacancy for a secretary, vacant post for a secretary), **vacante de personal administrativo** (vancies for office staff)].

vaciar *v*: empty, empty out; void, deplete, clear, strip,[1] strip of its assets. [Exp: **vaciar una cuenta** (BKG clear an account, wothdraw all the money from an account), **vacío** (empty, vacant, unfilled; devoid; vacuum, space, blank space, gap[1]; S. *embalado/envasado al vacío*),

vacío de garantía (INSCE gap in coverage), **vacío de seguridad de un barril/botella etc.** (TRANSPT ullage; S. *diferencia por merma*), **vacío informativo** (information gap), **vacío/laguna/resquicio en las leyes o reglamentos tributarios** (tax loophole)].

vacilaciones/oscilaciones estacionales *n*: seasonal fluctuations/hesitation/uncertainty/wobbles *col*.

vacilante *a*: hesitant, tentative. [Exp: **vacilar** (hesitate, fluctuate)].

vago[1] *a*: vague, loose; S. *impreciso*. [Exp: **vago[2]** (lazy, idle, slack[2] *col*)].

vagón *n*: TRANSPT car, van, railway truck, wagon. [Exp: **vagón cisterna** (tank wagon), **vagón completo** (truckload/carload), **vagón de mercancías** (luggage/goods van, freight car *US*), **vagón frigorífico** (refrigerator car), **vagón furgón** (goods wagon, boxcar *US*), **vagón plataforma, sin techo ni laterales** (open truck, flat car *US*), **vagonada** (carload; S. *furgón, carga de vagón*)].

vaivén *n*: fluctuation, oscilation, swinging, lurch; S. *sacudida, bandazo, perturbación*. [Exp: **vaivenes bursátiles** (STK EXCH ups-and downs of the Stock Market, Stock Market wobbles *col*)].

vale[1] *n*: COM voucher; coupon, token; scrip, warrant; S. *resguardo*. [Exp: **vale**[2] (FIN promissory note, debenture note; S. *pagaré*), **vale de aduana** (customs debenture), **vale de caja** (cash voucher), **vale de regalo** (COM gift token/voucher), **vales de tesorería o del Tesoro** (Treasury notes,[2] bradburies *US*), **vale-descuento** (COM discount voucher)].

valedero *a*: valid; S. *válido*.

valer *v*: cost, be worth; count, be valid/allowed, apply, be applicable; IND REL be good at one's job, be very capable or competent, know what one is doing/talking about, know one's business.

validación *n*: validation, authentication. [Exp: **validar** (validate, authenticate, sanction[1]; S. *legalizar*)].

validez *n*: validity; efficacy, cogency, strength; S. *eficiencia*. [Exp: **válido** (valid, operative,[1] in force, good; S. *eficaz, vigente*), **válido hasta nueva orden** (STK EXCH good until cancelled; S. *orden abierta*)].

valioso *n*: valuable; useful, helpful; S. *de valor*.

valor[1] *n*: value, worth, price; rate[2]; S. *cotización, precio, cuota*. [Exp: **valor**[2] (STK EXCH security; S. *valores*), **valor**[3] (BKG item[3]; S. *artículo, efecto*), **valor a la par [facial/nominal]** (par/face value), **valor a partir de, con** (effective as from), **[valor] activo neto** (ACCTS net worth[2], net asset value, NAV; S. *fondos propios, capital contable*), **valor absoluto** (absolute value), **valor actual** (present/current value; S. *precio corriente*), **valor actual a interés compuesto** (compound present worth), **valor actual de un negocio** (going value), **valor actual neto** (net present value, NPV; capital value; S. *valor neto presente*), **valor actual neto a precios económicos** (net present value in efficiency prices), **valor actuarial** (actuarial value), **valor acumulativo** (accumulative value), **valor adquisitivo** (COM purchasing power), **valor afectivo o de afección** (INSCE affection value), **valor agregado/añadido** (added value), **valor al cambio** (exchange value), **valor al cobro** (value for collection), **valor al costo de los factores** (value at factor cost), **valor al vencimiento** (maturity value, value at maturity redemption), **valor alfa** (alpha value), **valor anual** (annual value), **valor añadido** (added value), **valor añadido bruto, VAB** (gross added value, GAV), **valor asegurable** (INSCE insurable value), **valor asignado** (rating[1]; assessed valuation/value), **valor bruto** (gross value), **valor bursátil** (stockmarket value), **valor bursátil importante** (STK EXCH top-rated security, market leader[1]; S. *empresa líder/puntera*), **valor capitalizado** (capitalized income value), **valor catastral** (TAXN rateable value, cadastral value, assessed valuation/value *US*; S. *valor imponible de bienes inmuebles*), **valor/coeficiente alfa** (STK & COMMOD EXCH alpha coefficient/value *US*), **valor comercial o de mercado** (commercial/market value), **valor como chatarra** (scrap value), **valor comparativo** (comparative value), **valor compensado** (compensated value), **valor computable** (accepted value), **valor constante** (current/constant value), **valor contable** (ACCTS ledger value, book value, bv[1]), **valor contable de un activo** (ACCTS appraisal/appraised value of an asset), **valor contable de la participación** (equity value), **valor convenido** (agreed value), **valor corriente** (current/present value), **valor cotizado en Bolsa** (listed/quoted security; S. *valor*[2]), **valor, de** (effective; S. *efectivo, eficaz*), **valor de activo** (asset value), **valor de adquisición** (ACCTS cost price, historic/

first cost; S. *precio de coste*), **valor de amortización** (redemption value; S. *valor de rescate*), **valor de avalúo** (ACCTS appraisal/appraised value), **valor de balance** (ACCTS book value), **valor de balance por acción** (book value per share), **valor de cada acción según el activo de la sociedad** (asset coverage, net book value per share), **valor de cambio** (exchange/exchangeable value; S. *contravalor*), **valor de cesión** (assignment value), **valor de cotización** (current share price, market value), **valor de cotización calificada** (qualified listed security), **valor de desecho/desguace** (junk/salvage/scrap value), **valor de escasez** (scarcity value), **valor de fragmentación de los activos de una empresa** (ACCTS break-up value), **valor de inventario** (inventory value), **valor de la cosa nueva** (replacement value; S. *valor de reposición*), **valor de la empresa en marcha** (going concern value), **valor de la moneda en divisa extranjera** (foreign exchange value of a currency), **valor de las mercancías durante su proceso de elaboración** (goods-in-process/progress value *US*, value of unfinished goods), **valor de liquidación o liquidativo** (breaking-up price, liquidation value,[2] liquidating value, realization value), **valor de los bienes salvados** (saved values), **valor de los intercambios comerciales** (trade turnover), **valor de mercado** (market/sale value/price; S. *valor en plaza*), **valor de mercado actual o corriente** (current market value), **valor de mostrador** (COM counter value), **valor de paridad** (parity value), **valor de primera clase** (S. *valores estrella*), **valor de realización/venta** (selling value, realization/exit value; S. *valor en liquidación*), **valor de recuperación** (salvage value), **valor de redención o amortización de un título**

(STK EXCH redemption/call price; S. *valor/precio de rescate*), **valor de redención de una póliza** (INSCE redemption/paid-up value of a policy), **valor de reposición de un activo** (ACCTS asset replacement value, asset replacement cost, physical value; S. *coste de reposición de un activo*), **valor de rendimiento** (capitalized income value; S. *valor capitalizado*), **valor de renta fija** (STK EXCH fixed-rate security), **valor de renta fija a largo plazo** (debenture,[1] debenture bond; S. *obligación, bono*), **valor de renta fija y fecha de amortización fija** (FIN bullet[1]), **valor de reposición** (replacement value), **valor de rescate** (BKG redemption/surrender/salvage value; call price, loan value; S. *precio de rescate*), **valor de rescate de una póliza de seguros** (INSCE surrender value), **valor de rescate en efectivo de una póliza** (INSCE cash surrender value *US*), **valor de retorno** (return value), **valor de salida** (ACCTS break-up value[2]), **valor de tasación** (ACCTS appraisal/appraised value), **valor de un activo en el mercado abierto** (open market value of an asset *US*), **valor de un negocio en marcha** (going-concern value of an enterprise), **valor de un punto básico** (STK EXCH basis point value), **valor de una moneda** (denomination of a currency note; S. *denominación, moneda*), **valor de una finca** (property value), **valor de una opción** (option value), **valor de uso** (value in use), **valor de venta forzosa** (FIN forced sale value; S. *valor en liquidación*), **valor declarado** (declared value, entered value), **valor declarado en Aduanas** (TRANSPT declared value), **valor del año base** (base year value), **valor descontado** (discounted/commuted value), **valor efectivo** (real/actual value, cash value), **valor efectivo neto** (COMP LAW effective net worth, effective cash value), **valor en aduana** (customs value, value in customs; dutiable value), **valor en Bolsa** (stock market value), **valor en dólares constantes** (constant dollar value), **valor en efectivo** (cash value), **valor en frontera** (TAXN boundary value), **valor en libros** (ACCTS book value; S. *valor contable*), **valor en liquidación** (realization/liquidation value; S. *valor de realización/venta*), **valor en plaza** (actual/commercial/market value, market value/price; S. *valor real o de mercado*), **valor en prenda o garantía** (secured value), **valor equitativo de venta** (fair market value, equitable value; S. *justiprecio*), **valor estable** (peg), **valor estándar o unitario** (standard value), **valor estimado** (ACCTS appraisal/appraised value, estimated value), **valor facial** (facial/nominal value), **valor fiscal o gravable** (TAXN tax value, assessed valuation/value *US*), **valor interior** (COM domestic value), **valor justo de mercado** (COM fair value, fairmarket value; S. *justiprecio*), **valor justo en efectivo** (fair cash value), **valor liquidativo de un fondo** (liquidating value of a mutual fund or unit trust), **valor líquido** (clean value), **valor líquido común** (COMP LAW common equity; S. *capital social y reservas*), **valor máximo de una garantía** (FIN collateral value), **valor medio** (ACCTS average/mean value), **valor mínimo de liquidación** (INSCE minimum liquidation value), **valor mínimo de variación** (STK & COMMOD EXCH tick[2]; S. *punto básico*), **valor monetario** (money/monetary value), **valor monetario efectivo** (actual cash value), **valor negociable** (negotiable instrument; S. *efecto comercial*), **valor neto** (net worth,[1] net value, clear profit/value, shareholders' equity), **valor neto actualizado** (net discounted value),

valor neto de una operación de futuros financieros (STK & COMMOD EXCH equity), **valor neto en libros** (ACCTS net book value, NBV), **valor neto presente** (ACCTS net present value, NPV), **valor nominal** (denomination, face/par/nominal/denominational value/price), **valor nominal de la exportación** (export proceeds), **valor nominal, por encima del** (STK EXCH above par; S. *con prima*), **valor normal** (normal value), **valor normal de mercado** (fair market value; S. *justiprecio*), **valor objetivo** (objective value), **valor oro** (gold value), **valor patrimonial** (equity, net worth, shareholers' interest/equity), **valor por amortización anticipada** (call value), **valor probatorio** (evidentiary effect), **valor publicitario** (advertising value), **valor real** (real/actual value), **valor real en el mercado o en plaza** (actual market value, active cash value; S. *coste de reposición*), **valor realizable en efectivo** (actual cash value), **valor realizable neto** (ACCTS net realizable value, NRV), **valor realizable o de realización** (ACCTS realizable/liquidating value), **valor registrado** (listed security), **valor residual o de desecho** (scrap value, residual value; S. *valor como chatarra*), **valor, sin** (worthless, of no value; valueless, void, dead, bad; a write-off; S. *nulo*), **valor comercial, sin** (of no commercial value), **valor social neto actual o actualizado** (social net present value, current net worth/value of shareholders' interest), **valor total** (aggregate value), **valor total de amortización** (aggregate redemption value), **valor unitario** (value/cost/price per unit, unit value), **valor venal** (fair market value, scrap value), **valor verdadero** (true value)].

valores[1] *n*: STK EXCH, FIN securities, stock,[2] stocks and shares, paper[1]; S. *títulos,* *acciones, efectos, instrumentos nego-ciables*. [Exp: **valores**[2] (valuables; S. *objetos de valor*), **valores a la orden** (FIN negotiable documents/instruments; paper), **valores agresivos o arriesgados** (high-risk/high-yield securities/stock/bonds; junk bonds), **valores al cobro** (BKG items for collection), **valores amortizables en menos de dos años** (short-dated bonds, short bonds, shorts), **valores bancarios** (bank stock, bank securities, bank commercial paper; S. *títulos bancarios*), **valores-barómetro** (barometer stock), **valores bursátiles** (traded on the stock exchange securities), **valores bursátiles del mundo del espectáculo** (amusement shares), **valores comerciales** (commercials[2]), **valores con bonificación fiscal** (tax-exempt stock/bonds, withholding tax-exempt bonds), **valores cotizables/cotizados** (marketable papers, listed shares/securities/stock; S. *papel negociable*), **valores de canto rodado** (gilt-edged securities, blue chip securities; S. *valores de primera clase*), **valores de cartera/inversión** (investment/portfolio securities/shares/stock; portfolio securities; S. *cartera de títulos/valores de inversión*), **valores de crecimiento** (growth stocks; S. *acciones de un sector en alza o crecimiento*), **valores de cupón en especie** (payment-in-kind securities), **valores de especulación** (equity securities), **valores de índice alfa/gamma** (STK EXCH alpha/gamma securities stock/shares), **valores de inversión obligatoria** (narrower-range investment, trustee investments, legal investments; S. *inversiones de gama estrecha*), **valores de poca solidez** (STK EXCH cats and dogs; S. *chicharros*), **valores de primera clase o de toda confianza** (gilt-edged/blue chip securities; S. *valores de canto rodado*), **valores de renta fija** (fixed interest/yield securities, securities with a fixed interest/income), **valores de renta variable** (floating/variable rate/yield securities; equities; the equity market), **valores de segunda clase** (second-class papers, secondary securities), **valores defensivos** (defensive shares/stock *US*; S. *acciones seguras y poco sensibles a la coyuntura*), **valores del Tesoro** (Treasury securities/stock[1]), **valores emitidos como anotaciones en cuenta** (STK EXCH book-entry securities), **valores en alza/baja** (bullish/bearish stocks), **valores en cartera** (holdings), **valores engullidos** (digested securities *US*), **valores estrellas** (blue chips, gilt-edged securities; S. *valores de canto rodado*), **valores extranjeros** (foreign securities), **valores ferroviarios** (railways, railway shares/stock), **valores garantizados** (guaranteed stocks), **valores generadores de intereses** (interest-bearing paper/securities), **valores industriales** (STK EXCH industrial securities/shares), **valores inmobiliarios o inmuebles** (immovable property, real estate, immovables; S. *bienes inmuebles o raíces*), **valores inmateriales/intangibles/incorporales** (ACCTS intangible assets; S. *activo intangible*), **valores inscritos/registrados en Bolsa** (listed shares/securities/stock; S. *valores cotizados*), **valores materiales o físicos** (ACCTS physical assets), **valores mobiliarios** (movables/moveables, stocks and shares; negotiable/marketable securities; S. *bienes muebles*), **valores no cotizados** (non-quoted securities/shares, off-board securities, non-listed/unlisted securities/shares), **valores nominativos** (registered securities; S. *derecho-valor*), **valores patrimoniales** (ACCTS capital assets, investments held in other companies' stock; S. *activo fijo o inmovilizado, activo de capital, bienes de* *capital*), **valores pignorados/empeña-dos o dados en prenda/garantía** (pledged/pawned securities, securities held in pawn/pledge, **valores punteros, estrellas o seguros** (blue chip stock, leaders[2], alpha securities/stock/shares, highfliers), **valores respaldados por hipotecas** (FIN mortgage-backed securities, MBS; S. *fondo de titulización hipotecaria*), **valores sin cotización** (non-quoted stock, unlisted securities), **valores sin vender o remanentes** (undigested securities *US*, new issue securities not taken up), **valores titulizados de fondos de hipotecas** (securitized mortgages, mortgage-backed/pass-through securities *US*; S. *títulos subrogados*), **valores transferibles** (STK EXCH marketable/negotiable securities), **valores transferibles mediante escritura de cesión** (deed stock)].

valoración *n*: rating,[1] appraisal, assessment, evaluation, valuation; S. *tasación, evaluación; peritación.* [Exp: **valoración actuarial** (actuarial assessment), **valoración aduanera** (customs valuation), **valoración catastral** (rateable value; S. *valor catastral*), **valoración de daños** (INSCE asessment of damage, ascertainment of the damage, damage survey), **valoración de existencias** (ACCTS inventory pricing, inventory evaluation), **valoración de existencias con el precio de reposición** (ACCTS next-in first-out, NIFO, stock evaluationat replacement cost), **valoración de los cometidos de un puesto de trabajo** (IND REL appraisement, appraisal[2])), **valoración de los activos de un banco** (BKG credit quality)), **valoración de puestos** (job evaluation), **valoración de valor imponible** (TAXN assessment of dutiable value), **valoración del capital de una sociedad** (capital rating), **valoración**

diferencial (differential pricing), **valoración en aduanas** (customs assessment), **valoración fiscal** (TAXN assessed valuation/value *US*), **valoración según rentas** (TAXN income approach to value)].

valorar *v*: value, evaluate, rate, appraise, fix,[1] price, weigh up; S. *calcular, determinar, evaluar.*

valuable *a*: assessable, appraisable, rateable/ratable; S. *tasable, imponible.*

valuador *n*: appraiser, assessor, valuer; S. *tasador, perito.*

valla publicitaria *n*: hoarding, advertisement hoarding; billboard *US*.

vaquería *n*: dairy, creamery; S. *central lechera.*

varado *a*: TRANSPT aground, stranded; S. *encallado, embarrancado.* [Exp: **varar** (run aground, be stranded), **varadero** (dry dock)].

varapalo *col n*: body blow *col*; beating, thrashing, hammering; severe blow/setback; S. *paliza, golpe, batacazo.* [Exp: **varapalo bajista** (STK EXCH sudden dip/sharp drop or fall in prices, slump in share prices, session/period of plummeting/crashing prices)].

variabilidad en el muestreo *n*: sampling variability.

variable *a/n*: variable, floating, adjustable, changing, open, open-end; variable; S. *revisable, regulable, ajustable, graduable.* [Exp: **variable aleatoria** (random variable), **variable desfasada** (ECO lagged variable), **variable discontinua** (discrete/discontinuous varaible), **variable electiva** (choice variable), **variable independiente** (independent variable)].

variación *n*: variation, variance, change,[1] alteration, shift[1]; S. *modificación, alteración, cambio.* [Exp: **variaciones** (fluctuation-s; ups and downs; S. *altibajos*), **variaciones a largo plazo**

(secular/long-term fluctuations), **variaciones de costo** (cost variance), **variaciones patrimoniales** (wealth changes; S. *plusvalía*), **variaciones autorreversibles de la cuenta de capital** (self reversing charges in the capital account)].

variado *a*: varied, assorted; S. *heterogéneo, surtido*.

variante[1] *n*: alternative[2]. [Exp: **variante**[2] (TRANSPT by-pass; S. *desvío, carretera de circunvalación*)].

varianza *n*: variance; S. *variación, oposición*. [Exp: **varianza de eficacia** (ECO efficiency variance), **varianza del muestreo** (sampling variance)].

variar *v*: vary, modify, change,[1] range[5]; switch, alter, alternate; S. *cambiar, alternar*.

variedad *n*: assortment; S. *surtido*. [Exp: **variedad de surtido** (range of sections)].

varios *a*: several, sundry.

véase al dorso *phr*: over, on the back or the other side; S. *al dorso*.

vehículo *n*: TRANSPT, INSCE vehicle, conveyance[1]; S. *medio de transporte*. [Exp: **vehículo de carga** (TRANSPT goods vehicle), **vehículo matriculado** (registered vehicle)].

velocidad *n*: speed; velocity; rate[7]; S. *ritmo, frecuencia*. [Exp: **velocidad de circulación** (ECO velocity of circulation, rate of turnover; turnover ratio[1]; S. *índice de rotación*), **velocidad de circulación de la renta o de ingreso del dinero** (ECO income velocity of circulation)].

venal *a*: S. *valor venal*.

vencer[1] *v*: fall in, expire, fall/become due; mature, reach redemption; S. *expirar*. [Exp: **vencer**[2] (defeat, beat, overcome; S. *ganar*), **vencer a la competencia** (COM beat the competition; S. *ganarle al rival*)].

vencido *a*: overdue, unsettled, due,[1] pending, unpaid, outstanding, mature, in arrears, past due, due and payable; S. *pendiente, devengado y no pagado, no cumplimentado, con efecto retroactivo*.

vencimiento *n*: expiry, expiry date, expiration; redemption, redemption date; maturity, falling due; S. *caducidad, término, expiración*. [Exp: **vencimiento a corto plazo, con** (STK EXCH at short date), **vencimiento a largo plazo** (long maturity), **vencimiento acelerado o adelantado** (accelerated maturity), **vencimiento, al** (on maturity, as/when it falls due or matures), **vencimiento corregido de un bono** (FIN modified duration), **vencimiento de letras** (maturity/redemption date of bills), **vencimiento de un contrato** (expiration of a contract), **vencimiento de un préstamo, obligación, etc.** (maturity of a loan, bond, etc.), **vencimiento medio** (ACCTS average maturity/redemption date due date; S. *fecha media de vencimiento de una cartera de valores*), **vencimientos corrientes** (FIN current maturities)].

vendedor *n*: COM salesman, salesperson, salesperson; shop assistant, clerk[2] *US*; S. *dependiente*. [Exp: **vendedor a domicilio** (house-to-house salesman), **vendedor al descubierto** (STK EXCH bear seller), **vendedor al por menor** (retailer; S. *minorista, detallista, revendedor*), **vendedor ambulante o callejero** (barrowman, street trader, street hawker, pedlar/peddler), **vendedor con límite máximo de precio** (STK EXCH marginal seller), **vendedor de automóviles** (car dealer; S. *concesionario de una marca de automóviles*), **vendedor de productos a domicilio** (canvasser[1]), **vendedor en corto o en descubierto** (MERC FINAN/PROD/DINER short-seller), **vendedor en largo** (MERC FINAN/PROD/DINER long-seller), **vendedor en régimen de franquicia** (franchised dealer), **vendedora** (saleslady/saleswoman), **vendedores ambulantes de productos de baja calidad** (tallyman/tallywoman)].

vender *v*: sell, vend, dispose of[3]; carry a

stock; S. *traspasar, enajenar, ceder; dar salida a un producto; colocar.* [Exp: **vender a la baja** (sell for a fall, sell cheap, sell below par, lose on a sale), **vender a mejor precio o más barato** (outsell), **vender a plazo o a término** (sell for future delivery), **vender a precio de cierre/apertura del mercado** (sell at the closing/opening price), **vender a precio de lote los ejemplares que quedan de una edición** (remainder), **vender al contado** (sell for cash), **vender al descubierto** (sell short), **vender al fiado** (sell on trust/credit/tick *col*), **vender al por menor, al detalle o al menudeo** (retail), **vender algo a precio de saldo** (sell sth cheap/at a loss/at a sacrifice/for a song *col*; S. *malvender*), **vender con entrega aplazada** (sell forward), **vender con pérdida** (sell at a sacrifice/loss), **vender corto** (sell short; S. *especular a la baja, vender/operar en descubierto*), **vender el negocio** (sell off, dispose of one's business), **vender/operar en descubierto** (STK EXCH sell short; S. *vender/ir corto, especular a la baja*), **vender en exceso** (overbook, oversubscribe, overwrite), **vender en pública subasta** (auction off, sell at auction; S. *rematar*), **vender más barato que un competidor** (undersell a rival/competitor; S. *rebajar el precio*), **vender por debajo de los precios de los competidores** (undercut competitors), **vender por la calle o de puerta en puerta** (peddle; S. *dedicarse a la venta ambulante*), **venderse** (sell out[4]; S. *traicionar la causa*), **vender-se en pública subasta** (come/fall under the hammer *col*; be auctioned off; S. *subastarse*), **venderse a buen precio** (COM command a good price), **venderse bien** (COM sell well, be a good seller, meet with a ready market; be big *col*), **vende, se** (on/for sale; up for sale; S. *en venta*)].

vendí *n*: bill of sale; S. *contrato de compraventa de bienes.*

vendibilidad *n*: STK & COMMOD EXCH saleability, marketability; S. *negociabilidad.* [Exp: **vendible** (salable/saleable, merchantable; marketable; tradable; tradeable; disposable of by sale, vendible/sellable; S. *comerciable, negociable*)].

venir *v*: come. [Exp: **venirse abajo** (collapse, crash, fall apart/through; S. *caerse, derrumbarse, desplomarse, desmoronarse*)].

venta *n*: sale, marketing, selling; vending, disposal[2]; S. *traspaso.* [Exp: **venta a ciegas** (blind selling), **venta a/contra reembolso** (cash on delivery sale, COD), **venta a crédito** (credit sale; S. *venta a plazos*), **venta a entrega** (sale for future delivery), **venta a pérdida** (leader merchandising/pricing), **venta a plazo** (STK & COMMOD EXCH forward sale; S. *compra para entrega en el acto*), **venta a plazos** (COM hire purchase/HP sale or agreeemnt, sale by instalments, credit sale; S. *venta a crédito, venta al contado*), **venta a precio de saldo o desfavorable** (distress sale), **venta a precio impuesto/prefijado** (fixed-price sale), **venta a precios reducidos** (markdown sale; S. *rebajas*), **venta a prueba o sujeta a aprobación o a devolución** (sale on approval/trial; sale or return), **venta al contado** (cash sale), **venta al descubierto** (short selling, bear sale, sale against the box, short sale, time bargain), **venta al detalle o al por menor** (retail business, retailing), **venta ambulante** (street dealing/trading, itinerant sale; hawking, street hawking; car boot sale; S. *venta en vía pública*), **venta ambulante al fiado o a plazos** (tally trade *col*), **venta apresurada** (quick sale/sell/selling; run[9]), **venta benéfica** (sale of work), **venta compensatoria de**

futuros (offretting sale), **venta con arrendamiento** (sale and lease-back), **venta con derecho de retracto/retroventa** (sale with right to repurchase), **venta con elección de la fecha de entrega** (COM call sale), **venta con pacto de recompra/retroventa** (sale with repurchase option, repurchase agreement), **venta con pago en el acto y entrega aplazada** (STK & COMMOD EXCH cash forward sale), **venta con pérdida** (sale at a loss, loss leader selling), **venta con precio engañoso** (bait selling), **venta con prima** (premium sale), **venta con producto de regalo** (banded offer), **venta con señuelo o con publicidad engañosa** (ADVTG bait-and-switch US; S. *artículo gancho*), **venta condicionada** (conditional sale, conditional sales contract, tied selling; tying arrangement; S. *vinculación de ventas*), **venta conforme a la descripción** (sale by description), **venta consumada** (executed sale), **venta corta** (STK & COMMOD EXCH short sale/selling; S. *venta en descubierto*), **venta cruzada de varios productos financieros a un cliente** (BKG cross-marketing), **venta, de** (on the market, on sale; S. *en el mercado*), **venta de acciones por paquetes** (STK EXCH block sale), **venta de acciones a empleados con pacto de recompra** (employee stock repurchase agreement), **venta de acciones en mano** (STK EXCH long sale), **venta de acciones por subasta** (FIN issue by tender), **venta/liquidación de activos** (selling off/realization of the assets), **venta de cobertura** (hedge selling), **venta de excedentes** (surplus disposal), **venta de excedentes sacados al mercado** (disposal of releases), **venta de fin de temporada** (COM end-of-season sale), **venta de grandes cantidades o al por mayor** (bulk selling), **venta de liqui-**dación (clearance,[3] clearance sale; S. *liquidación de existencias*), **venta de liquidación por cierre del negocio** (closing-down sale), **venta de opciones en descubierto** (STK & COMMOD EXCH naked writing), **venta de préstamos entre bancos** (BKG commercial loan selling), **venta de rebajas** (bargain sale; S. *liquidación, saldos*), **venta de remate** (breakout sale), **venta de restos** (scrap sale), **venta de restos de serie** (sale of remnants), **venta de un activo** (realization; S. *realización, liquidación*), **venta de una opción de venta sintética** (short synthetic put), **venta de una opción de compra sintética** (short synthetic call), **venta directa** (direct selling), **venta directa por la puerta de atrás** (COM back-door selling), **venta directa por correo** (direct mail selling, mail-order selling), **venta domiciliaria** (door-to-door selling), **venta, en** (up for sale, for sale, on the market, available), **venta en almoneda** (public auction/sale; S. *pública subasta*), **venta en consignación** (consignment selling), **venta en corto o en descubierto** (STK & COMMOD EXCH selling short, short sale/selling; naked call writing), **venta en documento privado** (private sale), **venta en liquidación** (liquidation sale), **venta en lotes de acciones adquiridas en bloques** (second offering), **venta en pública subasta** (sale by auction, auction sale; S. *remate, almoneda*), **venta, estar en** (come on to the market, be on the market; S. *salir al mercado*), **ventasalida fácil de un producto** (ready sale/market/outlet for a product), **venta FAS, libre o franco al costado del vapor** (free alongside vessel, fas), **venta febril de valores** (STK EXCH panic selling), **venta ficticia** (STK & COMMOD EXCH wash sale), **venta FOB** (free on board FOB; S. *franco a bordo*), **venta forzosa** (forced sale, winding-up sale), **venta forzada de valores** (STK EXCH distress selling; forced sale), **venta incondicional o sin cláusula restrictiva** (absolute sale), **venta judicial** (execution sale), **venta judicial hipotecaria** (LAW foreclosure sale), **venta por contrato privado** (sale by private contract), **venta por correo/ correspondencia** (COM mail-order business/selling), **venta por fin de temporada** (seasonal sale), **venta por juicio hipotecario** (LAW foreclosure sale; S. *venta judicial hipotecaria*), **venta por muestrario o sobre muestras** (sale by sample), **venta-reclamo** (bargain sale; S. *saldos, venta de rebajas*), **venta sin derecho a reclamación** (no-return sale; sale as seen), **ventas netas** (ACCTS net sales/turnover; S. *cifras netas de negocios*), **venta vinculada** (tied sale), **ventas netas a inventario** (ACCTS net sales to inventory), **ventas netas a capital contable** (ACCTS net sales to net worth), **ventas netas menos coste de ventas** (ACCTS net sales less cost of sales; maintained markup; S. *margen real, margen comercial efectivo o retenido*)].

ventaja *n*: advantage, benefit, avail,[1] convenience, lead,[1] edge[1]; leverage[1]; mileage[2] *fig*; S. *provecho*. [Exp: **ventaja absoluta** (COM absolute advantage), **ventaja comparativa o relativa** (comparative advantage), **ventaja competititva** (competitive edge/advantage), **ventaja de costes absoluta** (ECO absolute cost advantage), **ventaja de un producto sobre otro en el mercado** (COM, ADVTG competitive edge/advantage, economic edge; S. *superioridad competitiva*), **ventajas adicionales** (IND REL perks, bonuses, bonus schemes, makeup US; S. *extras, pluses*), **ventajas/exenciones fiscales para la inversión empresarial** (ECO Business Expansion Scheme, BES; S.

vacaciones fiscales por inversión empresarial), **ventajoso** (advantageous, profitable, beneficial; S. *rentable, provechoso*)].

ventanilla *n*: window, desk,[1] counter[2]; S. *mostrador*. [Exp: **ventanilla de cobros** (pay-in desk/counter/window), **ventanilla de descuentos** (FIN discount window US; S. *inyección de fondos a corto plazo por un banco central*), **ventanilla de préstamos blandos o en condiciones favorables** (concessional window, soft loan window), **ventanilla sin cristal** (open banking hall US)].

veracidad *n*: reliability; S. *fiabilidad*. [Exp: **veraz** (reliable; S. *seguro, fidedigno*)].

verificación *n*: verification, confirmation, substantiation, check,[1] checking, audit,[1] inspection, check-up; S. *comprobación, control*. [Exp: **verificación cruzada** (cross check/checking; S. *segunda comprobación*), **verificación de depósitos por lotes** (BKG batch proof), **verificado con/contra el libro mayor, etc.** (ACCTS in agreement with ledger, etc.), **verificar** (verify, check,[1] check up/up on, confirm, test, test out, substantiate, control; S. *compulsar, cotejar, comprobar*), **verificar una cuenta** (audit an account)].

versión *n*: version, rendering. [Exp: **versión o redacción final de un documento** (final draft)].

vertedero *n*: rubbish, rubblish tip, dump; junk heap; S. *dumping site; basurero, escombrera*. [Exp: **verter**[1] (pour, spill, dump), **vertido** (spillage, spill; dumping)].

vertiginoso *a*: dizzy, dizzying, very sharp or fast, steep; S. *fuerte, empinado, exorbitante*.

vía *n*: way; road, route, path, channel; *fig* means; S. *camino*. [Exp: **vía arbitral, por** (by arbitration), **vía de agua** (leak, leakage; S. *fuga de agua*), **vía de**

apremio legal (legal means for compelling payment; *approx* distraint, seizure, attachment, confiscation, forced sale), **vía de escape** (LAW escape route, way out, loophole; S. *vacío legal, salida*), **vía de navegación interior** (inland waterway), **vía ejecutiva** (execution[2]; S. *ejecución de los derechos del acreedor, mandamiento judicial*), **vía férrea** (rialway, railway track; S. *ferrocarril*), **vía fluvial navegable** (waterway), **vía libre** (free hand; S. *absoluta discreción*), **vía pública** (throroughfare), **vía secundaria** (TRANSPT branch line *US*; S. *ramal*), **vías de, en** (in progress of; S. *en curso de*), **vías de hecho** (LAW forceful, drastic or expeditious legal means under Spanish administrative law for compelling compliance with the orders of state or municipal authorities; they may take many forms, e.g. compulsory purchase orders, the closing down of premises which are in danger of collapsing or constitute a nuisance, compulsory demolition orders, attachment, distraint, the revoking of licenses, etc. The main feature of all such administrative acts is that they provide immediate remedies or interim relief but do not finally dispose of the matter, so that the owner of the offending property, etc. is faced, as it were, with a kind of *fait accompli*, appeal against which is likely to prove more costly than the loss sustained)].

viabilidad *n*: viability, feasibility, sustainability; S. *factibilidad, plan de viabilidad*. [Exp: **viabilidad de un proyecto económico** (feasibility of an economic project), **viable** (viable, feasible, practical, workable, economic; S. *factible, practicable*)].

viajante *n*: traveller; travelling, salesman, sales representative/rep *col*. [Exp: **viajante a comisión** (travelling salesman on commission), **viajante de comercio** (commercial traveller, travelling salesman; drummer *US*, field man *US*; S. *agente comercial*)].

viajar *v*: TRANSPT travel; S. *trasladarse*. [Exp: **viaje** (trip, journey, tour; voyage), **viaje con carga** (cargo passage), **viaje de ida, en** (outward bound), **viaje de ida** (outward leg of a journey), **viaje de ida y vuelta** (round trip; S. *billete de ida y vuelta*), **viaje de negocios** (business trip), **viaje de vuelta** (homeward journey, home run, homweward of a journey), **viaje en barco** (voyage; sea travel), **viaje en lastre** (ballast passage), **viaje en tren** (rail travel), **viaje organizado** (package holidays/deal/tour; S. *vacaciones organizadas, oferta turística con hotel y viaje incluidos*), **viaje por avión** (air travel), **viajero** (traveller, passenger; S. *pasajero*), **viajero de cercanías** (commuter)].

viático *n*: per diem allowance, travelling allowance; S. *dieta*.

vice *n*: deputy, assistant; vice; S. *diputado, sub-*. [Exp: **vicepresidente** (vice-president, deputy chairman), **vicepresidente primero** (senior vice-president)].

viciar *v*: vitiate; invalidate. [Exp: **vicio** (vice, defect, flaw; S. *defecto*), **vicio aparente** (conspicuous defect), **vicio de partida** (inherent vice or defect; S. *defecto propio*), **vicio de título** (defed-in title), **vicio inherente** (inherent vice), **vicio manifiesto o patente** (patent defect), **vicio oculto** (latent defect)].

victoria *n*: victory, triumph, win; S. *triunfo*. [Exp: **victoria abrumadora/aplastante/demoledora** (landslide/sweeping victory; clean sweep *col*; S. *barrida*)].

vida *n*: life, lifetime, living; duration; S. *vigencia, duración*. [Exp: **vida activa** (working life), **vida amortizable** (depreciable life), **vida comercial/útil de un producto** (ADVTG shelf life *col*), **vida,**

de por (for life; S. *vitalicio*), **vida de un título** (duration/lifetime of a security), **vida de un producto** (product life cycle), **vida media/compuesta** (INSCE mean/composite life), **vida media de maduración de una cartera** (average maturity period of a portfolio; aging schedule of a portfolio), **vida promedio** (mean life), **vida técnica** (technical/useful life; S. *vida útil*), **vida útil** (life, useful/economic life; S. *vigencia, duración, efectividad*)].

vigencia *n*: life, duration, validity, period of validity, force, effect, term. [Exp: **vigencia de la póliza** (INSCE term of insurance, policy period), **vigencia de la garantía** (life of a guaranty), **vigencia de un préstamo** (life/term of a loan), **vigencia de una patente** (life of a patent), **vigencia, en** (in force; S. *vigente, válido, en vigor*)].

vigente *a*: current, in force, prevailing, in place, going, ruling,[2] unexpired; S. *válido, en vigor, en vigencia*. [Exp: **vigente a partir de** (with effect from; S. *con efectos desde*), **vigente, estar** (be in effect/force/place, apply, be applicable, prevail; S. *predominar, prevalecer*)].

vigilancia *n*: vigilance, follow-up; surveillance; monitoring; S. *control, seguimiento*. [Exp: **vigilancia de las operaciones bursátiles** (STK EXCH radar alert), **vigilancia previa/retrospectiva** (prior/retrospective surveillance)].

vigilante *n*: superintendent; caretaker; security guard; store detective, floorwalker *US*; S. *supervisor*. [Exp: **vigilante de tiburones** (shark watcher), **vigilar** (supervise, superintend, watch; oversee, keep an eye on; S. *supervisar, controlar*)].

vigor[1] *n*: force, strength, soundness, drive[1]; S. *empuje, dinamismo*. [Exp: **vigor**[2] (forece, effect, period of validity, life, applicability; S. *vigencia*), **vigor desde,**

estar en (be effective/operative/in effect from), **vigor, en** (in force, existing; S. *en vigencia; puesta en vigor*), **vigoroso** (brisk; S. *animado, activo*)].

vinculación *n*: link, linkage, bond, connextion, relation[ship]; S. *dependencia, relación*. [Exp: **vinculación/referencia a un índice económico** (ECO indexation, index-linking; S. *indexación/indiciación*), **vinculación de ventas** (tied selling, tying arrangement; S. *venta condicionada*), **vinculación por medio de consejeros comunes** (interlocking directorships), **vinculación recíproca de las compras** (reciprocal tied purchasing), **vinculado** (pegged; linked, related), **vinculado a** (geared to, linked to; S. *relacionado con*), **vinculado/ajustado/referenciado/actualizado a un precio o índice** (index-linked, indexed; S. *indexado/indiciado*)].

vinculante *a*: binding, obligatory; S. *obligatorio*. [Exp: **vinculante, no** (non-binding, non-compulsory)].

vincular *v*: link; relate; peg; bind; tie; S. *unir, enlazar*. [Exp: **vincular a un índice económico** (tie/link to an index), **vincular-se** (bind,[1] bind oneself, become bound, undertake; S. *obligar-se*)].

vínculo *n*: link, linkage, bond,[5] peg; relation, tie-up; S. *lazo*. [Exp: **vínculo a una sola moneda** (single peg)].

violación [de derechos] *n*: LAW infringement, breach; violation, breaking; S. *contravención, infracción*. [Exp: **violación de marca/patente** (LAW infringement of trademark/patent), **violación de obligación por asegurado** (breach of warranty), **violación de una norma legal** (ADVTG breach of duty/statutory duty), **violador** (infringer; S. *infractor*), **violar** (infringe; breach, break[1]; S. *vulnerar, infringir*), **violar una patente** (infringe a patent)].

virtud de, en *phr*: by virtue of, pursuant to,

in accordance with; under[1]; S. *de conformidad con, de acuerdo con.*

visado *n*: visa. [Exp: **visado comercial/ turístico/de entradas múltiples** (tourist/business/multiple entry visa), **visado del certificado de origen** (endorsement of certificate of origin), **visar** (visa; endorse)].

visita *n*: visit, call, tour of inspection, round[2]. [Exp: **visita a clientes** (COM call[8] [on customers]), **visita a domicilio** (home visit), **visita comercial** (COM business call/visit), **visita comercial sin previo aviso** (COM cold call), **visita de negocios** (business call), **visitar** (visit, call in/round), **visitar/ir a ver a clientes** (call on customers/clients)].

vista[1] *n*: sight. [Exp: **vista**[2] (LAW hearing; S. *juicio*), **vista**[3] (customs inspector, customs officer/appraiser, collector of a port;, the customs; S. *administrador de aduanas*), **vista, a la** (BKG, FIN at/on sight, at call, on demand; S. *exigible en cualquier momento*), **vista oral** (LAW hearing, public hearing, trial proper, trial of an action)].

visto bueno *phr*: approval, seal of approval; go-ahead *col*; green light *col*, OK *col*; all-clear, countersignature.

vitalicio *a*: for life, life; S. *de por vida.*

vitrina *n*: ADVTG showcase, display cabinet/case, glass case, visual display unit; S. *expositor, escaparate.*

viva voz, de *n*: STK & COMMOD EXCH in/by open outcry; S. *por voceo; corro; contratación a viva voz.*

víveres *n*: provisions, victuals; S. *provisiones.*

vivienda *n*: housing; tenement, dwelling, dwelling-house; block of flats. [Exp: **vivienda de protección oficial** (subsidized housing, cheaply-priced housing conforming to government standards and subject to special credit arrangement; corporation housing, council housing; public housing *US*),

vivienda social (council housing, public housing *US*), **viviendas multifamiliares** (multidwelling houses)].

vivir *n*: reside, live; S. *residir.*

vocación *n*: vocation, calling; S. *ocupación, empleo, oficio.*

vocal *n*: COMP LAW member, ordinary member, rank-and-file member, committee board, member of the board; S. *consejero.* [Exp: **vocal de un consejo o junta** (board member/boardmember), **vocal de una comisión, ser** (sit on a committee), **vocal del Consejo de Administración de una sociedad** (SOC company director, member of the board of directors; S. *directivo de una empresa, consejero*), **vocal suplente/sustituto** (alternate member), **vocal titular** (regular member, full member)].

voceo, por *phr*: STK EXCH in/by open cry; S. *corro.*

volátil, voluble *a*: volatile, unstable, erratic, unpredictable; S. *imprevisible, inestable, cambiante.* [Exp: **volatilidad** (STK & COMMOD EXCH volatility, instability), **volatilidad real media** (STK & COMMOD EXCH average true range, ATR)].

volumen *n*: volume, measurement, size; S. *cubicación, aforo, arqueo, medida, dimensión; peso.* [Exp: **volumen comercial o de contratación** (trading volume, volume of dealings; S. *amplitud/liquidez de un mercado*), **volumen de edificabilidad** (rate, class and nature of building allowed on a given piece of land; S. *edificabilidad, terreno edificable*), **volumen de ganancias** (profit size), **volumen de mercado** (market volume), **volumen de negocios/ventas** (COM total sales revenue, turnover; trading volume; S. *cifra de las transacciones, facturación, giro de negocios*), **volumen de trabajo** (workload; S. *carga laboral*), **volumen de transacciones en Bolsa** (trading volume,

volume of trade, stock exchange turnover; S. *movimiento bursátil*), **volumen del contingente** (quota amount), **volumen general de operaciones de un valor bursátil** (STK EXCH on-balance volume; S. *balance de volumen*), **volumen negociado** (STK & COMMOD EXCH volume of trade, trading turnover), **volumen total** (aggregate volume), **voluminoso** (bulky; S. *pesado*)].

voluntad, a *phr*: STK EXCH voluntary transaction.

volver *v*: return, go/come back. [Exp: **volver a asumir** (reassume; S. *arrogarse de nuevo*), **volver a comprar** (STK EXCH buy back; S. *rescatar*), **volver a comprobar** (cross-check, recheck, check again), **volver a contratar** (IND REL readmit; S. *readmitir*), **volver a descender** (STK EXCH fall back, go down again, go back down; S. *perder terreno*), **volver a empaquetar** (repackage[1]; S. *dotar de nuevo envoltorio*), **volver a la fama** (COM stage/make a comeback; S. *remontar dificultades*), **volver a llenar** (replenish; S. *rellenar*), **volver a plantear** (restate[1]; S. *exponer con otros términos*), **volver a presentar** (re-present, resubmit), **volver a solicitar** (reapply; S. *volverse a presentar*), **volver a tomar** (take back; S. *devolver, revocar*), **volverse a presentar** (reapply; send in or submit a new/further application; S. *volver a solicitar*), **volverse atrás** (back down, withdraw, pull out *col*; S. *enfriarse, distanciarse*), **volverse atrás en un contrato** (withdraw/recede from a contract; S. *retractarse*)].

voracidad *n*: voracity, voraciousness, greed. [Exp: **voracidad fiscal** (the all-devouring tax system *col*; the unappeasable hunger of the tax authorities)].

votación *n*: voting, ballot, poll; S. *elecciones*.

[Exp: **votación a mano alzada** (vote by show of hands), **votación a una sola vuelta** (single ballot), **votación en segunda vuelta** (second ballot), **votación oral** (oral vote), **votación secreta** (secret vote, secret ballot), **votante** (voter; S. *elector*), **votantes indecisos** (floating voters; S. *horquilla*), **votar** (vote, poll, have the vote, have voting rights), **voto** (vote; S. *sufragio, votación*), **voto de calidad, dirimente, preponderante o decisivo** (casting vote), **voto de castigo o de protesta** (protest vote), **voto de tanteo o no oficial** (straw vote), **voto mayoritario** (majority decision/vote), **voto nominal** (vote by roll call), **voto por aclamación** (vote by acclamation), **voto por poder** (vote by proxy, proxy vote), **voto secreto** (secret vote/ballot)].

vuelo *n*: TRANSPT flight. [Exp: **vuelo de corto recorrido** (short-haul flight), **vuelo no regular** (charter flight; S. *vuelo fletado o charter*), **vuelo regular** (scheduled flight), **vuelo sin escala** (non-stop flight)].

vuelta[1] *n*: twist, turn, spin; S. *giro, rotación*. [Exp: **vuelta[2]** (return, journey, home trip/leg), **vuelta[3]** (volte-face, about-turn *col*; turnaround, reversal), **vuelta[4]** (change[2]; S. *moneda, suelto*), **vuelta a la fama, la gloria o la importancia anterior** (COM comeback; S. *remontada*), **vuelta a la intermediación** (re-intermediation), **vuelta al patrón oro** (return to the gold standard), **vuelta de correo, a** (by return of post)].

vulnerable *a*: vulnerable; at risk; open to abuse. [Exp: **vulnerabilidad** (vulnerability, exposure), **vulnerabilidad de los márgenes de explotación** (vulnerability of profit margins)].

vulneración *n*: LAW breach, violation, infringement; S. *infracción, incumplimiento*. [Exp: **vulnerar** (infringe, breach, break[1]; S. *infringir, violar*)].

X

xerocopia *n*: photocopy, copy; xerox; S.
fotocopiar, fotocopia.

Y

y compañía *phr*: and Company, and Co., & Co; S. *sociedad anónima*.

yacimiento *n*: deposit; bed. [Exp: **yacimiento de minerales** (ore depopsit), **yacimiento petrolífero** (oilfield), **yacimiento petrolífero submarino** (offshore oilfield)].

yarda *n*: yard.

yerro *n*: error; S. *equivocación, error*.

Z

zona *n*: zone, area, district, sector, region, territory; S. *región, territorio, sector, polígono*. [Exp: **zona aduanera** (customs area), **zona anterior del puerto** (outport), **zona bancaria franca** (offshore banking centre), **zona comercial** (trading area; shopping district/precinct/centre, business district; S. *centro comercial*), **zona comercial peatonal** (shopping precinct), **zona de desarrollo empresarial** (enterprise zone), **zona de influencia** (power base; S. *fuente del apoyo*), **zona de la libra esterlina** (sterling area), **zona de libre cambio** (free economic zone, free trade zone, duty-free port/zone, free port, export processing zone, foreign trade zone, special economic zone; S. *área aduanera exenta, zona franca industrial, puerto franco, zona franca*), **Zona de Libre Comercio de Australia y Nueva Zelanda** (Australia, New Zealand Commercial and Economic Trade Area, ANZCERTA), **Zona de Libre Comercio del Caribe** (Caribbean Free Trade Area, CARIFTA), **zona de pobreza** (blighted area; poor district; slum), **zona de preferente localización agrícola, industrial** (farming/agrobusiness subsidized area, industrial subsidized area, subsidized area), **zona de preferente localización industrial agraria** (subsidized area), **zona de soberanía económica** (exclusive economic zone, EEZ), **zona de turbulencia** (TRANSPT air pocket), **zona de urbanización prioritaria** (special development area; S. *swing credit*), **zona de urgente reestructuración** (priority redevelopment area), **zona declarante** (reporting area), **zona del dolar** (dollar area), **zona deprimida** (ECO distressed/depressed area/district), **zona edificada o urbanizada** (built-up area), **Zona Europea de Libre Comercio** (European Free Trade Area), **zona franca, zone franca industrial** (free economic zone, free trade zone, duty-free port/zone, free port, export processing zone, foreign trade zone, special economic zone; S. *zona de libre cambio, área aduanera exenta, zona franca industrial, puerto franco*), **zona gris** (grey area), **zona industrial en régimen de franquicia aduanera** (bonded industrial estate), **zona marítima aduanera** (customs maritime zone), **zona residencial** (residential estate/district/area)].

zozobra *n*: anxiety, worry, jumpiness. [Exp: **zozobrar**[1] (TRANSPT capsize, overturn, founder), **zozobrar**[2] (founder, fail, collapse, go up in a puff of smoke *col*)].